[illegible] por iniciativa y bajo la coordinación de [illegible] Francis Lefebvre. [illegible] en esta edición:

Jos[illegible]
Abo[illegible]
Cap[illegible] Capítulo [illegible]

Marta FLORES SEGURA
Profesora titular de Derecho mercantil en Universidad Autónoma de Madrid y Of Counsel de Baker McKenzie
Revisión Capítulo [illegible]

Juan GAITÁN REBOLLO
Gaitán Abogados
Capítulo [illegible]

Manuel LOBATO GARCÍA-MIJÁN
Profesor Titular de Derecho mercantil en excedencia en Universidad Autónoma de Madrid y Abogado Of Counsel de [illegible]
Capítulo [illegible]

Jorge MEDINA SÁNCHEZ-SECO
Técnico de la Comisión Nacional del Mercado de Valores
Revisión Capítulo [illegible]

Juan Pablo MURGA FERNÁNDEZ
Profesor Titular de Derecho Civil en Universidad de Sevilla
Revisión Capítulo [illegible]

Alberto PÉREZ MAROTO
Técnico de la Comisión Nacional del Mercado de Valores
Revisión Capítulo [illegible]

José María SÁNCHEZ GARCÍA
Catedrático en Universidad de Sevilla
Revisión Capítulo [illegible]

Colaboraron en ediciones anteriores: José Pablo Aparicio Vaquero; Alfredo Batuecas Caletrío; José Ignacio Buñol Sánchez; Ignacio Gómez-Sancha Trueba; [illegible]; Santiago Martín Gil; Francisco Navarro [illegible] Rodríguez; Isabel Ramos Herranz; Francisco Javier Sigüenza Hernández; Baker & McKenzie, SLP.

© FRANCIS LEFEBVRE
LEFEBVRE-EL DERECHO, S.A.
c/ Monasterio de Suso y Yuso, 34. 28049 Madrid
clientes@lefebvre.es
www.efl.es
Precio: [illegible] € (IVA incluido)

ISBN: [illegible]
ISSN: [illegible]
Depósito legal: M-[illegible]-2024

Impreso en España

Es una obra colectiva, realizada por iniciativa y bajo la coordinación de
Francis Lefebvre.
Colaboración en esta edición:

José Carlos ERDOZÁIN LÓPEZ
(Abogado y Doctor en Derecho)
Capítulos 3 y 10. Revisión Capítulo 15

Marta FLORES SEGURA
(Profesora titular de Derecho mercantil en Universidad Autónoma de Madrid y Of Counsel de Baker McKenzie)
Revisión Capítulo 7 y 12

Juan GAITÁN REBOLLO
(Gaitán Abogados)
Capítulo 11

Manuel LOBATO GARCÍA MIJÁN
(Profesor Titular de Derecho mercantil en excedencia en Universidad Autónoma de Madrid y Abogado Of Counsel de Bird & Bird)
Capítulo 4

Jorge MEDINA SÁNCHEZ SECO
(Técnico de la Comisión Nacional del Mercado de Valores)
Revisión Capítulo 13

Juan Pablo MURGA FERNÁNDEZ
(Profesor titular de Derecho Civil en Universidad de Sevilla)
Revisión Capítulo 6

Alberto PÉREZ MAROTO
(Técnico de la Comisión Nacional del Mercado de Valores)
Revisión Capítulo 13

José María SÁNCHEZ GARCÍA
(Catedrático en Universidad de Sevilla)
Revisión Capítulo 6

Colaboraron en ediciones anteriores: Juan Pablo Aparicio Vaquero; Alfredo Batuecas Caletrío; José Ignacio Bonet Sánchez; Ignacio Gómez-Sancha Trueba; Monika Holtmann Ydoate; Santiago Martín Gil; Francisco Navarro Gancedo-Rodríguez; Isabel Ramos Herranz; Francisco Javier Sigüenza Hernández; Baker & McKenzie, EPE

LEFEBVRE-EL DERECHO, S.A.
c/ Monasterios de Suso y Yuso, 34. 28049 Madrid
clientes@lefebvre.es
www.efl.es
Precio: 124,80 € (IVA incluido)

ISBN: 978-84-19896-78-0
ISSN: 1579-2846
Depósito legal: M-12435-2024

Impreso en España

¿Qué es ACTUM?

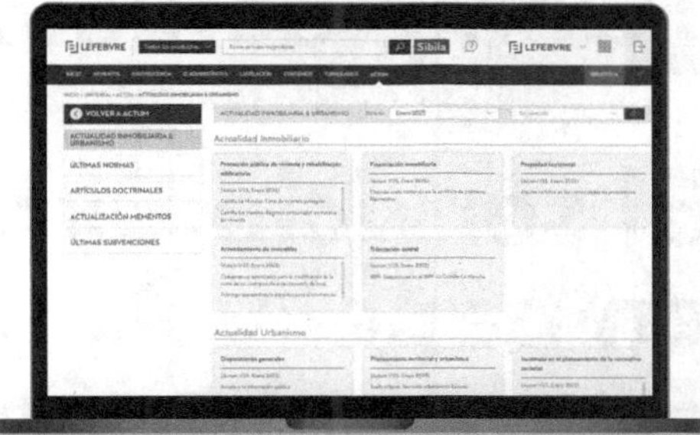

EL SISTEMA DE PUESTA AL DÍA EN MATERIA MERCANTIL MÁS POTENTE Y EFICAZ DEL MERCADO.

El único sistema que, al igual que los Mementos, permite conocer rápidamente la actualidad y **acceder de forma directa**, sin rodeos, a un análisis práctico y riguroso de aquellas **novedades normativas, doctrinales o jurisprudenciales** que nos interesan.

ACTUM sintetiza la información, la estructura según su importancia y elimina lo accesorio para que vayas **directamente a lo esencial** de la novedad.

1 ESTAR INFORMADO DE LA ACTUALIDAD

SISTEMA DE ALERTA VÍA E-MAIL: INMEDIATEZ.
Recibirás periódicamente un e-mail de alerta con los enunciados de las últimas novedades.

CONTENIDOS ON LINE: EXHAUSTIVIDAD.
Desde nuestra web, **lefebvre.es/tienda**, o desde los enunciados de las alertas puedes acceder al análisis detallado de las novedades y a los textos de la fuente que las origina.

2 ACTUALIZAR TUS MEMENTOS

BÚSQUEDA ON LINE DE LA NOVEDAD: FACILIDAD
Encontrarás todas las novedades de tus Mementos en la web de ACTUM.

Varios sistemas de búsqueda (por número de párrafo de cada Memento, por texto libre o por sumario) te permitirán acceder de inmediato a los nuevos textos actualizados de todos tus Mementos.

¿Cómo actualizar tu Memento?

El servicio Extras Mementos en papel y Actum Mercantil son la solución

1 SERVICIO EXTRA MEMENTOS EN PAPEL

El Memento Contratos Mercantiles 2024-2025 incluye el acceso gratuito en **extramementos.lefebvre.es** a un sistema con el que podrás verificar en cualquier momento si el **contenido de un párrafo** (nº marginal) del Memento **ha sido modificado** por una novedad normativa, doctrinal o jurisprudencial, así como acceder a otros textos que complementan los contenidos del Memento.

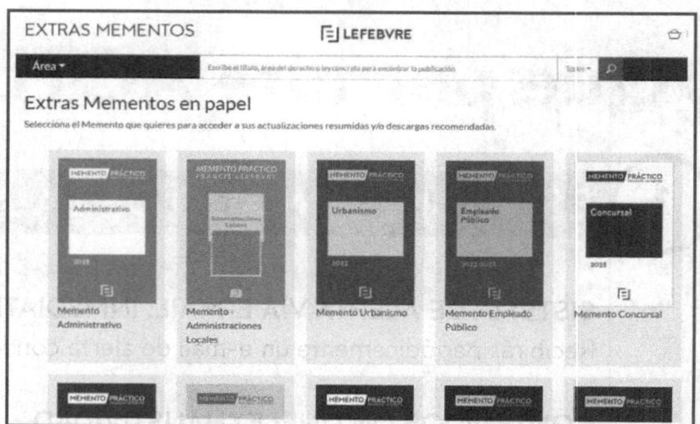

2 ACTUM MERCANTIL

Es el sistema de puesta al día en materia laboral más potente y eficaz del mercado. El único que te permite acceder de inmediato, no sólo a los textos íntegros de las **novedades normativas, doctrinales y jurisprudenciales** que acaban de producirse, sino también a un análisis riguroso de sus **consecuencias prácticas**, con el mismo rigor de los Mementos, a los que mantiene siempre actualizados.

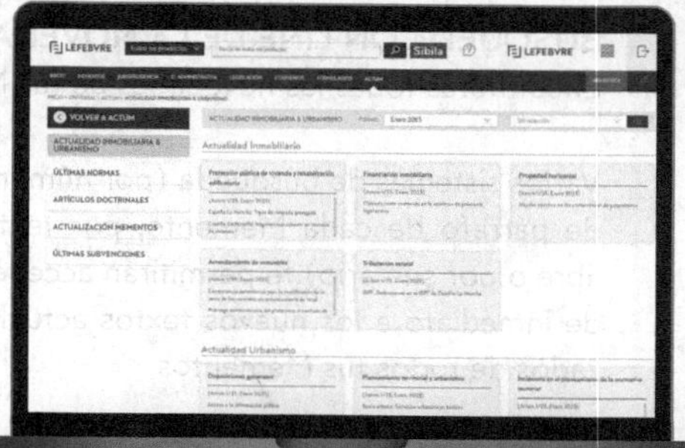

Realiza tu pedido

REMÍTENOS ESTE CUPÓN DE LA FORMA QUE MÁS TE INTERESE.

Fax	Teléfono	E-mail	Calle Monasterios de Suso y Yuso, 34
91 578 16 17	91 210 80 00	clientes@lefebvre.es	28049 Madrid

TÍTULO	PRECIO*	UDS.	IVA	TOTAL
Actum Mercantil-Contable 2024 Internet + Email. Oferta válida hasta 31 de marzo de 2025.	124€			
			21% IVA	
			TOTAL	

*Este precio no incluye 21% IVA.

Si los datos de facturación son diferentes háznoslo saber en el teléfono, fax o e-mail indicados.

Nº cliente: ....

Nombre: .... Apellidos: ....

Empresa: ....

Dirección: ....

C.P.: .... Población.: ....

IMPRESCINDIBLE

N.I.F./C.I.F.: .... Tfno. /Fax.: ....

Profesión: .... Actividad de la empresa: ....

Dpto.: .... Cargo: ....

Firma y fecha:

☐ **TRANSFERENCIA.** Remítenos este cupón y realiza una transferencia a nuestra cuenta (IBAN): ES11-0081-5136-7100 0146 9755. **Importante:** haz referencia al nº de tu factura para identificar tu pago.

☐ **DOMICILIACIÓN BANCARIA.** Titular ....

E S				
IBAN	Nº Banco	Nº Sucursal	D.C.	Nº Cuenta

☐ **TALÓN NOMINATIVO.** Adjunta talón bancario a nombre de Lefebvre-El Derecho S.A. **Importante:** haz referencia al número de tu factura para identificar tu pago.

Información sobre el tratamiento de tus datos personales: el responsable del tratamiento de tus datos es Lefebvre el Derecho, S.A., su finalidad es poder gestionar tu solicitud y la legitimación para hacerlo es la propia ejecución del contrato y prestación de servicios. Los destinatarios de tus datos podrán ser entidades financieras para gestión de pago. Tienes el derecho a acceder, rectificar y suprimir los datos, así como otros derechos que puedes consultar en la información adicional y detallada sobre Protección de Datos a tu disposición en https://lefebvre.es/politica-privacidad/.

Servicio gratuito de actualización de marginales en Internet

El Memento Contratos Mercantiles 2024-2025 incluye un sistema de **verificación de novedades** que te permitirá tomar decisiones con seguridad de forma permanente.

Con este **sistema gratuito** reservado a los compradores del Memento, podrás acceder a nuestra web, y desde allí **verificar** si **el contenido** de un párrafo del Memento Contratos Mercantiles 2024-2025 ha sido modificado por una novedad normativa, doctrinal o jurisprudencial.

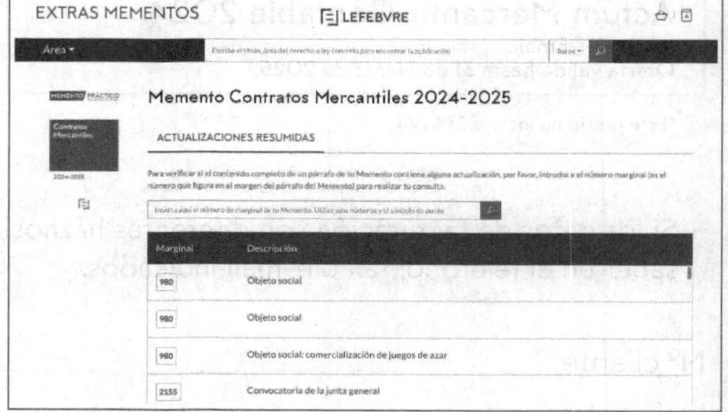

¿Cómo funciona esta puesta al día?

1. Una vez consultado el Memento Contratos Mercantiles 2024-2025, para verificar si el contenido de un párrafo concreto se ha visto afectado por una novedad normativa, doctrinal o jurisprudencial, entra en nuestra página web, www.lefebvre.es/tienda

2. Dentro de la página principal de nuestra web dirígete al apartado "Iniciar sesión", y después pincha en "Extras Mementos". Haz clic en el Memento Contratos Mercantiles 2024-2025.

3. Introduce el número marginal (número que figura en el margen del párrafo del Memento) y al instante comprobarás si el párrafo del Memento ha sido modificado. En caso afirmativo, visualizarás de forma inmediata un breve resumen de la información que la sustituye.

Para acceder a un análisis exhaustivo de la novedad de cada marginal, así como a los textos completos de la norma, doctrina o jurisprudencia origen de la novedad, **ponemos a tu disposición ACTUM**. Encontrarás información detallada en las páginas anteriores.

MÁS INFORMACIÓN EN EL 91 210 80 00 Y EN TU LIBRERÍA HABITUAL

Contratos Mercantiles

2024-2025

Fecha de edición: 1 de mayo de 2024

Plan general

Abreviaturas

AEAT	Agencia Estatal de la Administración Tributaria
AN	Audiencia Nacional
AP	Audiencia Provincial
art.	artículo/s
ASP	Application Service Provider
BE	Banco de España
BOE	Boletín Oficial del Estado
BOPI	Boletín Oficial de la Propiedad Industrial
CC	Código Civil
CCAA	Comunidades Autónomas
CCI	Cámara de Comercio Internacional
CCom	Código de Comercio
Circ	Circular
CNMC	Comisión Nacional de los Mercados y la Competencia
CNMV	Comisión Nacional del Mercado de Valores
CNUCI	Convención de las Naciones Unidas sobre los Contratos de Compraventa Internacional de Mercaderías
Const	Constitución Española
CP	LO 10/1995 Código Penal
CPE	Convenio Munich 5-10-1973, sobre concesión de patentes europeas
CUP	Convenio Internacional 20-3-1883, de la Unión de París para la Protección de la Propiedad Industrial
DGE	Dirección General de Empleo
DGRN	Dirección General de los Registros y del Notariado
DGSJFP	Dirección General de Seguridad Jurídica y Fe Pública
DGT	Dirección General de Tributos
DGTr	Dirección General de Trabajo
Dir	Directiva
EBT	Empresa de Base Tecnológica
EDJ	El Derecho Jurisprudencia
EFC	Establecimiento financiero de crédito
ET	RDLeg 2/2015 Texto Refundido de la Ley del Estatuto de los Trabajadores
FMI	Fondo Monetario Internacional
FROB	Fondo de Reestructuración Ordenada Bancaria
IAE	Impuesto sobre Actividades Económicas
Instr	Instrucción
IPC	Índice de Precios al Consumo
IPF	Imposición a plazo fijo
JPI	Juzgado de Primera Instancia
JAT	Junta arbitral del transporte
L	Ley
LAR	L 49/2003 de Arrendamientos Rústicos
LArb	L 60/2003 de Arbitraje
LAU	L 29/1994 de Arrendamientos Urbanos
LCA	L 12/1992 del Contrato de Agencia
LCC	L 19/1985 Cambiaria y del Cheque
LCCo	L 16/2011 de Contratos de Crédito al Consumo
LCon	RDLeg 1/2020 Texto Refundido de la Ley Concursal
LCon/03	L 22/2003 Concursal (derogada)

LCD	L 3/1991 de Competencia Desleal
LCGC	L 7/1998 sobre Condiciones Generales de la Contratación
LCSP	L 9/2017 de Contratos del Sector Público
LDC	L 15/2007 de Defensa de la Competencia
LEC	L 1/2000 de Enjuiciamiento Civil
LECr	Ley de Enjuiciamiento Criminal (RD 14-9-1882)
LGDCU	RDLeg 1/2007 Texto Refundido de la Ley General para la Defensa de los Consumidores y Usuarios
LGPu	L 34/1988 General de Publicidad
LGT	L 58/2003 General Tributaria
LH	Ley Hipotecaria
LHMPSD	L 16-12-1954 de Hipoteca Mobiliaria y Prenda sin Desplazamiento
LIIC	L 35/2003 de Instituciones de Inversión Colectiva
LIP	L 19/1991 del Impuesto sobre el Patrimonio
LIRPF	L 35/2006 del Impuesto sobre la Renta de las Personas Físicas
LIS	L 27/2014 del Ley del Impuesto sobre Sociedades
LITP	RDLeg 1/1993 Texto Refundido de la Ley del Impuesto sobre Transmisiones Patrimoniales y Actos Jurídicos Documentados
LIVA	L 37/1992 del Impuesto sobre el Valor Añadido
LM	L 17/2001 de Marcas
LMV	L 6/2023 de los Mercados de Valores y de los Servicios de Inversión
LMV/15	RDLeg 4/2015 Texto Refundido de la Ley del Mercado de Valores (derogada)
LMV/88	L 24/1988 del Mercado de Valores (derogada)
LNA	L 48/1960 sobre Navegación Aérea
LNM	L 14/2014 de Navegación Marítima
LOCM	L 7/1996 de Ordenación del Comercio Minorista
LOPD	LO 3/2018 de Protección de Datos Personales y garantía de los derechos digitales
LOPJ	LO 6/1985 del Poder Judicial
LOSSEAR	L 20/2015 de Ordenación, Supervisión y Solvencia de las Entidades Aseguradoras y Reaseguradoras
LOTT	L 16/1987 de Ordenación de los Transportes Terrestres
LP	L 24/2015 de Patentes
LPH	L 49/1960 de Propiedad Horizontal
LPAC	L 39/2015 de Procedimiento Administrativo Común de las Administraciones Públicas
LPI	RDLeg 1/1996 Texto Refundido de la Ley de Propiedad Intelectual
LRJSP	L 40/2015 de Régimen Jurídico del Sector Público
LSC	RDLeg 1/2010 Texto Refundido de la Ley de Sociedades de Capital
LSSI	L 34/2002 de Servicios de la Sociedad de la Información y de Comercio Electrónico
LVPBM	L 28/1998 de Venta a Plazos de Bienes Muebles
MITMA	Ministerio de Transportes, Movilidad y Agenda Urbana
MUE	Marca de la Unión Europea
NRV	Normas de Registro y Valoración
núm	número
OEPM	Oficina Española de Patentes y Marcas
OM	Orden Ministerial
OPA	Oferta Pública de Adquisición de Acciones
OPV	Oferta Pública de Venta de Valores
OPS	Oferta Pública de Suscripción de Valores
PGC	RD 1514/2007 Plan General de Contabilidad
PGC PYMES	RD 1515/2007 Plan General de Contabilidad Pequeñas y Medianas Empresas
RDL	Real Decreto-Ley
RDLeg	Real Decreto Legislativo
RD	Real Decreto

Rec	Recurso
RECATT	Rgto CE/772/2004 Aplicación del art.81 aptdo.3 del Tratado a determinadas categorías de acuerdos de transferencia de tecnología
Resol	Resolución
Rgto	Reglamento
RITP	RD 828/1995 Reglamento del Impuesto sobre Transmisiones Patrimoniales y Actos Jurídicos Documentados
RMa	RD 687/2002 Reglamento de Marcas
ROTT	RD 1211/1990 Reglamento de Ordenación de los Transportes Terrestres
SEPBLAC	Servicio Ejecutivo de la Comisión de Prevención del Blanqueo de Capitales e Infracciones Monetarias
SICAV	Sociedad de Inversión de Capital Variable
SMN	Sistema multilateral de negociación
SNCE	Sistema Nacional de Compensación Electrónica
SOC	Sistema organizado de contratación
TCo	Tribunal Constitucional
TDC	Tribunal de Defensa de la Competencia
TEAC	Tribunal Económico-Administrativo Central
TEDR	Tipo Efectivo de Definición Restringida
TG	Tribunal General (UE)
TJUE	Tribunal Justicia Unión Europea
TS	Tribunal Supremo
TSJ	Tribunal Superior de Justicia
TFUE	Tratado de Funcionamiento de la Unión Europea
TUE	Tratado de la Unión Europea
UCP 600	Reglas y Usos Uniformes para Créditos Documentarios (Publicación 600 de la CCI. Revisión 2007)
UE	Unión Europea
UNCITRAL	Comisión de las Naciones Unidas para el derecho mercantil internacional (United Nations Commission on International Trade Law)

CAPÍTULO 1

Consideraciones generales sobre la contratación mercantil

50

La actividad mercantil es, esencialmente, una **actividad mediadora** en el desplazamiento de cosas, derechos o servicios de un patrimonio a otro, o de un titular a otro. El contrato, el principal instrumento de circulación de valores patrimoniales. Por ello, puede afirmarse que el derecho mercantil es predominantemente un derecho de obligaciones y de contratos, cuya **finalidad** fundamental es hacer posible el tráfico jurídico. 52

En el presente capítulo se aborda el estudio del contrato mercantil como medio jurídico a través del cual las **empresas** realizan su actividad económica, bien con otras empresas, bien con el sector de los consumidores.

SECCIÓN 1

Régimen general

55

A. Consideraciones previas

Se entiende por **contrato** todo acuerdo de voluntades entre dos o más personas dirigido a crear obligaciones entre ellas. Esta definición se deduce de la conjunción de los siguientes **elementos**: 60

- consentimiento común;
- creación de una obligación; y
- fuerza de ley entre las partes.

La anterior definición es aplicable en todos sus términos al **contrato mercantil**. De hecho, la **función** del contrato es la misma en el tráfico mercantil que en el civil, esto es, la circulación de bienes y derechos. Es más, salvo contadas excepciones, los contratos regulados en el Código de Comercio tienen su homónimo en el Código Civil.

Respecto a la **categorización** de un contrato específico como mercantil, la misma se deriva de:

- que esté **regulado** en el Código de Comercio;
- la participación de un **empresario** en el contrato, vinculándolo a su actividad personal; y
- la producción del contrato en el contexto de una **actividad empresarial** mercantil.

Concepto de empresario (CCom art.1; LGDCU art.4) Los individuos que tienen la capacidad legal para comerciar y lo hacen de manera regular, así como las compañías comerciales o industriales establecidas de acuerdo con el CCom, son considerados empresarios. 62

En otras palabras, se define como empresario la **persona física o jurídica** que, por sí o por medio de representantes, desarrolla, en nombre propio y de manera organizada y profesional, una actividad económica dirigida a la producción o a la mediación de bienes o de servicios para el mercado.

Para ser considerado **empresario individual**, es necesario tener la capacidad legal (ver nº 110 s.) y ejercer la actividad mercantil de manera habitual. La **habitualidad** en el ejercicio del comercio se presume desde que la persona que se proponga ejercerlo anuncie por circulares, periódicos, carteles, rótulos expuestos al público, o de otro modo cualquiera, un establecimiento que tenga por objeto alguna operación mercantil (CCom art.3).

Pero la condición de comerciante o empresario requiere no solo el dato real de actividad profesional con habitualidad, constancia, reiteración de actos, exteriorización y ánimo de lucro, sino también un dato de significación jurídica, que consiste en el ejercicio del comercio **en propio nombre** y en la atracción hacia el titular de la empresa de las consecuencias jurídicas de la actividad empresarial (TS 17-12-87, EDJ 9408; 16-4-12, EDJ 89302).

Por lo que se refiere a las **sociedades de capital** (SRL, SA, SComA), ha de tenerse presente que el criterio de la mercantilidad por la forma que impone la LSC art.2 supone que siempre serán mercantiles y, por consiguiente, tendrá la consideración de empresario, presumiéndose su ánimo de lucro (TS 30-1-17, EDJ 5821; 3-6-19, EDJ 600273; 20-1-20, EDJ 504541; auto 21-6-23, EDJ 604417).

Precisiones **1)** Aunque el CCom utiliza la palabra **comerciante**, desde la aplicación de la L 19/1989, se reconoce a los términos comerciante y empresario como sinónimos en el ámbito del Derecho mercantil.

2) La mera percepción de préstamos destinados a actos del comercio, aunque cualifique a los contratos como mercantiles, no es suficiente para atribuir la cualidad de comerciante a una persona, si falta la habitualidad o profesionalidad en el quehacer y el **ánimo de lucro** (TS 17-12-87, EDJ 9408).

3) No se adquiere la condición de empresario por el hecho de ser **socio** de una compañía, ni tampoco por ostentar la condición de **administrador**, ni por haber afianzado o avalado las deudas de la sociedad (TS 16-4-12, EDJ 89302; AP Valencia auto 16-3-21, EDJ 571673; JM Santander auto 7-3-22, EDJ 629844).

4) El **Anteproyecto de ley código mercantil** considera empresario (art.001-2) a las personas físicas que ejerzan o en cuyo nombre se ejerza profesionalmente una actividad económica organizada de producción o cambio de bienes o de prestación de servicios para el mercado, incluidas las actividades agrarias y las artesanales.

5) A efectos del **IVA**, tienen la consideración de empresario o profesional, además de quienes realizan de forma habitual actividades empresariales o profesionales, las personas o entidades que realizan algunas de las actividades que se enumeran en la LIVA art.5.1, aunque sea de forma ocasional. Además, el **ánimo de lucro** o su ausencia, son irrelevantes para calificar a una persona como empresario o profesional a los efectos del impuesto (LIVA art.4.Tres). Ver nº 9142 Memento Fiscal 2024.

64 A los efectos de la aplicación de la Ley General de Defensa de los Consumidores y Usuarios (LGDCU), es crucial la **distinción entre empresario y consumidor**. La ley otorga a aquellos considerados consumidores un estatus privilegiado que los protege de las cláusulas del contrato que puedan considerarse abusiva. Además, les reconoce derechos especiales de información, desistimiento y garantías respecto a los servicios y productos adquiridos, que difieren de los derechos en las relaciones comerciales entre empresarios.

En este contexto, se consideran **consumidores** o usuarios las personas físicas que actúan con un **propósito ajeno a su actividad** comercial, empresarial, oficio o profesión, así como las personas jurídicas y las entidades sin personalidad que, sin ánimo de lucro, actúen fuera de un ámbito comercial o empresarial. En resumen, el consumidor interviene en las relaciones de consumo con fines estrictamente privados, contratando bienes y servicios como **destinatario final**, sin incorporarlos -ni directa ni indirectamente- a procesos de producción, comercialización o prestación a terceros (LGDCU art.3).

Estas definiciones, que giran alrededor del criterio negativo de la actividad profesional o empresarial (TS 29-4-21, EDJ 544658; 11-10-21, EDJ 715881; 17-11-23, EDJ 752233), deben ser **interpretadas de forma restrictiva**, en relación con la posición de esta persona en un contrato determinado y con la naturaleza y la finalidad de este, y no con la situación subjetiva de dicha persona, dado que una misma persona puede ser considerada consumidor respecto de ciertas operaciones y operador económico respecto de otras. Por consiguiente, solo a los contratos celebrados fuera e independientemente de cualquier actividad o finalidad profesional, con el único objetivo de satisfacer las propias necesidades de consumo privado de un individuo, les es de aplicación el régimen específico establecido para la protección del consumidor como parte considerada más débil, mientras que esta protección no se justifica en el caso de contratos cuyo objeto consiste en una actividad profesional (TJUE 25-1-18, C-498/16; 14-2-19, C-630/17).

Es decir, el concepto de consumidor viene referido al ámbito objetivo de la operación y no a la personalidad del contratante (TS 10-3-14, EDJ 30166; 16-1-17, EDJ 534; 5-4-17, EDJ 37049; 7-11-17, EDJ 232881; 10-1-18, EDJ 731, entre otras). Lo relevante es, pues, la **finalidad profesional** (TJUE 2-4-20, C-500/18).

El **ánimo de lucro** no excluye necesariamente la condición de consumidor de una persona física, por cuanto se considera posible una actuación, en un ámbito ajeno a una actividad empresarial o profesional, que se realice con ánimo de lucro (TS 16-1-17, EDJ 534; TJCE 25-10-05, asunto Schulte C-350/03; 10-4-08, asunto Hamilton C-412/06; TJUE 3-9-15, asunto C-110/14). No obstante, cabría considerar que el ánimo de lucro del consumidor persona física debe referirse a la operación concreta en que tenga lugar, puesto que si el consumidor puede actuar con afán de enriquecerse, el límite estará en aquellos supuestos en que realice estas actividades con **regularidad** (comprar para inmediatamente revender sucesivamente inmuebles, acciones, etc.), ya que de realizar varias de esas operaciones asiduamente en un período corto de tiempo, podría considerarse que, con tales actos, realiza una actividad empresarial o profesional, dado que la habitualidad es una de las características de la cualidad legal de empresario, conforme establece el CCom art.1.1º (TS 16-1-17, EDJ 534; 15-2-17, EDJ 12281; 27-6-23, EDJ 611762).

Precisiones **1) Contratos con doble finalidad**. Cuando una persona que celebra un contrato con una doble finalidad, para un uso que está relacionado parcialmente con su actividad profesional y, parcialmente, con fines privados, el TJUE ha considerado que podría invocar las mencionadas disposiciones únicamente en el supuesto de que el vínculo de dicho contrato con la actividad profesional de esa persona fuera tan tenue que pudiera considerarse marginal y, por tanto, tuviera un papel insignificante en el contexto de la operación, considerada globalmente, respecto de la cual se hubiera celebrado el contrato (TJUE 25-1-18, C-498/16; 14-2-19, C-630/17). 66

Así, cuando la **finalidad predominante** de un préstamo es la adquisición de un local comercial, cuyo objeto típico es el desarrollo de una actividad profesional o empresarial, se excluye la condición de consumidor para los prestatarios (TS 18-1-22, EDJ 501101; 14-6-22, EDJ 606853).

2) Adquisición de inmueble para alquiler. Aunque la adquisición de un inmueble para su arrendamiento a terceros pueda implicar la intención de obtener un beneficio económico, si esa actuación no forma parte de una actividad comercial, empresarial o profesional de esa persona física que la realiza, no deja de ser un acto de consumo (TS 13-6-18, EDJ 103949). Es decir, no es lo mismo dedicar un inmueble a arrendamiento, aunque se obtenga un lucro, siempre que esa actividad arrendaticia no suponga una actuación profesional, que desempeñar una actividad empresarial o profesional en un local para cuya adquisición se pide el préstamo, o dedicarlo a una actividad profesional de arrendamiento de inmuebles (TS 29-3-22, EDJ 532114; 27-6-23, EDJ 611762).

3) Condición de consumidor en contratos de préstamo. El concepto de consumidor en un contrato de préstamo no depende de la condición subjetiva del contratante, sino del **destino de la operación** (TS 3-6-16, EDJ 80313; 18-7-23, EDJ 632547). Así, si el préstamo se concede, por ejemplo, para la adquisición de un local comercial (TS 22-1-24, EDJ 501895; 28-6-23, EDJ 611761), para constituir una sociedad mercantil (TS 22-11-22, EDJ 745639) o para cancelar las deudas de la sociedad mercantil (TS 14-6-22, EDJ 606809), la condición de consumidor no aplica y, por tanto, no proceden los controles de transparencia y abusividad de la normativa de protección de consumidores.

Por el contrario, el TS ha concluido que cuando el destino del préstamo es para **construir un inmueble** que más tarde es **arrendado** a terceros, aunque implica la intención de obtener un beneficio económico, si esa actuación no forma parte del conjunto de las actividades comerciales o empresariales de quien lo realiza, es un acto de consumo (TS 27-6-23, EDJ 611762).

Si un **abogado** celebra un contrato de crédito con un banco, sin que en él se precise el destino del crédito, puede considerarse consumidor cuando dicho contrato no esté vinculado a la actividad profesional del referido abogado (TJUE 3-9-15, C-110/14).

4) Garantes de sociedades mercantiles. Se entiende que la persona física que se constituye en garante de una sociedad mercantil tiene la condición de consumidor cuando la garantía no está relacionada con sus actividades comerciales, profesionales o empresariales o no se concede por razón de los vínculos funcionales que mantiene con la sociedad, por ser socio, administrador o apoderado; es decir, cuando actúa con fines de derecho privado a incluso aunque reúna la condición de pariente próximo de administradores o socios de la sociedad mercantil (AP Baleares 21-3-16, EDJ 73551; AP Alicante 30-6-16, EDJ 218776; AP Araba 10-9-15, EDJ 199637; AP Pontevedra 6-4-16, EDJ 58744). A **efectos registrales**, el hipotecante no deudor tendrá la condición de consumidor cuando del documento notarial presentado a inscripción no resulte que la persona física se dedique al ejercicio profesional de la concesión de garantías ni guarde vinculación funcional con la sociedad prestataria (DGRN Resol 31-10-17).

5) Comunidad de propietarios. Una comunidad de propietarios puede actuar legalmente bajo el estatuto propio de consumidor en la contratación de un arrendamiento de servicios (TS 14-4-21, EDJ 533262). Así lo interpreta también el TJUE, según el cual una comunidad de propietarios podrá ser considerada consumidor, aun cuando no es persona física ni jurídica, cuando celebra un contrato para fines ajenos a la actividad profesional y se encuentra en situación de inferioridad en relación con el profesional, tanto con respecto a la capacidad de negociación como a la capacidad de información (TJUE 2-4-20, C-329/19).

6) Contratos entre multinacionales. La legislación de consumidores no es aplicable a contratos entre multinacionales, por entender que su relación no es la que media entre usuario y proveedor (TS 24-2-97, EDJ 698).

68 **Normativa aplicable** (CCom art.50 a 63; CC art.1254) Por expresa remisión legal (CCom art.50), y salvo en lo específicamente establecido en el Código de Comercio o en leyes especiales, los contratos mercantiles se rigen por las reglas generales contenidas en la **normativa civil**, en todo lo relativo a sus:
- requisitos (nº 95);
- modificaciones;
- excepciones;
- interpretación (nº 205);
- extinción (nº 300); y
- capacidad de las partes (nº 110).

En la regulación de carácter general que, en cuanto a los contratos mercantiles, se contiene en la normativa mercantil, se establecen determinadas **reglas especiales** en orden, fundamentalmente, a su perfección, la forma, la prueba, la interpretación y el régimen de las obligaciones nacidas de los mismos.

De otra parte, la **estandarización de la materia contractual** y la generalización de los contratos en masa, propios de la contratación moderna, han propiciado la aparición de los contratos de adhesión o contratos tipo (nº 248) y de las relaciones contractuales de hecho. Frente a ambas situaciones, los diferentes ordenamientos jurídicos, han reaccionado estableciendo una normativa tendente a la protección del interesado más débil, mediante la regulación de las condiciones generales de contratación (nº 690 s. Memento Defensa del Consumidor 2024-2025) y de las cláusulas contractuales abusivas (nº 780 s. Memento Defensa del Consumidor 2024-2025).

Por último, el **intervencionismo del Estado** en el ámbito contractual privado, ha favorecido la asunción por aquél de la tarea de dotar legislativamente de un contenido imperativo a determinados contratos, mediante la promulgación de leyes especiales. Dicha reglamentación puede alcanzar a las prestaciones contractuales, e incluso al resto del contenido normativo del contrato (p.e., el contrato de agencia, nº 5710).

70 **Autonomía de la voluntad** (CC art.1255) La idea de contrato tiene su fundamento en el principio de autonomía privada o de autonomía de la voluntad.

En el campo contractual, ésta implica el reconocimiento a los **contratantes** de una serie de **facultades**, las cuales se manifiestan en:

• La **libertad de contratación**, lo que significa la libre opción de la persona entre contratar y no contratar, esto es, la libertad de constitución de las relaciones contractuales, con libertad, por tanto, de elección del otro contratante.

• La **libertad del tipo contractual**, de manera que los individuos no necesitan acogerse a los tipos contractuales regulados por las leyes, sino que pueden constituir libremente otros distintos.

• La posibilidad de **modificar** libremente en los contratos regulados por la ley, el contenido legal de dichos contratos, sustituyéndolos por otros.

• La posibilidad de resolver los conflictos que afecten a derechos subjetivos de carácter disponible, con el objeto de garantizar la tutela judicial de los derechos de los ciudadanos a través de nuevos sistemas alternativos, entre los que destaca la **mediación**, que ha ido cobrando una importancia creciente como instrumento complementario de la vía de los tribunales de justicia ya que, hasta la L 5/2012, se carecía de una ordenación general de la mediación aplicable a los diversos asuntos civiles y mercantiles. Ver nº 11115 s.

72 **Límites** (CC art.1272, 1654 y 1691) La libertad contractual no puede ser absoluta. Con carácter general, dicha libertad queda sujeta a los siguientes límites:

• Las normas a la que el legislador dota de **carácter imperativo**, normas que contienen prohibiciones y las que establecen para su inobservancia la sanción de nulidad. La limitación puede manifestarse mediante la prohibición de un determinado tipo contractual o de ciertos pactos o cláusulas.

• La **moralidad**, entendida como un conjunto de las convicciones de ética social imperantes en un determinado momento histórico y con carácter general en la comunidad jurídica.

• El **orden público**, esto es, los principios rectores y fundamentales de la comunidad, y que se suelen identificar con ciertos principios constitucionales (p.e., pactos que contravengan el principio de igualdad o que impliquen la renuncia de derechos fundamentales).

• La propia **imposibilidad** de la prestación.

• Protección a la empresa contra cierto tipo de concurrencia: defensa de la **competencia** (nº 330); competencia desleal (nº 420).

• Los **contratos normados**, en los que la voluntad libre de los contratantes solo opera en el momento de la perfección, pero una vez perfecto el contrato, las obligaciones que engendra quedan sustraídas en buena parte a la voluntad de los contratantes, siendo configuradas por la ley (p.e., contrato de agencia, nº 5710).

• Especialmente importante en la moderna concepción del derecho mercantil contractual es la **protección del consumidor** final de los productos y servicios. Ver nº 10 s. Memento Defensa del Consumidor 2024-2025.

Precisiones Para trazar la línea divisoria entre lo permitido a las partes y lo a ellas vedado y, por tanto, entre la **validez** de un pacto **y** su **nulidad** absoluta, ha de atenderse a dos criterios fundamentales: 74

a) El que tiene en cuenta la propia índole de la norma aplicable, según sea imperativa o prohibitiva, o simplemente permisiva o subsidiaria.

b) El que mira al propio elemento del contrato, que se estatuye o contempla en la cláusula contractual, distinguiendo si tal elemento es esencial, por constituir la propia sustancia de la prestación, cualitativa o cuantitativamente considerada o si se trata de un elemento accidental o accesorio, que no afecte al contenido de la prestación, sino simplemente a las modalidades o condiciones en que la misma ha de hacerse efectiva (TS 6-4-63).

Contratos atípicos Manifestación del **principio de libertad contractual** establecido en el CC art.1255 es que las partes puedan estructurar libremente sus convenios, conforme a sus necesidades y posibilidades; pues, aunque la ley prevea y regule determinados contratos, puede que éstos no se ajusten al propósito de las partes. Se distingue así entre contratos típicos y atípicos, según que exista o no una previa normativa o una disciplina jurídica objetiva y general para ellos. 76

Bajo la denominación de contratos atípicos, se hace referencia a aquellas figuras contractuales que, no estando definidos por la legislación positiva están reconocidos por la **realidad social**, y en ocasiones por las leyes especiales, basándose en la libertad contractual y en la autonomía de la voluntad.

Causas Entre las causas que justifican el auge de las figuras contractuales atípicas, se suelen destacar las siguientes (Chuliá Vicent y Beltrán Alandete): 78

• La **influencia** del **derecho anglosajón**, con nuevas formas de contratación: p.e., leasing (nº 4575); factoring (nº 4740); franquicia (nº 5960).

• Los **avances tecnológicos** que imponen nuevos usos (ver nº 11250 s. sobre los contratos de las nuevas tecnologías).

• La paulatina disminución del comerciante individual y su sustitución por la **empresa** y las sociedades mercantiles, con las exigencias que ello reporta: programación a larga distancia, contratos para intercambio o compra de tecnología, utilización de patentes.

• La **obsolescencia** de los códigos Civil y de Comercio, con más de cien años de existencia, que en forma alguna pudieron prever la revolución industrial y tecnológica ocurrida tras la segunda guerra mundial.

Los conceptos de tipicidad y atipicidad son **conceptos relativos**, pues contratos que han sido atípicos, pueden dejar de serlo y pasar a ser típicos desde el momento en que su normativa es recogida y fijada por la ley.

Alcance La atipicidad puede producirse en formas muy diferentes y con distinto alcance, según las partes: 80

• Formalicen un contrato que, ajustándose en principio a los modelos y a la función económica de un tipo preestablecido, se separe de él, sin embargo, en algún punto concreto, mediante la **adición de pactos** que no corresponden a dicho tipo, en cuyo caso continúa existiendo tipicidad siempre que la desviación no sea suficiente para hacer perder al contrato su fisonomía o para hacer inoperante su causa típica.

• Concierten un contrato completamente fuera de la tipología legislativa e incluso de la tipología doctrinal y jurisprudencial (**atipicidad absoluta**).

• Para conseguir los fines empíricos que pretenden, concierten un contrato singular sirviéndose de elementos que corresponden a diferentes contratos típicos (**contratos mixtos**).

Precisiones El contrato conocido como **contrato mixto**, se trata de una variante del contrato atípico, en el sentido de que, con normas de contratos distintos, se construye un contrato nuevo, válido según el principio de autonomía de la voluntad (TS 30-9-04, EDJ 143898).

Problemática de los contratos atípicos Los contratos atípicos suscitan dos cuestiones: 82

a) Los límites de **admisión y validez** de cada supuesto en particular, cuya solución viene determinada por los propios límites de la autonomía de la voluntad (nº 72), y la idea de causa ilícita (nº 157). Para la doctrina civilística, la admisión y validez de estas figuras contractuales o marcos de contratación atípicos no revisten inconveniente alguno, si su función económico-social y los fines concretos que las partes pretenden obtener quedan cohonestados con los principios y límites que impone el control social en materia contractual (TS 10-7-12, EDJ 221337).

b) La **disciplina normativa** a la que quedan sometidos. A juicio de la doctrina (Díez Picazo), ante todo, debe atenderse a las reglas contractuales establecidas por las partes contratantes, así como a la disciplina normativa general para todas las obligaciones y contratos. Supletoriamente se proponen dos soluciones:

• Teoría de la **absorción**, consistente en buscar el elemento principal que se corresponda con el preponderante, a su vez, de algún contrato típico, y aplicar la normativa aplicable a éste. Ello plantea la dificultad de aplicación en los supuestos en los que no sea posible averiguar cuál de las prestaciones es la principal.

• Teoría de la **combinación**, es decir, combinando las normas de todos los contratos típicos cuyas prestaciones y elementos coexisten en el contrato atípico.

No obstante, en los supuestos de **contratos absolutamente atípicos** es preciso acudir a las normas o criterios ya asentados por los usos, la jurisprudencia y la doctrina de los autores.

Precisiones **1)** El problema del **contrato mixto** no es el de su admisión, sino el de su **regulación** (TS 19-5-82, EDJ 3161).

2) Es admisible y lícito que los que contratan puedan combinar diferentes tipos contractuales o convenir diversas prestaciones o contraprestaciones, dando así lugar a los contratos unidos, yuxtapuestos y mixtos, y también al **contrato complejo**, considerado como un todo único, interpretable conforme a la intención de los contratantes (TS 2-4-64). Así, por ejemplo, la modalidad de **permuta de terrenos por edificaciones futuras** suele albergar una multiplicidad de relaciones jurídicas (compraventa, permuta y arrendamiento de obras) pero ello no implica que se trate de varios contratos, sino que dan lugar a un único contrato mixto o complejo (TS 29-6-16, EDJ 104622).

3) El contrato atípico, admisible conforme al principio de la autonomía de la voluntad del CC art.1255, se rige por lo **específicamente estipulado**, y, en su defecto, por las normas generales de las obligaciones y contratos (TS 31-5-10, EDJ 113286).

4) El **contrato de opción de compra**, que ha sido también denominado por la doctrina y la jurisprudencia de esta Sala como derecho de opción, se puede estimar como un contrato atípico en el sentido de que no tiene cobertura legal en el Código Civil, aunque bien es cierto que su aspecto registral está reconocido en el RH art.14 (TS 15-12-97, EDJ 9779).

5) El contrato de **corretaje o mediación** es un contrato atípico, consensual y oneroso, perteneciente al grupo de los contratos de gestión y mediación, que, al carecer de específica regulación en nuestro ordenamiento jurídico, ha de regirse por las normar generales del CC art.1254 s.; y la **analógica aplicación** de las normas de otros tipos contractuales afines al mismo, como el mandato, comisión mercantil o arrendamiento de servicios (AP Badajoz 18-1-22, EDJ 507883).

84 **Condiciones generales de contratación entre profesionales** El concepto de abusividad queda circunscrito a los contratos con consumidores. Sin embargo, eso no quiere decir que en las condiciones generales entre profesionales no pueda existir **abuso de una posición dominante**. Pero tal concepto se sujetará a las normas generales de nulidad contractual (nº 277) (TS 30-4-15, EDJ 73561; 3-6-16, EDJ 78893; 20-1-17, EDJ 1983; 28-6-23, EDJ 611761). Es decir, nada impide que también judicialmente pueda declararse la **nulidad** de una condición general que sea abusiva cuando:

- sea **contraria a la buena fe**; y
- cause un **desequilibrio** importante entre los derechos y obligaciones de las partes, incluso aunque se trate de contratos entre profesionales o empresarios.

Precisiones **1)** Para saber si una persona física o jurídica tiene la protección en un contrato de adhesión por la existencia de cláusulas abusivas debemos partir de si la misma tiene el carácter de consumidora. Ver nº 64 para el concepto de **consumidor** a estos efectos.

2) Para un estudio de las **cláusulas abusivas** en los contratos con **consumidores**, ver nº 780 s. Memento Defensa del Consumidor 2024-2025.

86 El **Tribunal Supremo** en los contratos celebrados por los empresarios y profesionales diferencia entre:

- el control de incorporación; y
- el control de abusividad.

Así, ha rechazado que el **control de abusividad** pueda extenderse a cláusulas perjudiciales para el profesional o empresario (TS 9-5-13, EDJ 53424).

Sin embargo, reconoce que el **control de incorporación** de las condiciones generales se extiende a cualquier cláusula contractual que tenga dicha naturaleza, con independencia de que el adherente sea consumidor o no. Tanto si el contrato se suscribe entre empresarios y profesionales como si se celebra con consumidores, las condiciones generales pueden ser objeto de control por la vía de su incorporación (L 7/1998 art.5). Esto es, la redacción de las cláusulas generales deberá ajustarse a los criterios de transparencia, claridad, concreción y sencillez (L 7/1998 art.7). Y **no quedan incorporadas al contrato** las condiciones generales:

a) Que el adherente no haya tenido oportunidad real de conocer de manera completa al tiempo de la celebración del contrato.

b) Que sean ilegibles, ambiguas, oscuras e incomprensibles (TS 3-6-20, EDJ 78893; 20-1-17, EDJ 1983).
La exigencia de claridad, concreción, sencillez y comprensibilidad directa (L 7/1998 art.7.b) no alcanza el nivel de exigencia que aplicamos al **control de transparencia** en caso de contratos con consumidores (TS 15-12-15, EDJ 264301).

Precisiones El segundo **control de transparencia** o control cualificado supone que no pueden utilizarse cláusulas que, pese a que gramaticalmente sean comprensibles y estén redactadas en caracteres legibles, impliquen una alteración del objeto del contrato o del equilibrio económico sobre el precio y la prestación, que pueda pasar inadvertida al adherente medio (TS 3-6-16, EDJ 78893; 20-1-17, EDJ 1983). El control de transparencia atiende al conocimiento sobre la carga jurídica y económica del contrato (TS 23-12-15, EDJ 253610).
Este control cualificado de transparencia, a diferencia del mero control de inclusión está reservado a las condiciones generales incluidas en contratos celebrados con consumidores.
El Magistrado D. Francisco Javier Orduña Morenoque formula un **voto particular** en el que afirma que la noción jurídica de la transparencia, como principio general del derecho, permite que la protección dispensada por el control de transparencia se extienda, también, a la **contratación entre empresarios** (TS 3-6-16, EDJ 78893; 30-1-17, EDJ 5821).

Las condiciones generales insertas en contratos en los que el adherente no tiene la condición 88
legal de consumidor o usuario, cuando reúnen los requisitos de incorporación, tienen, en cuanto al **control de contenido**, el mismo régimen legal que las cláusulas negociadas, por lo que sólo operan como límites externos de las condiciones generales los mismos que operan para las cláusulas negociadas, fundamentalmente los previstos en el CC art.1255 (nº 70) y en especial las normas imperativas (TS 30-4-15, EDJ 73561).
Ni el legislador comunitario, ni el español, han dado el paso de ofrecer una **modalidad especial de protección** al adherente no consumidor, más allá de la remisión a la legislación civil y mercantil general sobre respeto a la buena fe y el justo equilibrio en las prestaciones para evitar situaciones de abuso contractual. No corresponde a los tribunales la configuración de un *tertium genus* que no ha sido establecido legislativamente, porque no se trata de una laguna legal que haya que suplir mediante la analogía, sino de una opción legislativa que, en materia de condiciones generales de la contratación, diferencia únicamente entre adherentes consumidores y no consumidores (TS 20-1-17, EDJ 1983).

Precisiones La compraventa de un **despacho para el ejercicio de una actividad profesional** de prestación de servicios queda excluida del ámbito de aplicación de la legislación especial de defensa de los consumidores, sin que resulte sujeta al control de contenido o de abusividad, debiéndose aplicar el régimen general del contrato por negociación (TS 28-5-14, EDJ 111197).

B. Requisitos

(CC art.1261)

Para que exista un contrato es precisa la concurrencia de los siguientes **elementos**: 95
- consentimiento de los contratantes (nº 100);
- objeto cierto que sea materia del contrato (nº 140); y
- causa de la obligación que se establezca (nº 155).

Precisiones Cuando falta alguno de estos elementos esenciales del contrato estamos ante un supuesto de **nulidad** radical o absoluta del contrato (nº 277) (AP Valencia 18-5-16, EDJ 169842).

1. Consentimiento

(CC art.1262 a 1270; CCom art.54)

El consentimiento se manifiesta como el concurso de la **oferta y** la **aceptación** sobre la cosa y 100
la causa que han de constituir el negocio.
Pero para que haya contrato no basta la mera existencia de la voluntad contractual de cada uno de los contratantes. Se requiere, además:
- que éstos puedan prestar consentimiento, esto es, sean jurídicamente **capaces** para contratar (nº 110); y
- que la voluntad expresada o manifestada carezca de **vicios** que incidan en su validez o eficacia (nº 125).

Precisiones 1) A juicio de la doctrina, la cuestión de si el **silencio** puede ser considerado como una declaración de voluntad contractual, no puede ser resuelta de una manera unívoca y general para todos los casos (Díez Picazo). La solución depende en cada hipótesis concreta de la valoración de las circunstancias del supuesto de hecho, de acuerdo con las exigencias de la buena fe y con el sentido objetivo que razonablemente tenga la conducta omisiva (TS 14-6-63; 13-10-78; 12-10-82;

18-10-82). Por tanto, el problema no está en decidir si el silencio puede ser expresión de consentimiento, «sino en determinar bajo qué condiciones debe aquél ser interpretado como tácita manifestación de ese consentimiento, a cuyo fin tienen trascendencia las relaciones preexistentes entre las partes, la conducta o comportamiento de éstas y las circunstancias que preceden y acompañan al silencio susceptible de ser interpretado como asentimiento y, por tanto, manifestación del querer» (TS 23-10-08, EDJ 190091; 4-1-10, EDJ 11496).

2) Se declara la nulidad de un contrato en el que la contratación del derecho de afiliación a un programa de servicios vacacionales se produjo en unas circunstancias que hacen dudar de que el **consentimiento** se prestara **libremente**: se produjo una contratación rápida, con utilización de técnicas de venta ciertamente agresivas, faltando a los actores el necesario **período de reflexión**. La firma del contrato se produjo en el marco de una reunión organizada por la demandada, en sus locales, a la que acudió el cliente con el reclamo de un regalo.
Todas esas circunstancias determinan que el cliente incurra en un error esencial sobre el objeto y el precio del contrato (AP Barcelona 27-6-05, EDJ 104073).

a. Lugar de celebración

(CC art.1262; CCom art.54)

105 El consentimiento se manifiesta por el concurso de la **oferta** y la **aceptación** sobre la cosa y la causa que han de constituir el contrato.
Cuando el que hizo la oferta y el que la aceptó se encuentran en **lugares distintos**, hay consentimiento desde que el oferente conoce la aceptación o desde que, habiéndosela remitido el aceptante, no la pueda ignorar sin faltar a la buena fe. La norma vigente no exige ya para la perfección del contrato, como en la redacción originaria del Código civil, el conocimiento de la aceptación, pero sí la expedición de la misma en tiempo y forma que permitan inferir su recepción en el círculo del oferente y la posibilidad de su conocimiento por él con el empleo de una normal diligencia (AP Córdoba 9-10-15, EDJ 247538).
En este supuesto, se presume celebrado el contrato en el lugar en que se hizo la oferta.
Cuando el contrato se celebra a través de **dispositivos automáticos**, el consentimiento existe desde la manifestación de la aceptación. Ver nº 11645 s. para más información sobre los contratos electrónicos.

b. Capacidad

110 La capacidad de los contratantes constituye presupuesto de **validez y eficacia** del negocio.
La capacidad para contratar se rige por las reglas generales de carácter civil, y coincide sustancialmente con la **capacidad general de obrar**. Un estudio en detalle de esta materia se recoge en el nº 4425 s. Memento Civil. Obligaciones y Contratos 2023.
Las únicas **limitaciones** que conoce nuestro ordenamiento jurídico para contratar son las del menor de edad no emancipado (CC art.1263 y 1264) y las de las personas con discapacidad provistas de medidas de apoyo que establezcan facultades de representación (CC art.249 y 287).
En su consecuencia, son capaces y pueden ser parte del contrato:
• Los **mayores de edad**; esto es, mayores de 18 años (CC art.240).
• Los menores de edad **emancipados** (CC art.239 a 248).
• Los **menores** de edad no emancipados con asistencia de su representante legal -progenitores, tutor, defensor judicial-, quienes suplen su falta de capacidad (CC art.154, 162, 222), y con sujeción a las limitaciones y demás condiciones legalmente previstas para el gravamen y la enajenación de bienes (ver nº 112).
• Las **personas con discapacidad** con el apoyo que precisen conforme a las medidas de apoyo adoptadas judicialmente para el ejercicio de su capacidad jurídica (CC art.249 s.). Ver nº 114.
• Las **personas jurídicas**, actuando por medio de sus órganos de representación.

Precisiones Los **extranjeros** pueden ejercer el comercio en España, con sujeción a las leyes de su país, en lo que se refiere a la capacidad para contratar y a las disposiciones del Código de Comercio en todo cuanto concierna a la creación de sus establecimientos en territorio español, a sus operaciones mercantiles y a la jurisdicción de los Tribunales españoles (CCom art.15).

112 **Menores de edad** (CC art.166 a 168) Los **progenitores**, como administradores de los bienes de sus hijos, pueden renunciar a sus derechos, enajenar, o gravar sus bienes inmuebles, establecimientos mercantiles o industriales, objetos preciosos y valores mobiliarios (salvo el derecho de suscripción preferente de acciones) siempre que existan causas justificadas de utilidad o necesidad, y previa **autorización del juez** del domicilio del menor con audiencia del Ministerio Fiscal.

La necesidad de autorización judicial previa no es necesaria si el hijo hubiera cumplido **16 años** y consiente en documento público, ni para la enajenación de valores mobiliarios, siempre que su importe se reinvierta en bienes o valores seguros.
Los actos llevados a cabo por los padres **sin** contar con la preceptiva **autorización judicial** son anulables. Por ejemplo, un contrato de compraventa celebrado por la madre como representante legal de sus hijos menores sin contar con autorización judicial implica la anulabilidad del mismo (TS 3-3-06, EDJ 21313).
El juez, a petición del propio hijo, del Ministerio Fiscal o de cualquier pariente del menor, cuando la administración de los progenitores ponga en **peligro el patrimonio del menor**, puede adoptar las medidas que estime necesarias para la seguridad y recaudo de los bienes, exigir caución o fianza para la continuación de la administración o incluso nombrar un administrador (CC art.167). Se prevén aquí las posibles actuaciones ante el riesgo de una mala administración por parte de los progenitores respecto del patrimonio de sus hijos y son varias las personas legitimadas para solicitar del juez las **medidas de protección**, no exigiéndose como presupuesto de aplicabilidad la concurrencia de una negligencia por parte de los progenitores.
Una vez terminada la patria potestad, los hijos pueden exigir a sus progenitores la **rendición de cuentas** de la administración. La acción para exigir el cumplimiento de esta obligación prescribe a los 3 años. En caso de pérdida o deterioro de los bienes por dolo o por culpa grave, responden los padres de los daños y perjuicios sufridos.

Precisiones Las posiciones jurisdiccionales sobre los **efectos del acto** efectuado por el titular de la patria potestad **sin autorización judicial** han sido, a la vista del caso concreto, las tres siguientes:
- A favor de la **nulidad** radical con base en la consideración de que la disposición por el titular de la patria potestad sin autorización judicial es per se un acto inexistente, al faltarle uno de los requisitos, asimismo es un acto nulo por ser contrario a una norma imperativa, por lo que incurre en la sanción de nulidad (CC art.6.3).
- Una modalidad de la anterior postura declara la nulidad del contrato celebrado sin la autorización judicial por tratarse de un acto realizado con extralimitación de poder (CC art.1259) y solo cabe su **convalidación** por los mismos menores al llegar a la mayor edad.
- Otra parte de la jurisprudencia opta por la solución de la **anulabilidad**. La actuación del representante legal sin la autorización judicial no implica que falte el consentimiento, sino que se ha dado este aunque el titular de la patria potestad actuaba en nombre y representación de sus hijos menores de edad, sin la preceptiva autorización judicial. Pero sí hubo consentimiento contractual, presupuesto esencial del contrato, aunque adoleciera de la falta de autorización judicial (CC art.1261.1º). Esta falta no da lugar a la nulidad radical del contrato, sino a que este es anulable y si los contratantes representados -por representación legal- no han accionado interesando la anulación en el plazo de 4 años (CC art.1301) se produce la confirmación por disposición de la Ley, llamada prescripción sanatoria, por el transcurso del plazo de caducidad por lo que podría ejercitarse aquella acción de anulación (AP Madrid 23-2-12, EDJ 61799).

Personas con discapacidad (CC art.249 s.) En lo que se refiere a las personas con discapacidad, desde el 3-9-2021 se las considera que tienen capacidad jurídica para contratar, aun cuando pueden requerir apoyo para realizar ciertos actos. Así pues, la incapacitación que permitía el régimen anterior, se sustituye por un sistema de **medidas de apoyo** a estas personas, para el ejercicio de su capacidad jurídica. **114**
Puede beneficiarse de las medidas de apoyo cualquier persona, con independencia de si su situación de discapacidad tiene reconocimiento administrativo o no.
Las medidas de apoyo pueden ser:
- **Voluntarias**, adoptadas por la propia persona, en escritura pública, en previsión o apreciación de la concurrencia de circunstancias que puedan dificultarle el ejercicio de su capacidad jurídica en igualdad de condiciones con las demás (poderes y mandatos preventivos, autocuratela).
- **Judiciales**. La principal medida de apoyo de origen judicial es la **curatela**, con un carácter principalmente asistencial; solo excepcionalmente se pueden atribuir al curador funciones representativas. También se prevé la figura del **defensor judicial**, con carácter provisional u ocasional, o en supuestos de conflicto de intereses.

El curador que ejerza funciones de representación necesita **autorización judicial** para, entre otras cosas (CC art.287.2º, 8º y 9º):
- enajenar o gravar bienes inmuebles, establecimientos mercantiles o industriales, bienes o derechos de especial significado personal o familiar, bienes muebles de extraordinario valor, objetos preciosos y valores mobiliarios no cotizados en mercados oficiales de la persona con medidas de apoyo;
- dar inmuebles en arrendamiento por término inicial que exceda de 6 años;
- celebrar contratos o realizar actos que tengan carácter dispositivo y sean susceptibles de inscripción;

- dar y tomar dinero a préstamo y prestar aval o fianza;
- celebrar contratos de seguro de vida, renta vitalicia y otros análogos, cuando estos requieran de inversiones o aportaciones de cuantía extraordinaria.

Las medidas de apoyo adoptadas judicialmente deben ser **revisadas** ante cualquier cambio en la situación de la persona que pueda requerir una modificación de dichas medidas. También se prevé la revisión periódica en un plazo máximo de 3 años (o de 6 años, cuando así se haya establecido judicialmente, de manera excepcional y motivada).

• **Guarda de hecho**. Pasa a ser una institución jurídica de apoyo, en lugar de una situación provisional cuando resulta suficiente y adecuada. Cuando el guardador carezca de funciones representativas, se le pueden otorgar para el caso concreto mediante resolución judicial, sin necesidad de abrir un procedimiento general de provisión de apoyos.

Precisiones 1) La idea que preside la **nueva regulación** no es la incapacitación, ni la modificación de la capacidad, sino que la capacidad es inherente a la persona y no puede modificarse, pero ha de darse el apoyo adecuado y proporcional a quien lo necesite.

La **resolución judicial** únicamente puede determinar los actos para los que la persona con discapacidad requiere apoyo, pero no puede ya producirse una declaración de incapacitación, ni la privación de derechos personales, patrimoniales o políticos.

Se **eliminan** del ámbito de la discapacidad la **tutela**, la **patria potestad prorrogada** y la **patria potestad rehabilitada**. Cuando el menor con discapacidad llegue a la mayoría de edad se le prestarán los apoyos necesarios igual que a cualquier adulto que los requiera. Esto supone que la tutela queda reservada a los menores de edad que no estén protegidos a través de la patria potestad y el complemento de capacidad que requieren los emancipados para el ejercicio de ciertos actos jurídicos corresponderá a un defensor judicial.

2) Se solicita la nulidad del contrato de compraventa por ausencia de consentimiento en atención a que el vendedor no se encontraba con **facultades mentales** para su prestación. Señala la AP que, toda vez que en la escritura de compraventa el notario autorizante hace constar que el vendedor «tiene la capacidad legal necesaria para otorgar la presente escritura de compraventa», y no se **desvirtúa con prueba de contrario** suficiente la **fe pública notarial**, no puede accederse a lo pedido en la demanda. La prueba necesaria para destruir tal presunción *iuris tantum* no debe dejar margen racional de duda, puesto que la adveración del fedatario autorizante reviste especial relevancia de certidumbre (TS 7-10-82, EDJ 5807); además, existe un principio general favorable a la capacidad mientras no se pruebe lo contrario y el criterio de que las dudas han de solucionarse a favor de la situación de capacidad y no a la inversa. En este caso, no resulta prueba suficiente para desvirtuar el juicio de capacidad del notario la aportación de un certificado médico oficial, acompañado por simple copia fotoestática, que se dice emitido por un doctor en Neurología-Psiquiatría, pero que no ha podido ser adverado y por ello sometido a contradicción y del que no puede, por tanto, descartarse que constituya dictamen verificado en términos de pura complacencia. Lo mismo ocurre con los testimonios que sobre la existencia de trastornos mentales, aportan dos personas absolutamente legas en tal materia, o la resolución del Instituto Nacional de la Seguridad Social en materia de invalidez permanente en cuanto el grado de afectación mental y si el interesado podía intervenir válidamente en el otorgamiento de un contrato de compraventa (AP Pontevedra 25-4-03, EDJ 94601).

116 **Condición de comerciante** La exigencia de la condición de comerciante como requisito subjetivo en determinados contratos -p.e., cuentas en participación (nº 3055), comisión (nº 5580), etc.-, hace preciso formular ciertas matizaciones:

1) El **menor emancipado** o habilitado de mayor edad, no tiene capacidad mercantil por causa de las restricciones de no poder tomar dinero a préstamo, gravar ni vender bienes inmuebles y establecimientos mercantiles u objetos de extraordinario valor sin autorización o asistencia paterna o del curador (nº 4455).

2) Por excepción al principio general, los **menores de dieciocho años** pueden continuar el comercio que hubieran ejercido sus padres o sus causantes, por medio de sus guardadores, pudiendo incluso ser inscritos en el RM en concepto de empresarios individuales. Si los guardadores carecen de capacidad para comerciar, o tienen alguna incompatibilidad, están obligados a nombrar uno o más factores que reúnan las condiciones legales, quienes les suplirán en el ejercicio del comercio (CCom art.5).

Precisiones La condición de comerciante o empresario requiere no solo el dato real de actividad profesional con habitualidad, constancia, reiteración de actos, exteriorización y ánimo de lucro, sino también un dato de significación jurídica, que consiste en el **ejercicio del comercio en propio nombre** (TS 17-12-87, EDJ 9408). De manera que en estos casos el empresario es formalmente el menor o el incapacitado, que es la persona en cuyo nombre se desarrolla la actividad empresarial, aunque la gestión de facto la lleven sus representantes legales.

Personas casadas (CC art.1319 a 1324, 1375 s.) En relación con las personas casadas, y sin perjuicio del **régimen económico matrimonial** que, en cada caso, resulte de aplicación, cabe formular, con carácter general, las siguientes consideraciones: 118

a) Los cónyuges pueden transmitirse por cualquier título bienes y derechos y celebrar **entre sí** todo tipo de contratos.

b) Para disponer de los derechos sobre la **vivienda habitual** y los muebles de uso ordinario de la familia, aunque tales derechos pertenezcan a uno solo de los cónyuges, se requiere el consentimiento de ambos o, en su caso, autorización judicial.

c) Cuando la ley requiera para un **acto de administración o disposición** que uno de los cónyuges actúe con el consentimiento del otro, los que se realicen sin dicho consentimiento, y no sean expresa o tácitamente confirmados, pueden ser anulados a instancia del cónyuge cuyo consentimiento se haya omitido o de sus herederos.

Tratándose de **actos a título gratuito** sobre bienes comunes, la falta del citado consentimiento determina la nulidad de los mismos.

Precisiones Con efectos 26-9-2022, se ha modificado el régimen de **responsabilidad de los bienes gananciales** a consecuencia del ejercicio del comercio por uno de los cónyuges, quedando derogada la regulación contenida en el CCom art.6 a 12 y la referencia a la misma que se hacía en el CC art.1365.2º.

Hasta el 25-9-2022, quedaban afectos a las resultas del comercio ejercido por uno de los cónyuges tanto los bienes propios del cónyuge comerciante -sus bienes privativos-, como los adquiridos en el ejercicio del mismo -que tienen carácter ganancial (CC art.1347.1)-.

Para que los otros bienes gananciales, no procedentes del ejercicio del comercio por uno de los cónyuges, quedasen afectos, era preciso que el cónyuge no comerciante prestase su **consentimiento** (CCom art.6), si bien con un favorable régimen de presunciones de consentimiento que, en la práctica, se traducía en que lo habitual era que todos los bienes gananciales quedasen afectos al comercio ejercido por uno de los cónyuges, toda vez que se consideraba prestado cuando, al contraer matrimonio, se hallara uno de los cónyuges ejerciendo el comercio y lo continuara sin oposición del otro (CCom art.8), o cuando, una vez contraído matrimonio, uno de los cónyuges empezaba a ejercer el comercio con conocimiento y sin oposición expresa del otro (CCom art.7). Para que este tipo de bienes gananciales no quedasen afectos, el cónyuge no comerciante debía hacer constar su oposición en escritura pública e inscribirla en el Registro Mercantil (CCom art.11). Si el cónyuge comerciante -empresario individual- no estaba inscrito, se confería legitimación al cónyuge no empresario para solicitar la primera inscripción (RRM art.88.3), a fin de poder hacer constar, en su caso, las capitulaciones matrimoniales, la oposición el ejercicio del comercio, el consentimiento o la revocación (RRM art.87.6), y comunicar estos datos al Registrador Mercantil Central (RRM art.386.7º).

El consentimiento para obligar los bienes propios -privativos- del cónyuge no comerciante debía ser expreso en cada caso (CCom art.9).

A **partir del 26-9-2022**, este régimen de responsabilidad de los bienes gananciales se simplifica. En todo caso, todos quedan afectos a las resultas del comercio ejercido por uno de los cónyuges, sin que el cónyuge no comerciante pueda oponerse a ello (CC art.1365 redacc L 16/2022). En consecuencia, del ejercicio del comercio por uno de los cónyuges responden sus bienes privativos y todos los gananciales; no así los bienes privativos del cónyuge no empresario.

Quedan por ello sin efecto -aunque permanezcan en el texto reglamentario- las referencias al CCom art.6 a 12 que se hace en el RRM art.87.6, 88.3 y 386.7º.

Prohibiciones legales Cuestión distinta a la de la capacidad contractual es la de aquellas prohibiciones legales que impiden a ciertas personas celebrar determinados **tipos de contratos**, y que se concretan en los siguientes supuestos: 120

• El **tutor**, salvo con la pertinente autorización judicial (CC art.271, 272).

• La **compraventa**, aunque sea en subasta pública o judicial, por sí o por persona intermedia, de determinados bienes por ciertas personas, en razón de su cargo (mandatarios, albaceas, empleados públicos, magistrados, jueces, etc.) (nº 994).

• No pueden contraer **sociedad universal** entre sí las personas a quienes les está prohibido otorgarse recíprocamente alguna donación o ventaja (nº 3218).

c. Vicios del consentimiento

Para la validez del contrato es preciso que exista un **consentimiento serio, espontáneo y libre**. 125
Cuando alguna de estas cualidades no se da, se dice que el consentimiento está viciado, lo que puede determinar o permitir su invalidación.

Es **nulo** el consentimiento prestado:

- por error (nº 133);
- con violencia (nº 127);
- con intimidación (nº 127); o
- dolo (nº 129).

Precisiones 1) En principio, la voluntad se presume *iuris tantum* consciente, libre y espontáneamente manifestada, cuya presunción ha de ser destruida por la correspondiente **prueba** por quien lo alega (TS 13-12-92, EDJ 12260; 30-5-95, EDJ 2569; 25-11-00, EDJ 38864).

2) Las alegaciones del error y el dolo requieren para que puedan prosperar, la **demostración cumplida** de la existencia de dichos vicios, prueba que es de exclusiva apreciación de los Tribunales (TS 12-2-65).

3) Desde el punto de vista procesal, la **prueba** tanto del **dolo** como de la **intimidación** incumbe a quien alega tales vicios del consentimiento, teniendo declarado el TS que el dolo es una cuestión de hecho en su aspecto externo, incumbiendo al tribunal de instancia su apreciación así como la de los hechos que integran los requisitos de la intimidación, aunque en su aspecto interno, subjetivo o ánimo de perjudicar, es cuestión de derecho que puede ser **revisada en casación**, distinguiendo la prueba de los hechos en que se basa, de la valoración o apreciación de esos hechos a efectos de determinar la clase de dolo comprobado, su carácter sustancial o accidental, y si es grave o leve (TS 21-7-93, EDJ 7463).

127 **Violencia e intimidación** (CC art.1267 y 1268) Existe violencia cuando, para arrancar el consentimiento, se emplea una **fuerza irresistible**; e intimidación cuando se inspira a uno de los contratantes el temor racional y fundado de sufrir un **mal inminente y grave** en su persona o bienes, o en la persona o bienes de su cónyuge, descendientes o ascendientes.

Para calificar la intimidación debe atenderse a la **edad** y a la condición de la persona.

La violencia e intimidación anulan el contrato, aunque se hayan empleado por un **tercero** que no sea parte en el contrato.

La jurisprudencia viene declarando que para conseguir la invalidación de lo convenido es preciso que uno de los contratantes o persona que con él se relacione, valiéndose de un **acto injusto** y no del ejercicio correcto y no abusivo de un derecho, ejerza sobre el otro una coacción o fuerza moral de tal entidad que por la inminencia del daño que pueda producir y el perjuicio que hubiere de originar, influya sobre su ánimo induciéndole a emitir una declaración de voluntad no deseada y contraria a sus propios intereses. La propia jurisprudencia señala de modo sintético como **requisitos** de la intimidación contractual los siguientes (entre otras, TS 5-4-93, EDJ 23643; 21-7-93, EDJ 7463; 7-2-95, EDJ 24473; 4-10-02, EDJ 37157):

- amenaza injusta o ilícita (que tiñe de antijuridicidad la conducta);
- temor racional y fundado;
- mal inminente y grave;
- prestación de un consentimiento contractual; y
- nexo causal entre la amenaza y el consentimiento prestado.

El temor a desagradar a las personas a las que se debe sumisión y respeto (**temor reverencial**), no determina la nulidad del contrato.

Precisiones 1) La amenaza de promover un **procedimiento judicial** contra la persona a quien se pretende intimidar, ha de reputarse injusta cuando con la misma se pretende forzar el consentimiento para otorgar un contrato (TS 21-3-50).

2) Para tener eficacia anulatoria, las **amenazas** han de ser bastantes y anteriores o coetáneas a la fecha del contrato (TS 22-4-44).

3) La intimidación debe consistir en la amenaza racional y fundada de un mal grave, en atención a sus circunstancias personales y ambientales y no en un temor leve y que, entre ella y el consentimiento otorgado, medie un **nexo eficiente de causalidad** (TS 21-7-93, EDJ 7463).

129 **Dolo** (CC art.1269, 1270) El dolo, conforme a reiterada doctrina, es sinónimo de **mala fe**, y supone toda maquinación o artificio de que se sirve uno de los contratantes para engañar al otro, e inducirle a celebrar el contrato, que de no haber concurrido no lo hubiese celebrado (AP Sevilla 27-4-11, EDJ 243054).

La jurisprudencia suele exigir para la apreciación de este vicio del consentimiento los siguientes **requisitos** (AP Sevilla 27-4-11, EDJ 243054; TS 11-5-93, EDJ 4418; 12-6-03, EDJ 35119; 26-3-09, EDJ 38171; 2-3-20, EDJ 515320):

1. Una **conducta** insidiosa, intencionada o dirigida a provocar la declaración negocial, mediante palabras o maquinaciones adecuadas.
2. La **voluntad** del declarante debe haber quedado viciada por haberse emitido sin la natural libertad y conocimiento a causa del engaño, coacción u otra insidiosa influencia.
3. Esta conducta debe ser **determinante** de la declaración.
4. El carácter **grave** de la conducta insidiosa (no siendo suficiente meras reticencias o disimulos) (TS 3-10-03, EDJ 110388).
5. El engaño no debe haber sido ocasionado por un **tercero**, ni empleado por las **dos partes**.

Cuando el dolo es recíproco, es decir, cuando ambos contratantes han empleado maniobras dolosas, se produce una compensación de culpas y el dolo no se tiene en cuenta.

El dolo exige la existencia de un acto ilícito consistente en el empleo de palabras o maquinaciones insidiosas dirigidas a provocar la voluntad negocial, lo cual tanto puede producirse **por**

acción, a través de la insidia directa o inductora de la conducta errónea de otro contratante, como **por omisión** de hechos o circunstancias influyentes y determinantes para la conclusión del contrato, y respecto de las que existe el deber de informar según la buena fe y los usos del tráfico (dolo negativo o por omisión) (TS 11-12-06, EDJ 370586; 26-3-09, EDJ 38171; 5-5-09, EDJ 72810; 28-9-11, EDJ 224274; 18-5-16, EDJ 169842).

Además, el dolo principal o causante no puede ser apreciado sin una cumplida **prueba** por parte de quien lo alegue (TS 24-4-09, EDJ 101666; 29-12-00, EDJ 55642), pues ni se presume (TS 29-10-13, EDJ 225914), ni bastan al efecto meras conjeturas o indicios (TS 29-3-94, EDJ 2867).

La apreciación de los hechos en que el presunto dolo se funde es un punto de hecho cuya fijación corresponde en exclusiva a los **tribunales de instancia** (TS 24-2-95, EDJ 587; 4-12-90, EDJ 11079), cuya conclusión probatoria ha de mantenerse invariable en casación, si la misma no resulta desvirtuada por medio impugnatorio adecuado para ello, de tal suerte que al **tribunal de casación** solo le cabe valorar jurídicamente los hechos que constituyen el aspecto externo del dolo, siendo necesario que los mismos consten debidamente acreditados en autos (TS 3-3-21, EDJ 515010).

Precisiones **1)** El dolo no es sino un error provocado de manera voluntaria o consciente por el otro contratante; existe error, pero a **diferencia** del simple **error** como vicio de la voluntad, en el dolo se toma en consideración de manera relevante el hecho de su provocación por medio de un artificio o maquinación fraudulenta que realiza la otra parte (AP Barcelona 16-11-10, EDJ 335895). 131

2) Los **actos posteriores** determinados por razones o causas también posteriores no pueden ser demostrativos de la existencia de un dolo, que solo puede apreciarse con referencia al tiempo de la celebración del contrato para que produzca la nulidad de éste (TS 26-4-40).

3) Para que exista **dolo omisivo** ha de haber un deber jurídico de informar violado por el silencio. Aunque no puede equipararse sin más el incumplimiento de un deber legal de información con el dolo.

4) No invalida el dolo la confianza, **buena fe o ingenuidad de la parte afectada** (TS 3-3-21, EDJ 515010).

Error (CC art.1266) El error consiste en una equivocada creencia o representación mental que sirve de presupuesto para la realización de un acto jurídico. En el supuesto de error, lo declarado corresponde a lo que internamente quiere el declarante, pero esta resolución interna se ha formado por efecto de una representación que no corresponde a la realidad, de forma que la ignorancia o una falsa información han inducido al declarante a decidir algo que no es lo que realmente le hubiese interesado. 133

Para invalidar el contrato, el error debe ser **relevante o esencial**, lo que ocurre cuando se dan los siguientes **requisitos**:

a) Ha de ser esencialmente determinante de la voluntad del contratante que lo alega; error **sustancial** o sobre las **cualidades esenciales** o verdaderamente determinantes de la voluntad (TS 6-7-92, EDJ 7387; 18-2-94, EDJ 1457; 25-2-95, EDJ 909; 19-2-96, EDJ 1322), o, en otros términos, que la cosa carezca de alguna de las condiciones que se le atribuyen, y precisamente de la que de manera primordial y básica motivó la celebración del negocio atendida la finalidad de éste (TS 12-7-02, EDJ 27766; 24-1-03, EDJ 2451; 12-11-04, EDJ 159583; 21-11-12, EDJ 262627).

b) Ha de existir un **nexo de causalidad** entre el error sufrido y la finalidad perseguida por el contratante.

c) Ha de ser un error **excusable** o no imputable al contratante que lo ha sufrido, y no susceptible de ser superado mediante el empleo de una diligencia media, según las condiciones de las personas y las exigencias de la buena fe. El error es inexcusable cuando hubiera podido ser evitado empleando una normal diligencia, media o regular, a valorar en base a las circunstancias de toda índole que concurran en el caso, incluso las personales de ambos contratantes (TS 4-1-82, EDJ 93; 7-11-86, EDJ 7067; 28-9-96, EDJ 6436; 6-2-98, EDJ 1109; 30-9-99, EDJ 28213; 12-11-04, EDJ 159583; 17-2-05, EDJ 13268; 17-7-16, EDJ 265936). El requisito de la excusabilidad tiene por función básica impedir que el ordenamiento proteja a quien ha padecido el error cuanto éste no merece esa protección por su **conducta negligente**, ya que en tal caso ha de establecerse esa protección a la otra parte contratante que la merece por confianza infundida por esa declaración.

La **diligencia** exigible a las partes contratantes implica que cada una debe informarse de las circunstancias y condiciones que son esenciales o relevantes para ella, en los casos en que tal información le resulta fácilmente accesible, ya que se niega protección a quien, con el empleo de la diligencia que era exigible en las circunstancias concurrentes, habría conocido lo que al contratar ignoraba (AP Valencia 18-5-16, EDJ 169842).

La apreciación del error sustancial en los contratos ha de hacerse con **criterio restrictivo** cuando de ello dependa la existencia del negocio; apreciación que tiene un sentido excepcional muy acusado (TS 8-5-68).
El simple **error de cálculo** u operación aritmética, error de cuenta, solo da lugar a su corrección.

135 Precisiones 1) La justificación del **carácter esencial** del error ha de hacerse en relación con el objeto y cualidades especialmente tenidas en cuenta en el caso concreto (TS 12-2-79).
2) No es atendible el error que aisladamente haya podido sufrir quien haga la oferta o emita la aceptación, sino que tan solo son relevantes los motivos incorporados a la causa, o lo que es igual, la creencia errónea sobre la **motivación** misma del contrato demostrada por la expresiva conducta de ambos otorgantes acerca de lo que constituye la finalidad del contrato, y por ello el simple error sobre los motivos que decidieron a los sujetos a celebrar el contrato no origina efecto alguno (TS 21-6-78).
3) Existe error si la cosa objeto del contrato carece de las **condiciones requeridas** y que se le atribuyeron, como ocurre si se compra una parcela para construir y luego resulta que esto no era posible por impedirlo la normativa urbanística (TS 27-3-89; 28-2-90).
4) Cuando se habla de error, es preciso establecer una sustancial diferencia entre el **error-vicio de la voluntad** y el **error obstativo**:
- el error-vicio, regulado en el CC art.1266, provoca la nulidad relativa o la anulabilidad de los contratos (nº 283), que únicamente puede ser instada por los obligados principal o subsidiariamente en virtud de ellos (salvo que hayan sido ellos quienes han producido el error); y
- el error obstativo es el que se refiere a la falta de coincidencia entre la voluntad correctamente formada y la declaración de la misma, divergencia que excluye la voluntad interna y hace que el negocio sea inexistente (nulidad absoluta) por falta de uno de sus elementos esenciales, de modo que el error obstativo se da cuando nunca se quiso lo que se declaró (TS 18-5-16, EDJ 169842).
5) La **prueba** del error incumbe a quien lo alega (TS 21-4-04, EDJ 17040).
6) No puede exigirse al comprador una diligencia tendente a comprobar todos los datos técnicos, económicos y financieros facilitados por el vendedor que suponga partir de un escenario de desconfianza. El tráfico mercantil descansa en la confianza negocial y en la buena fe. Cuando la **información precontractual** tiene por objeto, aun inconscientemente, conseguir que la contraparte se forme una opinión del objeto negocial distinto del manifestado contractualmente nos hallamos ante una divergencia entre la voluntad declarada y la voluntad real, lo que supone un vicio en el consentimiento, como elemento esencial del contrato, y su consecuencia es la posibilidad de impugnarlo, pretendiendo su anulabilidad, al tratarse de un error de los motivos, que conlleva a una apreciación errónea de los mismos que fueron determinantes para contratar (TS 6-6-13, EDJ 119038).

2. Objeto

(CC art.1271, 1272 y 1273)

140 El ordenamiento jurídico civil tiende a establecerlo como aquella realidad sobre la que el contrato incide, y en relación sobre lo que recae el interés de las partes o la intención negocial o móvil esencial del contrato. Es decir, el **comportamiento** a que el vínculo obligatorio sujeta al deudor y que tiene derecho a exigirle el acreedor, referido no al aspecto obligacional objetivo inmediato, o sea a los derechos y obligaciones que se constituyen, sino al mediato, que puede consistir en una cosa propiamente dicha, o en un acto de una persona constitutivo de una prestación.
En cualquier caso, el objeto o prestación que constituya la materia del contrato ha de reunir los siguientes **requisitos**: real o posible, lícito y determinado o, al menos, determinable.
La consecuencia jurídica de un contrato **sin objeto o con objeto ilícito** (al igual que si faltara alguno de los otros elementos del nº 95) es la nulidad radical o de pleno derecho, que puede solicitarse en cualquier momento (es imprescriptible), incluso oponerse por vía de excepción, e incluso acordarse de oficio.

142 **Posibilidad** (CC art.1271 y 1272) El objeto debe ser real o posible, lo que supone que la cosa ha de **existir** en el momento del contrato o por lo menos que pueda existir en lo sucesivo. De ahí que no pueden constituir objeto de contrato las cosas o servicios **imposibles** en alguna de su triple estimación: física, legal o moral. La imposibilidad originaria, total, duradera y no imputable al deudor determina la nulidad de contrato.
La imposibilidad, a los efectos del CC art.1272, solo puede apreciarse cuando **no hay culpa del deudor** (TS 5-5-86, EDJ 2955; 15-2-94, EDJ 1332; 20-5-97, EDJ 2667; 14-12-98, EDJ 30767, etc.), culpa que existe cuando se conoce la causa (TS 17-3-97, EDJ 2109), o se podía conocer o era previsible (TS 7-10-78, EDJ 356; 15-2-94, EDJ 1332; 4-11-99, EDJ 34224; 30-4-02, EDJ 13110), o cuando la imposibilidad ha sido provocada por el mismo deudor (TS 17-1-86, EDJ 659; 5-5-86, EDJ 2956; 15-2-94, EDJ 1332; 13-5-08, EDJ 66894).

Precisiones 1) Debe diferenciarse la imposibilidad existente en el momento de la perfección contractual (fase de formación del contrato), de la **imposibilidad sobrevenida** (con posterioridad a la perfección y antes de estar constituido el deudor en mora); y cuyos efectos jurídicos son en el primer caso el de la nulidad contractual, y en el segundo el de la liberación de la prestación (TS 30-4-02, EDJ 13110; 21-4-06, EDJ 48772). Para apreciar la imposibilidad sobrevenida se requiere que el **deudor** no se halle **en mora** (TS 23-2-94, EDJ 1611; 30-4-02, EDJ 13110; 21-4-06, EDJ 48772).
2) La imposibilidad que determina la nulidad del contrato, se ha de distinguir con nitidez de la **irregularidad administrativa**, susceptible de subsanación (TS 12-7-06, EDJ 102979).
3) No cabe hablar de imposibilidad cuando se puede cumplir con un **esfuerzo** de voluntad que venza la dificultad inicial (TS 20-5-97, EDJ 2667; 6-6-08, EDJ 90707).
4) Las **plazas de garaje** existen en función de la capacidad de aprovechamiento de un determinado local para un cierto número de vehículos. Cuando tal aprovechamiento se ha agotado, porque más vehículos no pueden estacionar en condiciones de policía y seguridad adecuadas, hay que concluir que la plaza no existe y que se ha producido la nulidad del contrato que intenta transferirla, en los términos prevenidos en el CC art.1261.2º y 1272. El contrato carece de un objeto cierto porque la composición formada entre el espacio de estacionamiento y los derechos de utilización de zonas y elementos que son instrumentalmente necesarios para el aprovechamiento, tal y como ha sido prevista en el contrato, ha devenido imposible (TS 10-1-08, EDJ 1754).

Compraventa de cosa futura Nada impide que puedan ser objeto del contrato las cosas futuras. **144**
La cosa futura se **define** como aquella cosa que se espera según el curso natural de las de su especie y que, por lo tanto, ha de venir porque aún no existe en el momento de la celebración del contrato (TS 31-12-99, EDJ 43940).
En este tipo de compraventas existe una **obligación del vendedor** de hacer lo posible para que tenga realidad la cosa futura y pueda entregarla tal como se ha pactado (TS 11-12-09, EDJ 307260).

Precisiones 1) Las primeras y principales manifestaciones del contrato de venta de cosa futura esperada tuvo su origen en el ámbito de la **venta de cosechas** antes de su producción, y hoy es usual en materia de **construcción y urbanismo** (TS 31-12-99, EDJ 43940), como la compraventa de vivienda o local comercial en proyecto de construcción, que el comprador adquiere exclusivamente en función de su terminación, y en la que el vendedor, una vez que la ha terminado, asume la obligación de entregarla al comprador, quien deberá pagar el precio pactado (TS 22-3-93, EDJ 2785).
2) Es posible la compraventa sobre cosas futuras, con independencia que la cosa sea o **no propiedad del cedente** o transmitente, pues, en caso de no serlo daría lugar a otras consecuencias jurídicas, pero no a la nulidad del contrato por inexistencia de objeto (TS 25-9-06, EDJ 306305).
3) Sobre la **herencia futura** no se pueden celebrar otros contratos que aquellos cuyo objeto sea practicar entre vivos la división de un caudal y otras disposiciones particionales, conforme a lo dispuesto en el CC art.1056 (CC art.1271). Este precepto se refiere única y exclusivamente a los pactos sobre la universalidad de una herencia que, según el CC art.659, se instaura a la muerte del causante, integrándola todos los bienes, derechos y obligaciones subsistentes, pero no cuando el pacto se refiere a **bienes conocidos y determinados**, existentes al tiempo del otorgamiento del compromiso en el dominio del causante (TS 22-7-97, EDJ 6182).

Licitud (CC art.1271) Pueden ser objeto del contrato todas las cosas y servicios que no estén **fuera del comercio** de los hombres, ni sean contrarios a la **ley** y a las **buenas costumbres**. **146**
Bajo el concepto de **extracomercialidad** pueden colocarse los siguientes tipos de bienes:
• Los bienes de dominio público (CC art.339), es decir, los bienes destinados al uso público o los destinados a un servicio público o al fomento de la riqueza nacional.
• Las cosas que no son susceptibles de apropiación, por considerarse como cosas comunes a todos o por quedar fuera del ámbito y del poder de apropiación del individuo (el aire, la luz, etc.).
• Los bienes no incluidos en el patrimonio y por tanto sustraídos a la libre disponibilidad de los particulares (estado civil de las personas, derechos de la personalidad, etc.).
• Aquellas cuyo comercio está prohibido por una disposición legal.

Precisiones 1) El objeto de la compraventa no es «posible», está fuera del comercio, por cuanto se trata de **parte de una finca** matriz propiedad de las actoras que, aunque delimitada en su extensión y localización, y aceptada por el comprador, no ha podido ser segregada, lo que hace imposible por parte de las vendedoras la entrega en los términos definidos en el contrato (AP Teruel 19-11-13, EDJ 237443).
2) Cuando el objeto de la transmisión no es la licencia municipal, ni tampoco el espacio de la vía pública ocupado por el quiosco, sino un **negocio de venta de prensa** y revistas, con su correspondiente instalación, tal objeto no está fuera del comercio de los hombres ni tiene nada de imposible, como lo prueba el hecho de que la recurrente lo explotara durante más de dos años (TS 31-5-05, EDJ 83545).
3) La nulidad radical a que conduciría la falta en el contrato de alguno de los elementos del mismo -en este caso la falta de objeto que esté dentro del comercio de los hombres- sería un vicio que afectaría al contrato en su conjunto, sin que resulte admisible la pretensión de declaración de **nulidad parcial** (TS 7-7-08, EDJ 166680).

148 **Determinación** (CC art.1273) El objeto ha de estar determinado o, al menos, ser determinable conforme a los criterios establecidos por las partes, en forma que no pueda confundirse con otro distinto. El objeto está determinado cuando consta individualizado o existen elementos suficientes para conocer su identidad de modo que no hay duda sobre la realidad objetiva sobre la que las partes quisieron contratar. La determinación supone que hay **identificabilidad**, de modo que el objeto no puede confundirse con otros distintos, el acreedor conoce lo que puede exigir y el deudor lo que tiene que entregar para cumplir su obligación.

La jurisprudencia admite que es suficiente la «determinabilidad», la cual hace referencia a una situación en que no hay determinación inicial, en el momento de perfeccionarse el vínculo, pero sí cabe la **determinación posterior**, siempre que no sea necesario un nuevo convenio o acuerdo entre los contratantes para su fijación. Para ello es preciso que el contrato contenga en sus disposiciones previsiones, criterios o pautas que permitan la determinación (entre otras, TS 12-4-71, EDJ 170; 10-10-97, EDJ 6612; 3-3-00, EDJ 1631; 12-11-04, EDJ 159609). La determinabilidad, por tanto, equivale a la posibilidad de reputar como cierto el objeto del contrato siempre que sea posible determinarlo con sujeción a las disposiciones contenidas en el mismo. Es claro que la determinación no puede dejarse ni al arbitrio de **uno de los contratantes** (CC art.1256), ni a un **nuevo acuerdo** entre ellos (TS 8-3-02, EDJ 3515; 12-6-08, EDJ 118939).

Se admite la posibilidad de que el objeto del contrato sea una **cosa futura** (nº 144). No importa que la cosa no tenga existencia real en el momento de celebrar el contrato, sino basta una razonable probabilidad de existencia. Ello no es incompatible con la certeza, la cual se refiere a la determinación o identificabilidad, no a la existencia.

Cuando se trata de una **cosa genérica** -cosa determinada por su género (TS 21-10-03, EDJ 130270)-, cuya calidad y circunstancias no se hubieran expresado, el acreedor no podrá exigirla de la calidad superior, ni el deudor entregarla de la inferior (CC art.1167). Se trata de un supuesto de relativa indeterminación del objeto que no es obstáculo para la existencia del contrato (TS 21-10-92, EDJ 10288; 16-3-98, EDJ 970).

150 Precisiones **1)** Se declara la nulidad de un contrato de afiliación a un programa de servicios vacacionales por **indeterminación del objeto y del precio**.

Sobre el objeto del contrato, la redacción de la cláusula es totalmente genérica y vaga, pues no se especifica ni determina en qué consiste el programa de viajes, ni los concretos servicios vacacionales y turísticos que quedan comprendidos en él.

En cuanto a su contenido, la afiliación otorga al cliente el derecho a beneficiarse de las promociones y descuentos especiales que obtenga el tour operador en los precios de servicios asociados al programa «Magic Club». Esta cláusula comporta igualmente la ignorancia sobre las **promociones y descuentos** que el cliente puede obtener, al margen de que no se articula cauce alguno para que este tenga conocimiento efectivo de cuándo se hace esa promoción o descuento, quedando por tanto en manos del tour operador el cumplimiento o ejercicio de este derecho (AP Barcelona 27-6-05, EDJ 104073).

2) Los socios de una entidad se comprometen a realizar un **préstamo a favor de la sociedad** por un determinado importe, en proporción a su participación en el accionariado, y a cambio de un interés fijo anual, liquidable mensualmente. Aunque en el préstamo se omite cualquier referencia al **término y la forma de amortización**, el objeto del préstamo estaría determinado, pues, de acuerdo al CCom art.313, «(e)n los préstamos por tiempo indeterminado o sin plazo marcado de vencimiento, no podrá exigirse al deudor el pago sino pasados treinta días, a contar desde la fecha del requerimiento notarial que se le hubiere hecho» (TS 23-11-21, EDJ 748484).

3. Causa

(CC art.1274, 1275, 1276 y 1277)

155 Es la razón que dota de sentido a un contrato. La causa es el **fin que se persigue** en cada contrato, en sentido objetivo. No quiere decir con ello que los móviles o motivos subjetivos carezcan de trascendencia jurídica, lo que ocurre que para que lo tenga, es necesario que sean reconocidos por ambos contratantes y que se eleven a condición determinante del pacto concertado, y debidamente se exprese (TS 21-7-03, EDJ 50784).

La causa constituye la **razón objetiva**, precisa y tangencial a la formación del contrato, siendo determinante de su realización (TS 17-4-97, EDJ 1775). En tal sentido, todo contrato tiene una *causa* y *pese a que la misma* no se exprese en el contrato, se **presume su existencia** y su licitud, salvo prueba en contrario del deudor (TS 31-5-99, EDJ 12477; 5-5-86, EDJ 2955; 19-7-89, EDJ 7480; 19-11-90, EDJ 10485; 23-7-94, EDJ 6190).

Según el **tipo de contrato** al que nos refiramos, se entiende por causa:

- en los contratos onerosos, la prestación o promesa de una cosa o servicio por la otra parte;
- en los remuneratorios, el servicio o beneficio que se remunera;

- en los sinalagmáticos, el dato objetivo del intercambio de las prestaciones (TS 30-6-71, EDJ 422; 17-1-85, EDJ 7097; 21-7-03, EDJ 50784); y
- en los de pura beneficencia, la mera liberalidad del bienhechor.

Precisiones 1) La jurisprudencia del TS considera que la causa es la razón objetiva, precisa y tangencial a la formación del contrato y se define e identifica por la **función económico-social** que justifica que un determinado negocio jurídico reciba la tutela y protección del ordenamiento jurídico, de modo que la causa será la misma en cada tipo de negocio jurídico (TS 24-1-92, EDJ 541; 8-2-96, EDJ 945; 17-4-97, EDJ 2748; 17-12-04, EDJ 255235; 24-11-16, EDJ 218745).

2) «Para llegar a **causalizar una finalidad** concreta será menester que el propósito de que se trate venga perseguido por ambas partes y trascienda el acto jurídico como elemento determinante de la declaración de voluntad en concepto de móvil impulsivo» (TS 19-6-09, EDJ 225071).

3) La existencia o inexistencia de la causa es una cuestión de hecho, reservada, por tanto, a los **tribunales de instancia** (TS 12-6-08, EDJ 173069).

Contratos con causa ilícita o sin causa (CC art.1275) Los contratos sin causa o con causa ilícita son **nulos** de pleno derecho y no producen efecto alguno. 157

Es **ilícita** la causa cuando se opone a las leyes o a la moral. Hay causa ilícita en los casos en que exista fraude de derechos legitimarios y, en algunas ocasiones, fraude de acreedores, y en los contratos dirigidos a lesionar los derechos de un tercero o causar a éste daños, en las transacciones sobre el ejercicio de acciones penales y en los contratos celebrados con infracción de normas legales.

El **propósito ilícito buscado por ambas partes** ha sido elevado por la jurisprudencia (TS 20-7-06, EDJ 105580; 19-2-09, EDJ 16801; 24-4-13, EDJ 78173; 10-6-15, EDJ 116785) a la categoría de causa ilícita determinante de la nulidad del contrato cuando venga perseguido por ambas partes (o buscado por una y conocido y aceptado por la otra) y trascienda al acto jurídico como elemento determinante de la declaración de voluntad en concepto de móvil impulsivo. Por tanto, el propósito perseguido por las partes ha de ser confrontado con la función económica y social en que consiste la causa de cada negocio, de modo que, si hay coincidencia, el negocio es reconocido y protegido por el ordenamiento jurídico, pero si no la hay porque el propósito que se persigue es ilícito, tal protección no se otorga y ese propósito se eleva a la categoría de causa ilícita determinante de la nulidad de pleno derecho del negocio jurídico (TS 24-11-16, EDJ 218745).

Doctrina y jurisprudencia consideran como supuestos de **falta de causa** todos aquellos en que el resultado obligatorio de la convención es jurídica y socialmente injustificado. Siguiendo a la doctrina, cabe señalar que:

- En los **contratos típicos**, hay falta de causa cuando el negocio carezca de alguno de los elementos esenciales de su estructura formal (p.e., compraventa sin precio, negocio aleatorio en que no juegue el azar), faltando dicha causa cuando dichos elementos se den solo nominalmente. Así, por ejemplo, en las compraventas la ausencia de precio determina falta de causa y ocasiona la nulidad absoluta (TS 10-11-92, EDJ 11023; 6-10-94, EDJ 7824; 27-6-96, EDJ 4784; 13-3-97, EDJ 2357), siendo cuestiones distintas la falta de pago o entrega del precio y su total inexistencia (TS 28-9-06, EDJ 275320).
- En los **negocios atípicos** falta la causa: del que se pretende oneroso cuando no exista verdadera reciprocidad de prestaciones; del que se pretende gratuito cuando no medie ánimo de liberalidad; del que se pretende remuneratorio cuando no hay servicio que remunerar (Castro).

Precisiones 1) La **inexistencia de una causa** que justifique los efectos perseguidos por el acto o negocio jurídico determina una ineficacia estructural que por sí sola comporta la nulidad radical y automática del acto o negocio jurídico llevado a cabo, al margen de otros posibles vicios que puedan concurrir en el consentimiento prestado por las partes (TS 29-9-16, EDJ 163336). 159

2) El **fraude de acreedores** no tiene el tratamiento legal correspondiente a la nulidad negocial, sino al de la rescisión, y por ello el Código civil lo regula específicamente en CC art.1290 a 1299. Si el fraude de acreedores fuese un supuesto de nulidad negocial por causa ilícita, quedaría sin ninguna justificación tales normas, que parten de la base de que se aplican a un negocio válido (CC art.1290), es decir, que el fraude de acreedores no da lugar a ningún negocio nulo, como lo sería por ilicitud de causa. No se trata de mera terminología; son dos **acciones distintas**, imprescriptible la de nulidad y sujeta a plazo de caducidad la rescisoria (CC art.1299), además de que aquélla supone la nulidad *ab initio* del negocio jurídico, mientras que la segunda su plena validez hasta que no sea declarada judicialmente la rescisión (TS 20-10-06, EDJ 299568).

Contratos con causa falsa (CC art.1276) La expresión de una causa falsa en los contratos da lugar a la **nulidad**, si no se prueba que estaban fundados en otra verdadera y lícita (esta prueba aparece cumplida en el caso resuelto por TS 28-9-01, EDJ 31023). 161

La causa falsa presupone una **discordancia** entre lo que se quiere, en realidad, y lo que se manifiesta, que no se ajusta a la verdadera voluntad de los contratantes o de uno de los contratantes.

La doctrina jurisprudencial (entre otras, TS 18-7-89, EDJ 7417; 22-3-01, EDJ 2320) ha distinguido dos supuestos o **clases** en cuanto a la falsedad o fingimiento de la causa:

a) La **simulación absoluta**, caracterizada por un inexistente propósito negocial por falta de la causa (ver nº 157). Se trata de la apariencia de negocio jurídico; las partes, de común acuerdo, constituyen lo que no es más que uno aparente, que carece de causa. No existe negocio alguno; cae en la categoría de inexistencia; es un negocio que no existe, aunque parezca que sí lo hay (TS 4-4-12, EDJ 53386).

b) La **simulación relativa**, en los casos donde el negocio aparente o simulado encubre otro real o disimulado. Es decir, la declaración representa la cobertura de otro negocio jurídico verdadero y cuya causa participa de tal naturaleza, y que opera con carta de naturaleza propia bajo la denominación de contrato disimulado. «Para que pueda hablarse de simulación relativa es requisito indispensable que el contrato disimulado (el verdaderamente querido celebrar bajo la apariencia de otro) sea plenamente válido» (TS 1-4-00, EDJ 4346).

La nulidad del contrato por simulación relativa de la causa no priva, *per se*, de **eficacia jurídica al negocio encubierto** o disimulado, siempre que se cumplan las exigencias formales que, en su caso, imponga la ley a este último (ver Precisiones -nº 163-).

La determinación de la existencia o falsedad de una causa contractual es una cuestión de hecho que compete apreciar a la **sala de instancia**, previo examen de las pruebas practicadas, y su labor en este sentido ha de ser respetada mientras no se acredite que su apreciación es equivocada (TS 24-4-13, EDJ 78173).

La causa que se denuncia como falsa ha de **probarse** por quien la aduce. Y no se impone la carga a la parte contraria, en razón a la presunción legal sobre su licitud que establece el CC art.1277 (TS 17-9-02, EDJ 34258; 30-4-13, EDJ 78171).

163 Precisiones **1)** En la práctica es frecuente la **donación de inmueble encubierta** bajo la apariencia de una **compraventa** simulada. La cuestión de si es válida dicha donación ha sido tratada en numerosas ocasiones por el TS con criterios discrepantes:

• Existen pronunciamientos que afirman que la nulidad de la compraventa por simulación relativa de la causa no priva de **eficacia** jurídica a la donación encubierta, en cuanto la auténtica voluntad negocial, disimulada bajo la apariencia de una compraventa sin precio, encuentra su causa verdadera y lícita en la liberalidad del donante (entre otras, TS 31-5-82, EDJ 3529; 19-11-87, EDJ 8463; 9-5-88, EDJ 3853; 19-11-92, EDJ 11447; 21-1-93, EDJ 292; 20-7-93, EDJ 7386; 14-3-95, EDJ 777; 2-11-99, EDJ 33532).

• No obstante, la posición actual parece declarar **nula** la donación disfrazada bajo la apariencia de compraventa, ya que, aunque ésta conste en documento público respecto a los inmuebles, carece de los requisitos de forma exigidos en la normativa aplicable. Es decir, la escritura pública de compraventa no vale para cumplir el requisito del CC art.633, pues no es escritura pública de donación, en la que deben expresarse tanto la voluntad de donar como la aceptación del donatario (TS 11-1-07, EDJ 8520; 26-2-07, EDJ 13387; 5-5-08, EDJ 56455; 4-5-09, EDJ 82790).

2) No obstante las dificultades que, en ocasiones, surgen para diferenciar los **negocios fiduciarios** de los simulados, cabe conceptuar a los primeros como aquellos en que existe una divergencia entre el fin económico perseguido y el medio jurídico empleado, de manera que las partes se proponen obtener un beneficio distinto y más restringido del que es propio del medio jurídico puesto en juego; y a los segundos, como aquellos otros en que concurre una declaración de voluntad no real, emitida conscientemente y con acuerdo de las partes para producir, con fines de engaño, la apariencia de un negocio inexistente o distinto del verdaderamente realizado.

Partiendo del concepto indicado, es dable establecer como **diferencias** esenciales entre ambas clases de negocios, las siguientes:

- el simulado es un negocio ficticio, no real, aunque, en algún caso, puede ocultar uno verdadero; el fiduciario es un negocio serio, querido con todas sus consecuencias jurídicas, aun sirviendo a una finalidad económica distinta de los normal;
- el simulado es un negocio simple, mientras que el otro es complejo, al resultar de la combinación de dos negocios distintos;
- el simulado es absolutamente nulo, sin llevar consigo transferencia alguna de derecho, y el fiduciario es válido (TS 28-10-88, EDJ 8482; 17-9-02, EDJ 34258).

C. Forma

En un **sentido amplio**, se habla de forma para designar el medio de exteriorización del que las partes se sirven para emitir sus declaraciones de voluntad. En este sentido todos los contratos son formales, pues todos necesitan de alguna forma para celebrarse. Sin embargo, en **sentido** más **estricto**, el término forma alude al conjunto de solemnidades exteriores que son consideradas como necesario vehículo de expresión de la voluntad contractual, la cual debe quedar exteriormente revestida con ellas con el fin de que alcance plena validez y eficacia jurídica. 172

a. Libertad formal

(CC art.1278 a 1280)

La **distinción** entre contrato formal y no formal se funda, no en la ausencia de forma, sino en la posición que adopta la ley respecto a la autonomía de las partes en cuanto a la elección de una forma. Los **contratos formales** son aquellos en los cuales, bien por disposición de la ley o bien por voluntad de las partes, el contrato no alcanza plena validez y eficacia jurídica más que cuando la voluntad contractual ha sido expresada o manifestada a través de unas especiales solemnidades, particularmente a través de la suscripción de un documento. Por el contrario, con la expresión de **contratos no formales** alude a todos aquellos cuya validez, perfección y eficacia dependen únicamente de la existencia de consentimiento de los contratantes, cualquiera que sea la manera a través de la cual dicho consentimiento haya sido declarado y dado a conocer. En definitiva, unos tienen forma libre y otros una forma necesaria. 175

En esta materia, rige en nuestro Derecho el **principio de libertad de forma** (salvo muy contadas excepciones), conforme al cual, los contratos son obligatorios, cualquiera que sea la forma en que se hayan celebrado, siempre que concurran las condiciones esenciales para su validez (nº 95). Es decir, la eficacia de los contratos no depende de sus formas externas, sino de la concurrencia de los elementos necesarios para la validez de los mismos previsto en el CC art.1261 (consentimiento, objeto cierto y causa), salvo que se trate de contratos estrictamente formales, en los que el requisito de forma es exigible *ad substantiam* y no solamente *ad probationem* (TS 26-11-02, EDJ 51333).

Precisiones 1) La necesidad de plasmar la **donación de cosa inmueble** en escritura pública es un requisito *ad solemnitatem*, o sea, esencial para la eficacia del mismo (CC art.633), y con ello se rompe la norma general de nuestro sistema contractual en el que rige la libertad de forma, y en el que la forma escrita se exige únicamente como requisito *ad probationem* (TS 3-7-99, EDJ 19925).

2) No queda afectada la validez de un contrato por el que se encarga a un arquitecto la elaboración de un proyecto de edificación cuando no se da cumplimiento a las complementarias **formalidades escritas de orden administrativo** (TS 29-11-96, EDJ 9688).

Excepciones al principio de libertad de forma (CC art.1280) En el ámbito civil se establece un elenco de contratos que deben constar en **documento público**: 177

• Los que tengan por objeto la creación, transmisión, modificación o extinción del dominio o de derechos reales sobre **bienes inmuebles**.

• Los **arrendamientos** de estos mismos bienes por seis o más años, que deban perjudicar a terceros.

• Las **capitulaciones matrimoniales** y sus modificaciones.

• La cesión, repudiación y renuncia de **derechos hereditarios** o de los de la sociedad conyugal.

• El **poder** para contraer matrimonio, el general para pleitos y los especiales que deban presentarse en juicio; el poder para administrar bienes, y cualquier otro que tenga por objeto un acto redactado o que deba redactarse en escritura pública o haya de perjudicar a terceros.

• La **cesión de acciones** o derechos procedentes de un acto consignado en escritura pública.

También deben hacerse constar por escrito, aunque vale un **documento privado**, aquellos contratos en los cuales la **cuantía de las prestaciones** de uno o de los dos contratantes exceda de 9,02 euros.

No obstante, aunque la ley utiliza el imperativo «deberán», es doctrina jurisprudencial que las normas del CC art.1280 no comportan la exigencia de formalidad *ad solemnitatem* sino tan solo «**ad probationem**» (nº 195), de suerte que el juzgado de instancia puede pronunciarse sobre la existencia de uno de esos contrato sin que imperiosamente tenga que basarse en una constancia escrita o en documento público (TS 3-2-87, EDJ 846; 19-5-88, EDJ 4284; 10-3-01, EDJ 2291; 2-10-03, EDJ 110404; 19-2-04, EDJ 6318). Ver nº 179.

Precisiones 1) Respecto al requisito de forma para la **cesión de acciones**, a pesar del carácter imperativo del precepto, no se exige como un elemento constitutivo del mismo, esto es *ad solemnitatem*, sino solamente *ad probationem* (TS 10-3-01, EDJ 2291).
2) La circunstancia de que la adquisición del **dominio de un inmueble** no pueda tener constancia en los libros del Registro, no significa la invalidez de la escritura pública en que dicha adquisición se constató, pues ello equivaldría a negar la posibilidad de la existencia de una realidad jurídica extrarregistral que la LH art.1, 2 y 20 no proscriben (TS 19-5-88, EDJ 4284).
3) Si bien el CC impone la constatación de documento público de los actos y contratos que tengan por objeto la creación, transmisión, modificación o extinción de derechos reales sobre **bienes inmuebles**, se trata de un requisito que ha de calificarse como *ad probationem* y que en modo alguno priva de valor a la **eficacia** de los actos llevados a cabo en **documento privado**, siempre que estuviese reconocido y sea reputado válido por los tribunales que hayan procedido a su valoración probatoria (TS 22-4-04, EDJ 26044; en el mismo sentido TS 30-9-93, EDJ 8511).

179 **Alcance** (CC art.1279) Contrariamente a los casos en que nuestro Código Civil otorga a la forma del contrato un carácter solemne como presupuesto de su validez y de eficacia (p.e., donación de cosa inmueble -CC art.633-), la exigencia formal del CC art.1280 en relación a que los contratos enumerados en el nº 177 consten en documento público, no puede ser entendida como una referencia normativa pertinente al **presupuesto de validez** y eficacia del contrato celebrado, esto es, que incumplida dicha finalidad el contrato resulte inexistente por las partes o carente de eficacia alguna; pues el propio CC art.1279, como proyección del principio espiritualista como criterio rector del formalismo contractual (nº 175), parte de la propia validez y eficacia estructural de los contratos enumerados en el art.1280 CC que no constan en escritura pública al disponer «que los contratantes pueden compelerse recíprocamente a llenar aquella forma desde que hubiese intervenido el consentimiento y los demás requisitos necesarios para su validez».
Por tanto, cuando el CC art.1280 enumera los casos que deben constar en documento público, pese a la utilización del imperativo «deberán», se reduce a la recíproca **facultad de las partes** de compelerse al **otorgamiento del documento público** (CC art.1279) (TS 18-10-02, EDJ 42688; 5-2-14, EDJ 16247). Ver nº 185.
Así las cosas, el que ciertos contratos deban constar en **documento público**, no quiere decir que sin el cumplimiento de este requisito de forma tales contratos no existan jurídicamente o que no sean válidos. Los mismos existen entre las partes y las partes pueden compelerse recíprocamente a llenar el requisito de forma.
La forma, sin embargo, parece exigible para que estos contratos puedas ser **eficaces frente a terceros** (TS 16-9-14, EDJ 183196).
La conclusión práctica al respecto, conforme al principio de la autonomía de la voluntad, es que, si las partes quieren otorgarle a esta **exigencia formal** un valor determinante, ya para la propia validez del contrato, o bien para su eficacia, esta condición esencial debe figurar inequívocamente en el **contenido contractual** llevado a cabo, pues de otra forma carece de la relevancia requerida a estos efectos (TS 16-9-14, EDJ 183196).

Precisiones El formalismo contractual responde actualmente a una doble idea o **finalidad** (Díez Picazo):
- una de carácter **psicológica**, en cuanto a que crea la sensación en los contratantes de quedar especialmente obligados, y contribuye a evitar la precipitación, la falta de reflexión o la imprevisión;
- una función de **certidumbre** en torno a la identidad de los contratantes, a su capacidad, y a las circunstancias de tiempo y lugar, así como en cuanto al contenido de las declaraciones de voluntad, y constituye un mecanismo de protección de terceros.

181 **Contratación mercantil** En el ámbito de la contratación mercantil, las necesidades del tráfico en masa, al que esencialmente conviene la falta de formalidades y la rapidez y el rigor en la ejecución, justifican la validez del principio de la libertad de forma: en principio, basta la **palabra oral** para crear una obligación mercantil.
Los propios particulares han dejado de actuar necesariamente como tales, individualmente, para organizarse como grupo o grupos en defensa de sus intereses.

Precisiones En la contratación con **consumidores**, ha de quedar constancia inequívoca de la voluntad de contratar del consumidor, a quien, además, el empresario debe entregar la documentación acreditativa de la contratación realizada (LGDCU art.63).

183 **Límites** La asunción en el ámbito mercantil contractual del principio de libertad de forma contiene las siguientes limitaciones:
a) La **declaración de testigos** no es por sí sola bastante para demostrar la existencia de un contrato cuya cuantía exceda de 9,02 euros, al no concurrir con algún otro **elemento probatorio** (CCom art.51). Es decir, que esta limitación no afecta al aspecto de la validez y sí solamente al principio de libertad de prueba, privando de eficacia a la testifical, en el caso de ser la única

aducida y exceder del indicado límite la cuantía de las prestaciones estipuladas (TS 12-4-46; 6-5-54).

b) Quedan **exceptuados** de la libertad de forma:

• Los contratos que por **disposición legal** deban reducirse a escritura o requieran formas o solemnidades necesarias para su eficacia.

• Los celebrados en país **extranjero** en que la ley exija escrituras, formas o solemnidades determinadas para su validez, aunque no las exija la ley española.

Puedan citarse como **contratos mercantiles formales** los siguientes:

1. De **sociedad**: debe constar en escritura pública (CCom art.119).
2. De **transporte**, que se exige forma como la carta de porte (L 15/2009 art.10 s.).
3. De **fianza**: se exige forma escrita (CCom art.440).
4. En el **derecho marítimo** deben constar por escrito y, para su inscripción en el Registro de Bienes Muebles, en escritura pública u otro de los documentos indicados en el art.73 L 14/2014: la construcción naval (L 14/2014 art.109), la compraventa o arrendamiento de buques (L 14/2014 art.118 y 189), la hipoteca naval (L 14/2014 art.128).
5. De **seguro**: debe constar por escrito (LCS art.5; y L 14/2014 art.421 para el seguro marítimo).
6. Los **documentos cambiarios** -letra, cheque y pagaré-, que deben reunir las formalidades de la Ley Cambiaria y del Cheque (L 19/1985).
7. De transmisión del **aprovechamiento de bienes por turno**, que deben constar por escrito (L 4/2012 art.11.1).
8. Los celebrados **a distancia**, que se deben formalizar también por escrito o en cualquier soporte de naturaleza duradera (LGDCU art.98).
9. Los celebrados entre el **socio único y la sociedad**, que deben constar por escrito, o en la forma documental que exija la ley de acuerdo con su naturaleza, y transcribirse a un libro-registro (LSC art.16).
10. Los celebrados para la **transmisión de participaciones sociales** o constitución de derechos reales sobre las mismas, que deben constar en documento público (LSC art.106.1).

En cualquier caso, de ello no cabe concluir que nuestro derecho mercantil sea un derecho formalista (Uría). Allí donde la forma escrita no se exija como requisito necesario para la validez del contrato, cumple una **función meramente instrumental**, dirigida a la prueba y no a la existencia del contrato mismo. Constituye un requisito que, de no ser cumplido voluntariamente, permite que las partes puedan compelerse recíprocamente a llenarlo (CC art.1279). 185

Precisiones 1) El **pacto de elevar a escritura pública** lo convenido en el documento privado es una facultad más que una obligación, aunque no se exprese especialmente, y mientras subsista la vigencia del contrato y el ejercicio de los derechos y obligaciones a que haya dado nacimiento, pervive también el pacto accesorio de poder ser instrumentado públicamente, sin que el no haber hecho uso de ella enerve la acción que corresponda (entre otras, TS 9-5-70, EDJ 316; 14-2-75, EDJ 1259). Es decir, se trata de una facultad no renunciable por las partes, sin **plazo prescriptivo** alguno (TS 24-6-09, EDJ 134666; 10-10-11, EDJ 229701).

2) Las partes pueden compelerse para la elevación a documento público lo convenido (o lo impuesto por Ley y buena fe), y ante la inacción del contratante esquivo, los **tribunales pueden fijar el plazo** porque así se desprende de la propia naturaleza y circunstancia de la obligación (TS 30-11-93, EDJ 10898).

3) El requisito de la constancia de la **transmisión de participaciones sociales** en escritura pública no tiene naturaleza constitutiva, ni es un requisito *ad solemnitatem* para su perfección (TS 14-4-11, EDJ 78874; 5-1-12, EDJ 5042). Solo cumple la función de medio de prueba (exigencia *ad probationem*) y de oponibilidad de la transmisión frente a terceros. Por tanto, la compraventa se perfecciona desde el momento en que se firma el **contrato privado** y la elevación a documento público solo afecta a su consumación (AP A Coruña 8-2-07, EDJ 147032).

El contratante podrá **pedir el otorgamiento** de la correspondiente escritura al otro contratante -CC art.1279- (AP Ourense 18-11-03, EDJ 177220; AP Asturias 2-3-04, EDJ 13603; AP A Coruña 8-2-07, EDJ 147032). Ante la inacción del contratante esquivo, los Tribunales pueden fijar el plazo para hacerlo (TS 30-11-93, EDJ 10898).

b. Fe pública

(L 28-5-1862; D 2-6-1944)

La función pública y profesional dirigida a autenticar los actos jurídico-patrimoniales está encomendada a los **notarios**. 190

Los notarios son a la vez funcionarios públicos y profesionales del Derecho, correspondiendo a este doble carácter la organización del Notariado.

En su papel de funcionarios, ejercen la fe pública notarial, que tiene un doble contenido:
- en la esfera de los hechos, la **exactitud** de lo que el notario ve, oye y percibe por sus sentidos; y
- en la esfera del Derecho, la **autenticidad** y **fuerza probatoria** de las declaraciones de voluntad de las partes en el instrumento público pactado conforme a las Leyes.

En relación con la intervención de fedatario público en el ámbito de la contratación mercantil, pueden citarse como **funciones** más representativas las siguientes:
• La dación de fe pública, que eleva a la condición de **documento público** el documento contractual intervenido.
• Tuitiva o de **protección** jurídica al consumidor.
• **Fiscalizadora** de la redacción contractual.
• **Asesora** a las partes contratantes.

De las citadas funciones se derivan, como **efectos beneficiosos** más destacables, los siguientes:
• **Probatorios**: los documentos públicos hacen prueba plena, aun contra tercero, del hecho, acto o estado de cosas que documenten, de la fecha en que se produce esa documentación y de la identidad de los fedatarios y demás personas que, en su caso, intervengan en ella (CC art.1218; LEC art.319).
• **Ejecutividad**: el documento público lleva aparejada acción ejecutiva (LEC art.517.2 y 520).
• El derecho preferencial de **cobro** sobre valores pignorados (CCom art.320).
• La no reivindicabilidad de los **títulos pignorados** (CCom art.324).
• El **aseguramiento** en cuanto a la identidad y capacidad de las partes (CCom art.95).

Los efectos que el ordenamiento jurídico atribuye a la fe pública notarial solo pueden ser negados o desvirtuados por los jueces y tribunales y por las administraciones y funcionarios públicos en el ejercicio de sus competencias (D 2-6-1944 art.143).

192 Precisiones 1) No resulta una taxativa prohibición de que puedan otorgarse **escrituras públicas fuera del despacho del notario,** pero sí que el estudio del notario tiene el carácter de oficina pública y que éste tiene la obligación de ser imparcial, razón por la que debe cuidar que se respete el derecho de **libre elección de notario**. No obstante, si las exigencias de la función lo quieren (D 2-6-1944 art.197 y 202), los notarios pueden y deben cumplir su función fuera de la oficina notarial, pero sin olvidar que su despacho u oficina debe ser el lugar donde normalmente desarrollen su función.

2) Las **juntas directivas de los colegios notariales** están facultadas (D 2-6-1944 art.327) para ordenar la actividad profesional de los notarios en materias como el lugar de prestación de su actividad profesional (TS 7-6-01, EDJ 31622).

3) En materia de **aranceles** de notarios y registradores, se dicta la Instr DGRN 22-5-02 con el fin de dotar de mayor claridad y facilidad el cálculo y aplicación de las normas en lo que se refiere a su conversión a euros.

4) La tradicional distinción entre fedatarios públicos civiles -notarios- y mercantiles -**corredores de comercio** - desapareció como consecuencia de la integración de ambos cuerpos en un cuerpo único de notarios. Desde el 1-10-2000, fecha a partir de la cual se produjo dicha integración, los miembros del citado **cuerpo único** ejercen las funciones que hasta la misma venían realizando los notarios y los corredores de comercio (L 55/1999 disp.adic.24ª; RD 1643/2000).

D. Prueba

(LEC art.299)

195 La normativa mercantil no contiene ningún precepto de carácter general sobre los medios de prueba en dicho ámbito, ni una **enumeración** específica de los mismos. En consecuencia, los medios de prueba que pueden hacerse valer en juicio son:
- interrogatorio de las partes;
- documentos públicos;
- documentos privados;
- dictamen de peritos;
- reconocimiento judicial; e
- interrogatorio de testigos.

También se admiten los medios de **reproducción de la palabra, el sonido y la imagen** captados mediante instrumentos de filmación, grabación y otros semejantes. Cuando se proponga esta prueba, la parte debe acompañar, en su caso, la transcripción escrita de las palabras contenidas en el soporte de que se trate (LEC art.382).

El tribunal debe admitir a prueba **cualquier otro medio** no previsto pero del que pueda tenerse certeza de hechos trascendentes para el proceso.

Para un estudio en profundidad de esta materia, ver nº 5985 s. Memento Procesal Civil 2024.

Particularidades De forma aislada, la normativa mercantil contempla una serie de **especialidades** en materia de prueba con respecto al régimen general expuesto en el nº 195. En concreto, cabe destacar las siguientes: 197

• En relación con la **prueba testifical**, no se admite ésta como prueba única en aquellos contratos cuya cuantía exceda de 9,02 euros. Además, la referencia a dicha cuantía no excluye que existan otros contratos que, independientemente de aquélla, tampoco puedan probarse mediante la sola prueba testifical, bien porque deban constar en escritura pública, bien porque requieran formas o solemnidades necesarias para su eficacia (CCom art.51 y 52).

• **Libros de comercio**. Aunque el contrato en sí no se lleva a los libros, su ejecución, los hechos del tráfico que de ellos se derivan, sí tienen su reflejo en dichos libros. Los asientos contables recogen las prestaciones que, en cumplimiento de los contratos, se hacen las partes. De ello se deriva el valor de éstos como prueba, mediante su comunicación o exhibición ante los tribunales, que lo apreciarán conforme a las reglas generales del derecho (CCom art.31, 32 y 33).

• **Libros de agentes mediadores** y policías intervenidos por ellos. Sus libros, las certificaciones a ellos relativas y las pólizas que suscriben tienen el valor de documentos públicos notariales (CCom art.93; CC art.1218). Su fe pública se extiende no solo al contenido del contrato para dirimir las divergencias entre los ejemplares de un contrato (CCom art.58), sino a la existencia misma del contrato.

• **Factura mercantil**. Aunque el CCom no menciona expresamente las facturas, estas actúan como documentos que acreditan las operaciones comerciales a falta de contrato escrito, al tratarse de documentos que emite el comerciante proveedor y conforman prueba contra el mismo, pues al expedirlas muestra su conformidad con su contenido, salvo que demuestre lo contrario (CC art.1228) (TS 5-2-96, EDJ 292). 199

Si la factura es, además, **aceptada o reconocida** por el destinatario de la misma, entonces constituye prueba respeto de la realización de un determinado negocio jurídico, pues «el documento privado, reconocido legalmente, tendrá el mismo valor que la escritura pública entre los que lo hubieren suscrito y sus causahabientes» (CC art.1225). Si, por el contrario, no es reconocida, tiene eficacia probatoria como documento privado cuando, en conjunción con los demás medios probatorios, se acredita el hecho que contiene (TS 22-10-92, EDJ 10324; 6-5-94, EDJ 4051; 29-5-95, EDJ 24223; 28-11-98, EDJ 26846; 3-11-05, EDJ 171686; AP Baleares 8-9-23, EDJ 715057).

• **Albaranes**. La jurisprudencia ha considerado como prueba suficiente los albaranes de entrega de la mercancía, firmados en conformidad por el comprador o por alguno de sus empleados, e incluso por el transportista (TS 16-10-84; AP Badajoz 28-1-97).

• **Correspondencia telegráfica**. Solo es admisible como medio probatorio cuando previamente haya sido admitida en contrato escrito y siempre que los telegramas reúnan las condiciones o signos convencionales que previamente hayan establecido los contratantes, si así lo han pactado (CCom art.51.2).

• **Libro-registro de contratos con el socio único**. Los contratos celebrados entre el socio único y la sociedad deben constar por escrito o en la forma documental que exija la ley de acuerdo con su naturaleza, y se deben transcribir a un libro-registro de la sociedad que debe estar legalizado conforme a lo dispuesto para los libros de actas de las sociedades. En la memoria anual, además, se debe hacer referencia expresa e individualizada a estos contratos, con indicación de su naturaleza y condiciones. Los contratos que no se transcriban al libro-registro y no se hallen referenciados en la memoria anual, no serán oponibles a la masa en caso de concurso de acreedores del socio único o de la sociedad (LSC art.16).

Precisiones **1)** Las **facturas**, aun confeccionadas unilateralmente, son documentos mercantiles que suponen un principio de prueba y una presunción de verdad comercial con base en los principios de buena fe y seguridad comercial (CC art.51 y 57), salvo que se demuestre que no existió la relación comercial que reflejan. La **falta de reconocimiento** no priva de efectos probatorios al documento privado, permitiendo que su autenticidad quede acreditada por otros medios e incluso sea obtenida por el Juzgador en la valoración conjunta de las pruebas practicadas (AP Málaga 31-7-20, EDJ 710400; AP La Rioja 13-1-22, EDJ 509054; AP Madrid 5-10-23, EDJ 769550).

2) En el tráfico mercantil se otorga primacía a las **facturas** como documento que reflejan transacciones comerciales sobre los **albaranes** considerados como documentos accesorios (AP Huelva 31-1-03, EDJ 48935).

• **Contratos celebrados por vía electrónica**. Los documentos electrónicos pueden ser soporte de documentos privados, con el valor y eficacia jurídica que les corresponda según su respectiva naturaleza conforme a la normativa que les resulte aplicable, partiendo del principio de que no cabe denegar **efectos jurídicos** ni inadmitir como **prueba** en un proceso un documento 201

por el mero hecho de que su formato sea electrónico (L 6/2020 art.3; Rgto UE 910/2014 art.3.35 y 46).
La **validez** del contrato no precisa acuerdo previo de las partes sobre la utilización de medios electrónicos (L 34/2002 art.23) y produce todos los efectos previstos en la ley (de la misma manera que los contratos verbales son válidos, también lo es un acuerdo realizado por Internet).
Por lo que respecta a la **prueba** de la celebración de un contrato por vía electrónica y de las obligaciones que tienen su origen en él, se estará a las reglas generales del ordenamiento jurídico. En todo caso, el soporte electrónico en que conste un contrato celebrado por vía electrónica es admisible en juicio como **prueba documental** (L 34/2002 art.24).
Cuando la parte a quien interese la eficacia del documento electrónico de carácter privado en cuya confección se haya empleado un **sistema de confianza no cualificado**, lo solicite o impugne su autenticidad, integridad, precisión de fecha y hora u otros elementos, se procederá conforme a la LEC art.326.2 y al Rgto UE/910/2014.
Por el contrario, si en la confección del documento se hubiera empleado algún **servicio de confianza cualificado** de los regulados en el Rgto UE/910/2014, se presume que aquel reúne el rasgo o la característica cuestionada y que el servicio de confianza se ha prestado correctamente si figuraba, en el momento relevante a los efectos de la discrepancia en lista de prestadores y servicios cualificados (L 6/2020 art.16), correspondiendo en caso de impugnación la carga de efectuar la comprobación al impugnante, a su costa en caso de que su resultado fuera negativo y bajo multa de 300 a 1200 euros si el órgano jurisdiccional considerase temeraria la impugnación (LEC art.326.3 y 4).

E. Interpretación

(CC art.1281 a 1289)

205 En el ámbito contractual, interpretar implica una **doble tarea**:
a) La indagación de la concreta **intención** de los contratantes al objeto de reconstruir el pensamiento y la voluntad de las partes considerado en su combinación.
b) La atribución de **sentido** a las declaraciones realizadas por los contratantes.
En tal sentido, se distingue entre **interpretación subjetiva**, dirigida a averiguar la voluntad o intención común de las partes, y otra **objetiva**, que pretende disipar dudas y ambigüedades dando sentido a la declaración de las partes a través de criterios objetivos. Nuestro derecho no impone una preferencia por uno de ellos, que, por tanto, deben considerarse concurrentes.

Precisiones La interpretación de los contratos es una facultad propia de los **tribunales de instancia**, que ha de ser mantenida en **casación** salvo que resulte ilógica o absurda, o viole directamente una norma jurídica que impusiera determinada interpretación, pues no se trata de obtener mediante el recurso de casación -que no es una tercera instancia- un pronunciamiento que opte por la mejor de las interpretaciones posibles, considerando que no es tal la seguida por la sentencia impugnada, sino de corregir aquélla que constituya una clara vulneración del ordenamiento jurídico (TS 16-3-11, EDJ 13736; 29-6-16, EDJ 104622; 25-10-21, EDJ 7249002).
Lo discutible no es lo oportuno o conveniente, sino la ilegalidad, arbitrariedad o contradicción del raciocinio lógico, siendo así que en estos casos deberá prevalecer el criterio del tribunal de instancia por no darse esa abierta contradicción, aunque la **interpretación** acogida en la sentencia **no sea la única posible**, o pudiera caber alguna duda razonable acerca de su acierto o sobre su absoluta exactitud (TS 14-3-17, EDJ 21588).

207 **Principios rectores** Con carácter general, la interpretación contractual está presidida por los siguientes principios rectores (TS 6-2-98):
• Búsqueda de la **voluntad real** que presidió la formación y la celebración del contrato, y la intención común de las partes.
• Principio de **conservación del contrato**, de suerte que, si alguna cláusula admite diversos sentidos, debe entenderse en el más adecuado para que produzca efecto.
• Principio de **buena fe**; es decir, presuponiendo en las partes lealtad, confianza y auto responsabilidad, de donde se deduce que la interpretación de las cláusulas oscuras no debe favorecer a la parte que ha ocasionado la oscuridad.

209 ***Criterios*** *En función de los criterios de interpretación, se distingue entre:*
a) Interpretación **literal y lógica**, esto es, atendiendo a la literalidad de los términos empleados, siempre que los mismos sean claros y no dejen duda sobre la intención.
b) Interpretación **sistemática** o canon interpretativo de la totalidad, que es consecuencia de la unidad lógica del contrato, y que determina que las cláusulas deban interpretarse las unas por las otras, atribuyendo a las dudosas el sentido que resulte del conjunto de todo.

c) Interpretación **histórica**, atendiendo a la situación en que las partes se encontraban en el momento de celebrar el contrato, cómo fue éste elaborado y el comportamiento en su ejecución.
d) Interpretación **auténtica**, es decir la hecha por las propias partes, no por una de ellas solo.
e) **Comportamiento** de las partes, es decir, atendiendo a los actos de los contratantes coetáneos y posteriores al contrato.
f) Los **usos** de los negocios o usos del tráfico.

En el proceso interpretativo de los contratos, la averiguación o búsqueda de la **voluntad real** o efectivamente querida por las partes se erige como principio rector de la labor interpretativa, de forma que las demás reglas confluyen a su alrededor bien complementándola, bien supliéndola, pero nunca limitándola o alterándola. Por tanto, la búsqueda de la intención común de las partes se proyecta, necesariamente, sobre la totalidad del contrato celebrado, considerado como una unidad lógica y no como una mera suma de cláusulas; de modo que el análisis o la **interpretación sistemática** constituye un presupuesto lógico-jurídico de todo proceso interpretativo (también denominada canon hermenéutico de la totalidad, CC art.1286). **211**

El **sentido literal**, como criterio hermenéutico, destaca por ser el **presupuesto inicial** del fenómeno interpretativo, esto es, el punto de partida desde el que se atribuye sentido a las declaraciones realizadas, se indaga la concreta intención de los contratantes y se ajusta o delimita el propósito negocia, proyectado en el contrato. Desde esta perspectiva general, su aplicación o contraste puede llevar a dos alternativas:

• En la primera, cuando los **términos son claros** y no dejan duda alguna sobre la intención querida por los contratantes, la interpretación literal es el punto de partida y también el punto de llegada del fenómeno interpretativo; de forma que se impide, so pretexto de la labor interpretativa, que se pueda modificar una declaración que realmente resulta clara y precisa. A ello responde la regla de interpretación contenida en el CC art.1281 párr.1º.

• En la segunda, la interpretación literal colabora decisivamente en orden a establecer la cuestión interpretativa, esto es, que el contrato por su **falta de claridad**, contradicciones, vacíos, o la propia conducta de los contratantes, contenga disposiciones interpretables, de suerte que el fenómeno interpretativo deba seguir su curso, valiéndose para ello de los criterios hermenéuticos a su alcance (CC art.1282 a 1289), para poder dotarlo de un sentido acorde con la intención realmente querida por las partes y de conformidad con lo dispuesto imperativamente en el orden contractual (TS 25-4-16, EDJ 51977).

Así, aunque haya de partirse de las expresiones escritas, la interpretación de la relación creada no puede anclarse en su sentido riguroso o gramatical y ha de indagarse la intencionalidad, es decir lo que en realidad quisieron las partes al contratar (TS 30-10-02, EDJ 44500; 25-10-21, EDJ 724902).

Precisiones 1) Junto con la interpretación literal de los contratos debe tenerse en cuenta el denominado **canon hermenéutico de la totalidad**, es decir, que las distintas cláusulas del contrato deben interpretarse conjuntamente (TS 13-11-15; 29-6-16, EDJ 104622). **213**

La **intención común** de las partes, de cuya indagación realmente se trata (CC art.1281), no se puede encontrar en una **cláusula aislada** de las demás, sino en el todo orgánico que constituye el contrato, lo que obliga a utilizar otros medios hermenéuticos, como el denominado de la totalidad expresamente reconocido en el CC art.1285 (TS 20-2-14, EDJ 21203; 1-10-19, EDJ 700965).

2) Las partes quedan obligadas no solo a lo que expresa de modo literal, sino también a sus **derivaciones naturales**, de tal modo que impone comportamientos adecuados para dar al contrato cumplida efectividad en orden a la obtención de los fines propuestos (TS 14-3-17, EDJ 21588).

3) La **interpretación literal** goza de **prevalencia** con respecto a las demás reglas hermenéuticas, de manera que, caso de resultar suficiente para determinar el contenido y efectos, excluye la posibilidad de acudir con éxito a las reglas de interpretación secundarias (TS 17-2-90, EDJ 1650; AP La Rioja 29-1-21, EDJ 524024).

Ahora bien, ello no significa que prevalezca la literalidad del contrato sobre la **voluntad de las partes**, pues «si las palabras parecieren contrarias a la intención evidente de los contratantes, prevalecerá ésta sobre aquéllas» (TS 9-12-14, EDJ 228369).

4) Pese al silencio del Código de Comercio en cuanto a los **usos mercantiles** como fuente del derecho mercantil, la jurisprudencia se ha pronunciado de forma reiterada a favor de su consideración como fuente subsidiaria interpretativa de los actos de comercio (TS 14-11-51; 2-10-73; 8-10-81).

Especialidades (CCom art.57 a 60; CC art.1289) En el campo de la **contratación mercantil**, la aplicación de las reglas generales de interpretación contractual presenta las siguientes especialidades: **215**

• Expresa **prohibición** de tergiversar el sentido recto, propio y usual de las palabras, así como de restringir los efectos que naturalmente se deriven del modo con que los contratantes hayan explicado su voluntad.

• En el **cómputo** de **meses días y años**, se entiende: el día de veinticuatro horas; los meses, según están designados en el calendario gregoriano; y el año, de trescientos sesenta y cinco días. Por excepción, con respecto a las letras de cambio, los pagarés y cheques, así como los préstamos, se ha de estar a las disposiciones especiales.
• Caso de existir **divergencias** entre los ejemplares de un contrato que presenten los contratantes, si en la celebración del mismo interviene agente o corredor, se está a lo que resulte de los bienes de éstos.
• Agotada la virtualidad de las normas de interpretación sin haber resuelto las dudas, se decide la cuestión a favor del **deudor**. Esta solución presenta la particularidad de diferir de lo que se establece en la normativa civil, según la cual, en los contratos onerosos las dudas interpretativas se han de resolver en favor de la mayor reciprocidad de intereses.

F. Formación

220

222 En la vida de un contrato pueden distinguirse dos **fases**:
- la anterior a su celebración o fase **preparatoria**, y
- la posterior o fase de **ejecución**.

Bajo la denominación de formación del contrato se hace referencia a la serie de actos que preceden o que pueden **preceder** al momento de **perfección del contrato** y que se llevan a cabo precisamente con esa finalidad.

La formación de un contrato puede ser **instantánea** o momentánea, siendo esta última propia de operaciones económicas de escaso valor o que se encuentran estandarizadas. Por el contrario, cuando nos encontramos con operaciones de cierta envergadura económica, lo usual es el que el contrato se forme de manera **sucesiva o progresiva**, existiendo un período más o menos prolongado en el cual las partes, asistidas normalmente por auxiliares (asesores, mediadores, etc.), discuten, deliberan y elaboran en fin lo que ha de ser para ellas una reglamentación de autonomía privada.

224 **Tratos preliminares** En la práctica negocial moderna la conclusión de un contrato suele ir precedida de una fase de toma de contacto entre las partes, la cual puede comprender desde simples **conversaciones** o negociaciones, hasta **manifestaciones escritas** (redacción de borradores, minutas o proyectos cruzados, ofertas y contraofertas, estudios de perspectivas), en las que las partes no demuestran de forma patente su intención de obligarse recíprocamente, si bien sí hacen ver la posibilidad de contratar en el futuro (AP Madrid 7-10-09, EDJ 319437).

El valor jurídico de tales tratos preliminares, **sin** llegar a tener **fuerza vinculante** (TS 31-12-98, EDJ 31405; 27-9-99, EDJ 28053; 16-12-99, EDJ 37918; AP Barcelona 30-9-02, EDJ 94549), sí adquiere cierta trascendencia en orden a la formación de la voluntad contractual y en orden a la interpretación del contrato mismo (nº 205).

En la práctica, es frecuente consignar documentalmente los pactos por los que deba regirse la fase precontractual, mediante **contratos rectores o acuerdos de intenciones**, estableciendo los recíprocos deberes de las partes en aquélla:
• Negociar de **buena fe**.
• Facilitar la **información** necesaria para que la otra parte contratante pueda adquirir el conocimiento preciso del objeto del contrato y de sus circunstancias.
• Pacto de **confidencialidad** u obligación de no revelar la existencia de la negociación y un pacto de no negociar con terceras personas.
• Incluso es usual que exista algún **depósito de cantidad** y que se establezca el destino que al mismo haya de darse, según que el contrato que se negocia llegue o no a celebrarse, por la vía de una cláusula penal.

Precisiones Las negociaciones o gestiones, como meros tratos preliminares que son, no tienen **carácter vinculante** (TS 27-9-99, EDJ 28053). Por tanto, en caso de no aceptarse la propuesta, quien la formuló queda desvinculado de los términos en que lo hizo (TS 17-6-08, EDJ 103324).

Responsabilidad precontractual Las partes no quedan obligadas en virtud de los tratos preliminares, teniendo plena libertad para llegar o no a la celebración definitiva del contrato. Es decir, la simple **ruptura de las negociaciones** o la **falta de acuerdo** final no general, por sí misma, responsabilidad para ninguna de las partes (AP Alicante 25-4-06, EDJ 359132). 226

No obstante, la doctrina (Ihering) ha venido manteniendo que sí cabría **indemnización** por los gastos hechos a consecuencia de los tratos preliminares, cuando se constate en la ruptura de las negociaciones que el inicio de aquellos tratos no estuvo presidido por la **buena fe**. Se habla así de responsabilidad precontractual por ruptura injustificada de las negociaciones, cuando, por ejemplo, en el curso de los tratos preliminares, una de las partes haga surgir en la otra razonable confianza de que el negocio será concluido y, posteriormente, interrumpe dichas negociaciones sin un justo motivo. En tal caso estará obligada a resarcir los daños que la otra parte sufra como consecuencia de dicha ruptura (gastos).

De acuerdo a este planteamiento, el Tribunal Supremo (TS 14-6-99, EDJ 11217; 16-12-99, EDJ 37918; 15-10-11, EDJ 237353) ha venido exigiendo los siguientes cuatro **requisitos** para admitir el nacimiento de un deber de resarcimiento de daños y perjuicios por la ruptura o incumplimiento de los tratos preliminares:

1. La existencia de una razonable situación de **confianza** respecto a la plasmación del contrato. Este requisito se refiere fundamentalmente al grado de avance y desarrollo de las negociaciones, así como al comportamiento de las partes respecto de la creación de dicha situación de confianza.
2. El **carácter injustificado** de la **ruptura** de los tratos.
3. La efectividad de un **resultado dañoso** para una de las partes.
4. Un **nexo causal** entre el daño y la confianza suscitada. La relación de causalidad se establece entre la acción de generar falsas expectativas sobre la firma de un contrato (vulnerando el deber de buena fe negocial) y el daño producido en la contraparte por la ruptura de las negociaciones.

Precisiones 1) Con carácter general, podría tratarse de una **ruptura justificada**: cuando por la situación objetiva del mercado o por cualquier otra circunstancia, existe una ocasión de hacer un negocio mejor o existe una oferta mejor, cuando acontecen circunstancias sobrevenidas que impiden alcanzar el fin del contrato proyectado, siempre y cuando las mismas se comuniquen a la contraparte, o cuando hay una modificación unilateral de lo ya acordado (L. Díez-Picazo, «Fundamentos de Derecho Civil Patrimonial», Vol. I, Edit. Thomson Civitas). Tampoco es injustificada la ruptura de las negociaciones cuando resulte evidente que no se va a alcanzar un acuerdo.

2) En cuanto al **alcance del resarcimiento** por ruptura injustificada de tratos preliminares, la cuestión no es pacífica. La mayor parte de la doctrina y la jurisprudencia (TS 16-12-99, EDJ 37918) consideran que este resarcimiento se circunscribe a los gastos y desembolsos relacionados causalmente con los tratos preliminares (daño emergente), excluyendo otras cantidades equivalentes a la prestación que hubiera sido prometida («interés positivo») o las oportunidades de negocio perdidas (lucro cesante). No obstante, si la ruptura injustificada de los tratos preliminares constituyera una **conducta dolosa** (en el sentido de que la intención principal era la de causar un daño a la contraparte), la indemnización por daños debe ser integral, sin limitarse al denominado interés negativo (CC art.1107).

3) Las representaciones efectuadas durante la fase de tratos preliminares pueden configurar el comportamiento que se espera del deudor y servir de **pauta** para determinar la existencia de un **incumplimiento contractual** (TS 24-4-09, EDJ 101666).

Diferencia entre tratos preliminares y el precontrato o contrato (AP Madrid 7-10-09, EDJ 319437) 228

La jurisprudencia distingue entre los tratos preliminares, por un lado, y el precontrato o el contrato perfeccionado por la confluencia de la oferta y la aceptación, por otro.

Los tratos preliminares, ya adopten forma verbal o forma escrita, carecen de **eficacia obligacional**. El **precontrato**, en esta dinámica, no constituye una fase de los tratos preliminares, sino su final (TS 11-4-92, EDJ 3611; 10-6-96, EDJ 4173; 3-6-98, EDJ 4859; 8-2-10, EDJ 9914). Las declaraciones de intenciones no plasman una voluntad negocial perfeccionadora de un contrato; no implican la existencia de una relación contractual ya abierta con reserva a las partes de la facultad de exigir su puesta en vigor. El **consentimiento** tiene que ser libre y ha de ser emitido conscientemente, aflorando a la realidad fáctica mediante actos concluyentes, expresos o tácitos, manifestándose tras deliberada decisión. La mera **oferta de contrato**, sin más, carece de eficacia vinculante, si no se ve específicamente aceptada por la contraparte (CC art.1262). No pueden ser objeto de coerción jurídica las obligaciones que puedan derivar del compromiso, pues no existe una relación jurídica conformada con sus elementos esenciales, que requiere actos de voluntad claros e inequívocos.

La jurisprudencia incluso ha llegado a distinguir entre los meros tratos preliminares y la **oferta de contrato** en toda regla. Aun siendo frecuente que el proceso formativo del contrato se inicie con manifestaciones de voluntad, contenidas en tratos preliminares o conversaciones previas que los interesados mantienen sin fuerza vinculante antes de decidirse a la celebración del negocio y mediante las cuales se comunican sus respectivas aspiraciones, tal fase preparatoria es bien distinta de la oferta en cuanto declaración de voluntad de naturaleza recepticia, como tal dirigida a otro sujeto y emitida con un definitivo propósito de obligarse si la aceptación se produce, siguiendo en consecuencia el consentimiento por la coincidencia de esas declaraciones de los contratantes en que la oferta y la aceptación consisten, de donde se sigue que encaminados los tratos preliminares a la formación de la primera, desaparecerán una vez cumplida su misión en el momento en que en el iter contractual se llegó a formular una **proposición final**, con todas las notas de una verdadera oferta. Y realizada la oferta de contrato o propuesta conteniendo los requisitos indispensables al fin proyectado y por consiguiente con todos los elementos necesarios para el futuro contrato (los denominados *esentialia negoti*), el contrato se genera en su perfección con el asentimiento de la otra parte, manifestando su aceptación a los términos en que aquella declaración ha sido hecha por el oferente y alcanzándose en suma, el punto de conjunción de los contrapuestos intereses que es el acuerdo determinante del **consentimiento**, cuya suficiencia para la perfección del negocio viene proclamada por el CC art.1254 y ha sido recordada por la doctrina jurisprudencial (TS 10-10-86, EDJ 6265; 31-12-98, EDJ 31405).

230 **Precontrato** En ocasiones, la formación sucesiva de un contrato se inicia con la celebración de un **contrato preliminar** o preparatorio, al que se denomina también precontrato o promesa de contrato, al cual sucede en un momento posterior el contrato definitivo. El precontrato es en sí mismo un contrato, pero con una **función** puramente preliminar o preparatoria del contrato principal. En el precontrato cada una de las partes ostenta un derecho actual a exigir la conclusión del contrato futuro. El TS ha sintetizado el **concepto** de precontrato como «un contrato completo, que contiene sus líneas básicas y todos los requisitos, teniendo las partes la obligación de colaborar para establecer el contrato definitivo» (TS 23-12-95, EDJ 6786; en términos similares TS 25-6-93, EDJ 6272). Es decir, el precontrato es el proyecto de contrato en el sentido de que las partes, por el momento, no quieren o no pueden celebrar los contratos definitivos y se comprometen a hacer efectiva su conclusión en tiempo futuro (TS 4-7-91, EDJ 7251), conteniendo ya los elementos del contrato definitivo, pero cuya **perfección** las partes aplazan (TS 3-6-94, EDJ 5103). El precontrato consiste, pues, en «quedar obligado a obligarse» (TS 24-7-98, EDJ 16251).

A diferencia de los simples tratos preliminares, el precontrato sí crea un **vínculo obligatorio** entre las partes (AP Madrid 7-10-09, EDJ 319437). Del precontrato se desprenden **obligaciones jurídicas concretas**, al tratarse de un estadio en fase previa al contrato definitivo del que no pueden desvincularse caprichosa y unilateralmente las partes (TS 4-7-91, EDJ 7251; 30-1-98, EDJ 326; 1-5-99, EDJ 8561).

Las dos **notas características** del precontrato son:

a) La **voluntad** de las partes de **quedar vinculadas** en el futuro mediante la celebración de un contrato.

b) La **determinación** de los **elementos esenciales** del contrato proyectado (TS 3-6-98, EDJ 4589).

El precontrato exige que el **objeto** esté perfectamente **determinado** (en el precontrato de compraventa, que conste la cosa vendida y el precio); si no estuvieran determinados e hiciera falta un nuevo acuerdo, se trataría de simples tratos previos, sin eficacia obligacional (TS 14-12-06, EDJ 325579).

Precisiones **1)** El llamado precontrato tiene por objeto constituir un contrato y exige como **nota característica** que en él se halle prefigurada una relación jurídica con sus elementos básicos y todos los requisitos que las partes deben desarrollar y desenvolver en un momento posterior, cuya efectividad o puesta en vigor se deja a voluntad de ambas partes contratantes. Supone, por tanto, el final de los tratos preliminares y no una fase de ellos, en los que las partes, a partir de acuerdos vinculantes, tratan de configurar esos **elementos esenciales del contrato**, que no existen jurídicamente hasta ese momento y que sin ellos no solo no sería posible cumplimentar de forma obligatoria lo que todavía no existe, sino que permitiría a los interesados desistir de estos tratos, sin más secuelas que las que pudieran resultar de la aplicación del CC art.1902 caso de abrupta e injustificada separación de la fase prenegocial. No obsta a esta calificación que no hayan quedado determinados los **elementos instrumentales** o complementarios del mismo, cuando es perfectamente posible hacerlo en un momento posterior (TS 8-2-10, EDJ 9914).

2) El precontrato no produce los **efectos del contrato** (como puede ser la transmisión de la propiedad), sino sólo el que las partes pueden exigirse el paso a la fase segunda, que es la celebración del *contrato preparado* y es éste el que producirá los efectos que le son propios (TS 24-10-08, EDJ 197192).

Se trata de una figura que carece de una **regulación** general en nuestro ordenamiento, si bien se contempla de una manera esporádica en la promesa de comprar y de vender (CC art.1451) y en la promesa de constitución de prenda e hipoteca (CC art.1862). Sobre el precontrato de compraventa, ver nº 910 s. 232

Contrato de opción El contrato de opción (también conocido como «precontrato unilateral») es aquel en virtud del cual una de las partes, concedente de la opción, atribuye a la otra, beneficiaria de la opción, un derecho (derecho de opción) que le permite a esta última decidir, dentro de un determinado período de tiempo y unilateralmente, la celebración de un determinado contrato. Es decir, sólo una parte viene obligada a poner en vigor el contrato y la otra tiene derecho a exigírselo (TS 17-6-08, EDJ 124046; 14-2-13, EDJ 11777). 234

Se diferencia con el **precontrato** en que en la opción no es necesario que el otorgante concluya otro nuevo contrato o preste su nuevo consentimiento para ello. Basta la unilateral declaración de voluntad del beneficiario para que el contrato prefigurado se entienda puesto en vigor.

Ahora bien, debe tenerse en cuenta que la **declaración del optante** tiene **carácter recepticio**, por lo que para que sea eficaz, si otra cosa no se pacta, debe ser conocida por el concedente dentro del plazo fijado o, alternativamente, habiéndose remitido al concedente dentro del expresado plazo, el destinatario no puede ignorarla sin faltar a la buena fe, por haber llegado a su círculo de interés (TS 17-9-10, EDJ 279581). Es decir, el carácter recepticio de la comunicación sobre el ejercicio de la opción requiere que haya llegado a conocimiento del concedente dentro del plazo establecido por los contratantes o en su caso que, si no ha llegado dentro de dicho plazo, tal circunstancia resulte imputable al propio concedente y nunca al optante (TS 21-12-16, EDJ 232470).

Precisiones Algunas sentencias han sostenido lo contrario, en el sentido de bastar que la **comunicación del optante** se produzca dentro de plazo concedido, con independencia del momento en que llegue a **conocimiento del concedente** u optatario su voluntad de ejercicio de la opción (TS 11-4-00, EDJ 5724; 30-4-10, EDJ 71255).

El contrato de opción puede ser **oneroso o gratuito**. En el primer caso, el precio se recibe tanto si el contrato proyectado se lleva a efecto o no, si bien en el primer caso suele quedar absorbido por el precio del contrato principal. 236

La opción cumple dos **finalidades**:

1º Asegura al beneficiario una mayor amplitud en la deliberación y decisión acerca de la conveniencia de la conclusión del contrato proyectado.

2º Da al beneficiario la posibilidad de concertar a su vez con otra u otras personas un contrato sobre el bien respecto del cual la opción ha sido concedida.

En cuanto a la **transmisibilidad** del derecho de opción, no ofrece problemática alguna si se ha previsto tal posibilidad expresamente. En ausencia de previsión expresa hay que entender que sí lo es. Como excepción, cuando el contrato proyectado genere especiales obligaciones a cargo del adquirente del derecho, es transmisible, pero como un supuesto de cesión de contrato que, como tal, requiere el consentimiento del concedente de la opción (CC art.1112).

Sobre el contrato de opción de compra y su inscripción cuando recaiga sobre bienes inmuebles en el Registro de la propiedad, ver nº 925.

Precisiones La doctrina y la jurisprudencia estiman que es requisito esencial del derecho de opción su sometimiento a un **plazo o término de ejercicio**, sin que exista ningún límite de duración del derecho de opción, salvo en la opción de compra de bienes inmuebles, solo cuando se pretenda su inscripción registral. Su transcurso sin que los interesados ejerciten el derecho produce la extinción por caducidad.

Concurrencia de oferta y demanda (CC art.1262) El procedimiento normal de formación de un contrato es el concurso de la oferta y la aceptación sobre **la cosa y la causa** que han de constituir el contrato. Así, los contratos se perfeccionan por el mero consentimiento manifestado por el concurso de la oferta y de la aceptación, que marca el final del iter formativo del contrato, el final de los actos preliminares al mismo, lo que requiere que la oferta contenga todos los elementos determinantes del objeto y la causa, para que la posterior aceptación determine el concurso respecto de ellos, sin introducir modificación alguna que requiriese un nuevo acuerdo (TS 26-3-93, EDJ 3021; 28-1-00, EDJ 512). 238

La doctrina científica y la jurisprudencia vienen exigiendo sin fisuras que el concurso de la oferta y la aceptación, como requisitos indispensables para la perfección del contrato, han de contener todos los **elementos necesarios** para la existencia del mismo, y coincidir exactamente en sus términos, debiendo constar la voluntad de quedar obligados los contratantes, tanto por la oferta propuesta, como por la aceptación correlativa a la misma, no pudiendo entenderse esta perfecta concordancia cuando tanto una como otra se hacen de un modo impreciso, reservado, condicionado o incompleto, o cuando lo que se formula es una contraoferta (TS 30-5-96, EDJ 2699; 2-11-09, EDJ 259053).

240 **Oferta** La propuesta de celebrar un contrato, dirigida a una o varias personas determinadas, constituye oferta si es suficientemente precisa e indica la intención del oferente de quedar obligado en caso de aceptación.

Para que pueda hablarse en rigor de oferta es preciso que ésta reúna los siguientes **requisitos**:

a) Que sea **completa**, es decir, que contenga todos los elementos esenciales del contrato, de manera que el destinatario puede limitarse a aceptar; por esta razón, no son propuestas ni el envío de listas de precios, el anuncio de mercancías ni la exhibición de mercancías en escaparates cuando no vaya acompañada del dato de precio, cantidad, etc.

b) Que sea emitida con una seria **intención** de obligarse y ser dada a conocer al destinatario, sin reservas, de manera que el oferente no tenga ya que realizar ninguna otra manifestación contractual si la oferta es aceptada para que el contrato quede perfeccionado.

Para que la oferta dirigida a una generalidad o **grupo de personas** pueda ser considerada una oferta de contrato, es preciso que la comunicación contenga los elementos del contrato proyectado, y que el contrato quede formado sin más requisito adicional que la aceptación.

Mientras no haya recaído la aceptación del destinatario la oferta es **revocable**. Sin embargo, la libertad de revocación queda limitada por el hecho de que el oferente haya dirigido la oferta con el carácter de irrevocable.

Precisiones La **solicitud de seguro** proveniente del futuro tomador o asegurado no vincula a la aseguradora; en cambio sí la vincula la proposición de seguro que ésta última haya efectuado, durante el plazo de quince días (LCS art.6). Y ello porque de acuerdo con la interpretación más correcta de la Ley, no se considera la solicitud como una verdadera oferta, por lo que el art.6.1 LCS dice textualmente que «la solicitud de seguro no vinculará al solicitante». Para que la **oferta vincule al asegurador** se requiere que sea completa y que, además, contenga la voluntad del oferente para la celebración del futuro contrato, lo que no resultará lo más corriente dada la complejidad técnica de determinados seguros, en los que se requieren cálculos actuariales complejos respecto a la determinación de las primas en relación con los riesgos asegurados, condición en la que normalmente será la aseguradora quien va a tener la información más adecuada (TS 15-6-09, EDJ 128052).

242 **Aceptación** Para que sea eficaz y determine la plena perfección del contrato ha de reunir los siguientes **requisitos**:

- debe coincidir con la oferta en todos sus términos. La alteración de los términos de aquélla supone una contraoferta, que es en sí misma una oferta, que supone que se inviertan los papeles y el destinatario pase a ser oferente;
- definitiva;
- recepticia;
- tempestiva, esto es, debe formularse antes de que pueda entenderse revocada o caducada la oferta.

Precisiones **1)** «(L)a aceptación, [...], es una declaración de voluntad, también recepticia, emitida por aquél a quien se dirigió la oferta y con un contenido mínimo, que es la conformidad con el contenido contractual. De manera que, cualquier alteración o condicionamiento -como sucedió en este caso- de la proposición u oferta, nos situaría fuera del campo de la aceptación propiamente dicha. Y concretamente en el campo de la **contraoferta**. De tal manera que no nos encontraríamos ante una aceptación, sino a una simple nueva proposición del otro contratante que deja al convenio en estado de proyecto en tanto no manifieste su conformidad con esa nueva oferta, la otra parte [...]» (AP Madrid 26-3-13, EDJ 87775).

2) El **silencio** puede entenderse como aceptación cuando se haya tenido la oportunidad de hablar, es decir que no se esté imposibilitado para contradecir la propuesta del oferente, por impedimento físico o por no haber tenido noticia del mismo (TS 13-2-78, EDJ 291), y se deba hablar (conforme al principio general del Derecho *tacens consentit, si contradicendo impedire poterat*), existiendo tal deber de hablar cuando haya entre las partes relaciones de negocios que así lo exijan (TS 17-11-95, EDJ 6194), o cuando lo natural y normal, según los usos generales del tráfico y en aras de la buena fe, es que se exprese el disentimiento, si no se deseaba aprobar las propuesta de la contraparte (TS 29-2-00, EDJ 997; 9-6-04, EDJ 54943; 31-1-08, EDJ 25593).

244 **Perfección** (CCom art.54 y 55; CC art.1262) El **consentimiento** es lo que da el ser al contrato. El consentimiento se forma o manifiesta por el concurso de la oferta y la aceptación sobre la cosa y la causa que ha de constituir el contrato.

El consentimiento tiene que ser «libre y conscientemente emitido, manifestado por **actos concluyentes**, expresos o tácitos, pero que aflore al exterior después de una deliberada decisión, existiendo el contrato solamente cuando confluyan o se aúnen dos voluntades sobre la cosa y la causa que han de constituirlo» (TS 11-4-92, EDJ 3611; 28-1-00, EDJ 512).

Los hechos determinantes de la apreciación del consentimiento han de ser **inequívocos**; es decir, que con toda evidencia los signifiquen, sin posibilidad de dudosas interpretaciones (TS 13-2-78, EDJ 291; 20-7-06, EDJ 105566).

El consentimiento puede ser prestado en forma **tácita**, pero en todo caso la declaración de voluntad emitida indirectamente ha de resultar determinante, clara e inequívoca, sin que sea lícito deducirla de expresiones o actitudes de dudosa significación, sino por el contrario reveladoras del designio de crear, modificar o extinguir algún derecho (TS 11-6-91, EDJ 6142; 22-12-92, EDJ 12724; 17-2-05, EDJ 13279).

Para que el **silencio** tenga relevancia a efectos de consentimiento, requiere la concurrencia de dos factores (TS 9-6-04, EDJ 54943): uno, de carácter subjetivo, implica que el silente tenga conocimiento de los hechos que motivan la posibilidad de contestación; otro, de carácter objetivo, exige que el silente tenga obligación de contestar (por existir entre las partes una relación de negocios), o, cuando menos, fuera natural y normal que manifestase su disentimiento, si no quería aprobar los hechos o propuestas de la otra parte (TS 7-12-09, EDJ 314900).

Precisiones **1)** Es doctrina jurisprudencial consolidada y pacífica que la existencia del consentimiento es una **cuestión de hecho**, apreciable por los tribunales de instancia, y solo impugnable casacionalmente por errónea apreciación o valoración de la prueba (TS 20-2-88, EDJ 1379; 19-10-94, EDJ 8457; 11-12-06, EDJ 325601).

2) El **conocimiento** no equivale a consentimiento, ni el **silencio** supone genéricamente una declaración, pues aunque no puede ser indiferente para el Derecho, corresponde estar a los hechos concretos para decidir si cabe ser apreciado como consentimiento tácito, es decir, como manifestación de una determinada voluntad, de manera que el problema no está en decidir si puede ser expresión de consentimiento, sino en determinar bajo qué condiciones debe aquél ser interpretado como tácita manifestación de ese consentimiento (TS 14-9-16, EDJ 152102).

3) Se entiende que el silencio equivale al consentimiento en un caso en el que las partes mantenían relaciones profesionales desde hacía más de quince años, y era habitual que hubiera reuniones y comunicaciones internas sobre la estrategia a seguir respecto de los procedimientos judiciales y su consiguiente repercusión en los honorarios a cobrar por los letrados, y no podía ignorarse un **correo electrónico** del jefe de la asesoría jurídica que establecía un **nuevo sistema de facturación** y cobro. Consta que el recurrente tuvo conocimiento de dicho correo, por lo que, si no lo contestó, era conforme a la buena fe contractual que la otra parte considerase que no se oponía al nuevo sistema, ya que lo lógico era, que se si oponía, lo hubiera manifestado expresamente mediante contestación al correo electrónico (TS 1-10-19, EDJ 700924).

En relación con la perfección del contrato cabe destacar como **reglas especiales** las siguientes: **246**

a) **Intervención de notario**. Los contratos en que intervenga fedatario público, quedan perfeccionados cuando los contratantes acepten su propuesta (nº 190).

b) **Uso de dispositivo automático**. En los contratos celebrados mediante dispositivos automáticos hay consentimiento desde que se manifiesta la aceptación.

c) **Contratación entre ausentes**. Por lo que respecta los supuestos de contratación por escrito entre ausentes, como ocurre por ejemplo cuando las partes no tratan personalmente sino por otro medio, como en este caso el correo electrónico, a efectos de la determinación del momento en que se produce la perfección del contrato, se considera suficiente el hecho de la contestación aceptando la propuesta o las condiciones con que ésta sea modificada. Así, cuando el que hace la oferta y el que la acepta se encuentran en lugares distintos, la Ley entiende que hay consentimiento desde que el **oferente conoce la aceptación** o desde que, habiéndosela remitido el aceptante, no pueda ignorarla sin faltar a la buena fe. El contrato, en estos casos, se presume celebrado en el lugar en que se hizo la oferta.

El CC recoge a estos efectos la **teoría de la recepción**, matizada en el sentido de estimarse suficiente a los efectos contractuales que el oferente haya podido proporcionarse conocimiento de la aceptación en circunstancias normales, o en otros términos, se considera como momento clave para la perfección el de la recepción, pudiendo presumirse que si el ofertante no ha conocido la aceptación, ello es debido a su proceder omisivo o negligente, quedando a su cargo la prueba en contrario (TS 24-11-98, EDJ 26399).

Precisiones En relación con la **contratación por medio de télex**, se ha sostenido su equiparación con la telefonía, y, por tanto, su consideración como contratación de personas distantes de formación instantánea (Rogel Vide).

Contratos de adhesión Bajo la denominación de contratos de adhesión, se alude a aquellos en los cuales una de las partes, que generalmente es un empresario mercantil o industrial que realiza una **contratación en masa**, establece un contenido prefijado para todos los contratos de un determinado tipo que se realizan en el desarrollo de la empresa. Todas las **cláusulas** de estos contratos vienen **predispuestas por una de las partes**, que es quien las **248**

redacta a modo de «formulario» con la finalidad que tales cláusulas aparezcan plasmadas en una pluralidad de contratos.

La conclusión del contrato no va precedida de una discusión sobre el contenido del contrato, sus cláusulas no pueden sino ser pura y simplemente aceptadas, sin posibilidad de **modificación**.

Esta contratación por medio de formularios, impresos, pólizas o modelos preestablecidos es muy **frecuente** en la práctica bancaria, en la de seguros, transportes, suministros de energía eléctrica, agua, gas, teléfono, etc.

La problemática que plantean los contratos de adhesión es la relativa a reprimir los **abusos** a que puede dar lugar la situación preponderante de una de las partes, para lo cual el ordenamiento reacciona mediante el establecimiento de:

a) Un control de las cláusulas o **condiciones abusivas** o de abusiva inclusión en el contrato.

b) **Reglas de interpretación** que impida el perjuicio de los adherentes y favorezca el interés de éstos.

Para el estudio de este tipo de contratos nos remitimos a lo expuesto en el nº 690 s. Memento Defensa del Consumidor 2024-2025.

Precisiones 1) Los términos contrato de adhesión y **condiciones generales** se refieren a la contratación en masa, pero visto desde ángulos distintos. Cuando se utiliza el término contrato de adhesión se hace énfasis en la imposición del contenido contractual al adherente, mientras que cuando se habla de condiciones generales, se pone el énfasis en la predisposición. Sin embargo, parte de la doctrina sostiene que todo contrato que incorpore condiciones generales será un contrato de adhesión, pero no sucede lo mismo en sentido inverso, es decir que no todo contrato de adhesión está compuesto por condiciones generales, debido a que existen los **contratos de adhesión particulares**, que son en aquellos cuyas cláusulas han sido predispuestas para un solo contrato, por tanto carecen de una de las características de las condiciones generales: haber sido predispuestas con la intención de ser utilizadas para una pluralidad de contratos.

2) Sobre el contrato de adhesión **electrónico**, ver nº 11765.

G. Eficacia

255

a. Normas imperativas

260 Entre las partes, el contrato supone siempre la creación, la modificación, la determinación del contenido, la declaración o extinción de una situación jurídica.

Todo contrato tiene un **contenido reglamentario**, unas normas de conducta que, bajo la denominación de cláusulas, estipulaciones o pactos, formulan las conductas que en sus recíprocas relaciones deben observar las partes.

Ahora bien, junto a las reglas contractuales que tienen su origen en la autonomía de la voluntad de las partes, existen otras que, por venir **impuestas** por el ordenamiento jurídico, obligan asimismo a los contratantes. Así:

- El que la validez y el cumplimiento de los contratos no puede quedar al **arbitrio** de uno de los contratantes (CC art.1256). Ver nº 262.
- El que una vez perfeccionados, los contratos obligan no solo al cumplimiento de lo expresamente pactado, sino también a todas las **consecuencias** que, según su naturaleza, sean conformes a la buena fe, al uso y a la ley (CC art.1258). Ver nº 264.

Precisiones Dado su carácter genérico, el TS considera que ni el art.1256 CC ni el art.1258 CC son susceptibles por sí solos de fundar un **motivo de casación** (entre otras, TS 20-4-01, EDJ 6419; 22-6-06, EDJ 89260; 17-3-08, EDJ 48866; 3-11-09, EDJ 259065; 29-11-12, EDJ 279261).

262 **Arbitrio de parte** (CC art.1256) Este precepto consagra el principio de la *necessitas*, esencia de la obligación, en el sentido de que no puede quedar su **validez y cumplimiento** a la voluntad potestativa de una de las partes. Siendo la obligación «la relación jurídica que liga al acreedor y al deudor, aquel como titular del derecho de crédito y éste como sujeto de un deber jurídico, no pueden, ni uno, ni otro, alterarla unilateralmente» (TS 27-2-97, EDJ 995).

Así, no es aceptable que quien viene cumpliendo un contrato a lo largo de los años deje de hacerlo cuando **considere** por su cuenta que es **nulo**, pero sin mediar ninguna declaración judicial al respecto (TS pleno 9-5-11, EDJ 113865; 2-11-11, EDJ 270370).

Ahora bien, el derecho de la parte a la **ruptura unilateral del contrato** celebrado por tiempo indeterminado (nº 304) no contradice el CC art.1256, y así lo ha reconocido la jurisprudencia (TS 16-11-16, EDJ 208756).

Tampoco se vulnera el precepto cuando la operatividad de unas **prestaciones** que garantizan la contraprestación, se **supedita** a la efectividad de otras (TS 13-7-11, EDJ 146931).

Precisiones 1) No puede admitirse que la determinación de la **renta arrendaticia** se deje al arbitrio de una de las partes.

2) La **prórroga** contractual en modalidad indefinida en los **arrendamientos no destinados a vivienda**, al no venir condicionada en su aspecto temporal, somete a la exclusiva voluntad del arrendatario la duración del vínculo arrendaticio cuestionado, conculcando la prohibición sancionada por el CC art.1256 (TS 15-10-84, EDJ 7435; 9-9-09, EDJ 217416).

Integración de los pactos por la buena fe, los usos y la ley (CC art.1258) Esta norma establece reglas de conducta de carácter imperativo, ajenas a las voluntades de las partes, que responden a una concepción social de la función del contrato y que vienen a imponer especiales deberes de conducta en favor de la parte más débil, **ampliando** el **contenido obligacional** expresamente pactado a aquellas otras consecuencias que, según la naturaleza del negocio, sean conformes a la buena fe, al uso y a la ley. 264

La **buena fe** a la que se refiere el precepto supone una exigencia de comportamiento coherente y de protección de la confianza ajena (TS 2-10-00, EDJ 30766); de cumplimiento de las reglas de conducta ínsitas en la ética social vigente, que vienen significadas por las reglas de honradez, corrección, lealtad y fidelidad a la palabra dada y a la conducta seguida (TS 29-2-00, EDJ 997). Aplicando en concreto el instituto al campo contractual, se integra el contenido del negocio en el sentido de que las partes quedan obligadas no solo a lo que se expresa de modo literal, sino también a sus derivaciones naturales, de tal modo que impone comportamientos adecuados para dar al contrato cumplida efectividad en orden a la obtención de los **fines propuestos** (TS 26-10-95, EDJ 7722; 12-7-02, EDJ 27771).

Pero el principio de buena fe extiende su concreción en el ámbito del Derecho contractual más allá del plano tradicional de la integración del contrato (CC art.1258), alcanzando también al plano de la «modificación» de la relación contractual por el **cambio sobrevenido** de las circunstancias. Ver nº 266.

Precisiones 1) En sede de **compraventa de viviendas**, el TS ha aplicado el CC art.1258 para establecer que el vendedor respondía no solo de la entrega de la casa, sino también de efectuarla con utilidad para su destino, es decir, con la condición de habitabilidad (TS 16-12-96, EDJ 9138).

2) La **expansión** de los deberes al amparo del CC art.1258 debe ser lo más **restringida** posible, porque no puede extinguirse este artículo del contenido en el CC art.1283, según el cual, en los términos de un contrato no deberán entenderse comprendidos cosas distintas y casos diferentes de aquellos sobre los que los interesados se propusieron contratar. Y en cualquier caso al extender una obligación al amparo del citado artículo, conviene incardinar la consecuencia añadida en alguno de los tres supuestos: ley, uso o buena fe (TS 23-11-88, citada por TS 18-7-02, EDJ 28317).

3) En relaciones contractuales de la naturaleza de la que nos ocupa, entre los «deberes de protección» aludidos debe incluirse el que incumbe a la **compañía de transportes** demandada de velar -sin perjuicio de las funciones de vigilancia que, realizan las Fuerzas de Seguridad en las zonas públicas- por que no sufran **daño** alguno las personas que, para la utilización de los servicios que aquella entidad ofrece, hayan de transitar por los espacios que forman parte de las estaciones construidas para posibilitar la prestación de los mismos. Espacios que no comprenden solamente los de las vías y andenes, sino también aquellos que ocupan vestíbulos, pasillos, escaleras, etc. (TS 20-12-04, EDJ 219274).

Cláusula «rebus sic stantibus» Se trata de una institución de origen jurisprudencial, carente de previsión legal en España, que admite la posibilidad de revisión o modificación de las obligaciones contractuales asumidas por la alteración de la base del negocio o la equivalencia de las prestaciones, en base a los principios de buena fe y **justo equilibrio de las prestaciones** (CC art.1258) (TS 21-5-09, EDJ 101656). 266

Para la aplicación de esta doctrina, la jurisprudencia exige la concurrencia de los siguientes **requisitos** (TS 17-5-86, EDJ 3272; 21-2-90, EDJ 1801; 1-3-07, EDJ 19740; 20-11-09, 275998; 21-2-12, EDJ 30163; 27-4-12, EDJ 78193; 15-10-14, EDJ 218762; 24-2-15, EDJ 65039):

1. **Alteración extraordinaria** de las circunstancias entre el momento de la perfección del contrato y el de consumación. El cambio de circunstancias se proyecta sobre el cumplimiento de un contrato previamente existente y no consumado, bien de tracto sucesivo, con independencia de su duración, o bien de ejecución instantánea, pero de cumplimiento diferido de alguna

266 (sigue) de sus prestaciones (siendo más fácil la aplicación de la regla en los contratos de larga duración -TS 6-3-20, EDJ 516605-).

2. **Desproporción exorbitante** entre las prestaciones de las partes, tan acusada que aumenta extraordinariamente la onerosidad o el coste de las prestaciones de una de las partes o bien acaba frustrando el propio fin del contrato. Este hecho se produce cuando la excesiva onerosidad operada por dicho cambio resulte determinante tanto para la frustración de la finalidad económica del contrato (viabilidad del mismo), como cuando representa una alteración significativa o ruptura de la relación de equivalencia de las contraprestaciones (conmutatividad del contrato). Esto es:

- que la excesiva onerosidad refleje un substancial **incremento del coste** de la prestación; o, en sentido contrario
- que la excesiva onerosidad represente una **disminución** o envilecimiento del **valor** de la contraprestación recibida.

3. **Imprevisibilidad** de la alteración sobrevenida. La nota de imprevisibilidad no deba apreciarse respecto de una abstracta posibilidad de la producción de la alteración o circunstancia determinante del cambio, considerada en sí misma, sino en el contexto económico y negocial en el que incide (TS 26-4-13, EDJ 55109; 30-6-14, EDJ 111200).

4. **Subsidiaridad**, porque se carezca de otro medio para remediar el perjuicio.

Dándose estos requisitos puede llegarse a una **modificación** (no extinción ni resolución) de la **obligación** (TS 19-6-96, EDJ 5069).

En cualquier caso, la cláusula *rebus sic stantibus* se aplica, con carácter general, de manera **muy excepcional** por los tribunales.

Puede tener efectividad en los casos de **contratos de tracto sucesivo** y larga duración, cuando se produce una alteración en la onerosidad de las prestaciones por causas ajenas a las propias partes contratantes. Pero **no cabrá aplicarse**, por el contrario, en aquellos supuestos en que la alteración de circunstancias determina una mayor onerosidad para una de ellas precisamente por la actuación incumplidora de la contraria (TS 16-3-09, EDJ 25484), o cuando las partes ya hayan incluido en el propio contrato un régimen concreto para el riesgo de que se trate (TS 17-1-13, EDJ 27134).

Más excepcional aún se ha considerado su posible aplicación a los **contratos de tracto único** como es la compraventa (TS 10-2-97, EDJ 388; 15-11-00, EDJ 37063; 22-4-04, EDJ 17047 y 1-3-07, EDJ 19740), y por regla general se ha rechazado su aplicación a los casos de dificultades de financiación del deudor de una prestación dineraria (TS 20-5-97, EDJ 2667 y 23-6-97, EDJ 4462).

Debe advertirse, no obstante, que tras más de cien años de **jurisprudencia restrictiva** y cautelosa en la aplicación de la cláusula *rebus sic stantibus* (entre muchas, TS 22-4-04, EDJ 17047), las sentencias del TS 30-6-14, EDJ 111200 y 15-10-14, EDJ 218762, marcan un «antes» y un «después» de cara a la **moderna configuración** de esta cláusula en el Derecho de la contratación, que está perdiendo su excepcionalidad.

Precisiones **1)** El TS ha entendido que el transcurso del tiempo en contratos de tan prolongada duración como son los de **arrendamiento**, y la **transformación económica** de un país, producida, entre otros motivos, por dicho devenir, no puede servir de fundamento para el cumplimiento de los requisitos requeridos por la jurisprudencia para llegar a la existencia de un desequilibrio desproporcionado entre las prestaciones fundado en circunstancias imprevisibles, pues las circunstancias referidas no pueden tener tal calificación; en efecto, el contrato suscrito por los litigantes, en previsión, ya desde su inicio, de la gran duración del arrendamiento, contiene cláusulas de actualización de renta y, con la objetivo de evitar los desequilibrios desproporcionados derivados de la duración de los contratos de arrendamiento en general, la Ley de Arrendamientos Urbanos de 1994 integra normas de actualización de renta (TS 27-4-12, EDJ 78193).

2) Por el contrario, en el caso del **arrendamiento de larga duración de un hotel**, se aplicó la cláusula *rebus sic stantibus* por la significativa caída de la demanda del sector con registro de pérdidas de la empresa arrendataria (TS 15-10-14, EDJ 218762).

Asimismo, aplica el TS la cláusula *rebus sic stantibus*, por una alteración imprevisible de las circunstancias que sirvieron de base para la formación de la voluntad negocial y que genera un desequilibrio de las prestaciones, que surgen a cargo de la actora, consecuencia de una **crisis económica** de marcada incidencia en el **mercado publicitario**. En consecuencia, la alteración de las circunstancias, de carácter extraordinario y derivada de una caída desmesurada de la facturación con sustanciales pérdidas, compromete la viabilidad de la explotación de la empresa caso de *cumplimiento íntegro del contrato* según lo pactado (TS 30-6-14, EDJ 111200).

3) El TS ha reconocido que la actual **crisis económica** constituye, en si misma considerada, un factor de **cambio significativo** de las circunstancias que debe ser ponderado en aquellos casos que resulten dignos de tutela (TS 17-1-13, EDJ 27134; 18-1-13, EDJ 18630). Ahora bien, esto no significa que la cláusula *rebus* sea de aplicación automática por su mera alegación, aunque se reconozca su notoriedad (TS 26-4-13, EDJ 63403).

4) No se da la alteración sobrevenida e imprevisible de las circunstancias tenidas en cuenta al contratar para poder aplicar la regla *rebus sic stantibus*, si las partes han asumido expresa o implícitamente el riesgo de que una circunstancia aconteciera o debieron asumirlo porque se encuentra dentro de los **riesgos normales del contrato**. Es más fácil la aplicación de la regla en los contratos de larga duración, ordinariamente de tracto sucesivo, que en uno de corta duración en el que, a diferencia de aquel, difícilmente puede acaecer algo extraordinario que afecte a la base del contrato y no quede amparado dentro del riesgo propio del mismo (TS 6-3-20, EDJ 516605).

b. Relaciones con terceros

(CC art.1257)

En principio, los contratos solo producen efecto **entre las partes** que los otorgan, de modo que en general no puede afectar lo estipulado en todo contrato a quien no intervino en su otorgamiento (TS 23-7-99, EDJ 21400). Por ello, si el contrato es considerado como una manifestación de la autonomía privada en orden a la reglamentación de los propios intereses, resulta claro que dicha reglamentación ha de afectar, en línea de principio tan solo a la esfera jurídica de sus autores, porque solo respecto de ellos por hipótesis la autonomía existe (TS 19-6-06, EDJ 89277). **270**

Sin embargo, a pesar de la literalidad del precepto, el Tribunal Supremo ha afirmado que los **sucesores** a título singular ostentan el mismo carácter que sus causantes. Afirma que el principio de relatividad no es tan absoluto que no pueda extenderse a personas que no han intervenido en lo pactado en el contrato (TS 9-2-65), así como que los **causahabientes** a título singular (compraventa) no son terceros (TS 1-4-77, EDJ 77; 24-10-90, EDJ 9673), trascendiendo a estos los derechos y obligaciones del contrato, con excepción de los personalísimos, al penetrar los causahabientes en la situación jurídica creada mediante el negocio celebrado con el primitivo contratante (TS 2-11-81, EDJ 1627; 27-3-84, EDJ 7131).

Por ello, tanto la doctrina como la jurisprudencia mantienen la **relatividad de los efectos** de los contratos, no de un modo general y abstracto, sino de manera concreta y muy determinada (TS 11-4-11, EDJ 120441; 8-4-15, EDJ 51587).

En relación con los **terceros**, solo de una manera excepcional cabe hablar de **eficacia directa** del contrato. Básicamente, los supuestos se circunscriben a: **272**

a) El **contrato a favor de tercero**, esto es, aquél que contiene alguna estipulación a favor de un tercero, en cuyo caso, puede este último exigir el cumplimiento siempre que haya hecho saber su aceptación al obligado antes de que haya sido aquella revocada.

b) El **contrato para designar persona**, esto es, supuestos, normalmente contratos de compraventa, en los que con una finalidad contractual de gestión o de mediación, uno de los contratantes se reserva la facultad o la posibilidad de designar en un momento posterior y dentro de un plazo prefijado al efecto a una tercera persona, que en el momento de la celebración del contrato es desconocida o queda indeterminada, la cual ocupa en la relación contractual el lugar del estipulante, desligándose éste de la misma.

El ámbito propio de despliegue de efectos de un contrato en relación con los terceros no es tanto el campo de la eficacia directa como el de la **eficacia indirecta**, es decir, aquella eficacia que se produce o se desarrolla a través de las situaciones creadas o modificadas por el contrato. No se puede ignorar la posible responsabilidad de terceros por la lesión de un derecho de crédito, admitida por la doctrina científica, ni la jurisprudencia del TS sobre la eficacia indirecta, refleja o mediata del contrato para los terceros, que se traduce en el **deber de respeto** a la situación jurídica creada impidiéndoles celebrar con alguna de las partes un contrato incompatible con el ya existente para impedir su cumplimiento o frustrar el interés del otro contratante (TS 17-6-11, EDJ 118712).

La **oponibilidad** es un efecto normal del negocio jurídico siempre que las partes hayan cumplido la carga de dar al negocio la publicidad y el carácter fehaciente que el ordenamiento jurídico exige en cada caso. En otras palabras, planteándose la punibilidad del contrato para que sea respetado por terceros, será preciso su **publicidad** o el conocimiento de aquel por éstos (TS 6-10-15, EDJ 182093).

Precisiones Los terceros tienen un deber de respeto del derecho de crédito ajeno que es una consecuencia del deber general de respeto de los derechos subjetivos y situaciones jurídicas que integraban la esfera jurídica de los demás, y del más genérico aún de *neminem laedere* (no causar daño a nadie). De ahí que el tercero que viole dolosa o negligentemente un derecho ajeno, asume, por este solo hecho, **responsabilidad por los daños y perjuicios** causados al titular del derecho, y asume la consiguiente obligación de resarcimiento, que en el caso de la actuación dolosa debe abarcar todas las consecuencias dañosas de su actuación (TS 5-2-14, EDJ 16247).

c. Ineficacia

275 La idea de ineficacia es la contrapartida de la idea de eficacia. Si ésta alude a la producción de unas determinadas consecuencias, a la creación de un deber de observancia del contrato y de una vinculación a lo establecido, así como a la proyección del contrato respecto de o sobre una situación jurídica anterior; con aquélla -la ineficacia- se alude a la **falta de consecuencias** o, cuando menos, de aquellas consecuencias que normalmente deberían haberse producido y que pueden ser razonablemente esperadas en virtud del contrato.

Los **regímenes típicos** de ineficacia contractual son fundamentalmente los siguientes:
- la nulidad (nº 277);
- la anulabilidad (nº 283);
- la rescisión (nº 295).

Precisiones La jurisprudencia (AP Valencia 18-5-16, EDJ 169842, en la que se cita la TS 22-12-99, EDJ 40484 y 10-4-01, EDJ 6355), al tratar la ineficacia contractual, **distingue** entre inexistencia o **nulidad** radical, de un lado, y nulidad relativa o **anulabilidad** de otro.
a) En la inexistencia o nulidad radical o nulidad absoluta se encuadran los supuestos en que falta alguno de los **elementos esenciales del contrato** que enumera el CC art.1261 (nº 95), y aquellos otros en que se ha vulnerado una norma imperativa o prohibitiva.
b) La nulidad relativa o anulabilidad puede existir cuando en la formación del consentimiento de los otorgantes ha concurrido alguno de los **vicios de la voluntad** que reseña el CC art.1265, es decir, error, violencia, intimidación o dolo.

277 **Nulidad** Se define como nulo aquel contrato que por causa de un defecto no es apto para producir ningún tipo de **consecuencias jurídicas**.

Se trata de una ineficacia:
- **estructural**, porque deriva de una irregularidad en la formación del contrato;
- **radical y automática**, en el sentido de que se produce *ipso iure* y sin necesidad de que sea ejercitada ninguna acción por parte de los interesados.

En cuanto a las **causas** que determinan la nulidad absoluta de un contrato, comprenden los supuestos en que o falta alguno de los elementos esenciales del contrato (nº 95), o el mismo se ha celebrado vulnerando una norma imperativa o prohibitiva. En concreto, se consideran como tales, las siguientes:
a) El haber rebasado las partes los límites de la autonomía de la voluntad: contratos prohibidos o ilícitos, inmorales o contrarios al orden público (nº 72).
b) La inexistencia, la falta absoluta de determinación o la ilicitud del objeto del contrato (nº 140).
c) La inexistencia de causa, o la expresión de una causa ilícita o falsa (nº 155).
d) La inexistencia o la falta de forma cuando ésta es exigida por la ley como un requisito *ad solemnitatem* (nº 177).

La **acción de nulidad** es meramente declarativa; no crea el estado de ineficacia del contrato, sino que se limita a constatarlo, y debe ser considerada como **imprescriptible** en cuanto a la declaración de nulidad.

En cuanto a los efectos restitutorios que la misma implica (**acción de restitución**), debe estimarse como plazo de **prescripción** el de 5 años, para las acciones nacidas con posterioridad al 7-10-2015 (CC art.1964.2 redacc L 42/2015); si la acción nace con anterioridad a dicha fecha, la prescripción se rige por el régimen anterior a la reforma legal, que es de 15 años (ver nº 1202).

Precisiones **1)** En el CC se echa en falta una **regulación** sistemática de la nulidad radical o absoluta, a la que por lo general la doctrina identifica la inexistencia. La nulidad a la que se refiere el CC art.1300, 1301 y 1302 ha de entenderse referida a la nulidad relativa o anulabilidad (nº 283). Los preceptos del CC art.1305 y 1306 aluden, sin duda alguna, a casos de nulidad de pleno derecho o absoluta, y otros preceptos, como el art.1307 y 1308 CC son de común aplicación a ambas especies de nulidad (AP Valencia 18-5-16, EDJ 169842).
2) Los **contratos simulados** son nulos y, como tales, no producen efecto alguno ni pueden ser convalidados (TS 14-5-82).
3) El contrato viciado de nulidad absoluta en ningún caso podrá ser objeto de **confirmación** ni de **prescripción** (TS 14-3-00, EDJ 2512).
4) Los tribunales pueden decretar la **nulidad de oficio** aunque no se hubiera alegado o se hubiera efectuado con deficiencias de carácter formal, solo y cuando la sinalagmática contractual se refiere a pactos o cláusulas que manifiestamente sean ilegales, contrarias a la moral, al orden público o constitutivas de delito (TS 20-6-96, EDJ 3557; 22-11-05, EDJ 225509).
5) *Frente a actos nulos* por nulidad radical no cabe invocar la doctrina de los **actos propios** (TS 17-2-05, EDJ 13272).

Efectos (CC art.1303 a 1306) La consecuencia de la nulidad del contrato es la imposición a las partes de **restituirse** recíprocamente las cosas o los bienes que hubiesen sido materia del contrato, con sus frutos, y el precio con los intereses. Se trata de conseguir que las partes vuelvan a tener la situación personal y patrimonial anterior al efecto invalidante, evitando el enriquecimiento injusto de una de ellas a costa de la otra (TS 30-12-96, EDJ 11055; 26-7-00, EDJ 32586; 22-4-05, EDJ 55103). 279

La nulidad produce sus efectos **retroactivamente** desde la celebración del contrato, es decir, no con efectos *ex nunc* sino *ex tunc*, lo que supone volver al estado jurídico preexistente como si el negocio no se hubiera concluido, con la secuela de que las partes contratantes deben entregarse las cosas o las prestaciones que hubieran recibido en el mismo estado que tenían al momento del contrato (TS 25-11-16, EDJ 215403).

Si a consecuencia del negocio jurídico declarado nulo hubo entrega de cosa para una parte a otra o por ambas recíprocamente, debería **restituirse** las mismas «**in natura**» y, si no es posible, su equivalente económico con los frutos e intereses que se haya producido (TS 23-6-08, EDJ 111558).

Excepcionalmente, se contemplan dos supuestos en los que **no** se produce la **restitución**: 281

• Cuando la nulidad provenga de la **ilicitud de la causa** (nº 157) **o del objeto** del contrato, siendo el hecho constitutivo de un delito o falta común a ambos contratantes, carecen éstos de toda acción entre sí, procediéndose contra ellos y dándose a las cosas o precio que hayan sido materia del contrato, la aplicación prevista en el Código Penal respecto a los efectos o instrumentos del delito o falta (CP art.127 y 128).

• En los supuestos de **causa torpe**, esto es, aquella que sin ser constitutiva de delito o falta, es sin embargo ilícita, distinguiéndose:

- si la culpa es de parte de ambos contratantes, en cuyo caso no procede reclamación alguna entre ellos; o
- si la culpa es unilateral, en cuyo caso, el contratante culpable no puede exigir del otro la devolución de lo que, en virtud del contrato, le hubiese entregado, pudiendo el otro reclamar lo hubiese dado, sin obligación de cumplir lo que hubiese ofrecido.

Precisiones 1) Pese a la nulidad de determinadas cláusulas, declaradas abusivas, no procede la restitución de las cantidades percibidas por la demandada en tanto no se aprecia **enriquecimiento injusto** necesario para que proceda la devolución (TS 13-3-12, EDJ 66882).

2) La restitución recíproca de las prestaciones puede tener unos límites racionales similares a los que la jurisprudencia ha reconocido para algunos casos de resolución contractual. Este **imposible retorno de los efectos** de un contrato nulo que ha estado ejecutándose durante años se advierte especialmente en casos, como el presente, de contratos complejos con una prestación principal de suministro para revender, pues entonces resulta que el abastecido, en este caso la mercantil titular de la estación de servicio, ha vendido a su vez el carburante a terceros lucrándose en la reventa. Esto supone, de un lado, que los efectos de la nulidad no puedan ser absolutos o ilimitados (TS 26-2-09, EDJ 19048).

Anulabilidad La anulabilidad es una ineficacia estructural y provocada (Díez Picazo): 283

- **estructural**, en cuanto que el ordenamiento la aplica como consecuencia de un vicio o defecto que concurre en el proceso de formación del contrato; y
- **provocada**, porque el ordenamiento atribuye a la persona especialmente protegida un poder jurídico dirigido a pedir la anulación o impugnar el contrato.

Causas Las causas de anulación de los contratos son, fundamentalmente, las siguientes: 285

a) La falta de una plena **capacidad** de obrar: contratos celebrados por menores no emancipados, o por quienes tienen una capacidad de obrar limitada, o por quienes no hayan reunido los complementos de capacidad necesarios (nº 110).

b) Los **vicios de la voluntad**: contratos celebrados con error esencial excusable, dolo causante, intimidación y miedo grave (nº 125 s.).

c) La falta de **consentimiento del otro cónyuge**, cuando sea necesario, de acuerdo con el régimen jurídico de la sociedad conyugal (nº 118).

Precisiones Cuando se habla de error, es preciso establecer una sustancial diferencia entre el **error-vicio de la voluntad** y el **error obstativo**:

- el error-vicio, regulado en el CC art.1266, provoca la nulidad relativa o la anulabilidad de los contratos (nº 283), que únicamente puede ser instada por los obligados principal o subsidiariamente en virtud de ellos (salvo que hayan sido ellos quienes han producido el error); y
- el error obstativo es el que se refiere a la falta de coincidencia entre la voluntad correctamente formada y la declaración de la misma, divergencia que excluye la voluntad interna y hace que el negocio sea inexistente (nulidad absoluta) por falta de uno de sus elementos esenciales, de modo que el error obstativo se da cuando nunca se quiso lo que se declaró (AP Valencia 18-5-16, EDJ 169842).

287 **Acción de anulación** (CC art.1301 y 1302 redacc L 8/2021) La **legitimación** para el ejercicio de la acción de anulación corresponde a:
• En la anulación por **vicios** del consentimiento: a la persona que ha sufrido dicho vicio.
• En los contratos celebrados por **menores de edad**: a sus representantes legales o a ellos cuando alcancen la mayoría de edad. Se exceptúan aquellos que puedan celebrar válidamente por sí mismos.
• En los contratos celebrados por **personas con discapacidad** provistas de medidas de apoyo para el ejercicio de su capacidad de contratar prescindiendo de dichas medidas cuando fueran precisas:
- a ellas mismas, con el apoyo que precisen;
- a sus herederos durante el tiempo que falte para completar el plazo, si la persona con discapacidad hubiera fallecido antes del transcurso del tiempo en que pudo ejercitar la acción; o
- a la persona a la que hubiera correspondido prestar el apoyo. En este caso, la anulación solo procederá cuando el otro contratante fuera conocedor de la existencia de medidas de apoyo en el momento de la contratación o se hubiera aprovechado de otro modo de la situación de discapacidad obteniendo de ello una ventaja injusta.
• En el caso de falta de consentimiento de uno de los **cónyuges**: al cónyuge cuyo consentimiento ha faltado.
De otra parte, se permite el ejercicio de la acción de anulación por los **obligados subsidiariamente** en virtud del contrato.
Los contratantes **no pueden alegar** la minoría de edad ni la falta de apoyo de aquel con el que contrataron; ni los que causaron la intimidación o violencia o emplearon el dolo o produjeron el error, podrán fundar su acción en estos vicios del contrato.

Precisiones La acción de anulabilidad ha de ser pedida necesariamente por vía de **acción principal o reconvencional**, mientras que la nulidad radical o de pleno derecho que puede hacer valer por vía de acción o por vía de excepción (TS 31-3-05, EDJ 37414).

289 El **plazo** de ejercicio de la acción de anulación es de cuatro años, iniciándose el cómputo de dicho plazo:
a) En los casos de **intimidación o violencia**, desde el día en que éstas hayan cesado.
b) En los casos de **error, dolo o falsedad de la causa**, desde la consumación del contrato.
c) En los casos de contratos celebrados por **menores de edad**, desde que salen de la patria potestad o la tutela.
d) En los casos de contratos celebrados por **personas con discapacidad** prescindiendo de las medidas de apoyo previstas cuando fueran precisas, desde la celebración del contrato.
e) En los casos contratos celebrados sin el consentimiento del otro **cónyuge**, desde el día de la disolución de la sociedad conyugal o del matrimonio, salvo que antes haya tenido conocimiento suficiente del contrato.

291 **Efectos** (CC art.1303 a 1311) La anulación del contrato trae como principal **efecto** la obligación de **restitución** de las prestaciones o disposiciones patrimoniales que las partes hubiesen efectuado en virtud del contrato anulado.
La restitución se rige por las siguientes **reglas**:
• Comprende también los **frutos** producidos por las cosas y los intereses devengados por las cantidades de dinero objeto de prestación o de entrega.
• Cuando no sea posible la restitución de las mismas cosas, debe restituirse su **equivalente pecuniario**.
• Mientras uno de los contratantes no realice la **devolución** de todo aquello a que en virtud de la declaración de nulidad esté obligado, no puede el otro ser compelido a cumplir por su parte lo que le incumbe.
• Cuando la nulidad proceda de la **minoría de edad**, el contratante menor no está obligado a restituir sino en cuanto se enriqueció con la prestación recibida. Esta regla es aplicable cuando la nulidad proceda de haber prescindido de las medidas de apoyo establecidas cuando fueran precisas, siempre que el contratante con derecho a la restitución fuera conocedor de la existencia de medidas de apoyo en el momento de la contratación o se hubiera aprovechado de otro modo de la situación de **discapacidad** obteniendo de ello una ventaja injusta.
La acción de nulidad queda extinguida desde el momento en que el contrato es confirmado válidamente. La **confirmación** supone, por tanto, la sanción o purificación con efectos retroactivos del contrato anulable, mediante una declaración de voluntad unilateral de quien se halla investido de la facultad de provocar la anulación del contrato.
La confirmación puede ser **expresa o tácita**, y para que sea eficaz es preciso que:
- quien la realice tenga plena capacidad de obrar y la realice libre y espontáneamente; y que
- el confirmante tenga conocimiento de la causa de nulidad habiendo ésta cesado.

Precisiones 1) La declaración de nulidad del contrato de **compraventa** lleva de suyo aparejada el reintegro de aquello que el comprador hubiera abonado, abonos que comprenden, además de la devolución del precio y de sus intereses, la de todos los gastos por el mismo sufragados como consecuencia de la transmisión, como los que integran los de escritura, inscripción registral e incluso el impuesto de plusvalía (TS 19-6-81). 293

2) No puede oponer la nulidad de una **venta** o contrato quien lo confirmó por actos posteriores (TS 18-10-82).

3) No cabe confundir la figura de la **ratificación** (CC art.1259) con la de la **confirmación** (CC art.1310). Y ello porque:

• En el supuesto de ratificación, que es el de inexistencia, no existe contrato, por falta del concurso del consentimiento, hasta tanto que la misma ratificación no aporta el de la persona a cuyo nombre se contrató, mientras que en la confirmación el contrato existe por darse en él todos los requisitos esenciales para su validez.

• En los contratos ratificables la parte que contrata en su propio nombre, tiene la posibilidad de separarse del convenio, revocando su consentimiento antes de que se produzca la ratificación por lo mismos que, hasta ese instante al no haberse producido la concurrencia de las dos voluntades, no existe vínculo obligatorio alguno; en tanto que, en los contratos confirmables, tienen virtualidad desde que se perfeccionan, no pudiendo ser denunciados por la parte cuyo consentimiento no estaba viciado, en tanto no sean impugnados por la única que podría hacerlo, la que por disponer de la acción de anulabilidad, únicamente podría confirmarlos, sin precisar del concurso de la otra.

• En cuanto al contenido jurídico de ambas instituciones, la confirmación ha de tener forzosamente efecto retroactivo, mientras que, en la ratificación, sobre no existir un precepto en que explícitamente se señale su retroactividad -aunque en principio debe ésta inferirse de los términos en que está concebido el CC art.1259-, cabe que el interés de tercero, por derechos adquiridos en el ínterin, impida tal retroacción (TS 25-6-46).

Rescisión (CC art.1290 a 1299) La rescisión es una ineficacia de carácter funcional, derivada del hecho de que el **contrato regularmente celebrado**, contribuye a obtener un resultado injusto, inicuo o contrario a derecho, al producir: 295

- un fraude de acreedores; o
- una lesión para ausentes o sometidos a tutela.

La acción rescisoria tiene un **carácter subsidiario**, por cuanto solo puede ser ejercitada cuando el perjudicado carezca de otro recurso legal para obtener la reparación del perjuicio sufrido.

Los **requisitos** de la acción rescisoria, según la jurisprudencia del TS (19-6-07, EDJ 70123; 12-11-08, EDJ 272865), son:

a) La existencia de un crédito anterior en favor del accionante y en contra del que enajena la cosa.

b) La realización de un acto en virtud del cual salga el bien del patrimonio del que lo enajena.

c) El propósito defraudatorio en perjuicio del acreedor, que goza de la presunción legal establecida en el CC art.643.2º y 1297 primer párrafo. No es precisa siquiera una intención directa de causar daño al acreedor, sino que basta con la simple conciencia de causarlo, que puede tener base en que el resultado sea conocido o podido conocer (TS 17-7-06, EDJ 105549).

d) La ausencia de todo otro medio que no sea la rescisión de la enajenación para obtener la reparación del perjuicio inferido al acreedor (TS 27-6-02, EDJ 23859; 13-5-04, EDJ 40356, entre muchas otras).

Precisiones 1) La acción rescisoria no es la adecuada para declarar la ineficacia de **negocios nulos**, aunque se oculten bajo una falsa apariencia (TS 21-11-05, EDJ 197584).

2) La expresión o la constatación del **fraude** no conduce necesariamente al remedio de la acción revocatoria o pauliana, sino que, cuando además de producirse el intento fraudatorio, se hayan dado otras circunstancias, como es en el caso la inexistencia de causa, la falta de precio, puede decirse que, además de fraude, no hay contrato (TS 24-4-13, EDJ 78173).

La **legitimación** para ejercitar la acción corresponde exclusivamente al contratante perjudicado. 297

El **plazo** para el ejercicio es de 4 años, computados desde que se celebró el contrato.

Su **efecto** es determinar la ineficacia del contrato con efectos a partir de la rescisión, es decir, efectos retroactivos *ex tunc* (TS 25-1-00, EDJ 593).

Precisiones 1) Para que los **contratos** puedan considerarse como **fraudulentos** se requieren como requisitos esenciales:

- la existencia de un crédito a favor de una persona y en contra de otra;
- la celebración por el deudor de un acto o contrato posterior con ánimo de perjudicar al acreedor;
- realidad del perjuicio y carencia de recurso legal para obtener su reparación;
- que las cosas no se hallen legalmente en poder de tercera persona sin mala fe (TS 17-3-72).

2) El concepto jurídico de fraudulento en un contrato de venta envuelve, además del de engaño, el de **insolvencia del vendedor** y consiguiente imposibilidad de cobrar su crédito el acreedor a quien se pretende defraudar (TS 26-2-1927).
3) La **cesión de bienes en pago de deudas** no impide la calificación de fraudulento el que la conducta de los demandados haya sido declarada no constitutiva de ilícito penal (TS 11-12-01, EDJ 46524).
4) La rescisión no es igual a la **nulidad**. La primera requiere la realidad de un contrato, y que sea válido, mientras que la nulidad se origina por falta de los requisitos exigidos en el CC art.1261 o porque adolezca de algunos de los vicios que los invalidan con arreglo a la Ley (TS 10-10-01, EDJ 32255). Además, mientras que la acción de nulidad es imprescriptible, la rescisoria está sujeta a plazo de caducidad, además de que aquélla supone la nulidad *ab initio* del negocio jurídico, mientras que la segunda su plena validez hasta que no sea declarada judicialmente la rescisión.

H. Extinción

300

302 La relación contractual, como fenómeno unitario, se extingue, fundamentalmente, por las siguientes **causas**:
1) Cuando ambas partes han celebrado un negocio jurídico extintivo de la relación: contrato extintivo o **mutuo disenso** (TS 4-11-16, EDJ 196178).
2) Cuando se ha logrado plenamente la finalidad económica pretendida y se han agotado todos los efectos buscados, porque han quedado plenamente **satisfechos los intereses** de ambas partes y éstas han ejecutado todas las obligaciones previstas.
3) Cuando se produce el **término final** de la relación obligatoria.
4) Cuando le es atribuida a una de las partes la facultad de **desistir unilateralmente** y dar por terminada la relación contractual, ya de forma enteramente libre o *ad nutum* (nº 304), o como reacción al incumplimiento de la otra parte (nº 306).

304 **Desistimiento unilateral «ad nutum»** La terminación de una relación contractual por la sola y libre voluntad de una de las partes puede tener su **fundamento** en una expresa disposición legal -p.e., en materia de contrato de sociedad en la LSC art.346- o bien en virtud de la concesión de dicha facultad por el negocio jurídico constitutivo de la obligación.
La atribución del desistimiento *ad nutum* trae causa de la **prohibición** de que una **vinculación obligatoria** sea indefinida o perpetua (CC art.1583), en aras, en última instancia, según autorizada doctrina, de la necesaria protección de la libertad individual.
Partiendo de la ratio que subyace a los supuestos que legalmente lo tienen previsto, la doctrina y la jurisprudencia aplican el desistimiento unilateral como principio general a supuestos no previstos *ex lege*, cuando se de **relaciones duraderas o de tracto sucesivo**, que carezcan de plazo de duración o éste se contemple como indefinido. Normalmente se prevé tal facultad en relaciones en las que existe un *intuitu personae*, o lo que es lo mismo, fundadas en la confianza que las partes se merecen recíprocamente, si ésta se frustra (TS 16-11-16, EDJ 208756).
La denuncia unilateral debe ser realizada de **buena fe**, lo que en la generalidad de los casos se traduce en la existencia de un plazo de **preaviso** o la necesidad de una prolongación de la relación durante un tiempo razonable, con el fin de que la otra parte adopte las medidas necesarias para prevenir a la situación que a ella le produzca la extinción del vínculo obligatorio.
Cuando la voluntaria terminación de la relación se produzca en interés exclusivo del denunciante, éste asume, por regla general, la **obligación de indemnizar** a la otra parte por los daños y perjuicios que como consecuencia de la extinción se produzcan.

Precisiones **1)** Es, desde luego, innecesario el **preaviso** para resolver los contratos de duración indefinida, pero debe señalarse que, si bien ello es así, sin embargo sucede que un ejercicio de la facultad resolutoria de una forma sorpresiva o inopinada, sin un margen de reacción en forma de un prudente preaviso, puede ser valorado como un ejercicio abusivo de derecho, o constitutiva de conducta desleal incursa en la **mala fe** en el ejercicio de los derechos, que si bien no obsta a la extinción del vínculo, sí debe dar lugar a una indemnización cuando ocasione daños y perjuicios (TS 15-3-11, EDJ 16240, reiterando la TS 16-12-05, EDJ 225553).
Distinta de esa indemnización es la de los daños y perjuicios que puedan tener su origen en la frustración contractual que se causa con tal desistimiento.
2) En un contrato de promociones vacacionales, verbalmente se informó al cliente de la posibilidad de desistimiento, no reflejada en el contrato, en el que tan solo se hace constar la **posibilidad de transmitir el derecho** de afiliación. El Tribunal entiende que no puede equipararse, como se

pretende, el desistir del contrato con transmitir su derecho a terceras personas, porque el desistimiento significa abandonar o apartarse de dicho contrato, que deja de ser eficaz, mientras que transmitir supone enajenar o ceder los derechos y obligaciones del contrato, que sigue siendo eficaz y permanece (AP Barcelona 27-6-05, EDJ 104073).

3) No se aplica la regla *contra proferentem* cuando **no** hay una **posición dominante** de una de las partes que imponga el contrato a la otra, sino que se trata de dos empresas de importancia que aceptan una cláusula y se reconoce a ambas una indemnización por razón de la extinción unilateral, imponiendo una equivalencia de prestaciones (TS 4-4-12, EDJ 97394).

Resolución por incumplimiento (CC art.1124) La resolución es un efecto esencial del incumplimiento por una de las partes en las **obligaciones recíprocas** o sinalagmáticas, ya que interrumpe el sinalagma y debe llevar a la terminación del contrato con efectos retroactivos. 306

Cuando existe un incumplimiento, la **parte perjudicada** tiene las siguientes **opciones**:

• Solicitar el cumplimiento de la obligación o la resolución de la misma, con el resarcimiento de daños y el abono de intereses en ambos casos.

• Solicitar la resolución del contrato, incluso después de haber optado por el cumplimiento, cuando éste resulte imposible.

La **acción resolutoria** es una medida de protección del interés del contratante cumplidor, que le permite desligarse del mismo cuando se produce un incumplimiento, poniendo fin a la relación obligatoria que le vincula con el contratante incumplidor. A la parte que previamente ha incumplido las obligaciones asumidas en el contrato, le esté vedado al ejercicio de la facultad resolutoria.

La jurisprudencia ha sentado los siguientes **requisitos** que ha de reunir el incumplimiento para posibilitar el ejercicio de la acción:

1. Que **quien ejercite la acción** resolutoria no merezca también el calificativo de incumplidor, salvo que ello sea como consecuencia del previo incumplimiento del otro contratante (TS 22-10-13, EDJ 201120).
2. Que el incumplimiento sea imputable al **deudor**, no al reclamante ni a un tercero (TS 30-3-92, EDJ 3047).
3. El incumplimiento ha de referirse a la **obligación principal**, es decir, a la que constituye el objeto principal de la relación, no a los deberes de tipo accesorio o complementario (TS 10-5-89, EDJ 4858; 21-9-90).
4. Ha de tratarse de un incumplimiento **grave** o sustancial, en el sentido de que provoca la frustración del fin del contrato, caracterizado por producir una insatisfacción de las expectativas (TS 22-10-85; 1-12-89; 18-3-91; 18-7-12, EDJ 154597; 4-12-13, EDJ 246696; 23-1-14, EDJ 7094), sin que baste un cumplimiento **defectuoso** ni el mero incumplimiento de prestaciones accesorias o complementarias (TS 3-12-92, EDJ 11942; 8-6-96, EDJ 3150; 26-6-02, EDJ 23900; 18-5-12, EDJ 97390; 1-10-12, EDJ 212332).

Los criterios para la determinación de la **gravedad del incumplimiento** han sido resumidos por autorizada doctrina señalando varios parámetros, como la importancia para la economía de los interesados, la entidad del incumplimiento como obstáculo para impedir la satisfacción o para provocar la frustración, que ha de predicarse del fin o fin práctico del contrato, a lo que equivale la llamada «quiebra de la finalidad económica». Pero, en definitiva, ha de tratarse de un incumplimiento esencial, caracterizado por producir una insatisfacción de las expectativas o generar la frustración del fin (TS 10-11-11; 4-12-13, EDJ 246696). En otras palabras, la gravedad del incumplimiento debe proyectarse o generar una situación de quiebra básica de los elementos básicos respecto de la posible satisfacción de los intereses del acreedor, a los que da lugar la diversa tipología de los llamados **incumplimientos esenciales**: imposibilidad sobrevenida fortuita, transcurso del término esencial, *aliud pro alio*, imposibilidad de alcanzar los rendimientos o utilidades previstos, o la frustración del fin del contrato (TS 4-3-13, EDJ 27731). 308

Adviértase, no obstante, que el CC art.1255 permite a las partes contratantes tipificar determinados incumplimientos como resolutorios al margen de que objetivamente puedan considerarse o **no graves** o, si se quiere, al margen de que conforme al CC art.1124 tengan o no trascendencia resolutoria (TS 15-11-12, EDJ 277480).

Precisiones **1)** Si bien es cierto que la jurisprudencia no reconoce al **contratante incumplidor** legitimación para resolver la relación jurídica sinalagmática, también lo es que sí se la reconoce cuando el incumplimiento hubiera venido provocado por el anterior de la otra parte de la relación (TS 12-3-13, EDJ 30528). 310

2) Se considera incumplimiento del contrato la constitución del obligado en **mora** o el simple **retraso** en el cumplimiento, cuando este último determina una frustración del fin del negocio o justifica un interés atendible en la resolución. Ciertamente, el retraso (en el pago o en la entrega de la cosa) ha dado lugar a numerosa jurisprudencia que acuerda la resolución, pero es constante la que mantiene que «un mero retraso no siempre influye en la frustración del contrato» y no puede siempre equipararse a incumplimiento (TS 12-4-11; 22-11-13, EDJ 233984; 14-2-18, EDJ 7402).

3) La jurisprudencia viene declarando que la facultad resolutoria puede ejercitarse mediante **declaración extrajudicial** dirigida a la parte incumplidora, a reserva de que la misma, si es que no está conforme, acuda a los tribunales para negar el incumplimiento resolutorio o rechazar la oportunidad de hacerlo valer como causa de extinción sobrevenida de la relación contractual (entre otras, TS 20-5-05, EDJ 76754; 27-6-11, EDJ 139866).

4) La **opción en el cumplimiento** hecha en pleito anterior, priva de acción resolutoria posterior si no se demuestra que el cumplimiento ha devenido imposible (TS 29-5-00, EDJ 10103).

5) La pretensión resolutoria no debe ser constitutiva de un ejercicio abusivo o contrario al **principio de buena fe** contractual (TS 14-2-18, EDJ 7402).

6) Permite el TS resolver una compraventa de parcelas urbanizadas cuando ha habido **incumplimiento recíproco** por ambas partes, así como voluntad resolutoria de las dos. Aunque no es posible una aplicación analógica de la doctrina del mutuo disenso, por tratarse de supuestos diferentes, las consecuencias resolutorias son similares (TS 4-11-16, EDJ 196178).

7) La **falta de información** puede afectar la formación de la voluntad, pero esto no se relaciona con el incumplimiento de una obligación en un contrato, sino con la fase precontractual del contrato (TS 4-11-19, EDJ 720036; 21-11-19, EDJ 739705; 23-10-20, EDJ 705136).

8) El prestamista puede resolver el **contrato de préstamo** en caso de incumplimiento grave y esencial del prestatario (TS 11-7-18, EDJ 516932; 2-2-21, EDJ 503097). La valoración de la gravedad del incumplimiento debe tener en cuenta tanto su carácter prolongado en el tiempo como la falta de reparación de la situación por parte del deudor, pues se trata de que el incumplimiento de las contraprestaciones que le incumben (devolución en ciertos plazos, pago de los intereses) justifique que el acreedor quiera poner fin al contrato para recuperar todo el capital prestado sin esperar al término pactado (TS 6-6-22, EDJ 602728).

312 **Efectos** Es opinión comúnmente aceptada, tanto por la doctrina científica como por la jurisprudencia, que la resolución contractual produce sus efectos, no desde el momento de la extinción de la relación obligatoria, sino desde su celebración, es decir, con efectos **retroactivos**, lo que supone volver al estado jurídico preexistente como si el negocio no se hubiera concluido, con la secuela de que las partes contratantes deben entregarse las cosas o las prestaciones que hubieran recibido en cuanto la consecuencia principal de la resolución es destruir los efectos ya producidos (TS 17-6-86, EDJ 4168; 5-2-02, EDJ 1584; 4-7-11, EDJ 155222; 10-12-15, EDJ 237502).

La resolución, aunque implica la extinción de la relación contractual, no debe entenderse de modo que deje en beneficio de un contratante las prestaciones que hubiera recibido del otro antes de la resolución, lo cual equivaldría a proteger un **enriquecimiento injusto** o sin causa de uno de los contratantes. En tal sentido, la resolución de un contrato, por cuanto implica la vuelta al estado jurídico preexistente con efectos retroactivos, trae consigo los siguientes efectos:

• El reintegro o **restitución de las cosas** a su situación original en lo posible, con la recíproca devolución de las cosas o valor de las prestaciones mutuas de los contratantes, sin perjuicio de los terceros de buena fe cuyos derechos han de ser respetados.

• En su caso, el resarcimiento de daños mediante la **indemnización** al contratante cumplidor de aquellos que se le hubieran producido con tal motivo.

Precisiones 1) De la resolución del contrato se deriva la necesaria recíproca **restitución de las prestaciones**, lo que incluye, además de la restitución del precio más intereses legales y daños y perjuicios, la devolución de las fincas por la compradora actora (TS 30-12-03, EDJ 186239).

2) Los **intereses** que deben abonarse no son los moratorios, sino los remuneratorio, los que son consecuentes con el valor productivo del dinero y correspondientes a la devaluación monetaria (TS 18-4-13, EDJ 55344).

3) La frase o expresión de que los **daños y perjuicios** no son consecuencia forzosa del incumplimiento, ha de matizarse en el sentido de que no siempre lo son, pues hay casos en los que derivan de forma necesaria de la fuerza vinculante de los contratos (TS 15-6-92, EDJ 6327; 3-6-93, EDJ 5326; 10-6-04).

4) Los daños y perjuicios han de ser **probados** y derivados del pretendido incumplimiento (TS 22-4-91, EDJ 4081).

5) La **declaración de la voluntad de resolver** un vínculo contractual tiene naturaleza unilateral, pues produce sus efectos sin necesidad de que la otra parte la acepte. Antes bien, como recepticia que es, basta con que la conozca su destinatario -o con que se den los supuestos de equivalencia al conocimiento que nuestro ordenamiento admite- para que sea eficaz. (TS 27-6-11, EDJ 139866).

314 **Mora** (CC art.1100; CCom art.63) Según el **concepto civilista**, la mora exige tres requisitos:
- vencimiento de la obligación;
- falta de prestación por culpa del deudor; e
- interpelación del acreedor; es decir, la declaración de voluntad unilateral y recepticia que hace el acreedor al deudor, extrajudicialmente (así, requerimiento notarial) o judicialmente

(por la interposición de la demanda) de la prestación concreta y determinada que éste debe cumplir (TS 8-5-08, EDJ 66876).

La mora es el retraso o incumplimiento **culpable**, pero no lo es el simple retraso (TS 9-6-86, EDJ 3909; 3-7-92, EDJ 7282).

En el **ámbito mercantil**, la mora consiste en la omisión del requisito de la interpelación del acreedor respecto de los contratos que tengan día señalado para su cumplimiento por voluntad de las partes o de la ley. En este caso, los efectos de la morosidad comienzan al día siguiente del vencimiento del plazo (TS 2-7-96, EDJ 5320). La interpelación del acreedor queda así reducida al caso en que la obligación no tenga día señalado para su cumplimiento.

Precisiones 1) Constituye un error «(...) tratar a la mora como un supuesto de incumplimiento contractual, cuando de acuerdo con la doctrina científica más solvente, la mora no es un supuesto de incumplimiento, sino un caso de **cumplimiento tardío** de la obligación.» (TS 28-9-00, EDJ 28963).

2) No es preciso **requerimiento extrajudicial** alguno para el efecto de la mora (TS 16-7-82, EDJ 4932).

3) La **cesación de la mora** se produce por la renuncia expresa o tácita del acreedor a los beneficios que de ella se derivan, y se entiende renunciada tácitamente la mora, cuando después de haber incurrido en ella el deudor concede sin reserva alguna un nuevo plazo el acreedor para que la obligación se cumpla (TS 3-11-91).

4) Al constituir la mora no un simple retardo sino un retardo «cualificado», la interpretación del art.1100 CC a estos efectos ha de ser necesariamente restrictiva por constituir una excepción al sistema legal, que incluso requiere la intimación en los supuestos en que la obligación tiene día expresamente señalado para el cumplimiento; circunstancia que únicamente se excluye respecto de las **obligaciones mercantiles**, por su propia naturaleza, ya que en las mismas **no es necesaria tal intimación** para la constitución en «mora» cuando expresamente se fijó fecha para el cumplimiento (CCom art.63). En las obligaciones que tienen carácter puramente civil, la cualificación se genera por dos vías: la interpelación o intimación, que supone la reclamación por el acreedor del cumplimiento de la deuda; o bien por la operatividad de la doctrina denominada de la «mora automática», que hace innecesaria la interpelación (TS 6-2-13, EDJ 10418).

Reglas especiales En materia de contratación mercantil, además de la regla general expuesta en el nº 314, han de tenerse en cuenta las siguientes **reglas especiales**: **316**

a) La observancia del **término** establecido para las obligaciones se exige con mayor rigor de suerte que su inobservancia determina la nulidad del contrato o la posibilidad del acreedor pueda rescindir el contrato como si éste hubiera quedado totalmente incumplido (CCom art.83, 329).

b) Frente a la **exigibilidad** inmediata de las obligaciones civiles puras (CC art.1113), en el ámbito mercantil las obligaciones que no tengan término prefijado por las partes o por las disposiciones legales, son exigibles a los diez días después de contraídas, si solo producen acción ordinaria, y el día inmediato si llevan aparejada ejecución (CCom art.62).

c) La prohibición dirigida a los tribunales en cuanto a la concesión de cualquier **término de gracia** que no esté previsto en el contrato o se apoye en una disposición terminante de derecho (CCom art.61). Ello difiere de la normativa civil, la cual concede a los tribunales la facultad de señalar un plazo cuando pueda deducirse que ésta ha sido la voluntad del acreedor (CC art.1128).

Cesión de contrato Puede definirse como aquel acuerdo de todas las voluntades contractuales, que produce la transmisión del conjunto de los efectos de un determinado contrato a un tercero, sin que suponga la sustitución de un contrato por otro posterior. Todo contrato cuya naturaleza no sea de **carácter personalísimo** en todas sus prestaciones es cedible. Aunque nuestro derecho positivo no contiene normas que admitan con carácter general la figura de la cesión del contrato, algunas de sus aplicaciones prácticas se encuentran perfectamente admitidas (p.e., la transmisión de la cualidad de accionista cuando las acciones no están totalmente desembolsadas implica una auténtica cesión del contrato o relación contractual). **318**

Para su validez y eficacia, la cesión de contrato exige la concurrencia de los siguientes **requisitos**:

a) Que se trate de un contrato con **prestaciones recíprocas**. Si se tratase de un contrato con prestación única habría simplemente una cesión de crédito o una asunción de deuda (TS 9-12-97, EDJ 9827).

b) Que el contrato se encuentre total o parcialmente **pendiente de ejecución**. Los contratos cedibles son aquellos de ejecución continuada o diferida.

c) La observancia de la misma forma que la del contrato objeto de cesión.

d) El **consentimiento** del contratante cedido (TS 9-12-97, EDJ 9827; TSJ Navarra 27-1-98, EDJ 65324).

La cesión del contrato trae como consecuencia los siguientes **efectos**:

• **Extinción** de la relación contractual existente entre cedente y cedido.

• El contratante cedido y el cesionario asumen, recíprocamente, la figura de partes del contrato cedido y la totalidad de los correspondientes **derechos y obligaciones** derivados del mismo.

Precisiones El **cedente** está obligado a garantizar al cesionario la existencia y validez del contrato cedido, pero no a garantizar al cesionario el cumplimiento de los derechos y efectos por parte del contratante cedido, en cuanto no se produzca pacto expreso al respecto (TS 14-6-85, EDJ 7421; TSJ Navarra 27-1-98, EDJ 65324).

SECCIÓN 2

Protección de la competencia

325

327 El ordenamiento constitucional hace gravitar nuestro sistema económico sobre el principio de **libertad de empresa** y, consiguientemente, en el plano institucional, sobre el principio de libertad de competencia. De ello se deriva la necesidad de establecer mecanismos de ordenación y control de las conductas en el mercado, que impidan que tal principio pueda verse falseado. Tal **falseamiento** puede producirse tanto mediante prácticas que impidan o restrinjan una competencia suficiente, como por prácticas desleales, susceptibles todas ellas de perturbar, eventualmente, el funcionamiento concurrencial del mercado.

A. Libre competencia

330

332 La Const art.38 reconoce la libertad de empresa en el marco de una economía de mercado y la garantía y protección de la misma por los poderes públicos, de acuerdo con las exigencias de la economía en general y, en su caso, de la planificación. La existencia de una **competencia efectiva** entre las empresas constituye uno de los elementos definitorios de la economía de mercado, disciplina la actuación de las empresas y reasigna los recursos productivos en favor de los operadores o las técnicas más eficientes. Esta **eficiencia productiva** se traslada al consumidor en la forma de menores precios o de un aumento de la cantidad ofrecida de los productos, de su variedad y calidad, con el consiguiente incremento del bienestar del conjunto de la sociedad.

En este contexto, existe un acuerdo generalizado con respecto a la creciente importancia de la defensa de la competencia, que se ha consolidado como uno de los elementos principales de la política económica en la actualidad. Dentro de las políticas de oferta, la defensa de la competencia complementa a otras actuaciones de regulación de la actividad económica y es un instrumento de primer orden para promover la **productividad** de los factores y la **competitividad** general de la economía.

Por ello, resulta preciso disponer de un sistema que, sin intervenir de forma innecesaria en la libre toma de decisiones empresariales, permita contar con los instrumentos adecuados para garantizar el buen funcionamiento de los procesos del mercado. Este sistema, en el **ámbito estatal**, se recoge:

- en la L 15/2007 (LDC); y
- el reglamento de defensa de la competencia, aprobado por el RD 261/2008, que desarrolla las cuestiones sustantivas de la LDC.

Para las **operaciones de dimensión comunitaria**, las normas supranacionales de control de concentraciones están recogidas en el Rgto CE/139/2004 sobre el control de las concentraciones entre empresas, y en el Rgto Ejecución (UE) 2023/941. El régimen comunitario de control de concentraciones se aplica en los Estados que integran el Espacio Económico Europeo (EEE)

Precisiones El Rgto CE/802/2004, derogado con efectos desde el 1-9-2023 por el Rgto (UE) 2023/914, continúa aplicándose de manera **transitoria** a cualquier concentración que se haya notificado **hasta el 31-8-2023**, inclusive (Rgto (UE) 2023/914 art.25).

1. Acuerdos y prácticas restrictivas o abusivas

A efectos de la defensa de la competencia, se distinguen básicamente tres tipos de acuerdos y prácticas **prohibidas**: 335
- conductas colusorias;
- abuso de la posición dominante (nº 357); y
- falseamiento de la libre competencia por actos desleales (nº 361).

Estas **prohibiciones no se aplican** a las conductas que resulten de la aplicación de una ley (LDC art.4.1), ni cuando estén amparadas por alguna exención legal (nº 343).

Asimismo, cuando así lo requiera el **interés público**, la Comisión Nacional de los Mercados y la Competencia (CNMC), mediante decisión adoptada de oficio, puede declarar, previo informe del Consejo, que estas prohibiciones no sean aplicables a un acuerdo, decisión o práctica, bien porque no se reúnan las condiciones allí previstas, o bien porque se reúnan las condiciones del LDC art.1.3 (LDC art.6).

Sí son de aplicación, sin embargo, a las situaciones de restricción de competencia que se deriven del ejercicio de potestades administrativas o sean causadas por la actuación de los poderes públicos o las empresas públicas, cuando no tengan **amparo legal** (LDC art.4.2).

Precisiones La **anterior Ley de Defensa de la Competencia** (la derogada L 16/1989) establecía que, bajo determinadas condiciones, el TDC podía autorizar singularmente conductas colusorias.
Bajo la **vigente LDC**, en vigor desde el 1-9-2007, se sustituye el régimen de autorización singular por un sistema de exenciones legales (nº 343), que implican la autoevaluación por las propias empresas, en consonancia con el modelo comunitario europeo (CNMC Resol 22-11-07).

Conductas colusorias (LDC art.1; Tratado FUE art.101) Está prohibido todo acuerdo, decisión o recomendación colectiva, así como práctica concertada o conscientemente paralela (en adelante colectivamente «acuerdos»), que tenga por objeto, produzca o pueda producir el efecto de **impedir, restringir o falsear la competencia** en todo o parte del mercado nacional. 337

El TJCE lo ha definido como todo pacto verbal o escrito mediante el cual varios operadores económicos se ponen de acuerdo en realizar determinada conducta que tiene por objeto o efecto restringir la competencia, señalando que habrá **acuerdo** siempre que haya un concierto de voluntades entre varias empresas independientes (TJCE 20-3-85, asunto Italia vs Comisión; 19-3-91, asunto Francia vs Comisión; 7-3-90, asunto GB-Inmo-BM).

No es necesario que se alcance la **finalidad** de vulneración de la libre competencia, basta con que se tienda a ese fin en la realización de la conducta, tenga éxito o no la misma. Es decir, la conducta ha de ser apta para lograr el fin de falseamiento de la libre competencia (AN cont-adm 29-11-16, EDJ 237015).

En particular, se prohíben los acuerdos que consisten en:

a) La fijación, de forma directa o indirecta, de **precios** o de otras condiciones comerciales o de servicio.

b) La limitación o el control de la **producción**, la distribución, el desarrollo técnico o las inversiones.

c) El **reparto del mercado** o de las fuentes de aprovisionamiento.

d) La aplicación, en las relaciones comerciales o de servicio, de **condiciones desiguales** para prestaciones equivalentes que coloquen a unos competidores en situación desventajosa frente a otros.

e) La subordinación de la celebración de contratos a la aceptación de **prestaciones suplementarias** que, por su naturaleza o con arreglo a los usos de comercio, no guarden relación con el objeto de tales contratos.

Las prohibiciones de concertación se aplican tanto a los acuerdos horizontales (nº 349) como a los acuerdos verticales (nº 351).

La contravención de las anteriores prohibiciones trae como consecuencia la **nulidad de pleno derecho** de los acuerdos, decisiones o recomendaciones en que las mismas se traduzcan, siempre y cuando no estén amparados por las exenciones previstas en el nº 343. Además, el infractor será responsable de los **daños y perjuicios** causados (LDC art.71.1); ver nº 405 s.

Precisiones 1) Si antes, el Tribunal de Defensa de la Competencia (ahora, la CNMC) podía autorizar explícitamente este tipo de acuerdos por determinado período de tiempo cuando cumplían una serie de requisitos, con la vigente LDC se implanta un sistema de exenciones legales que implican la **autoevaluación** por las propias empresas, en la línea de la Comisión Europea. 339

2) Un **ejemplo** de acuerdo prohibido lo constituye el caso en que determinadas empresas de un mismo sector acuerdan elevar conjuntamente y en medida similar el precio de venta al público de sus productos. La investigación de los **cárteles** supone, de hecho, una de las prioridades de la actuación de la Comisión Nacional de los Mercados y la Competencia. La conducta anticompetitiva denominada cartel supone un acuerdo formal y secreto entre empresas del mismo sector cuyo fin es reducir o eliminar la competencia en un determinado mercado obteniendo un poder sobre el mercado en el cual obtienen los mayores beneficios posibles en perjuicio de los consumidores (AN cont-adm 27-10-16, EDJ 199169; 25-11-16, EDJ 237014; 29-11-16, EDJ 237015).
La **CNMC** ha **sancionado** en diversas ocasiones a los cárteles por llevar a cabo prácticas restrictivas de la competencia prohibidas por la LDC (entre otros, la CNMC Resol 1-10-19 que sanciona un cártel de montaje y mantenimiento industrial; CNMC Resol 26-5-16, que sanciona un cártel de distribución de productos sanitarios; CNMC Resol 9-3-17, que sanciona un cártel de transporte escolar y de viajeros).
3) Las **cláusulas de inhibición de la competencia**, aunque no tengan por objeto impedir, restringir, o falsearla en todo o parte del mercado nacional, desde el momento en que su consecuencia, al menos aparentemente, sea eliminar del mercado a un competidor, deben considerarse prohibidas. Ahora bien, en numerosas ocasiones el tráfico mercantil impone o aconseja ciertas restricciones a la competencia, en cuyo caso las cláusulas de inhibición, de estar incorporadas a contratos cuyo objeto principal no sea restringir, impedir o falsear la competencia, que constituyan restricciones accesorias del comercio, más o menos necesarias o simplemente útiles o convenientes, serán válidas (TS 18-5-12, EDJ 116917; AP Barcelona 3-3-16, EDJ 57248).

341 En el **ámbito comunitario**, el Tratado FUE art.101.1 prohíbe todos los acuerdos entre empresas, las decisiones de asociaciones de empresas y las prácticas concertadas que puedan afectar al **comercio entre países** de la UE y que puedan impedir, restringir o falsear la competencia. Es decir, la prohibición se refiere a los acuerdos y prácticas concertadas entre empresas que puedan afectar al comercio entre los Estados miembros.
A estos efectos hay que tener en cuenta que:
- El concepto de **práctica concertada** se refiere a una forma de coordinación entre empresas mediante la cual éstas, sin haber llegado nunca a la realización de un acuerdo propiamente dicho, sustituyen conscientemente los riesgos de la competencia por una cooperación práctica entre ellas (TJUE 4-6-09, asunto T-Mobile Netherlands C-8/08).
- Una práctica colusoria que se extienda a todo el **territorio de un Estado miembro**, por su propia naturaleza, tiene por efecto consolidar compartimentaciones de carácter nacional, que obstaculizan de este modo la interpenetración económica perseguida por el Tratado FUE (TJUE 19-2-02, C-309/99; 16-7-15, C-172/14).
- El concepto de «**empresa**» comprende cualquier entidad que ejerza una actividad económica, con independencia del estatuto jurídico de dicha entidad y de su modo de financiación (TJUE 19-2-02, C-309/99; 28-2-13, C-1/12).
- El concepto de «**comercio entre los Estados miembros**» no se limita a los intercambios transfronterizos de bienes y servicios, sino que tiene un alcance más amplio, que abarca cualquier actividad económica transfronteriza, incluido el establecimiento (TJUE 25-10-01, C-475/99).

Precisiones Para incurrir en la prohibición establecida en el art.101.1 Tratado FUE, una **decisión de una asociación de empresas** debe tener «por objeto o efecto» impedir, restringir o falsear apreciablemente la competencia dentro del mercado interior. El carácter alternativo de esa condición, como indica la conjunción «o», hace necesario considerar en primer lugar el **objeto** mismo de la decisión de una asociación de empresas, pues algunos tipos de coordinación entre empresas revelan un grado de nocividad para la competencia suficiente para ser calificados de «restricción por el objeto», de modo que es innecesario examinar sus efectos (TJUE 18-11-21, C-306/20).
Así, las decisiones del Colegio de Notarios, como asociación de empresas, que unifican la forma en que los **notarios** calculan los **honorarios** percibidos por el ejercicio de algunas de sus actividades constituyen restricciones de la competencia «por el objeto», prohibidas por la citada disposición (TJUE 18-1-24, C-128/21).

343 **Exenciones legales** (LDC art.1.3, 4 y 5; Tratado FUE art.101.3) Existen algunos acuerdos que, si bien cumplen los requisitos expuestos en el nº 337 para ser considerados como colusorios, no son sancionables por considerar que conllevan efectos **favorables para los consumidores** (p.e., mejoras en la producción, la distribución o la comercialización, fomento del progreso técnico) que contrarrestan sus efectos perjudiciales desde el punto de vista de la competencia.
En concreto, no están prohibidos los acuerdos, decisiones, recomendaciones y prácticas concertadas en las que concurran alguna de las siguientes circunstancias:
1º Contribuyan a **mejorar la producción** o la comercialización y distribución de bienes y servicios o a **promover el progreso** técnico o económico, sin que sea necesaria decisión previa alguna a tal efecto, siempre que (TJUE 23-1-18, C-179/16):
- permitan a los consumidores o usuarios participar de forma equitativa de sus ventajas;

- no impongan a las empresas interesadas restricciones que no sean indispensables para la consecución de aquellos objetivos; y
- no consientan a las empresas partícipes la posibilidad de eliminar la competencia respecto de una parte sustancial de los productos o servicios contemplados.

2º Cumplan las disposiciones establecidas en los Reglamentos Comunitarios relativos a la aplicación del Tratado FUE art.101.3 a determinadas categorías de acuerdos, decisiones de asociaciones de empresa y prácticas concertadas, incluso cuando las correspondientes conductas no puedan afectar al comercio entre los Estados miembros de la UE. Son los denominados **Reglamentos de exención por categorías**, entre los que cabe citar:
- Rgto (UE) 2022/720 de exención de determinadas categorías de acuerdos verticales y prácticas concertadas;
- Rgto UE/267/2010 de exención por categorías del sector de los seguros (cuya vigencia expiró el 31-3-2017);
- Rgto UE/461/2010 de exención de determinadas categorías de acuerdos verticales y prácticas concertadas en el sector de los vehículos de motor;
- Rgto (UE) 2023/1067 de exención de determinadas categorías de acuerdos de especialización; y
- Rgto (UE) 2023/1066 de exención de determinadas categorías de acuerdos de investigación y desarrollo.

3º Estén incluidas en alguna categoría de conductas que haya sido expresamente declarada por el **Gobierno** como exentas mediante real decreto, previo informe de la CNMC. Por **ejemplo**, el Reglamento de Exención en Materia de Intercambio de Información sobre Morosidad (RD 602/2006).

Precisiones En ningún caso pueden quedar amparados en la exención los acuerdos o prácticas que pretendan conferir carácter obligatorio o vinculante a lo convenido. Así, los acuerdos celebrados entre dos o más empresas del **sector de seguros** para la **fijación de precios mínimos** en el seguro decenal de daños a la edificación, que tiene un carácter vinculante y obligatorio para las empresas aseguradoras y reaseguradoras participantes, y la naturaleza de las prácticas de seguimiento y control del cumplimiento de lo pactado, con el objeto de impedir que las empresas se desvíen de las condiciones de suscripción de pólizas acordadas, no están cubiertos por la exención contemplada en el Reglamento de exención por categorías del sector de los seguros (TS cont-adm 26-5-15, EDJ 99937).

Acuerdos horizontales (Comunicación Comisión Europea, DOUE 14-1-2011) Los acuerdos horizontales son acuerdos entre **competidores reales o potenciales**. **345**

Estos acuerdos de cooperación horizontal pueden dar lugar a **beneficios** económicos sustanciales, en especial si combinan actividades, conocimientos o activos complementarios. Asimismo, pueden ser un medio de compartir el riesgo, ahorrar costes, incrementar las inversiones, agrupar los conocimientos técnicos, aumentar la calidad y variedad del producto y lanzar más rápidamente la innovación.

Sin embargo, los acuerdos de cooperación horizontal también pueden plantear **problemas de competencia**. Así ocurre, por ejemplo, cuando las partes acuerdan fijar los precios o la producción o repartirse los mercados, o cuando la cooperación permite a las partes mantener, mejorar o aumentar su poder de mercado y sea probable que ello cause efectos negativos sobre los precios, la producción, la innovación o la variedad y calidad de los productos.

Precisiones La evaluación de los acuerdos conforme al Tratado FUE art.101 consta de dos fases:
1º Evaluar si el acuerdo tiene un objeto **contrario a la competencia** o unos efectos reales o potenciales restrictivos de la competencia (Tratado FUE art.101.1).
2º Cuando se concluye que el acuerdo es restrictivo de la competencia, se determinan los **beneficios para la competencia** de ese acuerdo y se evalúa si esos efectos favorables a la competencia compensan los efectos restrictivos (Tratado FUE art.101.3).
En caso de que los efectos favorables no compensen una restricción de la competencia, el acuerdo será nulo de pleno derecho (Tratado FUE art.101.2).

Los acuerdos de cooperación horizontal más habituales son los siguientes: **347**

a) Acuerdos de **investigación y desarrollo**. Pueden prever la subcontratación de algunas actividades de I+D, la mejora en común de las tecnologías existentes o una cooperación en cuanto a investigación, desarrollo y comercialización de productos completamente nuevos. Pueden tomar la forma de acuerdos de cooperación o de empresas controladas conjuntamente.

b) Acuerdos de **producción**. Pueden prever:
- que solo una de las partes o dos o más partes realicen la producción;
- que las empresas pueden producir conjuntamente mediante una empresa en participación, es decir, una empresa controlada conjuntamente que opera una o varias instalaciones de producción; o

- mediante una forma menos rígida de cooperación, a través de los acuerdos de subcontratación en los que una parte (el «contratista») encarga a otra (el «subcontratista») la producción de un bien.

349 c) Acuerdos de **compra**. La compra conjunta puede ser realizada por una empresa controlada conjuntamente, por una empresa en la que muchas otras empresas tengan participaciones minoritarias, mediante un arreglo contractual o incluso mediante formas menos rígidas de cooperación (denominados colectivamente, «arreglos de compra conjunta»). Los arreglos de compra conjunta suelen tener la finalidad de crear un poder de negociación que puede dar lugar a unos precios más bajos o unos productos o servicios de mayor calidad para los consumidores. No obstante, en ciertas circunstancias, el poder de negociación también puede plantear problemas de competencia.

d) Acuerdos de **comercialización**. Se refieren a la cooperación entre competidores para la venta, la promoción o la distribución de sus productos sustitutivos. Estos acuerdos pueden tener un alcance muy diferente en función de los elementos de la comercialización a los que afecta la cooperación:

• Los acuerdos de venta conjunta que conduce al establecimiento conjunto de todos los aspectos comerciales relacionados con la venta del producto, incluido el precio.

• Otros acuerdos menos ambiciosos que solo afectan a un elemento de comercialización específico, tal como la distribución, el servicio posventa o la publicidad.

• Los acuerdos de distribución son acuerdos de comercialización de carácter vertical, a menos que las partes sean competidores existentes o potenciales.

e) Acuerdos de **estandarización**. El objetivo primordial de estos acuerdos es definir los requisitos técnicos o cualitativos que deben satisfacer los productos o procedimientos y métodos de producción actuales y futuros. Los acuerdos de estandarización pueden abarcar distintos ámbitos, como:

- La estandarización de diferentes **calidades o tamaños** de un producto determinado o las especificaciones técnicas en mercados en los que resulta esencial la compatibilidad y la interoperabilidad con otros productos o sistemas;
- Las condiciones de acceso a un determinado **distintivo de calidad** o la autorización por parte de un organismo regulador.
- La estandarización sobre el rendimiento **medioambiental** de los productos o de los procedimientos de producción.
- Las **cláusulas estándar** siempre que establezcan condiciones estándar de venta o de compra de bienes o servicios entre competidores y consumidores (y no las condiciones de venta o compra entre competidores) para productos sustitutivos.

351 **Acuerdos verticales** (Comunicación Comisión Europea, DOUE 19-5-2010) Son acuerdos verticales los acuerdos o prácticas concertadas, suscritos entre dos o más empresas que operen, a efectos del acuerdo o de la práctica concertada, en **planos distintos de la cadena de producción o distribución** y que se refieran a las condiciones en las que las partes pueden adquirir, vender o revender determinados bienes o servicios (Rgto UE/330/2010 art.1.1.a).

Las restricciones verticales más corrientes se dan en los siguientes tipos de acuerdos:

• **Marca única**. Es la cláusula contractual obliga o incita al comprador a cubrir prácticamente todas sus necesidades en un mercado determinado abasteciéndose en un único proveedor. Esto no significa que el comprador deba abastecerse directamente en el proveedor, sino que no puede comprar, revender ni integrar en sus productos bienes o servicios competidores. La marca única goza de exención con arreglo al Rgto UE/330/2010 de Exención por Categorías cuando la cuota de mercado del proveedor y la del comprador no superan ninguna el 30%, con una limitación a cinco años en caso de obligación de no competencia.

• **Distribución exclusiva**. Un acuerdo de distribución exclusiva es aquel en el que un proveedor acepta vender sus productos exclusivamente a un distribuidor para su reventa en un territorio determinado. La distribución exclusiva queda exenta por el Rgto UE/330/2010 de Exención por Categorías cuando la cuota de mercado del proveedor y la del comprador no rebasan ninguna el 30%.

• **Exclusividad de clientela**. En el marco de un acuerdo de exclusividad de clientela, el proveedor acuerda vender sus productos solamente a un distribuidor para la reventa a una determinada categoría de clientes. Al mismo tiempo, el distribuidor está a menudo limitado en sus ventas activas a otras clientelas asignadas. La asignación de cliente exclusivo goza de una exención en el Rgto UE/330/2010 de Exención por Categorías cuando tanto la cuota de mercado del proveedor como del comprador no supera el umbral del 30%.

• **Distribución selectiva**. Los acuerdos de distribución selectiva limitan, por una parte, el número de distribuidores autorizados y, por otra, sus posibilidades de reventa. La diferencia con la distribución exclusiva reside en que la restricción del número de distribuidores autorizados no depende del número de territorios, sino de criterios de selección vinculados, en primer lugar, a la naturaleza del producto. Otra diferencia radica en que la restricción en materia de reventa no consiste en una restricción de las ventas activas en un territorio, sino en una restricción de todo tipo de venta a distribuidores no autorizados, de modo que tan solo quedan como posibles compradores los distribuidores designados y los clientes finales. La distribución selectiva casi siempre se utiliza para distribuir productos finales de marca. La distribución selectiva cualitativa y cuantitativa puede beneficiarse del Rgto UE/330/2010 de Exención por Categorías mientras la cuota de mercado del proveedor y la del comprador no excedan ninguna de ellas del 30%.

• **Franquicia**. Estos acuerdos incluyen la cesión de marcas, signos distintivos y conocimientos técnicos para la utilización y la distribución de bienes y servicios. Además, el franquiciador proporciona normalmente al franquiciado una asistencia comercial o técnica. En cuanto a las restricciones verticales a la compra, venta y reventa de bienes y servicios recogidas en un acuerdo de franquicia, tales como la distribución selectiva, la cláusula de no competencia o la distribución exclusiva, el Rgto UE/330/2010 de Exención por Categorías se aplica hasta el umbral de cuota de mercado del 30%. **353**

• **Suministro exclusivo**. Bajo el título de suministro exclusivo se incluyen las restricciones que tienen como elemento principal el hecho de que el proveedor se ve obligado o inducido a vender los productos objeto del contrato única o principalmente a un comprador, en general o para un uso particular. Dichas restricciones pueden adoptar la forma de una obligación de suministro exclusivo, limitando al proveedor a que venda solamente a un comprador a efectos de reventa o para un uso particular, pero por ejemplo también puede adoptar la forma de obligación del proveedor de venta de una cantidad fija, acordándose los incentivos entre el proveedor y el comprador, lo que hace que el primero concentre sus ventas principalmente con un comprador. En el caso de los bienes o servicios intermedios, el suministro exclusivo se denomina a menudo suministro industrial. El suministro exclusivo queda exento por el Rgto UE/330/2010 de Exención por Categorías cuando la cuota de mercado del proveedor no rebasa el 30%, aun cuando se combine con otras restricciones verticales no especialmente graves; por ejemplo, no competencia.

• **Pago de acceso inicial**. Son cánones fijos que los proveedores pagan a los distribuidores en el marco de una relación vertical al principio de un período, para obtener acceso a su red de distribución y remunerar servicios proporcionados a los proveedores por los minoristas. Esta categoría incluye diversas prácticas tales como tasas por asignación de espacio, las llamadas «tasas de mantenimiento», los pagos para tener acceso a las campañas de promoción de un distribuidor, etc. Los pagos de acceso inicial se benefician de una exención en virtud del Rgto UE/330/2010 de Exención por Categorías cuando las cuotas de mercado del proveedor y del comprador no exceden del 30%.

• **Acuerdo de gestión por categoría**. Son acuerdos por los cuales, dentro de un acuerdo de distribución, el distribuidor confía al proveedor (el «capitán de categoría») la comercialización de una categoría de productos, incluyendo en general no solo productos del proveedor, sino también productos de sus competidores. El capitán de categoría puede tener así una influencia sobre, por ejemplo, la ubicación del producto y su promoción en el establecimiento y la selección de productos para el establecimiento. Los acuerdos de gestión por categoría se benefician de una exención en virtud del Rgto UE/330/2010 de Exención por Categorías cuando las cuotas de mercado del proveedor y del comprador no exceden del 30%. **355**

• **Vinculación**. La vinculación hace referencia a las situaciones en las que se obliga a los clientes que compran un producto (el producto vinculante) a comprar también otro producto del fabricante (el producto vinculado). La vinculación puede constituir un abuso de posición dominante. La vinculación se beneficia de la exención en virtud del Rgto UE/330/2010 de Exención por Categorías cuando la cuota de mercado del proveedor, tanto en el mercado del producto vinculado como en el mercado del producto vinculante, y la cuota de mercado del comprador, en los mercados ascendentes pertinentes, no exceden del 30%.

• **Restricciones de los precios de reventa** El mantenimiento del precio de reventa, es decir, aquellos acuerdos o prácticas concertadas cuyo objeto directo o indirecto es el establecimiento de un precio de reventa fijo o mínimo o un nivel de precio fijo o mínimo al que debe ajustarse el comprador, se tratan como restricciones especialmente graves. La inclusión del mantenimiento del precio de reventa en un acuerdo da lugar a la presunción de que el acuerdo restringe la competencia y, por tanto, es poco probable que el acuerdo cumpla las condiciones del art.101.3 Tratado FUE para estar exento.

357 **Abuso de la posición dominante** (LDC art.2; Tratado FUE art.102) Queda prohibida la **explotación abusiva** por una o varias empresas de su posición de dominio en todo o en parte del mercado nacional. Por **posición dominante** se entiende la posición de fuerza económica mantenida por una empresa que le proporciona el poder de obstaculizar el mantenimiento de la competencia efectiva en el mercado de referencia, proporcionándole la posibilidad de comportamiento independiente, en una medida apreciable, frente a sus competidores y clientes y, finalmente, a los consumidores (TJCEE 5-10-88, asunto Assatel c. Novasam).

Son **ejemplos** de explotación abusiva de una posición dominante:

a) La imposición, de forma directa o indirecta, de **precios** u otras condiciones comerciales o de servicios no equitativos.

b) La limitación de la **producción**, la distribución o el desarrollo técnico en perjuicio injustificado de las empresas o de los consumidores.

c) La negativa injustificada a satisfacer las **demandas de compra** de productos o de prestación de servicios.

d) La aplicación, en las relaciones comerciales o de servicios, de **condiciones desiguales** para prestaciones equivalente, que coloque a unos competidores en situación desventajosa frente a otros.

e) La subordinación de la celebración de contratos a la aceptación de **prestaciones suplementarias** que no guarden relación con el objeto de los mismos.

La legislación española no sanciona la mera posición dominante, puesto que ésta puede ser resultado de un buen desempeño empresarial, sino un **abuso** de la misma que pretenda restringir la libre competencia debilitando a los competidores, obstaculizando la entrada a otras empresas o aplicando condiciones injustas a clientes o proveedores. Por tanto, esta prohibición solo se aplica en los casos en los que la posición de dominio en el mercado haya sido establecida por disposición legal.

359 Precisiones 1) No se aplica la regla *contra proferentem* cuando no hay una posición dominante de una de las partes que imponga el contrato a la otra, sino que se trata de dos empresas de importancia que aceptan una cláusula y se reconoce a ambas una indemnización por razón de la **extinción unilateral**, imponiendo una equivalencia de prestaciones (TS 4-4-12, EDJ 97394).

2) Constituye un supuesto restrictivo de la competencia consistente en abuso de posición de dominio por la aplicación de **tarifas no equitativas y excesivas** en las licencias concedidas por la SGAE para la comunicación pública de las obras musicales protegidas por derechos de autor en conciertos celebrados en España (CNMV Resol 6-11-14).

3) La AP determina que se incurre en abuso de posición dominante cuando se deniega injustificadamente el **acceso a la red eléctrica** y la consecuencia de ello es la indemnización en concepto de lucro cesante por parte de la entidad que incurre en abuso de posición dominante (AP Huesca 19-2-16, EDJ 45846).

En igual sentido la AP Barcelona condena a una empresa de distribución eléctrica a indemnizar a otra del mismo sector por los daños y perjuicios ocasionados por su abuso de posición de dominio al impedir el acceso o conexión a la red. El retraso en las obras de conexión por parte de la perjudicada es responsabilidad directa de la infractora, quien no estaba amparada legalmente para imponer determinadas condiciones sobre las obras a ejecutar y su precio. Supone un abuso de su posición como titular de la red y de monopolio en el mercado con perjuicio a la empresa reclamante que debe ser indemnizado (AP Barcelona 28-9-18, EDJ 593116).

4) Uno de los actos constitutivos de abuso de posición de dominio son los **precios predatorios**. La conducta predatoria es aquella en la que una empresa dominante incurre deliberadamente en pérdidas o renuncia a beneficios a corto plazo mediante la aplicación de precios de venta inferiores al precio de coste (AP Burgos 17-2-15, EDJ 21393).

361 **Falseamiento de la libre competencia por conductas desleales** (LDC art.3) Los actos de competencia desleal que, por falsear la libre competencia, afecten al interés público (p.e., el suministro eléctrico; TS 3-2-17, EDJ 6260), son competencia de la Comisión Nacional de los Mercados y la Competencia (**CNMC**) o los órganos competentes de las CCAA que tengan atribuida esta facultad. El falseamiento de la libre competencia debe entenderse como una perturbación, real o potencial, del normal juego de la competencia en el mercado, derivado necesariamente por conductas desleales. Conductas que deben afectar, de una parte, a la libre competencia; y de otra, al interés general (CNMC Resol 7-2-14).

Es importante subrayar a este respecto que la eventual actuación de los organismos administrativos encargados de preservar la libre competencia solo resulta pertinente si las conductas desleales de los empresarios, además de serlo distorsionan gravemente las condiciones de competencia en el mercado con perjuicio para el **interés público** (TS cont-adm 20-6-06, EDJ 94083). En otras palabras, la CNMC no es la instancia apropiada para conocer de un hecho que, pese a constituir un acto de competencia desleal distorsionador del mecanismo competitivo, la distorsión que se ha podido provocar no supone un perjuicio para el interés público. Que el hecho denunciado no sea incardinable en la LDC art.3 no implica que no pueda serlo en otras Leyes (como la LCD y/o la LGPu, por ejemplo), pero en ese caso correspondería entender de la denuncia a las instancias judiciales competentes (CNMC Resol 2-10-14). Ver nº 510. Para la determinación de lo que constituye **conducta desleal** nos remitimos a la tipificación contenida en la LCD art.5 s. (ver nº 435 s.). Pero, recordemos, la infracción de las normas de competencia desleal no constituye de forma automática una infracción del art.3 LDC, sino que las conductas deben suponer un falseamiento de la competencia y afectar, por tanto, al interés público.

Precisiones 1) La **denigración** es un comportamiento de deslealtad frente al competidor en tanto que obstaculiza o dificulta el ejercicio de la actividad económica de un tercero mediante el menoscabo de su reputación o de su ventaja competitiva, pero sobre todo es un acto de deslealtad competitiva frente a los consumidores porque está dirigida a eliminar o distorsionar la libertad y racionalidad de sus decisiones de mercado (AN cont-adm 14-7-16, EDJ 117609).
2) No es suficiente, por tanto, la afectación de un **interés privado**, sino que dicha afectación incida sobre el funcionamiento general del mercado (CNMC Resol 4-4-14).

Conductas de menor importancia (LDC art.5; RD 261/2008 art.1, 2 y 3) Las prohibiciones recogidas en los nº 337, nº 357 y nº 361 anteriores no se aplican a aquellas conductas que, por su escasa importancia, no sean capaces de afectar de manera significativa a la competencia. 363
Los **criterios** que determinan si una conducta es de menor importancia -sin que sea necesaria una previa declaración a tal efecto- son los siguientes:
a) Las conductas entre **empresas competidoras**, reales o potenciales, cuando su cuota de mercado conjunta no exceda del 10% en ninguno de los mercados relevantes afectados.
b) Las conductas entre empresas que **no** sean **competidoras**, ni reales ni potenciales, cuando la cuota de mercado de cada una no exceda del 15% en ninguno de los mercados relevantes afectados.
c) En los casos en los que **no** resulte **posible determinar** si se trata de una conducta entre competidores o entre no competidores, se aplica el porcentaje del 10% de cada uno en los mercados relevantes afectados.
d) Cuando, en un mercado de referencia, la competencia se vea restringida por los efectos acumulativos de **acuerdos paralelos** para la venta de bienes o servicios concluidos por proveedores o distribuidores diferentes, los porcentajes de cuota de mercado fijados en los apartados anteriores quedan reducidos al 5%. No se aprecia la existencia de un efecto acumulativo si menos del 30% del mercado de referencia está cubierto por redes paralelas de acuerdos.
Sin perjuicio de los criterios expuestos para delimitar las conductas de menor importancia, el **Consejo de la CNMC** puede declarar exentas de las prohibiciones de la LDC art.1 a 3, las conductas que, atendiendo a su contexto jurídico y económico, no sean aptas para afectar de manera significativa a la competencia (RD 261/2008 art.3.1).

Conductas excluidas (RD 261/2008 art.2) Con independencia de los criterios establecidos en el apartado anterior (nº 363), las siguientes conductas no pueden ser consideradas de menor importancia. 365
1º Las conductas **entre competidores** que tengan por objeto, directa o indirectamente, de forma aislada o en combinación con otros factores controlados por las empresas partícipes:
- la fijación de los precios de venta de los productos a terceros;
- la limitación de la producción o las ventas;
- el reparto de mercados o clientes, incluidas las pujas fraudulentas, o la restricción de las importaciones o las exportaciones.

Precisiones Sin perjuicio de cuál sea el perímetro del mercado de producto y la cuota que las partes puedan tener en el mismo, el art.5 LDC no resulta de aplicación a los **acuerdos colusorios** entre empresas en materia de **precios** (CNC Resol 30-5-12, Expte S/0273/10; CNMC Resol 26-12-13).

2º Las conductas **entre no competidores** que tengan por objeto, directa o indirectamente, de forma aislada o en combinación con otros factores controlados por las empresas partícipes: 367
- el establecimiento de un **precio de reventa** fijo o mínimo al que haya de ajustarse el comprador;
- la **restricción de las ventas** activas o pasivas a usuarios finales por parte de los miembros de una red de distribución selectiva, sin perjuicio de la posibilidad de que el proveedor restrinja la capacidad de dichos miembros para operar fuera del establecimiento autorizado;
- la **restricción** de los **suministros recíprocos** entre distribuidores pertenecientes a un mismo sistema de distribución selectiva, incluso entre distribuidores que operen en distintos niveles comerciales;
- la restricción acordada entre un **proveedor de componentes** y un comprador que los incorpora a otros productos que limite la capacidad del proveedor de vender esos componentes como piezas sueltas a usuarios finales, a talleres de reparación independientes

o a proveedores de otros servicios a los que el comprador no haya encomendado la reparación o el mantenimiento de sus productos;
- el establecimiento de cualquier **cláusula de no competencia** cuya duración sea indefinida o exceda de cinco años;
- la **restricción del territorio** en el que el comprador pueda vender los bienes o servicios contractuales, o de los clientes a los que pueda vendérselos, excepto: (i) la restricción de las ventas activas en el territorio o al grupo de clientes reservados en exclusiva al proveedor o asignados en exclusiva por el proveedor a otro comprador, cuando tal prohibición no limite las ventas de los clientes del comprador; (ii) la restricción de las ventas a usuarios finales por un comprador que opere en el comercio al por mayor; (iii) la restricción de las ventas a distribuidores no autorizados por los miembros de un sistema de distribución selectiva; y (iv) la restricción de la capacidad del comprador de vender componentes a clientes que los usarían para fabricar el mismo tipo de bienes que los que produce el proveedor.

Precisiones A estos efectos, se entiende por:
• **Ventas activas** la aproximación activa a clientes individuales dentro del territorio exclusivo o del grupo de clientes exclusivo de otro distribuidor mediante, entre otros, correo directo o visitas; publicidad en medios de comunicación, otras actividades destinadas específicamente a aquellos clientes, y el establecimiento de un almacén o un centro de distribución en el territorio exclusivo de otro distribuidor.
• **Ventas pasivas** la respuesta a pedidos no suscitados activamente procedentes de clientes individuales o grupos de clientes específicos, incluida la entrega de bienes y servicios a dichos clientes.
• **Cláusula de no competencia** cualquier obligación directa o indirecta que prohíba al comprador fabricar, adquirir, vender o revender bienes o servicios que compitan con los bienes o servicios contractuales, o cualquier obligación, directa o indirecta, que exija al comprador adquirir al proveedor o a otra empresa designada por éste más del 80% del total de sus compras de los bienes o servicios contractuales y de sus sustitutos en el mercado de referencia, calculadas sobre la base del valor de sus compras en el año precedente.

369 3º Los acuerdos, decisiones o recomendaciones colectivas o prácticas concertadas o conscientemente paralelas entre competidores que, a efectos del acuerdo, operen en **niveles distintos de la cadena** de producción o distribución, cuando dichos acuerdos contengan cualquiera de las restricciones contempladas en los apartados 1º y 2º anteriores.
4º Las conductas desarrolladas por empresas titulares o beneficiarias de **derechos exclusivos**.
5º Las conductas desarrolladas por empresas presentes en mercados relevantes en los que más del 50% esté cubierto por **redes paralelas de acuerdos verticales** cuyas consecuencias sean similares.

2. Concentraciones económicas

(LDC art.7 a 10)

375 Se consideran concentraciones económicas aquellas operaciones que supongan un **cambio estable del control** de la totalidad o parte de una o varias empresas como consecuencia de:
a) La **fusión** de dos o más empresas anteriormente independientes.
b) La **adquisición** por una empresa del control sobre la totalidad o parte de una o varias empresas.
c) La creación de una **empresa en participación** (lo que se conoce como *join venture*) y, en general, la adquisición del control conjunto sobre una o varias empresas, cuando éstas desempeñen de forma permanente las funciones de una entidad económica autónoma.
El **control** resulta de los contratos, derechos o cualquier otro medio que, teniendo en cuenta las circunstancias de hecho y de derecho, confieran la posibilidad de ejercer una **influencia decisiva** sobre una empresa y, en particular, mediante:
- derechos de propiedad o de uso de la totalidad o de parte de los activos de una empresa;
- contratos, derechos o cualquier otro medio que permitan influir decisivamente sobre la composición, las deliberaciones o las decisiones de los órganos de la empresa; y
- en todo caso, cuando se den los supuestos previstos en el CCom art.42.

Precisiones No se origina una concentración cuando la empresa objetivo se **fusiona con una filial** de la empresa adquirente y, como resultado, la empresa matriz adquiere el control de la empresa objetivo. Y ello porque, en tal caso, la empresa fusionada ya pertenece a su grupo empresarial de la sociedad matriz y forma, por tanto, parte de una única entidad económica con aquella (Asunto COMP/M.2510 - Cendant/Galileo, 24-9-01).

Con carácter general, el concepto de concentración **excluye** las operaciones mercantiles que no producen un cambio «duradero» o «estable» de control. 377

En concreto, se considera que no tiene la consideración de concentración (LDC art.7.3):

• La mera **redistribución de valores o activos** entre empresas de un mismo grupo.

• La **tenencia** con carácter temporal de participaciones que hayan adquirido en una empresa **para su reventa** por parte de una entidad de crédito u otra entidad financiera o compañía de seguros cuya actividad normal incluya la transacción y negociación de títulos por cuenta propia o por cuenta de terceros, siempre y cuando los derechos de voto inherentes a esas participaciones no se ejerzan con objeto de determinar el comportamiento competitivo de dicha empresa o solo se ejerzan con el fin de preparar la realización de la totalidad o de parte de la empresa o de sus activos o la realización de las participaciones, y siempre que dicha realización se produzca en el plazo de un año desde la fecha de la adquisición. Con carácter excepcional, la Comisión de los Mercados y la Competencia (que asume en la actualidad las funciones de la anterior Comisión Nacional de la Competencia) puede ampliar ese plazo previa solicitud cuando dichas entidades o sociedades justifiquen que no ha sido razonablemente posible proceder a la realización en el plazo establecido.

• Las operaciones realizadas por **empresas de participación financiera** en el sentido de la Dir 34/2013/CE art.2.15, que adquieran con carácter temporal participaciones en otras empresas, siempre que los derechos de voto inherentes a las participaciones solo sean ejercidos para mantener el pleno valor de tales inversiones y no para determinar el comportamiento competitivo de dichas empresas.

• La adquisición de control por una persona en virtud de un **mandato** conferido por autoridad pública con arreglo a la normativa concursal.

Procedimiento de control (LDC art.8 y 9; L 3/2013 art.5.d) El procedimiento de control se aplica a las concentraciones económicas cuando concurra al menos una de las dos **circunstancias** siguientes: 379

a) Que como consecuencia de la concentración se adquiera o se incremente una **cuota igual o superior al 30% del mercado** relevante de producto o servicio en el ámbito nacional o en un mercado geográfico definido dentro del mismo.

Quedan **exentas del procedimiento de control** todas aquéllas concentraciones económicas en las que, aun cumpliendo lo establecido en ésta letra a), el volumen de negocios global en España de la sociedad adquirida o de los activos adquiridos en el último ejercicio contable no supere la cantidad de 10 millones de euros, siempre y cuando las partícipes no tengan una cuota individual o conjunta igual o superior al 50 por ciento en cualquiera de los mercados afectados, en el ámbito nacional o en un mercado geográfico definido dentro del mismo.

b) Que el **volumen de negocios global en España** del conjunto de los partícipes supere en el último ejercicio contable la cantidad de 240 millones de euros, siempre que al menos dos de los partícipes realicen individualmente en España un volumen de negocios superior a 60 millones de euros.

Las concentraciones económicas en las que concurran alguna de las circunstancias citadas deben **notificarse** a la **Comisión Nacional de la Competencia** previamente a su ejecución, y no podrán ejecutarse hasta que haya recaído y sea ejecutiva la autorización expresa o tácita de la Administración.

Para un **estudio en detalle** del procedimiento nacional y comunitario de control de concentraciones, ver nº 15930 s. Memento Sociedades Mercantiles 2024.

Precisiones 1) Las obligaciones previstas en la Ley de referencia no afectan a aquellas **concentraciones de dimensión comunitaria** tal como se definen en el Rgto CE/139/2004 del Consejo, sobre el control de las concentraciones entre empresas, salvo que la concentración haya sido objeto de una decisión de remisión por la Comisión Europea a España conforme a lo establecido en el citado Reglamento.

2) El TCo avala que la previsión contenida en la Ley de Defensa de la Competencia, según la cual corresponde en exclusiva al Estado la **competencia para autorizar las concentraciones** económicas empresariales, no invade las competencias del Gobierno de Canarias (TCo 108/2014).

3. Órganos

(L 3/2013 art.5.1.d; LDC art.13 y 14)

El órgano competente para aplicar lo dispuesto en la LDC en materia de control de concentraciones económicas es la **Comisión Nacional de los Mercados y la Competencia** (CNMC). Este organismo agrupa las funciones relativas al correcto funcionamiento de los mercados y sectores supervisados por determinadas comisiones entre las que se encuentra la anterior Comisión Nacional de la Competencia. 385

El **Consejo de Ministros** puede intervenir en el procedimiento de control de concentraciones económicas de acuerdo con lo previsto en la LDC art.60.
También son competentes para la aplicación de esta Ley los **órganos competentes de las CCAA** que ejercen en su territorio las competencias ejecutivas correspondientes en los procedimientos que tengan por objeto las conductas prohibidas previstas en la LDC art.1, 2 y 3 de acuerdo con lo dispuesto en la misma y en la L 1/2002, de Coordinación de las Competencias del Estado y las CCAA en materia de Defensa de la Competencia.
Para las operaciones de **dimensión comunitaria**, las normas supranacionales de control de concentraciones están recogidas en el Rgto CE/139/2004 sobre el control de las concentraciones entre empresas y en el Rgto Ejecución (UE) 2023/914. El órgano competente para aplicar lo dispuesto en el Rgto CE/139/2004 es la **Dirección General de Competencia** de la Comisión Europea, sita en Bruselas.

387 **Comisión Nacional de los Mercados y la Competencia** (L 3/2013; OM ECC/1796/2013) La CNMC es un **organismo público** dotada de personalidad jurídica propia y plena capacidad pública y privada, que actúa, en el desarrollo de su actividad y para el cumplimiento de sus fines, con **autonomía orgánica y funcional** y plena independencia del Gobierno, de las Administraciones públicas y de los agentes del mercado. Está sometida al control parlamentario y judicial (L 3/2013 art.1 y 2).
La puesta en funcionamiento de la CNMC se **inició** el 7-10-2013.

Precisiones Las referencias al **Tribunal de Defensa de la Competencia** y al Servicio de Defensa de la Competencia se deben entender hechas a la Comisión Nacional de los Mercados y la Competencia (LDC disp.adic.5.2).

389 **Organización y funcionamiento** (L 3/2013 art.13 a 26; RD 657/2013) La CNMC ejerce sus funciones a través de los siguientes **órganos de gobierno**:
a) El **Consejo**.
b) El **Presidente**, que lo será también de su Consejo.
El Consejo es el **órgano colegiado de decisión** en relación con las funciones resolutorias, consultivas, de promoción de la competencia y de arbitraje y de resolución de conflictos atribuidas a la CNMC, sin perjuicio de las delegaciones que pueda acordar.
Está **integrado** por 10 miembros.
A las **reuniones** del Consejo puede asistir, con voz pero sin voto, el personal directivo de la Comisión y cualquier integrante del personal no directivo que determine el Presidente, de acuerdo con los criterios generales que a tal efecto acuerde el Consejo. No pueden asistir los miembros del Gobierno ni los altos cargos de las Administraciones públicas.
La **actuación** del Consejo se realiza en pleno o en sala. La **asistencia de los miembros** del Consejo a las reuniones es obligatoria, salvo casos debidamente justificados.
Los **acuerdos** se adoptan por mayoría de votos de los asistentes. En caso de **empate** decide el voto de quien presida la reunión.
A propuesta del Presidente, el Consejo en pleno, elige un **secretario no consejero**, que debe ser licenciado en derecho o titulación que lo sustituya y funcionario de carrera perteneciente a un cuerpo del subgrupo A1, al servicio de la Administración General del Estado, que tiene voz pero no voto, al que corresponde asesorar al Consejo en derecho, informar sobre la legalidad de los asuntos sometidos a su consideración, así como las funciones propias de la secretaría de los órganos colegiados. El **servicio jurídico** del organismo depende de la Secretaría del Consejo.
El **régimen de funcionamiento** del Consejo en pleno y salas se desarrolla en el Reglamento de funcionamiento interno.
El Consejo consta de **dos salas**, una dedicada a temas de competencia y otra a supervisión regulatoria.
Cada una de las salas está compuesta por cinco miembros del Consejo. La **Sala de Competencia** está presidida por el Presidente de la CNMC y la de **Supervisión regulatoria** por el Vicepresidente.
El Consejo en pleno determina la **asignación de los miembros** del Consejo a cada sala y, en los términos establecidos reglamentariamente, aprueba y publica el régimen de rotación entre salas de los consejeros, incluyendo los criterios de selección y periodicidad de las rotaciones. Cuando concurran circunstancias excepcionales que lo justifiquen, podrá adoptar otras medidas tendentes a garantizar el adecuado funcionamiento de las salas.
La **convocatoria de las salas** corresponde a su presidente, por propia iniciativa o a petición de, al menos, la mitad de los consejeros.
Las salas del Consejo se entienden **válidamente constituidas** con la asistencia de su presidente, o persona que le sustituya, el secretario del Consejo y, al menos, dos consejeros.
La CNMC cuenta, además, con cuatro **direcciones de instrucción**.

Recursos económicos (L 3/2013 art.33) La CNMC tiene **patrimonio propio e independiente** del patrimonio de la Administración General del Estado y cuenta, para el cumplimiento de sus fines, con los siguientes bienes y medios económicos: 391
a) Las asignaciones que se establezcan anualmente con cargo a los Presupuestos Generales del Estado.
b) Los bienes y derechos que constituyan su patrimonio, así como los productos y rentas del mismo.
c) Cualesquiera otros que legalmente puedan serle atribuidos.
El **control económico y financiero** de la CNMC se efectúa con arreglo a lo dispuesto en la L 47/2003, General Presupuestaria, y en la LO 2/1982, del Tribunal de Cuentas.

Funciones (L 3/2013 art.5) La CNMC desarrolla las siguientes: 393
1. **Instrucción, resolución y arbitraje**. Para garantizar, preservar y promover el correcto funcionamiento, la transparencia y la existencia de una competencia efectiva en todos los mercados y sectores productivos, en beneficio de los consumidores y usuarios, la Comisión Nacional de los Mercados y la Competencia realiza las siguientes funciones:
a) **Supervisión** y **control** de todos los mercados y sectores económicos.
b) Realizar las funciones de **arbitraje**, tanto de derecho como de equidad, que le sean sometidas por los operadores económicos en aplicación de la LArb, así como aquellas que le encomienden las leyes, sin perjuicio de las competencias que correspondan a los órganos competentes de las comunidades autónomas en sus ámbitos respectivos. El ejercicio de esta función arbitral no tiene carácter público. El procedimiento arbitral se regula mediante real decreto y se ajusta a los principios esenciales de audiencia, libertad de prueba, contradicción e igualdad.
c) Aplicar lo dispuesto en la LDC, en materia de conductas que supongan **impedir, restringir y falsear la competencia**, sin perjuicio de las competencias que correspondan a los órganos autonómicos de defensa de la competencia en su ámbito respectivo y de las propias de la jurisdicción competente.
d) Aplicar lo dispuesto en la LDC, en materia de **control de concentraciones económicas**.
e) Aplicar lo dispuesto en la LDC, en materia de **ayudas públicas**.
f) Aplicar en España el **Tratado FUE art.101 y 102** y su Derecho derivado, sin perjuicio de las competencias que correspondan en el ámbito de la jurisdicción competente.
g) Adoptar medidas y decisiones para aplicar los **mecanismos de cooperación** y **asignación de expedientes** con la Comisión Europea y otras comisiones nacionales de competencia de los Estados miembros previstos en la normativa comunitaria y, en particular, en el Rgto CE/1/2003 relativo a la aplicación de las normas sobre competencia previstas en el Tratado FUE art.101 y 102, y en el Rgto CE/139/2004 sobre el control de las concentraciones entre empresas y sus normas de desarrollo. En concreto (LDC art.18.4 redacc RDL 8/2023):
- Prestar asistencia activa a los funcionarios y demás acompañantes habilitados por la Comisión Europea para realizar inspecciones.
- Llevar a cabo en el territorio nacional las inspecciones u otras medidas de investigación solicitadas por la Comisión Europea.
h) Promover y realizar estudios y **trabajos de investigación** en materia de competencia, así como informes generales sobre sectores económicos.
i) Realizar cualesquiera **otras funciones** que le sean atribuidas por Ley o por real decreto.

2. **Competencias consultivas**. La CNMC actúa como órgano consultivo sobre cuestiones relativas al **mantenimiento de la competencia efectiva** y buen funcionamiento de los mercados y sectores económicos. 395
En particular, puede ser consultada por las cámaras legislativas, el Gobierno, los departamentos ministeriales, las comunidades autónomas, las corporaciones locales, los colegios profesionales, las cámaras de comercio y las organizaciones empresariales y de consumidores y usuarios. En ejercicio de esta función, lleva a cabo las siguientes actuaciones:
a) Participar, mediante **informe**, en el proceso de elaboración de normas que afecten a su ámbito de competencias en los sectores sometidos a su supervisión, a la normativa de defensa de la competencia y a su régimen jurídico.
b) Informar sobre los criterios para la **cuantificación de las indemnizaciones** que los autores de las conductas previstas en la LDC art.1, 2 y 3, deban satisfacer a los denunciantes y a terceros que hubiesen resultado perjudicados como consecuencia de aquéllas, cuando le sea requerido por el órgano judicial competente.
c) Informar sobre todas las cuestiones a que se refiere la LDC art.16, y el Rgto CE/1/2003 del Consejo, relativo a la aplicación de las **normas sobre competencia** previstas en el Tratado FUE art.101 y 102 en cuanto a los mecanismos de cooperación con los órganos jurisdiccionales nacionales.

d) Cualesquiera **otras cuestiones** sobre las que deba informar, de acuerdo con lo previsto en la normativa vigente.

397 3. **Otras funciones**. En cumplimiento de sus funciones, la CNMC está legitimada para **impugnar** ante la jurisdicción competente los **actos** de las Administraciones públicas sujetos al Derecho administrativo y disposiciones generales de rango inferior a la ley de los que se deriven **obstáculos** al mantenimiento de una competencia efectiva en los mercados.

399 **Transparencia de sus actuaciones** (L 3/2013 art.37 redacc RDL 7/2021) La CNMC está obligada a hacer **públicas** todas las disposiciones, resoluciones, acuerdos e informes que se dicten en aplicación de las leyes que las regulan, una vez notificados a los interesados, tras resolver en su caso sobre los **aspectos confidenciales** de su contenido y previa disociación de los datos de carácter personal a los que se refiere la LO 3/2018, salvo en lo que se refiere al **nombre de los infractores**. En particular, se difunden:
a) La **organización** y **funciones** de la Comisión y de sus órganos, incluyendo los currículum vítae de los miembros del Consejo y del personal directivo.
b) La relación de los **acuerdos** adoptados en las reuniones del Consejo.
c) Los **informes** en que se basan las decisiones del Consejo.
d) La **memoria anual** de actividades que incluya las cuentas anuales y su comparación con las cuentas anuales de los dos años anteriores, la situación organizativa y la información relativa al personal, la composición del Consejo indicando los cambios que se puedan haber producido respecto al año anterior, y las actividades realizadas por la Comisión, con los objetivos perseguidos y los resultados alcanzados, que se enviará a la Comisión correspondiente del Congreso de los Diputados y al titular del Ministerio de Asuntos Económicos y Transformación Digital.
e) Los **informes económicos sectoriales**, de carácter anual, en los que se analizará la situación competitiva del sector, la actuación del sector público y las perspectivas de evolución del sector, sin perjuicio de los informes que puedan elaborar los departamentos ministeriales.
f) Otros informes elaborados sobre la **estructura competitiva de mercados** o sectores productivos, sin perjuicio de su remisión al titular del Ministerio de Asuntos Económicos y Transformación digital.
g) El **plan de actuación de la Comisión para el año siguiente**, incluyendo las líneas básicas de su actuación en ese año, con los objetivos y prioridades correspondientes.
h) Los informes elaborados sobre **proyectos normativos** o actuaciones del sector público.
i) Las **reuniones** de los miembros de la Comisión con empresas del sector, siempre que su publicidad no afecte al cumplimiento de los fines que tiene encomendada la CNMC.
j) Las resoluciones que pongan **fin a los procedimientos**.
k) Las resoluciones que acuerden la imposición de **medidas cautelares**.
l) La iniciación de un **expediente de control de concentraciones**.
m) La incoación de **expedientes sancionadores**.
n) La realización de **inspecciones** de acuerdo con la LDC.
Las disposiciones, resoluciones, acuerdos, informes y la memoria anual de actividades y el plan de actuación se hacen públicos por **medios electrónicos**.
Cada tres años, la Comisión Nacional de los Mercados y la Competencia ha de presentar una **evaluación de sus planes de actuación** y los resultados obtenidos para poder valorar su impacto en el sector y el grado de cumplimiento de las resoluciones dictadas. Estas evaluaciones se envían también a la Comisión correspondiente del Congreso de los Diputados y al titular del Ministerio de Asuntos Económicos y Transformación Digital.

4. Reclamación de daños y perjuicios

(LDC art.71 a 81)

405 La LDC, en su título VI, recoge el régimen sobre compensación de los daños causados por las prácticas restrictivas de la competencia, en línea con la Dir 2014/104/UE.
A estos efectos, se considera **infracción del Derecho de la competencia** toda infracción del Tratado FUE art.101 o 102 o de la LDC art.1 o 2; esto es, las conductas colusorias descritas en el nº 337 y el abuso de la posición dominante (ver nº 357).

Precisiones Quedan fuera del alcance de este régimen los actos de **competencia desleal** que, por falsear la libre competencia, afecten al interés público, dado que cuentan con un régimen específico en la LCD. Ver nº 420 s.

407 **Derecho al pleno resarcimiento** (LDC art.72 y 78.1) Cualquier persona física o jurídica que haya sufrido un perjuicio ocasionado por una infracción del Derecho de la competencia, tiene derecho a reclamar al infractor y obtener su pleno resarcimiento ante la **jurisdicción** civil ordinaria.

El pleno resarcimiento consiste en devolver a la persona que haya sufrido un perjuicio a la situación en la que habría estado de no haberse cometido la infracción del Derecho de la competencia; es decir, se le satisface el **sobrecoste** efectivamente soportado, que no haya sido repercutido y le haya generado un daño.
Este resarcimiento comprende el derecho a la **indemnización** por:
- el **daño emergente**, que en ningún caso puede superar el perjuicio del sobrecoste a ese nivel;
- el **lucro cesante**; y
- el pago de los **intereses**.
El pleno resarcimiento no puede conllevar una **sobrecompensación** por medio de indemnizaciones punitivas, múltiples o de otro tipo.

Responsabilidad del infractor (LDC art.71 y 73) Los infractores del Derecho de la competencia son responsable de los daños y perjuicios causados. Dicha responsabilidad es **conjunta y solidaria**; es decir, las empresas y las asociaciones, uniones o agrupaciones de empresas, que hubieran infringido de forma conjunta el Derecho de la competencia serán solidariamente responsables del pleno resarcimiento de los daños y perjuicios ocasionados por la infracción. 409
El infractor que hubiera pagado una indemnización puede **repetir** contra el resto de los infractores por una cuantía que se determinará en función de su responsabilidad relativa por el perjuicio causado.
La actuación de una empresa es también imputable a las empresas o **personas que la controlan**, excepto cuando su comportamiento económico no venga determinado por alguna de ellas.
Cuando el infractor sea una **pequeña o mediana empresa** (conforme a la definición dada en la Recomendación 2003/361/CE), solo será responsable ante sus propios compradores directos e indirectos en el caso de que:
- su cuota de mercado en el respectivo mercado sea inferior al 5% en todo momento durante la infracción; y
- la aplicación de este régimen de responsabilidad solidaria mermara irremediablemente su viabilidad económica y causara una pérdida de todo el valor de sus activos.
Esta **excepción no se aplica** cuando:
a) La empresa hubiese dirigido la infracción o coaccionado a otras empresas para que participaran en la infracción.
b) La empresa hubiese sido anteriormente declarada culpable de una infracción del Derecho de la competencia.

Precisiones Conforme a la Recomendación 2003/361/CE:
• La **microempresa** tiene menos de 10 asalariados y un volumen de negocios anual (la cantidad de dinero recibida en un período determinado) o balance general (estado del activo y del pasivo de una empresa) inferior a 2 millones de euros.
• La **pequeña empresa** tiene menos de 50 asalariados y un volumen de negocios anual o balance general inferior a 10 millones de euros.
• La **mediana empresa** tiene menos de 250 asalariados y un volumen de negocios anual inferior a 50 millones de euros o un balance general inferior a 43 millones de euros.

Plazo para el ejercicio de las acciones de daño (LDC art.74) La acción para exigir la responsabilidad por los daños y perjuicios sufridos como consecuencia de las infracciones del Derecho de la competencia prescribe a los 5 años. 411
El **cómputo** del plazo comienza en el momento en el que hubiera cesado la infracción y el demandante tenga conocimiento o haya podido razonablemente tener conocimiento de las siguientes tres circunstancias:
- la conducta y el hecho de que sea constitutiva de una infracción del Derecho de la competencia;
- el perjuicio ocasionado por la citada infracción; y
- la identidad del infractor.
El plazo se **interrumpe**:
a) Si una autoridad de la competencia inicia una **investigación o** un **procedimiento sancionador** en relación con una infracción del Derecho de la competencia relacionados con la acción de daños. La interrupción termina un año después de que la resolución adoptada por la autoridad de competencia sea firme o se dé por concluido el procedimiento de cualquier otra forma.
b) Cuando se inicie cualquier **procedimiento** de **solución extrajudicial de controversias** sobre la reclamación de los daños y perjuicios ocasionados. La interrupción, sin embargo, solo se aplica en relación con las partes que estuvieran inmersas o representadas en la solución extrajudicial de la controversia.

413 **Cuantificación de los daños y perjuicios** (LDC art.76) La carga de la **prueba** de los daños y perjuicios sufridos por la infracción del Derecho de la competencia corresponde a la parte demandante.

Si se acredita que el demandante sufrió daños y perjuicios pero resultara prácticamente imposible o excesivamente **difícil cuantificarlos** con precisión en base a las pruebas disponibles, los tribunales están facultados para estimar el importe de la reclamación de los daños (TS 14-3-24, EDJ 514989).

Se presume que las infracciones calificadas como **cártel** causan daños y perjuicios, salvo prueba en contrario.

415 **Solución extrajudicial de la controversia** (LDC art.77 y 81) Los tribunales que conozcan de una acción de daños por infracciones del Derecho de la competencia pueden **suspender el procedimiento** durante un máximo de dos años en caso de que las partes en el procedimiento estén intentando una vía de solución extrajudicial de la controversia relacionada con la citada pretensión.

El derecho al resarcimiento de daños y perjuicios de la persona perjudicada que hubiera sido parte en un acuerdo extrajudicial se reduce en la parte proporcional que el sujeto **infractor** con quien hubiera **alcanzado el acuerdo** tenga en el perjuicio que la infracción del Derecho de la competencia le ocasionó.

Los **infractores** con los que **no se hubiera alcanzado un acuerdo** extrajudicial no pueden exigir del infractor que hubiera sido parte en el acuerdo una contribución por la indemnización restante. No obstante, cuando esos coinfractores no puedan pagar la indemnización restante, la persona perjudicada puede reclamársela a aquel con quien celebró el acuerdo, salvo pacto en contrario.

B. Competencia desleal

420

422 Las prácticas o actos que infringen la leal competencia afectan negativamente al conjunto de los intereses de cuantos sujetos confluyen en el mercado: los empresarios, los consumidores y el propio Estado.

La **regulación** de la competencia desleal se halla contenida, fundamentalmente, en la L 3/1991 de Competencia Desleal (**LCD**) y en la L 7/1996 de Ordenación del Comercio Minorista (**LOCM**). La LCD tiene por objeto la protección de la competencia en interés de todos los que participan en el mercado, y a tal fin establece la prohibición de los actos de competencia desleal, incluida la publicidad ilícita en los términos de la Ley General de Publicidad (**LGPu**) (ver nº 6184).

424 **Ámbito de aplicación** (LCD art.2 y 3) Desde el punto de vista **subjetivo**, la LCD se aplica a los empresarios y profesionales, y en general a cualesquiera personas físicas o jurídicas, sin que sea necesario que exista una relación de competencia entre sujeto activo y pasivo del acto de competencia desleal. A ella quedan sujeta los empresarios, profesionales y cualesquiera otras personas físicas o jurídicas que participen en el mercado. Por tanto, no es necesario que los sujetos del acto sean necesariamente empresarios, sino que puede tratarse, también, de artesanos, agricultores, profesionales liberales, etc.

Desde el punto de vista **objetivo**, la LCD únicamente se aplica a los actos de competencia desleal que se realizan en el **mercado** y con **fines concurrenciales**, esto es, con la finalidad de promover o asegurar la difusión en el mercado de las prestaciones propias o de un tercero, y alcanza a los actos que se realizan antes, durante o después de una operación comercial o contrato, independientemente de que éste llegue a celebrarse.

Precisiones Las conductas tipificadas en la LCD art.2 deben realizarse en el «mercado y con fines concurrenciales» para que puedan considerarse actos de competencia desleal. Al enjuiciar la finalidad concurrencial, es innecesario atender a la intención de los agentes, pues lo relevante es que los actos sean objetivamente idóneos «para promover o asegurar la difusión en el mercado de las prestaciones propias o de un tercero». De tal forma que, lo relevante es que los **comportamientos** denunciados y acreditados sea **idóneos para influir en el mercado**, en concreto porque mermen la competitividad de la sociedad demandante en beneficio de sus competidores (TS 29-1-19, EDJ 501818).

Acto de competencia desleal: cláusula general (LCD art.4) Se reputa desleal todo comportamiento que resulte **objetivamente contrario** a las exigencias de la **buena fe**. 426
Es decir, basta con que se actúe contra la buena fe objetiva, sin que sea necesario que concurra **mala fe subjetiva**. Por tanto, puede violarse la legítima confianza de los participantes en el mercado sin necesidad de que quien viola esa confianza actúe subjetivamente de mala fe. De este modo, es desleal el comportamiento en sí mismo considerado, prescindiendo de su motivación subjetiva (buena o mala fe de su autor) y de sus efectos (eventuales perjuicios) (AP Salamanca 28-10-05, EDJ 210346, con cita de la TS 16-4-02, EDJ 9747; 16-6-00, EDJ 12947; 6-4-88, EDJ 2842).
En las **relaciones** de los empresarios y profesionales **con consumidores y usuarios**, la deslealtad de una conducta viene determinada por dos elementos:
- que el comportamiento del empresario o profesional sea contrario a la **diligencia profesional**, entendida ésta como el nivel de competencia y cuidados especiales que cabe esperar de un empresario conforme a las prácticas honestas del mercado; y
- que tal comportamiento sea susceptible (basta con que sea posible) de **distorsionar** de manera significativa el comportamiento económico del consumidor medio o del miembro medio del grupo destinatario de la práctica, si se trata de una práctica comercial dirigida a un grupo concreto de consumidores.
Se entiende por «distorsionar de manera significativa el comportamiento económico del consumidor medio», utilizar una práctica comercial para mermar de manera apreciable su **capacidad de adoptar una decisión** con pleno conocimiento de causa, haciendo así que tome una decisión sobre su comportamiento económico que de otro modo no hubiera tomado.

Precisiones **1)** Para la valoración de las conductas cuyos destinatarios sean consumidores, se tendrá en cuenta al consumidor medio (LCD art.4.2). El concepto de «**consumidor medio**» ha sido acuñado por la jurisprudencia del TJCE no en términos estadísticos, sino como la reacción típica del consumidor normalmente informado, razonablemente atento y perspicaz, teniendo en cuenta los factores sociales, culturales y lingüísticos. En consecuencia, no es un término que la ley haya de definir, sino que han de ser los tribunales los que van a efectuar su concreción en cada caso concreto.
2) Las prácticas comerciales que, dirigidas a los consumidores o usuarios en general, únicamente sean susceptibles de distorsionar de forma significativa, en un sentido que el empresario o profesional pueda prever razonablemente, el comportamiento económico de un **grupo** claramente **identificable de consumidores** o usuarios especialmente vulnerables a tales prácticas o al bien o servicio al que se refieran, por presentar una discapacidad, por tener afectada su capacidad de comprensión o por su edad o su credulidad, se deben evaluar desde la perspectiva del miembro medio de ese grupo. Ello se entenderá, sin perjuicio de la práctica publicitaria habitual y legítima de efectuar afirmaciones exageradas o respecto de las que no se pretenda una interpretación literal.
3) El **comportamiento económico del consumidor** o usuario se define como toda decisión por la que éste opta por actuar o por abstenerse de hacerlo en relación con:
- La selección de una oferta u oferente.
- La contratación de un bien o servicio, así como, en su caso, de qué manera y en qué condiciones contratarlo.
- El pago del precio, total o parcial, o cualquier otra forma de pago.
- La conservación del bien o servicio.
- El ejercicio de los derechos contractuales en relación con los bienes y servicios.

Es doctrina del TS que la **función de esta cláusula general** es sancionar conductas no previstas en sus artículos siguientes (nº 435 s.) (TS 30-5-07, EDJ 70056; 28-5-08, EDJ 97465; 3-7-08, EDJ 127971). 428
Este precepto «no formula un principio general objeto de desarrollo y concreción en los artículos siguientes de la misma Ley» (TS 24-11-06, EDJ 325612; 11-2-11, EDJ 11664), sino que «tipifica un acto de competencia desleal en sentido propio, dotado de sustantividad frente a los actos de competencia desleal que la ley ha estimado tipificar en concreto» (TS 23-3-07, EDJ 21900; 8-10-07, EDJ 175174). Consiguientemente, «esta cláusula no puede aplicarse de forma acumulada a las normas que tipifican en particular, sino que la **aplicación** ha de hacerse en forma **autónoma**, especialmente para reprimir conductas o aspectos de conductas que no han podido ser subsumidos en los supuestos contemplados en la tipificación particular» (TS 24-11-06, EDJ 325612; 21-2-12, EDJ 30164; 11-3-14, EDJ 42770; auto 22-5-19, EDJ 593894).

Precisiones **1)** La cláusula general cubre todos los comportamientos que no se encuentran expresamente regulados en la LCD, pero no puede utilizarse para sancionar como desleales aquellos **actos de competencia** que la propia ley ha declarado que son **lícitos** y por tanto conformes a la buena fe (AP Baleares 24-3-14, EDJ 57126).
2) La cláusula general constituye un tipo autónomo que permite reprimir conductas desleales que en un contexto tan dinámico como es el mercado, la LCD **no** ha podido **prever de forma expresa** (AP Madrid 15-10-10, EDJ 296873, con cita de la TS 23-7-10, EDJ 152961).

3) No se considera competencia desleal el comenzar a desarrollar la **misma actividad laboral** realizada hasta ese momento en otra empresa de idéntica actividad comercial, con posterioridad a haber extinguido su relación laboral, sin que exista pacto de no concurrencia (TS 16-6-09, EDJ 128062; AP Granada 11-7-14, EDJ 198038).

4) No se reputa acto de competencia desleal la utilización de **elementos distintivos** de los productos diferentes de los que integran una marca cuando **no** son **suficientemente significativos ni aclaratorios** (TS 30-6-11, EDJ 139857).

5) El TS no aprecia competencia desleal en la **copia de un catálogo** de productos pues no existe aprovechamiento del esfuerzo y originalidad creativa ajenos, contrario a la buena fe objetiva (TS 2-2-17, EDJ 6156).

1. Catálogo de conductas prohibidas

435 Sin perjuicio del concepto general de acto o conducta desleal establecido en el nº 426, con objeto de dotar de mayor certeza a la disciplina, la Ley ofrece un catálogo de actos y conductas que, simplemente por incluirse en la citada relación, se califican o pueden ser calificadas como desleales en el ámbito de la competencia.

437 **Confusión** (LCD art.6) Se considera desleal todo comportamiento que resulte idóneo para crear confusión con la actividad, las prestaciones o el establecimiento ajenos, en la medida que dificulta la identificación o diferenciación del empresario o de sus productos o prestaciones, respecto de los de otro empresario.

Es suficiente para fundamentar la deslealtad el **riesgo de asociación** por parte de los consumidores respecto de la procedencia de la prestación.

La imitación de un signo ajeno, además de significar lesión del derecho subjetivo del titular, puede perturbar el correcto funcionamiento del mercado, al generar riesgo de error en los consumidores sobre el **origen empresarial** del producto o servicio designado y, consecuentemente, viciar la decisión de quien se dispone a adquirirlos; o implicar el aprovechamiento de la reputación ganada con su esfuerzo por un competidor (nº 461) (TS 28-10-14, EDJ 244451).

Los actos de confusión se **diferencian** de los actos de **explotación de la reputación ajena** (LCD art.12), en que en los primeros la distorsión generada por el uso de signos distintivos afecta al origen empresarial y en los segundos el empleo de tales signos o creaciones formales lo que permite al ilícito competidor es aprovecharse de las ventajas de la reputación asociada por el consumidor a esos signos ajenos incluso cuando el infractor emplee también sus propios signos de modo que revele el verdadero origen empresarial (AP Madrid auto 1-10-21, EDJ 793294).

439 Precisiones 1) El uso de un **nombre de dominio** que coincide con una **denominación social** ajena constituye un acto de confusión, máxime cuando el registro del nombre ajeno se ha hecho con plena conciencia de la confusión que ello genera en Internet (AP Salamanca 28-10-05, EDJ 210346).

También constituye un acto de competencia desleal por confusión la utilización de un nombre de dominio similar a **otro registrado** (AP Barcelona 5-7-23, EDJ 668990).

2) Se estima que la utilización en el mercado del signo «Caribe Mix 2001» para identificar los fonogramas de música caribeña constituyen una forma de **presentación del producto** que crea confusión en los consumidores con el signo «Caribe 2001» acerca de la procedencia empresarial -riesgo de asociación de ambas prestaciones-. El **añadido de la fecha** 2001 formado parte del signo compuesto, acentúa notablemente la similitud de unos signos ya de por sí próximos dado el vocablo común «Caribe». Si bien la expresión del año no tiene carácter distintivo por sí mismo, sin embargo, su utilización en la forma que se hizo en este caso, crea evidente riesgo de asociación en el sector de consumidores de la música de que se trata (TS 25-6-10, EDJ 140015).

3) Se plantea un caso de riesgo de confusión con **marca notoria y renombrada** al comercializarse ciertos productos de bollería con la denominación «doughnuts», cuando ya existen diversas **marcas similares** que designan productos del mismo tipo (TS 14-5-12, EDJ 89294).

4) Una cosa es que en la valoración que encierra el juicio de confusión del art.6 LCD se ponga de manifiesto que el empleo de **denominaciones** distintas en las formas de presentación, alguna de ellas con gran fuerza distintiva, impide que se genere riesgo de confusión para el consumidor, y otra distinta que con carácter general el empleo de denominaciones distintas evite el riesgo de confusión. Cabe emplear denominaciones distintas, y, sin embargo, que la semejanza de los **envases**, por su forma, dimensiones y combinación de colores, genere riesgo de confusión al consumidor medio (TS 2-9-15, EDJ 182106).

5) Considera el TS que se produjo un acto de competencia desleal al utilizar, antes de ser registrado como marca comunitaria, un **signo** que era confundible con el anteriormente usado por otra entidad para diferenciar sus productos. Se ha generado injustificadamente un riesgo de confusión entre los potenciales consumidores sobre el origen empresarial, por lo que debe indemnizarse (TS 3-3-15, EDJ 36340).

Engaño (LCD art.5) Se considera desleal por engañosa cualquier conducta que contenga **información falsa** o información que, aun siendo veraz, por su contenido o presentación induzca o pueda **inducir a error** a los destinatarios, siendo susceptible de alterar su comportamiento económico, siempre que incida sobre alguno de los siguientes **aspectos**: **441**

a) La existencia o la naturaleza del bien o servicio.

b) Las características principales del bien o servicio, tales como su disponibilidad, sus beneficios, sus riesgos, su ejecución, su composición, sus accesorios, el procedimiento y la fecha de su fabricación o suministro, su entrega, su carácter apropiado, su utilización, su cantidad, sus especificaciones, su origen geográfico o comercial o los resultados que pueden esperarse de su utilización, o los resultados y características esenciales de las pruebas o controles efectuados al bien o servicio.

c) La asistencia posventa al cliente y el tratamiento de las reclamaciones.

d) El alcance de los compromisos del empresario o profesional, los motivos de la conducta comercial y la naturaleza de la operación comercial o el contrato, así como cualquier afirmación o símbolo que indique que el empresario o profesional o el bien o servicio son objeto de un patrocinio o una aprobación directa o indirecta.

e) El precio o su modo de fijación, o la existencia de una ventaja específica con respecto al precio.

f) La necesidad de un servicio o de una pieza, sustitución o reparación, y la modificación del precio inicialmente informado, salvo que exista un pacto posterior entre las partes aceptando tal modificación.

g) La naturaleza, las características y los derechos del empresario o profesional o su agente, tales como su identidad y su solvencia, sus cualificaciones, su situación, su aprobación, su afiliación o sus conexiones y sus derechos de propiedad industrial, comercial o intelectual, o los premios y distinciones que haya recibido.

h) Los derechos legales o convencionales del consumidor o los riesgos que éste pueda correr.

También el empresario o profesional incurre en un acto de engaño cuando indica que está vinculado a un **código de conducta** (ver nº 520) e incumple los compromisos asumidos en dicho código, siempre que la conducta sea susceptible de distorsionar de manera significativa el comportamiento económico de sus destinatarios.

A fin de luchar contra el denominado fenómeno de calidad dual y la discriminación de mercados, también se considera desleal desde el 28-5-2022, cualquier operación de comercialización de un bien como idéntico a otro comercializado en **otros Estados miembros**, cuando dicho bien presente una composición o unas características significativamente diferentes, a menos que esté justificado por factores legítimos y objetivos.

Precisiones 1) El engaño se considera desleal no porque perjudique a un competidor (por ejemplo, porque éste pueda perder clientela), sino porque puede inducir al consumidor a error sobre algún aspecto determinante de sus preferencias o decisiones en el mercado. Lo relevante es que afecte a la **transparencia en el mercado**. Así pues, el engaño no debe hacer referencia a un tercero, sino a los propios productos o servicios del anunciante que se publicitan faltando a la verdad, directa o indirectamente (AP Madrid 24-7-15, EDJ 165825).

2) Existe una interrelación entre los actos de engaño de la LCD, la **publicidad engañosa** y la publicidad comparativa de la LCD art.10 (nº 451). De hecho, la primera condición de la publicidad comparativa es que no sea engañosa (Dir 2006/114/CE art.4).

Omisión engañosa (LCD art.7; LGDCU art.20.3) Se considera desleal la omisión u **ocultación** de la **información** necesaria para que el destinatario adopte o pueda adoptar una decisión relativa a su comportamiento económico con el debido conocimiento de causa. **443**

Es también desleal si la información que se ofrece es **poco clara, ininteligible, ambigua**, no se ofrece en el momento adecuado, o no se da a conocer el propósito comercial de esa práctica, cuando no resulte evidente por el contexto.

Se contemplan, por tanto, dos supuestos distintos: la omisión de información en sentido estricto y la información ambigua, ininteligible o inoportuna. En uno y otro caso el destinatario de la información ha de verse privado de los elementos de juicio necesarios para tomar sus decisiones económicas, con el riesgo de incurrir en error (AP Barcelona 11-7-14, EDJ 145560).

La práctica comercial solo es considerada engañosa si la **información omitida es sustancial**, es decir, necesaria para tomar una decisión de compra con plena consciencia de lo que se hace (AP Baleares 24-3-14, EDJ 57126).

Para la determinación del carácter engañoso de estos actos, se debe atender al contexto fáctico en que se producen, teniendo en cuenta todas sus características y circunstancias y las limitaciones del medio de comunicación utilizado. Cuando el **medio de comunicación** utilizado imponga limitaciones de espacio o de tiempo, para valorar la existencia de una omisión de información se deben tener en cuenta estas limitaciones y todas las medidas adoptadas por el empresario o profesional para transmitir la información necesaria por otros medios.

También tiene la consideración de práctica desleal por engañosa, la omisión de la **información necesaria en la oferta comercial** de bienes y servicios que se haga a los consumidores.

445 **Práctica agresiva** (LCD art.8; LO 3/2018 disp.adic.16ª) Este tipo de prácticas pueden darse tanto en las relaciones entre empresas o profesionales, como en las relaciones de las empresas o los profesionales con los consumidores (LCD art.19 y LGDCU art.47 y 49).

Se considera una práctica agresiva desleal, todo comportamiento que, teniendo en cuenta sus características y circunstancias, sea susceptible de mermar de manera significativa, mediante acoso, coacción, incluido el uso de la fuerza, o influencia indebida, la libertad de elección o conducta del destinatario en relación al bien o servicio y, por consiguiente, afecte o pueda afectar a su comportamiento económico.

Es decir, deben concurrir **dos presupuestos** sin los cuales no estaríamos ante una práctica agresiva:

1. Una conducta o comportamiento, como indica la ley, que pueda ser calificada como **acoso, coacción o influencia indebida**.

2. Que esta conducta sea apta para **mermar** la **libertad de elección** o conducta del destinatario, de manera que afecte a su comportamiento económico.

Para determinar si una conducta hace uso del acoso, la coacción o la influencia indebida se debe tener en cuenta:

a) El **momento** y el **lugar** en que se produce, su naturaleza o su persistencia.

b) El empleo de un **lenguaje** o un comportamiento amenazador o insultante.

c) La explotación por parte del empresario o profesional de cualquier **infortunio** o circunstancia específicos lo suficientemente graves como para mermar la capacidad de discernimiento del destinatario, de los que aquél tenga conocimiento, para influir en su decisión con respecto al bien o servicio.

d) Cualesquiera **obstáculos** no contractuales onerosos o desproporcionados impuestos por el empresario o profesional cuando la otra parte desee ejercitar derechos legales o contractuales, incluida cualquier forma de poner fin al contrato o de cambiar de bien o servicio o de suministrador.

e) La **comunicación** de que se va a realizar cualquier acción que, legalmente, no pueda ejercerse.

Precisiones A estos efectos, se considera **influencia indebida** la utilización de una posición de poder en relación con el destinatario de la práctica para ejercer presión, incluso sin usar fuerza física ni amenazar con su uso.

Por **coacción** se entiende la acción que implica uso (o amenaza) de fuerza sobre el destinatario, y está tipificada como delito en el CP art.172.

El **acoso** consiste en apremiar de forma insistente a alguien con molestias o requerimientos, sin que sea necesario un contacto físico entre empresario y destinatario (p.e., la publicidad insistente soportada por el destinatario o el aprovechamiento de situaciones de especial vulnerabilidad). El acoso puede constituir un delito cuando se realiza por medio de las conductas que enumera el CP art.172.ter.

447 También tienen la consideración de **prácticas agresivas** las siguientes actuaciones relativas a la **protección de datos personales**:

a) Actuar con intención de suplantar la identidad de la Agencia Española de Protección de Datos o de una autoridad autonómica de protección de datos en la realización de cualquier comunicación a los responsables y encargados de los tratamientos o a los interesados.

b) Generar la apariencia de que se está actuando en nombre, por cuenta o en colaboración con la Agencia Española de Protección de Datos o una autoridad autonómica de protección de datos en la realización de cualquier comunicación a los responsables y encargados de los tratamientos en que la remitente ofrezca sus productos o servicios.

c) Realizar prácticas comerciales en las que se coarte el poder de decisión de los destinatarios mediante la referencia a la posible imposición de sanciones por incumplimiento de la normativa de protección de datos personales.

d) Ofrecer cualquier tipo de documento por el que se pretenda crear una apariencia de cumplimiento de las disposiciones de protección de datos de forma complementaria a la realización de acciones formativas sin haber llevado a cabo las actuaciones necesarias para verificar que dicho cumplimiento se produce efectivamente.

e) Asumir, sin designación expresa del responsable o el encargado del tratamiento, la función de delegado de protección de datos y comunicarse en tal condición con la Agencia Española de Protección de Datos o las autoridades autonómicas de protección de datos.

Denigración (LCD art.9) Se estima desleal la realización o difusión de manifestaciones sobre la actividad, las prestaciones, el establecimiento o las relaciones mercantiles de un tercero que sean aptas para **menoscabar su crédito en el mercado**, a no ser que sean exactas, verdaderas y pertinentes. En particular, no se estiman pertinentes las manifestaciones que tengan por objeto la nacionalidad, las creencias o ideología, la vida privada u otras circunstancias estrictamente personales del afectado. 449

La jurisprudencia viene exigiendo que, además de que las manifestaciones «no sean exactas, verdaderas y pertinentes», tengan **entidad suficiente** como para considerarse desproporcionadas (TS 22-5-05), y estén dotadas de **idoneidad** o aptitud objetiva para menoscabar el crédito en el mercado (TS 22-3-07, EDJ 21004; 22-10-07, EDJ 184366; 26-10-10, EDJ 226123; 22-11-10, EDJ 246594; AP Barcelona auto 24-11-11, EDJ 349356).

Precisiones 1) Mediante este tipo legal se trata de evitar el daño al crédito en el mercado producido a un agente económico. Pero no tiene como última finalidad dar protección a dicho crédito, sino asegurar, por medio de su tutela, el **correcto funcionamiento del mercado**, de manera que no se permita que las leyes de la oferta y de la demanda, puedan resultar influidas por un acto injustificado de obstaculización del competidor, o por una decisión del consumidor, que pueda resultar deficientemente formada por la maniobra dirigida a menoscabar la buena reputación de aquél (TS 26-10-10, EDJ 226123; 7-4-14, EDJ 74636; 9-4-14, EDJ 74637; 7-5-14, EDJ 76837).

2) El menoscabo del crédito constituye una modalidad de denigración que no tiene necesariamente que coincidir con los contornos de la **lesión del honor**, aunque es cierto que el concepto de éste es muy amplio y depende, en cada caso, de las normas, valores e ideas sociales vigentes en el momento de que se trate; así como que con su protección, se pretende dar amparo a la buena reputación, frente a expresiones o mensajes que hagan desmerecer en la consideración ajena, por ir en descrédito o menosprecio (TCo 180/1999; 52/2002).

Comparación (LCD art.10) Se reputa desleal la comparación pública de actividades, prestaciones o establecimientos, incluida la **publicidad comparativa** mediante una alusión explícita o implícita a un competidor (ver nº 6204), salvo cuando cumpla los siguientes **requisitos**: 451

a) Los bienes o servicios comparados deben tener la misma **finalidad** o satisfacer las mismas necesidades.

b) La comparación se realice de modo **objetivo** entre una o más características esenciales, pertinentes, verificables y representativas de los bienes o servicios, entre las cuales podrá incluirse el precio.

c) En el supuesto de productos amparados por una **denominación de origen** o indicación geográfica, denominación específica o especialidad tradicional garantizada, la comparación solo puede efectuarse con otros productos de la misma denominación.

d) No pueden presentarse bienes o servicios como **imitaciones** o réplicas de otros a los que se aplique una marca o nombre comercial protegido.

e) La comparación no puede contravenir lo establecido en la LCD art.5, 7, 9, 12 y 20, en materia de actos de **engaño**, denigración y explotación de la reputación ajena.

Por tanto, la publicidad comparativa, cuando compara aspectos esenciales, pertinentes, verificables y representativos y no es engañosa, es una manera legítima de informar a los consumidores de las ventajas que pueden obtener.

Precisiones 1) Dado que toda comparación implica un cierto grado de descrédito para la actividad, las prestaciones o el establecimiento ajenos, la medida de lo tolerable depende del contenido del mensaje, que ha de ser **interpretado en su conjunto**, sin descomponerlo en partes y atendiendo a la impresión global que sea susceptible de generar en los destinatarios, así como de la necesidad de utilizar la minusvaloración para llevar a cabo una comparación adecuada a todas las exigencias legales que la conviertan en lícita (TS 22-2-06, EDJ 11924).

2) Si es posible que la comparación tenga lugar en el nivel global de **precios** sin que se pueda exigir por el competidor que la publicidad comparativa que se realiza lleve a cabo una particularización del precio entre cada producto o servicio, es perfectamente dable también que la comparación se refiera no a todo tipo de productos, sino solo a algunos de ellos, sin que pueda exigirse por el competidor que a esa publicidad se tengan que añadir también otros productos que quien la lleva a cabo no ha deseado publicitar entre los consumidores o profesionales (AP La Rioja 27-2-15, EDJ 37637).

Imitación (LCD art.11) La LCD consagra el principio de **libre imitación** de las prestaciones e iniciativas empresariales o profesionales ajenas, si bien con ciertos **límites**, pues tales prestaciones e iniciativas no pueden imitarse cuando: 453

a) Estén protegidas por un **derecho de exclusiva** legalmente reconocido (aquéllos que resultan oponibles *erga omnes*, como los de propiedad industrial -patentes, marcas, diseño industrial- o intelectual, AP Madrid 4-3-11, EDJ 44889).

b) La imitación resulte idónea para generar la **asociación** por parte de los consumidores entre los productos originales y los imitados, o comporte un **aprovechamiento indebido** de la reputación y esfuerzo ajenos, salvo que el riesgo de asociación o el aprovechamiento de la reputación ajena (competencia parasitaria) sea algo **inevitable** (AP Barcelona 12-9-07, EDJ 245796; 11-7-14, EDJ 145560) y no buscado conscientemente por el imitador.

c) Se produzca una **imitación sistemática** de las prestaciones e iniciativas empresariales o profesionales de un competidor con el fin de impedir u obstaculizar la afirmación del competidor en el mercado.

La apreciación de deslealtad debe ser objeto de **interpretación restrictiva** porque, si bien las creaciones empresariales deben ser protegidas en aras del interés de sus creadores o titulares, de los consumidores y del interés general, el principio de libre imitabilidad se reconoce en nuestro ordenamiento jurídico, estando integrado en el de libre competencia (TS 13-5-02, EDJ 14732; 30-5-07, EDJ 70056; 7-7-09, EDJ 150903).

Precisiones **1)** La norma no sanciona la aproximación de productos o prestaciones de tal forma que sus características los hagan intercambiables, pues es precisamente en estos casos en los que la **competencia** alcanza su máximo exponente, ya que, en otro caso, se vaciaría totalmente de contenido la regla general de libre imitabilidad (TS 26-9-00, EDJ 27779; 15-9-11, EDJ 375701).

2) Por **imitación** debe entenderse «la copia de un elemento o **aspecto esencial**, no accidental o accesorio, que incide sobre lo que se denomina «singularidad competitiva» o «peculiaridad concurrencial» que puede identificarse por un componente o por varios elementos» (TS 17-7-07, EDJ 104522; 15-12-08, EDJ 234503; 16-11-11, EDJ 276916).

3) Cuando las diferencias entre dos productos son notorias y pueden concretarse **sin** que exista **riesgo de confusión** entre los modelos enfrentados, no puede apreciarse conducta desleal por acto de imitación (AP Alicante 25-4-06, Rec 292/05).

4) En base al principio de libre imitabilidad no cabe la prohibición de las **interpretaciones musicales** que imiten las de otros artistas exitosos, aunque traten de parecerse lo más posible a las mismas (denominadas «cover» o «cover versions») (TS 30-12-10, EDJ 314024).

455 **Imitación idónea para generar asociación** (LCD art.11.2) Es desleal la imitación de prestaciones de un tercero cuando resulte idónea para generar la asociación por parte de los consumidores respecto a la prestación imitada.

El riesgo de asociación o de confusión en los consumidores no nace por el mero hecho de la exacta o más o menos exacta imitación de la prestación ajena, ya que, de ser así, el principio de libre imitabilidad quedaría vacío de contenido. Para que esta excepción al principio de libre imitación opere es necesario que exista un **riesgo de asociación**; y este riesgo existe cuando confluyen tres elementos (TS 17-7-07, EDJ 104522):

1. La existencia de una **imitación** que copia un elemento o aspecto esencial, no accidental o accesorio, incidiendo sobre lo que se denomina singularidad competitiva o peculiaridad concurrencial, que puede identificarse por un componente o por varios elementos.

Por tanto, es necesario que la prestación imitada posea una «**singularidad competitiva**»; es decir, que incorpore rasgos diferenciales que la distingan suficientemente de otras prestaciones de igual naturaleza, y además un asentamiento o implantación suficiente en el tráfico de la prestación original objeto de imitación, de tal modo que el consumidor asocie, en atención a esos rasgos o notas singulares, la prestación imitadora con la imitada, induciéndole a creer que procede del mismo empresario o de empresas vinculadas por algún tipo de concierto económico que autorice a una de ellas a aproximarse o a copiar esos rasgos singulares presentes en la prestación de la otra (TS 17-7-07, EDJ 104522; 15-12-08, EDJ 234503; AP Madrid 15-12-23, EDJ 829520).

2. La imitación recae sobre una **creación material** (prestaciones e iniciativas empresariales o profesionales), y no sobre una creación formal (como los signos distintivos protegidos por la LCD art.6 y 12).

3. Además de lo anterior, el acto de imitación debe ser **idóneo** para generar la asociación por parte de los consumidores respecto a la prestación.

Precisiones **1)** El riesgo de asociación se entiende en sentido amplio, pues comprende tanto el riesgo de **confusión indirecta**, en sus dos posibilidades de confusión sobre la procedencia empresarial o sobre la existencia de relaciones económicas u orgánicas entre los empresarios; como el riesgo de **confusión directa**, que incide sobre la confundibilidad de productos, que el consumidor no llega a identificar como distintos (TS 17-7-07, EDJ 104522; TJUE 14-9-10, asunto C-48/09).

2) Mientras que el art.11 LCD se refiere a la imitación de las **creaciones materiales**, características de los productos o prestaciones, el art.6 LCD (actos de confusión) alude a las **creaciones formales**, las formas de presentación, a los signos distintivos, los instrumentos o medios de identificación o información sobre las actividades, prestaciones o establecimientos (TS 11-5-04, EDJ 31355; 30-5-07, EDJ 70056; 5-2-08, EDJ 90679; 15-1-09, EDJ 9509; 4-3-10, EDJ 14202; 11-2-11, EDJ 11664). *En consecuencia*, resultan irrelevantes, a los efectos de esta conducta desleal, las identidades o semejanzas que puedan existir entre las respectivas **formas de presentación de los productos** de las partes, esto es, los envases e inscripciones (TS 16-11-11, EDJ 276916).

Imitación por aprovechamiento indebido de la reputación o del esfuerzo ajeno (LCD art.11.2) **457**
Es desleal la imitación que comporte un aprovechamiento indebido de la reputación o el esfuerzo ajeno, salvo que ambos riesgos sean inevitables.
Esta imitación desleal presupone la existencia de una prestación o iniciativa empresarial dotada de mérito competitivo, prestigio o buena fama ganada por un competidor, cuya posición adquirida en el mercado es expoliada por el infractor con su conducta desleal (TS 1-3-16, EDJ 13477). Por tanto, la **prestación original** debe tener un **grado de singularidad** tal que sus características la diferencien de otras habituales en el sector concurrencial, y de tal forma permitan al destinatario identificar su origen (AP A Coruña 19-6-15, EDJ 121401).
Este supuesto se identifica, en particular o en especial, con la llamada «**imitación por reproducción**», esto es, la imitación de prestaciones originales ajenas mediante el empleo de especiales medios técnicos que permiten la multiplicación del original a bajo coste (especialmente la reprografía, sin descartar otras técnicas de reproducción o copiado). Empleando tales medios se consigue la apropiación inmediata de la prestación ajena sin aportar el esfuerzo y los costes que supone su recreación, y esto determina la destrucción de la posición ganada por el pionero (empresario imitado), al que se impide la amortización de los costes de producción. El hecho de que la imitación tenga lugar a través de reproducción determina que los **costes de producción** del imitador sean bajos o escasos y ese ahorro de costes se traducirá en un precio de venta más bajo; de ahí que la deslealtad venga determinada por el ahorro de costes que se obtiene gracias a la reproducción. De lo contrario, la imitación no podrá llegar a poner en peligro la ventaja del pionero, ni podrá decirse que el imitador ha logrado una ventaja competitiva injustificada.
Según el TS este supuesto de imitación desleal «no resulta razonable limitarlo al supuesto de **reproducción mecánica** (aun cuando sea el más general o normal de los constitutivos de aprovechamiento indebido del esfuerzo ajeno) hasta el punto de excluir imitaciones «sin reproducción mecánica» en las que hay un **alto grado de semejanza**, de práctica identidad, aunque concurran variaciones inapreciables o que se refieran a elementos accidentales, o diferencias de muy escasa trascendencia, siempre que se den los elementos básicos de ahorro o reducción significativa de costes de producción o comercialización más allá de lo que se considera admisible para el correcto funcionamiento del mercado» (TS 30-12-10, EDJ 314024).

Imitación sistemática (LCD art.11.3) También tiene la consideración de desleal la imitación sistemática de las prestaciones e iniciativas empresariales o profesionales de un competidor cuando dicha estrategia se halle directamente encaminada a impedir u obstaculizar su **afirmación en el mercado** y exceda de lo que, según las circunstancias, pueda reputarse una respuesta natural del mercado. **459**

Explotación de la reputación ajena (LCD art.12) **461**
Es desleal el aprovechamiento indebido, es decir, sin cobertura legal ni contractual, en beneficio propio o ajeno, de las ventajas de la reputación industrial, comercial o profesional adquirida por otro en el mercado. Se considera indebido el **aprovechamiento** cuando es evitable y sin justificación. Las **ventajas** que pueda proporcionar el aprovechamiento de la reputación de otro pueden consistir en una ganancia, o cualquier utilidad o resultado beneficioso directo o indirecto. No se requiere el ánimo de perjudicar, pues se trata de una conducta objetiva. Y el beneficio puede ser propio o ajeno (TS 11-3-14, EDJ 42770).
En particular, se reputa desleal el empleo de **signos distintivos** ajenos o de denominaciones de origen falsas, acompañados de la indicación acerca de la verdadera procedencia del producto o de expresiones tales como «modelo», «sistema», «tipo», «clase» y similares. La expresión «signo» debe entenderse en un sentido muy amplio (marca, nombre comercial, etiquetas, envoltorios, etc.), siempre que pueda condensar o indicar la reputación empresarial -industrial, comercial o profesional-.
Los **rasgos más característicos** de este tipo son los siguientes:
a) No hay necesidad de que con la conducta se genere riesgo de **confusión** o asociación, ni de que el acto sea apto para producir **engaño** a los consumidores, basta con que una empresa trate de beneficiarse del prestigio de otra (TS 1-3-16, EDJ 13477).
b) La **finalidad** es la interdicción de los actos de expoliación de la posición ganada por un competidor con su esfuerzo para dotar de reputación, prestigio o buena fama a los productos o servicios con los que participa en el mercado. Aunque no se requiere el ánimo de perjudicar (TS 11-3-14, EDJ 42770), es necesario que con el uso del signo el infractor pretenda **obtener una ventaja desleal** del carácter distintivo o renombre de la marca o se pueda causar perjuicio a los mismos (AP Madrid 18-5-18, EDJ 539201).
c) Es precisa la existencia de una **reputación** industrial, comercial o profesional, lo que requiere una cierta implantación en el mercado. El término legal «reputación» comprende los de

fama, renombre, crédito, prestigio, *goodwill*, buen nombre comercial. La carga de la prueba de su existencia incumbe a quien lo afirma y pretende obtener los efectos de la norma en su favor (LEC art.217.2).
d) La **conducta** tomada en cuenta para integrar el ilícito puede ser de contenido variado, apto para aprovecharse de las ventajas de la reputación ajena. Ha de consistir en la utilización de elementos o medios de identificación o presentación de los productos (actividad, establecimiento, prestaciones) empleados por los empresarios en el mercado, y que proporcionan información a los consumidores (TS 23-7-10, EDJ 152961).

463 Precisiones 1) Se ha considerado desleal la conducta consistente en poner en relación los productos propios (en este caso, perfumes) con **marcas de prestigio**, de tal forma que el consumidor compra los productos, no por el interés que le suscita la marca sino porque se le ofrece como imitación de una de prestigio (AP Toledo 28-2-01, EDJ 4978).
2) La **atracción de clientela ajena** no es, en principio, actividad desleal, al acomodarse a los principios de libertad de empresa y de libertad de competencia. La actividad se reputa desleal cuando esta atracción o captación de clientela se realiza de manera ilícita (AP Asturias 17-2-04, EDJ 7399).
3) El **aprovechamiento** del esfuerzo ajeno requiere que sea **reprochable** para calificar el acto de desleal (TS 22-11-11, EDJ 276915).
4) No es necesario que exista una **voluntad deliberada** de crear confusión para que la deslealtad se produzca, siendo suficiente que se lleve a cabo una **conducta parasitaria** del esfuerzo material y económico de un competidor (TS 19-5-08, EDJ 73115; 1-12-10, EDJ 284938).
5) Incurre en un acto de competencia desleal la **copia de una página web**, y en concreto de un listado de links o enlaces tomado de la página web de un competidor (AP Valencia 21-2-08, EDJ 55489).
6) La inclusión de referencias bibliográficas de estudios clínicos de un **medicamento** en el **folleto publicitario de un complemento alimenticio**, con mención expresa en el propio título de uno de ellos a la propia marca de la actora, permite que los destinatarios de la publicidad, por más que sean médicos o farmacéuticos, asocien las bondades del medicamento al complemento alimenticio de la demandada, aprovechándose de la reputación en el mercado del medicamento. Se trata de trasladar los resultados de los estudios realizados sobre el medicamento al producto promocionado, aprovechándose del prestigio alcanzado por ese medicamento en el mercado, con utilización en su propio beneficio la marca ajena (AP Madrid auto 1-10-21, EDJ 793294).
7) El titular de la marca notoria debe especificar los **perjuicios** que le ha causado el uso de su marca (AP Madrid 18-5-18, EDJ 539201).

465 **Violación de secretos** (LCD art.13; L 1/2019 art.1 y 3) Se considera desleal la violación de secretos empresariales. Esto ocurre en los siguientes **supuestos**:
1. Por la **obtención sin el consentimiento** de su titular de secretos empresariales, cuando se lleve a cabo **mediante**:
a) El acceso, apropiación o copia no autorizadas de documentos, objetos, materiales, sustancias, ficheros electrónicos u otros soportes, que contengan el secreto empresarial o a partir de los cuales se pueda deducir.
b) Cualquier otra actuación que, en las circunstancias del caso, se considere contraria a las prácticas comerciales leales.
2. Por la **utilización o revelación** de un secreto empresarial cuando, sin el consentimiento de su titular, las **realice**:
- quien haya obtenido el secreto empresarial de forma ilícita;
- quien haya incumplido un acuerdo de confidencialidad o cualquier otra obligación de no revelar el secreto empresarial; o
- quien haya incumplido una obligación contractual o de cualquier otra índole que limite la utilización del secreto empresarial.
3. Por la **obtención, utilización o revelación** de un secreto empresarial cuando la persona que las realice, en el momento de hacerlo, sepa o, en las circunstancias del caso, **debiera haber sabido** que obtenía el secreto empresarial directa o indirectamente de quien lo utilizaba o revelaba de forma ilícita según lo dispuesto en el apartado anterior.
4. En caso de **producción, oferta o comercialización de mercancías infractoras** o su importación, exportación o almacenamiento, cuando la persona que las realice sepa o, en las circunstancias del caso, debiera haber sabido que el secreto empresarial que incorporan se había utilizado de forma ilícita en el sentido de lo dispuesto en el apartado 2. A estos efectos, se consideran mercancías infractoras aquellos productos y servicios cuyo diseño, características, funcionamiento, proceso de producción, o comercialización se benefician de manera significativa de secretos empresariales obtenidos, utilizados o revelados de forma ilícita.

La L 1/2019 art.1 define **secreto empresarial** como cualquier información o conocimiento, incluido el tecnológico, científico, industrial, comercial, organizativo o financiero, que reúna las siguientes **condiciones**: 467

1. Ser secreto, en el sentido de que, en su conjunto o en la configuración y reunión precisas de sus componentes, no es generalmente conocido por las personas pertenecientes a los círculos en que normalmente se utilice el tipo de información o conocimiento en cuestión, ni fácilmente accesible para ellas.

2. Tener un valor empresarial, ya sea real o potencial, precisamente por ser secreto.

3. Haber sido objeto de medidas razonables por parte de su titular para mantenerlo en secreto.

No se considera como tal la información de escasa importancia o la **experiencia** y competencias adquiridas por los trabajadores durante el normal transcurso de su carrera profesional, ni la información que es de **conocimiento general** o fácilmente accesible en los círculos en que normalmente se utilice el tipo de información en cuestión.

Precisiones **1)** Hasta la L 1/2019 no existía una definición de **secreto empresarial**, definiéndose por la jurisprudencia como aquellas informaciones, conocimientos, técnicas, organización o estrategias que no sean conocidos fuera del ámbito del empresario y sobre los que exista una voluntad de mantenerlos ocultos por su valor competitivo (TS 24-11-06, EDJ 325612).

2) La AP trata la **lista de clientes** como un secreto empresarial en AP Barcelona 21-2-19, EDJ 514373. Sin embargo, no hay ilícito cuando se capta la clientela una vez extinguido el vínculo contractual anterior (TS 24-11-06, EDJ 319011); y ello es así porque si bien la clientela supone un importantísimo valor económico, aunque intangible, no existe un derecho del empresario a la misma, por lo que cualquier otro agente u operador en el mercado puede utilizar todos los mecanismos de esfuerzo y eficiencia para arrebatar la clientela al competidor (TS 8-6-09, EDJ 134649).

3) La AP consideró que no constituye secreto empresarial la **política de precios** cuando el trabajador es comercial de la misma y debe por ello estar al tanto de dicha política (AP Madrid 15-10-10, EDJ 296873).

4) En este caso, la información específica y confidencial sobre el desarrollo tecnológico de un prototipo, a pesar de estar basada en **elementos conocidos** en el **estado de la técnica**, puede constituir un secreto industrial si su configuración y reunión precisa de componentes no son generalmente conocidas ni fácilmente accesibles para las personas pertenecientes a los círculos en que normalmente se utiliza ese tipo de información (TS 20-10-23, EDJ 721444).

Inducción a la infracción contractual (LCD art.14) Este tipo legal comprende tres modalidades de ilícito competencial consistentes en (TS 23-5-07, EDJ 70109): 469

1. La inducción a trabajadores, proveedores, clientes y demás obligados a la **infracción de los deberes contractuales** básicos contraídos con un competidor.

2. La inducción a la **terminación regular del contrato**.

3. El **aprovechamiento** en beneficio propio o de un tercero de una infracción contractual ajena.

La modalidad del apartado uno solo exige la inducción, en tanto las otras dos modalidades requieren que, además, concurra alguna de las siguientes circunstancias:

- tenga por objeto la difusión o explotación de un **secreto** industrial o empresarial; o
- vaya acompañada de **engaño**, intención de eliminar a un competidor u otras circunstancias análogas.

Con relación a la **primera modalidad**, la jurisprudencia precisa que «(p)ara que un comportamiento pueda subsumirse en este precepto es necesario que la inducción lo sea en relación con la infracción de un deber contractual básico que alguien (el destinatario de la inducción) tiene con un competidor, con independencia de que la inducción tenga o no éxito y provoque la resolución. Lo que es esencial es que la inducción se ejerza sobre el incumplimiento de deberes contractuales básicos, pues si no es así, carece de relevancia a los efectos del art.14.1 LCD» (TS 15-7-13, EDJ 178288).

En relación con el art.14.2 LCD, que contempla las **otras dos modalidades**, presupone la existencia de una relación contractual entre terceros y, además, que concurra como medio, un engaño que provoque error en el inducido, o, como fin, el de difundir o explotar un secreto industrial o empresarial, o, como propósito, la intención de eliminar a un competidor del mercado u otras intenciones análogas, como el expolio, la obstaculización o la agresión a la posición del tercero (AP Barcelona 12-1-24, EDJ 516163). No concurriría el requisito cuando la intención es hacer el mercado más abierto y competitivo (AP Barcelona 26-7-03, EDJ 195435; TS 26-7-04, EDJ 159634).

Sin la reprobación del medio empleado (engaño, maquinación, etc.) o del fin perseguido (por ser contrario al correcto funcionamiento de la concurrencia de los competidores en el mercado), conductas como el ofrecimiento de **mejores condiciones** laborales a trabajadores, comerciales a los clientes, y contractuales a los distribuidores, es plenamente lícito (AP Barcelona 27-1-16, EDJ 17367).

Precisiones 1) La inducción a la terminación regular de un contrato, para que pueda ser considerado acto de competencia desleal, debe ir acompañada de alguna de las circunstancias expuestas en el art.14.2 LCD, entre las que se encuentra el **engaño** y la intención de **eliminar a un competidor del mercado**. No se trata de circunstancias cumulativas, por lo que en todo caso no es necesario exigir el engaño. Respecto de la intención de eliminar a un competidor del mercado, se trata de una circunstancia subjetiva cuya constatación puede objetivarse mediante hechos que la ponen en evidencia (TS 15-7-13, EDJ 178288).

2) En un supuesto en que la inducción denunciada afectaba a la terminación regular de **contratos de trabajo**, una cosa es que la contratación de trabajadores de un competidor pueda ocasionar a la postre su eliminación del mercado, y otra distinta que la principal finalidad o propósito perseguido al inducir a los trabajadores a que cesen en sus relaciones contractuales con el reseñado competidor sea su eliminación del mercado. Esto último ocurre cuando el inductor no está tanto interesado en el beneficio propio y directo que le genera la contratación de trabajadores que lo habían sido del competidor, como privar a éste de aquellos trabajadores para generar su ruina (TS 23-5-07, EDJ 70109).

3) En el caso de la **captación de la clientela** de un competidor, que consiste en muchos casos el objetivo de la competencia en el mercado, siempre que se haga como consecuencia del «mérito» de las propias prestaciones, como necesariamente pasará por la terminación o disminución de la relación comercial con el competidor, es muy difícil apreciar la reseñada circunstancia de la intención de eliminar a dicho competidor del mercado (TS 15-7-13, EDJ 178288).

4) Por regla general, la mera captación y **trasvase de trabajadores** de una empresa a otra que se va a fundar, o ya fundada, no constituye competencia desleal, como tampoco lo es el que un trabajador o directivo de una empresa pase a otra para ejercer la misma actividad profesional aprovechando su experiencia y conocimientos (TS 11-10-99, EDJ 29514; 14-3-07, EDJ 16951), pues lo contrario supondría tanto como negar la movilidad laboral.

471 **Violación de normas** (LCD art.15 redacc L 18/2022) Se consideran conductas desleales:

1. Infringir las leyes con el objeto de prevalerse en el mercado de una **ventaja competitiva** que sea significativa (TS 28-11-03, EDJ 158312; 24-6-05, EDJ 103448; 23-3-07, EDJ 21900). La norma infringida, si bien no debe gozar necesariamente de rango legal, sí que debe reunir los caracteres de imperatividad, generalidad y coercibilidad. Además, no basta con la infracción de la norma, sino que es preciso que esta infracción normativa haya reportado al infractor una ventaja competitiva relevante (TS 16-6-00, EDJ 12947; 24-7-12, EDJ 206484). Su **finalidad** no es añadir una sanción a las previstas en las normas infringidas, ni garantizar el cumplimiento del ordenamiento jurídico por todos los participantes en el mercado, sino que, para salvaguardar el principio de libertad de competencia, impidiendo que pueda resultar falseado por prácticas desleales, persigue evitar que la infracción se emplee como medio para lograr una ventaja competitiva (TS 7-3-12, EDJ 49916).

2. Infringir las normas jurídicas que **regulan la competencia**. Ha de entenderse por tales aquellas normas que, al margen de su naturaleza civil o administrativa, configuran de forma directa la estructura del mercado y las estrategias y conductas propiamente concurrenciales de los agentes que operan en el mismo, dirigidas a promover o asegurar las prestaciones propias o de un tercero. Es irrelevante, a estos efectos, cuáles hubieran sido los objetivos perseguidos por el legislador al establecer la norma concurrencial y cuál sea la justificación que, en su caso, proceda para la limitación de la competencia mediante la acción del legislador (TS 17-5-17, EDJ 72596). En este caso, la conducta desleal está determinada por la sola infracción de la norma de concurrencia, pues se presume que su vulneración conlleva por sí sola la obtención de una ventaja para el infractor que altera la *par conditio concurrentium* (TS 7-3-12, EDJ 49916).

3. La contratación de trabajadores **extranjeros** sin la oportuna autorización.

4. El incumplimiento reiterado de las normas de lucha contra la **morosidad** en las operaciones comerciales (conducta desleal introducida con efectos desde el 19-10-2022).

473 En definitiva, en la apreciación de la concurrencia de esta conducta desleal hay **dos aspectos** comunes:

a) La **infracción** de normas.

b) La obtención de una **ventaja** competitiva significativa a través de la infracción cometida, de la que se haya prevalido alguna de las empresas concurrentes en el mercado.

En el caso de infracción de normas que no tienen por objeto la regulación de la competencia (prevista en el art.15.1 LCD) es preciso que se **justifique adecuadamente** que se ha producido *una prevalencia de la* ventaja competitiva significativa obtenida mediante la infracción de las normas, porque en principio tal circunstancia no es consecuencia natural de una simple infracción de ese tipo de normas, mientras que en el caso de la infracción de normas que tienen por objeto la regulación de la actividad concurrencial, se presume que tal infracción trae consigo la obtención de una ventaja competitiva significativa de la que puede prevalerse el infractor (TS 17-5-17, EDJ 72596).

Precisiones 1) Una **norma organizativa**, de carácter interno, como son los estatutos de una Mancomunidad, que carece de eficacia frente a terceros, no es apta para que mediante su infracción pueda obtenerse una ventaja competitiva significativa frente a los competidores (TS 24-7-12, EDJ 206484).

2) La ausencia de una referencia específica en el art.15.2 LCD a la **ventaja competitiva** significativa, que sí se contiene en el apartado primero, no debe entenderse como indicativa de que cada uno de los apartados tiene un fundamento distinto. El **fundamento** de **ambos apartados** es común, la represión de la obtención de ventajas competitivas significativas mediante la infracción de normas. La diferente redacción de uno y otro, en cuanto a la exigencia de la prevalencia de la ventaja competitiva significativa, responde a que la mera infracción de una norma que no tiene por objeto la regulación de la actividad concurrencial no supone necesariamente una obtención de ventajas competitivas significativas, y de ahí que se introduzca en el texto del precepto esa exigencia. Por el contrario, cuando la norma infringida tiene por objeto la regulación de la competencia, dicho incumplimiento suele provocar en la inmensa mayoría de los casos una alteración automática de la *par conditio concurrentium* entre las empresas competidoras en un mismo mercado y es esto lo que determinará, por lo general, que el infractor incurra en una conducta desleal (TS 17-5-17, EDJ 72596).

Discriminación y dependencia económica (LCD art.16) Bajo este enunciado se comprenden los siguientes actos desleales: 475

1. El tratamiento discriminatorio del consumidor en materia de precios y demás **condiciones de venta**, a no ser que medie causa justificada.
2. La explotación por parte de una empresa de la situación de dependencia económica en que puedan encontrarse sus empresas clientes o proveedores que no dispongan de **alternativa equivalente** para el ejercicio de su actividad; circunstancia que se presume cuando un proveedor, además de los descuentos o condiciones habituales, deba conceder a su cliente de forma regular otras ventajas adicionales que no se conceden a compradores similares.
3. La **ruptura**, aunque sea de forma parcial, de una relación comercial establecida, sin que haya existido preaviso escrito y preciso con una antelación mínima de seis meses, salvo que se deba a incumplimientos graves de las condiciones pactadas o en caso de fuerza mayor.
4. La obtención, bajo la **amenaza** de ruptura de las relaciones comerciales, de precios, condiciones de pago, modalidades de venta, pago de cargos adicionales y otras condiciones de cooperación comercial no recogidas en el contrato de suministro que se tenga pactado.

El primero de los actos trata sobre el tratamiento discriminatorio, descansando el resto en la premisa de la «**dependencia económica**». Es decir, se trata de actos desleales frente al mercado cuya represión como actos de competencia desleal solo tiene sentido en la medida en que exista una situación de dependencia económica si no quiere convertirse en ilícito concurrencial la mera terminación de un contrato incluso conforme a lo pactado por las partes que pueden haber contemplado un plazo de preaviso menor (AP Madrid 12-12-14, EDJ 281511).

Precisiones 1) La **ruptura** injustificada de la **relación comercial** establecida sin preaviso solo constituye una conducta desleal si existe «**dependencia económica**» (AP Madrid 16-12-16, EDJ 248583; AP Barcelona 24-11-16, EDJ 233967).

2) Determina la AP que no cabe apreciar la concurrencia del ilícito de trato discriminatorio en los contratos de distribución cuando ninguna de las partes tiene la consideración de **consumidor** (AP Madrid 19-4-18, EDJ 99925).

Venta a pérdida (LCD art.17; LOCM art.14) Salvo disposición contraria, la fijación de precios es libre. 477

No obstante, la venta realizada a bajo coste, o bajo precio de adquisición se considera desleal cuando:

1. Sea susceptible de inducir a **error a los consumidores** acerca del nivel de precios de otros productos o servicios del mismo establecimiento.
2. Tenga por efecto **desacreditar** la imagen de un producto o de un establecimiento.

La desacreditación del **producto** o servicio ajeno, basada en el medio de comisión de venta a un precio bajo, implica que el comportamiento tiene que derivar de la reventa del producto ajeno a un precio tan bajo que suponga la asociación entre dicho precio reducido con la escasa calidad de tal producto o servicio ajeno, que resulta así desprestigiado en el mercado.

La desacreditación del **establecimiento** ajeno se debe fundamentar en la venta de unos mismos productos o servicios por distintos establecimientos, de suerte que, a comparación de precios para el mismo producto, el competidor queda sometido a una imagen de distribuidor injustificadamente caro, y, por tanto, no competitivo (AP Madrid 10-7-15, EDJ 143104).

3. Forme parte de una estrategia encaminada a **eliminar a un competidor** o grupo de competidores del mercado. En esta conducta se requiere, como elementos de hecho, y a fin de poder subsumirse en la circunstancia que puede determinar su deslealtad, que se enmarque en una

estrategia apta, se logre consumar o no finalmente de modo efectivo, para poder eliminar a competidores del mercado, revelada en los caracteres siguientes:
- que goce de intensidad suficiente, en términos de duración, continuidad y sistemática;
- que se identifique adecuadamente el mercado en que se ha operado tal conducta, a fin de evaluar su aptitud para conseguir la finalidad que la convierte en desleal; y
- se identifiquen los competidores a los que se dirige y su situación (AP Madrid 10-7-15, EDJ 143104).

No es preciso que el operador que aplica esta estrategia ocupe una **posición de dominio** en el mercado, a los efectos del Derecho de defensa de la competencia. Su relevancia es meramente instrumental, a fin de poder acreditar que la conducta de la venta a pérdida puede ser sostenida por tal operador el tiempo suficiente y con la intensidad necesaria para hacerla objetivamente apta para lograr la expulsión del mercado de otro u otros competidores. Extremo distinto se da cuando la práctica de venta a pérdida constituye la exteriorización del acto de abuso de posición de dominio, en los términos observados por el Derecho de defensa de la competencia (ver nº 357).

4. Forme parte de una **práctica comercial** que contenga **información falsa** sobre el precio o su modo de fijación, o sobre la existencia de una ventaja específica con respecto al mismo, que induzca o pueda inducir a error al consumidor medio y le haya hecho tomar la decisión de realizar una compra que, de otro modo, no hubiera realizado.

En los contratos celebrados con consumidores, la venta con pérdida solo se permite en casos muy concretos (ver nº 1043).

Precisiones 1) La LCD no define qué debe entenderse por **venta a pérdida**, aunque sí lo hace en cambio, a los efectos aplicativos en su ámbito, la LOCM art.14.2, el cual reseña que «se considerará que existe venta con pérdida cuando el precio aplicado a un producto sea inferior al de adquisición según factura, deducida la parte proporcional de los descuentos que figuren en la misma, o al de reposición si éste fuese inferior a aquél o al coste efectivo de producción si el artículo hubiese sido fabricado por el propio comerciante, incrementados en las cuotas de los impuestos indirectos que graven la operación».

2) El art.14 LOCM se ha modificado a través del RDL 20/2018 como consecuencia de la sentencia TJUE 19-10-17, C-295/16, que declaró incompatible dicho precepto con la Dir 2005/29/CE sobre prácticas desleales de las empresas a los consumidores en el mercado interior. Con la **nueva regulación** desaparece la automaticidad de las sanciones, y la **carga de la prueba** recae en la Administración que, para poder sancionar, debe acreditar que la venta a pérdida incurre en uno de los supuestos que se recogen de forma taxativa, y que proceden de la propia directiva y, por tanto, son acordes con el Derecho de la Unión Europea.

479 **Publicidad ilícita** (LCD art.18) Se reputa desleal la publicidad considerada ilícita por la LGPu (ver nº 6184).

2. Prácticas comerciales desleales con los consumidores

(LCD art.19)

485 A estos efectos, se consideran **prácticas comerciales** de los empresarios con los consumidores y usuarios todo acto, omisión, conducta, manifestación o comunicación comercial, incluida la publicidad y la comercialización, directamente relacionada con la promoción, la venta o el suministro de bienes o servicios, incluidos los bienes inmuebles, así como los derechos y obligaciones, con independencia de que sea realizada antes, durante o después de una operación comercial (LGDCU art.19.2 redacc RDL 1/2021).

Las prácticas comerciales tendrán la consideración de **desleales** con los consumidores y usuarios en los siguientes **supuestos**:
- las conductas **contrarias** a las exigencias de la **buena fe** (ver nº 426);
- los actos de **engaño** (ver nº 441);
- las **omisiones engañosas** (ver nº 443); y
- las **prácticas agresivas** (nº 445).

Además, las prácticas comerciales que se recogen a continuación tienen, en todo caso y en cualquier circunstancia, la consideración de práctica comercial desleal con los consumidores.

Precisiones Para la protección de los legítimos intereses económicos y sociales de los consumidores y usuarios, las prácticas comerciales de los empresarios dirigidas a ellos están sujetas a la **regulación** contenida en la LGDCU, en la LCD y en la LOCM, no obstante la normativa sectorial que en cada caso resulte de aplicación (LGDCU art.19.2 redacc RDL 1/2021).

487 **Prácticas engañosas** (LCD art.20 a 27) En las relaciones con consumidores y usuarios, se reputan desleales, por engañosas, las siguientes prácticas comerciales.

Por crear confusión (LCD art.20 y 25) Son desleales, las prácticas comerciales, incluida la publicidad comparativa, que, en su contexto fáctico y teniendo en cuenta todas sus características y circunstancias, creen confusión, incluido el **riesgo de asociación**, con cualesquiera bienes o servicios, marcas registradas, nombres comerciales u otras marcas distintivas de un competidor, siempre que sean susceptibles de afectar al comportamiento económico de los consumidores y usuarios (entendido éste conforme a lo establecido en el nº 426). **489**

Asimismo, se considera desleal, en todo caso y en cualquier circunstancia, **promocionar** un **bien o servicio similar** al comercializado por un determinado empresario o profesional para inducir de manera deliberada al consumidor o usuario a creer que el bien o servicio procede de este empresario o profesional, no siendo cierto (LCD art.25).

En definitiva, se pretende sancionar la imitación o copia de un medio de identificación, incluidas las marcas o los nombres comerciales utilizados por otros empresarios mediante el uso de **elementos externos del competidor** o muy similares que genere en los demás intervinientes del mercado la idea de una conexión entre la procedencia empresarial de los bienes o servicios de uno y otro competidor (AP Barcelona 21-9-17, EDJ 193672).

Los actos de confusión están también regulados en la LCD art.6, aplicable tanto a los actos entre empresas como a los actos entre empresas y consumidores. Por tanto, lo ya expuesto en el nº 451 es también aplicable en este supuesto.

Precisiones 1) Se plantea un caso de riesgo de confusión con **marca notoria y renombrada** al comercializarse ciertos productos de bollería con la denominación «doughnuts», cuando ya existen diversas **marcas similares** que designan productos del mismo tipo (TS 14-5-12, EDJ 89294).

2) **No** se reputa acto de **competencia desleal** la utilización de elementos distintivos de los productos diferentes de los que integran una marca cuando no son suficientemente significativos ni aclaratorios (TS 30-6-11, EDJ 139857).

3) Si se trata de una violación directa de una marca, se debe acudir a la **Ley de Marcas**, por ser ésta la norma especial. El Derecho de la competencia podrá servir para complementarla, cuando no existe una tutela específica en la Ley de Marcas, siempre que se mantenga la coherencia del sistema.

4) Las prácticas engañosas por confusión presuponen que la conducta haya generado un **riesgo de confusión** y, además, que sea apta para afectar de forma significativa al comportamiento económico de los consumidores. Si falta uno de estos dos presupuestos, en este caso el riesgo de confusión, no estamos propiamente ante una práctica engañosa por confusión (TS 2-9-15, EDJ 182106).

Sobre códigos de conducta u otros distintivos de calidad (LCD art.21) Son desleales por engañosas las prácticas comerciales que **afirmen sin ser cierto**: **491**

- que el empresario o profesional está adherido a un código de conducta (nº 520);
- que un código de conducta ha recibido el refrendo de un organismo público o cualquier otro tipo de acreditación;
- que un empresario o profesional, sus prácticas comerciales, o un bien o servicio ha sido aprobado, aceptado o autorizado por un organismo público o privado, o hacer esa afirmación sin cumplir las condiciones de aprobación, aceptación o autorización.

Asimismo, también se considera desleal, en todo caso, la **exhibición** de un **sello** de confianza o de calidad o de un distintivo equivalente, sin haber obtenido la necesaria autorización.

Precisiones El TS aprecia competencia desleal en la comercialización de **juegos de azar on line** prohibidos en nuestro país por no gozar de la correspondiente autorización administrativa. La no existencia de Internet, no debe significar que la actividad fuera legal antes de la Ley del juego, aun sin contar con autorización. Para que la conducta sea desleal, no es necesario que se obtenga ventaja competitiva respecto de los demás concurrentes en el mercado. Se protege el interés de los consumidores a recibir una información no engañosa y a que la publicidad de los productos y servicios respete las exigencias legales (TS 17-5-17, EDJ 72596).

Señuelos y prácticas promocionales engañosas (LCD art.22) Se considera desleal por engañoso, en todo caso y bajo cualquier circunstancia: **493**

a) Realizar una oferta comercial de bienes o servicios a un precio determinado sin revelar la existencia de motivos razonables que hagan pensar al empresario o profesional que dichos bienes o servicios u otros equivalentes **no** estarán **disponibles al precio ofertado** durante un período suficiente y en cantidades razonables, teniendo en cuenta el tipo de bien o servicio, el alcance de la publicidad que se le haya dado y el precio de que se trate.

b) Realizar una oferta comercial de bienes o servicios a un precio determinado para luego, con la intención de promocionar un bien o servicio diferente, **negarse a mostrar** el **bien o servicio ofertado**, no aceptar pedidos o solicitudes de suministro, negarse a suministrarlo en un período de tiempo razonable, enseñar una muestra defectuosa del bien o servicio promocionado o desprestigiarlo.

c) Las prácticas comerciales relativas a las **ventas en liquidación** cuando sea incierto que el empresario o profesional se encuentre en alguno de los supuestos previstos en la LOCM art.30.1 o que, en cualquier otro supuesto, afirmen que el empresario o profesional está a punto de cesar en sus actividades o de trasladarse sin que vaya a hacerlo.
d) Las prácticas comerciales que ofrezcan un premio, de forma automática, o en un concurso o sorteo, sin conceder los **premios** descritos u otros de calidad y valor equivalente.
e) Describir un bien o servicio como «**gratuito**», «**regalo**», «sin gastos» o cualquier fórmula equivalente, si el consumidor o usuario tiene que abonar dinero por cualquier concepto distinto del coste inevitable de la respuesta a la práctica comercial y la recogida del producto o del pago por la entrega de éste.
f) Crear la impresión falsa, incluso mediante el uso de prácticas agresivas, de que el consumidor o usuario ya ha ganado, ganará o conseguirá un **premio** o cualquier otra ventaja equivalente si realiza un acto determinado, cuando en realidad: no existe tal premio o ventaja equivalente, o la realización del acto relacionado con la obtención del premio o ventaja equivalente está sujeto a la obligación, por parte del consumidor o usuario, de efectuar un pago o incurrir en un gasto.

495 **Sobre la naturaleza y propiedades de los bienes o servicios, su disponibilidad y los servicios posventa** (LCD art.23) Es desleal en todo caso:
1. Afirmar o crear por otro medio la impresión de que un bien o servicio puede ser **comercializado legalmente** no siendo cierto.
2. Alegar que los bienes o servicios pueden facilitar la obtención de premios en **juegos de azar**.
3. Proclamar, falsamente, que un bien o servicio puede **curar enfermedades**, disfunciones o malformaciones.
4. Afirmar, no siendo cierto, que el bien o servicio solo estará **disponible** durante un período de **tiempo muy limitado** o que solo estará disponible en determinadas condiciones durante un período de tiempo muy limitado a fin de inducir al consumidor o usuario a tomar una decisión inmediata, privándole así de la oportunidad o el tiempo suficiente para hacer su elección con el debido conocimiento de causa.
5. Comprometerse a proporcionar un **servicio posventa** a los consumidores o usuarios sin advertirles claramente antes de contratar que el idioma en el que este servicio estará disponible no es el utilizado en la operación comercial.
6. Crear la impresión falsa de que el servicio posventa del bien o servicio promocionado está **disponible** en un **Estado miembro distinto** de aquel en el que se ha contratado su suministro.

497 **Venta piramidal** (LCD art.24) Se considera desleal por engañoso, en cualquier circunstancia, crear, dirigir o promocionar un plan de venta piramidal en el que el consumidor o usuario realice una contraprestación a cambio de la oportunidad de recibir una compensación derivada fundamentalmente de la entrada de otros consumidores o usuarios en el plan, y no de la venta o suministro de bienes o servicios.

499 **Práctica comercial encubierta** (LCD art.26) Se considera, en todo caso, desleal por engañosas:
1. Las prácticas que incluyan como **información** en los medios de comunicación o en servicios de la sociedad de la información o redes sociales, comunicaciones para **promocionar** un bien o servicio, pagando el empresario o profesional por dicha promoción, sin que quede claramente especificado en el contenido o a través de imágenes y sonidos claramente identificables para el consumidor o usuario que se trata de un contenido publicitario.
2. Desde el 28-5-2022, también las prácticas que faciliten **resultados de búsquedas** en respuesta a las consultas en línea efectuadas por un consumidor o usuario sin revelar claramente cualquier **publicidad retribuida** o pago dirigidos específicamente a que los bienes o servicios obtengan una clasificación superior en los resultados de las búsqueda, entendiendo por clasificación la preeminencia relativa atribuida a los bienes o servicios, en su presentación, organización o comunicación por parte del empresario, independientemente de los medios tecnológicos empleados para dicha presentación, organización o comunicación.

501 **Otras prácticas engañosas** (LCD art.27) Igualmente se consideran desleales por engañosas, en todo caso, las prácticas que:
• Presenten los **derechos legalmente reconocidos** a los consumidores o usuarios como si fueran una característica distintiva de la oferta del empresario o profesional.
• Realicen *afirmaciones inexactas* o falsas en cuanto a la naturaleza y la extensión del peligro que supondría para la **seguridad** personal del consumidor y usuario o de su familia, el hecho de que el consumidor o usuario no contrate el bien o servicio.
• Transmitan información inexacta o falsa sobre las **condiciones de mercado** o sobre la posibilidad de encontrar el bien o servicio, con la intención de inducir al consumidor o usuario a contratarlo en condiciones menos favorables que las condiciones normales de mercado.

• Incluyan en la documentación de comercialización una **factura** o un documento similar de pago que dé al consumidor o usuario la impresión de que ya ha contratado el bien o servicio comercializado, sin que éste lo haya solicitado.
• Afirmen de forma fraudulenta o creen la impresión falsa de que un empresario o profesional no actúa en el marco de su actividad empresarial o profesional, o **presentarse** de forma fraudulenta **como un consumidor** o usuario.
Y desde el 28-5-2022, también las que:
• Consistan en la **reventa de entradas** de espectáculos a los consumidores o usuarios si el empresario las adquirió empleando medios automatizados para sortear cualquier límite impuesto al número de entradas que puede adquirir cada persona o cualquier otra norma aplicable a la compra de entradas.
• Afirmen que las reseñas de un bien o servicio son añadidas por consumidores y usuarios que han utilizado o adquirido realmente el bien o servicio, sin tomar medidas razonables y proporcionadas para **comprobar** que dichas **reseñas** pertenezcan a tales consumidores y usuarios.
• Añadan o encarguen a otra persona física o jurídica que incluya reseñas o aprobaciones de consumidores falsas, o **distorsionen reseñas** de consumidores o usuarios o aprobaciones sociales con el fin de promocionar bienes o servicios.

Prácticas agresivas (LCD art.28 a 31) Se consideran en todo caso conductas desleales: **503**
a) Por **coacción**: las prácticas comerciales que hagan creer al consumidor o usuario que no puede abandonar el establecimiento del empresario o profesional o el local en el que se realice la práctica comercial, hasta haber contratado, salvo que dicha conducta sea constitutiva de infracción penal (CP art.172; ver nº 8520 s. Memento Penal 2023).
b) Por **acoso** (LCD art.29):
- realizar **visitas** en persona al **domicilio del consumidor** o usuario, ignorando sus peticiones para que el empresario o profesional abandone su casa o no vuelva a personarse en ella;
- realizar **propuestas** no deseadas y reiteradas por **teléfono, fax, correo electrónico** u otros medios de comunicación a distancia, salvo en las circunstancias y en la medida en que esté justificado legalmente para hacer cumplir una obligación contractual. El empresario debe utilizar en estas comunicaciones sistemas que permitan al consumidor dejar constancia de su oposición a seguir recibiendo propuestas comerciales, y, cuando las propuestas se realicen por vía telefónica, las llamadas deben realizarse desde un número de teléfono identificable.
c) Por agresivas **en relación con los menores**: incluir en la publicidad una exhortación directa a los niños para que adquieran bienes o usen servicios o convenzan a sus padres u otros adultos de que contraten los bienes o servicios anunciados (ver nº 6184).
d) Otras, tales como:
- exigir al consumidor o usuario, ya sea tomador, beneficiario o tercero perjudicado, que desee reclamar una indemnización al amparo de un **contrato de seguro**, la presentación de documentos que no sean razonablemente necesarios para determinar la existencia del siniestro y, en su caso, el importe de los daños que resulten del mismo o dejar sistemáticamente sin responder la correspondencia al respecto, con el fin de disuadirlo de ejercer sus derechos (LCD art.31.1);
- exigir el pago inmediato o aplazado, la devolución o la custodia de **bienes o servicios** suministrados por el comerciante, que **no** hayan sido **solicitados por el consumidor** o usuario, salvo cuando el bien o servicio en cuestión sea un bien o servicio de sustitución suministrado de conformidad con lo establecido en la legislación vigente sobre contratación a distancia con los consumidores y usuarios (LCD art.31.2);
- informar expresamente al consumidor o usuario de que el trabajo o el **sustento del empresario** o profesional corren peligro si el consumidor o usuario no contrata el bien o servicio (LCD art.31.3).
- las **visitas no solicitadas** efectuadas por el empresario en el domicilio del consumidor o usuario o las excursiones organizadas por el mismo con el objetivo o el efecto de promocionar o vender bienes o servicios, en el caso de que no respeten los términos de las restricciones establecidas en virtud de la LGDCU art.19.7 (LCD art.31.4).

3. Acciones judiciales
(LCD art.32)

Contra los actos de competencia desleal, incluida la publicidad ilícita, pueden ejercitarse las siguientes **acciones**: **510**
- **declarativa** de la deslealtad del acto, si la perturbación creada por el mismo persiste;
- de **cesación** de la conducta desleal, o de **prohibición** de su reiteración futura, o de prohibición, si todavía no se ha puesto en práctica;

- de **remoción** de los efectos producidos por la conducta desleal;
- de **rectificación** de las informaciones engañosas, incorrectas o falsas;
- de **resarcimiento** de los daños y perjuicios ocasionados por el acto, si ha intervenido dolo o culpa del agente;
- de **enriquecimiento injusto**, que solo procede cuando la conducta desleal lesione una posición jurídica amparada por un derecho de exclusiva u otra de análogo contenido económico.

Además, las sentencias estimatorias de las acciones declarativas, de cesación o prohibición, de remoción y de rectificación, pueden ser objeto de **publicación** total o parcial, a cargo del demandado.

512 **Legitimación activa** (LCD art.33) La legitimación activa corresponde:

• Para ejercitar las **acciones declarativa**, de **cesación** o prohibición, de **remoción** y de **rectificación**:
- a cualquier persona que participe en el mercado, cuyos intereses económicos resulten directamente perjudicados o amenazados por la conducta desleal;
- a las asociaciones, corporaciones profesionales o representativas de intereses económicos, cuando resulte afectados los intereses de sus miembros; y
- para la defensa de los interese generales, colectivos o difusos de los consumidores y usuarios: al Instituto Nacional del Consumo y organismos autonómicos o locales correspondientes, a las asociaciones de consumidores y usuarios, y a las entidades de otros Estados miembros que estén habilitadas mediante su inclusión en la lista publicada a tal fin en el DOUE (LCD art.33.3).

• El ejercicio de la acción de **cesación** en defensa de los intereses generales, colectivos o difusos de los consumidores y usuarios corresponde al Ministerio Fiscal (LCD art.33.4).

Para el ejercicio de la acción de **resarcimiento de daños** y perjuicios:
- a cualquier persona que participe en el mercado, cuyos intereses económicos resulten directamente perjudicados o amenazados por la conducta desleal; y
- cuando los perjudicados por el hecho dañoso sean un grupo de consumidores o usuarios cuyos componentes estén perfectamente determinados o sean fácilmente determinables, a las asociaciones de consumidores y usuarios, a las entidades legalmente constituidas que tengan por objeto la defensa o protección de éstos, así como a los propios grupos de afectados (LEC art.11.2).

• En cuanto a la acción de **enriquecimiento injusto**, únicamente al titular de la posición jurídica violada.

Por tanto, la LDC reconoce una **legitimación individual** a «(c)ualquier persona física o jurídica que participe en el mercado, cuyos intereses económicos resulten directamente perjudicados o amenazados por la conducta desleal» y una **colectiva**, a «las asociaciones, corporaciones profesionales o representativas de intereses económicos, cuando resulten afectados los intereses de sus miembros», perfectamente compatibles, si bien con un alcance más limitado, pues si en el primer caso se está legitimado para el ejercicio de las acciones previstas en el LCD art.32.1, 1ª a 5ª, en el segundo solo de las acciones contempladas en el LCD art.32.1, 1ª a 4ª, no en cuanto a la acción de resarcimiento de los daños y perjuicios ocasionados por la conducta desleal.

Precisiones 1) La LCD legitima a los **colectivos profesionales** cuando por el acto tachado de desleal resultan afectados los intereses del sector de actividad al que pertenecen sus miembros, al margen de la **forma jurídica** adoptada por el colectivo (AP Murcia 7-7-16, EDJ 155810).

2) El término **participación en el mercado** debe analizarse en función de la concreta conducta desleal, para evitar que una aproximación muy literalista del término conduzca al absurdo de negar legitimación activa al titular de los intereses económicos directamente afectados por las conductas desleales. De este modo, el TS reconoce legitimación activa a una **sociedad extranjera** dedicada a la restauración de tuberías sin obras, que había desarrollado un *know how* propio que fue objeto de contrato de licencia concertada con la empresa española, para que explotara en exclusiva en España ese *know how* y unas marcas. Se puede decir que, por esta vía, participaba en el mercado español, máxime si tenemos en cuenta que la conducta desleal frente a la que reacciona por medio de las acciones de competencia desleal, es la **violación de los secretos industriales** en que consistía aquel *know how* (LCD art.13.1) tras la resolución del contrato de licencia y el aprovechamiento de la infracción de la obligación de cesar en el uso del *know how* una vez concluida aquella relación contractual (TS 20-7-17, EDJ 149847).

514 **Legitimación pasiva** (LCD art.34) Las acciones previstas en el nº 510 pueden ejercitarse contra cualquier persona que haya **realizado** u **ordenado** la conducta desleal o haya **cooperado** a su realización. No obstante, la acción de **enriquecimiento injusto** solo puede dirigirse contra el beneficiario del enriquecimiento.

Si la conducta desleal se hubiera realizado por **trabajadores** u otros colaboradores en el ejercicio de sus funciones y deberes contractuales, las acciones declarativas, de cesación, de remoción y de rectificación deben dirigirse contra el principal.

Precisiones 1) El régimen de la legitimación pasiva en materia de infracciones de competencia desleal está configurado con cierta amplitud, que llega al punto de comprender dentro del concepto de autor del acto de competencia desleal tanto al que lo ejecuta materialmente (**autor directo**) como a aquél que lo ordenase (**autor mediato o intelectual**). Ahora bien, cuando el implicado en el ilícito concurrencial es una persona jurídica la legitimación pasiva en concepto de autor incumbe, como regla general, a la entidad y no a sus administradores. Como excepción podrían, no obstante, admitirse los supuestos de levantamiento del velo o los casos excepcionales de participación a título personal de un administrador en la realización de los actos de competencia desleal (AP Madrid 3-6-16, EDJ 164583).

2) Se sostiene que, además de la responsabilidad de la **aseguradora** en los actos de competencia desleal, los **administradores** mancomunados de la misma ostentan legitimación pasiva porque participan en el mercado y cooperaron con esta entidad en la realización de los actos desleales. El TS inadmite el recurso ya que, en tanto que el recurrente no ha identificado la actuación personal o individual de los administradores, no es posible que en abstracto pueda atribuírseles una responsabilidad por un acto de competencia desleal (TS auto 26-9-18, EDJ 586618).

Prescripción (LCD art.35) Las acciones de competencia desleal prescriben por el transcurso de un año desde el momento en que pudieron ejercitarse y el legitimado **tuvo conocimiento** de la persona que realizó el acto de competencia desleal; y, en cualquier caso, por el transcurso de tres años desde el momento de la **finalización de la conducta**. 516

Las acciones en defensa de los **intereses generales**, colectivos o difusos de los consumidores y usuarios, son, en principio, imprescriptibles conforme a lo dispuesto en la LGDCU art.56.

Precisiones 1) En el supuesto de actos de competencia desleal de **duración continuada**, el TS ha adoptado la postura (respaldada por la redacción dada al precepto por la L 29/2009) de que el tiempo no empieza a correr mientras permanezca la conducta ilícita. Es decir, se exige estar a la producción del resultado o cese del acto ilícito, de manera que el plazo de prescripción no corre mientras la situación jurídica no se restablezca (TS 21-1-09, EDJ 10464).

2) Respecto de un comportamiento desleal consistente en poner en el mercado productos con signos susceptibles de generar confusión entre los consumidores sobre el origen empresarial, se negó la prescripción de la acción de cesación por tratarse de una **serie intermitente de actos**, cuyo plazo de prescripción comienza a contarse de nuevo tras cada repetición del acto (TS 23-11-07, EDJ 233307). Cada acto de competencia desleal da pie a una nueva acción de competencia desleal, sometida a un plazo de prescripción propio, diferente de aquel al que están sometidas las acciones que pudieran haber nacido de actos anteriores (TS 29-12-06, EDJ 375671).

3) El **inicio del cómputo** de la prescripción de un año debe situarse en el momento en que el actor tuvo conocimiento no solo de los actos motivadores de las acciones ejercitadas al amparo de la LCD, sino también de las personas que los ejecutaron (AP Valencia 19-1-16, EDJ 92656).

4) Cada acto de competencia desleal funda una nueva acción de competencia desleal sometida a un **plazo de prescripción propio**, por lo que no puede partirse de una única fecha, como si todos los actos hubieran tenido lugar simultáneamente (TS 14-6-19, EDJ 618453).

4. Códigos de conducta

Los códigos de conducta contribuyen a elevar el nivel de protección de los consumidores y usuarios, mediante el acceso a sistemas eficaces de **resolución extrajudicial de reclamaciones** que cumplan los requisitos establecidos por la normativa comunitaria (Recomendaciones 98/257/CE y 2001/310/CE; Resol Consejo 25-5-00, relativa a la red comunitaria de órganos nacionales de solución extrajudicial de litigios en materia de consumo o cualquier disposición equivalente). Esta regulación incluye el ejercicio de acciones frente a los empresarios adheridos públicamente a códigos de conducta que infrinjan las obligaciones libremente asumidas o incurran en actos de competencia desleal y frente a los responsables de tales códigos cuando estos fomenten actos desleales. 520

Los códigos de conducta deben respetar en todo caso la normativa de defensa de la competencia y se les ha de dar una **publicidad** suficiente para su debido conocimiento por los destinatarios (LCD art.37.2).

Fomento de su utilización (LCD art.37) Las corporaciones, **asociaciones** u organizaciones comerciales, profesionales y de consumidores pueden elaborar, para que sean asumidos voluntariamente por los empresarios o profesionales, códigos de conducta relativos a las prácticas comerciales con los consumidores, con el fin de elevar el nivel de protección de los consumidores y garantizando en su elaboración la participación de las organizaciones de consumidores. 522

Las **Administraciones públicas**, además, deben promover la participación de las organizaciones empresariales y profesionales en la elaboración a escala comunitaria de códigos de conducta con este mismo fin.

Los sistemas de autorregulación se deben dotar de **órganos independientes de control** para asegurar el cumplimiento eficaz de los compromisos asumidos por las empresas adheridas. Sus códigos de conducta pueden incluir, entre otras, medidas individuales o colectivas de autocontrol previo de los contenidos publicitarios, y deben establecer sistemas eficaces de resolución extrajudicial de reclamaciones que cumplan los requisitos establecidos en la normativa comunitaria y, como tales, sean notificados a la Comisión Europea, de conformidad con lo previsto en la Resol del Consejo de 25-5-2000 relativo a la red comunitaria de órganos nacionales de solución extrajudicial de litigios en materia de consumo o cualquier disposición equivalente.

El recurso a los órganos de control de los códigos de conducta en ningún caso supone la renuncia a las **acciones judiciales** (nº 510).

524 **Acciones frente a los códigos de conducta** (LCD art.38) Frente a los códigos de conducta que **recomienden, fomenten o impulsen** conductas desleales o ilícitas pueden ejercitarse las acciones de cesación y rectificación previstas en la LCD art.32.1, 2ª y 4ª (ver nº 510).

No obstante, con carácter previo al ejercicio de estas acciones judiciales, dirigidas frente a los responsables de los códigos de conducta que reúnan los requisitos establecidos en el art.37.4 LCD, debe instarse del responsable de dicho código la **cesación o rectificación** de la recomendación desleal, así como el compromiso de abstenerse de realizarla cuando todavía no se hayan producido.

La solicitud se puede realizar por cualquier medio que permita tener constancia de su contenido y de la fecha de su recepción.

El responsable del código de conducta está obligado a emitir el pronunciamiento que proceda en el plazo de 15 días desde la presentación de la solicitud, **plazo** durante el cual, quien haya iniciado este procedimiento previo, no puede ejercitar la correspondiente acción judicial. Transcurrido dicho sin que se haya notificado al reclamante la decisión o cuando ésta sea insatisfactoria o fuera incumplida, queda expedita la vía judicial.

526 **Acciones frente a los empresarios y profesionales adheridos** (LCD art.39) Se considera una conducta desleal, el incumplimiento por parte del empresario o profesional vinculado a un código de conducta, de alguno de los **compromisos** asumidos en dicho código, siempre que dicho compromiso sea firme y pueda ser verificado, y, en su contexto fáctico, esta conducta sea susceptible de distorsionar de manera significativa el comportamiento económico de sus destinatarios (LCD art.5.2; ver nº 441).

En estos casos, con carácter previo al ejercicio de las acciones judiciales declarativas, de cesación o de rectificación, se debe instar ante el **órgano de control del código de conducta**, la cesación o rectificación del acto o la práctica comercial de quienes de forma pública estén adheridos al mismo, así como el compromiso de abstenerse de realizar el acto o la práctica desleal cuando éstos todavía no se hayan producido.

El órgano de control debe emitir el pronunciamiento que proceda en el **plazo** de 15 días desde la presentación de la solicitud, plazo durante el cual, quien haya iniciado este procedimiento previo, no puede ejercitar la correspondiente acción judicial. Transcurrido dicho plazo de 15 días sin que se haya notificado al reclamante la decisión o cuando ésta sea insatisfactoria o fuera incumplida, queda expedita la vía judicial.

En el **resto de los supuestos** de acciones dirigidas a obtener la cesación o la rectificación de una conducta desleal de quienes públicamente estén adheridos a códigos de conducta que reúnan los requisitos del art.37.4 LCD, la acción previa ante el órgano de control prevista en el apartado anterior es potestativa.

SECCIÓN 3

Registro de Bienes Muebles

 530

El Registro de Bienes Muebles es un registro jurídico de **titularidades y gravámenes** sobre bienes muebles, así como de **condiciones generales** de la contratación. Tiene por objeto la inscripción de actos y contratos relativos a bienes muebles, tales como ventas, con o sin precio aplazado, arrendamientos ordinarios o especiales, gravámenes, anotaciones de embargo y de demanda, así como de las mencionadas condiciones generales de la contratación (RD 1828/1999 disp.adic.única). 532

Es un **registro estatal**, llevado por el Cuerpo de Registradores de la Propiedad, Mercantiles y de Bienes Muebles, bajo la dependencia del Ministerio de Justicia. Por ello, la falta de inscripción, cuando sea obligatoria, debe ser sancionada por la Administración del Estado, a través del Ministerio de Justicia.

Este registro **se rige** por lo dispuesto en la L 28/1998 de venta a plazos de bienes muebles, desarrollada por la OM 19-7-1999, por la que se aprueba la Ordenanza para el Registro de Venta a Plazos de Bienes Muebles. Estas normas constituyen su núcleo esencial, al igual que el RD 1828/1999 disp.adic.única, por la que se creó el Registro de Bienes Muebles; pero asimismo son normas que reglamentan su funcionamiento las Instrucciones de la DGRN/DGSJFP, por habilitación legal expresa contenida en la L 28/1998 disp.final 2ª (DGRN Resol 27-4-17). Además, dentro de cada una de las secciones que lo componen se aplica la **normativa específica** reguladora de los actos o derechos inscribibles que afecten a los bienes (p.e., la L 14/2014, de navegación marítima para la sección de buques y aeronaves).

Secciones (RD 1828/1999 disp.adic.única) El Registro de Bienes Muebles está integrado por seis secciones, **clasificadas por razón del objeto**. Dentro de cada una de estas secciones, se aplica la normativa específica reguladora de los actos o derechos inscribibles que afecten a los bienes, o la correspondiente a las condiciones generales de la contratación. Las analizamos brevemente a continuación: 534

1ª. Sección de **buques y aeronaves**. Aquí se inscriben las hipotecas navales, compraventas, «leasing» y cualesquiera contratos, anotaciones de embargo y demás gravámenes sobre buques y aeronaves. En ella se integran los libros de buques y aeronaves llevados anteriormente en los Registros Mercantiles.

2ª. Sección de **automóviles y otros vehículos de motor**. Es la sección donde se inscriben las ventas a plazos, arrendamientos financieros (*leasing*), otros tipos de arrendamientos (como el *renting*) y cualesquiera contratos, anotaciones de embargo y demás gravámenes sobre automóviles y vehículos de motor.

3ª. Sección de **maquinaria industrial, establecimientos mercantiles y bienes de equipo**. Aquí se inscriben las hipotecas mobiliarias sobre maquinaria industrial o establecimientos mercantiles, así como las anotaciones de embargo y demás gravámenes sobre tales bienes.

4ª. Sección de **garantías reales**. En ella se inscriben las hipotecas mobiliarias y prendas sin desplazamiento sobre otros bienes y derechos, como los derechos de propiedad industrial e intelectual.

5ª. Sección de **otros bienes muebles registrables**. Aquí tendrían cabida los contratos y gravámenes sobre otros bienes, tales como títulos valores nominativos, participaciones sociales, licencias de pesca u otras de carácter administrativo susceptibles de transmisión.

6ª. Sección del registro de **condiciones generales**. En ella se depositan las condiciones generales de la contratación y se inscriben las sentencias judiciales que les afectan.

Precisiones La L 55/2007 disp.final primera prevé la creación de una sección adicional destinada a la inscripción de **obras y grabaciones audiovisuales**, sus derechos de explotación y, en su caso, de las anotaciones de demanda, embargos, cargas, limitaciones de disponer, hipotecas, y otros derechos reales impuestos sobre las mismas (L 28/1998 disp.adic.4ª).

536 **Organización** (RD 1828/1999 art.3; OM 19-7-1999 art.3) El Registro de Bienes Muebles consta de una serie de **Registros territoriales** de ámbito provincial y del **Registro Central de Bienes Muebles**.
El Registro Central de Bienes Muebles, con sede en Madrid, integra como **secciones** el Registro central de venta a plazos de bienes muebles y el Registro central de condiciones generales de la contratación.
Este Registro Central recibe copia de las inscripciones realizadas en los registros provinciales y puede otorgar publicidad formal de todas ellas. Tiene asignadas las siguientes **funciones**:
- coordinar los registros de bienes muebles provinciales, procesando la información que le sea remitida por ellos;
- dar publicidad de la base de datos de los registradores de bienes muebles.
Los **Registros provinciales** radican en los Registros Mercantiles de cada capital de provincia, además de en las ciudades de Ceuta y Melilla. Existen cinco registros más, que lo son solo en cuanto a la sección de buques y están integrados dentro de los Registros de la Propiedad de Motril 2, Ribadeo, Vigo 4, Cartagena 1 y Gijón 2.

538 **Actos y contratos inscribibles** (RD 1828/1999 art.9.3 y 4) El Registro de Bienes Muebles tiene por objeto la publicidad de los hechos, actos y contratos relativos a bienes muebles, así como de determinadas resoluciones judiciales o administrativas referentes a los mismos.
En concreto, el Registro desempeña una **triple función** registral:
1. Como registro de la **propiedad mueble**: se inscriben el dominio y todos los demás derechos reales sobre bienes muebles de perfecta identificabilidad registral como son los buques y aeronaves.
2. Como registro de **cargas y gravámenes**: se inscriben derechos y gravámenes registrables como:
- Anotaciones, embargos.
- Reservas de dominio y prohibiciones de disponer.
- Hipotecas mobiliarias.
- Prendas sin desplazamiento y demás previstos legalmente.

Sobre **bienes muebles registrables** como: vehículos de motor, bienes de consumo, maquinaria industrial, establecimiento industrial, stock, bienes agrícolas y de explotaciones ganaderas y demás previstos legalmente.
Y sobre ciertos bienes **incorporales** o derechos registrables, como: propiedad industrial e intelectual, derechos de explotación de películas, licencias administrativas y créditos en general.
3. Como registro de **condiciones generales de la contratación**.

Precisiones **1)** La redacción original del Reglamento del Registro de condiciones generales de la contratación determinaba que el Gobierno, a propuesta conjunta del Ministerio de Justicia y del departamento ministerial correspondiente, podía imponer la **inscripción obligatoria** para determinados **sectores específicos** de la contratación (RD 1828/1999 art.5). Este precepto fue anulado por el Tribunal Supremo (TS 12-2-02, EDJ 5877).
2) Para la inscripción en el Registro de Bienes Muebles de un contrato de arrendamiento financiero o *leasing* sobre una **aeronave** es requisito imprescindible la previa inscripción de la aeronave, primero, en el Registro de Matrícula de Aeronaves (RD 384/2015), y, a continuación, en la sección correspondiente del Registro de Bienes Muebles (DGRN Resol 20-12-16).

540 Se trata de un registro que, por regla general, es **voluntario**.
La voluntariedad de inscripción está **incentivada** por los efectos favorables que produce la inscripción: presunción de titularidad del derecho, procedimiento sumario para la recuperación del derecho, inoponibilidad de lo no inscrito, prescripción de las acciones colectivas (en materia de condiciones generales), etc.

Precisiones La inscripción de las **condiciones generales de contratación** se configura como voluntaria, si bien se legitima ampliamente para solicitar su inscripción a cualquier persona o entidad interesada, como fórmula para permitir la posibilidad efectiva de un conocimiento de las condiciones generales. Ello no obstante, se admite que en sectores específicos el Ministerio de Justicia, a instancia de parte interesada o de oficio, y en propuesta conjunta con otros departamentos ministeriales, pueda configurar la inscripción como obligatoria. Por ejemplo, los formularios de los **préstamos y créditos hipotecarios** comprendidos en el ámbito de aplicación de la L 5/2019, reguladora de los contratos de crédito inmobiliario, deberán depositarse obligatoriamente por el prestamista en el Registro antes de empezar su comercialización.
Es **obligatoria**, por ejemplo, la inscripción de las **sentencias** firmes dictadas en acciones colectivas o individuales por las que se declare la nulidad, cesación o retractación en la utilización de condiciones generales abusivas (L 7/1998 art.11.4).

No son inscribibles (OM 19-7-1999 art.6.1): **542**
a) Los **precontratos** o los actos preparatorios de otros inscribibles.
b) Los actos o contratos sobre **bienes no identificables**.
A estos efectos se considerarán **bienes identificables** todos aquellos en los que conste impresa la marca, modelo en su caso, y número de serie o fabricación de forma indeleble o inseparable en una o varias de sus partes fundamentales o que tengan alguna característica distintiva que excluya razonablemente su confusión con otros bienes. Tratándose de automóviles, camiones u otros vehículos susceptibles de matrícula, su identificación registral se efectuará por medio de aquélla o del número de chasis (LVPBM art.1.2; OM 19-7-1999 art.6.2).
Señalamos en los números siguientes los principales actos y contratos inscribibles.

Precisiones La **falta de matriculación** de una maquina vendimiadora y un tractor (que no siempre y en todo caso están obligados a ser objeto de matriculación) no impide la inscripción en el Registro de Bienes Muebles de una garantía civil y registral como es la reserva de dominio sobre bienes muebles que están en el tráfico jurídico y son identificables por su número de **bastidor y chasis** (DGSJFP Resol 18-7-22).

Garantías reales (L 14/2014 art.126 a 144; LHMPSD art.68) Tienen acceso al Registro las garantías reales que recaen sobre bienes muebles: **544**
a) La **hipoteca naval** (nº 4215 s.). Ha de inscribirse tanto la propiedad del buque como la hipoteca que se constituya sobre él. La hipoteca naval puede únicamente recaer sobre buques mercantes, construidos o en construcción. Ha de constituirse por escrito, haciéndose constar en escritura pública, póliza notarial o documento privado.
b) La **hipoteca mobiliaria** (nº 4180 s.), que puede recaer sobre:
- establecimientos mercantiles;
- vehículos de motor;
- aeronaves;
- maquinaria industrial;
- derechos de propiedad intelectual e industrial.

c) La **prenda sin desplazamiento** (nº 4200 s.) que, en atención a su objeto puede calificarse como:
- prenda agrícola: cuando recae sobre frutos, cosechas, ganado o maquinaria agrícola;
- prenda industrial: cuando se constituye sobre maquinaria industrial (que no sea susceptible de hipoteca de maquinaria industrial) y sobre mercaderías y materias primas almacenadas;
- prenda artística: cuando recae sobre objetos de valor artístico o histórico.

Con respecto a la hipoteca mobiliaria y la prenda sin desplazamiento, se han de inscribir los siguientes **títulos**: **546**
- los de su constitución y modificación;
- los de cesión por actos *inter vivos* y los de cancelación del crédito hipotecario o pignoraticio inscrito;
- los de la adjudicación mortis causa;
- las resoluciones judiciales firmes que declaren la nulidad, rescisión, revocación, resolución o cancelación de las hipotecas o prendas inscritas.

Mediante **anotación preventiva** han de registrarse:
• Los mandamientos judiciales de embargo y los de su cancelación, sobre bienes susceptibles de gravamen hipotecario o pignoraticio o sobre los créditos inscritos.
• Las demandas de nulidad del título inscrito.

Otros actos y contratos (OM 19-7-1999 art.4 y 5) También son inscribibles una serie de actos y contratos relativos a: **548**
• Las operaciones de **venta a plazos de bienes muebles**, de tal forma que tengan eficacia frente a terceros las reservas de dominio que se establezcan y las prohibiciones de disponer impuestas por la Ley en estos casos. La cuestión se trata más extensamente en el nº 1354 s.
• Ciertos contratos de **arrendamiento de bienes muebles**, como son los contratos de arrendamiento financiero *-leasing-*, otros arrendamientos con opción de compra, los arrendamientos de retro *-lease back-* y cualquier modalidad contractual de arrendamiento sobre bienes muebles corporales no consumibles e identificables (estos contratos se exponen en los nº 4575 s.).
• Las **resoluciones judiciales o administrativas** que afecten a los contratos, derechos o garantías inscritos.

Mediante **anotación preventiva**, tienen acceso al Registro fundamentalmente los siguientes actos:
- los embargos judiciales o administrativos sobre bienes muebles inscritos;
- las demandas judiciales sobre dichos bienes;
- los documentos calificados con defecto subsanable.

Precisiones 1) No cabe proceder a la anotación de un **embargo** sobre bienes respecto de los cuales existe previamente inscrita una **reserva de dominio**, dado que:

• El Registro de Bienes Muebles se configura hoy como un Registro de titularidades y gravámenes y no solo de estos últimos, por lo que el principio de tracto sucesivo encuentra en el mismo plena aplicación.

• La reserva de dominio no es una mera carga o gravamen, como puede entenderse respecto de las prohibiciones de disponer (que no son más que limitaciones del dominio, que impiden actos de enajenación voluntarios e inter vivos); sino que supone un verdadero reconocimiento de la titularidad del vendedor, de forma que el comprador de un bien con reserva de dominio a favor del vendedor carece de toda facultad dispositiva.

• En base a la presunción de legitimación registral, los Registradores denegarán los mandamientos de embargo sobre bienes vendidos a plazos con pacto de reserva de dominio o que hayan sido objeto de arrendamiento financiero en virtud de contratos inscritos en el Registro de Bienes Muebles, cuando el objeto del embargo sea la propiedad de tales bienes y el embargo se dirija contra persona distinta del vendedor, financiador, o arrendador.

Así, no es posible el **embargo contra un vehículo** con reserva de dominio a favor de persona distinta del embargado, sin constar fehacientemente la renuncia a la reserva de dominio del financiador, ni su cancelación (DGRN Resol 7-10-19).

2) No se puede inscribir en el Registro de Bienes Muebles una **sentencia** que declara el **dominio** de un vehículo a favor del demandante, cuando el titular registral de dicho vehículo no ha sido demandado. Además, si esa sentencia se ha dictado en rebeldía del demandado, antes de poder ser inscrita deben haber transcurrido los plazos de ejercicio de la **acción de rescisión de la sentencia** (DGRN 3-11-17).

550 **Condiciones generales de la contratación** (LCGC art.11 y 22; RD 1828/1999 art.2) Son inscribibles:

- las **cláusulas** contractuales que tengan carácter de condiciones generales de la contratación; y
- la **persistencia** en la utilización de cláusulas declaradas judicialmente nulas, acreditada suficientemente al registrador.

En esta sección del Registro no se depositan contratos, sino clausulados, independientemente de la forma privada o pública del contrato que las contenga. Una vez depositado un clausulado, el depósito favorece a todos los contratos en los que dicha cláusula se haya utilizado debido a la efectos *erga omnes* de la inscripción.

Además, son objeto de **anotación preventiva**, junto con el texto de la cláusula afectada:

• La interposición de acciones individuales de nulidad o de declaración de no incorporación de condiciones generales.

• La interposición de acciones colectivas de cesación, retractación o declarativas de condiciones generales.

• Las resoluciones judiciales que acuerden la suspensión cautelar de la eficacia de una condición general.

Estas anotaciones preventivas tienen una **vigencia** de 4 años a contar de la fecha de la misma anotación, siendo prorrogable hasta la terminación del procedimiento en virtud de mandamiento judicial de prórroga. Una vez prorrogadas se cancelan en virtud de resolución judicial que acredite la finalización del procedimiento.

Precisiones La redacción original del Reglamento del Registro de condiciones generales de la contratación determinaba que debían ser objeto de inscripción las ejecutorias en que se recogiesen sentencias judiciales firmes estimatorias que decidiesen sobre las **acciones individuales** de nulidad y sobre las **acciones colectivas** de cesación, retractación o declarativas (RD 1828/1999 art.2.1.a y b). Estas disposiciones fueron anuladas por el Tribunal Supremo (TS 12-2-02, EDJ 5877).

552 **Presunción de titularidad del bien** La presunción de titularidad y pertenencia de un bien mueble registrable, en el ámbito jurídico sustantivo, la determina el Registro de Bienes Muebles (DGRN Resol 27-4-17).

La caracterización del Registro de Bienes Muebles como registro de titularidades y no sólo de gravámenes, explica la incorporación del **principio de tracto sucesivo** en la ordenación de este Registro, de forma que dicho principio, junto con el principio de legalidad, básico en todo registro jurídico de bienes, permite al registrador la suspensión de una inscripción o anotación si consta que el bien de que se trata no pertenece a la persona que aparece como disponente de derechos sobre el mismo o contra la que se sigue una acción de reclamación de responsabilidades derivadas de obligaciones incumplidas (DGRN Resol 7-1-05; 24-1-05).

Paralelamente, nuestro ordenamiento prevé el **sobreseimiento** de todo procedimiento de **apremio** seguido respecto de bienes muebles tan pronto como conste en autos, por certificación del registrador, que sobre los bienes en cuestión constan inscritos derechos en favor de persona distinta de aquélla contra la cual se decretó el embargo o se sigue el procedimiento (LVPBM art.15.3; OM 19-7-99 art.24; LEC art.658).

Precisiones 1) En supuesto de **discordancia** entre la titularidad publicada en el Registro de Bienes Muebles y la publicada en el **Registro de Vehículos**, la discordancia se resuelve mediante la reanudación del tracto en el Registro de Bienes Muebles con la oportuna inscripción a favor del nuevo titular (a lo que se añade, como medida de seguridad reforzada, la notificación al anterior para que se oponga a la cancelación de su derecho si lo estima oportuno) (DGRN Resol 27-4-17).
2) La **reserva de dominio** no es una mera carga o gravamen, como puede entenderse respecto de las prohibiciones de disponer; sino que supone un verdadero reconocimiento a la titularidad del vendedor, de forma que el comprador de un bien con reserva de dominio a favor del vendedor carece de toda **facultad dispositiva**. Por tanto, no cabe la enajenación de bienes cuando los mismos estén afectados a una reserva de dominio (DGRN Resol 7-1-05). En términos similares, pero relacionados con un contrato de financiación con reserva de dominio: DGSJFP Resol 22-6-23.

Procedimiento registral Como ya hemos comentado, dentro de cada sección del Registro, se aplica la normativa específica reguladora de los actos o derechos inscribibles. Así pues, no existe una regulación uniforme del procedimiento de inscripción para todos los actos, derechos y gravámenes. En los números siguientes exponemos algunas **normas generales** que pueden extraerse de las distintas normas reguladoras. **554**
En los nº 1360 s. se expone con mayor detalle el procedimiento registral aplicable a las operaciones de **venta a plazos** de bienes muebles.

Competencia (OM 19-7-99 disp.trans.única; RD 1828/1999 art.4 y disp.trans.única; DGRN Resol 11-4-00) Los Registros de Bienes Muebles están a cargo de los **registradores** de la Propiedad y Mercantiles, salvo la sección de buques cuya llevanza sigue a cargo de los registradores de buques. **556**
Los criterios para determinar qué Registro de Bienes Muebles es el competente para la práctica de la inscripción son los que establece la legislación aplicable en cada caso y que dependen del tipo de bien o acto que se trate de inscribir:
1ª Los **buques construidos** se inscriben en el Registro que corresponda a la provincia o distrito marítimo en que se hallen matriculados.
2ª Los **buques en construcción** se inscriben en el Registro correspondiente al lugar en que se construyan.
3ª Las **aeronaves** se inscriben en el Registro Central de Bienes Muebles.
4ª Los **automóviles** en el Registro correspondiente al domicilio del comprador o arrendatario.
5ª Los **establecimientos mercantiles** se inscriben en el Registro en cuya demarcación esté situado el local de negocio en que aquéllos radiquen.
6ª La **maquinaria** industrial y bienes de equipo se inscriben en el Registro correspondiente al establecimiento mercantil al que estén afectos.
7ª Los **derechos de propiedad intelectual e industrial** se inscriben en el Registro Central de Bienes Muebles.
8ª Los **demás bienes muebles** registrables en el Registro que determine la Ley o, en su defecto, en el correspondiente al lugar del domicilio del titular del bien.
9ª Las **condiciones generales de los contratos**, y los mandamientos y ejecutorias relativas a resoluciones judiciales se inscriben en el Registro correspondiente al domicilio social o profesional del predisponente, o en su defecto al del establecimiento principal desde donde dirija y gestione fundamentalmente sus negocios.

Precisiones 1) En el Registro de Bienes Muebles se han unificado todos los registros mobiliarios hasta ahora existentes. Así los libros del **Registro de Hipoteca Mobiliaria y Prenda Sin Desplazamiento**, que se llevaban en los Registros de la Propiedad, se han trasladado a los Registros Mercantiles Provinciales encargados del Registro de Bienes Muebles.
2) No se debe confundir el Registro de Bienes Muebles con el **Registro Mercantil**, pues tienen objetos diferentes, aunque materialmente puedan ser despachadas por un mismo registrador, que en su doble condición esté a cargo de ambos registros (AP Madrid auto 30-1-09, EDJ 29032).

Inicio Como regla general, el procedimiento registral se inicia a **instancia de parte** interesada. En el caso de ventas a plazos de bienes muebles, es necesaria la petición de cualquiera de las partes. **558**
Solo en casos excepcionales se practican asientos registrales **de oficio**, como ocurre con la cancelación de anotaciones preventivas por caducidad.
En el Registro de Bienes Muebles se suaviza la **exigencia de titulación** pública para la presentación a inscripción:
• En lo que respecta a las **garantías reales**, solo se exige escritura pública para la inscripción de la hipoteca mobiliaria. En la prenda sin desplazamiento se permite la presentación de póliza notarial (LHMPSD art.13 y 74). En la hipoteca naval se exige escritura pública o documento privado (L 14/2014 art.128).
• En cuanto a los **contratos**, basta con que su forma se ajuste a los modelos oficiales aprobados (OM 19-7-1999 art.10 y 13; DGRN Resol 18-2-00).

• En la Sección del Registro de **condiciones generales** no se depositan contratos, sino clausulados, independientemente de la forma privada o pública del contrato en que se incorporen. Para ello basta la presentación de cualquier documento, ejemplar, tipo o modelo en que se contengan. La presentación puede hacerla el profesional que utilice los modelos o cualquier persona física o jurídica que se haya adherido a algún contrato que las contenga (RD 1828/1999 art.9).

Precisiones Mediante Resol DGRN 21-2-17, se ha aprobado la renovación y digitalización de los **modelos oficiales** de contratos de uso general y obligatorios para poder acceder a las ventajas y seguridad jurídica que proporciona la inscripción en el Registro de Bienes Muebles. Su cumplimentación se puede efectuar por medios electrónicos, sin necesidad de acudir a medios manuales o mecánicos de formalización. Los nuevos modelos son accesibles en la sede electrónica del Colegio de Registradores, web «registradores.org».
También se ha aprobado, mediante Resol DGRN 1-8-18, un modelo de **cláusula de tratamiento de datos** de carácter personal para su utilización voluntaria en los modelos de contratos inscribibles en el Registro de Bienes Muebles.

560 **Calificación registral** Con respecto a la inscripción de **contratos**, el registrador de bienes muebles ejerce una calificación atenuada, en la medida que el contrato tipo oficial está previamente aprobado por el Ministerio de Justicia (OM 19-7-1999 art.15.1).
En lo que respecta a las **garantías reales** se dispone que los registradores han de apreciar, bajo su responsabilidad, a la vista de los documentos presentados (LHMPSD art.72):
- la legalidad de las formas extrínsecas;
- la capacidad y la facultad de disposición de los otorgantes;
- la competencia del juez, tribunal o funcionario autorizante; y
- la legalidad del contenido de los documentos.

En materia de **condiciones generales** tampoco se califican sistemáticamente las condiciones generales depositadas, sin perjuicio de que en su ejercicio profesional, necesariamente tenga que incidir sobre determinados extremos: supuestos de ilegibilidad del clausulado, falta de acreditación de la cualidad de profesional, no concurrencia de los requisitos precisos para que la cláusula tenga el carácter de condición general, legitimación para solicitar el depósito, calificación de la persistencia en la utilización de las condiciones generales, etc. (RD 1828/1999 art.14).

562 En cuanto a los **recursos contra la calificación** que determine la suspensión o la denegación total o parcial, los interesados pueden interponer (OM 19-7-1999 art.18):
• Un **recurso de reposición** ante el propio registrador en el plazo de 20 días hábiles a partir de la fecha en que les haya sido notificada la calificación. El registrador debe dictar acuerdo reformando la calificación (total o parcialmente) o manteniéndola en el plazo de 10 días hábiles a partir del siguiente a la presentación del escrito interponiendo el recurso.
• Si no accede a lo solicitado en el escrito de interposición, se entiende formalizado el **recurso de alzada** ante la DGRN/DGSJFP. El Registrador debe elevar el escrito de los interesados al centro directivo en el plazo máximo de 2 días hábiles a partir de su acuerdo, acompañado del correspondiente informe. Se ha de poner nota expresiva de la interposición del recurso al margen del asiento de presentación.

564 **Inscripción** (LHMPSD art.74; L 14/2014 art.126 a 144; RD 1828/1999 art.11; OM 19-7-1999 art.15) Como con otras cuestiones, se aplica al respecto la normativa propia del acto o contrato inscribible.
Salvo en el caso de las condiciones generales, a cada bien se le debe abrir un **folio propio**, en el que se han de ir practicando todos los asientos relativos a dicho bien. El primer asiento que se practique ha de ser el de **inmatriculación**, es decir, la inscripción del dominio.
A continuación, se ha de inscribir el **acto o contrato** que motive el acceso al Registro: constitución de hipoteca mobiliaria, contrato de venta a plazos de bienes muebles, contrato de arrendamiento financiero, etc.
En el caso de las **condiciones generales** de la contratación, se asigna un número correlativo a cada predisponente, a medida que se realicen depósitos de condiciones generales suyas. En cada folio se hace constar, entre otros datos, el nombre del predisponente, el tipo de asiento practicado, la denominación de las condiciones generales y el traslado literal de éstas.

Precisiones Puede encontrarse un mayor detalle con respecto al **procedimiento de inscripción** en las normas reguladoras de las distintas operaciones:
- hipoteca mobiliaria: LHMPSD art.74; D 17-6-1955 art.15 a 33;
- hipoteca naval: L 14/2014 art.126 a 144;
- condiciones generales: RD 1828/1999 art.9 y 11;
- venta a plazos de bienes muebles: OM 19-7-1999 art.14 y 15.

Información al Registro Central (RD 1828/1999 disp.adic.única.4) Una vez practicada la inscripción en cada una de las secciones, el registrador competente debe **remitir copia** al registrador central en el plazo máximo de dos días hábiles siguientes. 566
Para la remisión pueden utilizarse soportes magnéticos de almacenamiento. También puede realizarse mediante **comunicación telemática** a través de terminales o de equipos autónomos susceptibles de comunicación directa con el ordenador del Registro Central.

Publicidad formal (LHMPSD art.78; RD 1828/1999 disp.adic.única.5; OM 19-7-1999 art.31 a 34) El Registro es público para quien tenga interés legítimo en conocer su contenido. 568
Se presume que tienen **interés legítimo** quienes sean parte en el contrato del cual nació el derecho inscrito, así como las personas o entidades que desempeñen una actividad profesional o empresarial relacionada con el tráfico jurídico de bienes muebles, tales como entidades financieras, abogados, procuradores, graduados sociales, auditores de cuentas, gestores administrativos y demás profesionales que desempeñen actividades similares, así como las entidades y organismos públicos y los detectives, siempre que expresen la causa de la consulta y ésta sea acorde con la finalidad del Registro.
La publicidad se hace efectiva por varios **medios**:
- por manifestación directa de los libros al interesado;
- por nota simple informativa;
- por certificación, literal o en extracto.
Los derechos y garantías inscritos solo pueden acreditarse en **perjuicio de tercero** mediante certificación.
El **registrador de bienes muebles central** puede expedir publicidad formal e instrumental de la base de datos formada por los datos remitidos por los registradores de bienes muebles.

Precisiones 1) La solicitud de **notas simples sobre vehículos a motor** inscrito en cualquier registro es posible a través de www.registradores.org.
2) Para solicitar **certificaciones** es necesario dirigirse al registro.
3) La **certificación literal** solo se expide a instancia de autoridad judicial o administrativa o de quien justifique interés en la obtención de la totalidad de los datos registrados.

SECCIÓN 4

Protección de datos en el tráfico mercantil

575

A. Cuestiones generales

580

Derecho constitucional El derecho a la protección de datos es un **derecho fundamental** de las personas físicas y por tanto tiene carácter esencial e inviolable al estar conectado directamente con la dignidad. 582
La Constitución (Const art.18.4) hace referencia a la informática centrándose en su potencialidad agresora de los derechos y libertades de las personas. Según este apartado, por ley se debe limitar el **uso de la informática** para garantizar el honor, la intimidad personal y familiar de los ciudadanos y el legítimo ejercicio de sus derechos.
El **contenido del derecho** fundamental a la protección de datos consiste en un poder de disposición y de control sobre los datos personales que faculta a la persona para decidir cuáles de esos datos proporcionar a un tercero, sea el Estado o un particular, o cuáles puede este tercero recabar, y que también permite al individuo saber quién posee esos datos personales y para qué, pudiendo oponerse a esa posesión o uso (TCo 292/2000).

584 Este **poder de disposición y control** sobre los datos personales constituye parte del contenido del derecho fundamental a la protección de datos y se concretan jurídicamente en la facultad de **consentir u oponerse** a:
- la recogida, la obtención y el acceso a los datos personales;
- su posterior almacenamiento y tratamiento;
- su uso o usos posibles, por un tercero, sea el Estado o un particular.

Este derecho no era una simple manifestación del **derecho a la intimidad** ya que este derecho no aporta por sí solo una protección suficiente frente a las amplias posibilidades que la informática ofrece, dado que una persona puede ignorar no sólo que datos suyos se hallan recogidos en un fichero, sino también si se han trasladado a otro y con qué finalidad. Se trata de un derecho en sí mismo frente a potenciales agresiones a la dignidad y libertad personales (TCo 254/1993).

El derecho fundamental a la protección de datos es un derecho de **configuración legal**, esto es un derecho para cuya plena eficacia es indispensable la intervención del legislador. La Constitución establece un contenido mínimo o esencial que vincula al propio legislador, pero es a este a quien corresponde delimitar su objeto, contenido y límites (TCo 292/2000).

No se trata de un derecho ilimitado, sino que por ley pueden fijarse **límites** para la protección de otros derechos o bienes constitucionalmente protegidos (p.e. la libertad de expresión e información). Respecto de la inclusión de estos límites, corresponde a las autoridades y a los órganos jurisdiccionales garantizar el justo equilibrio entre los derechos e intereses en juego (TJUE 6-11-03, C-101/01).

Precisiones **1)** Publicar las facturas cobradas por una persona, en el desarrollo de su actividad profesional de recaudador de tributos tiene una indudable **trascendencia pública y social**, sin intención de desacreditar, sino con la única finalidad de informar al contribuyente de los premios de cobranza percibidos por el recaudador municipal (AN 16-3-06, EDJ 293988).

2) Se debe atender a la **naturaleza de la información** que se facilita, la finalidad perseguida, el medio utilizado, el número de destinatarios posibles, la existencia de intereses generales en la obtención de ese tipo de información y su afectación al derecho a la intimidad en su manifestación de autodeterminación informativa. Así, publicar en una web una sentencia judicial completa incluyendo datos personales vulnera el derecho a la autodeterminación informativa. No se justifica por el derecho a la libertad de información cuando su finalidad era que se conociera el inadecuado comportamiento de una empresa sin que haya especial interés social en su divulgación (AN 17-3-06, EDJ 50446).

586 **Marco regulatorio** La regulación actual en materia de protección de datos se contiene principalmente en tres normas:

• En el **ámbito europeo**, la regulación contenida en:
- el Rgto (UE) 2016/679, relativo a la protección de las personas físicas en lo que respecta al tratamiento de datos personales y a la libre circulación de estos datos (en adelante, **RGPD**), directamente aplicable desde el 25-5-2018 en toda la Unión (RGPD art.99); y
- el Rgto (UE) 2022/868, sobre la gobernanza europea de datos (en adelante, **REGD**).

• La **regulación interna**, está contenida en la LO 3/2018, de protección de datos personales y garantía de los derechos digitales, que tiene por objeto adaptar nuestro ordenamiento al RGPD (en adelante, LOPD). Esta norma sustituyó, desde el 7-12-2018, a la LO 15/1999, incluyendo novedades y mejoras en la regulación del derecho a la protección de datos.

A nivel nacional, también deben destacarse estas **otras normas**:
- LO 7/2021, de protección de datos personales tratados para fines de prevención, detección, investigación y enjuiciamiento de infracciones penales y de ejecución de sanciones penales protección.
- RD 389/2021, por el que se aprueba el Estatuto de la Agencia Española de Protección de Datos.
- L 34/2002, de servicios de la sociedad de la información y de comercio electrónico, y L 11/2022, General de Telecomunicaciones, que incorpora la Dir 2002/58 relativa al tratamiento de los datos personales y a la protección de la intimidad en el sector de las comunicaciones electrónicas.

588 El RGPD es la **norma general** en materia de protección de datos en la Unión Europea y forma parte, junto con la Dir (UE) 2016/680, sobre protección de datos personales para las autoridades policiales y de justicia, del paquete de normas sobre protección de datos en la Unión Europea.

El RGPD tiene un **triple objeto**:
• Garantizar el derecho fundamental a la protección de datos personales.
• Proteger los derechos y libertades fundamentales de las personas físicas.
• La libre circulación de los datos personales en la UE.

Por su parte, el objeto de la **LOPD** es también triple (LOPD art.1):
1. Adaptar el ordenamiento jurídico español al RGPD.
2. Completar las disposiciones del RGPD, ya que los Estados miembros pueden precisar aún más la aplicación de las normas de protección de datos en sectores específicos, tales como el sector público, empleo y seguridad social, número nacional de identidad o acceso público a los documentos oficiales.
3. Garantizar los derechos digitales de la ciudadanía, en desarrollo de la Constitución (Const art.18.4), así como garantizar el pleno ejercicio de los derechos.

1. Definiciones

(RGPD art.4)

El Reglamento incluye un total de veintiséis definiciones, relativas a: 595
- Datos personales.
- Tratamiento y limitación del tratamiento.
- Elaboración de perfiles.
- Seudonimización.
- Fichero.
- Responsable del tratamiento o responsable.
- Encargado del tratamiento o encargado.
- Destinatario.
- Tercero.
- Consentimiento del interesado.
- Violación de la seguridad de los datos personales.
- Datos genéticos.
- Datos biométricos.
- Datos relativos a la salud.
- Establecimiento principal.
- Representante.
- Empresa.
- Grupo empresarial.
- Autoridad de control.
- Autoridad de control interesada.
- Tratamiento transfronterizo.
- Objeción pertinente y motivada.
- Servicio de la sociedad de la información.
- Organización internacional.

A continuación, estudiaremos los **conceptos más comunes** en la regulación de la protección de datos, remitiéndonos al nº 245 Memento Protección de Datos 2022-2023 para el resto de definiciones.

Datos personales (RGPD art.4.1) Por datos personales, se entiende toda información sobre 597
una **persona física** identificada o identificable (el «interesado»).

Se considera persona física **identificable** a toda persona cuya identidad pueda determinarse, directa o indirectamente, en particular mediante un identificador, como por ejemplo un nombre, un número de identificación, datos de localización, un identificador en línea o uno o varios elementos propios de la identidad física, fisiológica, genética, psíquica, económica, cultural o social de dicha persona (RGPD art.4.1).

En relación con este concepto, el GT29 parte de que se trata de un **concepto amplio**, ya que se dirige a proteger las libertades y los derechos fundamentales de las personas físicas y, en particular, su derecho a la intimidad, en lo que respecta al tratamiento de los datos personales (GT29 Dict 4/2007, WP 136).

Precisiones 1) Este concepto también **incluye**:
- nombre de una persona junto a su número de teléfono u otra información relativa a sus condiciones de trabajo o a sus aficiones (TJUE 6-11-03; AN 26-1-05, EDJ 150538);
- DNI (AN 27-10-04, EDJ 272346);
- datos relativos al ejercicio de una profesión (AN 11-2-04, EDJ 18079);
- dirección de correo electrónico (AN 20-11-02, EDJ 327588);
- imagen de una persona recogida en fotografías, películas u otros medios de reproducción (TCo 14/2003); y
- datos sobre solvencia patrimonial.

2) La normativa sobre protección de datos personales tiene por objeto la protección de los datos relativos a las personas físicas, por lo que no cabe incluir en su ámbito de aplicación a las **personas jurídicas** (TS 4-5-23, EDJ 565622).

599 **Datos especialmente protegidos** (RGPD art.9) Además, son datos personales especialmente protegidos:
- datos de **salud**; hay que entender comprendidas las informaciones concernientes a la salud pasada, presente y futura, física o mental de un individuo, incluyendo su porcentaje de discapacidad;
- información **genética**. Constituye el dato más relevante de cuántos afectan a la persona ya que en esa información está la constitución misma de la persona;
- **ideología**, afiliación sindical, creencias religiosas o filosóficas;
- datos sobre la vida u **orientación sexual**; y
- **datos biométricos** dirigidos a identificar de manera unívoca a una persona física (p.e. huella dactilar, mapa facial, etc.).

El RGPD establece un principio general en relación con estas categorías especiales de datos: la **prohibición de tratamiento** de los mismos. No obstante, se establece un amplio listado de **excepciones** a esta regla (RGPD art.9.2). Ver nº 759 Memento Protección de Datos 2022-2023.

Precisiones Los **datos de salud** son los datos personales relativos a la salud física o mental de una persona física, incluida la prestación de servicios de atención sanitaria, que revelen información sobre su estado de salud (RGPD art.4.15).
Son **datos genéticos** los datos personales relativos a las características genéticas heredadas o adquiridas de una persona física que proporcionen una información única sobre la fisiología o la salud de esa persona, obtenidos en particular del análisis de una muestra biológica de tal persona (RGPD art.4.13).
Son **datos biométricos** los datos personales obtenidos a partir de un tratamiento técnico específico, relativos a las características físicas, fisiológicas o conductuales de una persona física que permitan o confirmen la identificación única de dicha persona, como imágenes faciales o datos dactiloscópicos (RGPD art.4.14).

601 **Tratamiento y limitación del tratamiento** (RGPD art.4.2 y 3) El tratamiento de datos personales se **define** como cualquier operación o conjunto de operaciones realizadas sobre datos personales o conjuntos de datos personales, ya sea por procedimientos automatizados o no, como la recogida, registro, organización, estructuración, conservación, adaptación o modificación, extracción, consulta, utilización, comunicación por transmisión, difusión o cualquier otra forma de habilitación de acceso, cotejo o interconexión, limitación, supresión o destrucción.
De esta forma, prácticamente cualquier operación o conjunto de operaciones que se hagan con datos personales quedará dentro del concepto de tratamiento.

Precisiones 1) Deben ser **consideradas tratamiento**:
• Hacer referencia en una página web a datos personales (TJUE 6-11-03).
• La utilización de datos obtenidos de la oficina de recaudación municipal, sin consentimiento, para informar de condiciones financieras de productos bancarios (AN 27-4-03).
• Introducir en la base de datos de una compañía de seguros el número de cuenta corriente de una persona física (AN 9-11-05, EDJ 293956).
2) Sin embargo, **no se considera tratamiento** una simple llamada telefónica a una persona cuyos datos no se incorporan a ningún fichero. P.e. en el caso en que una persona entregó su currículo solicitando trabajo en un hotel, este hotel lo remitió a otro hotel donde se busca personal y tras la llamada se destruyó el currículum por la falta de interés de la persona en la oferta laboral (AN 18-12-06, EDJ 354184).
3) Los conceptos de **fichero y tratamiento** están íntimamente vinculados. Para que una actuación manual sobre datos personales (recogida, grabación, conservación, elaboración, modificación, bloqueo...) tenga la consideración de tratamiento de datos personales sujeto al sistema de protección de datos personales es necesario que dichos datos estén contenidos o destinados a ser incluidos en un fichero. Si no es así, el tratamiento manual de datos personales queda fuera del ámbito de aplicación de la ley (AN 18-12-06, EDJ 354184).

603 Por **limitación del tratamiento** se entiende el marcado de los datos de carácter personal conservados con el fin de limitar su tratamiento en el futuro. Entre los métodos para limitar el tratamiento de datos personales cabría incluir los consistentes en:
- **trasladar temporalmente** los datos seleccionados a otro sistema de tratamiento;
- **impedir el acceso** de usuarios a los datos personales seleccionados; o
- **retirar temporalmente** los datos publicados de un sitio internet.

En el caso de **ficheros automatizados**, la limitación debe realizarse, en principio, por medios técnicos, de forma que los datos personales no sean objeto de operaciones de tratamiento ulterior ni puedan modificarse.
En cualquier caso, que el tratamiento de datos personales esté limitado debe **indicarse claramente** en el sistema (RGPD considerando 67).

Elaboración de perfiles (RGPD art.4.4) Por elaboración de perfiles se entiende toda forma de tratamiento automatizado de datos personales consistente en utilizar datos personales para **evaluar determinados aspectos personales** de una persona física, en particular para analizar o predecir aspectos relativos al rendimiento profesional, situación económica, salud, preferencias personales, intereses, fiabilidad, comportamiento, ubicación o movimientos de dicha persona física. 605

El concepto de elaboración de perfiles incluye tres **elementos** (GT29 Directrices WP 251):
- debe ser una forma automatizada de tratamiento;
- debe llevarse a cabo respecto a datos personales; y
- el objetivo de la elaboración de perfiles debe ser evaluar aspectos personales sobre una persona física.

La elaboración de perfiles debe implicar cierta forma de **tratamiento automatizado** e implica analizar o hacer predicciones sobre las personas, que es como debe entenderse el término «evaluar», de manera que la elaboración de perfiles implica algún tipo de evaluación o juicio sobre una persona.

Con la finalidad de delimitar el **alcance** de la elaboración de perfiles, ha de considerarse que una simple clasificación de las personas basada en características conocidas, como su edad, sexo y altura, no da lugar necesariamente a una elaboración de perfil, estando la clave para considerar si la clasificación implica o no la elaboración de un perfil cuál sea la **finalidad** de dicha clasificación.

Seudonimización (RGPD art.4.5) La utilización de seudónimos o seudonimización consiste en el tratamiento de datos personales de manera tal que ya no puedan atribuirse a un interesado sin utilizar **información adicional**, siempre que dicha información adicional figure por separado y esté sujeta a medidas técnicas y organizativas destinadas a garantizar que los datos personales no se atribuyan a una persona física identificada o identificable. 607

Es fundamental tener en consideración que los datos personales que han sido seudonimizados, que cabría atribuir a una persona física mediante la utilización de información adicional, deben considerarse información sobre una **persona física identificable**. Es decir, queda claro que siguen siendo datos personales, lo que implica que sea aplicable la normativa sobre protección de datos (RGPD considerando 26).

Como **ejemplo** de datos seudónimos, el GT29 se refiere a los **datos cifrados**, explicando que la información contenida en esos datos se refiere a un individuo al que se asigna un código cifrado, mientras que la clave para descifrarlos, es decir para establecer la correspondencia entre el código y los identificadores habituales de la persona (nombre, fecha de nacimiento, dirección, etc.) se guardan por separado.

También, el GT29 se ha referido a la seudonimización en el dictamen sobre **técnicas de anonimización**, afirmando que la seudonimización no es un método de anonimización; simplemente, reduce la vinculabilidad de un conjunto de datos con la identidad original del interesado y es, en consecuencia, una medida de seguridad útil. Los datos seudonimizados no constituyen información anonimizada, ya que permiten **singularizar** a los interesados y vincularlos entre conjuntos de datos diferentes (GT29 Dict 5/2014 WP 216).

Fichero (RGPD art.4.6) Por fichero se entiende todo **conjunto estructurado** de datos personales, accesibles con arreglo a criterios determinados, ya sea centralizado, descentralizado o repartido de forma funcional o geográfica. 609

Los ficheros o conjuntos de ficheros, así como sus portadas, que **no estén estructurados** con arreglo a criterios específicos, no deben entrar en el ámbito de aplicación del Reglamento (RGPD considerando 15).

El fichero puede ser tanto automatizado como no automatizado. En relación con el **no automatizado**, la protección de las personas físicas debe aplicarse al tratamiento automatizado de datos personales, así como a su tratamiento manual, cuando los datos personales figuren en un fichero o estén destinados a ser incluidos en él.

Precisiones En relación con los conceptos de **tratamiento** y de **fichero**, la AEPD había expresado ya que están estrechamente vinculados entre sí. Podríamos decir que el fichero es el soporte físico -ya sea informático o de otra naturaleza- que almacena los datos con un determinado criterio organizativo, en tanto que el tratamiento es la operación que se realiza con los datos que se almacenan en dicho soporte (AEPD Inf 453/08).

Responsable del tratamiento (RGPD art.4.7) Se define al responsable del tratamiento como la persona física o jurídica, autoridad pública, servicio u otro organismo que, solo o junto con otros, determine los **fines y medios** del tratamiento. Si el Derecho de la Unión o de los Estados miembros determina los fines y medios del tratamiento, el responsable del 611

tratamiento o los criterios específicos para su nombramiento podrá establecerlos igualmente el Derecho de la Unión o de los Estados miembros.
La **función** principal del responsable del tratamiento es determinar quién debe asumir la responsabilidad del cumplimiento de las normas sobre protección de datos y de qué manera los interesados pueden ejercer sus derechos en la práctica.
Es además un elemento esencial para determinar la **legislación nacional aplicable** a una operación o conjunto de operaciones de tratamiento de datos.
La figura del responsable del tratamiento se estudia en profundidad en el nº 1500 s. Memento Protección de Datos 2022-2023.

Precisiones **1)** En el caso en que una empresa acometa la **externalización del servicio** de recabación y ordenación de datos no impide que sea la responsable del tratamiento, pues es la sociedad que externaliza el servicio quien decide sobre su finalidad y la que debe tener un control diligente sobre el fichero (AN 16-11-06, EDJ 321915).
2) Han de tenerse en cuenta en esta materia las Directrices CEPD 7/2020.

613 **Encargado del tratamiento** (RGPD art.4.8) El encargado del tratamiento se define como la persona física o jurídica, autoridad pública, servicio u otro organismo que trata datos personales **por cuenta del** responsable del tratamiento.
El encargado del tratamiento de datos personales tiene que cumplir una serie de **obligaciones**:
- tratar los datos personales únicamente siguiendo instrucciones documentadas del responsable;
- garantizar que las personas autorizadas para tratar datos personales se hayan comprometido a respetar la confidencialidad o estén sujetas a una obligación de confidencialidad de naturaleza estatutaria;
- tomar todas las medidas necesarias de seguridad (RGPD art.32);
- no contratar subencargados sin contar con la autorización del responsable, o sin firmar los contratos correspondientes;
- asistir al responsable a través de medidas técnicas y organizativas apropiadas para que este pueda cumplir con su obligación de responder a las solicitudes que tengan por objeto el ejercicio de los derechos de los interesados;
- ayudar al responsable a garantizar el cumplimiento de las obligaciones en política de riesgos, teniendo en cuenta la naturaleza del tratamiento y la información a disposición del encargado (materia de seguridad y de EIPD);
- suprimir o devolver todos los datos personales una vez finalice la prestación de los servicios de tratamiento, y las copias existentes a menos que se requiera legalmente la conservación de los mismos;
- poner a disposición del responsable toda la información necesaria para demostrar el cumplimiento de las obligaciones, así como para permitir y contribuir a la realización de auditorías, incluidas inspecciones, por parte del responsable o de otro auditor autorizado.

615 La relación entre el responsable del fichero y el encargado del tratamiento debe recogerse en un **contrato** que debe contener una serie de **elementos mínimos** (RGPD art.28):
- el objeto y la duración del encargo;
- la naturaleza del tratamiento;
- el tipo de datos personales;
- las categorías de interesados;
- las obligaciones y los derechos del responsable;
- la previsión de que las personas que deberán tratar los datos se han comprometido a mantener la confidencialidad;
- la asistencia del encargado al responsable para que pueda atender las solicitudes de ejercicio de derechos;
- la supresión o la devolución de los datos al finalizar el encargo;
- la obligación de poner a disposición del responsable toda la información necesaria para demostrar el cumplimiento de las obligaciones del encargado del tratamiento y para permitir y contribuir a la realización de auditorías e inspecciones por parte del responsable o de otro auditor autorizado por el responsable.

617 Una vez **cumplida la prestación contractual** por parte del encargado del tratamiento, los datos de carácter personal deben ser destruidos o devueltos al responsable del tratamiento, al igual que cualquier soporte o documentos en que conste algún dato de carácter personal objeto del tratamiento.
En el caso de que el encargado del tratamiento **destine los datos a otra finalidad**, los comunique o los utilice incumpliendo las estipulaciones del contrato, será considerado

también responsable del tratamiento, respondiendo de las infracciones en que hubiera incurrido personalmente.
El **acceso a los datos** por parte de un encargado del tratamiento que resulte necesario para la prestación de un servicio al responsable no se considera comunicación de datos.
El encargado del tratamiento puede **subcontratar** a su vez determinadas actividades de tratamiento por cuenta del responsable. En ese caso, se impondrán a este otro encargado las mismas obligaciones de protección de datos que las estipuladas en el contrato u otro acto jurídico entre el responsable y el encargado, en particular la prestación de garantías suficientes de aplicación de medidas técnicas y organizativas apropiadas de manera que el tratamiento sea conforme con el RGPD. Si el encargado subcontratado **incumple sus obligaciones** de protección de datos, el encargado inicial es plenamente responsable ante el responsable del tratamiento.

Destinatario (RGPD art.4.9) Es destinatario la persona física o jurídica, autoridad pública, servicio u otro organismo **al que se comuniquen datos personales**, se trate o no de un tercero. No obstante, no se consideran destinatarios las autoridades públicas que puedan recibir datos personales en el marco de una investigación concreta de conformidad con el Derecho de la Unión o de los Estados miembros. El tratamiento de tales datos por dichas autoridades públicas será conforme con las normas en materia de protección de datos aplicables a los fines del tratamiento. 619
Las **autoridades públicas** a las que se comunican datos personales en virtud de una obligación legal para el ejercicio de su misión oficial, como las autoridades fiscales y aduaneras, las unidades de investigación financiera, las autoridades administrativas independientes o los organismos de supervisión de los mercados financieros encargados de la reglamentación y supervisión de los mercados de valores, no deben considerarse destinatarios de datos si reciben datos personales que son necesarios para llevar a cabo una investigación concreta de interés general, de conformidad con el Derecho de la Unión o de los Estados miembros (RGPD considerando 31).

Tercero (RGPD art.4.10) Un tercero es la persona física o jurídica, autoridad pública, servicio u organismo distinto del interesado, del responsable del tratamiento, del encargado del tratamiento y de las personas autorizadas para tratar los datos personales bajo la autoridad directa del responsable o del encargado. 621
El concepto de tercero se entiende de una forma que no es distinta de la forma en que habitualmente se utiliza en Derecho civil, donde el tercero suele ser una **persona que no es parte** de una entidad o acuerdo, de manera que este concepto debería interpretarse como referente a cualquier persona que no tenga legitimidad o autorización específica -como la que emanaría, por ejemplo, de su función de responsable del tratamiento, encargado del tratamiento o sus empleados- para tratar datos personales.
Un tercero que recibe datos personales -ya sea de forma legítima o ilegítima- es, en principio, un **nuevo responsable del tratamiento**, siempre que se reúnan las demás condiciones para que dicho tercero pueda considerarse responsable del tratamiento y para la aplicación de la normativa sobre protección de datos.

Consentimiento del interesado (RGPD art.4.11) El consentimiento se **define** como toda manifestación de voluntad libre, específica, informada e inequívoca por la que el interesado acepta, ya sea mediante una declaración o una clara acción afirmativa, el tratamiento de datos personales que le conciernen. 623
Así, para que el **tratamiento** sea **lícito**, los datos personales deben ser tratados con el consentimiento del interesado o sobre alguna otra base legítima establecida conforme a Derecho, incluida la necesidad de cumplir la obligación legal aplicable al responsable del tratamiento o la necesidad de ejecutar un contrato en el que sea parte el interesado o con objeto de tomar medidas a instancia del interesado con anterioridad a la conclusión de un contrato (RGPD considerando 40).
Para más información sobre el consentimiento ver nº 690 s.

Violación de la seguridad de los datos personales (RGPD art.4.12) Se define como toda violación de la seguridad que ocasione la **destrucción, pérdida o alteración** accidental o ilícita de datos personales transmitidos, conservados o tratados de otra forma, o la comunicación o acceso no autorizados a dichos datos. 625
De producirse una violación de seguridad que afecte a los datos personales, el responsable del tratamiento ha de **notificarlo a la autoridad de control** en materia de protección de datos en un plazo máximo de 72 horas desde que se tenga conocimiento, salvo que sea improbable

que dicha violación de la seguridad constituya un riesgo para los derechos y las libertades de las personas físicas (RGPD art.33).
Cuando sea probable que la violación de la seguridad de los datos personales entrañe un alto riesgo para los derechos y libertades de las personas físicas, el responsable del tratamiento debe, sin dilación indebida, **comunicar** la existencia de dicha brecha a los **interesados** (RGPD art.34). Como **excepción**, no será necesario que el responsable del tratamiento comunique la brecha a los interesados si se da alguna de las siguientes circunstancias (RGPD art.34.3):
a) El responsable del tratamiento haya adoptado medidas de protección técnicas y organizativas apropiadas y estas medidas se hayan aplicado a los datos personales afectados por la violación de la seguridad.
b) El responsable del tratamiento ha tomado medidas ulteriores que garanticen que ya no existe la probabilidad de que se concretice el alto riesgo para los derechos y libertades del interesado.
c) Que suponga un esfuerzo desproporcionado.

Precisiones La AEPD ha lanzado esta herramienta para que todos los responsables del tratamiento de datos personales puedan valorar la obligación de comunicar a los interesados la existencia de una **brecha de seguridad** tal y como exige el RGPD art.34. La herramienta está disponible en el siguiente enlace: https://www.aepd.es/guias-y-herramientas/herramientas/comunica-brecha-rgpd

627 **Establecimiento principal** (RGPD art.4.16) Este concepto se refiere tanto al responsable como al encargado del tratamiento.
a) En lo que se refiere a un **responsable del tratamiento** con establecimientos en más de un Estado miembro, se considera establecimiento principal el lugar de su administración central en la Unión, salvo que las decisiones sobre los fines y los medios del tratamiento se tomen en otro establecimiento del responsable en la Unión y este último establecimiento tenga el poder de hacer aplicar tales decisiones, en cuyo caso el establecimiento que haya adoptado tales decisiones se considerará establecimiento principal.
Cuando el tratamiento lo realice un **grupo empresarial**, el establecimiento principal de la empresa que ejerce el control debe considerarse el establecimiento principal del grupo empresarial, excepto cuando los fines y medios del tratamiento los determine otra empresa (RGPD considerando 36).
b) En lo que se refiere a un **encargado del tratamiento** con establecimientos en más de un Estado miembro, el establecimiento principal es el lugar de su administración central en la Unión o, si careciera de esta, el establecimiento del encargado en la Unión en el que se realicen las principales actividades de tratamiento en el contexto de las actividades de un establecimiento del encargado en la medida en que el encargado esté sujeto a obligaciones específicas con arreglo al RGPD.

629 **Representante** (RGPD art.4.17) Se define como la persona física o jurídica establecida en la Unión que, habiendo sido designada por escrito por el responsable o el encargado del tratamiento, **represente al responsable o al encargado** en lo que respecta a sus respectivas obligaciones en virtud del presente Reglamento.
Es decir, cuando un responsable o encargado del tratamiento esté establecido **fuera de la UE** y trate datos personales de los interesados en la UE en el contexto de una oferta de bienes o servicios, o cuyo comportamiento esté siendo controlado, tendrá que designar **por escrito**, salvo excepciones, a un representante que atenderá a las consultas, en particular, de las autoridades de control y de los interesados, sobre todos los asuntos relativos al tratamiento, a fin de garantizar el cumplimiento de lo dispuesto en el presente Reglamento (RGPD art.3.4).

631 **Empresa** (RGPD art.4.18) Una empresa es la persona física o jurídica dedicada a una **actividad económica**, independientemente de su forma jurídica, incluidas las sociedades o asociaciones que desempeñen regularmente una actividad económica.
La empresa, cuando trata datos personales, puede ser tanto responsable como, en su caso, encargado del tratamiento.
Se trata de un concepto relevante ya que, en particular, el RGPD incluye una serie de **excepciones** en materia de llevanza de registros para organizaciones con menos de 250 empleados. El umbral de **250 empleados** es el criterio a considerar en la aplicación de la política pública de la UE consistente en evitar barreras a las microempresas y pymes por lo que se refiere a la aplicación de la normativa.

Autoridad de control (RGPD art.4.21) Se trata de la autoridad **pública independiente** establecida por un Estado miembro. 633

En España, la **Agencia Española de Protección de Datos** (AEPD) es la autoridad administrativa independiente de ámbito estatal designada para supervisar la aplicación de la protección de datos personales y garantía de los derechos digitales (RGPD art.51).

La AEPD **se rige** por lo dispuesto en el RGPD y la LOPD, sus disposiciones de desarrollo y su Estatuto, aprobado por RD 389/2021. Supletoriamente, en cuanto sea compatible con su plena independencia, se rige por la L 40/2015, de régimen jurídico del sector público y la L 39/2015, del procedimiento administrativo común de las Administraciones Públicas.

La AEPD cuenta con autonomía orgánica y funcional y actúa con plena independencia del Gobierno, de las Administraciones Públicas y de cualquier interés empresarial o comercial. La exigencia de **independencia** se concreta en una total autonomía en el desempeño de sus funciones y en el ejercicio de sus poderes y la garantía de que cada autoridad de control elija y disponga de su propio personal, que estará sujeto a la autoridad exclusiva del miembro o miembros de la autoridad de control interesada. De este modo, la AEPD tiene personalidad jurídica y plena capacidad pública y privada, que actúa con plena independencia de los poderes públicos en el ejercicio de sus funciones (LOPD art.44 y 48; RGPD art.52).

Un estudio detallado de las autoridades de control se recoge en el nº 3200 s. Memento Protección de Datos 2022-2023.

Precisiones La garantía de **independencia** de las autoridades de control nacionales trata de asegurar un control eficaz y fiable del respeto de la normativa en materia de protección de las personas físicas en lo que respecta al tratamiento de datos personales y debe interpretarse a la luz de dicho objetivo. La garantía de independencia no se ha establecido para conceder un estatuto particular a esas autoridades mismas o a sus agentes, sino para reforzar la protección de las personas y de los organismos afectados por sus decisiones. De lo anterior resulta que, en el ejercicio de sus funciones, las autoridades de control deben actuar con **objetividad e imparcialidad**, y, para ello, han de estar a resguardo de toda influencia externa, incluida la ejercida directa o indirectamente por el Estado o por los Länder, y no solamente de la de los organismos sujetos a control (TJUE 9-3-10, asunto C-518/07).

Aunque esta sentencia está aplicando la Dir 95/46/CE, ya derogada, su interpretación es perfectamente válida con el RGPD.

Una de las misiones esenciales de las autoridades de control es la de contribuir a la aplicación coherente del RGPD en todo el territorio de la UE (RGPD art.51.2). En este sentido, la propia norma comunitaria establece **mecanismos de cooperación y coherencia** para alcanzar dicho objetivo. 635

Así, se regula la cooperación entre la **autoridad de control principal** -que será la del establecimiento principal o único establecimiento del responsable o encargado de tratamiento (RGPD art.56.1)- y la **autoridad de control interesada** -aquella que sea competente para tratar una reclamación que le sea presentada, o investigar una posible infracción en caso de que se refiera únicamente a un establecimiento situado en su Estado o afecte de manera sustancial a interesados en su territorio (RGPD art.56.2)-; la asistencia mutua (RGPD art.61), la posibilidad de efectuar operaciones conjuntas (RGPD art.61); y la intervención, capital para mantener la mencionada coherencia, del Comité Europeo de Protección de Datos (RGPD art.68 a 76), mediante el dictamen del Comité (RGPD art.64) o la resolución de conflictos (RGPD art.65).

Precisiones La circunstancia de que estemos ante una norma reglamentaria y no una directiva pone de manifiesto la voluntad del legislador europeo de alcanzar un **nivel uniforme y elevado de protección** de las personas físicas en lo que se refiere al tratamiento de datos personales, que debe ser equivalente en todos los Estados miembros (RGPD considerando 10).

La Dir 95/46/CE, pese a que sus objetivos y principios siguen siendo válidos, acabó aplicándose de manera fragmentada, lo que ocasionó inseguridad jurídica y una percepción generalizada de que existía un alto riesgo de vulneración del derecho fundamental a la protección de datos (RGPD considerando 9).

Tratamiento transfronterizo (RGPD art.4.23) Por tratamiento transfronterizo se entiende: 637

a) El tratamiento de datos personales realizado en el contexto de las actividades de **establecimientos en más de un Estado miembro** de un responsable o un encargado del tratamiento en la Unión, si el responsable o el encargado está establecido en más de un Estado miembro.

b) El tratamiento de datos personales realizado en el contexto de las **actividades de un único establecimiento** de un responsable o un encargado del tratamiento en la Unión, pero que afecta sustancialmente o es probable que afecte sustancialmente a interesados en más de un Estado miembro.

Sobre este concepto, el GT29, en sus directrices para determinar la autoridad de control principal de un responsable o encargado del tratamiento (GT29 Directrices WP 244) incluye algunos **ejemplos**. Así, por ejemplo, habrá un tratamiento transfronterizo cuando una organización tenga **establecimientos en Francia y en Rumanía** y el tratamiento de datos personales tenga lugar en el contexto de sus actividades, así como cuando una organización solo realice actividades de tratamiento en su establecimiento de Francia. Aun en ese caso, si la actividad afecta sustancialmente, o es probable que afecte sustancialmente, a interesados de Francia y Rumanía, entonces constituirá también un tratamiento transfronterizo.

2. Ámbito de aplicación

640

a. Ámbito personal

645 **Ámbito de aplicación del RGPD** (RGPD art.2.1) El RGPD se aplica al tratamiento total o parcialmente automatizado de datos personales, así como al tratamiento no automatizado de datos personales contenidos o destinados a ser incluidos en un **fichero**.

La protección de datos aspira a proteger a la persona física frente a esas técnicas de tratamiento que generalmente encierran un **mayor riesgo** de que se pueda acceder fácilmente a los datos personales, por lo que el tratamiento no automatizado de los datos personales queda sujeto a la normativa sobre protección de datos cuando los datos personales estén contenidos o destinados a ser contenidos en un fichero, lo que permite su búsqueda conforme a un **criterio lógico de búsqueda** (GT29 Dict 4/2007 WP 136, referido a la Dir 95/46/CE, pero plenamente aplicable al RGPD).

Los ficheros o conjuntos de ficheros, así como sus portadas, que no estén **estructurados con arreglo a criterios específicos**, no deben entrar en el ámbito de aplicación del Reglamento (RGPD considerando 15).

647 **Excepciones o exclusiones** (RGPD art.2.2; GT29 Dict 4/2007 WP 136) El RGPD no se aplica al tratamiento de datos personales en los siguientes supuestos:

1. Actividades **fuera del ámbito de aplicación del Derecho de la UE**. En el ejercicio de una actividad no comprendida en el ámbito de aplicación del Derecho de la Unión Europea, como algunos servicios basados en tecnologías modernas que sirven como sistemas de financiación alternativos a los que se refiere la Dir (UE) 2018/843, relativa a la prevención de la utilización del sistema financiero para el blanqueo de capitales o la financiación del terrorismo.

2. Actividades relativas a la **política exterior y seguridad común**. Por parte de los Estados miembros, cuando lleven a cabo actividades relacionadas con la política exterior y seguridad común comprendidas en el ámbito de aplicación del Tít V Cap.2 del Tratado UE (en ese sentido TJUE 16-7-20, asunto C-311/18; 6-10-20, asunto C-623/17).

3. Actividades exclusivamente **personales o domésticas**. Se excluye el tratamiento de datos efectuado por una persona física en el ejercicio de actividades exclusivamente personales o domésticas, sin conexión alguna con una actividad profesional o comercial, como la correspondencia y la llevanza de un repertorio de direcciones o la actividad en las redes sociales y la actividad en línea realizada en el contexto de las citadas actividades.

Sin perjuicio de lo anterior, a pesar de no ser aplicable el RGPD a dichas actividades, sí es aplicable a los **responsables o encargados** del tratamiento que proporcionen los medios para tratar datos personales relacionados con tales actividades personales o domésticas (RGPD considerando 18).

4. Tratamiento de datos por **autoridades policiales o judiciales en el ámbito penal**. El RGPD no se aplica al tratamiento de datos personales por parte de las autoridades competentes con fines de prevención, investigación, detección o enjuiciamiento de infracciones penales, o de ejecución de sanciones penales, incluida la protección frente a amenazas a la seguridad pública y su prevención, que son objeto de la Dir (UE) 2016/680, transpuesta a nuestro Derecho por la LO 7/2021, de protección de datos personales tratados para fines de prevención, detección, investigación y enjuiciamiento de infracciones penales y de ejecución de sanciones penales.

649 **Otros tratamientos de datos personales excluidos** Sin perjuicio de lo anterior, también quedan fuera del ámbito de aplicación del RGPD:

a) Los **datos relativos a personas jurídicas**. El Reglamento no regula el tratamiento de datos personales relativos a personas jurídicas y, en particular, a empresas constituidas como personas jurídicas, incluido el nombre y la forma de la persona jurídica y sus datos de contacto (RGPD considerando 14).

b) Las **instituciones, órganos y organismos de la Unión Europea**. Los tratamientos de datos personales llevados a cabo por estas, tales como la Comisión Europea, el Parlamento

Europeo, el Consejo de la Unión Europea, el Banco Central Europeo o el Supervisor Europeo de Protección de Datos, son objeto de una **normativa específica**, en concreto, el Rgto (UE) 2018/1725, relativo a la protección de las personas físicas en lo que respecta al tratamiento de datos personales por las instituciones y los organismos comunitarios y a la libre circulación de estos datos.

c) Los **datos anonimizados**. Cuando los datos personales son objeto de un tratamiento cuyo resultado no permite identificar, definitivamente, a la persona física a la que se refieren, se produce la anonimización. Para anonimizar cualesquiera datos es necesario eliminar de ellos los elementos suficientes para que no pueda identificarse al interesado, por lo que hay que tratarlos de tal manera que no puedan usarse para identificar a una persona física mediante el conjunto de los medios que puedan ser razonablemente utilizados por el responsable del tratamiento o por terceros. Un factor importante al respecto es que el **tratamiento debe ser irreversible** (GT29 Dict 5/2014 WP 216).

Por tanto, si los datos personales son anonimizados, la consecuencia es que deja de ser aplicable la normativa sobre protección de datos personales ya que no permiten identificar o hacen identificable a la persona física a la que se refieren.

d) Los **datos relativos a personas fallecidas**. El RGPD no se aplica a la protección de datos personales de personas fallecidas, sin perjuicio de que los Estados miembros puedan establecer normas relativas al tratamiento de los datos personales de estas (RGPD considerando 27).

Ámbito de aplicación de la LOPD (LOPD art.2) Lo dispuesto en los Títulos I a IX y art.89 a 94 LOPD se aplica a: **651**

- todo tratamiento **total o parcialmente** automatizado de datos personales;
- los tratamientos **no automatizados** de datos personales contenidos o destinados a ser incluidos en un fichero.

Ha de tenerse en cuenta, no obstante, que quedan **excluidos** del ámbito de aplicación de la LOPD, los siguientes tratamientos de datos personales:

a) Los **excluidos** del ámbito de aplicación del **RGPD** (nº 647).

b) Los de **personas fallecidas**, sin perjuicio de lo previsto en la LOPD art.3.

c) Los sometidos a la normativa sobre **protección de materias clasificadas**.

b. Ámbito territorial

El RGPD distingue tres **supuestos**: **655**

- responsable o encargado del tratamiento establecido en la Unión Europea;
- responsable o encargado del tratamiento no establecido en la Unión Europea;
- responsable no establecido en la Unión Europea cuando sea de aplicación el Derecho nacional.

En esta materia hay que tener también en cuenta las **Directrices del CEPD** sobre el ámbito de aplicación territorial del RGPD (CEPD Directrices 3/2018; CEPD Directrices 5/2021), así como el régimen para las transferencias internacionales de datos. El estudio en detalle de estas directrices se recoge en el nº 235 s. Memento Protección de Datos 2022-2023.

Téngase en cuenta también que el RGPD es aplicable -con ciertas adaptaciones- en el ámbito del **Espacio Económico Europeo** -lo que incluye a Liechtenstein, Islandia y Noruega, países miembros del EEE que no pertenecen a la UE- (Decisión Comité Mixto EEE 154/2018).

Responsable o encargado del tratamiento establecido en la Unión Europea (RGPD art.3.1, considerando 22) El primer supuesto en el que el RGPD es aplicable es aquel en el que el responsable o el encargado traten los datos personales en el contexto de las actividades de un **establecimiento en la Unión Europea**, con independencia de dónde se traten los datos personales. Es decir, si el responsable o el encargado del tratamiento tienen un establecimiento en la Unión Europea y tratan los datos personales en el contexto de las actividades de este, con independencia de que el mismo se lleve a cabo en la Unión Europea o no, será aplicable el RGPD. **657**

En relación al significado de un establecimiento en la Unión Europea, este concepto implica el ejercicio de manera efectiva y real de una actividad a través de **modalidades estables**. La forma jurídica que revistan tales modalidades, ya sea una sucursal o una filial con personalidad jurídica, no es el factor determinante al respecto.

Responsable o encargado del tratamiento no establecido en la Unión Europea (RGPD art.3.2, considerandos 23 y 24) El RGPD se aplica también a tratamientos de datos realizados por un responsable o encargado no establecido en la Unión Europea, cuando los interesados se encuentren en la Unión y las actividades de tratamiento estén relacionadas con: **659**

1. La **oferta de bienes o servicios** a dichos interesados en la Unión, independientemente de si a estos se les requiere su pago. Debe determinarse si es evidente que el responsable o el

encargado proyecta ofrecer servicios a interesados en uno o varios de los Estados miembros de la Unión, ya que no basta para determinar dicha intención:
- la mera **accesibilidad del sitio web** del responsable o encargado o de un intermediario en la Unión, de una dirección de correo electrónico u otros datos de contacto; o
- el uso de una **lengua** generalmente utilizada en el tercer país donde resida el responsable del tratamiento.
Por tanto, lo relevante es prestar atención a que hay **factores**, como el uso de una lengua o una moneda utilizada generalmente en uno o varios Estados miembros con la posibilidad de encargar bienes y servicios en esa otra lengua, o la mención de clientes o usuarios que residen en la Unión, que pueden revelar que el responsable del tratamiento proyecta ofrecer bienes o servicios a interesados en la Unión.
La aplicación del RGPD a los responsables o encargados del tratamiento no establecidos en la Unión en estos casos tiene como **finalidad** garantizar que las personas físicas no se vean privadas de la protección a la que tienen derecho.
2. El **control de su comportamiento**, en la medida en que este tenga lugar en la Unión. Para determinar si se puede considerar que una actividad de tratamiento controla el comportamiento de los interesados, debe evaluarse si las personas físicas son objeto de un **seguimiento en internet**, inclusive el potencial uso posterior de técnicas de tratamiento de datos personales que consistan en la elaboración de un perfil de una persona física con el fin, en particular, de adoptar decisiones sobre él o de analizar o predecir sus preferencias personales, comportamientos y actitudes.
Los responsables o encargados del tratamiento de datos no establecidos en la Unión pero sujetos al RGPD según lo expuesto, tienen la obligación de designar un **representante en la Unión**.

661 **Responsable establecido en un tercer país donde sea de aplicación el Derecho de los Estados de la Unión Europea** (RGPD art.3.3 y considerando 25) El RGPD es aplicable al tratamiento de datos personales por parte de un responsable que no esté establecido en la Unión, sino en un lugar en que el Derecho de los Estados miembros sea de aplicación en virtud del **Derecho internacional público**. Eso significa que, cuando sea de aplicación el Derecho de los Estados miembros, en virtud del Derecho internacional público, el RGPD debe aplicarse también a todo responsable del tratamiento no establecido en la Unión, como en una misión diplomática u oficina consular de un Estado miembro.
Así, una **oficina consular o diplomática** de un Estado miembro, en calidad de responsable o encargado del tratamiento de los datos, estaría sujeta a todas las disposiciones pertinentes del RGPD, incluso en relación con los derechos del interesado, las obligaciones generales relacionadas con el responsable y el encargado y las transferencias de datos personales a terceros países u organizaciones internacionales.

3. Principios

665 Para que el tratamiento de los datos personales sea **lícito** es necesario que se cumpla con los principios aplicables.
En concreto, los principios relativos al tratamiento de los datos personales son los siguientes (RGPD art.5):
- Licitud, lealtad y transparencia.
- Limitación de la finalidad.
- Minimización de datos.
- Exactitud.
- Limitación del plazo de conservación.
- Integridad y confidencialidad.
- Responsabilidad proactiva.

Estos principios son esenciales en el tratamiento lícito de los datos personales, ya que estos se tratan de modo leal, para **fines concretos** (CDFUE art.8.2). Es decir, los principios son parte esencial del contenido del derecho fundamental a la protección de datos.
El tratamiento de datos personales infringiendo las obligaciones relativas a los principios en protección de datos, podrían dar lugar a la imposición de **multas administrativas** de 20.000.000 de euros como máximo o, tratándose de una empresa, de una cuantía equivalente al 4% como máximo del volumen de negocio total anual global del ejercicio financiero anterior, optándose por la de mayor cuantía (RGPD art.83.5).
En concreto, se tipifica como infracción la de los principios básicos para el tratamiento, incluidas las condiciones para el **consentimiento** (RGPD art.83.5.a).

Se considera como muy grave, prescribiendo a los 3 años, el tratamiento de datos personales vulnerando los principios y garantías establecidos en el RGPD art.5 (LOPD art.72.1.a).
En el caso de las **Administraciones públicas**, esta infracción daría lugar a su declaración, sin imponerse una multa. En concreto, la autoridad de protección de datos que resulte competente dictará resolución con apercibimiento. La resolución establecerá, asimismo, las medidas que proceda adoptar para que cese la conducta o se corrijan los efectos de la infracción que se hubiese cometido (LOPD art.77.2).

Licitud, lealtad y transparencia (RGPD art.5.1.a) Los datos personales han de ser tratados de manera lícita, leal y transparente en relación con el interesado. 667
Todo tratamiento de datos personales debe ser lícito y leal. Para las **personas físicas** debe quedar totalmente claro que se están recogiendo, utilizando, consultando o tratando de otra manera datos personales que les conciernen, así como la medida en que dichos datos son o serán tratados.
El principio de transparencia exige que toda información y comunicación relativa al tratamiento de dichos datos sea **fácilmente accesible y fácil de entender**, y que se utilice un **lenguaje sencillo y claro**. Dicho principio se refiere en particular a la información de los interesados sobre la identidad del responsable del tratamiento y los fines del mismo y a la información añadida para garantizar un tratamiento leal y transparente con respecto a las personas físicas afectadas y a su derecho a obtener confirmación y comunicación de los datos personales que les conciernan que sean objeto de tratamiento. Las personas físicas deben tener conocimiento de los riesgos, las normas, las salvaguardias y los derechos relativos al tratamiento de datos personales, así como del modo de hacer valer sus derechos en relación con el tratamiento (RGPD considerando 39).
Específicamente, la licitud del tratamiento implica, para que el tratamiento sea lícito, que los datos personales deben ser tratados con el **consentimiento** del interesado o sobre alguna **otra base legítima** establecida conforme a Derecho (RGPD considerando 40). Es decir, todo tratamiento de datos personales, para ser lícito, requiere de una base o condición de legitimación del tratamiento.
La **transparencia** es desarrollada, en particular, en el RGPD art.12 y en la LOPD art.11.

Finalidad de los datos (RGPD art.5.1.b) La limitación de la finalidad implica que los datos personales del interesado: 669
- han de ser recogidos con **fines** determinados, explícitos y legítimos; y
- no pueden ser **tratados posteriormente** de manera incompatible con dichos fines.

En particular, el tratamiento ulterior de los datos personales con fines de archivo en interés público, fines de investigación científica e histórica o fines estadísticos no se considera **incompatible** con los fines iniciales (RGPD art.89.1).
Los fines específicos del tratamiento de los datos personales deben ser **explícitos y legítimos**, y deben determinarse en el momento de su recogida (RGPD considerando 39).

Minimización de datos (RGPD art.5.1.c) Los datos personales que sean tratados, tienen que ser **adecuados, pertinentes y limitados** a lo necesario en relación con los fines para los que son tratados. Es decir, la finalidad o finalidades del tratamiento determina si los datos personales que se traten son los estrictamente necesarios, debiendo asegurarse el responsable de que así sea. 671

Precisiones No vulnera el derecho a la protección de datos la inclusión del trabajador en un grupo de whatsapp de la empresa si los datos objeto de tratamiento son los mínimos necesarios para la organización del trabajo particular y se ha informado a los trabajadores de que su finalidad es comunicar asuntos relacionados con el trabajo manteniendo la confidencialidad (AEPD Resol 50/2022, Exp 202105690).

Exactitud (RGPD art.5.1.d; LOPD art.4) Los datos personales deben ser exactos y, si es necesario, **actualizados**. Han de adoptarse todas las medidas razonables para que se **supriman o rectifiquen**, sin dilación, los datos personales que sean inexactos con respecto a los fines para los que se tratan. 673
Este principio está vinculado con el **derecho de rectificación** del interesado y es también parte esencial del contenido del derecho fundamental a la protección de datos, ya que toda persona tiene derecho a obtener la rectificación de sus datos personales (CDFUE art.8).
La exactitud de los datos implica que deben tomarse todas las medidas razonables para garantizar que se rectifiquen o supriman los datos personales que sean inexactos (RGPD considerando 39).
Sin perjuicio del derecho de rectificación, la LOPD se refiere al principio de exactitud y establece los supuestos en los que la inexactitud de los datos personales no es **imputable al responsable del tratamiento**.

A tal fin, con carácter general se requiere que el responsable del tratamiento haya adoptado todas las **medidas razonables** para que se supriman o rectifiquen sin dilación (LOPD art.4.2).
Son supuestos concretos de **datos personales inexactos**, con respecto a los fines para los que se tratan (LOPD art.4.2):
• El que hayan sido obtenidos por el responsable del **afectado**.
• El que hayan sido obtenidos por el responsable de un **mediador o intermediario**, en caso de que las normas aplicables al sector de actividad al que pertenezca el responsable del tratamiento establezcan la posibilidad de intervención de un intermediario o mediador que recoja en nombre propio los datos de los afectados para su transmisión al responsable.
El mediador o intermediario asumirá las responsabilidades que pudieran derivarse en el supuesto de comunicación al responsable de datos que no se correspondan con los facilitados por el afectado.
• El que sean sometidos a tratamiento por el responsable por haberlos recibido de **otro responsable** en virtud del ejercicio por el afectado del derecho a la portabilidad (RGPD art.20) y lo previsto en la LOPD.
• El que sean obtenidos de un **registro público** por el responsable.

675 **Plazo de conservación** (RGPD art.5.1.e) Los datos personales:
• Serán mantenidos de forma que se permita la identificación de los interesados durante **no más tiempo del necesario** para los fines del tratamiento de los datos personales.
• Podrán conservarse durante **períodos más largos** siempre que se traten exclusivamente con fines de archivo en interés público, fines de investigación científica o histórica o fines estadísticos, sin perjuicio de la aplicación de las medidas técnicas y organizativas apropiadas que impone el Reglamento a fin de proteger los derechos y libertades del interesado.
Este principio está vinculado con el de finalidad del tratamiento, de manera que la **minimización del tratamiento** requiere, en particular, garantizar que se limite a un mínimo estricto su plazo de conservación.
Para garantizar que los datos personales no se conservan más tiempo del necesario, el responsable del tratamiento ha de establecer **plazos para su supresión o revisión periódica** (RGPD considerando 39).

677 **Integridad y confidencialidad** (RGPD art.5.1.f y considerando 39; LOPD art.5) La integridad y la confidencialidad de los datos personales implica que estos han de ser tratados de tal manera que se garantice una **seguridad adecuada** de los mismos, incluida la protección contra el tratamiento no autorizado o ilícito y contra su pérdida, destrucción o daño accidental, mediante la aplicación de medidas técnicas u organizativas apropiadas Se trata, por tanto, del principio relacionado tanto con la confidencialidad de los datos personales tratados como de la seguridad del tratamiento.
Los datos personales deben tratarse de un modo que garantice una seguridad y confidencialidad adecuadas, inclusive para impedir el **acceso o uso no autorizados** de dichos datos y del equipo utilizado en el tratamiento.
Con respecto al principio de confidencialidad, los **responsables y encargados** del tratamiento de datos, así como todas las personas que intervengan en cualquier fase de este estarán sujetas al deber de confidencialidad.
Este deber es específico en materia de protección de datos, y será complementario de los deberes de **secreto profesional**, de conformidad con su normativa aplicable. Por ejemplo, la obligación de secreto estatutaria aplicable a algunas profesiones, como las de abogado o médico, se verá complementada por la obligación de secreto prevista en el RGPD y en la LOPD.
El deber de confidencialidad **se mantiene** aun cuando haya finalizado la relación del obligado con el responsable o encargado del tratamiento.

Precisiones **1)** Se ha considerado vulnerado el principio de confidencialidad, por ejemplo, por la exposición en los ascensores del edificio de un **acta de la junta de la comunidad de propietarios**, en la que se identificaba a los asistentes y representados, a los vecinos implicados en los temas tratados en la reunión, y a los afectados por un procedimiento de denuncia que se iba a iniciar, todos ellos con nombre y apellidos, planta y puerta (AEPD Resol 9-3-21).
2) Se impone una multa de 70.000 euros a una **empresa de mensajería** por entregar un paquete a un vecino del destinatario, ausente de su domicilio, sin contar con su consentimiento.
La empresa de mensajería alega que es un prestador de servicios que cumple los servicios acordados con el vendedor bajo las condiciones previstas en el **contrato suscrito entre ambos**, en el que se recoge, por un lado, la posibilidad de entrega del paquete al vecino en ausencia del destinatario; y por otro, la obligación del remitente del envío, el vendedor, de informar debidamente al destinatario sobre el tratamiento de sus datos en el marco de los servicios que ofrece la entidad reclamada.
Sin embargo, para la AEPD la responsabilidad de la empresa de mensajería no se excluye por las **cláusulas contractuales** expuestas, pues no ha acreditado que concurran los requisitos necesarios para ser considerado encargado del tratamiento (según RGPD art.28.3). El hecho de tener firmado

un contrato con el vendedor no le exime de responsabilidad, porque no se concreta si estamos ante un contrato de servicios o bien un contrato celebrado entre **responsable y encargado del tratamiento** de datos personales (AEPD Resol 3-11-22, Expte PS/00280/2022).

Responsabilidad proactiva («accountability») (RGPD art.5.2) La responsabilidad proactiva es un **principio general** que obliga al responsable del tratamiento a actuar con responsabilidad en la elección de las medidas técnicas y organizativas necesarias. 679

El **responsable del tratamiento** lo ha de ser también del cumplimiento de los principios previstos en el RGPD art.5.1 (descritos en los marginales anteriores) y ser capaz de demostrarlo. Es decir, el responsable del tratamiento tiene que asegurar el cumplimiento de los principios que legitiman el tratamiento de los datos personales a lo largo de todo el ciclo de vida de estos, desde que se obtienen hasta que, finalmente, se suprimen o anonimizan.

Debe quedar establecida la responsabilidad por **cualquier tratamiento** de datos personales realizado por el responsable de este o por su cuenta. En particular, debe estar obligado a aplicar **medidas oportunas y eficaces** y ha de poder demostrar la conformidad de las actividades de tratamiento con el RGPD, incluida la eficacia de las medidas (RGPD considerando 74).

El RGPD no pretende someter a los responsables del tratamiento de datos a nuevos principios, sino más bien **garantizar un cumplimiento efectivo** de los principios ya existentes (GT29 Dict 3/2010 apartado 36).

En síntesis, este principio exige una **actitud consciente, diligente y proactiva** por parte de las organizaciones frente a todos los tratamientos de datos personales que lleven a cabo.

Este «principio de principios» se desarrolla en profundidad, en un capítulo específico, en el nº 1200 s. Memento Protección de Datos y Derechos Digitales 2023-2024.

Precisiones Sobre este principio, en su sede electrónica, la Agencia Española de Protección de Datos incluye como pregunta frecuente qué es el principio de responsabilidad activa. Describiéndolo como la necesidad de que el responsable del tratamiento aplique **medidas técnicas y organizativas** apropiadas a fin de garantizar y poder demostrar que el tratamiento es conforme con el Reglamento (AEPD).

En términos prácticos, este principio requiere que las organizaciones analicen qué datos tratan, con qué finalidades lo hacen y qué tipo de operaciones de tratamiento llevan a cabo.

A partir de este conocimiento deben determinar de manera explícita la forma en que aplicarán las **medidas** que el RGPD prevé, asegurándose de que esas medidas son las adecuadas para cumplir con el mismo y de que pueden demostrarlo ante los interesados y ante las autoridades de supervisión.

B. Licitud del tratamiento

(RGPD art.6)

685

Sin perjuicio de cumplir con los principios relativos a la protección de datos (nº 665), el tratamiento de los datos personales únicamente será lícito cuando cumpla con algunas de las condiciones incluidas en el mismo, que son las **bases o condiciones de legitimación** del tratamiento. 687

El RGPD contempla **seis bases** legitimadoras:

• Consentimiento del interesado.

• Ejecución de un contrato en el que el interesado es parte o aplicación de medidas precontractuales a petición de este.

• Cumplimiento de una obligación legal aplicable al responsable del tratamiento.

• Proteger el interés vital del interesado o de otra persona física.

• Cumplimiento de una misión realizada en interés público o en el ejercicio de poderes públicos.

• Interés legítimo perseguido por el responsable del tratamiento o por un tercero.

Partiendo de la base de que, para que el tratamiento sea lícito, ha de estar amparado por **al menos una** de las seis bases legitimadoras mencionadas, se analizan a continuación, siguiendo el orden fijado en el propio Reglamento europeo.

1. Consentimiento

690 El principio del consentimiento constituye un **pilar básico** de la normativa de protección de datos y conlleva la necesidad del permiso del afectado para que puedan tratarse sus datos de carácter personal, salvo que la Ley disponga otra cosa. Se ha dicho del citado principio, que es la pieza angular a partir del cual se construye el sistema de protección de datos personales y que el consentimiento ocupa un lugar central en el esquema de protección de datos de la persona.

Se entiende por consentimiento toda **manifestación de voluntad** libre, específica, informada e inequívoca por la que el interesado acepta, ya sea mediante una declaración o una clara acción afirmativa, el tratamiento de datos personales que le conciernen (RGPD art.4.11; LOPD art.6).

Partiendo de su definición, y sin perjuicio de las condiciones para el consentimiento, lo importante es, en primer lugar, que debe darse para **todas las actividades de tratamiento** realizadas con el mismo o los mismos fines. En caso de que un tratamiento de datos personales tenga varios fines y se base en el consentimiento, debe darse para todos (RGPD considerando 32).

El consentimiento **no sirve como base de legitimación** del tratamiento cuando existe un desequilibrio de poder entre las partes, es decir, entre el responsable del tratamiento y el interesado. Para el Comité Europeo de Protección de Datos este **desequilibrio de poder** se produce, por ejemplo, en el **ámbito laboral**, ya que el empleado tiene una relación de dependencia con el empleador y, por tanto, resulta probable que no niegue su consentimiento para el tratamiento de sus datos personales al temer que pueda haber consecuencias negativas en otro caso. Por tanto, el consentimiento en este caso resulta problemático, tanto en el caso de empleados actuales como de candidatos a un puesto de trabajo.

692 El consentimiento permite al **interesado** ejercer el **control** sobre sus datos de carácter personal (la autodeterminación informativa), ya que es el propio interesado quien tiene que otorgar su consentimiento para que se pueda realizar el tratamiento de los citados datos, constituyendo una garantía fundamental que solo encuentra como excepciones a ese consentimiento, aquellos supuestos que por lógicas razones de interés general puedan ser establecidos por una norma con rango de Ley (RGPD art.4; LOPD art.6; TCo 292/2000; AN 13-4-05, EDJ 316817).

Corresponde al **responsable del tratamiento** demostrar que tiene el consentimiento necesario para poder tratar los datos personales (RGPD art.7.1). Esto significa que tendrá que adoptar e implementar **medidas** con la finalidad de, además de gestionar el consentimiento, poder demostrar que lo ha obtenido para poder tratar los datos personales durante todo el tiempo en el que el consentimiento sea la base de legitimación del tratamiento.

694 **Consentimiento de los menores de edad** (RGPD art.8; LOPD art.7) Los menores de edad tienen una protección específica al ser menos conscientes de los riesgos, consecuencias, garantías y derechos concernientes al tratamiento de datos personales (RGPD considerando 38).

En esta materia se distingue una **doble regulación** al fijar la **edad** del menor, tanto en el Reglamento como en la LOPD.

a) El **RGPD** fija la edad en la que el menor podrá dar su consentimiento, en relación con los servicios de la sociedad de la información, en los 16 años, aunque permite que tal edad pueda ser rebajada por normativa de los Estados miembros siempre que no sea inferior a los 13 años (RGPD art.8.1). Asimismo, se exige que el responsable del tratamiento haga esfuerzos razonables para verificar que quien ha prestado el consentimiento sea quien puede prestarlo (el titular de la patria potestad), habida cuenta de la tecnología disponible (RGPD art.8.2).

b) Por su parte, la **LOPD** hace uso de la habilitación que le ofrece el Reglamento, y rebaja los 16 años establecidos para prestar el consentimiento hasta los 14 años (LOPD art.7.1).

Indica que tal previsión encuentra su excepción en los casos en los que la ley exija la asistencia de los titulares de la patria potestad o tutela para la celebración del acto o negocio jurídico en cuyo contexto se recaba el consentimiento para el tratamiento.

Sensu contrario, recuerda que el tratamiento de los datos personales de los menores de 14 años solo será legítimo en los casos en los que la base legitimadora sea el consentimiento cuando este sea prestado por el titular de la patria potestad o tutela, con el alcance que determinen los titulares de la patria potestad o tutela (LOPD art.7.2).

696 **Condiciones del consentimiento** (RGPD art.6.1 y 7; LOPD art.6) El consentimiento debe ser:

1. **Libre**. Que el consentimiento se preste libremente supone que ha de obtenerse libre de vicios del *consentimiento* en los términos regulados en el Código civil (violencia, intimidación o error). Para valorar si el consentimiento ha sido prestado libremente, las cuestiones que se tendrán en cuenta son, entre otras, si la ejecución de un contrato, incluida la prestación de un servicio, se supedita al consentimiento al tratamiento de datos personales que no son necesarios para la ejecución de dicho contrato. Si el consentimiento está incluido como una parte no negociable de las condiciones generales se asume que no se ha dado libremente.

Se **presume** que el consentimiento **no se ha dado libremente** cuando no permita autorizar por separado las distintas operaciones de tratamiento de datos personales pese a ser adecuado en el caso concreto, o cuando el cumplimiento de un contrato, incluida la prestación de un servicio, sea dependiente del consentimiento, aun cuando este no sea necesario para dicho cumplimiento (RGPD considerando 43).
2. **Específico**. Implica que el afectado conozca con anterioridad al tratamiento la existencia del mismo y las finalidades para las que el mismo se produce (AEPD Inf 2000/00). El consentimiento del interesado para el tratamiento de sus datos debe darse para uno o varios fines específicos y el interesado puede elegir con respecto a cada uno de dichos fines. No son posibles los consentimientos genéricos o inespecíficos.

Precisiones 1) Es necesario obtener el consentimiento expreso del interesado con carácter previo al **almacenamiento de los datos de su tarjeta de crédito** tras la realización de una compra, con el fin de evitar riesgos para la seguridad y permitirle conservar el control sobre sus datos y decidir activamente sobre su uso. Este consentimiento permitirá al responsable del tratamiento demostrar la disposición de la persona a facilitar sus compras posteriores a través del sitio web o la aplicación concretos, ya que dicha disposición no puede presumirse por el mero hecho de que esa persona haya realizado una o varias operaciones independientes (CEPD Recomendaciones 2/2021).
2) El consentimiento debe recabarse igualmente en el caso de que se utilicen los datos de una empresa para enviarle **publicidad comercial**, pues ésta es una acción independiente y autónoma de la adquisición de la base de datos. La legitimidad de la posesión de los datos por parte de una concreta empresa no obsta a la posterior necesidad del recabado de un consentimiento específico para la remisión de comunicaciones comerciales (AN 23-7-13, EDJ 168503).
3) Respecto al envío de **comunicaciones comerciales por medio electrónicos**, la AEPD ha manifestado que solo está permitido si se cuenta con consentimiento previo del destinatario (principio de «opt in») o si existe una **relación contractual previa**, bajo las circunstancias específicas que dicta el art.21.2 LSSI, en tanto que los datos contactos obtenidos del destinatario sean usados lícitamente en referencia a productos o servicios de la misma empresa que se asemejen a los originalmente contratados por el cliente. Por aplicación del **principio de especialidad**, las reglas generales del RGPD ceden ante la regla especial de la LSSI para estos tratamientos en específico (AEPD Inf 0164/2018).

3. **Informado**. Esto significa que el afectado o interesado debe conocer que se va a realizar un tratamiento con sus datos y cuál va a ser el alcance de ese tratamiento. La información debe ser expresa, precisa e inequívoca en relación a la existencia del fichero o tratamiento, a la finalidad perseguida por la recogida de los datos y los destinatarios de la información, del carácter obligatorio o facultativo de las respuestas a las preguntas planteadas, de las consecuencias de la obtención de los datos o de la negativa a suministrarlos, de la posibilidad de ejercitar los derechos de acceso, rectificación, cancelación y oposición, así como de la identidad y dirección del responsable del tratamiento o, en su caso, de su representante. **698**

4. **Inequívoco**. El acto afirmativo a través del cual se manifieste el consentimiento se puede realizar mediante una declaración por escrito, pudiendo hacer uso también de medios electrónicos, o una declaración verbal. **700**
Si el consentimiento se da en una **declaración escrita** que trate otros asuntos, debe presentarse su solicitud distinguiéndola claramente de los demás asuntos, de forma inteligible y de fácil acceso y utilizando un lenguaje claro y sencillo (RGPD art.7.2). En concreto, para recabar el consentimiento se podría hacer uso de introducir una casilla que hubiera que marcar en un sitio web en internet, o bien mediante parámetros técnicos para la utilización de servicios de la sociedad de la información, o cualquier otra declaración o conducta siempre y cuando dicha conducta o declaración indicara claramente en este contexto que el interesado acepta el tratamiento de sus datos personales en cuestión. Sensu contrario, no son maneras válidas de recabar el consentimiento el silencio, las casillas ya marcadas o la inacción (RGPD considerando 32).
Como el consentimiento ha de ser inequívoco se excluye el **consentimiento presunto**, el RGPD introduce la imposibilidad de que el consentimiento se entienda entregado tácitamente y exige claramente una acción afirmativa. Ya no se permite, como lo hacía la LOPD que se entienda otorgado el consentimiento por inacción del interesado.

Precisiones 1) La persona física o jurídica que pretenda obtener tal consentimiento sí debe arbitrar los medios de **prueba** necesarios para que no quepa ninguna duda de que efectivamente tal consentimiento ha sido prestado, es decir, que la cesión de los datos personales ha sido consentida de modo claro y terminante (TS 29-1-09; AN 5-3-08; 30-6-04). En alguna ocasión se ha admitido la prueba por **indicios** de la existencia de un consentimiento inequívoco. P.e. en el caso de un agente comercial que concierta una venta y luego el comprador denuncia el uso de sus datos bancarios, se puede considerar indiciariamente que existió consentimiento de forma indubitada (AN 1-2-06).
2) En los supuestos de **contratación telefónica** el responsable del tratamiento el que debe asegurarse que aquel a quien solicita el consentimiento para un contrato efectivamente lo da, con cumplimiento de las garantías y cautelas fijadas en la L 7/1998 art.5.3 de condiciones generales de contratación y en el RD 1906/1999 art.5.1 y 2 que regula la contratacion telefónica o electrónica.

702 **Revocación** (RGPD art.7.3) El interesado tiene derecho a retirar su consentimiento en cualquier momento de manera tan **fácil** como fue darlo (p.e. si el consentimiento fue dado en una página web, no es válido exigir el envío de un correo electrónico).
El interesado debe ser **informado** de esta posibilidad en el momento de prestar su consentimiento y en caso contrario podría quedar invalidado el mismo.
La revocación del consentimiento para el tratamiento de datos no tiene **efectos retroactivos**.
La posibilidad de revocación del consentimiento **debe circunscribirse**, lógicamente, a aquellos tratamientos basados en un previo consentimiento del titular -que se revoca-, no a aquellos por ejemplo en que una ley que autoriza dicho tratamiento y se exime del consentimiento del afectado.

Precisiones Ya no se exige **justa causa** para revocar el consentimiento como hacía la antigua LO 15/1999 de protección de datos, sino que la revocación es libre y, tras la cual, el **responsable del tratamiento debe** cesar el mismo y eliminar los datos personales o anonimizarlos.

704 **Infracciones relacionadas con el consentimiento** Se distingue entre la regulación que se hace de este tema, tanto en el Reglamento como en la LOPD.
a) En el **RGPD** se prevé que podrán ser sancionadas con multas de hasta 20 millones de euros -de una cuantía equivalente al 4% como máximo del volumen de negocio total anual global del ejercicio financiero anterior- las entidades que vulneren lo dispuesto por los principios básicos para el tratamiento de datos personales, quedando incluidas aquí las relacionadas con las condiciones para el consentimiento exigidas por el RGPD art.5, 6, 7 y 9 (RGPD art.83.5).
b) En la **LOPD** se establecen, tanto infracciones muy graves como graves, vinculadas con la base legitimadora del consentimiento.
En concreto, se consideran **infracciones muy graves**:
- el de datos personales sin que concurra alguna de las condiciones de licitud del tratamiento establecidas en el RGPD art.6 -entre las que se encuentra el consentimiento- (LOPD art.72.1.b);
- el incumplimiento de los requisitos exigidos por el RGPD para la validez del consentimiento (LOPD art.72.1.c); y
- la utilización de los datos para una finalidad que no sea compatible con la finalidad para la cual fueron recogidos, sin contar con el consentimiento del afectado o con una base legal para ello (LOPD art.72.1.d).
Por su parte, serán calificadas como **infracciones graves**:
- el tratamiento de datos personales de un menor de edad sin recabar su consentimiento, cuando tenga capacidad para ello, o el del titular de su patria potestad o tutela, conforme al RGPD art.8 (LOPD art.73 a);
- el no acreditar la realización de esfuerzos razonables para verificar la validez del consentimiento prestado por un menor de edad o por el titular de su patria potestad o tutela sobre el mismo, conforme a las exigencias del RGPD (LOPD art.73 b).

2. Relación contractual

(RGPD art.6.1.b)

710 El tratamiento de datos personales es legítimo siempre que sea necesario:
- para la **ejecución** de un contrato en el que el **interesado es parte** (p.e., el suministro de servicios de luz, teléfono, agua, gas, etc., o realizar un pago con tarjeta de crédito); o
- para la aplicación de medidas **precontractuales** a petición del interesado. Quedan excluidas aquellas medidas que sean a iniciativa del responsable del tratamiento o de un tercero (GT29 Dict 6/2014 WP 217).

Esto es, el tratamiento debe ser lícito cuando sea necesario en el contexto de un contrato o de la intención de concluir un contrato (RGPD considerando 44).

Precisiones **1)** Debe hacerse una **interpretación restrictiva** de esta cuestión ya que se limita a tratamientos de datos personales necesarios para la ejecución del contrato, es decir, cuando sea necesario a tal fin. En concreto, quedarían **excluidos** aquellos casos en los que el responsable del tratamiento haya impuesto unilateralmente el tratamiento de los datos personales u otros en los que el hecho de existir un contrato no significa automáticamente que impliquen el tratamiento de los datos personales en los términos previstos en esta condición de legitimación. Por tanto, la esencia y el **objetivo fundamental del contrato** son claves para evaluar si el tratamiento de los datos personales es necesario para ejecutar o cumplir el contrato en interés del interesado (GT29 Dict 6/2014 WP 217).
2) El CEPD se ha ocupado de la aplicabilidad del RGPD art.6.1.b al tratamiento de datos personales en el contexto de los contratos de **servicios en línea**, en las CEPD Directrices 2/2019.

3. Cumplimiento de una obligación legal

(RGPD art.6.1.c)

Responsable del tratamiento El tratamiento de los datos personales será **lícito** cuando sea necesario para cumplir una obligación legal aplicable al responsable del tratamiento (RGPD art.6.1.c). 715

En particular, el tratamiento de los datos personales debe llevarse a cabo porque exista una **obligación** prevista en el Derecho de la Unión Europea o en el Derecho nacional. A la luz del RGPD, una norma puede ser la base de **varios tratamientos**, es decir, la obligación legal aplicable al responsable del tratamiento (RGPD considerando 45).

En el caso del **Derecho nacional**, el RGPD prevé que se puedan introducir disposiciones más específicas, lo que incluye fijar de manera más precisa los **requisitos específicos** de tratamiento y otras medidas que garanticen un tratamiento lícito y equitativo (RGPD art.6.2).

En concreto, cuando el Derecho de la Unión Europea o el Derecho nacional aplicable al responsable del tratamiento establezca la base de legitimación deberá determinar la finalidad del tratamiento y podrá determinar **condiciones específicas** relativas al tratamiento, tales como:

- las **condiciones generales** que rigen la licitud del tratamiento por parte del responsable;
- los **tipos de datos** objeto de tratamiento;
- los **interesados** afectados;
- las **entidades** a las que se pueden comunicar datos personales y los fines de tal comunicación;
- la **limitación** de la finalidad;
- los **plazos de conservación** de los datos, así como las operaciones y los procedimientos del tratamiento, incluidas las medidas para garantizar un tratamiento lícito y equitativo, como las relativas a otras situaciones específicas de tratamiento como, por ejemplo, la libertad de expresión y de información o en el ámbito laboral.

El Derecho de la Unión Europea o el Derecho nacional deberá cumplir un objetivo de **interés público** y será proporcional al fin legítimo perseguido (RGPD art.6.3).

Responsables o encargados del sector público El tratamiento de datos contacto de empresarios individuales y de profesionales liberales por responsables o encargados del sector público (LOPD art.77.1) puede llevarse a cabo cuando derive de una obligación legal o sea necesario para el ejercicio de sus competencias. 717

Este tratamiento tiene que cumplir con los siguientes **requisitos**:

a) Tratamiento de datos de contacto y los relativos a la función o puesto desempeñado de las **personas físicas** que presten servicios en una persona jurídica (LOPD art.19.1):

• Minimización del tratamiento: únicamente se tratarán los datos necesarios para su localización profesional.

• Finalidad del tratamiento: sea únicamente mantener relaciones de cualquier índole con la persona jurídica en la que el afectado preste sus servicios.

b) Tratamiento de los datos relativos a **empresarios individuales y profesionales liberales** (LOPD art.19.2):

• Cuando se refieran a ellos únicamente en dicha condición.

• Cuando no se traten para entablar una relación con los mismos como personas físicas.

4. Protección de intereses vitales

(RGPD art.6.1.d)

El tratamiento de los datos personales será **lícito** cuando sea necesario para proteger intereses vitales del interesado o de otra persona física. 720

Es decir, si es necesario para proteger un **interés esencial** para la vida del interesado o la de otra persona física (RGPD considerando 46).

Como **ejemplos** de tratamientos relativos al interés vital del interesado, podrían entenderse los necesarios para el contrato de epidemias o situaciones de emergencia humanitaria.

En relación con **otra persona física**, es necesario tener en cuenta que sus datos personales podrán tratarse en virtud de esta base de legitimación cuando no pudiera basarse en otra diferente (RGPD considerando 46).

La AEPD indica que esta base legitimadora es de aplicación a **situaciones especiales, urgentes o sobrevenidas** y que, por tanto, no debe constituir la causa de legitimación general de un tratamiento de datos personales (AEPD- Guía para el cumplimiento del deber de informar).

5. Interés público

(RGPD art.6.1.e)

725 El tratamiento de los datos personales es lícito cuando es necesario para el **cumplimiento de una misión** realizada en interés público o en el ejercicio de poderes públicos conferidos al responsable del tratamiento.

Se considera que el tratamiento de los datos personales está basado en el cumplimiento de una misión realizada en interés público o en el ejercicio de poderes públicos conferidos al responsable cuando la **competencia** correspondiente esté atribuida en una norma con rango de ley (LOPD art.8.2). Es decir, únicamente será lícito el tratamiento de datos personales para cumplir una misión realizada en interés público o el ejercicio de poderes públicos si está previsto en una ley.

Cuando el tratamiento de datos personales esté basado en el ejercicio de poderes públicos conferidos al responsable, exige la AEPD que, cuando se cumpla con el deber de información, se incluya una **referencia expresa**, evitando cualquier ambigüedad a la norma con rango de Ley, que confiere los poderes públicos o califica la misión como de interés público (AEPD-Guía para el cumplimiento del deber de informar)

Precisiones Un **ejemplo** de una misión realizada en interés público es cuando la **autoridad fiscal** obtiene y trata datos personales de la declaración de la renta de una persona para establecer y verificar el importe del impuesto. También, cuando un colegio de abogados u otro colegio profesional llevan a cabo un **procedimiento disciplinario** contra uno de sus miembros en virtud de los poderes disciplinarios que tienen atribuidos (GT29 Dict 6/2014 WP 217).

6. Interés legítimo

(RGPD art.6.1.f)

730 El tratamiento de los datos personales será **lícito** cuando sea necesario para satisfacer los intereses legítimos perseguidos por el responsable del tratamiento o por un tercero, siempre que sobre dichos intereses no prevalezcan los intereses o los derechos y libertades fundamentales del interesado que requieran la protección de datos personales.

El concepto de interés legítimo es amplio e implica que deba ser lícito, debiendo tener en consideración los **tres requisitos** siguientes:

• Licitud, ya sea conforme al Derecho de la Unión Europea o nacional.

• Estar articulado con claridad suficiente para permitir que la prueba de sopesamiento se lleve a cabo en contraposición a los intereses y los derechos fundamentales del interesado (es decir, suficientemente específico).

• Representar un interés real y actual (GT29 Dict 6/2014 WP 217).

La AEPD recuerda la importancia de **informar al interesado** de cuáles son los intereses legítimos en los que legitima el tratamiento de sus datos personales. En concreto, indica que se considera una buena práctica incluir un resumen de la ponderación de su legitimidad frente a los intereses y los derechos y libertades fundamentales del interesado, cuando ello contribuya al principio de transparencia (AEPD-Guía para el cumplimiento del deber de informar).

732 En el RGPD se han incluido varios **ejemplos** de tratamientos de datos personales basados o que podrían estar basados en el interés legítimo del responsable del tratamiento o de un tercero. Estos ejemplos son:

• El tratamiento de datos personales cuando es estrictamente necesario para prevenir el **fraude** (RGPD considerando 47).

• Puede considerarse realizado en interés legítimo el tratamiento de datos personales con fines de **mercadotecnia** directa (RGPD considerando 47).

• La transmisión de datos personales, tanto de empleados como de clientes, dentro de un grupo empresarial para **fines administrativos internos** (RGPD considerando 48).

• Cuando el tratamiento de los datos personales sea estrictamente necesario y proporcionado para garantizar la **seguridad de la red y de la información**, tales como impedir el acceso no autorizado a las redes de comunicaciones electrónicas y la distribución malintencionada de códigos, y frenar ataques de «denegación de servicio» y daños a los sistemas informáticos y de comunicaciones electrónicas (RGPD considerando 49).

734 **Sujetos legitimados para comunicar datos personales** (LOPD disp.adic.10ª) Los sujetos que se indican a continuación podrán comunicar los datos personales que les sean **solicitados por sujetos de derecho privado** cuando cuenten con el consentimiento de los afectados o aprecien que concurre en los solicitantes un interés legítimo que prevalezca sobre los derechos e intereses de los afectados (LOPD art.77.1).

Son los siguientes:
a) Los órganos constitucionales o con relevancia constitucional y las instituciones de las comunidades autónomas análogas a los mismos.
b) Los órganos jurisdiccionales.
c) La Administración General del Estado, las Administraciones de las comunidades autónomas y las entidades que integran la Administración local.
d) Los organismos públicos y entidades de Derecho público vinculadas o dependientes de las Administraciones públicas.
e) Las autoridades administrativas independientes.
f) El Banco de España.
g) Las corporaciones de Derecho público cuando las finalidades del tratamiento se relacionen con el ejercicio de potestades de derecho público.
h) Las fundaciones del sector público.
i) Las universidades públicas.
j) Los consorcios.
k) Los grupos parlamentarios de las Cortes Generales y las asambleas legislativas autonómicas, así como los grupos políticos de las corporaciones locales.

C. Derechos del titular de los datos

740

1. Información

(RGPD art.12, 13 y 14; LOPD art.11)

El **responsable del tratamiento** de los datos personales ha de tomar las medidas oportunas para facilitar al interesado, de forma gratuita, toda la información sobre el mismo, así como las comunicaciones relativas al ejercicio de los derechos y las violaciones de su seguridad. 745
Esta información, ha de **proporcionarse** de forma concisa, transparente, inteligible y con fácil acceso, con un lenguaje claro y sencillo, y, además, en su caso, visualizable.
Cuando la información **se traduce** a una o a varias lenguas distintas, el responsable del tratamiento debe garantizar que todas las traducciones son fieles y que la fraseología y la sintaxis tienen sentido en cada lengua, de forma que el texto traducido no deba ser descifrado o reinterpretado
La información debe facilitarse **por escrito** o por otros medios, inclusive, si procede, por medios electrónicos. Solo cuando lo solicite el interesado, la información puede facilitarse verbalmente siempre que se demuestre la identidad del interesado por otros medios.
Con carácter general, el responsable del tratamiento tiene la obligación de facilitar al **interesado** el **ejercicio de sus derechos**, recogidos en el RGPD art.15 a 22. Deberá proporcionar información de las actuaciones llevadas a cabo cuando reciba una **solicitud** de ejercicio de cualquiera de estos derechos, sin dilación indebida y, en cualquier caso, en el **plazo** de un mes a partir de la recepción de la solicitud, que puede prorrogarse otros 2 meses en caso necesario, teniendo en cuenta la complejidad y el número de solicitudes.
Si el responsable del tratamiento **no da curso a la solicitud** del interesado, le debe informar sin dilación, y a más tardar transcurrido un mes de la recepción de la solicitud, de las razones de su no actuación y de la posibilidad de presentar una reclamación ante una autoridad de control y de ejercitar acciones judiciales.

Información a proporcionar El **responsable del tratamiento** es quien tiene que cumplir con la obligación de proporcionar la información al interesado tanto si obtiene de él sus datos personales (RGPD art.13) como si los obtiene de tercero (RGPD art.14). 747
Cuando los datos a tratar se **obtienen directamente del interesado**, el responsable debe facilitar la siguiente información:
- la identidad y los datos de contacto del responsable y, en su caso, de su representante;
- los datos de contacto del delegado de protección de datos, si lo hay;

- los fines del tratamiento a que se destinan los datos personales y la base jurídica del tratamiento;
- cuando el tratamiento es necesario para la satisfacción de intereses legítimos del responsable o de un tercero, los intereses legítimos del responsable o del tercero (RGPD art.6.1.f);
- los destinatarios o las categorías de destinatarios de los datos personales, en su caso;
- la intención del responsable de transferir datos personales a un tercer país u organización internacional y la existencia o ausencia de una decisión de adecuación de la Comisión;
- el plazo durante el cual se conservarán los datos personales o, cuando no sea posible, los criterios utilizados para determinar este plazo;
- la existencia del derecho a solicitar al responsable del tratamiento el acceso a los datos personales relativos al interesado, y su rectificación o supresión, o la limitación de su tratamiento, o a oponerse al tratamiento, así como el derecho a la portabilidad de los datos;
- si el interesado dio su consentimiento para un tratamiento específico, la existencia del derecho a retirar el consentimiento en cualquier momento, sin que ello afecte a la licitud del tratamiento basado en el consentimiento previo a su retirada (nº 775 s.);
- el derecho a presentar una reclamación ante una autoridad de control;
- si la comunicación de datos personales es un requisito legal o contractual, o un requisito necesario para suscribir un contrato, y si el interesado está obligado a facilitar los datos personales y está informado de las posibles consecuencias de que no facilitar tales datos;
- la existencia de decisiones automatizas, incluida la elaboración de perfiles, así como la importancia y las consecuencias previstas de dicho tratamiento para el interesado.

Si los datos se **obtienen de terceros** (p.e., a través de alguna cesión legítima o de fuentes de acceso público), además de lo anterior, el responsable del tratamiento debe facilitar la siguiente información:
- las categorías de datos personales de que se trate;
- la existencia del derecho a solicitar al responsable del tratamiento el acceso a los datos personales relativos al interesado, y su rectificación o supresión, o la limitación de su tratamiento, y a oponerse al tratamiento, así como el derecho a la portabilidad de los datos;
- la fuente de la que proceden los datos personales y, en su caso, si proceden de fuentes de acceso público.

749 **Excepciones a la obligación de información** (RGPD art.13.4, 14.5 y considerando 62) La obligación de informar al interesado sobre el tratamiento de sus datos personales no es aplicable cuando y en la medida en que este **ya disponga** de la información, con independencia de que los mismos se hayan obtenido del propio interesado o no.

A estos efectos, el **principio de responsabilidad proactiva** exige que los responsables del tratamiento demuestren y documenten de qué información dispone ya el interesado, cómo y cuándo la recibió, y que desde entonces no se han producido alteraciones en dicha información que la hagan obsoleta (GT29 Directrices WP 260).

No obstante, cuando los datos **no se hayan obtenido del interesado**, además de la anterior, la norma recoge también **otras excepciones**, que, en cualquier caso, han de interpretarse de manera restrictiva (RGPD art.14.5; GT29 Directrices WP 260):
• Si la comunicación de la información resulta imposible, un esfuerzo desproporcionado u obstaculice gravemente los fines del tratamiento.
• La obligación de comunicar los datos está prevista por una norma que resulte aplicable.
• Si los datos deben ser confidenciales sobre la base de una obligación de secreto profesional.

2. Acceso

(RGPD art.15 y considerando 63; LOPD art.13)

755 El derecho de acceso a los datos personales tiene carácter de **derecho esencial** ya que, más allá de su propio ejercicio, permite al interesado saber si una organización está tratando o no sus datos personales y, si procede, ejercitar los demás derechos que se le reconocen en el RGPD art.16 s.

Los interesados tienen derecho a acceder a los datos personales recogidos que le conciernan y a ejercer dicho derecho **con facilidad y a intervalos razonables**, con el fin de conocer y verificar la licitud del tratamiento.

Es decir, en virtud del derecho de acceso el interesado al que se refieren los datos personales objeto de tratamiento obtiene:
- la confirmación de si el responsable **trata sus datos** o no; y,
- en caso de que los datos personales del interesado sean objeto de tratamiento, el **acceso** a los mismos y a la **información** sobre dicho tratamiento.

El ejercicio del derecho de acceso **supone** el acceso a los datos personales en sí mismos y no a una mera descripción general de los datos personales objeto de tratamiento, ni una referencia a las categorías de datos personales objeto de tratamiento por parte del responsable (CEPD Directrices 1/2022).

Información a facilitar (RGPD art.15.1) La información que debe tener el interesado que ejercita el derecho de acceso a sus datos personales es la incluida en el RPGD art.13 y 14: **757**

• Los **fines** del tratamiento de los datos personales.
• Las **categorías** de datos personales que se traten.
• Los **destinatarios** o las categorías de destinatarios a los que se comunicaron o serán comunicados los datos personales, en particular, los destinatarios en países terceros u organizaciones internacionales.
• El **plazo** previsto de conservación de los datos personales, o si no es posible, los criterios utilizados para determinar este plazo.
• La existencia del **derecho del interesado** a solicitar al responsable: la rectificación o supresión de sus datos personales, la limitación del tratamiento de sus datos personales u oponerse a ese tratamiento.
• El derecho a presentar una **reclamación** ante una autoridad de control.
• Cuando los datos personales no se hayan obtenido directamente del interesado, cualquier **información** disponible sobre su origen.
• La existencia de **decisiones automatizadas**, incluida la elaboración de perfiles, y, al menos en tales casos, información significativa sobre la lógica aplicada, la importancia y las consecuencias previstas de ese tratamiento para el interesado.
• Cuando se **transfieran datos personales** a un tercer país o a una organización internacional, información sobre las garantías adecuadas en las que se realizan las transferencias.

Es así que, el interesado, cuyos **datos personales son objeto de tratamiento** por el responsable, tiene derecho a conocer y a que se le comuniquen, en particular, los fines para los que se tratan los datos personales, su plazo de tratamiento, sus destinatarios, la lógica implícita en todo tratamiento automático de datos personales y, por lo menos cuando se base en la elaboración de perfiles, las consecuencias de dicho tratamiento (RGPD considerando 63).

Solicitud de acceso (RGPD art.15.3 y considerando 63; LOPD art.13) La solicitud de acceso puede realizarse directamente por el interesado o por medio de representante legal o voluntario. **759**

Es el **responsable** del tratamiento, es quien tiene que cumplir con las obligaciones relativas al ejercicio de los derechos y debe atender a la solicitud, lo que no impide que, en la práctica, pueda encomendar al **encargado** del tratamiento la gestión, en su nombre y por su cuenta, de dicha solicitud. Es decir, nada impide, siempre y cuando así se haya instruido al encargado del tratamiento y esté previsto en el contrato u otro acto jurídico, que el encargado del tratamiento se ocupe de gestionar la solicitud de ejercicio de los derechos.

El responsable del tratamiento cumple con este derecho cuando facilita al afectado un **sistema de acceso remoto**, directo y seguro a los datos personales que garantice, de modo permanente, el acceso a su totalidad. A tales efectos, la comunicación por el responsable al afectado del modo en que este podrá acceder a dicho sistema bastará para tener por atendida la solicitud de ejercicio del derecho.

El responsable del tratamiento debe facilitar una **copia** de los datos personales objeto del tratamiento, lo que no debe ser entendido como un derecho adicional del interesado, sino una forma de proporcionar acceso a sus datos personales. Por tanto, si el acceso a los datos se hiciera facilitando una copia de estos, se entiende ya cumplida la obligación que establece el RGPD art.15.3 (CEPD Directrices 1/2022).

En aquellos casos en los que el responsable del tratamiento trata una **gran cantidad de información** relativa al interesado, este debe estar facultado para solicitar que, antes de facilitarse la información, el interesado especifique la información o actividades de tratamiento a que se refiere la solicitud.

Si bien la norma general es que el ejercicio del derecho de acceso es **gratuito**, existen dos **excepciones** que son las relativas:
- a que el interesado presente solicitudes excesivas; o
- que solicite que se atienda a su derecho de acceso por medios distintos a los ofrecidos por el responsable del tratamiento que supongan un coste desproporcionado.

3. Oposición

(RGPD art.21; LOPD art.18)

765 El derecho de oposición es un integrante del **contenido esencial** del derecho a la protección de datos personales al contemplar la facultad de oponerse a la posesión y uso de los datos personales como complemento indispensable del derecho a consentir el conocimiento y tratamiento de los mismos (TCo 290/2000).

Este derecho **consiste** en que el afectado se niegue, por motivos relacionados con su situación particular, a que sus datos de carácter personal sean objeto de tratamiento. En concreto, el interesado tiene derecho a oponerse al tratamiento de sus datos personales relativos a su situación personal en los siguientes **supuestos**:

• Cuando los datos personales del interesado se tratan sobre la base de una misión de interés público, del interés legítimo o para la formulación, el ejercicio o la defensa de reclamaciones.

• Cuando la finalidad del tratamiento de los datos personales a la mercadotecnia directa o publicidad.

• Cuando el tratamiento de los datos personales con fines de investigación científica o histórica o fines estadísticos.

Por otro lado, cuando el derecho de oposición se ejerce en el contexto de los servicios de la **sociedad de la información**, el interesado podrá ejercer su derecho a oponerse por medios automatizados que apliquen especificaciones técnicas.

Ejercitado el derecho de oposición, el **responsable del tratamiento** debe dejar de tratar los datos personales, salvo que acredite motivos legítimos imperiosos para el tratamiento que prevalezcan sobre los intereses, los derechos y las libertades del interesado, o para la formulación, el ejercicio o la defensa de reclamaciones.

4. Rectificación

(RGPD art.16; LOPD art.14)

770 El interesado tiene derecho a que, sin dilación indebida, el responsable del tratamiento rectifique los **datos personales inexactos** que le conciernan. Asimismo, teniendo en cuenta los fines del tratamiento, también tiene derecho a que se completen los que sean **incompletos**, inclusive mediante una declaración adicional.

La **solicitud** del derecho de rectificación que realice el interesado debe:

- indicar a qué datos personales se refiere y la rectificación a realizar; y
- acompañar, cuando sea preciso, es decir, cuando sea necesario, la documentación justificativa de la inexactitud o del carácter incompleto de los datos personales tratados.

Además de la presentación directamente por el propio interesado, el derecho de rectificación puede ejercerse también por medio de **representante** legal o voluntario (LOPD art.12.1)

Si el responsable ha **comunicado** esos datos a **otras partes**, debe informarles para que procedan a rectificar los datos inexactos, siempre que no sea imposible o suponga un esfuerzo desproporcionado.

5. Supresión y olvido

(RGPD art.17; LOPD art.15)

775 El interesado tiene derecho a obtener, sin dilación indebida, la supresión de los datos personales que le conciernen cuando se da alguna de las **circunstancias** siguientes:

- los datos personales ya no son necesarios en relación con los fines para los que fueron recogidos o tratados;
- el interesado retira el consentimiento en que se basa el tratamiento y no se basa en otro fundamento jurídico;
- el interesado se opone al tratamiento y no prevalecen otros motivos legítimos;
- los datos personales han sido tratados ilícitamente;
- los datos personales deben suprimirse para el cumplimiento de una obligación legal;
- los datos personales se han obtenido en relación con la oferta de servicios de la sociedad de la información.

El responsable del tratamiento, si ha hecho públicos los datos personales y debe suprimirlos, teniendo en cuenta la tecnología disponible y el coste de su aplicación, debe adoptar **medidas razonables**, incluidas medidas técnicas, con miras a informar a los responsables que estén tratando los datos personales de la solicitud del interesado de supresión de cualquier enlace a esos datos personales, o cualquier copia o réplica de los mismos.

El derecho de supresión y olvido **no se aplica** cuando el tratamiento sea necesario: 777
- para ejercer el derecho a la libertad de expresión e información;
- para el cumplimiento de una obligación legal que requiera el tratamiento de datos impuesta por el Derecho de la Unión o de los Estados miembros que se aplique al responsable del tratamiento, o para el cumplimiento de una misión realizada en interés público o en el ejercicio de poderes públicos conferidos al responsable;
- por razones de interés público en el ámbito de la salud pública;
- con fines de archivo en interés público, fines de investigación científica o histórica o fines estadísticos, en la medida en que el derecho indicado pudiera hacer imposible u obstaculizar gravemente el logro de los objetivos de dicho tratamiento, o
- para la formulación, el ejercicio o la defensa de reclamaciones.

6. Limitación del tratamiento

(RGPD art.18; LOPD art.16)

El derecho a la limitación del tratamiento tiene por **objeto** que los datos personales no sean modificados o suprimidos, sino que se mantengan con la finalidad de que el interesado, entre otros supuestos, pueda utilizarlos para demostrar a la autoridad competente un tratamiento ilícito, utilizarlos en caso de una reclamación o que el responsable del tratamiento compruebe la exactitud de los datos personales tratados. 780
Este derecho tiene un doble alcance:
a) **Suspensión del tratamiento**. El interesado puede solicitar la suspensión del tratamiento de sus datos personales cuando se dé alguno de los dos siguientes supuestos:
- Se impugne la **exactitud** de los datos personales, durante un período que permita al responsable verificar esta exactitud.
- Se haya **opuesto al tratamiento** sobre la base del interés legítimo o misión de interés pública, mientras que el responsable del tratamiento verifica si motivos sobre los que se basa el responsable del tratamiento para tratar los datos personales prevalecen sobre los del interesado.
b) **Conservación de los datos personales**. El interesado puede solicitar al responsable del tratamiento la conservación de sus datos personales cuando:
- El tratamiento sea ilícito y el interesado se ha opuesto a la supresión de sus datos, solicitando en su lugar su **limitación de uso**.
- El responsable ya no necesite los datos personales para los fines del tratamiento, pero el interesado los necesite para la formulación, el ejercicio o la **defensa de reclamaciones**.
Cuando el interesado ejercite su derecho de limitación, y siempre que el mismo sea procedente, esto supondrá que los datos solo podrán ser **objeto de tratamiento**, con excepción de su conservación, con el **consentimiento** del interesado o para la formulación, el ejercicio o la defensa de reclamaciones, o con miras a la protección de los derechos de otra persona física o jurídica o por razones de interés público importante de la Unión o de un determinado Estado miembro.
Por tanto, el tratamiento de los datos personales quedará **suspendido** o los datos personales serán **conservados**, según corresponda, debiendo indicarse claramente en el sistema o en los sistemas de información del responsable del tratamiento esta circunstancia.
La limitación del tratamiento debe constar claramente en los **sistemas de información** del responsable (RGPD considerando 67; LOPD art.16.2).

7. Portabilidad de los datos

(RGPD art.20; LOPD art.17)

Este derecho fue introducido con la finalidad de reforzar aún más el control sobre los propios datos del interesado. Es así que, en virtud del mismo, este tendrá derecho a **recibir** del responsable del tratamiento sus datos personales, y a **transmitirlos** o a que se transmitan a otro responsable del tratamiento (RGPD considerando 68). 785
Este derecho tiene por **objeto** facultar a los interesados con respecto a sus propios datos personales, ya que mejora su capacidad de trasladar, copiar o transmitir datos personales fácilmente de un entorno informático a otro -ya sea a sus propios sistemas, a los sistemas de terceros de confianza o a los de otros responsables del tratamiento- (GT29 Directrices WP 242).
Cuando el tratamiento de los datos personales se efectúe por **medios automatizados**, debe permitirse, asimismo, que los interesados que hubieran facilitado datos personales que les conciernan a un responsable del tratamiento los reciban en un formato estructurado, de uso

común, de lectura mecánica e interoperable, y los transmitan a otro responsable del tratamiento.
El interesado tiene derecho a que los datos personales se **transmitan directamente** de un responsable del tratamiento a otro, cuando sea técnicamente posible.
Específicamente, los **usuarios de las redes sociales y de los servicios de la sociedad de la información** tienen derecho a recibir y transmitir los contenidos que hubieran facilitado a los prestadores de dichos servicios, así como a que los prestadores los transmitan directamente a otro prestador designado por el usuario, siempre que sea técnicamente posible, lo que es parte del derecho de portabilidad (RGPD art.20; LOPD art.95).
Los prestadores de servicios de redes sociales y servicios de la sociedad de la información equivalentes, cuando sea necesario para cumplir con una obligación legal que les sea aplicable, podrán conservar, sin difundirla a través de Internet, copia de los contenidos.

787 Para que el interesado tenga derecho a la portabilidad de los datos, deben concurrir los siguientes **requisitos**:
1. Que el tratamiento esté basado en el **consentimiento** del interesado o en un **contrato**.
2. Que el tratamiento se realice por **medios automatizados**.
Así, este derecho no debe aplicarse cuando el tratamiento tiene una base jurídica distinta del consentimiento o el contrato. Por su propia naturaleza, dicho derecho no debe ejercerse en contra de responsables que traten datos personales en el ejercicio de sus **funciones públicas**. Por lo tanto, no debe aplicarse, cuando el tratamiento de los datos personales sea necesario para cumplir una obligación legal aplicable al responsable o para el cumplimiento de una misión realizada en **interés público** o en el ejercicio de poderes públicos conferidos al responsable.

8. Decisiones individuales automatizadas y elaboración de perfiles

(RGPD art.22; LOPD art.18)

790 Como norma, existe la **prohibición general** de tomar decisiones individuales basadas únicamente en el tratamiento automatizado, incluida la elaboración de perfiles, que produzcan efectos jurídicos en él o efectos significativamente similares, como la denegación automática de una solicitud de crédito en línea o los servicios de contratación en red en los que no medie intervención humana alguna (RGPD considerando 71).
No obstante, existen **excepciones** a esta norma. Este derecho no será aplicable en caso de que la decisión:
• Sea necesaria para la **celebración o la ejecución de un contrato** entre el interesado y un responsable del tratamiento.
• Esté **autorizada** por el Derecho de la Unión o de los Estados miembros que se aplique al responsable del tratamiento y que establezca asimismo medidas adecuadas para salvaguardar los derechos y libertades y los intereses legítimos del interesado.
• Se base en el **consentimiento explícito** del interesado.
Tanto en el primero como en el tercero de estos supuestos, el responsable del tratamiento debe adoptar las medidas adecuadas para salvaguardar los derechos y libertades y los intereses legítimos del interesado, como mínimo el derecho a obtener **intervención humana** por parte del responsable, a expresar su punto de vista y a impugnar la decisión (RGPD art.22.3).
En cualquier caso, dicho tratamiento debe estar sujeto a las **garantías** apropiadas, entre las que se deben incluir la información específica al interesado y el derecho a obtener intervención humana, a expresar su punto de vista, a recibir una explicación de la decisión tomada después de tal evaluación y a impugnar la decisión. Tal medida no debe afectar a un menor (RGPD considerando 71).
Las decisiones individuales automatizadas no se basarán en las **categorías especiales de datos personales**, salvo que se llevan a cabo con el consentimiento explícito del interesado o el tratamiento es necesario por razones de un interés público esencial, sobre la base del Derecho de la Unión o de los Estados miembros, y en cualquiera de estos dos casos se hayan tomado medidas adecuadas para salvaguardar los derechos y libertades y los intereses legítimos del interesado.

D. Reclamaciones ante la autoridad de control

Uno de los **derechos esenciales** de las personas físicas en relación con el tratamiento de sus datos personales se refiere a la posibilidad de presentar una reclamación ante la autoridad de control correspondiente (RGPD art.77.1). 795

Las reclamaciones **ante la AEPD** se deben presentar obligatoriamente a través de los **modelos** recogidos en la AEPD Resol 26-6-23, que se presentarán, preferentemente, de forma telemática.

El **procedimiento** para la tramitación de estas reclamaciones se regula en la LOPD, y puede **iniciarse** (LOPD art.64.1 y 2):

a) Mediante **previa reclamación** del interesado, incluidos aquellos supuestos en que el contenido de la reclamación se refiera a la falta de atención de una solicitud del ejercicio de los derechos reconocidos a los interesados en el RGPD art.15 a 22 (nº 740 s.). En estos casos el procedimiento se inicia por acuerdo de admisión a trámite.

b) Mediante acuerdo de iniciación adoptado por la propia **iniciativa de la AEAT**. Es la presidencia de la AEPD la que dicta el acuerdo de iniciación del procedimiento, cuando proceda. En dicho acuerdo se debe concretar los hechos, identificación de las personas o entidades contra las que se dirija el procedimiento, la infracción que hubiera podido cometerse, así como su posible sanción (LOPD art.68.1).

Además, la L 11/2023 introduce un procedimiento de **apercibimiento**, de naturaleza no sancionadora, más flexible y rápido (ver nº 809).

Precisiones La presentación de una reclamación ante una autoridad de control debe entenderse sin perjuicio de **otros recursos administrativos o acciones judiciales** que sean procedentes en el Estado miembro de que se trate (RGPD art.77.1).

Admisión a trámite (LOPD art.65 redacc L 11/2023) Cuando se presenta ante la AEPD una **reclamación**, esta debe evaluar su admisibilidad a trámite. 797

La AEPD **inadmite** las reclamaciones cuando:

• No versan sobre cuestiones de protección de datos personales, carezcan manifiestamente de fundamento, sean abusivas o no aporten indicios racionales de la existencia de una infracción;

• El responsable o encargado del tratamiento, previa advertencia de la AEPD, ha adoptado las medidas correctivas encaminadas a poner fin al posible incumplimiento de la legislación de protección de datos y:

- no se haya causado perjuicio al afectado en el caso de infracciones leves; o
- el derecho del afectado quede plenamente garantizado mediante la aplicación de las medidas.

Antes de resolver sobre la admisión a trámite de la reclamación, la AEPD puede remitir la misma al **delegado de protección de datos** que hubiera, en su caso, designado el responsable o encargado del tratamiento o al organismo de supervisión establecido para la aplicación de los códigos de conducta o al organismo que asuma las funciones de resolución extrajudicial de conflictos. 799

La AEPD puede igualmente remitir la reclamación al **responsable o encargado** del tratamiento cuando no se hubiera designado un delegado de protección de datos ni estuviera adherido a mecanismos de resolución extrajudicial de conflictos, en cuyo caso el responsable o encargado debe dar **respuesta a la reclamación** en el plazo de un mes.

La decisión sobre la admisión o inadmisión a trámite debe **notificarse** al reclamante en el plazo de 3 meses.

Si transcurrido este plazo **no se produce dicha notificación**, se entiende que prosigue la tramitación de la reclamación con arreglo a lo dispuesto en este título a partir de la fecha en que se cumpliesen tres meses desde que la reclamación tuvo entrada en la AEPD, sin perjuicio de la facultad de la Agencia de archivar posteriormente y de forma expresa la reclamación.

Tras la admisión a trámite, si el responsable o encargado del tratamiento demuestran haber adoptado **medidas para el cumplimiento de la normativa aplicable**, la AEPD puede resolver el archivo de la reclamación, cuando en el caso concreto concurran circunstancias que aconsejen la adopción de otras soluciones más moderadas o alternativas a la acción correctiva, siempre que no se hayan iniciado actuaciones previas de investigación o alguno de los procedimientos regulados en esta ley orgánica. 801

Actuaciones previas de investigación (LOPD art.67 redacc L 11/2023) Antes de la adopción del acuerdo de inicio del procedimiento, y una vez admitida a trámite la reclamación, la AEPD puede adoptar la decisión de llevar a cabo actuaciones previas de investigación con el objeto de determinar mejor los **hechos y circunstancias** que justifican la tramitación del procedimiento. 803

La AEPD debe adoptar esta decisión, en todo caso, cuando sea precisa la investigación de tratamientos que impliquen un **tráfico masivo de datos**.
Estas actuaciones previas de investigación no pueden tener una **duración** superior a 18 meses desde la fecha del acuerdo de admisión a trámite de la reclamación o de la fecha del acuerdo por el que se decida su iniciación cuando la AEPD actúe por propia iniciativa.

805 **Plazo para resolver** (LOPD art.64 redacc L 11/2023) En cuanto al **plazo máximo** del que dispone la AEPD para resolver y notificar los correspondientes procedimientos, hay que distinguir dos supuestos:
a) En los procedimientos que se refieran, exclusivamente, a la **falta de atención del ejercicio de los derechos** del interesado (reconocidos en RGPD art.15 a 22), el plazo para resolver estos procedimientos por parte de la AEPD es de 6 meses, a contar desde que hubiera sido notificado al reclamante el acuerdo de admisión a trámite, o desde que hayan transcurrido 3 meses sin que se haya notificado nada al reclamante desde la interposición de la reclamación en el registro de la AEPD (LOPD art.65.5), supuesto en el que se entiende que prosigue la tramitación correspondiente. En cualquier caso, transcurrido esos 6 meses, el interesado podrá entender estimada su reclamación, a los efectos que sean jurídicamente oportunos.
b) Si se trata de determinar la posible **infracción de la normativa de protección de datos**, es decir, en aquellos procedimientos que tienen por finalidad determinar la existencia de posibles infracciones, el procedimiento tendrá una duración máxima de 12 meses a contar desde la fecha del acuerdo de iniciación o del proyecto de acuerdo de inicio. Transcurrido dicho plazo, el procedimiento se entenderá caducado y, por consiguiente, se archivarán las actuaciones, con los efectos jurídicos correspondientes.
Estos plazos de tramitación quedan automáticamente **suspendidos** cuando deba recabarse información, consulta, solicitud de asistencia o pronunciamiento preceptivo de un órgano u organismo de la Unión Europea o de una o varias autoridades de control de los Estados miembro, por el tiempo que medie entre la solicitud y la notificación del pronunciamiento a la AEPD. Igualmente, el transcurso de los plazos de tramitación se puede suspender, mediante resolución motivada, cuando resulte indispensable recaban información de un órgano jurisdiccional.

807 **Medidas cautelares** (LOPD art.69) La AEPD puede acordar motivadamente medidas provisionales necesarias y proporcionadas para salvaguardar el derecho fundamental a la protección de datos, el bloqueo cautelar de los datos y la obligación inmediata de atender el derecho solicitado.

809 **Procedimiento de apercibimiento** (LOPD art.64.3 redacc L 11/2023) Cuando así proceda en atención a la naturaleza de los hechos, la AEPD, previa audiencia al responsable o encargado del tratamiento, puede dirigir un apercibimiento, así como ordenar al responsable o encargado del tratamiento que adopten las **medidas correctivas** encaminadas a poner fin al posible incumplimiento de la legislación de protección de datos de una determinada manera y dentro del plazo especificado.
El procedimiento ha de tener una **duración máxima** de 6 meses a contar desde la fecha del acuerdo de inicio. Transcurrido dicho plazo se produce su caducidad y, en consecuencia, el archivo de actuaciones.

E. Régimen sancionador

815 El régimen sancionador en materia de protección de datos se ha armonizado para el **conjunto de los Estados miembros** de la UE tras la aprobación del RGPD, pudiendo acarrear la imposición de multas cuyas cantidades económicas resultan muy significativas (ver nº 842).
Este régimen sancionador se ve complementado para el caso de **España**, en virtud de lo dispuesto en el Título IX de la LOPD art.70 a 78, en el que se establecen los hechos constitutivos de infracciones y sanciones en mayor detalle, así como los plazos de prescripción de ambas, y los sujetos considerados responsables, excluyendo del régimen sancionador a la figura del delegado de protección de datos.
Los **sujetos responsables** que quedan sometidos al régimen sancionador en materia de protección de datos previsto tanto el RGPD como en la LOPD son (LOPD art.70):
- los responsables de los tratamientos;
- los encargados de los tratamientos;
- los representantes de los responsables o encargados de los tratamientos no establecidos en el territorio de la Unión Europea;
- las entidades de certificación; y
- las entidades acreditadas de supervisión de los códigos de conducta.

1. Papel de la autoridad de control

La autoridad de control, además de ejercer sus competencias con total independencia (nº 633), debe tener poderes de investigación, de intervención y sancionadores (RGPD art.51 s.). 820

Poderes de investigación (RGPD art.58.1; LOPD art.53) La autoridad de control dispone de los siguientes poderes de investigación: 822

a) Ordenar al responsable y al encargado del tratamiento y, en su caso, al representante del responsable o del encargado, que faciliten cualquier **información** que requiera para el desempeño de sus funciones.

b) Llevar a cabo investigaciones en forma de **auditorías** de protección de datos.

c) Llevar a cabo una revisión de las **certificaciones** expedidas en virtud del RGPD art.42.7.

d) Notificar al responsable o al encargado del tratamiento las **presuntas infracciones** del Reglamento.

e) Obtener del responsable y del encargado del tratamiento el **acceso a todos los datos personales** y a toda la información necesaria para el ejercicio de sus funciones.

f) Obtener el **acceso a todos los locales** del responsable y del encargado del tratamiento, incluidos cualesquiera equipos y medios de tratamiento de datos, de conformidad con el Derecho procesal de la Unión o de los Estados miembros.

Estos poderes de investigación han sido desarrollados en la LOPD art.51 a 54), señalando que la AEPD será competente para desarrollar la actividad de investigación mediante los procedimientos para **determinar la posible vulneración** de la normativa de protección de datos, por un lado, y de los planes de auditoría, de otro (LOPD art.51.1; RD 389/2021art.13).

Esta actividad de investigación, en tanto que supone el ejercicio de potestades públicas, debe ser efectuada por **funcionarios** propios de la AEPD, o ajenos pero habilitados por la Presidencia (LOPD art.51.2).

En cualquier caso, tendrán la consideración de **agentes de la autoridad** en el desempeño de sus funciones y estarán obligados a guardar secreto de las informaciones que conozcan como consecuencia de su labor, incluso después de cesados en el puesto (LOPD art.51.4; RD 389/2021 art.33.2).

El deber de **colaboración con la AEPD** en el ejercicio de sus potestades de investigación se regula de forma muy detallada. Todas las Administraciones públicas, incluidas la Administración tributaria y la Seguridad Social, deben proporcionar a la AEPD todos los datos, informes antecedentes y justificantes que les requiera en cumplimiento de su función de investigación. Si se trata de **datos personales**, la cesión estará amparada en el cumplimiento de una obligación legal -en los términos del RGPD art.6.1.c- (LOPD art.52). 824

En el marco de las actuaciones previas de investigación, y siempre que no se haya podido realizar la identificación por otros medios, la AEPD puede recabar de todas las Administraciones públicas, incluida la tributaria y de la Seguridad Social, los datos imprescindibles para **identificar a los responsables** de las conductas contrarias al RGPD y a la LOPD (LOPD art.52.2). Si no se ha podido realizar la identificación por otros medios, la AEPD puede recabar de los operadores que presten servicios de comunicaciones electrónicas o los prestadores de servicios de la sociedad de la información los datos que obren en su poder y que sean imprescindibles para la identificación de los presuntos responsables de las conductas infractoras (LOPD art.52.3).

En cuanto al **alcance de la actividad de investigación**, se prevé que los inspectores puedan realizar inspecciones, requerir la exhibición o envío de datos y documentos, examinarlos donde se encuentren depositados, obtener copias, inspeccionar equipos y requerir la ejecución de tratamientos y programas o procedimientos de gestión (LOPD art.53.1).

Para el **acceso a domicilios**, los inspectores de la AEPD deben contar con el consentimiento del titular del derecho constitucional, o con una autorización judicial (LOPD art.53.2).

La **obstrucción** al ejercicio de la función inspectora constituye una infracción muy grave del RGPD (LOPD art.72.1.ñ).

Poderes correctivos (RGPD art.58.2) Corresponde a la autoridad de control el desempeño de los siguientes poderes correctivos: 826

a) Sancionar a todo responsable o encargado del tratamiento con una **advertencia**, cuando las operaciones de tratamiento previstas puedan infringir lo dispuesto en el Reglamento.

b) Sancionar a todo responsable o encargado del tratamiento con **apercibimiento**, cuando las operaciones de tratamiento hayan infringido lo dispuesto en el Reglamento.

c) Ordenar al responsable o encargado del tratamiento que atiendan las **solicitudes de ejercicio de los derechos** del interesado en virtud del Reglamento.

d) Ordenar al responsable o encargado del tratamiento que las **operaciones de tratamiento** se ajusten a las disposiciones del Reglamento, cuando proceda, de una determinada manera y dentro de un plazo especificado.
e) Ordenar al responsable del tratamiento que comunique al interesado las **violaciones de la seguridad** de los datos personales.
f) Imponer una **limitación temporal o definitiva** del tratamiento, incluida su prohibición.
g) Ordenar la **rectificación o supresión** de datos personales o la limitación de tratamiento (con arreglo al RGPD art.16 a 18) y la notificación de dichas medidas a los destinatarios a quienes se hayan comunicado datos personales (RGPD art.17.2 y 19).
h) Retirar una **certificación** u ordenar al organismo de certificación que retire una certificación emitida (con arreglo al RGPD art.42 y 43), u ordenar al organismo de certificación que no se emita una certificación si no se cumplen o dejan de cumplirse los requisitos para la certificación.
i) Imponer una **multa administrativa** (RGPD art.83), además o en lugar de las medidas mencionadas en este apartado, según las circunstancias de cada caso particular.
j) Ordenar la **suspensión de los flujos de datos** hacia un destinatario situado en un tercer país o hacia una organización internacional.
Los poderes correctivos pueden ser especialmente intensos y gravosos para los **responsables y encargados** de tratamiento. Todas estas medidas incluidas en este precepto pueden dictarse en lugar o además de las sanciones a las que se refiere el RGPD art.83.

2. Infracciones

830 Constituyen infracciones los actos y conductas a las que se refiere el RGPD art.83.4 a 6 y todos los actos y conductas que sean contrarios a la LOPD (LOPD art.71).
El Reglamento no hace expresamente una clasificación de las infracciones y sanciones en muy graves, graves y leves, como es tradicional en nuestro Derecho. No obstante, es fácil deducir qué incumplimientos pueden ser considerados más reprochables, en función de la cuantía de las sanciones que se prevén.
La LOPD, por su parte, lleva a cabo una tipificación exhaustiva de cada infracción. Así, se contemplan tres **categorías** de infracciones: muy graves, graves y leves

832 **Leves** Se consideran leves las infracciones previstas en el RGPD art.83.4 a 6- siempre que sean infracciones de carácter meramente formal- y las recogidas en la LOPD art.74. Ver nº 3580 Memento Protección de Datos y Derechos Digitales 2023-2024.
Estas infracciones **prescriben** en un año.

834 **Graves** Se consideran infracciones graves, además de las recogidas en el RGPD art.83.4, las previstas en la LOPD art.73. Ver nº 3570 s. Memento Protección de Datos y Derechos Digitales 2023-2024.
Estas infracciones **prescriben** a los dos años.

836 **Muy graves** Se consideran muy graves las infracciones previstas en RGPD art.83.6, así como las recogidas en la LOPD art.72. Ver nº 3565 Memento Protección de Datos y Derechos Digitales 2023-2024.
Las infracciones muy graves **prescriben** a los 3 años.

3. Sanciones

(RGPD art.83; LOPD art.76)

840 Las sanciones por incumplimiento del RGPD han de ser **efectivas, proporcionadas y disuasorias**. Tales condiciones han de ser garantizadas por la autoridad de control competente en cada caso individual a la hora de imponer la correspondiente multa administrativa (RGPD art.83.1).

842 **Cuantía** (RGPD art.83.4, 83.5 y 83.6) Las infracciones se sancionan con las siguientes **multas** administrativas:
• **Hasta 10.000.000 euros** o si es una empresa hasta un **2% del volumen de negocio** total anual global del ejercicio financiero anterior (la que suponga mayor cuantía) cuando se incumplan:
- las obligaciones del responsable y del encargado a tenor del RGPD art.8, 11, 25 a 39, 42 y 43;
- las obligaciones de los organismos de certificación a tenor del RGPD art.42 y 43; y
- las obligaciones de la autoridad de control a tenor del RGPD art.41.4.

• **Hasta 20.000.000 euros** o si es una empresa hasta un **4% del volumen de negocio** total anual global del ejercicio financiero anterior (la que suponga mayor cuantía) cuando se incumplan:
- los principios básicos para el tratamiento, incluidas las condiciones para el consentimiento a tenor del RGPD art.5, 6, 7 y 9;
- los derechos de los interesados a tenor del RGPD art.12 a 22;
- las transferencias de datos personales a un destinatario en un tercer país o una organización internacional a tenor del RGPD art.44 a 49;
- toda obligación en virtud del Derecho de los Estados miembros que se adopte con arreglo al capítulo IX;
- el incumplimiento de una resolución o de una limitación temporal o definitiva del tratamiento o la suspensión de los flujos de datos por parte de la autoridad de control o el no facilitar acceso;
- el incumplimiento de las resoluciones de la autoridad de control.

Graduación (RGPD art.83.2) Por lo que se refiere a la aplicación del **principio de proporcionalidad**, existe una serie de circunstancias que permite la graduación de las multas impuestas: **844**
- la naturaleza, gravedad y duración de la infracción;
- la intencionalidad o negligencia de la actuación;
- las medidas que se han tomado para paliar los daños;
- el grado de responsabilidad del responsable o del encargado del tratamiento;
- la reincidencia en la comisión de infracciones;
- el grado de cooperación con la autoridad de control;
- el tipo de datos afectado por la infracción;
- la forma en que la autoridad de control tuvo conocimiento de la infracción, en particular si el responsable o el encargado notificó la infracción y, en tal caso, en qué medida;
- el cumplimiento de las medidas del RGPD art.58.2 ordenadas previamente contra el responsable o el encargado en relación con el mismo asunto;
- la adhesión a códigos de conducta o a mecanismos de certificación;
- cualquier otro factor agravante o atenuante aplicable a las circunstancias del caso, tales como (LOPD art.76.2):
- el carácter continuado de la infracción;
- la vinculación entre la actividad del infractor y el tratamiento de datos personales;
- los beneficios obtenidos por la infracción;
- la posibilidad de que la conducta del afectado haya inducido a la comisión de la infracción;
- la existencia de un proceso de fusión por absorción posterior a la comisión de la infracción, que no puede imputarse a la entidad absorbente;
- la afectación a los derechos de los menores;
- disponer, cuando no sea obligatorio, de un delegado de protección de datos;
- el sometimiento por parte del responsable o encargado, con carácter voluntario, a mecanismos de resolución alternativa de conflictos, en aquellos supuestos en los que existan controversias entre aquellos y cualquier interesado.

Publicación (LOPD art.76.4) Es **obligatorio** publicar en el BOE la información que identifique al infractor, la infracción cometida y el importe de la sanción impuesta cuando se cumplan los siguientes **requisitos**: **846**
1) La autoridad competente sea la Agencia Española de Protección de Datos.
2) La sanción impuesta sea superior a un millón de euros.
3) El infractor sea una persona jurídica.

Prescripción (LOPD art.78) Las sanciones impuestas en aplicación del RGPD y la LOPD prescriben en los siguientes **plazos**: **848**
• Las sanciones por importe igual o inferior a 40.000 euros, prescriben en el plazo de un año.
• Las sanciones por importe comprendido entre 40.001 y 300.000 euros prescriben a los dos años.
• Las sanciones por un importe superior a 300.000 euros prescriben a los tres años.
El plazo de prescripción **comienza a contarse desde** el día siguiente a aquel en que sea ejecutable la resolución por la que se impone la sanción o haya transcurrido el plazo para recurrirla.
La prescripción **se interrumpe por** la iniciación, con conocimiento del interesado, del procedimiento de ejecución, volviendo a transcurrir el plazo si el mismo está paralizado durante más de 6 meses por causa no imputable al infractor.

F. Responsabilidad por daños

(RGPD art.82)

855 Toda persona que haya sufrido **daños y perjuicios materiales o inmateriales** como consecuencia de una infracción del Reglamento tiene derecho a recibir del responsable o el encargado del tratamiento una indemnización por los daños y perjuicios sufridos (RGPD art.82.1).

El **responsable o el encargado del tratamiento** debe indemnizar cualesquiera daños y perjuicios que pueda sufrir una persona como consecuencia de un tratamiento en infracción del Reglamento.

Los interesados deben recibir una **indemnización total y efectiva** por los daños y perjuicios sufridos.

Si los responsables o encargados participan en el **mismo tratamiento**, cada responsable o encargado debe ser considerado responsable de la totalidad de los daños y perjuicios. Si se **acumulan** en la misma causa, de conformidad con el Derecho de los Estados miembros, la indemnización puede prorratearse en función de la responsabilidad de cada responsable o encargado por los daños y perjuicios causados por el tratamiento, siempre que se garantice la indemnización total y efectiva del interesado que sufrió los daños y perjuicios.

En el caso del **encargado del tratamiento**, este únicamente responde de los daños y perjuicios causados por el tratamiento cuando no haya cumplido las obligaciones del Reglamento dirigidas específicamente a los encargados o haya actuado al margen o en contra de las instrucciones legales del responsable. Por tanto, si **ha cumplido** las obligaciones establecidas en el RGPD o las instrucciones legales del responsable, es decir, aquellas que no sean contrarias al RGPD, no tendrá que responder los daños y perjuicios causados, siendo por tanto exigible dicha responsabilidad al responsable del tratamiento.

857 **Exención de responsabilidad** (RGPD art.82.3 y considerando 146) El responsable o el encargado del tratamiento, según corresponda, queda exento de responsabilidad si demuestra que no es en modo alguno responsable del hecho que haya causado los daños y perjuicios.

859 **Derecho de repercusión** (RGPD art.82.5 y considerando 146) El responsable o el encargado del tratamiento que haya pagado una indemnización total por el perjuicio ocasionado, tendrá derecho a **reclamar a los demás responsables o encargados** que hayan participado en esa misma operación de tratamiento la parte de la indemnización correspondiente a su parte de responsabilidad por los daños y perjuicios causados.

Un encargado únicamente responde de los daños y perjuicios causados por el tratamiento cuando **no haya cumplido** con las obligaciones del Reglamento dirigidas específicamente a los encargados o haya actuado al margen o en contra de las instrucciones legales del responsable.

Todo responsable o encargado que haya **abonado la totalidad** de la indemnización puede interponer recurso posteriormente contra otros responsables o encargados que hayan participado en el mismo tratamiento.

861 **Acciones judiciales** (RGPD art.82.6) Las acciones judiciales para solicitar indemnización por el incumplimiento del RGPD se presentarán ante los **tribunales competentes** con arreglo al Derecho del Estado miembro.

Como norma general, las acciones judiciales deben ejercitarse ante los tribunales del Estado miembro en el que el responsable o encargado tenga un **establecimiento**. Alternativamente, tales acciones podrán ejercitarse ante los tribunales del Estado miembro en que el interesado tenga su **residencia habitual**, a menos que el responsable o el encargado sea una autoridad pública de un Estado miembro que actúe en ejercicio de sus poderes públicos (RGPD art.79.2).

Es decir:

• Como **norma general**: los tribunales competentes, en atención a la acción que corresponda, ya sea civil, penal o contencioso-administrativa, del Estado miembro donde esté establecido el responsable o el encargado del tratamiento, según corresponda.

• Como **situación específica**: los tribunales donde el interesado tenga su residencia habitual, salvo que el responsable o el encargado del tratamiento sea una autoridad pública de un Estado miembro que actúe en ejercicio de sus poderes públicos.

Por último, es necesario tener en cuenta que, en España, la **determinación de la indemnización** corresponde a los tribunales competentes y no a las autoridades de control, de tal forma que la indemnización será fijada en virtud de la correspondiente acción judicial, conforme a la legislación que sea aplicable a la materia.

CAPÍTULO 2

Compraventa y contratos afines

Por el contrato de compraventa: 902
- uno de los contratantes (**vendedor**) se obliga a entregar una **cosa** determinada; y
- el otro (**comprador**) se obliga a pagar por ella un **precio** cierto, en dinero o signo que lo represente (CC art.1445).

Comerciar es, por excelencia, comprar y revender con ánimo de lucro (nº 957), y **comerciante** es, por antonomasia, aquél que desarrolla esa actividad (Uría).

Desde el punto de vista **económico**, el contrato de compraventa cumple una función de primer orden, ya que favorece la circulación de los bienes al ser un instrumento para el cambio de éstos por dinero.

Desde un punto de vista **jurídico**, la compraventa ha de considerarse como el contrato tipo de los contratos bilaterales o sinalagmáticos, por lo que sus normas se han generalizado y se aplican, de forma supletoria, en los contratos en los que existan prestaciones recíprocas (Sánchez Calero).

Eventualmente, las partes pueden **preparar un futuro contrato** de compraventa:
- bien a través de un **precontrato** -o promesa de venta- (nº 910 s.); o
- mediante la concesión de una **opción** a una de las partes para que efectúe la compra en un plazo y condiciones predeterminadas (nº 925 s.).

SECCIÓN 1

Contratos preparatorios: precontrato y opción de compra

Tradicionalmente, se considera que tanto el precontrato de compraventa como la opción de compra son **figuras previas** diferenciadas del propio contrato de compraventa. No obstante, veremos cómo, en algunos casos, la compraventa puede entenderse realizada con la suscripción de alguno de estos contratos. 905

Precisiones Los **tratos preliminares** y los **contratos preparatorios** referidos a la contratación en general, así como la responsabilidad que pueda surgir de dichas negociaciones, se exponen en el nº 224 s.

1. Precontrato o promesa de compraventa

(CC art.1451)

El precontrato de compraventa, también denominado **promesa de compraventa**, es un acuerdo que tiene por objeto la celebración de un **futuro** contrato de compraventa. La promesa de comprar y vender constituye un contrato preliminar (o precontrato) cuya finalidad es vincular a ambas partes respecto de la celebración definitiva de un contrato de compraventa, con plena conformidad en la cosa y en el precio, perfeccionándolo en un momento posterior, de modo que los contratantes puedan reclamarse recíprocamente que dicha perfección tenga lugar si ello resultara jurídicamente posible (TS 22-9-09, EDJ 229006). Así, la esencia del precontrato es la de constituir un contrato por virtud del cual las partes se 910

obligan a celebrar posteriormente un nuevo contrato (el llamado contrato definitivo) que, de momento, no quieren o no pueden celebrar, por lo que la figura contractual del precontrato, dicho con frase gráfica, consiste en un «quedar obligado a obligarse» (TS 24-7-98, EDJ 16251).
El precontrato exige que el objeto esté perfectamente determinado, y por tanto, tratándose de un precontrato de compraventa, que esté determinada la **cosa** objeto de la venta **y** el **precio**, de tal manera que si tales elementos no se determinan, no estaríamos ante un precontrato, sino ante simples **tratos previos** (nº 224 s.), sin eficacia obligacional (TS 14-12-06, EDJ 325579; 21-3-12, EDJ 43923; AP Alicante 3-6-16, EDJ 198712).

Precisiones 1) El precontrato puede tener **finalidad preparatoria** con respecto a cualquier tipo de contrato (ver nº 230). En particular, con respecto al precontrato de permuta, ver TS 11-5-99, EDJ 8561.
2) Estos acuerdos reciben en la práctica **múltiples denominaciones**: precontrato, promesa de venta, contrato preparatorio, contrato preliminar. Para determinar las obligaciones de las partes y el grado en que éstas se encuentran vinculadas entre sí, hay que atender, sin embargo, no a su denominación, sino a los **términos** del acuerdo.
3) Sobre la **diferencia** entre el precontrato (con eficacia obligacional) y los **tratos preliminares** (sin eficacia obligacional), ver nº 228.

912 **Clases** Dependiendo de la parte que asuma obligaciones, el precontrato puede ser:
1º. **Bilateral**, cuando ambas partes asumen obligaciones: una se obliga a vender y la otra a comprar una cosa determinada.
2º. **Unilateral**, en el caso de que solo una de las partes se obligue a vender un determinado bien o a comprarlo. Así, desde la perspectiva:
- de la parte que asume las obligaciones, se trata de una promesa **unilateral de venta o de compra**; y
- desde la perspectiva de la otra parte, se trata de una **opción a comprar o a vender**, según el caso (nº 925).
En este sentido, la **opción de compra** constituye un precontrato o promesa unilateral de contrato por parte del vendedor de modo que es el optante el que adquiere únicamente la facultad de decidir sobre la exigencia de cumplimiento de la venta proyectada y es ese consentimiento del optante el decisivo para que el contrato quede perfeccionado, si bien sujeto al plazo de ejercicio pactado de modo que, transcurrido el referido plazo, la opción queda extinguida y el comprador pierde su derecho (TS 9-2-09, EDJ 11747).
El precontrato tiene **carácter mercantil** cuando la compraventa proyectada tenga ese carácter según las normas que se exponen en nº 950 s.

Precisiones 1) El **precontrato bilateral** implica que ambas partes tienen el deber y el derecho de poner en vigor el contrato comprometido (TS 14-12-06, EDJ 325579).
2) En el **precontrato unilateral** sólo una parte viene obligada a poner en vigor el contrato y la otra tiene derecho a exigírselo, como ocurre en el contrato de opción de compra. En la opción, una parte atribuye a otra un derecho que permite a esta última decidir, dentro de un determinado período de tiempo y unilateralmente, la puesta en vigor del contrato. Por tanto, si se ejercita la opción de compra, aparece la compraventa; pero ésta no nace si, al no ejercitar la opción en el plazo previsto, queda caducada (TS 18-6-93, EDJ 5998; 24-5-94, EDJ 4755; 30-7-94, EDJ 5712; 14-2-97, EDJ 720; 11-4-00, EDJ 5724; 14-11-00, EDJ 41062; 22-12-05, EDJ 230414).

914 **Finalidad económica** El precontrato de compraventa puede servir, entre otras, a las siguientes finalidades en el tráfico económico (Cano Rico):
• Permite **mantener abierta la negociación** sobre determinados aspectos para realizar una compraventa futura entre dos o más personas que están interesadas en comprar y vender un bien determinado, pero no ahora, sino en un momento posterior.
• Puede proteger a las partes frente a la **variación de los precios**. De esta manera, el comprador se protege frente a un eventual alza de los precios en el futuro y el vendedor se protege frente a una posible bajada de los mismos.

916 **Precontrato y contrato definitivo** Se diferencia el precontrato de compraventa del definitivo, constituyendo el precontrato una primera fase del iter contractual: la relación jurídica obligacional nace en aquél y posteriormente, de común acuerdo o por exigencia de una de las partes, se pone en vigor el contrato que había sido preparado. Así, se distinguen **dos fases**: la primera, el precontrato, que es distinto del contrato, y no produce los efectos de éste (como pudiera ser la transmisión de la propiedad), sino sólo el que las partes pueden exigirse el paso a la fase segunda, que es la celebración del contrato preparado y es éste el que producirá los efectos que le son propios (TS 5-10-05, EDJ 152968).

Supuestos Tanto la doctrina como la jurisprudencia (TS 8-7-93, EDJ 6827; 28-11-94, EDJ 9223; 29-7-96, EDJ 6225; 20-4-01, EDJ 6419) vienen distinguiendo dos situaciones: 918

a) Que los contratantes muestren una decidida voluntad de celebrar el contrato de compraventa, que de momento no pueden llevar a cabo, y **determinen en el precontrato sus elementos y circunstancias básicas**, aunque su desarrollo se deje para un momento posterior.

En este caso, las partes quedan **vinculadas** desde ese momento, de forma que si una parte incumple lo prometido, la otra está facultada para exigir el cumplimiento, no de la promesa en sí, sino del contrato definitivo.

En el **cumplimiento forzoso** de este precontrato puede sustituirse la voluntad del obligado por la del juez, procediendo la indemnización económica sustitutoria si el contrato no se puede cumplir.

En ese sentido, el Código Civil determina que la promesa de vender o comprar, cuando exista **conformidad en la cosa y en el precio**, da derecho a los contratantes para reclamar recíprocamente el cumplimiento del contrato, siendo de aplicación las normas generales sobre incumplimiento contractual -nº 306- (CC art.1451).

Esta interpretación es lógica teniendo en cuenta el **carácter consensual** de la compraventa, de tal forma que, si existe un consentimiento concurrente sobre los elementos que la hacen posible, ha de entenderse que tal compraventa existe con independencia de que el acuerdo se denomine con algún término que indique su carácter preparatorio (precontrato, contrato preliminar, promesa, etc.).

Precisiones El **régimen jurídico** que rige para la promesa de vender o comprar es distinto del que le es aplicable al contrato definitivo de compraventa, ya que la remisión que se hace en el inciso final del CC art.1451 «a lo dispuesto acerca de las obligaciones y contratos en el presente libro» es de contenido significativo, puesto que elimina la normativa propia del contrato de compraventa, para referirse a las reglas de las obligaciones y de los contratos en general. El precontrato es ya en si mismo un auténtico contrato, que tiene por objeto celebrar otro en un futuro, conteniendo el proyecto o la ley de bases del siguiente; debiéndose, por esta especialidad, quedar atemperada su fuerza vinculante, o cumplimiento forzoso, a dos posiciones extremas:
- entender que no es posible obligar a la contraparte a la prestación del consentimiento, o a la emisión de una declaración de voluntad, en lo que consiste la obligación del futuro contrato, ya que esto es un acto estrictamente personal y no coercible, quedando viva únicamente la posibilidad de una indemnización por los daños y perjuicios causados;
- o bien entender, con la más reciente jurisprudencia de esta Sala, que al consistir el objeto del precontrato en una **obligación de hacer**, una vez requerido el obligado para que cumpla su promesa, el juez puede tener por prestado el consentimiento y sustituirlo en el otorgamiento; **cumplimiento forzoso** que solo se reemplazará por la correspondiente indemnización cuando el contrato definitivo no sea posible otorgarlo (Sentencias 16-10-65; 1-7-50; 2-2-59; 26-3-19 y 13-12-89, EDJ 11218) (TS 25-6-93, EDJ 6272).

b) Que los contratantes **dejen para el futuro** tanto la celebración del contrato definitivo como la determinación definitiva de sus elementos y circunstancias, y se obliguen, simplemente, a **intentar** la realización del proyectado contrato de compraventa. En este caso, el **incumplimiento** del acuerdo solo conduce a la exigencia de indemnización de los daños y perjuicios que se hubiesen producido a causa de la promesa incumplida. 920

Precisiones **1)** Siguiendo la doctrina expuesta, la práctica jurisprudencial muestra **ejemplos** de ambas situaciones:
- en unos casos se ha estimado que la promesa, reuniendo los elementos básicos de determinación del contenido de la **compraventa**, tiene los mismos efectos vinculantes que ésta (TS 3-6-94, EDJ 5103; 7-7-94, EDJ 11914; 29-7-96, EDJ 6225; 11-6-98, EDJ 7870; 20-4-01, EDJ 6419);
- mientras que, en otros, se ha considerado un mero **contrato preparatorio**, distinto y perfectamente diferenciado del de compraventa (TS 13-10-95; 26-11-97, EDJ 9819; 11-10-00, EDJ 30632; 20-4-01, EDJ 6418).

2) Se ha señalado la falta de sentido de la **concepción tradicional del precontrato**, según la cual éste obligaba a obligarse, a emitir en el futuro una declaración de voluntad, que es un acto estrictamente personal y no coercible directamente (TS 23-12-95, EDJ 24489; 29-7-96, EDJ 6225).

3) El precontrato de compraventa no puede equipararse a la **compraventa sometida a condición**, pues la condición debe contenerse expresa y claramente en el texto del acuerdo, o inferirse de manera concluyente si es implícita (TS 29-7-96, EDJ 6225).

Requisitos de validez En cualquiera de los supuestos expuestos en el número anterior, el precontrato de compraventa tiene que reunir todos los requisitos de validez que sean exigibles al **contrato proyectado** (nº 985 s.). Así, cuando la Ley exija, para la compraventa de que se trate, ciertos requisitos formales, el precontrato ha de cumplirlos. 922

2. Opción de compra

925 Con carácter general, el **contrato de opción** es aquel por el que una parte (denominada concedente, promitente u optatario) concede a otra (denominada optante) la facultad exclusiva de decidir sobre la celebración o no de otro contrato, que ha de realizarse en un plazo cierto y en unas determinadas condiciones, mediante precio o gratuitamente (TS 9-10-89; 1-12-92, EDJ 11899; 14-2-97, EDJ 720; 6-7-01, EDJ 15262).

La modalidad más utilizada de este contrato es la opción de compra, en la que se otorga al optante la facultad de comprar un bien, normalmente a cambio de una contraprestación, denominada **prima** de la opción, que puede convertirse en precio de la compraventa o parte del mismo, si llega a perfeccionarse el contrato objeto de la opción.

En el contrato de opción de compra, la **compraventa futura** está plenamente configurada y depende del optante únicamente que se perfeccione o no (TS 16-4-79, EDJ 673; 4-4-87, EDJ 2704; 13-11-92, EDJ 11188; 2-7-08, EDJ 155851; 22-9-09, EDJ 229006), pues constituye un convenio en virtud del cual una parte concede a otra la facultad exclusiva de decidir la celebración o no de otro contrato principal de compraventa, que habrá de realizarse en un plazo cierto y en unas determinadas condiciones, pudiendo también ir acompañado del pago de una prima por parte del optante, constituyendo sus **elementos principales**:

- la concesión al optante del derecho a **decidir unilateralmente** respecto a la realización de la compraventa;
- la determinación del **objeto**;
- el señalamiento del **precio** estipulado para la futura adquisición; y
- la concreción de un **plazo** para el ejercicio de la opción, siendo por el contrario elemento accesorio el pago de la prima.

La opción de compra puede presentarse como un **contrato independiente** o como **parte de otro contrato** (ver, en ese sentido, arrendamiento financiero: nº 4575).

Precisiones Cuando la opción de compra forma **parte de otro contrato**, su ejercicio está contractualmente vinculado a la vigencia de dicho contrato (TS 19-3-01, EDJ 1938).

927 **Caracteres principales** Por vía jurisprudencial se han atribuido a la opción de compra los siguientes caracteres:

• Es un contrato **consensual**, porque está subordinado a la declaración de voluntad del optante de ejercitar el derecho de opción (TS 24-10-90; 28-10-99, EDJ 29529).

• Es **unilateral**, pues, aunque requiere un concurso previo de voluntades entre el concedente y el optante, solo crea obligaciones para el primero, el cual queda obligado a no disponer del bien ofrecido y a mantener la oferta de venta. Sin embargo, la opción de compra puede tener carácter **bilateral** si se pacta el pago de una prima o precio de opción (TS 28-10-99, EDJ 29529; 18-4-01, EDJ 6375), en cuyo caso la figura se aproxima a la del precontrato de compraventa (nº 910).

• Es **personal**, y no real, por cuanto genera en favor del optante un mero derecho obligacional, esto es, a exigir al concedente que le venda el bien en los términos pactados.

Precisiones La **naturaleza jurídica** de la opción de compra no es una cuestión resuelta. Debido a su inscribilidad (nº 939) en ocasiones ha sido considerada como un derecho real. No obstante, para la doctrina y jurisprudencia mayoritarias la opción de compra es un contrato y no un derecho real, ya que no otorga un poder directo sobre la cosa, sino solo la **facultad de exigir al concedente** de la opción que cumpla el contrato (TS 9-10-87; 9-10-89; en contra: TS 10-9-98, EDJ 18044). Sin embargo, lo que es innegable es que produce **efectos frente a terceros** a partir de su inscripción en el Registro de la Propiedad (nº 941).

929 **Requisitos de validez** Para la validez de la opción de compra es necesaria la concurrencia de los siguientes elementos (TS 1-12-92, EDJ 11899; 19-4-95, EDJ 1597; 11-4-00, EDJ 5724; 2-7-08, EDJ 155851; 22-9-09, EDJ 229006):

a) El concurso de **voluntades** entre quienes la suscriben.

b) La determinación del **bien** sobre el que recae la opción y del **precio** de adquisición que debe pagar el optante.

c) La concesión al optante, de modo exclusivo, de la **facultad de exigir** al concedente de la opción el cumplimiento de la obligación asumida por éste de venderle el bien.

d) Un **plazo cierto** para el ejercicio de la opción, durante el cual el concedente se obliga a no transmitir a otro el bien (TS 4-4-73; 26-5-76; 18-4-78). Este plazo es de caducidad (TS 14-2-97, EDJ 720).

Precisiones 1) Aun cuando no es necesario que medie prima de la opción, pudiendo ser gratuita, no existe opción si no se fija el **precio de la compraventa** proyectada (TS 24-1-91; 11-4-00, EDJ 5724). Nada obsta a que la **prima** de la opción pueda operar como **parte del precio** de la compraventa, una vez perfeccionada ésta tras el ejercicio del derecho de opción en tiempo y forma (TS 14-10-99, EDJ 27851; 22-6-01, EDJ 13855).

2) La doctrina registral (DGRN/DGSJFP) considera inscribible la opción en la que se pacta que el precio puede ser satisfecho por **compensación de créditos**. Dichos créditos han de ser contra quien sea propietario del bien en ese momento, no contra el concedente (DGRN Resol 8-4-91).
3) El ejercicio de la opción debe recaer sobre la **totalidad del objeto**, no pudiendo reducirse éste por la voluntad del optante (TS 26-1-88).
4) La opción no es un acto propiamente liquidatorio de una sociedad mercantil, por lo que no puede ser concedida por el **liquidador** (DGRN Resol 26-1-94).
5) En el supuesto de que los contratantes no fijen el **plazo de la opción**, corresponde a los tribunales su determinación (CC art.1128).
6) Es posible conceder una opción de compra por quien **no tiene la propiedad** sobre el bien objeto del contrato (TS 30-12-98, EDJ 30720), sin perjuicio de que se determine su incumplimiento si en el momento en que se ejercita la opción no puede realizar la entrega o transmitir la propiedad.
7) En el caso de que en el contrato no se fijen claramente los **elementos esenciales de la compraventa** -objeto y precio-, no estamos ante una opción de compra, sino ante un mero pacto de intenciones o **tratos preliminares**, que no vinculan en su eficacia contractual (TS 11-4-00, EDJ 5724).

Obligaciones de las partes En el contrato de opción de compra surgen, principalmente, obligaciones para el **concedente** de la opción, quien debe: 931
- **mantener la oferta** durante el plazo convenido a favor del optante;
- **no enajenar** a un tercero el bien sobre el que recae la opción; y
- **vender** cuando el optante ejercite la opción.

Cuando en el contrato de opción se ha pactado el pago por el optante de una **prima o señal**, resulta obligado para el **optante** realizar dicho pago en el momento convenido, sin perjuicio de las obligaciones del optante en caso de que ejercite el derecho de opción, siendo la principal el pago del **precio** acordado para la compraventa (TS 2-11-95, EDJ 5669).

Precisiones 1) Es característica de la opción obligar al concedente a **no vender a nadie** durante el plazo señalado y a realizar la venta a favor del optante si éste ejercita la opción (TS 14-2-97, EDJ 720; 6-7-01, EDJ 15262).
2) Es posible pactar el pago de una **prima periódica y variable** en función del tiempo transcurrido desde la concesión de la opción sin producirse el ejercicio de la misma. Así, por ejemplo, se puede acordar una prima mensual de 500 euros, durante los seis primeros meses, y de 1.000 euros, durante los seis meses siguientes, transcurridos los cuales sin haber ejercitado el derecho, la opción caduca y el optante pierde las cantidades entregadas.

Cumplimiento El contrato de opción se cumple cuando el optante ejercita su derecho, sin ser precisa la aceptación por parte del concedente. El optante puede ejercitar su derecho mediante **comunicación** de su voluntad al concedente dentro del plazo pactado. 933

Una vez ejercitada la opción por el optante, dentro del plazo señalado y habiendo sido comunicada al concedente, queda consumada la opción, y nace y **se perfecciona automáticamente** el contrato de compraventa (TS 14-2-97, EDJ 720; 6-7-98, EDJ 7059; 21-5-01, EDJ 6597; 6-7-01, EDJ 15262; DGRN Resol 19-7-91). Ha de entenderse que este efecto se produce siempre que, en el contrato de opción, la compraventa esté plenamente configurada, es decir, que se hayan determinado los elementos principales de la compraventa -objeto y precio- (TS 14-2-97, EDJ 720).

La opción se considera correctamente ejercitada aun cuando no llegue a **conocimiento del concedente** dentro del plazo pactado por causas a él imputables -p.e., cambio de domicilio sin notificación del nuevo- (TS 29-9-81). Es más, la notificación se tiene por bien realizada cuando es el concedente quien la obstaculiza (TS 14-2-95, EDJ 470).

No es exigible, salvo pacto entre las partes, el **ofrecimiento o pago del precio** en el momento del ejercicio de la opción (TS 6-7-01, EDJ 15262).

Precisiones 1) Es posible la **prórroga** del plazo para el ejercicio de la opción cuando existe consentimiento del concedente (TS 6-7-98, EDJ 7059); consentimiento que se entiende que concurre, entre otros supuestos, cuando el concedente consiente la renovación de una letra de cambio entregada por el optante como señal y parte del precio (TS 6-5-98, EDJ 3144).
2) El **carácter recepticio** de la comunicación sobre el ejercicio de la opción requiere:
- que llegue a conocimiento del concedente dentro del plazo establecido; o
- si no ha llegado dentro de dicho plazo, que tal circunstancia resulte imputable al propio concedente y nunca al optante.

El TS considera válidamente comunicada la opción mediante el envío de **burofax** emitido el mismo día en que expiraba el plazo y, simultáneamente, a través de **acta notarial** de la misma fecha, aunque la comunicación no pudiera efectuarse porque la empresa cerraba sus oficinas por la tarde, y recibiera la comunicación al día siguiente del vencimiento del plazo. Para el tribunal, la concedente debió prever que durante todo ese día podía llegarle la notificación del optante y, pese a ello, no adoptó ninguna medida para que pudiera ser efectiva, por lo que resulta contraria a la buena fe su negativa a reconocer eficacia a la notificación efectuada al día siguiente (TS 21-12-16, EDJ 232470).

935 **Transmisión, renuncia y extinción** La opción de compra es **transmisible** por el optante, con el consentimiento del concedente (TS 6-3-73).
Asimismo, es un derecho **renunciable** por el optante (TS 14-1-64).
La opción se **extingue**, además de por las causas generales (nº 300), por **caducidad**: el concedente queda liberado de su obligación cuando transcurre el plazo de la opción sin que el optante ejercite su derecho.

Precisiones Se ha considerado extinguido un contrato de opción de compra en el que **no se fijó plazo** para el ejercicio de la opción y ésta no se ejercitó en el transcurso de 29 años (TS 17-2-98, EDJ 741).

937 **Incumplimiento** Las consecuencias legales son distintas, dependiendo de la parte que incumpla:
a) Desde la perspectiva del **optante**:
• Si no ejercita su derecho durante el plazo concedido, no se produce el incumplimiento del contrato, sino la **caducidad** del derecho (TS 14-2-97, EDJ 720; 30-1-98, EDJ 575; 8-6-98, EDJ 7867).
• En cambio, sí se produce un incumplimiento contractual cuando el optante **deja de pagar la prima** de la opción a la que se había comprometido (TS 12-2-99, EDJ 1790). En caso de incumplimiento del pago de la prima, el concedente podría tener derecho a la **indemnización de daños y perjuicios** (en este sentido: TS 24-6-99, EDJ 16808), resultando además eficaces los contratos celebrados por el concedente con terceros, sin perjuicio, en su caso, de la anulación del negocio si hubiese sido celebrado con el fin de burlar el derecho del optante.
b) Desde la perspectiva del **concedente** de la opción:
• Una vez ejercitada la misma en tiempo y forma, el incumplimiento de las obligaciones asumidas por el concedente tiene el mismo efecto que el incumplimiento del contrato de compraventa (nº 1195 s.).
• Si la opción está **inscrita en el Registro** de la Propiedad (nº 939), adquiere eficacia respecto de terceros, por lo que el incumplimiento del concedente faculta al optante para exigir al propietario del bien en el momento de ejercitar la opción el cumplimiento de la misma (TS 9-2-85; 17-11-86).

Precisiones Una vez transcurrido el plazo de caducidad de la opción sin que ésta se ejercite, no procede la **resolución del contrato**, pues no se puede resolver aquello que dejó de tener efectiva constancia (TS 21-3-98, EDJ 1406). Tampoco es posible su **novación**, pues no se puede novar un contrato inexistente (TS 6-7-98, EDJ 7059).

939 **Tratamiento registral** (RH art.14) Cuando el objeto del contrato de opción de compra es un **bien inmueble**, es posible la inscripción del derecho de opción en el Registro de la Propiedad, para lo cual es necesario que, además de las circunstancias necesarias para la inscripción, reúna las siguientes:
• **convenio expreso** de las partes para que se inscriba;
• **precio** estipulado para la adquisición del bien y, en su caso, el que se hubiese convenido para conceder la opción (prima);
• **plazo** para el ejercicio de la opción, que no puede exceder de cuatro años.
Estas circunstancias deben hacerse constar en la inscripción.
Es lícito e inscribible el pacto de **prórroga del plazo** (DGRN Resol 30-9-87).
En el **arrendamiento con opción** de compra, la duración de la opción puede alcanzar la totalidad del plazo de aquel, pero caduca necesariamente en caso de prórroga, tácita o legal, del contrato de arrendamiento.

Precisiones **1)** Para que el contrato de opción tenga acceso al Registro, tiene que contar con todos los elementos de la compraventa, y uno fundamental es el **precio**. Este podría no estar determinado cuando se deriva de la asunción de un crédito hipotecario que grava la finca y no se sabe a cuánto queda realmente reducido el préstamo en el momento de ejercitar la opción (DGRN Resol 6-10-98).
2) Aunque contenga la cláusula «la opción será ejercitada por el optante o la persona física o jurídica que éste designe», la opción es inscribible y el derecho transmisible porque, en definitiva, la **transmisión del derecho** de opción se verifica por cualquiera de los cauces que el ordenamiento jurídico prevé para ello (DGRN Resol 4-1-99).
3) Se ha considerado inscribible el contrato de opción de compra aunque se **fraccione** el **pago de la prima** y se establezca que formará parte del precio de la futura venta, pagadero a plazos, y pese a estipularse que el impago de los plazos de la compra ha de provocar la caducidad de la opción (DGRN Resol 29-1-86).
4) Una vez ejercitado un derecho de opción, puede solicitarse la **cancelación de las cargas** que hubiesen sido inscritas con posterioridad al reflejo registral de dicho derecho de opción (LH art.79.2º). No obstante, resultando del asiento de inscripción que el precio de compraventa en ejercicio del derecho de opción habría de **pagarse al contado**, el ejercicio del derecho en términos distintos a los pactados e inscritos no puede perjudicar la situación jurídica de los titulares de asientos posteriores (DGRN Resol 29-9-14; 30-5-17).

Pueden señalarse los siguientes **efectos principales** de la inscripción del derecho de opción (TS 10-9-98, EDJ 18044; 11-4-00, EDJ 5724; DGRN Resol 7-12-78; 30-9-87; 30-7-90; 8-4-91; 4-9-92): 941

• La inscripción de la opción no cierra el Registro. El concedente de la opción puede **enajenar y gravar** la finca.

• Ahora bien, si el concedente enajena la finca, el **ejercicio del derecho** de opción inscrito puede llevarse a cabo contra quien resulte propietario del inmueble al tiempo de ejercitarse la opción.

• El propietario está obligado a otorgar la **escritura de venta** por la que se ejecuta la opción (CC art.1280.1º). En caso de oposición puede otorgarla el juez en su nombre.

• Una vez ejercitada la opción se produce la **extinción de los derechos reales, cargas y gravámenes** inscritos con posterioridad a aquella, cancelando los asientos correspondientes, previo abono preferente de su importe a cargo del precio de compra recibido por el titular del inmueble objeto de la opción.

• Cualquiera que sea la naturaleza que se le atribuya, la opción inscrita **afecta a terceros**. En cualquier caso enerva la buena fe del tercero, por lo que éste no se considera tercero de buena fe a efectos registrales (LH art.34).

• La inscripción de la **prórroga** no produce efecto retroactivo en perjuicio de terceros, dejando a salvo los derechos anotados o inscritos a favor de aquellos.

• No es posible cancelar el asiento que contenga la opción por el mero **transcurso del plazo de vigencia**, pues cabe acreditar que la opción se ejercitó extrarregistralmente dentro de plazo. Si ocurre este supuesto, se inscribirá la transmisión y se cancelarán los derechos posteriores.

Precisiones Inscrita una opción de compra y existiendo sentencia que ordena que se otorgue escritura pública de compraventa a favor del optante, esta escritura es título suficiente para cancelar una escritura de venta a favor de tercero que la había adquirido por adjudicación en subasta. Así, inscrito el derecho de opción y otorgada escritura pública de compraventa por resolución judicial, las **compraventas intermedias** inscritas **se cancelan** solamente por la presentación de aquella escritura y la ejecutoria judicial (DGRN Resol 6-5-98).

SECCIÓN 2

Compraventa mercantil

945

La compraventa es el contrato por el que (CC art.1445): 947

- el **vendedor** se obliga a entregar una **cosa** determinada; y
- el **comprador** a pagar por ella un **precio cierto**, en dinero o signo que lo represente.

Tradicionalmente se distingue entre **compraventa civil y mercantil**. Dicha distinción deriva de la existencia de dos normativas paralelas sobre la compraventa, una de las cuales tiene su base en el Código Civil (CC) y la otra en el Código de Comercio (CCom). La **compraventa mercantil** se rige fundamentalmente por la normativa de carácter mercantil, aunque, con carácter supletorio, resulta de aplicación la normativa civil.

En la presente sección se exponen los **aspectos más relevantes** de la compraventa mercantil, con independencia del carácter, civil o mercantil, de la normativa de aplicación.

Precisiones **1)** La **calificación** de una compraventa como mercantil o civil es **indivisible**, en el sentido de que un mismo contrato de compraventa no puede ser civil y mercantil a un tiempo (TS 20-2-20, EDJ 511683).

2) Para determinar la **intención** de una parte o el sentido que habría dado una persona razonable, deberán tenerse debidamente en cuenta todas las circunstancias pertinentes del caso, en particular las negociaciones, cualesquiera prácticas que las partes hubieran establecido entre ellas, los usos y el comportamiento ulterior de las partes, y en este caso que no se ha cuestionado que los **tratos anteriores** al litigioso se desarrollaron entre las partes como contratos de compraventa (TS 17-3-11, EDJ 71296).

A. Ámbito de aplicación

950 La calificación de un contrato de compraventa como mercantil o civil determina:
- en caso de compraventa **mercantil**, la aplicación del CCom, cuya finalidad es garantizar la seguridad jurídica de las transacciones comerciales, sin perjuicio de la aplicación supletoria del CC (CCom art.50);
- en caso de compraventa **civil**, la aplicación del CC (para la compraventa entre particulares).

Precisiones 1) **Supletoriamente** se aplica el **Código Civil** a los contratos mercantiles en todo lo relativo a sus requisitos, modificaciones, excepciones, interpretación y extinción y a la capacidad de los contratantes (CCom art.50).
2) Se reputa **civil** el **contrato mixto**, esto es, aquél en el que confluyen elementos de la compraventa mercantil y de otros contratos (como el arrendamiento de servicios). Por ejemplo, la compra de maquinaria en la que el vendedor no solo se obliga a la entrega de la misma, sino a su montaje (TS 7-5-73); o la venta de una licencia de uso de un programa de gestión administrativa y la formación del personal para su adecuada utilización (TS 13-5-15, EDJ 86718; 20-2-20, EDJ 511683).
3) Ver nº 962 s. respecto de la compra por un empresario con la intención, no de revender lo comprado, sino destinar el objeto comprado a su propia explotación o integración industrial o comercial (la llamada **compraventa-inversión**).

952 La aplicación de una u otra normativa al contrato de compraventa tiene una especial trascendencia por ofrecer un **régimen legal diferente** en lo que se refiere sobre todo a las siguientes materias:
- naturaleza de las **arras** (nº 1039);
- **entrega** de la cosa (nº 1070);
- transmisión del **riesgo** (nº 1186);
- reclamación por **defectos** de cantidad y calidad (nº 1234 y nº 1248); y
- **prescripción** de la obligación de pago del precio (nº 1154; nº 1202 y nº 1268).

Precisiones 1) La **distinción** entre compraventa civil o compraventa mercantil tiene trascendencia en dos órdenes de acciones (TS 7-10-05, EDJ 161996; 7-1-11, EDJ 3989; 14-12-22, EDJ 766875):
- por resolución por **defectos** de la cosa vendida (CCom art.342; CC art.1486); y
- por reclamación por el vendedor del **precio** de la cosa.
2) Lo que vincula al órgano judicial son los hechos que sustentan la pretensión y lo pretendido en la demanda (en este caso, pago de la mercancía servida e indemnización de perjuicios), por lo que es perfectamente posible que, respetando dicha base, en virtud del principio **iura novit curia**, el tribunal resuelva la cuestión con base en otros preceptos, en este caso los del Código de Comercio -al tratarse de una comprevanta mercantil-, aunque no hayan sido citados por la parte actora (AP La Rioja 29-1-21, EDJ 523361).

1. Regla general

(CCom art.325)

955 Con carácter general, en la determinación del carácter mercantil de una compraventa ha de atenderse a un elemento objetivo: tiene carácter mercantil la compraventa de cosas muebles para revenderlas, ya sea en la misma forma en que se compraron, ya en otra diferente, con la intención de obtener un beneficio en la reventa.
De la definición expuesta se deduce que, para que un contrato de compraventa pueda reputarse como mercantil, han de concurrir tres **condiciones**:
- que el contrato verse sobre **bienes muebles**;
- que la compra se haga con intención de **revender** posteriormente lo comprado; y
- que se pretenda obtener un **beneficio** en la reventa (ánimo de lucro).
Al permitirse que los bienes puedan adquirirse para transformarlos previamente a la reventa, se otorga carácter mercantil a la llamada **compraventa de transformación**.
Tradicionalmente se ha considerado que el criterio determinante para calificar una compraventa como mercantil es el **elemento intencional** de carácter especulativo y **no la condición profesional** de los contratantes -comerciante o sociedad mercantil- (TS 10-11-89; 25-6-99, EDJ 19931; TSJ Cataluña 7-6-90), de manera que se ha calificado como mercantil el contrato **celebrado entre no comerciantes** cuando tiene por objeto la reventa con ánimo de lucro, que son los elementos característicos de la compraventa mercantil (TS 30-5-79; 5-11-90). No obstante, posteriormente el TS ha declarado que la compraventa mercantil queda **reservada para** los **comerciantes**, que son los que profesionalmente compran para revender (TS 13-5-15, EDJ 86718).

En todo caso, debe tenerse en cuenta que las compraventas celebradas **entre comerciantes** van acompañadas de la presunción de que corresponden al giro de sus negocios y por ello revisten carácter mercantil (TS 12-3-82). Siempre que un acto forme parte de los **actos propios del tráfico de una empresa** ha de ser calificado como mercantil, siendo los tribunales los que han de discernirlo en caso de litigio (TSJ Cataluña 20-11-95, EDJ 12553).
Téngase en cuenta, además, que el propio CCom prevé la existencia de **actos de comercio** que sean de naturaleza análoga a los expresamente recogidos en él (CCom art.2).

Precisiones **1)** La nota que caracteriza a la compraventa mercantil frente a la civil es el elemento intencional, que se desdobla en un **doble propósito** por parte del **comprador**:
- el de **revender** los géneros comprados, bien sea en la misma forma en que los compró o transformados; y
- el **ánimo de lucro**, consistente en obtener un beneficio en la reventa;
de modo que la compraventa mercantil se hace no para que el comprador satisfaga sus propias necesidades de consumo (ver nº 962), sino para lucrarse con tal actividad, constituyéndose el comprador en una especie de mediador entre el productor de los bienes comprados y el consumidor de los mismos, una vez -en su caso- transformados o manufacturados (TS 9-7-08, EDJ 166681; AP A Coruña 31-3-16, EDJ 69048).
2) La jurisprudencia considera que el CCom califica la compraventa como mercantil no por el sistema subjetivo (según el cual sería mercantil toda venta que sea acto de comercio para el vendedor o para el comprador y que tenga por objeto mercaderías), sino por el **sistema objetivo**, en el que se prescinde de la persona del sujeto contratante para atender solo a su intención, de tal manera que se sustituye el concepto de compra profesional por el de «compra de especulación». Esto es, el criterio para calificar la compraventa como mercantil no sería la condición o profesión de los contratantes, sino su **ánimo especulativo** (TS 15-10-80; 21-12-81; 20-11-84; 8-7-88, EDJ 5988; 6-4-89; TSJ Cataluña 7-6-90; AP Málaga 2-2-00, EDJ 9113).
Por el contrario, la TS 13-5-15, EDJ 86718, considera que la compraventa mercantil queda **reservada a los comerciantes**, en la medida que son los que se dedican a comprar para revender con ánimo de lucro al consumidor final.
3) No es un supuesto de **compraventa de transformación** y, por lo tanto, carece de carácter mercantil, la venta de pienso para la alimentación de aves que serán posteriormente objeto de venta. Para que la venta fuese mercantil habría que considerar que las aves alimentadas con el pienso adquirido, son ese mismo pienso que se vende transformado, conclusión que ha de reputarse inaceptable (TS 10-11-00, EDJ 37062).
4) Tiene naturaleza **civil** la **compraventa de acciones o participaciones** sociales cuando no se adquirieren para revenderlas, con ánimo de lucrarse en la reventa, como exige el CCom art.325 para que la compraventa sea mercantil, por lo que, en materia de intereses, debe aplicarse el CC art.1100 (al que se remite el CC art.1501.3ª) y, por ende, condenar al pago de los intereses desde la intimación judicial -presentación de la demanda (CC art.1100)- (TS 19-10-11, EDJ 237344). El carácter civil del contrato deriva, asimismo, de las características del propio objeto del contrato, que supone la venta parcial de la titularidad de una sociedad, excluido por la misma naturaleza de tal objeto de su consideración como mercantil (TS 20-2-20, EDJ 511683).
5) La compra por parte de una sociedad mercantil a otra sociedad de una **licencia de uso** de un **programa de gestión administrativa** de **uso interno** tiene carácter civil, pues el comprador no puede comprar para revender lo que no es más que una licencia de uso; y si no puede revender, no puede esperar obtener un lucro en la reventa, ni en la misma forma en que se compró o bien en otra diferente (TS 13-5-15, EDJ 86718).
Esta sentencia TS 13-5-15, EDJ 86718, como señala la TS 20-2-20, EDJ 511683, consolida la jurisprudencia que califica de **civil** los **contratos mixtos o complejos**, en los que a la causa propia de la compraventa se yuxtapone otra propia de un contrato distinto de naturaleza no mercantil; y, asimismo, consolida la corriente jurisprudencial que interpreta el CCom art.325 en el sentido de exigir para la calificación de una compraventa como **mercantil** un doble elemento intencional del comprador:
- el propósito de la **reventa** de los géneros comprados; y
- el **ánimo de lucro**, consistente en obtener un beneficio en la reventa.

La finalidad de «**reventa con ánimo de lucro**» (CCom art.325) es, por tanto, el rasgo caracte- **957**
rístico de la compraventa mercantil (TS 20-11-84; 25-6-99, EDJ 19931; TSJ Navarra 15-11-91), que lo **distingue** de otro tipo de compraventas, como por ejemplo las que se producen en:
a) el ámbito de **consumo**, esto es, cuando el adquirente es un consumidor, y por tanto adquiere el bien para consumirlo, no para revenderlo; en cuyo caso debe tenerse en cuenta la normativa específica de protección de consumidores (principalmente la LGDCU; para mayor información ver Memento Experto Protección Legal del Consumidor);
b) el ámbito del **comercio minorista**, que se refiere a las ventas de cualquier clase de artículos, realizadas por profesionales con ánimo de lucro, a los «destinatarios finales» de los mismos, utilizando o no un establecimiento comercial (L 7/1996 art.1.2).
La L 7/1996 (LOCM), que se complementa con las dictadas por las CCAA, tiene como objeto principal regular las particularidades del comercio minorista (típicamente el dirigido a consumidores, en cuanto «destinatarios finales»), pero, además, regula determinados aspectos que

se refieren a las adquisiciones que realizan los comerciantes a sus proveedores, que son compraventas mercantiles reguladas por el CCom, tales como los plazos máximos de pago, obligaciones de documentación de las operaciones y expedición de factura (Tít.I, Cap.IV). Se trata, pues, de una ley que regula cuestiones heterogéneas.
En la presente sección mencionaremos algunas particularidades del comercio minorista (nº 1004, nº 1018, nº 1041, nº 1056, nº 1062, nº 1166, nº 1274) con ocasión de la exposición de los distintos aspectos de la compraventa mercantil.

Precisiones 1) De forma expresa, no se reputarán mercantiles, entre otras, las compras de **efectos destinados al consumo** del comprador o de la persona por cuyo encargo se adquirieren (CCom art.326.1º). Ver nº 962.
2) Un sector doctrinal (Uría, Garrigues) se muestra a favor de la mercantilidad de la **venta** realizada por un **comerciante a** un **consumidor final** (p.e, una venta realizada en una tienda abierta al público), a pesar de que el consumidor carece de ánimo de reventa y lucro, y ello en base a una interpretación a contrario del CCom art.326.4º (precepto que solo excluye de la mercantilidad a las reventas realizadas por «no comerciantes», luego si la realiza un comerciante será mercantil) y en base también al CCom art.85 (que se refiere a la compra de mercaderías en almacenes o tiendas abiertas al público, dando por hecho que estas compras quedan en todo caso incluidas en el ámbito del CCom). Desde un punto de vista práctico, la discusión sobre este tema cada vez tiene menos trascendencia, debido a la existencia de **normativa especial** sobre protección a los consumidores y ordenación del comercio minorista, con independencia de que la compraventa sea calificada como mercantil o como civil (principalmente RDLeg 1/2007; L 7/1996 y L 28/1998).

2. Reglas especiales

960 Para la determinación de la mercantilidad de ciertas operaciones han de aplicarse reglas especiales previstas en el CCom, o bien propuestas por la doctrina y la jurisprudencia, que en ocasiones suponen una excepción a la regla general expuesta en nº 955. Son las que se analizan en los números siguientes:
- compraventa para consumo propio;
- reventa (nº 972);
- venta realizada por agricultores y ganaderos (nº 974); y
- compraventa de inmuebles (nº 976).

Precisiones El CCom art.326 **excluye determinadas ventas** del ámbito mercantil. Pero ello no significa que el resto de ventas no incluidas en dicho precepto sean necesariamente mercantiles, pues para ello deben concurrir los elementos típicos de la mercantilidad, esto es, el elemento intencional de la reventa y de la obtención de lucro con ella (TS 20-2-20, EDJ 511683; AP Las Palmas 7-7-23, EDJ 759843).

962 **Compraventa para consumo propio** (CCom art.326.1º) No tiene carácter mercantil, sino **civil**, la compra de efectos destinados al consumo propio del comprador o de las personas por cuyo encargo se adquieren. Esto se debe a que el elemento característico de la compraventa mercantil es la adquisición de un bien para «revenderlo», elemento que no está presente cuando se compra un bien para «consumirlo».
No obstante, la **doctrina distingue** entre dos clases de compra de bienes para consumo propio, extrayendo consecuencias legales distintas:
• la compra de un bien destinado a un uso o consumo **doméstico y personal** del comprador (en cuyo caso, la compra tiene carácter civil); y
• la compra realizada para satisfacer necesidades de la propia empresa, esto es, realizada con un **fin empresarial** de producción, transformación e inversión productiva (p.e., la compra de maquinaria, mobiliario, instalaciones, material informático).

964 Respecto de la compraventa de estos bienes con fines empresariales (denominada «**compra empresarial**» o «compraventa-inversión»), la **doctrina** está **dividida**:
A. Se ha calificado como **mercantil** por una parte de la jurisprudencia (TS 16-6-72; 3-5-85; 24-2-92, EDJ 1696; 7-1-11, EDJ 3989; auto 23-9-15, EDJ 168037; TSJ Cataluña 7-6-90; AP León 12-5-00, EDJ 37734; AP Cuenca 16-2-16, EDJ 21786; AP A Coruña 31-3-16, EDJ 69048; AP Navarra 3-6-16, EDJ 203294; AP Zamora 23-6-16, EDJ 148070; AP Barcelona 15-12-16, EDJ 287041; AP Ourense 31-1-17, EDJ 30440) y de un sector de la doctrina (Uría, Muñoz-Planas, Paz Ares) en base, principalmente, a los siguientes argumentos:
• el precepto (CCom art.326.1º) se refiere a un consumo doméstico y personal, y no a un consumo industrial o comercial que pueden realizar los empresarios para satisfacer necesidades de su empresa. Este consumo industrial o comercial cumple una **finalidad económico productiva** bien distinta de la mera satisfacción de necesidades personales o domésticas, pues

está destinado al cumplimiento del fin empresarial (producción, transformación o inversión productiva, esto es, «ciclo producto-dinero-producto»);
• entre la reventa de bienes después de su **transformación** (a la que se refiere CCom art.325 como mercantil) y el uso o consumo de los bienes adquiridos para la satisfacción de necesidades de la propia explotación industrial del empresario existe una estrecha similitud funcional, que no permite someter las primeras a la ley mercantil y las segundas a la ley civil;
• aunque la compra no se hace para revender, tampoco se puede hablar de compra para consumir, sino de **compra para producir**, por lo que la compraventa no carece de ánimo de lucro (elemento esencial), pese a que no se proyecte la reventa de lo comprado; es decir, la empresa o persona empresaria no compra para consumir, sino para producir, obteniendo un beneficio que le permita continuar en la cadena productiva.

B. Para otro sector jurisprudencial (TS 17-2-89; 10-11-00, EDJ 37062) y doctrinal (Vicent Chuliá, De Castro, Bercóvitz), la compraventa para uso empresarial solo tiene carácter mercantil cuando la finalidad de la cosa es su **transformación** mediante la actividad industrial **y venta** del producto definitivo. En cambio, el contrato se califica como **civil** cuando el bien adquirido sirve al funcionamiento y desarrollo de la industria, sin ser objeto de transformación y posterior reventa (p.e., maquinaria, programas informáticos). **966**
Esta posición doctrinal se va abriendo camino a raíz de la TS 9-7-08, EDJ 166681, que califica como civil la compraventa de muebles adquiridos para quedar instalados en un complejo hotelero, lo que excluye la nota de especulación propia de la compraventa mercantil, que requiere la adquisición con ánimo de reventa y de obtención de lucro en la misma, y especialmente a partir de la TS 13-5-15, EDJ 86718, que considera civil la compra efectuada por una sociedad mercantil de una **licencia de uso** de un **programa** de gestión administrativa **de uso interno**, en la medida que una licencia de mero uso no se puede revender, por lo que no existe ánimo de lucro -requisito típico de la compraventa mercantil-; doctrina que sigue la AP León 13-11-15, EDJ 231443, que trata un caso de compra por parte de una clínica de una máquina de rayos X, argumentando que esta máquina no se integra en un proceso productivo empresarial, ni se destina al tráfico mercantil (cabe señalar que, en vista de la nueva doctrina del TS, la AP de León se aparta de su propia doctrina anterior, como la sentencia de 11-6-14, que reputaba mercantil la compra con fines empresariales).

Precisiones La **división doctrinal** sobre el carácter mercantil o civil de las compras con fines empresariales queda patente en distintas resoluciones judiciales: **968**
a) Así, se ha otorgado **carácter mercantil** a las siguientes compraventas:
- de tejido sintético para la elaboración de prendas de vestir (TS 19-12-84);
- de parqué para su instalación en viviendas (TS 6-3-85);
- la compraventa de bienes destinados a ser arrendados constituye una variedad de la denominada compra para consumo empresarial, que ha sido calificada como mercantil en diversas ocasiones (TS 16-6-72; AP Córdoba 10-3-97);
- de combustible para el normal funcionamiento de una explotación agrícola (AP Segovia 7-5-99, EDJ 84381);
- material informático destinado a tienda de ropa (AP Alicante 30-9-99, EDJ 44293);
- de materiales de construcción por una empresa dedicada a tal actividad (AP Teruel 10-12-99, EDJ 54911);
- de electrodomésticos, equipo de música y diverso material eléctrico realizada por un establecimiento de hostelería (AP León 12-5-00, EDJ 37734);
- de cereales (cebada) para alimentar ganado porcino (TS 23-1-09, EDJ 10468);
- de una máquina excavadora para emplearla en la actividad industrial (TS 7-1-11, EDJ 3989);
- de una máquina agrícola (vibrador de aceitunas y frutos secos) que se incorpora al proceso productivo del comprador (AP Cuenca 16-2-16, EDJ 21786);
- de ganado vacuno para su crianza y posterior venta al público de su carne (AP A Coruña 31-3-16, EDJ 69048);
- de una cisterna (cuba) que se incorpora al ciclo productivo de la sociedad compradora (AP Zamora 23-6-16, EDJ 148070);
- de una embarcación para destinarla a la explotación de la actividad empresarial de la empresa compradora (AP Barcelona 15-12-16, EDJ 287041);
- de cereal para el engorde de aves y posterior venta en el mercado de productos alimenticios (AP Toledo 30-7-20, EDJ 662118);
- de material (tornillería, regletas, manivelas o brazos) que la compradora integra en los toldos y pérgolas que fabrica (AP Sevilla 20-7-23, EDJ 697439);
- de insecticidas y abonos a un agricultor que los destina a su producción agrícola (AP Almería 3-10-23, EDJ 798257);
- de material a un taller que emplea para reparar vehículos (AP Toledo 18-10-23, EDJ 785882).

970 b) Por el contrario, se ha considerado de **carácter civil** la adquisición de:
- camiones, aun cuando dicho contrato sea complementario a otro de distribución de productos y haya sido realizado entre dos comerciantes (TS 17-2-89);
- una finca por una empresa para destinarla a la ubicación de sus instalaciones industriales, en un caso en que la operación no forma parte de la actividad orgánica propia de la empresa (TSJ Cataluña 20-11-95, EDJ 12553);
- animales para la posterior venta de los productos obtenidos de ellos -p.e., compra de gallinas para vender los huevos- (TS 4-10-1904; TSJ Navarra 15-11-91);
- piensos para alimentar a las aves que luego se van a vender (TS 10-11-00, EDJ 37062);
- maquinaria para la comercialización de otros productos elaborados con ella (TS 7-6-69);
- un horno y sus accesorios para destinarlos a una industria de panadería (TS 12-12-83);
- maquinaria para molturación de aceituna y extracción de aceite (TS 7-6-69);
- mobiliario de una pescadería y frutería (AP Cuenca 22-1-97, Rec 353/96);
- mobiliario para quedar instalado en un complejo hotelero (TS 9-7-08, EDJ 166681);
- licencia de uso de programas informáticos de gestión administrativa de la empresa (TS 13-5-15, EDJ 86718);
- máquina de rayos X para una clínica (AP León 13-11-15, EDJ 231443, que utiliza los argumentos de la TS 13-5-15, EDJ 86718).

972 **Reventa** (CCom art.326.4º) Como se ha señalado en nº 962, no tiene carácter mercantil la compra de bienes para consumo propio del comprador.
Asimismo, tampoco tiene carácter mercantil la reventa que haga cualquier persona **no comerciante** del resto de los acopios que hizo para su consumo. Esto es, no es mercantil la reventa de bienes que un no comerciante hace del **sobrante** de los bienes que adquirió para su propio consumo.
Por el contrario, cierto sector doctrinal considera, interpretando a sensu contrario el CCom art.326.4º, que la reventa que realiza un **comerciante** de bienes adquiridos con la finalidad de comerciar con ellos (p.e., venta en un establecimiento abierto al público) se considera mercantil, incluso en el caso de que el comprador sea un consumidor final (nº 957).

974 **Ventas realizadas por agricultores, ganaderos y artesanos** (CCom art.326.2º y 3º) Se establece que no son mercantiles la compraventas:
- que realicen los propietarios y los **labradores o ganaderos** de los frutos o productos de sus cosechas o ganado, o de las especies en que se les paguen las rentas;
- que realicen los **artesanos** en sus talleres de los objetos fabricados o construidos por ellos.
En opinión de un sector doctrinal, no parece admisible que actualmente se excluyan del tráfico mercantil las ventas de productos agrícolas y ganado de agricultores y ganaderos, así como la de productos realizados por artesanos, ya que desarrollan su propia empresa, y máxime cuando hoy día existen **sociedades dedicadas a dichas actividades** y pueden llegar a tener la forma de sociedades mercantiles (Cano Rico). A pesar de ello, y aunque en general se comparte la opinión expresada, algunos autores y pronunciamientos judiciales coincidieron en que el precepto comentado sigue vigente y excluye tales operaciones (TS 30-10-81, EDJ 1705; Garrigues, Paz-Ares).
Cabe, en todo caso, plantearse si han de considerarse dentro de los supuestos previstos por la norma aquellas operaciones realizadas a través de **organizaciones empresariales** (cooperativas, sociedades agrarias de transformación, empresas dedicadas a la artesanía) y en establecimientos comerciales separados de los lugares de producción (ver al respecto TS 12-3-82).

Precisiones 1) La mención del CCom art.326.2º a «**los propietarios**» se refiere a los propietarios de los fundos en que se produzcan los géneros vendidos y no a los de las cosechas vendidas (TS 25-6-99, EDJ 19931).
2) La actividad de **artesanía** se regula por RD 1520/1982. Se considera como tal la actividad de producción, transformación y reparación de bienes o prestación de servicios, realizada mediante un proceso en el que la intervención personal constituye un factor predominante, obteniéndose un resultado final individualizado que no se acomoda a la producción industrial, totalmente mecanizada o en grandes series (RD 1520/1982 art.1).
3) La exclusión del CCom art.326.2º y 3º del ámbito de las compraventas mercantiles tiene una **justificación histórica**, que marginaba de la esfera del comercio a las **actividades agrícola y ganadera** dada su índole familiar, y que si tuvo justificación en la época codificadora (finales del siglo XIX), cuando las operaciones de cultivo no pasaban de rudimentarias y se insertaban las más de las veces en una **economía de subsistencia**, no es válida para las explotaciones de hoy, desarrolladas en una verdadera empresa agraria; a pesar de lo cual el precepto sigue vigente y con prevalencia frente a la norma del CCom art.325 (TS 30-10-81, EDJ 1705). En este sentido:
- se ha negado el carácter mercantil a un contrato de compraventa de vino realizado por una **cooperativa agraria**, entendiéndose que son los propietarios y labradores los que venden sus productos, aunque sea a través de un organismo creado por ellos (TS 25-11-86);

- se ha declarado el carácter **civil** de la compraventa de productos agrícolas, aun en el caso de que se trate de una **compraventa de transformación** -p.e., compra de patatas para su reventa como patatas fritas- (TS 31-12-99, EDJ 43940).

4) No obstante, esta concepción ha ido evolucionando con la **nueva realidad social y económica**, y, como señala la AP Almería, basta con vivir en el siglo XXI, y en la provincia de Almería, para apercibirse que esa concepción de la venta de productos por los agricultores y ganaderos en ningún caso puede ser sostenida hoy en día, donde debe ser mercantil toda actividad llevada a cabo por empresarios dentro de su actividad de empresa (AP Almería 3-10-23, EDJ 798257).

En este sentido, resoluciones más recientes entienden que es **compraventa o suministro mercantil** la realizada por agricultores o ganaderos de los frutos o productos de sus cosechas o ganados, por ejemplo:
- la de **patatas** para revender, previa manipulación por congelación (TS 25-6-99, EDJ 19931);
- la de **cítricos** para su posterior reventa al consumidor, sin transformación del producto (AP Castellón 28-4-00, EDJ 70717);
- la de **pienso**, aunque se trate de una actividad ganadera y tradicionalmente excluida del "acto de comercio" (TS 23-1-09, EDJ 10467; AP Málaga 14-6-12, EDJ 215881), y en particular el suministro de pienso para alimentación de pollos y posterior venta de huevos (AP Murcia 30-5-11, EDJ 116210);
- la de **melones** a una sociedad agraria de transformación para incardinarlos en su ciclo empresarial y destinarlos a la **exportación** (AP Murcia 25-11-05, EDJ 235307);
- la de **maquinaria** a una explotación de labor, que va más allá de la agricultura de subsistencia (AP Málaga 22-1-13, EDJ 76864);
- la de **productos cárnicos** para comercializarlos en la hostelería (AP Cádiz 20-2-13, EDJ 116827).

Compraventa de inmuebles Su calificación es **civil**, con independencia de que la adquisición pueda hacerse con ánimo de proceder posteriormente a la reventa, ya que la compraventa mercantil se caracteriza fundamentalmente por el hecho de que recae sobre cosas **muebles**, conforme al CCom art.325 (TS 31-10-13, EDJ 219934; 5-7-21, EDJ 624015). **976**

No obstante, esta cuestión ha suscitado controversia en la doctrina, en la medida en que el tráfico mercantil ofrece múltiples ejemplos de **promoción** y **construcción** de **edificios**, y posterior venta de pisos y locales, operaciones realizadas como parte de la actividad habitual de empresas, frecuentemente bajo la forma de sociedades mercantiles. En ese sentido, la Exposición de Motivos del CCom ya contemplaba la posibilidad de que los inmuebles fuesen objeto de tráfico mercantil, dejando la calificación mercantil de dichos contratos al criterio de los tribunales. En base a ello, algunos pronunciamiento judiciales han señalado que no hay obstáculo para considerar mercantil la compraventa de inmuebles siempre que se cumplan las mismas **condiciones** exigibles a la compraventa de bienes muebles, esto es: **978**
- que se compren con el ánimo de revenderlos; y
- con la intención de enriquecerse en su reventa -ánimo de lucro- (TSJ Cataluña 20-11-95, EDJ 12553).

Por su parte, la DGRN (actual DGSJFP) ha manifestado, en diversas ocasiones, que la compraventa de inmuebles no es ya un acto excluido de la esfera mercantil, pudiendo considerarse, en hipótesis determinadas, un **acto de comercio**. Para ello es imprescindible que el vendedor realice dicha actividad de forma permanente, a través de una organización estable y adecuada al efecto y con ánimo lucrativo. Por otro lado, ha de tenerse en cuenta que dicha consideración mercantil no implica que pueda extenderse a la compraventa de inmuebles la aplicación de la **normativa** que el CCom establece para la compraventa mercantil más característica, la de bienes muebles (DGRN Resol 1-4-97; 30-4-97).

Es por ello que, con independencia de la calificación que reciba, a la compraventa de inmuebles resultan de aplicación, principalmente, las normas del Código Civil que a ella se refieren.

Precisiones **1)** Si consideramos las personas físicas o las **sociedades mercantiles inmobiliarias** cuyo objetivo, profesional o social, es el de comprar para revender las fincas con afán de ganancia, y negásemos después carácter mercantil a esas compraventas, negaríamos la evidencia de nuestro tiempo y nos colocaríamos fuera de la realidad, incurriendo además en un palpable desconocimiento de la moderna normativa urbanística (TSJ Cataluña 20-11-95, EDJ 12553).

2) No obstante, debe tenerse en cuenta que la mercantilidad de las compraventas inmobiliarias es puramente teórica dada su **falta de regulación** en el CCom (DGRN Resol 13-12-85).

3) Se ha negado carácter mercantil a la transmisión de un bien inmueble realizada con el único propósito de **liquidar una deuda existente**, sin ánimo de obtener un enriquecimiento en la transacción (TSJ Cataluña 7-6-90).

4) La **doctrina** no muestra una opinión unánime con respecto a la mercantilidad de la compraventa de inmuebles. Algunos autores se manifiestan a favor de esta posibilidad (Uría, Garrigues, Paz-Ares) y otros en contra (Bercóvitz, Vicent Chuliá).

5) La calificación como civil o mercantil de la compraventa de inmuebles cobra especial trascendencia en **Cataluña**, pues en el primer caso cabe la rescisión por lesión (L Cataluña 3/2017 art.621-46 -procedente del DLeg Cataluña 1/1984 art.321-), mientras que en el segundo caso no es posible (por aplicación de CCom art.344).

B. Elementos

985

987 Son requisitos esenciales para la validez de todos los contratos (CC art.1261):
- el **consentimiento** de los contratantes;
- un **objeto** cierto que sea materia del contrato; y
- la **causa** de la obligación que se establezca.

Los contratos pueden ser anulados cuando sus elementos adolezcan de alguno de los **vicios** que los invalidan con arreglo a la ley (CC art.1300).

Con respecto a la **compraventa**, en desarrollo de la regla general expuesta, sus elementos característicos son los siguientes:
- contratantes que han de consentir: vendedor y comprador;
- objeto: el bien que se vende; y
- causa: el precio o contraprestación dineraria que se paga a cambio.

A estos habría que añadir, en algunos casos, la **forma** del contrato, cuestiones que se estudian en el apartado relativo a la perfección del contrato (nº 1050 s.).

Precisiones 1) Pueden ejercitar la **acción de nulidad** de los contratos los obligados principal o subsidiariamente en virtud de ellos (CC art.1302). La jurisprudencia ha admitido también su ejercicio por terceros perjudicados -en base a CC art.1257- (TS 26-10-62; 19-5-98, EDJ 5150).
2) La contraprestación dineraria -precio- constituye la **causa del contrato** de compraventa. El estudio de este elemento esencial de los contratos se realiza en el nº 155.

1. Contratantes

990 El contrato de compraventa requiere, por su propia esencia, la concurrencia de **dos voluntades**:
- una que se obliga a entregar un bien (**vendedor**); y
- otra que se compromete a adquirirlo (**comprador**).

Con respecto a la compraventa mercantil, lo común es que ambos contratantes tengan la condición de **comerciante** (o empresario), aunque tal requisito no se exige expresamente, por lo que este contrato puede ser celebrado por todo aquel que tenga capacidad suficiente para contratar (nº 992) y que no incurra en ninguna de las **prohibiciones o limitaciones** que establece nuestro ordenamiento para comprar o vender (nº 994 s.).

Téngase en cuenta también que la compraventa puede realizarse a través de un intermediario, en cuyo caso resultan de aplicación las reglas sobre **intermediación** mercantil (nº 5830 s.).

Precisiones La necesaria presencia de dos voluntades no impide que cada una de ellas se sustente por **varias personas**. Es posible, por tanto, que los compradores sean dos o más, que compran en común, y lo mismo es predicable de los vendedores (p.e., en caso de copropiedad).

992 **Capacidad** (CC art.1457, 322 y 323; CCom art.5) Con carácter general, se establece que pueden celebrar el contrato de compraventa, siempre que no estén incapacitados:

a) Los **mayores de edad**.

b) Los **menores de edad emancipados** (o que hayan obtenido el beneficio de la mayor edad), siendo necesario en este caso el **consentimiento** de sus padres para la enajenación de ciertos bienes:
- inmuebles;
- establecimientos mercantiles o industriales;
- objetos de extraordinario valor.

No se prevé que el menor de edad pueda celebrar un contrato de **compraventa** de carácter **mercantil**, pues el CCom art.5 únicamente permite a los menores de edad (emancipados o no) que, por medio de sus guardadores, puedan **continuar el comercio** que hayan ejercido sus padres o sus causantes.

Precisiones 1) El menor de edad **casado con persona mayor de edad** puede enajenar bienes inmuebles, establecimientos mercantiles o industriales y objetos de extraordinario valor cuando concurra el consentimiento de su cónyuge (CC art.324).
2) Como consecuencia de la modificación del CC realizada por la L 8/2021, por la que se reforma la legislación civil y procesal para el apoyo a las **personas con discapacidad** en el ejercicio de su capacidad jurídica (en vigor desde el 3-9-2021 -a los tres meses de su publicación en el BOE-), se reubica en el Código Civil la regulación legal de la mayoría de edad y la emancipación y de las

instituciones de protección del menor (tutela, curatela y defensor judicial). El nuevo Título XI del Libro Primero (CC art.249 a 299) regula las **medidas de apoyo** a las personas con discapacidad para el ejercicio de su capacidad jurídica. Con la nueva regulación, se produce un **cambio de modelo**: se pasa de un sistema en el que predominaba la sustitución en la toma de las decisiones que afectan a las personas con discapacidad (incapacitación), a otro basado en el respeto a la voluntad y las preferencias de la persona quien, como regla general, será la encargada de tomar sus propias decisiones, con las medidas de apoyo que en su caso adopte el juez atendiendo a las concretas circunstancias de la persona. Solo en **casos excepcionales**, cuando, pese a haberse hecho un esfuerzo considerable, no sea posible determinar la voluntad, deseos y preferencias de la persona, las medidas de apoyo podrán incluir funciones representativas (CC art.249). Cuando el interesado no es siquiera **consciente de su discapacidad** (p.e., cuando sufre un trastorno mental o de conducta), el juez puede adoptar medidas de apoyo para el ejercicio de su capacidad jurídica aun en contra de su voluntad (TS 8-9-21, EDJ 686146).
Como derivada de ese cambio de modelo, la L 8/2021 art.8.Dos modifica el CCom art.5, eliminado la referencia a los discapacitados que, antes de esta reforma legal, eran equiparados a los menores de 18 años a los efectos de poder continuar por medio de sus guardadores el comercio que hubieren ejercido sus padres o causantes.

Prohibiciones de disponer de carácter legal Aun cuando se cuente con la capacidad suficiente, la normativa mercantil establece ciertas prohibiciones de comprar y vender. La compraventa celebrada contraviniendo una prohibición legal da lugar a la **nulidad absoluta** de aquella (TS 7-10-87, EDJ 7103). 994
Las prohibiciones son las siguientes (CCom art.96.4º, 267, 288):
a) El **agente mediador de comercio** no puede adquirir para sí los efectos de cuya negociación esté encargado, salvo cuando tenga que responder de faltas del comprador al vendedor.
b) El **comisionista** no puede, sin licencia del comitente, comprar para sí ni para otro lo que se le haya mandado vender, ni tampoco puede vender lo que se le haya encargado comprar.
c) El factor (**auxiliar, apoderado, mandatario**) no puede traficar por su cuenta particular ni interesarse en nombre propio o ajeno en negociaciones del mismo género de las que realice en nombre del empresario, salvo autorización expresa del mismo.
Con aplicación a **cualquier tipo de compraventa** -civil o mercantil-, se establecen también las siguientes prohibiciones (CC art.1459, 162.2º, 226 redacc L 8/2021):
• Quienes desempeñen el **cargo de tutor o funciones de apoyo** no pueden adquirir a título oneroso bienes de la persona a que representen, ni transmitirle bienes por igual título.
• Los **mandatarios** no pueden adquirir los bienes cuya administración o enajenación se les haya encargado.
• Los **albaceas** no pueden adquirir los bienes confiados a su cargo.
• Los **empleados públicos** no pueden adquirir los bienes del Estado y de otras administraciones y establecimientos públicos, de cuya administración estén encargados.
• Los **magistrados, jueces**, miembros del Ministerio Fiscal, secretarios judiciales y oficiales de justicia no pueden adquirir los bienes y derechos que se encuentren en litigio en el tribunal en que ejerzan sus funciones.
• Los **abogados y procuradores** no pueden adquirir los bienes y derechos que sean objeto de un litigio en que intervengan en el ejercicio de su profesión.
• Los **padres** carecen de representación con respecto a sus hijos menores no emancipados en los asuntos en los que exista conflicto de intereses entre unos y otros.

Precisiones **1)** La **intermediación mercantil** se expone en el nº 5830, el contrato de **comisión** en el nº 5580 y el de **agencia** en el nº 5710.
2) La prohibición para con los **abogados** se refiere a los litigios en que defiendan intereses ajenos, no propios (TS 29-10-64; 19-5-98, EDJ 5150).
3) Puede considerarse que un bien es **objeto de litigio** desde la fecha de emplazamiento para contestar a la demanda. Es válida, por tanto, la compraventa del bien litigioso realizada antes de ese momento por el abogado que posteriormente interviene en el pleito (TS 15-2-65; 8-9-98, EDJ 17477).

Finalmente, aunque no se trata de expresas prohibiciones de comprar y vender, han de tenerse en cuenta las siguientes **disposiciones restrictivas del comercio**: 996
• Se prohíbe el ejercicio del comercio a las personas que sean **inhabilitadas** por sentencia firme conforme a la Ley Concursal, mientras no haya concluido el período de inhabilitación. Si se ha autorizado al inhabilitado a continuar al frente de la empresa o como administrador de la sociedad concursada, los efectos de la autorización se limitan a lo específicamente previsto en la resolución judicial que la contenga (CCom art.13.2º redacc LCon/03 disp.final 2ª.1, redacc L 38/2011).
• Pueden ser sancionados con el cese, a solicitud de cualquier socio y por acuerdo de la junta general, los **administradores** de **sociedades anónimas y comanditarias por acciones** que, bajo cualquier forma, tengan intereses opuestos a los de la sociedad (LSC art.224.2 y 252.1); y

para que los administradores de **sociedades de responsabilidad limitada** puedan dedicarse, por cuenta propia o ajena, al mismo, análogo o complementario género de actividad que constituya el objeto social de la sociedad, se requiere la autorización expresa de la junta general (LSC art.199.b).

• Los **socios** de **sociedades colectivas y comanditarias** que no tengan género de comercio determinado no pueden hacer operaciones por cuenta propia sin que proceda consentimiento de la sociedad. Si la sociedad tiene género de comercio determinado, los socios no pueden, salvo pacto en contrario, realizar operaciones mercantiles que pertenezcan a la misma especie de negocios que la que realiza la sociedad (CCom art.136, 137 y 148).

• No pueden ejercer la profesión mercantil, por sí ni por otro, dentro de los límites de los distritos, provincias o pueblos en que desempeñan sus funciones (CCom art.14):

- los **magistrados, jueces y funcionarios del Ministerio Fiscal** en servicio activo;
- los **jefes gubernativos, económicos o militares**;
- los empleados en la **recaudación y administración** de fondos del Estado, nombrados por el Gobierno;
- los **corredores de comercio** (téngase en cuenta que los corredores de comercio y los notarios fueron integrados en un cuerpo único de **notarios** -L 55/1999 disp.adic.24ª-).

998 **Prohibiciones de disponer de carácter voluntario, judicial y administrativo** (CC art.785.2º; LH art.26.2ª y 3ª, 27; RH art.57) La renuncia voluntaria a la facultad de disponer sobre un bien se ha admitido en nuestro derecho con carácter excepcional. Así, con respecto a los **actos de última voluntad**, se prevé que no surten efecto las disposiciones que contengan la prohibición perpetua de enajenar; norma que se considera aplicable a **cualquier acto voluntario** que establezca una prohibición de disponer (DGRN Resol 25-6-1904; 23-10-80).

La prohibición de disponer puede derivar también de **resoluciones judiciales y administrativas** (p.e., medidas cautelares: LEC art.727).

Cuando se refieren a bienes inmuebles o derechos inscribibles, la prohibición de disponer tiene **acceso al Registro** de la Propiedad en los siguientes casos:

• si derivan de actos a título gratuito, mediante inscripción;

• si derivan de resoluciones judiciales o administrativas, mediante anotación preventiva.

Las prohibiciones derivadas de actos a título oneroso no tienen acceso al Registro, sin perjuicio de la inscripción de la hipoteca o garantía real que asegure su cumplimiento.

Precisiones El efecto de las prohibiciones de disponer debe restringirse a una pura exclusión de la facultad de disponer libre y voluntariamente de un derecho, por lo que no impide la **enajenación forzosa** (DGRN Resol 22-2-89).

1000 **Limitaciones de disponer** Además de las que se puedan establecer con carácter voluntario, permitidas en la medida en que no supongan una prohibición en los términos expuestos en el nº 998, la Ley establece ciertas limitaciones relacionadas con la vivienda conyugal y con los bienes gananciales:

a) En relación a la **vivienda conyugal** (teniendo en cuenta que difícilmente será objeto de un contrato de compraventa calificado como mercantil), baste decir que se requiere el consentimiento de ambos cónyuges para disponer de los derechos que recaigan sobre ella y sobre los muebles de uso ordinario de la familia, aun en el caso de que dichos derechos no tengan carácter ganancial. La compraventa realizada sin el citado consentimiento es anulable a instancia del cónyuge cuyo consentimiento se ha omitido (CC art.1320, 1322).

1002 **b)** En cuanto a los **bienes gananciales**, hemos de distinguir varios supuestos:

• Su **enajenación a título oneroso** requiere el consentimiento de ambos cónyuges. Si uno de ellos se niega o está impedido para prestarlo, el juez puede autorizar uno o varios actos dispositivos si lo considera de interés para la familia, con las limitaciones o cautelas que estime convenientes. La enajenación realizada sin el citado consentimiento, o sin autorización judicial, es anulable a instancia del cónyuge cuyo consentimiento se ha omitido (CC art.1377, 1322).

• Los bienes adquiridos mediante **precio en parte ganancial y en parte privativo** corresponden pro indiviso a la sociedad de gananciales y al cónyuge o cónyuges en proporción al valor de las aportaciones respectivas, aunque no hay obstáculo para que los cónyuges atribuyan a estos bienes el carácter de gananciales (CC art.1354, 1355).

• Los **bienes comprados a plazos** por uno de los cónyuges antes de comenzar la sociedad de gananciales tienen carácter privativo, aun cuando la totalidad o parte del precio se satisfaga con dinero ganancial. Si la adquisición se hace una vez que ha comenzado la sociedad de gananciales, tienen naturaleza ganancial o privativa según el carácter que tuviese el primer desembolso, con independencia de que el resto del precio se satisfaga con dinero de otra naturaleza (CC art.1356, 1357).

Disposiciones relativas al comercio minorista (LOCM art.8.1, 35) Con relación al vendedor, la normativa sobre ordenación del comercio minorista establece diversas prohibiciones: 1004
a) Prohibición de ejercer el comercio al por menor a los empresarios individuales o sociales a quienes la **normativa especial** de la actividad que desarrollan les exija dedicarse exclusivamente a la misma.
b) Prohibición de invocar por el vendedor su **condición de fabricante o mayorista**, a menos que:
- si es fabricante, fabrique realmente la totalidad de los productos puestos a la venta; o si es mayorista, venda fundamentalmente a comerciantes minoristas; y
- los precios ofertados sean los mismos que aplica a otros comerciantes, mayoristas o minoristas, según el caso.

Precisiones Téngase en cuenta que la LOCM es de **aplicación supletoria** en las CCAA que hayan dictado normativa en la materia (LOCM disp.final única): DLeg Andalucía 1/2012; L Aragón 4/2015; L Asturias 9/2010; L Baleares 11/2014; DLeg Canarias 1/2012; L Cantabria 1/2002; L Castilla-La Mancha 2/2010; DLeg Castilla y León 2/2014; L Cataluña 18/2017; L Extremadura 3/2002; L Galicia 13/2010; L La Rioja 3/2005; L Madrid 16/1999; L Murcia 11/2006; LF Navarra 17/2001; L Comunidad valenciana 3/2011.

2. Objeto del contrato

Pueden ser objeto del contrato de compraventa todas las cosas, tanto corporales como incorporales, presentes y futuras, específicas y genéricas, siempre que sean de **lícito comercio** y que estén **determinadas** o sean susceptibles de determinación (CC art.1445, 1271, 1273). 1010
La compraventa mercantil tiene como objeto típico **bienes muebles** (CCom art.325), a los que suelen denominarse mercancías, mercaderías, géneros o efectos. Esto no excluye el posible carácter mercantil de la compraventa de **bienes inmuebles** (ver al respecto el nº 976) o de la compraventa de otros bienes muebles, tales como títulos de crédito, recursos energéticos, etc.
Asimismo pueden ser objeto de compraventa mercantil ciertos **derechos** (marcas, patentes, derechos de propiedad intelectual).

Precisiones **1)** Por la especialidad de la materia, ciertas compraventas no se exponen en este capítulo:
- la compraventa de derechos de **propiedad intelectual e industrial** se expone en el nº 1700 s;
- la compraventa de acciones y valores se estudia en el marco de los **contratos bursátiles** (nº 9505 s.);
- sobre la compraventa de **recursos energéticos**, véase en este mismo capítulo lo referente al contrato de suministro (nº 1610).
2) Sobre la mercantilidad de la compraventa de **productos agrícolas, ganaderos o artesanos** ver nº 974.
3) El **lícito comercio** y la **determinación del objeto** de la compraventa son requisitos exigibles a todo contrato (ver al respecto el nº 140).

Determinación (CC art.1167, 1273, 1469, 1471; CCom art.328) El objeto del contrato debe estar determinado o ser determinable sin necesidad de un posterior convenio entre las partes. Se exige, al menos, la determinación de la **especie**, sin ser preciso que se determine la cantidad ni la calidad. 1012
La indeterminación en la **cantidad** no es causa de nulidad, siempre que sea posible determinarla sin necesidad de un nuevo convenio entre los contratantes.
En el caso de que los géneros no se tengan a la vista en el momento de celebración del contrato, ni puedan clasificarse por una **calidad** determinada y conocida en el comercio, se entiende que el comprador se reserva la facultad de examinarlos y de rescindir libremente el contrato si los géneros no le convienen.
No obstante, si pudiéndose determinar la calidad y circunstancias, no se especifican en el contrato, el comprador no puede exigir que se le entregue de la calidad superior ni el vendedor puede entregarla de la inferior.
Con respecto a la **compraventa de inmuebles** se establecen las siguientes reglas relativas a la determinación del objeto:
• se han de determinar, en todo caso, expresando sus linderos;
• es posible, además, expresar una determinada cabida (superficie) o una determinada calidad, y fijar el precio según esos factores (a razón de un precio por unidad de medida).

Venta de cosa ajena y doble venta La compraventa tiene un carácter meramente obligacional en virtud del cual el vendedor se obliga a entregar determinada cosa, lo cual puede suceder en un momento posterior. Es por ello que no se exige que los bienes objeto de compraventa sean propiedad del vendedor en el momento de la **celebración del contrato**, aunque han de formar parte de su patrimonio en el momento en que tenga que hacer efectiva la **obligación de entrega**. Si, en ese momento, la entrega no es posible, no estamos ante un contrato 1014

nulo, sino ante un incumplimiento contractual, que permite resolver el contrato con la obligación de indemnizar los daños y perjuicios (TS 7-6-96, EDJ 3157; 25-10-96, EDJ 6728; 11-11-97, EDJ 7625; 7-2-01, EDJ 337).
Esta doctrina ha de entenderse sin perjuicio de la anulabilidad por dolo en el supuesto en que medie **engaño por parte del vendedor** (TS 25-6-93, EDJ 6272; 7-6-96, EDJ 3157; 7-3-97, EDJ 1285).
Por otro lado, es también posible que se realice la entrega efectiva sin que el vendedor haya adquirido previamente la propiedad sobre la cosa. En este caso el comprador podría verse privado de la misma por un tercero, en cuyo caso surge la responsabilidad del vendedor por el incumplimiento de su obligación de saneamiento por **evicción** (nº 1125).

1016 Distinto de la venta de cosa ajena, aunque de apariencia muy similar, es el supuesto de la **doble venta**: es el caso de la persona que vende la misma cosa a dos personas; lo cual requiere que, cuando se perfeccione la segunda venta, la primera no haya sido consumada todavía, lo que implica una cierta **coetaneidad cronológica** entre ellas, pues si la primeramente concertada ya había quedado totalmente consumada por el pago íntegro del precio del comprador y la entrega de la cosa por el vendedor, ya no nos encontramos ante un verdadero supuesto de doble venta, sino de **venta de cosa ajena** (TS 25-11-94, EDJ 9375; 21-6-00, EDJ 15530; AP Cantabria 26-4-01, EDJ 103229).
Para los casos de doble venta de bienes **muebles**, el CC establece que la **propiedad** se transfiere a la persona que primero haya tomado posesión de la cosa con buena fe (CC art.1473).
Por último, conviene tener en cuenta que en el **ámbito penal** (CP art.251) se castiga con la pena de prisión de 1 a 4 años a quien:
- atribuyéndose falsamente, sobre bienes muebles o inmuebles (estafa inmobiliaria), **facultad de disposición** de la que carezca, bien por no haberla tenido nunca, bien por haberla ya ejercitado, los enajene, grave o arriende a otro, en perjuicio de éste o de tercero;
- disponga de una cosa mueble o inmueble ocultando la existencia de **cualquier carga** sobre la misma y a quien, habiéndola enajenado como libre, la grave o enajene nuevamente antes de la definitiva transmisión al adquirente, en perjuicio de éste o de un tercero.

Por otro lado, se considera que existe **delito de estafa** cuando, con ánimo de lucro, se utilice engaño bastante para producir error en otro, induciéndole a realizar un acto de disposición en perjuicio propio o ajeno. Este delito se castiga con la pena de prisión de 6 meses a 3 años, si la cuantía de lo defraudado excede de 400 euros, y de 1 a 6 años y multa de 6 a 12 meses, cuando concurran circunstancias agravantes (CP art.248 a 250 modif LO 5/2010).

Precisiones **1)** El ordenamiento civil contempla el mecanismo del **saneamiento por evicción** (CCom art.345) como protección del comprador ante la privación de la cosa comprada como consecuencia del ejercicio de un derecho preexistente sobre la misma (TS 7-6-96, EDJ 3157; 25-10-96, EDJ 6728).
2) En los supuestos de doble venta de bienes **inmuebles**, y conforme al CC art.1473, el registrador debe atenerse al estricto criterio de la prioridad registral -LH art.37- (DGSJFP Resol 7-9-22).

1018 **Disposiciones relativas al comercio minorista** (LOCM art.8.2, 20, 21, 26 a 28, 30, 32) La venta de un comerciante a un **destinatario final**, ya sea este último un comerciante o un consumidor, ya se haga en un establecimiento o al margen del mismo, está sujeta a la normativa sobre ordenación del comercio minorista, que contiene ciertas particularidades con relación a los productos objeto de venta.
Se prohíbe la exposición y venta de mercancías que procedan de personas de **actividad distinta a la comercial** y que, como consecuencia de la actividad que les es propia, tengan como finalidad principal la realización de préstamos, depósitos u operaciones de análoga naturaleza, adheridas a la oferta comercial de la mercancía, de tal forma que una no se pueda hacer efectiva sin la otra (p.e., una entidad de crédito no puede exponer y vender al por menor los productos que ofrece de manera conjunta con la suscripción de uno de sus servicios financieros, como por ejemplo la entrega de una tablet por la apertura de un depósito bancario o la domiciliación de la nómina).
Por otro lado, para aquellos productos que sean objeto de **actividades de promoción de ventas** se establece lo siguiente:
• **Artículos a precio reducido**. En caso de que se oferten conjuntamente unos artículos a precio normal y otros a precio reducido, ambos deben estar suficientemente separados, de forma que no pueda, razonablemente, existir error entre los que son objeto de una y otra oferta.
Siempre que se oferten artículos con reducción de precio, deberá figurar con claridad, en cada uno de ellos, el precio anterior junto con el precio reducido, salvo en el supuesto de que se trate de artículos puestos a la venta por primera vez. Se entenderá por precio anterior el menor que hubiese sido aplicado sobre productos idénticos en los treinta días precedentes.
• **Venta en rebajas**. Se entiende que existe venta en rebajas cuando los artículos objeto de la misma se ofertan, en el mismo establecimiento en el que se ejerce habitualmente la actividad

comercial, a un precio inferior al fijado antes de dicha venta. No cabe calificar como venta en rebajas la de aquellos productos no puestos a la venta en condiciones de precio ordinario con anterioridad, así como la de los productos deteriorados o adquiridos con objeto de ser vendidos a precio inferior al ordinario.

• **Venta de promoción**. Es una categoría residual. Se consideran ventas en promoción o en oferta aquellas no contempladas específicamente en otro de los capítulos del Título II de la LOCM, que se realicen por precio inferior o en condiciones más favorables que las habituales, con el fin de potenciar la venta de ciertos productos o el desarrollo de uno o varios comercios o establecimientos.

• **Venta de saldos**. Se trata de la venta de aquellos productos cuyo valor de mercado aparezca manifiestamente disminuido a causa de su deterioro, desperfecto, desuso u obsolescencia, siempre que su venta no implique riesgo o engaño para el comprador. Cuando se trate de artículos deteriorados o defectuosos, debe constar tal circunstancia de manera precisa y ostensible. Un producto no tiene esta consideración por el solo hecho de ser un excedente de producción o de temporada.

• **Venta en liquidación**. Es la venta de aquellos productos que, formando parte de las existencias del establecimiento, se venden en liquidación, es decir, para finalizar su existencia, cuando concurran determinadas circunstancias especiales.

• **Ventas con obsequio**. Son aquéllas que, con la finalidad de promover las ventas, ofertan, ya sea en forma automática, o bien mediante la participación en un sorteo o concurso, un premio, cualquiera que sea la naturaleza de éste.

• **Ventas con prima**. Son aquéllas que ofrecen cualquier incentivo o ventaja vinculado a la adquisición de un bien o servicio.

Precisiones Téngase en cuenta que la LOCM es de **aplicación supletoria** en las CCAA que hayan dictado normativa en la materia (LOCM disp.final única). Ver nº 1004.
Para más información, ver Memento Experto Protección Legal del Consumidor nº 1665 s.

3. Precio

En el contrato de compraventa, el precio es la contraprestación que el comprador está obligado a entregar a cambio de los bienes objeto del contrato. Es un **elemento esencial** de la compraventa (su causa), hasta el punto de que su falta determina la nulidad del contrato (TS 27-6-96, EDJ 4784; 19-12-98, EDJ 28010; 30-10-01, EDJ 37628). **1025**

El CCom no contiene disposiciones específicas sobre el precio, por lo que resultan de aplicación en esta materia las mismas reglas que rigen en la compraventa civil. Según estas, para su validez, el precio ha de cumplir dos **condiciones**:
- ser **cierto** (nº 1027); y
- consistir en **dinero** o signo que lo represente (nº 1031).

Se establece además que la **fijación del precio** no puede dejarse al arbitrio de uno solo de los contratantes.

Precisiones 1) La contraprestación dineraria constituye la **causa del contrato** de compraventa. El estudio de este elemento esencial de los contratos se realiza en nº 155.
2) El acuerdo de pagar el precio o parte de él con **«dinero negro»** (es decir, opaco a efectos fiscales), aunque puede constituir una infracción administrativa o fiscal, no causa la nulidad del contrato ni elimina la obligación de pago del precio de la compraventa, máxime cuando resulta probado que el comprador participó voluntaria y conscientemente en el uso de dicho «dinero negro» (TS 18-10-04, EDJ 152673).

Precio cierto (CC art.1447, 1448; LCD art.17; LDC art.1) Se admiten los siguientes medios de señalamiento del precio: **1027**
• Fijación de una **cantidad concreta** en el momento de celebrar el contrato.
• Determinación por **referencia** a una cosa cierta.
• Fijación por una **tercera persona** elegida por los contratantes (perito, tasador, etc.). En caso de que se establezca el señalamiento del precio por persona determinada y la persona elegida no quiera o no pueda señalar un precio cierto, el contrato resulta ineficaz.

En cualquier caso, la fijación del precio o del **modo de fijarlo** debe quedar establecido en el contrato, sin que sea necesario un nuevo convenio entre los contratantes. No es, por tanto, necesario que esté precisado cuantitativamente en el momento de la celebración del contrato, sino que basta con que pueda determinarse sin necesidad de un nuevo convenio de los interesados (TS 19-6-95, EDJ 2648; 14-3-00, EDJ 2106; 22-12-00, EDJ 49749).

En las compraventas de **valores, granos, líquidos** y demás cosas fungibles, se considera que el precio está suficientemente determinado cuando se señale como precio el que la cosa

tenga en determinado día, bolsa o mercado; o bien cuando se fije concretamente un tanto mayor o menor que dicho precio de referencia.
La jurisprudencia ha admitido asimismo el señalamiento del precio mediante la remisión de los otorgantes a lo dispuesto por determinados **organismos oficiales**, como por ejemplo el Instituto Nacional de Estadística (IPC -índice de precios al consumo-) o la Administración competente en materia de vivienda -precios de venta de VPO- (TS 26-12-84; 15-3-88; 17-12-92, EDJ 12540).
En principio, la fijación de los precios es libre, aunque, con respecto a ciertos bienes, pueden establecerse (legal o reglamentariamente) **precios máximos de aplicación**, los cuales son vinculantes para las partes, de tal forma que, aun cuando se haya fijado un precio superior, el comprador solo está obligado a entregar el precio máximo legalmente establecido (ver al respecto TS 11-5-90; 17-12-92, EDJ 12540).

Precisiones 1) Aunque el CC se refiere a «persona determinada», es posible la designación de **varias personas** para la determinación del precio, que, salvo pacto en contrario, deben adoptar sus acuerdos por el régimen de mayoría.
2) No puede considerarse que exista precio determinado o determinable cuando simplemente se fijan unos **límites cuantitativos** entre los que había de comprenderse el precio final y cierto, sin establecer los criterios que, dentro de esos límites, llevarían a la exacta determinación del precio (TS 22-12-00, EDJ 49749).
3) Es posible la fijación de un **precio único y constante** para diversos contratos con un mismo objeto que se van a celebrar durante un periodo de tiempo (TS 26-6-76).

1029 Con carácter general, la fijación del precio es libre. No obstante, se considera **competencia desleal** la venta realizada **bajo coste**, o bajo precio de adquisición, en los siguientes casos (LCD art.17):
- cuando pueda inducir a error a los consumidores acerca del nivel de precios de otros productos o servicios del mismo establecimiento;
- cuando tenga por efecto desacreditar la imagen de un producto o establecimiento ajenos;
- cuando forme parte de una estrategia encaminada a eliminar a un competidor o grupo de competidores.

Aparte de la normativa sobre competencia desleal (L 3/1991 -LCD-), la normativa sobre **defensa de la competencia** (L 15/2007 -LDC-) prohíbe todo acuerdo, decisión o recomendación colectiva o práctica concertada o conscientemente paralela, que tenga por objeto, produzca o pueda producir el efecto de impedir, restringir o falsear la competencia en todo o parte del mercado nacional y, en particular (en lo que respecta al precio), los que consistan en la fijación, de forma directa o indirecta, de precios o de otras condiciones comerciales o de servicio (LDC art.1).
Téngase en cuenta, por último, que el precio puede verse incrementado en el **interés legal** cuando el comprador se demore en el pago (ver nº 1268).

Precisiones 1) Es valido un contrato de compraventa en el que las partes pactan la fijación del precio según un sistema establecido en un **convenio** firmado por las **industrias del sector** -aunque el comprador no sea parte en ese colectivo- con un organismo público (TS 3-1-79). Se ha aplicado un criterio similar con respecto a un contrato de compraventa de manzanas cuyo precio había de fijarse con referencia al precio medio de la campaña, recogido en **boletines agrarios** (TS 13-7-84).
2) No es exigible la aplicación de un **descuento no pactado** aun cuando se hubiese aplicado en contratos anteriores similares, si dicho descuento no deriva del acuerdo entre los contratantes, sino de la exclusiva voluntad del vendedor puesta de manifiesto en previos acuerdos (TS 27-3-85).
3) Las disposiciones sobre **competencia desleal** se exponen en el nº 420 y la normativa sobre **defensa de la competencia** en el nº 325.

1031 **Dinero o signo que lo represente** (CC art.1170, 1446) El precio ha de consistir en dinero o signo que lo represente:
1º. En cuanto al pago en **dinero**, se establece con carácter general que el pago de las deudas de dinero debe efectuarse en la especie -tipo de moneda- pactada y, si ello no es posible, en la moneda que tenga curso legal en España.
2º. Por **signo representativo** del dinero ha de entenderse todo aquello que sustituya al metálico, según los usos objetivos negociales o la voluntad de las partes.
La entrega de **pagarés** a la orden, **letras de cambio** u otros documentos mercantiles (tales como **cheques**) solo produce los efectos del pago -esto es, la extinción de la obligación (CC art.1157 s.)- cuando han sido realizados, o cuando han resultado perjudicados por culpa del acreedor.
Cuando el precio consista **parte en dinero y parte en otro bien**, para determinar si el contrato en cuestión es de compraventa o de permuta, hay que estar a la intención de los contratantes. Si no consta su intención, el contrato se considera permuta si el valor de la cosa excede al del dinero, y por venta en caso contrario.

Precisiones 1) La jurisprudencia ha entendido que existe precio válido cuando éste consista parte en dinero y parte en los beneficios que se obtengan por la **prestación de servicios** (TS 24-4-84; 4-4-90) o cuando consista en **acciones** de una sociedad (TS 30-11-73).
2) Con relación al pago mediante **documentos mercantiles**, la jurisprudencia ha equiparado la prescripción al perjuicio (TS 22-12-92, EDJ 12726).
3) La **permuta** se expone en el nº 1585 de esta misma obra.
4) Sobre las **limitaciones de pago en efectivo** ver nº 1174.

Precio justo El CC no contiene ninguna disposición en la que expresamente se exija que el precio sea justo. En esa línea, la jurisprudencia ha mantenido que no es preciso que exista una **equivalencia entre el precio y el valor** de la cosa (TS 25-4-81, EDJ 1503; 19-4-90, EDJ 4222; 27-6-96, EDJ 4784; 30-10-01, EDJ 37628; 23-9-14, EDJ 176194). **1033**
Por otro lado, el CCom no permite la **rescisión por lesión**, aunque sí prevé la obligación de indemnizar para el contratante que haya procedido con malicia o fraude en el contrato o en su cumplimiento (CCom art.344).

Precisiones 1) El precio es válido aun cuando sea inferior al real e incluso sea **desproporcionadamente bajo**, siempre que esté suficientemente determinado y su existencia esté constatada (TS 30-10-01, EDJ 37628). Como consecuencia de ello, no es aplicable a la compraventa el principio del **enriquecimiento injusto** (TS 22-3-85; 19-4-90, EDJ 4222), y ello sin perjuicio de la posibilidad de modificar las condiciones del contrato si se modifican sustancialmente sus circunstancias (cláusula rebus sic stantibus).
2) En el orden civil solo se permite la **rescisión por lesión** -en más de una cuarta parte- de los contratos celebrados, sin autorización judicial, por los **tutores** o curadores con facultades de representación, o por los representantes de los ausentes (CC art.1291).
3) Como particularidad, en el derecho foral catalán, la Compilación de Derecho Civil de **Cataluña** establece, para la compraventa de inmuebles, la rescisión a instancia del enajenante cuando haya sufrido lesión en más de la mitad del justo precio (DLeg Cataluña 1/1984 art.321 -actual L Cataluña 3/2017 art.621-46-, que extiende la rescisión por lesión al contrato de compraventa y al de cualquier otro de carácter oneroso).

Precio de mercado En el tráfico mercantil es frecuente la estipulación de que el precio se fijará en relación al que, en un momento determinado (p.e., a la entrega de mercancía), se aplique a otros productos idénticos ofertados por el vendedor. Este supuesto ha sido denominado «**venta con precio del vendedor**» y tiene lugar normalmente cuando, por ser frecuentes las fluctuaciones de precios con respecto a los productos ofertados, el vendedor aun no ha fijado el precio definitivo que la mercancía tendrá en el momento en que se ha pactado la entrega. **1035**
La **validez** de este contrato es admitida por la doctrina (Díez-Picazo, Gullón, Moxica Román) y por la jurisprudencia (TS 13-4-82, EDJ 2191; 30-1-07, EDJ 17991), siempre que exista acuerdo contractual en ese sentido y que se trate de bienes que el vendedor oferta habitualmente.

Compraventa con precio simulado (CC art.1261, 1274 y 1275) El precio es, como se ha señalado, un elemento esencial del contrato de compraventa (nº 987). Cuando el precio es simulado o ficticio, es decir, cuando **no existe un precio efectivo**, el contrato adolece de nulidad por falta de causa (TS 10-11-92, EDJ 11031; 6-10-94, EDJ 12157; 27-6-96, EDJ 4784; 13-7-97; 19-12-98, EDJ 28010; 28-5-01, EDJ 6626). **1037**
En la práctica, estas operaciones normalmente se realizan con ánimo de **encubrir otra operación**, por ejemplo:
- una donación (TS 13-3-97, EDJ 2357);
- un negocio fiduciario (TS 18-3-97, EDJ 2351);
- un préstamo (TS 31-12-97, EDJ 10471);
- una dación en pago (TS 8-2-96, EDJ 945);
- un contrato en fraude de acreedores (TS 14-4-97, EDJ 1622; 29-12-00, EDJ 52670);
- o bien para eludir la normativa fiscal o de otro tipo.

La **prueba** de que se da una situación de simulación puede tener lugar mediante las denominadas pruebas directas, pero lo más frecuente es que, dado el interés de los intervinientes de que no se descubra la falacia, haya de acudirse a la actividad presuntiva. De ordinario ha de acudirse a una **valoración conjunta** de la prueba para después, a través de las **presunciones**, llegar a conclusiones sobre la simulación (TS 3-10-00, EDJ 30617; 27-11-00, EDJ 39215; 9-3-01, EDJ 6170).
La **legitimación** para impugnar el contrato simulado corresponde a quien tenga un interés jurídico o se vea afectado o perjudicado en alguna manera por el referido contrato (TS 8-6-99, EDJ 13369; 17-6-00, EDJ 13765).
Finalmente, ha de tenerse en cuenta que en el **ámbito penal** se castiga con la pena de prisión de 1 a 4 años a quien otorgue, en perjuicio de otro, un contrato simulado (CP art.251).

Precisiones 1) La simulación en el precio aparece muy unida a la **autocontratación** (nº 1054). Un ejemplo de negocio simulado es el de creación por el vendedor de una sociedad sin realidad en el tráfico, con el único objeto de transmitir a esta sociedad determinado bien por un precio que no se hace efectivo, a fin de evitar, por ejemplo, el embargo del bien transmitido (en ese sentido TS 22-2-99, EDJ 847; 17-3-99, EDJ 5818).
2) No se debe confundir la inexistencia de precio efectivo -nulidad- con la **falta de pago** del precio -incumplimiento- (TS 21-10-97, EDJ 7986).
3) Para que se estime la **nulidad** de la compraventa por falta de causa basta:
- la **inexistencia parcial** de precio (TS 29-4-97, EDJ 3480); o
- la fijación de un **precio notoriamente inferior al de mercado** (TS 29-12-00, EDJ 52670).
Ahora bien, la fijación de un precio notoriamente inferior al de mercado no es prueba plena para destruir la presunción de la existencia y licitud de la causa del negocio, toda vez que no depende su eficacia exclusivamente del adecuado precio o el más acomodado al mercado en relación al fijado por las partes (TS 27-6-96, EDJ 4784; 30-10-01, EDJ 37628).
4) Un ejemplo de simulación en el contrato de **permuta** puede encontrarse en la sentencia TS 13-11-00, EDJ 37083.
5) La finalidad de **eludir las obligaciones** (p.e., el pago de deudas) no puede constituir la causa de un contrato, por lo que en tal caso se trata de un contrato radicalmente nulo, afectado de simulación absoluta, y la inexistencia de efectos del mismo es lo que determina la imprescriptibilidad de la acción para instar la nulidad. Es decir, no se trata de un contrato con causa ilícita, lo que provocaría la aplicación del CC art.1306.2, sino ante un contrato con **causa inexistente**, por lo que la nulidad provoca la respectiva devolución de las prestaciones efectuadas (TS 3-5-16, EDJ 58081; con cita de la TS 16-1-13, EDJ 6553; 24-4-13, EDJ 78173).

1039 **Cantidades entregadas como arras o señal** (CCom art.343) Los contratantes pueden pactar la entrega de una cantidad de dinero (**señal o arras**) en el momento de la firma del contrato de compraventa, acordando que el resto se abone en el momento de entrega de mercancías o en otro posterior. Al respecto se establece que, salvo pacto en contrario, las cantidades que, por vía de señal, se entreguen en las ventas mercantiles se consideran siempre dadas a cuenta del precio (como **anticipo**) y en prueba de la ratificación del contrato.
Se establece de esta manera el **carácter confirmatorio** de las arras, a diferencia de las llamadas arras penitenciales, que son aquellas que permiten a las partes desligarse del contrato mediante la pérdida del dinero entregado en concepto de arras o la restitución doblada por quien las recibió (CC art.1454).

Precisiones 1) Para que, en una compraventa mercantil, las arras o señal se entiendan como **penitenciales** ha de constar de manera evidente la intención de las partes de dar a las arras ese carácter (TS 10-2-97, EDJ 388; 23-7-99, EDJ 18393).
2) Ya sean confirmatorias o penitenciales, las arras han de tener como referencia un **determinado contrato de compraventa** en el que esté especificado el objeto y el precio (TS 29-7-97, EDJ 5050).
3) Las **arras confirmatorias** actúan en el ámbito obligacional de los contratos con fuerza vinculante que no faculta, por tanto, para resolver las obligaciones contraídas, que normalmente se corresponden con las entregas o anticipos del precio a cuenta. En cambio, las **arras penitenciales** autorizan a las partes, por mediar concierto libremente convenido, a desistir del negocio a su arbitrio, pero cumpliendo con la sanción pecuniaria que conllevan (TS 25-3-95, EDJ 1219; 22-9-99, EDJ 28195).

1041 **Disposiciones relativas al comercio minorista** (LOCM art.13 a 15, 18) La normativa reguladora del comercio minorista contiene las siguientes disposiciones relativas al precio, las cuales resultan de especial aplicación a la compraventa realizada en dicho ámbito:
a) Libertad de precios. Los precios de venta de los artículos pueden ser libremente determinados y ofertados con carácter general, con las excepciones que se establezcan por leyes especiales.
b) Fijación oficial de precios. El Gobierno puede, con respecto a determinados productos y previa audiencia de los sectores afectados, fijar precios o márgenes de comercialización, así como someter sus modificaciones a control o a previa autorización administrativa, en los siguientes **supuestos**:
- cuando se trate de productos de primera necesidad o de materias primas estratégicas (p.e., energía);
- cuando se trate de bienes producidos o comercializados en régimen de monopolio o mediante concesión administrativa;
- como medida complementaria de las políticas de regulación de producciones o subvenciones u otras ayudas a empresas o sectores específicos;
- de forma excepcional, en situaciones de ausencia de competencia, obstaculización del funcionamiento del mercado o desabastecimiento.

c) Venta con pérdida. Existe venta con pérdida cuando el precio aplicado a un producto es inferior a: 1043

• el **precio de adquisición**, según factura (deducida la parte proporcional de los descuentos que figuren en la misma);

• el **precio de reposición**, si éste fuese inferior al de adquisición;

• el **coste efectivo** de producción, si el artículo ha sido fabricado por el propio comerciante.

Para su cálculo, estos precios han de incrementarse en las cuotas de los impuestos indirectos que graven la operación.

No se pueden realizar ventas al público con pérdida si éstas se reputan **desleales**, lo cual sucede cuando (LCD art.17.2):

- sea susceptible de **inducir a error** a los consumidores acerca del nivel de precios de otros productos del mismo establecimiento;

- tenga por efecto **desacreditar la imagen** de un producto o de un establecimiento ajeno;

- forme parte de una estrategia encaminada a **eliminar** a un **competidor** o grupo de competidores del mercado;

- forme parte de una práctica comercial que contenga **información falsa** sobre el precio o su modo de fijación, o sobre la existencia de una ventaja específica con respecto al mismo, que induzca o pueda inducir a error al consumidor medio y le haya hecho tomar la decisión de realizar una compra que, de otro modo, no hubiera realizado.

La **carga de la prueba** recae en la Administración que, para poder sancionar, debe acreditar que la venta a pérdida incurre en uno de los supuestos que se recogen de forma taxativa, y que proceden de la propia directiva y, por tanto, son acordes con el Derecho de la Unión Europea.

Precisiones Se modifica la LOCM art.14 a través del RDL 20/2018, de medidas urgentes para el impulso de la competitividad económica en el sector de la industria y el comercio en España, para **incorporar al ordenamiento español** la doctrina contenida en la sentencia TJUE 19-10-17, C-295/16, que declaró la incompatibilidad de dicho precepto con la Dir 2005/29/CE, sobre prácticas desleales de las empresas a los consumidores en el mercado interior. La modificación consiste en no prohibir la venta a pérdida con carácter general, como sucedía antes, sino solo de aquellas **ventas a pérdida** que se reputen **desleales**.

Sobre la normativa sobre **competencia desleal**, ver nº 420 s.

d) Venta con precio reducido para colectivos especiales. Los establecimientos comerciales creados para suministrar productos a colectivos determinados, y que reciban para esta finalidad cualquier tipo de ayuda o subvención (p.e., un economato de empresa), no pueden ofertar dichos productos al público en general, ni a personas distintas a los referidos beneficiarios. 1045

e) Actividades de promoción de ventas. En ciertas situaciones (rebajas, saldos, liquidación, promociones, etc.) se permite la venta a precio reducido de determinados productos, siempre que se cumplan las circunstancias que en cada caso se exigen.

Precisiones 1) Téngase en cuenta que la LOCM es de **aplicación supletoria** en las CCAA que hubiesen dictado normativa en la materia (LOCM disp.final única). Ver nº 1004.

2) Según la normativa sobre competencia desleal (LCD art.17), la **venta realizada bajo coste** o precio de adquisición es desleal en ciertas circunstancias (nº 1029).

C. Perfección del contrato

El contrato de compraventa es típicamente consensual. Su perfección se produce por el mero **consentimiento**: la concurrencia del consentimiento de ambos contratantes sobre la cosa objeto de compra y el precio determina el momento de perfección del contrato. Esto es así aunque ni la cosa ni el precio se hayan entregado, ya que la entrega y el pago constituyen la **consumación**, pero no la perfección, del contrato. 1050

A continuación se exponen:

- las particularidades que presenta la compraventa mercantil con respecto al **consentimiento** (nº 1052);

- así como las **formalidades** exigibles para la perfección del contrato y los medios de **prueba** de su existencia (nº 1058).

Consentimiento (CC art.1262 y 1450; CCom art.54) En la práctica, el consentimiento se expresa a través de: 1052

- una **oferta** emitida por una de las partes; y

- una **aceptación** realizada por la otra.

Oferta y aceptación no presentan particularidades sustanciales en el contrato de compraventa, por lo que nos remitimos para su estudio al tratamiento expuesto en el nº 100, aplicable

con carácter general a todos los contratos mercantiles y a los nº 1452 s., donde se exponen las particularidades del consentimiento en los contratos de compraventa internacional.
Hemos de recordar, no obstante, que cuando los contratantes se encuentren **en lugares distintos** al emitir la oferta y la aceptación, se considera que existe consentimiento:
- desde que el oferente conoce la aceptación; **o**
- desde que, habiéndosela remitido el aceptante, no pueda ignorarla sin faltar a la buena fe.
En ese caso, el contrato se presume celebrado en el lugar en que se hizo la oferta.
En los contratos celebrados mediante **dispositivos automáticos** hay consentimiento desde que se manifiesta la aceptación.

Precisiones Los **vicios del consentimiento** se exponen, con carácter general, en nº 125 s.

1054 **Autocontratación** Por vía jurisprudencial se ha declarado la **nulidad** de ciertas operaciones en las que no existe una verdadera dualidad de elementos personales, esto es, no hay dos partes que formen su voluntad de manera independiente. Estos son los llamados supuestos de autocontratación, que surgen frecuentemente en el marco de **relaciones de confianza y representación**:
- coincidencia en una misma persona de la condición de **apoderado** del vendedor y del comprador (TS 21-5-83; 29-5-01, EDJ 6627; DGRN Resol 21-5-93);
- compraventa celebrada entre una sociedad y otra de la que la primera es **socio mayoritario** (TS 20-6-83, EDJ 3679);
- compraventa realizada entre el **administrador** de una sociedad y su cónyuge para el patrimonio ganancial (TS 7-10-87, EDJ 7103);
- compraventa realizada entre **dos sociedades** a través de apoderados con poderes otorgados por las mismas personas, consejeros delegados de ambas sociedades (DGRN Resol 2-12-98);
- existencia de **conflicto y contradicción de intereses** que hagan incompatibles la actuación de una persona que obra para sí misma y a la vez en representación de otra (TS 12-2-99, EDJ 798);
- contrato celebrado por **administrador único y socio mayoritario** de una sociedad en favor de otra sociedad de la que también es administrador único y titular de la mayoría de las participaciones (TS 28-3-00, EDJ 3652).

Precisiones 1) La autocontratación tiene lugar cuando, en cualquier relación contractual, se produce **identidad plena de intereses** compartidos entre los contratantes, que debe resultar suficientemente demostrada, de tal manera que no se actúa para sí, sino más bien a favor de otro (TS 24-9-94, EDJ 8034; 21-4-01, EDJ 5997).
2) Algunos supuestos de autocontratación se llevan a cabo mediante operaciones realizadas entre dos sociedades con elementos personales coincidentes. Para conocer la realidad de estas situaciones, los tribunales han recurrido a la teoría del **levantamiento del velo** (nº 260 s. Memento Sociedades Mercantiles 2024).
3) En caso de precio **simulado**, ver nº 1037.

1056 **Disposiciones relativas al comercio minorista** (LOCM art.9 y 35) En el ámbito del comercio minorista y en lo que se refiere a la perfección del contrato, concretamente a la fase de oferta, se impone al comerciante la **obligación de vender**, a quien lo solicite y cumpla las condiciones de adquisición, aquellos **artículos ofertados públicamente o expuestos** en el establecimiento comercial. Se exceptúan aquellos objetos sobre los que se advierta expresamente que no se encuentran a la venta y aquellos que, claramente, formen parte de la instalación o el decorado del establecimiento.
Como **regla general,** no es posible la **limitación cuantitativa** de artículos que puede adquirir cada comprador ni establecer precios más elevados o suprimir reducciones o incentivos para las compras que superen un determinado volumen. Si bien, con carácter **excepcional**, cuando existan circunstancias extraordinarias o de fuerza mayor que lo justifiquen, los establecimientos comerciales podrán suspender con carácter temporal la prohibición de limitar la cantidad de artículos que puedan ser adquiridos por cada comprador (estas medidas deberán estar justificadas y se adoptarán de manera proporcionada cuando sea necesario para impedir el desabastecimiento y garantizar el acceso de los consumidores en condiciones equitativas).
Si no se dispone de **existencias suficientes** para cubrir la demanda, se ha de atender a la prioridad temporal en la solicitud.

Precisiones 1) La posibilidad de que el comerciante pueda, de forma excepcional, **limitar** la cantidad de **productos a adquirir** en su establecimiento, fue introducida en la LOCM a raíz de los problemas de **desabastecimiento** de algunos productos en España a principios de 2022, a causa de la huelga del transporte por carretera por el encarecimiento del combustible y de la guerra en Ucrania. A tal fin, mediante RDL 6/2022 disp.final.3ª se añadió un nuevo apartado 3 a la LOCM art.9.
2) Téngase en cuenta que la LOCM es de **aplicación supletoria** en las CCAA que hayan dictado normativa en la materia (LOCM disp.final única). Ver nº 1004.

Forma y prueba del contrato (CCom art.51) Salvo cuando para un determinado contrato se especifique otra cosa, la **regla general** es que los contratos mercantiles son válidos con independencia de la forma y el idioma en que se celebren, siempre que conste su existencia por alguno de los medios establecidos en Derecho. 1058

Esta regla general es, también con carácter general, aplicable a la compraventa, de tal forma que ha de considerarse válido el contrato celebrado **verbalmente**. No obstante, lo habitual es que el contrato se celebre **por escrito**, en documento privado o público (forma que se adopta en función de la importancia y trascendencia del mismo), lo cual favorece la prueba de la existencia del contrato.

Por otro lado, la Ley en ocasiones obliga expresamente a realizar algún tipo de **formalidad escrita** (p.e., la **adquisición de un buque** debe constar en documento escrito; nº 1421).

Precisiones El estudio de la **forma y prueba de los contratos** se realiza en el nº 170 s.

Facturas (RD 1619/2012 art.11.1 y 18) En el orden tributario, los empresarios y profesionales están obligados a expedir y entregar **factura u otros justificantes** por las operaciones que realicen (RD 1619/2012 art.1; ver nº 199 y nº 1098). 1060

Los proveedores deben indicar en su factura el día en que debe producirse el pago.

Las facturas deben ser **expedidas** en el momento de realizarse la operación. No obstante, cuando el destinatario de la operación sea un empresario o profesional que actúe como tal, las facturas deben expedirse antes del día 16 del mes siguiente a aquél en que se haya producido el devengo del impuesto correspondiente a la citada operación.

La factura debe **remitirse** en el mismo momento de su expedición o bien, cuando el destinatario sea un empresario, en el plazo de un mes a partir de la fecha de su expedición .

Precisiones **1)** En la **compraventa**, la obligación de emitir **factura** incumbe al vendedor, que normalmente la entregará una vez haya recibido del comprador el precio pactado, aunque legalmente la tiene que entregar con la entrega del producto, con independencia de que el precio sea pagado o no.

2) Aunque el CCom no menciona expresamente las facturas, actúan como documentos que **acreditan las operaciones comerciales** a falta de contrato escrito, al tratarse de documentos que emite el comerciante proveedor (el **vendedor**) y conforman prueba contra el mismo, pues al expedirlas muestra su conformidad con su contenido, salvo que demuestre lo contrario (TS 5-2-96, EDJ 292).

3) Respecto de su destinatario (el **comprador**), el valor probatorio de la factura difiere según sea reconocida o no por él (TS 22-10-92, EDJ 10324; 6-5-94, EDJ 4051; 28-11-98, EDJ 26846; 3-11-05, EDJ 171686):

• cuando es **aceptada** expresamente por el comprador (p.e., firmándola conjuntamente con el vendedor), entonces constituye principio de prueba respeto a la entrega de las mercancías y la obligación de atender a su pago, es decir, de la realización de un determinado negocio jurídico (en este sentido, el CC art.1225 dispone que "el documento privado, reconocido legalmente, tendrá el mismo valor que la escritura pública entre los que lo hubieren suscrito y sus causahabientes");

• en cambio, cuando **no es reconocida**, tiene eficacia probatoria como documento privado que ha de valorarse en conjunción con los demás medios probatorios para acreditar la operación reflejada en la factura, toda vez que la falta de reconocimiento no priva a los documentos privados íntegramente del valor que les otorga el CC art.1225, y pueden ser tomados en consideración ponderando su grado de credibilidad atendidas la circunstancias del debate.

4) De otra parte, se ha de tener en cuenta, a efectos del IVA, que -con efectos a partir del 1-1-2014- en las operaciones acogidas al régimen especial del **criterio de caja del IVA** (LIVA art.163 decies a 163 sexidecies), la factura debe expedirse en el momento en que se realicen estas operaciones, salvo cuando el destinatario de las mismas sea un empresario o profesional que actúe como tal, en cuyo caso debe expedirse antes del día 16 del mes siguiente a aquel en que se haya realizado la operación.

Disposiciones relativas al comercio minorista (LOCM art.11 y 17.2; RD 1619/2012 art.11.3 -redacc RD 828/2013 art.4.4-) Los contratos de compraventa regidos por la normativa de ordenación del comercio minorista no están sujetos a formalidad alguna, salvo en las excepciones señaladas con carácter general en el CC y en el CCom (nº 183) y, además, en los dos supuestos siguientes: 1062

a) El comerciante debe expedir **factura, recibo u otro documento análogo**:

- cuando la perfección del contrato no sea simultánea con la entrega del objeto; o
- cuando el comprador tenga la facultad de desistir del contrato.

En dicho documento deben constar los derechos o garantías especiales del comprador y la parte del precio que, en su caso, haya sido satisfecha.

En todo caso, el comprador puede exigir la entrega de un documento en el que, al menos, conste el objeto, el precio y la fecha del contrato.

b) Los comerciantes a quienes se efectúen las correspondientes entregas están obligados a **documentar**, en el mismo acto, la operación de **entrega y recepción** con mención expresa de su fecha.

Precisiones 1) Se entiende por comercio minorista aquella actividad desarrollada profesionalmente con ánimo de lucro consistente en ofertar la venta de cualquier clase de artículos a los **destinatarios finales** de los mismos, utilizando o no un establecimiento (LOCM art.1.2).
2) Téngase en cuenta que la LOCM es de **aplicación supletoria** en las CCAA que hayan dictado normativa en la materia (LOCM disp.final única). Ver nº 1004.

D. Obligaciones del vendedor

1065 Del contrato de compraventa surgen para el vendedor, principalmente, dos obligaciones:
- la de **entregar los bienes** objeto de la venta (nº 1070); y
- la de garantizar al comprador contra los **vicios y defectos** de la cosa y contra la **evicción**, esto es, el riesgo de que pueda verse legalmente privado de ella (nº 1105).
La primera tiene carácter esencial; esto es, sin entrega no se consuma el contrato. De la segunda puede eximirse al vendedor en determinadas ocasiones.
Sin perjuicio de lo anterior, los contratantes pueden estipular **cualquier otra obligación** a cargo del vendedor.

Precisiones Entre las **obligaciones complementarias** que pueden establecerse ha de destacarse la de **venta en exclusividad**, es decir, el establecimiento de un pacto en virtud del cual el vendedor se obliga a no vender sus productos a otros compradores de una zona geográfica y durante un tiempo determinados. Estos acuerdos de exclusividad se estudian al tratar los contratos de distribución (nº 5500 s.), en particular en el contrato de concesión mercantil o distribucón comercial (nº 5920).

1. Entrega de la mercancía

1070

1072 Por el contrato de compraventa, el vendedor se obliga a entregar al comprador el bien objeto del contrato, que en el ámbito mercantil normalmente consistirá en una cantidad determinada de **mercancías**.
La entrega supone el traslado de la **posesión** o del poder sobre los bienes del vendedor al comprador. Y además, mediante la entrega, el comprador adquiere la **propiedad** de los bienes vendidos (nº 1184).

1074 **Bienes a entregar** (CC art.1166, 1167, 1468; CCom art.327, 328) El vendedor está obligado a entregar la mercancía vendida en el estado en que se encontraba al perfeccionarse el contrato, distinguiéndose dos supuestos:
1º. Si la compraventa versa sobre un **bien determinado**, ha de entregarse dicho bien y no otro, aunque sea semejante, y con independencia de que posteriormente se descubra que el bien entregado no reúne las cualidades que las partes presuponían, siempre que estas no se hubiesen consignado en el contrato.
2º. Cuando en el contrato se pactó la venta de una **mercancía genérica** (determinada solo en cuanto a su especie), los bienes a entregar deben ser de la misma calidad y tipo que los pactados. Igual norma se aplica si la venta se hace sobre muestras o determinando la calidad conocida en el comercio (nº 1390).
Si no se especificó la **calidad y circunstancias**, el comprador no puede exigir bienes de la calidad superior ni el vendedor puede entregarlos de la inferior. No obstante, en el caso de que los géneros no se tengan a la vista en el momento de celebración del contrato y **no puedan clasificarse** por una calidad determinada y conocida en el comercio, se concede al comprador la facultad de examinarlos y de rescindir libremente el contrato si los géneros no le convienen.

Precisiones Se ha considerado entrega de **cosa determinada** la de un **cuadro atribuido a Sorolla**, aun cuando posteriormente se descubrió que no había sido obra del mencionado autor. La venta se declaró válida, al considerarse que las cualidades del cuadro no formaban parte del contrato (TS 9-10-81).
A similar conclusión se ha llegado con respecto a la impugnación de la venta de un **cuadro atribuido a Murillo**, cuya autoría se desatribuye en una posterior expertización. En este caso, se entiende que el contrato es válido y eficaz jurídicamente, pues la venta se realizó confiando (tanto vendedor como

comprador) en el dictamen de un experto reputado y los posteriores dictámenes sobre la autoría del cuadro han de considerarse opiniones encontradas con la primera, que no suponen el descubrimiento de la verdad, sino el juicio subjetivo de ciertos expertos (TS 28-5-03, EDJ 17199).

La **entrega de cosa distinta** a la pactada («aliud pro alio»), según las reglas anteriores, supone un incumplimiento de la obligación de entrega (ver nº 1226). **1076**
La entrega debe comprender la **totalidad de los bienes** vendidos (incluidos, en su caso, los frutos producidos desde la celebración del contrato), de tal forma que el comprador no está obligado a recibir solo una parte, ni aunque se prometa entregar el resto posteriormente. La **entrega parcial** constituye un supuesto de incumplimiento (ver nº 1248).

Precisiones El **objeto de la compraventa** como elemento esencial del contrato ha sido tratado en el nº 1010. La **pérdida, daños y menoscabos** en la mercancía se expone en el nº 1234.

Especialidades de la compraventa de inmuebles (CC art.1469 a 1471) Los bienes inmuebles pueden determinarse por su situación (localidad, calle, número) y, particularmente en los rústicos, por sus **linderos** y/o **superficie** (cabida), sin que sea preciso que su ubicación esté totalmente identificada (p.e, un solar de 500 metros dentro del polígono industrial de...). **1078**
En cuanto a su precio, puede estipularse:
• un **precio por unidad de medida** (p.e., a 600 euros el metro cuadrado), en cuyo caso se debe entregar un inmueble de la superficie pactada; o
• un **precio alzado** por todo el inmueble (como **cuerpo cierto**), en cuyo caso, la obligación es de entregar todo lo que se encuentre dentro de los linderos señalados, aunque resulte mayor o menor superficie de la pactada.
Los supuestos en que existan **diferencias de superficie** entre lo entregado y lo que se pactó se exponen en el nº 1252.

Precisiones 1) Se ha considerado válido el contrato de venta de unas fincas que el vendedor posee en determinada localidad sin especificar sus linderos ni otro dato que las identifique, pues la **especificación de los linderos** no es requisito esencial (TS 2-2-94, EDJ 807).
2) También se ha considerado válida la venta de una nave solo determinada en cuanto a su **extensión** (300 m^2), con un único dato para su localización: su ubicación dentro de un **polígono** concreto con una superficie de 19.500 m^2 (TS 24-4-97, EDJ 3254).
3) Se ha declarado la validez de una compraventa en la que el inmueble a entregar carece de ciertas **condiciones de edificabilidad** que el comprador supuso que tenía, pues el vendedor no se comprometió a que dicho inmueble reuniese las condiciones mencionadas y en el contrato nada se pactó sobre la finalidad para la que se adquiría (TS 13-4-98, EDJ 2292).

Plazo La entrega ha de realizarse en el plazo **pactado**. **1080**
Si no se ha estipulado plazo, el vendedor debe poner las mercancías **a disposición del comprador** dentro de las 24 horas siguientes a la celebración del contrato (CCom art.337). No obstante, esta puesta a disposición no equivale a la entrega, pues para que ésta sea efectiva debe el comprador **retirar** las mercancías, **previo pago** de su precio (CC art.1466). En el momento en que las retire se entenderá hecha la entrega.
En el caso de que se estipule que la entrega se ha de realizar en un **plazo aproximado**, o bien **a la mayor brevedad posible**, o mediante alguna otra expresión que deje indeterminado el plazo de entrega, la concreción del mismo ha de realizarse teniendo en cuenta los usos comerciales y la práctica de precedentes relaciones comerciales entre las partes, con atención a la obligación de **buena fe** exigida para los contratos mercantiles (CCom art.57). En esos casos, parece lógico pensar que si el comprador admite sin oposición las mercancías entregadas, la entrega ha de considerarse realizada en plazo y no puede el comprador negarse al pago, alegando retraso en la entrega (TS 21-3-74; 25-6-99, EDJ 19931).
El plazo de entrega en la contratación mercantil tiene **carácter esencial**, por lo que, salvo en los supuestos en que se permite la negativa justificada a realizar la entrega (nº 1082), el **retraso** en la misma se equipara al incumplimiento total y da derecho al comprador para pedir el cumplimiento o la resolución del contrato, en ambos casos con indemnización de los daños y perjuicios sufridos (CCom art.329), sin necesidad de que realice requerimiento alguno, judicial o extrajudicial, al vendedor.

Precisiones 1) En caso de compraventa mercantil, **de no haberse estipulado plazo** alguno, se aplica bien el CCom art.337, según el cual "Si no se hubiere estipulado el plazo para la entrega de las mercancías vendidas, el vendedor deberá tenerlas a disposición del comprador dentro de las **veinticuatro horas siguientes** al contrato"; bien el CCom art.62, según el cual "Las obligaciones que no tuvieren término prefijado por las partes o por las disposiciones de este Código, serán exigibles a los **diez días** después de contraídas". En este caso, el propio reconocimiento del vendedor de la tardanza en la entrega de las mascarillas vendidas, a causa de la situación en ese momento -pandemia-, acredita el retraso en el cumplimiento (AP Albacete 16-6-23, EDJ 615868).
2) Sobre la **puesta a disposición** de las mercaderías, ver nº 1092.
3) Las particularidades del incumplimiento por **falta o retraso en la entrega** se exponen en nº 1222.

1082 **Negativa justificada a realizar la entrega** (CC art.1466, 1467) El CC prevé dos supuestos en los que el vendedor puede negarse a realizar la entrega sin incurrir por ello en incumplimiento de sus obligaciones:

a) Cuando el comprador **no** ha **pagado el precio** o no se ha señalado en el contrato un plazo para el pago. Téngase en cuenta que la obligación de pago resulta exigible desde que se produce la puesta a disposición de las mercancías (nº 1154).

b) Cuando, habiéndose convenido un aplazamiento de pago, se descubre después de la venta que el **comprador** es **insolvente**, siempre que este no haya afianzado el pago en el plazo convenido.

1084 **Lugar** (CC art.1171) La **entrega** ha de realizarse, en principio, en el lugar que las partes hayan **convenido** en el contrato.

Cuando no se ha estipulado ninguno, las reglas generales sobre el cumplimiento de las obligaciones determinan que debe realizarse:

- en el lugar en que la cosa se encontraba en el momento de constituirse la obligación, si se trata de entregar una cosa determinada; o
- en el domicilio del deudor, en cualquier otro caso.

No obstante, en ocasiones, aunque no exista expresa especificación al respecto, el lugar de la entrega puede inferirse de **otras circunstancias de la venta**. Así:

- si se ha pactado que el transporte de la mercancía corre a cargo del vendedor (la **porte pagado**), la jurisprudencia entiende que la entrega se considera efectuada en el establecimiento del comprador;
- por el contrario, si la mercancía viaja por cuenta y riesgo del comprador (a **porte debido**), la entrega ha de reputarse hecha en el establecimiento del vendedor (TS 12-12-97, EDJ 9762; 18-6-98, EDJ 7885; 28-7-98, EDJ 18033; 25-6-99, EDJ 19931).

Por último, si de las circunstancias del negocio tampoco puede inferirse el lugar en que ha de realizarse la entrega, se ha considerado generalmente que, con respecto a las ventas mercantiles, la entrega se ha de realizar en el **domicilio del vendedor**, esto es, en el lugar en que éste tenga su establecimiento mercantil (TS 14-7-83; 10-4-87; 28-11-87; 7-12-89; en contra TS 10-11-95, EDJ 8032).

Precisiones **1)** Salvo estipulación en contrario, los **gastos de transporte** corren a cargo del comprador (CC art.1465). El transporte de mercancías es objeto de estudio en el nº 6450 s.

2) La determinación del lugar de entrega de la mercancía tiene especial trascendencia:

- a la hora de determinar la **competencia jurisdiccional** a la que ha de someterse el contrato en caso de reclamación por incumplimiento;
- con respecto al momento en que se produce la **transmisión** de la **propiedad** y de los riesgos sobre las mercaderías; y
- en cuanto a la legitimación para **reclamar** al **transportista**.

3) En cuanto a la **competencia judicial territorial**:

- Las **personas físicas** han de ser demandadas ante los tribunales de su domicilio o bien, si se trata de un litigio contra un empresario o profesional derivado del ejercicio de su actividad, puede ser demandado en el lugar donde se desarrolle dicha actividad y, si tuviere establecimientos a su cargo en diferentes lugares, en cualquiera de ellos a elección del actor (LEC art.50.1 y 3).
- Las **personas jurídicas** deben ser demandadas, salvo que la ley disponga otra cosa, en el lugar de su domicilio social o en aquel en que haya nacido o deba surtir efectos la relación jurídica a que se refiera el litigio, siempre que en este lugar tengan establecimiento abierto al público o representante autorizado para actuar en nombre de la entidad (LEC art.51.1).

1086 **Formas** La entrega consiste en la transmisión de la posesión sobre los objetos vendidos. Si pensamos en la entrega de un objeto determinado de pequeño tamaño, dicha transmisión parece sencilla y no plantea muchas dudas. Sin embargo, en el tráfico mercantil, lo común es que se trate de entregar un **conjunto de productos**, medidos por unidades, por peso, por volumen, etc. Por otro lado, el contrato puede versar sobre **bienes incorporales** e incluso sobre **inmuebles** (ver al respecto el nº 1010), situaciones para las que nuestra normativa establece diferentes formas de entrega más acordes con su naturaleza.

1088 **Entrega material** (CC art.1462) Consiste en transmitir físicamente la tenencia o posesión de los objetos vendidos, lo cual es especialmente factible en relación con una **pequeña cantidad de mercancías**. En cambio, este tipo de entrega no es posible con respecto a los bienes **inmuebles**, ni con respecto a los **bienes incorporales**, pues los primeros no se pueden mover y los segundos carecen de presencia física. Por otro lado, la entrega material, aun cuando no resulta imposible, se hace difícilmente practicable con referencia a un gran número de mercancías o cuando el vendedor y el comprador no operan en las mismas poblaciones; situaciones que, como se ha dicho, son las más comunes en el tráfico mercantil.

Entrega ficticia o simbólica (CC art.1462 a 1464) Teniendo en cuenta que, en ocasiones, puede resultar difícil o imposible realizar una entrega material o real de los bienes objeto del contrato, y pensando especialmente en los bienes inmuebles e incorporales, se equiparan a la entrega: 1090

a) El otorgamiento de **escritura pública**, lógicamente cuando la venta se documente de esta forma y siempre que de la escritura no resulte o pueda deducirse lo contrario. Este tipo de entrega es común en lo que se refiere a la compraventa de bienes inmuebles y de bienes incorporales.

b) La **entrega de las llaves** del lugar o sitio donde los bienes están almacenados o guardados; con referencia, claro está, a bienes muebles.

c) El **acuerdo o conformidad** de los contratantes, cuando los bienes no puedan trasladarse a poder del comprador en el instante de la venta, o bien cuando éste ya los tiene en su poder por otro motivo (arrendamiento, depósito, etc.).

d) La **entrega de los títulos** en que esté documentada la titularidad sobre bienes incorporales o el consentimiento de que el comprador haga uso de su derecho, siempre que no sea posible la entrega mediante escritura pública.

Precisiones **1)** Son posibles **otras formas de entrega simbólica**, pues la enumeración contenida en el CC no es numerus clausus (TS 31-10-83; 20-11-99, EDJ 36788).

2) La doctrina equipara a la entrega el pacto por el cual **el vendedor conserva la cosa**, pero no a título de dueño, sino con otro derecho (p.e., el propietario que vende un inmueble y, simultáneamente, permanece en el mismo como arrendatario; usufructuario, etc.).

Puesta a disposición En ciertos preceptos del CCom se menciona la circunstancia de que el vendedor tenga los efectos o mercancías a disposición del comprador (CCom art.333, 337 a 339). Esto ha llevado a un sector doctrinal y jurisprudencial a **equiparar**, en el ámbito de la compraventa mercantil, dicha puesta a disposición con la **entrega efectiva** de los bienes vendidos (Sánchez Calero, Broseta; TS 29-10-96, EDJ 7762; AP Jaén 22-10-98, EDJ 65194). 1092

La puesta a disposición de los bienes implica la realización por el vendedor de todos los **actos necesarios** para que la entrega efectiva de los bienes sea posible con la mera **recepción o aceptación** de los mismos por el comprador. Una vez que el comprador pone las cosas a disposición del comprador, la realización o no de la entrega depende de que este último tome o no posesión de las mismas (Uría).

Una vez puestas las mercancías a disposición del comprador, si éste rehúsa recibirlas sin justa causa, puede el vendedor cumplir con su obligación de entrega mediante el **depósito** de las mercancías, lo que le permite exigir el cumplimiento forzoso del contrato; también puede, alternativamente, pedir la resolución del contrato (CCom art.332 y 339). Ver nº 1266.

Así pues, para que la puesta a disposición produzca los **efectos de la entrega**, debe ir:

- acompañada de la aceptación de las mercancías por el comprador; o
- en su defecto, cuando proceda, del depósito de las mismas (nº 1266).

Precisiones **1)** A la puesta a disposición, el vendedor debe acompañar la **comunicación** al comprador de que la misma se ha producido, salvo en aquellos casos en que se haya pactado una fecha fija para que el comprador pase a retirar la mercancía o cuando el contrato faculte al comprador para recoger la mercancía en cualquier momento (Fernández de la Gándara).

2) Téngase en cuenta que la recepción de las mercancías puede realizarla un **empleado del comprador** a quien se haya encomendado dicha tarea. La recepción por éste, sin reparo sobre la cantidad o la calidad, tiene los mismos efectos que la hecha por el empresario (CCom art.295).

3) La puesta a disposición debe realizarse en el **lugar pactado** para la entrega de las mercancías, que puede ser el establecimiento del vendedor o bien otro lugar distinto, como el establecimiento del comprador (ver nº 1084).

4) Véase lo dicho sobre la puesta a disposición en relación con el **plazo de entrega** (nº 1080).

Gastos (CCom art.338; CC art.1465) Salvo pacto en contrario: 1094

- los gastos de la **entrega** de los géneros en las ventas mercantiles serán de cargo del **vendedor** hasta ponerlos, pesados o medidos, a disposición del comprador;
- los de su **recibo y extracción** fuera del lugar de la entrega, serán de cuenta del **comprador**.

En consecuencia:

- si se pacta que la entrega se realice en el establecimiento del vendedor (**porte debido**), el comprador debe correr con los gastos del transporte de la mercancía hasta su propio establecimiento;
- por el contrario, si la mercancía se debe entregar en el establecimiento del comprador (**porte pagado**), corresponde al vendedor pagar los gastos de transporte hasta ese lugar.

En **ausencia de estipulación** sobre la persona que debe pagar el transporte y sobre el lugar en que ha de realizarse la entrega, se ha considerado generalmente que, con respecto a las ventas mercantiles, la entrega se ha de realizar en el establecimiento del vendedor (TS 5-7-86;

10-4-87; 7-12-89), por lo que el **transporte** habría de pagarlo el comprador (en contra de esta conclusión, ver TS 10-11-95, EDJ 8032).
Lo dicho sobre el transporte es igualmente aplicable a los gastos correspondientes al **embalaje** de la mercancía (que constituye una compraventa de elementos accesorios) y a los **impuestos** que gravan la operación, aun en el caso de que sea el vendedor quien los pague anticipadamente -por ejemplo, para poder entregar la mercancía al transportista- (TS 21-4-86; 6-10-89).

1096 **Obligaciones complementarias** En ocasiones, para que el posterior uso o reventa de la mercancía comprada resulte posible, no basta con la entrega de dicha mercancía, sino que es necesario, además, la entrega de cierta **documentación o información complementaria** o la realización por el vendedor de ciertos actos.
No existe regla al respecto, salvo la genérica de que los contratos mercantiles se han de cumplir de acuerdo con los postulados de la **buena fe** y sin restringir los efectos que naturalmente se deriven del contrato (CCom art.57).
Sin embargo, en base a las numerosas resoluciones judiciales sobre la materia, puede decirse que, aunque no se haya pactado expresamente, el **vendedor** está obligado a realizar aquellas **actividades auxiliares** o complementarias a la entrega sin las cuales quedaría frustrada la finalidad del negocio. Para determinar en cada caso el contenido de dichas obligaciones se debe acudir, en defecto de estipulación, a los usos comerciales y a la práctica precedente entre los contratantes. En este sentido, a título de ejemplo, se ha considerado obligación del vendedor:
• en las ventas de **vehículos**, tener en regla y entregar la documentación de los mismos (TS 17-4-64; AP Navarra 25-5-93; AP Alicante 25-4-94; AP Teruel 30-7-98, EDJ 19958);
• proporcionar al comprador determinada **información veraz** sobre los productos -como, por ejemplo, composición de pieles para calzado- (AP Alicante 16-9-98);
• el otorgamiento de **escritura pública** en la compraventa de inmuebles, aunque el comprador haya tomado posesión de la finca (TS 31-12-98, EDJ 33147);
• la entrega de **certificados de homologación** que acrediten que los bienes -puertas de unos grandes almacenes- cumplen con las medidas de seguridad exigidas reglamentariamente (AP Madrid 21-2-99).

Precisiones **1)** No se ha apreciado incumplimiento en un contrato de suministro en que no se entregaron con la primera entrega unos **muestrarios de las mercancías**, aun cuando así se había pactado, por considerarse que la no realización de dicha prestación accesoria no impide, por su escasa entidad, que el comprador obtenga el **fin económico del contrato** (TS 21-9-90).
2) No se ha considerado obligación complementaria la de entregar los **certificados de calidad** de unas tuberías suministradas, obligación no pactada en el contrato, cuando dichos certificados se reclamaron meses después de entregada la mercancía (TS 16-10-98, EDJ 21886).

1098 Por último, en el orden tributario, ha de tenerse en cuenta que los empresarios o profesionales están obligados a:
1º. Expedir y entregar, en su caso, **factura u otros justificantes** de las operaciones que realicen en el desarrollo de su actividad empresarial o profesional, así como a conservar copia o matriz de aquellos (ver nº 1058 s.).
2º. Conservar las facturas u otros justificantes **recibidos de otros** empresarios o profesionales por las operaciones de las que sean destinatarios y que se efectúen en desarrollo de la citada actividad (RD 1619/2012 art.1 y 2).

1100 **Prueba** (LEC art.299) En ocasiones es preciso probar que la entrega de las mercancías se ha realizado correctamente, normalmente para reclamar al comprador el **cumplimiento de su obligación** de pagar el precio.
La prueba puede realizarse por cualquiera de los **medios** admitidos en Derecho (documentos, interrogatorio de las partes, testigos, peritos, etc.). A este respecto, la jurisprudencia ha considerado como prueba suficiente los **albaranes de entrega** de la mercancía, firmados en conformidad por el comprador o por alguno de sus empleados, e incluso por el transportista (TS 16-10-84; AP Badajoz 28-1-97).

Precisiones **1)** La prueba sobre el cumplimiento de un contrato debe recaer sobre hechos o comportamientos referidos al **momento de cumplir lo convenido** y no a lo que acontezca después (TS 30-4-97, EDJ 3589).
2) La **factura** como medio de prueba se trata en el nº 1058 y la obligación de expedir y remitir factura en nº 1098.
3) Ha de tenerse en cuenta, además, que en el ámbito del **comercio minorista**, el comerciante a quien se efectúa la correspondiente entrega queda obligado a documentar la operación de entrega y recepción de la mercancía, en el mismo acto y con mención expresa de su fecha (LOCM art.17.2). Téngase en cuenta que la LOCM es de aplicación supletoria en las CCAA que hayan dictado normativa en la materia (LOCM disp.final única). Ver nº 1004.

2. Saneamiento

 1105

El **vendedor** está obligado a garantizar al comprador frente a: 1107
- los defectos de calidad y cantidad de las mercaderías (saneamiento por **defectos ocultos**, nº 1110); y
- el riesgo de que pueda verse legalmente privado total o parcialmente de ellas (saneamiento por **evicción**, nº 1125).

Estas obligaciones operan aunque nada se haya pactado al respecto.

Sin embargo, no resultan exigibles cuando se han **excluido expresamente** (una de ellas o ambas), aunque dicho pacto de exclusión es nulo si el vendedor es conocedor de los defectos (CC art.1485).

Es también posible la **reducción o ampliación de los plazos** que la Ley establece para la denuncia de los defectos observados (TS 15-3-75; 29-3-95, EDJ 1161).

Precisiones El **incumplimiento** de las obligaciones de saneamiento por defectos ocultos y por evicción se expone en los nº 1234 y nº 1254.

a. Saneamiento por defectos

(CC art.1484 a 1499)

La existencia de defectos viene determinada por la concurrencia de los siguientes **requisitos** (TS 31-1-70, EDJ 2308): 1110

• Existencia de **anomalías** que distingan a la cosa defectuosa de las de su misma especie y calidad.

• Existencia **previa a la venta**, aunque su desarrollo sea posterior.

• Que los defectos hagan la cosa **impropia para el uso** que motivó la adquisición o que disminuya de tal modo ese uso que, de haberlo conocido el comprador, no la habría comprado o habría dado menos precio por ella.

No se puede hablar de defectos, sino de una mercancía distinta de la convenida, cuando la mercancía presenta **anomalías de gran entidad**, que impiden el aprovechamiento de las mercancías o hacen que éstas sean completamente distintas de las que se habían contratado (este supuesto de incumplimiento se expone en el nº 1226).

Por el contrario, la **anomalía irrisoria** que carezca de trascendencia en la práctica comercial, aun cuando puede suponer un defecto, en virtud del principio de la buena fe (CCom art.57) no produce el incumplimiento de la obligación de saneamiento.

Por último, téngase en cuenta que el vendedor responde por los defectos de la mercancía aun cuando no haya actuado negligentemente o de mala fe. Su **responsabilidad** surge de forma **objetiva**, por la mera existencia de tales defectos (AP Toledo 18-10-96).

En nuestra exposición distinguimos los defectos **ocultos o internos** de los defectos **manifiestos o aparentes**, pues unos y otros reciben diferente tratamiento en nuestro Derecho.

Precisiones **1)** La doctrina ha tratado de distinguir los vicios de los defectos atendiendo a diferentes criterios (las cualidades pactadas en el contrato, la naturaleza de las cosas, etc.). No obstante, tanto el CC como el CCom se refieren indistintamente a **vicios o defectos**, razón por la cual, y con el ánimo de no resultar reiterativos, en el presente apartado utilizamos el término «defectos» como comprensivo de ambos.

2) Una de las **especialidades** de la **compraventa mercantil**, por la celeridad propia del tráfico mercantil, es la que obliga al comprador a **denunciar de inmediato o en un breve lapso de tiempo** la existencia de vicios o defectos en la cosa objeto del contrato, pues de lo contrario pierde la posibilidad de actuar contra el vendedor. El rigor de esta normativa viene exigido por la seguridad y la fluidez del tráfico mercantil y por el legítimo interés que tiene el vendedor en saber con certeza y cuanto antes que el comprador acepta sin protesta la mercancía.

En concreto, estos **plazos** de protesta y ulterior ejercicio de acciones son los siguientes:

a. En caso de **defectos manifiestos** o aparentes (nº 1112), el comprador habrá de realizar la oportuna protesta o denuncia:

- en el **mismo momento** de recibir las mercancías, cuando las examine en el acto de la entrega (CCom art.336.1); o
- en el plazo de **4 días**, cuando las mercancías se reciban enfardadas o embaladas (CCom art.336.2).

b. En el supuesto de **vicios ocultos o internos** -los que no puedan apreciarse con el simple examen o por la mera apariencia de las cosas objeto de la compraventa-, el plazo para formular la reclamación se eleva a **30 días** (CCom art.342) (nº 1116, nº 1242).

Se trata de plazos de **caducidad** para que el comprador pueda efectuar la denuncia o protesta formal, que le permitirá posteriormente ejercitar en el plazo de **6 meses**, desde la fecha de entrega de la mercancía, las acciones de saneamiento por defectos, bien por vicios en la cosa comprada (CC art.1484, 1486 y 1490), o en su caso, por defectos de calidad o cantidad.
No basta con la simple alegación del comprador de que reclamó los defectos dentro de los breves plazos de 4 o 30 días que establece el CCom art.336 y 342, sino que dicha inicial denuncia o protesta únicamente sirve para poder ejercitar las **acciones por saneamiento** previstas en el CC art.1484 y 1490, para las que se establece un plazo de caducidad de **6 meses desde la entrega** de la mercancía. Y ello sin perjuicio de la posibilidad, en caso de inhabilidad total de la cosa vendida (**entrega de cosa diversa** o aliud pro alio; nº 1226), de ejercer acciones, no por simples defectos, sino por incumplimiento total de contrato al amparo del CC art.1101 y 1124, sujetas al plazo general de prescripción de cinco años (CC art.1964) (AP Lleida 7-12-23, EDJ 812464).

1112 **Defectos manifiestos** (CCom art.336; CC art.1484) Según el CC, el **vendedor no es responsable**:
- de los defectos manifiestos o que estén **a la vista**;
- ni tampoco de los que no lo estén si el comprador es un **perito** que, por razón de su oficio o profesión, debía fácilmente conocerlos.

Por **perito** cabe entender toda persona que, por su actividad profesional, posee cualidades para conocer las características de determinadas cosas o materiales (TS 6-7-84, EDJ 7291), concepto en el que perfectamente encaja el comerciante o empresario con respecto a aquellos productos que formen parte de su tráfico habitual.
Trasladando estos postulados al ámbito de la compraventa mercantil, puede concluirse que son **mercancías manifiestamente defectuosas** no solo aquellas que aparentemente muestren defectos o deterioro, sino también aquellas cuyos defectos puedan detectarse fácilmente por el comprador, al examinarlas, por ser del tipo de productos que suele tratar en su actividad comercial habitual.
El hecho de que se trate de defectos manifiestos o aparentes determina que la responsabilidad del vendedor solo surge cuando el comprador los **denuncia**:
- en el mismo momento de la entrega; o
- en el caso de mercancías enfardadas o embaladas, en el plazo de cuatro días desde que la misma se produce (CCom art.336; nº 1236).

1114 Para ello es preciso que el comprador, al recibir la mercancía, proceda a su examen. Este **examen de la mercancía** no se impone expresamente como una obligación, pero sí se reconoce al vendedor un derecho para exigir al comprador, de forma simultánea a la entrega, que él mismo u otra persona reconozca la mercancía y examine su calidad y cantidad. Dicho derecho puede ejercitarlo el propio vendedor, alguno de sus empleados e incluso el **agente comercial** que intervenga en la operación en nombre del vendedor (L 12/1992 art.8 -sobre contrato de agencia-).
Si no se ejercita el derecho señalado, el comprador no está obligado a realizar el examen, pero aun así puede examinar la mercancía por su propia voluntad e interés. Dicho examen es lógico y conveniente para él, pues, en caso de existir defectos manifiestos de cantidad o calidad, la reclamación solo es posible si **manifiesta su oposición** en el momento de la entrega (o en el plazo de cuatro días, si la mercancía se recibe embalada o enfardada).
Una vez denunciados los defectos, el comprador puede optar por la resolución del contrato o por el cumplimiento, con **indemnización**, en todo caso, de los perjuicios causados.
Por último, el CCom art.336 también establece que el vendedor en ningún caso responde cuando la avería proceda de **caso fortuito**, de **fraude** o de **vicio inherente** o propio de la cosa. En tal caso, el comprador no puede sino reclamar por vicios redhibitorios al **fabricante** o creador de los objetos viciosos, pero no al que se limita a venderlos, exponiendo su baja calidad (TS 11-5-99, EDJ 6845).

Precisiones 1) El criterio expuesto para la distinción de los defectos aparentes y los ocultos es el llamado **criterio subjetivo**, acogido generalmente por la jurisprudencia (TS 31-1-70, EDJ 2308; 6-7-84, EDJ 7291). Según este criterio, lo que puede ser defecto aparente para un comprador no lo será para otro. Por ejemplo, el comerciante que se dedica a la compra y distribución de revestimientos cerámicos será considerado perito a la hora de detectar deficiencias en dichos productos, pero no lo será si esporádicamente adquiere, también para revender, una partida de revestimientos vinílicos.
2) El **plazo** y la **forma** de la reclamación por defectos manifiestos se exponen en el nº 1236 s.

1116 **Defectos ocultos** (CCom art.342; CC art.1484 y 1485) Por oposición a los defectos manifiestos, son ocultos o **internos** aquellos que no puedan detectarse fácilmente al examinar las mercancías teniendo en cuenta la preparación técnica del comprador, esto es, su calidad de comerciante de un determinado sector (TS 31-1-70, EDJ 2308; 6-7-84, EDJ 7291).
La entrega de mercancía con defectos ocultos supone un **incumplimiento** del vendedor de su obligación de saneamiento y permite al comprador, previa reclamación de los defectos,

ejercitar la acción de repetición contra el vendedor u optar por la resolución del contrato o por su cumplimiento con arreglo a lo convenido, siempre con indemnización de los daños y perjuicios que se le hayan causado (TS 12-3-82; 20-11-91, EDJ 11006).

Precisiones El **plazo** y la **forma** de la reclamación por defectos ocultos se exponen en el nº 1242 s.

Cláusulas de garantía Los contratantes pueden pactar la **ampliación de los plazos** legales de reclamación por defectos ocultos o aparentes. De hecho, en las ventas de ciertos bienes (principalmente maquinaria y géneros no consumibles) es habitual el establecimiento unilateral por el vendedor de cláusulas de garantía contra las **averías en los productos** que se manifiesten en un periodo de tiempo determinado. 1118

Mediante dichas cláusulas, el vendedor se suele comprometer a la **reparación** del producto sin que ello suponga un cargo adicional para el usuario, o bien cobrando solo el valor de la mano de obra empleada en la reparación.

Suelen excluirse las averías derivadas o producidas por la **incorrecta utilización** o la falta de cuidado del comprador.

La cláusula de garantía se concede, en principio, a favor del comerciante comprador, pero **se incorpora al producto** de tal forma que cuando éste efectúa su reventa, la garantía acompaña al bien revendido. Así, desde el momento de la reventa, la relación de garantía queda establecida entre el fabricante y el adquirente final.

Lógicamente, el **plazo de la garantía** comienza a computarse desde que se produce la venta, razón por la cual en dicho momento suele sellarse un **certificado de garantía** en favor del adquirente, aunque, en ocasiones, para poder reclamar no se exige más que la factura justificativa de la compra.

Precisiones Las partes, en base al principio de autonomía de la voluntad, pueden establecer una regulación de la garantía **distinta de la legal** (TS 29-3-95, EDJ 1161). Sobre la «garantía comercial», ver LGDCU art.127.

b. Saneamiento por evicción

(CC art.1475 a 1483)

El vendedor está obligado a proteger al comprador contra la **privación**, por sentencia firme y en virtud de un derecho anterior a la compra, de todo o parte de la cosa comprada. 1125

Esta privación se conoce con el nombre de evicción y, por tanto, la obligación del vendedor en este sentido se denomina saneamiento por evicción.

Para el estudio de esta obligación se hace preciso distinguir entre:

- compras en establecimientos abiertos al público; y
- otras compras.

Compras en establecimientos abiertos al público (CCom art.85) Aun cuando existe una obligación genérica de saneamiento por evicción, en el ámbito mercantil esta obligación no resulta exigible cuando la compra se realiza en almacenes o tiendas abiertas al público, en cuyo caso se entiende que el comprador adquiere el derecho sobre la cosa comprada. Según esto, quien compra mercaderías en tales establecimientos no puede ser privado de los bienes adquiridos, aun cuando éstos no pertenecieran al vendedor, quedando a salvo, en su caso, los derechos del propietario de los objetos vendidos para ejercitar las acciones civiles o criminales que puedan corresponderle contra el que los vendiere indebidamente. 1127

No obstante, en virtud de la genérica obligación de **buena fe** (CCom art.57), para que este precepto opere en casos en que los bienes no son propiedad del vendedor, parece lógico exigir que el comprador **ignore** tal circunstancia en el momento de la compra.

A los efectos de esta norma, se consideran **almacenes o tiendas abiertas al público** no solo aquellos que establezcan los comerciantes inscritos, sino también los que establezcan los no inscritos, siempre que permanezcan abiertos al público por espacio de ocho días consecutivos o se anuncien por medio de rótulos, muestras o títulos en el local, o mediante avisos repartidos al público o insertos en la prensa.

Precisiones Dentro del término almacenes habría que incluir también los **establecimientos fabriles**, es decir, aquellos en los que al mismo tiempo se produce y se vende la mercancía (Moxica Román).

Otras compras (CC art.1475, 1478) En las compraventas realizadas en un ámbito distinto del señalado en el número anterior rigen las **reglas generales** sobre el saneamiento por evicción. 1129

En consecuencia, el vendedor responde del saneamiento por evicción, debiendo, en caso de producirse ésta, restituir al comprador el **precio** de la cosa al tiempo de la evicción, ya sea mayor o menor que el de la venta, así como otros gastos accesorios.

La evicción puede ser **parcial o total**, según se pierda parte de la cosa o la totalidad.

El incumplimiento por evicción se expone en el nº 1254.

E. Obligaciones del comprador

1135

1. Recepción de las mercancías

1140 Aun cuando no está expresamente recogida por la Ley, la obligación del comprador de recibir la mercancía comprada se deduce del CCom art.332, precepto que faculta al vendedor, en caso de que el comprador **rehúse sin justa causa** la recepción de los bienes adquiridos, a:
- **resolver** el contrato; o
- **exigir** su cumplimiento (en cuyo caso ha de proceder al depósito judicial de la mercancía).

El mismo **depósito judicial** podrá constituir el vendedor siempre que el comprador **demore** hacerse cargo de las mercaderías.
En todo caso, la recepción de la mercancía debe venir precedida de su **puesta a disposición** por parte del vendedor, de manera que cuando ésta no se realiza o se realiza de forma defectuosa (p.e., fuera de plazo, con defectos de calidad o cantidad), el comprador no está obligado a la recepción (ver nº 1092).
Por **recepción** de la mercancía se entiende aquella actividad del comprador de cooperación con el vendedor en la entrega de los bienes vendidos; actividad que se materializa en la **recogida física** de la mercancía por el propio comprador o por otra persona que actúa en su nombre, como puede ser un agente del mismo o el transportista que se encarga de hacer llegar la mercancía hasta su establecimiento.

Precisiones Los supuestos de **incumplimiento** de esta obligación se exponen en nº 1262.

1142 **Plazo** (CCom art.62) La recepción de la mercancía ha de realizarse en el plazo **pactado** por las partes. En caso de que éstas no hayan fijado un plazo, el comprador puede retirarlas desde que el vendedor las pone a su disposición y en el **plazo máximo** de 10 días (plazo general de cumplimiento de obligaciones mercantiles), computables desde que la obligación fue contraída, esto es, desde el momento de celebración del contrato.

Precisiones Recuérdese que el vendedor dispone de **24 horas** desde la formalización del contrato para realizar la **puesta a disposición** de las mercaderías (CCom art.337).

1144 **Lugar** La recepción de las mercancías debe realizarse en el lugar en que el vendedor ha de realizar la entrega o **puesta a disposición** de las mismas (ver nº 1092).
En el ámbito mercantil, salvo pacto en contrario:
a) la entrega debe realizarse en el **establecimiento del vendedor** (TS 28-11-87; 7-12-89);
b) no obstante, en las **ventas con expedición**:
- si ésta se pacta a portes pagados, se entiende que la entrega se produce en el establecimiento del comprador (TS 28-7-98, EDJ 18033); y
- si es a portes debidos, en el establecimiento del vendedor (TS 25-6-99, EDJ 19931).

1146 **Gastos** (CCom art.338) Salvo estipulación en contrario, son de cuenta del comprador los gastos del **recibo y extracción** de las mercancías fuera del lugar donde se produzca la entrega.
Recuérdese que, salvo que se establezca otra cosa, la entrega se debe realizar en el establecimiento del vendedor, por lo que, normalmente será el comprador quien deba correr con los gastos del **transporte** de la misma hasta su establecimiento (ver al respecto el nº 1094).

2. Pago del precio

1150

1152 El pago del precio constituye la obligación principal del comprador. A su vez, la obtención de un precio por los bienes vendidos es **causa del contrato** para el vendedor.

Precisiones 1) El precio como **elemento esencial** del contrato de compraventa se analiza en el nº 1025 s.
2) Los supuestos de **incumplimiento** de esta obligación se exponen en el nº 1268.

Plazo (CCom art.339; CC art.1466, 1500; L 3/2004 art.3 y 4 - redacc L 11/2013 art.33-) En principio, ha de atenderse a lo **estipulado por las partes** en el contrato, que tienen libertad para fijar el sistema de pago. No obstante, lo habitual será prever que el pago se deba realizar: 1154
- con antelación a la entrega de la mercancía (**pago anticipado**);
- de forma simultánea a la entrega (**pago al contado**); o
- en un momento posterior (**pago a plazo**).

Cabe igualmente que se pacte la realización de un único pago o de diversos pagos sucesivos.

La L 3/2004, de medidas de lucha contra la morosidad en las operaciones comerciales, establece, en cuanto a los pagos entre empresas, los siguientes **plazos** -que pueden ser **ampliados** mediante pacto de las partes sin que, en ningún caso, se pueda acordar un plazo superior a 60 días naturales-:

a) Si **no se ha fijado fecha o plazo** de pago en el contrato, el plazo de pago que debe cumplir el deudor es de 30 días naturales después de la fecha de recepción de las mercancías o prestación de los servicios, incluso cuando hubiera recibido la factura o solicitud de pago equivalente con anterioridad.

Los proveedores deben hacer llegar la **factura** o solicitud de pago equivalente a sus clientes antes de que se cumplan 15 días naturales a contar desde la fecha de recepción efectiva de las mercancías o de la prestación de los servicios. Cuando en el contrato se ha fijado un plazo de pago, la recepción de la **factura por medios electrónicos** produce los efectos de inicio del cómputo de plazo de pago, siempre que se encuentre garantizada la identidad y autenticidad del firmante, la integridad de la factura, y la recepción por el interesado.

b) Si legalmente o en el contrato se ha dispuesto un **procedimiento de aceptación o de comprobación** mediante el cual deba verificarse la conformidad de los bienes o los servicios con lo dispuesto en el contrato, su duración no puede exceder de 30 días naturales, desde la fecha de recepción de los bienes o de la prestación de los servicios. En este caso, el plazo de pago será de 30 días después de la fecha en que tiene lugar la aceptación o verificación de los bienes o servicios, incluso aunque la factura o solicitud de pago se hubiera recibido con anterioridad a la aceptación o verificación.

La L 3/2004 **se aplica** a todos los pagos efectuados como contraprestación en las operaciones comerciales realizadas: 1156
- entre empresas;
- entre empresas y la Administración, en el ámbito de la Ley de contratos del sector público (L 9/2017);
- entre los contratistas principales y sus proveedores y subcontratistas.

Quedan **excluidos** de su aplicación:
• Los pagos efectuados en las operaciones comerciales en las que intervengan consumidores.
• Los intereses relacionados con la legislación en materia de cheques, pagarés y letras de cambio y los pagos de indemnizaciones por daños, incluidos los pagos por entidades aseguradoras.
• Las deudas sometidas a procedimientos concursales incoados contra el deudor, que se regirán por lo establecido en su legislación especial.

En cualquier caso, el cumplimiento de la obligación de pago por el comprador está condicionado al **cumplimiento por el vendedor** de su obligación de entrega, por lo que aquel no será exigible si ésta no se ha producido o si se ha producido con retraso (nº 1222).

En el ámbito de los pagos a los **proveedores del comercio minorista**, se ha de estar en primer lugar a lo dispuesto por LOCM art.17 (nº 1166), aplicándose la L 3/2004 de forma supletoria (L 3/2004 disp.adic.1ª).

Precisiones 1) Las **facturas** deben ser **expedidas** en el momento de realizarse la operación. No obstante, cuando el destinatario de la operación sea un empresario o profesional que actúe como tal, las facturas deben expedirse antes del día 16 del mes siguiente a aquél en que se haya producido el devengo del impuesto correspondiente a la citada operación. La factura debe **remitirse** en el mismo momento de su expedición o bien, cuando el destinatario sea un empresario, en el plazo de un mes a partir de la fecha de su expedición (RD 1619/2012 art.11.1 y 18). 1158

2) Se prevé la **factura recapitulativa**, que incluye distintas operaciones realizadas en distintas fechas para un mismo destinatario, siempre que las mismas se hayan efectuado dentro de un mismo mes natural. Estas facturas deben ser expedidas como máximo el último día del mes natural en el que se hayan efectuado las operaciones que se documenten en ellas. No obstante, cuando el destinatario de éstas sea un empresario o profesional que actúe como tal, la expedición debe realizarse antes del día 16 del mes siguiente a aquél en el curso del cual se hayan realizado las operaciones (RD 1619/2012 art.13).

1160 **Aplazamiento de pago** (CC art.1466 y 1467; L 3/2004 art.4.3 y 10) Si se desea que el pago se satisfaga en un momento posterior a la puesta a disposición de la mercancía, la **fijación** de dicho momento ha de realizarse con anterioridad a la entrega, pues, si no se establece plazo para el pago, el vendedor no resulta obligado a realizarla.

En caso de aplazamiento, el vendedor solo podrá **reclamar el pago** cuando, cumplido el término para satisfacerlo, el comprador se niegue a realizarlo; o bien cuando, sin expresar su voluntad contraria, simplemente no lo realice.

Téngase en cuenta que, en este supuesto, la entrega de la mercancía sí precede al pago del precio. Así, el vendedor solo puede negarse a realizar la entrega si, después de la formalización del contrato de compraventa y antes de la entrega de la mercancía, descubre **insolvencia en el comprador**, con el consiguiente riesgo de no cobrar el precio.

Los **plazos de pago** establecidos por la L 3/2004 (nº 1154) pueden ser ampliados mediante pacto de las partes sin que, en ningún caso, se pueda acordar un plazo superior a 60 días naturales.

Por lo que se refiere a las operaciones comerciales entre empresas o entre estas y el sector público (ámbito de aplicación de la L 3/2004), se establece además que, siempre que se haya convenido expresamente una cláusula de **reserva de dominio** entre comprador y vendedor antes de la entrega de los bienes, este conserva la propiedad de los bienes vendidos hasta el pago total del precio.

El vendedor puede **subrogar en su derecho** a la persona que, mediante la realización de anticipos, financiación o asunción de la obligación, realiza la contraprestación por cuenta del deudor o permite a este último adquirir derecho sobre el objeto de la reserva de dominio o utilizarlo cuando dicha contraprestación se destina, efectivamente, a ese fin.

Entre las medidas de conservación de su derecho, el vendedor o el tercero que haya financiado la operación puede **retener la documentación** acreditativa de la titularidad de los bienes sobre los que se haya pactado la reserva de dominio.

Precisiones 1) El **cheque** es un documento que lleva aparejada acción cambiaria, pero no permite el aplazamiento del pago ya que es pagadero a la vista (LCC art.134).

2) La **venta a plazos** de bienes muebles se estudia en el nº 1330 s.

3) En cuanto a los aplazamientos de pago en el ámbito del **comercio minorista** ver nº 1166.

1162 **Pago anticipado** Nada impide que los contratantes pacten el pago anticipado, esto es, con **anterioridad** a la **entrega** de la mercancía.

Dicho **pacto** tiene que ser expreso y producirse, lógicamente, antes de la fecha fijada para la entrega.

1164 **Pago en supuestos de entrega defectuosa** (CCom art.330, 336, 342) Especial atención merecen aquellos casos en que la entrega se realiza de forma defectuosa:

- bien porque no se entrega la **cantidad** pactada;
- bien porque las mercancías adolecen de defectos de **calidad**.

Los defectos pueden ser aparentes u ocultos, aplicándose distintos **plazos y formas** para reclamar según sean de uno u otro tipo (nº 1110 s.):

a) Si los **defectos** son **aparentes** y se advierten antes del momento en que deba realizarse el pago, el comprador puede negarse a satisfacerlo, pues la entrega de la mercancía con defectos de cantidad o de calidad no puede reputarse conforme.

No obstante, hay ocasiones en que, aun existiendo defectos de calidad o cantidad, la entrega se considera válida y el pago, por tanto, resulta exigible:

• Cuando los defectos de cantidad y calidad son aparentes y el comprador **no denuncia los defectos** inmediatamente o, si la mercancía se entrega embalada o enfardada, en el plazo de cuatro días (CCom art.336).

• Cuando los defectos son de cantidad y el comprador acepta la **entrega parcial**, en cuyo caso la venta se considera consumada con respecto a la parte entregada (CCom art.330).

El vendedor puede evitar la reclamación por defectos exigiendo, en el acto de la entrega, que se haga el reconocimiento, en cuanto a cantidad y calidad, **a satisfacción** del comprador.

b) Si los **defectos** son **ocultos**, lo normal será que se descubran una vez que el comprador ya ha satisfecho el precio de las mercancías, en cuyo caso solo puede, tras denunciar los defectos, reclamar por incumplimiento contractual. En el caso de que aún no haya realizado el pago, puede, como en el supuesto anterior, negarse a hacerlo, pero siempre y cuando denuncie expresamente los defectos encontrados en el plazo que se le concede para ello (30 días).

Cuando los defectos son de tal entidad que pueda entenderse que estamos ante un supuesto de **entrega de cosa diversa** («aliud pro alio»), tampoco está obligado el comprador a realizar el pago, sin estar sujeto, en este caso, a los plazos de denuncia establecidos para el saneamiento por defectos aparentes u ocultos (ver nº 1226).

Precisiones La jurisprudencia se ha pronunciado a favor del vendedor en supuestos en que, habiéndose realizado la entrega con defectos de calidad o cantidad, cuando posteriormente se requiere al comprador para que pague, éste se niega a satisfacer el precio **sin haber denunciado los defectos** en el plazo oportuno (TS 4-12-79; 14-5-92, EDJ 4759; AP Castellón 15-1-01, EDJ 102937).

Disposiciones relativas al comercio minorista (LOCM art.17) La normativa de ordenación del comercio minorista establece que, a **falta de plazo expreso**, los comerciantes deben efectuar el pago del precio de las mercancías que compren antes de que transcurran 30 días a partir de la fecha de su entrega. 1166

Los **comerciantes** a quienes se efectúen las correspondientes entregas quedan obligados a documentar, en el mismo acto, la operación de entrega y recepción, con mención expresa de su fecha (p.e., mediante la firma del albarán de entrega).

Por su parte, los **proveedores** deben indicar en su factura el día del calendario en que debe producirse el pago.

Si todas o alguna de las mercancías estuvieran afectadas por una cláusula de **reserva de dominio**, la factura debe expresar asimismo esta circunstancia, que debe responder en todo caso a un acuerdo entre proveedor y comerciante, documentado con anterioridad a la entrega.

Las **facturas** deben hacerse llegar a los comerciantes antes de que se cumplan treinta días desde la fecha de entrega y recepción de las mercancías. Debe, no obstante, tenerse en cuenta que cuando el destinatario (comprador) sea un empresario o profesional que actúe como tal, la factura debe remitirse antes del día 16 del mes siguiente a aquél en que se haya producido el devengo del impuesto correspondiente a la operación o en el caso de las operaciones acogidas al régimen especial del criterio de caja antes del día 16 del mes siguiente a aquel en que se hubiera realizado la misma (RD 1619/2012 art.18).

Los **aplazamientos de pago** no pueden exceder de los siguientes plazos:

• Para los productos de alimentación **frescos y perecederos**: 30 días.

• Para los demás productos de **alimentación y gran consumo**: 60 días, salvo pacto expreso en el que se prevean compensaciones económicas para el proveedor, equivalentes al mayor aplazamiento, y sin que en ningún caso se pueda superar el plazo de 90 días.

• Con relación a los productos que no sean frescos o perecederos ni de alimentación y gran consumo, cuando los comerciantes acuerden con sus proveedores aplazamientos de pago **que excedan de 60 días** desde la fecha de entrega y recepción de las mercancías, el pago debe quedar instrumentado en documento que lleve aparejada acción cambiaria, con mención expresa de la fecha de pago indicada en la factura. En el caso de aplazamientos **superiores a 90 días**, este documento debe ser endosable a la orden. En todo caso, el documento se debe emitir o aceptar por los comerciantes dentro del plazo de 30 días, a contar desde la fecha de recepción de la mercancía, siempre que la factura haya sido enviada. Para la concesión de aplazamientos de pago **superiores a 120 días**, el vendedor puede exigir que queden garantizados mediante aval bancario o seguro de crédito o caución.

En cualquier caso, se produce el devengo de **intereses moratorios** de forma automática a partir del día siguiente al señalado para el pago o, en defecto de pacto, a aquel en el cual debiera efectuarse. En esos supuestos, el tipo aplicable para determinar la cuantía de los intereses es el previsto en L 3/2004 art.7 (nº 1270), salvo que las partes hayan acordado en el contrato un tipo distinto, que en ningún caso puede ser inferior al señalado para el interés legal incrementado en un 50%.

Precisiones **1)** Tienen la consideración de **productos de alimentación**, en general, aquellos de cualquier naturaleza, sólidos, líquidos, naturales o transformados que, por sus características, aplicaciones, componentes, preparación y estado de conservación, son susceptibles de ser habitual e idóneamente utilizados para la normal nutrición humana. Se incluyen en esta definición las bebidas alcohólicas, las aguas envasadas, los refrescos, las sales, las especias, las infusiones, los edulcorantes y los aditivos utilizados para el consumo humano. Se excluyen los medicamentos (RD 367/2005 art.3.1). 1168

2) Son productos de alimentación **frescos y perecederos** aquellos que, por sus características naturales, conservan sus cualidades aptas para la comercialización y el consumo durante un plazo inferior a 30 días o que precisan condiciones de temperatura regulada de comercialización y transporte (RD 367/2005 art.2.1).

3) Los **productos de gran consumo** no alimentarios son aquellos productos fungibles, de compra habitual y repetitiva por los consumidores y que presenten alta rotación. Se entiende por compra habitual y repetitiva la que corresponde a aquellas familias y categorías de productos que intervienen en el abastecimiento regular de los hogares para su consumo recurrente y que precisan de su compra varias veces al año. Los productos de alta rotación son aquellos cuyo plazo promedio de permanencia en poder del comerciante, desde el suministro efectivo por el fabricante o mayorista hasta la venta final minorista, es inferior a 60 días. Se trata, entre otros, de productos de higiene, droguería, limpieza y perfumería, baterías, pilas (RD 367/2005 art.4.1 y 3).

4) Una **relación de productos** de alimentación frescos y perecederos, así como de productos de gran consumo, puede encontrarse en los anexos del RD 367/2005.
5) Con referencia exclusiva a los **bienes consumibles**, se entiende como **fecha de entrega** aquella en la que efectivamente se haya producido, aunque, inicialmente, el título de la entrega fuese distinto del de compraventa, siempre que las mercancías hayan sido, finalmente, adquiridas por el receptor.

1170 **Lugar** (CC art.1500) En cuanto al lugar en que ha de realizarse el pago, debe ser el fijado en el contrato y, si no se ha estipulado ninguno, es aquel en el que se hace entrega de las mercancías (ver al respecto nº 1084).

1172 **Medios de pago** (CC art.1170) El pago puede realizarse por cualquier medio, pero siempre en la **moneda pactada** o, si resulta imposible entregar tal moneda, en la que tenga curso legal en España.
Los medios de pago más frecuentes en el ámbito mercantil son los siguientes:
• Pago **en efectivo** (con las limitaciones previstas en nº 1174).
• Pago mediante **letra de cambio, pagaré u otro documento mercantil** (cheque), modalidad en la que ha de tenerse en cuenta que el pago no produce sus efectos hasta que dichos documentos han sido realizados o se han perjudicado por causa del acreedor (el vendedor).
• Pago mediante **transferencia bancaria** o mediante ingreso directo en la cuenta corriente que mantiene el vendedor (acreedor) en una entidad bancaria.
• Pago mediante **crédito documentario**, de especial aplicación en la compraventa internacional (nº 1519 s.).
El pago mediante documento mercantil, transferencia o ingreso bancario requiere el **consentimiento del vendedor** (acreedor). El consentimiento puede ser expreso o tácito, pudiéndose considerar concedido cuando el vendedor facilita al deudor o incluya su número de cuenta en la documentación comercial (TS 18-6-48), o bien cuando pueda inferirse de conductas anteriores (TS 28-12-94, EDJ 9498).

Precisiones **1)** El pago produce su **efecto liberatorio** cuando la cantidad pagada se incorpora efectivamente al patrimonio del acreedor (TS 12-2-93, EDJ 1315).
2) Véase lo expuesto con respecto a la **transferencia**, la **cuenta corriente** bancaria y el **crédito documentario** en los nº 8240, nº 8195 y nº 9005.

1174 **Limitaciones al pago en efectivo** (L 7/2012 art.7) No pueden pagarse en efectivo las operaciones, en las que alguna de las partes intervinientes actúe en calidad de empresario o profesional, con un **importe igual o superior** a 1.000 euros o su contravalor en moneda extranjera.
Como excepción, el citado importe mínimo es de 10.000 euros -o su contravalor en moneda extranjera- cuando el pagador sea una **persona física** que:
- justifique que no tiene su domicilio fiscal en España; y
- además, no actúe en calidad de empresario o profesional.
A efectos del cálculo de las cuantías señaladas, se han de sumar los importes de **todas las operaciones o pagos** en que se haya podido fraccionar la entrega de bienes o la prestación de servicios.
Esta limitación no resulta aplicable a los pagos e ingresos realizados en **entidades de crédito**.
El **incumplimiento** de estas limitaciones a los pagos en efectivo constituye infracción administrativa grave.

Precisiones **1)** Antes del 11-7-2021, fecha de entrada en vigor de la **modificación** de la L 7/2012 art.7 por L 11/2021, los **límites** de 1.000 y 10.000 euros citados estaban situados, respectivamente, en 2.500 y 15.000 euros. Los nuevos límites se aplican a todos los pagos efectuados a partir de la entrada en vigor de la norma, aunque se refieran a **operaciones** concertadas con anterioridad al establecimiento de la limitación (L 11/2021 disp.trans.1ª.3).
2) Respecto de estas operaciones, los intervinientes deben conservar los **justificantes del pago** durante el plazo de 5 años desde la fecha del mismo, para acreditar que se efectuó a través de alguno de los medios de pago distintos al efectivo. Asimismo, están obligados a aportar estos justificantes a requerimiento de la AEAT.
3) Cualquier autoridad o funcionario que, en el ejercicio de sus competencias, tenga **conocimiento de algún incumplimiento** de esta limitación, lo ha de poner inmediatamente en conocimiento de los órganos de la AEAT.
4) Se entiende por **pago en efectivo** el empleo de los siguientes medios de pago (L 10/2010 art.34.2 redacc RDL 7/2021):
- El papel **moneda** y la moneda metálica, nacionales o extranjeros.
- Los **efectos negociables o medios de pago al portador**. Son aquellos instrumentos que, previa presentación, dan a sus titulares el derecho a reclamar un importe financiero sin necesidad de acreditar su identidad o su derecho a ese importe. Se incluyen aquí los cheques de viaje, los cheques, pagarés u órdenes de pago, ya sean extendidos al portador, firmados pero con omisión del nombre del beneficiario, endosados sin restricción, extendidos a la orden de un beneficiario ficticio

o en otra forma en virtud de la cual su titularidad se transmita a la entrega y los instrumentos incompletos.
- Las **tarjetas prepago**, entendiendo por tales aquellas tarjetas no nominativas que almacenen o brinden acceso a valores monetarios o fondos que puedan utilizarse para efectuar pagos, adquirir bienes o servicios, o para la obtención de dinero en metálico, cuando dichas tarjetas no estén vinculadas a una cuenta bancaria.
- Las materias primas utilizadas como depósitos de valor de gran liquidez, como el **oro**.
En la interpretación de las definiciones de los medios de pago descritos se estará a lo dispuesto en el Rgto (UE) 2018/1672 relativo a los controles de la entrada o salida de efectivo de la Unión y por el que se deroga el Rgto (CE) nº 1889/2005.

F. Transmisión de la propiedad y del riesgo

Aun cuando el contrato de compraventa **carece de efecto traslativo**, esto es, su celebración no produce, por sí sola, la transmisión de la propiedad de los bienes vendidos, sí tiene como fin último lograr que dicha transmisión se produzca, mediante la entrega de las mercancías. 1182
Por otro lado, la transmisión del riesgo de pérdida o deterioro de las mercancías es cuestión fundamental, pues de ella depende, en muchos casos, el éxito o fracaso de una operación comercial.

Transmisión de la propiedad (CC art.609) El CC establece que, entre otras formas, la propiedad se adquiere por consecuencia de ciertos contratos, mediante la tradición (**entrega**). 1184
Es, por tanto, necesaria la concurrencia de dos **requisitos**:
- la perfección de un contrato encaminado a producir la transmisión;
- la entrega o tradición de la cosa.
De esta manera, la **compraventa** solo causa un efecto traslativo de la propiedad cuando, además de la perfección del contrato, se produce la entrega de la mercancía (TS 9-3-94, EDJ 2140; 18-2-95, EDJ 472).

Precisiones El momento en que la **entrega** puede considerarse realizada es objeto de estudio en nº 1070 s.

Transmisión del riesgo (CCom art.331, 333 a 335) Por riesgo hemos de entender, no el económico inherente a todo contrato de estas características, sino el riesgo de **pérdida o deterioro de las mercancías** que son objeto de compraventa. 1186
La determinación del momento en que dicho riesgo se transmite es crucial, ya que, si el riesgo lo soportaba el **vendedor**, tendrá éste que entregar otra cosa que sustituya a la que sufrió pérdida o deterioro -si la mercancía es genérica- o devolver la parte del precio recibida, mientras que si el riesgo lo soportaba el **comprador**, deberá éste pagar el precio sin recibir la cosa a cambio o recibiéndola deteriorada (Garrigues).
Como **regla general**, el riesgo de pérdida o deterioro de la mercancía se transmite con la entrega de la misma. No obstante, como la entrega es un acto que no depende únicamente del vendedor, pues exige también el consentimiento del comprador -la recepción de la mercancía- (ver nº 1140 s.), se establece que, una vez que el primero ha cumplido con su obligación de **puesta a disposición** (nº 1092), si la entrega efectiva no llega a realizarse, los riesgos de pérdida o deterioro son de cuenta del comprador.

En desarrollo de la regla general expuesta, se establecen normas para determinar la transmisión del riesgo en **supuestos concretos**: 1188
• Si la pérdida o deterioro es de **cosa determinada**, la transmisión del riesgo se produce con la puesta a disposición de la mercadería en el lugar y plazo convenidos. Téngase en cuenta que si el comprador no cumple con su obligación de recibir las mercancías, el vendedor puede constituir depósito de las mismas (nº 1266), en cuyo caso, la transmisión del riesgo se produce con dicho depósito (CCom art.332).
• Si la pérdida o deterioro es de **mercancías genéricas**, la transmisión del riesgo no se produce hasta que no se individualizan o determinan. Dicha individualización puede realizarla el vendedor (con comunicación al comprador), o bien puede realizarse por ambos, lo que tendrá lugar normalmente en el momento en que el comprador acuda a recibir las mercancías.
• Si el vendedor ha puesto a disposición del comprador las mercancías en el lugar y tiempo convenidos, los daños que sufran las mismas son de cuenta del comprador, salvo que tales daños se deban a **negligencia o dolo del vendedor**, en cuyo caso son de cuenta de éste.

• Si, por pacto expreso o por uso del comercio, se reserva el comprador la **facultad de reconocer y examinar** las mercancías previamente (venta a prueba y ensayo: nº 1375; venta salvo aprobación: nº 1370), el riesgo no se transmite hasta que el comprador, tras realizar dicho reconocimiento, manifiesta su deseo de adquisición definitiva.
• Si se pacta la condición de no hacer la entrega hasta que la cosa vendida adquiera las **condiciones estipuladas**, el riesgo se transmite cuando, habiendo adquirido las mercancías dichas condiciones, sean puestas a disposición del comprador.
Por último, téngase en cuenta que las reglas expuestas tienen **carácter dispositivo** y, por tanto, pueden modificarse por pacto entre las partes. En ese sentido, en las **ventas con expedición** -en las que el riesgo de pérdida o deterioro es mayor- es práctica habitual la estipulación de ciertas cláusulas uniformes sobre la transmisión del riesgo de pérdida o deterioro. Estas cláusulas son los denominados **Incoterms**, que son objeto de estudio más adelante, en el marco de la compraventa internacional (nº 1465 s.).

Precisiones 1) La jurisprudencia ha estimado que, cuando la pérdida se produce por la **actuación negligente del vendedor**, no puede entenderse que basta con la simple devolución del precio, debiéndose aplicar las normas reguladoras del incumplimiento contractual (TS 12-5-90).
2) En la **venta con expedición** de cosas genéricas la determinación de las mismas se produce al hacer entrega de las mismas al transportista, aunque la entrega efectiva puede que no se produzca hasta que el comprador las reciba en su establecimiento.
3) Habiendo identificado las contratantes el aceite refinado de girasol a entregar como una **cosa genérica**, la regla lógica "genus nunquam perit" excluye hablar de imposibilidad de cumplir como consecuencia de la decisión del vendedor de enajenar a terceros parte -o todo- el aceite vendido a la compradora, en un intento de reducir la entidad del daño causado por el incumplimiento de la misma (TS 5-3-14, EDJ 42766).

G. Incumplimiento

1195

1197 En apartados anteriores han sido expuestas las **obligaciones de las partes** en el contrato de compraventa. Aunque en ocasiones se han apuntado las consecuencias que puede tener el incumplimiento o cumplimiento defectuoso de dichas obligaciones, hemos dejado el estudio específico de esta cuestión para el presente apartado.
Para su mejor comprensión, se señalan en primer lugar las **consideraciones generales** que se presentan en el incumplimiento de cualquiera de las obligaciones derivadas del contrato (nº 1200), para, a continuación, exponer los diferentes **supuestos de incumplimiento** (nº 1215).

1. Consideraciones generales

1200 Con carácter general, el incumplimiento del contrato de compraventa por cualquiera de las partes **faculta** a la parte que sufre dicho incumplimiento a instar:
- la **resolución** del contrato **o** su **cumplimiento**;
- con **indemnización**, en ambos casos, de los daños y perjuicios sufridos (CC art.1124).
Esto es así en la mayor parte de los supuestos de incumplimiento. Por ello, cuando más adelante nos refiramos a los casos concretos (nº 1215 s.), ha de entenderse que ésta es la norma aplicable, salvo cuando se exponga otra distinta.
Tanto la resolución como la exigencia de cumplimiento pueden **solicitarse** a la parte que incumple **o** bien ejercitarse directamente la correspondiente **acción judicial**. Sobre el plazo del ejercicio de la acción ver nº 1202.
Además, en los casos en que se pretenda la resolución, lo normal será que la parte perjudicada intente vender o comprar cuanto antes con un tercero a fin de minimizar sus posibles pérdidas, extremo que debe comunicarse cuanto antes a quien incumplió. Dicha **compra o venta «de reemplazo»** es además un elemento fundamental para la estimación del perjuicio resarcible (nº 1206).

Precisiones Para que pueda entrar en juego la facultad de resolución de los contratos generadores de obligaciones recíprocas se exige la **frustración de la finalidad** perseguida por los contratantes, prescindiendo de la «voluntad deliberadamente rebelde», exigida anteriormente por la doctrina, lo que se ajusta a los criterios sobre incumplimiento contenidos en la Convención de las Naciones Unidas sobre los contratos de compraventa internacional de mercaderías (CNUCI) y los principios de Derecho europeo (TS 5-9-12, EDJ 228163).

Plazo de ejercicio de las acciones La normativa mercantil no contiene norma alguna que fije un **plazo general** para el ejercicio de las acciones derivadas del incumplimiento de la compraventa mercantil. Se aplican, en consecuencia, los plazos de **prescripción** que rigen en el Derecho común (CCom art.943). 1202

Sí se establecen, no obstante, plazos para la reclamación por **defectos de cantidad y calidad**. El régimen de plazos es, por tanto, el siguiente:

a) Plazos breves de caducidad de **4 y 30 días** para efectuar reclamación previa a la acción por **defectos de calidad o cantidad**, aparentes u ocultos (CCom art.336 y 342), y, en caso de que dicha reclamación previa no sea atendida, plazo de caducidad de **6 meses** desde la entrega para el ejercicio de la acción de **saneamiento por defectos ocultos** (CC art.1490). Ver nº 1234.

b) Plazo de prescripción de **5 años** para las **acciones personales** que no tengan señalado un plazo especial (CC art.1964), como las acciones por falta de entrega o demora en la entrega (nº 1222), entrega de cosa diversa (nº 1226) o la falta o retraso en el pago (nº 1268).

Precisiones **1) Régimen transitorio**:

Se establece un régimen transitorio de **prescripción** para las obligaciones nacidas antes del 7-10-2015 (entrada en vigor de la L 42/2015 de reforma del CC), en virtud del cual el plazo de prescripción se rige por la normativa vigente al tiempo de nacer la obligación (**antes de la reforma** las acciones personales sin plazo **prescribían a los 15 años**), si bien las obligaciones quedan prescritas en todo caso a los cinco años de dicha entrada en vigor, y, por tanto, el 7-10-20 (CC art.1964 -redacc L 42/2015 disp.final 1ª, disp.trans.5ª-).

En virtud de este régimen transitorio se distinguen las siguientes situaciones, en función de la **fecha de nacimiento de la obligación** (TS 20-1-20, EDJ 504482; 31-10-23, EDJ 729354):

• Obligaciones nacidas **antes del 7-10-2000**: estarían prescritas a la entrada en vigor de la nueva Ley (dado que en esa fecha ya habrían transcurrido los 15 años establecidos en la redacción del CC art.1964 entonces vigente -previa a la L 42/2015-).

• Obligaciones nacidas **entre el 7-10-2000 y el 7-10-2005**: se les aplica íntegramente el plazo de 15 años previsto en la redacción original del CC art.1964.

• Obligaciones nacidas **entre el 7-10-2005 y el 7-10-2015**: en aplicación de la regla de transitoriedad del CC art.1939, no prescriben hasta el 7-10-2020.

• Obligaciones nacidas **después del 7-10-2015**: se les aplica el nuevo plazo de cinco años, conforme a la vigente redacción del CC art.1964.

No obstante, téngase en cuenta que, a consecuencia del estado de alarma declarado en España para gestionar la crisis sanitaria y económica causada por la pandemia de **Covid-19**, los plazos de caducidad y prescripción quedaron **suspendidos** entre el 14-3-2020 y el 3-6-2020 (ambos incluidos, en total **82 días**), levantándose la suspensión desde el 4-6-2020 (RD 463/2020 disp.adic.4ª; RD 537/2020 art.10).

2) Compraventa mercantil versus civil:

• El plazo para **reclamar el precio** en una compraventa **mercantil** es de **5 años** (15 años antes de la reforma del CC por L 42/2015), conforme al CCom art.943 en relación con el CC art.1964.2, y no el de 3 años aplicable a la compraventa civil (CC art.1967.4º) (TS 7-10-05, EDJ 161996; 7-1-11, EDJ 3989; 14-12-22, EDJ 766875). De forma aislada, alguna sentencia considera que, ya tenga la compraventa de mercaderías carácter civil o mercantil, en todo caso se les aplica el mismo plazo de prescripción: tres años, conforme al CC art.1967.4 (AP Córdoba 9-1-17, EDJ 41741).

• Tanto las compraventas realizadas entre comerciante y particular, como las denominadas «**compraventas para consumo propio**» (nº 962), carecen, en general, de carácter mercantil, por lo que se aplica el plazo de prescripción de 3 años (nº 1268).

3) Cooperativas:

• Con fundamento en el tradicional principio mutualista que informa nuestra legislación sobre cooperativas, tanto estatal como autonómica, cuando la cooperativa realiza una **prestación de servicios en favor de sus socios**, caso del suministro de diversos géneros (plantas, herbicidas, abonos, plásticos, etc), no interviene en la condición de «mercader o comerciante», por lo que dicho suministro no resulta encuadrable en el CC art.1967.4 -que fija el plazo de prescripción en 3 años-, sino en el plazo general de prescripción (TS 3-7-18, EDJ 511741).

La prescripción se **interrumpe** por (CCom art.944): 1204

1º. La **demanda** u otro cualquier género de interpelación judicial hecha al deudor, si bien no la interrumpe si el actor desistiese de ella, caducara la instancia o fuese desestimada su demanda.

2º. El **reconocimiento** de las obligaciones, empezando a contarse nuevamente el plazo de prescripción desde el día en que se haga el reconocimiento; o

3º. La **renovación** del documento en que se funde el derecho del acreedor, empezando a contar de nuevo la prescripción desde la fecha del nuevo título, y si en él se hubiere prorrogado el plazo del cumplimiento de la obligación, desde que éste hubiere vencido.

Precisiones 1) La **reclamación extrajudicial** también interrumpe la prescripción de las acciones para reclamar el cumplimiento de las obligaciones mercantiles (CCom art.944; CC art.1973), habiendo atribuido también eficacia interruptiva la TS 21-11-97 al cruce de cartas entre acreedor y deudor (TS 21-3-00, EDJ 2615; 20-2-20, EDJ 511683).

2) En todo caso, el plazo prescriptivo es **improrrogable** y no es posible una interpretación extensiva de los **supuestos de interrupción** (TS 27-9-05, EDJ 157486; 3-5-07, EDJ 28945; 19-10-09, EDJ 239962; 16-3-10, EDJ 21688; 20-2-20, EDJ 511683).

3) La jurisprudencia, al interpretar conjuntamente el CCom art.944 y el CC art.1973, ha extendido a las obligaciones mercantiles los **efectos interruptivos de la reclamación extrajudicial** (TS 4-12-95, EDJ 6373; 31-12-98, EDJ 31406; 21-3-00, EDJ 2615; 8-3-06, EDJ 21305; 8-10-09, EDJ 234622; 7-2-19, EDJ 506568; 20-2-20, EDJ 511683), pero, en todo lo demás, considera subsistente el CCom art.944, en sus propios términos y con las **especialidades** que contiene (como la no interrupción de la prescripción por la reclamación judicial cuando el actor desiste de ella, caduca la instancia o se desestima la demanda) (TS 27-2-24, EDJ 511285).

1206 **Indemnización de daños y perjuicios** El CC art.1106 y 1107 establece ciertas reglas para el cálculo de los daños y perjuicios en caso de incumplimiento contractual. Estas reglas son aplicables, en principio, al incumplimiento de las obligaciones derivadas del contrato de compraventa.

Así, se establece que la indemnización comprende:

- tanto el valor de la pérdida sufrida (**daño emergente**);
- como el de la ganancia que se haya dejado de percibir (**lucro cesante**).

El deudor de **buena fe** responde solo de los perjuicios que fuesen previstos o que se hubieran podido prever al tiempo de constituirse la obligación y que sean consecuencia necesaria del incumplimiento.

El deudor de **mala fe** responde, en cambio, de todos los daños que conocidamente se deriven del incumplimiento.

Precisiones Para calcular el **lucro cesante** (beneficio dejado de obtener) no hay que descontar los **gastos generales** del comprador, pues los gastos del negocio, dado su carácter fijo, se produjeron con independencia de la reventa de la mercancía -en este caso, mascarillas-. De hecho, los gastos de alquiler o amortización del local, de sueldos, de suministros, etc. se vinculan a la apertura del negocio de parafarmacia del comprador demandante, no a cada una de las ventas concretas que se hacen o dejan de hacer en el desarrollo de su actividad (AP Albacete 16-6-23, EDJ 615868).

1208 No obstante, la celeridad propia de la contratación mercantil y la dificultad de tasar los daños de acuerdo con el procedimiento expuesto ha llevado tanto a la doctrina (Garrigues) como a la jurisprudencia (TS 14-7-98, EDJ 11974) a proponer otro **sistema más objetivo**.

Según este sistema, denominado del daño abstracto o de la **compra de reemplazo**, el cálculo se hace en base a la diferencia entre el precio del contrato incumplido y el que sea corriente en el mercado en que la mercancía debió ser entregada o recibida (precio de mercado). De esta manera:

- Si el incumplimiento consiste en la **falta de entrega**, el perjuicio consiste en el sobreprecio que supone para el **comprador** tener que comprar a un tercero.
- Si el incumplimiento consiste en la **falta de recepción** de la mercancía, el perjuicio consiste en la pérdida que supone para el **vendedor** tener que vender a un tercero.

A esta diferencia de precios habría que añadir, como parte de la indemnización, el **gasto extraordinario** que el vendedor o el comprador haya tenido que soportar para realizar la compraventa de reemplazo -conservación de la mercancía, transporte, contratación con un agente, etc.- (TS 1-7-91, EDJ 7069).

Por último, si el incumplimiento consiste en la **falta de pago** de una cantidad de dinero, se establece que la indemnización de daños y perjuicios consistirá, salvo pacto en contrario, en el pago de los **intereses** convenidos o, a falta de convenio, del interés legal (CC art.1108; CCom art.341). En las **operaciones comerciales** entre empresas, o entre empresas y Administraciones públicas, se aplica la L 3/2004 por la que se establecen medidas de lucha contra la morosidad, a cuyo efecto el obligado al pago de la deuda dineraria incurre en mora y debe pagar el interés pactado en el contrato o el fijado por dicha Ley automáticamente (interés publicado periódicamente en el BOE) por el mero incumplimiento del pago en el plazo pactado o legalmente establecido, sin necesidad de aviso de vencimiento ni intimación alguna por parte del acreedor (L 3/2004 art.5 y 7). Ver nº 1156 y nº 1270.

Precisiones La **prueba de los daños y perjuicios** puede alcanzarse también por presunciones si el enlace es lógico (TS 5-6-85, EDJ 7401; 17-9-87, EDJ 6385; 17-7-00, EDJ 20649).

2. Supuestos de incumplimiento

Analizamos a continuación las consecuencias del incumplimiento de las obligaciones esenciales de las partes: 1215
- por un lado del **vendedor**, que consisten en la entrega de la cosa (nº 1070) y el saneamiento por defectos y por evicción (nº 1105);
- por otro lado, del **comprador**, que consisten en la recepción de la mercancía (nº 1140) y pago del precio (nº 1150).

a. Incumplimientos del vendedor

1220

Falta de entrega y entrega tardía (CCom art.329) En la compraventa mercantil, el plazo de entrega tiene **carácter esencial** (nº 1080), por lo que, salvo en los supuestos en los que el vendedor puede negarse lícitamente a realizar la entrega (nº 1082), el retraso en la entrega se equipara a la falta de entrega (al igual que sucede con el rehúse o demora en la recepción de la mercancía por el comprador; nº 1262). 1222
Ambas circunstancias (falta de entrega o demora en la misma) suponen un **incumplimiento** total que faculta al **comprador** para pedir:
• el **cumplimiento o** la **resolución** del contrato;
• en ambos casos, con **indemnización** de los daños y perjuicios sufridos (CCom art.329; nº 1206).
Para ejercer este derecho, no es preciso que:
- concurra **dolo o negligencia** en el vendedor;
- ni, en los contratos que tuvieren día señalado para su cumplimiento -por voluntad de las partes o por la Ley-, que el comprador efectúe **requerimiento** judicial o extrajudicial solicitando la entrega (CCom art.63).
En cambio, el retraso en la entrega debido a **fuerza mayor o caso fortuito** no parece que pueda equipararse al supuesto anterior, en base a lo establecido sobre el riesgo de pérdida de la cosa (CCom art.334 y 335; TS 12-5-90; ver nº 1186).
Ante el retraso en la entrega, en el ámbito mercantil no se permite que los tribunales concedan al vendedor un nuevo plazo para la entrega (**término de gracia** o cortesía) que no esté previsto contractualmente o en alguna disposición legal (CCom art.61). No obstante, nada obsta a que el comprador, aceptando voluntariamente el retraso o demora, conceda expresamente un **nuevo plazo** al vendedor para el cumplimiento de su obligación (TS 26-10-82; 14-11-89).
Es posible que el vendedor, sabiendo que no va a poder cumplir en plazo, lo manifieste al comprador a fin de que éste pueda, cuanto antes, realizar una **compra de reemplazo** o renegociar con sus clientes, y disminuir así los daños que le cause el incumplimiento. Para la doctrina (Garrigues, Moxica Román), en este supuesto, el comprador no está obligado a esperar hasta el día fijado para la entrega, pudiendo **resolver el contrato en cualquier momento**, aunque, si su opción va a ser la de exigir el cumplimiento forzoso, sí parece lógico que deba esperar a que se produzca un efectivo incumplimiento.
Por otra parte, la **entrega tardía** se da por válida cuando el comprador la acepta **sin realizar protesta** alguna, supuesto en el que no puede posteriormente alegar incumplimiento del vendedor para justificar una eventual negativa de pago o la falta de recepción de una segunda entrega de mercancías -si el contrato prevé entregas periódicas- (TS 25-6-99, EDJ 19931).

Precisiones **1)** El incumplimiento por retraso en la entrega supone una excepción a la interpretación jurisprudencial del incumplimiento civil en caso de demora (CC art.1124), según la cual se viene exigiendo una manifiesta **voluntad rebelde** del incumplidor (TS 27-11-92, EDJ 11710; 18-11-93, EDJ 10428), o que las partes hayan previsto el carácter esencial del plazo. 1224
2) La indemnización por demora es independiente de la **buena o mala fe** con que haya obrado el vendedor (TS 12-5-90), lo que es contrario a la regla general en el ámbito civil, que exige la concurrencia de dolo, negligencia o morosidad (CC art.1101).
3) La tardanza o retraso en la entrega no significa **retraso culpable**, sino sencillamente el hecho objetivo de no haberse realizado la prestación dentro del plazo (Garrigues).
4) El **perjuicio** se ha de valorar por la diferencia entre el precio de la mercancía que hubo de ser entregada y el precio de mercado que, a la fecha del incumplimiento, tenga la misma mercancía (TS 27-3-74; 14-7-98, EDJ 11974).

5) Se ha negado el incumplimiento del contrato en un caso de entrega tardía por problemas en la concesión de **licencias de importación**, cuando dichos retrasos no pueden ser calificados como importantes (TS 21-9-90).
6) La **prohibición** de conceder **términos de gracia** se aplica a todos los contratos mercantiles y opera con respecto a cualquier obligación.
7) La **concreción** de qué **perjuicios** ha sufrido el comprador es una tarea que a él sólo le incumbe, no relevándole el CCom art.329 de ninguna prueba. La jurisprudencia de esta Sala (TS 14-2-64; 27-3-74; 30-1-76, entre otras), ante casos en los que el vendedor incumple su obligación de entrega y el **precio ha subido** en relación con el pactado en el contrato incumplido, ha mantenido el criterio de que los daños y perjuicios se cifran en la **diferencia** de precios entre esos dos momentos (TS 14-5-03, EDJ 17139).
8) El vendedor puede **diferir la entrega** de la mercancía cuando el comprador, antes de la fecha prevista para la misma, le comunica su imposibilidad de cumplir el contrato. Dicha comunicación expresa la voluntad de **incumplir en el futuro**, que, atendiendo al estándar de la buena fe (art.71 de la Convención de las Naciones Unidas sobre los contratos de compraventa internacional de mercancías -Viena, 11-4-1980-), resulta suficiente para entender que la vendedora podía diferir el cumplimiento de su prestación de puesta a disposición (TS 5-3-14, EDJ 42766).
9) Se condena al vendedor a entregar al comprador el vehículo que éste le compró, y que el vendedor rehusó entregar para no asumir responsabilidades tras comprobar, tras la firma del contrato, su mal estado. No obstante, dado que, al tiempo de la demanda, el vendedor ya había vendido el vehículo a un tercero, se le condena a pagar al comprador demandante la ganancia dejada de obtener (**lucro cesante**; CC art.1106), por la diferencia entre el precio que abonó por el coche y el que iba a obtener con su **reventa** (AP Madrid 7-12-16, EDJ 255515).
10) En base a los principios que informan el tráfico mercantil (seguridad jurídica y fluidez del comercio), deviene **esencial** el cumplimiento por el vendedor de los **plazos de entrega** pactados, hasta el punto de equipararse la demora a la falta de cumplimiento de la prestación, esto es a un incumplimiento esencial que justifica la **resolución del contrato** siguiendo el principio general del CCom art.63 (AP La Rioja 29-1-21, EDJ 523361).
11) En caso de resolución de la compraventa por el comprador, ante el retraso en la entrega de la mercancía -en este caso, mascarillas-, la indemnización a favor del comprador comprende tanto el **daño emergente** -la devolución del precio pagado-, como el **lucro cesante** -el beneficio que hubiera obtenido de haber vendido la mercancía que compró-. Para calcular el lucro cesante no hay que descontar los **gastos generales** del comprador, pues los gastos del negocio, dado su carácter fijo, se produjeron con independencia de la reventa de las mascarillas de autos. De hecho, los gastos de alquiler o amortización del local, de sueldos, de suministros, etc. se vinculan a la apertura del negocio de parafarmacia del comprador demandante, no a cada una de las ventas concretas que se hacen o dejan de hacer en el desarrollo de su actividad (AP Albacete 16-6-23, EDJ 615868).

1226 **Entrega de cosa diversa (aliud pro alio)** En virtud del contrato de compraventa, el vendedor está obligado a la entrega de las mercancías pactadas. De esta forma:
• si el contrato versa sobre un **bien determinado**, el vendedor ha de entregar ese mismo bien y no otro, aunque sea semejante;
• si, por el contrario, versa sobre **bienes de naturaleza genérica**, se deben entregar bienes de la misma calidad y tipo que los pactados.

La entrega de cosa diversa (conocida como «aliud pro alio» -una cosa por otra-) supone un **incumplimiento de la obligación de entrega** que puede consistir en:
- la entrega de una **cosa distinta** a la estipulada; o
- la entrega de bienes de **calidad o tipo distintos** a los pactados.

No obstante, para que pueda hablarse de entrega de cosa diversa no basta con que las mercancías entregadas adolezcan de algún defecto de calidad. Es preciso que los **defectos** sean **graves**, esto es, que aparten completamente la cosa entregada de la estipulada, que hagan inhábil o impropia la cosa para el fin al que se la destina, o bien que sea de todo punto imposible su aprovechamiento por el comprador (TS 5-11-93, EDJ 9922; 14-11-94, EDJ 8965; 17-7-00, EDJ 20649; 14-10-00, EDJ 35349; 27-2-04, EDJ 6977; AP Barcelona 15-12-16, EDJ 287041). En otro caso estamos ante meros defectos de calidad (ver nº 1234 s.).

La existencia de la entrega diversa puede manifestarse en **dos supuestos** (p.e., TS 26-11-13, EDJ 280270; 2-6-15, EDJ 93090; 22-11-22, EDJ 745631):
a) Entrega de una **cosa distinta a la pactada**, lo que sucede cuando la cosa entregada contiene elementos diametralmente diferentes a los de la pactada (TS 23-3-82; 6-4-89; 18-6-10, EDJ 122265).
b) Incumplimiento por **inhabilidad del objeto**, o por insatisfacción del comprador, cuando el objeto entregado resulte totalmente inhábil para el uso a que va destinado o cuando el comprador quede *objetivamente* insatisfecho. Para que se aprecie esta inutilidad absoluta es preciso que la entrega efectuada sea inservible, hasta el punto de frustrar el objeto del contrato. La **insatisfacción objetiva** del comprador no constituye un elemento aislado, ni puede dejarse a su arbitrio, debiendo estar referido a la propia naturaleza y al uso normal de la cosa comprada, que haga de todo punto imposible su aprovechamiento (TS 6-3-85; 6-4-89; TS 17-5-95, EDJ 3232; 27-2-04, EDJ 6977; 27-12-10, EDJ 290466; 21-12-12, EDJ 305817; 10-5-21, EDJ 547617).

Precisiones 1) La doctrina conocida como «aliud pro alio» tiene su origen en un **aforismo del Digesto** (XII.II.I): "quia aliud pro alio invito creditori solvi non potest" (no se puede pagar una cosa con otra a un acreedor contra su voluntad). En **nuestro ordenamiento jurídico** esta doctrina se desarrolla a partir del CC art.1166, que señala que "el deudor de una cosa no puede obligar a su acreedor a que reciba otra diferente, aun cuando fuere de igual o mayor valor que la debida". En realidad, este precepto no deja de ser sino una expresión o consecuencia del CC art.1256: "la validez y el cumplimiento de los contratos no pueden dejarse al arbitrio de uno de los contratantes". El vendedor que entrega al comprador una cosa distinta de aquélla que fue el objeto de la compraventa incumple su obligación primaria y fundamental que es la de **entrega** (CC art.1461, y, con base en el art.1101, queda sujeto a la **indemnización de los daños y perjuicios** causados al comprador (AP Madrid 22-11-23, EDJ 806379). **1228**
2) La jurisprudencia del TS declara que la voluntad de incumplimiento se demuestra por la **frustración del fin del contrato** «sin que sea preciso una tenaz y persistente resistencia obstativa al cumplimiento, bastando que se malogren las legítimas aspiraciones de la contraparte» (TS 31-10-06, EDJ 288709; 22-12-06, EDJ 345566, entre otras); y exige simplemente que la **conducta** del incumplidor sea **grave** (TS 13-5-04, EDJ 31353), admitiendo el «incumplimiento relativo o parcial, siempre que impida la realización del fin del contrato, esto es, la completa y satisfactoria utilización del bien objeto del mismo según los términos convenidos» (TS 15-10-02, EDJ 39395), cosa que ocurre, en los términos de los Principios de Unidroit (art.7.3.1, 2.b), cuando se «priva sustancialmente» al contratante «de lo que tenía derecho a esperar en virtud del contrato». Uno de los supuestos de incumplimiento que abren paso a la protección que dispensa el CC art.1101 y 1124 es el de entrega de cosa distinta o «aliud pro alio», que se produce cuando el objeto entregado por el vendedor es inhábil para el cumplimiento de su finalidad (TS 15-11-05, EDJ 188332; 23-3-07, EDJ 17968).
3) La doctrina «aliud pro alio», aplicable a los contratos mercantiles de **suministro** (TS 23-1-09, EDJ 10467), es aplicable en los casos en los que el defecto del producto suministrado consiste en un **defecto de calidad de suficiente gravedad** para poder ser considerado como determinante de un incumplimiento del contrato, pues en este supuesto no estamos en presencia de un vicio oculto en la cosa entregada, sino de un incumplimiento de las obligaciones pactadas en el contrato; por lo que las acciones no están sujetas a los breves plazos de caducidad que establece el CCom art.336, sino al plazo de prescripción de acciones en caso de incumplimiento del contrato -nº 1230- (TS 17-2-10, EDJ 14208).

La entrega de cosa diversa determina la inaplicación de los breves plazos de 4 ó 30 días establecidos para denunciar los defectos aparentes u ocultos (nº 1236 s.). El comprador dispone en este caso del **plazo general de prescripción** de las acciones personales (**5 años** a partir del 7-10-15, fecha de entrada en vigor de la modificación del CC art.1964 por L 42/2015 -ver nº 1202-) para ejercitar su acción contra el vendedor (CC art.1964; TS 7-1-88; 8-3-89). **1230**
Dentro de ese plazo de prescripción, el comprador puede **optar** entre (CC art.1124):
- exigir el **cumplimiento** del contrato **o** la **resolución** del mismo;
- con el resarcimiento de **daños y perjuicios** en ambos casos.
Téngase en cuenta además que, en caso de entrega de cosa diversa o inhábil para su fin, si el comprador aún no ha satisfecho el **precio**, no está obligado a abonarlo, pues no se le puede obligar al cumplimiento de su obligación mientras el vendedor no cumpla la suya (CCom art.339; CC art.1100).
En cualquier caso, corresponde al comprador la **prueba** de que la mercancía presenta defectos que la apartan totalmente de lo pactado, de que dicha mercancía defectuosa es la que verdaderamente le fue entregada por el vendedor, y de que resulta así de aplicación al caso la doctrina jurisprudencial de «aliud por alio» o entrega de cosa diversa (TS 30-10-89; 6-11-99, EDJ 32882).

Precisiones 1) Se está ante un supuesto de entrega de cosa diversa cuando se compra una partida de parquet de primera calidad y se entrega **parquet** afectado por la **carcoma**, extremo que solo se puede observar cuando el parquet está ya instalado (TS 28-1-92, EDJ 682). **1232**
2) Se está en el caso de entrega de cosa distinta en el caso de **inhabilidad o inadecuación del objeto** en relación con el fin al que se destina (TS 10-11-94, EDJ 8375; 17-5-95, EDJ 3232; 6-11-99, EDJ 32882; 14-10-00, EDJ 35349). Así se ha apreciado, por ejemplo, con respecto a unas máquinas fotocopiadoras que exigen una **constante asistencia técnica** por fallos de funcionamiento y continua sustitución de piezas para su reparación (TS 4-7-97, EDJ 4828).
3) Se ha considerado entrega de cosa diversa aquella en la que la mercancía resulta inhábil no tanto para el comprador de la misma, como especialmente para quien la adquiere a través de la reventa, el **consumidor final**, que es quien descubre el defecto del que adolece (TS 19-12-84, EDJ 7576; 20-10-10, EDJ 233320).
4) Las **normas del Derecho común** referentes al incumplimiento de las obligaciones (principalmente CC art.1101 y 1124) son de aplicación preferente en los casos de entrega de cosa diversa, pero no en los de defectos de calidad -nº 1234- (TS 28-1-92, EDJ 682; 14-5-92, EDJ 4759; 23-12-96, EDJ 9550; 14-10-00, EDJ 35349).
5) Se condena a una empresa que ha suministrado **mortero de calidad defectuosa** a un constructor, por entrega de cosa distinta (o «aliud pro alio»), es decir, inhábil para el fin que le era propio.

Señala el TS que el defecto de mortero causado por un fraguado irregular **no es un defecto aparente**, que esté a la vista, sino que se manifestó una vez que los operarios procedieron al raspado después de haberlo aplicado sobre la superficie. Se trata de un defecto de calidad de suficiente gravedad para poder ser considerado como determinante de un **incumplimiento del contrato**, pues en este supuesto no estamos en presencia de un vicio oculto en la cosa entregada, sino de un incumplimiento de las obligaciones pactadas, aplicándose el plazo de prescripción por incumplimiento de contrato y no el breve plazo relativo al saneamiento por vicios ocultos -nº 1116- (TS 3-10-18, EDJ 589929).

6) Ante una **cosa inútil o inhábil** para satisfacer el interés del comprador, éste puede **optar** por ejercer:

- las acciones por vicios ocultos, entre ellas la **acción redhibitoria**, esto es, de **desistimiento** del contrato con devolución del precio, sujeta al plazo de caducidad de **seis meses** (nº 1244); o
- la acción de **resolución** del contrato por **incumplimiento contractual**, basada en la doctrina de la entrega de cosa diversa o aliud pro alio, sujeta al plazo general de prescripción de las acciones personales (**cinco años**, conforme al CC art.1964), pero para ello el defecto en las cualidades del bien entregado debe ser tan grave que permita considerar que se está ante un verdadero incumplimiento contractual y no un simple defecto o anomalía de la cosa (AP Barcelona 24-11-23, EDJ 795698).

7) La cuestión más espinosa es **distinguir** el supuesto de entrega de una cosa con vicios ocultos de aquel otro supuesto de entrega de cosa distinta. A tal efecto, la jurisprudencia (p.e., TS 30-10-98, EDJ 25103) señala que se está ante la falta de entrega o de entrega de cosa distinta, y no en la entrega con vicios ocultos, cuando ha existido **pleno** incumplimiento por **inhabilidad del objeto** y consiguiente insatisfacción del comprador en razón de la naturaleza, funcionalidad y destino de la cosa comprada, lo que permite acudir a la protección dispensada por el CC art.1101 y 1124, de posibilidad de instar el cumplimiento del contrato o su resolución, en ambos casos con **indemnización de daños** y perjuicios (AP Madrid 22-11-23, EDJ 806379).

8) La entrega de **fruta** con ciertos defectos que no la hacen inservible (como la afectación de la epidermis de **naranjas** por hongos, o la fisiopatía del corazón pardo que afecta a las **peras**), sino que suponen un **rebaja de categoría** (de extra o I a II o III), no es un supuesto de «aliud pro alio», sino de entrega de mercancía con **defectos de calidad**, que el comprador debe denunciar dentro de los breves plazos previstos en el CCom art.336 -defectos manifiestos- o art.342 -defectos ocultos-), y, en su caso, ejercitar la acción contra el vendedor de saneamiento por defectos dentro de los 6 meses siguientes a la entrega -CC art.1490- (AP La Rioja 30-10-20, EDJ 777604); AP Lleida 7-12-23, EDJ 812464). Ver nº 1234.

1234 Entrega con defectos de calidad (manifiestos u ocultos) (CCom art.336 y 342) Salvo que otra cosa se hubiese pactado, la entrega de mercancía defectuosa supone un incumplimiento del vendedor y, con carácter general, permite al **comprador optar** por la resolución del contrato o por exigir su cumplimiento con arreglo a lo convenido, en ambos casos con el derecho a ser indemnizado de los daños y perjuicios que se le hayan causado (nº 1200).

Sin embargo, debe determinarse la entidad o **gravedad del defecto** de la cosa a efectos de determinar la manera en la que debe actuar el comprador y los plazos en que debe hacerlo, de tal manera que:

a) Si el defecto es de tal entidad que impide el aprovechamiento de la mercancía, ya sea porque se entregue una cosa distinta a la contratada o totalmente inhábil para el fin previsto, se produciría en tales casos lo que se denomina **entrega de cosa diversa** o «aliud pro alio» (nº 1226), en cuyo caso el comprador dispone del **plazo general** de prescripción (5 años) para ejercitar acciones frente al vendedor por incumplimiento total de contrato (ver nº 1230, nº 1202).

b) Si, por el contrario, se entrega la cosa pactada con **meros defectos de calidad** que no la hacen impropia para el fin para la que está prevista, entonces el comprador dispone de los **breves plazos** para reclamar y para ejercitar la acción de saneamiento por defectos que se indican en nº 1236 (respecto de los defectos manifiestos) y nº 1242 (respecto de los defectos ocultos o vicios internos).

Cabe entender que si la **anomalía** fuese **irrisoria**, careciendo de trascendencia en la práctica comercial, tampoco tendría trascendencia jurídica en virtud del principio de la buena fe (CCom art.57), por lo que el vendedor no habría en tal caso incumplido su obligación de saneamiento, y consiguientemente el comprador no tendría acción contra él por defectos de la cosa vendida.

Precisiones **1)** Cuando se trata de prestación defectuosa en el ámbito mercantil por **vicios en las mercaderías**, el comprador ha de acudir a las normas específicas del saneamiento contenidas en el **Código de Comercio**, sin que le sea permitida la utilización de las reglas generales del derecho común sobre el resarcimiento de daños y perjuicios por cumplimiento inexacto. Por tanto, se aplica el CCom art.336 y 342, y no las normas generales contenidas en el CC art.1101, 1103 y 1124 (TS 23-9-82, EDJ 5330; TS 14-5-92, EDJ 4759; 23-12-96, EDJ 9550; 6-11-99, EDJ 32882; y en la jurisprudencia menor AP Guipúzcoa 11-7-23, EDJ 815388).

2) Lo que no puede exigirse del vendedor o suministrador de materiales que entrega la mercancía sin objeción alguna por el comprador, y que éste transforma e incorpora a una obra de construcción, es que demuestre que el material suministrado cumplía las calidades solicitadas, pues

corresponde al comprador demostrar que no tenía la calidad y, por lo tanto, le corresponde la prueba de demostrar la excepción de cumplimiento defectuoso. Además, cuando se trata de materiales que deben instalarse en una obra, es obligación del arquitecto técnico comprobar la calidad de los materiales, pues es **obligación del director de la ejecución de la obra** verificar la recepción en obra de los productos de construcción, ordenando la realización de ensayos y pruebas precisas (AP Girona 10-3-16, EDJ 57609).

3) En cuanto a la **reclamación por el comprador** de los defectos de la mercancía y sus **plazos**, tratándose de una compraventa o suministro mercantil, se distinguen las siguientes hipótesis (TS 3-10-18, EDJ 589929):

- si el comprador, al recibir el género, lo **examina a su satisfacción**, no tiene acción de repetición contra el vendedor alegando vicio o defecto de cantidad o de calidad aparente o manifiesto (CCom art.336.1);
- si recibe las **mercaderías enfardadas o embaladas**, sí tiene acción por defectos de cantidad o calidad aparentes o manifiestos si efectúa la reclamación dentro de los **4 días** siguientes a su recepción (CCom art.336.2);
- si los **vicios** son **internos**, debe efectuar la reclamación dentro de los **30 días** siguientes a su entrega (CCom art.342).

4) Se desestima la alegación del comprador demandado efectuada en la contestación a la demanda de que la mercancía vendida era defectuosa toda vez que, revisada a su recepción por un empleado suyo, no formuló objeción, por lo que no fue rechazada, ni tampoco ha sido devuelta al vendedor, permaneciendo en poder del comprador al tiempo de interponerse la demanda, por lo que, tratándose de una compraventa mercantil, ni se resolvió el contrato ni se rechazó la mercancía por el comprador en la forma establecida en el CCom art.329, 336 y 342, por lo que el comprador no puede oponerse a su pago una vez compelido al mismo por vía judicial, basándose en unos supuestos **defectos que no denunció en su momento** (AP Madrid 8-6-20, EDJ 600151).

5) No basta con la simple alegación del comprador de que reclamó los defectos dentro de los breves plazos de 4 ó 30 días que establece el CCom art.336 y 342, sino que dicha inicial denuncia o protesta únicamente sirve para poder ejercitar las **acciones por saneamiento** previstas en el CC art.1484 y 1490, para las que se establece un plazo de caducidad de **6 meses desde la entrega** de la mercancía (nº 1110); y ello sin perjuicio de la posibilidad, en caso de inhabilidad total de la cosa vendida (**entrega de cosa diversa** o aliud pro alio; nº 1226), de ejercer acciones, no por simples defectos, sino por incumplimiento total de contrato al amparo del CC art.1101 y 1124, sujetas al plazo general de prescripción de cinco años (CC art.1964) (AP Lleida 7-12-23, EDJ 812464).

6) La **reclamación por defectos** de los productos vendidos debe hacerse en los **plazos** legalmente previstos en el CCom art.336 -defectos manifiestos- y art.342 -defectos ocultos-, y no con ocasión de la reclamación judicial del vendedor al comprador del pago del precio (AP Navarra 11-12-23, EDJ 789931).

Defectos manifiestos (CCom art.336) Los defectos de calidad son manifiestos cuando están a la vista o cuando el comprador puede detectarlos tras examinar la mercancía (nº 1112). En este caso, para que el comprador pueda repetir contra el vendedor debe **examinar la mercancía** y **reclamar los defectos** en el mismo momento de la recepción (o en los 4 días siguientes si la mercancía se recibe enfardada o embalada). El vendedor podrá evitar esta reclamación exigiendo, en el acto de la entrega, que se haga el reconocimiento, en cuanto a cantidad y calidad, a contento del comprador. **1236**

Pueden, por tanto, darse las siguientes **situaciones**:

- Si, en el momento de la recepción de la mercadería, el comprador manifiesta su **oposición**, puede pedir el cumplimiento o la resolución, con indemnización de daños y perjuicios.
- Si el comprador la recibe **sin** manifestar **oposición**, pierde su derecho de reclamar al vendedor por el defecto de calidad.
- Si las mercancías se reciben **enfardadas o embaladas**, el comprador dispone de 4 días para reclamar al vendedor por este defecto.
- Cuando los defectos deriven de **caso fortuito**, **vicio propio** de la cosa o **fraude** no es posible repetir contra el vendedor por esta vía. Procederá, en su caso, la reclamación por vicios redhibitorios al fabricante o creador de los objetos defectuosos (TS 11-5-99, EDJ 6845). Ver nº 1110.

Tanto la doctrina como la jurisprudencia han hecho las siguientes consideraciones sobre el **plazo de reclamación**:

a) El plazo aplicable es de **4 días**, vengan las mercancías embaladas o no, salvo que el vendedor exija el examen de las mismas en el momento de la recepción (TS 12-5-84; 16-9-85; Sánchez Calero, Garrigues, Broseta Pont).

b) El plazo es de **caducidad** (TS 12-3-82; 6-4-89) y comienza a correr desde la **recepción** de la mercancía por el comprador -no necesariamente coincidente con la puesta a disposición de las mercancías- (TS 28-1-88).

1238 Ejemplo Cabría apreciar la existencia de defectos aparentes cuando, habiendo pactado la compraventa de una partida de reproductores de video, una vez recibida la mercancía por el comprador y tras desembalar alguna unidad, se comprueba que los aparatos presentan ralladuras y muescas en su carcasa, lo que impide su posterior reventa.

Precisiones 1) En la compraventa mercantil, el comprador tiene el **derecho a examinar la cosa vendida**, confrontándola con la muestra y rehusarla en forma legal si, a su juicio, no coincide con ella, pero no puede por sí rescindir el contrato, ni dejar de cumplirlo, porque el cumplimiento del mismo no puede dejarse a la sola voluntad de uno de los contratantes (AP Sevilla 22-1-07, EDJ 67244).
2) Algún sector de la doctrina sugiere la conveniencia de la **ampliación del plazo de reclamación** -al menos a 30 días-, pues resulta excesivamente breve cuando el comprador se ve precisado a comprar los géneros a su fabricante con mucha antelación con respecto a la época en que prevé su venta -**ventas de temporada-**, casos en que normalmente no se procede al examen de la mercancía hasta que llega el momento de su posible venta (Moxica Román).

1240 Cabe entender que, salvo pacto en contrario, el comprador que muestre su disconformidad con el estado, calidad o cantidad de la mercancía entregada por el vendedor **no está obligado a depositar** la misma (ni judicial ni notarialmente) a efectos de permitir una ulterior comprobación de dichos extremos. No obstante, dicho depósito, de efectuarse, facilitaría, de cara a un eventual proceso judicial, la prueba de la clase de mercancía entregada y su estado.

Precisiones En su momento se discutió si, en caso de disputa sobre la calidad o estado de la mercancía entregada, era necesario o no que el comprador la depositase judicialmente. Al efecto, la LEC/1881 art.2127 disponía que "Cuando proceda hacer constar el estado, calidad o cantidad de los géneros recibidos, o de los bultos que los contengan, conforme a lo dispuesto en el CCom art.219, 362 y 370 párrafo segundo -que pertenecen al derogado CCom/1829-, y demás casos análogos, el interesado acudirá al Juez en solicitud de que ordene se extienda diligencia expresiva de aquellas circunstancias, y si fuere necesario nombre perito que reconozca los géneros o bultos". En base a este precepto, numerosas resoluciones del Tribunal Supremo entendieron que esta actuación del comprador era un **presupuesto para la validez** de la reclamación por defectos de calidad o cantidad de la mercancía, de tal manera que el comprador debía **depositar las mercancías**, y en su caso solicitar el nombramiento de perito, a fin de hacer constar su estado, calidad o cantidad (TS 23-9-82, EDJ 5330; 1-7-91, EDJ 7069; 14-5-92, EDJ 4759; TS 5-6-99, EDJ 19931). En la jurisprudencia menor esta doctrina fue seguida, entre otras, por la AP Sevilla 26-2-94, Rec.2467/1993; AP Baleares 22-10-03, EDJ 209723; AP Valencia 23-2-04, EDJ 50402; AP Alicante 15-6-04, EDJ 174449; AP Castellón 11-5-05, EDJ 91360; AP Sevilla 22-1-07, EDJ 67244.
Sin embargo, el propio Tribunal Supremo, en sentencias más recientes, consideró que dicha actuación de jurisdicción voluntaria de la LEC/1881 art.2127 era un **acto puramente facultativo del comprador**, que no podía exigirse como requisito "sine qua non" para entablar la reclamación judicial (TS 27-2-98, EDJ 959; 23-5-03, EDJ 17175; doctrina seguida por la jurisprudencia menor, como la AP Navarra 17-5-11, EDJ 349843).
Posteriormente, la L 15/2015 de Jurisdicción Voluntaria sustituyó y derogó la LEC/1881, sin incluir un precepto similar a su art.2127. En su lugar, desjudicializó determinadas actuaciones en el ámbito mercantil, atribuyendo a los **notarios** competencia para:
- los **depósitos** en materia mercantil: "En todos aquellos casos en que, por disposición legal o pacto, proceda el depósito de bienes muebles, valores o efectos mercantiles, **podrá** realizarse ante Notario mediante acta de depósito, de conformidad con lo dispuesto en la presente Ley y en su reglamento de ejecución" (LN art.79; nº 1266);
- la **designación de peritos**: "La primera designación de cada lista se efectuará por sorteo realizado en presencia del Decano del Colegio Notarial, y a partir de ella se efectuarán por el Colegio las siguientes designaciones por orden correlativo conforme sean solicitadas por los Notarios que pertenezcan al mismo" (LN art.50; nº 1392).

1242 **Defectos ocultos o vicios internos** (CCom art.342; CC art.1486, 1490) Los defectos de calidad son ocultos -o internos- cuando ni están a la vista, ni el comprador puede apreciarlos tras examinar la mercancía (ver nº 1116).
En este caso, para que el comprador pueda **repetir contra el vendedor** han de darse las siguientes circunstancias y requisitos:
- es preciso que la **entrega** se haya realizado (no basta con la simple puesta a disposición de las mercancías -nº 1092-);
- la mercancía debe adolecer de **defectos no detectables** o reconocibles al examinarla;
- el comprador debe realizar una **reclamación** al vendedor por la entrega defectuosa, reclamación para la que dispone de un **plazo** de **30 días**, a contar desde el momento de la entrega (que puede coincidir o no con la puesta a disposición).
La jurisprudencia ha exigido también la concurrencia de las siguientes circunstancias (TS 31-1-70; 29-6-05, EDJ 103461):
• El vicio ha de consistir en una **anomalía** por la cual se distingue la cosa que lo padece de las de su misma especie y calidad.
• Es preciso que el vicio sea **anterior a la venta**, aunque su desarrollo sea posterior.

• Es preciso que el vicio **no fuera conocido** por el adquirente, ni cognoscible por la simple contemplación de la cosa, teniendo en cuenta la preparación técnica del sujeto al efecto.
• Ha de ser de tal naturaleza que haga la cosa **impropia para el uso** a la que se destina o disminuya de tal modo ese uso que de haberlo conocido el comprador no lo hubiera adquirido o habría pagado menos precio. No se trata de que sea inútil para todo uso, sino para aquél que motivó la adquisición. Si nada se ha pactado sobre el destino del objeto de la compraventa, debe entenderse que fue comprado para aplicarlo al uso más conforme con su naturaleza y más en armonía con la actividad a la que se dedica el adquirente.

Precisiones Los vicios o defectos de las mercaderías suelen generar respuestas y **protestas** que aquí no se han producido, cuando sobre el acreedor (en este caso, comprador) pesa la carga, derivada de la buena fe (CCom art.57; CC art.1258), de un **examen puntual y diligente** de la prestación llevada a cabo por el deudor (vendedor), razón por la cual determinados **vicios** solo admiten protesta o denuncia dentro de corto plazo que, según la calidad del defecto, señalan el CCom art.336 y 342 (TS 9-1-06, EDJ 1858).

A diferencia de lo expuesto para los defectos manifiestos, la jurisprudencia más reciente no exige que la reclamación se haga por la vía del expediente de jurisdicción voluntaria. Sería válida a estos efectos **cualquier reclamación** que el comprador realice al vendedor por los defectos encontrados: comunicación por carta, fax, télex, acta notarial, etc. (TS 7-6-96, EDJ 4021; 27-2-98, EDJ 959; 19-2-00, EDJ 1613). **1244**
Una vez denunciados los defectos, y no subsanados, el **comprador** puede interponer la acción por incumplimiento de la obligación de saneamiento, y en virtud de la misma puede **optar** entre solicitar:
- el **desistimiento** del contrato con abono del precio entregado (acción redhibitoria); o
- la **rebaja** del precio en una cuantía proporcional a los defectos encontrados (acción estimatoria o quanti minoris).
Dispone para el ejercicio de cualquiera de estas acciones (conocidas como "edilicias") del **plazo** de **6 meses** propio del saneamiento por defectos ocultos (CC art.1490), el cual debe computarse desde el momento en que se produjo la entrega, y es un plazo apreciable de oficio.
Tanto este plazo de seis meses para el ejercicio de la acción de saneamiento, como el plazo de 30 días para la denuncia de los defectos ante el vendedor, son plazos de **caducidad** (TS 6-4-89; 9-11-90; 10-3-94, EDJ 2181).
Las partes, en base al principio de autonomía de la voluntad, pueden regular la responsabilidad del vendedor de una manera **distinta de la legal** en orden otorgar una **mayor garantía y plazo**, ampliando, por ejemplo, el plazo del que dispone el comprador para reclamar por defectos ocultos (TS 29-3-95, EDJ 1161).

Ejemplo Se realiza una compraventa de maquinaria para selección de semillas, pactando un rendimiento de las máquinas de 4.000 a 5.000 Kg/hora. Una vez realizada la entrega, y aunque al examinar las máquinas no se observa la presencia de defectos, se comprueba que su rendimiento real es de 2.200 Kg/hora (TS 30-10-98, EDJ 25103). **1246**

Precisiones **1)** El momento en que se entiende realizada la **entrega** de la mercancía ha sido objeto de estudio en el nº 1070 s.
2) A efectos del cómputo del plazo de 30 días, desde la entrega, lo importante es que el comprador tenga la posibilidad de examinar la mercancía (Garrigues), posibilidad de la que todavía carece, por ejemplo, quien ha comprado a **portes debidos** y aun no ha recibido la mercancía, pues en ese caso la entrega se considera efectuada en el domicilio del vendedor (ver nº 1084).
3) Con respecto a los defectos aparentes, se ha puesto de manifiesto (Moxica Román) la **insuficiencia del plazo de 30 días** en ciertos casos, como aquéllos en que resulta imposible conocer el defecto debido al tiempo que media entre la entrega del producto y el momento en que es utilizado (el ejemplo típico es el de los productos de temporada). Para resolver estos supuestos, la jurisprudencia ha estimado en ocasiones la existencia de una **entrega de cosa diversa**, para la que rige el plazo general de incumplimiento del contrato (nº 1226).
4) Cuando el contrato es de **suministro**, los plazos citados han de computarse desde que se produce la entrega del último suministro (TS 10-3-94, EDJ 2181).
5) En los supuestos de defectos o vicios ocultos de la cosa vendida, el **comprador** puede **optar** entre las dos acciones que contempla el CC art.1486:
- la redhibitoria, es decir, **desistir** del contrato, abonándosele los gastos que pagó; o
- la estimatoria o quanti minoris, es decir, solicitar una **rebaja del precio**, a juicio de peritos.
El **plazo** para el ejercicio de estas acciones es de seis meses, y es un plazo de **caducidad y** apreciable **de oficio**.
Sin perjuicio de ello, ante una **cosa inútil** o inhábil para satisfacer el interés del comprador, éste puede a su vez optar entre configurarlo como vicio redhibitorio, cuya acción, como se ha indicado, caduca a los seis meses, o como un **aliud pro alio** o entrega de cosa diversa (nº 1226), cuya acción está sometida al plazo general de prescripción de las acciones personales, pero para ello el defecto en las cualidades del bien entregado debe ser tan grave que permita considerar que se está ante un **incumplimiento total** del contrato (AP Barcelona 24-11-23, EDJ 795698).

1248 **Entrega parcial o con defectos de cantidad** (CCom art.330 y 336) Cuando se pacte la entrega de una **cantidad determinada** de mercaderías en un plazo fijo, la entrega debe comprender la totalidad de los bienes estipulados.

La entrega de parte de las mercancías puede ser considerada como:
- una entrega parcial; o
- una entrega con defectos de cantidad.

La doctrina (Garrigues, Moxica Román) realiza la siguiente **distinción**:
- se trata de una «entrega **parcial**» cuando el vendedor, obrando de buena fe, comunica previamente la imposibilidad de entregar la totalidad de lo pactado;
- se trata de una «entrega **con defectos de cantidad**» cuando el vendedor no avisa de ello y es el comprador quien descubre por sí solo el defecto en la cantidad.

En los supuestos de **entrega parcial** se prevé un resultado especial para el caso de que el comprador acepte la entrega: la venta queda consumada en cuanto a los géneros recibidos. Se produce así un incumplimiento parcial y, en consecuencia, el comprador puede, con respecto al resto de la mercancía, optar entre el cumplimiento del contrato, es decir, la entrega de la mercancía que falta, o la resolución, en ambos casos con derecho a indemnización de los perjuicios causados.

Por el contrario, si el vendedor, sin previo aviso, realiza la **entrega con defectos de cantidad**, el comprador solo podrá reclamar si examina la mercancía y denuncia tales defectos, pues se entiende que un defecto de ese tipo tiene carácter aparente y, por tanto, debe ser fácilmente conocido por el comprador tras examinar la mercancía recibida. Se aplican en este caso las mismas reglas expuestas para los supuestos de entrega con **defectos manifiestos de calidad** (nº 1236 s.).

Precisiones 1) Puesto que la Ley no distingue, es indiferente la **causa** por la que el vendedor no pudo realizar la entrega de la totalidad.

2) La doctrina admite, en general, que el comprador no puede negarse a recibir la **entrega parcial** cuando la cantidad dejada de entregar es **insignificante** y es lógico pensar que, aun sabiendo que no se le entregaría la totalidad, el comprador habría contratado (Moxica Román).

3) La **aceptación parcial de la mercancía** no supone ningún acto propio del comprador del que se presuma que con esa entrega se tiene por cumplido el contrato, sino que es un acto que es interpretado por el legislador de un modo y con unas consecuencias determinadas: con dicha aceptación parcial se consuma la venta respecto del género recibido y a la vez se deja a salvo el derecho del comprador para **reclamar el resto** del género, en cumplimiento del contrato, o pedir su resolución (AP Salamanca 26-4-16, EDJ 123612).

4) El comprador puede aceptar una entrega parcial y, respecto de la mercancía no entregada, optar por la **resolución del contrato con indemnización** de daños y perjuicios. En este contexto legal, un vendedor que entregó parte de la mercancía pactada (de 250.000 litros de vino, solo entregó 150.000) reclamó judicialmente el pago de la misma al comprador, el cual alegó que, de esa cantidad, debía ser descontada, vía **compensación**, el importe de la indemnización por los daños causados por la falta de entrega de 100.000 litros; indemnización que se corresponde con el **sobreprecio** que tuvo que pagar por comprar esos litros de vino a un tercero. Se estima por el órgano judicial la compensación esgrimida por el comprador, la cual podía alegarse -como así fue- como excepción en la contestación a la demanda, sin necesidad de formular reconvención (AP La Rioja 29-1-21, EDJ 523361).

1250 Finalmente, es preciso mencionar un supuesto en el que la entrega de menor cantidad que la pactada se equipara a un **incumplimiento total** de la obligación de entrega. Se trata de la **entrega incompleta**, que puede darse en contratos que se denominan de «**unidad de venta**». En estos casos se entiende que el conjunto de mercancías vendidas constituyen una unidad, de modo que, si falta alguna, el objeto de la venta es incompleto. En este supuesto, la venta no puede darse por cumplida si el objeto no contiene todos sus elementos integrantes, especialmente cuando la reventa solo es posible con respecto a la totalidad (véase en este sentido AP Granada 8-5-99, EDJ 15740).

1252 **Especialidades de la compraventa de inmuebles** (CC art.1469 a 1472) La compraventa de inmuebles presenta ciertas particularidades en aquellos casos en que el bien entregado no se corresponde exactamente con lo pactado:

• En la compraventa de un inmueble cuyo precio se ha fijado **por unidad de medida**, si la finca resulta ser de **menor superficie o calidad**, el comprador puede pedir una rebaja en el precio o, si el defecto de superficie o de calidad (valor) es mayor del 10%, la rescisión del contrato. Si, por el contrario, resulta **mayor superficie** de la pactada, el comprador tiene obligación de pagar el exceso de precio, salvo cuando dicho exceso sea superior al 20%, en cuyo caso puede optar entre pagar el mayor valor o desistir del contrato.

• Cuando la venta se realiza a **precio alzado** (venta del bien como cuerpo cierto) no se aplican las normas anteriores, aun cuando en el contrato también se exprese la superficie. No tiene lugar aumento o disminución del precio aunque resulte mayor o menor superficie de la pactada.

• Tampoco se aplican las normas anteriores cuando se vendan **dos o más fincas por un mismo precio**. En este caso, si, además de expresarse sus linderos, se designan en el contrato su superficie o número, el vendedor debe entregar todo lo que se encuentre dentro de los linderos señalados, aunque resulte mayor superficie o número que los expresados en el contrato. Si **no es posible la entrega de la totalidad**, el comprador puede pedir una rebaja en el precio, proporcional al defecto de superficie o número, o bien la rescisión del contrato.

• En todos los casos anteriores, el comprador dispone de un **plazo** (de prescripción) de seis meses para ejercitar acción contra el vendedor.

Precisiones Sobre la posibilidad de que los inmuebles puedan ser objeto de **compraventa mercantil**, ver nº 976.

Privación total o parcial de las mercancías (evicción) (CC art.1475 a 1483) La privación total o parcial de las mercancías por sentencia firme y en virtud de un derecho anterior a la compra constituye un incumplimiento del deber de **saneamiento por evicción** que incumbe al vendedor (nº 1125). 1254

En este supuesto, el **comprador** que se ve desposeído de las mercancías compradas **puede exigir** del vendedor:

- la **restitución del precio** de la cosa al tiempo de la evicción, ya sea mayor o menor que el de la venta;
- los frutos o **rendimientos**, cuando el comprador haya sido obligado a entregarlos a quien le desposeyó de los bienes;
- las **costas** del pleito que haya motivado la evicción, así como, en su caso, las del seguido con el vendedor para el saneamiento;
- los **gastos** del contrato, si los hubiese pagado el comprador;
- los **gastos voluntarios** realizados en los bienes; y
- los **daños** e intereses.

Si la pérdida por evicción se refiere a **una parte de la cosa vendida** de tal importancia con relación al todo que sin dicha parte no se habría comprado, el comprador puede exigir la **rescisión** del contrato pero con la obligación de devolver la cosa sin más gravámenes que los que tuviese al adquirirla. 1256

Esta misma regla se aplica cuando se vendan **dos o más cosas conjuntamente**, a precio alzado o particular para cada una, cuando conste claramente que el comprador no habría comprado la una sin la otra.

La garantía por evicción no tiene fijado un **plazo** para ejercitar la acción, por lo que se entiende que la responsabilidad del vendedor ante tal eventualidad tiene carácter ilimitado (Vicent Chuliá), siendo de aplicación el plazo general de 5 años -ver nº 1202- para el ejercicio de la acción, computable desde la notificación al vendedor de la sentencia firme por la que se condene al comprador a la pérdida total o parcial de la cosa adquirida.

Precisiones Según se expone en el nº 1125, el saneamiento por evicción tiene escasa trascendencia en las **compras** realizadas **en establecimientos abiertos al público**, donde el comprador adquiere el derecho sobre las mercancías adquiridas, quedando a salvo, en su caso, los derechos del propietario de las mismas para ejercitar las acciones civiles o criminales que puedan corresponderle contra el que los vendiere indebidamente (CCom art.85).

b. Incumplimientos del comprador

1260

Rehúse o demora en la recepción de la mercancía (CCom art.332, 339; CC art.1505) De la misma manera que ocurre con el retraso o la falta de entrega de la mercancía por parte del vendedor (nº 1222), se entiende incumplida la obligación de recepción de la misma cuando el **comprador**: 1262

- no la retira en plazo, pues en el ámbito mercantil el retraso o **demora** en la ejecución equivale a incumplimiento total (TS 31-1-85);
- así como cuando la **rehúsa** sin justa causa.

En particular, el comprador tiene **justa causa** para rehusar el recibo de la mercancía cuando:

- la entrega se realice fuera de plazo (CCom art.329);
- adolezca de defectos de calidad -nº 1234- o de cantidad -nº 1248- (CCom art.330 y 336); o

- sea distinta de la contratada -venta de cosa diversa, nº 1226- (CCom art.327).
El **incumplimiento** de la obligación de recepción **faculta al vendedor** para exigir el cumplimiento del contrato o su resolución, en ambos casos con indemnización de daños y perjuicios.
En caso de que el vendedor opte por el **cumplimiento**, debe realizar el **depósito** de las mercancías (nº 1266), cuyos gastos serán de cuenta de quien haya dado motivo para constituirlo.

Precisiones Además, mientras las mercancías sigan en poder del vendedor, aunque sea en calidad de depósito, tiene **preferencia** sobre ellas a cualquier otro acreedor del comprador para obtener el pago del precio, junto con los intereses de demora (CCom art.340).

1264 Si el vendedor opta por la **resolución** del contrato, no es preciso iniciar ninguna acción judicial, siendo suficiente con la simple declaración unilateral, sin sujeción a formalidad alguna, de que se da por resuelto el contrato, con comunicación de la misma al comprador (Garrigues, Moxica Román).
En cualquiera de los dos casos (esto es, ya se opte por el cumplimiento del contrato o por su resolución), el vendedor puede exigir la **indemnización de los daños y perjuicios** causados por el retraso o la falta de recepción, pues, aunque el CCom no lo establece expresamente en este caso, según el CC quedan sujetos a la mencionada indemnización los que, de cualquier modo, contravengan el tenor de sus obligaciones (CC art.1101).
Recuérdese que, al igual que ocurre con respecto a los supuestos de retraso en la entrega (nº 1222), tampoco cabe en este caso la concesión por los tribunales de **términos de gracia o cortesía** para el cumplimiento de la obligación de recepción de la mercancía (CCom art.61).

Precisiones **1)** A pesar de que, según el CCom art.332, solo es posible la resolución cuando existe una negativa expresa y sin justa causa a la recepción de las mercancías, la jurisprudencia ha confirmado que el **retraso en la recepción** debe equipararse a la falta de la misma, por lo que en ambos casos puede el vendedor optar entre el cumplimiento o la resolución. Esta interpretación se apoya en el CC art.1505 y 1124 (ver al respecto TS 25-2-64; 31-1-85).
2) El comprador no puede negarse a la recepción de la **segunda entrega** de unas mercancías en base a que la primera se realizó fuera de plazo, dándose la circunstancia de que no realizó protesta alguna cuando esa primera entrega tuvo lugar (TS 25-6-99, EDJ 19931).

1266 **Depósito de las mercancías** (Ley del Notariado art.79) En todos aquellos casos en que, por disposición legal o pacto, proceda el depósito de bienes muebles, valores o efectos mercantiles, podrá realizarse ante **notario** mediante acta de depósito, de conformidad con lo dispuesto en la Ley del Notariado y el Reglamento Notarial art.216 y 217.
En las ventas mercantiles, el depósito de la mercancía tiene los mismos **efectos** para el vendedor que la entrega efectiva de la misma. Así, habiéndose cumplido la puesta a disposición de las mercancías sin que éstas hayan sido retiradas y constituyéndose el depósito de las mismas, se entiende cumplida la obligación de entrega, lo que faculta al vendedor para exigir de la otra parte el cumplimiento del contrato, esto es, el pago del precio de la venta (CCom art.339).

Precisiones **1)** Hasta la entrada en vigor de la L 15/2015, los actos de **jurisdicción voluntaria** estuvieron regulados por la LEC/1881, cuya regulación no fue derogada por la L 1/2000 de Enjuiciamiento Civil, que expresamente estableció la vigencia de la LEC/1881 hasta que no se aprobase y entrase en vigor una nueva Ley sobre Jurisdicción voluntaria (LEC disp.derog.única.1.1ª), cosa que ocurrió quince años después con la L 15/2015, la cual desjudicializó el **depósito** de bienes muebles, valores o efectos mercantiles, atribuyendo la competencia a los **notarios** (Ley del Notariado art.79 -introducido por la L 15/2015 disp.final 11ª).
2) Sobre la obligación o no del comprador de **depositar** la mercancía cuando la misma adolece de **defectos** de cantidad o calidad, ver nº 1240.

1268 **Falta y demora en el pago del precio** La entrega de la mercancía al comprador y su recepción por éste sin protesta alguna hace surgir su obligación de abonar su importe (TS 26-10-84, EDJ 7440; AP Baleares 30-11-17, EDJ 290998).
Recibida la mercancía por el comprador a su satisfacción, tanto la **falta de pago** del precio en la fecha convenida, como el **retraso** en el mismo, constituyen supuestos de incumplimiento del comprador que confieren al vendedor la facultad de instar:
- la **resolución** del contrato de compraventa o de exigir su **cumplimiento** (CC art.1505);
- en ambos casos con el derecho a obtener una **indemnización** por los daños y perjuicios que le ha causado la falta de pago, y entre ellos el interés de demora pactado o, en su defecto, el interés legal del dinero (CCom art.341; CC art.1101; CC art.1108 y 1255).
En las **obligaciones mercantiles** que tienen señalado día para su cumplimiento, la **mora** nace de forma automática al día siguiente del vencimiento de la obligación, sin que sea necesario el requerimiento judicial o extrajudicial al comprador (CCom art.63); y ello a diferencia de las obligaciones civiles, en las que, como regla general, la mora surge desde que el acreedor exija

judicial o extrajudicialmente el cumplimiento de la obligación (CC art.1100; TS 20-2-20, EDJ 511683).
En caso de que las mercancías sigan en poder del vendedor, se concede a éste un **crédito preferente** sobre las mismas para obtener el pago del precio con los intereses ocasionados por la demora (CCom art.340).
En cuanto a la **prescripción** de la acción del vendedor contra el comprador, se aplica el plazo general de **5 años** (CC art.1964; nº 1202).
En caso de reclamación por falta de pago, téngase en cuenta que la **prueba** de que el pago se ha realizado corresponde al comprador (TS 17-4-99, EDJ 5841).

Precisiones 1) Si se pactó el **pago al contado**, interesará al vendedor resolver el contrato y buscar rápidamente un comprador de reemplazo para dar salida a las mercancías. En cambio, si se pactó el **pago aplazado**, preferirá el cumplimiento, pues la mercancía ya habrá sido entregada y probablemente el comprador ya no tendrá la mercancía a su disposición para devolverla (Moxica Román).
2) Si el pago se pactó en **moneda extranjera** y no es posible satisfacerlo con dicha moneda, es posible utilizar moneda de curso legal en España (CC art.1170). Cuando, en estos casos, se incumple la obligación de pago y el vendedor reclama judicialmente su cumplimiento, surge la duda del **cambio de moneda** aplicable en la conversión: el que regía en el momento en que debió de realizarse el pago (TS 5-1-80; 26-12-85) o el vigente al decretarse judicialmente el cumplimiento. Algunos autores, en base a LCC art.47, son favorables a conceder al acreedor la posibilidad de optar por uno u otro, a fin de que sea el deudor moroso quien corra con el riesgo del cambio de moneda (Paz-Ares, Moxica Román).
3) El incumplimiento de la **obligación de constituir aval bancario** no da lugar a la resolución del contrato por tratarse de una obligación accesoria al mismo, que no frustra en principio su finalidad (TS 5-9-12, EDJ 228163).
4) El plazo de **prescripción** de la acción por falta de pago es de **3 años** (CC art.1967.4º) en compraventas celebradas con particulares (consumidores) o con quien, siendo comerciante, carece de intención de revender y lucrarse con la reventa -**compraventas de consumo propio** (nº 962).

Interés de demora (L 3/2004 art.5, 6 y 7) Con aplicación a las operaciones comerciales realizadas **entre empresas** y entre estas y el sector público, se establece que, una vez que transcurren los plazos señalados sin cumplir la obligación de pago, el deudor incurre en mora **automáticamente**, sin necesidad de aviso de vencimiento ni intimación alguna por parte del acreedor, siempre que este haya cumplido con sus obligaciones y el deudor no pueda probar que el retraso en el pago no le es imputable. **1270**
En caso de que las partes hubieran pactado calendarios de pago para **abonos a plazos**, cuando alguno de los plazos no se abone en la fecha acordada, los intereses y la compensación se han de calcular únicamente sobre la base de las cantidades vencidas.
En tal caso, el deudor resulta obligado a pagar el interés de demora **pactado** en el contrato.
En defecto de pacto sobre este extremo, el tipo de interés aplicable es el resultante de la suma del tipo de interés aplicado por el Banco Central Europeo a su más reciente operación principal de financiación efectuada antes del primer día del semestre natural de que se trate más 8 puntos porcentuales, que ha de ser publicado semestralmente en el BOE por el Ministerio de Economía y Empresa (actual Ministerio de Asuntos Económicos y Transformación Digital). El tipo legal de interés de demora se aplica durante los 6 meses siguientes a su fijación.

Precisiones 1) Por tipo de interés aplicado por el Banco Central Europeo a sus operaciones principales de financiación se ha de entender el tipo de interés aplicado a tales operaciones en caso de **subastas a tipo fijo**. En el caso de que se efectúe una operación principal de financiación con arreglo a un procedimiento de **subasta a tipo variable**, este tipo de interés se debe referir al tipo de interés marginal resultante de esa subasta.
2) Véase la Resol Secretaría de Estado del Tesoro 28-12-22, que fija el **interés de demora** en las operaciones comerciales a aplicar durante el primer semestre natural de **2023** en el 10,50%; y la Resol Secretaría General del Tesoro 28-6-2023, por la que se publica el tipo legal de interés de demora durante el segundo semestre natural del año 2023 en el 12%.

Además del interés legal de demora previsto en el marginal anterior, cuando el deudor incurra en mora, el acreedor tiene derecho a (L 3/2004 art.8): **1272**
1º. Una **cantidad fija** de 40 euros, que se añadirá en todo caso y sin necesidad de petición expresa a la deuda principal.
2º. Una **indemnización** por todos los **costes de cobro** debidamente acreditados que haya sufrido a causa de la mora y que superen la citada cantidad de 40 euros.
El deudor no está obligado a pagar esta indemnización cuando **no sea responsable** del retraso en el pago.

1274 **Disposiciones relativas al comercio minorista** (LOCM art.17.5) Para las compras que efectúen los comerciantes a sus proveedores, se establece que el devengo de **intereses moratorios** se produce de forma automática a partir del día siguiente al señalado para el pago o, en defecto de pacto, de aquel en el cual debiera efectuarse según la Ley (nº 1166).
En estos supuestos, el **tipo aplicable** para determinar la cuantía de los intereses es el previsto en la L 3/2004 art.7.2 por la que se establecen medidas de lucha contra la morosidad en las operaciones comerciales, esto es, el que se aplica en defecto de pacto sobre el tipo de interés -nº 1270-). No obstante, las partes pueden **pactar** en el contrato un tipo distinto que no puede ser inferior al señalado para el interés legal incrementado en un 50%.

SECCIÓN 3

Due diligence (revisión legal de empresas)

1280

1282 En la práctica profesional se ha impuesto la utilización del término anglosajón «due diligence» para referirse a cualquier trabajo de investigación, **revisión o comprobación** encaminado a obtener información sobre los distintos aspectos jurídicos, contables, financieros, comerciales, medioambientales, procesos productivos, etc. de una empresa.
Dicha tarea trae normalmente **causa** del interés del autor del encargo (el comprador) en concluir una transacción mercantil de cierta envergadura, como la adquisición de la totalidad o de una parte significativa del capital de una sociedad.
En la presente sección se aborda el estudio de la actividad consistente en la revisión de los **aspectos jurídicos** de la empresa que se lleva a cabo en el marco de una operación de **toma de control** de una sociedad mediante la adquisición de la totalidad o parte de su capital social.
Pese a ello, la mayor parte de las consideraciones que se formulan resultan aplicables también a la revisión legal efectuada con vistas a decidir y configurar la conclusión de **otros contratos o transacciones** complejas (p.e., la compra de activos, la incorporación a una empresa conjunta ya existente, la fusión de dos sociedades sin vinculación previa, la absorción vía escisión de una rama de actividad, etc.), todo ello sin perjuicio de las peculiaridades específicas de estas operaciones.

Precisiones 1) Con base en la traducción literal del término «diligencia debida», cabe imaginar que el empleo de esta expresión para referirse a la actividad descrita tiene un **doble origen**:
- por un lado, la prudencia con que un empresario debe conducirse para decidir llevar a cabo una operación de las que usualmente motivan este tipo de revisión; y
- por otro, que la revisión, al menos en parte, consiste en un escrutinio de la diligencia empleada por los administradores y directivos de la empresa al organizar la misma y gestionar los distintos aspectos de su actividad.
2) Para un estudio de las particularidades que en un proceso de «due diligence» tiene la valoración de la **propiedad industrial** y **know-how** de una empresa (sobre todo si es una empresa tecnológica), ver nº 2995.

A. Funciones

1285 La mayor parte de las empresas en España se organizan bajo alguna de las **formas societarias** admitidas por nuestra legislación mercantil, siendo las modalidades más frecuentemente adoptadas la sociedad de responsabilidad limitada (**SRL**) y, en menor medida, la sociedad anónima (**SA**).
La inmensa mayoría de las operaciones de **adquisición de empresas** que se han producido en los últimos años en nuestro ámbito territorial han tenido por objeto este tipo de sociedades, fundamentalmente por su predominio como forma de organización empresarial, pero también debido a que su propia naturaleza capitalista es la que mejor se presta a un cambio de control expeditivo y relativamente sencillo tanto desde el punto de vista jurídico como meramente operativo.
La forma más frecuente de llevar a cabo la toma de control consiste en la **adquisición** de la totalidad o de una parte significativa -aunque no necesariamente de la mayoría- de las **acciones o participaciones** en que se divide su capital social.

Pese a la aparente sencillez de dicha operación, la misma presenta dos **características** de gran trascendencia jurídica: 1287

a) De una parte, aun cuando va acompañada de otros negocios jurídicos accesorios, la operación se concreta esencialmente en una **compraventa de acciones o participaciones sociales**. El objeto del contrato central son partes alícuotas del capital social cuya titularidad está unida a la condición de socio de la sociedad. En consecuencia, las previsiones contenidas en la normativa civil con respecto a las obligaciones del comprador (CC art.1461) se entienden referidas, con ciertas matizaciones, a las acciones o participaciones sociales objeto de la compraventa.

b) De otra parte, la operación así definida implica el **cambio de control** de la sociedad y no la transmisión de los elementos que componen la empresa en sí; por lo que, salvo previsiones contractuales en otro sentido, las relaciones jurídicas de la sociedad, y por tanto sus derechos y obligaciones, no se ven normalmente alterados. El adquirente asume los bienes, derechos y créditos de la sociedad, así como sus deudas y obligaciones; produciéndose, por tanto, una considerable ampliación del **riesgo** que asume el comprador, respecto a otras modalidades de adquisición como la consistente en la compra de activos.

Finalidad principal La realización de la revisión legal de la sociedad, anterior a la consu- 1289
mación de la adquisición de una participación o del cien por cien de su capital, tiene como **objetivo principal** permitir al comprador el mejor conocimiento posible de la realidad jurídica de la sociedad.

Dicho conocimiento, proporcionado a través del informe de revisión legal (nº 1318), permite al adquirente tomar una decisión en cuanto a la conveniencia de continuar con la transacción o desistir de la misma y, en todo caso, mejorar la formación de su **voluntad contractual**.

El resultado de la revisión legal proporciona una serie de elementos de juicio que pueden afectar a determinadas cláusulas del mismo, siendo las más frecuentes las concernientes a:

- el precio;
- las condiciones suspensivas; y
- las obligaciones y la responsabilidad del vendedor.

Precio La due diligence puede poner de manifiesto al comprador que la valoración inicial de 1291
la empresa, que determina el precio estimado que estaría dispuesto a pagar por las acciones o participaciones, es errónea o inexacta.

Así, la detección de **riesgos** probables de cierta entidad puede, si no provocar el desistimiento de la compra, dar lugar a una discusión entre comprador y vendedor sobre la procedencia de rebajar el precio de la compraventa, o al establecimiento de una parte variable del precio pagadera aplazadamente en función de los resultados que obtenga la sociedad en ejercicios posteriores a la consumación de la compraventa, o al establecimiento de garantías adicionales (p.e., aval bancario a primera demanda).

Condiciones suspensivas Cuyo contenido suele consistir en: 1293

a) Supeditar la eficacia del contrato a la previa **regularización** de una situación antijurídica susceptible de ser subsanada en un período de tiempo relativamente corto (p.e., en el campo de las licencias administrativas es raro encontrar en España una empresa que cuente con todas aquéllas a cuya obtención y adaptación viene obligada por la regulación estatal, autonómica o municipal; y tampoco es infrecuente que alguna de tales licencias no se encuentre actualizada por una mera falta de diligencia de los gestores de la compañía).

b) Condicionar la eficacia del contrato a la **enajenación** por el vendedor de un determinado **activo** afectado por un riesgo jurídico cuya regularización resulta imposible o muy problemática. De este modo, en el patrimonio de la sociedad se produce la exclusión que se verá normalmente reemplazado por una entrada de dinero según su valor de realización, excluyéndose al mismo tiempo el riesgo identificado durante la revisión legal.

Obligaciones y responsabilidad del vendedor Lo habitual en este tipo de contrato de com- 1295
praventa es incluir una larga lista de declaraciones del vendedor sobre la existencia, validez y regularidad de todos aquellos elementos que configuran la empresa y hacer constar que tales declaraciones constituyen bases esenciales del contrato para el comprador (cláusula de «representaciones y garantías»).

Se trata, con ello, de establecer a favor del comprador la facultad de reclamar al vendedor en caso de que alguna de las declaraciones efectuadas por el vendedor resulte falsa, inexacta o incompleta.

La **reclamación** puede basarse en:

- la acción de incumplimiento contractual del vendedor por entrega de cosa distinta de la pactada o parcialmente inhábil para el uso al que se destina (CC art.1101 y 1124);
- la obligación del vendedor de saneamiento por vicios o defectos ocultos (CC art.1484 a 1499);

- la acción de nulidad o de indemnización de daños o perjuicios por dolo (CC art.1270).

En definitiva, el **resultado** de la revisión legal ha de proporcionar al comprador elementos de juicio sólidos para, con el asesoramiento de sus abogados:

a) Determinar qué aspectos irregulares de la sociedad pueden introducirse en la «carta de conocimiento», lo que implica una exclusión respecto a los mismos de la responsabilidad del vendedor.

b) Establecer el régimen específico de responsabilidad del vendedor, no ya por defectos ocultos, sino por los eventuales perjuicios o quebrantos patrimoniales que a la sociedad puedan ocasionarse con causa en situaciones conocidas pero de incierto resultado (p.e, una contingencia fiscal o social que podría materializarse en caso de inspección tributaria o laboral).

Precisiones **1)** La inclusión de tan enormes listas de declaraciones se ha generalizado en la práctica de las **operaciones de fusiones y adquisiciones** y, aunque son escasas las ocasiones en que nuestros tribunales se han podido pronunciar sobre sus efectos jurídicos, puede considerarse que su reiteración puede llegar a considerarse un **uso o costumbre** de la contratación mercantil.

2) Entre los aspectos que se contienen en las cláusulas de «representaciones y garantías» destacan las de carácter **tributario, laboral** y para con la Seguridad Social **y administrativas** en general, así como, en particular, las relativas a la protección del **medio ambiente**. Estas áreas invariablemente representan factores de riesgo en la adquisición de sociedades en España y son parte esencial de la revisión legal.

1297 **Otros objetivos** Junto a los anteriormente mencionados, la revisión legal puede servir a la consecución de otros objetivos cuya importancia para el **comprador** varía de unos casos a otros:

a) La comodidad y utilidad que un buen informe de revisión legal proporciona al comprador a la hora de asumir la **gestión** de los aspectos legales de la sociedad sobre la que ha adquirido el control.

b) En supuestos más excepcionales y relativamente novedosos, la realización de la «due diligence» se convierte en requisito imprescindible para la obtención por el comprador de determinadas **garantías** para exigir la responsabilidad contractual del vendedor.

Precisiones En supuestos en que la solvencia del vendedor para hacer frente a tal responsabilidad es inexistente o dudosa, y por consiguiente la obtención por el mismo de garantías prestadas por terceros (aval bancario) es problemática, se ha acudido a la cobertura de los riesgos del comprador mediante la contratación de una **póliza de seguro**. El asegurador se compromete a indemnizar al comprador (beneficiario del seguro) cuando se produzca un supuesto de responsabilidad del vendedor (asegurado) por incumplimiento de sus obligaciones o inexactitud de sus declaraciones contractuales. Las entidades aseguradoras exigen para emitir la póliza la realización de una completa revisión de «due diligence» por asesores legales y contables de reconocido prestigio.

B. Proceso de ejecución

1300 El proceso de revisión legal se desarrolla a través de una serie de **fases**:

- encargo de la revisión, delimitando su alcance y estableciendo la metodología a seguir;
- recogida y análisis de información; y
- la emisión del correspondiente informe.

Ahora bien, incluso circunscribiendo el objeto de la revisión al supuesto específico expresado de adquisición de empresas mediante la toma de una participación de control en su capital social, lo cierto es que, en la práctica, se presentan innumerables variantes que, necesariamente, configurarán en uno u otro sentido el ejercicio de la revisión legal. Las **diferencias** pueden venir impuestas por muy diversas **causas**:

a) Por las características de la empresa cuya adquisición se pretende y el sector económico en que la empresa desarrolla sus actividades.

b) La titularidad pública o privada de la sociedad en cuyo capital el adquirente pretende tomar una participación.

c) La complejidad organizativa de la sociedad.

d) El hecho de que la toma de control sea de una sociedad aisladamente o de la misma y de sus filiales con las que forma un grupo de sociedades, conjuntamente.

e) El ámbito territorial de la sociedad objeto de revisión.

f) La naturaleza misma de la transacción, en función de que tras su consumación el vendedor siga participando en la sociedad adquirida, se adquiera el 100% del capital social o permanezcan en el accionariado terceros minoritarios con un papel activo en la vida social o en el desarrollo del negocio que constituye su objeto.

g) La propia identidad del comprador, según éste sea a su vez una sociedad o un grupo que viene dedicándose habitualmente a idéntico negocio que el desarrollado por la que pretende adquirir; o si, por el contrario, el negocio que busca incorporar mediante tal adquisición le es ajeno y está interesado en el mismo por razones de diversificación.

Precisiones 1) Las diferentes **fases** y actuaciones de que se compone la revisión legal en el marco de la operación de adquisición de una sociedad no son en absoluto departamentos estancos. Por el contrario, entre todas las actuaciones existe una esencial **interrelación** que exige la coherencia entre las diversas fases de revisión y los métodos empleados para llevarla acabo.
2) De otra parte, ha de tenerse en cuenta que las fases descritas no han de sucederse en el tiempo de manera necesaria y rigurosa en el mismo **orden** en que se exponen.
3) En los despachos de abogados que llevan cierto tiempo prestando su asesoramiento en operaciones de adquisición de empresas de cierto volumen, los procedimientos para realizar la revisión legal suelen responder a un **modelo** en mayor o menor medida predefinido y **estandarizado** conforme a la práctica profesional de las grandes firmas de abogados anglosajonas.

Carta de intenciones Lo más frecuente es que ni el comprador ni el vendedor estén interesados en que la revisión se lleve a cabo sino hasta haber alcanzado un **principio de acuerdo** sobre las bases esenciales de la operación, el cual suele plasmarse en un documento que recibe muy diversos nombres, entre los cuales el más habitualmente empleado es el de «carta de intenciones» (a modo de tratos preliminares, analizados en nº 224). 1302

Uno de los aspectos típicamente regulados en el **contenido** de la carta de intenciones es la realización por el comprador de la «due diligence», estableciendo el **plazo** con que cuenta para efectuarla y la obligación del vendedor de facilitar a aquél y a los asesores por el mismo designados el acceso a las instalaciones, documentos e información necesarios para llevarlo a cabo.

Adicionalmente, la carta de intenciones suele hacer referencia a:
- la manifestación de que el principio de acuerdo alcanzado **no** tiene **carácter vinculante** para las partes en cuanto a la conclusión de la operación cuyos aspectos básicos se describen;
- una serie de compromisos de **confidencialidad** y **exclusividad** que sí tienen, sin embargo, carácter vinculante para las partes, de manera que su contravención por una de ellas puede determinar la obligación de indemnizar a la otra por los daños y perjuicios que se le ocasionan (CC art.1101).

Precisiones 1) Tanto desde el punto de vista del comprador como el del vendedor, es conveniente que, bien en la propia carta de intenciones, bien en otro acuerdo escrito, se defina en la medida de lo posible cómo se desarrollarán los trabajos de revisión, tratando de **evitar** al máximo **la improvisación,** ya que la labor a la que ambas partes se enfrentan ha de realizarse en un corto espacio de tiempo y puede revestir una gran complejidad. 1304
2) En la práctica, dicha precisión no es muy habitual, salvo en aquellos casos en que el vendedor impone y el comprador acepta un particular procedimiento de **facilitar la documentación,** que es conocido con el término de «data room», el cual consiste en que es el propio vendedor quien determina la documentación que se ha de poner a disposición de la parte compradora y sus asesores, recopila dicha documentación, y la coloca en una habitación de sus oficinas o de las oficinas de un tercero (banco de inversiones, despacho de abogados, etc.).
3) Por la propia finalidad que persigue, lo normal será que la revisión legal se efectúe **con anterioridad** a la firma de **acuerdos vinculantes** de compraventa. No obstante, en aquellos casos en que, por razones de urgencia (situación favorable de los mercados de capitales, previsión de cambios legislativos, etc.), una o ambas partes se ven en la necesidad de concluir la operación apresuradamente o cuando la operación contemplada implica la concentración de empresas hasta entonces competidoras (lo que excluye toda posibilidad de facilitarse mutuamente informaciones comerciales de carácter confidencial con anterioridad a la firma del contrato), el **orden se invierte**. Primero se perfecciona el contrato o contratos de adquisición con carácter vinculante, aunque su eficacia queda supeditada al cumplimiento de ciertas condiciones y la determinación de alguno de sus términos esenciales sujeta a comprobaciones posteriores; y después se realiza la revisión legal, cuyo objeto esencial consistirá en efectuar las referidas comprobaciones.

Carta de encargo Una vez acordada por las partes la realización de la revisión de la sociedad previa a la conclusión de los contratos definitivos por los que se perfecciona la transacción, el **comprador** debe **elegir** a los **profesionales** que se han de ocupar de revisar distintas áreas de la sociedad que está interesado en adquirir. 1306

Cuando el comprador se dedica al mismo negocio que la sociedad objeto de su interés, normalmente crea un **equipo interno** de empleados con la capacitación adecuada para realizar el examen de la documentación e información de carácter técnico u operativo así como de las instalaciones de la empresa.

Por el contrario, cuando el adquirente desarrolla una actividad distinta a la de la sociedad, y aun cuando cuente con sus propios departamentos de asesoría jurídica y contabilidad, suele contratar a **firmas de auditoría y de abogados** para llevar a cabo la due diligence legal y contable.

Asimismo, dependiendo de las características de la empresa a inspeccionar, puede solicitar el asesoramiento de otros profesionales, como corredores de seguros, consultores medioambientales, empresas de tasación de inmuebles y otros asesores técnicos especializados.
Se ha generalizado la práctica de que entre el comprador y el despacho de abogados a quien se encomiende la realización de aquélla se firme un documento, que suele adoptar la forma de una carta dirigida por el cliente a los abogados o viceversa, en que se especifican con mayor o menor detalle las **líneas maestras** del encargo, incluyendo los compromisos de **confidencialidad** asumidos por los abogados, los objetivos de la misión confiada, la composición del equipo que realizará la revisión, un presupuesto de los honorarios que se puedan devengar, etc.

1308 **Delimitación del alcance** Simultáneamente o incluso con anterioridad a la firma de la carta de encargo, es aconsejable que se delimite con toda la precisión posible la **esfera de actuación** de los profesionales que han de acometer la revisión.
Cuando el adquirente o su equipo directivo carece de experiencia previa en este tipo de transacciones, o bien pretende realizar la compra para introducirse en un sector que le resulta relativamente extraño, es probable que ignore o tenga dificultades para identificar cuáles son los factores esenciales de la empresa a adquirir y, por tanto, cuya regularidad jurídica es más relevante para el buen fin de la operación, entendiendo por tal una adecuada valoración de la empresa y de su futuro desenvolvimiento tras el cambio de control. Por tal motivo, es frecuente que el profesional juegue un papel decisivo cooperando con el cliente en la definición del alcance de la revisión.
Los límites al alcance de la revisión pueden venir dados por diversos **factores** entre los que destacan los siguientes:
a) El **calendario** previsto en la carta de intenciones para la conclusión de la operación.
b) El **sistema** pactado por las partes para que el vendedor **facilite la información** pertinente a los asesores del comprador. Las restricciones en cuanto al acceso a documentos, personal e instalaciones de la empresa limita la profundidad del examen y su resultado final.
c) El **interés** del adquirente en relación a las actividades desarrolladas por la empresa (de producción, de investigación y desarrollo, de marketing o comerciales), su personal y empleados, sus activos materiales e inmateriales. En tal sentido, se pueden establecer métodos simplificados de examen en relación con determinados aspectos (p.e., utilizar técnicas de muestreo sobre ciertos contratos, licencias administrativas que afecten a un enorme número de establecimientos, regularidad de las nóminas cuando la plantilla es muy extensa, etc.) e incluso dejar fuera del contorno de la revisión determinados elementos de la empresa que el comprador planea excluir antes o después de perfeccionado el contrato de adquisición.

1310 Precisiones **1)** En operaciones de gran envergadura, es frecuente que, incluso en una fase previa a la carta de intenciones, el comprador haya examinado toda la **documentación contable y financiera de la empresa** que se encuentre a su alcance en registros públicos (Registro Mercantil, CNMV, informes de asociaciones del sector, publicaciones especializadas, etc.), se haya auxiliado para ello de entidades especializadas como bancos de inversión e incluso haya obtenido del vendedor determinada información esencial, como por ejemplo un balance lo más actualizado posible de la empresa, el presupuesto del año en curso o documentación sobre un determinado activo vital para el desenvolvimiento de su actividad principal.
2) Contribuye a la eficacia de la revisión establecer unos **límites cuantitativos** mínimos de las operaciones, contratos, activos o contingencias, por debajo de los cuales las comprobaciones se consideran intrascendentes. Su determinación suele venir referida a la cifra total de negocio de la sociedad objeto de revisión. El abogado debe asesorar al cliente ayudándole a identificar aquellos problemas más frecuentes en cada área objeto de revisión que, pese a su aparente irrelevancia desde una perspectiva puramente contable, entraña riesgos jurídicos susceptibles de afectar al futuro desarrollo del negocio.
3) En general, la densidad y el nivel de investigación de la «due diligence» es mayor en los casos de **adquisición de acciones** o participaciones en el capital que en el caso de adquisición de **activos**.

1312 **Metodología** Los métodos a emplear para la ejecución de la revisión legal en parte están condicionados por el alcance de ésta.
Los sistemas de trabajo, en cuanto a la forma de obtener información del **vendedor**, deben contar lógicamente con la aprobación de éste y deben hacer referencia, al menos, a los siguientes aspectos:
1) La identificación de los documentos a examinar. Esta identificación se suele llevar a cabo mediante la entrega por los abogados (u otros profesionales que lleven a cabo la revisión legal) al vendedor de una **lista de documentos**.
2) El modo de facilitar el **examen** de la documentación, identificación de los locales en que se facilitará, posibilidad de obtener fotocopias, remisión de documentos por fax, en soporte informático, etc.

3) El **tiempo** en que se prevé que el vendedor puede tener preparada la documentación esencial de la lista facilitada; el término en que se proyecta concluir el examen de la documentación, así como la posibilidad de que existan documentos reservados cuyo examen no se permitirá hasta una fase ulterior.
4) La identificación de las **personas** pertenecientes a la organización de la sociedad objeto de examen a las que los abogados podrán dirigirse en demanda de documentos adicionales cuya presumible existencia se ponga de manifiesto una vez comenzada la revisión, o explicaciones verbales o escritas sobre aspectos insuficiente o irregularmente documentados.
5) La **autorización**, en su caso, para dirigirse a organismos públicos, asesores externos del vendedor y otras fuentes de información ajenas a la operación, lo que implica normalmente extremar los deberes de confidencialidad de los asesores del comprador encargados de la revisión.

Recogida y análisis de información Normalmente, cuando el comprador realiza la primera aproximación interesándose por la sociedad sobre la que el vendedor ejerce el control, suele tener una visión restringida de la misma. En esa fase, habitualmente el comprador solo analiza los **datos económico financieros** a su alcance, aunque la extensión de los mismos puede variar sustancialmente de unos casos a otros. Existen, sin embargo, aspectos de la sociedad que no aparecen en la información económico financiera de la misma o cuyo reflejo es insuficiente y que, sin embargo, pueden constituir -y normalmente así ocurre- elementos fundamentales que originan el interés del comprador por llevar a cabo la adquisición. **1314**
Para la realización de la revisión, el vendedor debe facilitar al comprador y sus asesores el **acceso a datos y documentos internos** de la sociedad que no están a disposición del público en general y que pueden contener información sensible sobre su organización empresarial y sus actividades comerciales.
A medida que se va obteniendo información sobre los distintos aspectos de la sociedad, se ha de ir analizando su trascendencia jurídica a la luz de la normativa aplicable. Lo normal es que surjan **dudas** que requieran las oportunas explicaciones del vendedor o de los gestores de la sociedad designados por el mismo.
Es conveniente concentrar las solicitudes de **aclaraciones** en uno o varios momentos fijados de forma coherente en el contexto del plazo concedido para la finalización del proceso de revisión legal.
Por otra parte, las dificultades encontradas a la hora de obtener información, cualquiera que sea el medio acordado para su puesta a disposición, deben comunicarse con la mayor celeridad al comprador.
En cualquier caso, lo cierto es que es prácticamente imposible que los asesores del comprador examinen toda la documentación de la sociedad objeto de revisión e igualmente improbable que el vendedor proporcione toda la información relevante sobre los aspectos en relación con los cuales le ha sido solicitada, bien porque no le interesa o bien por incapacidad.
En tal sentido, a la finalización de esta fase el comprador debe intentar obtener del vendedor una **declaración** escrita, que habitualmente se efectúa por medio de una carta, más o menos del siguiente tenor:

> «En respuesta a su solicitud, por la presente les manifestamos que, al día de la fecha, consideramos haberles proporcionado de buena fe toda la documentación e información relevante cuya existencia nos consta en relación con los puntos objeto de la revisión de due diligence legal de las sociedades del Grupo X que nos fueron indicados en la lista de documentación e información sometida en fecha... al inicio del proceso de revisión, así como las explicaciones y documentación adicional necesarias relativas a cuestiones planteadas por Vdes. mediante diversas solicitudes. A nuestro leal entender, la documentación suministrada es íntegra y exacta, y las fotocopias entregadas se corresponden con sus originales, sin haber omitido ningún dato o circunstancia que pudieran afectar al sentido o al alcance de la revisión efectuada».

Precisiones **1)** Naturalmente, existen métodos de trabajo que tienden a facilitar esta complicada labor. Es usual, por ejemplo, el uso de **plantillas** en que los datos esenciales de los documentos relativos a cada aspecto de revisión aparecen ya predeterminados. **1316**
2) Junto al examen de la documentación facilitada por el vendedor, los asesores del comprador pueden acudir a fuentes de **información de acceso público** (CNMV, Registro Mercantil, de la propiedad, de venta de bienes muebles a plazos, Oficina Española de Patentes y Marcas, áreas de urbanismo, medio ambiente e industria de Ayuntamientos y Comunidades Autónomas, etc.), para obtener datos adicionales o contrastarlos con los extraídos de la documentación interna del vendedor.
3) Antes de acometer la última fase de la revisión legal, debe tener lugar una nueva reunión de los asesores del comprador para poner en común el **resultado provisional** de su trabajo, cruzar información y eliminar incertidumbres.

1318 **Informe** El **resultado** de la información recopilada y de su tratamiento o análisis legal queda recogido en un informe que se entrega al adquirente.

Lo más frecuente es que el informe comience por una introducción describiendo el objeto de la revisión (la sociedad o grupo de sociedades), el alcance del trabajo realizado y los métodos empleados.

A continuación, se acostumbra dividir el **cuerpo** del informe en cada una de las áreas jurídicas que han sido analizadas y que suelen coincidir con los epígrafes de la lista de documentos aludida en el nº 1312.

Dentro de cada capítulo, debe incluirse un **resumen** de cada elemento examinado (activos, inmuebles, contratos, etc.), la relación de documentación e información utilizada para su examen y, naturalmente, un análisis jurídico del aspecto en cuestión.

Al final del informe o de cada uno de los capítulos o partes en que se divide se resumen las principales **irregularidades** o aspectos negativos detectados, sus eventuales **consecuencias jurídicas**, y, cuando sea factible, las posibilidades de solucionar o paliar aquéllos antes de la consumación de la adquisición.

Precisiones **1)** Cuando el objeto de la revisión es complejo, el informe resultante es, inevitablemente, muy voluminoso, siendo frecuente, en la práctica, la emisión de un **resumen esquemático** y fácilmente manejable al que se denomina «executive summary», en que aparecen claramente extractadas las conclusiones y recomendaciones.

2) Es conveniente determinar, con carácter previo, las personas a quienes, dentro de la organización del comprador, debe facilitarse el informe de revisión legal, pues éste constituye en sí mismo un documento confidencial. En tal sentido, es frecuente incluir en el propio informe o en la carta de encargo una advertencia sobre la **confidencialidad** de dicho documento, señalándose que no debe difundirse o facilitarse a terceros distintos de los destinatarios previamente definidos, así como que su contenido no debe emplearse con otra finalidad distinta de la convenida y que le es propia.

SECCIÓN 4

Compraventas especiales

1325

1327 Se exponen en esta sección ciertos contratos de compraventa que pueden calificarse como especiales. La especialidad deriva del establecimiento de **reglas particulares** relativas a:

- algún **aspecto del contrato** (venta sobre muestras, venta a ensayo);
- el **régimen normativo** al que se encuentran sometidos (compraventa de bienes muebles a plazos, compraventa fuera de establecimiento mercantil);
- su **objeto** (compraventa de buque, compraventa de empresa); o
- el **ámbito geográfico** en que tienen lugar (compraventa internacional).

Precisiones La **compraventa de valores** no es objeto de estudio en este capítulo, pues se expone en el nº 9505 s. de esta misma obra, con referencia a los valores cotizados y en el nº 12155 s. Memento Sociedades Mercantiles 2024, con carácter general.

1. Venta a plazos de bienes muebles

La venta a plazos de bienes muebles es aquella en la que se pacta un **fraccionamiento del precio** en distintos plazos. Esta operación tiene una regulación especial en nuestro ordenamiento, dirigida, en buena medida, a la **protección de los consumidores** que, en su caso, intervengan en estos contratos, y a la solución de diversos problemas frecuentes en este tipo de operaciones. 1332

El **régimen especial** de la venta a plazos se contiene en la siguiente normativa:
- L 28/1998 de Venta a plazos de bienes muebles -**LVPBM** -;
- RD 1828/1999 disp.adic.única en el que se crea el **Registro de Bienes Muebles** (nº 530);
- OM 19-7-1999 por la que se aprueba la Ordenanza para el **Registro de Venta a Plazos** de Bienes Muebles (nº 536).

Ámbito de aplicación (LVPBM art.1.1, 2 y 3) El contrato de venta a plazos de bienes muebles, a 1334
los efectos de la aplicación de la normativa señalada, es aquel en el que:
- una parte **entrega un bien mueble** corporal, no consumible e **identificable**; y
- la otra se obliga a pagar por él un **precio cierto** de forma total o parcialmente **aplazada** en tiempo superior a tres meses desde la perfección del contrato.

La LVPBM se aplica tanto a estos contratos como a:
- **otros actos o contratos**, cualquiera que sea su forma jurídica o denominación, mediante los que las partes se propongan conseguir los mismos fines económicos que con la venta a plazos;
- los **contratos de préstamo** destinados a facilitar la adquisición de dichos bienes -p.e, préstamo bancario- (nº 8530);
- las **garantías** que se constituyan para asegurar el cumplimiento de las obligaciones nacidas de tales contratos (nº 3450 s.).

Por otro lado, la LVPBM es de aplicación tanto si el **comprador** es un **particular** (consumidor o usuario) como si se trata de una venta realizada entre dos **comerciantes** (ver no obstante exclusión letra a) del nº 1336).

De igual manera, es indiferente que se trate de venta de bienes **nuevos o usados**.

Sin embargo, no resulta de aplicación directa, sino solo **supletoria**, en aquellos contratos que estén también incluidos en el ámbito de aplicación de la Ley de **crédito al consumo**, contratos que se han de regir por los preceptos de dicha Ley. Sobre crédito al consumo, ver nº 4547.

Precisiones **1)** Se consideran **bienes identificables** todos aquellos (LVPBM art.1.2):
- en los que conste la marca y **número de serie** o fabricación de forma indeleble o inseparable, en una o varias de sus partes fundamentales; o
- tengan alguna característica distintiva que excluya razonablemente su confusión con otros bienes.

2) La exigencia de que los bienes sean **inconsumibles** no excluye aquellos bienes que se deterioran con el uso o con el paso del tiempo (vehículos, electrodomésticos, etc.).

3) Téngase en cuenta que la Ley de **crédito al consumo** solo resulta de aplicación a contratos en los que una de las partes tenga la condición de **consumidor**, entendiéndose por tal la persona física que, en las relaciones contractuales reguladas por esta Ley, actúa con fines que están al margen de su actividad comercial o profesional (L 16/2011 art.2.1).

Exclusiones (LVPBM art.5) Quedan excluidos de la aplicación de la norma de referencia los 1336
siguientes contratos:

a) Las compraventas a plazos de bienes muebles que, con o sin ulterior transformación o manipulación, se destinen a la **reventa al público** (definición de la compraventa mercantil conforme al CCom art.325; nº 955), así como los préstamos cuya finalidad sea financiar tales operaciones.

b) Las ventas y préstamos ocasionales efectuados **sin finalidad de lucro**.

c) Los préstamos y ventas garantizados con **hipoteca o prenda sin desplazamiento** sobre los bienes objeto del contrato (nº 4160).

d) Los contratos de **arrendamiento financiero** o leasing (nº 4575).

Precisiones Los tribunales han proclamado en repetidas ocasiones la falta de identidad entre la compraventa de bienes muebles a plazos y el contrato de **arrendamiento financiero** o «leasing». Aun cuando ambos negocios jurídicos persiguen finalidades económicas distintas, su indudable semejanza facilita la utilización del arrendamiento financiero para ocultar una verdadera venta a plazos, a fin de obtener las ventajas financieras y fiscales de aquél. Para distinguir uno y otra, resulta clave atender al **valor residual** fijado en el contrato: cuando éste aparece como insignificante, podemos afirmar que nos hallamos ante un contrato de compraventa, dado que el precio o prima de la opción de compra, puramente nominal o simbólico, no cumple la función económica de un precio autónomo (TS 28-5-90, EDJ 5583; 29-5-01, EDJ 7154; AP Valencia 19-5-00, EDJ 25983; AP Badajoz 27-6-01, EDJ 30146).

1338 **Contenido del contrato** (LVPBM art.7) Los contratos sometidos a la LVPBM, además de los pactos y cláusulas que las partes libremente estipulen, deben contener, con carácter **obligatorio**, las circunstancias siguientes:

1) El **lugar** y la **fecha** del contrato.

2) El **nombre, apellidos, razón social y domicilio** de las partes y, en los contratos de financiación, el nombre o razón social del financiador y su domicilio. Debe constar también el número o código de identificación fiscal (NIF o CIF) de los intervinientes.

3) La **descripción del objeto vendido**, con las características necesarias para facilitar su identificación.

4) El **precio** de venta al contado, el importe del desembolso inicial, cuando exista, la parte que se aplaza y, en su caso, la parte financiada por un tercero. En los contratos de financiación debe constar el capital del préstamo.

5) Cuando se trate de operaciones con **interés, fijo o variable**, debe constar una relación del importe, el número y la periodicidad o las fechas de los pagos que debe realizar el comprador para el reembolso de los plazos o del crédito y el pago de los intereses y los demás gastos, así como el importe total de estos pagos, cuando sea posible.

6) El **tipo de interés** nominal o, en operaciones con interés variable, la fórmula para su determinación.

7) La indicación de la **tasa anual equivalente** -TAE- definida en la L 16/2011 art.32 (nº 8620 s.).

Precisiones La **TAE** se define como la equivalencia anual entre, por un lado, la suma de los valores actualizados de las disposiciones del crédito y, por otro, la suma de los valores actualizados de los importes de los reembolsos y pagos de gastos (L 16/2011 Anexo I). Para su cálculo se debe determinar el **coste total del crédito** para el consumidor, exceptuando los gastos que éste tendría que pagar por el incumplimiento de alguna de sus obligaciones con arreglo al contrato de crédito y los gastos, distintos del precio de compra, que corran por cuenta del consumidor en la adquisición de bienes o servicios, tanto si la transacción se paga al contado como a crédito (L 16/2011 art.32).

1340 8) La relación de elementos que componen el **coste total del crédito**, con excepción de los relativos al incumplimiento de las obligaciones contractuales, especificando cuáles se integran en el cálculo de la TAE.

9) Cuando se pacte, la **cesión de derechos** que realice el vendedor, subrogando a un tercero, y el nombre o razón social y domicilio de éste; o, en su caso, la reserva de la facultad de ceder a favor de persona aún no determinada.

10) Cuando se pacte, la cláusula de **reserva de dominio**, así como el derecho de cesión de la misma o cualquier otra garantía de las previstas y reguladas en el ordenamiento jurídico.

11) La **prohibición de enajenar** o de realizar cualquier otro acto de disposición en tanto no se haya pagado la totalidad del precio o reembolsado el préstamo, sin la autorización por escrito del vendedor o, en su caso, del financiador.

12) El lugar establecido por las partes a efectos de **notificaciones, requerimientos y emplazamientos**. Si no se consigna, éstos se efectuarán en el domicilio propio de cada obligado. También se debe hacer constar un domicilio donde se verificará el pago.

13) La **tasación** del bien para que sirva de tipo, en su caso, a la subasta. También puede fijarse una tabla o índice referencial que permita calcular el valor del bien a los efectos de lo que se establece para el caso de incumplimiento por el deudor (nº 1352).

14) La facultad de **desistimiento** (nº 1348).

Precisiones No es posible aplicar como **interés de referencia** el que aplica la entidad acreedora, pues ello supondría dejar el cumplimiento del contrato al arbitrio de uno de los contratantes (CC art.1256; DGRN Resol 7-11-88, en lo que se refiere a préstamos hipotecarios).

1342 **Penalización por omisión o expresión inexacta de cláusulas obligatorias** (LVPBM art.8) Se establecen diversas consecuencias en caso de omisión o expresión inexacta de las circunstancias mencionadas en el número anterior:

• La omisión de alguna de las **circunstancias señaladas en los apartados 4 y 5** del marginal anterior, que no sea imputable a la voluntad del comprador o prestatario, reduce la obligación de éste a pagar exclusivamente el importe del precio al contado o el nominal del crédito, con derecho a satisfacerlo en los plazos convenidos, exento de todo recargo por cualquier concepto. En el caso de omisión o inexactitud de los plazos, el pago no puede ser exigido al comprador antes de la finalización del contrato.

• La omisión de las **circunstancias señaladas en los apartados 6 y 7** reduce la obligación del comprador a abonar el interés legal en los plazos convenidos.

• La omisión de la **relación mencionada en el apartado 8** determina la inexigibilidad al comprador del abono de los gastos no citados en el contrato, ni la constitución o renovación de garantía alguna.

• La inexactitud de las **circunstancias mencionadas en los apartados 6, 7 y 8** determina la modulación de las consecuencias previstas para su omisión, en función del perjuicio que, debido a tal inexactitud, sufra el comprador.

• La omisión o expresión inexacta de las **demás circunstancias** señaladas en nº 1338 y nº 1340 puede reducir la obligación del comprador a pagar exclusivamente el importe del precio al contado o, en su caso, del nominal del préstamo. Esta reducción debe ser acordada por el juez si el comprador justifica que ha sido perjudicado.

Forma y eficacia (LVPBM art.6) Para la validez de los contratos es preciso su **formalización por escrito**, en tantos ejemplares como partes intervengan, pues ha de entregarse a cada una su correspondiente ejemplar debidamente firmado. **1344**

La compra mediante la obtención de un **crédito de financiación** tiene las siguientes particularidades:

• La **eficacia** del contrato de venta a plazos en el que se establezca expresamente que la operación incluye la obtención de un crédito de financiación, está **condicionada** a la efectiva obtención de este crédito.

• Es nulo el pacto por el que se obligue al comprador a un **pago al contado** o a otras fórmulas de pago, para el caso de que no se obtenga el crédito de financiación previsto.

• Se tienen por no puestas las cláusulas en las que el vendedor exija que el crédito para su financiación únicamente puede ser otorgado por un **determinado concedente**.

Publicidad (LVPBM art.13) La publicidad relativa al precio de los bienes ofrecidos en venta a plazos debe expresar: **1346**

- el **precio** de adquisición **al contado**; y
- el **precio** total **a plazos**.

Si se ha estipulado un **tipo de interés variable**, el precio estimado total se debe fijar según el tipo vigente en el momento de la celebración del contrato, haciendo constar expresamente que se ha calculado de esa forma.

En la publicidad y en los anuncios y ofertas exhibidas en **locales comerciales**, en los que se ofrezca un crédito o la intermediación para la celebración de un contrato sujeto a la LVPBM debe, en todo caso, indicarse el **tipo de interés**, así como la **TAE** (nº 1338), mediante un ejemplo representativo.

Derecho de desistimiento (LVPBM art.9) Cuando el contrato es concertado con una persona que tiene la condición de **consumidor**, se concede a éste un derecho **irrenunciable** de desistimiento, que puede ejercitar dentro del **plazo** de los siete días hábiles siguientes a la entrega del bien. **1348**

El desistimiento se ha de **comunicar** al vendedor y, en su caso, al financiador, mediante carta certificada u otro medio fehaciente.

Para el ejercicio de este derecho, el consumidor ha de cumplir los siguientes **requisitos**:

a) No haber **usado el bien** vendido más que a efectos de simple examen o prueba.

b) Devolverlo, dentro del plazo de siete días señalado anteriormente, en el lugar, forma y estado en que lo recibió y libre de todo gasto para el vendedor. El deterioro de los embalajes, cuando fuese necesario para acceder al bien, no puede impedir su devolución.

c) Proceder, cuando así se haya pactado, a **indemnizar al vendedor** en la forma establecida contractualmente por la eventual depreciación comercial del bien. Esta indemnización no puede ser superior a la quinta parte del precio de venta al contado.

d) Reintegrar el **préstamo** concedido.

Si, como consecuencia del ejercicio del derecho de desistimiento, tiene lugar la **resolución** del contrato de venta a plazos, también se ha de dar por resuelto el contrato de financiación al vendedor, en cuyo caso, el financiador solo puede reclamar el pago a éste.

Transcurrido el plazo de 7 días para el ejercicio de la facultad de desistimiento, surtirán los efectos derivados del contrato.

Precisiones 1) A efectos de la normativa para la protección de consumidores, se consideran **consumidores** las personas físicas que actúan con un propósito ajeno a su actividad comercial, empresarial, oficio o profesión, así como las personas jurídicas y las entidades sin personalidad jurídica que actúen sin ánimo de lucro en un ámbito ajeno a una actividad comercial o empresarial (LGDCU art.3.1).
2) En caso de adquisición de **vehículos de motor** susceptibles de matriculación, puede pactarse la exclusión del derecho de desistimiento, o bien modalizar su ejercicio de forma distinta a lo previsto en esta Ley.

1350 **Pagos anticipados** (LVPBM art.9.3, 11) En cualquier momento de vigencia del contrato, el comprador puede:

- **pagar** anticipadamente, de forma total o parcial, el precio pendiente de pago; o
- **reembolsar** anticipadamente el préstamo obtenido.

En ningún caso pueden exigírsele intereses no devengados, pero sí la **compensación a favor del vendedor o prestamista** que para tal supuesto se haya pactado y que no puede exceder de:
- el 1,5% del precio aplazado o del capital reembolsado anticipadamente, en los contratos con tipo de interés variable;
- el 3% en los contratos con tipo de interés fijo.

Salvo pacto, los **pagos parciales** anticipados no pueden ser inferiores al 20% del precio.
Los tribunales pueden moderar las **cláusulas penales** pactadas para el caso de pago anticipado por parte del comprador.

1352 **Incumplimiento del comprador** (LVPBM art.10 y 11) Existe incumplimiento por parte del comprador cuando:
- se demore en el pago de **dos plazos**, aunque no sean consecutivos;
- se demore el pago del **último plazo**.

En estos casos, el **vendedor puede optar** entre:

- exigir el pago de todos los plazos pendientes de abono; o
- la resolución del contrato.

Cuando opte por la **resolución** del contrato, las partes deben restituirse recíprocamente las prestaciones realizadas y el vendedor o prestamista puede además exigir, a modo de **indemnización**:
- el 10% de los plazos vencidos, en concepto de indemnización por la **tenencia** de las cosas por el comprador;
- una cantidad igual al desembolso inicial, por la **depreciación** comercial del objeto (si no existe desembolso inicial o es superior a la quinta parte del precio de venta al contado, la deducción se reduce a esta última cantidad);
- la cantidad que proceda como indemnización por el **deterioro** de la cosa vendida.

En cuanto a la **restitución de prestaciones**, en el caso de incumplimiento de un contrato inscrito en el Registro de Venta a Plazos de Bienes Muebles, la adquisición por el acreedor de los bienes entregados por el deudor no impedirá la reclamación entre las partes de las cantidades que correspondan, si el **valor del bien** en el **momento de su entrega** por el deudor, conforme a las tablas o índices referenciales de depreciación establecidos en el contrato (LVPBM art.16.2.e):
- fuese **inferior** a la deuda reclamada, en cuyo caso el acreedor puede reclamar la diferencia entre dicho valor y el importe de la deuda reclamada; o
- fuese **superior** a la deuda reclamada, en cuyo caso es el deudor el que puede reclamar la diferencia entre lo que debe y el valor del bien devuelto al vendedor.

Además, el incumplimiento del comprador, en los términos señalados, da derecho al **tercero que haya financiado** la adquisición para exigir el abono de la totalidad de los plazos que estén pendientes, sin perjuicio de los derechos que le correspondan como cesionario del vendedor.
Los tribunales, con carácter excepcional y por justas causas apreciadas discrecionalmente, tales como desgracias familiares, desempleo, accidentes de trabajo, larga enfermedad u otros infortunios, pueden **moderar** los **efectos del incumplimiento** y señalar nuevos plazos o alterar los convenidos, determinando, en su caso, el recargo en el precio por los nuevos aplazamientos de pago.

Precisiones 1) En un contrato de **préstamo al comprador** para la compra de un vehículo, éste, al no poder hacer frente al pago de las cuotas, devuelve el vehículo al banco y firma un impreso proporcionado por la entidad en el que declara que la entrega sirve para que, en su nombre, el banco *proceda o autorice la venta*. La entidad bancaria reclama el pago de una cantidad resultante de **descontar** lo obtenido por la venta del vehículo (3.800 euros) del **saldo deudor por impago** de las cuotas del préstamo. El comprador se opone aduciendo que, de la deuda pendiente, en vez del precio obtenido por la venta (3.800 euros), debía deducirse el valor del vehículo en el momento de su entrega conforme a las tablas o índice de referencia a que se remitía la cláusula 13 del contrato celebrado por las partes (15.540 euros), de conformidad con la LVPBM art.16. El Tribunal Supremo, tras dejar constancia de la discrepancia existente en las audiencias provinciales, señala que, conforme a la LVPBM art.16.2.e, salvo que el acreedor hubiera aceptado en beneficio del consumidor la extinción total, la deuda pendiente de pago se reduce por el importe del **valor** del vehículo en el **momento de la entrega** y calculado según las tablas fijadas en el contrato, y no por el importe del precio menor obtenido en la posterior venta del bien a un tercero (TS 2-2-18, EDJ 3699; 3-10-18, EDJ 589934).

2) Ténganse en cuenta las siguientes **normas de carácter procesal**:

• Cuando la acción ejercitada se base en el incumplimiento de un contrato de venta de bienes muebles a plazos, no se admiten las demandas a las que no se acompañe la acreditación del **requerimiento de pago** al deudor, con diligencia expresiva del impago y de la no entrega del bien -en los términos de la LVPBM art.16.2-, así como certificación de la inscripción de los bienes en el Registro de Venta a Plazos de Bienes Muebles -si se trata de bienes susceptibles de inscripción- (LEC art.439.4 redacc L 37/2011).

• Se deciden en **juicio verbal**, cualquiera que sea su cuantía, las demandas que pretendan que el tribunal resuelva, con carácter sumario, sobre:

- el incumplimiento por el comprador de las obligaciones derivadas de los **contratos inscritos** en el Registro de Venta a Plazos de Bienes Muebles y formalizados en el modelo oficial establecido al efecto, al objeto de obtener una sentencia condenatoria que permita dirigir la ejecución exclusivamente sobre el bien o bienes adquiridos o financiados a plazos (LEC art.250.1.10º);

- el incumplimiento de un contrato de **arrendamiento financiero**, de **arrendamiento de bienes muebles**, o de un contrato de **venta a plazos con reserva de dominio**, siempre que estén **inscritos** en el Registro de Venta a Plazos de Bienes Muebles y formalizados en el modelo oficial establecido al efecto, mediante el ejercicio de una acción exclusivamente encaminada a obtener la inmediata entrega del bien al arrendador financiero, al arrendador o al vendedor o financiador en el lugar indicado en el contrato, previa declaración de resolución de éste, en su caso (LEC art.250.1.11º).

Inscripción registral (LVPBM art.15; OM 19-7-1999 art.2) La oponibilidad frente a terceros de las **reservas de dominio** y de las **prohibiciones de disponer** que se inserten en los contratos sujetos a la LVPBM se condiciona a la inscripción de estos contratos en la sección correspondiente del Registro de Bienes Muebles (nº 530 s.). **1354**

[Precisiones] El **Registro de Bienes Muebles**, como registro de titularidades y no solo de gravámenes, es el único competente para proceder a las anotaciones de embargo sobre vehículos y demás actos y contratos que las normas determinan, con la eficacia propia de un registro jurídico, así como para la expedición de la publicidad sobre las titularidades y gravámenes sobre los bienes muebles registrados. Por tanto, la presunción de titularidad y pertenencia de un bien mueble registrable, en el ámbito jurídico sustantivo, la determina el Registro de Bienes Muebles, y no el registro administrativo de la Dirección General de Tráfico, y ello sin perjuicio, para evitar discordancias, de la interconexión informática entre ambos registros (DGSJFP Resol 14-11-22).

Contratos y actos inscribibles (OM 19-7-1999 art.2 y 4) En lo que respecta a las operaciones de venta de bienes muebles a plazos, son inscribibles: **1356**

• Los contratos de **venta a plazos de bienes muebles**, corporales, no consumibles e identificables, y cualesquiera otros mediante los que se pretenda conseguir los mismos fines económicos. Existe venta a plazos, aunque el comprador satisfaga íntegramente el precio del bien, cuando para su pago el comprador haga uso de un préstamo de financiación.

• Los contratos de **venta con precio total o parcialmente aplazado**, en uno o varios vencimientos, en tiempo superior a tres meses desde su perfección, sobre bienes muebles, corporales, no consumibles e identificables.

• Los contratos de **préstamos de financiación** a vendedor o a comprador para realizar las operaciones señaladas en los puntos anteriores.

• Las **cesiones a terceros**, que hagan el vendedor o el financiador, de algún derecho frente al comprador o deudor.

• Las **novaciones o modificaciones** de cualquier clase de los derechos o garantías inscritos o de alguno de los elementos del contrato, incluso el cambio de acreedor o del deudor y la modificación o sustitución del objeto del contrato.

• Las **resoluciones judiciales o administrativas** que de algún modo afecten a los contratos, derechos o garantías inscritas.

• El **desistimiento del contrato** inscrito o la **renuncia al derecho de desistimiento** en el caso de vehículos de motor susceptibles de matriculación. **1358**

• La **renuncia del vendedor o financiador** a la totalidad o a parte del precio que falte por pagar.

• Los **anticipos totales o parciales** del precio pendiente de pago verificado por el comprador.

• El mutuo consentimiento de las partes para **dar por extinguida la relación contractual**.

• La **resolución convencional o judicial** del contrato por incumplimiento del comprador.

• La adjudicación en **procedimiento de apremio** judicial o administrativo, o la **expropiación forzosa** del bien.

• La fijación de **domicilio del comprador** a efectos de notificaciones y requerimientos, así como su modificación posterior, siempre que se dé conocimiento de ello al vendedor o acreedor.
• La **destrucción del bien** objeto del contrato, mediante certificación del registro administrativo correspondiente.
• Cualquier otro acto análogo.
La **reserva de dominio** solo puede ser objeto de inscripción si se hubiera pactado en el contrato, en tanto que la **prohibición de disponer** se entiende establecida por ministerio de la Ley y por el hecho de la inscripción, aunque no esté expresamente pactada, siempre que el vendedor o el financiador, en su caso, no autoricen la libre enajenación del objeto vendido.

Precisiones 1) Para que puedan ser inscritos los contratos señalados, han de ajustarse a los **modelos oficiales** aprobados por la DGRN (OM 19-7-1999 art.10.1). Ver al respecto DGRN Resol 18-2-00.
2) Se aprueba el modelo de **cláusula de tratamiento de datos de carácter personal** (adaptada al Rgto (UE) 2016/679, que entró en vigor el 25-5-2018), para su utilización voluntaria en los modelos de contratos inscribibles en el Registro de Bienes Muebles. Si la cláusula, de carácter voluntario o facultativo, es aceptada por las empresas o asociaciones empresariales, basta con introducirla en sus modelos de contratos en formulario aparte como condición particular citando de forma expresa esta resolución, adaptándose de esta manera al citado Reglamento Europeo y evitando los retrasos y molestias derivados de seguir el proceso normal modificatorio (DGRN Resol 1-8-18).
3) Se aprueba un modelo de **cláusula de cancelación de las reservas de dominio** susceptible de ser incluida en los contratos de financiación a compradores de bienes muebles, sin necesidad de su aprobación individual para cada contrato. Además, se podrá adicionar dicha cláusula a los modelos F y A-V.2 aprobados por DGRN Resol 21-2-17. Para evitar los perjuicios que una aplicación automática del pacto pudiera ocasionar al titular del derecho que se cancela, se permite pactar libremente el **plazo de extinción de la reserva** y que la misma no sea aplicable si consta la **oposición** del vendedor/financiador, en cuyo caso la cancelación solo es posible por los medios normales cancelatorios (OM 19-7-1999 art.22) (DGRN Resol 28-5-18).

1360 **Procedimiento registral** (OM 19-7-1999 art.13 a 21) Para la inscripción de los contratos y circunstancias señaladas en los números anteriores han de seguirse las siguientes **reglas**:
1) La **presentación** de los actos y contratos ha de realizarse en el registro provincial competente, a petición de cualquiera de los interesados o de su representante o mandatario. Debe presentarse un ejemplar del contrato, que se devolverá al interesado, una vez practicada la inscripción.
Si la presentación se realiza en un **registro no competente**, el registrador debe practicar asiento de presentación en su Diario y remitir el mismo día, al registrador de destino competente, el contrato presentado.
2) Recibido un contrato inscribible, se ha de proceder a extender en el Libro Diario un **asiento de presentación**. Este asiento tiene una vigencia de 2 meses desde su fecha. Se ha de dar al presentante recibo de la presentación.
3) Corresponde a los registradores provinciales la **calificación**, en el plazo máximo de 8 días hábiles contados desde el siguiente a la fecha del asiento de presentación, del cumplimiento de los requisitos establecidos para los contratos inscribibles.
Si el registrador provincial aprecia la existencia de **defectos** que impidan la inscripción, ha de comunicarlo al presentante o remitente en el plazo máximo de 3 días, contados desde el siguiente hábil a aquel en que termine el plazo para calificar, por medio de nota escrita y firmada por él en la que debe señalar los defectos advertidos para su subsanación.
La **subsanación** debe verificarse mediante escrito firmado por todas las partes intervinientes durante la vigencia del asiento de presentación o durante el plazo de vigencia de la anotación preventiva por defectos subsanables. Realizada la subsanación dentro de plazo, se verificará la **inscripción** y surtirá todos sus efectos desde la fecha del asiento de presentación.

Precisiones Con carácter general, la **rectificación** del Registro sólo puede ser solicitada por el titular del dominio o derecho real que no esté inscrito, que lo esté erróneamente o que resulte lesionado por el asiento inexacto, y se practicará con arreglo a un procedimiento que tiende a garantizar los derechos del titular inscrito, de manera que cuando la inexactitud procediere de falsedad, nulidad o defecto del título que hubiere motivado el asiento y, en general, de cualquier otra causa de las no especificadas anteriormente, la rectificación precisará el consentimiento del titular o, en su defecto, resolución judicial (LH art.40.d). No obstante, la DGRN ha declarado en diversas ocasiones que cuando la rectificación se refiere a **hechos** susceptibles de ser **probados** de un modo absoluto con **documentos fehacientes y auténticos**, independientes por su naturaleza de la voluntad de los interesados, no es necesaria la aplicación de la LH art.40.d, ya que basta para llevar a cabo la subsanación tabular la mera petición de la parte interesada acompañada de los documentos que aclaren y acrediten el error padecido (DGRN Resol 19-6-10; 29-2-12). Esto es lo que ha sucedido en un caso en el que, a instancia del financiador de un vehículo inscrito en el Registro, se cancela la reserva de dominio a su favor y se consolida el dominio a favor de la adquirente; y, posteriormente, la entidad financiadora insta la rectificación del Registro alegando haber cometido un **error en la práctica de**

la cancelación de la reserva de dominio, al haberse ordenado judicialmente la entrega del vehículo a su favor, acompañando a la solicitud de rectificación documentación fehaciente sobre el error padecido (DGRN Resol 30-1-18).

4) Si el contrato inscribible contiene **pactos o cláusulas no obligatorias** contrarias a la Ley, el registrador debe denegar la inscripción de tales pactos e inscribir el restante contenido del contrato. 1362

La **omisión de circunstancias obligatorias** en los contratos inscribibles o la falta de adecuación a los modelos oficiales aprobados por la DGRN (Resol 18-2-00) determinan la suspensión de la inscripción.

5) Contra la calificación del registrador provincial, sea de suspensión o de denegación total o parcial, los interesados pueden interponer **recurso de reposición** ante el propio registrador en el plazo de 20 días hábiles, a partir de la fecha en que les haya sido notificada la calificación.

Dentro del plazo de 10 días hábiles, a partir del siguiente a la presentación del escrito interponiendo el recurso, el registrador debe dictar acuerdo reformando en todo o en parte la calificación o manteniéndola.

Si no accede a lo solicitado en el escrito de interposición, se entiende formalizado el **recurso de alzada** ante la DGSJFP (antes DGRN). El registrador debe elevar el escrito de los interesados al centro directivo en el plazo máximo de 2 días hábiles, a partir de su acuerdo, acompañado del correspondiente informe.

La DGSJFP debe resolver en el plazo de 10 días hábiles a partir de la recepción de los informes solicitados. Su resolución debe decidir si procede o no el registro del documento y será comunicada al interesado y al registrador, quien ha de proceder en consecuencia.

6) El **Libro de Inscripción** de bienes será de hojas móviles y deberá elaborarse por escrito a través de procedimientos informáticos. A cada bien se le abrirá un folio propio y se le asignará un número correlativo dentro de cada año natural a medida que se vayan inscribiendo. 1364

El primer asiento debe ser de **inmatriculación** del bien y en él se deben hacer constar los apellidos y nombre o razón social, el NIF o CIF de las partes intervinientes, la descripción del bien objeto del contrato, la clase de contrato, el lugar y fecha de su celebración, el número de serie del impreso, en su caso, los datos del asiento de presentación, la fecha de la inscripción y la firma del registrador.

La incorporación de los documentos inscribibles se debe hacer mediante inscripción de un breve **extracto** del contenido de los mismos en el folio abierto a cada bien.

7) Una vez practicada la inscripción en el registro provincial correspondiente, el registrador debe remitir **copia al registrador central** en el plazo máximo de 2 días hábiles. El registrador central no puede calificar la existencia de defectos en los contratos inscritos.

La **entrada en el Registro Central** del contenido de los asientos practicados en los registros provinciales se hará constar en el Libro Diario mediante asiento de presentación.

8) Las **novaciones o modificaciones del contrato** han de formalizarse en nuevo contrato impreso que contenga referencia al anterior, novado o modificado, expresando los datos de inscripción en el registro correspondiente.

En caso de **cesión de derechos** posterior a la presentación del contrato en el registro, ha de remitirse nuevo impreso que contenga referencia al anterior, más la diligencia de cesión.

Efectos de la inscripción (LVPBM art.15) Al inscribirse, resultan oponibles a terceros las **reservas de dominio** y las **prohibiciones de disponer** que se inserten en los contratos inscritos. 1366

Además, a todos los efectos legales, se presume que los **derechos inscritos** existen y pertenecen a su titular en la forma determinada por el asiento respectivo.

Igualmente se presume, salvo prueba en contrario, que los **contratos inscritos** son válidos.

Como consecuencia de ello, no podrá ejercitarse ninguna **acción contradictoria del dominio** de bienes muebles o de derechos inscritos a nombre de persona o entidad determinada sin que, previamente o a la vez, se entable demanda de nulidad o cancelación de la inscripción correspondiente. Si la demanda contradictoria del dominio inscrito va dirigida contra el titular registral, se entenderá implícita la demanda de nulidad o cancelación señalada.

Precisiones 1) En caso de **compraventa** de un vehículo a plazos con **reserva de dominio** a favor del vendedor (en garantía de su crédito), en la eventual **inscripción** del mismo en el Registro de Bienes Muebles coexisten dos posiciones jurídicas:

- por un lado, el derecho de dominio que se reserva el **vendedor** que **financia** la operación; y
- por otro, el derecho que corresponde al adquirente (**comprador a plazos**).

En caso de que el **comprador contraiga deudas**, sus acreedores no pueden embargar el derecho de dominio del vendedor, sino únicamente los **derechos** del comprador financiado. Si el embargo de estos derechos del comprador se anota en el Registro, tal anotación quedará sin efecto, y podrá solicitarse su cancelación, en el caso de que el comprador no llegue a adquirir el bien, por ejemplo porque el vendedor con pacto de reserva de dominio recupere el bien ante el impago del precio aplazado.

Puede suceder, por otro lado, que el **comprador** haya **abonado todos los plazos** pactados para la compra del vehículo, y aún así registralmente siga constando la reserva de dominio a favor del vendedor. Mientras no se cancele en el Registro esa reserva de dominio, la misma, en virtud del principio de legitimación registral, se presume que existe y pertenece a su titular en la forma determinada por su inscripción. Si, efectivamente, se ha producido el pago, lo procedente es que el interesado o el titular de la reserva de dominio presenten la documentación oportuna en el Registro a fin de cancelar la reserva de dominio.

Similar situación sucede en el supuesto de adquisición de un vehículo mediante **arrendamiento financiero**, donde, en caso de deudas del arrendatario (equivalente al comprador a plazos), sus acreedores únicamente pueden embargar sus derechos (posición jurídica que ostenta en el arrendamiento), y no el derecho de dominio sobre el vehículo que pertenece al arrendador financiero (DGRN Resol 22-5-15).

2) Constando inscrita una reserva de dominio a favor de la entidad financiera no se puede practicar la **anotación preventiva de embargo** del bien si no se dirige el procedimiento contra el titular de dicha reserva, ya que se presume que el mismo tiene la propiedad del bien (OM 19-7-1999 art.24). En consecuencia, estando vigente la reserva de dominio y no habiéndose limitado el mandamiento de embargo a la **posición jurídica del comprador** de dicho bien (cuyo dominio se reserva la entidad financiera, hasta que sea pagado por completo), procede confirmar la nota de calificación de denegación de la anotación de embargo sobre la propiedad del vehículo (DGRN Resol 7-10-19).

3) Se discute si un **vehículo dado de baja temporalmente** en la Dirección General de Tráfico, por haber sido entregado a un vendedor de vehículos, para su posterior trasmisión, puede ser objeto de **embargo** en procedimientos seguidos contra el titular que les dio de baja. Atendiendo a lo dispuesto en la Ordenanza para el Registro de Venta a Plazos de Bienes Muebles (OM 19-7-1999 art.24), solo cuando el embargo vaya dirigido contra quien no sea titular registral procede la denegación (o suspensión en caso de que el deudor sea causahabiente del titular registral) de la anotación del embargo por el registrador, en lo que se viene denominando doctrinalmente como tercería registral. La baja provisional en el Registro de Tráfico no puede tener la transcendencia de destruir la presunción de **legitimación del titular registral**, dado que la competencia en materia de aptitud para circulación del vehículo corresponde al registro administrativo, mientras que la atribución de la titularidad jurídica corresponde al registro jurídico, esto es, al Registro de Bienes Muebles (DGSJFP Resol 18-2-21).

4) Abierto el folio registral sobre un bien mueble -en este caso un vehículo- con una **anotación de embargo** (al amparo de la L 28/1998 disp.adic.2ª y OM 19-7-1999 art.5.a), en el caso de que el procedimiento de apremio culmine con el remate y adjudicación del bien, se inscribirá la titularidad a favor de su adjudicatario y se purgarán y **cancelarán los derechos inscritos o anotados con posterioridad** a la anotación de embargo (RH art.175.2), incluso, como ha ocurrido en este caso, la **inscripción de dominio** de ese bien a nombre de una entidad financiera que cedió el vehículo mediante contrato de leasing suscrito con el que figuraba como deudor en el procedimiento de apremio. Por tanto, aunque pudiese entenderse que el titular del vehículo era realmente la entidad financiera y el deudor apremiado tan solo su arrendatario, en virtud del principio de prioridad registral la anotación de embargo anotada en primer lugar purgó las inscripciones posteriores, entre ellas la de dominio de la entidad financiera (DGSJFP Resol 14-11-22).

2. Venta salvo aprobación

(CCom art.328; CC art.1453)

1370 La venta salvo aprobación es aquella en la que se concede al comprador la facultad de resolver el contrato libremente si, tras examinar la mercancía, ésta no le conviene.

La **facultad de resolución** no está sujeta, por tanto, al incumplimiento del vendedor, sino que puede ejercitarse **libremente** y sin limitación alguna, sin necesidad de justificar su decisión y aun cuando la mercancía entregada sea objetivamente correcta.

Este tipo de venta tiene lugar cuando concurren dos **circunstancias**:

• que, en el momento de celebración del contrato, no se tengan a la vista ni la mercancía comprada ni otra del mismo género; y

• que la mercancía no pueda clasificarse por calidad determinada y conocida en el comercio.

Por el contrario, carece el comprador de la facultad de resolución cuando no concurra una de las circunstancias señaladas o cuando, concurriendo ambas circunstancias, el vendedor le exhibió **muestras** de la mercancía a entregar (nº 1390).

1372 Para el **examen** de las **mercancías** y su consiguiente aprobación o rechazo, dispone el comprador del **plazo** que las partes hayan pactado. Si no se estipuló ninguno o el plazo pactado es indeterminado (p.e., «a la mayor brevedad posible»), ha de estarse a lo que dispongan los usos de comercio y, faltando estos, el vendedor puede señalar al comprador un plazo razonable (Garrigues).

La **aprobación** puede producirse de forma expresa o tácita (p.e., cuando retiene la mercancía más allá del plazo previsto, la paga, la revende o la consume). Una vez que tácita o

expresamente el comprador ha comunicado su aprobación al vendedor, no puede desistir del contrato libremente, pues éste se considera perfeccionado.
También el **rechazo** de la mercancía puede producirse de forma expresa (cuando así lo manifiesta el comprador dentro del plazo previsto) o tácita (p.e., con la devolución de la mercancía).
Nada se establece en la Ley sobre los **gastos derivados de la entrega** de la mercancía, por lo que cabe pensar que, en defecto de pacto o usos comerciales aplicables, ha de soportarlos el comprador, pues a él se concede la facultad de admitir o rechazar la mercancía (Garrigues).
La concesión al comprador de la facultad de aprobación excluye, en principio, la aplicación de las normas sobre **defectos aparentes o manifiestos**, pues si el comprador emite su aprobación a la mercancía, ha de considerarse que la ha examinado a su contento, lo que impide la posterior reclamación por defectos manifiestos (nº 1110; nº 1234).
Por último, cuando, por pacto expreso o uso del comercio, tenga el comprador la facultad de examinar previamente la mercancía, la **pérdida o deterioro** de la misma ha de soportarlos el vendedor (nº 1375 s.). El riesgo no se transmite hasta que el comprador, tras realizar dicho reconocimiento, manifiesta su deseo de adquisición definitiva.

Precisiones Para aplicar lo dispuesto en el CCom art.328, y así el comprador pueda resolver unilateralmente el contrato, el precepto exige que se trate de géneros que no se tengan a la vista ni puedan calificarse por una calidad determinada y conocida en el comercio. En el caso que nos ocupa no estamos ante la compra de un género, mercancía genérica o sólo identificada con un género, pues esa definición correspondería al tipo de aparatos denominados "dron" o a una categoría de drones, como pueden ser los voladores de cuatro hélices con forma de huevo, pero no a un **aparato específico**, como es este caso, **identificado** no sólo por su forma, sino también por sus características técnicas, apariencia, fabricante y, sobre todo, por tratarse de un concreto modelo (AP Madrid 21-2-20, EDJ 568980).

3. Venta a prueba y ensayo

(CCom art.328; CC art.1453)

La venta a prueba o ensayo es aquella en la que, por pacto expreso entre las partes, se concede al comprador la facultad de resolver el contrato si, una vez ensayado el género contratado: **1375**
- no cumple las **condiciones pactadas**; o
- no satisface sus **necesidades**.

Su principal diferencia con la venta salvo aprobación (nº 1370) estriba en que la **facultad de resolución** no puede ejercitarse libremente, sino solo cuando, desde un punto de vista objetivo, la mercancía no pueda considerarse satisfactoria por ser inhábil la cosa para el uso a que se destina (TS 25-6-99, EDJ 19931; AP Granada 8-3-99, EDJ 9443).
La venta a prueba y ensayo no tiene lugar de forma automática, sino cuando así se haya pactado. Sin embargo no es necesario que el **pacto expreso** se incluya en el clausulado del contrato, bastando, por ejemplo, su señalamiento en el albarán de entrega de la mercancía. No obstante, tratándose de una compraventa especial, se ha de probar que así se estipuló, pues, en caso contrario, la compraventa ha de entenderse que se concertó en condiciones normales (AP Granada 8-3-99, EDJ 9443).

Precisiones 1) Hay que tener en cuenta que no existe diferencia entre la **perfección** de una compraventa «normal» y la de una realizada a prueba o ensayo. Cuestión distinta es la **consumación** del contrato, momento en el que nace para el comprador la obligación de pagar el precio, que en esta compraventa especial se produce una vez que ha transcurrido el **plazo de prueba** o ensayo, pues hasta ese momento la obligación está suspendida (AP Barcelona 20-12-04, EDJ 226872).
2) La jurisprudencia ha manifestado reiteradamente que la venta hecha a calidad de ensayo o prueba de la cosa vendida se presumirá hecha bajo **condición suspensiva** (CC art.1453); siendo la parte que alega tratarse de una venta no simple o pura sino a calidad de ensayo o prueba a quien incumbe la carga de la prueba (AP Zamora 21-4-16, EDJ 109864).

El supuesto práctico en el que habitualmente surge este contrato es aquel en que el comprador conoce la mercancía o, al menos, la calidad que la caracteriza, pero a pesar de ello desea tener la **oportunidad de probar los géneros** antes de verse obligado a pagarlos. Tras la prueba de la mercancía el comprador puede: **1377**
- o bien mostrar su **satisfacción con lo entregado**, en cuyo caso resulta obligado a cumplir con su parte del contrato (pagar el precio); o
- **rechazar la mercancía** y ejercitar su facultad resolutoria. En este caso, para impedir la resolución, corresponde al vendedor probar la idoneidad de los géneros.

Resultan de aplicación a este supuesto contractual las **normas de la venta salvo aprobación** referidas a forma y plazo para manifestar la aprobación o el rechazo, gastos de la entrega, exclusión de las reglas sobre defectos aparentes y pérdida y deterioro de la mercancía (nº 1372).

Precisiones 1) Si el comprador **desconoce las mercancías**, bien por no haberlas tenido a la vista en el momento de celebración del contrato, bien porque los géneros no pueden clasificarse con referencia a una calidad determinada y conocida en el comercio, lo normal sería acudir a una venta salvo aprobación. Nada obsta, sin embargo, en base al principio de libertad contractual (CC art.1255), a que los contratantes pacten expresamente la facultad de prueba o ensayo aun cuando concurran las dos circunstancias descritas (mercancías no a la vista e inclasificables con criterios de calidad), limitando, en consecuencia la facultad resolutoria del comprador, que ya no sería libre, sino condicionada a la **inidoneidad de las mercancías**.
2) La prueba ha de tener un **carácter objetivo**, correspondiendo al comprador probar que el ensayo o prueba no ha sido satisfactorio (TS 25-6-99, EDJ 19931).

4. Venta salvo confirmación

1380 La venta salvo confirmación se da en aquellos casos en que el **vendedor** interviene en el negocio a través de un **agente comercial** autorizado a la promoción del contrato, mas no a su conclusión.
En virtud del pacto de confirmación, la eficacia del contrato se somete a la **condición** de que el vendedor autorice o apruebe la venta realizada.
Este tipo de contrato supone una **garantía para el vendedor**, pues le concede tiempo para estudiar la idoneidad del comprador o bien para proveerse de mercancías ante una entrega de gran volumen.
Téngase en cuenta que, para que el agente tenga **facultad de concluir los contratos**, ha de atribuírsele expresamente (nº 5755), en cuyo caso no se requiere la confirmación del vendedor. En consecuencia, salvo en los casos en que se produce tal atribución, los contratos de compraventa que se promuevan por agentes comerciales estarán dentro del supuesto que analizamos.

5. Venta salvo venta

1385 Con la inclusión en la oferta de la cláusula «salvo venta» el vendedor queda exento de responsabilidad cuando, sin mantener la oferta realizada, vende las mercancías a un tercero. Se entiende que el vendedor no podrá negarse a vender al primer destinatario de la oferta si no demuestra que vendió a otro.
Realmente no se trata de un contrato de compraventa especial, sino de una **modalidad de oferta** favorable al vendedor, pues con ella incrementa las posibilidades de realizar la venta en términos satisfactorios para él.
El **supuesto práctico** sería aquel en que el vendedor realiza un oferta con la cláusula «salvo venta» a uno o varios compradores y, antes de que ninguno de los posibles compradores haya aceptado la oferta, vende la mercancía a un tercero. En este caso, por efecto de la cláusula que examinamos, la **oferta** queda **revocada** y no surge responsabilidad alguna para el vendedor.
Para poder desligarse de la oferta sin responsabilidad, es preciso que el vendedor acredite que la venta se realizó **antes de la aceptación** de la oferta por el posible comprador.
Mención especial merecen, con respecto a este contrato, los supuestos de **contratación por correspondencia**, en cuyo marco puede ocurrir que la venta se realice una vez que el primer comprador emita su aceptación (p.e., escribe al vendedor aceptando la oferta), pero antes de que dicha aceptación llegue a conocimiento del vendedor.

Precisiones La **regla general** aplicable a estas situaciones (CC art.1262 y CCom art.54 -ambos redacc L 34/2002-) establece que el **consentimiento** se manifiesta por el concurso de la oferta y de la aceptación sobre la cosa y la causa que han de constituir el contrato. Hallándose en **lugares** distintos el que hizo la oferta y el que la aceptó, hay consentimiento:
- desde que el oferente **conoce** la aceptación; o
- desde que, habiéndosela **remitido** el aceptante, no pueda ignorarla sin faltar a la buena fe.
El contrato, en tal caso, se presume celebrado en el **lugar** en que se hizo la oferta.
En los contratos celebrados mediante **dispositivos automáticos** hay consentimiento desde que se manifiesta la **aceptación**. En tal caso, el oferente -vendedor- está obligado a confirmar la recepción de la aceptación al que la hizo por alguno de los medios previstos en la L 34/2002 art.28 -Ley de de servicios de la sociedad de la información y de comercio electrónico-.

6. Venta sobre muestras y sobre determinada calidad

(CCom art.327)

La venta sobre muestras es aquella cuyo objeto se determina en base a una muestra de la mercancía que previamente ha sido considerada conforme por las partes. **1390**
La **muestra** debe ser una parte o unidad de la mercancía que se vende, en base a la cual se determina el tipo y la calidad de los géneros que el vendedor se obliga a entregar y el comprador a recibir.
Como consecuencia del acuerdo previo de las partes en este sentido:
- si la mercancía que se entrega es del **mismo tipo y calidad** que la muestra, no puede el comprador rehusar la recepción de la misma;
- por el contrario, puede el comprador negarse a recibirla cuando, aun no siendo defectuosa, la mercancía **no coincida en tipo y calidad** con la muestra suministrada.
A fin de que pueda realizarse la **comparación con la muestra** de lo efectivamente entregado, el comprador tiene la facultad de retener aquella hasta la conclusión del contrato, por lo que, cabe pensar que no estamos ante esta especialidad contractual cuando se le niega tal posibilidad (TS 2-3-67).

Precisiones 1) La doctrina ha señalado que tampoco estamos ante una venta sobre muestra cuando la referencia a la misma no forma parte del contrato (Garrigues), cual es el caso en que la muestra **se envía con posterioridad** a la celebración del contrato y sin que hubiese sido prevista en el mismo.
2) Habitualmente será el vendedor quien proporcione la muestra a sus compradores, aunque, a los efectos de la calificación del contrato, dicho extremo es indiferente. Así, es posible que sea el comprador quien aporte la muestra, e incluso que la muestra se refiera a **mercancías anteriormente suministradas** por el vendedor (Garrigues).
3) Al tratarse de una compraventa mercantil sobre muestra, el comprador pudo rehusar la mercancía haciendo uso del derecho que le confiere el CCom art.327, y no sólo no la rehusó, sino que **aceptó** recepcionarla en sus almacenes **y consumió una parte** de ella. Al recepcionarla en sus almacenes y no rehusarla, se entiende que el comprador debió examinar la mercancía toda vez que, en una ocasión anterior ya la había rehusado y tuvo que ser reemplazada, por lo que debió **denunciar** los **defectos en la calidad** de la mercancía en ese momento, en cumplimiento de lo previsto en el párrafo primero del CCom art.336 -nº 1234- (AP Valencia 31-3-23, EDJ 652557).

Una vez que las mercaderías se ponen a disposición del comprador, éste debe proceder a la comparación de las mismas con la muestra. **1392**
Si, tras examinar las mercancías, el comprador se niega a recibirlas, se han de nombrar **peritos** por ambas partes, que deben decidir si los géneros son o no de recibo (para la designación de peritos se puede acudir a la designación notarial, Ley del Notariado art.50):
- Si los peritos declaran que la mercancía es de recibo, la venta se estima consumada, resultando **obligado** el comprador a pagar su precio.
- En caso contrario, el comprador puede **rescindir** el contrato, o bien, aun cuando la norma no lo prevé, **exigir su cumplimiento** según lo convenido (Garrigues). Además, puede reclamar en cualquiera de estos casos (resolución o cumplimiento), la **indemnización** por los daños y perjuicios sufridos.

Precisiones 1) Adviértase que, según la dicción literal del precepto, el comprador no puede rehusar los géneros si son conformes a las muestras y que los peritos han de dictaminar si dichos géneros son o no de recibo, por lo que en ningún caso se exige que la mercancía sea exacta a la muestra, pues dicha exactitud será, en muchos casos, difícil de lograr, debiendo admitirse, en consecuencia, la existencia de **diferencias intrascendentes** y de poca significación.
2) La L 15/2015 de Jurisdicción Voluntaria, que sustituyó a la regulación de la materia hasta entonces contenida en la LEC/1881, desjudicializó algunas cuestiones relativas a la contratación mercantil, atribuyendo a los **notarios** competencia tanto para los depósitos de mercancías (LN art.79) como para la designación de peritos (LN art.50), que hasta ese momento eran de competencia judicial (LEC/1881 art.2127).
3) Sobre el depósito de las mercancías en caso de **disconformidad del comprador** con su estado, **calidad** o cantidad, ver nº 1240.

Las reglas expuestas para la venta sobre muestras son igualmente aplicables para la denominada **venta sobre determinada calidad** conocida en el comercio, supuesto en el que el tipo y la calidad de la mercancía se fijan con referencia a un estándar de calidad conocido en el sector comercial al que pertenecen los contratantes. **1394**
Por último, téngase en cuenta que, como ocurre en otras modalidades contractuales de carácter especial, en la venta sobre muestras queda excluida la aplicación de las reglas sobre **defectos aparentes** de calidad (nº 1112).

Precisiones A diferencia de la muestra, el **catálogo** es una descripción gráfica, más o menos detallada, de la mercancía que se ofrece en venta, por lo que la venta que se realiza en base al mismo no puede ser calificada como venta sobre muestras (Garrigues).

7. Compraventa de establecimiento mercantil o de empresa

1400 Por **empresa** hemos de entender la actividad económico-jurídica que tiene como finalidad la intermediación en el mercado de bienes y/o de servicios.

A diferencia de aquella, el **establecimiento mercantil** es, en sentido estricto, el lugar en el que se lleva a cabo tal actividad, esto es, un instrumento al servicio de la empresa.

Pese a esta diferenciación, por compraventa de establecimiento mercantil o de empresa se viene entendiendo una misma cosa: aquella operación que tiene por objeto la transmisión de una **unidad empresarial viva**, transmisión que puede comprender (aunque no necesariamente) la propiedad del inmueble o inmuebles sobre los que se asienta, así como otros bienes patrimoniales que la sirven.

1402 La compraventa de empresa o de establecimiento mercantil es un contrato **carente de regulación expresa** en nuestro ordenamiento, por lo que su contenido va a depender principalmente de lo que las partes estipulen (CC art.1255), con los límites que impone el deber general de buena fe (CCom art.57).

Es preciso señalar que en el presente apartado nos referiremos únicamente a la transmisión de empresa o establecimiento mercantil cuando su titular (el vendedor) es un **comerciante individual**. Si la titularidad de la empresa corresponde a una persona jurídica, su venta no se realiza según las reglas que aquí se exponen, sino mediante la transmisión de la totalidad de sus acciones o participaciones, operaciones que no son objeto de estudio en este capítulo (ver nº 20 Memento Transmisión de Empresas 2023-2024).

Para evitar confusiones terminológicas, en adelante nos referiremos únicamente a **compraventa de empresa** como comprensiva de la compraventa tanto de empresa como de establecimiento comercial.

Precisiones 1) Tanto la doctrina como la jurisprudencia se muestran, en general, de acuerdo sobre el **carácter mercantil** de esta compraventa, pues aunque no se compra para revender, es evidente el ánimo de lucro que existe en el comprador.
2) En cuanto a los actos preparatorios para llevar a cabo esta operación, ver lo que se expone sobre la llamada **«due diligence»** (nº 1280 s.).

1404 **Objeto del contrato** El objeto del contrato que analizamos es la empresa considerada como un **conjunto organizado de bienes y derechos** dirigido a la producción o al intercambio de bienes y servicios.

Teniendo en cuenta la indeterminación de dicho concepto y para que no surjan dudas sobre el alcance de la transmisión, es conveniente que, en el contrato de compraventa o en un anexo al mismo, se incluya una **relación detallada** de todos los elementos que son objeto de transmisión.

No obstante, aun cuando no hayan sido mencionados expresamente en el contrato:
- pueden entenderse **incluidos en el contrato** de compraventa aquellos elementos que son **esenciales** para que la empresa siga en funcionamiento, salvo que hayan sido excluidos expresamente;
- por el contrario, se entienden **excluidos** aquellos elementos que se consideren **accidentales**, salvo que expresamente hayan sido incluidos (Moxica Román).

A estos efectos, aunque la calificación de los elementos como esenciales o accidentales debe depender de las características de cada empresa y de cada contrato, se pueden enumerar una serie de elementos que, en general, serán considerados **esenciales**. Son los siguientes:
• Maquinaria, utillaje, mobiliario y mercancías existentes en los locales empresariales.
• Libros de contabilidad.
• Listados de clientes y proveedores.
• Patentes que afecten al proceso de producción, con el pertinente asesoramiento sobre las mismas.
• Denominación social, marcas, nombre comercial de la empresa.
• Contratos que afecten a la continuación del negocio (de arrendamiento de local, con proveedores, con trabajadores, contratos de seguro, etc.).

El **establecimiento mercantil**, entendido como el lugar físico en que se realiza la actividad empresarial (el local comercial): 1406

1º. Puede tener carácter **esencial** cuando, por su situación o por otra característica, desempeña un papel importante en el desarrollo de la actividad, por ejemplo, cuando se trata de establecimiento abierto al público y situado en una zona comercial.

2º. En cambio, será de carácter **accidental** o secundario cuando la situación física del mismo no afecte a la actividad y ésta se pueda seguir desarrollando en cualquier otro lugar sin que el cambio suponga un perjuicio económico (en este sentido TS 13-10-87).

Ha de tenerse en cuenta, además, que el hecho de que el vendedor **retenga la propiedad** sobre el establecimiento mercantil no impide el ejercicio de la actividad por el adquirente en el mismo local, a través, por ejemplo, de un contrato de **arrendamiento** suscrito con el vendedor.

Otras circunstancias del contrato, como el precio estipulado, pueden ser también indicativas de la inclusión o exclusión del establecimiento en el concepto general de empresa (en ese sentido TS 13-2-92, EDJ 1334).

No son elementos esenciales los **créditos y deudas del vendedor**. Se precisa por tanto de pacto expreso para que se opere la transmisión de los créditos y la asunción de las deudas del vendedor. A este respecto, téngase en cuenta que: 1408

- para la **transmisión de créditos**, no se exige el consentimiento del deudor, sino solo su conocimiento (nº 1655);
- en cambio, sí se precisa el consentimiento del acreedor en el caso de que el adquirente decida asumir las deudas del vendedor -**transmisión de deudas** - (CC art.1205).

Formalidades Aun cuando no existe norma que exija una forma determinada para la celebración de este contrato, parece conveniente que, dada su envergadura y trascendencia, se realice por **escrito**, y preferentemente en documento público. 1410

Ha de tenerse en cuenta además que, dado que la empresa comprende **elementos de distinta naturaleza**, la transmisión de alguno de ellos sí puede estar sujeta a ciertas formalidades. Así, para la transmisión de la propiedad sobre el inmueble en el que se desarrolla la actividad comercial, normalmente será preciso el otorgamiento de escritura pública para que la transmisión del mismo pueda acceder al Registro de la Propiedad. Si se cede un derecho de arrendamiento sobre dicho inmueble se requiere la notificación fehaciente al arrendador (LAU art.32).

Precisiones A pesar de que la empresa mercantil se configura como una unidad patrimonial a consecuencia de la heterogeneidad de los elementos que la componen, la transmisión de la empresa como un todo origina **tantos negocios jurídicos como elementos** se transmiten, debiendo observarse, en la transmisión de los distintos elementos, las formalidades propias de cada uno de ellos (TS 13-10-87).

Obligaciones del vendedor La obligación principal del vendedor es la de **entregar la empresa**, con los elementos que hayan sido estipulados en el contrato y con todos aquellos que puedan considerarse esenciales. 1412

Ha de tenerse en cuenta que el vendedor ha de llevar a cabo los **actos necesarios** para que se produzca la transmisión de todos los elementos que componen la empresa: comunicación de la transmisión de créditos, autorización en la transmisión de deudas, otorgamiento de escrituras públicas, cesión de contratos de trabajo, arrendamiento, etc.

El vendedor también está obligado al **saneamiento** por evicción y por vicios o defectos ocultos. Sobre el alcance de esta obligación pueden apuntarse diversas **interpretaciones**:

• En base a las **reglas generales del Código Civil** (CC art.1479 y 1492), el vendedor responde tanto si la evicción afecta a la totalidad de la empresa, como si los vicios son de tal naturaleza que la hacen impropia para su destino económico o lo disminuyen de tal manera que de haberlos conocido el comprador no la habría adquirido o hubiera pagado menor precio (Uría). Ver nº 1105 (saneamiento) y nº 1226 (entrega de cosa diversa).

• La **normativa sobre sociedades de capital** establece, para la aportación de empresa o establecimiento como aportación no dineraria al capital social, que el aportante está obligado al saneamiento del conjunto si el vicio o la evicción afecta a la totalidad o a alguno de los elementos esenciales para su normal explotación; aunque procede también el saneamiento individualizado de aquellos elementos de la empresa que sean de importancia por su valor patrimonial (LSC art.66).

Además, se entiende que surgen para el vendedor **otras obligaciones**, de carácter complementario pero necesarias para que el adquirente pueda desarrollar con normalidad la actividad económica que supone la empresa transmitida. En este sentido, el vendedor está obligado principalmente a:
- cooperar para poner la transmisión en conocimiento de **clientes y proveedores**;
- abstenerse de hacer **competencia** con el comprador durante el tiempo preciso para que el negocio se consolide.

8. Compraventa de buque

(L 14/2014)

1415 El buque es un bien **mueble registrable** que se identifica por su nombre, matrícula, numeración de la Organización Marítima Internacional (número OMI), pabellón, arqueo y cualesquiera otros datos que reglamentariamente se determinen.
Se considera buque a todo vehículo con estructura y capacidad para navegar por el mar y para transportar personas o cosas, que cuente con **cubierta** corrida **y** de eslora igual o superior a **24 metros**; si, por el contrario, carece de cubierta corrida o su eslora es inferior a 24 metros se califica como embarcación.
No obstante, el régimen previsto para el contrato de compraventa de buque en la L 14/2014 de Navegación marítima resulta aplicable a las embarcaciones y a los artefactos navales; así como a aquellos otros negocios jurídicos que tienen por finalidad la transferencia de la propiedad sobre el buque.

Precisiones 1) En la práctica, el régimen convencional de la compraventa de buque suele determinarse por la aplicación voluntaria de **formularios tipo** de carácter internacional (Airnell Terms, Norwegian Saleform, etc.), que establecen con detalle el objeto y contenido del contrato y las obligaciones de las partes.
2) La **hipoteca naval** se expone en nº 4215 y el contrato de **construcción** de buque en nº 5150, ambos de esta misma obra.

1417 **Objeto** (L 14/2014 art.60.2, 61, 62.1 y 117.1) Además del propio buque, y salvo pacto en contrario, el objeto del contrato de compraventa de buque comprende sus partes integrantes y sus pertenencias, se encuentren éstas a bordo o no. Además, puede abarcar también sus accesorios.
• **Partes integrantes**: aquellos elementos que constituyen la estructura del buque, de modo que no pueden separarse del mismo sin menoscabo de su propia entidad (p.e., las máquinas, las hélices, el timón, etc.).
• **Pertenencias**: elementos destinados al servicio del buque de un modo permanente, pero que no integran su estructura (p.e. botes de salvamento).
• **Accesorios**: elementos consumibles adscritos al buque de un modo temporal (p.e., combustible, víveres o cargamento, etc.).

1419 **Inventario** (L 14/2014art.62.2 y 117.2) Al contrato de compraventa debe anexarse un inventario **detallado** que identifique todos los elementos objeto de la compraventa.
La falta o insuficiencia del inventario genera una presunción de que la compraventa comprende lo que resulte de la Sección de Buques del **Registro de Bienes Muebles**, salvo aquellos bienes que figuren inscritos a nombre de un tercero.

1421 **Formalidades** (L 14/2014art.118) Con carácter general, el contrato de compraventa de buque ha de constar por **escrito**.
No obstante, para que produzca efectos frente a terceros se requiere su inscripción en el Registro de Bienes Muebles. La **inscripción** del contrato puede hacerse mediante:
- escritura pública;
- póliza intervenida por notario;
- resolución judicial firme; o
- documento administrativo expedido por funcionario con facultades suficientes por razón de su cargo (L 14/2014 art.73.1).

Precisiones El notario español o cónsul de España en el extranjero que autorice una **escritura pública** o intervenga una póliza relativa a buques, embarcaciones o artefactos navales deberá obtener de la Sección de Buques del Registro de Bienes Muebles, con carácter previo al otorgamiento, la oportuna información sobre la **situación de dominio y cargas** y deberá presentarla, directamente o por testimonio, en la forma y por los medios establecidos reglamentariamente.

1423 **Obligaciones del vendedor** (L 14/2014 art.118.2, 119 y 120) La principal obligación del vendedor es la **entrega** al comprador de todo aquello que puede entenderse incluido en el objeto del contrato (nº 1417). Con la entrega el comprador adquiere la propiedad del buque.

Hasta ese momento son de cuenta del vendedor los **riesgos** («periculum rei» y «periculum obligationis»).
El vendedor asume responsabilidad por **evicción y** está obligado al saneamiento por **vicios ocultos** (nº 1105 s.), siempre que éstos se descubran dentro de un plazo de 3 meses desde la entrega física del buque y el comprador lo notifique al vendedor de forma fehaciente en el plazo de 5 días desde su descubrimiento.
A partir de ahí comienza a correr un plazo de **caducidad** de 6 meses para el ejercicio de la acción de saneamiento por vicios o defectos ocultos.

Efectos sobre contratos de utilización del buque y de seguro (L 14/2014 art.196, 276 y 428) En el supuesto de enajenación de un **buque arrendado**, el contrato de arrendamiento no se extingue cuando: **1425**
- el arrendamiento esté **inscrito** en el Registro de Bienes Muebles; o cuando
- aun no estando inscrito, el comprador **conozca** de su existencia.

En cualquier otro caso, el arrendamiento queda extinguido, sin perjuicio del derecho del arrendatario a ser indemnizado por el arrendador.
En todo caso, el comprador debe permitir la terminación del viaje que se encontrase en curso de realización, sin perjuicio de la indemnización que, por la extinción del contrato, correspondiese reclamar al arrendatario frente al vendedor.
Por otro lado, han de entenderse terminados aquellos contratos de **fletamento** concertados por el vendedor (sin perjuicio de las responsabilidades en las que, en su caso, pudiese incurrir éste frente al fletador o cargador) cuando, al momento de la venta, no se hubiesen iniciado las operaciones de carga a bordo. Si hubiese comenzado la carga, el comprador habrá de cumplir con el contrato de fletamento, quedando subrogado, en su caso, en los derechos y deberes del porteador. Lo anterior se entiende sin perjuicio de la obligación del comprador de respetar los contratos de fletamento por tiempo superior a un año, cuando conociera de su existencia al momento de la compra.
El contrato de **seguro** del buque se extingue en caso de enajenación del buque, a no ser que el asegurador acepte expresamente por escrito su continuación.

9. Compraventa internacional

1430

La compraventa internacional de mercaderías es una operación de vital **importancia** para el desarrollo del comercio internacional. Su práctica cobra cada vez mayor aplicación debido, sobre todo, a la apertura al exterior de las economías nacionales y a la creación de espacios económicos internacionales comunes. **1432**
Este auge del contrato de compraventa internacional ha motivado la puesta en marcha de diversos intentos normativos tendentes a acercar las distintas normativas nacionales hacia un **Derecho internacional común** de la compraventa de bienes, que permita el tráfico internacional de mercancías con una cierta garantía jurídica y una mayor homogeneidad formal.
Estos **intentos de unificación** se han logrado fundamentalmente a través de dos vías distintas:
• Por un lado, mediante la actividad de las Naciones Unidas que tuvo como resultado la **Convención de Naciones Unidas** sobre los Contratos de Compraventa Internacional de Mercaderías (CNUCI), realizada en Viena el 11-4-1980 (ratificada su adhesión por España el 17-7-1990; BOE 30-1-91).
• Por otro lado, mediante la tipificación y difusión de cláusulas contractuales generalmente utilizadas en el comercio internacional, entre las que destacan las Reglas Internacionales para la Interpretación de Términos Comerciales o «International Commercial Terms» (**Incoterms**), elaboradas por la Cámara de Comercio Internacional (ver nº 1465).

1434 La Convención de Naciones Unidas sobre los Contratos de Compraventa Internacional de Mercaderías **(CNUCI)** establece una regulación general del contrato, desde su formación hasta los supuestos de incumplimiento. Los Incoterms, en cambio, regulan principalmente:
- las circunstancias de la **entrega** de las mercaderías; y
- el momento de la **transmisión del riesgo** sobre las mismas.

Por esa razón, en nuestra exposición seguiremos el esquema general de la CNUCI, sin perjuicio de exponer, en el lugar que corresponda, los efectos derivados de la inclusión de **Incoterms** (nº 1465 s.).

Precisiones Según indica la nota explicativa de la Secretaría de la Comisión de las Naciones Unidas para el Derecho Mercantil Internacional (CNUDMI o «UNCITRAL») acerca de la **Convención de las Naciones Unidas sobre los contratos de compraventa internacional de mercaderías** -CNUCI- (Viena, 11-4-1980), o CISG por sus siglas en inglés (Convention on Contracts for the International Sale of Goods): «El determinar el momento exacto en que el riesgo de pérdida o deterioro de las mercancías pasará del vendedor al comprador es de gran importancia en los contratos de compraventa internacional de mercancías. Las partes podrán resolver esa cuestión en su contrato mediante una estipulación expresa al respecto o remitiendo a alguna cláusula comercial como sería, por ejemplo, alguna de las cláusulas **incoterms**. La remisión a cualquiera de esas cláusulas excluiría la aplicación de toda disposición en contrario de la CISG. Sin embargo, para el caso frecuente en que el contrato no haya previsto nada al respecto, la **CISG** ofrece un juego completo de **reglas supletorias**».

a. Ámbito de aplicación

(CNUCI art.1 a 6)

1440 La norma de referencia es aplicable a los contratos de compraventa de mercaderías entre partes que tengan sus **establecimientos en países diferentes**, con independencia de su nacionalidad y siempre que concurra alguna de las siguientes **circunstancias**:
- que ambos países sean Estados parte de la CNUCI (ver nº 1442 Precisiones);
- que las normas de derecho internacional privado prevean la aplicación de la ley de un Estado parte.

Es importante señalar que la CNUCI regula fundamentalmente aquellos aspectos del contrato relativos a su formación, los derechos y obligaciones de las partes y el incumplimiento de estas últimas. En consecuencia, se establece la **inaplicación** de la misma a:
- la validez del contrato y sus estipulaciones;
- los efectos del contrato sobre la propiedad de las mercaderías;
- la responsabilidad por muerte o lesiones corporales causadas por las mercaderías.

Hay que tener en cuenta también que la norma que analizamos resulta aplicable a toda venta de mercaderías, ya tenga carácter **civil o mercantil**, según los presupuestos estudiados anteriormente (nº 947 s.).

1442 Además, a los efectos de la aplicación de la Convención, se consideran compraventas los contratos de suministro de mercaderías que hayan de ser manufacturadas o producidas (**compraventa de transformación**), a menos que la parte que las encargue asuma la obligación de proporcionar una parte sustancial de los materiales necesarios para esa manufactura o producción.

Por último, es preciso señalar que las normas de la Convención tienen **carácter dispositivo**, por lo que se aplicarán solo cuando los contratantes no hayan estipulado cláusula en contrario.

Precisiones **1)** Son **Estados partes** de la CNUCI (con sus correspondientes declaraciones y reservas) los siguientes: Albania, Alemania, Argentina, Armenia, Australia, Austria, Azerbaiyán, Bahrein, Belarús, Bélgica, Benin, Bosnia y Herzegovina, Brasil, Bulgaria, Burundi, Camerún, Canadá, Chequia, Chile, China, Chipre, Colombia, Congo, Costa Rica, Croacia, Cuba, Dinamarca, Ecuador, Egipto, El Salvador, Eslovaquia, Eslovenia, España, Estado de Palestina, Estados Unidos de América, Estonia, Federación de Rusia, Fiji, Finlandia, Francia, Gabón, Georgia, Ghana, Grecia, Guatemala, Guinea, Guyana, Honduras, Hungría, Iraq, Islandia, Israel, Italia, Japón, Kirguistán, Lesotho, Letonia, Líbano, Liberia, Liechtenstein, Lituania, Luxemburgo, Macedonia del Norte, Madagascar, Mauritania, Mexico, Mongolia, Montenegro, Noruega, Nueva Zelandia, Países Bajos, Paraguay, Perú, Polonia, Portugal, República Árabe Siria, República de Corea, República Democrática Popular Lao, República de Moldova, República Dominicana, República Popular Democrática de Corea, Rumania, *San Marino*, San Vicente y las Granadinas, Serbia, Singapur, Suecia, Suiza, Turquía, Ucrania, Uganda, Uruguay, Uzbekistán, Venezuela, Viet Nam, Zambia (información obtenida en www.uncitral.org).
2) Cabe pensar que la Convención también resulta de aplicación en aquellas ventas internacionales en las que las partes **hayan sometido el contrato** a la ley de uno de los Estados parte y concurran las circunstancias de aplicación señaladas, o bien en las que directamente hayan sometido el contrato a la Convención.

Exclusiones (CNUCI art.2, 3 y 6) Aun cuando concurra alguna de las circunstancias señaladas, la CNUCI no se aplica: 1444

a) A las compraventas de mercaderías destinadas al uso personal, familiar o domestico del comprador; compraventas en subastas; compraventas judiciales; compraventas de valores mobiliarios, títulos o efectos de comercio y dinero; compraventas de buques, embarcaciones, aerodeslizadores y aeronaves; compraventas de electricidad.

b) A los contratos en los que las partes hayan excluido su aplicación, total o parcialmente.

c) A los contratos en los que la parte principal de las obligaciones del contratante que proporcione las mercaderías consista en suministrar mano de obra o prestar otros servicios.

b. Formación del contrato

(CNUCI art.14 a 24)

El contrato de compraventa se forma (perfecciona) mediante la concurrencia de la **oferta** y la **aceptación**, y, en concreto, desde que la aceptación de la oferta surte efecto (nº 1454). 1450

A los efectos de lo que se expone en los números siguientes, la oferta, la aceptación o cualquier otra **manifestación de intención** ha de entenderse que llegan al destinatario cuando se le comunican verbalmente o se le entregan por cualquier otro medio a él personalmente, en su establecimiento o dirección postal, o, si no tiene establecimiento ni dirección postal, en su residencia habitual.

Precisiones En lo relativo a la formación del contrato, puede consultarse la siguiente **jurisprudencia** en aplicación de la CNUCI: TS 28-1-00, EDJ 512; AP Valencia 7-6-03; AP Cuenca 31-1-05, EDJ 25267; AP Murcia 15-7-10, EDJ 161621.

Oferta (CNUCI art.14 a 17) La oferta es una propuesta de celebrar un contrato, dirigida a una o varias personas determinadas. Para que valga como tal tiene que ser suficientemente precisa e indicar la **intención del oferente** de quedar obligado en caso de aceptación. 1452

Una propuesta es suficientemente precisa si indica las **mercaderías** y, de forma expresa o tácita, señala la **cantidad** y el **precio** o bien prevé un medio para determinarlos.

Si la propuesta no va dirigida a una o varias personas determinadas se considera como una simple **invitación a hacer ofertas**, a menos que el proponente indique claramente lo contrario.

La oferta surte **efectos** desde que llegue al destinatario, razón por la cual puede ser retirada si su retiro llega al destinatario antes o al mismo tiempo que la oferta.

Caso distinto es el de su **revocación**, que es posible siempre que llegue al destinatario antes que este haya enviado la aceptación. No obstante, no es posible dicha revocación:

- cuando se haya indicado un plazo fijo para la aceptación o, de otro modo, que es irrevocable; o
- cuando el destinatario pueda razonablemente considerar que la oferta es irrevocable y actúe basándose en esa oferta.

Se produce la **extinción** de la oferta cuando su rechazo llegue al oferente.

Aceptación (CNUCI art.18 a 22) La aceptación es la declaración o acto similar del destinatario de una oferta que indique su **asentimiento** a la misma. 1454

La aceptación debe emitirse en el **plazo** que el oferente haya previsto. En caso de que dicho plazo se haya fijado:

- en un telegrama o en una **carta**, comienza a correr desde el momento en que el telegrama sea entregado para su expedición o desde la fecha de la carta o, si no se ha indicado ninguna, desde la fecha que figure en el sobre;
- por teléfono, télex u otros **medios de comunicación instantánea** comienza a correr desde el momento en que la oferta llegue al destinatario.

La aceptación surte **efectos** en el momento en que llegue al oferente, dentro del plazo que éste haya fijado o, si no se ha fijado plazo, dentro de un plazo razonable, habida cuenta de las circunstancias de la transacción y, en particular, de la rapidez de los medios de comunicación empleados por el oferente.

No obstante, la **aceptación tardía** surte efecto como aceptación si el oferente, sin demora, informa verbalmente de ello al destinatario o le envía una comunicación en tal sentido.

Cuando la **oferta** ha sido **realizada verbalmente**, la aceptación ha de ser inmediata, a menos que, de las circunstancias, resulte otra cosa.

El **silencio** o la inacción, por si solos, no constituyen aceptación. No obstante, es posible que, en virtud de la oferta, de prácticas que las partes hayan establecido entre ellas o de los usos, el destinatario pueda indicar su asentimiento ejecutando un **acto relativo** (p.e., expedición de las mercaderías o pago del precio), sin comunicación al oferente. En este caso, la aceptación surte efecto en el momento en que se ejecute dicho acto, siempre que la ejecución tenga lugar dentro del plazo señalado.

Precisiones Téngase en cuenta que, en este punto, la norma del **Código de Comercio** difiere de la de la Convención, pues establece (para todos los contratos) que la aceptación surte efecto desde que la conoce el oferente o desde que, habiéndola remitido el aceptante, no pueda ignorarla sin faltar a la buena fe (CCom art.54; CC art.1262).

1456 Cuando la pretendida aceptación contenga adiciones, limitaciones u otras modificaciones, se ha de considerar como un rechazo de la oferta y la emisión de una **contraoferta**. No obstante, cuando contenga elementos adicionales o diferentes que no alteren sustancialmente los de la oferta, sí ha de considerarse aceptación, a menos que el oferente objete verbalmente la discrepancia o envíe una comunicación en tal sentido. De no hacerlo así, los términos del contrato serán los de la oferta con las modificaciones contenidas en la aceptación.

La aceptación puede ser **retirada** si su retiro llega al oferente antes que la aceptación haya surtido efecto o en ese mismo momento.

Precisiones 1) A efectos del **cómputo del plazo** previsto para la aceptación, no se excluyen los días feriados oficiales o no laborables. Sin embargo, si la comunicación de aceptación no puede ser entregada en la dirección del oferente el día del vencimiento del plazo, por ser ese día feriado oficial o no laborable en el lugar del establecimiento del oferente, el plazo se ha de prorrogar hasta el primer día laborable siguiente (CNUCI art.20.2).

2) Cuando la comunicación escrita, conteniendo una **aceptación tardía**, indica que ha sido enviada en circunstancias tales que, si su transmisión hubiera sido normal, habría llegado al oferente en el plazo debido, la aceptación tardía surte efecto como aceptación a menos que, sin demora, el oferente informe verbalmente al destinatario de que considera su **oferta caducada** o le envíe una comunicación en tal sentido (CNUCI art.21.2).

3) Se ha de considerar que alteran sustancialmente los elementos de la oferta los **elementos adicionales o diferentes** relativos al precio, al pago, a la calidad y la cantidad de las mercaderías, al lugar y la fecha de la entrega, al grado de responsabilidad de una parte con respecto a la otra o a la solución de las controversias (CNUCI art.19.3).

1458 **Forma del contrato** (CNUCI art.11 a 13) No se exige requisito de forma alguno para la celebración ni para la prueba del contrato de compraventa.

No obstante, lógicamente, las partes pueden hacer constar su **acuerdo** por escrito e incluso estipular que las **comunicaciones derivadas** de su relación contractual hayan de realizarse por escrito, lo que favorecerá la prueba de la existencia del contrato y, en su caso, del contenido del mismo. En este caso, si las partes deciden **renegociar** los términos del contrato (p.e., concediendo una prórroga para el cumplimiento), será preciso que lo hagan constar por escrito (CNUCI art.29.2).

A estos efectos, se establece que la expresión «**por escrito**» comprende el telegrama y el télex.

c. Incoterms

1465 Incoterms es la abreviatura de «International Commercial Terms» (Términos de Comercio Internacional), que son cláusulas o **términos contractuales unificados** internacionalmente mediante las que se determina, de forma clara y sencilla:

- el **lugar** donde las mercancías han de ser entregadas; y
- las **obligaciones principales** de las partes con respecto a dicha entrega.

Los Incoterms se aplican únicamente en las **compraventas internacionales** de **mercancías**, no en las prestaciones de servicios ya que, al ser éstos incorporales o intangibles, no requieren de la logística del transporte físico.

La utilización de los Incoterms es **voluntaria**, y su ámbito está limitado a los derechos y obligaciones de las partes en el contrato de compraventa (vendedor/exportador por un lado; comprador/importador, por otro) con relación a los siguientes aspectos esenciales de la compraventa internacional:

1º. **Entrega de la mercancía**: es la principal obligación del vendedor, y puede ser directa del vendedor al comprador (términos "E" y "D") o indirecta, esto es, cuando la mercancía se entrega a un intermediario del comprador o un transportista (términos "F" y "C").

2º. **Logística del transporte**: mediante los Incoterms se determina quien se encarga del transporte, así como la carga y descarga de la mercancía.

3º. **Transmisión del riesgo**: se precisa cuándo el riesgo de deterioro o pérdida de la mercancía pasa del vendedor al comprador, determinándose el lugar y momento en el que se produce dicha transferencia del riesgo.

4º. **Asunción de gastos**: se determina cómo se distribuyen los costes del transporte, de la descarga y de los seguros. Cabe precisar que la asunción del coste no determina sin más la responsabilidad o asunción del riesgo, pues es posible que el gasto del transporte lo asuma el vendedor y el riesgo de la mercancía durante el mismo lo asuma el comprador.

5º. **Trámites aduaneros**: también los Incoterms determinan a quién corresponden los trámites de la exportación y de la importación. Con carácter general, los de la exportación los asume el vendedor, salvo cuando la compraventa se realiza Franco fábrica (EXW en fábrica), donde el comprador asume todos los trámites, incluidos los de exportación, en cuyo caso es habitual que el comprador contrate los servicios de un agente de aduanas. Los restantes Incoterms son «con despacho», esto es, los trámites para la exportación los asume el vendedor, e incluso puede asumir también los propios de la importación en el país de destino (es el caso del Incoterm DDP -Delivered Duty Paid o Entregada derechos pagados-).
La consecuencia práctica de la elección de uno u otro Incoterm consiste en el **reparto entre los contratantes** de la gestión y el pago de las distintas operaciones que motiva la entrega de las mercancías. Estas cláusulas tipo permiten elegir un amplio abanico de posibilidades al respecto: como se ha indicado, desde la entrega en fábrica (EXW), que supone el mínimo de obligaciones para el vendedor, hasta la entrega con derechos pagados (DDP), supuesto en que el vendedor corre con todos los gastos y trámites.
Aunque los Incoterms están pensados para su utilización en el marco de la compraventa internacional, nada impide su utilización dentro de un **ámbito nacional**, situación en la que, lógicamente, alguna de sus normas no resultan de aplicación (p.e. las relativas a los derechos de exportación e importación de las mercancías).

Precisiones 1) Los Incoterms han sido recogidos por la **Cámara de Comercio Internacional** en sucesivas versiones desde 1936. Son 11 actualmente y la **última versión** de los mismos es de **2020**, que sustituye a la de 2010, y está en vigor desde el 1-1-2020.
2) Las **novedades** más relevantes de la versión de **2010** fueron la desaparición de cuatro Incoterms (DAF, DES, DEQ y DDU) y la incorporación de otros dos (DAT y DAP).
3) Las **novedades** de mayor relevancia de la última revisión de **2020** son:
- la aparición de un nuevo Incoterm: **DPU**, en sustitución del DAT;
- las nuevas condiciones en la contratación del seguro para los Incoterms **CIF** y **CIP**; y
- la posibilidad, en el ámbito del transporte marítimo bajo el Incoterm **FCA**, de que el comprador, a instancias del vendedor, pida a la naviera o a su agente que emita una carta o conocimiento de embarque como medio de acreditar ante el vendedor la entrega de la mercancía.

En la revisión de los Incoterms de 2020 se distingue entre los aplicables a cualquier medio de transporte y los que se aplican exclusivamente en el transporte marítimo. **1467**
Incoterms 2020 aplicables a cualquier medio de transporte:

EXW	EX Works	Franco fábrica	nº 1471
FCA	Free Carrier	Franco transportista	nº 1473
CPT	Carriage Paid To	Transporte pagado hasta	nº 1475
CIP	Carriage and Insurance Paid To	Transporte y seguros pagados hasta	nº 1477
DAP	Delivered at Place	Entregada en lugar de destino	nº 1479
DPU	Delivered at Place Unloaded	Descargado en el lugar de destino acordado	nº 1481
DDP	Delivered Duty Paid	Entregada con derechos pagados	nº 1483

Incoterms 2020 aplicables al transporte marítimo y fluvial:

FAS	Free Alongside Ship	Franco al costado del buque	nº 1485
FOB	Free On Board	Franco a bordo	nº 1487
CFR	Cost and Freight	Coste y Flete	nº 1489
CIF	Cost, Insurance and Freight	Coste, Seguro y Flete	nº 1491

Precisiones Los Incoterms están divididos en varios grupos que empiezan por las iniciales E, F, C y D, en función de dónde se entregue la mercancía, si en los locales del vendedor o del comprador o en tránsito: **1469**
- Grupo **E** (EXW). **Entrega directa a la salida**: cuando la mercancía se pone a disposición del comprador en las instalaciones del vendedor (p.e., en la fábrica de éste).
- Grupo **F** (FCA, FAS, FOB). **Entrega indirecta, sin pago del transporte principal**: cuando el vendedor entrega la mercancía al transportista o persona designada por el comprador.
- Grupo **C** (CFR, CIF, CPT, CIP). **Entrega indirecta, con pago del transporte principal**: cuando el vendedor contrata el transporte principal para hacer llegar la mercancía al destino convenido con el comprador.
- Grupo **D** (DAP, DPU, DDP). **Entrega directa en destino**: cuando el vendedor soporta todos los riesgos y gastos necesarios para llevar la mercancía a destino.

1471 **EXW: Ex Works (Franco fábrica)** Es la fórmula de venta más simple y segura para el vendedor, pues con ella se obliga únicamente a poner en sus propias instalanciones (como su fábrica o almacén) la mercancía a disposición del comprador. Así pues:
- la entrega se produce en las instalaciones del **vendedor** que, por tanto, no es responsable de cargar la mercancía para su transporte, ni siquiera de despacharla en la aduana para su exportación;
- el **comprador**, por su parte, asume todos los gastos y riesgos inherentes a la carga y el transporte (pérdida o deterioro de la mercancía), desde la salida de las instalaciones del vendedor hasta el destino.

Si las partes desean que sea el vendedor el responsable de la **carga de las mercancías** y asuma el riesgo y el coste de dicha carga, debe hacerse constar expresamente en el contrato de compraventa, utilizando el término "EXW Loaded" ("en fábrica, cargado en").

Precisiones 1) A continuación del término comercial ha de especificarse el **lugar de entrega** convenido, que será una población en la que el **vendedor** tenga **establecimiento** (p.e. EXW Madrid). Si la mercancía ser va a poner a disposición del comprador en **lugar distinto** a las propias instalaciones del vendedor, entonces ha de utilizarse otro Incoterm.
2) La revisión 2000 de los Incoterms introdujo la variante "**EXW loaded**", dado que no es infrecuente que el vendedor asuma la responsabilidad de la carga de la mercancía en el medio de transporte facilitado por el comprador.

1473 **FCA: Free Carrier (Franco transportista)** Mediante este término comercial, el vendedor se obliga a entregar la mercancía, ya despachada en aduana para su exportación:
- a un transportista escogido por el comprador; y
- en el lugar convenido para la carga.

Por ello, es preciso especificar, a continuación del término comercial, el **lugar de entrega** (p.e. FCA Barcelona puerto muelle nº X). Si no se ha determinado un lugar para la entrega, debe el vendedor designar uno, dentro del lugar o zona estipulada.

La elección del lugar de entrega tiene una gran influencia en las obligaciones de **carga y descarga** de las mercancías:
• si la entrega se fija en la **fábrica** o almacén del vendedor (p.e. FCA Local del vendedor), éste es el responsable de la carga de la mercancía en el medio de transporte proporcionado por el transportista u otra persona designada por el comprador;
• si se fija en cualquier **otro lugar**, el vendedor cumple con la puesta de las mercancías a disposición del transportista u otra persona designada por el comprador, siendo el comprador quien asume los gastos desde la carga hasta la descarga.

Precisiones 1) El traspaso de los **gastos y riesgos** se produce cuando el transportista se hace cargo de la mercancía por cuenta del comprador.
2) Como novedad en la versión de 2020, en el **transporte marítimo** (FCA Puerto), el vendedor puede exigir al comprador que dé instrucciones al transportista para que facilite al vendedor una copia de la carta o **conocimiento de embarque** (Bill of Lading) con una anotación a bordo, como prueba de entrega de la mercancía, y así facilitar el pago al vendedor mediante los créditos documentarios.

1475 **CPT: Carriage Paid To (Transporte pagado hasta)** Se distribuyen las obligaciones de la siguiente manera:
- el **vendedor** se encarga de la logística del transporte, eligiendo al transportista y pagando el **precio del transporte** hasta el destino convenido, incluidos los trámites aduaneros para la exportación;
- sin embargo, el **riesgo** de pérdida o deterioro de la mercancía es para el **comprador** desde el momento en que se produce su entrega al transportista.

La **descarga** es por cuenta del comprador, salvo pacto en contrario. Por lo tanto, si se desea que el coste de la descarga lo asuma el vendedor, así debe estipularse en el contrato.
Debe especificarse el **lugar de destino** convenido (p.e. CPT Moscú).

1477 **CIP: Carriage and Insurance Paid to (Transporte y seguro pagados hasta)** En virtud de este término:
- el **vendedor** debe elegir al transportista y entregarle las mercancías, asumiendo los costes del transporte, de los trámites aduaneros de exportación y, como diferencia respecto del CPT, del **seguro** (como novedad en la revisión de los Incoterms en 2020, con una cobertura de la cláusula A del Institute Cargo Clauses, salvo que se pacte cobertura inferior, como las cláusulas B o C) hasta que la mercancía llegue al punto convenido en el país de destino, por lo que debe especificarse el **lugar de destino** convenido;
- el **comprador** soporta todos los riesgos y cualquier gasto adicional desde el momento en que las mercancías han sido entregadas al transportista.

DAP: Delivered at Place (Entregada en lugar de destino) Conforme a este término comercial: 1479
- el **vendedor** asume los gastos de transporte y el riesgo hasta dejar la mercancía en un punto convenido del país de destino, asumiendo las formalidades de la exportación pero no de la importación;
- al **comprador** le corresponde pagar el precio de las mercancías y recibirlas en el punto convenido, asumiendo todos los gastos y tramites para la importación de los bienes y descarga.

Precisiones Este Incoterm procede de la versión 2010, sustituyendo los antiguos **DES** (entregada sobre buque), **DAF** (entregada en frontera) y **DDU** (entregada derechos no pagados).

DPU: Delivered at Place Unloaded (Descargada en el lugar de destino acordado) El empleo de este término comercial significa que: 1481
- el **vendedor** cumple su obligación cuando pone la mercancía, ya descargada, a disposición del comprador en el lugar de destino acordado, asumiendo los gastos de transporte y el riesgo hasta la descarga de la mercancía en el lugar acordado, así como el coste de los trámites aduaneros de la exportación;
- el **comprador** debe pagar al precio convenido y recibir la mercancía en el punto acordado, ya descargada.

Precisiones Este Incoterm DPU sustituye, en 2020, al Incoterm DAT (Delivered at Terminal), que fue incorporado en la edición 2010 sustituyendo a los eliminados Incoterms **DEQ** (entregada en muelle) y **DES** (entregada sobre buque), que limitaban su uso al transporte marítimo. Con el DPU el lugar de destino no tiene que ser necesariamente una «terminal», como ocurría con el DAT.

DDP: Delivered Duty Paid (Entregada derechos pagados) En virtud de este Incoterm: 1483
- el **vendedor** se encarga de poner las mercancías a disposición del comprador en el lugar de destino, asumiendo todos los gastos y riesgos del transporte, incluidos los trámites de exportación e importación, pero sin asumir la descarga de la mercancía;
- al **comprador**, por su parte, le compete pagar el precio de la mercancía y recibirla en el punto convenido para la entrega, asumiendo la descarga.

Si las partes desean que el vendedor se haga cargo también de la descarga, han de pactarlo así expresamente.

Este término conlleva el máximo de obligaciones para el vendedor, siendo el opuesto a EXW (donde asume las mínimas obligaciones).

A continuación de la mención al término comercial ha de señalarse el **lugar de destino** convenido.

FAS: Free Alongside Ship (Franco al costado del buque) En virtud de este término comercial, aplicable únicamente cuando el medio de transporte elegido es el **marítimo**: 1485
- el **vendedor** se obliga a entregar la mercancía al comprador colocándola **al costado del buque o sobre el muelle**, en el puerto de embarque convenido, asumiendo los gastos hasta dicha entrega;
- el **comprador** se encarga de la carga de la mercancía a bordo, asumiendo los riesgos una vez la mercancía está en el muelle de carga, antes de cargarse en el buque.

Debe especificarse el **puerto de carga** convenido a continuación del término comercial (p.e. FAS Barcelona).

En cuanto a los trámites de **exportación**:
- en principio, corresponde al **vendedor** despachar la mercancía en aduana para su exportación;
- no obstante, si la voluntad de las partes es que sea el **comprador** quien deba hacerse cargo de estos trámites, debe especificarse de forma clara en el contrato de compraventa.

Precisiones En **versiones anteriores** de los Incoterms, este término comercial implicaba la obligación del comprador de despachar la mercancía en **aduana** para su exportación.

FOB: Free on Board (Franco a bordo) En virtud de este término comercial, aplicable únicamente cuando el medio de transporte elegido es el **marítimo** (en otro caso puede usarse el término FCA): 1487
- el **vendedor** se obliga a entregar la mercancía **a bordo del buque** designado por el comprador (y no en el muelle o puerto de carga, como ocurre con el FAS), asumiendo por tanto los gastos hasta la subida de la mercancía a bordo, así como el despacho de exportación;
- el **comprador** asume el riesgo desde que la mercancía ya está a bordo del buque, asumiendo los gastos y responsabilidad del transporte (flete), seguro, descarga, trámites de importación.

Debe especificarse el **puerto de embarque** convenido (p.e. FOB Cartagena).

Precisiones En **versiones anteriores** se establecía que el vendedor cumplía cuando la mercancía sobrepasase la borda del buque.

1489 **CFR: Cost and Freight (Coste y Flete)** En virtud de este término comercial, aplicable únicamente al transporte **marítimo** (en otro caso puede emplearse el término CPT):
- el **vendedor** se hace cargo de todos los trámites y gastos hasta que la mercancía llega al **puerto de destino** convenido, por lo que elige al transportista y paga los gastos y el flete necesarios para hacer llegar la mercancía a dicho puerto, así como el despacho en aduana para la exportación;
- el **comprador** se ocupa de los trámites de la importación y el transporte hasta el destino, si bien asume el riesgo desde el momento en que la mercancía está a bordo del buque, por lo que, aunque no es obligatorio, suele contratar seguro.

Debe especificarse, no el puerto de carga (como ocurre en FAS o FOB), sino el **puerto de destino** convenido (p.e. CFR La Habana).

1491 **CIF: Cost, Insurance and Freight (Coste, Seguro y Flete)** En virtud de este término comercial, aplicable únicamente en el transporte **marítimo**:
- el **vendedor** paga los gastos y el flete necesarios para transportar la mercancía hasta el **puerto de destino**, incluyendo despacho de exportación, por lo que debe especificarse claramente el puerto de destino convenido (p.e. CIF Nueva York);
- no obstante lo cual el **comprador** asume, desde el momento en que la mercancía está cargada a bordo, el riesgo del transporte hasta destino, así como los trámites de importación.

Como nota caracterísitica, en virtud del CIF, el vendedor se obliga a pagar el **seguro marítimo** para cubrir tales riesgos. Como novedad en la revisión de los Incoterms en 2020, el vendedor solo resulta obligado a pagar una prima de cobertura mínima (**cláusula C** del Institute Cargo Clauses), salvo que se pacte una cobertura superior (como la de la cláusula A).

d. Obligaciones del vendedor

(CNUCI art.30 a 44)

1495

1497 Las obligaciones básicas del vendedor son entregar las mercaderías (lo que supone la transmisión de la propiedad), así como de los documentos relacionados con ellas.

Debe también garantizar al comprador contra la **evicción** y los **defectos ocultos** de las mercancías (nº 1105 s.).

En los números siguientes se exponen las normas de la Convención de Viena sobre estas obligaciones.

El **incumplimiento** de sus obligaciones por parte del vendedor se expone en nº 1555.

Precisiones En lo relativo a las obligaciones del vendedor, puede consultarse la siguiente **jurisprudencia** en aplicación de la CNUCI: TS 17-1-08, EDJ 3251; 9-12-08, EDJ 234478; AP Cuenca 31-1-05, EDJ 25267; AP Palencia 26-9-05, EDJ 201541; AP Barcelona 24-3-09, EDJ 193764; 27-1-10, EDJ 27775; AP Navarra 30-7-10, EDJ 359268.

1499 **Mercancías a entregar** (CNUCI art.35 y 36) El vendedor debe entregar mercaderías cuya **cantidad, calidad y tipo** correspondan a los estipulados y que estén envasadas o embaladas en la forma fijada en el contrato.

Salvo si se ha estipulado otra cosa, las mercaderías son **conformes al contrato** cuando:
- sean aptas para los usos a que ordinariamente se destinen mercaderías del mismo tipo;
- sean aptas para cualquier uso especial que expresa o tácitamente se haya hecho saber al vendedor en el momento de la celebración del contrato, salvo que de las circunstancias resulte que el comprador no confió, o no sea razonable que confiara, en la competencia y el juicio del vendedor;
- posean las cualidades de la muestra o modelo que el vendedor haya presentado al comprador;
- estén envasadas o embaladas en la forma habitual para tales mercaderías o, si no existe tal forma, de una forma adecuada para conservarlas y protegerlas.

El vendedor es **responsable** de toda **falta de conformidad** que exista:
- en el momento de la transmisión del riesgo al comprador, aun cuando esa falta solo sea manifiesta después de ese momento;

• después de la transmisión del riesgo al comprador, cuando la falta sea imputable al incumplimiento del vendedor de cualquiera de sus obligaciones, incluido el incumplimiento de cualquier garantía de que, durante determinado periodo, las mercaderías seguirán siendo aptas para su uso ordinario o para un uso especial o conservarán las cualidades y características especificadas.

El vendedor **no** es **responsable** de ninguna falta de conformidad de las mercaderías que el comprador conozca o no haya podido ignorar en el momento de la celebración del contrato.

Examen de las mercaderías (CNUCI art.38 a 40) El comprador debe examinar o hacer examinar las mercaderías en el **plazo** más breve posible, según las circunstancias. **1501**

Si el contrato implica el **transporte** de las mercaderías, dicho examen puede aplazarse hasta que éstas hayan llegado a su destino.

Cuando el comprador **cambie en tránsito** el destino de las mercaderías o las reexpida sin haber tenido una oportunidad razonable de examinarlas (p.e., por haberlas vendido a un tercero), el examen puede aplazarse hasta que las mercaderías hayan llegado a su nuevo destino. Para ello es preciso que, en el momento de la celebración del contrato, el vendedor conociese o debiese haber conocido la posibilidad de tal cambio de destino o reexpedición.

El comprador debe comunicar al vendedor la **falta de conformidad** de las mercaderías, especificando su naturaleza, dentro de un plazo razonable, a partir del momento en que la haya o debiera haberla descubierto, y, en todo caso, antes de dos años, contados desde la fecha en que las mercaderías se pusieron efectivamente en su poder, a menos que ese plazo sea incompatible con un periodo de garantía contractual.

No se aplican los plazos señalados cuando la falta de conformidad se refiere a **hechos que el vendedor conocía** o no podía ignorar y que no haya revelado al comprador.

Precisiones La **prohibición de suministro o consumo** de una mercancía en un determinado país no significa que ésta sea inhábil al fin pactado cuando no se le ha hecho saber al vendedor las condiciones y forma en que había de presentarse el producto (AP Granada 2-3-00, EDJ 18663).

Lugar y forma de entrega (CNUCI art.31 y 32) Salvo estipulación en contrario, el lugar de entrega de la mercancía por el vendedor se determina de la siguiente forma: **1503**

a) Con **carácter general**, las mercancías deben ponerse a disposición del comprador en el establecimiento del vendedor.

b) Cuando el contrato de compraventa implique el **transporte de las mercaderías**, debe ponerlas en poder del primer porteador para que las traslade al comprador. En este caso, cuando las mercancías no estén claramente identificadas mediante señales, mediante los documentos de expedición o de otro modo, el vendedor debe enviar al comprador un aviso de expedición en el que se especifiquen las mercaderías.

c) En los casos no comprendidos en el apartado precedente, cuando el contrato verse sobre mercaderías ciertas o sobre mercaderías no identificadas que hayan de extraerse de una masa determinada o que deban ser **manufacturadas o producidas en un lugar determinado** y cuando, en el momento de la celebración del contrato, las partes conozcan esas circunstancias, el vendedor debe ponerlas a disposición del comprador en ese lugar.

d) Cuando el vendedor resulte obligado a disponer el **transporte de las mercaderías**, debe concertar los contratos necesarios para que éste se efectúe hasta el lugar señalado, por los medios de transporte adecuados a las circunstancias y en las condiciones usuales para tal transporte.

Aun cuando no esté obligado el vendedor a contratar el **seguro de transporte**, debe proporcionar al comprador, a petición de éste, toda la información disponible que sea necesaria para contratar dicho seguro.

Precisiones El lugar de entrega de la mercancía puede venir determinado por el uso de un **Incoterm**. Ver nº 1465 s. para el estudio de los mismos.

Momento de entrega (CNUCI art.33, 37, 52.1) El vendedor debe entregar las mercaderías: **1505**

• en la **fecha fijada** en el contrato o que pueda determinarse con arreglo al mismo;
• en cualquier momento dentro del **plazo fijado** en el contrato o que pueda determinarse con arreglo al mismo;
• en cualquier otro caso, dentro de un **plazo razonable** a partir de la celebración del contrato.

En caso de que el vendedor pretenda realizar una **entrega anticipada**, el comprador puede aceptar o rehusar la recepción de las mercancías y conserva, además, el derecho a exigir la indemnización de los daños y perjuicios.

Cuando el comprador **acepta la entrega anticipada**, el vendedor puede, hasta la fecha fijada para la entrega de las mercaderías:

- entregar la parte o cantidad que falte;
- entregar otras mercaderías en sustitución de las entregadas que no sean conformes;

- subsanar cualquier falta de conformidad de las mercaderías entregadas.
En ningún caso, el ejercicio de tal derecho puede ocasionar al comprador **inconvenientes** ni gastos excesivos.

1507 **Entrega de documentos** (CNUCI art.34) Los documentos relacionados con las mercaderías han de entregarse en el momento, en el lugar y en la forma fijados en el contrato.
En caso de **entrega anticipada** de documentos, el vendedor puede, hasta el momento fijado para la entrega, subsanar cualquier falta de conformidad de los mismos, siempre que el ejercicio de ese derecho no ocasione al comprador inconvenientes o gastos excesivos.
Los **documentos a entregar** son los necesarios para poder entrar en posesión de la mercancía y comercializarla. Corresponde al comprador solicitar al vendedor los documentos que precise. En general, podemos citar la factura comercial, el certificado de origen, las pólizas de seguro, los certificados de calidad, análisis, inspección, etc. Estos documentos permiten además demostrar que el vendedor ha cumplido las obligaciones derivadas del contrato.
La **forma** en que los documentos han de entregarse dependerá del medio de pago elegido (nº 1525). Así, en unos casos, el vendedor los remitirá directamente al comprador; en otros, lo hará a través de la intermediación de la entidad bancaria por la que se realice el pago.

1509 **Saneamiento por evicción y por defectos ocultos** (CNUCI art.41 a 44) El vendedor no está solo obligado a realizar la entrega de las mercancías vendidas, sino que debe también garantizar al comprador la **posesión legal y pacífica** de los bienes vendidos (evicción) y la ausencia de vicios o defectos ocultos:
1) Con respecto a la **evicción** se establece que el vendedor debe entregar las mercaderías libres de cualesquiera **derechos o pretensiones de un tercero**, a menos que el comprador convenga en aceptarlas sujetas a tales derechos o pretensiones.
Para poder reclamar por evicción, el comprador debe **comunicar al vendedor** la existencia del derecho o la pretensión del tercero, especificando su naturaleza, dentro de un **plazo razonable** a partir del momento en que haya tenido o debiera haber tenido conocimiento de ella. No rige el plazo señalado cuando el vendedor conocía el derecho o la pretensión del tercero y su naturaleza.
2) En cuanto a la **garantía por defectos ocultos**, véase lo expuesto sobre falta de conformidad de la mercancía (nº 1501).

e. Obligaciones del comprador

(CNUCI art.53 a 60)

1515

1517 El comprador está principalmente obligado al **pago del precio** estipulado y a la **recepción** de las mercancías.
En los números siguientes se exponen las normas de la Convención de Viena (nº 1432) sobre estas obligaciones.

Precisiones En lo relativo a las obligaciones del comprador, puede consultarse la siguiente **jurisprudencia** en aplicación de la CNUCI: AP Barcelona 27-11-03, núm 783/2003; AP Palencia 26-9-05, EDJ 201541; AP Valencia 8-4-08, EDJ 89240.

1519 **Pago del precio** (CNUCI art.54 y 55) La obligación del comprador de pagar el precio comprende la de adoptar las **medidas** y cumplir los **requisitos** fijados por el contrato o por las leyes o los reglamentos pertinentes para que sea posible el pago.
Para el supuesto de **indeterminación del precio** en el contrato (esto es, cuando no se fija ni expresa ni tácitamente), se debe considerar, salvo indicación en contrario, que las partes han hecho referencia implícitamente al precio generalmente cobrado en el momento de la celebración del contrato por tales mercaderías, vendidas en circunstancias semejantes, en el trafico mercantil de que se trate (precio de mercado).

1521 **Lugar de pago** (CNUCI art.57) Cuando no se haya estipulado un lugar para el pago, el comprador debe realizarlo:
- en el **establecimiento del vendedor**; o

- si el pago debe hacerse contra entrega de las mercaderías o de documentos, en el **lugar de entrega**.
A los efectos señalados, el vendedor debe soportar todo aumento de los gastos relativos al pago ocasionado por un **cambio de su establecimiento**, acaecido después de la celebración del contrato.

Momento de pago (CNUCI art.58 y 59) El pago debe realizarse en la fecha fijada en el contrato o, si no se ha estipulado nada al respecto, cuando el vendedor realice la **puesta a disposición** de las mercaderías o de los correspondientes documentos representativos de las mismas. 1523
El vendedor puede hacer del pago una **condición para la entrega** de las mercaderías o los documentos. Así, cuando el transporte de las mercaderías corre de su cuenta, puede expedirlas estableciendo que las mercaderías o los correspondientes documentos representativos no se han de poner en poder del comprador mas que contra el pago del precio.
Por otro lado, se ha de permitir al comprador la posibilidad de **examinar las mercaderías** antes de realizar el pago, a menos que las modalidades de entrega o de pago pactadas por las partes sean incompatibles con esa posibilidad.

Forma de pago La forma de realizar el pago presenta particularidades esenciales en la práctica de la compraventa internacional. Estas particularidades vienen motivadas por la distancia física existente entre vendedor y comprador, inconveniente que impide o dificulta la utilización de medios de pago que son comunes en otro tipo de ventas, como puede ser el pago en efectivo, y que ha generado la utilización de otros medios de pago que no son de tan frecuente uso en otro tipo de compraventas. 1525
Los medios de pago más utilizados en la compraventa internacional son los siguientes:
a) El **cheque**, que puede estar emitido por el propio comprador-importador (cheque personal) o por una entidad bancaria, que, por mandato del comprador, se compromete a realizar el pago (cheque bancario). Mención especial merece el **cheque bancario internacional**, documento librado por una entidad de crédito del país del comprador, a petición de éste y a favor del vendedor, sobre una entidad de crédito del país de éste último, en la que previa o simultáneamente se depositan fondos suficientes para atender el pago.
El cheque es un medio de pago basado en la confianza entre las partes. Para el **vendedor** presenta el inconveniente de que, normalmente, se recibe con posterioridad a la expedición de las mercancías y además, salvo en el cheque bancario, no se tiene seguridad de que el cobro sea posible. Para el **comprador** conlleva la inseguridad del pago anticipado, pues, al emitirlo con anterioridad a la recepción, no puede prever si la mercancía se recibirá en la fecha pactada.

b) La **letra de cambio**, librada por el vendedor y enviada al comprador para su aceptación. Presenta como inconveniente el **riesgo** de que el comprador no acepte la letra o de que, habiéndola aceptado, no la devuelva al vendedor hasta que verifique el recibo de la mercancía. Para mayor seguridad en el cobro es conveniente exigir al comprador que solicite un **aval bancario** sobre la misma. 1527
c) La **transferencia bancaria** es un medio rápido de realizar el pago. Consiste en un envío de fondos que realiza el comprador al vendedor, sirviéndose para ello de una entidad bancaria de su propio país, que se pone en contacto con su sucursal o con otra entidad bancaria en el país del vendedor, a fin de que sea esta última la que realice el pago al vendedor.
Como los medios de pago anteriores, presenta también el **inconveniente** de que el pago depende exclusivamente del comprador.

> Precisiones Resultan de aplicación al pago mediante **letra de cambio o cheque** la Ley Cambiaria y del Cheque (LCC), así como las Reglas Uniformes para el Cobro de Documentos Comerciales, recogidas por la Cámara de Comercio Internacional (publicación núm 522), en vigor desde el 1-1-1996.

d) La **remesa documentaria** es un medio de pago por el que el vendedor entrega a su banco una o varias letras de cambio, junto con los documentos que acreditan la expedición de la mercancía, con la orden de que los entregue al comprador contra aceptación de la letra o pago de su importe. Este mecanismo permite al vendedor retener la propiedad sobre la mercancía hasta haberse asegurado, en cierta medida, el pago de la misma. Por el contrario, si se pactó la **entrega de documentos contra aceptación**, no asegura completamente el pago del comprador; mientras que si la entrega de documentos se produce **contra pago**, no se ofrece total seguridad al comprador sobre la conformidad de la mercancía. 1529
e) El **crédito documentario** es una operación por la que una entidad bancaria, a petición del comprador (ordenante), se compromete ante el vendedor (beneficiario), directamente o a través de otro banco, a pagar el importe de la venta, siempre que el vendedor entregue los documentos relacionados en el condicionado del crédito.

El crédito documentario ofrece al **comprador** la seguridad de realizar el pago sabiendo que el vendedor ha cumplido con su obligación de entrega. Por otro lado, el **vendedor** cuenta con la seguridad de que el pago se hará efectivo. Ver nº 9005 s. para un tratamiento más detallado de esta figura.

Precisiones Los **créditos documentarios** cuentan con regulación específica en el ámbito internacional, a cuyo cumplimiento es habitual someterse. Se trata de las Reglas y Usos Uniformes relativas a los Créditos Documentarios, recogidas por la Cámara de Comercio Internacional, cuya última versión es de 2006 (RUU 600 o UCP 600) y que entró en vigor el 1-7-2007. Esta versión sustituye a la de 1993 y entre las novedades que incorpora cabe destacar:
- la calificación del crédito como irrevocable;
- la reducción del plazo para determinar si los documentos presentados son conformes con los términos y condiciones del crédito, las RUU y la práctica bancaria internacional, a 5 días bancarios hábiles.

Con la finalidad de adaptarse a la nueva versión de las RUU mencionadas, se ha publicado también una nueva versión del Suplemento a las Reglas y Usos Uniformes relativos a los Créditos Documentarios para la presentación electrónica (versión 1.1), que se designará como eUCP 1.1.
En el Anexo nº 13370 se incluye un **modelo de póliza** de crédito documentario.

1531 **Recepción de las mercaderías** (CNUCI art.60, 86.2) La obligación del comprador de proceder a la recepción consiste:
- en realizar todos los actos que razonablemente quepa esperar de él para que el vendedor pueda efectuar la entrega; y
- en hacerse cargo de las mercaderías.

La obligación de recepción es exigible aun cuando el comprador ejerza su **derecho a rechazar las mercaderías** (p.e., por no considerarlas conformes), en cuyo caso debe tomar posesión de ellas por cuenta del vendedor, siempre que ello pueda hacerse sin pago del precio y sin inconvenientes ni gastos excesivos. No obstante, no está obligado a hacerse cargo de las mercancías cuando el vendedor, o una persona facultada para hacerse cargo de las mercaderías por cuenta de aquel, esté presente en el lugar de destino.
Las **operaciones concretas** que deba realizar para la recepción de la mercancía dependerán, en gran medida, de lo pactado sobre transporte y entrega de las mismas. Así, normalmente, corresponderá al comprador el pago de las **tasas y derechos** necesarios para obtener las autorizaciones de importación de la mercancía, aunque es posible trasladar al vendedor dichas obligaciones. Ver al respecto lo expuesto sobre el **Incoterm DDP** (nº 1483).

Precisiones No hay incumplimiento del vendedor cuando la mercancía, que reunía las condiciones de idoneidad en el momento de la puesta a disposición del comprador, se pierde por el **retraso en hacerse cargo** el comprador de la misma y el defectuoso medio de transporte utilizado (TS 9-12-08, EDJ 234478).

f. Transmisión del riesgo

(CNUCI art.67 a 70)

1535 Por riesgo ha de entenderse el existente con respecto a la **pérdida o deterioro** de las mercaderías. La determinación del momento en que se produce tal transmisión es fundamental, pues:
- si las mercancías se pierden o deterioran antes de producirse la transmisión del riesgo al comprador, éste es para el **vendedor**, que resulta obligado a devolver el precio recibido;
- si las mercancías se pierden o deterioran habiéndose producido la transmisión del riesgo, dicho riesgo es para el **comprador**, que debe pagar el precio, aun habiendo perdido las mercancías.

Lógicamente, no rigen estas reglas cuando la pérdida o deterioro se deban a un **acto u omisión de la otra parte**.
Además, aun cuando se haya transmitido el riesgo al comprador, éste no pierde sus derechos y acciones para el caso de **incumplimiento** del vendedor.
En general, la transmisión del riesgo se produce cuando, teniendo el vendedor las mercaderías a disposición del comprador, éste se hace cargo de las mismas. La cuestión se complica en la compraventa internacional debido a la frecuente **existencia de intermediarios** entre el vendedor y el comprador, de tal modo que la puesta a disposición de las mercaderías por el vendedor y su recepción por el comprador no se producen de forma simultánea.

1537 Para resolver estas posibles fuentes de conflicto, la CNUCI establece las siguientes **reglas**:
a) Cuando el contrato de compraventa implique el **transporte de las mercaderías** y el vendedor no esté obligado a entregarlas en un lugar determinado, el riesgo se transmite al

comprador en el momento en que las mercaderías se pongan en poder del primer transportista para que las traslade al comprador conforme al contrato de compraventa.
Cuando el vendedor deba poner las mercaderías en poder de un transportista en un lugar determinado, el riesgo se transmite al comprador solo si las mercaderías se ponen en poder del porteador en ese lugar.
b) El hecho de que el vendedor esté autorizado a retener los **documentos representativos** de las mercaderías no afecta a la transmisión del riesgo.
c) En todo caso, para que se produzca la transmisión del riesgo al comprador han de estar las **mercaderías claramente identificadas** mediante señales en ellas, mediante los documentos de expedición, mediante comunicación enviada al comprador o de otro modo, a fin de que no existan dudas de que la mercancía perdida o deteriorada es la contratada.

d) Cuando la venta se realice estando las **mercaderías en tránsito**, el riesgo se transmite al comprador desde el momento de la celebración del contrato. No obstante, si así resulta de las circunstancias, el riesgo será asumido por el comprador desde el momento en que las mercaderías se hayan puesto en poder del porteador que haya expedido los documentos acreditativos del transporte. En todo caso, si en el momento de la celebración del contrato, el vendedor tenía o debía haber tenido conocimiento de que las mercaderías habían sufrido perdida o deterioro y no lo reveló al comprador, el riesgo de la pérdida o deterioro será de cuenta del vendedor. **1539**
e) Cuando el comprador **rehúse injustificadamente la recepción** de las mercancías puestas a su disposición, el riesgo con respecto a las mismas se le transmite en ese momento.
f) Si el comprador está obligado a hacerse cargo de las mercaderías en un **lugar distinto del establecimiento del vendedor** (en frontera, en su propio establecimiento, etc.), el riesgo se transmite cuando deba efectuarse la entrega y el comprador tenga conocimiento de que las mercaderías están a su disposición en ese lugar.

Téngase en cuenta además que el momento de transmisión del riesgo puede determinarse por vía contractual. A este respecto tienen especial importancia los **Incoterms**, que se exponen en el nº 1465 s. **1541**

Precisiones En lo relativo a la transmisión del riesgo, puede consultarse la siguiente **jurisprudencia** en aplicación de la CNUCI: AP Navarra 27-3-00, EDJ 13096; AP Valencia 15-2-03, EDJ 33663.

g. Incumplimiento del contrato

1545

En apartados anteriores se han expuesto las obligaciones de las partes con respecto al contrato de compraventa internacional. De forma paralela se han ido exponiendo **algunos supuestos** de incumplimiento de dichas obligaciones. **1547**
En el presente apartado exponemos las **reglas generales** que rigen el incumplimiento contractual y las **acciones** de las que dispone cada contratante para reclamar contra el incumplimiento de la otra parte.

Reglas generales (CNUCI art.25, 26, 71 a 73, 78 a 80) Destacamos algunas disposiciones de carácter general sobre el incumplimiento del contrato de compraventa internacional: **1549**
a) Cualquiera de las partes puede **diferir el cumplimiento de sus obligaciones** si, después de la celebración del contrato, resulta manifiesto que la otra parte no cumplirá una parte sustancial de sus obligaciones a causa, entre otros motivos, de un grave menoscabo de su capacidad para cumplirlas o de su solvencia.
En este caso, si la **mercancía** ha sido **expedida** por el vendedor antes de que resulten evidentes los motivos señalados, puede oponerse a que las mismas se pongan en poder del comprador, aun cuando éste sea tenedor de un documento que le permita obtenerlas.
La parte que difiera el cumplimiento de sus obligaciones ha de comunicarlo a la otra y quedará obligada al cumplimiento si ésta da **seguridades suficientes** de que cumplirá sus obligaciones.
b) Una parte no puede invocar el **incumplimiento** de la otra en la medida en que tal incumplimiento haya sido causado por **acción u omisión** de aquélla.

1551 c) El **incumplimiento** del contrato por una de las partes se puede considerar de **carácter esencial** cuando cause a la otra parte un perjuicio tal que la prive sustancialmente de lo que tenia derecho a esperar en virtud del contrato, salvo que la parte que haya incumplido no hubiera previsto tal resultado y que una persona razonable de la misma condición no lo hubiera previsto en igual situación.

d) La declaración de **resolución del contrato** surte efecto solo si se comunica a la otra parte.

e) Si, antes de la fecha de cumplimiento, se hace patente que una de las partes incurrirá en **incumplimiento esencial** del contrato, la otra parte puede declararlo resuelto. En este caso, si hay tiempo para ello, la parte que pretenda declarar resuelto el contrato debe comunicarlo con antelación razonable a la otra parte, para que ésta pueda dar seguridades suficientes de que cumplirá sus obligaciones.

f) En los contratos con **entregas sucesivas** de mercaderías, el incumplimiento por una de las partes de cualquiera de sus obligaciones relativas a cualquiera de las entregas constituye un incumplimiento esencial del contrato en relación con esa entrega, por lo que puede la otra parte declarar resuelto el contrato en lo que respecta a esa entrega.

Si el incumplimiento señalado da a la otra parte fundados motivos para inferir que se producirá un **incumplimiento esencial** del contrato en relación con futuras entregas, esa otra parte puede declarar resuelto el contrato para el futuro, siempre que lo haga dentro de un plazo razonable.

El comprador que declare resuelto el contrato respecto de cualquier entrega puede, al mismo tiempo, declararlo resuelto respecto de entregas ya efectuadas o de **futuras entregas** si, por razón de su interdependencia, tales entregas no pueden destinarse al uso previsto por las partes en el momento de la celebración del contrato.

1553 g) El incumplimiento de obligaciones que consistan en el **pago de una cantidad de dinero** da derecho a la otra parte a percibir los intereses correspondientes, sin perjuicio de la indemnización de los daños y perjuicios.

h) Se establece la exoneración de responsabilidad por **fuerza mayor o caso fortuito**, es decir, siempre que el incumplimiento se deba a un impedimento ajeno a la voluntad y que no se podía razonablemente tener en cuenta en el momento de la celebración del contrato.

En este caso, la parte perjudicada por el incumplimiento no puede exigir la indemnización de **daños y perjuicios**, pero puede ejercitar cualquier otro derecho distinto.

Para que opere la exoneración es preciso que la parte que incumple sus obligaciones comunique a la otra el impedimento. La **falta de comunicación**, pasado un plazo razonable desde que se tiene o se debe tener conocimiento del impedimento, genera la responsabilidad por los daños y perjuicios causados.

1555 **Incumplimiento del vendedor** (CNUCI art.45 a 52) Si el vendedor no cumple cualquiera de las obligaciones que le incumben (nº 1495 s.), el **comprador** tiene a su disposición distintas vías de resarcimiento, según las circunstancias. Son las siguientes:

a) Cuando no se ha realizado la entrega, el comprador puede exigir al vendedor el **cumplimiento** de sus obligaciones, fijando, si lo desea, un **plazo suplementario** para dicho cumplimiento, plazo durante el cual no puede el comprador ejercitar acción alguna por incumplimiento del contrato, a menos que haya recibido la comunicación del vendedor de que no cumplirá lo que le incumbe en el nuevo plazo fijado. Cuando el comprador ejercite una acción por incumplimiento del contrato, el juez o el arbitro no pueden conceder al vendedor ningún **plazo de gracia**.

b) En caso de **falta de conformidad** de las mercancías con lo estipulado, el comprador puede:

• Exigir la entrega de **otras mercaderías** en sustitución de aquellas. Para ello es preciso que la falta de conformidad constituya un incumplimiento esencial del contrato y que la petición de sustitución de las mercaderías se formule al comunicar al vendedor la falta de conformidad (nº 1501) o dentro de un plazo razonable a partir de ese momento.

• Exigir al vendedor su **reparación** para subsanar la falta de conformidad, a menos que esto no sea razonable, habida cuenta de todas las circunstancias. La petición de reparación debe formularse de la misma forma que la de sustitución, señalada en el punto anterior.

• **Rebajar el precio**, proporcionalmente a la diferencia existente entre el valor que las mercaderías efectivamente entregadas tenían en el momento de la entrega y el valor que habrían tenido en ese momento si hubieran sido conformes al contrato. Esta acción no es posible si el vendedor subsana cualquier incumplimiento de sus obligaciones o si el comprador se niega a aceptar el cumplimiento por el vendedor.

c) El comprador puede declarar la **resolución del contrato** (nº 1569) en los siguientes casos: **1557**
• Cuando el incumplimiento constituya un **incumplimiento esencial** del contrato.
• Si el vendedor no entrega las mercaderías dentro del **plazo suplementario** concedido o si declara que no efectuará la entrega dentro del plazo así fijado (ver letra a) anterior).
• En caso de **entrega tardía**, siempre que se ejercite la acción dentro de un plazo razonable después de que haya tenido conocimiento de que se ha efectuado la entrega.
• En caso de **entrega parcial** o no conforme al contrato, cuando constituye un incumplimiento esencial de este.
d) En casos de **entrega parcial** o cuando solo una parte de las mercaderías entregadas es conforme al contrato, el comprador puede ejercitar las acciones señaladas con respecto a la parte que falte o que no sea conforme.
e) Cuando se entrega una **cantidad mayor de mercaderías** que la expresada en el contrato, el comprador puede aceptar o rehusar la recepción de la cantidad excedente, pero si acepta la recepción de la totalidad o de parte de la cantidad excedente, debe pagarla al precio del contrato.
f) El comprador puede, en todo caso, exigir la **indemnización de daños y perjuicios** (nº 1565). No se pierde el derecho a exigir esta indemnización aunque se ejercite cualquier otra acción.

Precisiones En lo relativo al incumplimiento del vendedor, puede consultarse la siguiente **jurisprudencia** en aplicación de la CNUCI: TS 31-10-06, EDJ 288709; 16-5-07, EDJ 36044; AP Barcelona 21-3-03; AP Madrid 20-2-07, EDJ 51114; AP Navarra 27-12-07, EDJ 349216.

Conservación de las mercaderías (CNUCI art.86 a 88) Cuando, habiendo recibido las mercancías, el comprador tenga la intención de ejercer cualquier derecho a rechazarlas, debe, entretanto, adoptar las **medidas razonables**, atendidas las circunstancias, para su conservación. **1559**
Para ello, puede el comprador depositar las mercancías en los **almacenes de un tercero**, a expensas del vendedor, siempre que los gastos resultantes no sean excesivos.
Si el vendedor se demora excesivamente en aceptar su **devolución** o en pagar los **gastos de su conservación**, puede el comprador vender las mercaderías, por cualquier medio apropiado, siempre que comunique, con antelación razonable, su intención de vender.
Si las mercaderías están expuestas a **deterioro rápido**, o si su conservación entraña **gastos excesivos**, debe el comprador adoptar medidas razonables para venderlas, comunicando al vendedor, en la medida de lo posible, su intención de vender.
Una vez realizada la venta, el comprador tiene **derecho a retener** del producto de la misma una suma igual a los gastos razonables de su conservación y venta.
En cualquier caso, el comprador tiene derecho a retener las mercaderías hasta que haya obtenido del vendedor el **reembolso de los gastos** razonables que haya realizado.

Incumplimiento del comprador

(CNUCI art.61 a 64) Si el comprador no cumple cualquiera de las obligaciones que le incumben, el **vendedor** puede ejercitar las siguientes acciones: **1561**
a) Exigir al comprador el **cumplimiento** de sus obligaciones, esto es, que pague el precio, que reciba las mercaderías y que cumpla las demás obligaciones que le incumban. Puede para ello fijar un **plazo suplementario** de duración razonable, plazo durante el cual no puede el vendedor ejercitar acción alguna por incumplimiento del contrato, a menos que haya recibido comunicación del comprador de que no cumplirá lo que le incumbe en el plazo fijado.
Cuando el vendedor ejercite una acción por incumplimiento del contrato, el juez o el árbitro no pueden conceder al comprador ningún **plazo de gracia**.
b) Declarar la **resolución del contrato** (nº 1569) cuando concurra alguna de las siguientes circunstancias:
• Que el incumplimiento constituya un incumplimiento esencial del contrato.
• Que el comprador no cumpla su obligación de pagar el precio.
• Que el comprador se niegue a recibir las mercaderías o declare que no las recibirá dentro del plazo suplementario mencionado en la letra a) anterior.
No puede el vendedor declarar resuelto el contrato una vez que el comprador haya pagado el precio y tenga el vendedor conocimiento de dicho pago.
c) Exigir, en todo caso, **indemnización por daños y perjuicios** (nº 1565). El vendedor no pierde este derecho aunque ejercite cualquier otra acción de las señaladas.

Conservación de las mercaderías (CNUCI art.85 a 88) Cuando el comprador se demore en la recepción de las mercaderías, o bien cuando, estando obligado a ello, no pague el precio debido de forma simultánea a la entrega, el vendedor resulta obligado a la conservación de las mercancías hasta su entrega. **1563**
Para su conservación, el vendedor puede depositar la mercancía en los **almacenes de un tercero** a expensas de la otra parte siempre que los gastos resultantes no sean excesivos.

Puede también **vender la mercancía** a un segundo comprador, por cualquier medio apropiado, si el primer comprador se ha demorado excesivamente en tomar posesión de ellas o en pagar el precio o los gastos de su conservación, siempre que le comunique, con antelación razonable, su intención de vender.
Si las mercaderías están expuestas a **deterioro rápido**, o si su conservación entraña **gastos excesivos**, debe el vendedor adoptar medidas razonables para venderlas, comunicando al comprador, en la medida de lo posible, su intención de vender.
El vendedor tiene derecho a **retener las mercaderías** hasta que haya obtenido del comprador el reembolso de los gastos razonables que haya realizado.

1565 **Indemnización de daños y perjuicios** (CNUCI art.74 a 77) La indemnización de daños y perjuicios por el incumplimiento del contrato en que haya incurrido una de las partes debe comprender, como regla general, el valor de la perdida sufrida (**daño emergente**) y el de la ganancia dejada de obtener (**lucro cesante**) por la otra parte, como consecuencia del incumplimiento.
La indemnización no puede exceder de la **pérdida prevista** por quien incumple (o que debió haber previsto) en el momento de la celebración del contrato, tomando en consideración los hechos de que tuvo o debió haber tenido conocimiento en ese momento, como consecuencia posible del incumplimiento del contrato.
La parte que invoque el incumplimiento del contrato debe adoptar las medidas razonables para **reducir la pérdida**, incluido el lucro cesante, resultante del incumplimiento. Si no adopta tales medidas, la otra parte puede pedir que se reduzca la indemnización de los daños y perjuicios en la cuantía en que debía haberse reducido la pérdida.

1567 Se establecen otras **reglas complementarias** de valoración de los daños:
1. Si se resuelve el contrato y si, de manera razonable y dentro de un plazo razonable después de la resolución, el comprador procede a una **compra de reemplazo** o el vendedor a una **venta de reemplazo**, la parte que exija la indemnización puede obtener la diferencia entre el precio del contrato y el precio estipulado en la operación de reemplazo.
2. Si se resuelve el contrato y existe un precio corriente de las mercaderías (**precio de mercado**), la parte que exija la indemnización puede obtener, si no ha procedido a una compra de reemplazo o a una venta de reemplazo, la diferencia entre el precio señalado en el contrato y el precio corriente en el momento de la resolución.
No obstante, si la parte que exija la indemnización ha resuelto el contrato después de haberse hecho cargo de las mercaderías, se ha de aplicar el precio corriente en el momento en que se haya hecho cargo de ellas, en vez del precio corriente en el momento de la resolución.

Precisiones **1)** El precio a tener en cuenta como **precio corriente** es el del lugar en que debiera haberse efectuado la entrega de las mercaderías o, en su defecto, el precio en otra plaza que pueda razonablemente sustituir ese lugar, habida cuenta de las diferencias de costo del transporte de las mercaderías (CNUCI art.76.3).
2) En lo relativo a la indemnización de daños y perjuicios, puede consultarse la siguiente **jurisprudencia** en aplicación de la CNUCI: TS 28-1-00, EDJ 512; 3-9-10; AP Barcelona 2-2-04; AP Madrid 20-2-07, EDJ 51114; AP Valencia 8-4-08, EDJ 89240; AP Murcia 15-7-10, EDJ 161621.

1569 **Resolución del contrato** (CNUCI art.81 a 84) La resolución del contrato libera a las dos partes de sus obligaciones, salvo en lo que respecta a la **indemnización de daños y perjuicios** que corresponda. Se establecen ciertas reglas referidas a la resolución:
a) La parte que haya cumplido total o parcialmente el contrato puede reclamar a la otra la **restitución** de lo que haya suministrado o pagado conforme al contrato. Si las dos partes están obligadas a restituir, dicha restitución debe realizarse simultáneamente.
b) El comprador pierde el derecho a declarar resuelto el contrato o a exigir al vendedor la entrega de otras mercaderías en sustitución de las recibidas si le **resulta imposible restituir** éstas en un estado sustancialmente idéntico a aquel en que las hubiera recibido, salvo cuando:
- la imposibilidad de realizar tal restitución no sea imputable a un acto u omisión suyo;
- las mercaderías o una parte de ellas hayan perecido o se hayan deteriorado como consecuencia del examen realizado en el momento de su recepción;
- el comprador, antes de descubrir la falta de conformidad, haya vendido las mercaderías o una parte de ellas o las haya consumido o transformado conforme a un uso normal.

c) El vendedor obligado a restituir el precio debe abonar también los **intereses** correspondientes a partir de la fecha en que se haya efectuado el pago.
d) El comprador debe abonar al vendedor el importe de todos los **beneficios** que haya obtenido de las mercaderías, en los siguientes casos:
- cuando deba restituir las mercaderías o una parte de ellas; o
- cuando le sea imposible restituir la totalidad o una parte de las mercaderías en un estado sustancialmente idéntico a aquel en que las hubiera recibido, pero haya declarado resuelto el contrato o haya exigido al vendedor la entrega de otras mercaderías en sustitución de las recibidas.

h. Comercio internacional de compensación

Aun cuando las transacciones en el comercio internacional se basan habitualmente en la compraventa de bienes, en los últimos tiempos ha cobrado cierto auge el denominado comercio internacional de compensación, expresión que hace referencia a una multiplicidad de acuerdos comerciales en los que, en mayor o menor medida, se prescinde del elemento del precio, característico de la compraventa. Se produce con ellos un **intercambio de bienes** por otros bienes o por servicios, de forma similar a lo que ocurre en el contrato de **permuta** (nº 1585) pero con una complejidad práctica mucho mayor. 1575

El comercio de compensación puede tener en cada caso una finalidad distinta, pero principalmente obedece a los siguientes **objetivos**:
- facilitar el comercio con importadores de países con carencia o escasez de divisas;
- creación de nuevos productos de exportación;
- apertura de nuevos mercados en el exterior.

El comercio de compensación comprende una gran variedad de acuerdos de distinto tipo suscritos entre sujetos muy diferentes. Los celebrados entre compañías privadas pueden clasificarse en dos grandes **grupos**: 1577

a) Acuerdos de **contracompra** («buyback»). Son acuerdos mediante los que una parte se compromete a comprar ciertos bienes en compensación de una compra realizada anteriormente por la otra parte. Los **bienes que se entregan** en compensación pueden estar relacionados o no con los de la exportación original. En algún caso son resultado directo de la exportación (exportación de materias primas a cambio de la importación de productos elaborados con ellas). Una modalidad de este supuesto es aquella en la que el comerciante que realiza la exportación principal **adelanta la compra** de productos del país importador mediante un crédito que se aplica a la futura exportación (acuerdos de «junktim»).

b) Acuerdos de **compensación**, cuya operativa va desde el puro trueque o permuta de productos entre dos comerciantes («swap») hasta acuerdos más complejos en los que el importador actúa como intermediario entre el exportador y un tercero que entrega sus productos a cambio de los del comerciante exportador, o en los que los bienes de exportación son pagados en parte con bienes y en parte con dinero.

A su vez, los acuerdos de compensación pueden clasificarse en:
• compensación **directa**, en la que los bienes que se entregan en compensación están relacionados con o son el resultado de la exportación original; y
• compensación **indirecta**, en la que se intercambian bienes sin relación alguna entre sí.

SECCIÓN 5

Contratos afines a la compraventa

1580

A. Permuta

1585

Carácter mercantil El contrato de permuta es aquel por el que cada contratante (**permutante**) se obliga a dar una cosa para recibir otra (CC art.1538). 1587

Para la **regulación** de la permuta de carácter mercantil, el Código de Comercio (CCom art.346) establece una remisión a las normas de la compraventa, que se han de aplicar en la medida que lo permitan las circunstancias y condiciones de los contratos. Con carácter

supletorio también resultan aplicables las normas sobre la permuta contenidas en el Código Civil (CC art.1538 a 1540).
El mayor obstáculo que existe para la aplicación de las señaladas normas supletorias estriba en la **calificación** del contrato de permuta como mercantil. Por analogía con la compraventa, algunos autores vienen entendiendo que es mercantil la permuta que se realice con la intención de vender o permutar de nuevo el bien permutado (reventa), con **ánimo de lucrarse** con dicha enajenación (ver al respecto nº 950 s.).
El contrato de permuta presenta las mismas **características** que el contrato de compraventa, salvo la existencia de un precio cierto, ya que en la permuta la **contraprestación** no es el pago del precio, sino la entrega de otra cosa. Se trata de un contrato consensual, oneroso, bilateral y traslativo de dominio, aunque no por sí mismo, sino mediante la entrega de los bienes (TS 11-5-99, EDJ 8561).

Precisiones La permuta ha sido tradicionalmente considerada como un contrato primitivo, de poca trascendencia económica y con tendencia a desaparecer. No obstante, como apunta algún autor (Seco Caro), la escasa utilización de la permuta como contrato comercial es consecuencia del desarrollo del **dinero** como **instrumento de pago**, por lo que no es extraño pensar en un resurgir de la permuta en situaciones de dificultad en los mecanismos monetarios, fundamentalmente en el ámbito del comercio internacional (ver nº 1603).

1589 **Obligaciones de las partes** En la permuta ambos contratantes tienen los **mismos derechos y obligaciones**, pues la esencia de sus prestaciones es la misma.
Así, cada uno de los permutantes está obligado a **entregar** y tiene derecho a **recibir** las mercancías que se hayan pactado en el contrato.
Se han de aplicar las **normas de la compraventa** a los derechos y obligaciones de las partes, fundamentalmente en lo que se refiere a la entrega de los bienes (nº 1070 s.), ya que no existe en este caso un precio a pagar.

1591 **Cumplimiento del contrato** El cumplimiento de la permuta sigue, en general, el mismo esquema que el de la compraventa. No obstante, con respecto a este contrato, la permuta puede presentar ciertas **peculiaridades**, que exponemos en los números siguientes.

1593 **Permuta de cosa ajena** (CC art.1539) En teoría es perfectamente posible que la permuta recaiga sobre una cosa que, en el momento de **perfección del contrato**, pertenece a una persona distinta del permutante. Este supuesto no plantea problemas si su transmitente adquiere la propiedad antes de realizar la entrega. Cuando no es así, pueden presentarse dos **situaciones**:
a) El permutante-transmitente **realiza la entrega de la cosa**, a pesar de no pertenecerle. En este caso, el adquirente se arriesga a que el verdadero dueño se la reclame en un momento posterior (evicción; nº 1125), por lo que se establece que, si logra acreditar que la cosa recibida no es propia de quien la entregó, no resulta obligado a entregar la que ofreció a cambio, cumpliendo con la devolución de aquella. Esto es, el contrato se resuelve si el permutante-adquirente consiente en devolver la cosa recibida.
b) El permutante-transmitente **no realiza la entrega**. En este caso, se aplican las normas del incumplimiento por falta de entrega (nº 1222).

1595 **Saneamiento por evicción** (CC art.1540) El primer supuesto previsto en el número anterior (permuta de cosa ajena entregada) presupone que el permutante-adquirente aun no ha realizado su correspondiente entrega. Así pues, cuando la **permuta ya se ha consumado** por ambas partes, no es posible aplicar la regla expuesta. En este caso, el adquirente solo puede reclamar ante el transmitente si pierde por evicción la cosa recibida en permuta. Puede optar al efecto entre:
- **recuperar los bienes** que entregó a cambio; o
- reclamar la indemnización de **daños y perjuicios**.

La primera posibilidad solo es posible mientras los bienes que entregó estén **en poder del transmitente** y sin perjuicio de los derechos adquiridos sobre ellos por terceros de buena fe.
Mediante la aplicación analógica de las **reglas de la compraventa** a este supuesto, es posible deducir que puede el adquirente exigir además (CC art.1478):
• los frutos o **rendimientos**, si se le ha condenado a entregarlos al que le ha vencido en el juicio;
• las **costas del pleito** que haya motivado la evicción y, en su caso, las del pleito contra el transmitente para el saneamiento;
• los **gastos del contrato**, en su caso;
• los **daños e intereses** y los gastos voluntarios o de puro recreo u ornato, si se vendió de mala fe.

Supuestos especiales Pueden darse dos supuestos especiales, que constituyen, a su vez, dos **variedades contractuales** de la permuta. Estos son la permuta de bienes de diferente valor y la permuta de solar por inmuebles a construir. 1597

Permuta de bienes de diferente valor (CC art.1446) Este supuesto plantea especiales problemas de diferenciación con la compraventa. En esta modalidad una de las partes se compromete a entregar, además de determinados bienes, una **cantidad de dinero** para compensar la diferencia de valor existente entre dichos bienes y los que ha de entregar la otra parte. Para estos supuestos, el contrato se ha de calificar de acuerdo con la **intención manifiesta** de los contratantes, y cuando ésta no conste: 1599
- como **permuta**, si el valor de lo bienes excede al del dinero o su equivalente;
- como **compraventa**, en caso contrario.

Permuta de solar por inmuebles a construir Aun cuando la naturaleza de este contrato está lejos de recibir una calificación unánime por parte de la doctrina, suele calificarse como permuta de solar por pisos o por inmuebles a construir aquel contrato por el cual una parte cede un solar de su propiedad para que otra realice en él una construcción y le pague con una **participación en la edificación** resultante o con el precio obtenido de la venta de la misma. 1601
Este contrato es objeto de estudio en el nº 1250 s. Memento Inmobiliario 2023-2024, por lo que a él nos remitimos para cualquier consulta.

Aplicación en el comercio internacional El contrato de permuta está experimentando cierto auge en el contexto de las relaciones comerciales internacionales. 1603
La posibilidad de prescindir del factor dinerario en una operación de intercambio de mercancías ofrece múltiples **ventajas** a los contratantes: disminución de riesgos derivados de la transacción monetaria (cambio del valor de las divisas, problemas de falta de pago, problemas de tramitación bancaria...), posibilidad de comerciar con países carentes de divisas, superación de situaciones de falta de crédito, apertura de nuevos mercados en el exterior.
En su forma más sencilla, la operación consiste en una **exportación** de ciertos bienes que se corresponde con una **importación** de otros, por el mismo valor, que suministra el adquirente de los primeros. No obstante, es común que la operación se estructure en dos **contratos paralelos**, con cláusulas de pago diferentes para cada transacción.
Un **desarrollo más elaborado** de este fenómeno da lugar a operaciones de compensación tanto entre particulares, como entre estos e instituciones gubernamentales.
Sobre el **comercio internacional de compensación** ver nº 1575.

B. Suministro

El contrato de suministro es un contrato atípico mediante el cual una persona (suministrador o **proveedor**) se obliga, a cambio de un precio, a realizar a favor de otra (suministrado), **prestaciones periódicas**, cuya función es la satisfacción de necesidades continuas para atender el interés duradero del suministrado (TS 30-11-84; 2-12-96, EDJ 8350). 1612
La prestación del suministrado consiste siempre en **dinero**, mientras que la del suministrador consiste en la entrega de **bienes muebles**, normalmente de naturaleza genérica.
Es característica de esta operación la existencia de **un solo contrato** cuyo objeto lo constituye un conjunto de mercancías o géneros que deben ser entregados en periodos de tiempo determinados o a determinar (TS 8-7-88, EDJ 5988).
En cuanto a la **duración del contrato** y las obligaciones para las partes:
1º. En los contratos **por tiempo indefinido** o sin fijación de plazo, la doctrina y la jurisprudencia admiten la denuncia unilateral del contrato, independientemente de que exista o no justa causa, con indemnización de daños y perjuicios solo cuando haya existido mala fe o abuso de derecho. No obstante, en determinados casos surgen obligaciones para el suministrado que resuelve intempestivamente el contrato (ver nº 1622 Precisiones).
2º. En cambio, en los contratos con **duración específica** debe respetarse el plazo contractual, así como cuando se establece un plazo determinado de preaviso, salvo que exista una causa legal que justifique la resolución anticipada del contrato (TS 2-12-96, EDJ 8350).

1614 El contrato de suministro tiene las siguientes **ventajas**:
• Para el **suministrado**: asegurarse el **abastecimiento de ciertos bienes** sin tener que contratar por separado cada una de las compras y evitando el riesgo de no conseguir la mercancía en situaciones de mucha demanda o de escasez (ver nº 1622 Precisiones).
• Para el **suministrador**: asegurar las **ventas** en momentos futuros, permitiéndole además planificar a más largo plazo su actividad.
Al carecer de una específica normativa legal, el contrato de suministro se rige fundamentalmente por lo estipulado entre las partes en el contrato y, en lo no previsto, por las normas reguladoras de la **compraventa mercantil**, contrato al que resulta afín (como ha reconocido la jurisprudencia: TS 8-7-88, EDJ 5988; 2-12-96, EDJ 8350; 27-9-06, EDJ 269913).

Precisiones 1) El suministro se **diferencia de la compraventa** en el hecho de que aquel se compone necesariamente de **diversas entregas**, a las que el suministrador resulta obligado en virtud de un solo contrato. Aunque es posible una venta en la que la entrega se fraccione en varias operaciones, supuesto que fácilmente podría confundirse con el de suministro, en la compraventa la prestación es única, mientras que en el suministro no hay prestación única, sino **varias prestaciones** ligadas entre sí (Garrigues).
Para diferenciar el contrato de compraventa del de suministro, debe entenderse que en el primero la cosa vendida se entrega de una sola vez o en actos distintos, pero referidos en cualquier caso a una **cosa unitaria**, y en el segundo las entregas se producen sucesivamente, así como su pago, y en períodos determinados (AP Asturias 9-6-05, EDJ 88181).
No obstante, existen supuestos en que resulta muy difícil la calificación del contrato como de uno u otro tipo. En definitiva, dada la afinidad existente entre ambos contratos, la distinción carece en gran medida de interés, pues al suministro resultan de aplicación la gran mayoría de las normas de la compraventa.
2) El contrato de suministro **realizado con la Administración** no es objeto de estudio en esta obra. Este contrato se regula en la Ley de contratos del sector público (L 9/2017). Un estudio detallado de este contrato en el ámbito de los contratos públicos puede encontrarse en nº 9220 s. Memento Contratación Pública 2023-2024. Tampoco tratamos el llamado **suministro alimentario** o «catering», contrato atípico complejo en el que concurren características del suministro y del arrendamiento de servicios.

1616 **Objeto del contrato** A diferencia de la compraventa, el contrato de suministro puede tener por objeto únicamente **bienes genéricos**. Quedan, por tanto, excluidos aquellos bienes con una acentuada individualidad (Moxica Román).
Por otro lado, también pueden ser objeto del contrato bienes contratados en base a una **muestra**, en cuyo caso resulta de aplicación lo expuesto sobre la compraventa sobre muestras (nº 1390).
Teniendo en cuenta el carácter genérico de las mercancías a entregar, ha de tenerse en cuenta lo que para dichos bienes se establece con respecto a la compraventa. Así, si los contratantes no han estipulado una **calidad** determinada, el suministrado no puede exigir bienes de calidad superior, ni el suministrador puede entregarlos de inferior (CC art.1167). Ver nº 1012.
En cuanto a su **cuantía**, lo deseable es que se determine en el contrato. No obstante, en muchos casos no es posible la determinación exacta, pues puede que el suministrado no sepa de antemano cuáles van a ser sus necesidades. En esos casos sería conveniente fijar, al menos, unos límites, mínimo y máximo, dentro de los cuales pueda el suministrado fijar una cantidad concreta antes de recibir la entrega.

1618 **Precio** El precio del contrato puede establecerse:
- con respecto a **cada unidad** del producto a suministrar; o
- **a tanto alzado** por cada prestación o por el conjunto de las prestaciones a realizar.

Cuando el contrato de suministro es de larga duración, es frecuente incluir en el contrato **cláusulas de estabilización** o revisión de precios. Aun cuando las partes no hayan previsto dichas cláusulas, la revisión del precio parece posible en estos contratos (TS 28-1-70). También es posible establecer algún **método de fijación de precios** de forma periódica, siempre que dicha fijación no quede al arbitrio de uno de los contratantes (en este sentido AP Bizkaia 29-11-99, EDJ 84457; AP Valencia 7-4-01, EDJ 8490).

Precisiones El contrato de suministro es de naturaleza duradera, por lo que resulta de aplicación la **cláusula «rebus sic stantibus»** que permite la modificación del contrato en el supuesto de que se produzca una alteración extraordinaria de las circunstancias en el momento de su cumplimiento, con relación a las previstas al tiempo de su celebración. Ha de tratarse de **circunstancias imprevisibles** por completo y que provoquen una desproporción inusitada y exorbitante, fuera de todo cálculo, que aniquile el necesario equilibrio de las prestaciones. La referida cláusula tiene **efectos modificativos** del contrato, encaminados a compensar el desequilibrio obligacional instaurado, pero no autoriza la extinción o resolución de la relación por la alteración sobrevenida de la base negocial (TS 29-1-96, EDJ 150; 29-5-96, EDJ 2718; 17-11-00, EDJ 38871). Ver nº 266.

Obligaciones del suministrador Como el vendedor en el contrato de compraventa, el suministrador está obligado a: 1620
- **entregar las mercancías** en las fechas estipuladas (nº 1070); y
- al **saneamiento** por la evicción o por los vicios de las mismas (ver nº 1105 s.).
Sobre la entrega de cosa diversa o «aliud pro alio», ver nº 1226.
La principal especialidad con respecto a la compraventa estriba en que el momento inicial del cómputo de los **plazos de reclamación** por defectos ocultos (30 días y 6 meses: nº 1236 y nº 1242), es la fecha del último suministro (TS 10-3-94, EDJ 2181).

Precisiones Al contrato de suministro (contrato único que da lugar a prestaciones periódicas) se le aplica la regulación del Código de Comercio sobre **saneamiento por defectos o vicios ocultos** (CCom art.336 y 342), que son normas de la compraventa mercantil que deben aplicarse a un contrato como el de suministro, variante de la compraventa o afín a la misma, pues de lo contrario quedaría huérfano de regulación algo tan esencial para el tráfico mercantil y la seguridad jurídica, como es el **plazo de reclamación** por vicios en la cosa entregada en virtud del contrato de compraventa o de suministro (TS 3-4-03, EDJ 6543).

Obligaciones del suministrado Las obligaciones del suministrado, al igual que las del comprador en el contrato de compraventa, son: 1622
- la **recepción** de las mercaderías (nº 1140); y
- el **pago** del precio (nº 1150).
El pago puede realizarse, según se haya pactado, en diversos momentos:
• después de cada suministro;
• en una fecha determinada, anterior o posterior a la última entrega;
• en diversas fechas, no necesariamente coincidentes con los suministros, de tal forma que se vayan realizando pagos a cuenta, sin perjuicio de que al final se realice balance de lo pagado, determinando lo que falta o sobra por pagar.
La **reclamación del pago** puede realizarse una vez transcurrida la fecha marcada para realizarlo. En el caso de que se realicen **pagos a cuenta** sin regularizar hasta el final, el plazo para efectuar la reclamación no comienza a correr hasta que no se efectúe la determinación del saldo.

Precisiones El **contrato de suministro «just in time»** se caracteriza por ser una modalidad funcionalmente vinculada al sistema de fabricación y comercialización del producto, de forma que el suministrador asume la obligación de entregar bienes y, en ocasiones, realizar servicios conexos, conforme a la solicitud del suministrado, en un plazo breve de tiempo establecido por el contrato o por los usos mercantiles del sector. Para cumplir con esa obligación, es necesario que el **suministrador** mantenga un **stock de productos terminados y materias primas** suficientes para hacer frente a una solicitud razonable de productos. Por tanto, el acuerdo «just in time» implica necesariamente que el suministrador tenga asegurada la disponibilidad de dicho stock y soporte los costes derivados del mismo, lo que constituye una obligación natural de este contrato atípico. En caso de que el **suministrado resuelva o extinga unilateralmente** este tipo de contrato, está obligado a comprar el stock al suministrador a falta de pacto al respecto, con arreglo al principio de **buena fe** y atendiendo las circunstancias del caso (TS 5-10-16, EDJ 171334).

Incumplimiento Se distingue entre el incumplimiento del suministrador o del suministrado: 1624
a) Incumplimientos del **suministrador**: El incumplimiento por el suministrador de su **obligación de entrega** puede darse con respecto a una de las prestaciones o suministros, o con respecto a todas ellas.
El incumplimiento por el suministrador de alguna de las prestaciones no supone un incumplimiento que permita al suministrado pedir la resolución del contrato. Ésta solo puede exigirse cuando el incumplimiento sea de tal entidad que cree en el suministrado un sentimiento de inseguridad o **falta de confianza** sobre el cumplimiento de las restantes prestaciones (en ese sentido Moxica Román, Sánchez Calero, Garrigues, entre otros). La resolución del contrato en este caso afecta a la prestación que se considera incumplida y a las posteriores, pero no a las anteriores cumplidas correctamente (ver CCom art.330).
b) Incumplimientos del **suministrado**: La **falta de pago** de alguna de las prestaciones por parte del suministrado permite al suministrador suspender las sucesivas entregas, salvo en el caso de que el suministrado acredite que se trata de una situación transitoria y garantice el pago de la prestación debida y de las posteriores.
Si el incumplimiento deriva de la **falta de recepción** de la mercancía, el suministrador puede también suspender las entregas sucesivas y exigir el cumplimiento o la resolución del contrato con respecto a la prestación rehusada.

Precisiones El incumplimiento del contrato de suministro por parte del **suministrado**, que deja de abonar determinadas facturas, no autoriza al contratante cumplidor (el suministrador) a negarse a **liquidar el contrato** tal como se pactó, con aplicación del rappel (descuento) por el volumen de compras hechas por el suministrado, por lo que, de la deuda impagada por el suministrado, procede **descontar el rappel** al que tenía derecho en virtud del contrato (TS 7-5-19, EDJ 573839).

C. Contrato estimatorio

1630

1632 Mediante el contrato estimatorio -también denominado «venta de consignación» o «depósito en comisión de venta»-, una persona (**distribuidor** o «tradens») pone a disposición de otra (**consignatario** o «accipiens») un bien o un grupo de bienes muebles, con el fin de que éste último los venda y le entregue el valor que por ellos se ha estimado.

La **retribución** o beneficio del consignatario consiste en la diferencia entre el precio estimado de los bienes (que ha de reembolsar al distribuidor), y el precio superior en el que ha conseguido colocar esos bienes en el mercado (ver nº 1640).

Este contrato carece de **regulación normativa** propia, pues, desde el punto de vista legislativo, tan solo se ofrece una definición del mismo a efectos fiscales, a efectos del devengo del IVA: contrato por el que una de las partes entrega a la otra bienes muebles, cuyo valor se estima en una cantidad cierta, obligándose quien los recibe a **procurar su venta** dentro de un plazo y a devolver el valor estimado de los bienes vendidos y el resto de los no vendidos (L 37/1992 art.75.3º).

Tampoco la jurisprudencia le ha dotado de una base jurídica consistente y unánime, por lo que su regulación depende normalmente de la **voluntad de las partes y** de los **usos del comercio**.

Precisiones 1) Si bien el contrato estimatorio es un **contrato atípico**, es decir, sin una base normativa expresa en nuestro sistema, si es objeto de regulación precisa en países de cultura jurídica próxima -entre otros, Italia y México-, objeto de amplio estudio por la doctrina científica, y recogido de modo puntual en resoluciones judiciales (entre otras, TS 17-1-92, EDJ 292) y recogido en usos de comercio. Su justificación legal se encuentra, como contrato atípico, en el CCom art.50 y CC art.1255. Son **rasgos distintivos** del contrato estimatorio desde el derecho romano la entrega de una cosa con estimación de su valor para que sea vendida con sobreprecio por el que la recibe. Tal pacto de colaboración constituye un mecanismo adecuado para abrir canales de distribución. Si no se ha realizado la venta en el plazo acordado, el consignatario deberá devolver al consignante las mercancías o cosas no vendidas (AP Sta. Cruz de Tenerife 9-5-05, EDJ 287486).

2) No cabe duda de que se trata de un contrato entre comerciantes y por lo tanto tiene una **naturaleza mercantil**, siendo aplicables las normas contenidas en el Código de comercio, en concreto el CCom art.943 que remite al Derecho común, esto es al Código Civil cuyo art.1964 establece un plazo de **prescripción** de 5 años -15 años antes de su reforma por L 42/2015- (AP Tarragona 31-10-23, EDJ 756091).

3) Sobre el contrato estimatorio de **bienes inmuebles** ver sentencia AP Barcelona 19-9-96, Rec 393/95.

1634 **Figuras afines** Con la intención de concretar su naturaleza jurídica, la doctrina y la jurisprudencia han venido identificando este contrato con distintas variedades contractuales con las que presenta numerosas **analogías** y de cuyos caracteres participa en alguna medida. Estos contratos afines son, principalmente, el depósito, la compraventa y la comisión:

• **Depósito** (nº 4910). Como en el depósito, en el contrato estimatorio las mercancías se ponen en poder del consignatario durante el tiempo pactado, sin que se produzca un cambio en la titularidad de las mismas. Sin embargo, en el contrato estimatorio, el consignatario carece de la intención primordial y finalista de **guarda y custodia**, característica del depositante (AP Cádiz 9-4-91), aunque sí que resulta responsable de la conservación de la mercancía mientras ésta esté en su poder (nº 1644).

• **Compraventa** (nº 945). Ha sido también asimilado a la compraventa sometida a condición suspensiva o a término, ya que la intención principal del tradens es la de distribuir y vender sus productos. En este sentido, el contrato estimatorio ha sido definido como aquel mediante el cual la persona que recibe una cosa mueble, con su estimación contrae la obligación de adquirirla dentro de un plazo determinado, con el derecho de retener la parte del precio que exceda de la estimación cuando la haya vendido, y la obligación de devolverla en caso contrario (Garrigues). No obstante, a diferencia de una compraventa en firme, en este contrato, el consignatario carece de una verdadera **voluntad de compra**, ya que pretende precisamente evitar los riesgos derivados de la adquisición de la mercancía (por ejemplo, falta de salida de la misma en el mercado). Además, en el contrato estimatorio, el consignatario solo está obligado a pagar el **precio** por las mercancías en el caso de que consiga venderlas, lo cual supone una diferencia sustancial con el contrato de compraventa.

• **Comisión**. Desde este punto de vista, el contrato estimatorio sería un contrato de comisión de venta (nº 5580) en el que el comitente (distribuidor) acuerda con el comisionista (consignatario) un precio mínimo de venta, pudiendo éste vender a un **precio superior** y retribuyendo sus servicios con el beneficio obtenido de la diferencia. Una vez transcurrido el plazo pactado, el consignatario debería rendir cuentas de las operaciones realizadas, devolviendo al distribuidor el precio de las cosas vendidas, junto con aquellas que no logró vender. Sin embargo, a esta interpretación suele objetarse que subyace en el contrato mayor **ánimo de financiación** que de gestión de negocios ajenos y que la amplia libertad de la que goza el consignatario (gestión de su negocio en nombre y por cuenta propia, entrega de la mercancía a previo pedido al mayorista) no es propia de un comisionista.

La asimilación del contrato estimatorio al **depósito** ha sido desechada prácticamente por la totalidad de la doctrina y de la jurisprudencia. No ha ocurrido lo mismo con respecto a la asimilación a la **compraventa y a la comisión**, que cuentan con mayor aceptación doctrinal (Muñoz M. Planas, Sánchez Calero, entre otros) y jurisprudencial (TS 17-1-92, EDJ 292; AP Barcelona 19-9-96). **1636**

Desde posturas más conciliadoras se ha argumentado que se trata de un contrato cualquiera -normalmente comisión o compraventa- en el que se pacta una **cláusula estimatoria**, o bien una **estructura contractual** con elementos de las tres figuras señaladas (TS 17-1-92, EDJ 292; AP Cádiz 9-4-91; AP Barcelona 25-4-95).

A este respecto, ha sido definido jurisprudencialmente como un contrato atípico mixto en el que, sucesivamente, están siempre presentes los elementos de la **compraventa** y del **depósito** (AP Barcelona 19-9-96).

Se convierte entonces en fundamental averiguar la verdadera **intención de los contratantes** y la **finalidad económica** perseguida, factores que nos dan las claves para la aplicación subsidiaria de normas propias de la compraventa o de la comisión (o agencia), dependiendo de la medida en que la configuración del contrato se aproxime más a uno u otro contrato.

Precisiones **1)** Como señala la mejor doctrina, la causa del contrato estimatorio no coincide con la causa típica de la **compraventa**, por cuanto no se pretende un intercambio actual de cosa por precio, pues precisamente la intención del consignatario es eludir los inconvenientes y riesgos de una adquisición en firme (AP Sta Cruz de Tenerife 9-5-05, EDJ 287486).

2) La función económica del contrato de **depósito** tampoco coincide con la que es característica del contrato estimatorio, dado que, el propósito de las partes en el contrato estimatorio no se agota por referencia a los fines de custodia y restitución que integran la causa depositii, ya que la entrega de las cosas estimadas al consignatario cumple una función meramente instrumental respecto del objetivo de conseguir la colocación de las mismas en el mercado, lo que hace inaplicable las normas del contrato de depósito. Por ello, aunque en la práctica comercial en ocasiones se denomina vulgarmente al contrato estimatorio como "**venta en cuenta de depósito**", tal designación vulgar no va dirigida a que se considere se trata de un auténtico contrato de depósito, sino que por los intervenientes se entiende que no hay transmisión de la propiedad entre las partes, y la adquisición de la propiedad de las mercancías por parte del tercero no constituye un efecto propio del negocio estimatorio, sino la consecuencia de un negocio independiente de compraventa (AP Sta Cruz de Tenerife 9-5-05, EDJ 287486).

3) A diferencia del contrato de **compraventa**, la entrega de las mercancías no produce la transmisión de la propiedad, sino que atribuye al consignatario un poder exclusivo de disposición sobre los bienes entregados. A cambio, el consignatario asume los riesgos de dichos bienes mientras permanezcan en su poder (AP Tarragona 31-10-23, EDJ 756091).

Función económica El contrato estimatorio cumple una importante función como medio de **financiación** del comerciante **minorista** (el consignatario o accipiens), ya que le permite disponer de unas mercancías para ponerlas a la venta sin tener que desembolsar previamente su importe. **1638**

Para el **distribuidor o mayorista** presenta la gran ventaja de facilitar la difusión y distribución de sus productos a bajo coste, mediante la colaboración de comerciantes ya introducidos en el mercado.

Esta operación se muestra especialmente idónea y encuentra mayor justificación económica en aquellos sectores del comercio con fuerte riesgo de **pérdida de oportunidad** en la comercialización, ya por influencia de la moda -tejidos y productos textiles, calzado-, ya por la brevedad del tiempo -periódicos, revistas- o de la temporada -juguetería, artículos de Navidad- en que las expectativas de su comercialización son posibles o máximas. Igualmente sucede en aquellos otros sectores en que la adquisición en firme implica el desembolso de **fuertes sumas de dinero** o la necesidad de acudir a importantes financiaciones externas -joyería, metales preciosos-, o en que el minorista desea eludir el lógico riesgo inherente a la adquisición de una mercancía de impredecible o **dudoso éxito comercial** -librería, farmacia- (Lázaro Sánchez).

Precisiones Se trata de un **contrato de cambio**, cuya función económico-social es cooperar a la circulación y al comercio de la cosas, con actividad de mediación entre productores o mayoristas y los consumidores. De gran incidencia en la práctica comercial habitual respecto de objetos de decoración, galerías de arte, arreglo personal, venta de libros y periódicos, etc., al permitir ofertar productos a la venta, sin el riesgo de asumir como propia su venta o la caducidad del producto (AP Sta Cruz de Tenerife 9-5-05, EDJ 287486).

1640 **Precio** Existe absoluta libertad para pactar en el contrato el **valor estimado** de las mercancías que se entregan, aunque la doctrina, en general, considera que debe tratarse de una cantidad cierta (CC art.1445). Este valor estimado sirve, una vez transcurrido el plazo marcado, para calcular el precio que debe cobrar el distribuidor por las mercancías vendidas.

También depende de los contratantes el establecimiento o no del precio por el que el consignatario debe venderlas. Lo normal es el establecimiento de un **precio mínimo de venta**, por debajo del cual no está autorizado el consignatario a vender las mercancías.

Por otro lado, no es preciso que el valor estimado y el precio de venta sean diferentes, aunque será lo más usual, ya que la **diferencia de precios** constituye la retribución del propio consignatario.

1642 **Obligaciones del distribuidor** El distribuidor se compromete a **entregar** al consignatario las **mercancías** en el plazo pactado en el contrato. Aunque la entrega de las mercancías no genera la transmisión de su propiedad, sí ha de atribuirse al consignatario un **poder exclusivo de disposición** sobre los bienes entregados. A cambio de esa facultad de disposición, el consignatario corre con los **riesgos** de dichos bienes mientras permanezcan en su poder.

Por aplicación de las normas de la compraventa (CCom art.336 y 342), cuando los bienes entregados presenten algún defecto, el consignatario debe denunciarlo en el plazo de 4 días desde la entrega, si se trata de un **defecto aparente**, o de 30 días, si se trata de **defectos ocultos** (nº 1236 y nº 1242), a fin de conservar sus acciones contra el distribuidor y de evitar la responsabilidad propia por posible deterioro o pérdida de las mercancías.

1644 **Obligaciones del consignatario** El consignatario está obligado principalmente a **procurar la venta** de las mercaderías entregadas dentro del plazo establecido. Para tal fin ha de emplear la diligencia propia de un ordenado comerciante, siguiendo las **instrucciones** del distribuidor (L 12/1992 art.9.2) y, si no las hay, debiendo consultarle, si ello es posible (CCom art.255). Si las instrucciones del distribuidor son precisas, el consignatario responde de los **daños y perjuicios** derivados de su inobservancia (CCom art.256).

Tras el vencimiento del plazo previsto para vender las mercaderías, el consignatario debe:
- **pagar** al distribuidor el valor estimado de las cosas que venda; y
- **devolver** el resto de las no vendidas.

Además, mientras las mercancías estén en su poder, está obligado a su **conservación**, siendo responsable de su pérdida o deterioro.

Con respecto a la **pérdida o deterioro** de los bienes, una vez que la mercancía ha sido entregada al consignatario, la solución depende de la calificación que reciba el contrato:

• En aplicación de las reglas de la **comisión**, la pérdida del bien por caso fortuito, fuerza mayor, transcurso del tiempo o vicio propio de la cosa, ha de soportarla el comitente-distribuidor (CCom art.266).

• Según las normas de la **compraventa**, el riesgo es siempre del comprador-consignatario, salvo en los casos de dolo o negligencia del vendedor-distribuidor (CCom art.333; TS 17-1-92, EDJ 292).

Por último, el consignatario ha de **rendir cuentas** de su gestión, aunque solo en la forma y en el tiempo usual o expresamente establecido (TDC Resol 3-7-91).

1646 Precisiones **1)** Aun cuando la regla general es que las cosas perecen para su dueño (es decir, que es el propietario quien carga con el riesgo de su pérdida o deterioro), con respecto al contrato estimatorio esta regla carece de sentido, ya que, por definición, el distribuidor solo transmite la **posesión**, no la propiedad. Además el hecho de que sea el **consignatario** quien soporte el **riesgo** es congruente con su obligación de restituir o pagar el valor de lo entregado (AP Bizkaia 11-5-89).

2) En la práctica, es frecuente que el consignatario concierte un **seguro** que cubra el riesgo de pérdida o deterioro de las mercancías mientras están su poder.

3) El hecho de que el consignatario no sea propietario, sino solo **poseedor** de la mercancía, aun teniendo atribuido el poder de disposición sobre la misma, implica que dichos bienes no forman parte de su patrimonio, por lo que no pueden, en su caso, ser **ejecutados por sus acreedores**.

4) En caso de **responsabilidad del consignatario**, el valor estimado de la mercancía representa la cobertura-límite del interés del distribuidor en los bienes, pero no cubre la responsabilidad por otros daños causados (Muñoz M. Planas).

5) Uno de los requisitos evidentes de este contrato es el del **plazo**, el del término en el que la venta ha de realizarse y el dinero y los objetos no vendidos restituirse, indispensable en un negocio en el que no se produce la transmisión de la propiedad al que recibe los bienes muebles, como ocurre también en el contrato de depósito (AP Asturias 31-3-97).

6) El contrato estimatorio, en virtud del cual el consignatario o accipiens ha de devolver el precio de las cosas que venda y el resto de los bienes no vendidos, lleva implícito un determinado **plazo**, dentro del cual o bien se pagan las mercancías vendidas o bien se devuelven a instancias del consignatario-depositario, que es quien conoce los avatares del suministro (AP A Coruña 16-12-05, EDJ 276743).

7) El accipiens asume, principalmente, la obligación de **procurar la venta** de las mercancías recibidas dentro del plazo establecido. Llegado el término fijado en el contrato, debe entregar al distribuidor el precio de las mercancías vendidas y devolver las no vendidas y, en todo caso, debe **rendir cuentas** de su gestión (AP Tarragona 31-10-23, EDJ 756091).

Derechos Pueden señalarse los siguientes derechos de los contratantes: 1648

1. El **distribuidor** puede exigir del consignatario:
- el pago del valor de los productos vendidos;
- la devolución de los que no logró vender en el plazo pactado;
- la adecuada conservación y custodia de los bienes puestos en su poder.

2. El **consignatario** tiene derecho a recibir en el plazo convenido las mercancías que el distribuidor se ha comprometido a entregarle, así como a que éste ponga los medios necesarios para poder realizar la venta de las mismas.

El consignatario tiene plena **disponibilidad** sobre los bienes dados en estimación, actuando frente a terceros en nombre propio y transmitiendo la propiedad de las mercancías entregadas. A tal efecto, corresponde al consignatario pactar con terceros las condiciones de venta que estime convenientes, salvo instrucciones expresas del distribuidor. Está facultado, además, para retener para sí la **diferencia del precio** de las mercancías con respecto a su valor estimado, cantidad que supone para él la retribución de sus servicios.

Precisiones En el contrato estimatorio, a diferencia de la comisión, está permitida la **autoentrada** del consignatario, en el sentido de que puede, una vez transcurrido el plazo pactado para la venta, retener para sí las mercancías no vendidas, adquiriéndolas y pagando su correspondiente precio al distribuidor.

Particularidades del cumplimiento El **cumplimiento normal** del contrato supone la venta de parte o de todas las mercancías por el consignatario en el plazo pactado y la entrega al distribuidor de su valor estimado y, en su caso, de las mercancías no vendidas. 1650

Como particularidades del cumplimiento podemos destacar las siguientes:

• La **falta de entrega** de las mercancías al consignatario no otorga a éste, salvo que así se haya pactado, el derecho a la ejecución forzosa del contrato. Esto es debido a la naturaleza fiduciaria del mismo y a que nuestro derecho permite al comitente desistir del contrato en cualquier estado del negocio -CCom art.279; L 12/1992 art.25.1- (Lázaro Sánchez).

• En cambio, y en aplicación de las reglas de la compraventa, en caso de **entrega de bienes defectuosos**, el consignatario puede optar por la rescisión del contrato o por su cumplimiento de acuerdo a lo convenido, pero siempre con la indemnización de los perjuicios que se le hayan ocasionado (CCom art.336; nº 1234).

• Puesto que el consignatario actúa en nombre propio, queda obligado directamente con el adquirente de la mercancía dada en estimación, quien carece de acción contra el distribuidor (CCom art.246), resultando así el consignatario el único **responsable del producto vendido** frente a los compradores.

• La **transmisión de la propiedad** de las mercancías a terceros se produce en el momento de su efectiva entrega o puesta a disposición, sin que sea necesaria la intervención del distribuidor a tal efecto.

• En el supuesto de que, una vez transcurrido el plazo previsto para la venta, el consignatario **retenga para sí alguna de las mercancías** no vendidas (p.e., con intención de venderlas en un momento posterior), se entiende que las adquiere en firme, convirtiéndose en comprador y quedando obligado desde ese momento a pagar su precio al distribuidor (vendedor en la nueva relación obligatoria). En este sentido, la jurisprudencia ha entendido que existe **compraventa en firme** con respecto a las mercancías no vendidas y tampoco devueltas al mayorista en un plazo prudencial, si no se ha establecido plazo en el contrato, y una vez finalizada la época de venta del producto en cuestión (AP Cádiz 9-4-91).

• A diferencia de la comisión, en el contrato estimatorio no resulta obligado el distribuidor a satisfacer al consignatario el importe de los **gastos y desembolsos** realizados por éste en la fase de ejecución del contrato (Lázaro Sánchez).

1652 **Terminación del contrato** El contrato estimatorio se extingue:
- por el **transcurso del término** pactado; o
- conforme con los **usos** del sector comercial de que se trate.

Además, en atención a su similitud con el contrato de comisión (nº 1634) se entiende que su extinción también sobreviene por **muerte** (o declaración de fallecimiento) o por **inhabilitación** del comisionista-consignatario. No así por muerte o inhabilitación del comitente-distribuidor aunque, en dicho caso, pueden revocar el contrato sus representantes (CCom art.280).

D. Transferencia de crédito no endosable

1655 Los créditos mercantiles no endosables ni al portador pueden transferirse por el **acreedor** sin necesidad de que el **deudor** preste su consentimiento. Basta para ello con poner la transferencia en conocimiento del deudor (CCom art.347).

Desde el momento en que reciba la **notificación de la transferencia**, el deudor queda obligado con el nuevo acreedor, por lo que es a éste a quien debe realizar el pago, no reputándose legítimo el pago que se realice al acreedor anterior. Lógicamente, si el deudor paga al primer acreedor antes de tener conocimiento de la transferencia, queda libre de la obligación (CCom art.347; CC art.1527).

La transferencia de un crédito comprende además la de todos los **derechos accesorios**, como pueden ser la fianza, la hipoteca, la prenda o un privilegio, que existan sobre el crédito (CC art.1528).

El acreedor cedente responde de la **legitimidad** del crédito y de la **personalidad** con que hizo la cesión (de que tenía facultades para cederlo), pero no responde de la **solvencia** del deudor, salvo cuando expresamente se haya establecido dicha responsabilidad (CCom art.348).

Cuando el acreedor cedente se haya hecho responsable de la solvencia del deudor y no se haya estipulado nada sobre la **duración de la responsabilidad**, ésta dura un año desde el momento de la cesión del crédito, si estaba ya vencido el plazo; o bien desde que tenga lugar el vencimiento, si todavía no había vencido (CC art.1530).

Si la transferencia se hace sobre un **crédito litigioso**, el deudor tiene derecho a extinguirlo, reembolsando al cesionario el precio pagado, las costas y los intereses del precio desde el día en que fue satisfecho. Se tiene por litigioso un crédito a partir del momento de contestación a la demanda. El deudor puede ejercitar este derecho dentro de los nueve días siguientes al día en que el cesionario le haya reclamado el pago (CC art.1535).

Precisiones 1) Son **créditos endosables o al portador** los incorporados a un documento a la orden o al portador (letra de cambio, pagaré, cheque). Estos documentos son transmisibles:
- mediante su entrega, si son al portador; y
- mediante la entrega acompañada de una cláusula de endoso, si son a la orden.

2) En cuanto a la **comunicación al deudor**, la jurisprudencia ha entendido que no es un requisito para la transmisión, sino para el cobro por el nuevo acreedor. Así, se ha reconocido como válida la comunicación realizada en el acto de emplazamiento en juicio (TS 11-1-83).

3) La cesión de créditos puede hacerse válidamente sin conocimiento previo del deudor y aun **contra su voluntad** (TS 26-3-01, EDJ 6234).

4) Aun cuando la cesión de créditos produce efectos sin necesidad de consentimiento por parte del deudor, es indiscutible la validez del pacto que limita, elimina o exige algún **requisito de más** -como, por ejemplo, exigencia de aprobación por la parte deudora- (TS 10-10-00, EDJ 32421).

E. Cesión de contrato

1660 Mediante la cesión de un contrato se transfiere en bloque la **cualidad de parte** en una relación contractual, en la que aún están pendientes prestaciones recíprocas.

En la cesión de contrato intervienen tres partes:
- el **cedente** del contrato;
- el **cesionario** de dicho contrato; y
- el **contratante cedido**.

Ejemplo Supongamos un contrato de **arrendamiento de local** en el que se autoriza al arrendatario a ceder el contrato a un tercero. En caso de que se lleve a efecto la cesión por parte del arrendatario, el arrendatario sería el cedente del contrato, el nuevo arrendatario sería el cesionario del contrato y el arrendador sería el contratante cedido.

Aun cuando carece de regulación específica, la cesión de un contrato es posible en virtud del principio de **libertad contractual** -CC art.1255- (TS 5-3-94, EDJ 2013; 9-12-99, EDJ 36833; 5-12-00, EDJ 40714). Nuestro ordenamiento contempla además ciertos **ejemplos concretos** en los que tiene lugar dicha cesión, como el supuesto en que se transmite la cualidad de socio de una sociedad o la cesión del contrato de arrendamiento (L 29/1994 art.32). **1662**

Este tipo de contrato suele tener por objeto relaciones contractuales de **larga duración**, de ejecución continuada (como puede ser el suministro) o diferida. Aplicado a la compraventa, mediante la cesión se consigue hacer circular un conjunto de bienes sin tener que realizar sucesivos contratos con el mismo objeto, reduciendo así los gastos que se generarían.

Para la cesión de contrato es necesario, junto con los consentimientos del cedente y del cesionario, el **consentimiento** o autorización de la otra parte en el contrato objeto de cesión -el contratante cedido- (TS 9-12-97, EDJ 9827; 9-12-99, EDJ 36833; 5-12-00, EDJ 40714; 21-12-00, EDJ 49610). Con carácter singular, en ocasiones la ley exime de dicho consentimiento, como en el caso de la cesión de arrendamiento para uso distinto de vivienda (L 29/1994 art.32.1).

El consentimiento del otro contratante puede ser **anterior, coetáneo o posterior** al negocio de cesión (TS 26-11-82).

Es preciso también que las **prestaciones** a las que el contrato obliga sean recíprocas y que estén pendientes de ejecución, esto es, que, cuando se produzca la cesión, el contrato esté aún vivo, debiendo quedar obligaciones sin cumplir por ambas partes (pues, en otro caso, sería una cesión de crédito o una asunción de deuda).

La cesión coloca al **cesionario** en el lugar que ocupaba el cedente en la relación contractual, quedando este último desligado del contrato y el cesionario subrogado en su lugar, tanto en los derechos como en las obligaciones que surgen del contrato (Moxica Román). **1664**

De esta manera, el **cedente** queda liberado de las obligaciones que tuviera y pierde asimismo los derechos de la relación contractual.

Por su parte, el **contratante cedido** debe cumplir sus obligaciones con respecto al cesionario y admitir el cumplimiento del cesionario con respecto a él.

Pueden los **nuevos contratantes** (contratante cedido y cesionario) oponerse entre sí las **excepciones** que deriven del contrato, pero no puede el contratante cedido oponer al cesionario excepciones fundadas en las relaciones que mantenga con el cedente.

Es posible el pacto por el que el cedente **garantiza** al cesionario el **cumplimiento del contrato** por parte del contratante cedido. En este caso, cabe pensar que el cedente debe responder como **fiador** del otro contratante, quedando obligado a cumplir subsidiariamente la obligación contractual.

Precisiones **1)** Son aplicables al cesionario los mismos requisitos de **capacidad** y las mismas prohibiciones para contratar que se exigieron al cedente.

2) No hay inconveniente en admitir la cesión de un contrato en cuya conclusión se hubiesen tenido especialmente en cuenta las **cualidades personales del cedente**. Si el otro contratante (el contratante cedido) consiente la cesión, eso significará que el cesionario posee las condiciones personales requeridas o bien que tal requerimiento no existe.

3) Un supuesto de cesión de contrato es aquel en que se faculta a una de las partes a **designar al definitivamente contratante** (en este sentido TS 5-12-00, EDJ 40714).

CAPÍTULO 3

Propiedad intelectual

SECCIÓN 1

Cuestiones generales sobre propiedad intelectual

El correcto entendimiento de los contratos que se exponen a continuación hace conveniente el análisis previo de ciertas **cuestiones de carácter general** en torno a la propiedad intelectual, tales como quiénes son los sujetos titulares de los derechos, cuáles son las facultades que tales derechos comprenden o de qué modo se pueden transmitir dichos derechos. 1707

La regulación de estas cuestiones, así como de los contratos que posteriormente se analizarán, se recoge principalmente en la siguiente **normativa**:

• El Texto Refundido de la Ley de propiedad intelectual (**LPI**), aprobado por RDLeg 1/1996, el cual ha sido modificado en varias ocasiones desde la aprobación en 1987 de la Ley de Propiedad Intelectual (L 22-11-1987). Hay que destacar las últimas modificaciones, que han tenido lugar a través de la L 21/2014, el RDL 12/2017, el RDL 2/2018, la L 2/2019 y el RDL 24/2021.
• El Reglamento de la Ley de propiedad intelectual de 1879, aprobado por RD 3-9-1880.
• El Reglamento del Registro General de la Propiedad Intelectual, aprobado por RD 611/2023.
• La L 10/2007 de la lectura, del libro y de las bibliotecas.
• El RD 396/1988 relativo al control de tirada.
• La L 7/2010, general de la comunicación audiovisual.
• La L 55/2007, del cine.
• La LO 2/2023, del sistema universitario.
• La L 14/2011, de la ciencia, la tecnología y la innovación.
• El RD 1084/2015, por el que se desarrolla la L 55/2007.
• El RD 624/2014, por el que se desarrolla el derecho a la remuneración a los autores por los préstamos de sus obras realizadas en determinados establecimientos accesibles al público.
• El RD 224/2016, por el que se desarrolla el régimen jurídico de las obras huérfanas.
• El RD 1398/2018, por el que se desarrolla el art.25 LPI, en cuanto al sistema de compensación equitativa por copia privada.

Precisiones Con efectos desde el 14-7-2023, se ha aprobado un **nuevo Reglamento del Registro de la Propiedad Intelectual** mediante RD 611/2023, que sustituye el anterior RD 281/2003. Entre las principales novedades incorporadas por este nuevo Reglamento podemos destacar: 1709
- la supresión de la opción de registrar obras bajo seudónimo con anonimato;
- la suspensión de plazos cuando en caso de requerimiento de subsanación o de aportación de documentos;
- el establecimiento del documento electrónico como única forma válida para la inscripción registral;
- la introducción de la posibilidad del acceso a través de internet al contenido de los asientos; o
- permitir la consulta con fines de investigación de los ejemplares identificativos de las obras que han pasado a dominio público.

1711 Ha de tenerse en cuenta, además, que, en materia de ejecución de la legislación sobre propiedad intelectual, se ha producido el traspaso de funciones y servicios a las siguientes **comunidades autónomas**:
- Andalucía (RD 1409/1995);
- Aragón (RD 611/1999);
- Asturias (RD 2091/1999);
- Cataluña (RD 897/1995);
- Extremadura (RD 2025/1997);
- Galicia (RD 1825/1998);
- La Rioja (RD 1827/1998);
- Madrid (RD 288/2002);
- Murcia (RD 643/1995);
- Comunidad Valenciana (RD 850/1999);
- País Vasco (RD 3069/1980).

1713 En el ámbito del **Derecho de la Unión Europea** han de tenerse en cuenta diversas directivas (incorporadas a nuestro ordenamiento) en las que se regulan materias tales como la comunicación al público vía satélite de obras y prestaciones protegidas, la duración de los derechos de autor, el alquiler y préstamo de obras y prestaciones protegidas, los derechos de autor en la sociedad de la información, las obras huérfanas o las bases de datos, la gestión colectiva de los derechos de autor y derechos afines y la concesión de licencias multiterritoriales de derechos sobre obras musicales para su utilización en línea en el mercado interior, así como el reforzamiento de la protección de la explotación de obras y prestaciones en el entorno digital, por citar algunas materias.
Las últimas directivas en materia de Derecho de autor aprobadas por el Parlamento Europeo y el Consejo se refieren a los derechos de autor y derechos afines en el mercado único digital (Dir 2019/790/UE), y a determinados derechos de los organismos de radiodifusión y retransmisiones de programas de radio y televisión (Dir 2019/789/UE).

Precisiones 1) La Dir 2019/790/UE sobre derechos de autor y derechos afines en el **mercado único digital**, responde a los retos jurídicos planteados por los nuevos modelos de negocio y los nuevos agentes respecto de los usos de carácter transfronterizo, de obras y prestaciones, en el entorno digital. Como **novedades** más significativas de esta Directiva, destacamos las siguientes:
• Se establecen excepciones o **límites** a los usos de las tecnologías de minería de textos y datos, la ilustración con fines educativos en el entorno digital y la conservación del patrimonio cultural.
• Se crea un nuevo derecho exclusivo de reproducción y puesta a disposición reconocido a favor de las editoriales de publicaciones de prensa para el **uso en línea** de sus **publicaciones de prensa** por parte de prestadores de servicios de la sociedad de la información. Este nuevo derecho no se aplicará al uso privado o no comercial por parte de usuarios individuales, ni a meros actos de hiperenlace, así como tampoco a palabras sueltas o extractos muy breves de una publicación de prensa. Expresamente se incluyen dentro de las publicaciones de prensa las editoriales de noticias y las agencias de noticias, pero solo cuando publican publicaciones de prensa. No se incluyen en ese concepto las publicaciones periódicas que se publican con fines científicos o académicos, así como tampoco a blogs ni, en general, aquellos sitios web que proporcionen información como parte de una actividad que no se lleva a cabo por iniciativa ni con la responsabilidad y control editorial de un prestador de servicios.
• El reconocimiento de que los prestadores de servicios para **compartir contenidos en línea** realizan un acto de comunicación al público o puesta a disposición cuando ofrecen al público el acceso a obras protegidas por derechos de autor u otras prestaciones protegidas que hayan sido cargadas por sus usuarios. En consecuencia, para proceder a dichos actos de explotación aquellos prestadores deberán haber obtenido una autorización de los titulares de derechos sobre las obras explotadas a través de los referidos actos (concretamente, de los autores respecto de sus obras; artistas intérpretes o ejecutantes sobre sus fijaciones; productos de fonogramas sobre sus fonogramas; productores de primeras fijaciones de películas, sobre el original o copias de sus películas; y organismos de radiodifusión, de las fijaciones de sus emisiones, con independencia de si se transmiten por medios alámbricos o inalámbricos, por cable o por satélite).
La **transposición** de esta Directiva tuvo lugar a través del RDL 24/2021.
2) La Dir 2019/789/UE, por la que se establecen normas sobre el ejercicio de los derechos de autor y derechos afines aplicables a determinadas transmisiones en línea de los organismos de radiodifusión y a las retransmisiones de programas de radio y televisión, pretende establecer normas destinadas a mejorar el **acceso transfronterizo** a un mayor número de **programas de radio y televisión**, facilitando la obtención de derechos para la prestación de servicios en línea que son accesorios a la emisión de determinados tipos de programas de radio y televisión, así como para la retransmisión de programas de radio y televisión. Asimismo, establece normas para la transmisión de programas de radio y televisión a través del proceso de inyección directa.
Esta Directiva es relevante, en primer término, porque parte del principio de «país de origen» a la hora de determinar el lugar donde tiene lugar la explotación de las obras o prestaciones protegidas

mediante su comunicación al público y/o puesta a disposición, ya sea por medios alámbricos o inalámbricos.
Afecta, asimismo, a los programas de radio y a los programas de televisión que sean programas de noticias y de actualidad, o producciones propias del organismo de radiodifusión financiadas por este en su totalidad, en un servicio accesorio en línea por parte de un organismo de radiodifusión, o bajo su control y responsabilidad, así como los actos de reproducción de dichas obras u otras prestaciones protegidas que sean necesarios para la prestación de dicho servicio en línea, el acceso a él o su utilización para los mismos programas, se considerarán, a efectos del ejercicio de los derechos de autor y derechos afines pertinentes para esos actos, producidos únicamente en el Estado miembro en el que el organismo de radiodifusión tenga su establecimiento principal. Queda excluidos del concepto de programas de televisión los acontecimientos deportivos y las obras y prestaciones protegidas incluidas en ellos.
La **transposición** de esta Directiva tuvo lugar mediante el RDL 24/2021.

1. Sujetos

(LPI art.1, 5 y 6)

Como regla general, la propiedad intelectual de una obra literaria, artística o científica corresponde a su **autor**. 1720
Se presume que es autor de una obra quien aparece como tal en la misma, mediante su **nombre, firma o signo** que lo identifique.
Cuando dicha identificación no sea posible, por divulgarse la obra en **forma anónima** o bajo **seudónimo o signo**, el ejercicio de los derechos de propiedad intelectual corresponde a la persona natural o jurídica que la saque a la luz con el consentimiento del autor, mientras éste no revele su identidad.
Por otro lado, pueden darse supuestos en que la atribución de autoría no resulta tan sencilla. Los examinamos en los números siguientes.

Obra en colaboración (LPI art.7) Cuando la obra sea resultado unitario de la colaboración de **varios autores**, los derechos sobre la misma corresponden a todos ellos en la proporción que determinen. 1722
La **aportación** de cada autor, para ser considerado tal, ha de ser de cierta enjundia y mostrarse como de entidad suficiente y necesaria. No deben ser meras colaboraciones o actos de ejecución (TS 24-6-04, EDJ 82456; AP Madrid 12-5-06, EDJ 100767).
Las obras en colaboración se rigen, en lo no previsto por la LPI, por las reglas del Código Civil sobre la **comunidad de bienes** (nº 3265 s.).

Precisiones 1) La mera **participación material** en la elaboración de un proyecto arquitectónico no supone, sin más, que se pueda considerar como coautor al participante. Para ello es necesario que su intervención en el proyecto haya representado una cierta **originalidad**, es decir, que hubiera cumplido los requisitos de singularidad, individualidad y distinguibilidad. Debe destacarse el factor de la recognoscibilidad o diferenciación de la obra de otras preexistentes (TS 26-4-17, EDJ 52019).
2) En la obra en colaboración no existe una **subordinación** a la figura del **coordinador**, a diferencia de lo que ocurre con las obras colectivas (ver nº 1728) (AP Barcelona 20-11-20, EDJ 755351).

Para la **divulgación y modificación** de la obra se precisa el **consentimiento** de todos los coautores. 1724
No obstante, una vez que la obra ha sido **divulgada**, ningún coautor puede rehusar injustificadamente su consentimiento para su explotación en la forma en que se divulgó.

Precisiones 1) En el supuesto de que se pretenda **demandar** una cuantía económica derivada de la **explotación inconsentida** de la obra, deben demandar todos los autores.
2) Los derechos sobre la obra en colaboración deben ejercerse de acuerdo con el principio de unanimidad (AP Almería 28-11-23, EDJ 802241). La **negativa a la explotación** una vez divulgada la obra, y que aquella deba estar justificada, se refiere a la obra en su conjunto, no a las partes separables y diferenciables del autor en cuestión.

Por otro lado, los coautores pueden **explotar separadamente sus aportaciones**, siempre que no se cause perjuicio a la explotación común. 1726
¿Cuándo causa la **explotación individual** de las aportaciones de los diferentes autores un **perjuicio a la explotación común**? Es difícil dar una respuesta. Parecen casos claros de perjuicio, por ejemplo, el incumplimiento de una cesión en exclusiva, la distribución en un territorio vedado contractualmente o la utilización de la aportación para un tipo de obra similar a aquella en la que la aportación se hubiese incorporado. Más allá de esos supuestos no parece fácil encontrar un caso en el que el perjuicio exista.
¿Cómo se debe **definir el perjuicio**? ¿Alude a uno moral o también al material? La ley no distingue el tipo de perjuicio vedado. Una primera conclusión es que el perjuicio puede ser tanto

moral, como **patrimonial**. Es difícil pensar en un supuesto en el que se pudiera ocasionar un perjuicio de esa medida, puesto que el público habrá de estar más interesado en el goce o disfrute de la obra en colaboración (de la obra en su conjunto) que de una aportación individual que la conforme. No obstante, podemos pensar en la utilización aislada del guion de una obra audiovisual como obra literaria, o en la edición de las letras compuestas para una obra musical, o la edición de una partitura, al margen de la producción fonográfica. El perjuicio puede venir más bien del incumplimiento de una **exclusividad de la explotación**, o del incumplimiento de una limitación territorial o temporal en la comercialización, esto es, que los términos acordados de explotación de la obra en colaboración puedan colisionar con la pretensión del coautor de explotación de su aportación. En cualquier caso, el perjuicio ha de ser probado, no siendo suficiente su mera alegación.

1728 **Obra colectiva** (LPI art.8) En la obra colectiva concurren las siguientes **circunstancias**:
- creación por **iniciativa** y bajo la **coordinación** de una persona natural o jurídica, que la edita y divulga bajo su nombre;
- constitución mediante la reunión de **aportaciones** de diferentes autores;
- imposibilidad de **atribución separada** a cualquiera de los autores de un derecho sobre el conjunto de la obra realizada.

Salvo pacto en contrario, los **derechos sobre la obra** colectiva corresponden a la persona que la edita y divulga bajo su nombre.

Debe entenderse que, salvo pacto en contrario, la cesión a favor del coordinador o persona que edita y divulga la obra bajo su nombre es **en exclusiva**. Se establece, de esta forma, una excepción al carácter expreso que ha de tener la cesión en exclusiva (LPI art.48) que encuentra su justificación en el hecho de que la Ley «considera» obra colectiva la «creada» por la iniciativa y bajo la coordinación de una persona natural o jurídica que la edita y divulga bajo su nombre y a quien, además, salvo pacto en contrario, corresponden los derechos.

Precisiones 1) A nuestro juicio, consecuentemente, corresponden también al coordinador el ejercicio y defensa de las **facultades morales** inherentes a la obra colectiva.

2) Los distintos aportantes solo pueden prestar su aportación conforme al contrato que hayan celebrado con el coordinador, editor o responsable de la misma, pero no pueden imponer su inclusión en la obra, porque sobre la obra resultante no tienen derechos, ya que el poder de **decisión sobre su contenido** corresponde al coordinador (AP Córdoba 9-1-09, EDJ 51478).

3) El **factor distintivo** de la obra colectiva (TS 11-7-00, EDJ 17422), no es tanto el elemento de la iniciativa, es decir, el mero hecho del encargo, como que la coordinación de los trabajos implique una **subordinación**, por jerarquía funcional o contractual, al **editor**. La decisión final de si cierta aportación se integra en la obra no es del autor de esa singular aportación, sino de quien coordina y divulga la obra resultante, que también decide sobre la divulgación de la obra colectiva (AP Barcelona 11-3-13, EDJ 69451; AP Madrid 13-12-04, EDJ 236701). Es posible que la aportación haya sido creada antes de haberse explicitado la iniciativa de crear la obra colectiva y que se explote aquélla separadamente de tener entidad propia al margen de su fusión o inserción en la colectiva (AP Madrid 13-12-04, EDJ 236701).

4) La obra consistente en **fascículos de la colección** del curso práctico de dibujo y pintura reúne las características adecuadas para ser consideradas obra colectiva (TS 19-3-14, EDJ 48077). Es un tipo de obra más frecuente en relación con obras educativas o de divulgación que en el caso de obras literarias o artísticas.

5) La obra colectiva presupone la concurrencia de creaciones provenientes de diversos autores que, agregadas, se funde en una **creación única y autónoma**, sin que constituya óbice que alguna de las aportaciones individuales no lo sea. Tal elemento está conectado a la idea de decisión, resolución o impulso para la materialización de un proyecto, allegando los recursos necesarios para ello (AP Las Palmas 13-2-17, EDJ 33512).

6) Para la configuración de una obra como colectiva, es irrelevante el **grado de participación** de unos autores sobre otros, de tal manera que no hay necesidad de que todos ellos hayan participado o contribuido en idéntica proporción (AP La Rioja 31-3-23, EDJ 624471).

7) El **concepto de «editor»** que aparece en el art. 8 LPI no se identifica, necesariamente, con el editor que es parte en un contrato de edición, sino que se refiere al encargado, por sí o por las personas que de él dependen, de ensamblar las distintas partes y aportaciones individuales para conseguir la creación única y autónoma en que la obra colectiva consiste (TS 5-5-16, EDJ 58091; AP La Rioja 31-3-23, EDJ 624471).

1730 **Obra compuesta e independiente** (LPI art.9) La obra compuesta es aquella obra nueva que incorpora una **obra preexistente** sin la colaboración del autor de esta última, aunque sí con su autorización.

La obra que constituya **creación autónoma** se considera independiente, aunque se publique conjuntamente con otras.

2. Objeto

En cuanto al objeto de la propiedad intelectual, se ha de distinguir entre obras originales (nº 1737) y obras derivadas, las cuales, en todo caso, deben incorporar un nivel mínimo de originalidad (nº 1753). 1735

Obras originales (LPI art.10) Son objeto de propiedad intelectual todas las creaciones originales de **carácter** literario, artístico o científico, expresadas por cualquier medio o **soporte**, tangible o intangible, actualmente conocido o que se invente en el futuro. 1737
También es objeto de protección el **título** de una obra, como parte de ella, cuando sea original.

Precisiones 1) Sobre **plagio de título** -igual en dos videojuegos-, ver AP Alicante 15-9-23, EDJ 787404.
2) Una **denominación genérica**, como es «ruta del agua», no puede ser reputada como título original susceptible de amparo por el mero hecho de su inscripción, ni provoca confusión alguna (AP Asturias 13-7-03).
3) El hecho de la **inscripción** no otorga originalidad por sí mismo, ya que el registro no es constitutivo (AP Alicante 18-10-99, EDJ 44304; AP Cádiz 11-3-02).
4) El **concepto de «obra»** requiere un objeto con suficiente precisión y objetividad (TJUE 13-11-18, caso Levola Hengelo, asunto C-310/17).

Con carácter enunciativo, son obras objeto de propiedad intelectual: 1739
- los **libros, folletos, impresos**, epistolarios, escritos, discursos y alocuciones, conferencias, informes forenses, explicaciones de cátedra y cualquier otra obra de la misma naturaleza;
- las **composiciones musicales**, con o sin letra;
- las **obras dramáticas y dramático-musicales**, las coreografías, las pantomimas y, en general, las obras teatrales;
- las obras cinematográficas y cualesquiera otras **obras audiovisuales**;
- las **esculturas** y las **obras de pintura**, dibujo, grabado, litografía y las historietas gráficas, tebeos o cómics, así como sus ensayos o bocetos y las demás obras plásticas, sean o no aplicadas;
- los proyectos, planos, maquetas y diseños de **obras arquitectónicas y de ingeniería**;
- los gráficos, mapas y diseños relativos a la **topografía**, la **geografía** y, en general, a la **ciencia**;
- las obras fotográficas y las expresadas por procedimiento análogo a la **fotografía**;
- las **bases de datos** (ver nº 1755);
- los **programas de ordenador**.

Precisiones 1) Cuando se trate de **obras producidas en serie** por medios mecánicos para su explotación industrial, el objeto de la propiedad intelectual no lo son las obras así producidas, sino la obra originaria o primigenia que sirvió de modelo para las posteriores copias o reproducciones mecánicas, cualquiera que sea el grado de identidad con el modelo y el de su perfección técnica (TS 26-10-92, EDJ 10483).
2) Dentro del concepto de **obras plásticas** han de entenderse incluidas las obras de orfebrería, joyería, bisutería y otras pertenecientes a las llamadas artes menores, por contraposición a la escultura y a la pintura -artes mayores-, siempre que en ellas se den los caracteres exigidos para poder ser calificadas como creaciones originales (TS 26-10-92, EDJ 10483). También se incluye dentro de la categoría de obra plástica la **arquitectónica**, entendiéndose por tal los edificios, las obras públicas y los proyectos urbanísticos (AP Burgos 30-12-16, EDJ 254322).
3) El **diseño** puede tener una **protección doble** (como propiedad intelectual y como propiedad industrial), si bien no cualquier diseño, sino que para merecer la protección como propiedad intelectual es preciso que tenga una altura creativa mayor que la que exige la LPI art.10, de forma que integre una «obra artística». Es lo que se ha dado en llamar sistema de acumulación parcial o restringida que ha de llevar a distinguir entre los diseños propiamente dichos o creaciones formales y aquellos otros que constituyen **«obras de arte aplicadas a la industria»**. De forma que solo los segundos tendrían el doble ámbito de protección (AP Barcelona 26-4-19, EDJ 570471). Así, a la característica de novedad y singularidad, propias del diseño, cabe añadir la de un cierto grado de originalidad. Si se carece de esta, el diseño no podrá protegerse además por la propiedad intelectual (TS 27-9-12, EDJ 216666).
4) Las **listas de mailing** (*direct marketing* data bases) también están protegidas por la LPI, tanto si constituyen la actividad central de la empresa como si son una actividad auxiliar (AP Baleares 23-7-18, EDJ 607530).

1741 **Originalidad** El concepto de originalidad opera como requisito para que una obra pueda considerarse protegida por la propiedad intelectual. Dicho requisito ha sido entendido en dos sentidos diferentes, subjetivo y objetivo (TS 26-10-92, EDJ 10483):

1. **Subjetivo**: en sentido subjetivo, una obra es original cuando la misma refleja la **personalidad del autor**, manifestando la obra las decisiones libres y creativas de este (TJUE 1-12-11, caso Painer, C-145/10, y AP Valencia 24-2-23, EDJ 558338);

2. **Objetivo**: una obra es original, desde el punto de vista objetivo, cuando aporta una **novedad formal** objetiva en relación con el universo de formas preexistente. La originalidad o novedad formal no ha de entenderse en un **sentido estricto**, pues, desde tal punto de vista, solo sería predicable de algunas obras literarias o artísticas, ya que las obras de tipo científico se basan ordinariamente en trabajos precedentes y, concretamente, las de carácter jurídico se apoyan necesariamente en textos legales y jurisprudenciales que no son creaciones originales del autor (AP Asturias 17-12-98, EDJ 36121).

Si bien tradicionalmente imperó la concepción de **originalidad subjetiva** por parecer criterio aceptable para las obras clásicas -literatura, música, pintura, escultura...-, ya que la creación implica cierta altura creativa, hoy día, sin embargo, debido a que los avances técnicos permiten una aportación mínima del autor -hay obras en las que no se advierte un mínimo rastro de la personalidad de su autor- y unido al reconocimiento del autor de derechos de exclusiva, la tendencia es hacia la **idea objetiva de originalidad**, que precisa una novedad en la forma de expresión de la idea (AP Barcelona 29-9-05, EDJ 247872). Así lo reconoce el TS, quien afirma que debe prevalecer una conceptuación objetiva de la originalidad, que conlleva la exigencia de una actividad creativa que, con independencia de la opinión que cada uno pueda tener sobre los logros estéticos y prácticos del autor, dote a la obra de un **carácter novedoso** y permita **diferenciarla** de otras preexistentes (TS 26-4-17, EDJ 52019).

Lo relevante es la forma original de la expresión, no tanto si la idea o datos expuestos sean conocidos o novedosos, lo que supone que la originalidad concurre cuando la forma elegida por el creador incorpora una **especificidad** tal que permite considerarla una **realidad singular o diferente** por la impresión que produce en el destinatario, lo que, por un lado, ha de llevar a distinguirla de las análogas o parecidas y, por otro, le atribuye una cierta apariencia de peculiaridad (TS 26-11-03, EDJ 152431; AP Jaén 25-9-19, EDJ 768271; AP Barcelona 10-3-00, EDJ 18956).

1743 Precisiones **1)** Dada la similitud de determinadas áreas intelectuales, no se podrá nunca escapar de ciertos denominadores comunes como son el estilo y la **terminología específica** usada (TS 20-2-92, EDJ 1580).

2) No se protege lo que puede ser **patrimonio común** que integra el acervo cultural o que está al alcance de todos (TS 20-2-92, EDJ 1580; 26-10-92, EDJ 10483; 17-10-97, EDJ 7670; 26-11-03, EDJ 152431).

3) La **simplicidad** no excluye que una creación nueva en la que concurra el requisito de la originalidad, como fruto de la creatividad humana, pueda merecer la protección que la propiedad intelectual le otorga (AP Barcelona 12-5-23, EDJ 635764; AP Madrid 20-1-12).

4) La contraposición entre la «forma de expresión» que constituiría el continente (en principio, lo protegido por la propiedad intelectual) y las «ideas» que constituirían el contenido (que suele afirmarse se halla exento de protección) no puede establecerse por igual en todas las categorías de obras. La afirmación de que solo la **forma de una obra** y no su **contenido** es objeto de protección por la propiedad intelectual ha de ser matizada (AP Madrid 1-2-19, EDJ 520614).

5) En el **ámbito académico** no puede exigirse de una obra para predicar su originalidad que incorpore conceptos de nueva creación, articule nuevas teorías o rebata los posicionamientos mantenidos hasta la fecha por todos sus colegas por cuanto que la mera analítica y sistematización, esto es, la actividad que esté esencial o exclusivamente conformada por la recopilación, comparación, crítica, conceptualización, caracterización y/o síntesis y que dé como resultado una producción con finalidad o bien docente o bien científica y con proyección más allá del estricto ámbito de la formación del alumnado, ha de estimarse que es en sí misma suficiente para que la obra pueda desplegar sus efectos protectores a favor de su autor siempre y cuando la misma forma atienda a ciertas pautas de originalidad (AP Almería 28-11-23, EDJ 802241).

6) En el caso de **diseños industriales** que, además, son obras de arte (aplicadas), la originalidad reside en aspectos de gran belleza estética, o al peculiar sello creativo dado por el autor a la obra o a la capacidad de convertir en ventajas estéticas lo que *a priori* se presentaba como inconvenientes (AP Barcelona 26-4-19, EDJ 570471).

1745 No hay originalidad en una obra cuando esta viene dictada por **consideraciones técnicas, reglas u otras exigencias** que no han dejado espacio a la libertad creativa o han dejado un espacio tan limitado que la idea y su expresión se confunden (TJUE 1-3-12, Football Dataco y otros, C-604/10; AP Madrid 12-1-24, EDJ 516827). La existencia de otras formas posibles para llegar al mismo resultado técnico, aunque permite constatar la existencia de una posibilidad de decisión, no es determinante *per se* para apreciar la originalidad (TJUE 22-12-10, asunto C-393/09; AP Alicante 15-12-23, EDJ 821947).

Supuestos concretos Existe numerosa **jurisprudencia**, muy casuística, sobre lo que debe considerarse obra original y lo que no. A continuación, recogemos los pronunciamientos más destacados al respecto: **1747**

I. Se han considerado **obra original**:
- una obra de ingeniería (AP Bizkaia 10-3-09, EDJ 16192);
- una obra arquitectónica (AP Barcelona 28-3-06, EDJ 267175; TS 28-1-95, EDJ 361);
- un diseño naval (AP Pontevedra 16-2-15, EDJ 20929);
- una colección de joyas (TS 26-10-92, EDJ 10483);
- una creación de cerámica (AP Baleares 22-1-08, EDJ 57128);
- unos estudios históricos a través de cuestionarios (AP Bizkaia 24-7-07, EDJ 232309);
- el diseño de una silla (AP Madrid 17-11-04, EDJ 205419);
- una obra fotográfica producto de la inteligencia y no mera reproducción de imagen (AP Barcelona 10-9-03, EDJ 176284; AP Las Palmas 13-2-17, EDJ 33512); es decir, la singularidad creativa no radica en el objeto fotográfico, ni en una mera corrección técnica, sino en la fotografía misma, en su dimensión creativa (AP Las Palmas 13-2-17, EDJ 33512; AP A Coruña 1-12-23, EDJ 821335);
- los dibujos artísticos (AP Barcelona 10-3-00, EDJ 18956);
- tesis doctorales (AP Girona 23-6-09, EDJ 221018);
- la presentación o forma de contar las costumbres medievales, aunque éstas sean conocidas (AP Gipuzkoa 28-9-07, EDJ 264500);
- la forma de exponer catálogos de sellos (AP Barcelona 23-6-05, EDJ 313729);
- un plan de enseñanza traducido en textos de libros, ilustraciones y composiciones musicales (AP Barcelona 3-3-15, EDJ 43263);
- un formato televisivo puede ser considerado una obra protegida literaria y/o artística (TS 22-10-14, EDJ 220756; AP Madrid 1-2-19, EDJ 520614);
- la recopilación y ordenación de datos o citas (producto elaborado), cuando representa un nuevo título de propiedad intelectual que se superpone (*overlapping*) a las citas originales, que pueden pertenecer a otra persona o personas. En general este principio es aplicable a todo tipo de recopilación (enciclopedias, guías de teléfono, anuarios industriales, repertorios de jurisprudencia, compendios, etc.) (AP Baleares 23-7-18, EDJ 607530);
- un folleto de instrucciones de mamparas de baño como una obra literaria susceptible de protección por los derechos de autor, puesto que era una creación original expresada por medio de la palabra (TS 30-1-96, EDJ 149);
- anuncios por palabras (TS 13-5-02, EDJ 14835);
- un escrito forense de contestación a una demanda (AP Valencia 9-1-24, EDJ 501574).

Precisiones **1)** El concepto de **obra arquitectónica** que prevalece ha de ser amplio, comprensivo no solo del edificio construido, sino del proyecto realizado con el propósito de construirlo (es decir, planos, alzados, dibujos, etc.). Las obras arquitectónicas se prestan a una menor originalidad que otros tipos de obras plásticas y se requiere en ellas, para ser encuadradas en el art.10 LPI, un grado de singularidad superior al exigible en otras categorías de obras protegidas por la propiedad intelectual. Las exigencias técnicas o funcionales condicionan en buena medida la originalidad de una obra arquitectónica. Ni todo proyecto arquitectónico está dotado per se de creatividad, ni el hecho de que el edificio sea de mayor o menor tamaño, o esté destinado a hotel, presupone esa creatividad. No todo proyecto arquitectónico ni toda edificación es una obra original, protegida por la propiedad intelectual (TS 26-4-17, EDJ 52019; AP Las Palmas 18-5-23, EDJ 680378).

2) En las **obras académicas** (literarias) la originalidad es mucho más difícil de encontrar que en otro tipo de textos (AP Burgos 17-5-17, EDJ 125330). Igual pasa con la **literatura sobre viajes**.

3) No toda obra literaria goza por sí sola de originalidad, pues se exige un mínimo de **creatividad** (TS 16-1-20, EDJ 504741).

II. En cambio, **no** se ha considerado **obra original**: **1749**
- Ejecución de obra aun aplicando conocimientos técnicos -a cerámica- (AP Baleares 22-1-08, EDJ 57128).
- Un formato o método, aunque conste de cierta complejidad (AP Madrid 11-1-07, EDJ 53458).
- Juego basado en la OCA (AP Madrid 13-7-05, EDJ 186094).
- Una secuencia melódica (AP Madrid 30-6-05, EDJ 186105).
- Una remezcla de una canción (AP Madrid 12-7-04, EDJ 293358, canción de Macarena, el solo hecho de cambiar los instrumentos no implica originalidad).
- Criterios de búsqueda de Internet: campos de una interfaz (JM Barcelona núm 2, 11-2-09, EDJ 23763).
- Hechos o datos históricos, aunque no sean conocidos (TS 26-11-03, EDJ 152431; 7-6-95; JM Madrid núm 5, 15-11-08, EDJ 336810).

• Los argumentos o tramas de guiones que respondan a aspectos genéricos (JM Madrid núm 5, 15-11-08, EDJ 336810) o estén basados en la vida cotidiana o en personajes usuales de la vida (AP Madrid 26-9-06, EDJ 439667, en relación con «Aquí no hay quien viva»).
• Ideación de un concurso internacional de música (AP Madrid 14-2-06, EDJ 35354), menos aún en la elección concreta de las piezas a interpretar.
• Un catálogo de productos de bricolaje y material de construcción (TS 2-2-17, EDJ 6156; AP Barcelona 20-9-19, EDJ 694601).
• La recopilación de datos o citas que conlleve una labor excesivamente simplona y fácil, que cualquiera pueda realizar rápidamente (AP Baleares 23-7-18, EDJ 607530; AP Barcelona 19-1-18, EDJ 4258).
• Proyectos de obra y reformas (AP Las Palmas 18-5-23, EDJ 680378).

1751 **Plagio** El concepto jurisprudencial de plagio se concreta en la copia sustancial de una obra original preexistente, tratándose de una actividad «**carente de toda originalidad** y de concurrencia de genio o talento humano» (TS 17-10-97, EDJ 7670; 23-3-99, EDJ 2574; 23-10-01, EDJ 35537; 26-11-03, EDJ 152431). Y es que si la copia de la obra preexistente que tiene lugar en el plagio es una copia «sustancial», parece lógico colegir que las ligeras modificaciones que en aquella introduce el autor de la obra plagiaria sean **variaciones de carácter «insustancial»** que no dan lugar a la aparición de una «obra derivada» (nº 1753) porque dichas aportaciones carecen de la originalidad necesaria para hacerse merecedoras de protección (AP Madrid 17-2-22, EDJ 555485).

Así, **no habrá plagio** cuando:
- Se trate de dos **obras distintas** y diferenciables, aunque presenten ciertos puntos comunes de exposición, referidos a elementos no esenciales, en el sentido de accesorios, circunstanciales y no trascendentales en confrontación con la plasmación expresiva de la obra preexistente (TS 20-2-92; AP Barcelona 21-12-23, EDJ 825788).
- La obra supuestamente plagiaria se refiera a aquello que es común e integra el **acervo cultural generalizado** o con los datos que las ciencias aportan al acervo y conocimiento de todos (AP Zamora 2-9-02, EDJ 50630).

Precisiones 1) Lo importante para apreciar plagio de una **obra literaria** no es la identidad exacta de todas y cada una de las palabras, sino la secuencia con que las palabras se encuentran relacionadas en la construcción de las oraciones (AP Madrid 6-2-17, EDJ 75238).
2) Existen notables **diferencias entre el plagio y la transformación** de carácter objetivo, referidas a las cualidades del producto o resultado de la actividad. Esta última da lugar a una obra derivada que resulta protegible por sí misma en razón a la circunstancia de que el acto transformador está dotado del grado de originalidad necesario; en cambio, las modificaciones que introduce el artífice del plagio en la obra plagiada tienen carácter insustancial y carecen de originalidad, con lo que la obra plagiaria no es en modo alguno una obra distinta («obra derivada»), ni por tanto protegible, sino que se trata de la obra preexistente misma que el artífice del plagio se limita a reproducir.

1753 **Obras derivadas** (LPI art.11) Sin perjuicio de los derechos de autor sobre la obra original, también son objeto de propiedad intelectual, en cuanto creaciones a su vez originales, las siguientes obras, de **carácter derivado**:
- las traducciones y adaptaciones;
- las revisiones, actualizaciones y anotaciones;
- los compendios, resúmenes y extractos;
- los arreglos musicales;
- cualquier transformación de una obra literaria, artística o científica.

A estas obras también les es exigible indudablemente un **cierto grado de originalidad**. El autor de la obra de origen o preexistente tendrá, durante todo el plazo de protección de sus derechos sobre ésta, el derecho de autorizar la explotación de la obra derivada, en cualquier forma y, en especial, mediante su reproducción, distribución, comunicación pública o nueva transformación.

Precisiones 1) Se admite que la derivación puede provenir tanto de **obras originales o preexistentes**, como de obras también **derivadas** (AP Madrid 14-1-08, EDJ 16048).
2) No existe obra derivada en la creación de **capítulos posteriores** de una serie **por otros guionistas** distintos de los que crearon los capítulos anteriores (AP Madrid 10-5-07, EDJ 171353).
3) La **sincronización** en una **obra audiovisual** es una modalidad de transformación de la **obra musical**. Se abarcan tanto los supuestos en que la obra musical se incorpora a una obra audiovisual a través de un fonograma en el que previamente se hubiera reproducido, como los casos en que la obra musical se sincroniza en la obra audiovisual mediante interpretación artística que se fija directamente en esta última. Todo ello de acuerdo con la doctrina que defiende que la incorporación de una obra musical, aun intacta, a otra obra produce efectos transformativos, al quedar aquella rodeada de un contexto expresivo diferente (AP Madrid 12-1-24, EDJ 516827).

Colecciones y bases de datos (LPI art.12) También son objeto de propiedad intelectual las colecciones de obras ajenas, de datos o de otros elementos independientes, así como las antologías y las bases de datos que, por la selección o disposición de sus contenidos, constituyan **creaciones intelectuales**, sin perjuicio, en su caso, de los derechos que puedan subsistir sobre dichos contenidos. 1755

Son **bases de datos** las colecciones de obras, de datos, o de otros elementos independientes dispuestos de manera sistemática o metódica y accesibles individualmente por medios electrónicos o de otra forma.

También se protege el denominado **derecho «sui generis»** sobre las bases de datos, definido como la inversión sustancial, evaluada cualitativa o cuantitativamente, que realiza su fabricante ya sea de medios financieros, empleo de tiempo, esfuerzo, energía u otros de similar naturaleza, para la obtención, verificación o presentación de su contenido.

La protección de las **colecciones** se refiere únicamente a su estructura en cuanto forma de expresión de la selección o disposición de sus contenidos.

La protección de las bases de datos no se aplica a los **programas de ordenador** utilizados en la fabricación o en el funcionamiento de bases de datos accesibles por medios electrónicos.

Precisiones 1) Con respecto al **derecho «sui generis»**, la apreciación cuantitativa hace referencia a medios valorables en cifras y la apreciación cualitativa a esfuerzos no cuantificables, tales como el trabajo intelectual o un gasto de energía. El concepto de inversión destinada a la obtención de una base de datos debe entenderse en el sentido de que designa los recursos dedicados a la búsqueda de datos ya existentes y a su recopilación sobre dicha base. No incluye los recursos utilizados para la creación de los datos constitutivos del contenido de la base de datos (TJUE 9-11-04, C-444/02).
La calificación de base de datos está supeditada a la existencia de una recopilación de elementos independientes, es decir, de elementos separables unos de otros sin que resulte afectado el valor de su contenido informativo, literario, artístico, musical u otro (AP Murcia 14-7-16, EDJ 155814).

2) El derecho *sui generis* sobre una base de datos protege la inversión sustancial que realiza su fabricante para la obtención, verificación o presentación de su contenido. Por lo tanto, es necesario acreditar que se han realizado **inversiones sustanciales** en la recopilación de los datos que forman la base de datos (AP Barcelona 17-12-09, EDJ 288374; TS 30-10-12, EDJ 323938). La inversión a que se refiere el art.133 LPI se refiere a la producida para buscar y recopilar los datos objeto de la base, no la que es necesaria para generar los datos en sí (AP Barcelona 7-5-14, EDJ 76837).

3) Para que una **base de datos** sea merecedora de la protección autoral se exige que ésta sea una obra o creación intelectual, dotada de suficiente originalidad (Dir 96/9/CE Considerando 16º); originalidad que deberá provenir de su estructura, esto es, de los **criterios de selección y/o disposición** de los contenidos de la base de datos (Dir 96/9/CE art.3.1 y considerando 16º). El requisito de la originalidad es bajo, de manera que no se exige que los contenidos tengan que estar necesariamente dispuestos de una forma innovadora o novedosa frente a lo ya existente; pero, ello no significa que la selección o disposición pueda ser mecánica o rutinaria, sin ápice alguno de originalidad, por lo que se rechazan aquellos criterios de selección lógicos y comunes (AP Barcelona 19-1-18, EDJ 4258).

4) Por mucho que se relaje la exigencia de **altura creativa** en las bases de datos, lo cierto es que la mayoría de ellas carecen de originalidad (AP Zaragoza 22-10-20, EDJ 758910).

Exclusiones (LPI art.13) No son objeto de propiedad intelectual: 1757

- las disposiciones legales o reglamentarias y sus correspondientes proyectos;
- las resoluciones de los órganos jurisdiccionales;
- los actos, acuerdos, deliberaciones y dictámenes de los organismos públicos; y
- las traducciones oficiales de todos los textos anteriores.

Además, no son protegibles las creaciones que no incorporen un mínimo grado de originalidad.

Precisiones La jurisprudencia ha declarado, con respecto a una **línea de productos de joyería**, que no constituyen objeto de la propiedad intelectual ni las ideas que después se plasman en una obra ni el estilo seguido o creado por el autor (TS 26-10-92, EDJ 10483). En cambio, se ha considerado que son originales los anuncios de **ofertas de empleo** (TS 10-3-02).

3. Derechos

La propiedad intelectual (o derecho de autor) está integrada por facultades tanto de carácter personal (**facultades morales**: nº 1767), como de tipo patrimonial (**facultades de explotación**: nº 1780), que atribuyen al autor la plena disposición y el derecho exclusivo a la explotación de la obra, sin más limitaciones que las establecidas en la Ley (LPI art.2). Comúnmente se habla de derechos morales y patrimoniales, aunque, en sentido técnico, son facultades que integran el haz de actuación del derecho subjetivo de autor. 1760

a. Derecho moral

(LPI art.14 a 16)

1765 El derecho moral de autor es el poder que se reconoce al autor (persona física) para proteger los intereses ideales que la obra posee para él. En rigor, no es propiamente un derecho moral, sino facultades que integran el derecho subjetivo de autor.

1767 **Facultades** Corresponden al autor las siguientes facultades, expresión del derecho moral, que son **irrenunciables e inalienables**:

• Decidir la **divulgación** de su obra. Se entiende por divulgación de una obra toda expresión de la misma que, con el consentimiento del autor, la haga accesible por primera vez al público en cualquier forma. La **publicación** es la divulgación que se realice mediante la puesta a disposición del público de un número de ejemplares de la obra que satisfaga razonablemente sus necesidades estimadas de acuerdo con la naturaleza y finalidad de la misma (LPI art.4). Téngase en cuenta a estos efectos que el derecho de puesta a disposición no implica la incorporación de la obra o prestación a un soporte material.

• Determinar en qué **forma** ha de hacerse tal divulgación: con su nombre, bajo seudónimo o signo, o anónimamente.

• Exigir el reconocimiento de su **condición de autor** de la obra.

• Exigir el respeto a la **integridad de la obra** e impedir cualquier deformación, modificación, alteración o atentado contra ella que suponga perjuicio a sus legítimos intereses o menoscabo a su reputación.

• **Modificar la obra** respetando los derechos adquiridos por terceros y las exigencias de protección de bienes de interés cultural.

• **Retirar la obra** del comercio, por cambio de sus convicciones intelectuales o morales, previa indemnización de daños y perjuicios a los titulares de derechos de explotación. Si el autor decide posteriormente reemprender la explotación de la obra, debe ofrecer preferentemente los correspondientes derechos al anterior titular de los mismos y en condiciones razonablemente similares a las originarias.

• Acceder al **ejemplar único o raro** de la obra, cuando se halle en poder de otro, a fin de ejercitar el derecho de divulgación o cualquier otro que le corresponda. El derecho de acceder al ejemplar único o raro de la obra no permite exigir el desplazamiento de la misma. El acceso a la obra se ha de realizar en el lugar y forma que ocasionen menos incomodidades al poseedor, al que debe indemnizarse, en su caso, por los daños y perjuicios que se le causen.

1769 Precisiones **1) Violaciones a los derechos morales:** se ha considerado una violación al derecho moral del autor:

- en una **obra plástica** situada en un espacio público por encargo de un ayuntamiento, si se modifica el lugar de ubicación de la misma (TS 18-1-13, EDJ 5182).
- en una **obra del pintor Dalí**, por su uso en la fachada de un hotel, en las corbatas de los empleados y en un coche promocional (AP Girona 30-3-06, EDJ 279725).
- por la omisión del **nombre del autor** de una ilustración en una etiqueta de una botella de vino (AP Sta. Cruz de Tenerife 2-7-18, EDJ 652635).

Incluso, la **demolición de un muro** donde se ha dibujado una **obra pictórica** en virtud de un concurso (no un mero grafiti), puede considerarse una infracción si no se justifica la necesidad de hacerlo (AP León 9-4-21, EDJ 580227).

2) Apreciación del daño moral:

• El daño a la integridad de una obra y la apreciación del daño moral van más allá de la mera **deformación, alteración, modificación** o atentado contra la obra. Se requiere que la alteración, deformación o modificación sea susceptible de transmitir un sentido o idea diferente a la que el autor buscaba en su obra (AP Alicante 11-3-11, EDJ 76394), o bien, respetando su integridad, se presente en un contexto que determine o conlleve la alteración de su esencia o significado (AP Tarragona 21-6-16, EDJ 170570). Además, se requiere que con ello se cause un perjuicio objetivamente comprobable al autor, representado por una lesión a sus intereses legítimos o su reputación (AP Navarra 3-9-18, EDJ 650353).

• La apreciación de la existencia de los daños morales la determina, no la conducta más o menos desleal de la parte incumplidora del contrato, sino el impacto o **sufrimiento físico o espiritual** que pueda causar en la otra parte ese incumplimiento, advirtiendo el TS 10-3-09, EDJ 56241: «No todo daño moral debe ser indemnizado por el que lo causa en el ámbito contractual o extracontractual. La obligación de reparación no tiene un alcance universal, sino que su alcance debe ser delimitado en función del contenido del contrato y de los criterios normativos de imputación objetiva que resultan del ordenamiento jurídico» (AP Málaga 12-7-17, EDJ 324092).

• Se considera daño moral, según la jurisprudencia, «el impacto, quebranto o **sufrimiento psíquico** que ciertas conductas, actividades o, incluso, resultados, pueden producir en la persona afectada y cuya reparación va dirigida a proporcionar, en la medida de lo posible, una compensación a la aflicción causada, cuya determinación compete al juzgador de instancia» (TS 12-7-99; AP Barcelona 1-12-16; AP Valencia 23-5-23, EDJ 667931).

3) Existe una serie de **criterios** respecto de la **indemnización de los daños morales**, estableciéndose, así: a) La producción de un daño moral no es solo posible cuando se infringen los derechos morales del autor, sino también cuando se lesionan derechos patrimoniales. b) No toda infracción de la propiedad intelectual comporta automáticamente la producción de un daño moral. c) no resultaría aceptable tratar simplemente de transmutar en daño moral, de forma automática, lo que se hubiese podido calcular para compensar un daño puramente patrimonial. d) Es posible aplicar la doctrina de los daños ex re ipsa (AP Málaga 11-12-23, EDJ 837896).
4) **No se aprecia violación** a los derechos morales:
- la supresión de la marca de agua que la protegía en la página web, pues no ataca la integridad de la obra, ni es una deformación, modificación, alteración o atentado contra ella (AP A Coruña 1-12-23, EDJ 821335).

Irrenunciabilidad Significa que el derecho moral presenta un ejercicio personal que no puede estar sometido a condición alguna que implique la dejación o la omisión de su ejercicio, o su transmisión (declarando la intransmisibilidad del derecho moral, TS 29-11-06, EDJ 345575; 6-11-06, EDJ 311680). Precisamente, en la medida en que se trata de un **derecho personalísimo**, que atañe a la persona y se funde con ella de forma irrevocable, es irrenunciable, y su titular no puede ser obligado a transmitir tal derecho o a permanecer pasivo en su ejercicio. En otras palabras, es irrenunciable (AP Madrid 13-1-17, EDJ 17953). 1771
Las facultades morales, pese a su carácter irrenunciable e inalienable, no son derechos absolutos. No cabe un ejercicio desbocado de tales facultades, ni frente a la contraparte en el acuerdo de licencia, ni frente a cualquier tercero.
• Respecto a la contraparte en el **acuerdo de licencia**: pueden establecerse cláusulas por las que se autorice la modificación de la obra (p.e., en el caso de obras publicitarias).
• Respecto a cualquier **tercero**: no cualquier modificación de una obra atenta contra la integridad de la misma, sino solo aquella que, por ejemplo, afecte a la fama artística o reputación del autor.

Duración El autor puede ejercitar sus facultades morales durante toda su vida. 1773
Al **fallecimiento** del autor, el ejercicio de los derechos de exigir el reconocimiento de su autoría y el respeto a la integridad de la obra corresponde, sin límite de tiempo y por el orden que se señala, a:
- la persona natural o jurídica a la que el autor se lo haya confiado expresamente por disposición de última voluntad;
- los herederos;
- el Estado, las CCAA, las corporaciones locales y las instituciones públicas de carácter cultural, cuando no existan las personas mencionadas o se ignore su paradero.
Esas mismas personas pueden ejercer el **derecho de divulgar la obra**, si no ha sido divulgada en vida del autor, durante un plazo de 70 años desde la muerte o declaración de fallecimiento.

Precisiones Aunque no está definido legalmente, existe acuerdo doctrinal en que, a la muerte del autor, las facultades morales relativas a la **autoría** o paternidad y a la **integridad de la obra** no prescriben nunca. Respecto del resto de facultades morales, parece que el período en el que podrán ser ejercidas se corresponderá con el plazo correspondiente de los derechos de explotación.

b. Derechos de explotación

(LPI art.17)

El aspecto económico o patrimonial del derecho de autor consiste en el reconocimiento de ciertas facultades que permiten a éste obtener la **utilidad pecuniaria** que la obra reporte. Estos derechos, a diferencia de los de carácter personal, sí son transmisibles (nº 1865). 1780
Con carácter general, la Ley reconoce al autor el ejercicio exclusivo de los derechos de explotación de su obra en cualquier forma y señala los **medios habituales** en que tal explotación puede tener lugar: reproducción (nº 1782), distribución (nº 1784), comunicación pública (nº 1788) y transformación (nº 1794).
Estas operaciones de explotación no pueden ser realizadas sin **autorización** del autor o del correspondiente titular de derechos, salvo en los casos previstos en la Ley (nº 1816).
Se establecen, además, dos **derechos de carácter remuneratorio** a favor de los autores, el de participación en el precio de la reventa (nº 1796) de obras de artes plásticas y el de compensación equitativa por copia privada (nº 1800).

Precisiones El derecho de explotación se integra en el **contenido patrimonial**, junto con otros, de la propiedad intelectual, frente al contenido moral. Es decir, destaca una primera premisa: derecho de explotación no es lo mismo que derecho de propiedad intelectual, sino que es un derecho que **forma parte de su contenido** (TS 17-7-00, EDJ 21340).

1782 **Reproducción** (LPI art.18) Consiste en la fijación directa o indirecta, provisional o permanente, por cualquier medio y en cualquier forma, de toda la obra o de parte de ella, que permita su comunicación o la obtención de copias.

En algunos casos, el legislador ha distinguido entre derecho de **fijación** y derecho de reproducción (LPI art.126), lo cual parece acertado técnicamente.

Precisiones 1) No puede considerarse infracción del derecho de reproducción (ni plagio) la utilización de **tópicos comunes** a un género (AP Barcelona 21-12-23, EDJ 825788), que, además, han sido tomados de otras fuentes.

2) El **plagio** (ver nº 1751) atenta contra el derecho de explotación conocido como «derecho de reproducción» pues la obra plagiaria no es otra cosa que una réplica sustancial de la obra preexistente.

La **transformación**, por el contrario, incorpora elementos originales dando lugar a un resultado que, incluso en el caso de no haber sido consentido por el autor de la obra preexistente, es diferente de esta última. De ahí que la transformación **inconsentida** no atente contra el derecho de reproducción (pues la obra resultante no es una simple réplica ligeramente alterada de la obra originaria) sino que atenta contra otro derecho de explotación distinto: el derecho de transformación contemplado por la LPI art.21 (nº 1794) (AP Madrid 17-2-22, EDJ 555485).

1784 **Distribución** (LPI art.19) Se entiende por distribución la **puesta a disposición del público** del original o copias de la obra en un soporte tangible, mediante su venta, alquiler, préstamo o de cualquier otra forma.

Precisiones 1) El concepto de **préstamo**, según la Dir 2006/115/CE art.2.1.b) y 6.1, incluye el préstamo de una copia en forma digital cuando dicho préstamo se realiza cargando dicha copia en el servidor de una biblioteca pública y permitiendo al usuario interesado la reproducción por descarga en su propio ordenador, entendiéndose que solo puede descargarse una copia durante el periodo de duración del préstamo y que una vez transcurrido dicho periodo la copia descargada por ese usuario deja de ser utilizable (TJUE 10-11-16).

2) Aunque el adquirente inicial de la **copia** de un **programa de ordenador** acompañada de una licencia de uso tiene derecho a revender esta copia usada y su licencia a un subadquirente, en cambio, cuando el soporte físico de origen de la copia que se le entregó inicialmente está dañado o destruido o se ha extraviado, no puede proporcionar a ese subadquirente su copia de salvaguardia de este programa sin autorización del titular de derechos (TJUE 12-10-16).

3) El **almacenamiento** por un comerciante de mercancías que portan un motivo protegido por un derecho de autor en el territorio del Estado miembro de almacenamiento puede constituir una infracción del derecho exclusivo de distribución, tal como se define en esa disposición, cuando dicho comerciante ofrece para la **venta** en una tienda sin autorización del titular de dicho derecho de autor mercancías idénticas a las que almacena, siempre que las mercancías almacenadas estén destinadas efectivamente a la venta en el territorio del Estado miembro en el que se encuentra protegido dicho motivo. La distancia existente entre el lugar de almacenamiento y el lugar de venta no puede constituir, por sí sola, un elemento decisivo para determinar si las mercancías almacenadas están destinadas a la venta en el territorio de ese Estado miembro, todo ello en relación con la interpretación a dar al art.4.1 Dir 2001/29/CE (TJUE 19-12-18).

1786 Cuando la distribución se efectúe mediante venta u otro título de transmisión de la propiedad, en el ámbito de la Unión Europea, por el propio titular del derecho o con su consentimiento, este **derecho se agota** con la primera, si bien solo para las ventas y transmisiones de propiedad sucesivas que se realicen en dicho ámbito territorial.

Precisiones 1) Se ha negado el agotamiento del derecho de distribución cuando la primera compraventa se ha realizado en un **país extracomunitario** (TJUE 16-7-98 asunto C-355/96; 1-7-99, asunto C-173/98; TS 29-11-06, EDJ 345575).

2) La regla de agotamiento del derecho de distribución no se aplica a una situación en la que una reproducción de una obra protegida, tras haber sido comercializada en la UE con el consentimiento del titular del derecho de autor, ha sido objeto de una **sustitución de su soporte**, como, por ejemplo, la transferencia sobre un lienzo de tal reproducción, que aparecía en un póster de papel, y ahora se comercializa de nuevo con esa nueva forma (TJUE 22-1-15).

3) El agotamiento se produce incluso en los casos en los que el **contrato** de licencia de uso contenga una estipulación que impida la transmisión del derecho del licenciatario (TS 1-6-16, EDJ 80311).

1788 **Comunicación pública** (LPI art.20) Se entiende por comunicación pública todo acto por el cual una pluralidad de personas pueda tener acceso a la obra **sin previa distribución** de ejemplares a cada una de ellas.

Especialmente, son actos de comunicación pública:

a) Las **representaciones escénicas**, recitaciones, disertaciones y ejecuciones públicas de las obras dramáticas, dramático-musicales, literarias y musicales mediante cualquier medio o procedimiento.

b) La proyección o exhibición pública de las **obras cinematográficas** y de las demás audiovisuales.
c) La emisión de cualesquiera obras por **radiodifusión** o por cualquier otro medio que sirva para la difusión inalámbrica de signos, sonidos o imágenes, incluida la producción de señales portadoras de programas hacia un satélite, cuando la recepción de las mismas por el público no sea posible sino a través de entidad distinta de la de origen.
d) La radiodifusión o comunicación al público **vía satélite** de cualesquiera obras; es decir, el acto de introducir, bajo el control y la responsabilidad de la entidad radiodifusora, las señales portadoras de programas, destinadas a la recepción por el público en una cadena ininterrumpida de comunicación que vaya al satélite y desde éste a la tierra.
e) La transmisión de cualesquiera obras al público por **hilo, cable, fibra óptica** u otro procedimiento análogo, sea o no mediante abono.
f) La **retransmisión**, por cualquiera de los medios citados en los apartados anteriores y por entidad distinta de la de origen, de la obra radiodifundida.
g) La **emisión o transmisión**, en lugar accesible al público, mediante cualquier instrumento idóneo, de la obra radiodifundida.
h) La exposición pública de **obras de arte** o sus reproducciones.
i) La puesta a disposición del público de obras, por procedimientos alámbricos o inalámbricos, de tal forma que cualquier persona pueda acceder a ellas desde el **lugar** y en el **momento** que elija (LPI art.20.2.i).
j) El acceso público en cualquier forma a las obras incorporadas a una **base de datos**.
k) La realización de cualquiera de los actos anteriores, respecto a una base de datos protegida.

No se considera pública la comunicación cuando se celebre dentro de un **ámbito estrictamente doméstico** que no esté integrado o conectado a una red de difusión de cualquier tipo.

Precisiones **1) Contrato de exposición de obra propia**. Contrato de naturaleza atípica, caracterizado porque, bien mediante retribución pactada o de forma gratuita, se conviene que un artista plástico (exponente), ceda y entregue sus obras creativas a la otra parte, que adquiere el derecho a exponerla al público, dentro de un local asignado y por un período determinado, transcurrido el cual, deberá devolver las obras, en el mismo estado en que las recibió, salvo que se hubiera pactado el derecho de la parte expositora de vender lo mostrado, en cuyo caso solo reintegrará la obra sobrante, con el debido abono del precio obtenido, y en la proporción convenida (TS 3-6-91, EDJ 5778). Sobre el contrato de comunicación pública, ver nº 2260. **1790**

2) Retransmisión por Internet:

• Es comunicación pública la retransmisión de **emisiones de televisión** terrestre realizada por un organismo distinto del emisor original mediante un flujo de Internet puesto a disposición de los abonados de ese organismo que puedan recibir esa retransmisión conectándose al servidor de éste, aun cuando esos abonados se hallen en la zona de recepción de esa emisión de televisión terrestre y puedan recibirla legalmente en un receptor de televisión (TJUE 7-3-13).

• Transmitir **eventos deportivos** a través de Internet es un acto de comunicación pública. Uno de los titulares de derechos sobre tales emisiones son los organismos de radiodifusión que los emiten en origen (TJUE 26-3-15, asunto C-279/13).

• El acceso libre y gratuito por parte del público a una **grabación musical** a través de Internet no significa que cualquiera esté por ello autorizado, sin más, a realizar actos de comunicación pública de la misma (AP Baleares 21-12-23, EDJ 841981).

• Facilitar en la red **enlaces** que conducen a obras protegidas debe calificarse como «puesta a disposición» y, en consecuencia, como un «acto de comunicación», pero siempre y cuando la comunicación se dirija a un **público nuevo** que no hubiese sido considerado por los titulares de derechos cuando autorizaron la comunicación inicial al público. Si no existe un público nuevo, no es necesario que los titulares de derechos autoricen este acto (Dir 2001/29/CE art.3.1) (TJUE 13-2-14, caso Svensson).

3) Comunicación en restaurantes. El derecho de comunicación pública comprende la transmisión de obras difundidas mediante una pantalla de televisión y altavoces a los clientes presentes en un establecimiento de restauración (TJUE 4-10-11).

4) Comunicación en hoteles.

• La comunicación de emisiones televisadas y radiofónicas mediante aparatos de televisión instalados en las **habitaciones** de hotel no constituye una comunicación llevada a cabo en un lugar accesible al público a cambio del pago de una cantidad en concepto de entrada (TJUE 16-2-17; en términos similares, AP Sevilla 9-6-99, EDJ 37990; TS 24-9-02, EDJ 37175).

• Otras sentencias afirman lo contrario: que las proyecciones o audiciones musicales en las habitaciones hoteleras tienen la consideración de comunicación pública, prohibidas sin la debida autorización y abono de la tarifa correspondiente; y ello porque ese tipo de atenciones al cliente redunda en beneficio económico del hostelero, quien puede aumentar por ello el precio del alquiler de las habitaciones (entre otras muchas, TS 31-1-03, EDJ 946; 15-1-08, EDJ 3266; 10-7-08, EDJ 124059; 21-11-08, EDJ 227747; 22-1-09, EDJ 8993).

5) Modalidad técnica de comunicación. Si la retransmisión simultánea, inalterada e íntegra de un programa de una entidad de radiodifusión es una simple modalidad técnica de comunicación, no nos hallamos ante un acto de explotación, siempre y cuando, además, el autor de la obra la haya tenido en cuenta al autorizar la comunicación inicial de la misma (TJUE 16-3-17).

1792 Los artistas intérpretes tienen derecho a una **remuneración equitativa y única** por la comunicación pública de sus actuaciones, gestionado a través de entidades de gestión colectiva (LPI art.108.4 y 116.2).
El precio de la comunicación pública ha de venir determinado por el pacto con la entidad gestora, y a falta de este pacto, por las tarifas generales (TS 15-1-08, EDJ 3266). Pero debe tenerse en cuenta que las **tarifas generales de las entidades de gestión** no son de aplicación automática, sino que el propio órgano judicial se reserva la posibilidad de no aplicarlas en el cálculo de la indemnización en el caso que considere que no son equitativas. Y conviene recordar que los criterios de equidad no se cumplen por el mero hecho de que la Administración reciba sin objeciones las tarifas generales comunicadas por las entidades de gestión ni por la existencia de un proceso negociador previo entre las partes, ya que la imposibilidad de llegar a un acuerdo no puede comportar automáticamente la imposición unilateral por las entidades de gestión de sus tarifas generales (TS 18-2-09, EDJ 22299; 7-4-09, EDJ 62982; 15-9-10, EDJ 265162; 13-12-10, EDJ 284905; 23-3-11, EDJ 30408).

Precisiones Los usuarios **no están obligados a pagar** la remuneración equitativa y única que contempla la LPI art.108.4 y 116.2 cuando efectúen una comunicación pública de grabaciones audiovisuales que contengan la fijación de obras audiovisuales en las que se hayan incorporado fonogramas o reproducciones de dichos fonogramas (TS 9-2-21, EDJ 504253; TJUE 18-11-20).

1794 **Transformación** (LPI art.21) Mediante la transformación, un tercero distinto del autor de una obra lleva a cabo sobre ella una actividad creativa dotada del grado suficiente de **originalidad** como para hacerse merecedora de protección, dando lugar a una obra distinta que se conoce como «**obra derivada**» (nº 1753). Es por ello inherente a toda obra derivada, sin perjuicio de resultar reconocible en ella la obra preexistente de la que parte, la característica de que las aportaciones del tercero que dan lugar a su transformación son aportaciones sustanciales en el sentido de que están dotadas de originalidad suficiente como para gozar de la protección del derecho de autor.
La transformación de una obra comprende su traducción, adaptación y cualquier otra modificación en su forma de la que se derive una obra diferente.
Cuando se trate de una **base de datos**, se considera también transformación la reordenación de la misma.
Los derechos de propiedad intelectual de la **obra resultado de la transformación** corresponden al autor de esta última, sin perjuicio del derecho del autor de la obra preexistente de autorizar, durante todo el plazo de protección de sus derechos sobre ésta, la explotación de esos resultados en cualquier forma y en especial mediante su reproducción, distribución, comunicación pública o nueva transformación. Ha de entenderse que el autor de la obra preexistente también puede controlar la eventual puesta a disposición de la obra derivada (Dir 2001/29/CE art.3).

Precisiones **1)** Cuando la modificación acometida por el tercero sobre la obra preexistente no tiene carácter sustancial y **carece de originalidad** no estamos en presencia de una transformación (consentida o inconsentida, esta es otra cuestión) ni, por consiguiente, se origina a consecuencia de esa modificación obra derivada alguna. Hablamos entonces de que la resultante de esa transformación no sustancial constituye un simple **plagio** de la obra de que se trate (AP Madrid 15-10-18, EDJ 644183; 17-2-22, EDJ 555485). Sobre el plagio, ver nº 1751.
2) Se considera que la **sincronización** de una **obra musical en una obra audiovisual** es un acto de transformación y no de reproducción: la incorporación de una obra musical, aun intacta, a otra obra produce efectos transformativos, al quedar aquella rodeada de un contexto expresivo diferente (AP Madrid 12-1-24, EDJ 516827). No se trata, pues, de un acto de reproducción.
3) El derecho de transformación está estrechamente relacionado con el derecho moral de respeto a la **integridad de la obra** (LPI art.14.4º), en cuanto que las actividades transformativas pueden vulnerar ese derecho moral. Así se entiende que la cesión del derecho de transformación se deba hacer respecto de una concreta obra y para un determinado acto transformativo (TS 19-12-23, EDJ 778615).
4) En relación con el **pastiche**, el RDL 24/2024 art.70 señala que: «No precisa la autorización del autor o del titular de derechos la transformación de una obra divulgada que consista en tomar determinados elementos característicos de la obra de un artista y combinarlos, de forma que den la impresión de ser una creación independiente, siempre que no implique riesgo de confusión con las obras o prestaciones originales ni se infiera un daño a la obra original o a su autor. Este límite será también aplicable a usos diferentes de los digitales». Resulta muy dudoso que nos hallemos ante una forma de parodia, aunque, aparentemente, el trato del legislador haya ido en ese sentido, y pese a que, en ocasiones, el pastiche sí puede desembocar en un supuesto de parodia *stricto sensu*.

Derecho de participación en el precio de la reventa (LPI art.24 redacc L 14/2021) Afecta a cualquier reventa de que sean objeto determinadas obras tras la primera cesión realizada por el autor de las mismas. Se configura como un derecho **inalienable e irrenunciable**, transmisible únicamente por sucesión *mortis causa*. 1796

El derecho se **extingue** a los 70 años a contar desde el 1 de enero del año siguiente a aquel en que se produjo la muerte o declaración de fallecimiento del autor.

Es un derecho que se **reconoce** a los autores de la obra y a sus derechohabientes tras la muerte o declaración de fallecimiento.

Se **aplica a las obras** de arte gráficas o plásticas, como los cuadros, *collages*, pinturas, dibujos, grabados, estampas, litografías, esculturas, tapicerías, cerámicas, objetos de cristal, fotografías y piezas de video-arte, siempre que éstas constituyan creaciones ejecutadas por el propio autor o bajo su autoridad. Si se da esta última circunstancia, se considerarán obras de arte originales. Los **ejemplares** en cuestión deberán estar numerados, firmados o debidamente autorizados por el autor.

Se aplica en todos los **actos de reventa** en los que participen, como vendedores, compradores o intermediarios, profesionales del mercado del arte tales como salas de venta, salas de subastas, galerías de arte, marchantes de obras de arte y, en general, cualquier persona física o jurídica que realice habitualmente actividades de intermediación en este mercado. El derecho se aplicará, asimismo, cuando los profesionales del mercado del arte lleven a cabo las actividades descritas a través de prestadores de servicios de la sociedad de la información.

El derecho de participación nace cuando el **precio** de la reventa sea igual o superior a 800 euros, excluidos los impuestos, por obra vendida o conjunto concebido con carácter unitario.

Quedan **exceptuados** los actos de reventa de la obra que haya sido comprada por una galería de arte directamente al autor, siempre que el periodo transcurrido entre esta primera adquisición y la reventa no supere los 3 años y el precio de reventa no exceda de 10.000 euros, excluidos los impuestos que resulten aplicables.

Este derecho de participación **se hace efectivo** a través de las **entidades de gestión** de derechos de propiedad intelectual, que ostenten la debida legitimación (LPI art.150). Cuando concurran varias entidades que, conforme a sus estatutos, gestionen el derecho de participación, éstas deberán actuar frente a los deudores en todo lo relativo a la percepción de este derecho bajo una sola representación en los términos que convencionalmente acuerden. Estas entidades de gestión comunicarán al Ministerio de Cultura el acuerdo que hayan adoptado.

Los **porcentajes** en que consiste el derecho de participación varían en función del precio de venta, según una escala que va del 0,25% (si el precio de reventa supera los 500.000 euros) al 4% (por los primeros 50.000 euros del precio de reventa). Los precios de venta se entenderán sin impuestos.

Cuando el derecho de participación se refiera a una obra creada por **dos o más autores**, su importe se repartirá por partes iguales entre los autores de dicha obra, salvo pacto en contrario.

Los **obligados al pago** de este derecho remuneratorio, profesionales del mercado del arte, están obligados a notificar al vendedor y a la entidad de gestión correspondiente la reventa efectuada. La **notificación** se hará por escrito o por otro medio que permita dejar constancia de la remisión y recepción de la notificación en el plazo de 2 meses a contar desde el día siguiente de la fecha de la reventa y debe contener siempre la documentación acreditativa de la reventa necesaria para la verificación de los datos y la práctica de la correspondiente liquidación. Dicha documentación debe incluir, al menos: 1798

- el lugar y la fecha en la que se realizó la reventa;
- el precio íntegro de la enajenación; y
- los datos identificativos de la obra revendida, así como de los sujetos contratantes, de los intermediarios, en su caso, y del autor de la obra.

Además, deberán **retener el importe** del derecho de participación del autor en el precio de la obra revendida; y mantener en depósito gratuito y sin obligación de pago de intereses, la cantidad retenida hasta la entrega a la entidad de gestión correspondiente.

Cuando haya intervenido en la reventa de la obra **más de un profesional** del mercado del arte, el sujeto obligado a efectuar la operación, tanto en lo referido a la notificación, como a la retención, depósito y pago del derecho, será el profesional del mercado del arte que haya actuado como vendedor y, en su defecto, el que haya actuado de intermediario. El pago del derecho deberá hacerse efectivo a la entidad de gestión correspondiente en un plazo máximo de 2 meses. Las **entidades de gestión** notificarán al titular del derecho que se ha hecho efectivo el pago en el plazo máximo de un mes desde que éste haya tenido lugar. Los profesionales del mercado del arte responderán solidariamente con el vendedor del pago del derecho.

Se establece un plazo de **prescripción** de 3 años, a contar desde la notificación de la reventa, para que las entidades de gestión hagan efectivo el derecho ante los profesionales del mercado del arte. Durante ese tiempo, las entidades de gestión de los derechos de propiedad

intelectual podrán exigir a cualquier profesional del mercado del arte de los mencionados la información indicada más arriba que resulte necesaria para calcular el importe del derecho de participación.
Los titulares del derecho de participación o, en su caso, las entidades de gestión deben respetar los principios de **confidencialidad** o intimidad mercantil en relación con cualquier información que conozcan en el ejercicio de las facultades previstas en la Ley.

Precisiones 1) Se establece un **fondo de ayuda a las Bellas Artes**, cuya administración corresponde a una comisión adscrita al Ministerio de Cultura y Deporte.
2) Las **cantidades percibidas por las entidades de gestión** en concepto de derecho de participación no repartidas a sus titulares en el plazo establecido por falta de identificación de éstos y sobre las que no pese reclamación alguna, deberán ser ingresadas en el Fondo de Ayuda a las Bellas Artes en el plazo máximo de un año.
3) La AP Madrid ha reconocido el **cambio de modelo** que ha pasado de la gestión facultativa del derecho a través de las entidades de gestión a un modelo de **gestión colectiva obligatoria**. La norma establece imperativamente que el derecho se haga efectivo a través de las entidades de gestión sin distinguir si el titular está o no integrado en la entidad de gestión o tiene suscrito con ella un específico contrato de gestión. Por consiguiente, actualmente, este derecho es de recaudación obligatoria a través de entidades de gestión (AP Madrid 6-10-23, EDJ 742845).

1800 **Derecho de compensación equitativa y única por copia privada** (LPI art.25; RD 1398/2018; RD 209/2023) La compensación equitativa y única por copia privada se genera respecto de la reproducción de obras divulgadas en cualquiera de las tres modalidades de reproducción mencionadas a continuación, realizada mediante aparatos o instrumentos técnicos no tipográficos, exclusivamente para **uso** privado, no profesional ni empresarial, sin fines directa ni indirectamente comerciales.
Las tres posibles **modalidades de reproducción** de obras divulgadas son (LPI art.25.1; RD 1395/2018 art.3.f):
a) Libros o publicaciones asimiladas a libros, como las partituras y las publicaciones de prensa, incluyendo periódicos y revistas, tanto en soporte papel como en formato digital, siempre y cuando reúnan los requisitos recogidos en el RD 1395/2018 art.2 (redacc RD 209/2023).
b) Fonogramas u otros suportes sonoros.
c) Videogramas u otros soportes visuales o audiovisuales.
La relación de **equipos, aparatos y soportes** materiales de reproducción sujetos al pago de la compensación y las cantidades aplicables a cada uno de ellos se recogen en el Anexo del RD 209/2023.
Son **acreedores de esta compensación** equitativa y única:
1º Los autores de las obras divulgadas en alguno de los formatos antes mencionados, conjuntamente y, en los casos y modalidades de reproducción en que corresponda, con los editores.
2º Los productores de fonogramas y videogramas.
3º Los artistas intérpretes o ejecutantes cuyas actuaciones hayan sido fijadas en dichos fonogramas y videogramas.
Este derecho es **irrenunciable** para los autores y los artistas intérpretes o ejecutantes.

Precisiones 1) La reproducción en servidores de **almacenamiento en la nube** constituye una reproducción protegida por derechos de autor sujeta a compensación equitativa. Se determina que los usuarios finales deben compensar a los titulares de derechos por las copias realizadas en la nube (TJUE 24-3-22 (asunto C-433/20, caso Austro Mechana).
2) La compensación por copia privada no es de aplicación a **teléfonos móviles**, pero sí a las **tarjetas de memoria** que se adquieren para complementar una memoria reducida o mínima de aquellos. No hay compensación por copia privada a los titulares de derechos si el daño es mínimo (p.e., respecto de la memoria de los móviles), circunstancia que no se da en los casos de tarjetas de memoria de gran capacidad de almacenamiento (TS 6-3-15, EDJ 35095).
3) La AN cont-adm 22-3-11, EDJ 13690 declaró la **nulidad de la OM PRE/1743/2008**, que regulaba la compensación equitativa por copia privada, debido a la omisión del dictamen del Consejo de Estado y las memorias justificativa y económica en su procedimiento de elaboración.
La nulidad de esta Orden no priva de derecho a las entidades de gestión para reclamar la compensación por copia privada, mediante la aplicación de un canon a los dispositivos idóneos para realizar copias privadas de fonogramas protegidos por derechos de propiedad intelectual, en la forma y con las limitaciones previstas en la LPI art.25.6. El **derecho al cobro** de la compensación, mediante la aplicación del canon, no nace de la Orden Ministerial, ni la existencia de esta constituye una condición necesaria para que surja el derecho a la compensación equitativa (AP Madrid 21-7-23, EDJ 690410).

1802 Para que el acto de reproducción esté cubierto por la remuneración por copia privada (es decir, se pueda reproducir para usos privados sin tener que previamente solicitar una autorización del titular de derechos) deben cumplirse las siguientes **condiciones** (LPI art.31.2):
a) Que la reproducción se lleve a cabo por una persona física exclusivamente para su **uso privado**, no profesional ni empresarial, y sin fines directa ni indirectamente comerciales.

b) Que la reproducción se realice a partir de una **fuente lícita** y que no se vulneren las condiciones de acceso a la obra o prestación.
c) Que la copia obtenida **no** sea objeto de una **utilización colectiva** ni lucrativa, ni de distribución mediante precio.
No estarán cubiertas por el límite legal de copia privada (LPI art.31.3):
a) Las reproducciones de obras que se hayan puesto a disposición del público conforme a la LPI art.20.2.i), de tal forma que cualquier persona pueda acceder a ellas desde el lugar y momento que elija, autorizándose, con arreglo a lo convenido por contrato, y, en su caso, mediante pago de precio, la reproducción de la obra.
b) Las bases de datos electrónicas.
c) Los programas de ordenador, en aplicación de la LPI art.99.a).

Precisiones **1)** Al estar destinados los aparatos que sirven para la reproducción a **uso profesional o empresarial**, propio de su objeto social, no están destinados a uso de personas físicas y, por tanto, no cabe presumir un posible destino a reproducir obras ya divulgadas para uso privado de una persona física; por el contrario, se presentan como equipos manifiestamente reservados a usos distintos a la realización de copias privadas. Por lo tanto, no concurre el requisito de potencialidad de causar perjuicio efectivo a los autores como consecuencia de realizar copias privadas de sus obras (TS 23-6-21, EDJ 611314).
2) Las reproducciones efectuadas en el **ámbito de empresa o instituciones**, no tienen la consideración de copia privada (AP Zamora 26-9-03, EDJ 198129; AP Sevilla 7-3-03; AP Barcelona 27-5-03; AP Valladolid 16-9-02, EDJ 51708).
3) La **mera capacidad** para realizar reproducciones basta para justificar la aplicación de la compensación equitativa por copia privada (TJUE 5-3-15, asunto C-463/12). En esa misma sentencia se afirma que a efectos de cálculo de la compensación no puede tenerse presente las reproducciones efectuadas a partir de **fuentes ilícitas**.

El procedimiento de determinación de la **cuantía** de esta compensación se ha de calcular sobre la base del criterio del perjuicio causado a los acreedores antes señalados como consecuencia de las reproducciones realizadas al amparo del límite legal de copia privada. **1804**
Para la determinación de dicha cuantía se deben tener en cuenta, al menos, los siguientes **criterios** objetivos:
1º La intensidad de uso de los equipos, aparatos y soportes materiales, para lo que se tendrá en cuenta la estimación del número de copias realizadas al amparo del límite legal de copia privada.
2º La capacidad de almacenamiento de los equipos, aparatos y soportes materiales, así como la importancia de la función de reproducción respecto al resto de funciones de aquellos.
3º El impacto del límite legal de copia privada sobre la venta de ejemplares de las obras, teniendo en cuenta el grado de sustitución real de estos por las copias privadas realizadas y el efecto que supone que el adquirente de un ejemplar o copia original tenga la posibilidad de realizar copias privadas.
4º El precio de la unidad de cada modalidad reproducida.
5º El carácter digital o analógico de las reproducciones efectuadas al amparo del límite legal de copia privada, o la calidad y el tiempo de conservación de las reproducciones.
6º La disponibilidad, grado de aplicación y efectividad de las medidas tecnológicas a las que se refiere el art.160.3 LPI y su impacto en las reproducciones realizadas al amparo del límite legal de copia privada.
7º Las cuantías de la compensación equitativa por copia privada que resulte de aplicación en otros Estados miembros de la Unión Europea siempre que existan bases homogéneas de comparación.
El **procedimiento de pago** de la compensación se realiza a través de las entidades de gestión correspondientes, y se basa en un sistema de presentación de relaciones trimestrales por parte de los sujetos deudores y por los distribuidores que culmina con la emisión de las correspondientes facturas de abono o de devolución de la compensación equitativa (RD 1398/2018 art.5 s.).

Precisiones **1)** El TJUE 9-6-16 declaró incompatible con el derecho de la UE (Dir 2001/29/CE) el régimen de compensación por copia privada regulado bajo la L 21/2014 art.1.2º, que se sufragaba con **cargo a los Presupuestos Generales del Estado** sin que resultara posible asegurar que el coste de dicha compensación era soportado por los usuarios de copias privadas. Ello determinó la nulidad del RD 1657/2012, por el que se regulaba el procedimiento de pago de la compensación equitativa por copia privada con cargo a los Presupuestos Generales de la Ley, por sentencia TS cont-adm 10-11-16, EDJ 198548 (TS cont-adm 17-4-17, EDJ 39227; 19-4-17, EDJ 45112).
El RDL 12/2017 modificó el art.25 LPI para sustituir el anterior sistema de compensación equitativa por copia privada financiada con cargo a los Presupuestos Generales del Estado, por un modelo basado en el **pago** de un importe a satisfacer **por los fabricantes, importadores y distribuidores** de equipos, aparatos y soportes materiales de reproducción.

2) La compensación equitativa por copia privada debe ser calculada de forma **justa y proporcional** a la distribución de los dispositivos sujetos a esta compensación, basándose en la información veraz proporcionada por las partes involucradas (AP Madrid 21-7-23, EDJ 690410, con cita al TS 5-2-18, EDJ 4075, entre otras).

1806 **No** dan origen a una **obligación de compensación** aquellas situaciones en las que el perjuicio causado al titular del derecho de reproducción haya sido mínimo. El umbral por debajo del cual el **perjuicio es mínimo** debe ser fijado por los Estados miembros, si bien dicho umbral debe respetar el principio de igualdad de trato (TJUE 5-3-15, asunto C-463/12). En España se fija por el anexo del RD 209/2023.

No tienen la consideración de **reproducciones para uso privado** las siguientes:

1. Las efectuadas en establecimientos dedicados a la realización de reproducciones para el público, o que tengan a disposición del público los equipos, aparatos y materiales para su realización.

2. Las realizadas mediante equipos, aparatos y soportes de reproducción digital que no se hayan puesto a disposición de derecho o de hecho usuarios privados y que estén manifiestamente reservados a usos distintos a la realización de copias privadas.

Los equipos, aparatos y soportes materiales de reproducción concebidos manifiestamente para **uso profesional** y que no se hayan puesto de derecho o de hecho a disposición de usuarios privados para la realización de copias privadas, no están sujetos al pago de la compensación equitativa por copia privada.

1808 Precisiones **1)** El TJUE establece que no procede la **aplicación indiscriminada del canon** por copia privada, en particular en relación con equipos, aparatos y soportes de reproducción digital que no se hayan puesto a disposición de usuarios privados y que estén manifiestamente reservados a usos distintos de la realización de copias privadas. Es necesaria una vinculación entre la aplicación de la remuneración destinada a financiar la compensación equitativa en relación con los equipos, aparatos y soportes de reproducción digital y el presumible uso de éstos para realizar reproducciones privadas (TJUE 21-10-10, asunto C-467/08; 16-6-11, asunto C-462/2009).

2) Toda compensación equitativa que no esté vinculada al perjuicio causado a los titulares de derechos por tal realización no sería compatible con la exigencia, expuesta en el considerando 31 de la Dir UE/2001/29, en virtud de la cual se ha de mantener un **justo equilibrio** entre los titulares de derechos y los usuarios de prestaciones protegidas (TJUE 12-11-15, Hewlett-Packard Belgium, C 572/13, EU:C:2015:750, aptdo 86, y 22-9-16, Microsoft Mobile Sales International y otros, C 110/15, EU:C:2016:717, aptdo 54) y también en la TJUE 24-3-22 (asunto C-433/20, caso Austro Mechana).

3) Las entidades de gestión sólo están obligadas a devolver (más propiamente que **reembolsar) a los distribuidores el canon** si previamente se ha ingresado. Se discutía en este caso si un distribuidor que ha pagado el canon a su proveedor y que no puede repercutirlo «aguas abajo» porque destina los equipos, aparatos o material a la exportación (entregas intracomunitarias o exportación fuera del de UE) puede reclamar su devolución a la asociación Ventanilla Única Digital, que no ha recibido ese canon (tesis de la actora), o debe hacerlo a aquel proveedor que le antecede en la cadena y que, pese a haber percibido el importe correspondiente, no lo entregó a las entidades de gestión y, por tanto, lo retiene (tesis de la demandada y asumida por la sentencia). En este caso, la AP Madrid sigue la tesis de la demandada (AP Madrid 12-6-23, EDJ 663801).

1810 **Duración de los derechos de explotación** (LPI art.26 a 30, 41, 112, 119, 125, 127, 128 y 136) Como **regla general**, los derechos de explotación de la obra duran toda la vida del autor y 70 años después de su muerte o declaración de fallecimiento.

Han de señalarse, no obstante, ciertos **plazos especiales** para determinados tipos de obra:

• Los derechos de explotación de las **obras anónimas o seudónimas** duran 70 años desde su divulgación lícita.

Sin embargo, se aplica la regla general cuando, antes de cumplirse este plazo, sea conocido el autor, bien porque el seudónimo adoptado no deje dudas sobre su identidad, bien porque el mismo autor la revele.

• Los derechos de explotación de las **obras no divulgadas lícitamente** duran 70 años desde la creación de éstas, cuando el plazo de protección no sea computado a partir de la muerte o declaración de fallecimiento del autor o autores.

• Los derechos de explotación de las **obras en colaboración**, comprendidas las obras cinematográficas y audiovisuales, duran toda la vida de los coautores y 70 años desde la muerte o declaración de fallecimiento del último coautor superviviente. En el caso de las **composiciones musicales** con letra, los derechos de explotación duran toda la vida del autor de la letra y del autor de la composición musical y setenta años desde la muerte o declaración de fallecimiento del último superviviente, siempre que sus contribuciones fueran creadas específicamente para la respectiva composición musical con letra.

• Los derechos de explotación sobre las **obras colectivas** duran 70 años desde la divulgación lícita de la obra protegida.

• En el caso de **obras divulgadas por partes**, volúmenes, entregas o fascículos, que no sean independientes y cuyo plazo de protección comience a transcurrir cuando la obra haya sido divulgada de forma lícita, dicho plazo ha de computarse por separado para cada elemento.

Precisiones La protección en España de los derechos de explotación de las **obras de un autor inglés fallecido en 1936** tendrá una duración de 80 años, sin necesidad de que tales obras hubieran sido previamente inscritas en el registro español de propiedad intelectual (Convenio de Berna art.5.1 y 2). Conforme a la LPI disp.trans.cuarta, «(l)os derechos de explotación de las obras creadas por autores fallecidos antes del 7 diciembre 1987 tendrán la duración prevista en la Ley de 10 enero 1879 sobre Propiedad Intelectual»; esto es, **80 años** desde la muerte del autor (LPI 1879 art.6) (TS 13-4-15, EDJ 51575).

Por otro lado, se establece una duración de **50 años** para los siguientes derechos: **1812**
1. Los derechos de explotación reconocidos a los **artistas intérpretes o ejecutantes** (desde la interpretación o ejecución). La Dir 2011/77/UE modifica la Dir 2006/116/CE respecto del plazo de duración de los derechos de los artistas músicos. En concreto, se establece que si el **fonograma** se publica o se **comunica lícitamente al público** dentro de los 50 años después de la fecha de la representación o ejecución, y por un medio distinto al fonograma, los derechos expirarán 50 años computados desde el 1 de enero siguiente a fecha de la primera publicación o de primera comunicación al público, si esta última es anterior; y si se publica o se comunica lícitamente al público en un fonograma, dentro de dicho periodo, una **grabación de la interpretación o ejecución**, los derechos expirarán 70 años después de la fecha de la primera publicación o de la primera comunicación al público, si esta última es anterior (LPI art.112).
2. Los derechos de los productores de los **fonogramas** (desde la grabación). No obstante, si el fonograma se publica lícitamente durante dicho periodo, los derechos expiran 50 años después de la fecha de la primera publicación lícita. Si durante el citado período no se efectúa publicación lícita alguna pero el fonograma se comunica lícitamente al público, los derechos expiran 70 años después de la fecha de la primera comunicación lícita al público (LPI art.119 y Dir 2011/77/UE, que modifica la Dir 2006/116/CE).
3. Los derechos de explotación reconocidos a los productores de la primera fijación de una **grabación audiovisual** (desde su realización). No obstante, si dentro de dicho periodo, la grabación se divulga lícitamente, los citados derechos expiran a los 50 años desde la divulgación.
4. Los derechos de explotación reconocidos a las **entidades de radiodifusión** (desde la primera emisión o transmisión).

Se establecen **otros plazos** de duración para: **1814**
a) Los derechos de propiedad intelectual sobre **meras fotografías**: 25 años (desde su realización).
b) El derecho *sui generis* sobre una **base de datos**: 15 años (desde que finalice el proceso de su fabricación).
En todos los casos, el **cómputo de los plazos** de protección se debe realizar desde el día 1 de enero del año siguiente al de la muerte o declaración de fallecimiento del autor, al de la divulgación lícita de la obra o al del hecho generador de la protección (según se ha indicado).
c) El derecho reconocido por la LPI art.129 bis a las **editoriales de prensa y agencias de noticias**: 2 años contados desde el 1 de enero de año siguiente al de la fecha de publicación de prensa (LPI art.130.3 redacc RDL 24/2021).
La extinción de los derechos de explotación de las obras determina su **paso al dominio público**. Las obras de dominio público pueden ser utilizadas por cualquiera, siempre que se respete la autoría y la integridad de la obra.

Límites de los derechos de explotación (LPI art.31 a 40 bis) Como cualquier derecho, los de propiedad intelectual no son absolutos o ilimitados. Consecuentemente, existen determinados límites o excepciones al juego de los derechos de explotación. **1816**
En ciertas circunstancias y siempre que no se cause un perjuicio injustificado a los intereses legítimos del autor o que vayan en detrimento de la explotación normal de las obras, se permite realizar alguna de las operaciones señaladas (reproducción, distribución, etc.) **sin la autorización del autor o titular de derechos**. Las excepciones o límites son los que se exponen a continuación.

Precisiones **1)** La LPI sigue el método del catálogo o **lista exhaustiva**; es decir, no admite más excepciones a la necesidad de autorización que las expresamente establecidas (AP Madrid 21-1-13, EDJ 319642).
2) La Dir 2001/29/CE sobre derechos de autor en la sociedad de la información establece **otros posibles límites** al derecho de autor que, finalmente, no se han recogido en la LPI:
• Reproducción de **radiodifusiones** efectuadas por instituciones sociales que no persigan fines comerciales, como hospitales o prisiones, a condición de que los titulares de los derechos reciban una compensación equitativa.

• **Inclusión incidental** de una obra o prestación en otro material.
• **Otros casos de importancia menor** en que ya se prevean excepciones o limitaciones en el Derecho nacional, siempre que se refieran únicamente a usos analógicos y que no afecten a la libre circulación de bienes y servicios en el interior de la Comunidad, sin perjuicio de las otras excepciones y limitaciones previstas en la Directiva.

3) La Dir 2019/790/UE prevé una nueva excepción para los actos de reproducción llevados a cabo por las **instituciones** responsables de la **conservación del patrimonio cultural**. Ver nº 1713.

1818 **Copia privada** (LPI art.31.2) No necesita autorización del autor la reproducción, en cualquier soporte, sin asistencia de terceros, de obras ya divulgadas, cuando concurran simultáneamente las siguientes circunstancias, constitutivas del límite legal de copia privada:

a) Que se lleve a cabo por una persona física exclusivamente para su uso privado, no profesional ni empresarial, y sin **fines** directa ni indirectamente comerciales.

b) Que la reproducción se realice a partir de obras a las que haya accedido legalmente desde una **fuente lícita**, entendiéndose que se ha accedido legalmente y desde una fuente lícita a la obra divulgada únicamente cuando:

- se realice la reproducción, directa o indirectamente, a partir de un soporte que contenga una reproducción de la obra, autorizada por su titular, comercializado y adquirido en propiedad por compraventa mercantil; o
- se realice una reproducción individual de obras a las que se haya accedido a través de un acto legítimo de comunicación pública, mediante la difusión de la imagen, del sonido o de ambos, y no habiéndose obtenido dicha reproducción mediante fijación en establecimiento o espacio público no autorizada.

c) Que la copia obtenida no sea objeto de una **utilización** colectiva ni lucrativa, ni de distribución mediante precio (ver nº 1800).

Quedan **excluidas** de la excepción o límite al derecho de reproducción las reproducciones de obras que se hayan puesto a disposición del público conforme al art.20.2.i) LPI, de tal forma que cualquier persona pueda acceder a ellas desde el lugar y momento que elija, autorizándose, con arreglo a lo convenido por contrato, y, en su caso, mediante pago de precio, la reproducción de la obra, las bases de datos electrónicas y los programas de ordenador.

1820 **Reproducciones provisionales** (LPI art.31.1) No requieren autorización del autor los actos de reproducción provisional que, además de carecer por sí mismos de una significación económica independiente, sean transitorios o accesorios y formen parte integrante y esencial de un proceso tecnológico cuya única **finalidad** consista en facilitar bien una transmisión en red entre terceras partes por un intermediario, bien una utilización lícita, entendiendo por tal la autorizada por el autor o por la Ley.

1822 **Seguridad y procedimientos oficiales** (LPI art.31 bis) No es necesaria autorización del autor cuando una obra se reproduzca, distribuya o comunique públicamente con fines de seguridad pública o para el correcto desarrollo de procedimientos administrativos, judiciales o parlamentarios.

1824 **Accesibilidad para personas con discapacidad** (LPI art.31 ter) No necesitan autorización del titular de los derechos de propiedad intelectual los actos de reproducción, distribución y comunicación pública de obras ya divulgadas que se realicen en beneficio de personas con discapacidad, siempre que la **reproducción**:

- carezca de finalidad lucrativa;
- guarde una relación directa con la discapacidad de que se trate;
- se lleve a cabo mediante un procedimiento o medio adaptado a la discapacidad; y
- se limite a lo que ésta exige.

En aquellos supuestos especiales que no entren en conflicto con la explotación normal de la obra, y que no perjudiquen en exceso los intereses legítimos del titular del derecho, las **entidades autorizadas** establecidas en España que produzcan ejemplares en formato accesible de obras para uso exclusivo de personas ciegas, con discapacidad visual o con otras dificultades para acceder a textos impresos, podrán realizar actos de reproducción, distribución y comunicación pública de obras ya divulgadas sin autorización del titular de los derechos de propiedad intelectual, para **uso exclusivo** de dichos beneficiarios o de una entidad autorizada establecida en cualquier Estado miembro de la UE. Asimismo, los beneficiarios y las entidades autorizadas establecidas en España podrán conseguir o consultar un ejemplar en formato accesible facilitado por una entidad autorizada establecida en cualquier Estado miembro de la UE.

Precisiones Por **entidades autorizadas** se entiende, a estos efectos, aquellas que proporcionen sin ánimo de lucro a las personas ciegas, con discapacidad visual o con otras dificultades para acceder a textos impresos, educación, formación pedagógica, lectura adaptada o acceso a la información, o que, siendo instituciones públicas u organizaciones sin ánimo de lucro, tengan estos servicios como una de sus actividades principales, como una de sus obligaciones institucionales o como parte de sus misiones de interés público.

Las entidades autorizadas deberán cumplir las siguientes **obligaciones**:

a) Distribuir, comunicar o poner a disposición ejemplares en formato accesible de obras para uso exclusivo de los citados beneficiarios o de otras entidades autorizadas.

b) Tomar las medidas necesarias para desincentivar la reproducción, distribución, comunicación al público o puesta a disposición del público, de forma no autorizada, de ejemplares en formato accesible.

c) Gestionar con la diligencia debida las obras, así como sus ejemplares, en formato accesible, y mantener un registro de dicha gestión.

d) Publicar información sobre las actuaciones realizadas en aplicación de las letras anteriores, siendo suficiente, a estos efectos, una actualización semestral en su portal de internet y una remisión de dicha información, actualizada semestralmente, al centro directivo del Ministerio de Cultura y Deporte competente en materia de propiedad intelectual y a la entidad o entidades de gestión de derechos de propiedad intelectual que representen a los titulares de las obras adaptadas a formato accesible.

e) Facilitar de forma accesible, previa solicitud, la lista de obras y formatos disponibles según lo previsto en la anterior letra d), y los datos de las entidades autorizadas con las que hayan intercambiado ejemplares en formato accesible, a los referidos beneficiarios, a otras entidades autorizadas o a los titulares de derechos.

Citas y reseñas e ilustraciones de la enseñanza (LPI art.32) Es lícita la inclusión en una obra propia de fragmentos de otras ajenas de naturaleza escrita, sonora o audiovisual, así como la de obras aisladas de carácter plástico o fotográfico figurativo, siempre que se trate de obras ya divulgadas y su inclusión se realice a título de cita o para su análisis, comentario o juicio crítico. En cualquier caso, tal utilización solo podrá hacerse con **fines docentes o de investigación**, en la medida justificada por el fin de esa incorporación e indicando la fuente y el nombre del autor de la obra utilizada. **1826**

La cita debe referirse a «**fragmentos**», concepto que lleva directamente a la idea de un extracto o una parte inferior al todo. No tendría aplicación el límite si la parte objeto de utilización es ostensiblemente amplia o superior a una porción cuantitativamente pequeña en relación con el todo de la obra o prestación. Las citas deben referirse a aspectos ínfimos o tangenciales de las materias tratadas (AP A Coruña 23-3-99, EDJ 9908). De lo contrario, puede incurrirse en **plagio** y, consecuentemente, en infracción de los derechos de propiedad intelectual del autor o autores de la obra citada (AP Ciudad Real 2-3-01, EDJ 6745; AP Valencia 21-1-09, EDJ 54632).

En ningún caso resulta amparada por el derecho de cita la reproducción de una obra original cuando esta no se incorpora a la obra subsiguiente para satisfacer una **finalidad** de análisis, comentario o crítica, sino para su comunicación, lo que sucede de manera evidente cuando la reproducción cuestionada es muy **extensa o íntegra** (TS 16-5-23, EDJ 578416; AP Valencia 9-1-24, EDJ 501574).

La puesta a disposición del público por parte de **prestadores de servicios electrónicos** de agregación de contenidos de textos o fragmentos de textos de publicaciones de prensa objeto de derechos de propiedad intelectual requerirá la concesión, por parte de los titulares de derechos en lo relativo a usos en línea, de la correspondiente autorización prevista en el art.129 bis LPI.

Sin perjuicio de lo anterior, la puesta a disposición del público por parte de prestadores de servicios que faciliten instrumentos de **búsqueda de palabras aisladas** incluidas en los contenidos referidos no estará sujeta a autorización, ni a remuneración siempre que tal puesta a disposición del público se produzca sin finalidad comercial propia y se realice estrictamente circunscrita a lo imprescindible para ofrecer resultados de búsqueda en respuesta a consultas previamente formuladas por un usuario al buscador y siempre que la puesta a disposición del público incluya un enlace a la página de origen de los contenidos (LPI art.32.2).

Precisiones Respecto de la actividad de «**press clipping**», hay que mencionar la sentencia de referencia, según la cual «lo que el legislador lleva a cabo a través de dicho párrafo 2º es una ficticia asimilación de las revistas de prensa a las citas a los solos efectos de conferir a quien desarrolla esa clase de trabajos el derecho -propio de la cita- de incluir en su interior fragmentos de obras ajenas (los periódicos en general) aún sin el consentimiento de los titulares de los derechos de propiedad intelectual existentes sobre éstas últimas, pues no en vano el derecho de cita, al que se asimila el derecho atribuido a los artífices de **revistas de prensa**, aparece contemplado dentro del Capítulo II del Título III del Libro I LPI, destinado, precisamente, a regular los límites del derecho de autor» (JM Madrid núm 6, 13-4-09, EDJ 72460; JM Madrid núm 2, 12-6-06, EDJ 92837).

Las **recopilaciones periódicas** efectuadas en forma de **reseñas o revista de prensa** tienen la consideración de citas. No obstante, cuando se realicen recopilaciones de artículos periodísticos que consistan básicamente en su mera reproducción y dicha actividad se realice con fines **1828** comerciales, el autor que no se haya opuesto expresamente, tiene el derecho a percibir una remuneración equitativa. En caso de oposición expresa del autor, dicha actividad no se entiende amparada por este límite. En todo caso, la reproducción, distribución o comunicación pública, total o parcial, de artículos periodísticos aislados en un dossier de prensa que tenga lugar dentro de cualquier organización requerirá la autorización de los titulares de derechos (LPI art.32.1 párrafo 2).

No necesita autorización del autor el **profesorado de la educación reglada** impartida en el sistema educativo español y el personal de universidades y organismos públicos de investigación en sus funciones de investigación científica, para realizar actos de reproducción, distribución y comunicación pública de pequeños fragmentos de obras y de obras aisladas de carácter plástico o fotográfico figurativo, cuando, no concurriendo finalidad comercial alguna, se cumplan simultáneamente las siguientes **condiciones** (LPI art.32.3):

a) Que tales actos se hagan únicamente para la ilustración de sus **actividades** educativas, tanto en la enseñanza presencial como en la enseñanza a distancia, o con fines de investigación científica, y en la medida justificada por la finalidad no comercial perseguida.

b) Que se trate de obras ya divulgadas.

c) Que las obras no tengan la condición de **libro de texto**, manual universitario o publicación asimilada, salvo que se trate de:

- actos de reproducción para la comunicación pública, incluyendo el propio acto de comunicación pública, que no supongan la puesta a disposición ni permitan el acceso de los destinatarios a la obra o fragmento. En estos casos deberá incluirse expresamente una localización desde la que los alumnos puedan acceder legalmente a la obra protegida; o
- actos de distribución de copias exclusivamente entre el personal investigador colaborador de cada proyecto específico de investigación y en la medida necesaria para este proyecto.

Se entiende por libro de texto, manual universitario o publicación asimilada, cualquier publicación, impresa o susceptible de serlo, editada con el fin de ser empleada como recurso o material del profesorado o el alumnado de la educación reglada para facilitar el proceso de la enseñanza o aprendizaje.

d) Que se incluyan el nombre del **autor y** la **fuente**, salvo en los casos en que resulte imposible.

Se entiende por pequeño fragmento de una obra, un extracto o porción cuantitativamente poco relevante sobre el conjunto de la misma.

Los autores y editores no tendrán derecho a remuneración alguna por la realización de estos actos.

1830 Tampoco necesitan la autorización del autor o editor los actos de **reproducción parcial**, de distribución y de comunicación pública de obras o publicaciones, impresas o susceptibles de serlo, cuando concurran simultáneamente las siguientes **condiciones** (LPI art.32.4):

a) Que tales actos se lleven a cabo únicamente para la ilustración con **fines educativos** y de investigación científica.

b) Que los actos se limiten a un **capítulo** de un libro, artículo de una revista o extensión equivalente respecto de una publicación asimilada, o extensión asimilable al 10% del total de la obra, resultando indiferente a estos efectos que la copia se lleve a cabo a través de uno o varios actos de reproducción.

c) Que los actos se realicen en las **universidades o centros públicos** de investigación, por su personal y con sus medios e instrumentos propios.

d) Que concurra, al menos, una de las siguientes **condiciones**:

- que la distribución de las copias parciales se efectúe exclusivamente entre los **alumnos y personal docente o investigador** del mismo centro en el que se efectúa la reproducción;
- que solo los alumnos y el personal docente o investigador del centro en el que se efectúe la reproducción parcial de la obra puedan tener acceso a la misma a través de los actos de comunicación pública autorizados, llevándose a cabo la puesta a disposición a través de las **redes internas y cerradas** a las que únicamente puedan acceder esos beneficiarios o en el marco de un programa de educación a distancia ofertado por dicho centro docente.

En defecto de previo acuerdo específico al respecto entre el titular del derecho de propiedad intelectual y el centro universitario u organismo de investigación, y salvo que dicho centro u organismo sea titular de los correspondientes derechos de propiedad intelectual sobre las obras reproducidas, distribuidas y comunicadas públicamente de forma parcial según el apartado b), los autores y editores de éstas tendrán un **derecho irrenunciable** a percibir de los centros usuarios una **remuneración equitativa**, que se hará efectiva a través de las entidades de gestión.

No se entienden comprendidas en la regulación expuesta las partituras musicales, las obras de un solo uso ni las compilaciones o agrupaciones de fragmentos de obras, o de obras aisladas de carácter plástico o fotográfico figurativo.

Precisiones 1) La Dir 2019/790/UE aclara la dimensión de la excepción o límite para ilustración con fines educativos en relación con la **enseñanza** que se ofrece **en línea y a distancia**. La excepción se aplica únicamente con fines educativos, y en la medida en que ello esté justificado por la finalidad no comercial perseguida, a fin de apoyar, enriquecer o complementar la enseñanza. Ello sin perjuicio de la facultad de los Estados miembros de prever una compensación equitativa a los titulares de derechos concernidos. Ver nº 1713.
2) No será precisa autorización de los titulares de derechos de propiedad intelectual para los actos de reproducción, distribución y comunicación pública por **medios digitales** de obras y otras prestaciones a efectos de ilustración con **fines educativos** siempre que (RDL 24/2021 art.68):
a) sean realizados por el profesorado de la educación reglada impartida en centros integrados en el sistema educativo español y por el personal de universidades y organismos de investigación.
b) tengan lugar en un entorno electrónico seguro.
c) se indique la fuente, con inclusión del nombre del autor, siempre que sea posible.
Estos actos se entenderán únicamente realizados en **territorio español**, aunque sus destinatarios no se encuentren en él.

Trabajos sobre temas de actualidad Es posible la reproducción, distribución y comunicación pública de trabajos y artículos sobre temas de actualidad difundidos por los **medios de comunicación social**, siempre que se cite la fuente y el autor si el trabajo apareció con firma y siempre que no se hubiese hecho constar en origen la reserva de derechos. Todo ello sin perjuicio del derecho del autor a percibir la remuneración acordada o, en defecto de acuerdo, la que se estime equitativa. Esto no se aplica a **colaboraciones literarias**, en cuyo caso se requiere siempre la oportuna autorización del autor (LPI art.33.1). 1832
Igualmente es posible la reproducción, distribución y comunicación pública de **conferencias, alocuciones, informes ante los tribunales** y otras obras del mismo carácter que se hayan pronunciado en público, siempre que esas utilizaciones se realicen con el exclusivo fin de informar sobre la actualidad (LPI art.33.2).

Utilización de bases de datos (LPI art.34) El **usuario legítimo** de una base de datos protegida o de copias de la misma, puede efectuar, sin la autorización del autor de la base, todos los actos que sean necesarios para el acceso al contenido de la base de datos y a su normal utilización por el propio usuario, aunque estén afectados por cualquier derecho exclusivo de ese autor. 1834
Tampoco es necesaria la autorización del autor de la base de datos protegida cuando:
- tratándose de bases de datos no electrónicas se realice una reproducción con **fines privados**;
- se use con fines de ilustración de la **enseñanza o de investigación** científica siempre que se lleve a efecto en la medida justificada por el objetivo no comercial que se persiga e indicando en cualquier caso su fuente;
- se use para fines de **seguridad pública** o a efectos de un procedimiento administrativo o judicial.

Obras situadas en vías públicas (LPI art.35) Es libre la reproducción, distribución y comunicación pública por medio de pinturas, dibujos, fotografías y procedimientos audiovisuales de obras situadas permanentemente en parques, calles, plazas u otras vías públicas. 1836

Emisión por cable y satélite La **autorización** para emitir una obra comprende: 1838
1. La **transmisión** por cable de la emisión, cuando se realice simultánea e íntegramente por la entidad de origen y sin exceder la zona geográfica prevista en dicha autorización (LPI art.36.1).
2. Su **incorporación** a un programa dirigido hacia un satélite que permita la recepción de esta obra a través de entidad distinta de la de origen, cuando el autor o su derechohabiente haya autorizado a esta última entidad para comunicar la obra al público, en cuyo caso, además, la emisora de origen queda exenta del pago de toda remuneración (LPI art.36.2).

Comunicación pública por radiodifusión (LPI art.36.3) La cesión del derecho de comunicación pública de una obra, cuando ésta se realiza a través de radiodifusión, faculta a la entidad de radiodifusión para **registrar la obra** por sus propios medios y para sus propias emisiones inalámbricas, al objeto de realizar, por una sola vez, la comunicación pública autorizada. Para nuevas difusiones de la obra así registrada será necesaria la cesión del derecho de reproducción y de comunicación pública. 1840

Museos, bibliotecas, fonotecas, filmotecas, hemerotecas o archivos (LPI art.37; RDL 24/2024 art.69) No precisa de autorización del titular de los derechos de autor: 1842
a) La **reproducción** de obras sin finalidad lucrativa y para **fines de investigación** por museos, bibliotecas, fonotecas, filmotecas, hemerotecas o archivos, de titularidad pública o integradas en instituciones de carácter cultural o científico (LPI art.37.1).
b) Los **préstamos de obras** por museos, archivos, bibliotecas, hemerotecas, fonotecas o filmotecas de titularidad pública o que pertenezcan a entidades de interés general de carácter

cultural, científico o educativo sin ánimo de lucro, o a instituciones docentes integradas en el sistema educativo español.
Los titulares de estos establecimientos deben **remunerar** a los autores por los préstamos que realicen de sus obras. La remuneración se hará efectiva a través de las entidades de gestión de derechos de propiedad intelectual.
Quedan **eximidos de la obligación de remuneración** los establecimientos de titularidad pública que presten servicio en municipios de menos de 5.000 habitantes, así como las bibliotecas de las instituciones docentes integradas en el sistema educativo español.
Las **instituciones responsables del patrimonio cultural** pueden realizar, sin autorización del titular de los derechos de propiedad intelectual, reproducciones, de las obras u otras prestaciones que se hallen de forma permanente en sus colecciones, mediante las herramientas, medios o tecnologías de conservación adecuados, en cualquier formato o medio, en la cantidad necesaria y en cualquier momento de la vida de una obra u otra prestación, y en la medida necesaria para los **fines de conservación**.
Las instituciones responsables del patrimonio cultural pueden recurrir a **terceros que actúen en su nombre** y bajo su responsabilidad, incluidos los establecidos en otros Estados miembros, para la realización de las reproducciones que legalmente estén habilitadas a llevar a cabo.
Sin perjuicio de lo dispuesto en la regulación legal sobre reproducciones provisionales y copia privada (nº 1818), no se necesitará la autorización del autor de una **base de datos** protegida legalmente y que haya sido divulgada, para realizar su reproducción, cuando se trate de fines de conservación del patrimonio cultural. El usuario legítimo de una base de datos, sea cual fuere la forma en que ésta haya sido divulgada, podrá, sin autorización del fabricante de la base, reproducir una parte sustancial del contenido de la misma, cuando se trate de fines de conservación del patrimonio cultural.

1844 **Parodia** (LPI art.39) No se considera transformación que exija consentimiento del autor la parodia de obra divulgada, mientras no implique riesgo de confusión con la misma ni se infiera un daño a la obra original o a su autor.

Precisiones **1)** Al **caricaturista** le guía un ánimo de mofa y de burla de aquello que es objeto de su sátira y, aunque ha de existir un cierto grado de identificación entre la obra original y la que es objeto de parodia, no debe de existir riesgo de confusión entre una y otra (AP Madrid 2-2-00, EDJ 9184; AP Barcelona 10-10-03, EDJ 176380).
2) Según el TJUE 3-9-14 (asunto C-201/13), una de las características esenciales de la parodia es «evocar una obra existente, si bien **diferenciándose perceptiblemente** de ésta». Ahora bien, según el propio Tribunal, el concepto de parodia, en el sentido de la Dir 2001/29/CE art.5.3.k, «no se supedita a requisitos que impliquen la necesidad de que la parodia tenga un carácter original propio, más allá de la presencia de diferencias perceptibles con respecto a la obra original parodiada». Inevitablemente, pues, a juicio del Alto Tribunal la parodia no implica necesariamente obra, puesto que el concepto de parodia (¿concepto es distinto de obra?) no tiene por qué tener un carácter original propio. Al respecto, creemos que sería precipitado afirmar con rotundidad que toda parodia no es obra o al contrario. Inevitablemente, la parodia es una transformación de la obra parodiada, y de ahí la referencia que nuestro legislador hace a la excepción o límite de tal derecho de explotación. En cualquier sentido, interesa el empleo del término «evocar» como nexo de unión creativo (o no) entre la obra existente y la parodia o, en su caso, la obra en que consiste la parodia.
3) Límite del «pastiche». No precisa la autorización del autor o del titular de derechos la transformación de una obra divulgada que consista en tomar determinados elementos característicos de la obra de un artista y combinarlos, de forma que den la impresión de ser una creación independiente, siempre que no implique riesgo de confusión con las obras o prestaciones originales ni se infiera un daño a la obra original o a su autor. Este límite será también aplicable a usos diferentes de los digitales (RDL 24/2024 art.70). Resulta muy dudoso que nos hallemos ante una forma de parodia, aunque, aparentemente, el trato del legislador haya ido en ese sentido, y pese a que, en ocasiones, el pastiche sí puede desembocar en un supuesto de parodia *stricto sensu*.

1846 **Obras musicales en actos oficiales y ceremonias** (LPI art.38) La ejecución de obras musicales en el curso de actos oficiales del Estado, de las Administraciones públicas y ceremonias religiosas, siempre que el público pueda asistir a ellas gratuitamente y los artistas que en las mismas intervengan no perciban remuneración específica por su interpretación o ejecución en dichos actos.

1848 **Obra huérfana** (LPI art.37 bis) Se considera obra huérfana a aquella cuyos titulares de derechos no están identificados o, de estarlo, no están localizados a pesar de haberse efectuado una previa búsqueda diligente de los mismos.
Si existen varios titulares de derechos sobre una misma obra y **no** todos ellos han sido **identificados** o, a pesar de haber sido identificados, no han sido localizados tras haber efectuado una búsqueda diligente, la obra se puede utilizar, sin perjuicio de los derechos de los titulares

que hayan sido identificados y localizados y, en su caso, de la necesidad de la correspondiente autorización.
La utilización de una obra huérfana requiere la mención de los nombres de los autores y titulares de derechos de propiedad intelectual identificados, sin perjuicio de lo dispuesto en la LPI art.14.2.º
Los **centros educativos, museos, bibliotecas y hemerotecas** accesibles al público, así como los organismos públicos de radiodifusión, archivos, fonotecas y filmotecas pueden reproducir, a efectos de digitalización, puesta a disposición del público, indexación, catalogación, conservación o restauración, y poner a disposición del público, en la forma establecida en el art.20.2.i) LPI, las siguientes obras huérfanas, siempre que tales actos se lleven a cabo sin ánimo de lucro y con el fin de alcanzar objetivos relacionados con su misión de interés público, en particular la conservación y restauración de las obras que figuren en su colección y la facilitación del acceso a la misma con fines culturales y educativos:
- obras cinematográficas o audiovisuales, fonogramas y obras publicadas en forma de libros, periódicos, revistas u otro material impreso que figuren en las colecciones de centros educativos, museos, bibliotecas y hemerotecas accesibles al público, así como de archivos, fonotecas y filmotecas;
- obras cinematográficas o audiovisuales y fonogramas producidos por organismos públicos de radiodifusión hasta el 31-12-2002 inclusive, y que figuren en sus archivos.

Lo anterior se aplica también a las obras y prestaciones protegidas que estén insertadas o incorporadas en las obras citadas o forman parte integral de éstas.
Las entidades citadas han de registrar el proceso de búsqueda de los titulares de derechos y remitir la siguiente **información** al órgano competente:
• Los resultados de las búsquedas diligentes que hayan efectuado y que hayan llevado a la conclusión de que una obra o un fonograma debe considerarse obra huérfana.
• El uso que las entidades hacen de las obras huérfanas de conformidad con la LPI.
• Cualquier cambio, de conformidad con el apartado siguiente, en la condición de obra huérfana de las obras y los fonogramas que utilicen.
• La información de contacto pertinente de la entidad en cuestión.

Las obras huérfanas se pueden utilizar siempre que hayan sido publicadas por primera vez o, **1850**
a falta de publicación, hayan sido radiodifundidas por primera vez en un Estado miembro de la UE. Dicha utilización puede llevarse a cabo previa **búsqueda** diligente, en dicho Estado, de los **titulares de los derechos de propiedad intelectual** de la obra huérfana. En el caso de las obras cinematográficas o audiovisuales cuyo productor tenga su sede o residencia habitual en un Estado miembro de la UE, la búsqueda de los titulares debe realizarse en dicho Estado.
Asimismo, las entidades citadas que hubieran puesto a disposición del público, con el consentimiento de sus titulares de derechos, obras huérfanas no publicadas ni radiodifundidas, pueden utilizarlas, cuando sea razonable presumir que sus titulares no se opondrían a los usos previstos en este artículo. En este caso, la búsqueda antes referida debe realizarse en España.
La búsqueda diligente se ha de realizar de **buena fe**, mediante la consulta de, al menos, las fuentes de información que reglamentariamente se determinen, sin perjuicio de la obligación de consultar fuentes adicionales disponibles en otros países donde haya indicios de la existencia de información pertinente sobre los titulares de derechos.
En cualquier momento, los titulares de derechos de propiedad intelectual de una obra pueden solicitar al órgano competente que reglamentariamente se determine el **fin de su condición** de obra huérfana en lo que se refiere a sus derechos y percibir una compensación equitativa por la utilización llevada a cabo.

Minería de textos y datos (RDL 24/2021 art.67) No es precisa la autorización del titular de los **1852**
derechos de propiedad intelectual para las reproducciones de obras y otras prestaciones accesibles de forma legítima realizadas con fines de minería de textos y datos. Esto no resulta aplicable cuando los titulares de derechos hayan reservado expresamente el uso de las obras a medios de lectura mecánica u otros medios que resulten adecuados.
Las **reproducciones y extracciones** pueden **conservarse** durante todo el tiempo que sea necesario para cumplir con estos fines, con pleno respeto a los principios de legalidad y a la normativa de protección de datos personales y garantía de los derechos digitales.
Las reproducciones de obras y otras prestaciones efectuadas por **organismos de investigación e instituciones responsables del patrimonio cultural** para realizar, con fines de investigación científica, minería de textos y datos, se almacenarán con un nivel adecuado de seguridad y podrán conservarse para la verificación de los resultados de la investigación.
En este supuesto, los titulares de derechos estarán autorizados a aplicar medidas que tengan como único objetivo garantizar la **seguridad e integridad de las redes y bases de datos** en que

estén almacenadas las obras. Estas medidas no irán más allá de lo necesario para lograr ese objetivo.
Los titulares de derechos, organismos de investigación e instituciones responsables del patrimonio cultural podrán aprobar códigos de conducta voluntarios que recojan las mejores prácticas aplicables. La Administración podrá promover la elaboración de dichos códigos.
Cuando se trate de reproducciones y extracciones de obras y otras prestaciones accesibles de forma legítima para fines de minería de textos y datos conforme a lo citado anteriormente, no será necesaria la autorización del titular de los derechos de realizar o de autorizar:
a) La **reproducción** total o parcial, incluso para uso personal, de un **programa de ordenador**, por cualquier medio y bajo cualquier forma, ya fuere permanente o transitoria. Cuando la carga, presentación, ejecución, transmisión o almacenamiento de un programa necesiten tal reproducción deberá disponerse de autorización para ello, que otorgará el titular del derecho.
b) La traducción, adaptación, arreglo o cualquier otra **transformación** de un programa de ordenador y la reproducción de los resultados de tales actos, sin perjuicio de los derechos de la persona que transforme el programa de ordenador.
El **usuario legítimo de una base de datos**, sea cual fuere la forma en que ésta haya sido puesta a disposición del público, podrá, sin autorización del fabricante de la base, extraer y/o reutilizar una parte sustancial del contenido de la misma, cuando se trate de reproducciones y extracciones de obras accesibles de forma legítima para fines de minería de textos y datos conforme a lo expuesto.

1854 **Regla de los tres pasos** (LPI art.40 bis) Con carácter general, las excepciones al derecho de autor no pueden interpretarse de manera tal que permitan su aplicación de forma que causen un **perjuicio** injustificado a los intereses legítimos del autor o que vayan en detrimento de la explotación normal de las obras a que se refieran.
Esta es la denominada «regla de los tres pasos», que supone un **límite a la aplicación de los límites** previstos legalmente (AP Madrid 6-7-07, EDJ 96811).

Precisiones La reproducción en **memoria caché** de ciertos fragmentos de una página web a través de un motor de búsqueda de Internet no supone un acto de reproducción o de comunicación pública de la página web en cuestión, pudiéndose amparar dichos actos de explotación en la teoría del uso inocuo (*ius usus inocui*), esto es, que el daño eventualmente producido es tan mínimo que debe ser soportado por el propietario del bien utilizado. En el marco de la LPI este tipo de actos (sean de reproducción o de comunicación pública) cabe entenderlos incluidos en el art.31.1 o en el 40 bis (regla de los tres pasos) (TS 3-4-12, EDJ 106437; aplicada por la AP Madrid 21-1-13, EDJ 319642).

c. Protección de las medidas tecnológicas y de la información para la gestión de derechos

1860 **Medidas tecnológicas** (LPI art.196 y 197) Por medida tecnológica ha de entenderse toda técnica, dispositivo o componente que, en su funcionamiento normal, esté **destinado a impedir o restringir** actos, referidos a obras o prestaciones protegidas, que no cuenten con la autorización de los titulares de los correspondientes derechos de propiedad intelectual. Las medidas tecnológicas se consideran eficaces cuando el uso de la obra o de la prestación protegida esté controlado por los titulares de los derechos mediante la aplicación de un **control de acceso** o un **procedimiento de protección** como, por ejemplo, codificación, aleatorización u otra transformación de la obra o prestación o un mecanismo de control de copiado que logre este objetivo de protección.
Los titulares de derechos de propiedad intelectual reconocidos en la Ley pueden ejercitar determinadas acciones judiciales contra quienes, a sabiendas o teniendo motivos razonables para saberlo, **eludan cualquier medida tecnológica** eficaz. Esas mismas acciones pueden ejercitarse contra quienes fabriquen, importen, distribuyan, vendan, alquilen, publiciten para la venta o el alquiler o posean con fines comerciales cualquier dispositivo, producto o componente, así como contra quienes presenten algún servicio que, respecto de cualquier medida tecnológica eficaz:
- sea objeto de promoción, publicidad o comercialización con la finalidad de eludir la protección;
- solo tenga una finalidad o uso comercial limitado al margen de la elusión de la protección; o
- esté principalmente concebido, producido, adaptado o realizado con la finalidad de permitir o facilitar la elusión de la protección.

La Ley excluye de esta regulación a los **programas de ordenador** cuyas medidas técnicas o tecnológicas quedan sujetas a su propia legislación.
Asimismo, los titulares de derechos sobre obras o prestaciones protegidas con medidas tecnológicas eficaces deben **facilitar a los beneficiarios** de los límites que se citan a continuación los medios adecuados para disfrutar de ellos, conforme a su finalidad, siempre y cuando tales beneficiarios tengan legalmente acceso a la obra o prestación de que se trate. Los límites en cuestión son los siguientes:
• límite a la copia privada (nº 1818);

• límite relativo a fines de seguridad pública, procedimientos oficiales o en beneficio de personas con discapacidad (nº 1824);
• límite relativo a la cita e ilustración con fines educativos o de investigación científica en los términos previstos legalmente (nº 1826) o para fines de seguridad pública o a efectos de un procedimiento administrativo o judicial, todo ello en relación con las bases de datos (nº 1832);
• límite relativo al registro de obras por entidades radiodifusoras -copia efímera- (nº 1838);
• límite relativo a las reproducciones de obras con fines de investigación o conservación realizadas por instituciones culturales públicas (nº 1838);
• límite relativo a la extracción con fines ilustrativos de enseñanza o de investigación científica de una parte sustancial del contenido de una base de datos y de una extracción o una reutilización para fines de seguridad pública o a los efectos de un procedimiento administrativo o judicial del contenido de una base de datos protegida por el derecho *sui generis* (LPI art.135.1.b y c).

Una previsión importante consiste en que cuando los titulares de derechos de propiedad intelectual no hayan adoptado **medidas voluntarias**, incluidos los acuerdos con otros interesados, para el cumplimiento del deber previsto en el apartado anterior, los beneficiarios de dichos límites pueden acudir ante la jurisdicción civil. Se otorga legitimación activa a las asociaciones representativas de consumidores.

En relación con la **copia privada**, además, hay que tener presente que lo señalado anteriormente no impide que los titulares de derechos sobre obras o prestaciones adopten las soluciones que estimen adecuadas, incluyendo, entre otras, medidas tecnológicas, respecto del número de reproducciones en concepto de copia privada. En estos supuestos, los beneficiarios del límite señalado no pueden exigir el levantamiento de las medidas tecnológicas que, en su caso, hayan adoptado los titulares de derechos en virtud de lo expuesto.

Por último, la posibilidad de levantar medidas tecnológicas tampoco es aplicable a las obras o prestaciones que se hayan **puesto a disposición del público**, de tal forma que cualquier persona pueda acceder a ellas desde el lugar y en el momento que elija. Esta previsión legal supone una restricción importante a la hora de efectuar copias privadas a través de redes telemáticas, puesto que, legalmente, las veta, salvo que el titular de derechos correspondiente no haya establecido tales medidas tecnológicas.

Protección de la información para la gestión de derechos (LPI art.198) Los titulares de derechos de propiedad intelectual pueden ejercitar las **acciones judiciales** previstas legalmente contra quienes, a sabiendas y sin autorización, lleven a cabo cualquiera de los actos que seguidamente se detallan, y que sepan o tengan motivos razonables para saber que, al hacerlo, inducen, permiten, facilitan o encubren la infracción de alguno de aquellos derechos, a saber: **1862**
• Supresión o alteración de toda información para la gestión electrónica de derechos.
• Distribución, importación para distribución, emisión por radiodifusión, comunicación o puesta a disposición del público de obras o prestaciones protegidas en las que se haya suprimido o alterado sin autorización la información para la gestión electrónica de derechos.

Se entiende por **gestión electrónica de derechos** toda información facilitada por los titulares que identifique la obra o prestación protegida, al autor o cualquier otro derechohabiente, o que indique las condiciones de utilización de la obra o prestación protegida, así como cualesquiera números o códigos que representen dicha información, siempre y cuando estos elementos de información vayan asociados a un ejemplar de una obra o prestación protegida o aparezcan en conexión con su comunicación al público.

4. Transmisión de derechos de explotación

1865

Los derechos de explotación de una obra son transmisibles *mortis causa* o *inter vivos* (LPI art.42 y 43). Para la transmisión «**mortis causa**» no se establecen requisitos especiales. No así para la cesión o transmisión «**inter vivos**», que ha de formalizarse por escrito (LPI art.45) y se rige principalmente por las normas que se exponen en los números siguientes. La exigencia **1867**

de que la transmisión conste por escrito no significa que su ausencia tenga como consecuencia la nulidad del contrato en cuestión. Solo en el caso del contrato de edición la falta de forma escrita implica la nulidad del mismo.
La transmisión de derechos de autor para su explotación a través de las modalidades de **edición** (nº 1905), **representación o ejecución** (nº 2015) o de producción de **obras audiovisuales** (nº 2075) se rige por las disposiciones específicas de la LPI para dichos contratos (LPI art.57).

1869 **Objeto y duración** (LPI art.43) La cesión queda limitada al derecho o derechos cedidos, a las **modalidades de explotación** expresamente previstas y al **tiempo y ámbito territorial** que se determinen. Las cesiones de derechos para cada una de las distintas modalidades de explotación deben formalizarse en documentos independientes.
La **falta de mención** del tiempo limita la transmisión a 5 años y la del ámbito territorial al país en el que se realice la cesión. Si no se expresan específicamente las modalidades de explotación de la obra, la cesión queda limitada a aquella que se deduzca necesariamente del propio contrato y sea indispensable para cumplir la finalidad del mismo.
La transmisión de los derechos de explotación no alcanza a las modalidades de utilización o medios de difusión inexistentes o desconocidos al tiempo de la cesión.

Precisiones En el caso de un **encargo de creación de obra**, la mayoría de la doctrina y de la jurisprudencia se inclinan por aplicar las normas del Código civil sobre arrendamiento de obra (CC art.1588 a 1600). En consecuencia, salvo pacto en contrario, el comitente se convierte en titular de los derechos de explotación sobre la obra así creada (AP La Rioja 31-3-23, EDJ 624471).

1871 **Remuneración** (LPI art.46; RDL 24/2021 art.74) Cuando los autores y los artistas intérpretes o ejecutantes concedan autorizaciones o cedan sus derechos exclusivos para la explotación de sus obras u otras prestaciones, tendrán derecho a recibir una remuneración **adecuada y proporcionada**. La negociación de las correspondientes autorizaciones o cesiones se debe realizar de acuerdo con los principios de buena fe contractual, diligencia debida, transparencia y respeto a la libre competencia, lo que excluye el ejercicio de posición de dominio.
Con carácter general, la cesión otorgada por el autor a título oneroso le confiere una **participación proporcional** en los ingresos de la explotación, en la cuantía convenida con el cesionario.
No obstante, puede estipularse una remuneración **a tanto alzado** en los siguientes casos excepcionales:
- cuando, atendida la modalidad de la explotación, exista **dificultad grave** en la determinación de los ingresos o su comprobación sea imposible o de un coste desproporcionado con la eventual retribución;
- cuando la utilización de la obra tenga **carácter accesorio** respecto de la actividad o del objeto material a los que se destinen;
- cuando la obra, utilizada con otras, **no** constituya un **elemento esencial** de la creación intelectual en la que se integre;
- en el caso de la **primera o única edición de ciertas obras**: diccionarios, antologías y enciclopedias; prólogos, anotaciones, introducciones y presentaciones; obras científicas; trabajos de ilustración de una obra; traducciones; ediciones populares a precios reducidos; siempre que tales obras no hayan sido divulgadas previamente;
- cuando la obra se reproduzca en una **publicación periódica** (nº 1883).

1873 **Revisión** (LPI art.47) Si, en la cesión a tanto alzado, se llega a producir una **manifiesta desproporción** entre la remuneración inicialmente pactada por el autor en comparación con la totalidad de los ingresos subsiguientes derivados de la explotación de las obras obtenidos por el cesionario o su derechohabiente, aquél podrá pedir la revisión del contrato y, en defecto de acuerdo, acudir al juez para que fije una remuneración adecuada y equitativa, atendidas las circunstancias del caso.
Esta facultad puede ejercitarse dentro del **plazo** de los 10 años siguientes a la cesión, siempre que no exista pacto expreso acordado al efecto, convenio colectivo o acuerdo sectorial entre los representantes de los autores y los cesionarios que prevean un procedimiento de revisión de la remuneración no equitativa por la cesión de derechos como el anteriormente indicado.
Esta acción de revisión **no es aplicable** a los autores de los programas de ordenador en el sentido del art.97 LPI, ni a las autorizaciones exclusivas concedidas por las entidades de gestión y los operadores de gestión independiente regulados en el Título IV del Libro II de la Ley.

Precisiones Los supuestos en que exista **dificultad grave en la determinación** de los ingresos o bien aquellos en que su comprobación sea imposible o de un coste desproporcionado con la eventual retribución no constituyen, a nuestro juicio, excepción para la aplicación de la norma general de remuneración proporcional al ámbito del contrato de edición, puesto que difícilmente podrá justificarse que la explotación del libro no puede ser seguida normal y fielmente por medios de contabilidad usuales.

Obligación de transparencia (RDL 24/2021 art.75) El cesionario de los derechos de explotación o titular de una autorización para el uso de una obra o prestación o de un repertorio administrado por una entidad de gestión está obligado a facilitar a los autores o a los artistas intérpretes o ejecutantes, al menos una vez al año y por medios electrónicos, **información actualizada** sobre la explotación de sus obras o prestaciones, especialmente en lo que se refiere a los modos de explotación, la totalidad de los ingresos generados y la remuneración correspondiente. Esta obligación puede extenderse a sucesivos terceros a los que se haya cedido el derecho en cuestión. 1875

Dicha obligación **se puede limitar** cuando resulte desproporcionada en relación con los ingresos generados por la explotación de la obra o prestación, ciñéndose a un nivel de información razonable, proporcionado y efectivo.

Esta obligación **no será aplicable** cuando la contribución del autor o del artista intérprete o ejecutante no sea significativa en relación con la obra o prestación, **a menos que**:

- necesite esa información para el ejercicio de la acción de revisión por remuneración no equitativa (nº 1873); o
- cuando sea de aplicación lo dispuesto en la LPI art.167 (obligaciones de los usuarios respecto a la gestión de los derechos de autor en supuestos de autorizaciones no exclusivas para el uso de repertorio de las entidades de gestión).

Tampoco será aplicable a los autores de programas de ordenador.

Los **autores** y los artistas intérpretes o ejecutantes pueden **ejercer este derecho** de información por sí mismos o por medio de sus representantes.

Pacto de exclusiva (LPI art.48 y 49) La cesión en exclusiva debe otorgarse expresamente con este carácter y atribuye al cesionario, dentro del ámbito de aquélla, la facultad de explotar la obra **con exclusión de otra persona**, comprendido el propio cedente, y, salvo pacto en contrario, la de otorgar **autorizaciones no exclusivas** a terceros. 1877

El cesionario en exclusiva puede **transmitir a otro su derecho** con el consentimiento expreso del cedente.

Precisiones El contrato de exclusiva de un artista intérprete de un **espectáculo público** no infringe el ET art.21, ni el art.6.4 del RD 1435/1985, ni el art.43.3 LPI, puesto que tal pacto de exclusividad no impide al artista efectuar interpretaciones en el futuro, sino hacerlas en beneficio propio o de tercero durante la vigencia del contrato (AP Sevilla 29-1-15, EDJ 25218).

Derecho de revocación (LPI art.48 bis redacc RDL 24/2021) En caso de **ausencia de explotación de la obra** por el cesionario exclusivo, el autor cedente puede: 1879

a) O bien resolver, en todo o en parte, la autorización o cesión.

b) O bien por poner fin a la exclusividad del contrato.

Esta facultad del autor no es de aplicación si la ausencia de explotación se debe principalmente a circunstancias que se puede razonablemente esperar sean **subsanadas** por el autor o el artista intérprete o ejecutante.

Este derecho, que es irrenunciable, puede **ejercerse**, previa comunicación, una vez transcurridos 5 años desde la autorización o cesión de los derechos siempre que no exista pacto expreso acordado al efecto, convenio colectivo o acuerdo sectorial en el que se regule el ejercicio de este derecho. La **comunicación del autor** ha de fijar un **plazo** no inferior a un año vencido el cual podrá decidir poner fin a la autorización, a la cesión o a la exclusividad del contrato.

Quedan **excluidas** de la posibilidad de revocación: las obras colectivas, las obras en colaboración y los programas de ordenador.

Transmisión de derechos del autor asalariado (LPI art.51) La transmisión al empresario de los derechos de explotación de la obra creada en virtud de una **relación laboral** se rige por lo pactado en el contrato, debiendo éste realizarse por escrito. 1881

A falta de pacto escrito, se presume que los derechos de explotación han sido **cedidos en exclusiva** y con el alcance necesario para el ejercicio de la actividad habitual del empresario en el momento de la entrega de la obra realizada en virtud de dicha relación laboral.

Obras reproducidas en publicaciones periódicas (LPI art.52) Salvo estipulación en contrario, los autores de obras reproducidas en publicaciones periódicas conservan su **derecho a explotarlas en cualquier forma**, siempre que no perjudique la explotación normal de la publicación en la que se hayan insertado. Es difícil saber cuándo se da esta última circunstancia. Nos remitimos a páginas anteriores. 1883

Salvo pacto en contrario, el autor puede **disponer libremente de su obra**, si ésta no se reproduce en el plazo de un mes desde su envío o aceptación en las publicaciones diarias o en el de seis meses en las restantes.

1885 **Hipoteca y embargo** (LPI art.53) Los derechos de explotación pueden ser objeto de **hipoteca** con arreglo a la legislación vigente.
Los derechos de explotación correspondientes al autor **no** son **embargables**, pero sí lo son sus frutos o productos, que reciben la consideración de salarios, tanto en lo relativo al orden de prelación para el embargo, como a retenciones o parte inembargable.

Precisiones La **hipoteca mobiliaria** se expone en el nº 4180.

1887 **Transmisión de derechos a los propietarios del soporte material** (LPI art.56) El adquirente de la propiedad del soporte a que se haya incorporado la obra no tiene, por este solo título, **ningún derecho de explotación** sobre esta última.
No obstante, el propietario del original de una **obra de artes plásticas** o de una **obra fotográfica** tiene el derecho de exposición pública de la obra, aunque ésta no haya sido divulgada, salvo que el autor haya excluido expresamente este derecho en el acto de enajenación del original.

1889 **Colecciones escogidas y obras completas** (LPI art.22) La cesión de los derechos de explotación sobre sus obras no impide al autor publicarlas reunidas en colección escogida o como obras completas.

5. Registro de la Propiedad Intelectual

(RD 611/2023)

1895 El Registro General de la Propiedad Intelectual tiene por **objeto** la inscripción o anotación de:
a) Los **derechos** relativos a las obras, actuaciones o producciones protegidas por la LPI y por las restantes disposiciones legales y tratados internacionales ratificados por España relativos a la protección de la propiedad intelectual.
b) Los **actos y contratos** de constitución, transmisión, modificación o extinción de derechos reales y de cualesquiera otros hechos, actos y títulos, tanto voluntarios como necesarios, que afecten a los indicados derechos inscribibles.
En consecuencia, pueden **solicitar la inscripción**:
- los autores y demás titulares originarios de derechos de propiedad intelectual con respecto a la propia obra, actuación o producción;
- los sucesivos titulares de derechos de propiedad intelectual.

Los asientos registrales son públicos. Dicha **publicidad** puede tener lugar mediante certificación del contenido de los asientos, con eficacia probatoria. También puede darse publicidad, con valor simplemente informativo, mediante nota simple o acceso informático. Asimismo, y únicamente si el titular del registro considera suficientemente asegurada su conservación, puede accederse a la consulta directa de los asientos.

1897 Precisiones Con efectos **desde el 14-7-2023** se ha aprobado un **nuevo Reglamento del Registro de la Propiedad Intelectual** (RD 611/2023), que sustituye el anterior aprobado por el RD 281/2003.
Este nuevo Reglamento se plantea sobre la base de un servicio plenamente **digitalizado** y accesible a través de medios electrónicos.
Entre las **novedades**, destacan:
- la supresión de la opción de registrar obras bajo seudónimo con anonimato;
- la adaptación a la LPAC de la a subsanación de defectos;
- la suspensión de plazos cuando en caso de requerimiento de subsanación o de aportación de documentos;
- establece el documento electrónico como única forma válida para la inscripción registral;
- introduce la posibilidad del acceso a través de internet al contenido de los asientos; o
- permite la consulta con fines de investigación de los ejemplares identificativos de las obras que han pasado a dominio público.

1899 **Funciones** El Registro General de la Propiedad Intelectual es **único** en todo el territorio nacional y está integrado por los registros territoriales y el registro central. Los registros territoriales son creados y gestionados por las comunidades autónomas y las ciudades de Ceuta y Melilla.
Tienen las siguientes funciones:
a) Corresponde a los **registros territoriales**:
• La tramitación y resolución de las solicitudes de inscripción y anotación, así como, en su caso, la cancelación y la práctica de las que procedan.
• La certificación y demás formas de publicidad de los derechos, actos y contratos inscritos en el registro territorial respectivo.

• Elevar consultas a la Comisión de Coordinación de los Registros, así como solicitar la inclusión de asuntos en el orden del día de sus sesiones.
• La emisión de informes de carácter técnico cuando sean requeridos para ello por juzgados, tribunales y otros organismos públicos, o sean solicitados por la Comisión de Coordinación de los Registros, dentro del ámbito de sus competencias.
• El archivo y la custodia, hasta la extinción de los derechos de propiedad intelectual, de los documentos y materiales depositados.
b) Corresponde al **registro central**:
• Prestar apoyo administrativo y técnico a la Comisión de Coordinación de los Registros.
• Elevar consultas a la Comisión de Coordinación de los Registros, así como solicitar la inclusión de asuntos en el orden del día de sus sesiones.
• Redactar la memoria anual del registro general y elaborar estadísticas conforme a los datos facilitados por los diferentes registros.
• Emitir informes de carácter técnico cuando sea requerido para ello por juzgados, tribunales y otros organismos públicos, o sean solicitados por la Comisión de Coordinación de los Registros, dentro del ámbito de sus competencias.
• La certificación y demás formas de publicidad de los derechos, actos y contratos inscritos en el registro central.
• El archivo y la custodia de los documentos y materiales depositados hasta la extinción de los derechos de propiedad intelectual.
• El desarrollo y mantenimiento de la base de datos de inscripciones común a todos los registros, facilitando el acceso a la misma.

SECCIÓN 2

Contrato de edición

El contrato de edición aparece en nuestra normativa como forma paradigmática de explotación de la obra del autor. Podríamos decir que, junto con la representación teatral y la declamación, la edición constituye la forma primera de explotación de las obras artísticas. **1907**

Precisiones En el Anexo nº 13225 se incluye un **modelo de contrato** de edición.

1. Ámbito de aplicación

El contrato de edición es aquel por el que el autor o sus derechohabientes ceden al editor, mediante compensación económica, el derecho de **reproducción** de la obra y el de su **distribución**. El editor se obliga a realizar estas operaciones por su cuenta y riesgo en las condiciones pactadas y con sujeción a lo dispuesto en la LPI (LPI art.58.1). **1912**
Esta cesión constituye fundamento jurídico suficiente para que el editor tenga derecho a una parte de la **compensación equitativa** (ver nº 1800) (LPI art.58.2 redacc RDL 24/2021).
Se trata de un contrato con contornos jurídicos muy precisos, circunstancia ésta que precisamente causa dudas acerca de su aplicación a **nuevas formas de explotación** (como, p.e., sucede con la edición digital).
Téngase en cuenta que se entiende por **libro** toda obra científica, artística, literaria o de cualquier otra índole que constituya una publicación unitaria en uno o varios volúmenes y que puede aparecer impresa o en cualquier otro soporte susceptible de lectura. Asimismo, se incluye en la definición de libro los libros electrónicos y los libros que se publiquen o se difundan por Internet o en otro soporte que pueda aparecer en el futuro, los materiales complementarios

de carácter impreso, visual, audiovisual o sonoro que sean editados conjuntamente con el libro y que participen del carácter unitario del mismo, así como cualquier otra manifestación editorial (L 10/2007 art.2.a).

1914 **Delimitación** Para comprender debidamente el entorno jurídico en el que nos movemos, hemos de añadir que el contrato de edición no se refiere únicamente a la producción y explotación de **libros u obras creadas bajo dicho formato** (p.e., epistolarios, escritos, discursos, alocuciones, artículos periodísticos, etc.). Comprende también la reproducción y distribución de partituras musicales y de obras dramático-musicales (LPI art.71).
La **edición de obras musicales** sigue un régimen un tanto particular, que examinaremos en un apartado posterior (nº 2000). Por el momento, conviene tener en cuenta que, en estos casos, se entiende que el autor o sus derechohabientes ceden no solo los derechos de reproducción y distribución, sino también el de comunicación pública. Esta previsión legal es lógica si tenemos en cuenta que, por los modos de explotación a los que este contrato se refiere, normalmente se requerirá también la cesión del derecho de comunicación pública.

1916 **Exclusiones** (LPI art.59) De la regulación del contrato de edición se excluyen los siguientes tipos de obra:
a) Las **obras futuras**. Éste parece ser el supuesto en que el editor propone al autor la realización de un conjunto de obras sin definir su número, su temática o incluso las condiciones de su entrega. Estamos, en definitiva, ante un contrato atípico al que, sin embargo, creemos aplicables las normas del contrato de edición en la medida en que la analogía lo permita, y en la medida, evidentemente, en que las partes hayan dejado lagunas contractuales (CC art.1258). Una obra futura, aun **aislada**, no puede constituir el objeto de un contrato de edición (AP Madrid 17-2-09, EDJ 37107).
b) Las **obras de encargo**. Como en el caso anterior, una característica de la obra de encargo es que el editor y el autor se ponen de acuerdo en la realización de una obra aún no creada, no expresada formalmente. En este caso, se admite que la remuneración pactada sea considerada como anticipo de los derechos correspondientes al autor por la edición, si ésta llega a realizarse.
c) Las **obras de colaboración en publicaciones periódicas**. En este caso, no se descarta la aplicación de las normas sobre el contrato de edición, siempre que la naturaleza y la finalidad del contrato así lo exijan. Esto significa que son, en definitiva, las partes quienes han de decidir si someterse a las disposiciones legales o si, por el contrario, prefieren adoptar un sistema contractual más flexible. El carácter periódico hace pensar en publicaciones ordenadas en el tiempo, con una cierta continuidad. Pese a la cesión, el autor conserva el derecho a publicar sus obras reunidas en colección escogida o completa (LPI art.22).

1918 Precisiones **1)** Es difícil saber si el legislador ha querido distinguir el concepto de **obra futura** del de **obra de encargo**. Básicamente, no existe diferencia alguna, y sin embargo, debe haberla cuando el legislador las menciona de forma separada dentro del mismo precepto. A nuestro juicio, una razón podría obedecer al hecho de que el objeto contractual en ambos supuestos es diferente. Parece como si la indefinición fuera la característica principal en las obras futuras (recuérdese.... sin definir su temática, su número o las condiciones de su entrega), mientras que en la obra de encargo el objeto contractual se encuentra mucho más definido. Podría entenderse también que esta previsión legal trata de ajustarse a la directriz marcada por el art.43.3 LPI, precepto en virtud del cual se considera como nula toda disposición por la que se cedan los derechos de explotación respecto del conjunto de obras que el autor pueda crear en el futuro (obsérvese que lo que se prohíbe es una cesión sobre el conjunto, no sobre una parte de ese conjunto de obras a crear). Sobre esta cuestión, ver AP Madrid 12-4-10, EDJ 118996; 31-5-12, EDJ 100475. Para que la obra futura pueda formar parte de un contrato de edición ha de estar mínimamente identificada, no pudiendo consistir en una obra genérica (AP Madrid 24-11-17, EDJ 308393; AP Granada 6-10-23, EDJ 700248; 6-10-23, EDJ 799248).
En la **obra de encargo** el comitente encomienda a alguien que, fruto de su propio ingenio, por lo que será autor de la misma, cree una obra que reúna determinadas características. Mediante el contrato de edición propiamente dicho se conviene la cesión de los derechos de explotación sobre la obra editada, de manera que el editor llevará adelante, por su cuenta y riesgo, las labores de impresión y comercialización de la misma, debiendo compensar económicamente al creador de aquella, como titular originario de los derechos sobre ella, además de tener que respetar sus derechos morales (AP Madrid 24-11-17, EDJ 308393).
2) Son **publicaciones periódicas** los diarios, semanarios, revistas y toda serie de impresos que salgan a la luz una o más veces al día o por intervalos de tiempo regulares o irregulares, con título constante, bien sean de contenido científico, político, literario o de cualquier otra clase (RD 3-9-1880).
3) Los derechos sobre la **obra colectiva** vienen atribuidos *ex lege* al editor, pero esta configuración legal no impide entender que el acuerdo previo de participación actúa como cesión de los derechos de explotación sobre la aportación como obra individual para su incorporación como obra colectiva

o en cuanto parte integrante de esta última, sin que el editor ostente ningún derecho de explotación sobre aportaciones individuales más allá de su derecho de incorporación a la obra colectiva (AP Madrid 13-1-17, EDJ 17953).

4) El **contrato de impresión editorial**, por el que una de las partes se compromete a componer, reproducir, imprimir o encuadernar una obra, a cambio de un precio, no constituye una venta, sino una modalidad del contrato de ejecución de obra, en el que el impresor asume la posición de contratista y la otra parte la de comitente o dueño de la obra (AP Barcelona 28-11-17, EDJ 281285; AP Cádiz 30-12-16, EDJ 269874).

5) La atipicidad de los **contratos de autoedición, de sello editorial o de coedición** determina que, según los casos y su contenido, pueda no serles aplicable la normativa específica prevista en la norma para el contrato de edición, al diferir su objeto y finalidad. En cambio, en otros supuestos, lo que existirá será un verdadero contrato de edición con algún contenido atípico, introducido por la libre autonomía contractual, art.1255 CC, contenido que no desvirtúe la naturaleza jurídica del contrato de edición, el cual, por tanto, seguirá rigiéndose por la normativa que le es propia, art.58 s. LPI (AP Madrid 11-9-20, EDJ 769872).

2. Contenido mínimo

(LPI art.60 y 61)

La regulación del contrato de edición es muy estricta y se caracteriza por su **tendencia protectora** hacia los derechos del autor. 1925

En consonancia con dicha actitud protectora, se establece en beneficio del autor el contenido mínimo del contrato de edición. Dicho contenido mínimo se compone de los siguientes **datos y circunstancias**:

- Formalización por escrito (nº 1927).
- Expresión de si la cesión del autor al editor tiene carácter exclusivo.
- Especificación de su ámbito territorial (nº 1929).
- Número máximo y mínimo de ejemplares (nº 1931).
- Forma de distribución de los ejemplares y los que se reserven al autor, a la crítica y a la promoción de la obra (nº 1933).
- Remuneración del autor (nº 1935).
- Plazo para la puesta en circulación de los ejemplares de la única o primera edición (nº 1937).
- Plazo en que el autor deberá entregar el original de su obra al editor (nº 1939).

Se establecen además requisitos adicionales para los contratos de edición de obras en forma de libro (nº 1941).

Debe tenerse presente, además, que la Ley prevé la posibilidad de que las **entidades de gestión** o asociaciones representativas de autores y editores acuerden **condiciones generales** para el contrato de edición. Estas condiciones, en ningún caso, pueden apartarse de las directrices señaladas en la Ley (LPI art.73).

Formalización por escrito (LPI art.60 y 61.1) El contrato ha de formalizarse necesariamente por escrito (AP Cádiz 30-12-16, EDJ 269874). La formalización **verbal** del contrato es causa de nulidad. Esta disposición legal supone una excepción al principio, vigente en nuestro ordenamiento, de libertad de forma contractual. 1927

Se trata de un supuesto de **nulidad radical**, es decir, sin posibilidad de subsanación, pues la posibilidad de subsanar los defectos se reserva expresamente para otros supuestos (nº 1945 s.). El contrato realizado verbalmente es nulo aun cuando se pruebe que se han incluido en él todas las circunstancias señaladas legalmente. Sin embargo, en este caso cabría, a nuestro juicio, la **confirmación** del mismo por cualquiera de los medios admitidos en Derecho.

Precisiones No resulta admisible que el demandado invoque la nulidad del contrato de edición por no haber **enviado el contrato firmado**, cuando queda acreditado que ha explotado la obra del autor demandante (AP Pontevedra 10-5-18, EDJ 514717).

Ámbito territorial (LPI art.43.2) El ámbito territorial del contrato puede ser **mundial, local o nacional**. La ausencia de este dato no motiva la nulidad del contrato y tampoco autoriza a las partes a compelerse para su subsanación. Por consiguiente, si nada se estipula al respecto, debe entenderse que el contrato se extiende territorialmente al país en el que se haya producido la cesión (nº 1869). 1929

La determinación de ese país puede ofrecer dificultades en los casos de **contratación internacional**, esto es, cuando editor y autor residen en países diferentes. En estos casos han de aplicarse las siguientes reglas (Convenio Berna 9-9-1886 art.5; Rgto CE/593/2008; CC art.10.4):

a) En primer lugar, hay que estar a la **ley aplicable prevista por las partes** en el contrato.

b) En defecto de pacto sobre la ley aplicable, el Derecho internacional establece que la extensión de la protección, así como los medios procesales acordados al autor para la defensa de sus derechos, se rigen exclusivamente por la **legislación del país en que se reclame la protección**.

Precisiones Parece ser criterio mayoritario el que considera que la expresión «país en que se reclame la protección» debe conectarse con **lugar de comisión del daño**. En consecuencia, ocurrirá en la mayor parte de las ocasiones que la competencia judicial se defina en función de dónde se haya cometido la infracción, lo cual a su vez determina el derecho aplicable. En Derecho español, la competencia objetiva para conocer de este tipo de infracciones corresponde a los juzgados de lo mercantil y las secciones de las audiencias provinciales especializadas en la materia (LOPJ art.82 y 86 bis).

1931 **Número máximo y mínimo de ejemplares a editar** En el contrato de edición es necesario especificar cuál es el número máximo y mínimo de ejemplares a editar. Es suficiente con indicar hasta una cantidad concreta, sin que el editor tenga que cumplir con la tirada por completo.

La **omisión de este requisito** implica la nulidad del contrato (nº 1945).

En el caso del contrato de **edición musical**, la omisión de este requisito no implica la nulidad del contrato, si bien el editor deberá confeccionar y distribuir ejemplares de la obra en cantidad suficiente para atender las necesidades normales de la explotación concedida, de acuerdo con el uso habitual en el sector profesional de la edición musical.

1933 **Forma de distribución** Parece que la previsión legal se refiere a la manera en que la obra va a ser objeto de explotación, al número de ejemplares que será objeto de venta o distribución directa y al número que será reservado al autor o a otro tipo de explotaciones consentidas por los usos (p.e., promociones).

No es lógico pensar que se esté aludiendo a los **medios concretos** de los que se servirá el distribuidor para explotar la obra editada. En principio, y a salvo -por supuesto- de la vigencia de la facultad moral de divulgación y de la necesaria consideración del ámbito territorial pactado por el autor en relación con la obra, carece de interés para éste conocer que una parte de su obra será distribuida en un territorio determinado, mientras que otra parte lo será en otro territorio. Esta decisión se encuadra dentro de una estrategia comercial o industrial, en la que el autor no debería jugar papel alguno.

Precisiones La utilización de una **obra protegida ajena** para estimular la venta de los productos o servicios propios u optimizar los canales de distribución disponibles, **sin autorización del titular** de los derechos de propiedad intelectual, que tiene por Ley, y no por contrato *ad hoc*, la exclusiva en la explotación de la misma, es una modalidad de explotación incluida en esa exclusiva y constituye una infracción de tales derechos (AP Barcelona 28-11-07, EDJ 379440).

1935 **Remuneración** El señalamiento de la remuneración es requisito necesario para la validez del contrato, hasta el punto de que su no inclusión implica la nulidad del mismo (nº 1945).

La remuneración debida al autor es, en principio, **proporcional** a la normal explotación de la obra editada. Este sistema, no obstante, encuentra serias dificultades para su aplicación práctica, dada la forma no controlada, en la mayor parte de las ocasiones, de impresión o edición de las obras (a pesar de la normativa sobre control de tirada actualmente vigente: nº 1977).

El principio general de remuneración proporcional se ve excepcionado en diversos supuestos en los que la remuneración puede fijarse **a tanto alzado** (nº 1871).

La remuneración pactada como **pago en especie**, esto es, por medio de un número de libros determinado de los que formen la edición o por cualquier otro medio que no consista en una cantidad de dinero, debe entenderse como ilegal y contraria a la Ley.

Otro tanto ocurre con la remuneración dineraria -en forma de tanto alzado o de manera proporcional a la explotación normal de la obra- estipulada **a partir de un número concreto de ejemplares vendidos**. También esta forma de remuneración entendemos que choca con el derecho del autor a obtener una remuneración dineraria (nº 1871).

En consecuencia, este tipo de cláusulas debe tenerse por no puesta, pudiendo el autor reclamar la entrega de la cantidad dineraria correspondiente, de acuerdo con los criterios legales antes expuestos.

1937 **Plazo para la puesta en circulación** Igualmente, en el contrato de edición ha de especificarse el plazo en el que los ejemplares de la obra deben ponerse en circulación.

Se establece una limitación en la explotación de la que sea **única o primera edición**. Así, desde el momento de entrega de los manuscritos a editar hasta el momento de distribución no pueden transcurrir más de dos años (la obra a editar debe ser entregada en tal forma que permita su reproducción, lo que parece interpretarse como entrega física del manuscrito a editar).

La **omisión de este requisito** en el contrato de edición únicamente otorga facultad a las partes para compelerse a su inclusión en el mismo.

Debe tenerse en cuenta también que la limitación temporal señalada **no rige en los siguientes tipos de obra** (LPI art.63):
- antologías de obras ajenas, diccionarios, enciclopedias y colecciones análogas;
- prólogos, epílogos, presentaciones, introducciones, anotaciones, comentarios e ilustraciones de obras ajenas.

Plazo en el que el autor debe entregar la obra De nuevo nos encontramos con un requisito cuya **omisión** permite a las partes exigirse su inclusión, sin que la validez del contrato se vea puesta en entredicho. 1939
Evidentemente, si el autor no entrega la obra en el tiempo pactado causa un **incumplimiento contractual**, incurriendo por tanto en responsabilidad contractual.

Requisitos adicionales para edición en forma de libro (LPI art.62) Junto con los anteriores, el legislador ha establecido otros requisitos para aquellos casos en que la edición consiste en un libro. Han de especificarse los siguientes datos: 1941
a) La **lengua o lenguas** en que ha de publicarse la obra. Si se omite esta circunstancia, el editor solo podrá publicar la obra en la lengua de origen de la obra.
Puede ocurrir asimismo que se haya pactado la edición en **varias lenguas de las oficiales** en nuestro territorio nacional. Si éste fuera el caso, la publicación en una de ellas no exime al editor de publicarla en el resto de lenguas pactadas. Es más, la Ley permite al autor resolver el contrato respecto de las lenguas en las que no se haya publicado la obra, si en el plazo de cinco años desde su entrega, el editor no ha procedido al cumplimiento de su obligación. Esto mismo se aplica también a las **traducciones de obras extranjeras** que sean distribuidas en España.
Han de tenerse en cuenta al respecto los **derechos del traductor**, para el caso de que no lo sea el propio autor de la obra traducida.
b) El **anticipo** a conceder, en su caso, por el editor al autor, a cuenta de sus derechos remuneratorios. Este precepto refuerza la opinión de que el carácter de la remuneración ha de ser dinerario, en todo caso, o al menos parcialmente.
c) La modalidad o **modalidades de edición** y, en su caso, la **colección** de la que formarán parte. Por modalidades de edición debe entenderse, a nuestro juicio, el formato final que presentará la edición. No parece posible que pueda tener lugar una **edición digital**, ya que ésta, por definición, no puede ser distribuida en el sentido legal del término. Entendiendo por «edición digital» aquella que permite la explotación de la obra en forma intangible, debemos considerar que, por el contrario, la edición digital es un modo de explotación que requiere la cesión del derecho de comunicación pública (p.e. a través de la modalidad de puesta a disposición).

3. Nulidad y subsanación

Se prevé la nulidad del contrato que no conste por escrito (nº 1927), así como de aquel en el que no se especifique el número máximo y mínimo de ejemplares (nº 1931) o la remuneración del autor (nº 1935). 1945
En ausencia de especificación del plazo para la puesta en circulación (nº 1937) o del plazo en que el autor debe entregar el original de la obra (nº 1939), pueden los contratantes compelerse recíprocamente para subsanar la falta.
Declarada la nulidad del contrato, las partes habrán de **devolverse recíprocamente** las cosas que hubieren sido materia de contrato con sus frutos, y el precio con los intereses (CC art.1303).
Respecto al **editor**, debe entenderse que se refiere a la obra entregada y a la imposibilidad por tanto para el editor de proceder a su publicación. En lo que respecta al **autor**, está obligado a la entrega de los ejemplares de cortesía que pudiera haber recibido, de las pruebas o de cualquier otro material del que pueda haberse servido para la realización de la obra (p.e., un ordenador puesto a su disposición por el editor, «software» específico, etc.).
Respecto del **precio**, no hay duda de que se refiere a la remuneración pactada, y a cualquier adelanto económico que hubiera podido haber.

Se prevén, no obstante lo anterior, diversas **excepciones** (CC art.1304 a 1307). Como más significativas en lo que puede afectar a este contrato, destacamos las siguientes: 1947
• En materia de **incapacidad de uno de los contratantes**, el incapaz solo está obligado a restituir la cantidad en la que se hubiera enriquecido por medio del contrato de edición (CC art.1304).
• Si la nulidad proviene de la **culpa de ambos contratantes**, ninguno está obligado a devolver lo dado ni reclamar el cumplimiento de lo ofrecido por la contraparte (CC art.1306.1ª). No obstante, a nuestro juicio, dada la especificidad del Derecho de propiedad intelectual, en este caso

el autor podría ejercer la facultad moral de acceso al ejemplar único o raro de la obra (LPI art.14.7º).

• Si la nulidad proviene de **culpa de uno solo de los contratantes**, se ha de seguir la misma regla anterior para la parte culpable, pero, además, la parte no culpable puede reclamar lo que hubiera dado sin obligación de cumplir a su vez con lo que hubiera ofrecido (CC art.1306.2ª). Dependiendo de quien sea considerado como parte culpable, se ha de proceder a la devolución de lo entregado en los términos señalados anteriormente.

• Para apreciar la existencia de **error invalidante del consentimiento** en el caso, alegado por un editor respecto de un contrato de edición, se requiere:
- que sea esencial e inexcusable pues de no ser así habría que estar a la norma de que los efectos de error propio no son imputables a quien lo padece;
- que sea sustancial y derivado de actos de desconocidos para el que se obliga; y
- que no se hubiese podido evitar con una regular diligencia, no siendo admisible el error cuando los contratantes son peritos y conocedores en el negocio (AP Las Palmas 1-2-18, EDJ 582548).

Precisiones Las causas de nulidad previstas tienen su razón de ser en la **protección del autor**. A tal efecto, se entiende que el carácter escrito del contrato, la remuneración debida al autor, así como el número máximo y mínimo de ejemplares a explotar constituyen el núcleo intraspasable para la libre voluntad de las partes. Son requisitos necesarios para la validez y eficacia del contrato. A nuestro juicio, esta sanción de nulidad obedece tanto a una cuestión probatoria, como al hecho de que, en ausencia de tales datos, el objeto del contrato no está determinado (CC art.1261 y 1310).

4. Obligaciones del autor

(LPI art.65)

1950 Siguiendo una línea protectora de los derechos del autor, la Ley reduce el número y la importancia de las obligaciones a su cargo, lo que parece congruente con la situación real de las partes en la contratación, en la que normalmente es el autor quien asume una posición más débil.

En concreto, las obligaciones del autor son las siguientes:
- la entrega al editor de la obra a editar (nº 1952);
- la responsabilidad ante el editor por la autoría y originalidad de la obra (nº 1954);
- la corrección de las pruebas de la tirada, salvo pacto en contrario (nº 1958).

Esas obligaciones se examinan en los números siguientes.

1952 **Entrega de la obra a editar** La entrega debe hacerse en **forma** adecuada para la reproducción de la obra y dentro del **plazo** convenido.

La interpretación del primero de los requisitos nos lleva a pensar que el autor puede entregar la obra prácticamente en cualquier forma, pero siempre que sea factible que el editor esté, tras la entrega, en **condiciones de realizar la reproducción** de la obra a partir de la forma entregada, pues de otra forma se daría un claro incumplimiento contractual.

El factor de la posibilidad de reproducción depende de las **capacidades técnicas del editor**. Esto significa que el autor no puede entregar la obra original en un formato desconocido para el editor o en un formato del que el editor no pueda servirse por carecer de los adelantos técnicos necesarios para acceder a la obra y poder reproducirla.

No obstante, salvo que otra cosa se establezca en el contrato, el autor cumple con la entrega de la obra en **condiciones usuales**, según los usos del sector, que permitan su reproducción.

Puede ocurrir, sin embargo, que las propias partes hayan previsto en el contrato las **formas técnicas de entrega** de la obra. En este caso, hay que estar a lo pactado, con atención a los usos del comercio a fin de aclarar cualquier duda o laguna que pudiera haber en la interpretación de las cláusulas contractuales (CC art.1287).

Precisiones A nuestro juicio, el editor está en **condiciones de realizar la reproducción** cuando el autor le entregue la versión final de la obra, hechas las modificaciones oportunas, y cuando el editor pueda, a partir del material entregado, reproducir la obra de acuerdo con lo pactado o con los usos del sector.

1954 **Responsabilidad de la autoría y originalidad de la obra** El autor responde ante el editor de la autoría sobre la obra, de su originalidad y del **ejercicio pacífico de los derechos** que le hubiese cedido.

Ello significa que el patrón de la **buena fe** exige que la parte que asegura a otra los derechos de explotación de propiedad intelectual sobre una obra, de la que se atribuye su autoría, responda de los requerimientos básicos en relación con dicha obra, esto es, de su originalidad y de su autoría.

En cuanto al concepto de **originalidad**, en nuestra opinión, es esencialmente relativo y su concreción depende del tipo de obra ante el que nos encontremos. Así, existe un concepto de originalidad particularizado para cada tipo de obra. Si se intenta encontrar un punto de conexión en todos los criterios posibles, parece que hay que recurrir al concepto de singularidad creativa, entendida como la particularidad o recognoscibilidad que la obra presenta entre el resto de obras de su autor o de otros autores.

Respecto del **ejercicio pacífico de los derechos**, la Ley se refiere a ausencia de obstáculos contractuales que dificulten, limiten o hagan imposible el normal ejercicio de los derechos de exclusiva cedidos al editor. Este tipo de obstáculos consistirá fundamentalmente en haber cedido el mismo derecho a dos editores distintos y con un mismo alcance contractual o en su sometimiento a algún tipo de gravamen.

Precisiones 1) El autor, sea el tipo de obra que sea, siempre ha de responder ante su contraparte del **goce pacífico de los derechos cedidos** en el contrato de cesión, pues los contratos no solo obligan a lo expresamente pactado, sino también a todas las consecuencias que, según su naturaleza, sean conformes a la buena fe, al uso y a la ley (CC art.1258). **1956**

2) Pueden apuntarse **otros criterios para determinar la originalidad** de una obra:

• **Aportación novedosa** en el mundo de las formas preexistentes, que no deja de ser un criterio subjetivo, puesto que, en último término, la originalidad de una obra descansa sobre una decisión subjetiva que estima la existencia de una aportación al mundo de las formas.

• **Atribución de la obra** al que aparece como su autor, criterio según el cual una obra es original si pertenece a un autor determinado. De esta manera, lo que se termina protegiendo es un estilo y no una obra concreta, lo que, a nuestro juicio, no se corresponde con el verdadero sentido del concepto de originalidad. Asimismo, de acuerdo con este criterio, parece que lo que se está protegiendo es **cualquier esfuerzo intelectual** aplicado a la creación de una obra, criterio que juzgamos equivocado, porque, si así fuese, resultaría que cualquier creación intelectual sería original y estaría consecuentemente protegida por un derecho exclusivo.

Corrección de pruebas Salvo cuando se hubiese establecido lo contrario, el autor tiene obligación de corregir las pruebas de la tirada. **1958**

Debe tenerse en cuenta que, durante el período de corrección de pruebas, el autor puede introducir en la obra las **modificaciones que estime imprescindibles**, siempre que no alteren su carácter o finalidad, ni supongan una elevación sustancial del coste de la edición. No obstante, en el contrato de edición las partes pueden prever un porcentaje máximo de correcciones sobre la totalidad de la obra (LPI art.66).

Debe entenderse que la **entrega de las correcciones** de las pruebas al editor por parte del autor debe hacerse dentro del plazo estipulado para la realización de la tirada. Cualquier incumplimiento por parte del autor en este sentido le impedirá actuar o reclamar a su vez por incumplimiento del editor de distribuir la obra en el plazo estipulado (nº 1937 y nº 1992).

Precisiones 1) La existencia de **defectos graves en la impresión** no puede significar un incumplimiento del autor de su obligación de revisión de pruebas (AP Sevilla 30-3-23, EDJ 649975). **1960**

2) La valoración de la **necesidad de las modificaciones** ha de hacerse atendiendo a las circunstancias concretas de cada contrato. Pueden ofrecerse, a nuestro juicio, ciertas directrices para su mejor entendimiento:

• Las modificaciones son imprescindibles en la medida en que sean necesarias para considerar como acabada la obra, según el exclusivo **juicio del autor**, pues solo en la mente de éste se encuentra el sentido final de la obra.

• En cuanto a la alteración del **carácter o finalidad** de la obra, también parece que queda a juicio del autor, puesto que, siguiendo el mismo argumento, nadie mejor que él para saber cuál es el carácter o finalidad de la obra.

• Las modificaciones suponen una **elevación sustancial del coste de la edición** cuando el coste final suponga, en relación con el coste original, una elevación significativa, lo que deja la decisión final reducida a una cuestión de prueba. A nuestro juicio, puede considerarse significativo un aumento igual o superior al 20% del valor de origen de la tirada. En la práctica las editoriales suelen bajar significativamente dicho porcentaje. No obstante, es evidente que cualquier valoración al respecto no deja de ser arbitraria.

5. Obligaciones del editor

(LPI art.64)

Vamos a referirnos en este punto a las obligaciones del editor, que se pueden resumir en las siguientes: **1965**

- reproducción de la obra (nº 1967);
- sometimiento de pruebas al autor (nº 1969);
- distribución de la obra (nº 1971);

- asegurar una explotación continuada (nº 1973);
- satisfacer la remuneración pactada (nº 1975);
- restitución al autor del original de la obra (nº 1979).

A estas obligaciones hay que añadir las correspondientes a los derechos del autor para el caso de venta de los ejemplares en saldo y destrucción de la edición (nº 1981).

1967 **Reproducción de la obra** (LPI art.64.1) La reproducción implica la fijación de la obra a un medio que permita su **comunicación** y la **obtención de copias** de toda o parte de la obra (LPI art.18).

Evidentemente, la reproducción es una **fase necesaria** en la explotación de la obra a través del contrato de edición.

Aplicado a este tipo de contrato, hemos de entender que el concepto de reproducción tiene un sentido muy estricto, por lo que no puede referirse a la **reproducción digital**, entendiendo por ésta la que es difundida en línea sin incorporación de la obra a un soporte tangible (derecho de comunicación pública y de puesta a disposición). Si así fuese, sería en el ámbito de un contrato atípico, regulado por la voluntad de las partes y, subsidiariamente, por las disposiciones generales en materia de cesión de derechos de autor (nº 1865 s.).

La reproducción de la obra no puede implicar **modificación** alguna de la misma, salvo que el autor la haya consentido.

En todo ejemplar de la obra debe constar, además, el **nombre, firma o signo** que identifique al autor -ya que puede darse el caso de que prefiera actuar bajo seudónimo o de manera anónima- (LPI art.14).

Precisiones Estas exigencias legales son fiel reflejo de las facultades morales reconocidas al autor, en concreto, la de **integridad de la obra** y la de **paternidad**. Debe tenerse en cuenta al respecto que el derecho a la integridad de la obra solo se verá afectado en la medida en que se perjudique la fama artística del autor, lo cual no tiene por qué ocurrir siempre que se modifique, siquiera levemente, la obra editada (las modificaciones perseguibles son las realmente graves, las que atentan contra la reputación o fama artística del autor). En cualquier caso, es aconsejable contar con la **aprobación del autor a la versión definitiva** de la obra. Esto ocurrirá casi necesariamente y de manera indirecta, ya que el autor está obligado a revisar las pruebas de la obra editada, si bien cabe el pacto en contra (nº 1958).

1969 **Sometimiento de pruebas al autor** (LPI art.64.2) El editor tiene la obligación de someter las pruebas de la tirada al autor.

Cabe el **pacto en contra**, en cuyo caso se puede entender que el autor ha autorizado tácitamente las modificaciones que sean necesarias para la normal explotación de la obra.

A nuestro juicio, el editor no puede, pues, introducir cualesquiera **cambios o modificaciones**, sino solo aquellos que tengan como finalidad principal adecuarse a la explotación de la obra editada según los usos y prácticas comerciales o profesionales (p.e. los artículos periodísticos suelen aparecer en forma de columnas, y en ocasiones puede ser usual insertar una fotografía ilustrativa).

1971 **Distribución de la obra** (LPI art.64.3) El editor resulta obligado a proceder a la distribución de la obra en el plazo y condiciones estipulados. Es ésta una muestra más de cumplimiento contractual usual, sin que el derecho de autor presente aquí particularidad alguna. El **plazo** para la puesta en circulación de los ejemplares de la única o primera edición no podrá exceder de dos años contados desde que el autor entregue al editor la obra en condiciones adecuadas para realizar la reproducción de la misma. Este plazo aumenta a cinco años para las obras sinfónicas y dramático-musicales (LPI art.71.3º).

Precisiones Se tiene por **resuelto el contrato de coedición** por incumplimiento del editor que suprimió la designación de los coeditores en las portadas de los libros, aspecto sobre el que las partes habían convenido expresamente (TS 5-10-89, EDJ 8731).

1973 **Asegurar la explotación continuada y la difusión comercial adecuada** (LPI art.64.4) Es obligación del editor asegurar al autor una explotación continua de la obra y una difusión comercial conforme a los usos habituales en el sector profesional de la edición. Cuáles son esos **usos habituales** es una cuestión de prueba, siendo imposible definirlos *a priori* (p.e., será habitual organizar una firma pública de libros, envío de correspondencia promocional, incluso organización de entrevistas).

Se trata de una obligación de **resultado peculiar**, por cuanto no encuentra parecido alguno con otras obligaciones vigentes en el Derecho contractual común. Ahora bien, esta obligación no es sino un reflejo de otra facultad moral de derecho de autor, la de decidir en qué forma será divulgada la obra (LPI art.14.1º).

En este sentido, podría justificarse, con base en dicha facultad, que la pretensión del autor es asegurar que la distribución de su obra no se haga en condiciones que puedan lesionar o

perjudicar su **fama artística o de autor** (p.e., mediante la venta de su libro junto a otros con los que crea que no mantiene una misma afinidad artística, o en condiciones que estime no se adecúan a la dignidad de su obra).
No obstante, las peticiones del autor no pueden ser exageradas o desproporcionadas con respecto a las condiciones establecidas por los **usos habituales en el sector profesional** de la edición. Esos usos tienen un valor de limitación vinculante para las partes (CC art.1.3º).
Asimismo, ha de tenerse en cuenta un límite importante, cual es el derivado de las **condiciones particulares de explotación** de la obra en el mercado. Esto es, la ley económica del mercado puede hacer que, pese a la inversión del editor para la difusión correcta de la obra editada, ésta no obtenga la recepción por el público o el éxito esperados, hecho que puede suceder por causas diversas, no siempre imputables al editor (p.e., por fuerza mayor, por secuestro por orden judicial o por rechazo del público por convicciones morales o religiosas).

Satisfacer la remuneración pactada (LPI art.64.5) Se establece también la obligación para el editor de satisfacer al autor la remuneración estipulada. La remuneración, dependiendo de los casos, puede ser a **tanto alzado o proporcional** a los ingresos obtenidos de la explotación de la obra (ver nº 1871). 1975
Si la remuneración es **proporcional**, el editor debe liquidarla al autor al menos una vez al año. Lo usual en el mercado es que la liquidación tenga lugar por trimestres, aunque evidentemente, siempre que se respete lo dispuesto en la Ley, pueden pactarse períodos más amplios (cuatrimestres o semestres).
El editor debe, asimismo, poner anualmente a disposición del autor un **certificado** en el que se determinen los datos relativos a la fabricación, distribución y existencias de ejemplares. A estos efectos, si el autor lo solicita, el editor le debe presentar los correspondientes justificantes.
Esta obligación legal ha sido objeto de **desarrollo reglamentario** en los términos que se exponen en el número siguiente.

Precisiones No puede entenderse un **incumplimiento** grave que lleva a la resolución del contrato de edición el hecho de que el editor no proporcione al autor el **certificado** en el que consten los datos relativos a la fabricación, distribución y existencia de ejemplares (AP Málaga 15-11-23, EDJ 835249).

Control de tirada (LPI art.72.1; RD 396/1988) Lo que se trata de asegurar es el control del autor sobre la tirada y salvaguardar así sus facultades patrimoniales básicas. 1977
Se establecen al respecto las siguientes **cautelas y obligaciones**:
a) Antes de la puesta en circulación de los ejemplares de la obra, el editor debe remitir al autor una **certificación** relativa al número de ejemplares de que conste cada tirada.
b) El autor tiene derecho a comprobar los **documentos contables** del editor, siempre dentro del plazo de dos años desde la distribución de cada una de las obras.
c) Esta comprobación puede realizarla el autor en persona o por medio de **expertos** nombrados a tal efecto.
d) La labor de comprobación se debe referir exclusivamente a la verificación de la exactitud de los **datos relativos a la producción** de los ejemplares de la obra en la edición o tirada en cuestión, y su correspondencia con los datos contenidos en la documentación por el editor. La persona o experto designados deben respetar el carácter confidencial de sus conclusiones y comunicar al autor únicamente los datos y hechos relacionados con la verificación del número de ejemplares de la edición o tirada examinadas.
e) Por último, las partes pueden prever en el contrato un **sistema de contraseñado** o la numeración de los ejemplares. Si así fuese, el editor estaría eximido de las obligaciones a las que nos hemos referido anteriormente.

Restitución al autor del original de la obra (LPI art.64.6) El editor tiene obligación de restituir al autor el original de la obra objeto de la edición, una vez finalizadas las operaciones de impresión y tirada de la misma. 1979
De nuevo nos encontramos con un reflejo peculiar de una de las facultades morales de las que todo autor es titular, la de acceder al **ejemplar único o raro de la obra** cuando se halle en poder de otro, con el objeto de poder ejercitar el derecho de divulgación u otro que le corresponda (LPI art.14.7º).
Lo más usual es que el ejemplar original de la obra conste en **páginas escritas o manuscritas** lo que, ciertamente, tiende a dar mayor valor a la obra original. Sin embargo, en la actualidad y gracias a las técnicas modernas de reproducción, es posible que el autor entregue la obra al editor en **soporte informático** o por medios telemáticos. A nuestro juicio, en estos casos, y salvo que carezca de copia auténtica de la obra original, no parece que el autor pueda exigir la entrega de la obra original. En todo caso, tendría derecho a exigir una copia de esa obra, ya

que, en cualquiera de los supuestos señalados, no parece lógico pensar que el editor desee retener la forma original de la obra enviada.

Las **condiciones de entrega** deben pactarse en el contrato. A falta de pacto, entendemos que dichas condiciones deben ser lo menos gravosas posibles para el editor, debiéndosele incluso indemnizar por los daños y perjuicios que se le puedan causar (aplicación analógica de LPI art.14.7º).

1981 **Venta en saldo y destrucción de la edición** (LPI art.67) Por las especiales condiciones en las que se desarrolla el contrato de edición, el legislador ha beneficiado al autor con unas reglas sobre la venta de libros en saldo, que hayan sobrado de la edición, y cuya venta convenga al editor, por ahorrar el coste que le puede suponer quedárselos en «stock».

En concreto, el editor no puede, sin **consentimiento del autor**, vender como saldo la edición antes de transcurrir dos años desde la inicial puesta en circulación de los ejemplares. Así pues, durante ese tiempo, el editor debe respetar el precio de venta pactado, en su caso, con el autor.

Aun cuando el precepto solo menciona la transmisión por venta, ha de entenderse, en nuestra opinión, que se refiere a **cualquier acto o contrato** por virtud del cual se transmita la propiedad sobre el ejemplar de la edición.

Transcurrido el **plazo de dos años**, si el editor decide vender como saldo los ejemplares que le resten, lo ha de notificar fehacientemente al autor, quien puede optar por adquirirlos ejerciendo tanteo sobre el precio de saldo o, en el caso de remuneración proporcional, percibiendo el 10% del precio facturado por el editor. El autor debe ejercitar su opción en el plazo de los 30 días siguientes al recibo de la notificación.

Tanto si el autor no ejercita su opción como si la ejercita fuera de plazo, el editor puede **vender los ejemplares sobrantes** por su precio de saldo, sin por ello estar obligado con el autor a la entrega de una remuneración complementaria distinta de la pactada en su momento. Solo habría lugar a ello, en el supuesto de que las partes hubiesen pactado una remuneración proporcional.

1983 Supuesto distinto es aquel en el que el editor decide la **destrucción del resto de los ejemplares** de la edición. En este caso, el editor está obligado igualmente a la notificación pertinente al autor, quien puede exigir que se le entreguen gratuitamente todos o parte de los ejemplares. Dispone para ello de un plazo de 30 días desde la notificación.

Una vez recibidos por el autor los ejemplares, no puede éste destinarlos a usos comerciales. Su destino ha de ser, en consecuencia, el doméstico del autor o bien el destino a **usos no lucrativos** (p.e., cesión a un museo, a una biblioteca...). En cualquier caso, el autor no puede obtener ningún tipo de lucro derivado del uso de los ejemplares recibidos.

Precisiones 1) La mención a la **inicial puesta en circulación** de los ejemplares da a entender que puede haber habido varias distribuciones o ediciones; pero, además, puede estar refiriéndose la norma a distribuciones en territorios específicos (p.e., piénsese en una tirada en inglés con carácter territorial mundial, que es distribuida inicialmente en Alemania, para a los dos meses ser distribuida en Francia y escalonadamente en el resto de Europa o Estados Unidos). Sin perjuicio de la eventual aplicación del principio de agotamiento del derecho de distribución, lo cierto es que la relevante sería la distribución inicial. Esto significa que el criterio territorial no es necesario en lo que al ámbito de esta norma se refiere.

2) Con referencia a la utilización en el precepto del término «venta», ha de precisarse que el interés del autor en preservar su «status» económico debe ser valorado por igual cuando se trate de **permuta, donación u opción de compra** (*leasing*). Todos éstos son casos en los que la propiedad como derecho se transmite sobre el objeto del contrato. Por ello, pese al tenor literal de la norma, creemos que el supuesto de hecho debe ampliarse en los términos señalados. Apoya esta tesis el hecho de que la esencia del contrato de edición es la **distribución**, concepto que incluye la venta, el préstamo, el alquiler o cualquier otra forma que permita la puesta a disposición del público de la obra o de sus copias (LPI art.19.1). Aun sin admitir esta argumentación, siempre cabe a las partes aumentar contractualmente los supuestos a los que se refiere la disposición comentada.

3) La **fehaciencia de la notificación** no implica necesariamente que deba hacerse a través de notario público. Esta es una de las vías más cualificadas, pero, al no exigirse expresamente, son admisibles cualesquiera otros medios de prueba que permitan asegurar o conseguir esa fehaciencia.

6. Terminación del contrato

 1990

Resolución (LPI art.68) La regulación sobre el contrato de edición, fiel a su concepción peculiar, prevé también **causas específicas** de resolución. Ello, no obstante, y como cualquier otro tipo de contrato, el de edición se resuelve por las causas generales previstas legalmente. Así, el incumplimiento por cualquiera de las partes de sus respectivas obligaciones faculta a la otra a reclamar el cumplimiento de la misma o la resolución del contrato con indemnización de daños y perjuicios en ambos casos (CC art.1124). 1992

En relación con las causas específicas, debemos atender a las siguientes:

a) No realización de la edición en el **plazo y condiciones pactados**. Debe recordarse que en todo contrato de edición debe constar el plazo en el que la tirada ha de tener lugar, si bien no es éste un requisito cuya ausencia determine la nulidad del contrato. Si no se pacta un plazo de entrega de la obra, el hecho de **retrasarse en la entrega** no implica un incumplimiento esencial del contrato (AP Madrid 15-9-03, EDJ 211157).

b) El incumplimiento de las obligaciones relativas a la **corrección de pruebas**, a la **explotación** adecuada y continuada de la obra, así como a la **obligación de remunerar** al autor. Antes de dar por resuelto el contrato, el autor debe haber requerido al editor el cumplimiento de esas obligaciones.

c) La **venta en saldo o destrucción de ejemplares** sin cumplir determinadas condiciones (nº 1981).

d) La **cesión de los derechos** del editor a un tercero de forma indebida. La cesión es indebida cuando se haga en contra de lo dispuesto en el propio contrato (donde se puede haber pactado, p.e., una exclusividad a favor del editor) y, en general, cuando el acto de la cesión carezca de un título legítimo sobre el que basarse.

e) Cuando, previstas varias ediciones y **agotada la última edición** realizada, el editor no efectúe la siguiente en el plazo de un año desde que fuese requerido para ello por el autor. A estos efectos, se considera que una edición está agotada cuando el número de ejemplares sin vender sea inferior al 5% del total de la edición y, en todo caso, inferior a 100 ejemplares. 1994

f) En los supuestos de **liquidación o cambio de titularidad** de la empresa editorial, siempre que no se haya iniciado la reproducción de la obra, con devolución, en su caso, de las cantidades percibidas como anticipo.

A nuestro juicio, únicamente debería poder darse por resuelto el contrato cuando el sucesor del derecho de explotación no asegurase la continuidad de la misma en las condiciones pactadas o cuando de cualquier otra forma no asegurase el normal cumplimiento del contrato inicialmente pactado (ver precisiones).

g) Cuando, por **cese de la actividad del editor** o a consecuencia de un procedimiento concursal, se suspenda la explotación de la obra. En este caso, el juez, a instancia del autor, puede fijar un plazo para la reanudación de la explotación. Si, finalmente, dentro del plazo señalado, no se explotase la obra, el autor está facultado para dar por resuelto el contrato.

Precisiones Es difícil encontrar justificación a la resolución anticipada del contrato de edición por **liquidación o cambio de titularidad** de la empresa editorial. Es cierto que dicha circunstancia puede conllevar la desaparición de la empresa o una modificación tan importante en la dirección de la casa editora que justifique que el autor pueda contratar con otra editorial. Ahora bien, al margen de que se dé la circunstancia del comienzo de la reproducción de la obra, el contrato de edición es un activo de la sociedad a liquidar o de la sociedad cuya titularidad va a cambiar, que puede ser negociado y transmitido por un valor determinado. Esta negociación puede generar un beneficio económico del que sin duda puede participar el autor.

Extinción (LPI art.69 y 70) Como cualquier otro contrato, el de edición se extingue por las **causas generales** previstas en el Derecho común (CC art.1156 a 1213), es decir, por el pago o cumplimiento, por la pérdida de la cosa debida, por la condonación de la deuda, por la confusión de derechos de acreedor y deudor, por compensación y por novación. 1996

El contrato de edición puede extinguirse además por las siguientes **causas específicas**:

a) Por **terminación del plazo pactado**. Ha de tenerse en cuenta que, en los casos de colaboraciones ocasionales, siempre que queden sometidas a las disposiciones sobre el contrato de edición, la entrega de la obra a editar agota por sí misma el plazo de cumplimiento de la obligación del autor; es decir, la realización de la colaboración supone el cumplimiento mismo del contrato.

b) Por la **venta de la totalidad de los ejemplares** de la edición. Esta causa solo tiene aplicación si la edición ha tenido como fin precisamente la venta de la totalidad de los ejemplares. Debe entenderse que la edición debe agotarse para que entre en juego esta causa. Ahora bien, entendemos que vale con que el editor venda la totalidad de la edición a un distribuidor para su posterior venta **a cambio de un precio**, sin que tenga que ser necesario que los libros sean efectivamente vendidos. Si no mediase un precio, sino que se considerase venta únicamente cuando el ejemplar del libro es vendido efectivamente al público, no se estaría dando la condición que permite la extinción del contrato.

c) Por el **transcurso de 10 años** desde la cesión, cuando la remuneración se haya pactado exclusivamente a tanto alzado, lo cual solo es posible en ciertos supuestos (nº 1871).

d) En todo caso, **a los 15 años** de haber puesto el autor al editor en condiciones de realizar la reproducción de la obra (nº 1952).

Una vez extinguido el contrato, y salvo que las partes dispongan lo contrario, el editor puede **enajenar los ejemplares que todavía posea**. Esta venta debe realizarla en el plazo de los tres años siguientes, con independencia de la forma de distribución pactada.

No obstante lo anterior, el autor tiene **derecho a adquirir los ejemplares** a vender por el 60% de su precio de venta al público o por el que se determine pericialmente, o alternativamente optar por ejercer tanteo sobre el precio de venta. Según la redacción del precepto, parece que corresponde al autor la opción entre una y otra vía de adquisición.

7. Contrato para la edición de obras musicales

(LPI art.71)

2000

2002 Una de las variantes tradicionales del contrato de edición es la relativa a la edición de obras musicales o dramático-musicales. Se trata de la clásica edición de las **partituras o libretos** en los que se contienen los textos y músicas de ciertas obras. No obstante, en la práctica, la noción de contrato de edición musical se ha ampliado, extendiéndose también a aquellos contratos y actividades por las que el editor se convierte en cesionario (en exclusiva, en la totalidad de los casos, nos atreveríamos a decir) del derecho de **reproducción gráfica y sonora** sobre una obra (usualmente musical) (AP Madrid 4-12-14, EDJ 237897).

En coherencia con el espíritu que preside la regulación legal del contrato de edición musical, es usual asimismo que junto con el derecho de reproducción se cedan los de distribución y comunicación pública.

Este tipo de contrato presenta ciertas **particularidades** en relación con el contrato de edición general y, como tales, han tenido reflejo en la Ley.

Precisiones 1) La **cesión** en exclusiva al editor de los **derechos de explotación** de las obras objeto de los contratos de edición musical a cambio de una participación en los beneficios que se obtengan del uso de tales derechos impone al cesionario la obligación de efectuar la explotación de los derechos cedidos conforme a la naturaleza de la obra y los usos de la actividad de que se trate. En este sentido, que la demandada no hubiera acreditado que se trata de una suficiente explotación por sincronización de las obras del demandante no implica que quede probada su insuficiencia y que ésta justifique la resolución del contrato cuando es a la demandada a quién corresponde probar que esa explotación era insuficiente y no lo ha hecho. Asimismo, la falta de explotación internacional de las obras del demandante tampoco justifica por sí sola la resolución de los contratos, habiendo ya explicado que se ha efectuado una razonable y ordinaria explotación de las obras del actor (AP Madrid 19-10-18, EDJ 644694).

2) Si un contrato prevé la previa autorización del autor a la **sincronización** de obras musicales para el supuesto de **obras publicitarias**, la autopublicidad o autopromoción de una cadena de televisión caería dentro del haz de lo prohibido, porque la consideración de publicidad comprende todo tipo de anuncio (AP Madrid 27-2-23, EDJ 535538).

2004 **Delimitación** En primer lugar, hay que delimitar el ámbito objetivo de este tipo de contrato. No tiene por objeto cualquier tipo de obra, sino solo las que se definen como obras musicales o dramático-musicales.

Desde un punto de vista estricto son **obras musicales** aquellas que se expresan a través de diversos **aspectos formales**, como son la melodía, la armonía, el ritmo y la notación musical.

No obstante, desde una perspectiva más amplia cabría considerar obra musical toda aquella que consista en una **combinación de sonido y ritmo**, ordenada según un esquema coherente. De esta forma pueden recibir tal consideración las obras musicales derivadas de culturas diferentes a la occidental, así como, dentro de nuestra cultura, las obras musicales de otras épocas, que carecen de armonía en el sentido en que hoy se entiende, e incluso obras musicales escritas en sistemas de notación no utilizados en nuestro ámbito.
Una **obra dramático-musical** es aquella que incorpora o combina una obra musical con una obra de expresión o carácter teatral o escénico.
Por definición, ambos tipos de obra se corresponden con una **forma de explotación intangible**. No se concibe una obra de estas características, pues, sin que se ceda el derecho de comunicación pública. Por ello, la Ley, al tiempo que engloba este contrato dentro del de edición, obliga al autor o autores a la cesión del necesario derecho de comunicación pública (nº 1788).

Contratantes En cuanto a los sujetos de este tipo de contratación, no hay ninguna variación respecto de los que lo son en el contrato de edición general. Por un lado, está el autor o autores (puede tratarse de una obra en colaboración, lo que en el caso de las obras dramático-musicales será el supuesto más usual) y, por otro, está el **editor**, que puede ser persona física o jurídica. **2006**

Número de ejemplares Puede omitirse en el contrato el número de ejemplares máximo o mínimo a reproducir, sin que por ello el contrato pierda su validez. No obstante, el editor debe reproducir y distribuir **ejemplares suficientes** para atender las necesidades normales de la explotación concedida, según los usos habituales en el sector profesional de la edición musical. **2008**
En definitiva, el editor dispone de un **margen flexible de cumplimiento** de su obligación, puesto que legalmente no se limita en un número concreto de ejemplares, pero ha de tener en cuenta cuáles son las necesidades usuales del público en este tipo de edición, lo que constituye su límite de reproducción.

Obras sinfónicas y dramático-musicales Es difícil dar un concepto unívoco de lo que es una obra sinfónica. En principio, lo es una composición instrumental para orquesta, caracterizada por la aplicación simultánea de un conjunto de instrumentos, voces o ambas cosas. **2010**
Como particularidad con respecto a las obras sinfónicas y dramático-musicales, el **plazo** de tiempo a partir del cual la edición ha de ser reproducida y distribuida es de cinco años. Debe entenderse que el plazo comienza a contar desde el momento en que el autor o autores ponen **a disposición del editor** la obra en condiciones que le permitan su explotación normal.

Precisiones Llama la atención el hecho de que el legislador haya querido limitar el efecto de la norma solo a las obras sinfónicas dentro del género de las obras musicales. Seguramente ha tenido en cuenta las **dificultades para la edición** de este tipo de obras (que, a nosotros, sin embargo, dadas las modernas técnicas de impresión, se nos antojan relativas) o el **elevado número de copias** a realizar (que incluso son diversas entre sí, pues en ocasiones se edita una partitura distinta para cada instrumento y una «de orquesta» para el director). Por otra parte, al tratarse de un plazo establecido legalmente, no cabe pacto en contra y, de existir éste, ha de reputarse como no puesto.

Resolución y extinción No supone causa de resolución la **venta como saldo o destrucción** de los ejemplares sobrantes de la edición que no cumplan los requisitos expuestos (nº 1992). **2012**
Tampoco son causas de extinción del contrato:
- la **venta de la totalidad** de los ejemplares que forman la edición (nº 1996);
- el **transcurso de 10 años** desde la cesión, si se hubiera pactado la remuneración a tanto alzado (nº 1996); y
- el **transcurso de 15 años** desde que el autor hubiese puesto a disposición del editor la obra en condiciones de ser explotada (nº 1996).

Puesto que no se ha limitado en el tiempo la **duración máxima** del contrato de edición musical, en el que, evidentemente, las partes no hayan establecido un límite temporal, cualquiera de las partes debe estar en disposición de poder dar por concluido el contrato con un **preaviso razonable**.
En todo caso, la falta de mención del tiempo de cesión de los derechos de explotación, limita la transmisión a un **plazo máximo** de cinco años (LPI art.43.2).

SECCIÓN 3

Contrato de representación teatral y ejecución musical

2015

2017 Nos encontramos ante el segundo de los contratos tipificados en nuestra normativa sobre propiedad intelectual. Se recoge, así, otra de las grandes y tradicionales formas de contratación en materia de derecho de autor.

Conviene tener en cuenta que bajo este epígrafe se regulan **dos contratos distintos**, siendo uno el de representación teatral, dirigido a la explotación de la obra teatral por parte de empresarios determinados; y siendo el otro el de ejecución musical.

La Ley define estos contratos como si de uno solo se tratara: contrato por el que el autor o sus derechohabientes ceden a una persona natural o jurídica el derecho de **representar o ejecutar públicamente** una obra literaria, dramática, musical, dramático-musical, pantomímica o coreográfica, mediante una compensación económica (LPI art.74). No obstante, aunque la definición legal se esfuerce en encontrar un nexo común, creemos que el contenido de ambos contratos es diferente, pues versan sobre materias u objetos distintos (ver nº 2023).

Finalmente, las disposiciones que exponemos a continuación también resultan de aplicación a la cesión del derecho de comunicación pública mediante **radiodifusión, transmisión por cable o vía satélite**, con algunas particularidades (nº 2059) y a la simple autorización que el autor puede conceder a un empresario para que realice la comunicación pública de su obra, sin que éste último se obligue a efectuarla (LPI art.85).

Téngase en cuenta, por último, que estos contratos se refieren únicamente a la relación entre el autor de la obra (teatral o musical) y el empresario que adquiere el derecho de su representación o ejecución pública. La relación de éste con el intérprete de una obra teatral, audiovisual o musical se formaliza mediante el **contrato de prestación artística** (nº 2200).

No obstante, en la práctica el autor suele querer tomar parte en el proceso de **elección de los artistas** intérpretes o ejecutantes encargados de dar vida a la obra (RD 3-9-1880 art.84). En ese caso, el contrato de prestación artística se vería condicionado, en cierta medida por el que es objeto de análisis en el presente epígrafe (nº 2053).

Precisiones Si el empresario que ha contratado la explotación de los derechos de comunicación pública y/o reproducción sobre la obra no es el propietario del teatro o sala en la que va a tener lugar dicha explotación, deberá realizar un contrato de **arrendamiento de local** en el que se regulen, entre otros aspectos, el uso de vestuarios, decorados, material musical y otras instalaciones que sean propiedad del propietario del teatro (RD 3-9-1880 art.88).

2019 **Contrato de representación teatral** (LPI art.74) Por el contrato de representación teatral, el autor o sus derechohabientes ceden a una persona natural o jurídica el derecho de explotación de comunicación pública mediante **representación o ejecución pública** de una obra literaria, dramática, pantomímica o coreográfica, a cambio de una compensación económica.

2021 **Contrato de ejecución musical** (LPI art.83) Este contrato tiene un parecido evidente con el de representación teatral. De hecho, la Ley establece que el contrato de representación que tenga por objeto la ejecución pública de una **composición musical** se rige por las disposiciones relativas al contrato de representación teatral, siempre que lo permita la naturaleza de la obra y la modalidad de la comunicación autorizada.

El objeto de este contrato consiste fundamentalmente en la cesión del derecho de comunicación pública mediante la **ejecución pública** de una obra consistente en una composición musical. Esto excluye los contratos que tengan por objeto la edición de una composición musical o una grabación de la misma en soporte fonográfico o audiovisual.
La composición musical puede contener una **parte en letra o cantada**. De hecho, no tiene por qué restringirse a la ejecutada solo a través de instrumentos musicales, sino que también debe alcanzar al que es el instrumento por excelencia: la voz.
Sobre la **definición de obra musical** ver nº 2004.

Distinción entre ambos contratos Nos hallamos ante dos tipos distintos de contrato, próximos en su naturaleza, pero separados por razón del objeto, es decir, por el **tipo de obra**, al que se dedican. Uno se refiere a la representación de obras teatrales, en las que el factor musical no es predominante; el otro está pensado para las obras típicamente musicales, sin perjuicio de que en ellas pueda darse un factor de representación (p.e., una zarzuela o una ópera). **2023**
Contractualmente los **puntos comunes** entre ambos contratos son varios, aunque la regulación legal no parece contener especialidad alguna. Así, usualmente en el tráfico, el contrato de representación musical no tiene una **duración** tan prolongada en el tiempo como el de representación teatral. Habitualmente se agota en una representación o en un número muy limitado de representaciones, mientras que en el contrato de representación teatral suele pactarse un número mayor de representaciones o incluso una temporada.
Sin embargo, como hemos comentado, la Ley establece para el contrato de ejecución musical un **reenvío genérico** a la regulación del contrato de representación teatral, con el solo límite de la naturaleza de la obra y de la modalidad de comunicación autorizada.

Objeto Tanto el contrato de representación teatral como el de ejecución musical tienen como objeto el derecho de representar una obra determinada que se caracteriza por su incorporeidad o intangibilidad. Por definición, pues, estos contratos se referirán siempre a la explotación de **obras no incorporadas**, intangibles o no expresadas, a través de elementos físicos o tangibles. **2025**
En concreto, la Ley se refiere a una **serie limitada de obras**: obra literaria, dramática, musical, dramático-musical, pantomímica y coreográfica.
No obstante, a través de una interpretación amplia de la definición de obra literaria, es posible **extender el concepto** para dar cabida a cualesquiera interpretaciones o ejecuciones de obras escritas que puedan ser declamadas o recitadas -puede pensarse, p.e., en la declamación de un discurso con un contenido ciertamente artístico o, en general, en obras que impliquen el ensayo de la voz o del movimiento de las manos o del cuerpo- (véase al respecto LPI art.10.1.a).
En cualquier caso, todas las obras objeto del contrato de representación deben ser susceptibles de explotación a través de la **comunicación pública**.
Por otro lado, el contrato de representación no es aplicable en absoluto a obras tales como las **obras cinematográficas**, o a las obras audiovisuales en general (nº 2075), con las que pueda guardar una cierta similitud o afinidad artística, y, por supuesto, el contrato no es aplicable a obras ya situadas en un género diverso como son, por ejemplo, las **obras fotográficas** (nº 2285).
Por último, conviene precisar que por virtud de este contrato se ceden los derechos de explotación de la obra mediante su representación o comunicación pública, pero no a través de su **grabación, reproducción o distribución**, actividades que son objeto de otros contratos.

Precisiones La referencia a **obras no incorporadas o intangibles** no quiere decir que estas obras no hayan tenido, en algún momento, una expresión formal corpórea o física. Así, por ejemplo, una danza puede haber sido dibujada previamente, o una pieza teatral debe haber sido, en buena lógica, escrita sobre un soporte físico. Lo que se mantiene es que la **forma de explotación** de este tipo de obras suele tener lugar a través de expresiones formales incorpóreas. Por ejemplo, la danza se actuará en un escenario, de manera inaprehensible para el público o para cualquiera; a su vez la pieza teatral será actuada por los actores también en el escenario, pero sin que el público pueda disfrutar de ella una vez acabada la función, salvo, evidentemente, que haya sido fijada en un medio que permita su reproducción, supuesto en el que ya estaríamos en el ámbito de otro tipo de contratación.

Ámbito temporal de la explotación (LPI art.75; RD 3-9-1880 art.76) La cesión del derecho de explotación de comunicación pública puede pactarse en función de un **número concreto de representaciones**, o bien a lo largo de un **período de tiempo**. **2027**
En todo caso, la **duración de la cesión en exclusiva** no puede exceder de cinco años. Ello deja abierta la puerta a la limitación temporal de las representaciones contratadas en régimen de no exclusividad, en cuyo caso no parece que exista límite alguno.
En el contrato debe estipularse el plazo dentro del cual debe llevarse a efecto la **comunicación única o primera** de la obra. Dicho plazo no puede exceder de dos años desde la fecha del

contrato o, en su caso, desde que el autor puso al empresario en condiciones de realizar la comunicación. Debe entenderse que el plazo comienza a correr desde el momento en que se cumplen cualquiera de las dos condiciones anteriormente mencionadas.
Si el plazo de explotación **no fuese fijado por las partes**, ha de entenderse otorgado por un año. No obstante, si el objeto del contrato es la representación escénica de la obra, el referido plazo debe ser el de duración de la temporada correspondiente al momento de la conclusión del contrato. Cuál sea esa duración será algo que dependerá de los usos en el tipo de representación de que se trate y de las prácticas en previas temporadas.

2029 **Modalidades de explotación** (LPI art.76) Es usual en la contratación que las partes especifiquen las modalidades de explotación, esto es, en qué **tipo de recintos** será objeto de explotación la obra, o el **modo concreto** en que ésta puede ser objeto de explotación, de acuerdo con las formas de comunicación pública existentes.
Para el caso de que las propias partes no hayan previsto esta contingencia, se dispone que las modalidades de explotación quedan limitadas a las de recitación y representación en teatros, salas o recintos cuya entrada requiera el **pago de una cantidad de dinero**. No se incluyen los espacios que no permitan el control de entrada a cambio del pago de una cantidad de dinero (p.e., representación en una plaza abierta al público).
Tampoco parece que bajo la definición legal se puedan incluir los supuestos en los que, aunque no se cobre una cantidad de dinero, se obliga a la adquisición o consumición de un bien como **contraprestación en especie** (p.e., cuando la entrada al local es gratuita, pero su estancia en el mismo se subordina al abono de una consumición).

2031 **Obligaciones del autor** (LPI art.77) Las obligaciones del autor son, básicamente:
- la entrega de la obra al empresario (nº 2033); y
- la obligación de responder ante él de la autoría y de la originalidad de la obra (nº 2035).

2033 **Entrega de la obra al empresario** (LPI art.77.1º; RD 3-9-1880 art.80) El autor debe entregar al empresario el texto de la obra, con la partitura en su caso, **completamente instrumentada**, cuando no se hubiese publicado en forma impresa.
No cumple el autor, por consiguiente, con la sola entrega de la obra en versión simple o reducida, que haya podido crear a partir de un instrumento. Por el contrario, debe acondicionar dicha partitura a todos los instrumentos que aparezcan en la pieza a interpretar.
No obstante, cuando la obra ha aparecido **publicada en forma impresa** con anterioridad, la instrumentación de la obra corresponde al empresario, salvo, naturalmente, que el autor se comprometa a llevarla a cabo como una prestación más en el contrato.
El empresario no puede hacer **variaciones en el texto o en la partitura** de la pieza, ni siquiera con el objeto de adaptarla a sus necesidades comerciales o de explotación de la obra, salvo que cuente con autorización o permiso expreso del autor (LPI art.78.2º). No es válida a estos efectos la **autorización de carácter previo**, prevista en el contrato, puesto que el autor carece en el momento de contratar de los conocimientos sobre el cambio o modificación a introducir, conocimiento necesario para que forme su voluntad conforme a derecho.

Precisiones 1) Para que haya **publicación** de la obra, en el sentido legal del término, se exige la puesta a disposición del público de ejemplares suficientes de la obra como para atender razonablemente su demanda (no lo es, p.e., la edición limitada, dirigida a atender necesidades particulares del autor, o un envío de la obra a un concurso o certamen).
2) Se exige que la publicación sea impresa, por lo que, evidentemente, no vale a estos efectos la **interpretación previa** de la obra.

2035 **Responsabilidad de la autoría y originalidad** (LPI art.77.2º) El autor ha de responder ante el cesionario de la autoría y originalidad de la obra, extremos en los que nos remitimos a lo expuesto con referencia al contrato de edición (nº 1954).

2037 **Obligaciones del empresario** (LPI art.78) El empresario o cesionario, que puede ser tanto una persona física como jurídica, está obligado a:
- la **explotación de la obra** según lo acordado y sin afectar las facultades morales del autor (nº 2039);
- garantizar al autor o a sus representantes la **inspección** de la representación pública de la obra y la **asistencia** a la misma gratuitamente (nº 2043);
- el pago de la **remuneración** convenida (nº 2045);
- presentar al autor o a sus representantes el **programa exacto** de los actos de comunicación y, cuando la remuneración fuese proporcional, una **declaración de los ingresos**, así como facilitar la comprobación de dichos documentos (nº 2049);
- obtener las **copias necesarias** para la comunicación pública de la obra (nº 2051).

Explotación de la obra (LPI art.78.1º y 2º; RD 3-9-1880 art.87) La primera obligación del empresario es la de proceder a la **comunicación pública** de la obra en el plazo convenido o determinado según las reglas expuestas anteriormente (nº 2027). 2039

El empresario debe efectuar además la comunicación pública de la obra sin hacer en ella **variaciones, adiciones, cortes o supresiones** no consentidos por el autor y en condiciones técnicas que no perjudiquen el derecho moral de éste.

Al respecto ha de tenerse en cuenta lo siguiente:

• El autor tiene derecho a exigir el respeto a la **integridad de la obra** e impedir cualquier deformación, modificación, alteración o atentado contra ella que suponga perjuicio a sus legítimos intereses o menoscabo a su reputación (LPI art.14.4º). Sin embargo, no toda variación, modificación o alteración de la obra original debe ser interpretada como que afecta a las facultades morales del autor, sino solo aquella que realmente suponga un **menosprecio o perjuicio reconocido**, objetivable, de la fama artística del autor.

• Deben valorarse las **particularidades de la explotación** de la obra, como pueden ser las características técnicas del espacio físico en que va a ser representada (p.e., si lo angosto del escenario no permite la ejecución de la obra tal y como fue diseñada por el autor, parece adecuado que el empresario pueda, en principio, alterar la obra a fin de adaptarla a sus necesidades empresariales).

En cualquier caso, es aconsejable contar con la **autorización del autor** a la hora de llevar a cabo cualquier transformación de la obra con posterioridad al momento en que fue entregada al empresario.

Precisiones 1) El empresario no está obligado, salvo pacto en contrario, a emplear otro **vestuario y decorado** distintos de los poseídos por el teatro, siempre que no sean contrarios al carácter distintivo e histórico de la obra (RD 3-9-1880 art.88). 2041

2) Es difícil determinar qué **variaciones en la obra** son admisibles. La casuística al respecto puede ser inabarcable: ¿Constituye un perjuicio a la reputación artística del autor modificar los decorados de una obra o adaptarlos a las dimensiones del escenario? ¿Puede el empresario encargar a un tercero la instrumentación de una obra musical cuando no se entrega completamente instrumentada por el autor sin que ello suponga un atentado a las facultades morales del autor? ¿Supone una alteración sustancial la eliminación de una instrumentación determinada de la obra a ejecutar? Ciertamente, son supuestos extremos, pero que se producen en la práctica.

A nuestro juicio, la modificación ha de ser de **carácter sustancial**, entendida tanto en un sentido intensivo como extensivo. En su sentido intensivo, cuando afecta al carácter particular de la obra (no parece, p.e., que una alteración del diálogo de uno de los personajes, asumida por un intérprete a fin de dar mayor fuerza interpretativa, pueda calificarse necesariamente como de atentado contra el derecho moral). En su sentido extensivo, cuando la modificación afecta de manera total a la obra haciéndola bastante diferente a como era en un principio o a como fue entregada por el autor al empresario.

Inspección de la representación pública y asistencia gratuita (LPI art.78.3º; RD 3-9-1880 art.105 y 118) 2043

El empresario debe garantizar al autor o a sus representantes la **inspección** de la representación pública de la obra y la **asistencia** a la misma gratuitamente.

El **representante del autor** debe identificarse debidamente ante el empresario cesionario, pero entendemos que no es necesario exigir que cuente con un apoderamiento otorgado a su favor. Basta con mostrar un título suficiente que, de acuerdo con los usos en el sector, demuestre la actuación del representante por cuenta del autor. En este sentido, parece fuera de toda duda que las sociedades **o entidades de gestión** no necesitan acreditarse especialmente a la hora de exigir el cumplimiento de esta obligación al tener por ley la encomienda en la gestión y administración de determinados derechos escénicos.

El autor de la obra dramática o musical tiene derecho a exigir dos **asientos gratuitos** de primer orden cada vez que la obra se represente, pero no podrá reclamar más localidades, aunque la obra haya sido escrita en colaboración por dos o más autores. El día del **estreno de la obra** disfrutará además de un palco de primera clase con seis entradas o seis asientos de primer orden.

Precisiones Se trata sin duda de una obligación intermedia entre la cortesía y el **control por parte del autor** de que el empresario explote la obra de acuerdo con los textos y la música entregados por el autor, no aprovechando o usando otros pertenecientes a otros titulares de derechos.

En relación con las denominadas «**obras de gran derecho**» (literarias, dramáticas, dramático-musicales, coreográficas o de pantomima), las entidades de gestión carecen de representación legal a la hora de gestionar o administrar los derechos correspondientes (LPI art.157.3), debiéndose recabar, salvo pacto en contrario en el acuerdo de adhesión con la entidad de gestión correspondiente, el consentimiento particularizado del titular de derechos.

2045 **Pago de la remuneración** (LPI art.78.4º y 79; RD 3-9-1880 art.96 a 119) El empresario también está obligado al pago de la remuneración estipulada, la cual se ha de calcular de acuerdo con las normas expuestas en el contrato de edición (nº 1975).

En consecuencia, la regla general es que la remuneración del autor es **proporcional a los ingresos** de la explotación. La determinación del porcentaje es algo que debe ser objeto de acuerdo entre las partes. Normalmente el cálculo de la remuneración se hará en función del número de representaciones, de la amplitud y del aforo del local en el que aquéllas tengan lugar.

El pago de la remuneración **a tanto alzado** es algo excepcional, que solo cabe en determinados supuestos.

La remuneración debe consistir en una **compensación económica**, lo que excluye la posibilidad de una remuneración en especie, e incluso la remuneración cero o gratuita.

Cuando la remuneración consista en una participación proporcional en los ingresos, ha de considerarse al empresario de espectáculos públicos como **depositario de la remuneración** correspondiente al autor por la comunicación de sus obras. Dicha remuneración debe tenerla semanalmente a disposición del autor o de su representante.

2047 El depósito en este caso tiene, en nuestra opinión, **carácter mercantil**, pues el depositario tiene la condición de empresario (CCom art.303). En relación con esta cuestión conviene tener presente lo siguiente:

- El depositario está obligado a conservar la cosa objeto de depósito según la reciba, y a devolverla con sus aumentos si los tuviere (CCom art.306). En consecuencia, el empresario también debe entregar los **intereses devengados** hasta el momento en el que el autor o su representante retiren la remuneración debida. Por otro lado, téngase en cuenta que el recibo del capital por el acreedor, sin reserva alguna respecto a los intereses, extingue la obligación del deudor en cuanto a éstos (CC art.1110).
- El depositario responde de los **daños y perjuicios** que la cosa depositada sufra por su malicia o negligencia, y también de los que provengan de la naturaleza o vicio de las cosas -p.e., dinero falso, robo de la recaudación, pérdida o similares- (CCom art.306).
- El depositario, por último, en compensación por los riesgos anteriores, tiene derecho a exigir una **remuneración**, salvo pacto en contrario (CCom art.304). Entendemos que esta previsión es igualmente aplicable al contrato de representación teatral.

Finalmente, ha de tenerse presente que el pago por la licencia de explotación o autorización (en la terminología española), negociada con el titular de derechos, no excluye el pago de la **remuneración derivada de la explotación** misma. Se trata de dos conceptos diferentes que solo pueden coincidir cuando se pacte una remuneración a tanto alzado.

Precisiones 1) La **ausencia de remuneración** supondría la renuncia del autor a la protección que la Ley le brinda, pues no tendría sentido exigir al empresario el cumplimiento de sus obligaciones cuando el propio autor no se considera obligado por una remuneración.

2) El carácter representativo de las **entidades de gestión** es una cuestión discutida en la doctrina y en la jurisprudencia, por lo que es aconsejable, como medida de protección frente a reclamaciones de las entidades de gestión, exigir un documento que acredite el título en virtud del cual el inspector actúa o su acreditación (no es ciertamente exigible un poder de representación, sobre la base *mutatis mutandis* del art.150 LPI), o bien reclamar un justificante de pago para el caso de que el titular de los derechos reclame nuevamente el pago. Por otro lado, es habitual que las entidades de gestión de distintos países firmen acuerdos en virtud de los cuales compensen las cantidades debidas entre unas y otras. Es aquí fundamentalmente donde cobra importancia la exigencia de un recibo o justificante del pago.

2049 **Programa de la obra y declaración de ingresos** (LPI art.78.5º) El empresario debe, por último, presentar al autor o a sus representantes el programa exacto de los actos de comunicación previstos y, cuando la remuneración fuese proporcional, una declaración de los ingresos. Asimismo, el cesionario debe facilitarles la comprobación de dicho programa y declaración.

Si se trata de **varios autores**, no basta con que asista uno de ellos al espectáculo para entender que los demás han dado su conformidad a la representación pública de la obra. Esto solo puede admitirse en el supuesto de que todos los coautores tengan constancia de que el asistente va a asumir su representación. El empresario, en estos casos, debería asegurarse de que el asistente cuenta con las autorizaciones correspondientes.

Precisiones Esta obligación posibilita que el autor pueda **fiscalizar la actividad comercial** del empresario y comprobar que la remuneración entregada se corresponde efectivamente con los ingresos obtenidos. Evidentemente, esto solo tiene lógica en los casos de remuneración proporcional.

Junto a esa finalidad se ha querido que el autor controle los **actos de explotación de la obra**. Ello indica la preocupación por que el autor realmente tenga conocimiento de cuáles van a ser las formas de explotación de su obra.

Obtención de copias (LPI art.80.1º; RD 3-9-1880 art.79) Corresponde al cesionario obtener las copias necesarias para la comunicación pública de la obra. En cualquier caso, el autor puede **visar o comprobar las copias** en cuestión. Si no lo hiciera, debe entenderse que hace dejación de su facultad para hacerlo y que, por lo tanto, da por buenas las reproducciones que el empresario haya podido hacer. 2051

La realización de copias de la obra implica la **cesión del derecho de reproducción**, aunque el contrato de representación, por definición, no incluya tal derecho (LPI art.74). Lógicamente, ha de partirse de que el autor consiente en que el empresario pueda reproducir su obra con la finalidad señalada, pero resulta aconsejable incluir una previsión contractual en este sentido.

Obligaciones compartidas (LPI art.80.2º y 3º; RD 3-9-1880 art.85 y 86) Corresponde a ambos, autor y empresario, de común acuerdo, la **elección de los intérpretes principales** y, cuando se trate de orquestas, coros, grupos de bailes y conjuntos artísticos análogos, del **director**. 2053

Esta disposición es aplicable indistintamente tanto al contrato de representación como al de ejecución o interpretación musical.

Para determinar los intérpretes principales puede atenderse a la importancia cuantitativa del personaje a lo largo de la obra, o bien a su importancia en la trama o desarrollo de la obra (p.e., un personaje del que se habla a lo largo de toda la obra, aun cuando solo aparezca al final de la misma).

Tratándose de orquestas o de otros conjuntos, en nuestra opinión, las partes deben también ponerse de acuerdo sobre los **artistas solistas**, en el bien entendido de que éstos son intérpretes principales.

A **falta de acuerdo**, puede acudirse a un tercero imparcial, profesional del medio, e incluso al juez (lo cual resulta poco práctico si tenemos en cuenta la celeridad propia de estos contratos). Si aun así no se llega a un acuerdo, la consecuencia será la imposibilidad de que el empresario pueda explotar la obra, dada la primacía de la opinión del autor en todo lo tocante a dicha explotación.

Finalmente, autor y empresario también han de ponerse de acuerdo en la redacción de la **publicidad de los actos de comunicación**.

En los **carteles y programas** de las funciones se han de anunciar con precisión las obras, con sus títulos verdaderos, sin adiciones ni supresiones, así como con los nombres de los autores o traductores. Estos requisitos se deben observar incluso para las obras que hayan pasado a dominio público, sin que puedan anunciarse con solo los títulos genéricos de tragedia, drama, comedia, zarzuela, sainete, etc.

La redacción del cartel de una **obra nueva** corresponde al autor o autores de la misma, quienes pueden impedir o exigir que se publique su nombre antes del estreno.

Resolución (LPI art.81) La Ley solo contempla expresamente la posibilidad de resolución del contrato por el **autor**. No obstante, a nuestro juicio, no existe impedimento para que el **empresario** resuelva el contrato cuando el autor incumpla alguna de sus obligaciones. Por consiguiente, en principio, ambas partes están facultadas para resolver el contrato, si bien, cuando es el autor quien ejerce esta facultad, debe hacerlo dentro de los siguientes supuestos: 2055

a) Por **interrupción de las funciones**. Cuando el empresario que haya adquirido derechos exclusivos, una vez iniciadas las representaciones públicas de la obra, las interrumpa durante un año. Téngase en cuenta que la norma no se aplica en aquellos casos en los que los derechos se hayan adquirido de forma no exclusiva.

b) Por **no explotación de la obra** en el plazo convenido. Cuando el empresario incumpla la obligación de llevar a cabo la comunicación pública de la obra en el plazo pactado con el autor. El plazo empieza a contar desde el momento en el que el autor haya puesto al cesionario en disposición de explotar la obra.

c) Por **incumplimiento del resto de las obligaciones** contenidas en LPI art.78 (nº 2037 s.). En este caso se exige que el autor haya requerido previamente al empresario para su cumplimiento. No es preciso que este requerimiento sea notarial, basta con que deje constancia de haber sido efectuado (p.e., a través de correo certificado o del burofax).

Precisiones Entender que solo el autor puede exigir la resolución iría en contra de los más elementales principios del Derecho de obligaciones y de la regla general para la **resolución de las obligaciones** recíprocas (CC art.1124).

Extinción (LPI art.82) Se prevé un **supuesto específico** de extinción del contrato de representación. Debe partirse de la base de que se trate de una obra de estreno y que su representación escénica sea la única modalidad contemplada en el contrato. El contrato se extingue en este caso si la obra de estreno es rechazada claramente por el público y así se ha previsto en el contrato. 2057

El **claro rechazo por el público** es un concepto indeterminado que ha de interpretarse como rechazo de manera ostensible y mayoritaria, aunque no ha de ser necesariamente unánime. Dicho rechazo se puede manifestar a través de **diversas formas**: pataleo, abucheo, desplante, etc., cuyo denominador común debe ser, en todo caso, el del desagrado por el modo de interpretar la obra o por el contenido de la obra en sí.
La referencia a **obra de estreno** no debe identificarse necesariamente con el día del estreno o el estreno de la obra y tampoco con una obra no divulgada previamente. El concepto de divulgación es bastante extremo, ya que exige que la obra se haya hecho accesible al público por primera vez (LPI art.4). A nuestro juicio, la Ley se refiere, por tanto, a una obra no publicada anteriormente en el lugar y en el tiempo en el que está siendo objeto de explotación actual. Así, aunque el estreno real de la obra se haya producido anteriormente, en otro lugar, habrá que considerar estreno la primera representación en un lugar distinto de aquel (p.e., el estreno en Madrid de una obra cuyo estreno mundial tuvo lugar en Broadway).

Precisiones Entendemos posible una cláusula, análoga a la expuesta, relativa a la extinción del contrato por **no aceptación de la obra por la crítica**.

2059 **Comunicación pública mediante radiodifusión, transmisión por cable y vía satélite** El acto de comunicación pública de una obra puede adoptar diferentes modalidades, sin tener que limitarse, por razón del contrato que estamos analizando, a la representación escénica, la recitación, la disertación o la ejecución pública. En este sentido, también se consideran actos de comunicación pública, entre otros:
a) La emisión de cualesquiera obras por **radiodifusión** o por cualquier otro medio que sirva para la difusión inalámbrica de signos, sonidos o imágenes. El concepto de emisión comprende la producción de señales portadoras de programas hacia un satélite, cuando la recepción de las mismas por el público no es posible sino a través de entidad distinta de la de origen (LPI art.20.2.c).
b) La radiodifusión o comunicación al público **vía satélite** de cualesquiera obras, es decir, el acto de introducir, bajo el control y la responsabilidad de la entidad radiodifusora, las señales portadoras de programas, destinadas a la recepción por el público en una cadena ininterrumpida de comunicación que vaya al satélite y desde éste a la tierra. Los procesos técnicos normales relativos a las señales portadoras de programas no se consideran interrupciones de la cadena de comunicación.
Cuando las señales portadoras de programas se emitan de **manera codificada**, existe comunicación al público vía satélite siempre que se pongan a disposición del público por la entidad radiodifusora, o con su consentimiento, medios de descodificación (LPI art.20.2.d).
c) La transmisión de cualesquiera obras al público por **hilo, cable, fibra óptica** u otro procedimiento análogo, sea o no mediante abono (LPI art.20.2.e).
d) La **retransmisión**, por cualquiera de los medios citados en los apartados anteriores y por entidad distinta de la de origen, de la obra radiodifundida (LPI art.20.2.f).
e) La **puesta a disposición** del público de obras, por procedimientos alámbricos o inalámbricos, de tal forma que cualquier persona pueda acceder a ellas desde el lugar y en el momento que elija (LPI art.20.2.i).

2061 En cuanto a la **transmisión simultánea** de la obra por cable o vía satélite, ha de entenderse autorizada en los siguientes términos:
• La autorización para emitir una obra comprende la **transmisión por cable** de la emisión, cuanto ésta se realice simultánea e íntegramente por la entidad de origen y sin exceder la zona geográfica prevista en dicha autorización (LPI art.36.1).
• Comprende asimismo su incorporación a un **programa dirigido hacia un satélite** que permita la recepción de esta obra a través de entidad distinta de la de origen, cuando el autor o su derechohabiente haya autorizado a esta última entidad para comunicar la obra al público, en cuyo caso, además, la emisora de origen queda exenta del pago de toda remuneración (LPI art.36.2).
En consecuencia, el titular de derechos no puede exigir una **nueva remuneración** por el acto de transmisión simultánea por cable del acto de emisión radiofónica, cuando dicho acto de transmisión es llevado a cabo por la misma entidad autorizada para el acto de radiodifusión y su dimensión territorial no excede de la pactada como límite máximo en el contrato de emisión o comunicación pública.

2063 Precisiones 1) Se entiende por **satélite** cualquiera que opere en bandas de frecuencia reservadas por la legislación de telecomunicaciones a la difusión de señales para la recepción por el público o para la comunicación individual no pública, siempre que, en este último caso, las circunstancias en las que se lleve a efecto la recepción individual de las señales sean comparables a las que se aplican en el primer caso.

2) Se entiende por **retransmisión por cable** la retransmisión simultánea, inalterada e íntegra, por medio de cable o microondas de emisiones o transmisiones iniciales, incluidas las realizadas por satélite, de programas radiodifundidos o televisados destinados a ser recibidos por el público.
3) Para determinar si nos hallamos ante **dos entidades de radiodifusión** hay que atender, en nuestra opinión, al criterio de la intención o decisión subjetiva del explotador: si esta decisión es tomada por un ente que no se corresponde con el autorizado, ni está unido a él por vínculos societarios que permitan hacer suponer que está dirigido económicamente por aquél, entonces estaremos ante una entidad de radiodifusión distinta en el sentido exigido por la Ley.

Cesión del derecho de comunicación pública mediante radiodifusión (LPI art.84.1) El supuesto que se contempla en este apartado es el de **explotación simultánea** de obras tanto sobre el escenario, como a través de la radiodifusión o medio de comunicación similar (p.e., difusión por cable o vía satélite). 2065
La Ley establece al respecto que, cuando la cesión del derecho de comunicación pública se realice a través de la radiodifusión, son aplicables las normas expuestas para el contrato de **representación teatral y ejecución musical**, salvo en lo que se refiere a la resolución por interrupción de las representaciones (facultad del autor de resolver el contrato cuando, habiendo adquirido el empresario derechos exclusivos, una vez iniciadas las representaciones públicas de la obra, las interrumpa durante un año: ver nº 2055).
No obstante, hay ciertas normas que no parecen encontrar fácil acomodo en esta modalidad de comunicación. Así, las previsiones sobre entrega de la obra con la **partitura instrumentada** (nº 2033) o las que se refieren a la **obtención de las copias necesarias** para la comunicación pública de la obra (nº 2051).

Por otro lado, surgen dudas sobre si la prohibición de efectuar variaciones, adiciones o cortes, impuesta al empresario en el contrato de representación (nº 2039) puede aplicarse también a los **cortes publicitarios**. En nuestra opinión, si nada se ha pactado en el contrato, tales cortes han de considerarse prohibidos. 2067
Téngase en cuenta, no obstante que, para los contratos de **producción de obras audiovisuales** destinadas esencialmente a la comunicación pública a través de la radiodifusión, se presume concedida por los autores la autorización para realizar en la forma de emisión de la obra las modificaciones estrictamente exigidas por el modo de programación del medio (LPI art.92.2). Supuesto éste que no se refiere, en nuestra opinión, a la contratación de un anuncio publicitario y su posterior emisión, sino más bien a los cortes que coincidan con los descansos programados en la representación de la obra o a cortes obligados por la transmisión de noticias relevantes para la opinión pública.

Precisiones **1)** Aunque la Ley se refiere a radiodifusión, término éste restringido a la emisión por medio de ondas hertzianas (LPI art.20.2.d) y f), no vemos inconveniente en que se aplique también a los supuestos de **comunicación al público vía satélite**, pues, de hecho, serán éstos los más habituales, dadas las necesidades de explotación de espectáculos en la actualidad. 2069
2) Téngase en cuenta que cada una de las modalidades de explotación de una misma obra da lugar a una **remuneración diferente** y, evidentemente, el hecho de estar autorizado a representar la obra en su modalidad de representación escénica, no autoriza a explotar la obra por medio de la emisión radiofónica o de la comunicación al público vía satélite. Si ese fuera el caso, se trataría de dos actos distintos de explotación. Otro tanto sucedería cuando se tratase de una retransmisión por ondas y por cable: si intervienen dos entidades de radiodifusión distintas, estamos ante dos actos diferentes de explotación y no ante uno, por el que solo una vez se debiera pagar.
Si la obra representada va a ser además objeto de **grabación**, o por mejor decir, de fijación, para luego ser explotada a través de las modalidades indicadas, entonces deben adquirirse no solo los derechos de representación escénica y de radiodifusión (o comunicación pública vía satélite), sino también los de reproducción. Si, además, esas emisiones reproducidas luego van a ser objeto de **venta, préstamo o cesión** por medio de soportes tangibles, debe adquirirse asimismo el derecho de distribución.
3) En todas estas adquisiciones es muy importante tener en cuenta el **ámbito territorial** de los derechos adquiridos y su compatibilidad con la existencia de los derechos de otros titulares. Una negociación con la entidad de gestión correspondiente puede solucionar muchos de los problemas, si bien también podría intentarse la negociación directamente con los titulares de derechos, salvo en los supuestos de retransmisión por cable (LPI art.20.4), caso en el que rige un sistema obligatorio de gestión colectiva, y de comunicación pública de prestaciones artísticas (LPI art.108.1).

Duración de la cesión (LPI art.84.2) Esta explotación a través de la radiodifusión suele agotarse en **un solo acto de comunicación** y, en consecuencia, la Ley establece que, salvo pacto en contrario, se ha de entender que dicha cesión queda limitada a la emisión de la obra por una sola vez, realizada por medios inalámbricos y centros emisores de la entidad de radiodifusión autorizada, dentro del ámbito territorial determinado en el contrato. Esto ha de entenderse sin perjuicio de lo expuesto en el nº 2059 s. (LPI art.20 y 36.1 y 2). 2071

Precisiones Son **centros emisores** de la entidad de radiodifusión, en nuestra opinión, no solo los repetidores de ondas de la entidad de radiodifusión («relais»), sino también las entidades locales o, en general, las entidades filiales de aquélla.

SECCIÓN 4

Contratos sobre obras audiovisuales

2075

2077 Estos contratos se ocupan de sustentar contractualmente la **realización de obras o grabaciones audiovisuales**. Dentro de los múltiples contratos que pueden integrarse bajo este concepto, vamos a referirnos principalmente a los contratos de producción audiovisual, dirección-realización, creación musical o de banda sonora, creación del guion, prestación artística y doblaje.
En la práctica, y sobre todo en el ámbito cinematográfico, es usual que el principal de ellos, que sin duda es el de **producción**, sea el centro de referencia para todos los demás.
Por el contrario, ha de tenerse en cuenta que estos contratos no tienen por qué darse necesariamente en el **ámbito de la producción cinematográfica** o audiovisual, pudiendo tener lugar en **otros ámbitos** como el teatral, el musical o cualquier otro referido a las artes escénicas. Así, el contrato de creación musical puede realizarse con vistas a una obra dramático-musical, el de dirección puede referirse a una obra de teatro y el de prestación artística puede tener por objeto una representación teatral o una actuación musical. En estos casos, han de tenerse en cuenta las **particularidades de explotación** exigidas en cada medio, lo que motivará que los contratos presenten cláusulas particulares.

Precisiones En el ámbito de los contratos sobre obras audiovisuales, conviene tener en cuenta las disposiciones de la L 55/2007 del cine (y su desarrollo reglamentario por RD 1084/2015). Esta Ley prevé la concesión de **ayudas** a la producción, promoción y distribución, principalmente de obras cinematográficas españolas y europeas (L 55/2007 art.19 s.), así como otras normas sobre calificación de obras audiovisuales, registro administrativo de empresas del sector, infracciones y sanciones, y **cuotas de pantalla** (nº 2262).

2079 **Obra audiovisual** (LPI art.86 y 87) A modo de introducción es imprescindible una referencia al concepto de obra audiovisual. Se refiere este tipo de obra a la formada mediante la unión o **secuencia de imágenes**, con o sin sonido, cuya finalidad sea la de ser explotada a través de aparatos de proyección o por medio de cualquier otro medio de comunicación pública de la imagen y del sonido, con independencia de la naturaleza de los soportes materiales de dichas obras.
Debemos añadir también que este tipo de contratación es susceptible de aplicarse indistintamente tanto a las producciones, como a las **grabaciones audiovisuales**. Las primeras se distinguen de las segundas en que constituyen obras artísticas en el sentido de la Ley, cuando éstas simplemente incorporan sonidos, imágenes o representaciones físicas sin atender a un valor relevante para el derecho de autor (p.e., informativos, partidos de fútbol o retransmisiones deportivas en general). Así, salvo que se especifique lo contrario, siempre que nos refiramos a obra audiovisual, estaremos aludiendo también a la grabación audiovisual.
Por último, señalar que son considerados **autores de las obras audiovisuales**:
- el director-realizador;
- los autores del argumento, la adaptación y los del guion o los diálogos; y
- los autores de las composiciones musicales, con o sin letra, creadas especialmente para este tipo de obra.

Se concibe, pues, la obra audiovisual como una **obra en colaboración** sometida al régimen de copropiedad previsto en la Ley (nº 1722).

Precisiones La característica fundamental de la obra audiovisual es la idea de **movimiento de imágenes**, más que la de su acompañamiento por sonidos. Incluso el medio de explotación concreto de la obra audiovisual es relativo, ya que se deja abierta la posibilidad de **explotación por distintos medios**, siempre y cuando se trate de medios de comunicación pública de la imagen y del sonido.

1. Contrato de producción audiovisual

 2085

El contrato de producción tiene por objeto regular todos los aspectos de la **financiación de la obra** o grabación audiovisual, así como aquellos relativos a la atribución de derechos de propiedad intelectual sobre la obra audiovisual. 2087
No es esencial, pero también puede pactarse o definirse el **proceso comercial** que va a seguir la explotación de la obra, lo que en la jerga especializada se denomina «ventanas de explotación».
El contrato tampoco ha de referirse necesariamente a los **derechos y obligaciones de los autores** de la obra (director, guionista, etc.), los cuales pueden regularse aparte en sus respectivos contratos.
Más bien el contrato de producción debe centrarse en definir las **obligaciones del productor** de cara a los creadores de la obra (remuneración, plazos de explotación, etc.) y, en su caso, frente a los titulares de derechos que sirven de base para la realización de la obra (piénsese, p.e., en la realización de una película basada en una novela).

Ahora bien, en la práctica, en lugar de ser los autores quienes negocien y cedan los derechos de explotación al productor, suele ocurrir que es el productor quien contrata y elige al director y a los demás autores de la obra (amén de los artistas intérpretes) para de ese modo lograr un producto competitivo en el mercado audiovisual. 2089
Parece, pues, claro que el contrato de producción tiene una **dimensión más amplia** que la de regular simplemente los derechos y obligaciones de los autores de las obras audiovisuales. El contrato de producción adopta, entonces, una vocación más general, en un sentido de acuerdo de intenciones y de forma de regulación de la explotación de la obra, esto es, de definición del tipo de explotación cedida y de autorización para ello.
Así, es usual que se integren en su seno **otros contratos**, que son los que van a regular de modo específico las obligaciones de los autores de la obra audiovisual. Nos estamos refiriendo a los contratos con el director-realizador (nº 2145), con el guionista o autor de las adaptaciones y con el compositor de la obra musical especialmente creada para la obra audiovisual (nº 2165).

Precisiones En consecuencia, en la mayor parte de las ocasiones es verdaderamente el productor quien realiza el **«diseño» de la obra**, en función de sus inquietudes o perspectivas comerciales. Y no deja de ser lógico si se tiene en cuenta que el productor es en realidad un empresario que arriesga su capital en la aventura de la creación audiovisual. Incluso dentro de esta madeja de intereses comerciales que se teje en torno a la explotación de obras audiovisuales y cinematográficas, podríamos deducir que son realmente los exhibidores y distribuidores de las películas quienes determinan, en función de los gustos de los espectadores, el tipo de obras a producir.

a. Contratantes

Los sujetos de este contrato son, en principio, el **productor**, por una parte, y los **titulares de derechos**, por otra. 2095
Posteriormente, se ha de negociar, y adquirir los derechos correspondientes, con **otros titulares de derechos** tales como los artistas intérpretes y ejecutantes, los distribuidores y los exhibidores, los cuales no son, en sentido estricto, parte en el contrato de producción, pese a la importancia que todos ellos tienen en el proceso de creación de la obra.

Titulares de derechos Los titulares de derechos pueden ser bien los **autores** de la obra, o bien, además, los autores de una obra previa que sirve de fuente para la creación de la obra audiovisual (p.e., una obra de teatro). 2097

Productor En nuestra normativa de propiedad intelectual, el productor no recibe la consideración de autor. Únicamente es **titular de un derecho económico**, en compensación por la inversión económica que lleva a cabo. Consecuentemente, carece de facultad moral alguna. No es un creador, sino un empresario, y lo que se protege por medio de la propiedad intelectual es la iniciativa empresarial que permite crear las condiciones comerciales precisas para que la actividad creativa pueda tener lugar (aspecto económico del derecho de autor). 2099
El productor es la persona natural o jurídica que tiene la **iniciativa** y asume la **responsabilidad** de la fijación de un plano o secuencia de imágenes, con o sin sonido, sean o no creaciones susceptibles de ser calificadas como obra audiovisual (LPI art.120.2). Esta definición, aunque

referida al productor de una grabación audiovisual, entendemos que es aplicable al productor de una obra audiovisual.
Es preciso, por tanto, que el productor asuma la iniciativa y la responsabilidad empresariales en fijar la obra audiovisual a un soporte que permita su **reproducción y explotación pública** (por medio de la distribución o de la comunicación pública).

b. Contenido

2105 El contrato de producción, salvo en muy contadas circunstancias, no está tipificado como tal en nuestra normativa. Ello significa que se deja un amplio **margen de libertad** a las partes para que puedan establecer en la contratación todas aquellas cláusulas que estimen convenientes.
En cualquier caso, que el principio de libertad contractual de las partes (CC art.1255) impere en este tipo de contrato, no significa que no se deban respetar, con carácter general, las disposiciones protectoras en materia de **facultades morales del autor**. Recordemos que este tipo de facultades son irrenunciables e intransmisibles (nº 1767). Así pues, el productor no puede variar la obra tal y como el guionista y el resto de los autores la han diseñado (p.e., colorearla si los autores la han creado en blanco y negro).
Otras cláusulas que, entendemos, resultan inderogables por voluntad de las partes son las relativas a la **cesión de los derechos** y a las limitaciones existentes en la explotación (LPI art.43).
Las **obligaciones principales de las partes** giran en torno a las siguientes cuestiones, que analizamos en los números siguientes:
- la terminación de la obra (nº 2107);
- la remuneración (nº 2109);
- la cesión de derechos (nº 2127);
- la realización de la prestación pactada (nº 2135);
- obligaciones complementarias (nº 2139).

2107 **Terminación de la obra** (LPI art.92 y 93) La obra audiovisual se considera terminada cuando haya sido establecida la **versión definitiva**, de acuerdo con lo pactado en el contrato entre el director-realizador y el productor. Parece, pues, imponerse la idea de que ha de ser en el contrato donde se establezcan los criterios que permitirán saber cuándo la obra está terminada. Tales **criterios** pueden ser, por ejemplo, la finalización del rodaje en una fecha determinada, o su montaje en postproducción (lo que será más usual), o cuando la obra alcance un determinado metraje, o cuando los autores den su visto bueno al producto montado. Si la obra audiovisual está inspirada en una obra preexistente, la versión definitiva puede consistir simplemente en la adaptación de la una a la otra.
La consideración de la existencia de una versión definitiva no corresponde a la totalidad de los autores, sino a lo pactado entre el productor y el director-realizador. Se pone de manifiesto con esta previsión la importancia de la figura del director como diseñador último de la obra audiovisual. Aunque la Ley parece invitar a que las partes lleguen a un acuerdo sobre el momento en el que dicha versión tiene lugar, no vemos inconveniente, sobre la base de razones prácticas y por motivos usuales en el sector, en que, mediante una cláusula al efecto, se conceda al productor o al director-realizador la **facultad de decidir** cuándo se ha llegado a la versión definitiva de la obra audiovisual.
No se establece previsión alguna sobre el **plazo** con que se cuenta para la terminación, por lo que pueden las partes pactar el que estimen conveniente o determinarlo con relación a los criterios expuestos en párrafos anteriores.
Cualquier **modificación de la versión definitiva** de la obra audiovisual mediante añadido, supresión o cambio de cualquier elemento de la misma (p.e., supresión o adición de planos, incrustación de símbolos de publicidad de la productora, aparición de los títulos de doblaje, remasterizaciones con adición de planos descartados en una primera versión, etc.), necesita de la autorización previa de quienes hayan acordado dicha versión definitiva.
Debe entenderse que la obra audiovisual comprende no solo lo que podríamos llamar la obra en sí, es decir, el argumento y desarrollo de la obra, sino también **otros elementos** como los créditos, títulos de doblaje, etc.
El **derecho moral de los autores** solo puede ser ejercido sobre la versión definitiva de la obra audiovisual. Nótese lo paradójico, hasta cierto punto, de esta previsión legal, ya que, habiendo sido acordada la versión definitiva por pacto entre el productor y el director-realizador, el resto de coautores (autores de diálogos, guion adaptado, así como autores de la obra musical específicamente creada para la obra audiovisual) están limitados en el ejercicio de sus facultades morales por aquel acuerdo.

Queda prohibida la **destrucción del soporte original** de la obra audiovisual en su versión definitiva.

Precisiones En virtud del derecho de divulgación se puede obligar a un **cesionario en exclusiva** (p.e., el productor de una obra audiovisual) a divulgar la novela adaptada como guion cinematográfico (TS 2-3-92, EDJ 1988).

Remuneración (LPI art.90) El sistema de remuneración en la explotación de una obra audiovisual es ciertamente complejo. 2109

Las **líneas generales** del sistema remuneratorio se concretan en lo que se expone en los números siguientes.

Precisiones **1)** Téngase en cuenta que los autores (así como los artistas intérpretes o ejecutantes) tienen garantizada, en determinados casos, la percepción de una **remuneración proporcional de los ingresos** derivados de la explotación de la obra, sin perjuicio de la que hubieren recibido como consecuencia de la prestación de su actividad creativa (nº 2115). En este sentido, nunca acaba de quedar claro hasta dónde llega la obligación del productor en asegurar la remuneración debida al autor de la obra, lo que puede originar una cierta inseguridad en el tráfico.
2) Cuando los autores y los artistas intérpretes o ejecutantes concedan autorizaciones o cedan sus derechos exclusivos para la explotación de sus obras u otras prestaciones, tendrán derecho a recibir una remuneración **adecuada y proporcionada**. La **negociación** de las correspondientes autorizaciones o cesiones se realizará de acuerdo con los principios de buena fe contractual, diligencia debida, transparencia y respeto a la libre competencia, lo que excluye el ejercicio de posición de dominio (RDL 24/2021 art.74).

Estipulación de la remuneración Las partes deben determinar la remuneración pactada, que ha de consistir en una **cantidad variable** (en función de los ingresos derivados de la explotación en determinadas condiciones) y, adicionalmente, en una **fija**, si bien esta última tiene un carácter facultativo para las partes. 2111

Es práctica extendida la firma de **dos tipos de contratos**:
- por un lado, los de prestación de **servicios creativos** propiamente dichos; y
- por otro, el de **cesión de los derechos de explotación** correspondientes, que en el caso de los artistas intérpretes o ejecutantes del medio audiovisual suele configurarse como un contrato de cesión de imagen, valorándolo en un 5% de la cantidad pactada por la prestación de los servicios artísticos (cuya cuantía, además, en este particular caso, viene delimitada como contrato laboral y con arreglo a tarifas pactadas por convenio laboral).

Determinación por modalidad de explotación (LPI art.90.1) La remuneración de los autores de la obra audiovisual por la cesión de los derechos de reproducción, distribución y comunicación pública, así como de doblaje o subtitulado de la obra y, en su caso, la correspondiente a los autores de las obras preexistentes, con independencia de que hayan sido transformadas o no, deben determinarse para cada una de las modalidades de explotación concedidas. 2113

Por modalidades de explotación concedidas debe entenderse no solo los **derechos de comunicación pública cedidos** (p.e., exhibición pública, emisión, transmisión, retransmisión, comunicación al público vía satélite), cada uno de los cuales da lugar a una remuneración distinta (si bien en la práctica puede pactarse una que comprenda a todas ellas), sino también los distintos **tipos de explotación técnica** existentes (p.e., vídeo bajo demanda, alquiler o préstamo, *pay per view*, alojamiento de la obra en bases de datos o explotación a través de escalones o ventanas, etc.).

Precisiones **1)** A nuestro juicio, no es necesario que las partes especifiquen la remuneración correspondiente para cada una de estas modalidades, lo que haría la negociación y el contrato sumamente complejos y sin ninguna ventaja práctica. Desde un punto de vista económico y de estrategia negocial, resulta más aconsejable prever una **remuneración global** por todas las modalidades contratadas, si bien haciendo expresa mención de cuáles son éstas.
2) A nuestro juicio, la explotación en el **metaverso** exige una autorización independiente en cuanto modalidad de explotación, si no se ha previsto expresamente en un contrato. Téngase en cuenta que una cosa es la cesión de los derechos de explotación y otra la de las modalidades de explotación concretas dentro de cada uno de esos derechos. En la práctica comercial y contractual habitual en el ámbito audiovisual se tiende a una exhaustiva especificación de las segundas.

Remuneración proporcional (LPI art.90.3 y 90.6) Como hemos comentado, en el contrato puede pactarse una remuneración variable, combinada o no con una remuneración fija. En todo caso y con independencia de lo pactado en el contrato, cuando la obra audiovisual sea **proyectada en lugares públicos** mediante el pago de un precio de entrada, los autores de la obra (incluyendo, en su caso, a los autores de la obra preexistente) tienen derecho a percibir de quienes exhiban públicamente dicha obra un porcentaje de los ingresos procedentes de dicha exhibición pública. 2115

Los **empresarios de salas públicas** o de locales de exhibición (exhibidores) deben poner periódicamente a disposición de los autores las cantidades recaudadas en concepto de dicha remuneración. En la práctica concluyen acuerdos entre las **entidades de gestión** cuyos derechos se ven implicados y las **asociaciones de exhibidores** más representativas del sector.
Aunque el deudor de estas cantidades es el exhibidor, puede optarse por que sean los **productores** quienes, por cuenta de aquél, paguen directamente a los autores (aunque no será lo normal, desde luego).
Si quienes realizan el pago son los exhibidores, pueden éstos **deducir las cantidades pagadas** por este concepto de las que deban abonar a los cedentes de la obra audiovisual. Este derecho a la remuneración proporcional es **irrenunciable e intransmisible** por actos *inter vivos* (no por actos *mortis causa*).

2117 La remuneración proporcional se supedita, en todo caso, a la **explotación pública de la obra**, que puede interpretarse como aquella situación en la que entre el explotador y los participantes que disfrutan de la obra no hay relaciones familiares o de amistad de ningún tipo (LPI art.20.1). La expresa referencia a lugares públicos debe entenderse igualmente que excluye casos de explotación de la obra a través de la **radiodifusión o comunicación al público vía satélite**, dirigidos a la recepción por el público directamente en sus casas o lugares similares.
Aun cuando la norma se refiere a los empresarios de salas públicas o de locales de exhibición, entendemos que el supuesto de hecho ha de extenderse a la **explotación en cualquier lugar**, siempre que el acceso al mismo se haga a cambio de un precio de entrada. En consecuencia, son deudores también los empresarios de cines de verano, hoteles, bares y cafeterías, centros de reunión al aire libre, y sitios similares en los que se exhiban obras audiovisuales y siempre que la entrada al recinto se supedite al pago de un precio de entrada.
Por último, la Ley prevé que, en el caso de **exportación de la obra audiovisual**, los autores pueden ceder el derecho mencionado por una cantidad alzada, cuando en el país de destino les sea imposible o gravemente dificultoso el ejercicio efectivo del derecho.

Precisiones La calificación de este derecho como **irrenunciable e intransmisible** no implica que, por pacto concreto y estando en pleno uso de sus facultades, el autor no pueda hacer dejación del mismo. El carácter irrenunciable debe entenderse como petición de principio, pero no como obstáculo insalvable para su derogación particular por acuerdo en determinados supuestos, especialmente cuando se transfiere al autor el valor económico del derecho cedido.

2119 **Exhibición gratuita** (LPI art.90.4 y 6) La proyección, exhibición, transmisión o la puesta a disposición por procedimientos alámbricos o inalámbricos -de tal forma que cualquier persona pueda acceder a ellos desde el lugar y en el momento que elijan-, debidamente autorizadas, de una obra audiovisual por cualquier procedimiento, **sin exigir pago del precio de entrada**, también da derecho a los autores a percibir la remuneración que proceda. En este caso la remuneración se ha de calcular de acuerdo con las **tarifas generales** establecidas por la entidad de gestión correspondiente.
Este derecho es **irrenunciable e intransmisible** por actos *inter vivos* (no por actos *mortis causa*).

Precisiones Este derecho de remuneración es un derecho establecido por la ley que tiene por finalidad última lograr que los autores perciban una **compensación económica** como consecuencia de aquellas utilizaciones de sus obras que escapan de sus **posibilidades de autorización** (explotaciones secundarias), esto es, modalidades de explotación cuyas dimensiones y características impedirán el seguimiento de la obra por su propio creador (AP Madrid 3-12-04, EDJ 231648; 20-10-03, EDJ 211194).

2121 **Intervención de las entidades de gestión** (LPI art.90.7) Los derechos del autor sobre la remuneración, expuestos en los números anteriores, se han de hacer efectivos a través de las entidades de gestión de los derechos de propiedad intelectual (AP Madrid 20-10-03, EDJ 211194).
No es admisible una estipulación por la que el autor se comprometa con el productor a **recibir directamente de éste la remuneración** correspondiente, sin que tal pago haya de verificarse a través de su entidad de gestión.

2123 **Obligación de información** (LPI art.90.5) Se exige al productor una obligación de resultado consistente en poner a disposición de los autores, al menos una vez al año, la **documentación necesaria** para que aquellos puedan controlar el efectivo cumplimiento de las obligaciones del productor en lo que al pago de la remuneración se refiere. Aunque se trata de una obligación legal, es una cláusula de estilo que suele incorporarse al contrato de producción.

2125 Del mismo modo, el RDL 24/2021 art.75 establece la **obligación de transparencia** a cargo del cesionario de los derechos de explotación o titular de una autorización para el uso de una obra o prestación o de un repertorio administrado por una entidad de gestión está obligado a facilitar a los autores o a los artistas intérpretes o ejecutantes, al menos una vez al año y por medios electrónicos, **información actualizada** sobre la explotación de sus obras o prestaciones, especialmente en lo que se refiere a los modos de explotación, la totalidad de los ingresos generados y la remuneración correspondiente. Esta obligación puede extenderse a sucesivos terceros a los que se haya cedido el derecho en cuestión.

Dicha obligación se puede limitar cuando resulte **desproporcionada** en relación con los ingresos generados por la explotación de la obra o prestación, ciñéndose a un nivel de información razonable, proporcionado y efectivo.

Esta obligación **no será aplicable** cuando la contribución del autor o del artista intérprete o ejecutante no sea significativa en relación con la obra o prestación, a menos que necesite esa información para el ejercicio de la acción de revisión por remuneración no equitativa de la LPI art.47 (nº 1873) o cuando sea de aplicación lo dispuesto en el art.167 LPI (obligaciones de los usuarios respecto a la gestión de los derechos de autor en supuestos de autorizaciones no exclusivas para el uso de repertorio de las entidades de gestión).

Es importante tener presente estos dos últimos párrafos, habida cuenta de que en las obras audiovisuales no toda **intervención artística** tiene la misma **relevancia**.

Cesión de los derechos de explotación (LPI art.88) Por el contrato de producción de la obra audiovisual, se presumen cedidos al productor los derechos de **reproducción, distribución y comunicación pública**, así como los de **doblaje o subtitulado** de la obra. **2127**

Se presume además que la cesión se realiza **en exclusiva**.

El alcance de esta presunción es limitado y alcanza únicamente a los derechos consustanciales con la explotación de una obra audiovisual: reproducción, distribución y comunicación pública. No quedan comprendidos, pues, **otros derechos de explotación**, tales como el de transformación o el de puesta a disposición, por lo que, si se quiere que tales derechos queden dentro del radio de acción del contrato, debe hacerse expresa mención a los mismos.

Ha de tenerse en cuenta también que, si nada se ha estipulado en el contrato, se presume que la cesión se realiza por un **plazo** de cinco años y limitada al **ámbito territorial** del país en el que se realice (LPI art.43).

Precisiones 1) Aunque la **presunción** señalada puede ser desvirtuada mediante prueba en contrario, dicha prueba es difícil de obtener en la práctica, ya que, por las circunstancias de las cosas, muy probablemente se estará ante un caso de contratación verbal, en la que los testigos, también muy probablemente, serán puestos en tela de juicio por su vinculación laboral o de servicios con alguna de las partes.

2) Entendemos que no resulta aplicable la acción de **revocación de la exclusividad** ex LPI art.48 bis (nº 1879), puesto que la obra audiovisual es, esencialmente, una obra en colaboración, excluida, por tanto, de la posibilidad prevista en dicho precepto. Igual cabría decir de los artistas intérpretes o ejecutantes ex LPI art.110.4.

Explotación separada de parte de la obra (LPI art.88.2) La obra audiovisual es una obra en colaboración (nº 2079), por lo que es posible la explotación independiente de sus distintas partes. Así, por ejemplo, el guion de una obra cinematográfica puede ser objeto de explotación separada mediante su publicación en forma de libro. **2129**

El contrato de cesión de los derechos de explotación ha de entenderse comprensivo de los **derechos relativos a cada una de las partes** de que está compuesta la obra audiovisual y que sean susceptibles de explotación independiente, como son fundamentalmente el **guion** y las **composiciones musicales** especialmente creadas para la obra.

Por otro lado, se establece que, salvo pacto en contrario, los autores pueden **disponer de su aportación** en forma aislada, siempre que no se perjudique la normal explotación de la obra audiovisual.

Modalidades de explotación (LPI art.88.1, 90.2) El clausulado del contrato de producción debe aludir a las modalidades concretas de explotación que son objeto de cesión. Las más frecuentes hoy día se agrupan bajo el concepto de puesta a disposición, si bien puede pactarse el **alquiler o explotación videográfica** (especificando a su vez los distintos tipos de soportes técnicos y formatos a utilizar), **pago por visión**, vídeo bajo demanda y la **explotación en cascada**. **2131**

En lo que se refiere a las **obras cinematográficas**, como especie de las obras audiovisuales, es siempre necesaria la autorización expresa de los autores para su explotación, mediante la puesta a disposición del público de copias en cualquier sistema o formato, para su utilización en el ámbito doméstico o mediante su comunicación pública a través de la radiodifusión.

Por último, en relación con el **derecho de alquiler**, éste se presume transferido al productor de grabaciones audiovisuales, salvo pacto en contrario en el contrato. Queda a salvo, en todo caso, esto es, con independencia de lo pactado o del silencio contractual en este punto, el derecho irrenunciable de los autores a una remuneración equitativa por el alquiler de la obra audiovisual o de sus copias.

Dicha **remuneración equitativa** ha de abonarse por quienes lleven a efecto directamente los actos de alquiler de cara al público en su condición de derechohabientes de los titulares del correspondiente derecho de autorizar el alquiler. A este respecto, hay que tener en cuenta los **acuerdos sectoriales** en virtud de los cuales, representantes de cada uno de los sectores interesados pactan el pago de un determinado porcentaje a las entidades de gestión implicadas.

2133 **Cesión de derechos sobre la obra preexistente** (LPI art.89) La parte pasiva del contrato de producción puede estar compuesta tanto de los autores de la obra audiovisual, en sentido estricto, como de los autores de obras preexistentes tomadas como fuente de inspiración para la creación de la obra audiovisual.

Mediante el contrato de **transformación de una obra preexistente** que no esté en dominio público se presume que el autor de la misma cede al productor de la obra audiovisual los derechos de explotación sobre ella en los términos expuestos (LPI art.88: nº 2127 s.).

Se establece, sin embargo, la especialidad de que, salvo pacto en contrario, el autor de la obra preexistente conserva sus derechos a explotarla en forma de **edición gráfica** y de **representación escénica**. Además, se establece que el autor de la obra preexistente puede disponer de ella para otra obra audiovisual a los 15 años de haber puesto a disposición del productor su aportación.

El productor carece, por tanto, de derechos de explotación independientes sobre las **distintas aportaciones de los autores**, salvo, claro está, pacto en contrario, mediante el cual pueda el productor hacerse con los derechos de explotación de la edición y de la representación escénica de la obra preexistente.

Es preciso que la obra preexistente no se encuentre todavía en **dominio público**, ya que, si así fuera, el productor podría utilizarla sin necesidad de pedir permiso alguno (piénsese, p.e., en un texto de Lope de Vega) y con el único límite del respeto por la autoría y la integridad, es decir, de modo que no se perjudique la fama y reputación artística del autor (LPI art.41).

Precisiones A los **autores de obras preexistentes** no se les puede considerar autores de la obra audiovisual (salvo que participen en ella como autores del argumento). Sin embargo, la Ley les reconoce el derecho a una remuneración proporcional cuando la obra audiovisual sea proyectada en lugares públicos mediante el pago de un precio de entrada (LPI art.90.3 por remisión a LPI art.90.1).

2135 **Realización de la prestación pactada** Una de las obligaciones más importantes a cargo de los autores es la de terminar la obra de acuerdo con la **versión definitiva** de la misma. Se trata no ya de una obligación de medios, sino de una auténtica **obligación de resultado** que, en su caso, facultaría al productor para exigir su cumplimiento. Los autores solo cumplen con su obligación cuando completen su contribución a la obra, ya sea escribiendo el **guion**, ya dirigiendo o componiendo la **banda sonora**.

Puede establecerse una cláusula en virtud de la cual el cumplimiento de esta obligación se someta a la **aprobación del productor**, pues, a éste corresponde decidir si la obra audiovisual ha sido terminada, entregada correctamente o no. Sin embargo, la decisión del productor no puede ser arbitraria, sino que ha de basarse en **criterios objetivos u objetivables**, o estar referida incluso a la decisión de un tercero (CC art.1256).

Por la complejidad de la elaboración de algunas obras audiovisuales, singularmente las cinematográficas, en la práctica, el **director-realizador** tiene también gran poder de decisión en esta cuestión. Así, es usual que se faculte a éste para exigir del productor un guion a su satisfacción o, en su caso, una adecuada banda sonora.

Como obligación de resultado, la **no entrega de la aportación** de cada autor, según lo convenido, constituye un incumplimiento contractual (CC art.1157 y 1166). Además, el productor no tiene obligación de aceptar la **entrega parcial** de la prestación, salvo que en el contrato así se haya establecido (CC art.1169). En estos casos, a no ser que se haya pactado lo contrario, los autores no pueden reclamar indemnización alguna por el esfuerzo intelectual desarrollado.

Pueden establecerse cláusulas obligando a terminar la obra en un **plazo** determinado o bien indicando cuándo la aportación se entiende hecha de forma definitiva. Estas cláusulas resultan útiles para determinar si los autores han cumplido con sus obligaciones en la forma y fecha previstas.

Debe entenderse también que la prestación a cargo de los autores tiene un **carácter personalísimo**, por lo que no cabe su delegación (CC art.1161). Así, la realización de la prestación por persona distinta puede suponer un incumplimiento contractual.

2137 **Aportación insuficiente del autor** (LPI art.91) Cuando la aportación de un autor no se complete por **negativa injustificada** del mismo o por causa de **fuerza mayor**, el productor puede utilizar la parte ya realizada, respetando los derechos de aquél sobre la misma, sin perjuicio, en su caso, de la indemnización que proceda.

Se trata de un caso de **incumplimiento contractual** por parte del autor, que pone en peligro la realización final de la obra y con ello el éxito económico de su explotación. La posibilidad de usar la aportación incompleta se supedita a los supuestos señalados, de carácter muy particular.
Respecto de la negativa injustificada, parece del todo oportuno el envío de un **requerimiento notarial** o fehaciente en el que se le exija al autor la totalidad de la prestación. En relación con la fuerza mayor, se parte de la **responsabilidad directa e inmediata** del autor, por lo que a él corresponde probar que concurrió tal circunstancia.
Las partes pueden invertir el sentido de este precepto y pactar que, aun en casos de fuerza mayor, el productor no podrá servirse de la aportación incompleta del autor.

Obligaciones complementarias Dentro del contrato de producción se puede pactar la **exclusividad en la prestación** de la actividad por parte del autor, así como su obligación de que cumpla con un determinado **régimen de vida** dentro de lo que son los usos en este especial sector de la industria (p.e., que se encuentre disponible o localizable en todo momento, que no pueda ausentarse del lugar de rodaje, etc.). 2139
Otro tipo de obligaciones usuales en este sentido, son las relativas a la participación de los autores en las *premières*, en las **promociones publicitarias** o comerciales, en las entrevistas con los medios de comunicación y en los reportajes sobre el rodaje (tipo «Cómo se hizo»), así como la asistencia a actos oficiales.
El mayor o menor rigor en la redacción de este tipo de cláusulas depende de la voluntad de las partes.

Pueden pactarse las siguientes obligaciones de los autores: 2141
• Colaborar con el productor en la **difusión, promoción y publicidad** de la obra.
• Participar en las entrevistas con **medios de comunicación** social, tales como prensa, televisión y radios, que con la debida antelación le comunique el productor.
• Autorizar al productor al uso de su **nombre artístico, voz e imagen** en actos de promoción y difusión publicitaria.
• Trasladarse a los lugares que con la debida antelación le comunique el productor para colaborar en la promoción y difusión publicitaria de la obra.
Iguales obligaciones convendría acordar con el **autor de la obra preexistente** cuya participación en actos de promoción de la obra puede resultar idónea para su mayor difusión publicitaria.
Puede incluirse la siguiente **cláusula** al respecto:

«**Publicidad de la obra**
1. De acuerdo con lo dispuesto en el presente contrato, el arrendador se compromete a colaborar con el arrendatario en la difusión, promoción y publicidad de la obra.
2. A tales efectos, el arrendador se compromete:
a) A participar en las entrevistas con medios de comunicación social, tales como prensa, televisión y radios, que con la debida antelación le comunique el arrendatario.
b) A autorizar al arrendatario, según lo dispuesto en el presente contrato, al uso de su nombre artístico, voz e imagen con el objeto de que, en su caso, puedan ser utilizados en el diseño de los soportes necesarios para la explotación de la obra, o en general, en cualesquiera actos de promoción y difusión publicitaria de la misma. Esta autorización se concede en los términos más amplios posibles, de acuerdo con los usos y prácticas normales en el sector.
c) A trasladarse a los lugares que con la debida antelación le comunique el arrendatario, a fin de colaborar en la necesaria promoción y difusión publicitaria de la obra. Todos los gastos derivados de los traslados a los que se refiere esta cláusula correrán de cuenta del arrendatario, quien en todo caso se reserva el derecho a decidir el lugar de hospedaje del arrendador y el medio de viaje más oportuno».

2. Contrato de dirección-realización

Es el contrato firmado entre el **productor**, de una parte, y el **director-realizador**, de otra, por el cual se acuerda la realización de una obra audiovisual. 2147
El compromiso se extiende a la **entrega de un determinado producto**, la obra audiovisual, bajo las condiciones y directrices establecidas de mutuo acuerdo por las partes. Se concibe, pues, como un **contrato de obra** o de resultado, en el que solo la consecución del fin satisface la pretensión del productor. Así, la mera aplicación de un esfuerzo intelectual a la realización de la obra no equivale a pago en el sentido de cumplimiento de la obligación que pesa sobre el director-realizador.

2149 **Contratantes** En este contrato se encuentran el productor y el director-realizador.
El **productor** puede ser tanto una persona física como jurídica. Por lógica, el **director-realizador**, como autor que es, solo lo puede ser una persona física (LPI art.5.1).
Pueden darse situaciones de **dirección conjunta** (por decisión de los directores, por causa de muerte, etc.), en cuyo caso se trata de una obra en colaboración (nº 1722).

2151 **Obligaciones de las partes** Al tratarse de un **contrato atípico**, las partes tienen libertad para pactar las obligaciones que a cada uno correspondan. Exponemos, no obstante, aquellas obligaciones que consideramos imprescindibles para un contrato de estas características.
El **productor** debe, con respecto al director-realizador:
- reconocer su autoría (nº 2153);
- abonar la remuneración que le corresponde (nº 2155);
- poner a su disposición los medios necesarios (nº 2157).

El **director-realizador** debe, en cambio:
- realizar la obra según la versión definitiva y en el plazo pactado (nº 2159);
- participar en el desarrollo del guion, entendido éste en sentido amplio (con inclusión del *story board*: nº 2179);
- trasladarse a los lugares de rodaje (nº 2161).

Pueden pactarse además otras **obligaciones de carácter complementario** (participación en las promociones publicitarias o comerciales, en las entrevistas con los medios de comunicación, etc.), que ya han sido expuestas en el estudio del contrato de producción (ver nº 2139).

2153 **Reconocimiento de derechos al titular** Aunque se trata de un reconocimiento previsto en la propia Ley, lo cierto es que resulta aconsejable que el director-realizador exija su autoría, o por mejor decir, su **coautoría** sobre la versión definitiva de la obra audiovisual.
La obra audiovisual es una **obra en colaboración**, por lo que los derechos de propiedad intelectual sobre ella corresponden a todos los autores en la proporción que ellos determinen (nº 1722). Es posible, sin embargo, que el productor pacte con el director-realizador el establecimiento de un **porcentaje de titularidad**, siempre que dicha cláusula se integre en un contrato con el resto de autores de la obra y éstos presten su consentimiento a dicha cláusula, pues, a falta de pacto al respecto, se presume que la titularidad de la obra corresponde a los partícipes en partes iguales (CC art.393).

2155 **Remuneración** El contrato no presenta en este punto ninguna particularidad con respecto a lo expuesto en el contrato de producción (ver nº 2109).

2157 **Puesta a disposición de los medios necesarios** Constituye la obligación principal a cargo del productor, en cuanto financiador de la obra audiovisual.
En virtud de esta cláusula el productor se obliga a poner a disposición del director-realizador los medios **humanos, técnicos y de logística** necesarios para la realización de la obra.
Esta obligación implica para el productor la **realización de otros contratos**: laboratorio de postproducción, medios de transporte, vestuario, laboratorio de efectos especiales, contratos de prestación artística o ejecución.
Se trata de una verdadera **obligación de resultado**, por lo que su falta de cumplimiento podría dar lugar a la resolución del contrato por parte del director-realizador, siempre que la aportación de los medios propuestos sea considerada fundamental para la terminación de la obra audiovisual tal y como el director-realizador la ha concebido en su mente (o al menos, en colaboración con el resto de autores).
No obstante, las partes pueden acordar **formas sustitutivas de cumplimiento** e incluso establecer límites en la exigencia de la consecución del medio en cuestión (p.e., condicionando el rodaje en exteriores en un determinado lugar a la obtención de los correspondientes permisos).
Evidentemente, también se puede establecer la ausencia de responsabilidad de las partes en casos de **fuerza mayor** (p.e., enfermedad de cualquiera de los intervinientes principales en la obra). La asunción de esta responsabilidad implica normalmente el pago de los gastos precisos en concepto de indemnización.
Dentro de este tipo de obligaciones puede incluirse la relativa a la contratación de un determinado **guionista** o de un determinado **autor de obra musical** o también de un elenco de **artistas intérpretes o ejecutantes**.

2159 **Realización de la obra** El director-realizador resulta obligado a la realización de la obra según la **versión definitiva**. Conviene especificar en el contrato cuándo la obra audiovisual ha de considerarse terminada. Los **criterios de referencia** pueden ser diversos, en función del deseo de las partes, pero principalmente se alude a una determinada fecha, el rodaje de la obra de acuerdo con el guion ya diseñado, el término del rodaje o el término de las labores de

postproducción. Si nada se establece, ha de estarse a la voluntad de las partes deducida del contrato y a las circunstancias de creación de la obra. Sobre versión definitiva de la obra, ver nº 2107.
En nuestra opinión, los criterios para configurar la versión definitiva de la obra pueden quedar comprendidos también en los contratos con el **guionista** o con el **autor de la banda sonora**, pues la obra es resultado unitario de las aportaciones de diferentes autores. No obstante, es verdaderamente al director-realizador, en conjunción con el productor, a quien corresponde establecer los criterios en cuestión.
Si se ha pactado un **plazo** para la realización, la obra ha de acabarse antes de que transcurra dicho plazo. Llegado el término pactado sin que la obra esté terminada, se produce el incumplimiento por parte del director-realizador, salvo cuando se estime que el plazo no tiene carácter esencial o que concurra un supuesto de fuerza mayor.
El productor puede reservarse un **derecho de supervisión** sobre la finalización de la obra audiovisual. Este derecho no debe interpretarse, sin embargo, como una facultad para modificar la obra o para influir decisivamente sobre los autores a la hora de darla por concluida. Por el contrario, la labor de supervisión tiene como fin comprobar el cumplimiento de las obligaciones pactadas.

Traslado a los lugares de rodaje Es ésta una obligación lógica dentro del contexto del contrato de dirección-realización. Los **gastos de transporte** corren normalmente de cuenta del productor, quien, además, cuando sea necesario, debe ocuparse de encontrar el tipo de **hospedaje** convenido o el más adecuado. 2161

3. Contratos de creación de guion y composición musical

2165

En realidad, se trata de **dos contratos diferentes**, si bien lo común de las cláusulas aconseja su estudio conjunto, pues la única diferencia entre ambos reside en el objeto del contrato, en un caso la creación del guion y en el otro la composición de la música de la obra audiovisual. 2167

Objeto En ambos casos, estamos ante una **obligación de resultado**, en la que no basta, pues, con poner los medios necesarios a la consecución del fin acordado, sino que es necesario alcanzar éste para que el pago de la obligación se pueda entender cumplido. 2169
En consecuencia, conviene tener presente que el productor puede reservarse el derecho de **aceptación final de la obra** en función de los criterios establecidos en el contrato sobre la versión definitiva de la obra (nº 2107).
Tanto en el caso del guionista como en el del compositor musical, las obligaciones tienen un **carácter personalísimo**. No cabe, pues, su delegación, salvo que el propio productor así lo admita. No obstante, sí son posibles los supuestos de coautoría.

Contratantes Son el **productor**, por un lado, y el **guionista** y el **compositor**, por otro. 2171
Recuérdese, no obstante, que éstos son contratos diferentes, aunque pueden integrarse dentro de un mismo contrato de producción.
Tanto el guionista como el compositor han de ser, en principio, **personas físicas**. Cabe, no obstante que el productor contrate con **personas jurídicas**, como estudios especializados de composición o de postproducción, en cuyo caso sería preciso que la persona jurídica con la que se contrata haya adquirido previamente los derechos del autor directo sobre el guión o la obra musical.
Conviene en estos casos introducir una cláusula en virtud de la cual los estudios especializados cedan al productor la totalidad de los derechos de propiedad intelectual.

Obligaciones del productor Las obligaciones del productor coinciden con las expuestas de forma general al tratar el **contrato de producción** (nº 2105 s.). 2173
Básicamente se concretan en el pago de la remuneración pactada y en la puesta a disposición de los autores de los medios necesarios.
El **pago de la remuneración** no presenta peculiaridades destacables en este caso (nº 2109).
No así la segunda obligación mencionada.

2175 **Puesta de medios a disposición de los autores** Implica en este caso, entre otros, la puesta a disposición de **locales y medios adecuados** para realizar la grabación, arreglos, ensayos u otras actividades necesarias para la creación de la obra musical.
Los **gastos y gestiones** necesarias corren de cuenta del productor, sin que deban entenderse como parte de la remuneración a cobrar por el guionista o, en su caso, compositor musical. Más bien han de considerarse parte de la inversión a realizar por el productor.

2177 **Obligaciones del guionista y del compositor musical** Tanto el guionista como el compositor musical han de comprometerse a:
- la creación del guión y la composición de la música para la obra audiovisual proyectada (nº 2179);
- garantizar la originalidad del mismo (nº 2181);
- la colaboración con el director-realizador (nº 2185);
- la participación en ciertas actividades promocionales (nº 2187).

2179 **Creación del guión y composición de la música** El **guionista** está obligado fundamentalmente a crear el guión de la obra audiovisual proyectada, de acuerdo con las directrices y condiciones que, en su caso, se reflejen en el contrato. El **concepto de guión** incluye no solamente el desarrollo de los diálogos propiamente dichos (entendido como intercambio de frases entre los distintos personajes de la obra audiovisual), sino también la expresión del *story board* o conjunto de dibujos, bocetos en los que el autor del guión (o más frecuentemente, otra persona contratada al efecto, bajo su supervisión y dirección) propone los planos y el desarrollo visual, argumental, de la obra audiovisual. Evidentemente, en la formación del **«story board»** es muy importante que el guionista trabaje conjuntamente con el director-realizador y con otros integrantes o colaboradores de éste (como, por ejemplo, el director artístico, el director de iluminación, etc.). En el *story board*, asimismo, se incluyen también breves anotaciones referidas a cómo enfocar la cámara, cómo continuar con éste o aquel plano, cómo, en definitiva, desarrollar las diferentes escenas. Otros elementos o partes que conforman el guión, y que son habituales en la creación cinematográfica, son el tratamiento o la sinopsis o la «biblia», cada uno de los cuales representa «hitos» de producción o realización de la obra en cuestión.
El **compositor musical** que contrata con el productor debe componer la música para la obra audiovisual, también de acuerdo con las directrices reflejadas en el contrato.
Así, puede ocurrir que el productor, en aquellos casos en que la obra esté pensada *ex novo*, señale las **líneas directrices** del guión o de la obra musical (p.e., indicando su temática, su desarrollo, los tipos de personajes que debe haber en ella, el argumento, el tipo de melodía o de ritmo, etc.). En ese caso, el autor (guionista o compositor) no puede apartarse de las líneas propuestas, aunque no es posible exigir un seguimiento absoluto de dichas directrices, pues se cercenaría la capacidad creativa de los autores, lo que supondría una limitación natural al propio objeto del contrato.
Puede pactarse un **plazo** determinado para la entrega de la prestación o bien dejarse simplemente a voluntad del autor. Parece aconsejable la primera solución, en cuyo caso el factor temporal elegido constituiría una condición esencial del cumplimiento.

2181 **Garantía de originalidad** Tanto el guión como la composición musical pueden suponer una creación completamente nueva o bien consistir en la reelaboración de una **obra literaria o musical preexistente** (p.e., piénsese en el supuesto de que el guionista tome una obra previa para su inclusión en la obra final, o bien se sirva de ella como fuente de inspiración).
Cuando la obra se crea *ex novo* para la obra audiovisual, es conveniente incluir una cláusula de garantía sobre la **originalidad** y la **paternidad** de la aportación de cada autor (de modo similar a lo que ocurre en el ámbito del contrato de edición: nº 1954).
Cuando la obra se basa en otra preexistente, esta garantía se debe completar con otra en virtud de la cual se garantice el **pago de los derechos** de propiedad intelectual que, en su caso, se hubiesen devengado a consecuencia del uso de dicha obra en la creación de la obra musical o de guión.

2183 Como **cláusula tipo** podría incluirse la siguiente:
«El productor no se responsabiliza de los daños que pudieran derivarse de la utilización indebida por parte del autor de, sin carácter exhaustivo, derechos, imágenes, composiciones musicales, textos, diagramas o esquemas en las labores de creación del guión y de la música, sin gozar de la autorización expresa y por escrito del respectivo titular o titulares de derechos.
El autor garantiza:
• Que ha obtenido todas las autorizaciones de los titulares de derechos para la legítima explotación de sus obras o prestaciones, en el caso de que las hubiera; y

• Que ha cumplido con todas las obligaciones, a favor de las respectivas entidades de gestión, sobre pago de remuneraciones a los titulares de derechos.
El autor indemnizará al productor por la eventual responsabilidad que le sea imputable por infracción de los derechos de propiedad intelectual de terceros causada por la normal explotación por parte del productor del guión y de la composición musical.»

Colaboración con el director-realizador La producción de una obra audiovisual exige, por lo general, la cooperación y coordinación de todos aquellos que de una forma u otra intervienen en ella. Así, es habitual establecer la obligación de **guionista** y **compositor musical** de colaborar con el director-realizador en la finalización de la obra. **2185**

Participación en actos promocionales Es usual la participación del guionista y del compositor musical en la actividad promocional o comercial de la obra. En esos casos, debe obtenerse **autorización** de los mismos para el uso de su imagen, voz y nombre, como derechos personalísimos que son. **2187**
Sobre este tipo de obligaciones ver nº 2139.

Otras obligaciones del compositor musical Aun cuando todo lo dicho en los números anteriores es aplicable tanto al guionista como al compositor musical, el contenido de la relación con respecto a este último presenta ciertas **obligaciones particulares**, que examinamos en los números siguientes. **2189**

Orquestación y arreglos De modo análogo a lo que ocurre en el ámbito del contrato de ejecución musical (nº 2033), el autor de la composición musical especialmente creada para la obra audiovisual debe proceder a entregar al productor la obra por encargo completamente orquestada y arreglada. Si es otra persona la que realiza los arreglos (**arreglista**) podríamos estar ante un caso de cotitularidad de los derechos de propiedad intelectual sobre la composición musical (nº 1753). **2191**

Asistencia a los lugares de grabación o fijación de la obra Esta obligación es opcional y para casos muy determinados, como son aquellos en los que el autor es al mismo tiempo el **director de la orquesta**, o cuando él mismo debe proceder a la grabación de la obra (p.e., por tratarse del intérprete) o cuando, simplemente, el productor o él mismo exigen su asistencia a fin de **supervisar el resultado** final de la grabación. **2193**

4. Contratos de prestación artística

2200

La prestación artística puede tener lugar de **tres formas** diferentes: **2202**
- como contrato de interpretación artística;
- como contrato de ejecución musical; y
- como contrato de doblaje.

Los contratos de prestación artística se suelen configurar como de tracto sucesivo o, al menos, de tracto limitado en el tiempo. El artista se obliga a la realización de la prestación **durante un tiempo** o por un número determinado de veces, sin que su actividad quede agotada en un solo acto (p.e., un locutor contratado para la presentación de toda una serie de programas, un músico contratado para tocar con una orquesta durante toda una temporada, o un actor para realizar una serie de películas). No obstante, también pueden contratarse los servicios del artista por **un solo acto** o tiempo (p.e., para su intervención en un especial televisivo en el que actúa un número diverso de artistas).

Por otra parte, conviene tener en cuenta que estos contratos pueden configurarse como **obra de encargo** (contrato de ejecución de obra), como **arrendamiento de servicios** o en el marco de una **contratación laboral**. La forma contractual adoptada no implica una reducción de los derechos de propiedad intelectual que la Ley concede a los artistas, pero sí determina la aplicación de la legislación laboral o mercantil. Además, si se configura como obra por encargo, el cesionario haría suyos los derechos de explotación sobre la prestación, según los criterios de exigencia previstos contractualmente. **2204**
Los contratos de prestación artística carecen de regulación en nuestro ordenamiento. Se trata de **contratos atípicos** en los que, por lo tanto, las partes pueden estipular aquellas cláusulas

que estimen convenientes, siempre y cuando respeten las previsiones legales de derecho necesario.

Precisiones 1) En el **ámbito laboral** se configura como una relación especial, regulada en el RD 1435/1985 sobre la Relación Laboral Especial de los Artistas en Espectáculos Públicos, y resulta de aplicación el Convenio Colectivo estatal regulador de las relaciones laborales entre los productores de obras audiovisuales y los actores (nº 2255).

2) En el Anexo nº 13230 se incluye un **modelo de contrato** de prestación artística.

a. Elementos

2210 **Objeto** (LPI art.105) Los contratos de prestación artística tienen por objeto un conjunto muy amplio de **posibles prestaciones** (representar, cantar, leer, recitar, interpretar o ejecutar, entre otras) cuyo denominador común viene constituido por el hecho de que lo interpretado o ejecutado sea una obra.

En consecuencia, pensamos que el verdadero criterio para determinar si nos encontramos ante una interpretación o ejecución, y, por lo tanto, ante un contrato de prestación artística, no es solo si la actividad en sí cabe ser calificada como artística (**factor activo** de la prestación), sino el hecho de que lo interpretado pueda ser considerado o no como obra (**factor pasivo** de la prestación).

Esta diferencia permite, a nuestro juicio, no limitar excesivamente el círculo de posibles prestaciones que caen bajo la órbita de la propiedad intelectual e incluir en dicho círculo **actividades atípicas** o que realmente no implican una actividad intrínsecamente artística. Así, también sería considerada como una actividad sometida a este tipo de contratos la de un locutor o la de un presentador, aunque estas actividades, en sí mismas, no pudieran calificarse como artísticas.

Del mismo modo hay que entender incluido en este contrato el de **doblaje**, esto es, aquel en el que la prestación consiste en poner la voz en lugar de la del intérprete original de una obra audiovisual. El doblaje suele tener por finalidad la obtención de una versión de la obra audiovisual en un idioma distinto al original, aunque es posible el doblaje en la propia lengua original del intérprete.

2212 La actividad artística no es, por definición, creativa; los artistas intérpretes o ejecutantes no crean en un sentido estricto, sino que se limitan a dar forma específica a determinados tipos de creación cuya explotación no podría tener lugar sin una **actividad interpretativa** que «dé vida» particular a la obra en cuestión (p.e., una obra teatral). En ese tipo de obras, que requieren una actividad personal ulterior para ser puestas en escena o para ser actuadas, es justamente donde más se precisa la labor del intérprete o ejecutante y donde más claramente se observa la importancia de su labor.

Precisiones Lo anterior no debe significar que la labor del artista intérprete o ejecutante deba ser considerada inferior o secundaria; es simplemente distinta y, consecuentemente tiene atribuidos **distintos derechos**. Así, no se concibe que un artista tenga facultades morales, salvo las que específicamente le reconoce la Ley (LPI art.113); de igual modo, tampoco es posible que el artista pueda perseguir aquellos actos que desconozcan el derecho del autor sobre su obra (p.e., reimpresiones no autorizadas del libreto de la obra teatral), sino solo aquellos que supongan una infracción a su propia interpretación o ejecución de la obra. Así, si una composición musical ha sido interpretada por varios artistas en el tiempo (varias versiones de un mismo tema), cada uno de esos artistas solo tiene **derechos exclusivos sobre su interpretación**, pero no sobre la de los demás; si la composición llega a hacerse famosa por su propia actuación, tampoco puede evitar que el autor autorice a otro artista a realizar una nueva interpretación, salvo pacto en contrario.

2214 **Contratantes** (LPI art.105, 111) Como en los demás «contratos de producción» examinados anteriormente (nº 2095), existen dos figuras principales:

- por un lado, la del cesionario, que puede ser un productor o, en general, un **empresario del espectáculo**;
- por otro, la del cedente o del **artista intérprete o ejecutante**, figura que puede ser no solo una persona física, sino también una persona jurídica que preste sus recursos humanos a disposición del cesionario.

La figura del artista intérprete o ejecutante no tiene por qué restringirse al interviniente en una obra audiovisual, sino que puede abarcar a cualesquiera sujetos **que interpreten algún tipo de obra**.

El **director de escena** y el **director de orquesta** tienen los mismos derechos que los artistas intérpretes-ejecutantes, por lo que, a efectos legales, quedan equiparados.

Téngase en cuenta, asimismo, que la figura concreta del artista intérprete, como sujeto que lee, recita o interpreta, ha de ser siempre una **persona física** o un colectivo de personas (p.e., una orquesta o un conjunto musical carente de personalidad jurídica, pero integrado necesariamente de personas físicas).

En este sentido, los artistas intérpretes o ejecutantes que participen colectivamente en una misma ejecución (p.e., los componentes de un coro musical o un ballet), deben designar de entre ellos un **representante** para el otorgamiento de las autorizaciones necesarias. A tal efecto, es válido el acuerdo de la mayoría de los integrantes de la compañía, siempre que dicho acuerdo conste por escrito. Dicho acuerdo no vincula a los solistas ni a los directores de orquesta o escena.

El contrato de prestación artística debe entenderse de **carácter personal**, por lo que la firma del mismo por un representante del artista no constituye un verdadero contrato de prestación artística. Es un contrato común que no obliga al artista directamente. La prestación que éste desarrolle ha de estar cubierta por el otro contrato, de prestación artística, que será reflejo del nivel de obligaciones previsto en el contrato antecedente.

b. Obligaciones del artista intérprete o ejecutante

Las obligaciones del artista vienen a coincidir sustancialmente con las que, según hemos visto, pesan sobre el guionista o el autor de la composición musical especialmente creada para una obra audiovisual (nº 2177). Son las siguientes: **2220**
- realización de la prestación (nº 2222);
- cesión de los derechos de explotación (nº 2224);
- participación en actividades de carácter promocional (nº 2234).

Realización de la prestación El artista intérprete o ejecutante debe realizar necesariamente el objeto definido en el contrato (representación escénica, interpretación vocal de un personaje, ejecución de una pieza musical, etc.). **2222**

El contrato que examinamos no es de mera prestación de servicio, sino de **ejecución de una obra**, en el sentido de que el artista intérprete se compromete a la consecución de un fin.

El artista queda obligado, por tanto, hasta el momento en el que se lleve a cabo de manera completa la prestación pactada. Entendemos que la interpretación o ejecución debe hacerse **a satisfacción del empresario** o de acuerdo con ciertos criterios establecidos en el contrato.

Además, si la actuación o interpretación no se adecúa a los **usos existentes en el sector** de que se trate, se lleva a cabo con **manifiesta incompetencia** o sin llegar a los estándares usuales o que se esperan del artista (p.e., el cantante que no alcanza el tono esperado de voz, o el actor que se olvida del guión) constituiría un incumplimiento contractual (por analogía con LPI art.82).

Como ya hemos comentado, no puede exigirse al artista que aporte algo a la obra, o que aporte la obra misma, pues, si así fuera, se convertiría en autor de alguna forma y sus derechos se verían modificados. Cualquier **añadido a la obra preexistente** debe contar con la autorización pertinente del autor de la obra original, ya que lo contrario supondría una modificación indebida.

Cesión de los derechos de explotación (LPI art.106 a 110) Mediante este contrato, el empresario se constituye en cesionario de los derechos de explotación de la obra que va a ser interpretada o ejecutada, por lo que es preciso detallar tanto los derechos de explotación (fijación, reproducción, distribución, comunicación pública o transformación) como las **modalidades concretas de explotación** (representación escénica, emisión en vivo, en diferido, comunicación vía satélite, etc.) que se transmiten. **2224**

Así, se establece que corresponde al artista intérprete o ejecutante el **derecho exclusivo de autorizar**:

• La **fijación** de sus actuaciones.

• La **reproducción** directa o indirecta de las fijaciones de sus actuaciones.

• La **comunicación pública** de sus actuaciones, salvo cuando dicha actuación constituya en sí misma una actuación transmitida por radiodifusión o se realice a partir de una fijación previamente autorizada. También goza, en cualquier caso, del derecho exclusivo de autorizar la comunicación pública de las fijaciones de sus actuaciones, mediante la puesta a disposición del público por medio alámbrico o inalámbrico, de tal forma que cualquier persona pueda acceder a ellas desde el lugar y en el momento que elija (LPI art.20.2.i).

• La **distribución** de la fijación de sus actuaciones.

Han de hacerse al respecto algunas **puntualizaciones**: **2226**

a) La cesión de estos derechos de explotación puede hacerse a **título exclusivo** o no, en concurrencia con otros. En todo caso, es preciso que se realice por escrito.

b) Cuando el artista intérprete o ejecutante celebre, individual o colectivamente, con un productor de fonogramas o de grabaciones audiovisuales **contratos relativos a la producción** de éstos, se presume que ha transferido su derecho de puesta a disposición, salvo pacto en contrario y a salvo del derecho irrenunciable a la remuneración equitativa (LPI art.108.3).

El artista intérprete o ejecutante que haya transferido o cedido a un productor de fonogramas o de grabaciones audiovisuales su derecho de puesta a disposición del público respecto de un fonograma o de un original o una copia de una grabación audiovisual, conserva el derecho irrenunciable a obtener una **remuneración equitativa** de quien realice tal puesta a disposición.

Los **usuarios** de un fonograma publicado con fines comerciales, o de una reproducción de dicho fonograma que se utilice para cualquier forma de comunicación pública, tienen obligación de pagar una remuneración equitativa y única a los artistas intérpretes o ejecutantes y a los productores de fonogramas, entre los cuales se debe efectuar el reparto de aquélla. A falta de acuerdo entre ellos sobre dicho reparto, éste se ha de realizar por partes iguales. Se excluye de dicha obligación de pago la puesta a disposición del público.

Los usuarios de las grabaciones audiovisuales que se utilicen para los **actos de comunicación pública** consistentes en emisión o transmisión, en lugar accesible al público, mediante cualquier instrumento idóneo, de la obra radiodifundida, y la retransmisión por entidad distinta de la de origen de dicha obra, tienen obligación de pagar una remuneración equitativa a los artistas intérpretes o ejecutantes.

c) Si la interpretación o ejecución se llevan a cabo en el marco de un **contrato de trabajo** o de un **arrendamiento de servicios**, se entiende que, salvo pacto en contrario, el empresario o arrendatario adquieren sobre la interpretación o ejecución los derechos exclusivos de autorizar la reproducción y comunicación pública previstos en la Ley y que se deduzcan de la naturaleza y del objeto del contrato. Lo dispuesto en esta letra no es de aplicación a los derechos de remuneración reconocidos en los apartados 3, 4 y 5 del art.108 LPI.

Como criterio interpretativo téngase en cuenta que el autor debe conservar en su ámbito de disposición todos aquellos derechos de explotación no específicamente cedidos o que no resulten estrictamente necesarios para la explotación de la obra.

2228 **d)** En caso de contrato, individual o colectivo, del artista intérprete o ejecutante con el productor, se presume que, salvo pacto en contrario, el artista ha cedido sus **derechos de alquiler**. Ha de entenderse que la referencia se hace únicamente a los productores de grabaciones audiovisuales.

El alquiler es la puesta a disposición de fijaciones de las actuaciones para su uso por tiempo limitado y con un beneficio económico directo o indirecto. Se excluyen de este concepto la puesta a disposición con fines de exposición, de comunicación pública a partir de **fonogramas** o de **grabaciones audiovisuales**, incluso de fragmentos de unos y otras, así como la que se realice para consulta *in situ*.

e) Los derechos cedidos no alcanzan a las modalidades de explotación o **medios de comunicación inexistentes o desconocidos** en el momento de la cesión (LPI art.43.5). En este sentido, no parecen válidas las cláusulas de redacción amplia por las que se ceden los derechos de explotación sobre cualesquiera medios de difusión, ya sean conocidos en el momento de la cesión o estén por conocer.

f) En el caso de explotación de una **obra musical que es interpretada «en vivo»** por un artista intérprete o ejecutante, habría que distinguir si dicha obra se enmarca dentro de lo que es una «**obra de gran derecho**» o es concebida e interpretada como una «obra de pequeño derecho».

En el primer caso, es necesario pedir autorización particular al autor o titular de derechos (que en la mayor parte de las ocasiones será la casa editora a la que aquél haya cedido los derechos correspondientes, los cuales comprenderán no solo los de reproducción, sino también usualmente los de distribución y comunicación pública), ya que este tipo de explotaciones se excluyen de la gestión colectiva obligatoria (LPI art.166).

Por el contrario, si la explotación es individual, sin enmarcar la obra dentro de una trama o argumentos escénicos precisos (caso de las «**obras de pequeño derecho**»), lo normal será obtener una autorización de repertorio de la entidad de gestión correspondiente (normalmente, SGAE en el caso español), aunque tampoco es excluible la obtención de un permiso particular del titular de derechos.

En cada caso, lógicamente, habrá que adquirir los derechos para la explotación de la obra en las modalidades oportunas, si bien las **autorizaciones de repertorio** incluyen la reproducción, distribución y comunicación pública (consecuentemente, se puede estar adquiriendo una autorización para determinadas explotaciones que no interesan al cesionario).

g) Si la obra musical es interpretada **a través de un aparato radiodifusor**, ya sea para un público no presente, ya sea efectuada sobre una previa grabación o reproducción de la obra en cuestión, estaremos ante pequeñas variaciones del esquema descrito en la letra precedente.

En el primer caso, de nuevo deberá distinguirse según se trate de una «obra de gran derecho» o «de pequeño derecho»: la solución es la misma que en el caso anterior. Únicamente ha de tenerse presente el supuesto de retransmisión de obras **procedentes de otro Estado miembro** de la Unión Europea, cuando la retransmisión es simultánea, inalterada e íntegra, por medio de cable o microondas de emisiones o transmisiones iniciales, incluidas las realizadas por satélite, de programas radiodifundidos o televisados destinados a ser recibidos por el público. En este último caso, la administración de los derechos es colectiva, estableciéndose una suerte de licencia obligatoria para los titulares de derechos no representados por alguna de ellas (LPI art.20.4).

h) A través de la modificación introducida en la LPI por la L 2/2019, es posible que, junto a las tradicionales **entidades de gestión** colectiva de derechos de propiedad intelectual, puedan actuar en España: **2230**
• Otras entidades de gestión que **no tengan establecimiento** en territorio español, pero pretendan prestar servicios de gestión en nuestro país con arreglo a la ley (LPI art.151);
• Entidades **dependientes** de una entidad de gestión establecida en España (LPI art.152), entendiendo por tal aquella entidad dependiente de una entidad de gestión que, directa o indirectamente, en su totalidad o en parte, sea propiedad de una entidad de gestión o esté bajo su control.
• Los **operadores de gestión independientes** (LPI art.153), entendiendo por tales cualquier entidad legalmente constituida y autorizada por un contrato de gestión para gestionar derechos de explotación u otros de carácter patrimonial en nombre y beneficio colectivo de varios titulares de derechos, como único o principal objeto, y siempre que:
- tenga ánimo de lucro; y
- no sea propiedad ni esté sometida al control, directa o indirectamente, en su totalidad o en parte, de titulares de derechos. A tal efecto, los títulos acreditativos de la propiedad del operador de gestión independiente deben ser nominativos. Idénticos requisitos se exigen a las entidades que ostenten la propiedad o el control directo o indirecto, total o parcial, del operador de gestión independiente, y a las entidades en las que el operador de gestión independiente ostente la propiedad o el control directo o indirecto, total o parcial.
En ningún caso pueden ser considerados como operador de gestión independiente los productores de grabaciones audiovisuales, los productores de fonogramas, las entidades de radiodifusión, los editores, los gestores de autores o de artistas intérpretes o ejecutantes, ni los agentes que representan a los titulares de derechos en sus relaciones con las entidades de gestión.

Autorización de doblaje (LPI art.113) Una particularidad que presenta el contrato de doblaje es la necesidad de la autorización expresa del artista para el doblaje de su actuación **en su propia lengua**. Este derecho del artista le corresponde durante toda su vida. **2232**

Participación en actos promocionales Suele incluirse como obligación del artista intérprete o ejecutante la participación en los **eventos necesarios** para la debida promoción o publicidad de la obra en la que intervenga. **2234**
De igual modo, la figura o el nombre del artista pueden servir de reclamo publicitario para toda una serie de **productos de publicidad y «merchandising»** en relación con la obra o la prestación. En estos casos, es necesaria la autorización del artista intérprete o ejecutante para el uso de su imagen, voz o nombre.

c. Obligaciones del productor o empresario

Como hemos comentado, el contrato de prestación artística es un **contrato atípico** en el que son las partes las que determinan el contenido obligacional al que se someten. El productor o empresario resulta normalmente obligado a: **2240**
- la puesta a disposición del artista de la obra a interpretar o ejecutar (nº 2242);
- el pago de la remuneración y de los gastos de desplazamiento del artista (nº 2246);
- el reconocimiento del nombre del artista, excepto cuando la omisión venga dictada por la manera de utilizar las interpretaciones o ejecuciones (nº 2252).

Puesta a disposición de la obra De acuerdo con lo expuesto sobre la esencia de la actividad del artista, éste realmente da cuerpo o interpreta una obra ya creada. Por consiguiente, la **exigibilidad de su prestación** solo puede tener lugar si el empresario (cesionario) pone a su disposición la obra a interpretar. **2242**
Esta obligación se configura como esencial dentro del contrato, puesto que sin obra no existe interpretación alguna.

Esta obligación de **puesta de medios** exige también que el empresario haya obtenido los **permisos pertinentes** del autor o de los titulares de derechos. El artista intérprete queda eximido, en principio, de responsabilidad por el incumplimiento de esta obligación, si bien es también una exigencia de buena fe contractual asegurarse frente a la contraparte de que se han obtenido las autorizaciones correspondientes.

En caso de **composiciones musicales**, entendemos que corre de cuenta del empresario la entrega al intérprete de las partituras debidamente adaptadas. En el caso de orquestas o de conjuntos corales o vocales, ello implica la entrega de las partituras correspondientes a cada uno de los instrumentos o de las voces. No obstante lo anterior, nada se opone al pacto por el cual sea el artista quien arregle las partituras, a fin de adaptarlas a las especialidades o características del propio intérprete o ejecutante.

De nuevo, hay que tener en cuenta que los **arreglos**, en tanto susceptibles de poder constituir una modificación de la obra original, deben contar con la autorización del autor de dicha obra original. No obstante, los derechos sobre los arreglos corresponden al arreglista, sin perjuicio de los del autor de origen.

2244 **Garantía de originalidad** Puede ser aconsejable para el artista exigir una cláusula de garantía por la que el empresario (cesionario) le exima de toda **responsabilidad frente a infracciones de derechos** de propiedad intelectual de terceros. Aunque, en un primer momento, este tipo de cláusulas no evita la responsabilidad del artista frente al legítimo autor, sí le permite resarcirse frente al cesionario con posterioridad.

2246 **Remuneración** (LPI art.108.2 y 3, 109.3) Las cláusulas relativas a la remuneración han de tener en cuenta ciertas disposiciones de Derecho necesario contenidas en la Ley y relativas a los derechos de **comunicación pública** y de **distribución**:

a) Cuando el artista intérprete o ejecutante celebre individual o colectivamente con un productor de fonogramas o de grabaciones audiovisuales contratos relativos a la producción de éstos, se presume que ha transferido su **derecho de puesta a disposición**, salvo pacto en contrario y a salvo del derecho irrenunciable a la remuneración equitativa.

El artista intérprete o ejecutante que haya transferido o cedido a un productor de fonogramas o de grabaciones audiovisuales su derecho de puesta a disposición del público respecto de un fonograma o de un original o una copia de una grabación audiovisual, conserva el derecho irrenunciable a obtener una remuneración equitativa de quien realice tal puesta a disposición.

Los **usuarios** de las grabaciones audiovisuales que se utilicen para los actos de **comunicación pública** consistentes en emisión o transmisión, en lugar accesible al público, mediante cualquier instrumento idóneo, de la obra radiodifundida, y la retransmisión por entidad distinta de la de origen de dicha obra, tienen obligación de pagar una remuneración a los artistas intérpretes o ejecutantes y a los productores de grabaciones audiovisuales, de acuerdo con las tarifas establecidas por la correspondiente entidad de gestión.

Los usuarios de grabaciones audiovisuales que se utilicen para cualquier **acto de comunicación al público, distinto** de los señalados anteriormente y de la puesta a disposición por medio alámbrico o inalámbrico -de tal forma que cualquier persona pueda acceder a ellas desde el lugar y en el momento que elija-, tienen, asimismo, la obligación de pagar una remuneración equitativa a los artistas intérpretes o ejecutantes, sin perjuicio de que se entienda que el artista intérprete o ejecutante que ha transferido o cedido a un productor de fonogramas o de grabaciones audiovisuales su derecho de puesta a disposición del público respecto de un fonograma o de un original o una copia de una grabación audiovisual, conserva el derecho irrenunciable a obtener una remuneración equitativa de quien realice tal puesta a disposición.

b) Como ya comentamos, en caso de contrato del artista intérprete o ejecutante con el productor de grabaciones audiovisuales, se presume que, salvo pacto en contrario, el artista ha cedido sus **derechos de alquiler**. Esta presunción ha de entenderse sin perjuicio del derecho a una remuneración equitativa a favor del artista, derecho que es irrenunciable.

El sistema de remuneración instaurado es similar al expuesto al referirnos a los **autores de obras audiovisuales** (nº 2121), debiendo hacerse efectivo igualmente a través de la entidad de gestión correspondiente.

2248 A la remuneración pactada por el artista, intérprete o ejecutante con el empresario o arrendatario por la cesión de sus derechos, le será aplicable lo dispuesto en el art.47 LPI respecto a la **revisión de la remuneración** desproporcionada (ver nº 1873) (LPI art.110.3).

El derecho de **revocación** regulado en la LPI art.48 bis, y las **obligaciones de información** del cesionario o licenciatario de derechos de propiedad intelectual, establecidas en el RDL 24/2021 art.75, serán aplicables con respecto a los artistas, intérpretes o ejecutantes en los términos establecidos en el nº 1879 y nº 1875, respectivamente (LPI art.110.4).

Gastos de traslado Aun cuando no se establece en la Ley nada al respecto, suele ser práctica habitual que corran por cuenta del empresario los gastos del traslado del artista intérprete o ejecutante al **lugar de interpretación o ejecución**, así como los gastos correspondientes a su **estancia** (alojamiento, manutención). 2250

Reconocimiento del nombre del artista (LPI art.113) El artista goza del derecho irrenunciable e inalienable al reconocimiento de su nombre sobre sus interpretaciones o ejecuciones. Por consiguiente, el empresario está obligado a **anunciar debidamente** el nombre, real o artístico, del artista intérprete o ejecutante. Se prevé la importante excepción de cuando la omisión del nombre del artista intérprete o ejecutante venga dictada por la manera de utilizar las interpretaciones o ejecuciones (p.e. anuncios publicitarios, sincronización en teléfonos, etc.). 2252

El modo concreto a través del cual este reconocimiento tenga lugar depende de los **usos habituales** en el sector de explotación de que se trate, si bien puede pactarse un tamaño determinado y una colocación específica del nombre del artista en los **soportes publicitarios** de la obra (p.e., en las obras audiovisuales suelen figurar en los créditos finales).

Precisiones En conexión con esta cuestión hay que referirse a la obligación que pesa sobre las **entidades de radiodifusión** -en cuanto prestadores del servicio de comunicación audiovisual- de respetar la integridad del programa en el que se insertan mensajes publicitarios. La transmisión de películas para la televisión (con exclusión de las series, los seriales y los documentales), largometrajes y programas informativos televisivos puede ser interrumpida una vez por periodo previsto de 30 minutos. En el caso de los programas infantiles, la interrupción es posible una vez por periodo ininterrumpido previsto de 30 minutos, si el programa dura más de 30 minutos (L 7/2010 art.14.4).

d. Prestación artística en el ámbito laboral

Como hemos mencionado anteriormente, la relación entre el productor o empresario y el artista intérprete o ejecutante puede constituir una relación de carácter laboral. En este caso resulta de aplicación el III **Convenio colectivo** estatal regulador de las relaciones laborales entre los productores de obras audiovisuales y los actores, cuya versión actual viene rigiendo desde el 1-1-2016 hasta la actualidad, al haberse ido prorrogando en sus propios términos de año en año, y no haber sido denunciado por ninguna de las partes (Resol DGE 3-5-16, BOE 16-5-16; ver también Resol DGE 14-1-21, por la que se registra y publica el acuerdo parcial del Convenio colectivo de productores de obras audiovisuales y actores que prestan servicios en las mismas). Se aplica a los contratos de interpretación para la realización de obras audiovisuales que se celebren entre los productores de las mismas y los actores que en ellas intervengan, cualquiera que sea el tipo de actuación que se fije en las citadas obras audiovisuales, incluidas las de publicidad. **Se exceptúan** del ámbito del Convenio esas interpretaciones cuando sean fijadas en cortometrajes cuya explotación primaria sea su exhibición en salas cinematográficas, así como los contratos concluidos entre las empresas de producción audiovisual y los figurantes, y los de ejecución musical de las bandas sonoras de las obras audiovisuales, los vídeos musicales y los programas de concursos. 2255

Dicho Convenio establece que, en todo contrato de interpretación para la realización de una obra audiovisual, han de incluirse obligatoriamente las siguientes **menciones**:

a) La **razón social** completa de la empresa de producción audiovisual, incluyendo en sus datos de identificación el nombre completo, el domicilio social y el código de identificación fiscal (NIF).

En el caso de revestir forma de persona jurídica, o actuar el empresario por medio de **representante**, han de constar los datos completos de identificación de dicho mandatario, así como del documento público que le habilite, con expresa mención de su fecha de protocolización, número de orden y notario autorizante.

b) El **nombre civil** del actor/actriz, con plenos datos de identificación y, en su caso, el **nombre artístico** por el que es habitualmente conocido.

En el caso de actuar mediante **representante**, se deben consignar respecto del mismo los mismos datos y particulares exigidos en el apartado anterior para los mandatarios de las empresas de producción audiovisual, así como los particulares del poder de representación.

c) El **título** provisional o, en su caso, definitivo de la producción o grabación a que se refiera el contrato.

d) El **papel o personaje** que interpretará el actor/actriz, así como la correspondiente categoría laboral, según el Anexo I al Convenio. 2257

e) El plazo de vigencia o **duración del contrato**, con expresión de las fechas de comienzo y fin del rodaje.

f) La **remuneración** pactada.

g) Los **días de ensayo** que se prevé realizar, y la fecha, al menos aproximada, en la que los mismos tendrán lugar, así como la remuneración, en su caso, por cada jornada de ensayo.
h) Los **emplazamientos** en los que, de forma al menos genérica, tendrá lugar el rodaje o doblaje. Este lugar será considerado a todos los efectos como centro de trabajo en el que el actor/actriz prestará sus servicios.
i) Las **fechas** en las que se prevé tendrá lugar el doblaje.
j) Una **declaración** por medio de la cual el actor/actriz, de forma expresa, cede al productor de la obra audiovisual los derechos de **fijación**, así como **reproducción y distribución** de la interpretación fijada, indicando expresamente el plazo y ámbito geográfico a que la cesión debe entenderse referida. Por esta cesión el actor/actriz percibirá la remuneración de la que habla el Anexo I al Convenio. Téngase en cuenta que las tablas salariales se fijan y prorrogan, en su caso, anualmente.
k) Una **declaración** por medio de la cual el actor/actriz, de forma expresa, autoriza al productor de la obra audiovisual, la **comunicación pública** de la interpretación fijada, indicando, de forma igualmente expresa, el plazo y ámbito geográfico a que la autorización debe entenderse referida.
l) El tipo de **jornada**, continuada o partida, a realizar durante el rodaje o grabación, continuada o partida.

5. Contrato de comunicación pública

2260

2262 En general, por comunicación pública ha de entenderse todo acto por el cual una pluralidad de personas pueda tener acceso a la obra **sin previa distribución** de ejemplares a cada una de ellas (LPI art.20.1).
La comunicación pública de una obra puede llevarse a cabo a través de numerosos actos o **modalidades de explotación** (ver nº 1788).
El objeto del contrato de comunicación pública consiste en la **explotación intangible** de la obra, pues todos los modos de explotación previstos parten de la base de la ausencia de una distribución o una reproducción previas, salvo, evidentemente, las necesarias para que el propio acto de comunicación pública tenga lugar. Por consiguiente, el contrato de comunicación pública está pensado para un tipo concreto de explotación.
En el contrato han de determinarse específicamente las modalidades de explotación objeto de autorización. A nuestro juicio, una **autorización genérica**, esto es, que tome como base la cesión del derecho de comunicación pública en general, no autorizaría al cesionario a explotar la obra en todas las modalidades de explotación previstas legalmente (así puede deducirse de LPI art.43 y 57). En definitiva, la autorización únicamente debe comprender aquellas **modalidades de explotación expresamente cedidas** o aquellas que sean necesarias para dicha explotación.
En nuestro estudio vamos a centrar el objeto en dos modalidades de explotación:
- la emisión (sea por vía hertziana o por satélite); y
- la proyección en salas cinematográficas o de exhibición pública.

Precisiones La contratación relativa a emisiones e incluso la relativa a la explotación en salas de exhibición cinematográfica está sometida a obligaciones de mantenimiento de **cuotas de pantalla** a favor de obras europeas. Concretamente se establece que, al concluir cada año natural, al menos el 25% del total de las sesiones que se hayan programado sea con obras cinematográficas comunitarias. Del cómputo anual se exceptuarán las sesiones en las que se exhiban obras cinematográficas de terceros países en versión original subtitulada. No obstante, téngase en cuenta que, para el cumplimiento de la cuota de pantalla, tendrán valor doble en el cómputo de dicho porcentaje aquellas sesiones en las que se proyecten determinados tipos de películas, tales como películas comunitarias de ficción en versión original subtitulada a alguna de las lenguas oficiales españolas; películas comunitarias de animación, documentales comunitarios, etc. (L 55/2007 art.18).

2264 **Contratantes** Los sujetos del contrato de comunicación pública son:
- por una parte, el productor o, en general, el **titular de derechos** sobre la obra a explotar;
- por otra, el **usuario**, que usualmente es una entidad de radiodifusión o una sala de proyección cinematográfica.

La figura activa del contrato no tiene que ser necesariamente un productor, aunque ciertamente será lo más usual. Nada impide, por ejemplo, que los derechos estén en mano de una **entidad de radiodifusión** o de una empresa cualquiera que los haya adquirido de su anterior

cesionario-cedente. Por claridad en nuestra exposición en adelante nos referimos solo a la figura del productor, pero en el bien entendido de que no ha de ser necesariamente un productor quien contrate con el explotador.
Con respecto a las **grabaciones audiovisuales**, corresponde al productor el derecho de autorizar su comunicación pública (LPI art.122.1).
De la misma manera, corresponde a las entidades de radiodifusión autorizar la comunicación pública de sus **emisiones o transmisiones de radiodifusión**, cuando tal comunicación se efectúe en lugares a los que el público pueda acceder mediante el pago de una cantidad en concepto de derecho de admisión o de entrada (LPI art.126.1).

Obligaciones del productor Por el contrato de comunicación pública el productor resulta obligado principalmente a: **2266**
- la cesión de los derechos de explotación y la entrega de la obra al usuario (nº 2268);
- la obtención de los correspondientes permisos de distribución (nº 2270);
- el pago previo de los derechos a los autores y otros titulares de derechos (nº 2272).

Cesión de derechos y entrega de la obra Corresponde al productor o cedente la cesión de los correspondientes derechos de explotación. **2268**
Ha de tenerse en cuenta al respecto que la autorización para emitir una obra comprende la **transmisión por cable** de la emisión, cuanto ésta se realice simultánea e íntegramente por la entidad de origen y sin exceder la zona geográfica prevista en dicha autorización (LPI art.36.1).
Dicha autorización comprende también su incorporación a un programa dirigido hacia un **satélite** que permita la recepción de esta obra a través de entidad distinta de la de origen, en cuyo caso, además, la emisora de origen quedará exenta del pago de toda remuneración (LPI art.36.2).
Asimismo, la autorización comprende las **grabaciones efímeras**, esto es, las reproducciones o registros de la obra que son necesarios técnicamente para el acto de radiodifusión. Para nuevas difusiones de la obra así registrada es necesaria la cesión del derecho de reproducción y de comunicación pública (LPI art.36.3).
Complementariamente a la cesión de los derechos de explotación, el productor ha de realizar la **entrega material** al explotador de la obra que será objeto de explotación.
La entrega ha de realizarse en las **condiciones** que se hayan pactado en el contrato (lugar, plazo, número de copias, etc.).

Obtención de los permisos de distribución Para el caso de la explotación de la obra audiovisual en **salas de cine**, el productor debe haber obtenido el permiso de las autoridades administrativas competentes para la distribución. Igualmente, la obra debe haber sido objeto de depósito legal. **2270**

Pago previo de derechos Al contrato entre el productor y el explotador debe preceder uno entre el productor y los **autores** y demás titulares de derechos cuya actividad se haya incorporado a la obra. **2272**
Debe exigirse por parte del cesionario que se haya verificado el pago de la remuneración a dichos titulares, que puede ser reclamado por las propias **entidades de gestión** (LPI art.90, 108, 116 y 122), salvo que el explotador sea un titular de derechos de los allí previstos.
Se trata de una **remuneración equitativa y única** a exigir de quienes realicen cualquier acto de comunicación pública.
Tratándose de obras que van a ser objeto de **explotación repetida** en el tiempo (p.e., vídeo bajo demanda), el pago de la remuneración debe hacerse de modo proporcional al uso que cada obra reciba (piénsese, p.e., en la explotación de vídeos musicales). Para que sea posible la verificación de los factores de los que depende, en el contrato del cedente con los titulares originarios de derechos, suele pactarse la obligación de proporcionar toda la **información sobre la explotación** (tiempo en que tuvo lugar, número de veces que se procedió a la explotación, artista o autor cuya obra se explotó, etc.).
Es conveniente pactar, en este sentido, una **garantía de pago** en virtud de la cual el cedente mantenga indemne al cesionario explotador de cualquier reclamación de los autores u otros titulares por el pago de los derechos remuneratorios que les corresponden.

Por otra parte, surge la cuestión de quién ha de pagar los derechos de autor correspondientes a las **retransmisiones** (emisiones de emisiones) o bien a las emisiones a partir de **plataformas digitales** o dentro de ofertas globales de programación de obras que están siendo objeto ya de radiodifusión, e incluso de si se trataría de un acto exento de pago sobre la base de una especie de agotamiento del derecho de emisión, al llevarse a cabo dentro de la zona contractualmente fijada. **2274**

A nuestro juicio, pueden esbozarse dos **hipótesis**:
• Que el obligado al pago sea la **entidad que oferta globalmente** diferentes emisiones. Se trataría, obviamente, de una retransmisión por entidad distinta de la de origen (al ser simultánea, inalterada e íntegra) por cuyo derecho, exclusivamente, habría que pagar. No entran en juego, por consiguiente, los derechos de reproducción o, en su caso, de fijación. A su vez, el emisor de origen pagaría los derechos de radiodifusión y, en su caso, de reproducción, pertinentes.
• Que el obligado sea exclusivamente el **segundo emisor**, pues la entidad de origen quedaría exenta del pago de derechos cuando, en el supuesto de explotación simultánea, inalterada e íntegra, el titular de derechos autoriza la incorporación de la obra a un programa dirigido hacia un satélite que permite la recepción a través de entidad distinta a la de origen, si previamente ha autorizado a esta última entidad a comunicar la obra al público (LPI art.36.2).
En todo caso, han de tenerse en consideración **otros factores**, como el ámbito territorial para el cual se cedieron los derechos o el modo de explotación elegido (piénsese, p.e., en un servicio de vídeo a demanda donde, por definición, existe una reproducción de la obra).

2276 **Obligaciones del usuario** El explotador o cesionario resulta obligado normalmente a:
- el pago de la remuneración al productor;
- la exhibición de la obra de acuerdo con las condiciones pactadas.

2278 **Remuneración** Debe el usuario remunerar al productor según lo pactado en el contrato.
El pago de esta remuneración no excluye el que deba hacerse a **autores** y otros titulares de derechos, cuya satisfacción corresponde al productor (nº 2109).

2280 **Exhibición de la obra** Como obligación más relevante se encuentra también la de explotar la obra en los términos de **tiempo y lugar** pactados, y de acuerdo con el número de sesiones establecido.
La exhibición ha de realizarse dentro de los **límites** marcados por los derechos de explotación cedidos y por el alcance territorial y temporal que las partes hayan estipulado en el contrato.
No obstante, en el caso de comunicación al público **vía satélite** han de tolerarse el exceso de alcance territorial debido al desbordamiento inevitable del haz del satélite, entendiendo por tal aquella zona que desborda la zona contractualmente fijada por razones técnicas. Téngase en cuenta, por el contrario que las emisiones codificadas y la perfección técnica que se está logrando en el campo de las emisiones vía satélite hacen que cada vez sea más improbable la posibilidad del desbordamiento inevitable.
En relación con el **número de sesiones** o pases para los que se autoriza la explotación, es usual que las partes, sobre todo en el contrato de exhibición pública, hagan depender la explotación de un número concreto de pases o de una duración determinada.

SECCIÓN 5

Contrato de creación y exhibición pública de obras fotográficas

2285

2287 Otro de los contratos relativos a la propiedad intelectual es el de creación de obra fotográfica, dentro del cual debe incluirse la prestación relativa a la explotación de la obra fotográfica a través de su exhibición o comunicación pública.
Normalmente, el **proceso de realización y creación** de una obra fotográfica no se articula a través de un contrato de encargo. Antes bien, responde a una necesidad de las agencias de información, de cubrir gráficamente acontecimientos de especial interés para la formación de *la opinión pública*.
Como ello implica la cobertura del suceso durante un tiempo (reportaje fotográfico) o la de varios sucesos a través del tiempo, es habitual que la actividad del fotógrafo se articule por medio de un **contrato de trabajo**, por lo que, en estos casos, muchas de las cláusulas del contrato quedan supeditadas a la legislación laboral, en general, y a las normas sobre obras creadas en el marco de una relación laboral (nº 1881), en particular.

No obstante, también cabe, por supuesto, que la creación fotográfica responda a un **encargo previo**, así como que tenga lugar en otros ámbitos, como los de la elaboración de catálogos de moda o de arte, ediciones impresas de monumentos, guías de viaje o libros de anatomía, entre otros.

Contratantes Las partes en el contrato de creación de obra fotográfica son, por un lado, el **fotógrafo** y, por otro, el **editor** o comitente. Tanto uno como otro pueden ser persona física o jurídica. 2289

Si la obra fotográfica se realiza en el marco de una **relación laboral**, resultan de aplicación las siguientes normas (LPI art.51):

a) La cesión debe incorporarse a una **forma escrita**.

b) El marco de la cesión será el definido en el contrato de manera expresa. Pero, a falta de previsión expresa, regirán las siguientes **presunciones**:

- la cesión de los derechos de explotación tiene carácter exclusivo;
- el alcance concreto de la cesión es el necesario para el ejercicio de la actividad habitual del empresario en el momento de la entrega de la obra.

c) El empresario no puede utilizar la obra para otro **fin distinto** del que se deduzca de los criterios anteriormente expuestos.

Si la obra fotográfica se lleva a cabo **al margen de una relación laboral**, en nuestra opinión no resultan de aplicación las normas expuestas. En su lugar, rigen las siguientes pautas, derivadas de la aplicación de las normas generales en la materia:

a) No existe presunción de **cesión en exclusiva** a favor del comitente (LPI art.48). Si se desea la exclusividad en la explotación de los derechos patrimoniales ha de pactarse expresamente.

b) La esencia del contrato de creación de obra fotográfica se halla más próxima al contrato de **ejecución de obra** que al mandato, por lo que resultarían de aplicación las normas propias del mismo (nº 5065).

c) Si en el contrato de creación de obra fotográfica se ha definido el ámbito de negocio del comitente, ha de presumirse que los derechos patrimoniales cedidos son los necesarios para la explotación de la obra en el mercado, de acuerdo con los **usos y costumbres** del sector.

d) Si la obra fotográfica ha sido creada en el marco de un contrato de **creación publicitaria**, a falta de pacto, se presumen cedidos los derechos de explotación sobre la obra (LGPu art.23). Ver al respecto el nº 6332.

Objeto del contrato Consiste en la creación de una **obra fotográfica**, es decir, en términos generales, la que se logra mediante la reproducción de una parte de la realidad a través de medios técnicos específicos. 2291

Tradicionalmente esos **medios técnicos** consistían en la impresión o fijación de un negativo por medio de la luz; actualmente ha de entenderse válido cualquier otro medio de fijación análoga, sea o no en un negativo o película fotográfica.

Esto implica que, al menos teóricamente, pueden entenderse incluidas dentro del concepto de obra fotográfica las fotografías obtenidas por **medios informáticos** o digitales.

Precisiones A nuestro juicio, la asimilación a las obras fotográficas de las obtenidas por **medios informáticos** es indudable. Este tipo de obra debe ser protegida sobre la base del concepto de obra fotográfica antes que bajo el de programa de ordenador.

Fotografía artística y meras fotografías (LPI art.128) El concepto de obra fotográfica incluye, en principio, tanto la fotografía artística, como la denominada «mera fotografía». 2293

Esto no debe hacernos pensar que toda fotografía puede considerarse obra fotográfica, pues para gozar de la protección que otorga la propiedad intelectual, ha de tratarse de una **obra original**, de una creación intelectual del autor que refleje su personalidad, sin que se tomen en consideración criterios tales como el mérito o finalidad de la obra.

La **originalidad y creatividad** de una fotografía no dependen de la realidad fijada en la misma, sino del modo en que tal realidad ha sido captada o de los medios que se han empleado para ello. En particular, debe probarse la existencia de individualidad y altura creativa, lo que puede deducirse de diversos **factores**, tales como la elección del motivo, el enfoque de la imagen, la perspectiva, la luz, las sombras, el contraste, la elección del momento en que se ha realizado la fotografía, la composición o escenificación realizada, el efecto que el autor quiso buscar en ella, las técnicas empleadas en el revelado. En definitiva, hay que tomar en consideración la forma, el movimiento, el espacio y la composición que resulta de la fotografía.

Precisiones **1)** La **mera fotografía** es aquella «destinada a complementar las noticias o reportajes del periódico, exigiéndose para ello que se acomode al contenido del texto y una normal calidad técnica, sin otras pretensiones que no son necesarias para la finalidad del periódico» (TS 31-12-02, EDJ 58543).

2) La obra fotográfica tiene que tener una **mínima altura creativa** (AP Navarra 17-9-14, EDJ 288859), añadiendo que «la ponderación de la suficiencia creativa dependerá de las circunstancias de cada caso», con cita de la sentencia TS 24-6-04, EDJ 82459, la cual se refiere a que no basta una novedad objetiva cualquiera sino que se requiere una **relevancia mínima**, examinándose en el caso concreto que la **originalidad** no era suficientemente significativa para conceder protección a su autor a través de la propiedad intelectual (TS 5-4-11, EDJ 60597).

3) La **originalidad** de una fotografía, que la convierta en obra fotográfica frente a la mera fotografía, no depende de la mayor o menor dificultad a la hora de realizarla. La singularidad creativa radica, no en el objeto fotográfico ni en la mera corrección técnica, sino en la **creatividad** misma de la fotografía (AP Barcelona 10-9-03, EDJ 176284; AP Las Palmas 13-2-17, EDJ 33512; AP A Coruña 1-12-23, EDJ 821335).

4) No se pueden **utilizar las fotografías ajenas** ya sean obras intelectuales o meras fotografías, invocando una falta de originalidad que lo único que determinada es su consideración de meras fotografías, que también gozan de protección, aunque sea de forma más limitada que las obras fotográficas (AP Madrid 13-1-23, EDJ 509552).

2295 **Adecuación de la obra a las instrucciones del comitente** En principio, pueden darse al menos **dos situaciones**: bien el fotógrafo es contratado para la realización de un reportaje gráfico sin quedar supeditado a unas instrucciones o disposiciones concretas del empresario; o bien, se da la situación contraria. La distinción es relevante únicamente a los efectos siguientes:

• En aquellos casos en que se ha definido el tipo de fotografías a las que el encargo se refiere, y, por tanto, **existen instrucciones concretas** al efecto, el comitente tiene la facultad de supeditar la entrega de la obra al cumplimiento de las instrucciones transmitidas (CC art.1598). No obstante, aun en caso de incumplimiento, el fotógrafo tiene derecho a ser indemnizado de los gastos incurridos y de una parte del trabajo realizado (CC art.1594).

• En aquellos otros casos en que **no existen instrucciones concretas** del empresario, el comitente está obligado en todo caso a la aceptación de la obra realizada y al pago correspondiente.

En cualquiera de los casos mencionados, debe entenderse que la **facultad de recepción** del comitente no puede implicar que el cumplimiento del contrato quede a su entera disposición (CC art.1256).

2297 **Contenido del contrato** (LPI art.128) Nos encontramos ante un contrato atípico, por lo que las partes se han de atener, en primer lugar, a lo pactado y, en segundo lugar, a las disposiciones de derecho necesario que con carácter general se aplican a todo contrato de propiedad intelectual (disposiciones sobre las facultades morales del autor y sobre la transmisión de los derechos: nº 1760 s.).

En este orden de cosas, aparte de la exacta definición de la obra a realizar (nº 2291), las **cláusulas más usuales** son las referidas a:

- los derechos de explotación (nº 2299);
- la duración del contrato (nº 2303);
- la remuneración (nº 2305);
- las facultades morales en relación con la exposición pública de la obra (nº 2307);
- el derecho de participación en la reventa (nº 2309); y
- los supuestos de incumplimiento (nº 2313).

2299 **Derechos de explotación** Los derechos económicos o de explotación objeto del contrato dependen de la **finalidad económica** prevista por las partes.

En principio, si lo que se plantea es la mera **exposición de la obra fotográfica**, corresponde la transmisión del derecho de comunicación pública, o más concretamente el de exposición pública, que no incluye, por ejemplo, la distribución de la obra en ejemplares corporales o tangibles (prensa, catálogos).

Pero puede ocurrir que la explotación pretendida alcance a **otros modos de comunicación** como, por ejemplo, la elaboración de tarjetas postales, la difusión por televisión, la distribución en prensa o en catálogos, en cuyo caso será necesaria la obtención de la autorización del autor en relación con los derechos de reproducción, distribución y comunicación pública, especificando además el medio en el que se prevé realizar dicha comunicación: emisión o radiodifusión inalámbrica, transmisión por cable, incorporación a una base de datos, etc.

Si está previsto que la obra sea objeto de **explotación o uso a través de Internet**, o de cualquier otra red de ordenadores (sea abierta o cerrada), es aconsejable adquirir también el derecho de transformación, pues el acto de digitalización puede considerarse una transformación de la obra.

2301 Por otra parte, debe tenerse presente que la mera **adquisición de la propiedad del soporte** al que se haya incorporado la obra no implica la adquisición de los derechos de explotación sobre esta última (LPI art.56). Por lo tanto, el comprador de un negativo o de la misma obra fotográfica, no puede proceder a la explotación de la obra si antes no adquiere los derechos patrimoniales correspondientes.

No obstante, la propia Ley prevé una excepción a la anterior regla. Así, el propietario del original de una obra fotográfica tiene el **derecho de exposición pública** de la obra, aunque ésta no haya sido divulgada, siempre que el autor no haya excluido esta facultad en el acto de enajenación del original. De todas formas, el autor puede oponerse a la misma si, por las circunstancias en que tiene lugar, considera que se está atentando contra su fama o reputación artística o profesional (LPI art.56.2).

Precisiones No compartimos la opinión según la cual la **digitalización** constituye por sí sola una transformación de la obra. La transformación de una obra u obra derivada implica la modificación de la obra de origen en un modo tal que se cree otra obra, con originalidad propia. A nuestro juicio no parece que por el solo hecho de digitalizar una obra, manteniendo su configuración externa perceptible, nos hallemos realmente ante una obra diferente. Por el contrario, la digitalización implica la explotación del derecho de reproducción.

Duración del contrato La duración del contrato depende también de la voluntad de las partes. Puede pactarse por un **tiempo cierto** o por una **temporada** determinada o determinable. **2303**
Si la prestación tiene lugar en el ámbito de una **relación laboral**, la duración del contrato puede incluso ser de carácter indefinido.
Puede ocurrir, asimismo, que la vida del contrato no dependa de un tiempo determinado, sino de la realización y entrega de un **número determinado de fotografías** o de un reportaje (sin sujeción a un número concreto de fotografías).

Remuneración La remuneración puede pactarse en función del número de fotografías realizadas y entregadas, o bien por referencia a un **tanto alzado**. **2305**
Especialmente cuando se transmita el derecho de exposición, puede pactarse que la remuneración consista en una **participación proporcional en los ingresos** obtenidos de aquélla.
Asimismo, si en el contrato se ha previsto la venta de obras del autor, puede también preverse una **participación proporcional en las ventas**. El porcentaje de esta participación no está sujeto a límite legal alguno, salvo que nos encontremos en el supuesto de reventa en establecimientos mercantiles y bajo ciertas condiciones (*droit de suite*: nº 2309).

Facultades morales en relación con la exposición pública de la obra Cuando la explotación de la obra fotográfica se realiza por medio de la exposición pública, ha de tenerse en cuenta la **peculiaridad del tipo de obra** ante la que nos encontramos. Así, es conveniente el acuerdo entre las partes sobre **aspectos** tales como: **2307**
- el **estilo artístico** bajo el que se pretende inscribir la obra;
- la presencia en la exposición de **obras de otros autores**;
- la **luz** que se proyectará sobre la sala de exposición y el color de la pared;
- la **ubicación** de la obra; o
- las condiciones de **seguridad y habitabilidad** de la sala.

En todos estos aspectos, el explotador de la obra fotográfica ha de atenerse a las instrucciones o **indicaciones expresas del fotógrafo**.
A falta de pacto expreso, entendemos que la explotación debe hacerse de manera que no se perjudique la fama artística o profesional del fotógrafo, de acuerdo con los **usos y costumbres** y con la finalidad propia del contrato.

Precisiones Ha de atenderse en todo caso al **criterio de la cognoscibilidad**. Por ejemplo, si se pacta que la obra fotográfica se expondrá en un bar y su ubicación es conocida del fotógrafo, no puede éste luego alegar que la forma concreta de explotación atenta contra su reputación o que el estilo o ambientación propios del bar en cuestión lesionan aquélla.

Derecho de participación en la reventa (LPI art.24) Como ya hemos expuesto (nº 1796), los autores de **obras de artes plásticas** tienen derecho a percibir del vendedor una participación en el precio de toda reventa (*droit de suite*) que de las mismas se realice en pública subasta, en establecimiento mercantil o con la intervención de un comerciante o agente mercantil. **2309**
Al margen de las críticas que pudiera suscitar la previsión legal, lo cierto es que el art.24 LPI concibe la **obra fotográfica** como una obra gráfica o plástica, de manera tal que la venta en las condiciones previstas en dicha ley da derecho al autor de la misma a «participar» en el precio de reventa.

Las **características** de este derecho de remuneración son las siguientes: **2311**
• Se genera por la **reventa de la obra** en la que participe como vendedor, comprador o intermediario, un profesional del mercado del arte, como, por ejemplo, las salas de venta, las salas de subastas, galerías de arte, marchantes de obras de arte y, en general, cualquier persona física o jurídica que realice habitualmente actividades de intermediación en este mercado. Igualmente se genera este derecho de participación si el profesional del arte actúa a través de los servicios de la sociedad de la información.

La única excepción se refiere a los casos de reventa de la obra que haya sido comprada por una galería de arte directamente al autor, siempre que el periodo transcurrido entre esta primera adquisición y la reventa no supere los 3 años y el precio de reventa no exceda de 10.000 euros, impuestos excluidos.

• El **porcentaje de participación** varía en función del precio de reventa, y puede ir del 0,25% (si el precio de reventa excede de 500.000 euros) al 4% (cuando dicho precio no supera los 50.000 euros). El derecho se genera cuando el precio de venta sea igual o superior a 1.200 euros (sin incluir los impuestos) por obra vendida o conjunto que pueda tener carácter unitario.

• Este derecho es de **carácter** irrenunciable.

• La **transmisión del derecho** solo se produce por fallecimiento del autor, y se extingue por el transcurso de 60 años, a contar desde el 1 de enero del año siguiente a aquel en que se produjo la muerte o declaración de fallecimiento del autor.

• Sobre el **pago** de este derecho, la **gestión** de su cobro y las **obligaciones** de los profesionales del mercado, ver nº 1796.

2313 **Supuestos de incumplimiento** Por último, y al margen de los supuestos de terminación de los contratos recíprocos por incumplimiento de alguna de las obligaciones de los mismos, las partes pueden establecer **casos de incumplimiento específicos**, tales como, por ejemplo:

- entrega de fotografías o negativos defectuosos o con la imagen distorsionada;
- entrega fuera de plazo;
- entrega de fotografías en las que la imagen o motivo requerido por el comitente no aparece en las condiciones previstas.

SECCIÓN 6

Contrato de producción fonográfica

2320

2322 La primera fijación, exclusivamente sonora, de una obra o de otros sonidos recibe el nombre de **fonograma** y da lugar al contrato de producción fonográfica (LPI art.114).

El contrato de producción fonográfica no está tipificado como tal en nuestro Ordenamiento, por lo que las partes disponen de un amplio **margen de libertad** para establecer las cláusulas que estimen convenientes, salvo en lo relativo a la participación en los beneficios derivados de determinadas formas de explotación (nº 1800).

Precisiones El concepto de reproducción, pensado en un principio para fijaciones de obras en soportes tangibles, ha pasado a aplicarse hoy día también a las incorporaciones de obras o prestaciones en **soportes intangibles**, tales como la memoria RAM de un ordenador personal. En este sentido, la Dir 2001/29/CE sobre **derechos de autor en la sociedad de la información**, en aplicación de lo dispuesto en los Tratados OMPI 1996 de derecho de autor y de interpretación o ejecución y fonogramas, creó el denominado **derecho de puesta a disposición**. Se trata de un derecho cuya estructura parte de la base de que la obra o prestación puede ser disfrutada por el público en cualquier momento y desde cualquier lugar. La obra o prestación puede entonces ser tan solo comunicada públicamente, pero también puede ser reproducida por el usuario. Es más, al margen de que lo sea de modo permanente, se producirá una reproducción de la obra o prestación en la memoria RAM del ordenador o máquina de que se trate. La LPI incorporó las modificaciones pertinentes para acomodar este derecho a la nueva modalidad de explotación (nº 1788).

2324 **Contratantes** Son el productor, por una parte, y los **artistas y creadores** de la obra musical o sonora, según los casos, por otra.

Es **productor** de un fonograma la persona natural o jurídica bajo cuya iniciativa y responsabilidad se realiza, por primera vez, la mencionada fijación. Si la fijación se efectúa en el seno de una empresa, el titular de ésta es considerado como productor del fonograma (LPI art.120).

Como ocurre en el supuesto de la producción audiovisual, la función característica del productor de fonogramas es la asunción de la **iniciativa y la responsabilidad empresariales** en fijar la obra musical o el sonido de que se trate a un soporte que permita su reproducción y explotación pública (por medio de la distribución o de la comunicación pública). Se protege así la iniciativa empresarial que permite crear las condiciones comerciales precisas para que la actividad creativa pueda tener lugar.

Precisiones 1) Los **distribuidores de fonogramas** no tienen necesariamente que ser parte en este contrato. Sin embargo, sí es usual que las productoras fonográficas tengan relación corporativa con las editoriales musicales con la finalidad de que éstas sean titulares de los derechos de autor sobre las obras musicales (normalmente, los de reproducción, distribución y comunicación pública, pero sin que haya una limitación legal en este punto: puede ocurrir, por consiguiente, que la editora adquiera la totalidad de los derechos de explotación existentes en un momento dado). Esas casas editoriales o editoras contratan con los titulares de derechos (autores, artistas intérpretes o ejecutantes) de quienes reciben las autorizaciones correspondientes.
2) Se ha de tener en cuenta la importante modificación introducida por la L 21/2014 en relación con la **duración** de los derechos de propiedad intelectual de los productores de fonogramas. Actualmente (LPI art.119), los derechos de los productores de fonogramas expirarán 50 años después de que se haya hecho la grabación. No obstante, si el fonograma se hubiera publicado o se publicare lícitamente durante dicho período, los derechos expirarán setenta años después de la fecha de la primera publicación lícita. Si durante el citado período no se efectuare publicación lícita alguna pero el fonograma se comunicare lícitamente al público, los derechos expirarían setenta años después de la fecha de la primera comunicación lícita al público.

Objeto del contrato El contrato de producción fonográfica tiene por objeto regular los aspectos de la **fijación de la obra musical** o del sonido a un soporte, y en general, los relativos a la explotación del fonograma resultante y de sus copias. **2326**
La fijación ha de ser **exclusivamente sonora**. Si se incluyen imágenes, el fonograma se convertiría en una grabación audiovisual (nº 2079).
En principio, no existe limitación conceptual alguna en relación con el tipo de **soporte** al que puede ser incorporado el sonido o la obra sonora, por lo que cualquiera es válido, siempre que permita la fijación de la obra. El concepto de fonograma es independiente de la **técnica de fijación** utilizada, pudiendo incluirse dentro del mismo las grabaciones analógicas, las magnéticas o las digitales.
Por otro lado, también son objeto de protección las producciones que tengan como finalidad la fijación de **meros sonidos** que no alcancen el rango de obra creativa original. A la vista de lo anterior, no hay inconveniente en admitir que la definición vale tanto para el productor de un fonograma que contenga una obra musical como para el que lo sea de un fonograma sin contenido artístico alguno (p.e., sonidos o ruidos de la naturaleza).

Contenido del contrato El contrato de producción ha de definir las **obligaciones del productor** de cara a los creadores de la obra musical y a los intérpretes, así como las **obligaciones de los autores** o de los artistas intérpretes o ejecutantes, según los casos, frente al productor. También es frecuente que en él se estipulen las particularidades del **proceso comercial** o de distribución que va a seguir la explotación de la obra. **2328**
Señaladamente, es conveniente la inclusión de cláusulas relativas a:
- el pago de la remuneración (nº 2330);
- el plazo de terminación de la obra (nº 2336);
- los derechos de explotación cedidos y el ámbito territorial y temporal de la cesión (nº 2338);
- el número de fonogramas a grabar (nº 2342); y
- la participación de los intérpretes o ejecutantes en actos promocionales o giras (nº 2344).

Pago de la remuneración Corresponde al productor pagar la remuneración pactada, tanto al **autor** o autores de la obra musical por la utilización de la misma, como a los **artistas** intérpretes o ejecutantes por la interpretación que de aquélla realizan. **2330**
La remuneración puede consistir en un **tanto alzado**, o bien fijarse, **de forma proporcional**, con relación al número concreto de copias vendidas (LPI art.46).
Al margen del contrato de producción de fonogramas, téngase en cuenta que rige un sistema de remuneración particular, en virtud del cual los usuarios de un fonograma publicado con fines comerciales (p.e. una maqueta no entraría dentro de este concepto de «fonograma comercial») o de una reproducción del mismo utilizada bajo cualquier forma de **comunicación pública** tienen obligación de pagar una **remuneración equitativa y única** a los productores de fonogramas y a los artistas intérpretes o ejecutantes (LPI art.116). El reparto de dicha remuneración entre estos dos grupos de titulares de derechos debe hacerse, a falta de acuerdo, por partes iguales. Se excluye de esta obligación de pago la puesta a disposición del público, sin perjuicio del derecho a obtener una remuneración equitativa de quien realice la puesta a disposición en los casos en los que el artista intérprete o ejecutante haya transferido o cedido a un productor de fonogramas (o de grabaciones audiovisuales) su derecho de puesta a disposición respecto de un fonograma o de un original o de una copia.
Este derecho se debe hacer efectivo a través de las **entidades de gestión**. Su efectividad comprende la negociación con los usuarios, la determinación, recaudación y distribución de la

remuneración correspondiente, así como cualquier otra actuación necesaria para asegurar la efectividad de aquél (LPI art.157.4).

Precisiones Un parque temático que había estado realizado **actos de comunicación pública de fonogramas sin autorización** de la Asociación de Gestión de Derechos Intelectuales (AGEDI), y sin abonar la remuneración equitativa a la misma AGEDI ni a la Asociación de Artistas e Intérpretes o Ejecutantes, Sociedad de Gestión de España (AIE), es condenado a pagar a las demandantes una indemnización conforme a las tarifas generales de estas entidades de gestión.
El TS declara que la aplicación de tarifas generales de las entidades de gestión, que además fueron comunicadas a la Administración, no vulnera la exigencia jurisprudencial de remuneración equitativa cuando para el cálculo de dicha remuneración se ha distinguido según los actos de comunicación fueran realizados con medios de reproducción sonora o como parte de los espectáculos que se representan en las instalaciones (TS 1-3-16, EDJ 13478).

2332 Téngase en cuenta la modificación introducida a través del art.110 bis LPI por virtud de la L 21/2014, que, entre otros fines, sirve para incorporar a nuestro ordenamiento la Dir 2011/77/UE, que modifica la Dir 2006/116/CE. En virtud de dicha modificación si, una vez transcurridos 50 años desde la **publicación lícita del fonograma** o, en caso de no haberse producido esta última, 50 años desde su comunicación lícita al público, el productor de fonogramas no pone a la **venta un número suficiente de copias** de un fonograma («que satisfaga razonablemente las necesidades estimadas del público de acuerdo con la naturaleza y finalidad del fonograma», mención añadida por el legislador español), o no lo pone a disposición del público, por **procedimientos alámbricos o inalámbricos**, de tal modo que el público pueda tener acceso individual al fonograma en el momento y lugar que desee, el artista intérprete o ejecutante podrá poner fin al contrato en virtud del cual cede o hace concesión de sus derechos con respecto a la grabación de su interpretación o ejecución a un productor de fonogramas (es decir, el contrato de cesión o concesión).
El **derecho a resolver el contrato de cesión** o concesión podrá ejercerse si, en el plazo de un año desde la notificación del artista intérprete o ejecutante de su intención de resolver el contrato de cesión o concesión conforme a lo dispuesto en el párrafo anterior, el productor no lleva a cabo ambos actos de explotación mencionados en dicha frase (en la versión inglesa de la Dir 2011/77/UE, parece haber base para interpretar que la expresión «ambos» se refiere más bien a «cualquiera de ambos»). Esta posibilidad de resolución **no** podrá ser **objeto de renuncia** por parte del artista intérprete o ejecutante.
Cuando un fonograma contenga la **grabación** de las interpretaciones o ejecuciones de **varios artistas intérpretes o ejecutantes**, estos solo podrán resolver el contrato de cesión o concesión de conformidad con el art.111 LPI. Si se pone **fin al contrato de cesión o concesión** de conformidad con lo especificado en la Ley, expirarán los derechos del productor del fonograma sobre este. Según el art.111 LPI, los artistas intérpretes o ejecutantes que participen colectivamente en una misma actuación, tales como los componentes de un grupo musical, coro, orquesta, ballet o compañía de teatro, deberán designar de entre ellos un representante para el otorgamiento de las autorizaciones mencionadas en la Ley. Para tal designación, que deberá formalizarse por escrito, valdrá el acuerdo mayoritario de los intérpretes. Esta obligación no alcanza a los solistas ni a los directores de orquesta o de escena.

2334 Asimismo, el art.110 bis LPI establece, en lo que se refiere a la **remuneración del artista**, que cuando un contrato de cesión o concesión otorgue al artista intérprete o ejecutante el derecho a una remuneración **única**, tendrá derecho a percibir del productor de fonogramas una remuneración anual adicional por cada año completo una vez transcurridos cincuenta años desde la publicación lícita del fonograma o, en caso de no haberse producido esta última, 50 años desde su comunicación lícita al público. El derecho a obtener esa remuneración anual adicional **no** podrá ser objeto de **renuncia** por parte del artista intérprete o ejecutante, y deberá hacerse efectivo a través de entidades de gestión colectiva de los derechos de propiedad intelectual concernidos.
El **importe total de los fondos** que el productor de fonogramas deba destinar al pago de la remuneración adicional anual mencionada será igual al 20% de los ingresos brutos que el productor de fonogramas haya obtenido, en el año precedente a aquel en el que se abone la remuneración, por la reproducción, distribución y puesta a disposición de los fonogramas en cuestión, una vez transcurridos 50 años desde la publicación lícita del fonograma o, en caso de no haberse producido esta última, 50 años desde su comunicación lícita al público.
Quedan **excluidas** del cálculo de los referidos ingresos las cantidades percibidas por el deudor en concepto de compensación equitativa por copia privada y alquiler de fonogramas. Los deudores de la remuneración anual adicional a que nos referimos estarán obligados a facilitar anualmente, previa solicitud, a la entidad de gestión correspondiente, toda la información que pueda resultar necesaria a fin de asegurar el pago de dicha remuneración.

Cuando un artista intérprete o ejecutante tenga derecho a **pagos periódicos**, no se deducirán de los importes abonados al artista intérprete o ejecutante ningún pago anticipado ni deducciones establecidas contractualmente al cumplirse cincuenta años desde la publicación lícita del fonograma o, en caso de no haberse producido esta última, cincuenta años desde su comunicación lícita al público.

Plazo de terminación de la obra Pueden las partes pactar libremente el plazo en el que han de incorporarse al fonograma los registros necesarios para entender que el mismo se encuentra terminado. 2336

La terminación de la obra, por otra parte, ha de supeditarse a **criterios** que deben establecerse en el contrato, tales como la finalización de la grabación en una fecha determinada, la realización de actividades de postproducción, etc.

En este punto, creemos aplicable por analogía lo dispuesto para el contrato de producción audiovisual, en el sentido de que el derecho moral de los autores solo puede ser ejercido sobre la **versión definitiva de la obra** (LPI art.93.1). Téngase en cuenta que la fijación de la obra musical puede referirse a una obra aún no divulgada y que necesite de varias sesiones de grabación para lograr su versión o exteriorización definitiva. El momento en que se consigue dicha versión definitiva es una cuestión que solo corresponde decidir a los autores de la obra musical.

Derechos de explotación cedidos (LPI art.115 a 117) La Ley reconoce al productor los derechos exclusivos siguientes: 2338

• **Reproducción directa o indirecta** de los fonogramas. Este derecho puede transferirse, cederse o ser objeto de la concesión de licencias contractuales.

• **Distribución** de los fonogramas y de sus copias, con el mismo alcance que, con carácter general, se establece para el derecho de distribución (nº 1784). Este derecho puede transferirse, cederse o ser objeto de la concesión de licencias contractuales.

Los productores de fonogramas carecen del **derecho exclusivo a autorizar** la **comunicación pública** de sus fonogramas salvo en el caso del derecho de puesta a disposición por procedimientos alámbricos o inalámbricos, de tal forma que cualquier persona pueda acceder a ellas desde el lugar y en el momento que elija. Aunque en su momento hubo cierta importante controversia sobre la cuestión, llegando el Tribunal Supremo a entender vigente L 22/1987 art.109 (el cual sí reconocía este derecho exclusivo), el texto actual de la LPI no permite albergar dudas sobre la derogación de este precepto.

Cuando la comunicación al público se realice **vía satélite o por cable** y en los términos previstos, respectivamente, en LPI art.20.3 y 4, es de aplicación lo dispuesto en tales preceptos.

No queda comprendido el **derecho de transformación** ni el de puesta a disposición en **bases de datos**, por lo que, si se desea transmitir estos derechos, debe hacerse expresa mención en el contrato. 2340

El contrato de producción de fonograma debe aludir también a las **modalidades concretas de explotación** objeto de cesión. Las más frecuentes son las de puesta a disposición y en menor medida el alquiler (especificando, a su vez, los distintos tipos de soportes técnicos y formatos a utilizar: CD, casete, etc.) y la explotación en cascada. Hoy día suele incluirse participaciones en ejecuciones musicales en vivo, dado el evidente declive del mercado fonográfico. Se ha producido una acusada tendencia a la explotación intangible, a través de la puesta a disposición, en detrimento de otras formas tradicionales de explotación como la distribución en fonograma.

Por último, y no menos importante, los contratos de producción fonográfica deben aludir específicamente al **ámbito territorial y temporal** de la cesión. Podría considerarse que es susceptible de revisión una cláusula por la que el autor o el artista intérprete o ejecutante se viesen sometidos a un plazo de cesión de derechos excesivamente largo en proporción a la remuneración obtenida a cambio de la cesión de los derechos.

Número de fonogramas a grabar Es frecuente que mediante un contrato de producción fonográfica se pacte con los autores o con los artistas intérpretes o ejecutantes, la grabación de un número concreto de álbumes o fonogramas. Estaríamos en el ámbito de la **obra de encargo o de producción futura**. 2342

A este respecto conviene tener en cuenta que la Ley establece la **nulidad de la cesión** de derechos de explotación respecto del conjunto de las obras que pueda crear el autor en el futuro (LPI art.43.3), por lo que surge la duda sobre si estas cláusulas se ajustan realmente a Derecho.

Pues bien, a nuestro juicio, las cláusulas del tipo de las mencionadas deben considerarse legales, ya que lo que se prohíbe es la cesión de los derechos de explotación sobre el conjunto

de obras que se creen en el futuro y no sobre las que queden comprendidas en un **plazo concreto de tiempo** o en un **número concreto de fonogramas** a grabar.
No obstante, si el tiempo prefijado por las partes fuese excesivo o no estuviese de acuerdo con los usos del sector, el autor podría solicitar la declaración de extinción del contrato.

2344 **Participación en actos promocionales y giras** Es frecuente incluir cláusulas relativas a la obligación del autor o de los intérpretes o ejecutantes de cumplir con un determinado **régimen de vida** dentro de los usos en el sector, o bien de participar en ciertas **actividades de carácter promocional o giras**, como pueden ser las presentaciones de los fonogramas, las promociones publicitarias o comerciales, las entrevistas con los medios de comunicación, la asistencia a actos oficiales o la realización de un determinado número de giras profesionales por un territorio determinado. Ver al respecto el nº 2139, con referencia al contrato de producción audiovisual.

SECCIÓN 7

Contratos de creación y explotación de soportes electromagnéticos. Contrato de obra multimedia y videojuego

2350

2352 Por efecto de los avances en el campo de la informática, en los últimos años se está asistiendo a un desarrollo significativo de **nuevos modos de explotación** de las obras. Nos referimos principalmente a la denominada obra multimedia o videojuegos, consistente, a grandes rasgos, en la incorporación de obras a soportes e incluso, por efecto de su digitalización, a su explotación prescindiendo del tradicional soporte físico, a través de canales electrónicos de comunicación.
Este nuevo tipo de explotación se caracteriza por dos **circunstancias**:
• En primer lugar, por razón del **tipo de obra**, puesto que no está clara su naturaleza jurídica ni, por consiguiente, la legislación que le resulta aplicable.
• En segundo término, por razón del **soporte** al cual se incorpora la obra multimedia (aunque, evidentemente, no de forma necesaria).

2354 Los contratos sobre estas nuevas formas de explotación plantean **interrogantes** que, en algunos casos, son de difícil respuesta a la vista de la normativa actual y en los que resulta cuestionable aplicar por analogía normas que regulan otras figuras (producción audiovisual, bases de datos o programas informáticos).
Así, han de resolverse ciertas cuestiones de carácter general, relativas a las **formas contractuales**, a los titulares de derechos y **contratantes**, a los **derechos** que adquiere el titular de la obra o la persona que la ha editado y divulgado. A éstas y a otras preguntas vamos a dedicar las siguientes líneas, con la esperanza de solventar las dudas existentes y, en definitiva, de ofrecer una visión general sobre la contratación y el régimen legal aplicables a las obras multimedia.

a. Obra multimedia y videojuego

2360

2362 La obra multimedia y el videojuego pueden ser definidos como los concebidos como creación única que es expresada mediante la reunión en **un mismo soporte digital**, con o sin previa adaptación informática, de elementos textuales, sonoros, de imágenes fijas o de animación, entre otros, cuya estructura y acceso estén regidos o funcionen a través de un programa de

ordenador, caracteres a los que es preciso añadir el fundamental **carácter interactivo** que preside e infunde este tipo de obras.
A fin de delimitar el alcance de esta figura y su naturaleza jurídica, en los números siguientes se exponen ciertas características de la misma, así como su distinción de otras figuras con las que guarda cierta afinidad.

Precisiones No es controvertido que los **videojuegos** son un material complejo que incluye aspectos informáticos (como un programa de ordenador) y también elementos narrativos, gráficos y sonoros, codificados en lenguaje informático, protegibles en caso de originalidad por los **derechos de autor**, en el régimen establecido por la Dir 2001/29/UE (TJUE 23-1-14, C-355/12; citada por AP Alicante 15-9-23, EDJ 787404).

Originalidad artística o creativa Debe partirse del hecho de que la obra multimedia o videojuego tiene categoría de obra en el sentido del derecho de autor. Esta aseveración no significa, evidentemente, que toda obra multimedia cuente necesariamente, por el simple hecho de serlo, con la protección que otorga esta especial disciplina jurídica. Como ocurre en relación con todo tipo de obra, también en el caso de la obra multimedia debe aplicarse el criterio de la originalidad artística o creativa para determinar si realmente estamos ante una obra protegible o no. Recordemos que este criterio de la originalidad tiene distintas **manifestaciones**, si bien básicamente todas ellas se refieren a un criterio mixto de novedad en la forma y apreciación subjetiva por parte del observador, esto es, que una persona pueda concluir positivamente acerca de la novedad exteriorizada de una determinada expresión formal. **2364**

No obstante, con respecto a las obras multimedia o videojuego, estos criterios resultan frecuentemente inútiles para apreciar efectivamente la altura creativa de una obra de estas características. Piénsese que las mismas están compuestas de **obras previamente existentes**, de aportaciones pertenecientes a otros autores o titulares de derechos y que en esta medida sería dudoso, como línea de principio, afirmar que realmente estamos ante una obra original y creativa. **2366**
A nuestro juicio, por tanto, hay razones de peso para considerar a la obra multimedia como una especie de colección, de base de datos o de obra colectiva, supuestos para los cuales el **criterio de originalidad aplicable** es el del orden establecido, el de la específica selección o disposición de contenidos (LPI art.12), criterio según el cual se tiene en cuenta el carácter específico de la obra multimedia como conjunto o selección de obras previas.
Es más, nos atreveríamos a decir que la verdadera originalidad de una obra multimedia reside en su **factor de interactividad** o, dicho de otro modo, cuanto más diferente sea el modo de interactuación entre el individuo y la obra (disfrute de la obra), más original tiende a ser ésta.

Distinción de otras obras similares A fin de delimitar el alcance de esta figura y su naturaleza jurídica, en los números siguientes se pone en relación el concepto que hemos ofrecido con carácter previo con el de otras figuras con las que guarda cierta afinidad: **2368**
- la obra audiovisual;
- las bases de datos; y
- los programas de ordenador (*software*).

Distinción con la obra audiovisual Las obras audiovisuales han de reunir los siguientes caracteres: **2370**
- expresión mediante un **conjunto de imágenes asociadas**, con o sin sonido;
- explotación básica a través de actos de **comunicación pública**, con independencia del soporte (por lo que un CD-Rom o un cartucho de un videojuego pueden ser considerados como incluido dentro de esta categoría).

Las obras multimedia o videojuego, como ya hemos indicado, son las concebidas como creación única, expresadas mediante la reunión en **un mismo soporte digital**, con o sin previa adaptación informática, de elementos textuales, sonoros, de imágenes fijas o de animación, entre otros, cuya estructura y acceso estén regidos o funcionen a través de un programa de ordenador (Esteve Pardo).
A la vista de los caracteres de unas y otras, un sector doctrinal entiende que la obra multimedia y videojuego han de ser **consideradas como obra audiovisual**. Se apoyan estos autores en el carácter, común a ambas, de expresión mediante imágenes asociadas o imágenes en movimiento o animadas.
Sin embargo, ha de señalarse que ambas características no son equiparables: una cosa es una imagen asociada y otra una imagen en movimiento, conceptos que no tienen que coincidir necesariamente. Así, el concepto de **imagen asociada** podría aplicarse a la unión o superposición entre un texto y una fotografía, o a la relación entre dos textos sucesivos; por el contrario, una **imagen en movimiento** sería la típica de cualquier película de animación, con el efecto usual de actividad o sucesión de imágenes.

2372 No obstante, más allá de conceptos y de interpretaciones basadas en el tenor literal de la Ley, entendemos que hay que atender a la coincidencia o, al menos similitud entre la **estructura de ambos tipos de obra**. En este sentido, no parece que la analogía de la obra multimedia con la obra audiovisual sea demasiado acertada. En general, puede sostenerse que una obra multimedia se caracteriza más por su estructura o selección de sus contenidos que por el contenido mismo. Por otro lado, la persona bajo cuya iniciativa y responsabilidad se crea una obra multimedia, normalmente deseará que la protección jurídica se dirija más a dicha **selección de contenidos**, que a los contenidos mismos, que normalmente son obra de terceras personas.

Entendemos que es ese el **criterio distintivo** y no el carácter interactivo que puede predicarse de las obras multimedia, pues hay obras claramente audiovisuales que presentan una cierta interactividad.

En definitiva, es improcedente concebir la obra multimedia en términos absolutos de obra audiovisual, puesto que ésta tiene unos contornos jurídicos muy bien definidos, lo cual no excluye, sin embargo, que, en ocasiones, pueda ser concebida como tal, en cuyo caso resultará de aplicación la normativa aplicable a aquel tipo de obras.

2374 **Distinción con las bases de datos** La calificación como base de datos es, en principio, la más adecuada para la obra multimedia.

Se consideran bases de datos las **colecciones de obras**, de datos, o de otros elementos independientes dispuestos de manera sistemática o metódica y accesibles individualmente por medios electrónicos o de otra forma (LPI art.12.2).

Este tipo de obras son objeto de protección cuando, por la selección o disposición de sus contenidos, constituyan creaciones intelectuales. La protección reconocida a estas colecciones se refiere únicamente a su **estructura**, en cuanto forma de expresión de la selección o disposición de sus contenidos, no siendo extensiva a éstos (LPI art.12.1).

Así pues, según el concepto que hemos expuesto más arriba, parece que la obra multimedia se asemeja más a este tipo de obras que a cualquier otro. Ello hace que una obra multimedia pueda ser considerada como **obra de colección**.

Ahora bien, aunque esto pueda ser así en la mayor parte de los casos, hemos de advertir que existen obras multimedia que no son necesariamente un conjunto de obras o prestaciones previas, especialmente seleccionado o con contenidos dispuestos en un orden determinado. Así, la denominación de obra multimedia como base de datos solo es admisible cuando aquélla consista en una **recopilación** de datos, textos o imágenes, voces o sonidos, o una especial combinación de cada uno de estos elementos con otros (p.e., una enciclopedia multimedia), pero no en cualesquiera otros casos.

2376 **Distinción con los programas de ordenador** Por último, también es posible considerar la obra multimedia como un programa de ordenador o «software». Se basa este argumento en que toda obra multimedia se vertebra sobre un concreto «software», gracias al cual el conjunto de la obra funciona. Dicho de otra manera, la fotografía o el texto que se incorporan a una obra multimedia no son tales para el ordenador, sino que consisten en un **lenguaje computerizado típico**, en un lenguaje máquina que el ordenador es capaz de interpretar y transformar en impulsos racionales perceptibles para el ser humano.

No es ésta, sin embargo, una apreciación del todo correcta, pues:

- el programa informático es, en todo caso, **una parte de la obra multimedia o videojuego**, la estrictamente necesaria para que la obra en su conjunto «funcione», esto es, pueda percibirse por el ser humano (en este sentido el Libro Verde de la Comisión CE sobre los derechos de autor y derechos conexos en la sociedad de la información);
- no conviene olvidar que el programa informático recibe en todo caso una **protección independiente** y segura en virtud de la LPI (nº 1737).

2378 **La obra multimedia como obra colectiva «sui generis»** La pluralidad de realidades que confluyen en la formación de la obra multimedia aconseja su conceptuación como obra colectiva *sui generis*.

Recordemos que la **obra colectiva** es aquella obra creada bajo iniciativa y coordinación de una persona natural o jurídica, bajo cuyo nombre se edita o divulga, y que consiste en la reunión de aportaciones de diferentes autores, pero que se funden en una sola creación, sin posibilidad de atribuir a cada uno de los autores un derecho separado sobre el conjunto de la obra realizada (LPI art.8: nº 1728).

Esta definición encaja a la perfección en el concepto y en la dinámica de la obra multimedia, ya que la misma supone, básicamente, una fusión de creaciones correspondientes a **distintos autores**, y se lleva a cabo por la iniciativa económica y la **responsabilidad de una persona**,

normalmente jurídica, que es la que divulga y edita bajo su nombre la obra multimedia de que se trate.
A pesar de ello, también es cierto que la obra multimedia no se concibe siempre por los autores o titulares de derechos cuyas obras o prestaciones son incorporadas a la obra en cuestión (p.e., una obra multimedia que verse sobre textos de escritores de narrativa hispanoamericana contemporánea, o sobre comics de distintos autores), sino que puede ocurrir que una persona o grupo de personas conciba la obra multimedia como **creación autónoma**, es decir, que creen el argumento o la dinámica propia de la obra multimedia. Si ello tiene lugar, podríamos llegar a hablar de obra audiovisual, puesto que habría un argumento al que se llega a partir de la definición o de la orientación de una determinada persona o grupo de personas, en cuyo caso estaríamos, no ante una obra colectiva, sino en el ámbito de una obra en colaboración (nº 1722).

Régimen de protección Partiendo de lo anterior, hemos de llegar a la conclusión de que en la obra multimedia se concentran una serie de **obras y prestaciones**. Básicamente, podría- **2380**
mos decir que tales obras son las siguientes:
- programa de ordenador base;
- textos y fotografías;
- sonidos o música; y
- aquellos mensajes (iconos) que presenten la suficiente carga de originalidad.

Sin perjuicio de la protección que reciba el titular de derechos de la obra multimedia por ésta, cada uno de los creadores de estas obras también puede exigir la correspondiente protección.

b. Aspectos contractuales de la creación de una obra multimedia o videojuego

2385

La elaboración de una obra de estas características es ciertamente complicada, en la medida **2387**
en que son precisas **diversas autorizaciones** (tantas como obras o prestaciones se pretenda incluir en la obra). No importa la intensidad de la explotación; en cualquier caso, ha de contarse con la autorización previa de los titulares de derechos en juego.
El objeto del contrato sería la autorización para **fijar la obra digitalmente y transformarla** mediante su adaptación e integración con los demás elementos y obras que conforman la obra multimedia.
Es preciso obtener de los autores los derechos de **reproducción, distribución, transformación** y, muy probablemente, también el de **comunicación pública** (p.e., para transmisión por redes digitales) y el de puesta a disposición.
Además, también hay que determinar en el propio contrato si la explotación recae **sobre la totalidad o sobre parte** de la obra o prestación.

Precisiones 1) La complejidad en la tramitación y obtención de las licencias correspondientes hace deseable que se articule en este ámbito un **régimen de gestión colectiva**, similar al que existe en otros ámbitos (p.e., ciertas retransmisiones por cable).
2) Recuérdese que el derecho de **comunicación pública** engloba una diversidad no exhaustiva de derechos, que es preciso concretar (nº 1788).

Intervinientes en el proceso de creación Si partimos de la base de que en la elabora- **2389**
ción de una obra de estas características interviene un **número indeterminado de personas**, tales intervinientes pueden ser catalogados en diversos grupos.
a) Intervinientes de **primer nivel**. Son todos aquellos que intervienen sobre las obras, preexistentes o no, que han de ser integradas en la obra multimedia. Aunque algunos son verdaderos creadores, otros se limitan a hacer labores de mera realización o ejecución técnica.
Entre los primeros, tenemos a los **autores de los textos, traductores, adaptadores**, fotógrafos, compositores de música y, muy especialmente, a los denominados infografistas (o creadores de una imagen digitalizada en una obra multimedia). Estos sujetos sí deben ser considerados como autores en el contexto del derecho de autor.
Respecto de los segundos, hemos de aludir a los **fotocompositores del texto**, maquetistas, a los responsables del rodaje de las imágenes, sus escaneadores, cámaras y encargados del montaje de los videos, así como a los ingenieros de sonido y los que lo digitalizan. Estos individuos carecen de actividad creativa alguna, en la medida en que se limitan a ejecutar las

órdenes que reciben de los anteriores o a dar textura digital a un formato o a una obra ya creada.

b) Intervinientes de **segundo nivel**. Son aquellos que integran en un solo producto multimedia todas las aportaciones previas. Su función tampoco es necesariamente creativa. Precisamente, por esta labor de ejecución o ensamblaje es por lo que carecen de la condición de autor. Básicamente, son los **ergonomas** (o responsables de evaluar la interactividad del «interfaz»), los escenógrafos de las páginas en pantalla, los indexeros o especialistas en índices, los documentalistas y los sonoristas.

Dentro de este grupo hay autores en sentido estricto, como los programadores de «software» o responsables del «interfaz». No obstante, si se emplea un programa estándar o el programador se limita a adaptar otra versión anterior, la originalidad se ve sensiblemente disminuida. Asimismo, podrá ser considerado como autor el **creador del argumento** o estructura que sigue la obra multimedia.

2391 **Modalidades contractuales** El resultado final de la obra multimedia depende de la conclusión de **diversos contratos** (o, en su caso, de uno solo comprensivo de todas las cuestiones siguientes).

Cabe distinguir los contratos que se hacen con carácter previo a la elaboración de la obra multimedia, los contratos de elaboración propiamente dicha y el contrato de elaboración del «software».

a) Los **contratos previos** a la elaboración de la obra multimedia suelen tener como objeto obras preexistentes y contribuciones puntuales especialmente creadas para la obra multimedia. Con ellos se trata de asegurar debidamente la **cesión del derecho de reproducción** en soporte óptico, magnético o electrónico, en todo o en parte, de la obra objeto de contrato, así como el derecho de transformación en previsión de las necesarias adaptaciones o modificaciones.

Si la obra se crea *ex novo*, o como consecuencia de la **combinación de diversos productos**, la contratación es algo más compleja:

- por un lado, los contratos de **autorización** con titulares de derechos de obras preexistentes;
- por otro, los contratos de **encargo de obra** para esas contribuciones puntuales especialmente concebidas para la obra multimedia.

Es aconsejable acaparar los derechos de **reproducción, transformación y comunicación pública**. Además, es preciso introducir una cláusula que permita **modificar la integridad de la obra** (sobre todo en casos como el de la obra multimedia, en que la correcta combinación de todos los elementos hace necesaria la eventual modificación de obras y prestaciones).

2393 **b)** El contrato de **elaboración de la obra multimedia** es el contrato concluido entre el editor y los autores de segundo nivel. En él es aconsejable describir todos los elementos que pasarán a formar parte de la obra multimedia (textos, fotos, voces, tiempo de uso, etc.), así como los idiomas a emplear, definición del modo de interactividad, etc. La cesión, usualmente, se hace en exclusiva.

c) Contratos de **elaboración de «software»**. Éste es una obra independiente de la obra multimedia. Es usual que se encargue la realización de un programa específico por el editor, lo que implica la consiguiente cesión de derechos, que comprende los derechos de **explotación del código fuente**, así como toda la documentación necesaria para su producción y mantenimiento (código fuente, objeto y manuales de instrucciones).

En cuanto a las **facultades morales**, el editor suele obligarse a no ejercer los derechos en contra del autor, mientras éste se obliga a su vez a no ejercer derechos tales como el de retirada de obra.

2395 **Cesión de derechos de explotación** En principio, la obra multimedia ha de ser concebida como obra colectiva. La cesión de los derechos de explotación a favor de la persona que lleva a cabo la obra multimedia opera necesariamente de **forma derivada**, pues nuestra normativa no concibe las cesiones a título de origen o directas.

Como consecuencia de este carácter derivado, la persona responsable de la obra multimedia solo tiene **facultades de tipo patrimonial** -p.e., derechos de reproducción, de distribución, de comunicación pública, etc.- y carece de las facultades morales -divulgación, no modificación y reconocimiento de la autoría- que recaigan sobre cada una de las obras integrantes de la obra multimedia, si bien no de las propias de dicha obra (en base a LPI art.5.2, en relación con LPI art.8.2).

En consecuencia, una persona responsable de una obra multimedia podría sufrir la **paralización de la explotación** si alguno de los autores de obras incorporadas decide su no divulgación, o si plantea un pleito por modificación contraria a su reputación o que menoscaba sus intereses.

No obstante, en nuestra opinión, hay que reputar como legal la cesión al empresario de los derechos patrimoniales sobre las obras, así como el ejercicio por éste de las **facultades morales** de divulgación y modificación, siempre que quede a salvo el derecho del autor a la paternidad sobre la obra o prestación.

Así, en relación con el derecho moral, entendemos que los autores no pueden: 2397
- oponerse a que el empresario se sirva de su contribución, adaptándola a **adiciones, supresiones, actualizaciones** o cualesquiera modificaciones ulteriores de la obra, bajo el pretexto de que en tales casos se está lesionando la facultad de integridad;
- ejercer un eventual **derecho de retiro**;
- ejercer su **derecho de arrepentimiento** o de no divulgación.

En definitiva, el empresario debe tener en sus manos la **facultad de divulgación**, por analogía con lo que ocurre con las obras audiovisuales (nº 2127).

Precisiones 1) Como **derechos de explotación** se establecen, sin carácter exhaustivo, los de reproducción total o parcial -aunque sea de forma transitoria-, traducción, adaptación, arreglo o cualquier otra transformación, así como cualquier forma de distribución del programa (LPI art.99).
2) Se admite la venta de derechos de propiedad industrial sobre un **programa de ordenador** (AP Girona 14-10-21, EDJ 765955).

Transmisión de derechos del trabajador asalariado En principio, deben distinguirse dos regímenes: 2399

a) Cuando la obra consista en un **programa de ordenador**, caben las siguientes posibilidades (LPI art.97.4):
- Si el trabajador ha creado el programa **por su cuenta**, le corresponden a él todos los derechos de autor sobre el mismo.
- Si el trabajador ha creado el programa **en colaboración con otros**, los derechos sobre el programa han de ser tratados en comunidad de bienes.
- Si el programa tiene la consideración de **obra colectiva**, salvo pacto en contrario, es titular de todos los derechos (parece que incluso las facultades morales) la persona física o jurídica que la edite y divulgue bajo su nombre.
- Si el trabajador ha creado el programa siguiendo las **instrucciones del empresario**, la titularidad de los derechos de explotación corresponde, salvo pacto en contrario, de forma exclusiva al empresario.

b) Con respecto a **otro tipo de obra**, el régimen aplicable es el siguiente (LPI art.51):
- La transmisión se refiere solamente a los **derechos de explotación**, quedando al margen, por tanto, los derechos de carácter moral.
- La **forma escrita** no es precisa o esencial, pero ha de tenerse en cuenta que, a falta de pacto escrito, rige una presunción de cesión en exclusiva de los derechos de explotación y con la finalidad necesaria para tal explotación.
- Las **facultades morales**, en principio, no se transmiten, salvo, cabe pensar, el derecho de divulgación.
- Cuando la explotación de la obra por parte del empresario sea conforme con la **finalidad y objeto del contrato**, el trabajador no puede hacer valer legítimamente sus facultades morales y con carácter absoluto.

Forma de pago (LPI art.46) La remuneración puede consistir tanto en un **pago proporcional** respecto de los ingresos de la explotación, como en una remuneración **a tanto alzado**. No obstante, este último supuesto es de circunstancias tasadas (ver nº 1871). 2401

Explotación por Internet, intranets o extranets La digitalización de una obra implica la **desaparición del soporte material** al que ésta se incorpora. De esa manera, la explotación de las obras multimedia puede llegar a hacerse a través del mero alojamiento en la memoria de un ordenador. 2403

La digitalización implica un **acto de reproducción**. De igual modo, el almacenamiento de datos de una base es un acto de reproducción que requiere autorización del titular de derechos. En general, cualquier almacenamiento de la obra que se realice en el transcurso de su transmisión implica un acto de reproducción (p.e., un volcado *-download* - al disco duro).

No se precisa en este caso la cesión del **derecho de distribución**, puesto que éste se reserva solamente para la explotación de ejemplares tangibles.

Habrá que tener en cuenta el nuevo derecho de **puesta a disposición** instaurado por la Dir 2001/29/CE (LPI art.20.2.i), el cual consiste en hacer accesible la obra o prestación al público desde el lugar y el momento en el que cada integrante singular del mismo decida.

El **uso colectivo** de obras digitalizadas o en soporte lógico en empresas, grupos de chat, intranets, etc., no puede acogerse a la excepción de copia para uso privado, ya que, aunque se halle ausente el requisito del lucro, no lo está el del uso colectivo: en este sentido, debe entenderse que un uso por más de dos personas ya es colectivo.

c. Protección de la obra multimedia o videojuego

2410 Se analizan en los números siguientes los problemas que se pueden presentar en torno a la protección jurídica de este tipo de obras. Ésta puede articularse por dos vías distintas: a través de su acceso al Registro de la Propiedad Intelectual (nº 2412) y mediante su depósito notarial (nº 2414).

2412 **Registro de la Propiedad Intelectual** (RD 611/2023 art.14.l) Se prevé la posibilidad de inscripción de obras multimedia, para lo que se exige:
• La descripción por escrito que relacione de forma individualizada cada creación para la que se solicita el registro, identificada con el nombre del fichero informático que la contiene y nombre y apellidos de su autor.
• El cumplimiento de requisitos específicos, de conformidad con lo establecido en el Reglamento, para la identificación y descripción de las obras, actuaciones, producciones contenidas en la página electrónica o multimedia.
• La copia de la página web u obra multimedia en formato digital, cuyo contenido pueda ser examinado por el registro.
El Registro de la Propiedad Industrial se expone en el nº 1895.

2414 **Depósito notarial o «escrow»** Es un mecanismo alternativo del anterior y consiste en requerir a un notario para que la parte **licenciante** del programa informático deposite este programa ante él con intención de que quede a disposición de la parte **licenciataria**, si se dan determinados supuestos fácticos (p.e. quiebra o suspensión de pagos del licenciante, traspaso accionarial, etc.). Este tipo de requerimiento implica el depósito de la totalidad del **código fuente**.
Con ello se obtiene seguridad en cuanto a la **fecha de creación**. Además, respecto de programas muy determinados, también se consigue la **limitación de acceso** de usuarios autorizados al código fuente (p.e., para el caso en que tales usuarios hayan perdido o dañado dicho código) y la posibilidad para los usuarios o licenciatarios de poder acceder al código fuente del programa en determinadas circunstancias. Se consigue además evitar que una desaparición jurídica o física del licenciante pueda interrumpir la normal actividad del licenciatario.
En ocasiones se realizan «**muescas**», esto es, elementos incrustados en el código fuente del programa, con la finalidad de detectar en un futuro si una copia presuntamente ilegal de dicho programa realmente se ha obtenido a partir del programa de origen.
Este sistema presenta el inconveniente de no dar fe acerca del **contenido de lo depositado**.

CAPÍTULO 4

Propiedad industrial

2450

SECCIÓN 1

Consideraciones previas

La categoría de los **bienes inmateriales** -categoría en la que se encuadra la propiedad industrial- constituye una figura híbrida que acoge elementos heterogéneos. Los derechos que se agrupan dentro de la categoría de bienes inmateriales son las marcas, las patentes y modelos de utilidad, los derechos de autor, los modelos y dibujos industriales, amén de otros títulos *sui generis* (topografías de productos semiconductores, certificados complementarios de protección, obtenciones vegetales, etc.). Además, nuevas figuras (derechos de la imagen y de la personalidad, datos personales automatizados) parecen abrirse camino en esta añeja categoría. 2455

En concreto, la **propiedad industrial** es el conjunto de normas relativas a los signos distintivos y a las creaciones intelectuales, técnicas y estéticas aplicadas a la industria; quedando fuera de nuestro examen los derechos de propiedad intelectual, que han sido ya objeto de análisis separado (nº 1700 s.).

El Derecho de la propiedad industrial abarca esencialmente dos tipos de **derechos protegidos**: los signos distintivos y las creaciones técnicas.

• Los **signos distintivos** protegen los instrumentos identificativos de los productos y servicios (marca), de la actividad (nombre comercial) o del establecimiento de los empresarios (rótulo de establecimiento, figura en vías de extinción tras la L 17/2001 o LM). Su protección exige el registro (salvo en el caso del nombre comercial), pero éste puede ser renovado indefinidamente. Dentro de los signos distintivos en sentido amplio, se encuentran figuras como los nombres de dominio, marcas colectivas, indicaciones geográficas en sentido amplio, respecto de los cuales no es común la aplicación de un régimen contractual (su problemática es típicamente administrativa).

• Las **creaciones técnicas** comprenden diversos títulos otorgados como recompensa por la solución de un problema técnico, siendo las principales las relativas a las invenciones técnicas (patentes y modelos de utilidad) y las relativas a las creaciones estéticas (modelos y dibujos industriales).

Ciñéndonos a los derechos objeto de propiedad industrial, es obvio que existen algunos **elementos comunes** a ambos tipos de creaciones, los signos distintivos y las creaciones técnicas. Estas semejanzas aconsejan que las disciplinas se estudien de modo unitario. Baste recordar el carácter instrumental de los bienes inmateriales en el desarrollo de una empresa. La empresa moderna es inconcebible sin la conjunción de marcas, patentes, en general, de títulos de propiedad industrial. 2457

Las **diferencias** en los diversos títulos de protección de propiedad industrial se manifiestan por la naturaleza del objeto protegido.

• En efecto, los **signos distintivos** cumplen una función meramente diferenciadora, se trata de evitar la confusión de los consumidores ante bienes similares, pero de distinta procedencia empresarial. Por eso, la exclusiva puede ser indefinidamente renovable en el tiempo.

• En cambio, en los títulos de exclusiva sobre invenciones y **creaciones técnicas** se excluye del dominio público un bien valioso (la invención), cuya explotación se concede en régimen de monopolio al titular de la patente. Por esta razón, la exclusiva tiene una duración limitada en el tiempo.

2459 **Relación de la propiedad industrial con la propiedad intelectual** Los principios en que se fundamenta la protección de la propiedad intelectual son distintos de los que constituyen las reglas ordinarias de la protección de la propiedad industrial. Las principales diferencias son las siguientes:

a) El modo ordinario de **adquisición** de derechos de propiedad industrial (salvo el nombre comercial) es el registro, mientras que la propiedad intelectual nace con la creación -la inscripción posibilita la prueba-.

b) La propiedad intelectual no protege la **idea subyacente**, sino solo la expresión de la misma, mientras que en el derecho de patentes se protege la idea inventiva (Acuerdo sobre los aspectos de los derechos de propiedad intelectual relacionados con el comercio -ADPIC- art.9).

c) La relevancia de los **derechos morales** del autor, que pueden llevar a la retirada de la obra del mercado (LPI art.14.6) o a la obtención de una importante indemnización (TS 22-4-98, EDJ 3916), contrasta con la menguada aplicación de los derechos morales en el ámbito de la propiedad industrial.

d) El carácter típico y cerrado de los derechos de propiedad industrial se diferencia del carácter abierto y expansivo de la propiedad intelectual, del mismo modo que el requisito de la **originalidad** en derecho de autor es diferente del concepto de **novedad** en las creaciones técnicas. El Derecho de propiedad intelectual parte de la compatibilidad de protección con los títulos de propiedad industrial (LPI art.3), siendo especialmente interesante la interrelación de la propiedad intelectual con los **modelos y dibujos industriales**, en su modalidad de arte aplicado a la industria.

e) La **extensión** de los derechos de propiedad intelectual es, hasta cierto punto, de menor intensidad que la de los derechos de propiedad industrial de carácter técnico, aunque, en cuanto a la **duración**, es superior a la que otorgan los títulos de protección para las invenciones.

2461 **f)** En el Derecho de autor rige el **principio de independencia** de la creación y en el Derecho de patentes el **principio de prioridad**. Por ello, en el seno del derecho de autor, es lícita la **doble creación** (si bien la carga de la prueba recae sobre el segundo creador -TS penal 28-5-92, EDJ 5452-). En las patentes, sin embargo, su titular puede impedir al creador independiente la explotación del objeto de la patente (eficacia preclusiva), salvo en el supuesto de pre-uso, que, en cualquier caso, se produce con anterioridad a la fecha de prioridad de la patente (LP art.63).

g) El carácter especial de la legislación de patentes lleva consigo la inaplicación de **facultades derivadas del derecho de autor**. En efecto, el redactor de un documento de patente (descripción y reivindicaciones) posee la propiedad intelectual sobre su obra; no obstante, el titular del derecho de propiedad intelectual no podrá ejercitar las facultades dominicales que la LPI le reconoce (LPI art.14). El documento de patente podrá difundirse libremente (fotocopiarse, integrarse en una base de datos, tener acceso al mismo por vía telemática, etc.). De la misma manera, puede utilizarse la información contenida en el prospecto de un medicamento, que no puede considerarse una obra artística o literaria en el sentido del derecho de la propiedad intelectual.

h) El **Registro de Propiedad Industrial** (en sus distintas modalidades: marcas, patentes, etc.), tiene carácter nacional (TCo 103/1999) o plurinacional (OMPI, para marca internacional, EUIPO, Oficina de Propiedad Intelectual de la Unión Europea, para la marca de la Unión Europea, Oficina Europea de Patentes, para las patentes europeas), mientras que el Registro de Propiedad Intelectual puede articularse por Comunidades Autónomas.

2463 **i)** En el derecho de marcas existe una prohibición relativa que consiste en la **prohibición de signos que utilizan obras ajenas** (LM art.9.1.c). Sobre marcas creadas por un socio, se ha considerado nula la inscripción de una marca que usaba el diseño realizado por un socio de la sociedad, si bien no se estimó devengada una indemnización (TS 22-3-21, EDJ 514817).

j) En el ámbito de la propiedad intelectual aparece la nueva figura de los **NFTs**, siglas de *Non Fungible Tokens*, que se puede traducir por tókenes -símbolos o fichas- no fungibles. Frente a las criptomonedas que son fungibles, esto es, intercambiables (igual que un euro es igual a otro euro), los NFTs no son intercambiables. Crean (artificialmente) una escasez y certifican la propiedad de activos electrónicos. Esto es, mientras que la propiedad intelectual se ha basado tradicionalmente en que el registro es declarativo, en los NFTs el registro (o certificación descentralizada) es de esencia al producto. La especulación sobre los NFTs se basa

precisamente en su carácter único. Estos nuevos «activos» o «**criptoactivos**» se venden en plataformas como *Open Sea*.
k) Igualmente han aparecido **licencias virtuales**. En el metaverso (entornos de realidad virtual como *Second Life* o en un futuro *Meta*, de Microsoft) se utilizan marcas o derechos de autor, bien a través de licencias de uso en el que el titular de las marcas o derechos puede usarlos en esa realidad (los avatares de los usuarios pueden vestirse con ropa de Zara, por ejemplo, previo acuerdo con el titular del entorno virtual), o pueden apropiarse de creaciones ajenas. Un artista, Mason Rotschild, comercializaba **NFTs** que reproducían diversas modalidades del bolso «Birkin» (metabirkin). Hermès le demandó por infracción de sus derechos de autor. Cabe indicar que el propio Rotschild tuvo copias de su «metabirkin». Sin embargo, el JM Barcelona núm 9, auto 14-1-24, EDJ 501830, considera que el dueño de una obra de arte puede exhibirla en el **metaverso** (caso Mango).

Precisiones Para **más información** en torno a la propiedad intelectual, ver nº 1700 s.

Relación de la propiedad industrial con la competencia desleal La competencia desleal también guarda una estrecha vinculación con los bienes inmateriales, en cuanto que establece las normas de corrección en el funcionamiento del mercado (Bercovitz). Los **intereses legítimos protegidos** por el Derecho de la competencia desleal no constituyen, empero, un derecho de exclusiva y, además, se encuentran íntimamente vinculados al caso concreto. **2465**
Con todo, la virtualidad de la normativa represora de la competencia desleal se ha caracterizado por el carácter favorable de los jueces y tribunales a la hora de aplicar esta normativa en casos de **infracción de marca**, así como de pugnas empresariales.
El Derecho de la competencia desleal está vertebrado en torno a una cláusula general: interdicción de los **actos de competencia contrarios a la buena fe** (LCD art.4, ver nº 426). Este fundamento es distinto de la concesión de un derecho de exclusiva en relación con determinados bienes. El hecho de que las relaciones concurrenciales entre operadores económicos deban ajustarse a la buena fe no está, en puridad, relacionado con que el inventor tenga un **plazo de exclusiva** de 20 años a contar del depósito de la solicitud de patente. El principio de buena fe como principio general de todo el ordenamiento parece inidóneo para vertebrar un sector tan específico como el de la protección de los bienes inmateriales a través de la concesión de derechos de exclusiva. El Tribunal Supremo ha confirmado la **prevalencia de los derechos de exclusiva** sobre la normativa de competencia desleal en materia de patentes (TS 13-6-06, EDJ 98702) y, sobre todo, en materia de marcas (TS 17-7-07, EDJ 104522; 7-10-09, EDJ 229009 -uso de marca en sectores afines- y TS 22-7-09, EDJ 197665 -Marca eslogan-).

La actual doctrina del Tribunal Supremo debería llevar a una cierta restricción en la **acumulación de acciones** prevaleciendo la acción basada en la patente o en la marca sobre la de competencia desleal. La doctrina de la **complementariedad relativa** supone que el Derecho de la competencia desleal no suple el Derecho de marcas, sino que se aplica en aquellos casos en los que el acto es objetivamente contrario a la buena fe, aun cuando no se halle amparado por un Derecho de marca (p.e., TS 15-9-17, EDJ 184862 -copia de mala fe de marcas no registradas-). **2467**
El principio de complementariedad relativa tampoco puede suponer que se creen **derechos de exclusiva nuevos**, cuando se deniega la protección por marca. La desestimación por el Tribunal de que exista una marca notoria no registrada que proteja el color azul para botellas de ginebra significa que no se pueda obtener protección a dicho color azul basada en la competencia desleal (TS 11-3-14, EDJ 42770).
En cualquier caso, el Derecho de la competencia desleal no puede servir para remediar las lagunas que existen en la regulación concreta de los derechos de exclusiva. De ahí que se establezca el principio general de **licitud de la imitación** de prestaciones e iniciativas empresariales (LDC art.11). Ver nº 453.

Precisiones Se trata de un conjunto variado de **supuestos** que van, desde la contratación de auditores de una empresa de auditoría por una competidora, la cuestión de los descuentos en libros por las grandes superficies (TS 31-3-99, EDJ 2204) hasta la medida cautelar por la que se ordenaba a una emisora que cuando emitiera una noticia sobre una determinada entidad bancaria debía estar presente un representante de dicha entidad para ejercer su derecho de réplica.

Relación de la propiedad industrial con la libre competencia Los derechos sobre bienes inmateriales guardan una relación muy estrecha con el Derecho de la competencia, puesto que, al tratarse aquéllos de **derechos de exclusiva monopolística**, constituyen restricciones a la libre competencia. La exclusiva supone esencialmente sustraer el bien inmaterial de la utilización ajena mientras se mantenga en vigor dicho derecho. La reforma en España del Derecho de la competencia se basa en la L 15/2007 (LDC), que tiene en cuenta la **2469**

existencia de diferentes niveles (estatal y autonómico) en la represión de las prácticas restrictivas de la competencia.
De otra parte, cuanto mayor sea el valor económico de los bienes inmateriales, más factible será su empleo como **instrumento para restringir la competencia**.
Pueden citarse los siguientes supuestos de utilización de derechos de propiedad industrial en contra de la libre competencia:
• Empleo de los derechos de propiedad industrial para evitar **importaciones paralelas**. Estas son importaciones que se producen dentro del territorio de la Unión Europea -más el Espacio Económico Europeo- y que se realizan por alguien ajeno al sistema de distribución del titular de la marca. La finalidad económica del fomento de las importaciones paralelas es la de evitar la discriminación de precios. Es decir, el titular de la marca no puede establecer un precio más alto en los estados con mayor capacidad económica y, a la vez, evitar la entrada de bienes procedentes de otros estados de la Unión Europea con precios más bajos, haciendo valer sus derechos de propiedad industrial. La importación paralela genera un arbitraje en los precios y es, indudablemente, lícita. El derecho de marca se ha agotado una vez introducido el producto en cualquier punto de la Unión Europea o del Espacio Económico Europeo y no pueden impedirse las importaciones paralelas.
• Calificación de los contratos de licencia como **acuerdos colusorios** (Tratado FUE art.101 -antiguo Tratado CE art.81-); cláusulas de los contratos de licencias no admisibles: cláusulas contenidas en las listas negras de los reglamentos de exención.
• Utilización de **publicidad engañosa** como elemento para eliminar un competidor (TDC Resol 26-2-98).
• La **negativa a conceder una licencia**, como abuso de posición dominante (Tribunal General UE 12-6-97, T-504/93).
• El **rechazo de suministro** por parte del titular de un derecho de propiedad industrial.
• Posibilidad de que, en determinados casos, las acciones basadas en derechos de propiedad industrial contra terceros puedan ser calificadas como abuso de posición de dominante. Se trata de la **litigación predatoria** o fraude procesal por temeridad litigante (*sham litigation*), que se considera dentro del Tratado FUE art.102 -antiguo Tratado CE art.82-.
• Las **licencias obligatorias** por falta de explotación o como sanción ante prácticas restrictivas de la competencia.
• La cuestión de los **productos accesorios de automóvil** (LM art.37).
• El intento de aprovechar la titularidad de un derecho de exclusiva para imponer **condiciones abusivas** y que exceden del contenido propio del derecho de exclusiva.
• La posición de dominio que adquiere el titular de un **estándar tecnológico**, que le permite obligar a los competidores a fabricar productos compatibles con dicho estándar (productos informáticos, discos compactos, videos, DVD, etc.). Como alternativa, en el ámbito de Internet, se están difundiendo estándares que no están basados en derecho de exclusiva ni en *know-how*, revelándose el código fuente del programa de ordenador. Son los **sistemas de licencia abierta** (*open source*).
• Los tribunales están aplicando el *private enforcement* o acciones de particulares en **Derecho de la competencia** (JM Madrid núm 12, 9-5-14, EDJ 100924, parcialmente confirmada en apelación AP Madrid 3-7-17, EDJ 157416, que estima la demanda de un competidor contra empresas del sector de seguros implicadas en un boicot).

2471 En principio, la **violación** del Derecho de la libre competencia no afecta a la subsistencia de los derechos del titular; sin embargo, sí tiene una cierta **relevancia**, como se manifiesta en los casos siguientes:
1) Los **terceros perjudicados** pueden impugnar los actos restrictivos de la competencia, exigir sanciones a las autoridades de defensa de la competencia y, eventualmente, solicitar una indemnización. En cualquier caso, ya **no** debe iniciarse una **reclamación previa** al procedimiento ante la Comisión Nacional de la Competencia (LDC art.13 -hoy suprimido-, la obligación ya no se exige en la nueva Ley; TS 30-12-93, EDJ 23646). Bajo la antigua LDC, había obligación de esperar a la firmeza de la resolución de competencia antes de solicitar daños, por tanto, el **plazo de prescripción** no comenzaba a correr hasta la firmeza de la Resolución (eso sucedió, por ejemplo, cártel del azúcar: daños tras la firmeza de la resolución del antiguo Tribunal de Defensa de la Competencia). Con la nueva LDC, ya no hay obligación de obtener una resolución de la Comisión Nacional de Competencia.
2) En el cómputo de la **indemnización**, no se pueden aplicar criterios de enriquecimiento injusto si se ha violado el Derecho de la competencia (LP art.74.3).
3) Puede obligarse a someter la patente al régimen de **licencias** obligatorias, cuando haya resolución administrativa o judicial por infracción del Derecho de la libre competencia (LP art.91.c).

4) Los licenciatarios y distribuidores pueden alegar la **nulidad parcial** de los contratos que contengan cláusulas contrarias a la competencia. Las consecuencias de la ineficacia se rigen por el Derecho nacional. Debe sostenerse la nulidad de las cláusulas restrictivas de la competencia, pero sin que dicha nulidad tiña de ilicitud a todo el contrato, ni, en particular, al pago de las contraprestaciones contractuales de las partes (no se aplica, por consiguiente, CC art.1305). En este caso, los Tribunales parecen inclinarse por permitir **cauciones sustitutorias** del considerado cautelarmente como infractor.
5) No es posible solicitar la adopción de **medidas cautelares** si el abuso de la patente consiste en la falta de suministro adecuado del territorio nacional (argumento basado en la derogada LP/86 art.133.1 en relación con LP/86 art.90).

Precisiones **1)** La LP art.127 no regula expresamente esta cuestión. Sin embargo, la normativa general sobre medidas cautelares exige que existe un riesgo en la demora. Si el titular de la patente no cubre la demanda en el territorio nacional, no puede obtener **medidas cautelares cesatorias**. Es una situación analógicamente muy similar a los requisitos para obtener una medida cautelar cesatoria respecto de tecnologías esenciales (licencias FRAND).
2) Se ha excluido la posibilidad de otorgar medidas cautelares basadas en competencia desleal con apoyo en una **solicitud de patente** (caso Fingolimod). En este caso, el titular de la solicitud de la patente había presentado en realidad una acción de infracción de patente sin justificar por qué existía un acto contrario a la buena fe y el tribunal revocó el auto de primera instancia que había concedido las medidas cautelares (AP Barcelona auto 20-1-23, EDJ 528152).

Otras vías de protección de las creaciones tecnológicas Como hemos comentado, el Derecho de propiedad industrial regula los mecanismos de protección de las creaciones intelectuales, técnicas y estéticas aplicadas a la industria, principalmente mediante la concesión de diversos **títulos de propiedad industrial** y derechos de exclusiva oponibles frente a terceros, que aseguran un monopolio variable según el tipo de derecho de que se trate. Nos remitimos a la exposición sobre el know-how y la transferencia de tecnología en el nº 2792 y nº 2820. **2473**
En ocasiones, sin embargo, estos derechos de exclusiva no son considerados por sus creadores como un bien económicamente valuable (por el riesgo de infracción, la facilidad de copia de la información divulgada, la dificultad de localizar a los infractores, etc.), prefiriendo proteger sus creaciones mediante mecanismos contractuales, que garanticen el **secreto empresarial**. Estos medios ofrecen una protección relativa, no oponible a terceros ni sujeta a plazos de vigencia, pero, en ocasiones más efectiva que las otras vías de protección señaladas.
Las principales **ventajas** de la protección a través del secreto empresarial están constituidas por:
a) El **carácter gratuito** y la posibilidad de que la protección se prolongue en el tiempo.
b) La posibilidad de transmitir el secreto industrial mediante **licencias de secretos empresariales o know-how**. En virtud de estas licencias el licenciatario está obligado a mantener el secreto sobre la información transmitida y a no utilizar la información secreta, aun expirado el contrato (nº 2792 y nº 2820).
c) La regulación de un **derecho de pre-uso** (LP art.63), en virtud del cual, el que explota o ha hecho preparativos serios y efectivos para explotar el objeto de la patente, con anterioridad a la fecha de prioridad, puede seguir efectuando los mismos actos de explotación una vez concedida la patente. Por ello, el que opta por la explotación a través de know-how, puede seguir utilizando el objeto de la invención aun cuando la invención se patente por un tercero.
d) La posibilidad de valorar durante un tiempo adicional la **conveniencia de patentar** la invención, ya que la novedad de la patente solo se destruye por la divulgación, no por la explotación en secreto.
e) La posibilidad de protección de **conocimientos no patentables** (p.e., patentes contrarias al orden público).

Igualmente existen **otros mecanismos contractuales** que tienden a la protección de las creaciones técnicas al margen de los derechos de exclusiva clásicos. **2475**
Como **ejemplos** de dicha utilización del Derecho de contratos cabe citar los siguientes:
1) En contratos en los que se transmite una **licencia de explotación de un programa de ordenador**, es usual que se entregue al licenciatario el programa que contiene el código objeto del programa de ordenador, mientras que el código fuente se deposita en un fiduciario, que solo lo entregará al licenciatario en caso de incumplimiento de las obligaciones por parte del licenciante o en caso de concurso de acreedores del mismo (*escrow* o depósito notarial: nº 2414).
2) También en el ámbito informático, ciertas empresas de software envían **muestras gratuitas** de sus programas (*shareware*) para que puedan ser probados por el usuario con la facultad de adquirirlos. Para evitar el fraude, estos programas contienen dispositivos de bloqueo que se activan con el transcurso del tiempo o al ser usado un determinado número de veces.

3) La licencia -arrendamiento- de **material biológico** en lugar de cesión de dicho material, para evitar el agotamiento del derecho.
4) Las llamadas **licencias por ruptura de envoltorio** (*shrinking wrap licences*) en el ámbito de los programas de ordenador: sistema consistente en la venta de un soporte informático envuelto en un plástico transparente en el que se adjunta un pliego de condiciones generales con la advertencia legible, antes de rasgar el plástico, de que la ruptura del envoltorio supone la aceptación de las condiciones generales que regulan el uso del soporte informático.
5) La venta de cierto **material muy sofisticado**, que se realiza con la obligación de guardar secreto y que tiene un número de usuarios muy limitado (p.e. las máquinas «Tomtech», que permiten realizar masivamente operaciones mecánicas de la investigación científica, como el pipeteo, la dosificación, etc.).
6) Las cláusulas sobre **transmisión confidencial de datos**.

2477 **7)** La utilización de mecanismos de defensa o **protección contra la copia**. En estos casos los mecanismos contractuales aparecen reforzados con sistemas o dispositivos técnicos que evitan la copia sistemática de bienes protegidos por derechos de autor o de propiedad industrial. En este sentido, ha de destacarse que se conceptúa como una violación del derecho de autor la comercialización o posesión, con fines comerciales, de instrumentos cuyo único uso sea facilitar la supresión o neutralización de cualquier dispositivo técnico utilizado para proteger un programa de ordenador o cualquier otro derecho de propiedad intelectual (LPI art.102.c).
8) Mecanismos de protección de la seguridad de los datos accesibles por la red **Internet**. Los mecanismos principales son los relativos a la transmisión de datos a través de la red (sistemas de cifrado de clave pública o asimétrica, como son los protocolos SSL y el protocolo PCT).
9) En la actualidad se discute la licitud de **actuaciones directas del titular** de derechos de propiedad industrial o intelectual infringidos en redes de usuarios (en la expresión inglesa *peer to peer* -P2P-), como «Napster» o «Gnutella». Se trata de casos en los que el titular de un derecho infringido adopta unilateralmente medidas destinadas a eliminar directamente archivos que supongan infracción de sus derechos (enviando virus o archivos corruptos, inundando la red de peticiones falsas). El titular del derecho actuaría como un *hacker* contra otros *hackers*. En el Ordenamiento español dicha actividad es ilícita, por constituir una realización arbitraria del propio derecho, y daría lugar a la correspondiente indemnización.
10) Uso de NDA o CDAs (*Non Disclosure Agreements* o *Confidentiality Agreements*), **acuerdos de confidencialidad**.

2479 **Normativa reguladora** En el estudio de los contratos sobre derechos de propiedad industrial ha de tenerse en cuenta la siguiente **normativa nacional**:
- la L 17/2001 de Marcas (**LM**), modificada por el RDL 23/2018, que traspone al ordenamiento español la Dir (UE) 2015/2436, del Parlamento Europeo y del Consejo;
- el RD 687/2002 que aprueba el Reglamento para la ejecución de la L 17/2001 (**RMa**);
- la L 24/2015 de Patentes (**LP**), que entró en vigor el 1-4-2017;
- el RD 316/2017 que aprueba el Reglamento para la ejecución de la L 24/2015, de patentes (el Gobierno está habilitado conforme a la LP disp.trans.7ª para dictar cuantas normas de desarrollo sean necesarias, aparte del RD 316/2017);
- el RD 245/2010 que suprime el requisito del documento público para la cesión y licencia de patentes;
- la OM ETU/296/2017, por la que se establecen los plazos máximos de tramitación de expedientes de patentes, que entró en vigor el 1-4-2017;
- la L 3/2000 de régimen jurídico de la protección de las obtenciones vegetales;
- la L 20/2003, de protección jurídica del diseño industrial;
- el RD 201/2010, sobre el ejercicio de la actividad comercial en régimen de franquicia (téngase en cuenta que las normas sobre el registro de franquiciadores (art.5 a 12) fueron derogadas por el RDL 20/2018, de medidas urgentes para el impulso de la competitividad económica en el sector de la industria y del comercio en España, con efectos desde el 8-12-2018);
- la L 1/2019, de secretos empresariales (ver nº 2792 s.);
- RD 306/2019, que modifica el Reglamento de marcas (RD 689/2002), y está en vigor desde el 1-5-2019.

2481 Precisiones **1)** La **vigente Ley de Patentes** (LP) introduce cambios especialmente en el procedimiento de concesión (generalización del examen sustantivo -ya que antes era opcional-, existencias de oposiciones post-concesión) y en el régimen jurisdiccional (regulación de la limitación o modificación de patentes en los procedimientos de nulidad, búsqueda de una especialización judicial, posibilidad de solicitar informes de validez a la OEPM, exigencia de un Informe del Estado de la Técnica para iniciar acciones basadas en modelos de utilidad, etc.). En materia de contratos no introduce modificaciones. Sí hay cambios en el régimen de licencias obligatorias.

2) Los títulos concedidos conforme a la **antigua Ley de Patentes** (L 11/1986) en relación a la patente como objeto de propiedad (esto es, los contratos sobre patentes) se rigen por la vigente Ley (LP disp.trans.2ª).

3) Las principales **novedades** introducidas en la **Ley de Marcas** por el RDL 23/2018 son:

• Actualización de la **definición**: se suprime el requisito de la necesidad de la representación gráfica (LM art.4) (ver nº 2527).

• Precisión del concepto de **marca de renombre** (LM art.8). Se copia literalmente la Dir (UE) 2015/2436. Se suprime el concepto de marca notoria (no registrada) del art.6 bis del Convenio de la Unión de París, pasándose de llamar marca renombrada a denominarse **marca renombrada no registrada**.

• Actualización de las **prohibiciones absolutas** (incorporando precisiones relativas a las marcas de indicaciones geográficas y denominaciones de origen) (LM art.5).

• Modificación del **sistema de oposición** a la solicitud de marca. A partir del 1-5-2019 (fecha de entrada en vigor del Reglamento de desarrollo del RDL 23/2018) se introduce la prueba del uso en los procedimientos de oposición ante la OEPM (LM art.21.3). El oponente, si lo pide el solicitante de la marca a la que se opone, deberá probar el uso de la marca que está haciendo valer (RMa art.21 bis redacc RD 306/2019 art.único). La marca no cumple la **carga de uso** si esta no se usa en los 5 años siguientes a la publicación de su concesión o si interrumpe el uso por un período igual.

• El 14-1-2023 entró en vigor el nuevo régimen de ejercicio de la acción directa de nulidad y de caducidad de la marca basado en el régimen de la Marca de la UE -MUE- (RDL 23/2018 disp.final.7ª). Constituye una importante modificación en la **competencia** para conocer de la **acción directa de nulidad y caducidad** de marcas y nombres comerciales, que corresponderá por vía directa a la **OEPM y** por vía de reconvención a la **jurisdicción civil** (LM dips.adic.1.2). A tal fin, la OEPM ha creado secciones especializadas en la acción directa (ver el manual informativo sobre los procedimientos de nulidad y caducidad administrativa de marcas accesible en la página web de la OEPM https://www.oepm.es/export/sites/oepm/comun/documentos_relacionados/Publicaciones/Folletos/Manual_Nulidad_y_Caducidad_Administrativa.pdf). Por tanto, desde el 14-1-2023 ya no es posible plantear acciones directas de nulidad o de caducidad ante los tribunales civiles (mercantiles), que solo podrán plantearse ante la OEPM, quedando a salvo la posibilidad de solicitar ante estos tribunales la nulidad como **excepción o reconvención**, así como el recurso contra las resoluciones de la OEPM. Se establece un régimen específico para la litispendencia y conexión de causas (LM art.61 y 61 bis).

La modificación realizada en el ámbito sustantivo tiene reflejo procesal en la LO 7/2022 de modificación de la LOPJ en materia de Juzgados de lo Mercantil (LO 7/2022 disp.final.5ª). El procedimiento de tramitación establecido es el del **juicio verbal**.

Estas novedades fueron desarrolladas, a nivel reglamentario, mediante el RD 306/2019, que modificó el **Reglamento de Marcas** con efectos desde el 1-5-2019.

4) En la perspectiva contractual, la situación de la **pandemia** por Covid-19 no llevó a establecer normas específicas para los **contratos de trasferencia de tecnología**. En algunos casos, como en las patentes y secretos empresariales, se produjo una intensificación del uso de estos contratos; En otros, el confinamiento llevo a la imposibilidad de explotación de ciertos contratos (p.e. franquicias de establecimientos que no eran servicios esenciales). En estos casos, los Tribunales han aplicado en general un poder de moderación de las cláusulas basándose en la aplicación de criterios de fuerza mayor, imposibilidad sobrevenida o **cláusula rebus sic stantibus**, incluso en casos no previstos por el legislador (RD 463/2020).

Y a **nivel internacional**: **2483**

- el Convenio Internacional 20-3-1883, de la Unión de París para la Protección de la Propiedad Industrial -el Acta vigente para España es la de Estocolmo, de 1967- (CUP);
- la Dir 2015/2436/UE de marcas. Hay dos plazos para su transposición, según las normas a las que se refieren, que expiran el 14-1-2019 y el 14-1-2023. Las normas sobre los contratos de marcas (art.22 a 26) no afectan al régimen actual;
- el Rgto (UE) 2017/1001 sobre la marca de la UE; y el Rgto de Ejecución (UE) 2018/626 por el que se establecen normas de desarrollo de determinadas disposiciones del citado Reglamento sobre la marca de la UE;
- el Tratado Ginebra 27-10-1994, sobre Derecho de Marcas (Instrumento de ratificación 13-11-1998, BOE 17-2-99);
- el Acuerdo sobre los Aspectos de los Derechos de Propiedad Intelectual relacionados con el Comercio (ADPIC), Acuerdo sectorial Anexo 1 C dentro del Acuerdo General sobre la Organización Mundial del Comercio (BOE 24-1-95);
- el Convenio Munich 5-10-1973 sobre concesión de patentes europeas (CPE), y el RD 2424/1986, sobre aplicación en España del Convenio de Munich;
- el Tratado 19-6-1970, de Cooperación en materia de Patentes (PCT), cuya aplicación se desarrolla en el RD 316/2017 art.99 s.;
- el Arreglo de Estrasburgo de 24-3-1971, sobre clasificación internacional de patentes;
- el Tratado Budapest 28-4-1977, sobre el Reconocimiento internacional del depósito de microorganismos a los fines del procedimiento en materia de patentes;

- el Rgto CE/469/2009, sobre creación de un certificado complementario de protección para los medicamentos;
- el Rgto UE/316/2014, de la Comisión, relativo a la aplicación de la exención por categorías a acuerdos de transferencia de tecnología, denominado RECATT; sustituye al anterior Reglamento de transferencia de tecnología que tuvo una vigencia de diez años hasta el 30-4-2014;
- el Rgto CE/6/2002, modificado por el Rgto CE/1891/2006, sobre diseño comunitario (es previsible que pase a denominarse diseño de la Unión Europea);
- el Rgto UE/720/2022 de la Comisión, relativo a la aplicación del Tratado FUE art.101.3 a determinadas categorías de acuerdos verticales y prácticas concertadas;
- el Tratado sobre el derecho de patentes y Reglamento del tratado sobre el derecho de patentes, que entraron en vigor en España el 6-11-2013 (Instrumento de ratificación 20-6-2013, BOE 9-10-13).

2485 La recepción legislativa de estos derechos de propiedad industrial no significa, con todo, que el legislador haya regulado plenamente el **contenido de los distintos contratos** que pueden tenerlos por objeto.

En realidad, el contenido de los contratos referentes a las marcas o a las patentes queda confiado a la autonomía de la voluntad. De este modo, en la Ley solo se establecen, por un lado, ciertos **principios generales** y, por otro, unas reglas básicas sobre **aspectos formales y registrales** de la inscripción de los contratos. En definitiva, nos hallamos ante contratos nominados, pero carentes de una regulación completa.

SECCIÓN 2

Normas generales sobre la contratación

2490 Las formas básicas de explotar los derechos de propiedad industrial son la **propia explotación** (p.e. en el seno de la empresa) o **a través de terceros** (fundamentalmente por la licencia o por otras figuras, como filiales comunes, etc.). La distinción básica en este segundo caso es entre la **cesión** (transferencia plena de propiedad del derecho) y la **licencia** (transferencia limitada del derecho de uso). Analógicamente, la cesión se asimila a la compraventa (o más correctamente a la transmisión plena de la propiedad) y la licencia al arrendamiento (o autorización para usar el derecho).

Los contratos son, por tanto, la **forma básica** de aprovechar la potencialidad de los derechos de propiedad industrial permitiendo que terceros puedan acceder a los signos distintivos o a la tecnología que poseen los titulares de derechos de propiedad industrial. En general, estos contratos de transferencia o de licencia de propiedad industrial tienen un **contenido** bastante estandarizado. Dicho contenido es muy exhaustivo y detallado, de modo que la **calificación de los contratos** en civiles y mercantiles (CCom art.1 y 50), en la práctica carece de aplicación. Si el contrato está sometido a Derecho extranjero, esta distinción no será operativa y, si está sometido a Derecho español, la polémica sobre si son contratos mercantiles o civiles (en general, se considera que son contratos mercantiles) carece de aplicación práctica.

No son aplicables las reglas sobre **interrupción de la prescripción** de los contratos mercantiles (CCom art.944), ya que se aplican las normas del CC art.1973 (TS 13-10-94, EDJ 8451; 12-12-95, EDJ 7023; 30-9-09, EDJ 229005). Tampoco son aplicables las reglas sobre la **mora**, ya que prevalecen las reglas contenidas en la L 3/2004, de morosidad de las operaciones mercantiles. También en la **formación del contrato** se ha producido una unificación en el ámbito civil y mercantil (CC art.1262).

Sobre la existencia de **condiciones generales**, al tratarse de contratos entre empresas, no hay control de contenido, sino solamente **control de incorporación** (L 7/1998 art.7). Esto es, los tribunales solo examinarán si las condiciones generales han sido aceptadas por la parte a la que se oponen e incorporadas válidamente al contrato, pero no entrarán a ver si las condiciones pactadas son justas, razonables, etc. (la única excepción es cuando exista un abuso de posición dominante o cuando haya infracción de las reglas FRAND -nº 2717-).

Precisiones 1) Las **condiciones generales** insertas en contratos en los que el adherente no tiene la condición legal de consumidor o usuario, cuando reúnen los requisitos de incorporación, tienen, en cuanto al **control** de contenido, el mismo régimen legal que las cláusulas negociadas, por lo que solo operan como límites externos de las condiciones generales los mismos que operan para las cláusulas negociadas, fundamentalmente los previstos en el CC art.1255 (nº 70) y en especial las normas imperativas (TS 30-4-15, EDJ 73561).

Ni el legislador comunitario, ni el español, han dado el paso de ofrecer una modalidad especial de protección al **adherente no consumidor**, más allá de la remisión a la legislación civil y mercantil general respeto a la buena fe y el justo equilibrio en las prestaciones para evitar situaciones de abuso contractual. Así, si bien el concepto de abusividad queda circunscrito a los contratos con consumidores, eso no quiere decir que en las condiciones generales entre profesionales no pueda existir abuso de una posición dominante, pero tal concepto se sujetará a las normas generales de nulidad contractual (nº 277). Es decir, nada impide que judicialmente pueda declararse la nulidad de una condición general que sea abusiva cuando sea **contraria a la buena fe y cause un desequilibrio** importante entre los derechos y obligaciones de las partes, incluso aunque se trate de contratos entre profesionales o empresarios (TS 30-4-15, EDJ 73561; 20-1-17, EDJ 1983; AP Toledo 18-10-16, EDJ 224009).

2) También se puede considerar que determinados **pactos abusivos** pueden ir contra la buena fe, el uso o la ley (CC art.1255 y 1258).

Contenido mínimo del contrato La **regla general** es que las partes pueden regular el contenido del contrato como les parezca, no hay un contenido mínimo imperativo. **2492**

Sin embargo, es conveniente que determinadas cuestiones queden claramente reguladas para evitar problemas futuros. No es recomendable que el **Derecho supletorio** (el Derecho al que las partes se someten o el aplicable en defecto de acuerdo) cubra las lagunas de lo no pactado por las partes. También se tiene que tener en cuenta que no es posible el contrato omnisciente, no es factible regular todos y cada uno de los aspectos. Siempre hay materias que deberán resolverse aplicando analógicamente lo resuelto en el contrato o por las reglas de interpretación: los contratos obligan no solo a lo que las partes han pactado expresamente, sino todo aquello que sea conforme a la buena fe, el uso o la ley (CC art.1258).

Precisiones Nótese que en el **Derecho anglosajón** (*Common Law*) se suele aplicar el principio contrario. Cuando el contrato es particularmente complejo, existe un riesgo de que la parte que lo ha redactado padezca las consecuencias de omitir alguna posibilidad. En ese caso, el contrato se interpretaría como considerando no incluida dicha eventualidad no prevista (se cuenta el caso de un profesor que redactó un contrato muy complejo, pero que no previó un caso de responsabilidad del constructor, la solución a la que se llegó fue considerar que dicha responsabilidad no existía). Este principio no es aplicable en el Derecho europeo continental.

Reglas sobre la titularidad Juegan en un triple ámbito: **2494**

a) Antes del contrato. Es conveniente firmar **acuerdos de confidencialidad** (*non disclosure agreement* -NDA- o *confidentiality agreement* -CDA-), en los que las partes determinan el destino de la información que se confían recíprocamente. Estos pueden ser **unilaterales**, cuando una sola de las partes ofrece dicha información confidencial, o **bilaterales**, cuando ambas partes suministran información confidencial.

Dicho contrato debe regular:

- la **reversión de la información confidencial** entregada (la obligación de restituir dicha información y de destruir las copias o soportes de la misma);
- identificación de las personas que pueden tener **acceso** a la información confidencial, régimen de tratamiento de la misma;
- la prohibición de **ingeniería inversa** (el análisis encaminado a descubrir cómo funciona la invención entregada, la estructura química, etc.);
- la **duración** de la obligación de confidencialidad (si es permanente, si es por un cierto período temporal, etc.);
- las **sanciones** en caso de incumplimiento (cláusula penal); y
- la **ley** aplicable.

b) En los **tratos preliminares**. Es frecuente que en reuniones de varias partes se pongan en común ideas, proyectos, etc., sin que exista un NDA o CDA. Es conveniente en estos casos preconstituir prueba sobre el **origen de la idea** (p.e. haciendo una minuta de lo tratado, enviando un correo electrónico afirmando la titularidad de la idea, etc.) o, preferiblemente, establecer un protocolo de actuación de las partes. Durante estos tratos preliminares es normal firmar un **precontrato**, carta de intenciones, o *memorandum of understanding*, cuando la negociación va por buen camino. Se suelen tomar medidas para proteger (y licenciar) los derechos de propiedad industrial que pertenecen a una de las partes (*background IP*) y que son presupuesto para la celebración del contrato. Estos acuerdos no implican la obligación de contratar y son instrumentales para permitir la negociación de buena fe.

c) En el propio **contrato**. Se debe tratar que la cuestión de la **titularidad** y de la **forma de explotación** queden claramente resueltas en el contrato.

Ejemplo En un contrato de investigación se deja el acceso a bibliotecas genómicas. Terminado el contrato no se reclaman las muestras de la biblioteca y los investigadores siguen investigando. Se produce una grave inseguridad jurídica que habría sido fácilmente subsanable si las partes hubieran previsto la titularidad y la reversión -en su caso- de los materiales entregados.

2496 **Facultades objeto del contrato** Se deben especificar claramente los **derechos de explotación** atribuidos a las partes (especialmente en los casos de comunidad).
También se deben **calificar correctamente** los contratos (p.e. si hay un arrendamiento de servicios o de obra se debe aclarar a quién corresponde la propiedad industrial que eventualmente se genere).

Precisiones Un caso peculiar es el resuelto por TS 30-6-11, EDJ 139857. En dicho caso no queda claro (y queda imprejuzgado) si el titular de la marca «Diesel» había concedido una licencia **exclusiva o no** exclusiva. Más aún, el contrato no aclara cómo podía utilizar la marca el licenciatario.

2498 **Duración del contrato** Las partes tienen que calcular si el período contractual permite **amortizar las inversiones** realizadas. Es importante atender a los contratos de duración indefinida (resolubles *ad nutum* o a voluntad por cualquiera de las partes).

2500 **Extinción del contrato** Se deben enumerar las **cláusulas especiales** en esta materia (sin que sea necesario ni conveniente repetir las causas generales de resolución de las obligaciones recogidas en el Código Civil).
Es conveniente determinar si hay reglas especiales sobre **preaviso**: problemas con el cómputo de fecha a fecha (TS 22-6-11, EDJ 130898 considera que un preaviso se cuenta de fecha a fecha; p.e. si el contrato vence el 1-1-2021 y el preaviso se establece con dos meses de antelación, se podrá válidamente denunciar el 1-11-2020, no es necesario denunciar el 31-10-2020). En materia de preaviso también hay que tener en cuenta la posibilidad de que se considere que la resolución supone un abuso de la situación de dependencia económica, que sería un caso de **competencia desleal** (LCD art.16.3; TS 26-7-12, EDJ 213121). Ver nº 475.

Precisiones Es posible pactar la obligación de **pago por licencia** de patente incluso después de **vencida la patente** siempre que el licenciatario tenga la facultad de resolver el contrato con un preaviso razonable (TJUE 7-7-16, C-567/14).

2502 **Opción entre patente y «know-how»** Es una cuestión básica. Las partes tienen que ser conscientes si el fruto de su colaboración será protegido por patente o se optará por mantenerlo como **secreto empresarial**. Lo pactado puede afectar los derechos morales de inventor, la existencia de un derecho de pre-uso (LP art.63), etc.
El secreto empresarial o *know-how* se define en el nº 2792.

2504 **Responsabilidad** Es especialmente importante en los contratos de transferencia de tecnología: patentes y know-how. Conviene delimitar qué sucede en el caso de que el derecho cedido o licenciado infrinja **derechos de terceros** cuya existencia no se conocía.
Si nada se pacta, se aplicará el derecho supletorio (la normativa de patentes, ver nº 2576 sobre evicción y vicios ocultos).
Son recomendables las **cláusulas de limitación** de responsabilidad, en virtud de las cuales, el que transfiere la tecnología admite su responsabilidad en el caso de que aparezcan derechos de terceros que invaliden los derechos licenciados, pero lo limita a una cantidad establecida a tanto alzado, normalmente la suma total de las regalías percibidas.

2506 **Participación de entidades públicas** Se deben cumplir las reglas especiales sobre **transferencia de resultados** en la actividad investigadora (en el ámbito universitario, téngase en cuenta la LO 2/2023 art.61). En particular, hay que tener en cuenta los Estatutos de cada **Universidad** (si la invención es universitaria) y las leyes de investigación que han aprobado algunas **CCAA** (por ejemplo, D Andalucía 16/2012, por el que se regula la gestión y transferencia de los resultados de las actividades de investigación, desarrollo e innovación cuya titularidad corresponda a las agencias y a las demás entidades instrumentales dependientes de la Consejería competente en materia de salud). Existe un riesgo si no se cumplen las disposiciones de carácter imperativo para estos contratos.

Precisiones Se ha autorizado a los investigadores de un proyecto de investigación con una sociedad mercantil a **no firmar la cesión** requerida para registrar la patente PCT en Estados Unidos (Abogacía del Estado Dict 14-8-00, ref. A.G. Ciencia y Tecnología 2/00). Se trata de la atribución de derechos de patente derivados de un proyecto de investigación desarrollado por el CSIC. El convenio atribuía un derecho preferente de registro a la entidad mercantil (subsidiariamente al CSIC). Sin embargo, se cedieron los derechos por la entidad mercantil a un tercero sin que dicha cesión de derechos fuera consentida por el CSIC, lo que determinó que se estimara improcedente el requerimiento de colaboración de los investigadores del CSIC para el registro de la patente PCT.

2508 **Contratos de colaboración con terceros** En el ámbito de la colaboración con terceros (aplicable en la transferencia de tecnología: patente y know-how) es necesario tener en cuenta diferentes formas de colaboración entre las partes.

Invenciones cuya realización se encarga a terceros Normalmente son casos en los que la complejidad de un proyecto impide a la empresa, total o parcialmente, llevarlo a cabo en su integridad. Las cuestiones que se deben regular son las siguientes: 2510

a) La **forma jurídica de la cooperación**. Es posible optar por un contrato de obra o un contrato de arrendamiento de servicios. En el **contrato de obra** el contratista se obliga a suministrar una obra acabada (esto es habitual en los casos en los que la intervención del contratista es muy concreta, p.e. la realización de un análisis químico o físico). En el contrato de **arrendamiento de servicios** el contratista (arrendatario) simplemente se compromete a realizar una actividad de la mejor manera posible. No existe una obligación de lograr un resultado. El arrendamiento de servicios es apropiado para las actividades de investigación, que muchas veces son impredecibles. Es también posible que se pacte una retribución variable (sería un híbrido entre el contrato de obra y el de servicios). En estos casos se fija el pago de cantidades por hitos (por tanto, si se cumplen los hitos, se abonará una cantidad adicional). Normalmente el hito es también una condición resolutoria (si no se logra la consecución del hito en un tiempo determinado, el contrato se estima resuelto).

b) Regulación de la **titularidad**. En estos contratos es imprescindible fijar a quién pertenece la propiedad industrial creada. Si no se dice nada, se atenta contra la necesidad de que la cesión sea expresa (nº 2694 sobre la forma de la cesión de patente). Normalmente el contratista deberá ceder la propiedad industrial realizada por encargo. Así se cumple el requisito jurisprudencial de la cesión expresa. También sería posible que en las condiciones generales se regulase la cesión de titularidad, siempre que estas condiciones generales cumplan con el requisito de la incorporación (LCGC art.7; ver nº 2490). En algunos contratos de consultoría se establece que el comitente solo adquiere una licencia sobre el uso de la obra que se realiza y que el consultor es libre de usar los conocimientos adquiridos con otros clientes. El comitente deberá negociar las cláusulas de modo que sus secretos empresariales queden salvaguardados.

c) Igualmente el contrato debería permitir que el mandante (arrendador) opte entre la protección como patente o el **secreto empresarial**.

d) La **subcontratación** por el contratista exige la autorización del mandante o arrendador. Se debe identificar el subcontratista, las cautelas establecidas (garantía, responsabilidad solidaria). Es conveniente regular si existe una acción directa del subcontratista o contra el subcontratista (p.ej. en relación con defectos de ejecución, pagos pendientes, etc.). 2512

El subcontrato debe prever el respeto del derecho moral del inventor que corresponderá al arrendatario y, en concreto, a los inventores que hayan participado en la invención (LP art.15).

e) Las obligaciones de **confidencialidad** y de **no competencia** pueden ser esenciales al contrato, cuando se trata de tecnología sensible.

f) Hay determinados **proyectos públicos de investigación** (CENIT, PROFIT, etc.) que prevén la participación de entidades públicas como subcontratistas. En algunos de estos proyectos se prevé la posibilidad de las instituciones públicas de utilizar internamente la invención, aunque la patente puede ser utilizada sin autorización para fines científicos (LP art.61).

g) En algunos casos -entidades públicas de investigación y similares- el subcontratista se reserva un **derecho de explotación limitado** -licencia no exclusiva limitada y gratuita-. Sin embargo, la regla general es la exclusividad y la inexistencia de licencia.

h) El interés del contratista es limitar la **responsabilidad** en este contrato. Los límites a la responsabilidad solo tienen efectos entre las partes (así, en el caso de que el arrendatario ejecute las órdenes del arrendador y viole una patente, es el arrendatario quien está realizando los actos de la LP art.59 y es responsable contra el titular de la patente, sin perjuicio de la facultad de repetir contra el principal o incluso de llamarle a la causa *laudatio auctoris* prevista en la LEC art.14.2). Obviamente cuando el contratista sigue las instrucciones de su mandante, no hay responsabilidad contractual alguna, sino exclusivamente extracontractual (sobre las que las partes no pueden disponer).

Invenciones fruto de una cooperación entre las partes Esta modalidad se caracteriza porque no hay una posición de subordinación, como en el caso anterior. 2514

Es muy frecuente la firma de **acuerdos de confidencialidad** (NDA), con carácter previo al contrato de colaboración.

Pueden existir **acuerdos marco o generales**; se trata de contratos normativos en los que las partes establecen un ámbito de cooperación sujeto a la realización de acuerdos futuros (de ejecución o específicos) en los que se concreta el acuerdo marco. Los acuerdos marco van desde lo meramente programático con escaso valor vinculante para las partes hasta contratos que contienen cláusulas en las que efectivamente se regulan aspectos concretos (p.e. la titularidad de la propiedad industrial de las invenciones que se generen en el acuerdo de cooperación).

La cuestión de la **titularidad** en estas invenciones es de extrema importancia. Si no se resuelve sobre la misma, el régimen que se aplica es el de la copropiedad de las patentes (nº 2900). Este régimen es sumamente ineficiente (LP art.80).
Para evitar el régimen supletorio, en la comunidad de patente se suele prohibir el **uso libérrimo** por cada parte (con facultad de licenciar). Es posible pactar un derecho de explotación exclusivo para una de las partes y pago de regalías a los otros (lo más habitual, admite también que la exclusiva sea atenuada y que alguno de los partícipes pueda explotar limitadamente) o la constitución de una filial común o *joint-venture* con derechos de explotación exclusivos (supone un mecanismo de integración: la filial común tiene reglas para la duración del contrato y consecuencias de la resolución, cláusulas penales y mecanismos de garantía).

SECCIÓN 3

Contratos sobre marcas

2520 Analizamos en este apartado los principales contratos sobre los derechos de marca:
- la **cesión** de marca (nº 2540);
- la **licencia** de marca (nº 2590);
- la **transacción** sobre la marca (nº 2665).

La **comunidad de marca** se expone en nº 2870 s. y la **hipoteca sobre marca** en nº 2924.

1. Consideraciones previas

2525 Se entiende por marca todo **signo** susceptible de representación que sirva para distinguir en el mercado los productos o servicios de una empresa de los de otras.
Aunque en la definición que se proporciona en la ley se alude expresamente a la «empresa», esto no quiere decir que solo los **empresarios** puedan ser titulares de un derecho de marca o que deba acreditarse la condición de empresario (Tratado de Derecho de Marcas 27-10-94 art.3.7).

Precisiones La reforma de la Ley de Marcas operada por el RDL 23/2018 suprimió el requisito de la **representación gráfica**, con lo que son admisibles representaciones no gráficas de la marca como **archivos de sonido o de vídeo**. Se armoniza, por tanto, la legislación nacional con la legislación de la marca de la Unión Europea. Sin embargo, el **signo** debe ser susceptible de distinguir, por ello, por regla general, no se admiten las marcas olfativas.

2527 **Representación** Para que pueda hablarse de una marca susceptible de protección, el signo debe ser susceptible de representación clara, precisa, autosuficiente, fácilmente accesible, inteligible, duradera y objetiva (Rgto (UE) 2017/1001 Exposición de Motivos). Hasta el RDL 23/2018 se exigía que la representación fuera **«gráfica»**. Dicho requisito legal de la representación gráfica de la marca obedecía al hecho de que las marcas nacen para ser vistas, pero suponía un obstáculo al registro de los **signos sonoros, olfativos, táctiles o gustativos** (si bien es cierto que bajo el régimen anterior al RDL 23/2018 no había problemas para el registro de los signos sonoros).
Con la supresión del requisito de la representación gráfica se admiten los signos cuya representación se produce por un **archivo de audio, fonograma, vídeo**, etc., siempre que la representación permita a las autoridades competentes y al público en general determinar con claridad y precisión el objeto de la protección. También se admiten nuevas figuras como las **marcas de patrón** (elementos que se repiten en el producto de forma regular, como las bufandas de Burberry, o el entrelazado de Bottega Veneta), las **marcas de posición** (como la suela de Louboutin), los **hologramas**, etc. (RMa art.2).
Cuando proceda, la representación debe complementarse con una indicación del **tipo de la marca** de que se trate y, en los casos apropiados, puede complementarse también con una **descripción del signo**. Tal indicación o descripción debe concordar con la representación (Rgto (UE) 2018/626 art.3 y Exposición de Motivos).

Precisiones **1)** Hasta la fecha, la OEPM no ha admitido el **registro de los signos olfativos** que, sin embargo, sí han sido admitidos por la OAMI (OAMI Sala Segunda de Recursos Resol 11-2-99, Asunto R 156/1998-2, *The Smell of fresh cut grass* -«El olor de la hierba recién cortada»-). Parece difícil que vaya a cambiar esta posición jurisprudencial.
2) El requisito de la representación gráfica no existe para la marca de la UE (Rgto (UE) 2017/1001), ni para la marca nacional (LM art.4). Las marcas concedidas sin cumplir este requisito se considerarán **convalidadas**.

3) Se debe permitir que un signo se represente de cualquier forma que se considere adecuada usando la tecnología generalmente disponible, y no necesariamente por medios gráficos, siempre que la representación sea clara, precisa, autosuficiente, fácilmente accesible, inteligible, duradera y objetiva. La introducción de **alternativas técnicas a la representación gráfica**, en consonancia con las nuevas tecnologías, se deriva de la necesidad de modernización y permite adaptar el procedimiento de registro a los avances técnicos (Rgto (UE) 2018/626 Exposición de Motivos).
4) La reforma operada por el RD 306/2019 en el RMa, en vigor desde el 1-5-2019, introduce una regulación específica de los distintos **tipos de marcas** estableciendo sus requisitos. Se contemplan: las marcas denominativas estándar, las marcas figurativas -que engloban las marcas gráficas, mixtas y denominativas no estándar-, las marcas tridimensionales, de posición, de patrón, de color, sonoras, de movimiento, multimedia y holográficas (RMa art.2.3 redacc RD 306/2019).

Carácter distintivo El **signo** debe ser **idóneo** para distinguir los productos y servicios a los que se refiere, debe tener un **significado para el consumidor**, permitiendo que éste recuerde la marca, la asocie con un determinado producto o servicio y finalmente la vincule con un origen empresarial determinado. En caso contrario el signo no será apto para constituir una marca. **2529**

Precisiones En el **ámbito de la UE**, se ha indicado que la marca carece de carácter distintivo cuando no permite distinguir los productos o servicios de una empresa respecto de los de otras. Ejemplo de ello son las **marcas inmemorizables** por su complejidad, las basadas en refranes populares, los **signos banales o muy simples** (los que consisten en una letra, una cifra, un color o en un signo universal, siempre y cuando no hayan adquirido carácter distintivo sobrevenido).

Riesgo de confusión: semejanza entre marcas (LM art.6.1; Dir 2015/2436/UE art.5.1.b) El riesgo de confusión se produce cuando el público puede creer que los productos o servicios identificados con los signos que se confrontan proceden de la misma empresa o, en su caso, de empresas vinculadas. **2531**
La comparación entre dos marcas requiere el análisis de los dos elementos que las conforman, es decir, sus **signos constitutivos** y el **ámbito aplicativo** al que están destinadas.
Las **directrices** establecidas por la jurisprudencia para la apreciación del riesgo de confusión marcario son las siguientes (TS 29-4-16, EDJ 58094; 13-9-17, EDJ 184865):
1. La determinación concreta del riesgo de confusión debe efectuarse en consideración a la impresión de conjunto de los signos producida en el consumidor medio, teniendo en cuenta el grado de **similitud gráfica, fonética y conceptual**, en particular, de los elementos dominantes (TS 9-12-10, EDJ 258993, con cita las sentencias TJUE 11-11-97, asunto C-251/95, Sabel c. Puma y 22-6-99, asunto C-342/97, Lloyd c. Klijsen). Es decir, para evaluar la semejanza entre dos marcas debe hacerse la comparación en un triple plano: gráfico, fonético y conceptual (TS 20-6-16, EDJ 87461).
2. El riesgo de confusión debe ser **investigado globalmente**, teniendo en cuenta todos los factores del supuesto concreto que sean pertinentes (TS 9-12-10, EDJ 258993, con cita las sentencias TJUE 11-11-97, asunto C-251/95, Sabel c. Puma; 22-6-99, asunto C-342/97, Lloyd c. Klijsen; entre otras). Depende, en particular, del conocimiento de la marca en el mercado, de la asociación que puede hacerse de ella con el signo utilizado, del grado de similitud entre la marca y el signo y entre los productos o servicios designados (TJUE 11-11-97, asunto C-251/95, Sabel c. Puma).
3. En la valoración global de tales factores ha de buscarse un cierto **nivel de compensación**, dada la interdependencia entre los mismos, y en particular entre la similitud de las marcas y la semejanza entre los productos o los servicios designados: así, un bajo grado de similitud entre los productos o los servicios designados puede ser compensado por un elevado grado de similitud entre las marcas, y a la inversa (TJUE 29-9-98, asunto C-39/97, Canon c. Metro). Este mismo principio de la interdependencia ha sido recogido asimismo por nuestro TS en diversas sentencias (p.e., TS cont adm 9-7-08, EDJ 128129, Venis/Venice). Debe de tenerse en cuenta que siempre tiene que haber una cierta similitud entre los signos. Además se aplicará el **principio de especialidad**. La marca, salvo que sea renombrada, se protege para productos o servicios específicos incluidos en el Nomenclátor internacional. Por eso pueden existir marcas denominativas idénticas para productos o servicios muy distintos (p.e., Triumph para motos y para lencería).
4. A los efectos de esta apreciación global, se supone que el **consumidor medio** de la categoría de productos considerada es un consumidor normalmente informado y razonablemente atento y perspicaz. No obstante, debe tenerse en cuenta la circunstancia de que el consumidor medio rara vez tiene la posibilidad de comparar directamente las marcas, sino que debe confiar en la imagen imperfecta que conserva en la memoria. Procede, igualmente, tomar en consideración el hecho de que el nivel de atención del consumidor medio puede variar en función de la categoría de productos o servicios contemplada (TJUE 22-6-99, asunto C-342/97, Lloyd c. Klijsen; TS 18-4-15, EDJ 65037).

5. Pero, esta exigencia de una visión de conjunto, fundada singularmente en que el consumidor medio las percibe como un todo, sin detenerse a examinar sus diferentes detalles, no excluye el **estudio analítico y comparativo** de los elementos integrantes de los respectivos signos en orden a evaluar la distinta importancia en relación con las circunstancias del caso, pues pueden existir elementos distintivos y dominantes que inciden en la percepción del consumidor conformando la impresión comercial. Lo que se prohíbe es la desintegración artificial; y no cabe descomponer la unidad cuando la estructura prevalezca sobre sus componentes parciales (TS 9-12-10, EDJ 258993).

2533 Precisiones 1) El **riesgo de asociación** no es una alternativa al riesgo de confusión, sino que sirve para precisar su alcance (TS 18-3-10, EDJ 19165, con cita de TJUE 22-6-99, asunto C-342/97, Lloyd c. Klijsen). En el caso de **marcas renombradas**, basta que haya un aprovechamiento de la reputación ajena o un daño al carácter distintivo de la marca o dilución (AP Alicante 30-6-20, EDJ 721918 Monster Hybrid).

2) Los criterios para determinar la semejanza dependen en buena medida de la **estructura del signo**, pues no es lo mismo comparar marcas denominativas simples, que marcas denominativas complejas, o gráficas o mixtas (TS 20-6-16, EDJ 87461).

3) El juicio de confusión marcaria no tiene en cuenta el riesgo efectivo, en atención al lugar geográfico dónde se usan la marca y el signo controvertido, o los canales de distribución de los productos. La protección del registro de marca se extiende a **todo el territorio nacional**, y consiguientemente el *ius prohibendi* alcanza a dicho territorio, al margen de la extensión del uso que se haga de la marca, siempre y cuando se cumpla con la exigencia de la LM art.39 (TS 29-4-16, EDJ 58094).

4) La utilización de símbolos y signos que evocan la **procedencia geográfica** (DOP de queso manchego) en un producto de la misma naturaleza que el protegido, pueden provocar una proximidad conceptual que lleve al consumidor pensar, como imagen de referencia, que está amparado por dicha denominación (TS 18-7-19, EDJ 648205).

5) En el siguiente supuesto no cabe considerar que exista semejanza que produzca riesgo de confusión: el **elemento común**, el término «Renova», es por sí mismo poco distintivo; la **estructura** de los signos es diferente: «Renovalia» y «Renova energy», o «Renovaenergy», son distintas fonéticamente; la primera se compone de una sola palabra y las otras de dos palabras y el término «energy» utilizado en las dos marcas de la demandada no aparece en la del actor y las diferencia claramente de la de éste; por último, tampoco existe **semejanza conceptual**, porque la inclusión del término «energy» en las dos marcas de la demandada hace que la evocación que produce la marca del demandante y la que generan las de la demandada, sea distinta (TS 20-6-16, EDJ 87461).

6) La apreciación del juicio de confusión es un juicio de valor que corresponde al **tribunal de instancia**, aunque puede ser revisado en **casación** en la medida en que no se haya acomodado a las directrices marcadas por la jurisprudencia del TS y por el TJUE en la interpretación de la normativa aplicable» (TS 11-3-14, EDJ 42770).

7) Al realizar el juicio de confusión han de confrontarse los **signos** tal y como están **registrados**, al margen de cómo hayan sido **usados**, siempre que no se hubiera excepcionado la falta de uso y sin perjuicio del conocimiento de la marca en el mercado que sí puede influir en el juicio de confusión (TS 13-9-17, EDJ 184865).

2. Cesión de marca

2540

2542 La cesión de una marca consiste en la **transmisión voluntaria** de su titularidad. En el tráfico normalmente se identifica el contrato de cesión con el de compraventa. Jurídicamente, sin embargo, cesión de marca es un término más amplio, que abarca una **diversidad de títulos** de transmisión voluntarios (onerosos y gratuitos), tales como compraventa, permuta, transacción judicial o extrajudicial, dación en pago, aportación a sociedad, liquidación de sociedad y donación.

La cesión es un término que, además del negocio transmisivo, denota el **efecto traslativo** (de la titularidad de la marca). Dicho efecto traslativo consiste en que el cedente queda sustituido en la titularidad de la marca por el cesionario.

Este **efecto de sustitución** o de subrogación se extiende también a los derechos y obligaciones que afecten a la marca (p.e., licencias otorgadas por el anterior titular, siempre que estén inscritas o que el cesionario las conociera; obligación de pago de tasas), así como a las acciones judiciales por violación de la marca cedida respecto de las que fuera parte el cedente, iniciadas antes de la cesión (LEC art.17).

Modalidades Atendiendo a diversos criterios, puede establecerse la siguiente clasificación de los contratos de cesión de marcas: 2544
- cesión pura o condicionada (nº 2546);
- cesión fiduciaria (nº 2548);
- cesión anómala (nº 2550);
- cesión de solicitud, de marca, cesión de la prioridad unionista y de la marca con independencia de la marca de origen (nº 2552);
- cesión de marca española, de marca internacional o de marca de la UE (nº 2554);
- cesión independiente integrada en un contrato de cesión de la totalidad de la empresa (nº 2556);
- cesión expresa o tácita (nº 2558).

Cesión pura o condicionada La cesión puede ser pura o condicionada. La condición puede consistir, por ejemplo, en una **reserva de dominio** (reservándose la titularidad de la marca hasta el completo pago del precio) o en la obtención de una **autorización administrativa**. 2546

La cesión condicionada no se puede inscribir en el **Registro de Marcas** (Oficina Española de Patentes y Marcas -OEPM-) antes de que se cumpla la condición (TS 21-1-99, EDJ 36), a diferencia de lo que ocurre en el Registro de la Propiedad (DGRN Resol 20-11-98).

Precisiones En materia de **cesiones condicionadas** ha tenido interés el caso de la cesión condicionada de la marca «Dry Sack», que fue cedida bajo la condición suspensiva de que dicha marca fuera expropiada por el Gobierno español (caso «RUMASA»), condición que fue declarada ilícita por los tribunales británicos.

Cesión fiduciaria En la cesión fiduciaria se cede la marca a una entidad que actúa por cuenta del antiguo titular de la marca. Mediante esta cesión se crea la **apariencia de una nueva titularidad** (titular formal o fiduciario), si bien las potestades dominicales sobre la marca son ejercidas por el antiguo titular de la marca (la titularidad real de la marca permanece en el transmitente). Sin embargo, el titular real no puede oponer a terceros dicha titularidad, ya que ha sido él mismo quien ha causado la apariencia (doctrina de protección de la apariencia). 2548

La cesión fiduciaria de la marca guarda semejanza con la **intestación fiduciaria**, supuesto en que la marca se registra directamente a nombre del fiduciario (p.e., a nombre de una sociedad filial, siendo el titular real la sociedad matriz).

Cesiones anómalas Son las que, por cualquier causa, atentan a principios establecidos en la Ley. Este tipo de cesiones no son admisibles. Pueden citarse como ejemplo: 2550

• Las **cesiones temporales**, es decir, aquellas en las que se ceden facultades plenas sobre la marca pero con obligación de retransmitir la marca al concluir el plazo pactado, o bien aquellas en las que se otorga una licencia con facultades omnímodas del licenciatario pero solo durante el tiempo fijado en el contrato, pasado el cual la marca revierte al titular.

Pese a esta estipulación, el titular de la marca retiene la facultad de controlar el uso que efectúe el licenciatario.

• La **comunidad solidaria de marca**, en la que cada comunero puede utilizar la marca con independencia de los demás condueños.

Téngase en cuenta que determinadas **comunidades autónomas** (Navarra y Cataluña) tienen una regulación de la comunidad de bienes que no coincide con la contenida en el Código Civil.

• La cesión a una **persona que no esté legitimada** para solicitar una marca (LM art.55.1.f).

• La cesión que se produce cuando el agente o **distribuidor** (en el sentido de LM art.10 y de CUP art.6 septies) adquiere, a espaldas de su principal, la marca de un tercero, con el fin de que, al término del contrato de distribución, dicho agente o distribuidor pueda seguir comercializando los mismos bienes de su principal con amparo en dicha marca -caso «Orient», en el que el antiguo distribuidor de esta marca de relojes adquirió una marca antigua denominada «Creacions Orient»- (TS 22-11-01, EDJ 43382).

Debe advertirse que es posible el **acceso al Registro** de una cesión anómala de marca, oculta entre en el clausulado de una licencia o cesión de marca, clausulado que normalmente no es objeto de calificación por el funcionario encargado de la inscripción. No obstante, estos contratos no son oponibles a terceros. Su inscripción tiene como único efecto dar noticia de su existencia, puesto que no ha habido calificación.

Cesión de solicitud de marca, de la prioridad unionista y de la marca con independencia de la marca de origen Es posible que el objeto de la cesión no sea la marca en sí misma, sino ciertos derechos o intereses relacionados con ella, como la **solicitud** de la misma, cuando aún no ha sido concedida. De la misma manera, se prevé la cesión de la **prioridad unionista** (CUP 2552 art.4.A.1), así como la cesión de la marca con independencia de la **marca de origen** (CUP art.6.3).

En los dos primeros casos, el cedente no puede garantizar que se llegará a conceder la solicitud o la prioridad que cede, sino únicamente que tiene derecho a solicitar la marca. El cesionario adquiere la marca a su riesgo y ventura.

La cesión de la prioridad unionista consiste en que el depositante de una primera solicitud de marca, en un país integrado en la Unión de París, cede su derecho de prioridad a un tercero para uno o varios países de la Unión.

2554 **Cesión de marca española, de marca internacional o de marca de la UE** En función del **alcance de la protección** sobre la marca que se transmite, la cesión puede tener por objeto una marca española, marcas de diferentes estados, una marca internacional o una marca de la UE.

La marca internacional se puede ceder para todos los estados protegidos o solo para algunos. La marca de la UE solo puede ser cedida para toda la Unión Europea.

2556 **Cesión independiente integrada en otro contrato de cesión** (LM art.47.1; Rgto UE/2424/2015 art.17.2) La cesión de la marca puede ser independiente o estar integrada en un contrato de cesión de la totalidad de la empresa.

No obstante, se establece el principio de que la **transmisión de la empresa** en su totalidad implica la transmisión de sus marcas, a no ser que exista acuerdo en contrario o que las circunstancias determinen claramente lo contrario.

Precisiones 1) La obligación de transmitir la marca en caso de **transmisión de empresa** se deduce también de la doctrina de nuestra jurisprudencia. Así, la cesión de negocio o empresa impide al cedente ejercitar el comercio bajo una marca similar (TS 1-10-97, EDJ 5764), registrar la marca con posterioridad (TS 30-3-64) e incluso su identificación como antiguo titular de la empresa cedida (TS 10-5-52). A la inversa, la cesión de la empresa no se presume si solo se ha adquirido la marca (TS 22-10-64).

2) Sobre la **desvinculación de la marca** con respecto a la empresa, ver nº 2560.

2558 **Cesión expresa o tácita** La norma general es que la cesión se ha de pactar expresamente (TS 4-2-83). Sin embargo, es posible la cesión tácita, sobre todo, en casos de sucesión de empresas (AP Bizkaia 18-6-98, EDJ 31305; AP Barcelona 30-9-98). La cesión tácita supone que existe cesión de la marca implícitamente deducida de las cláusulas o del sentido del contrato.

Precisiones Dada la existencia de una **jurisprudencia restrictiva** en materia de cesión tácita, es recomendable pactar siempre expresamente la cesión.

2560 **Desvinculación con respecto a la empresa** (LM art.47.1) La marca puede ser cedida por todos los medios que el Derecho reconoce, **con independencia de la transmisión de la empresa** o la rama de ésta en la que se desarrolle la actividad distinguida con la marca. El principio que rige en la transmisión es, por consiguiente, el de desvinculación de la marca con respecto a la empresa. Tanto la marca como la empresa pueden ser transmitidas independientemente.

Sin embargo, ha de tenerse en cuenta que la **transmisión de la empresa** en su totalidad implica la transmisión de sus marcas, a no ser que exista acuerdo en contrario o que las circunstancias determinen claramente lo contrario.

Por otro lado, la adquisición de una marca lleva consigo la adquisición indirecta del **fondo de comercio** unido a ella, de la reputación o *goodwill* de la empresa en la que se desarrolló la marca.

Precisiones 1) El término **empresa o rama de empresa** equivale a establecimiento o a la empresa en sentido objetivo.

2) En materia de **nombre comercial**, bajo la anterior Ley de Marcas (la derogada L 32/1988) regía el principio contrario, esto es, el de la vinculación. Sin embargo, con la vigente LM este principio desaparece, asimilándose la transmisión del nombre comercial a la de la marca.

2562 **Divisibilidad de la marca** (LM art.24 y 46.2; RMa art.31) El principio de divisibilidad de la marca supuso una importante novedad de la vigente LM, motivada por la instauración del **sistema multiclase**.

Se establece, por tanto, que la marca puede transmitirse, darse en garantía o ser objeto de otros derechos reales, licencias, opciones de compra y embargos, e inscribirse en el Registro de Marcas, con independencia de la transmisión de la totalidad o de parte de la empresa.

De modo concorde, también se permite la división de la **solicitud** o del **registro** de marca. No obstante, la división de la solicitud o registro de la marca debe cumplir unas **condiciones**: solo puede solicitarse con la finalidad de circunscribir un recurso o una oposición a una de las

solicitudes o registros divisionales o, en el caso de la cesión de la marca, cuando se solicite la inscripción de una transmisión parcial de la misma.
Las solicitudes y registros divisionales conservan la fecha de presentación o de prioridad del registro inicial y ha de pagarse la tasa correspondiente de división.
La división se produce cuando se pretende **ceder parte de los productos o servicios** registrados, así como, a nivel administrativo, durante el procedimiento de concesión. En este último caso, la finalidad de la división puede ser la de cesión parcial de la solicitud o la de evitar una oposición sobre todo el registro, centrándola solo en los productos o servicios impugnados, permitiendo que la marca se conceda para el resto de los productos o servicios. Este último es el supuesto en el que se presenta una oposición parcial, limitada a parte de los productos o servicios solicitados.
La división es posible aunque se trate de productos o servicios encuadrados dentro de una misma clase. Con todo, se mantiene la prohibición de **división de la marca por territorios** dentro del Estado español (principio de unicidad): el titular de la marca debe ser único en todo el territorio nacional.
En el ámbito de la **marca de la UE**, es posible la cesión parcial en cuanto a productos y servicios, pero no en cuanto a partes del territorio de la Unión Europea (Rgto UE/2424/2015 art.17.1).

Precisiones En el régimen de la **antigua Ley de Marcas** (la derogada L 32/1988) existía el **principio de indivisibilidad**. Ello significaba que no era posible dividir una marca al realizar un acto de disposición, ni transmitir con independencia las marcas derivadas. Pero dicho principio no afectaba a la licitud de la copropiedad sobre la marca (existen cuotas ideales, no materiales tanto bajo la antigua Ley de Marcas como bajo la vigente LM).
Bajo la anterior regulación era posible «dividir» la marca al conceder una licencia -**licencia parcial** solo para parte de los productos o servicios registrados- porque la licencia no suponía una enajenación de la marca.
El principio de indivisibilidad de la marca dejó de tener sentido al instaurarse, a partir de 31-7-2002, el **sistema multiclase** para la marca nacional. Bajo la anterior Ley, el sistema vigente era el **sistema uniclase**, en virtud del cual una solicitud de marca solo puede comprender una clase del Nomenclátor (el derogado art.19.1 L 32/1988). Por imperativo del Tratado Ginebra 27-10-1994 de Derecho de Marcas, la fecha límite para introducir el sistema multiclase en el ordenamiento español era el 1-8-2002.
El **sistema multiclase** se caracteriza porque una misma marca puede comprender varias clases del Nomenclátor internacional. Con este sistema es posible dividir la marca, cediéndola en relación con productos o servicios pertenecientes a clases distintas o incluso de la misma clase, siempre que no se genere un riesgo de confusión.

Forma e inscripción de la cesión (LM art.49 y 50; Tratado Ginebra 27-10-1994 art.11) El contrato de cesión no está sometido a requisitos de forma. La **forma escrita** no es condición de validez, por lo que la cesión que no conste por escrito es igualmente válida, aunque no surte efectos frente a terceros. El **contrato verbal** es un contrato válido entre las partes, que pueden además compelerse recíprocamente a su formalización por escrito (CC art.1279). **2564**
En definitiva, la forma escrita solo es exigible a efectos de **prueba**, para que el contrato sea oponible a tercero, pero no para que el contrato sea válido.
En consecuencia, se exige la forma escrita para la inscripción de la cesión en el **Registro de Marcas** (Oficina Española de Patentes y Marcas -OEPM-). Así, se establece que la inscripción de la cesión o licencia debe solicitarse mediante instancia, acompañada, si la cesión resulta de un contrato, de alguno de los **documentos** siguientes:
- una copia del contrato certificado por un notario público o autoridad competente;
- un extracto del contrato en el que figure el cambio de titularidad certificado por notario público o autoridad competente;
- un certificado o documento de transferencia, firmado tanto por el antiguo titular como por el nuevo (ajustado al modelo que se establezca reglamentariamente).

Si el cambio de titularidad es el resultado de una **fusión**, cada uno de los contratantes puede exigir que la petición indique este hecho y vaya acompañada de una copia de un documento que haya sido emitido por la autoridad competente y pruebe la fusión, como puede ser un certificado del Registro Mercantil, y que la copia esté debidamente certificada.
Si la cesión se produce por **imperativo de la ley**, por **resolución administrativa** o por **decisión judicial**, debe acompañarse a la instancia, testimonio emanado de la autoridad pública que emita el documento, o bien copia del documento que pruebe la cesión, autenticada o legitimada por notario o por otra autoridad pública competente.

La libertad de forma no se aplica a la **hipoteca mobiliaria**, que se regirá por sus disposiciones específicas, ni a la constitución de otros **derechos reales** o de una opción de compra, para cuya inscripción debe acompañarse alguno de los siguientes documentos públicos (LM art.49.2.a y b):

- copia auténtica del contrato o copia simple del mismo con legitimación de firmas efectuada por notario o por otra autoridad pública competente;
- extracto del contrato en el que conste, por testimonio notarial o de otra autoridad pública competente, que el extracto es conforme con el contrato original.

Precisiones 1) En el régimen legal expuesto el **documento público** constituye una mera posibilidad abierta a las partes. Sin embargo, la constitución de derechos reales y de opción de compra exige documento público (RMa art.33).

2) Ha de tenerse en cuenta que el **tercero protegido** por la inscripción es un tercero de buena fe (LH art.32; LP art.79.3). Así, no se beneficia de la protección registral quien conozca la existencia de una cesión de marca o de una licencia no inscrita (TS 29-9-97, EDJ 7492).

3) La **oponibilidad de la inscripción** significa simplemente que, en caso de doble venta o de doble licencia de marca, prevalece el cesionario o el licenciatario de buena fe que haya inscrito antes su derecho en el Registro de Marcas.

4) La **cesión de la marca de la Unión** debe hacerse por escrito y requiere la firma de las partes contratantes, salvo si se hace en cumplimiento de una sentencia; faltando estos requisitos la cesión será nula (Rgto (UE) 2017/1001 art.20.3).

2566 Si el cambio de titularidad es el resultado de una **fusión**, cada uno de los contratantes puede exigir que la petición indique este hecho y vaya acompañada de una copia de un documento que haya sido emitido por la autoridad competente y pruebe la fusión, como puede ser un certificado del Registro Mercantil, y que la copia esté debidamente certificada.

Si la cesión se produce por **imperativo de la ley**, por **resolución administrativa** o por **decisión judicial**, debe acompañarse a la instancia, testimonio emanado de la autoridad pública que emita el documento, o bien copia del documento que pruebe la cesión, autenticada o legitimada por notario o por otra autoridad pública competente.

La libertad de forma no se aplica a la **hipoteca mobiliaria**, que se regirá por sus disposiciones específicas, ni a la constitución de otros **derechos reales** o de una opción de compra, para cuya inscripción debe acompañarse alguno de los siguientes documentos públicos (LM art.49.2.a y b):

- copia auténtica del contrato o copia simple del mismo con legitimación de firmas efectuada por notario o por otra autoridad pública competente;
- extracto del contrato en el que conste, por testimonio notarial o de otra autoridad pública competente, que el extracto es conforme con el contrato original.

Precisiones 1) En el régimen legal expuesto el **documento público** constituye una mera posibilidad abierta a las partes. Sin embargo, la constitución de derechos reales y de opción de compra exige documento público (RMa art.33).

2) Ha de tenerse en cuenta que el **tercero protegido** por la inscripción es un tercero de buena fe (LH art.32; LP art.79.3). Así, no se beneficia de la protección registral quien conozca la existencia de una cesión de marca o de una licencia no inscrita (TS 29-9-97, EDJ 7492).

3) La **oponibilidad de la inscripción** significa simplemente que, en caso de doble venta o de doble licencia de marca, prevalece el cesionario o el licenciatario de buena fe que haya inscrito antes su derecho en el Registro de Marcas.

4) La **cesión de la marca de la Unión** debe hacerse por escrito y requiere la firma de las partes contratantes, salvo si se hace en cumplimiento de una sentencia; faltando estos requisitos la cesión será nula (Rgto (UE) 2017/1001 art.20.3).

2568 **Procedimiento de inscripción** (LM art.50; RMa art.30 y 31) La inscripción de los actos y negocios jurídicos puede solicitarse tanto por el cedente como por el cesionario y la **solicitud de inscripción** se debe presentar, conforme a quien sea el solicitante, en el órgano que resulte competente de acuerdo con las reglas competenciales (que señalan ante qué Comunidad Autónoma ha de presentarse la solicitud o si ésta se puede presentar directamente ante la Oficina Española de Patentes y Marcas -OEPM-).

Una misma solicitud puede abarcar **varios registros** de marcas.

Recibida la solicitud de inscripción, el órgano competente (que puede ser una Comunidad Autónoma) la debe **numerar y fechar** en el momento de su recepción, y, dentro de los cinco días siguientes, remitirá, en su caso, los datos de la misma a la OEPM, en la forma que reglamentariamente se determine.

El órgano competente para la recepción examinará si la **documentación** presentada consta de:

a) Una **instancia** de solicitud conforme al modelo oficial, conteniendo el número del registro de marca afectado, los datos de identificación del nuevo titular y la indicación de los productos o servicios a los que afecte la cesión o licencia, si no fueran totales.

b) El **documento acreditativo** de la cesión o licencia, de conformidad con lo dispuesto en LM art.49.2, 3 y 4.
c) El justificante de abono de la **tasa** correspondiente.
Si la solicitud de inscripción no cumple las condiciones previstas, el órgano competente debe comunicar las **irregularidades** observadas al solicitante, para que, en el plazo que reglamentariamente se establezca, las subsane. Si no se subsanan, la solicitud de inscripción se tendrá por desistida.
Recibida la solicitud de inscripción, la OEPM ha de examinar la documentación presentada y **calificar la legalidad, validez y eficacia** de los actos que hayan de inscribirse.
Si se observa algún **defecto**, se debe declarar en suspenso la tramitación de la inscripción, notificándolo al interesado para que, en el plazo que reglamentariamente se establezca, subsane los defectos que se hayan señalado. Transcurrido ese plazo se debe resolver la solicitud de inscripción.
Cuando la OEPM pueda dudar razonablemente de la **veracidad de cualquier indicación** contenida en la solicitud de inscripción o en los documentos que la acompañen, podrá exigir al solicitante la aportación de pruebas que acrediten la veracidad de esas indicaciones.
La OEPM debe **resolver concediendo o denegando**, total o parcialmente, la solicitud de inscripción. En el caso de denegación se indicarán sucintamente los motivos de la misma.
La resolución recaída ha de ser objeto de **publicación** en el Boletín Oficial de la Propiedad Industrial, con mención expresa de los siguientes datos:
- Nuevo titular del derecho.
- Número de expediente.
- Identificación de los registros afectados.
- Fecha de resolución.
- Representante, si hubiere intervenido.
- El acto que dio origen a la inscripción.

Recibida la solicitud de inscripción, la OEPM ha de examinar la documentación presentada y **calificar la legalidad, validez y eficacia** de los actos que hayan de inscribirse. 2570
Si se observa algún **defecto**, se debe declarar en suspenso la tramitación de la inscripción, notificándolo al interesado para que, en el plazo que reglamentariamente se establezca, subsane los defectos que se hayan señalado. Transcurrido ese plazo se debe resolver la solicitud de inscripción.
Cuando la OEPM pueda dudar razonablemente de la **veracidad de cualquier indicación** contenida en la solicitud de inscripción o en los documentos que la acompañen, podrá exigir al solicitante la aportación de pruebas que acrediten la veracidad de esas indicaciones.
La OEPM debe **resolver concediendo o denegando**, total o parcialmente, la solicitud de inscripción. En el caso de denegación se indicarán sucintamente los motivos de la misma.
La resolución recaída ha de ser objeto de **publicación** en el Boletín Oficial de la Propiedad Industrial, con mención expresa de los siguientes datos:
- Nuevo titular del derecho.
- Número de expediente.
- Identificación de los registros afectados.
- Fecha de resolución.
- Representante, si hubiere intervenido.
- El acto que dio origen a la inscripción.

Obligaciones del cedente Las **obligaciones principales** del cedente en los negocios onerosos de cesión son la de entrega de la marca (nº 2574) y la responsabilidad por el saneamiento de lo entregado (nº 2576). 2572
Como **obligación accesoria** es normal pactar en los contratos de cesión de marca a título oneroso la obligación de no competencia del antiguo titular (nº 2578).

Entrega de la marca En cuanto a la entrega de la marca existe una verdadera obligación de **transmitir la propiedad** de la marca, dado que no se pueden adquirir las marcas por usucapión (LM art.2). 2574

Saneamiento El saneamiento comprende la responsabilidad por evicción, pero no por vicios ocultos. 2576
La responsabilidad por **evicción** se produce cuando el cesionario se vea despojado de la marca adquirida como consecuencia del éxito de una acción reivindicatoria impropia (LM art.2.2 y 2.3), así como cuando se conceda una licencia sobre la marca a pesar de la existencia de una licencia exclusiva inscrita (TS 15-7-99, EDJ 17914).
No existe responsabilidad, sin embargo y por regla general, en caso de que la marca se declare nula por una causa de nulidad absoluta o relativa (TS 9-10-81). En otros términos, no puede

hablarse de una responsabilidad por **vicios ocultos** (CC art.1484 a 1499). Solo permite el saneamiento por motivos excepcionales de equidad.
Por ello, se establece el principio de **irrepetibilidad de lo pagado** por contratos relativos a una marca ya ejecutados (LM art.60.3).
En virtud de este principio, la adquisición de una marca susceptible de ser anulada por nulidad absoluta o relativa no permite repetir contra el transmitente, puesto que corresponde al adquirente investigar previamente la existencia de vicios. Este principio no rige en caso de **mala fe**.
Si existen **pleitos pendientes** sobre nulidad o caducidad de la marca, el principio de buena fe, que debe regir en los tratos preliminares, obliga a informar sobre dichos litigios. En caso contrario, sí surge responsabilidad por vicios ocultos.

2578 **Obligación de no competencia** Consiste en abstenerse de ejercitar una actividad concurrencial en el mismo **sector de la marca cedida o afines**, durante un plazo suficiente para que el cesionario pueda asentarse en el mercado y aprovecharse de la reputación de la marca.
Aun cuando **no se haya pactado** expresamente esta obligación, ha de estimarse, en nuestra opinión, que el cedente está sometido a la misma durante un plazo prudencial.
Debemos entender contraria a esta obligación la utilización de expresiones tales como «**antiguo titular de la marca**», pues se trata de un acto de competencia desleal por aprovechamiento de la reputación ajena (LCD art.12).

Precisiones El pacto de no competencia es válido desde la perspectiva del **Derecho de la UE** (Decisión CEE 26-7-76). No obstante, la Comisión Europea puede establecer límites al período pactado de no competencia, a fin de que no se imponga al cedente un tiempo excesivo de abstención de competir.

2580 **Obligaciones del cesionario** El cesionario ha de pagar el **precio** en la forma pactada.
Puede estipularse el **pago aplazado** y dar a la falta de pago el carácter de condición suspensiva o resolutoria.
También es admisible el pacto de **reserva de dominio**.

Precisiones El precio fijado en la cesión de una marca perteneciente a una sociedad puede ser impugnado por constituir un **acto de desviación del interés social** y generar la correspondiente responsabilidad de los administradores. Como ejemplo, la cesión de la marca «Puma», supuesto en el que se planteó conflicto entre la cesión de la marca y el interés social, puesto que los estatutos de la sociedad cedente exigían, para la enajenación o la licencia de las marcas de la sociedad, un acuerdo aprobado por el 70% del valor nominal de las acciones, cláusula estatutaria que fue modificada por mayoría y en perjuicio de los accionistas minoritarios (TS 19-2-91, EDJ 1739).

2582 **Cesión de nombre comercial y de rótulo de establecimiento** (LM art.87) Con respecto a los **nombres comerciales**, se establece que les serán de aplicación, en la medida en que no sean incompatibles con su propia naturaleza, las normas relativas a las marcas. Se suprime así la vinculación del nombre comercial al establecimiento mercantil, por lo que, como la marca, puede cederse libremente, sin necesidad de transmisión de la empresa.
Es también posible la **licencia** del nombre comercial, a la que son aplicables por analogía las reglas de la licencia de marca (nº 2590 s.). El contrato de **franquicia** supone, en alguna medida, una licencia del nombre comercial (nº 2620).
El **rótulo de establecimiento** desaparece en la regulación estatal, subsistiendo solo con carácter transitorio (LM disp.trans.3ª). Su regulación corresponde a las comunidades autónomas (TCo 103/1999), que hasta el momento no han regulado esta figura, ni es previsible que lo hagan.

Precisiones La regla de la vinculación del nombre comercial a la empresa, establecida bajo el **régimen anterior**, planteaba problemas, especialmente, si se cedía la empresa a varias entidades (cesión de ramas de la empresa o escisión), dado que era posible que una misma empresa tuviera varios nombres comerciales.

2584 **Concepto de nombre comercial** El nombre comercial es históricamente el signo que sirve para **distinguir al empresario de otros empresarios**. Originariamente, su finalidad está estrechamente vinculada con las denominaciones sociales y las formas de identificación de la empresa: la firma de la empresa, su forma de actuación en el tráfico. Sin embargo, los perfiles que adopta la institución analizada parecen alejarlo de este cometido y acercarlo a la regulación de la marca.
La antigua Ley de Marcas (la derogada L 32/1988) supuso un cambio relevante de la regulación del nombre comercial, que sustancialmente se mantiene en la vigente Ley de Marcas. Bajo el Estatuto sobre Propiedad Industrial (EPI o L 16-9-1931), se aplicaban dos principios, el de **unicidad**, en virtud del cual una empresa tenía un solo nombre comercial y el de **veracidad**, por el que el nombre comercial reflejaba la naturaleza de la empresa.
Si el **empresario** era una **persona física**, el nombre comercial consistía en su nombre o en un modo de identificación análogo (*Hijos de..., Viuda de..., Herederos de...*, -EPI art.200-) y, si era

persona jurídica, el nombre comercial estaba constituido por su razón o denominación social. En definitiva, en el régimen del Estatuto sobre Propiedad Industrial el nombre comercial constituía un auténtico modo de identificación de la empresa, función que no está claramente presente en la legislación posterior al Estatuto.
La **asimilación del nombre comercial a la marca** motivó que en los diferentes borradores de la anterior L 32/1988 se pusiera en tela de juicio la propia subsistencia del nombre comercial. Finalmente, se optó por su mantenimiento ante la obligación de proteger el nombre comercial (CUP art.8). La LM continúa con el proceso de asimilación del nombre comercial a la marca estableciendo -a diferencia de la L 32/1988- la **desvinculación del nombre comercial a la empresa** en caso de transmisión y suprimiendo el requisito de acreditación del alta en el IAE.

Concepto de rótulo de establecimiento La vigente Ley de Marcas no ofrece un **concepto legal** de rótulo de establecimiento. El concepto se encuentra en la ley anterior, la derogada L 32/1988, que define el rótulo de establecimiento como el **signo distintivo** que sirve para **diferenciar en el tráfico el establecimiento** (local) de un empresario de otros establecimientos destinados a actividades similares (L 32/1988 art.82 derog L 17/2001). **2586**
La figura ha sido derogada por la LM. Tras optar por la supresión de la figura, existían diversas soluciones para resolver la cuestión de los derechos adquiridos por titulares de rótulos preexistentes. Podía haberse optado por la conversión automática de los rótulos en marcas. No obstante, finalmente se optó por otorgar **derechos de posesión personal** que solo subsisten durante un tiempo limitado siempre que sean efectivamente utilizados, no siendo posible renovarlos indefinidamente.

3. Licencia de marca

2590

La licencia de marca consiste en la autorización que el titular de la marca **(licenciante)** confiere a un tercero **(licenciatario)** para que éste pueda identificar los productos y servicios que elabore con la marca del primero, quien retiene la titularidad de la marca. **2592**
No es licencia la concesión, agencia o cualquier otro contrato de **distribución** en el que el concesionario no elabore total o parcialmente el objeto o el servicio distinguido con la marca.
Desde una perspectiva económica el contrato de licencia de marca es una figura nacida para posibilitar la explotación de la reputación de una marca. Constituye un vehículo de **expansión internacional de las empresas** sin necesidad de efectuar una inversión directa. También supone una manera de articular fenómenos de desconcentración productiva. Así, es licencia de marca la autorización que otorga una gran superficie para que un tercero fabrique los productos bajo la marca de la misma (**marca privada** o marca blanca), productos que se venderán en las instalaciones del propio titular de la marca.
La licencia de marca es un contrato de gran difusión en el tráfico y suele estar vinculado con acuerdos más amplios de **transferencia de tecnología**. En efecto, quien concede una licencia de patente o de know-how puede estar interesado en que el licenciatario emplee también la marca del licenciante para que el público consumidor asocie el producto con la marca, asegurándose de este modo la **fidelidad del consumidor** cuando expire la vida legal de la patente o se divulgue el know-how transmitido (ver al respecto Decisión CE 23-3-90).
Como ya hemos comentado, el **contenido de los contratos** referentes a las marcas no encuentra una regulación completa en nuestra normativa, por lo que se rige principalmente por lo que las partes estipulen. Además, a ciertos aspectos de la licencia de marcas resultan aplicables por analogía las normas del **arrendamiento de cosas** (CC art.1546 a 1574).

Precisiones Mediante la vinculación de estas licencias con las de patentes o de know-how, productos pioneros en el mercado se han podido asegurar una **posición de ventaja** para el momento en que el derecho de exclusiva, normalmente la patente, se extingue. Se pueden citar los siguientes casos: «Xerox» para las multicopiadoras, «Black» para bancos de trabajo, «Polaroid» para las máquinas fotográficas de revelado instantáneo, «Aspirina» para ácido acetilsalicílico. En todos estos casos una marca fuerte sirve para consolidar la posición del que colocó por primera vez un producto en el mercado.

2594 **Modalidades** (LM art.48) Aun cuando para la inscripción de licencias de marca tan solo es preciso indicar si la licencia es exclusiva, total (en cuanto al territorio), plena (en cuanto a productos o servicios) y temporal, la práctica conoce una variedad muy extensa de contratos de licencia de marca.

2596 **Licencia simple y licencia compleja** La licencia es **simple** cuando el bien licenciado consiste exclusivamente en una marca; es **compleja** cuando comprende también otros bienes inmateriales (patente, know-how, etc.).

La licencia simple no se beneficia de la **exención para determinadas categorías** de acuerdos de transferencia de tecnología (Rgto UE/316/2014).

Si la licencia es **accesoria de un contrato de distribución,** puede beneficiarse del Rgto UE/720/2022 relativo a la aplicación del Tratado FUE art.101.3 a determinadas categorías de acuerdos verticales y prácticas concertadas (vigente hasta el 31-5-2022).

Precisiones Existen varios ejemplos de **contratos complejos** inscritos en el Registro de marcas (p.e., expediente 4002/92 sobre marca «Kari»).

2598 **Licencia de solicitud de marca** La licencia puede referirse tanto a la marca como a la **solicitud** de la misma.

2600 **Licencia exclusiva** (LM art.48.4 y 5) En la licencia exclusiva el titular de la marca se compromete a no conceder a otros la facultad de utilizar su marca.

La licencia exclusiva puede ser **simple o reforzada**, según que el titular de la marca se reserve el derecho de usarla (licencia exclusiva simple) o no (licencia exclusiva reforzada).

Si la licencia no se concede en exclusiva, el titular de la marca se reserva la **facultad de conceder otras licencias**.

A **falta de pacto**, la licencia se presume no exclusiva y, si se pacta la exclusividad, se presume que la licencia es exclusiva reforzada.

Precisiones Un caso muy peculiar es aquel en el que el titular de la marca concede una autorización para usar la marca, con obligación del licenciatario de **diferenciarse del licenciante**, para evitar la confusión en cuanto al origen empresarial. Éste demanda al licenciatario porque entiende que la forma de usar la marca se aproxima a la suya propia. Este principio (la carga de diferenciación del licenciatario en una licencia no exclusiva) es admitido por el Tribunal Supremo en una interpretación discutible (es obvio que si hay varios habilitados para usar la misma marca se generará la impresión de un mismo origen empresarial o, al menos, un control por parte del titular de la marca). Sin embargo, al analizar el caso concreto entiende que el licenciatario había usado legítimamente la marca licenciada, ya que se atenía a la marca tal y como estaba registrada (TS 30-6-11, EDJ 139857, caso Diesel).

2602 **Licencia territorial y universal** (LM art.36) La licencia puede tener un ámbito territorial limitado (provincia, región, Estado, Comunidad de Estados) o universal (todos los Estados).

El **carácter territorial** de la licencia implica únicamente que el licenciatario no puede fabricar bienes con la marca licenciada fuera del territorio asignado. No significa que los productos elaborados por el licenciatario no puedan circular fuera de dicho territorio; sí pueden hacerlo, en virtud del principio del agotamiento del derecho.

2604 **Licencia total y parcial** (LM art.48.4) La licencia **total** comprende todos los productos o servicios protegidos por la marca licenciada. La **parcial** solo algunos de ellos.

Se presume el carácter total de la licencia.

La licencia de una marca puede comprender o no la **marca derivada**. El titular de la marca puede reservar la utilización de la marca derivada solo para determinadas actividades. Las marcas derivadas se suprimen con la nueva regulación, aunque las otorgadas o solicitadas antes de 31-7-2002 (fecha de entrada en vigor) surten plenos efectos.

2606 **Licencia externa e interna** La licencia **externa** es la que se reconoce en el tráfico como tal (el licenciatario incluye su propia marca o es identificado nominalmente en el producto o en el servicio).

En la licencia **interna** el contrato de licencia está oculto frente a los terceros. Son ejemplos de licencias internas las de los contratistas de las grandes superficies que fabrican los productos a los que incorporan las marcas privadas de dicha gran superficie.

Precisiones Si la licencia es meramente interna, entra en juego la **responsabilidad del cuasifabricante** en el ámbito de la normativa sobre responsabilidad civil por productos defectuosos (LGDCU art.5 y 138.1).

2608 **Licencia onerosa y gratuita** La licencia puede ser onerosa o gratuita. La licencia **onerosa** puede consistir en el pago de un tanto alzado, el pago de un canon periódico fijo, de un canon en proporción a las unidades fabricadas -regalía o *royalty* -, o en una combinación de los sistemas anteriores.

La concesión **gratuita** de una licencia puede deberse a varios motivos: vínculos entre diversas sociedades (grupos de sociedades, lazos familiares), transacción (en un pleito por infracción de marca en que el demandado impugna la validez del derecho y se alcanza un acuerdo para poner fin a ambos pleitos), etc.
Un ejemplo de licencia gratuita es el denominado «**franking**»: en virtud de este contrato, el titular de un derecho de propiedad industrial presuntamente infringido autoriza al infractor a distribuir las existencias que mantiene («llenar el canal») en un período de tiempo determinado, pasado el cual el presunto infractor se compromete a no seguir distribuyendo dichos productos. Hay otras licencias gratuitas en el marco de una **transacción** en un pleito por infracción de patentes que pueden suscitar reparos desde la perspectiva del Derecho de la competencia cuando se producen repartos de mercados (ver la figura del pago por retraso o «pay for delay», nº 2777).
Existen muchas **modalidades** en relación con esta figura: se conceden plazos de liquidación de existencias con obligación de destruir las existencias no vendidas, compromisos de dejar de usar marcas a partir de una fecha determinada, etc.

Precisiones La licencia gratuita es un supuesto de **autoconsumo** en términos fiscales.

Licencia fiduciaria Es posible que un negocio fiduciario de cesión de marca encubra una licencia de marca (ver cesión fiduciaria: nº 2548). **2610**
En algún caso la práctica denomina incorrectamente a la licencia como **cesión temporal** de la marca (p.e., licencia de la marca «Red Star», expediente 4003/92).

Sublicencia y cesión de licencia Deben distinguirse la sublicencia de marca y la cesión de la licencia de marca. **2612**
En la **sublicencia** continúa siendo licenciataria la persona que originariamente contrató con el titular de la marca. En la **cesión del contrato** de licencia se produce una novación subjetiva y el contrato de licencia es transmitido como un todo.
Por aplicación analógica de la normativa sobre patentes, la sublicencia y la cesión del contrato requieren -salvo pacto en contrario, contenido en el contrato de licencia- el **consentimiento del licenciante** (LP art.83.3).

Contrato de copromoción El contrato de copromoción o *joint brand advertising* consiste en una **licencia recíproca** de marca utilizada por varias empresas que llevan conjuntamente un proyecto o empresa común (TJUE 28-2-91, asunto C-234/89). **2614**
Es frecuente el **empleo conjunto de marcas** en uniones temporales de empresas y en agrupaciones de interés económico.

Contrato de comercialización Una modalidad del contrato de licencia de marca *sui generis* es el contrato de comercialización o «**merchandising**» referido a marcas (*brand merchandising*). El *merchandising*, puede definirse como el contrato en virtud del cual el titular de un derecho (derecho de marca, derecho a la imagen o al nombre, derecho de autor) lo cede limitadamente a un tercero para el empleo publicitario de dicho derecho a cambio de una contraprestación. **2616**
Esta figura presenta notables **peculiaridades** respecto del contrato ordinario de licencia de marca. En este caso, el licenciante carece de experiencia en el sector para el que licencia su marca. El *merchandising* de marca es esencialmente equivalente al «merchandising» de obras protegidas por Derecho de autor o al *merchandising* de derechos de la personalidad, tales como el nombre o la imagen. En todos los casos, la marca es utilizada como elemento meramente publicitario.

Precisiones Ejemplo de merchandising de **marca** (*brand merchandising*) es la autorización de Ferrari para la utilización de su marca como distintivo de plumas estilográficas. Ejemplo de merchandising de **derechos de imagen** es la autorización de Alain Delon para que se registre su nombre como marca de gafas. Ejemplo de merchandising de **derecho de autor** (*character merchandising*) es la comercialización de un bollo denominado «Pantera rosa».

Licencia obligatoria A diferencia de lo que sucede en el ámbito de las patentes (nº 2735), no se regula con respecto a las marcas, el supuesto de licencia obligatoria. Dicha figura se estima **incompatible con el Derecho de marcas**, en la medida en que la imposición al titular de una marca de un usuario de la misma choca contra la función de indicación de origen. Es el titular de la marca quien ostenta la facultad de decidir quién puede usarla y quién no. **2618**

Contrato de franquicia El contrato de franquicia es aquel por el cual una empresa (**franquiciador**) cede a otra (**franquiciado**), a cambio de una contraprestación financiera directa o indirecta, el derecho a la explotación de una franquicia para comercializar determinados tipos de productos o servicios y que comprende, por lo menos, el uso de una **denominación o rótulo común** y una presentación uniforme de los locales o de los medios de transporte objeto del **2620**

contrato, la comunicación por el franquiciador al franquiciado de un «saber hacer» y la prestación continua por el franquiciador al franquiciado de asistencia comercial o técnica durante la vigencia del acuerdo (LOCM art.62; RD 201/2010).
Existen casos interesantes en los que el franquiciador presta financiación y, a la vez, se reserva determinadas **garantías**: poderes irrevocables -admitidos como instrumento de garantía- (AP Barcelona 5-10-10, EDJ 234844), derechos de adquisición, sobre la validez de tales cláusulas (AP Barcelona 27-10-09, EDJ 323554).
En la franquicia deben distinguirse las franquicias de **producción**, de **distribución** y de **servicios**. Las franquicias de servicio constituyen una manifestación de la licencia de marca. Se trata de una modalidad del contrato de distribución en la que, aun manteniendo su independencia jurídica, existe una mayor dependencia del distribuidor, por integrarse en una red con una imagen característica determinada por el principal (franquiciador).

Precisiones El contrato de franquicia es **objeto de estudio** en los nº 5960 s.

2622 **Forma e inscripción de la licencia** (LM art.49 y 50; RMa art.32; Tratado Ginebra 27-10-1994 art.11) En la licencia de marca, como ocurre en el contrato de cesión, no se exige la forma escrita como requisito de **validez del contrato**.
Sí es precisa tal forma escrita para la **inscripción de la licencia** en el Registro de Marcas (OEPM), aunque no es necesario que el contrato conste en documento público.
Así, se establece que la inscripción de la licencia de marca debe solicitarse mediante instancia, acompañada de alguno de los **documentos** que se señalaron en el nº 2564 con respecto a la inscripción de la cesión.

2624 **Efectos del contrato** Las consecuencias principales de la existencia de una licencia de marca son las siguientes:
a) El uso de la marca por el licenciatario con el consentimiento expreso del licenciante se imputa a éste a efectos de satisfacer la **carga legal de uso** de la marca (LM art.39.4).
b) Los **productos introducidos por el licenciatario** en el mercado de la UE pueden circular libremente por dicho territorio, sin que el licenciante pueda oponer a su circulación en el territorio de la UE y en el Espacio Económico Europeo eventuales derechos de marca que tenga registrados en los distintos Estados miembros (LM art.36; Dir 2015/2436/UE art.15). Este efecto se conoce como principio del agotamiento del derecho de marca.
c) El licenciatario tiene un interés legítimo en demandar la **caducidad de una marca ajena** por falta de uso (LM art.58; TS 22-9-99, EDJ 21059), pero no puede ejercitar la acción de nulidad relativa de una marca (LM art.52), acción que compete solo al titular de la misma. El licenciatario puede ejercitar la acción de violación en las condiciones previstas para la acción de violación de una patente.
d) La infracción por parte del licenciatario de las **cláusulas reales** supone una violación de la marca (LM art.34 y 48.2), que coloca al licenciatario en la misma posición jurídica que un infractor del derecho de marca y determina, por tanto, que no ha existido agotamiento del derecho (LM art.36).
e) La infracción de una **cláusula meramente obligacional** genera un incumplimiento del contrato, pero no una violación del derecho de marca (LM art.48.2, de conformidad con Dir (UE) 2015/2436 art.25.2).

Precisiones **1)** Son **cláusulas reales** la asignación de territorio, las relativas a la calidad, a los productos y servicios para los que se licencia la marca, a la forma de utilizar la marca y a la duración de la licencia. Son **cláusulas meramente obligacionales** las relativas al precio, forma de pago, suministro, obligaciones de inspección y dación de cuentas, etc. En otros ordenamientos se distingue entre *proprietary clauses* (equivalentes a las reales) y *contractual clauses* (equivalentes a las obligacionales).
2) El licenciatario que excede las llamadas cláusulas reales incurre en **infracción de marca**. Esto plantea un problema de validez de las cláusulas de sumisión a un tribunal extranjero (que es muy frecuente en los contratos de licencia de marca o de patente). La sentencia AP Alicante 30-4-19, EDJ 683651, considera nulas las cláusulas de sumisión a un tribunal diferente del **Tribunal de Marca de la Unión Europea**. En el caso, el licenciante alega que el licenciatario había infringido la marca de la Unión Europea licenciada por haberla usado con posterioridad a la celebración del contrato. El demandado presentó declinatoria por sumisión a arbitraje, que fue desestimada, ya que consideró el foro para la infracción como imperativo.

2626 **Obligaciones y facultades del licenciante** Las **obligaciones** principales del licenciante son las siguientes:
- garantizar al licenciatario el goce pacífico de la marca licenciada (nº 2628); y
- responder civilmente por productos defectuosos, en caso de que el licenciante aparezca como fabricante aparente -licencias internas- (nº 2630).

Como principales **derechos o facultades** cabe citar:
- el de controlar la actividad del licenciatario (nº 2632); y
- el de actuar contra el licenciatario en caso de violación del derecho de marca por éste (nº 2634).

Esta última posibilidad está expresamente contemplada por el Tribunal de Justicia de la Unión Europea (TJUE 23-4-09, asunto Copad/Christian Dior C-59/08). Es admisible que el titular de la marca prestigiosa o de lujo prohíba que se venda su marca en tiendas de descuento o similares, ya que se daña la imagen de la marca. La cláusula contractual impuesta al licenciatario es oponible a terceros adquirentes (entre otros, las citadas tiendas de descuento).

Garantía del goce pacífico de la marca licenciada Esta obligación comprende la garantía de la **titularidad del bien** que se licencia, así como la obligación de mantener dicha titularidad en vigor, lo que puede implicar obligaciones adicionales como la de demandar a los infractores de la marca, pagar las tasas correspondientes, proceder a la renovación). Es admisible el pacto por el cual se compromete el **licenciatario** a llevar a cabo dichas actividades y a sufragar los gastos correspondientes, en nombre del licenciante. **2628**

Otra consecuencia de esta obligación es que el licenciante no puede **renunciar a la marca** sin el consentimiento del licenciatario inscrito (LM art.56.3) o, en el caso de la marca de la UE, sin haberle notificado su intención de renunciar. La entrada de la renuncia en el Registro de la Oficina de Propiedad Intelectual de la Unión Europea se realizará cuando expire el plazo de tres meses desde la fecha en que el titular acredite ante la Oficina que informó al titular de la licencia de su intención de renunciar, o antes de que expire dicho plazo, en cuanto acredite que el titular de la licencia dio su consentimiento (Rgto (UE) 2017/1001 art.57.3).

Con todo, la obligación del licenciante de garantizar el goce pacífico de la marca no implica para éste la prohibición de **disposición sobre la marca**. Puede libremente enajenarla o gravarla, aunque la buena fe exige que se ponga tal circunstancia en conocimiento del licenciatario. De otra parte, tales actos serían **inoponibles al licenciatario** si éste hubiera inscrito su derecho o si el cesionario, de algún otro modo, conocía la preexistencia de la licencia (TS 29-9-97, EDJ 7492). Tampoco existe, en caso de enajenación, derecho de tanteo o retracto en beneficio del licenciatario, salvo que así se hubiera pactado expresamente en el contrato de licencia.

Precisiones Sobre la obligación de mantenimiento del goce pacífico de la posesión del licenciatario es de interés la sentencia sobre las marcas «Sega» (TSJ Madrid 6-10-99, EDJ 59470). En este caso, el licenciatario exclusivo de una marca impugnó con éxito la concesión en favor de su licenciante por parte de la OEPM de otra marca análoga a las ya registradas y licenciadas por **perjudicar el carácter exclusivo** de la licencia otorgada. Se indica en la sentencia que el registro por parte del titular de la marca supone un acto en fraude de Ley.

En un caso similar, el TS llegó a la conclusión de que el licenciatario exclusivo de marca (único legitimado para usarla) incurría en **fraude de ley** al impugnar la marca por falta de uso (TS 7-2-23, EDJ 524791).

Responsabilidad civil por productos defectuosos Es discutible la responsabilidad civil del licenciante de marca en el caso de que los productos fabricados por el licenciatario sean defectuosos. **2630**

La regla general es que no surge **responsabilidad del licenciante** por los productos fabricados por el licenciatario, ya que la responsabilidad es del fabricante y no de otra persona, salvo que éste se haga pasar por fabricante (LGDCU art.5 y 138.1). Por tanto, la responsabilidad se genera solo respecto de la licencia interna, no de la externa (nº 2606).

Precisiones El licenciante no es responsable por la **falta de control** sobre la marca. Dicho control es un derecho y no una obligación. Sin embargo, su responsabilidad podría derivar de su negligencia en la elección del licenciatario y cuando se trate de bienes de consumo masivo o dirigidos a un público de riesgo -en virtud de CC art.1902- (TS 26-3-97, EDJ 2864).

Derecho de control No existe una obligación legal de control, sino el derecho del **titular de la marca** de controlar la actuación del licenciatario. Este derecho forma parte del contenido esencial del contrato, aunque no se haya pactado expresamente. **2632**

Este derecho encuentra su justificación en la función de la marca como **indicador de origen empresarial** (LM art.1), en el sentido de que, si la marca pierde su prestigio, la pérdida del valor de la marca recaerá sobre el titular de la misma

Legitimación activa del licenciante La Ley confiere una amplia legitimación activa del licenciante para demandar al licenciatario por la **violación del derecho de marca** del primero. **2634**

Los **derechos conferidos** por el Registro de Marcas o por la solicitud pueden hacerse valer por el licenciante contra el licenciatario que viole alguno de los límites de su licencia, establecidos en el contrato (LM art.48.2).

Literalmente, toda **infracción contractual** del licenciatario constituye una violación de marca. Conviene, sin embargo, distinguir al respecto entre (Dir (UE) 2015/2436 art.25.2):
- la violación de las **limitaciones reales** (territorio de fabricación, productos o servicios licenciados, duración de la licencia, etc.); y
- las **infracciones contractuales** o meramente obligacionales (p.e., falta de pago de regalías, no atender los precios recomendados por el licenciante, etc.).
Solamente las primeras suponen una violación del derecho de marca por parte del licenciatario (TS 26-3-97, EDJ 2864).

2636 **Obligaciones y facultades del licenciatario** Las **obligaciones principales** del licenciatario son:
• el pago de la regalía; y
• la rendición de cuentas sobre la actividad realizada.
Además de estas obligaciones generales, pueden pactarse muchas **otras** (cesión de derechos de propiedad industrial, obligación de suministro en un determinado proveedor, pacto de no competencia, etc.).
Como **derechos** del licenciatario pueden citarse:
- la utilización de la marca en las condiciones pactadas; y
- la legitimación activa para el ejercicio de diversas acciones.

2638 **Pago de la regalía** La principal obligación del licenciatario es el pago de la regalía establecida en el contrato. Este pago puede realizarse:
- a tanto alzado;
- mediante un canon mínimo más un porcentaje sobre ventas;
- mediante un pago periódico; o
- a través de una combinación de los sistemas señalados.
La **fijación** de la regalía es siempre el elemento clave en la negociación de una licencia de cualquier tipo. Se puede basar en el volumen neto o en el volumen bruto de las ventas realizadas por el licenciatario sobre los bienes licenciados. Se deben tener en cuenta también las ventas hechas en el extranjero y las realizadas por subsidiarias del licenciatario o por empresas controladas por éste. En el caso de regalías pagadas en el extranjero es importante fijar cómo se calcula el tipo de conversión de la divisa (suponiendo que las ventas se realicen en distintas divisas), así como quién corre con los gastos derivados de transferencias, comisiones bancarias, etc.
En ocasiones la licencia se refiere a un **derecho concreto**, pero para explotarlo se necesita obtener autorización de los titulares de otros derechos anteriores. Si se pueden deducir en el pago final las regalías pagadas a terceros nos hallaremos ante una **cláusula de deducción de regalías** (*royalty stacking clause*).
Cuando existe la obligación de pagar regalías por un tiempo, incluso caducado o anulado el derecho, se alude a las **regalías post expiración del derecho** (*reach through royalties*).

Precisiones 1) Esta cláusula que establece la **regalía post-expiración del derecho** plantea problemas desde la perspectiva del Derecho de la competencia (TJUE 12-5-89, asunto Ottungs/Klee 320/87). Sin embargo, en principio son admisibles (parágrafo 159 de las Directrices para aplicación del Tratado a los Acuerdos de Transferencia de Tecnología), ya que una obligación contractual mediante la cual el licenciatario de un invento patentado esté obligado a pagar un canon, sin limitación de plazo, por lo tanto incluso después de la caducidad de la patente, no constituye por sí misma una restricción de la competencia (según Tratado FUE art.101.1). Las cláusulas que prohíben la explotación después de la vigencia de la patente son **restrictivas**, pero si se prohíbe fabricar y comercializar los productos protegidos por la patente después de expirar el plazo de vigencia de la patente y de la resolución del acuerdo, solo cae en el ámbito de la prohibición si resulta del contexto económico y jurídico en el que se haya celebrado dicho acuerdo que éste puede afectar de manera sensible al comercio entre Estados miembros.
La sentencia TJUE 7-7-16 (C-567/14) establece que es posible pactar la obligación de pago por licencia de patente incluso después de vencida la patente siempre que el licenciatario tenga la posibilidad de resolver el contrato con un preaviso razonable. En este caso no se consideraría un acuerdo colusorio contrario al Tratado FUE art.101.1.
2) Aparte de las regalías post-expiración en algún caso se encuentran **regalías** que prevén el **destino de las mejoras** que haga el licenciatario o el licenciante después de la terminación del contrato. Estas cláusulas deben analizarse adecuadamente desde la perspectiva del Derecho de la competencia.

2640 **Rendición de cuentas** También se impone al licenciatario una obligación de rendir cuentas al licenciante (p.e., para la determinación de las regalías que se deben). Esta obligación existe durante toda la vigencia del contrato, así como a la terminación del mismo.

Utilización de la marca Constituye un derecho del licenciatario y, en ocasiones, también una obligación. Así, se entiende generalmente que cuando se concede licencia exclusiva, el licenciatario resulta obligado a la utilización de la marca, a fin de su propia preservación, pues la marca que no se usa durante un período de 5 años está incursa en causa de **caducidad** (LM art.39 y 54). **2642**

La infracción del deber de uso sería particularmente grave en la **licencia exclusiva reforzada**, en la que el único legitimado para usar la marca es el licenciatario exclusivo.

Precisiones Constituyen causas que **justifican la falta de uso** de una marca los impedimentos que (TJUE 14-6-07, asunto C-246/05 Armin Häupl contra Lidl Stiftung & Co. KG):
- guarden una relación directa con dicha marca;
- hagan imposible o no razonable su uso;
- sean independientes de la voluntad de su titular.

No son causas justificativas de la falta de uso de la marca, las que están relacionadas con el riesgo normal de la empresa, como es el caso de las siguientes razones:
- comerciales: tiempo necesario para el lanzamiento de una línea de productos, exigencias del principal cliente;
- económicas: concurso de la anterior titular de la marca;
- que no justifica imposibilidad de utilizar la marca: existencia de un competidor que utiliza indebidamente la marca.

Tampoco la alegación del **concurso de acreedores** como causa justificativa de la falta de uso de la marca puede considerarse adecuada, ya que el concurso no supone la paralización de la actividad de la empresa concursada, sino, la continuación de la actividad (LCon art.111; TS 22-12-15, EDJ 240691).

Legitimación activa del licenciatario El licenciatario está legitimado -en cuanto competidor- para solicitar la nulidad absoluta (LM art.5 y 51) y la caducidad de **marcas ajenas** (LM art.54 y 58), pero no la nulidad relativa de marcas ajenas, alegando marcas pertenecientes al licenciante (LM art.52). Sin embargo, la nueva redacción de la Ley de Marcas dada por el RDL 23/2018 permite que los licenciatarios planteen **oposición** a las solicitudes alegando derechos de su licenciante, siempre que estén facultados por el titular de la marca. Nótese que hace falta que haya una autorización expresa, que deberá probarse ante la OEPM (LM art.19.1.b). **2644**

La Ley de Marcas (LM art.48.7 y 8) establece un régimen específico para el ejercicio de acciones por parte del licenciatario:

a) La **regla general** es que solo puede ejercitar acciones en el caso de que el contrato lo permita expresamente. Por ello, si el contrato de licencia no lo permite, el licenciatario solo podrá ejercer acciones relativas a la violación de una marca con el **consentimiento** del titular de esta o, como se expone a continuación, en el caso especial del licenciatario exclusivo que requiere a su licenciante.

b) Como particularidad, el **licenciatario exclusivo** sí puede ejercitar las acciones -aun cuando no lo prevea el contrato- siempre que hubiera **requerido** al titular de la marca y este no hubiera ejercitado la acción. Es decir, el titular de una licencia exclusiva podrá ejercer tal acción cuando el titular de la marca, habiendo sido requerido, no haya ejercido en el plazo de tres meses por sí mismo la acción por violación. No hay obligación de respetar este plazo en el caso de que el licenciatario exclusivo solicite una medida cautelar (LP art.117.3, aplicable por remisión de la LM art.48.7). En el caso de que el licenciatario exclusivo ejercite esta acción deberá comunicarlo al titular, que podrá intervenir en el pleito, ya sea como parte en el mismo o como coadyuvante (LP art.117.4, aplicable por remisión de la LM art.48.7).

Precisiones **1)** Parece claro que, con el RDL 23/2018, el **licenciatario no exclusivo** de marca deja de tener legitimación activa para el ejercicio de acciones de infracción (ya no es aplicable por analogía la Ley de Patentes y por tanto no es aplicable la LM disp.adic.1ª, al existir un **régimen específico** en el RDL 23/2018 art.48).

2) Ha sido muy controvertida la posibilidad de que un **licenciatario no inscrito** pueda ejercer acciones contra infractores (la problemática es común a todos los derechos de propiedad industrial y la respuesta debe ser la misma para todos). La jurisprudencia mayoritaria exige la **inscripción** como requisito para el ejercicio de acciones (TS 17-1-01, EDJ 7; AP Madrid 9-1-07, EDJ 49987). Por tanto, la recomendación es inscribir, lo que se facilita por la existencia de un régimen muy sencillo para ello. Hay jurisprudencia más flexible (TS 11-7-00, EDJ 15769, que permite el ejercicio de acciones por el licenciatario no inscrito cuando actúa con el licenciante).

Normalmente el **ejercicio de acciones de violación** es una cuestión que se reserva al titular del derecho mediante una **cláusula** similar a la siguiente: **2646**

«En caso de que sea violado en el territorio de protección cualquier derecho de propiedad industrial licenciado en el presente contrato, la parte contratante que tenga conocimiento de la misma lo comunicará por escrito a la otra con la menor dilación posible. El licenciante enviará un requerimiento al infractor para que cese en la violación del derecho del licenciante en el plazo de sesenta días. En caso de que no cesara en la infracción el requerido, el licenciante podrá decidir el ejercicio de las acciones en defensa de su derecho. En esta acción deberá intervenir adhesivamente la licenciataria. Los gastos de la acción de violación serán repartidos a partes iguales entre el licenciante y la licenciataria. Cualquier cantidad obtenida en concepto de indemnización se repartirá de la misma forma. En cualquier caso, la acción se ejercitará bajo el control y la dirección del licenciante.»

2648 En general, pueden deducirse las siguientes **características de la legitimación activa** en las acciones por violación:

a) Aun cuando la legitimación activa del licenciatario exclusivo puede excluirse por **pacto entre las partes**, la legitimación subsidiaria del licenciatario no legitimado no admite pacto en contra. Además, cuando se excluya la legitimación del licenciatario exclusivo para demandar por violación, la negativa del titular a demandar a un infractor concreto es constitutiva de un incumplimiento de la obligación contractual de garantizar el goce pacífico del bien licenciado, lo que produce las pertinentes consecuencias contractuales (como la resolución del contrato y la obligación de indemnización del equivalente contractual).

b) La jurisprudencia exige que, para ejercitar las acciones por violación contra terceros, el licenciatario haya realizado la **inscripción de su derecho** (TS 18-10-95, EDJ 4927). Ver nº 2644.

c) El licenciatario legitimado puede proceder en virtud de diversas **acciones**:

• Reclamación directa del perjuicio que se le haya causado.

• Acción de cesación y de prohibición contra el infractor. En este caso hay una sustitución procesal del titular de la marca, puesto que es dicha titularidad la que permite el ejercicio de dichas acciones (LM art.34).

d) Si el demandado en una acción ejercitada por el licenciatario exclusivo opone la **nulidad o caducidad del derecho** en virtud del cual se le demanda, aun cuando puede sostenerse la posibilidad de que el demandado reconvenga la nulidad del derecho, aunque ejercite la acción el licenciatario (LP art.119.1), la postura más prudente aconseja que el demandado inicie una acción separada contra el titular del derecho y posteriormente solicite la acumulación de acciones.

e) Se ha planteado si el **licenciatario exclusivo** puede demandar al licenciante porque el licenciante use el derecho licenciado. Las **bases para la acción** serían la infracción de la patente, la infracción contractual y la competencia desleal.

2650 **f)** El titular conserva siempre legitimación para ejercitar la **acción de violación**. Por tanto, la sustitución procesal a favor del licenciatario no es plena. Respecto de la acción declarativa de inexistencia de violación (LP art.121) está legitimado pasivamente solo el titular del derecho. En relación con la acción de nulidad y de caducidad la legitimación pasiva corresponde también al titular, sin perjuicio de la posibilidad de intervención del licenciatario (LP art.121.5).

g) Se establece la posibilidad del **titular del derecho** de personarse en el procedimiento incoado por el licenciatario e intervenir (intervención adhesiva litisconsorcial). La defensa de la existencia del derecho corresponde al titular del mismo y, en ese sentido, puede adquirir la condición de parte del litigio planteado.

h) En el caso de que existan **varios licenciatarios exclusivos** para diferentes partes del territorio nacional, cada uno es solo competente para perseguir los actos de violación que directamente perjudiquen el ámbito de actuación que se le concede en la licencia.

i) Es posible la **exclusión de la facultad de intervención** del licenciatario en las acciones negatorias contra el titular del derecho -acciones en las que el demandante pretende que se declare que su actuación no constituye violación- (LP art.121.5).

j) Si la licencia es no exclusiva, las **consecuencias resarcitorias** de la acción de violación se imputan al titular del derecho licenciado. Sin embargo, en la licencia exclusiva, la indemnización corresponde al licenciatario exclusivo. En cualquier caso, la jurisprudencia exige cumplida prueba del daño por parte del titular de la patente o del licenciatario (TS 9-12-96, EDJ 9140).

Precisiones La regulación expuesta es aplicable a los contratos celebrados bajo el **Estatuto de Propiedad Industrial**, pero solo respecto de acciones ejercitadas después de la entrada en vigor de la Ley de Patentes (TS 25-4-94, EDJ 3615).

2652 **Extinción del contrato** El contrato de licencia de marca se extingue conforme a las **reglas generales** de los contratos:

a) Transcurso del término fijado en el contrato. En el caso de licencias complejas de patente y de marca, se suele pactar que la extinción del contrato de licencia de patente lleve consigo el de licencia de marca. La terminación de un contrato de arrendamiento de local de negocio lleva consigo la de los signos distintivos comprendidos en el contrato, de tal modo que el arrendatario de un establecimiento mercantil, vencido el contrato, debe cesar en el uso del rótulo (AP Pontevedra 3-10-97, EDJ 8316).

b) Denuncia del contrato. Debe distinguirse según que el contrato sea por plazo indefinido o por plazo determinado.

• Si es por **plazo indefinido** puede denunciarse el contrato por cualquiera de las partes, otorgando el preaviso suficiente (TS 3-7-86, EDJ 4655), sin que haya lugar a la exigencia de indemnización alguna (TS 9-10-97, EDJ 6604). Si una parte ha incumplido no es necesario preaviso (TS 24-4-15, EDJ 93095).

• Si es por **plazo determinado**, la resolución del contrato solo puede acontecer por justa causa (CC art.1124), so pena de incurrir en responsabilidad contractual (CC art.1124). No cabe estipular un contrato de duración determinada para una de las partes e indeterminada para la otra (TS 11-2-84, EDJ 7010). La resolución del contrato, si es declarada válida, afecta a las dos partes.

c) Incapacidad o extinción (liquidación) de alguna de las partes. La declaración de concurso no supone por sí sola extinción del contrato, aplicándose el régimen general de confirmación de los contratos en el concurso (LCon art.158). Son lícitas las cláusulas resolutorias por incumplimiento en los contratos pendientes de ejecución o de tracto sucesivo (como lo es la licencia de propiedad industrial). Si el contrato es confirmado por la administración concursal, los créditos devendrán deuda de la masa. El régimen se contiene en la LCon art.156 s.

Precisiones 1) Las normas sobre los contratos de licencia de derechos de propiedad industrial no prevén la posibilidad de resolver en caso de **insolvencia** de una de las partes (LCon art.159.2).
2) Se rechaza la impugnación del plan de liquidación en el seno de un concurso de acreedores en el que se autorizaba la **cesión de patentes** de la entidad concursada y separadamente el mantenimiento o **cesión de los créditos litigiosos** derivados de infracción de patentes. El tribunal considera que no es obligatorio que el titular de la patente sea quien perciba la indemnización de daños y perjuicios (AP Madrid auto 13-7-23, EDJ 793029).

d) Resolución por incumplimiento de alguna de las obligaciones derivadas del contrato (CC **2654**
art.1124). El incumplimiento actúa de un modo objetivo, sin que sea necesario probar una voluntad deliberadamente rebelde al cumplimiento (TS 11-6-92, EDJ 6152; 27-10-94, EDJ 8182; 22-12-08, EDJ 291529).

e) Extinción de la marca. Se trata de un caso de imposibilidad sobrevenida por desaparición del objeto del contrato. La renuncia a la marca no puede efectuarse sin el consentimiento de los embargantes y titulares de derechos reales o de licencias inscritas (LM art.56.3). Normalmente, sin embargo, la extinción de la marca se produce por la declaración de nulidad o de caducidad.

f) Mutuo desistimiento.

Por el contrario, el contrato de licencia no se extingue por:

• **Revocación de la licencia**, pues el valor de la marca se ha objetivado o patrimonializado, de tal manera que la licencia de marca supone el otorgamiento de un verdadero derecho subjetivo en favor del licenciatario. Por ello, el titular de la marca no puede revocar la licencia fuera de los supuestos contemplados en las letras anteriores.

• **Cesión de la marca** (TS 29-9-97, EDJ 7492). Sin embargo, ha de tenerse en cuenta que si la licencia no está inscrita, no sería oponible al adquirente de la marca que inscriba su adquisición (LM art.46.3), quien podrá revocar la licencia.

Precisiones 1) Se ha permitido, de un modo muy discutible, la revocación de la autorización del empleo de un **título nobiliario** como signo no registrado, en base a la normativa sobre protección al honor, la intimidad personal y familiar y la propia imagen -LO 1/1982- (AP Palma de Mallorca 15-9-99, EDJ 44979). Sin embargo, fuera de los casos en que la marca incorpore el nombre del titular (u otro derecho de la personalidad) no puede plantearse la revocación.
2) Debe tenerse en cuenta que en determinados **contratos por tiempo indefinido** (o incluso cesiones perpetuas) no queda excluida la posibilidad de resolución. En el caso resuelto por los tribunales británicos sobre un contrato de licencia de software (de BMS Computer Solutions Ltd v AB Agri Ltd) se llegó a la conclusión de que una licencia perpetua era revocable para que pudieran tener aplicación las cláusulas resolutorias.

Consecuencias La extinción del contrato de licencia lleva consigo la extinción del vínculo jurí- **2656**
dico entre licenciante y licenciatario.

La **liquidación de la relación contractual** se regirá por lo pactado en el contrato y se integrará por el uso y la buena fe (CC art.1258). En particular, debe reconocerse al licenciatario un plazo suficiente para poder liquidar las existencias contraseñadas con la marca. No existe, salvo que otra cosa se hubiera estipulado en el contrato de licencia, derecho a la indemnización por clientela.

Por otro lado, se extingue para el futuro la obligación del **pago de regalías**. Es posible, sin embargo, pactar la obligación de seguir pagando regalías durante el plazo predeterminado en el contrato, aun cuando la marca sea declarada nula.

En cuanto a las **regalías ya devengadas**, no deben ser devueltas las ya pagadas, salvo que razones de equidad permitan exigir su repetición o el titular de la marca hubiera actuado de mala fe (LM art.60.3.b).
El licenciatario no podrá usar la marca objeto del contrato a la extinción del mismo ni anunciarse bajo la fórmula «**antiguo licenciatario de...**» (TS 23-12-92, EDJ 12758).

2658 **Nulidad del contrato** Las causas de nulidad del contrato de licencia de marca son las mismas que las de los restantes contratos.
Las **consecuencias indemnizatorias** de la declaración de nulidad se rigen por el principio de irrepetibilidad de lo pagado (LM art.60). De este modo, la declaración de nulidad de la marca no afecta a los pagos ya realizados por el licenciatario. Por ello, aunque la declaración de nulidad de la marca tiene carácter retroactivo, los efectos respecto de la licencia realizada se producen solo desde la declaración de nulidad.
Recuérdese que la nulidad de la marca no produce la nulidad del contrato de licencia sino que constituye una **causa de extinción** del contrato por imposibilidad sobrevenida.

4. Transacción sobre la marca

2665 La transacción es muy frecuente en **litigios sobre propiedad industrial** (acciones de infracción).
Los **requisitos** de la transacción se rigen por el Código Civil (CC art.1809 s.).
Las **modalidades** de la transacción son variadas:
1. Desistimiento de la acción. Teóricamente hay posibilidad de volver a ejercitar la acción, aunque normalmente se excluye esta posibilidad por las partes.
2. Renuncia a la acción. El actor renuncia a la posibilidad de plantear el pleito de nuevo.
3. Transacción con homologación judicial. El acuerdo de las partes se presenta al juzgado que lo homologa.
4. Transacción sin homologación judicial, que se mantiene secreta.

Precisiones **1)** Estas reglas se aplican a **todos los contratos** de propiedad industrial *mutatis mutandis.*
2) Existe en el **ámbito farmacéutico** un contrato *pay-for-delay* (pago por el retraso) en el cual el titular de un medicamento de referencia paga al genérico para que no lance el producto al mercado. Dichos acuerdos -propios del Derecho estadounidense- plantean objeciones desde la perspectiva del Derecho de la competencia. Este contrato se analiza en la sección de patentes (nº 2777).
3) Debe distinguirse la transacción de los **tratos preliminares** o puntos básicos de un precontrato (normalmente denominados *memorandum of understanding* o *letter of intent*, en la terminología al uso). En dichos acuerdos las partes fijan los puntos básicos de un contrato futuro; tienen un valor anticipatorio. La transacción se produce en un momento posterior (el *memorandum of understanding* se produce *ex ante* y la transacción *ex post*).
4) Las transacciones por el uso de la marca y la **denominación social** normalmente plantean muchos problemas, dado que en nuestro ordenamiento no se deslinda bien qué uso se puede hacer de la denominación social que no incida en el derecho de marca o nombre comercial. Es aconsejable en estas transacciones obtener también la modificación de la denominación social.

SECCIÓN 4

Contratos sobre patentes

2670 Los fenómenos transmisivos de la patente pueden presentar diversas configuraciones. En su configuración más simple tenemos los acuerdos aislados de **licencia** o de **cesión** de patentes. Como ejemplo de acuerdos complejos cabe citar, entre otros, los acuerdos de «**joint-venture**» en los que se constituye una filial común (nueva sociedad) para explotar una nueva tecnología, que muchas veces suponen licencias recíprocas de diversas patentes de los que participan en la empresa -lo que es frecuente en la introducción de nuevas tecnologías, como la DVD o en el campo biotecnológico-; los *patents pools* o **comunidades de patentes** en las que se da un licenciamiento recíproco de las innovaciones a las que se llegue; **contratos de ingeniería** en los que se licencian patentes y know-how, los sistemas de licencias basados en las cláusulas FRAND. Analizamos en este apartado los principales contratos sobre los derechos de patente:
- **cesión** de patente (nº 2690);
- **licencia** de patente (nº 2710);
- **transacción**, en relación con litigios sobre patentes (nº 2775).

La **comunidad** de patente, resultado muchas veces de una actividad de colaboración entre **empresas**, se expone en el nº 2900 y la **hipoteca** sobre patente en el nº 2924.

1. Consideraciones previas

El **objeto de la patente** es la invención, que puede definirse como la solución de un problema técnico que tiende directamente a la satisfacción de una necesidad humana. Sin embargo, no existe una **definición legal de invención**, tanto la LP como el CPE se limitan a ofrecer una definición negativa de la misma al establecer exclusiones de patentabilidad y requisitos de patentabilidad, que delimitan lo que no es **invención patentable**. 2675

Tanto la LP como el CPE establecen explícitamente tres **requisitos de patentabilidad**: novedad, actividad inventiva y aplicación industrial (LP art.6 a 9; CPE art.52) (nº 2679 s.).

Además, hay dos **requisitos adicionales** que toda invención debe contener para ser patentada: suficiencia de la descripción y carácter técnico (LP art.102; CPE art.83). En este sentido, las Directrices (6.1) y las *Guidelines* (Parte C, Cap. IV, 1.2).

Por último, se debe tener en cuenta que la patente finalmente concedida no puede contener materia añadida que no estuviera en la **solicitud originaria** (adición de materia, LP art.102.1.c), ya que su objeto excede del contenido de la solicitud de patente tal como fue presentada.

La **regulación** de las patentes se encuentra recogida en: 2677

- la L 24/2015 de Patentes (**LP**), que entró en vigor el 1-4-2017;
- el RD 316/2017, que aprueba el Reglamento para la ejecución de la LP; y
- la OM ETU/296/2017, por la que se establecen los plazos máximos de tramitación de expedientes de patentes, que entró en vigor el 1-4-2017.

Precisiones Las **novedades** más importantes que introdujo la Ley de Patentes de 2015 son procedimentales: generalización del examen sustantivo -pues antes se concedía sin examen, salvo que lo pidiera el solicitante-, existencia de oposición post-concesión.

Novedad (LP art.6; CPE art.54) Son nuevas las invenciones que no están comprendidas en el estado de la técnica. 2679

El **estado de la técnica** supone un concepto abstracto y está constituido por todo lo que antes de la fecha de presentación de la solicitud de patente se ha hecho accesible al público en España o en el extranjero, por cualquier medio.

De esta aproximación al concepto de estado de la técnica se desprende lo siguiente:

• En primer lugar, el criterio de novedad es mundial, esto es, la invención debe ser nueva a **nivel mundial** para gozar de protección en España.

• En segundo lugar, el estado de la técnica es un concepto mutable y que se define en un **momento temporal concreto** (el de la solicitud de patente o, en su caso, el de la fecha de prioridad de la misma).

Así, el estado de la técnica recoge toda la información técnica a nivel mundial relativa a la invención objeto de la solicitud de patente. De este modo, la invención es nueva cuando no se halla anticipada por los datos contenidos en el estado de la técnica.

Para la **determinación de la novedad** se han de tener en cuenta dos instituciones: la prioridad unionista y las divulgaciones inocuas. 2681

a) La **prioridad unionista** consiste en que el solicitante de una patente en uno de los países del Convenio 20-3-1883 de la Unión de París -CUP-, dispone de un año desde el depósito de su primera solicitud para presentar otra solicitud de patente sobre la misma invención en cualquier otro Estado de la Unión, rigiéndose la novedad de las solicitudes subsiguientes por la fecha de depósito de la primera solicitud (CUP art.4). En el intervalo de prioridad no pueden surgir derechos de terceros. Las solicitudes de patentes presentadas por terceros serán nulas una vez que se reivindique la prioridad en el Estado de la Unión de que se trate.

b) Son **divulgaciones inocuas** (no destruyen la novedad de la invención) aquellas acaecidas dentro de los seis meses anteriores a la presentación de la solicitud de patente, cuando tales divulgaciones hayan sido consecuencia (LP art.7):

- de un abuso evidente frente al solicitante o a su causante (p.e. el trabajador que registra una invención explotada en secreto en su empresa);
- de la exhibición de la invención en una exposición oficial;
- de ensayos efectuados por el solicitante de la patente.

Precisiones La novedad exige que el **estado de la técnica** reproduzca la invención con un **cien por cien de certeza** (TS 11-11-11, EDJ 262932, sobre atorvastatina; TS 18-6-15, EDJ 128714, sobre levonorgestrel).

2683 **Actividad inventiva** (LP art.8; CPE art.56) Poseen actividad inventiva las invenciones que **no** resulten de un modo **evidente** del estado de la técnica. El requisito de la actividad inventiva supone un paso ulterior respecto del requisito de la novedad. Más específicamente, no basta con que la invención no se halle anticipada por algún elemento contenido en el estado de la técnica, hace falta, además, que la invención no resulte evidente para un técnico o experto medio en la materia de que en cada caso se trate.

En el examen del requisito de la actividad inventiva se pretende evitar que el experto en la materia realice juicios *a posteriori*, en el sentido de que le parezcan evidentes invenciones que no lo eran cuando se presentaron a registro. Por ello, la **fecha relevante** para el juicio de los requisitos de la novedad y de la actividad inventiva es la de depósito de la solicitud de patente y no la fecha de examen, posterior, por definición, a la de depósito.

Existen **indicios** que ayudan al experto en la materia a determinar si la invención reúne los requisitos de patentabilidad. Así, el hecho de que un problema técnico haya tardado mucho tiempo en solucionarse es un buen indicio de que la invención posee actividad inventiva (p.e. en 1831 Faraday demostró cómo las vibraciones de un cuerpo de hierro y acero se podían convertir en señales eléctricas, sin embargo, fue en 1876 cuando, aplicando este principio, Bell presentó la primera patente sobre el teléfono). Del mismo modo, la circunstancia de que nadie se haya planteado con anterioridad el problema técnico y su solución puede ser una muestra de la concurrencia del requisito de la actividad inventiva (p.e., los postes denominados «ojos de gato» que se encuentran en la carretera, etc.).

La **ausencia** de actividad inventiva justifica la nulidad de la patente (LP art.102.1.a).

Precisiones **1)** Podría parecer que el requisito de novedad es redundante ante la exigencia del requisito de la actividad inventiva. Sin embargo, existe un caso en el que esta distinción tiene importancia. En efecto, el **estado de la técnica** es más amplio en la novedad que en la actividad inventiva, puesto que para determinar la novedad de una invención, el estado de la técnica incluye el contenido de solicitudes de patentes y modelos de utilidad españoles y de solicitudes de patentes europeas y PCT (Tratado 19-6-1970 de Cooperación en materia de patentes) que designen a España, siempre que hubiesen sido publicadas antes o después de la fecha de referencia para fijar el estado de la técnica. El contenido de las mencionadas solicitudes no se tiene en cuenta para determinar el estado de la técnica en la actividad inventiva (LP art.6.3 y 8.2).

2) De acuerdo con el TS, no existe un único **método** para **enjuiciar la actividad inventiva**, pero debe seguirse uno que asegure que en el enjuiciamiento se tienen en cuenta los factores decisivos, como el método de análisis-problema-solución, o de los tres pasos, consistentes en (TS 12-6-13, EDJ 122807):

1º. Determinar el estado de la técnica más próximo.

2º. Establecer el problema técnico objetivo que se pretende resolver.

3º. Considerar si la invención reivindicada habría sido o no obvia para un experto a la luz del estado de la técnica más cercano y del problema técnico.

Dicho método, coherente con la regla 27 del Reglamento de Ejecución del Convenio, es utilizado con carácter general por la Oficina Europea y ha sido acogido por tribunales de otros Estados parte en el Convenio como un método útil en la generalidad de los casos para evaluar la actividad inventiva (TS 14-4-15, EDJ 65044).

3) El Tribunal Supremo considera que el enjuiciamiento de la actividad inventiva es materia sujeta al control casacional. Si bien aplica la aproximación problema-solución (*problem solution approach*), no es algo tasado. El único criterio legal es si la invención resulta **evidente para un experto** en la materia o no (TS 12-6-13, EDJ 122807; 8-4-13, EDJ 78159; 2-10-17, EDJ 201847).

2685 **Aplicación industrial** (LP art.9; CPE art.57) El requisito de la aplicación industrial consiste en la posibilidad de que el objeto de la invención pueda ser fabricado o utilizado en cualquier clase de industria, incluida la agrícola.

Aparentemente, se trata de un requisito de patentabilidad poco significativo. Sin embargo, en la práctica la exigencia de aplicación industrial es imprescindible para diferenciar una invención (patentable) de un descubrimiento (no patentable).

2. Cesión de patente

2690

2692 La cesión de la patente consiste en la transmisión de su titularidad, lo que puede tener lugar mediante compraventa, aportación a la sociedad, donación, etc. En general, todos estos **diferentes negocios de transmisión** son aludidos bajo el término genérico de cesión. La causa de la cesión puede ser onerosa o gratuita.

La cesión de un derecho de propiedad industrial ha de ser **expresa** o deducirse con claridad del contexto del contrato.
Es posible que la cesión tenga por objeto, no la patente en sí, sino la **solicitud de patente** o la **prioridad unionista**. En estos casos, salvo pacto en contrario, existe obligación del transmitente de garantizar la titularidad de la solicitud o la prioridad transmitidas, pero no de asegurar la validez del derecho, ni de garantizar la concesión de la solicitud.
A los efectos de su cesión o gravamen, la solicitud de patente o la patente ya concedida son de **carácter indivisible**, aunque pueden pertenecer en común a varias personas (LP art.80.3). Este principio se fundamenta en el de unidad de invención, que impide que, cuando el objeto de la patente sea múltiple, pueda concederse una sola patente. Como contrapartida, es posible la división de la patente cuando no se respeta el principio de unidad de la invención, siendo denominadas «**divisionarias**» o divisionales las patentes resultantes de la solicitud originaria (LP art.26).

Precisiones 1) La **cesión de la prioridad unionista** consiste en que el depositante de una primera solicitud de patente en un país integrado en la Unión de París (CUP art.4.A.1) cede su derecho de prioridad a un tercero para uno o varios países de la Unión. Esta cesión da lugar a un haz de patentes independientes que pertenecen a distintos titulares.
Es importante la reciente reforma del Derecho de la patente europea: Following **G 1/22** (and G 2/22), A-III-6.1 has been updated to state "absent any substantiated indication to the contrary, there is a strong rebuttable presumption under the EPC that an applicant or joint applicants claiming priority in accordance with Art. 88(1) and Rule 52 are also entitled to the claimed priority. The burden of proof is shifted, and the examining division, opponent or third party challenging an applicant's entitlement to priority has to prove that this entitlement is missing. Especially where an international application under the PCT is filed by joint applicants, including the priority applicant, but without naming the priority applicant as applicant for the European designation, the mere fact of the joint filing implies an agreement between the applicants allowing all of them to rely on the priority right, unless substantial facts indicate otherwise (see G 1/22 and G 2/22)".
2) Pese a que la regla general es que la cesión debe hacerse expresamente, se ha entendido que quien está vinculado por una relación de **arrendamiento de servicios** cede implícitamente su derecho a la patente (TS 31-12-99, EDJ 43921).
3) Por motivos obvios de seguridad jurídica es conveniente que la cesión de derechos siempre sea **expresa**, porque no se presume.
4) La cesión de patente puede ser objeto de escrutinio desde la perspectiva del Derecho de la competencia. En los tribunales estadounidenses se planteó si la política de «Abbvie» de adquisición de patentes para proteger su medicamento Humira (que suponía adquirir patentes de terceros) era un **abuso de posición dominante**.

Forma e inscripción del contrato (LP art.82.2, 79.3) La cesión debe constar en forma escrita, como requisito de validez, cuando se trate de **negocios inter vivos**. En consecuencia, las cesiones de patente que no consten por escrito son nulas de pleno derecho. 2694
Este requisito formal no se exige cuando se trate de **negocios** mortis causa, principalmente atribuciones testamentarias (pues el testamento implica en sí mismo la forma escrita) o legales (sucesión intestada). Las sucesiones universales (fusión, escisión) también quedan sustraídas a la aplicación de la regla de la constancia escrita de la cesión.
Para el acceso del contrato de cesión o de licencia al Registro de Patentes y para su consiguiente oponibilidad a terceros, no es necesario que dicho contrato conste en **documento público** -escritura pública o póliza notarial- (reforma introducida por L 25/2009 y RD 245/2010).
En la práctica de la OEPM, tras la reforma (RD 245/2010):
- **no** se exige que el **contrato** esté **elevado a público**, ni siquiera si es entre sociedades extranjeras;
- en caso de **contratos** redactados **en idioma extranjero** se mantiene la necesidad de traducción jurada;
- **no** se exige **CIF provisional** ni liquidación del impuesto de AJD.

Mediante una misma instancia se puede solicitar la toma de razón en el Registro de Patentes de **cesiones o licencias sobre varios derechos**, pagando la tasa correspondiente (RD 316/2017 art.77). En caso de que se adviertan defectos en la documentación presentada, se ha de comunicar al solicitante, quien cuenta con un plazo de dos meses para subsanar los defectos apreciados (RD 316/2017 art.82.2).

Precisiones 1) En cuanto a la forma de los **contratos mixtos** (de cesión de patente, de licencia de know-how, de licencia de marca), dado el principio general de libertad de forma, es preciso determinar qué contrato prevalece y solo cuando prevalezca el de cesión o licencia de patente se debe exigir la forma escrita.
2) La **exigencia de documento público** ha sido suprimida y ya no es operativa. La legislación anterior a la reforma de diciembre 2009 establecía:
- la inscripción obligatoria para que la licencia surta efectos frente a «terceros de buena fe»;

- acuerdo de licencia debidamente legalizado ante notario público;
- en caso de documentos otorgados ante notario extranjero, se requería apostilla de la Haya y traducción jurada;
- para sociedades extranjeras era necesario solicitar un CIF provisional para acreditar exención del pago del ITP-AJD por elevación del contrato a público;
- había reglas sobre control de cambios, prohibiendo pagos al extranjero por licencias no inscritas (norma que no fue aplicada jamás).

2696 **Obligaciones del cedente** La obligación de garantizar el **goce pacífico del bien** por parte del cedente tiene unas manifestaciones concretas en el contrato de cesión de patente.
Así, el cedente a título oneroso está obligado a transmitir, salvo pacto en contrario, los **conocimientos técnicos necesarios** para explotar la invención (nº 2698).
Como segunda obligación se le impone la de **saneamiento por evicción**. El cedente responde, salvo pacto en contrario, de la legítima titularidad de la patente o solicitud que transmite, así como de la validez de la patente, si al tiempo de conclusión del contrato le constaba la posible nulidad de la misma (nº 2700).
No existe, en general, responsabilidad por **vicios ocultos** (nº 2702), aunque sí responsabilidad extracontractual por los **vicios intrínsecos** de la invención (nº 2704).

2698 **Obligación de transmitir los conocimientos técnicos necesarios** (LP art.84.1) Salvo pacto en contrario, el cedente (así como el licenciante: nº 2725) ha de transmitir los conocimientos técnicos o *know-how* necesarios para explotar la invención objeto de la patente. El adquirente o licenciatario al que se comuniquen estos conocimientos secretos debe adoptar las medidas necesarias para evitar su divulgación.

Precisiones 1) La **transferencia de tecnología** en el caso concreto del secreto empresarial o *know-how* se estudia en el nº 2792.
2) Estos contratos mixtos (en los que se transmiten ambos derechos, patentes y secretos empresariales) tienen un ángulo **fiscal** que tiene que ser tenido en cuenta. La LIS art.23 ha establecido la deducción denominada *patent box*, que se aplicaba hasta el año 2019 a las licencias de secretos empresariales. Es importante en estos contratos delimitar la parte correspondiente a prestaciones accesorias y al pago por licencia («cuando un mismo contrato de cesión incluya prestaciones accesorias de servicios deberá diferenciarse en el contrato la contraprestación correspondiente a los mismos»; -LIS art.23.1.d- (DGT CV 20-9-12).

2700 **Responsabilidad por evicción** (LP art.85) La responsabilidad por evicción se produce cuando el cesionario o el licenciatario de patente se ven despojados de su derecho como consecuencia de la **acción reivindicatoria impropia** (LP art.12) que ejercita un tercero, titular del derecho a obtener la patente, pero que no la solicitó, o porque aparezca un titular de derecho de uso (LP art.63), lo que disminuye el valor de la invención.
Se establece al respecto que el que ceda o licencie a título oneroso una solicitud de patente o una patente responde, salvo pacto en contrario, si posteriormente se declara que carecía de la titularidad o de las facultades necesarias para realizar el negocio.
La acción por evicción ha de ejercitarse en el **plazo** de seis meses, contados desde la fecha de la resolución definitiva o de la sentencia firme que le sirve de fundamento.

Precisiones La responsabilidad por evicción no es solo responsabilidad por el goce pacífico de la invención, sino también responsabilidad por la **titularidad del transmitente** (TS 24-5-94, EDJ 4754).

2702 **Responsabilidad por vicios ocultos** La cesión de una patente o de una solicitud de patente no genera responsabilidad por vicios ocultos, concepto que ha sido desarrollado respecto de cosas corporales y solo es indirectamente aplicable a derechos (p.e., CC art.1529). Por ello, quien adquiere una solicitud o una patente debe asumir el riesgo de la **nulidad del título**. En este caso no puede el cesionario repetir contra el transmitente, salvo cuando exista mala fe o por motivos de equidad, supuestos en los que puede reclamar la restitución de las sumas pagadas en virtud del contrato (LP art.85.1 y 104.3).
La **mala fe** por parte del transmitente consiste en su conocimiento previo de la nulidad de la patente y el silencio sobre ello, en los tratos preliminares. Un caso típico de mala fe se produciría cuando el transmitente conoce de alguna anterioridad que destruiría la novedad de la patente y no la comunicó al adquirente. La mala fe se presume cuando no hubiere dado a conocer al otro contratante los informes o resoluciones, españoles o extranjeros, de que disponga o de que le conste su existencia, referente a la patentabilidad de la invención objeto de la solicitud o de la patente (LP art.85.2).

Precisiones Ha de tenerse en cuenta que si **el contrato no está ejecutado** cuando se descubre el vicio, el cesionario no está obligado a pagar el precio.

Responsabilidad por vicios intrínsecos de la invención (LP art.85) Quien transmita una solicitud de patente o una patente ya concedida u otorgue una licencia sobre las mismas, responde solidariamente con el adquirente o con el licenciatario de las indemnizaciones a que hubiere lugar como consecuencia de los **daños y perjuicios ocasionados** a terceras personas por defectos inherentes a la invención objeto de la solicitud o de la patente. 2704

Así, responde solidariamente con el **fabricante**, adquirente de la patente, cuando a éste se le impute responsabilidad por los daños causados por los defectos de los productos que fabriquen.

El fabricante responde del daño causado a terceros no solo por defectos de fabricación, sino también por defectos intrínsecos o de diseño. Puede, no obstante, exonerarse de responsabilidad si prueba que el estado de los conocimientos técnicos y científicos existentes en el momento de la puesta en circulación del bien no permitía apreciar la existencia del defecto. Éstos son los denominados **riesgos de desarrollo**.

Sin embargo, el transmitente o licenciante que deba hacer frente a dicha responsabilidad, puede **reclamar al adquirente o licenciatario** las cantidades abonadas, salvo cuando:
- se haya pactado lo contrario;
- haya procedido de mala fe; o
- dadas las circunstancias del caso y por razones de equidad, deba ser él quien soporte en todo o en parte la indemnización establecida a favor de los terceros.

Esta disposición se aplica especialmente en aquellos casos en el que el licenciatario tiene que desarrollar la invención y llevar a cabo **pruebas toxicológicas o similares** antes de la introducción del bien en el mercado, como ocurre, con los medicamentos y con los productos fitosanitarios.

3. Licencia de patente

La licencia de patente consiste en una transmisión limitada del goce de la exclusiva. Es una **autorización de explotación** en la que el licenciante retiene la titularidad de la patente. La limitación de la transmisión (la licencia) puede radicar en el tiempo (período inferior al que reste de vida legal de la exclusiva), en el modo de empleo (para una aplicación concreta de la invención), en el sector industrial para el que se otorga, etc. 2710

Se distinguen tres **tipos** de licencias:
- contractuales (nº 2715);
- obligatorias (nº 2735);
- de pleno derecho (nº 2760).

En puridad solo se ajustan a la definición propuesta las licencias contractuales, siendo las otras dos figuras modalidades de los denominados contratos forzosos.

a. Licencia contractual

(LPI art.83 a 86)

La licencia contractual consiste en un contrato mediante el cual el titular de la patente (o de su solicitud) permite el uso de la misma por un tercero, sin transmitir la titularidad de la misma. En otras palabras, el titular de la patente (licenciante) **autoriza voluntariamente** la utilización de la invención a un tercero (licenciatario). 2715

La licencia voluntaria de un derecho de propiedad industrial constituye una manifestación de las **cesiones de uso** (arrendamiento, comodato, cesión contractual de usufructo por tiempo determinado, aportación de uso o de valor a una sociedad, etc.).

La licencia contractual constituye el vehículo más frecuente para la **transferencia de tecnología.**

Téngase en cuenta que los contratos de licencia de patente pueden ser ocasión para la aparición de **prácticas restrictivas de la competencia** (ver al respecto LP art.95; Rgto UE/316/2014).

Precisiones El Reglamento relativo a la aplicación de la **exención por categorías** a determinadas categorías de **acuerdos de transferencia de tecnología** (RECATT) es aplicable desde mayo de 2014.

La simplificación del **nuevo régimen de la competencia** se basa en que ya no tiene importancia el sistema de listas en relación con las diferentes cláusulas, sino que lo relevante es:
- si los acuerdos son entre empresas competidores y no competidoras; y,
- la cuota de mercado combinada de las partes.

Hay **exención** si el acuerdo entre no competidores no supone una cuota combinada superior al 20%; si el acuerdo es entre competidores hay exención si la cuota de cada una de las partes no excede del 30%.

Las **cuotas** se calculan sobre el mercado relevante del producto. Debajo de estos límites no hay infracción de la competencia, siempre que los acuerdos los acuerdos no contengan ciertas restricciones especialmente contrarias a la competencia. Si se superan estos umbrales, no significa que

automáticamente se considere como un acuerdo restrictivo de la competencia, sino que dependerá del acuerdo, el beneficio que cause a los consumidores y demás criterios legalmente establecidos.
En general, las **cláusulas que no son admisibles** son:
a) La obligación de que el licenciatario ceda todos los **perfeccionamientos** o mejoras (*grant back*). Se trata de una de las cuestiones que en la práctica pueden generar más problemas. Los intereses del licenciatario y del licenciante están claramente contrapuestos. En el Rgto UE/316/2014 (art.5.1.a), sobre **exención de acuerdos de trasferencia de tecnología**, se endurecen las condiciones de la exención y ni siquiera cuando los perfeccionamientos son inseparables de la tecnología licenciada se considera admisible la cláusula de *grant back*. Por tanto, la regla general es que la obligación de **retrocesión** no es admisible. Se plantean problemas en caso de que el contrato guarde silencio sobre los perfeccionamientos y también sobre la modalidad de explotación. No cabría patentar un perfeccionamiento si afecta a un secreto empresarial de la otra parte.
b) La obligación de **no oponerse** a la validez de los derechos licenciados, sin perjuicio de la posibilidad -en el caso de que se trate de una licencia exclusiva- de prever la expiración del acuerdo de transferencia de tecnología cuando el licenciatario se oponga a la validez de uno o varios de los derechos de propiedad intelectual licenciados.

2717 **Licencias con cláusulas FRAND** Existen reglas especiales respecto de determinadas tecnologías en las que es el obligatorio el **acceso de múltiples usuarios** porque son necesarias para cumplir con un estándar. El estándar es el conjunto de especificaciones técnicas necesarias para producir objetos compatibles con determinada tecnología de uso común (p.e. DVDs, CDs, telefonía móvil, TDT, etc.). En todos estos casos, normalmente los titulares de las diferentes patentes involucradas acuerdan en reuniones especiales la utilización de la tecnología que se usará en dicho sector técnico, así como las características técnicas y formato de las mismas.
Este **acuerdo** (aparte de requerir la autorización de las autoridades de la competencia) necesita que los participantes ofrezcan a terceros el uso de la tecnología que cada uno de ellos posee (y que estará protegida por patentes) en unas condiciones específicas. Dichas condiciones específicas se definen con las siglas inglesas FRAND: *fair, reasonable and non discriminatory* (**justas, razonables y no discriminatorias**).

2719 Estas cláusulas significan que los terceros que no poseen patentes contenidas en el estándar pueden usarlas siempre que abonen las **regalías** establecidas. Dichas regalías deben ser justas y no discriminatorias.
• Por condiciones **justas y razonables** (en realidad son sinónimos) se quiere decir que no puede aprovecharse la posición de monopolio que ostentan los titulares del estándar para imponer condiciones abusivas o excesivamente onerosas que supondrían mayores costes para los consumidores o incluso una posición desigual para los competidores (Informe abril 2007 Departamento de Justicia y de la Comisión de Comercio de los Estados Unidos). También se trata de evitar la «emboscada para obtener regalías» (*royalty ambush* en inglés): una vez que se acuerda un estándar aparecen patentes que no habían sido puestas de manifiesto por sus titulares y se reclama una cantidad exorbitante para poder tener acceso a la licencia (como sucedió en el «caso Rambus» en Estados Unidos).
• Condición **no discriminatoria** significa que no pueden establecerse condiciones diferentes según quien sea el destinatario. Normalmente se establecen mecanismos de arbitraje por las asociaciones que fijan los estándares para evitar que se apliquen condiciones no discriminatorias por los titulares de las patentes. La figura tiene cierta semejanza con la licencia obligatoria (no es posible que un tercero interesado que quiera obtener la licencia no la obtenga). Si no se obtiene la licencia de las patentes contenidas en un estándar técnico y se comercializan los bienes, habrá infracción de patente (medidas cautelares confirmadas por AP Barcelona auto 11-3-09, EDJ 213367, en un caso de infracción de patentes sobre DVD-R de Philips; sin embargo, los Tribunales especializados de lo mercantil son bastante reacios a otorgar medidas cautelares sin audiencia, ver JM Barcelona núm 1, 22-2-16, EDJ 36303).

2721 Precisiones 1) El parágrafo 152 de las **Directrices de la Transferencia de Tecnología** de la Comisión Europea 2003 señala las reglas que aplica la Comisión de la Unión Europea para evitar que el establecimiento de los estándares técnicos lleve a prácticas anticompetitivas.
2) La figura de las cláusulas FRAND está íntimamente vinculada a la de las «**patentes esenciales**» o *standard essential patents* (patentes que constituyen un estándar necesario). Se trata de patentes que son necesariamente utilizadas en determinados **sectores de tecnología** (p.e. teléfonos móviles, ordenadores, etc.). En estos casos la Comisión sostiene que no pueden solicitarse medidas cautelares de cesación, porque impedirían a un competidor estar presente en el mercado. Cabe citar el caso Samsung vs. Apple. En diciembre de 2012 la Comisión Europea envió un pliego de cargos a Samsung por iniciar acciones de cesación contra Apple, pese a que Apple había manifestado la intención de negociar un acuerdo de licencia con Samsung en condiciones FRAND. Esta posición lleva consigo una clara divergencia con la práctica de los Estados en los que es excepcional la figura de las licencias obligatorias.

3) El TJUE establece las pautas a tener en cuenta para valorar si la **conducta** del **titular de una patente esencial** es abusiva o no. A tal fin, el Tribunal enumera los siguientes factores:
• El titular de la patente no puede ejercitar acciones de cesación contra el supuesto infractor sin preavisarle o consultarle previamente, aun cuando la patente haya sido ya explotada por el supuesto infractor.
• Por ello, antes de ejercitar acciones, el titular tiene que avisar al supuesto infractor sobre la violación que se le reprocha, mencionando la patente y precisando la manera en que ha sido violada.
• Una vez que el infractor ha manifestado su voluntad de negociar una licencia en términos FRAND, el titular debe transmitirle una oferta concreta y por escrito en dichas condiciones FRAND, conforme al compromiso asumido ante el organismo de normalización, concretando en particular el canon y sus modalidades de cálculo.
A la vez, el TJUE impone también determinadas **exigencias** a los **potenciales licenciatarios** para garantizar que su intención de adquirir una licencia no sea parte de una conducta meramente dilatoria:
• Así, el Tribunal indica que incumbe al supuesto infractor tratar la oferta con diligencia, conforme a los usos mercantiles reconocidos en la materia y de buena fe, lo que debe determinarse sobre la base de elementos objetivos e implica especialmente la inexistencia de cualquier técnica dilatoria.
• En tanto no acepte la oferta que se le ha hecho, el supuesto infractor solo puede invocar el carácter abusivo de una acción de cesación o de retirada de productos si presenta al titular de la patente, en breve plazo y por escrito, una contraoferta concreta que corresponda a las condiciones FRAND.
• Además, en el caso de que el supuesto infractor venga utilizando la técnica de la patente antes de celebrar un contrato de licencia, le corresponde, a partir del momento en que se rechaza su contraoferta, constituir una garantía adecuada, conforme a los usos mercantiles reconocidos en la materia, aportando por ejemplo una garantía bancaria o consignando las cantidades necesarias.
Si tras la contraoferta del presunto infractor no se alcanza ningún **acuerdo** sobre los detalles de las **condiciones FRAND**, las partes, de común acuerdo, pueden solicitar que el importe del canon sea determinado por un tercero independiente que dictamine en un plazo breve (TJUE 16-7-15, asunto C-170/13).
4) En España ha tenido especial importancia la jurisprudencia emanada de los juzgados de lo mercantil de Barcelona a propósito del Protocolo de intervención en el **Mobile World Congress**, respecto del que se han dictado directrices sobre cómo actuar ante infracciones de derechos de patente en dicho Congreso. En el marco de este Congreso se han dictado los únicos autos en medidas cautelares de patentes que han permitido la sustitución de las medidas cautelares por una caución del demandado (p.e., AP Barcelona auto 18-12-18, EDJ 657641).
5) Las controversias sobre cláusulas FRAND suponen una **superación del principio de territorialidad**. Algunos tribunales (como los británicos y los chinos) han considerado competentes para fijar regalías con carácter mundial sobre patentes esenciales. Esto ha generado una importante controversia y la Comisión Europea ha iniciado un procedimiento de consultas con China por considerar que la posición de los tribunales chinos no es conforme con las reglas de la Organización Mundial del Comercio (petición de consultas ante la OMC de 18-2-22).

Modalidades Puede establecerse la siguiente clasificación de licencias contractuales: **2723**
a) Licencias **exclusivas o no exclusivas**. En las primeras el licenciante se obliga a no conceder otras licencias e, incluso, a no explotar él la patente, tratándose en este último caso de una licencia exclusiva reforzada.
En las licencias no exclusivas el licenciante puede libremente otorgar otras licencias.
Si nada se estipula al respecto, se establece la **presunción** de que la licencia es no exclusiva. La licencia exclusiva tiene que pactarse expresamente o deducirse con claridad de los términos del contrato (LP art.83.5). Si se pacta la exclusividad sin concretar su extensión, se presume que la licencia exclusiva no es reforzada (LP art.83.6).
b) Licencias **totales o parciales**, según abarquen todos los actos de explotación y todas las aplicaciones o bien solo uno o más actos concretos respecto de una o más aplicaciones. La limitación también puede tener carácter territorial.
En principio **se presume** que la licencia es total (para todas las aplicaciones de la patente), para todo el territorio nacional y por toda la duración de la patente (LP art.83.4).
La *site-licence* **(licencia de locación)** es una licencia para desarrollar una determinada tecnología en un emplazamiento determinado, por ejemplo, si se autoriza a utilizar un procedimiento solo en una instalación industrial y no en todas las del licenciatario.
La «**omnibus licence**» es una licencia genérica basada en una transmisión de derechos sobre patentes muy generales o, incluso, sobre conocimientos no patentables (licencia de know-how).
c) Cesión de licencia y sublicencia. La cesión de licencia es una modalidad que se produce cuando el licenciatario transmite a un tercero su entera posición contractual. En coherencia con el régimen general de la cesión de los contratos, es necesario que el licenciante consienta esta cesión. La sublicencia es la licencia que otorga el licenciatario, para cuyo otorgamiento el licenciatario precisa del consentimiento del licenciante (LP art.83.5).

Precisiones Un ejemplo de licencia no exclusiva, en el ámbito farmacéutico, es el «**comarketing**». Se trata de que un titular de un producto farmacéutico original fabrica para otro titular, con el fin de que este nuevo titular (*comarketee* en la terminología anglosajona) cree una nueva red de distribución para el producto. De este modo, se alcanza con un impacto diversificado al mercado y se aprovechan dos redes distintas de comercialización. Estos contratos normalmente prevén cláusulas de retrocesión de la autorización de comercialización, una vez extinguida la relación contractual.

2725 **Obligaciones del licenciante** El licenciante está principalmente obligado a garantizar la **posesión legal y pacífica** de la patente por parte del licenciatario. Esta obligación genérica tiene diversas manifestaciones:

a) El licenciante, titular de la patente, ha de pagar las **anualidades de la patente** y no puede renunciar a la misma sin el consentimiento del licenciatario (LP art.110.4).

b) El licenciante debe transmitir los **conocimientos técnicos** o know-how necesarios para la explotación de la tecnología licenciada. Esta obligación solo existe en defecto de pacto contrario, con lo que las partes pueden excluir la transmisión (LP art.84.1). El licenciatario, por su parte, ha de adoptar las medidas necesarias para evitar la divulgación del know-how licenciado (LP art.84.2).

c) El licenciante debe responder de la **evicción** (LP art.85) y de los **vicios intrínsecos** de la invención (LP art.86). Cuando el licenciatario resulte privado de su derecho a causa de la evicción, se le concede la facultad de optar por una licencia obligatoria (LP art.13.2).

Dada la similitud entre las obligaciones del licenciante de patente y las del **transmitente o cedente** de la misma, pueden consultarse los nº 2696 s., donde se exponen éstas con más detalle.

Es preciso destacar, sin embargo, una particularidad. Con respecto a la responsabilidad del licenciante por **nulidad de la patente**, la regla general es la irrepetibilidad de las regalías ya pagadas (LP art.104.3). Por lo demás, al tratarse de un contrato de tracto sucesivo, el licenciatario puede resolver el contrato ante la declaración de nulidad de la patente. Se trataría de una justa causa de resolución, aunque se trate de un contrato por tiempo determinado, salvo que específicamente se hubiera previsto en el contrato que la nulidad de la patente no otorga derecho a exonerarse del pago de las regalías, pacto que puede ser lícito desde la perspectiva del Derecho de la competencia (TJUE 12-5-89, C-320/87).

2727 **Obligaciones del licenciatario** El licenciatario tiene como obligaciones las siguientes:

a) Utilizar la patente, al menos en el caso de que sea licenciatario exclusivo, para evitar la posibilidad de apertura del régimen de licencias obligatorias.

El licenciatario solo queda autorizado para utilizar la invención patentada dentro de los **límites fijados en el contrato**. En consecuencia, el titular de la patente puede ejercitar los derechos conferidos por la patente contra el licenciatario que viole alguno de los límites impuestos por su licencia (LP art.83.2). Los límites impuestos por la licencia pueden ser **obligacionales o reales**. Debemos entender que solo el licenciatario que transgreda los límites reales de la patente comete un acto de violación del derecho de patente. La distinción entre cláusulas obligacionales y reales, como componentes del contenido del contrato, se expone en el nº 2624 con referencia a la licencia de marca.

Si nada se ha establecido en el contrato, se entiende que la licencia cubre todas las **aplicaciones de la invención** (LP art.83.4).

El licenciatario, salvo pacto en contrario, no puede ceder su posición en el contrato de licencia ni conceder **sublicencias** (LP art.83.3).

2729 **b) Abonar la contraprestación** pactada (regalías o cánones). El pago puede realizarse a tanto alzado, mediante un canon mínimo más un porcentaje sobre ventas, mediante un pago periódico, o a través de una combinación de estos sistemas.

c) Evitar la divulgación de los conocimientos técnicos (*know-how*) que se le hayan transmitido y advertir al titular de la patente de toda perturbación de terceros que advierta en el goce de la patente.

El licenciatario debe cumplir el contrato, de acuerdo con las normas generales del Derecho de obligaciones. La **falta de viabilidad económica** no le exime de dicho cumplimiento (TS 23-7-97).

Precisiones 1) Las **regalías** pueden conceptuarse fiscalmente como rendimientos del capital mobiliario o como rendimiento de la actividad empresarial, si se perciben de un modo continuado. Si la concesión de la licencia la realiza el propio inventor o productor de la invención patentada, la contraprestación percibida se ha de incluir como ingreso derivado del ejercicio de su actividad profesional. Por el contrario, cuando el licenciante no sea el inventor, las rentas procedentes de la propiedad industrial se consideran rendimientos del capital mobiliario (AEAT Resol 11-10-96).

2) La **legitimación activa del licenciatario** en supuestos de violación de derechos de propiedad industrial se expone en el nº 2644, con relación a la licencia de marca, pero aplicable igualmente a la licencia de patente.
) La jurisprudencia del TJUE ha admitido la obligación de pagar regalías aun cuando se haya **declarado nula la patente**, si así se ha pactado y el contrato no imposibilita la resolución anticipada del contrato (TJUE 7-7-16, asunto C-567/14, Sanofi Aventis v. Genentech). En el caso de que no se haya pactado nada, el TS admite que en la resolución anticipada de un contrato de franquicia, el franquiciado puede pedir la restitución por el tiempo que no disfrutó el uso de la marca franquiciada (TS 4-6-20, EDJ 575447).

Extinción del contrato El contrato de licencia de patente se extingue por las causas generales de extinción de los contratos. Remitimos en este punto a lo expuesto con relación a la licencia de marcas (nº 2652). 2731

b. Licencia obligatoria

Las licencias obligatorias se configuran como un **acto de constitución forzosa** de relaciones jurídicas. La concesión de una licencia obligatoria es un acto administrativo mediante el que la Administración (Oficina Española de Patentes y Marcas) concede a un tercero el uso de una patente con fines determinados, aun en contra de la voluntad del titular de la patente (TS 26-5-94, EDJ 4851). 2735
Las licencias obligatorias pueden ser concedidas por varias **razones**:
- falta de explotación (nº 2741);
- interés público (nº 2751); o
- dependencia de patentes (nº 2753).

La LP suprime la licencia obligatoria cuando la invención recae sobre un bien o servicio objeto de **monopolio legal** (que se establecía en la derogada LP/86 art.58). Este caso normalmente se encaja en supuestos de dependencias de patentes (LP art.65), motivos de interés público (LP art.95) o en la figura de licencia obligatoria por Derecho de la competencia (LP art.94).

Caracteres generales Los caracteres generales de este tipo de licencias pueden inferirse de los requisitos de licitud que sobre las mismas estableció el Acuerdo sobre los aspectos de los derechos de propiedad intelectual relacionados con el comercio -ADPIC- (acuerdo sectorial del Acuerdo sobre la Organización Mundial del Comercio; instrumento de ratificación 30-12-1994; incorporado a la anterior LP a través de L 66/1997). Son los siguientes: 2737
a) La licencia obligatoria se otorga en función de sus **circunstancias propias**, lo que impide que se pueda prever un sistema de concesión automática de licencias obligatorias. El examen puede efectuarse, y de ordinario así sucederá, por una autoridad administrativa.
b) El potencial licenciatario debe, en general, haber procurado infructuosamente obtener la **licencia contractual**, en términos y condiciones razonables y en un plazo prudencial.
c) Los **usos** tienen carácter no exclusivo y se autorizan principalmente para abastecer el mercado interno del estado que lo otorga y, en cualquier caso, para los fines para los que han sido autorizados.
d) Las licencias obligatorias pueden ser objeto de **revocación** si desaparecen las circunstancias que motivaron su concesión. Por ello, debe preverse la posibilidad de revisión.
e) La licencia obligatoria solo puede cederse con la parte de la **empresa** o del **activo intangible** que disfruta de este derecho.
f) Existe derecho a una **remuneración** adecuada, según las circunstancias del caso, y revisable judicialmente.

Precisiones 1) La **vigente Ley de Patentes** realiza varias modificaciones en el régimen de licencias obligatorias. Se incluyeron dos nuevos **supuestos de licencias obligatorias**, que son: 2739
• la necesidad de poner término a prácticas que una decisión administrativa firme de alcance nacional o de la Unión Europea, o una sentencia, hayan declarado contrarias a la legislación de **defensa de la competencia**, si es la propia sentencia la que decreta la sujeción al régimen de licencias obligatorias, se publicará dicha sentencia en el Boletín Oficial de la Propiedad Industrial (BOPI); y
• las licencias obligatorias para la **fabricación** de **medicamentos** destinados a la exportación a países con problemas de salud pública previstas en el Rgto CE/816/2006, que las regula. Su régimen se contiene en LP art.96.
Se trata de dos modificaciones relevantes. El Rgto CE/816/2006 es directamente aplicable como todo Reglamento de la Unión Europea y ampara la posibilidad de que se fabrique en España sin que sea infracción de patente, siempre que el medicamento se destine a los países menos desarrollados cubiertos por dicho Reglamento. La desviación de los países de destino se considera infracción de la patente (LP art.96.3). La excepción relativa a la libre competencia es relevante y

está vinculada al *private enforcement*. En general, en Derecho de la competencia se parte de la existencia de un *numerus apertus* de medidas que puede adoptar un juez.

2) En Alemania se ha planteado la **licencia obligatoria** establecida **por orden judicial** (caso «Orange Book Standard»). Se tratataba de la compañía SK Kassetten GmbH & Co. KG que fue demandada por Philips (por infracción de patentes esenciales que cubrían la tecnología CD-R). El demandado defendió que no existía infracción, pero que, de haberla, tendría derecho a obtener una licencia obligatoria puesto que habría un abuso de posición dominante del Tratado FUE art.102. En la sentencia del TS alemán 6-5-09 consideró que había infracción de la patente y defendió la posibilidad de que el tribunal directamente otorgara una licencia obligatoria siempre que se dieran las siguientes condiciones: determinación de la regalía objetiva que se debe pagar y proceder al depósito de esa regalía. Dicha obligación impone al menos un intento de negociación de buena fe entre el demandante y el demandado. Otro caso es la sentencia del Tribunal Federal de Patentes 31-8-16 por el que se otorgó una licencia obligatoria para la explotación de un medicamento para el tratamiento del SIDA (Isenstress). Se trata de una vía que presumiblemente se seguirá por otros tribunales europeos.

3) En el **ámbito europeo general** los precedentes de licencias obligatorias de IP por derecho de competencia, son la TJUE Microsoft, Radio Telefis Eireman (Magill) y IMS, aunque son precedentes de licencia de derechos de autor, son perfectamente aplicables a las patentes. En líneas generales, para que sea posible una licencia obligatoria de derechos de Propiedad Industrial/Intelectual, tiene que producirse una situación en que tal derecho sea una **infraestructura esencial** sin la cual sea imposible competir con el controlador de esa infraestructura en relación con la elaboración de productos o servicios que el controlador no suministra/presta (es decir, «nuevos») y sobre los que haya una demanda potencial en el mercado. Esto es fundamental, es decir, no se trata de conceder licencias para competir en el mismo mercado que el titular del derecho de propiedad industrial sino para competir en un mercado anexo (productos/servicios) que el titular de propiedad industrial no suministra y del que hay demanda potencial.

Concretamente, la jurisprudencia de competencia exige los siguientes cuatro **requisitos** para **forzar licencias obligatorias** de derechos de propiedad industrial/intelectual:

1. Que el rechazo de la licencia resulte imprescindible para un producto o servicio sobre un mercado vecino adyacente.
2. Que el rechazo excluya toda competencia en un mercado adyacente.
3. Que el rechazo excluya la aparición de un producto o servicio nuevo para el que hay demanda potencial.
4. Salvo que haya una justificación objetiva para evitar la concesión de la licencia.

4) Los **tribunales españoles** han considerado la sola solicitud de una licencia obligatoria como un indicio relevante a la hora de decidir sobre medidas cautelares (AP Madrid 29-9-05, EDJ 186116; 17-1-12, EDJ 39736; para variedades vegetales, AP Granada 10-5-19, EDJ 665573).

La licencia obligatoria es una figura semejante a la expropiación parcial (no exclusiva) del uso. Existe un régimen propio para la **expropiación** (LP art.81). La expropiación puede ser para que la invención entre en el **dominio público** o para que el Estado la explote en exclusiva. La ley especial no prevé específicamente que la expropiación sea para un beneficiario (LP art.81.2).

2741 **Licencia obligatoria por falta o insuficiencia de explotación** (LP art.90 y 92) El titular de la patente está obligado a su explotación mediante su ejecución en España o en el territorio de un estado miembro de la Organización Mundial del Comercio, de forma que dicha explotación resulte suficiente para satisfacer la demanda del mercado nacional. Dispone para ello del mayor **plazo** de entre los dos siguientes:

- cuatro años desde la fecha de presentación de la solicitud de patente; o
- tres años desde que se publique la concesión en el Boletín Oficial de la Propiedad Industrial.

Una vez transcurridos dichos plazos sin que se haya iniciado la explotación, y ni siquiera se hayan realizado preparativos serios y efectivos para explotar la invención, **cualquier persona** puede solicitar la concesión de una licencia obligatoria sobre la patente.

También es posible la solicitud cuando la **explotación** de la patente ha sido **interrumpida** durante más de tres años.

Antes de solicitar una licencia obligatoria, el interesado puede pedir la **mediación del Registro** de la Propiedad Industrial para la consecución de una licencia contractual sobre la misma patente.

2743 **Requisitos** Además de las condiciones señaladas en los números anteriores, para que proceda la concesión de la licencia obligatoria han de darse los requisitos siguientes:

a) Que no existan **causas legítimas** que justifiquen la no explotación por parte del titular. Se consideraran como tales las dificultades objetivas de carácter técnico legal, ajenas a la voluntad y a las circunstancias del titular de la patente, que hagan imposible la explotación del invento o que impidan que esa explotación sea mayor de lo que es (LP art.92).

b) Que el licenciatario cuente con los **medios técnicos suficientes** para proceder a la explotación de la invención (LP art.98.2).

c) Que previamente el interesado haya intentado, sin conseguirlo en un plazo prudencial, obtener del titular de la patente una **licencia contractual** en términos y condiciones razonables (LP art.97.1; ADPIC art.31.b).

No es necesario el intento de obtención de licencia voluntaria en los casos de **extrema urgencia** o de **uso público no comercial** (OEPM Instr 2/1995 art.4.2).

d) Los usos autorizados por una licencia obligatoria tienen que ser principalmente para satisfacer el **mercado interno** (LP art.92.1; ADPIC art.31.f y k).

Procedimiento (LP art.97 a 99) El procedimiento para lograr la concesión de una licencia obligatoria de patente se estructura en las siguientes **fases**: 2745

1. Previamente a la solicitud de la licencia obligatoria, el interesado debe intentar obtener del titular de la patente una **licencia contractual** en términos y condiciones razonables (LP art.97; ADPIC art.31.b). Dicho trato puede hacerse directamente por el interesado o a través de la mediación de la OEPM.

Los trámites del **procedimiento voluntario de mediación** son los siguientes:

- presentación de la solicitud de mediación;
- aceptación por la OEPM de la mediación en el plazo máximo de un mes;
- notificación a los interesados e inicio de las negociaciones entre el titular de la patente y el interesado en la licencia obligatoria.

El expediente sobre mediación es secreto y no abierto a inspección pública.

2. Ante la falta de éxito en la obtención de una licencia contractual se inicia el procedimiento ante la OEPM con una **solicitud de concesión** de licencia obligatoria.

La solicitud de licencia obligatoria debe presentarse una vez transcurrido un **plazo** de tres meses desde:

- la expiración de los plazos señalados;
- la negativa de la OEPM a la mediación para la consecución de la licencia contractual sobre la patente;
- la expiración del plazo para la mediación.

A la solicitud ha de acompañarse la siguiente **documentación**:

• los documentos que acrediten las alegaciones contenidas en ella, y que no figuren en el expediente de mediación previa;

• el documento que acredite la constitución de una fianza para responder de los gastos de procedimiento que le sean imputables;

• una copia literal de la solicitud y de los documentos presentados.

3. Una vez examinados los requisitos anteriores, la OEPM da **traslado de la solicitud** al titular de la patente para que conteste en el plazo de un mes (dos meses si ha habido mediación de la OEPM y en ella el titular de la patente se hubiera negado a aceptar la mediación). 2747

4. El **titular de la patente** debe contestar y, en su caso, aportar las pruebas pertinentes de que explota la patente. Si no contesta, la OEPM debe conceder la licencia obligatoria.

5. Una vez recibida la contestación, se ha de dar traslado de la misma al **solicitante** para que comunique, en el plazo improrrogable de un mes, si concede o deniega la licencia. Se da un plazo para que las partes intenten la mediación, fracasada la mediación, resolverá la OEPM. Los gastos del procedimiento pueden imponerse por la OEPM a una de las partes si hubiera actuado de mala fe.

6. El plazo máximo de **resolución** del procedimiento de concesión de licencias obligatorias es de doce meses, transcurridos los cuáles sin resolución, la licencia obligatoria se estima concedida (OM ETU/296/2017 art.1.h).

7. La resolución de la OEPM concediendo o denegando la licencia obligatoria puede ser objeto de **recurso** ante la jurisdicción contencioso-administrativa, pero la interposición de recurso no suspende la ejecutoriedad de la licencia obligatoria concedida.

> **Precisiones** La estimación automática de la licencia obligatoria en caso de **silencio administrativo** no resuelve el problema de la concreción de las condiciones del contrato de licencia (p.e., la cuantía de la regalía que el licenciatario obligatorio debe pagar).

Condiciones de la licencia obligatoria acordada (LP art.100 y 101) La resolución de la OEPM por la que se concede la licencia obligatoria debe determinar el **contenido** de ésta: ámbito, regalía, duración, garantías del licenciatario, momento a partir del cual debe iniciar la explotación, etc. La licencia se concede, en todo caso, con carácter no exclusivo. 2749

La licencia obligatoria se rige por el **principio de buena fe**. En caso de violación de este principio puede pedirse al registro la reducción de la regalía.

A las licencias obligatorias han de aplicarse las **reglas sobre licencias voluntarias**. Así, por ejemplo, en caso de que se anule la patente, el licenciatario no puede reclamar las regalías ya pagadas, pero sí puede negarse a abonar las futuras (LP art.104.3.b).

Es posible la **modificación** por parte de la OEPM de la licencia obligatoria ya otorgada, así como la **cancelación** de la licencia obligatoria en caso de incumplimiento del licenciatario. Otras posibilidades de resolución de la licencia deben ser juzgadas por los tribunales ordinarios.

Precisiones 1) La licencia obligatoria parece estar vinculada a la **subsistencia de las circunstancias** que originaron su concesión -falta de explotación- por lo que si éstas cambian, cabe pensar que es posible su cancelación (en base a ADPIC art.31.c y g).

2) No parece que exista para el licenciante obligación de **transmisión del know-how** (LP art.84.1), pues la propia norma prevé el pacto en contrario para las licencias voluntarias. Recuérdese que la terminología know-how no es utilizada por la Ley de Secretos Empresariales (L 1/2019), pero sigue siendo usada por la Ley de Patentes.

2751 **Licencia obligatoria por interés público** (LP art.95) En los supuestos de licencia obligatoria por interés público no son de aplicación los requisitos establecidos para la licencia por falta de explotación, ni todo lo relativo al procedimiento para la concesión de la licencia obligatoria antes expuesto, aunque sí resulta aplicable lo expuesto en relación con las **condiciones de la licencia** obligatoria acordada (nº 2749).

Este tipo de licencias se establecen por el **Consejo de Ministros** mediante real decreto y por motivos de interés público de primordial importancia: defensa, salud pública, grave perjuicio al desarrollo tecnológico o económico del país, etc.

El **procedimiento** para su concesión no está regulado, por ser necesaria la aprobación del Consejo de Ministros.

Precisiones 1) Resulta extraordinariamente difícil la obtención de este tipo de licencia, que está pensada para **casos excepcionales** y, sobre todo, relativos a la defensa nacional.

2) Corresponde al Gobierno fijar la **regalía** que proceda, para lo cual, lógicamente, ha de dar audiencia al titular de la patente. Sin embargo, no existe un procedimiento para llevar a cabo esta audiencia ni para determinar el contenido obligacional de la licencia obligatoria.

3) En esencia, el **licenciatario obligatorio** es asimilado a un licenciatario contractual, aunque esto no es así en relación con algunos aspectos: agotamiento del derecho de patente (TJUE 9-7-85, asunto 19/84), integración del contenido contractual, obligación de transmitir el know-how, etc.

4) Por la situación de emergencia sanitaria planteada en la **pandemia de Covid-19** se discutió la posibilidad de otorgar licencias obligatorias. Sin embargo, la ineficiencia del sistema hizo prácticamente imposible su realización. Existe, además, una barrera de entrada, derivada en que la fabricación de vacunas requiere unas instalaciones y know-how específico, no bastaría la mera obtención de una licencia obligatoria. El Tribunal Supremo consideró que no se transgredió el derecho de petición ejercido por una persona física que reclamó al Gobierno que adoptara un sistema de licencias obligatorias a favor de los laboratorios españoles en relación con las patentes que cubrían las vacunas para el tratamiento de COVID-19 (TS cont-adm 12-11-21, EDJ 734562).

5) No es posible instar a la Administración a que **expropie una patente** para evitar que se aplique el régimen de licencias obligatorias (TS cont-adm 11-5-15, EDJ 69670).

2753 **Licencia obligatoria por dependencia de patentes** (LP art.91 y 93; ADPIC art.31.l) Los supuestos de dependencia de patentes son aquellos en que el titular de una patente ulterior -**segunda patente** - no puede explotar el objeto de la misma porque la explotación supone la infracción de una patente con prioridad anterior -**primera patente** - (p.e., patente de procedimiento posterior a una patente de producto anterior).

Así, se establece que, cuando no sea posible la explotación del invento protegido por una patente sin **menoscabo de los derechos** conferidos por una patente anterior, el titular de la patente posterior puede exigir la concesión de una licencia obligatoria sobre la patente anterior, siempre que su invención sirva a fines industriales distintos o represente un progreso técnico notable en relación con el objeto de la primera patente.

Cuando los inventos protegidos por las patentes entre las que existe la dependencia sirvan a **los mismos fines industriales** y proceda la concesión de una licencia obligatoria a favor del titular de la patente dependiente, también el titular de la patente anterior puede solicitar el otorgamiento de una licencia sobre la patente posterior.

La licencia obligatoria por dependencia entre las patentes se otorga con el **contenido mínimo necesario** para permitir la explotación de la invención protegida por la patente de que se trate y queda sin efecto por nulidad o caducidad de cualquiera de las patentes con respecto a la cual se dé la dependencia.

Esta licencia no puede cederse desvinculadamente de la patente dependiente.

Se establecen además diversos supuestos en los que es posible obtener licencias obligatorias de **obtenciones vegetales** de las que depende una patente y, a la inversa, licencias obligatorias de patentes de las que depende una obtención vegetal. La tramitación y la resolución de las solicitudes de licencias obligatorias por dependencias para el uso no exclusivo de una invención patentada se regirán por lo dispuesto en la Ley de patentes. La tramitación y la resolución de las solicitudes de licencias obligatorias por dependencia para el uso no exclusivo de la variedad protegida por un derecho de obtentor se regirán por la Ley de obtenciones vegetales (L 3/2000).

c. Licencia de pleno derecho

(LP art.87 a 89)

La licencia de pleno derecho es aquella que deriva de un **previo ofrecimiento público** del titular para autorizar la utilización de la invención a cualquier interesado, en calidad de licenciatario. 2760

Para ello, el titular debe **declarar por escrito** al Registro de la Propiedad Industrial (OEPM) que está dispuesto a licenciar la patente a cualquier interesado.

Tal oferta posee la ventaja para el titular de que, a partir del recibo de su declaración, se reduce a la mitad el importe de las **tasas anuales de mantenimiento** en vigor de la patente.

A partir de la declaración, los interesados en su explotación pueden realizar **ofertas para la obtención** de la licencia. Si no se llega a un acuerdo entre el interesado y el titular de la patente sobre la cuantía de las regalías, corresponde a la Administración (OEPM) establecer las condiciones económicas de la licencia.

Una licencia obtenida de esta forma se considera que tiene **carácter contractual**.

d. Cuestiones prácticas en los contratos de licencia de patentes

El contrato de licencia de patente (o de tecnología en general) plantea **problemas específicos** derivados de: 2765

- indeterminación del producto objeto de licencia;
- indeterminación de las bases sobre las que calcular las regalías;
- indeterminación de la duración de la regalía;
- falta de previsión de las consecuencias en caso de mejoras o perfeccionamientos;
- falta de determinación de la posibilidad o no de otorgar sublicencias.

Como **ejemplos** a destacar se mencionan los siguientes en el Derecho anglosajón: 2767

a) **Contrato de licencia entre «Amgen y Johnson & Johnson»**. Necesidad de que se defina claramente el objeto del contrato, porque en el caso existía una contradicción (el objeto era la eritropoyetina y los perfeccionamientos de dicha molécula). El licenciante desarrolla la darbopoyetina alfa (con la misma finalidad terapéutica) y se plantea si el licenciatario tiene derecho a que se extienda el contrato a esta nueva molécula. El tribunal llega a la conclusión de que no se extendía porque el contrato definía estrictamente la molécula de la eritropoyetina.

b) **Contrato de licencia «BTG International vs. Acambis»**. Este caso muestra el error de fijar las regalías sobre el total del volumen de negocio del adquirente y no sobre el producto al que se refiere la licencia. En el caso el licenciatario absorbió una compañía y como consecuencia de esta operación las regalías se dispararon.

c) **Contrato de licencia «Cambridge Antibody Technology vs. Abbott»**. El licenciatario planteó un litigio porque no se tenía en cuenta para fijar las regalías que el licenciatario no podía explotar la licencia sin infringir derechos de terceros, a los que tenía que pagar regalías adicionales. El tribunal consideró que para que pudiera aplicarse una deducción (la llamada *stacking clause* o cláusula de suma) era necesario que se hubiera pactado expresamente.

d) **Contrato de licencia «US vs. General Electric»**. El contrato otorgó el derecho de fabricar, pero no el de vender lo fabricado.

e) **Contrato de licencia «Eli Lilly vs. Novo Nordisk»**. Hubo un error en los apéndices del contrato que mencionaban patentes caducadas.

f) **Contrato de licencia «Genentech vs. City of Hope»**. En este caso se discutía si debían pagarse regalías por productos realizados por un tercero, en base a sublicencias. El Tribunal estimó que también los productos elaborados por sublicenciatarios estaban sujetos a la regalía establecida.

Precisiones En el **Derecho español** se han producido casos curiosos: 2769

1. Cláusula que establecía que «el acuerdo durará 5 años a contar desde el día 12 de abril de 1981 y por tanto expirará el 12 de marzo de 1986». Una de las partes entendía que expiraba el 12 de abril de 1986 y otra el 12 de marzo de 1986. Esta última fue la interpretación que siguió el Tribunal Supremo, con la consecuencia de que la renovación efectuada por el interesado se realizó fuera de plazo cuando el contrato se había extinguido (TS 25-4-94, caso Documents Transkript SA).

2. La cláusula controvertida establecía que «el inventor no puede realizar fuentes cibernéticas a no ser que lo hagan conjuntamente con Ghesa» A pesar de los términos generales que se contenían en la cláusula, el Tribunal Supremo entendió que este compromiso de colaboración y de no competencia se refería solo a las licencias cedidas a Ghesa y no se refería a desarrollos futuros en el ámbito de las fuentes cibernéticas (TS 19-5-08, caso Ghesa Ingeniería).

3. En la infracción de patente (y de otros derechos de exclusiva) se calcula el importe de la infracción acudiendo al criterio de la **regalía hipotética**. Este importe se puede incrementar con cantidades adicionales (por daño moral, LP art.66.2 v. Federico JOVER. La regalía hipotética y el daño moral se dan la mano - El Derecho - Derecho TIC).

4. Transacción sobre la patente

2775 **Especialidades** Las reglas básicas sobre la transacción han sido expuestas en relación con las marcas (nº 2665). Las especialidades que se dan en relación con las patentes se refieren a los acuerdos que se alcanzan en los litigios de infracción de patentes, en los que las autoridades de competencia pueden intervenir con el objeto de que no se acuerden **pactos colusorios o anticompetitivos**.

2777 **Acuerdos de comercialización tardía o de no comercialización** Los acuerdos de comercialización tardía o de no comercialización (*pay-for-delay agreements*: pago por el retraso), son acuerdos transaccionales que se dan en el **ámbito farmacéutico** y cuyo contenido es que el titular del medicamento genérico se compromete a no comercializarlo durante un período de tiempo -típicamente en tanto no expire la patente-.
Estos acuerdos también se llaman de «**pagos invertidos**» (*reverse payment*) porque es el titular de la patente el que debe pagar (al potencial infractor) para que no lance el producto al mercado.
Se puede pactar que haya una **remuneración** a favor del genérico: el titular del medicamento de referencia obtiene una ventaja sustancial, ya que el principio activo no se incorpora al sistema de precios de referencia y, por tanto, no hay una bajada de precio, ni disminución de cuota de mercado. De este modo, el titular de la patente obtiene un beneficio -derivado de la falta de competencia- y también el genérico, que no solo obtiene la retribución pactada, sino que además pone fin a un posible litigio de resultado incierto.

Precisiones 1) Un **ejemplo** de esta figura es el acuerdo de copromoción del principio activo fentanilo por el titular del medicamento de referencia y una compañía de genéricos para el mercado holandés, investigado por la Comisión en enero de 2013. El acuerdo preveía el pago a la compañía de genéricos de una cantidad mensual en tanto no lanzara un medicamento genérico. La Comisión investiga este acuerdo por considerar que es un acuerdo colusorio que sirve para mantener los precios artificialmente altos en dicho mercado.
En la discusión de un caso similar en Estados Unidos -en este caso sobre un gel de testosterona- se ha puesto de manifiesto que se deben distinguir las patentes fuertes y las débiles (no se consideraría anticompetitivo un acuerdo en relación con patentes fuertes).
2) Un ejemplo es la sentencia TJUE 12-12-18 (asunto T-677/14; T-697/14) en la que se rebajó una multa impuesta por la Comisión por un pacto de «**pay for delay**» relativo al «Perindopril».

SECCIÓN 5

Contratos sobre otros derechos de propiedad industrial y sobre secretos empresariales (know-how)

2780 Agrupamos bajo este epígrafe los contratos relativos a otros derechos de propiedad industrial distintos de las marcas y las patentes:
- modelos de utilidad (nº 2782);
- secretos empresariales (know-how) (nº 2792);
- obtenciones vegetales (nº 2798);
- patentes y secretos empresariales relativos a materia biológica (nº 2800); y
- topografías de productos semiconductores (nº 2804);
- diseños (nº 2806).

2782 **Modelos de utilidad** (LP art.143 a 154; RD 316/2017 art.58 a 63) El modelo de utilidad se configura como un título de protección para **invenciones menores**. La regulación de los mismos no es uniforme en Derecho comparado, existiendo numerosos Estados que no contienen esta modalidad de propiedad industrial en su legislación.
La **regulación** del modelo de utilidad se contiene en la Ley de Patentes, aplicándose a esta modalidad las normas de las patentes en cuanto no sean incompatibles con su especialidad. Se establece, igualmente, la aplicación a los modelos de utilidad de la regulación de las invenciones laborales contenida en el Derecho de patentes (LP art.150).
En muchas materias, sin embargo, resulta de **difícil aplicación** la normativa de patentes: procedimiento de concesión, licencias obligatorias por falta de explotación (TS 17-6-97, EDJ 5451, sobre la innecesariedad de explotar en España el modelo de utilidad si ya es explotado en Alemania), doctrina de los equivalentes (TS 4-7-97, EDJ 6165), dependencia de modelos respecto

de modelos anteriores -debido a que para cumplir con la actividad inventiva basta con que no sea muy evidente para un experto en la materia-, etc.
En otros términos, la regulación de los modelos de utilidad se caracteriza por su **fragmentariedad** determinada por la remisión a las patentes.

Ámbito de protección Desde un punto de vista material, se establece que son protegibles como modelos de utilidad las invenciones que, siendo nuevas e implicando una actividad inventiva, consisten en dar a un objeto una **configuración, estructura o constitución** de la que resulte alguna ventaja prácticamente apreciable para su uso o fabricación (LP art.137). **2784**
Como **ejemplos** de invenciones en las que se cumplen los requisitos señalados -sobre todo el de la aplicación industrial- se mencionan utensilios, instrumentos, herramientas, aparatos, dispositivos o partes de los mismos.
Con la nueva Ley se clarifica la situación de las **invenciones vegetales** (LP art.137.2), que no pueden protegerse como modelo de utilidad por ser materia biológica, por lo que su ámbito propio de protección es la L 3/2000 de obtenciones vegetales (nº 2798).
No es posible proteger como modelos de utilidad las **invenciones de procedimiento**.

Precisiones 1) El objeto del modelo de utilidad son los **pequeños inventos** que no reúnen los requisitos de patentabilidad (TS cont adm 21-11-95, EDJ 6777). Se trataría de una «pequeña patente» (TSJ cont adm Madrid 21-10-10, EDJ 316249; 7-4-11, EDJ 121160).
2) Existe **novedad** cuando el modelo de utilidad presenta suficientes diferencias con otro, de tal manera que no hay riesgo de confusión en el mercado por la coexistencia de ambos (TS cont adm 21-11-95, EDJ 6777). No obstante, la mención al riesgo de confusión está fuera de contexto, al ser característica de los signos distintivos. En materia de novedad, bajo el Estatuto sobre la propiedad industrial, se tenía en cuenta la divulgación del modelo, de tal modo que era necesario que hubiese habido una divulgación extendida del modelo de utilidad para entender destruida su novedad (AP 7-10-97). La novedad del modelo de utilidad es mundial en la nueva Ley.
3) La «**actividad inventiva**» del modelo de utilidad exige una modificación esencial de cualidades o la obtención de un resultado industrial nuevo (TS cont adm 16-1-98, EDJ 111). En general, la novedad del modelo es una cuestión que no será revisada en casación (TS 10-3-97, EDJ 1004; 15-1-99, EDJ 63, sobre novedad de un modelo de utilidad de asas de cartera). No se admite una nueva valoración del dictamen pericial, sin que tenga carácter incontestable el de la OEPM (TS 4-7-97, EDJ 6165).
4) El modelo de utilidad regulado en la Ley de Patentes amplía considerablemente la virtualidad práctica del modelo de utilidad recogido en el Estatuto de la Propiedad Industrial. Mientras que en el Estatuto el modelo de utilidad era una modalidad eminentemente dirigida a la tutela de las invenciones mecánicas, en la actualidad, la Ley de Patentes podría ser alegada para obtener la protección de **todo tipo de invenciones**.
5) Como el estado de la técnica se fija en un ámbito nacional, el requisito de la **actividad inventiva** en los modelos de utilidad parece poco exigente. Esta circunstancia puede ocasionar la **multiplicación de los derechos de exclusiva**.

Requisitos de protección (LP art.137.1) El **derecho a la protección** de modelos de utilidad corresponde, de modo análogo a lo que sucede con la patente, al inventor o a su causahabiente (LP art.138). No cabe otorgar la protección mediante modelo de utilidad al que meramente introduce en España una invención conocida en el extranjero. **2786**
Entre las **especialidades de su regulación** cabe destacar que el modelo de utilidad se caracteriza porque los requisitos de protección en relación con la actividad inventiva son menos exigentes que en la patente.
• La nueva Ley de Patentes establece la **novedad** mundial, frente a la novedad nacional que se establecía bajo la anterior normativa (LP art.139, frente a la LP/86 art.145).
• El **estado de la técnica** con referencia al cual debe juzgarse la novedad y la actividad inventiva de los modelos de utilidad está constituido por todo aquello que, antes de la fecha de prioridad, ha sido divulgado en España por una descripción escrita u oral, por una utilización o por cualquier otro medio.
• Por lo que se refiere al requisito de la **actividad inventiva**, también es menor que en la patente. Basta para cumplir este requisito con que la invención no se derive de un modo muy evidente del estado de la técnica (LP art.140).
La **distinción** novedad-actividad inventiva opera en términos análogos a los expuestos a propósito de las patentes (nº 2679 s.).

Procedimiento de concesión (LP art.141 a 148; OM ETU/296/2017) En el procedimiento de concesión de los modelos de utilidad no se efectúa **examen de novedad**. **2788**
La solicitud, una vez superado un examen formal, es publicada en el Boletín Oficial de la Propiedad Industrial.
Los terceros pueden alegar, mediante **oposición** en los 2 meses siguientes a la publicación de la solicitud del modelo, la adición de materia, la falta de novedad, la falta de actividad inventiva o la insuficiencia de la descripción (LP art.144 y 145).

No puede alegarse la **falta de legitimación** del solicitante (es decir, que éste no es el inventor del modelo o causahabiente del mismo), ya que esta pretensión queda reservada al conocimiento de los tribunales (LP art.144.1).

2790 **Extensión de la protección** (LP art.150) En cuanto al alcance de la protección, el modelo de utilidad atribuye a su titular la misma protección que la que otorga la patente. Sin embargo, la **duración** de la protección del modelo de utilidad es más reducida que en la patente, pues se extiende a diez años a contar desde la fecha de presentación de la solicitud (LP art.148.2).
La **vertiente contractual** de los modelos de utilidad tiene importancia menor, ya que su plazo de duración es inferior y también lo es el ámbito de la exclusiva. Con todo, tiene importancia en el sector de las invenciones mecánicas. Las modalidades contractuales utilizadas son, sobre todo, la cesión y, en menor medida, la licencia.

2792 **Secreto empresarial o «know-how»** (L 1/2019 art.1) La Ley establece la **definición legal** de secreto empresarial (know-how), como cualquier información o conocimiento, incluido el tecnológico, científico, industrial, comercial, organizativo o financiero, que reúna las siguientes **condiciones**:
a) Ser **secreto**, en el sentido de que, en su conjunto o en la configuración y reunión precisas de sus componentes, no es generalmente conocido por las personas pertenecientes a los círculos en que normalmente se utilice el tipo de información o conocimiento en cuestión, ni fácilmente accesible para ellas. Por tanto el carácter de secreto no es absoluto, sino relativo. Se refiere a un contenido no generalmente accesible.
b) Tener un **valor empresarial**, ya sea real o potencial, precisamente por ser secreto. Este es el requisito de la sustancialidad.
c) Haber sido objeto de **medidas razonables** por parte de su titular para mantenerlo en secreto. Este requisito obliga a adoptar medidas. Son particularmente relevantes a la hora de poder acreditar que ha habido una fuga de información. Como consecuencia de esta previsión, es cada vez más frecuentes en las empresas que se establezcan **protocolos de protección** de los secretos empresariales dentro de los programas de *compliance*. Igualmente, en los contratos con los trabajadores se contienen obligaciones de confidencialidad y de no competencia. También se aplica un protocolo para la salida de trabajadores de modo que se detecten conductas irregulares y se preserve la cadena de custodia de la información (copias espejo de ordenadores, programas que detectan fugas de información o descargas masivas, etc.).

2794 En consecuencia, el *know-how* o secreto empresarial es un conjunto de informaciones técnicas secretas, sustanciales e identificadas de forma apropiada, que **no están patentadas** y que resultan, por tanto, difícilmente accesibles (p.e., fórmula secreta de un producto alimenticio, fórmulas particulares de organización empresarial).
Si bien el secreto empresarial **no** otorga a su titular un **derecho de exclusiva** como la patente, la marca o los títulos de obtención vegetal (por lo que solo tiene valor mientras el conocimiento no cae en el dominio público o es patentado), su titular sí goza de un **derecho** subjetivo de **naturaleza patrimonial**, susceptible de ser objeto de transmisión (L 1/2019 art.4), en particular, de cesión o transmisión a título definitivo y de licencia o autorización de explotación con el alcance objetivo, material, territorial y temporal que en cada caso se pacte.
La **cesión** del secreto empresarial consiste en la transmisión de los conocimientos que se poseen. Este contrato solo se produce cuando el cedente se retira de dicho sector de actividad.
La **licencia** del secreto empresarial es un contrato por el cual el titular de dichos conocimientos los comunica a un tercero y le autoriza para emplearlos de acuerdo con las condiciones establecidas en el contrato (nº 2796).
La L 1/2019 ha dado mucha importancia a los **aspectos procesales** de protección del secreto empresarial (L 1/2019 art.8 y 9). En los pleitos en los que se alegue infracción del secreto empresarial se pueden adoptar las medidas necesarias para que se evite su divulgación, tales como que el juicio no sea público, que se restrinja el acceso al secreto a los abogados y peritos, que el secreto se exhiba con carácter privado, sin entregar copias, etc. En el Derecho comparado es frecuente la creación de *confidentiality clubs* o «**club de confidencialidad**» que se basan en que el tribunal establece los requisitos de acceso al secreto empresarial, identifica las personas que pueden tener acceso y en qué condiciones y les obliga a adquirir compromisos individuales para preservar el carácter confidencial de la información que se entrega.

Precisiones 1) Las **cláusulas accesorias** sobre transmisión de *know-how* son objeto de estudio en el nº 2820.
2) La **comunidad de secretos profesionales** se estudia en el nº 2915.
3) Los **Juzgados Mercantiles de Barcelona** ha sido adoptado un **Protocolo** para el tratamiento procesal de la información que pueda ser considerada confidencial o secreto empresarial, con la finalidad de establecer unas prácticas homogéneas (publicado en la web de la OEPM).

Licencia de secreto empresarial (L 1/2019 art.6 y 7) Se parte de una amplia **autonomía de la voluntad**, ya que el secreto empresarial puede ser objeto de licencia con el alcance objetivo, material, territorial y temporal que en cada caso se pacte. 2796
Salvo pacto en contrario, el titular de una licencia contractual tiene derecho a realizar todos los actos que integran la utilización del secreto empresarial. En la práctica, sin embargo, es frecuente **limitar la licencia** del secreto empresarial y establecer controles. Por ejemplo, en la licencia de un dossier farmacéutico se suelen establecer limitaciones a lo que el licenciatario puede hacer con el dossier (p.e., se prohiben determinadas modificaciones del dossier de registro).
La licencia puede ser **exclusiva** o no exclusiva. Se presume que la licencia es no exclusiva y que el licenciante puede otorgar otras licencias o utilizar por sí mismo el secreto empresarial. Si se señala que la licencia es exclusiva, el licenciante queda excluido del uso (en el ámbito territorial al que se refiera la licencia), salvo que se hubiera reservado este derecho o se deduzca del conjunto del contrato.
El **licenciatario** no puede **ceder** el contrato de licencia, ni sublicenciar, salvo autorización del licenciante.
El licenciatario o sublicenciatario están obligados a adoptar las medidas necesarias para **evitar la violación** del secreto empresarial. Esto es, tiene que adoptar las medidas necesarias para que el secreto siga siendo secreto y no se divulgue.

Obtenciones vegetales (L 3/2000 art.20, 23 y 24) Se denomina obtención vegetal al título o certificado que otorga el Registro Oficial de Variedades Vegetales Protegidas como derecho de exclusiva sobre **variedades vegetales**. 2798
En el ámbito de la Unión Europea, se ha aprobado el Rgto CE/2100/94 sobre **obtenciones vegetales comunitarias**.
Los **requisitos materiales** para la protección de las variedades vegetales comunitarias son el carácter distintivo, la uniformidad y estabilidad en sus características y la novedad.
Los **títulos de obtención vegetal comunitaria** se otorgan por la Oficina Comunitaria de Variedades Vegetales.
La **cesión del título** de obtención vegetal es análoga a la cesión de los restantes derechos de propiedad industrial. Las reglas principales de la misma son las siguientes:
- La **forma escrita** es condición de validez de cualquier transmisión de títulos de obtención vegetal.
- Los actos de transmisión no afectan a los **derechos adquiridos por terceros** antes de dichos actos.

La **licencia de obtenciones vegetales** puede ser contractual u obligatoria. En la licencia, a diferencia de la cesión, no se establece la forma escrita como condición de validez. Sin embargo, la oponibilidad a tercero de la licencia exige su inscripción.
Las **licencias contractuales** se extinguen por las mismas causas que las licencias de marca (nº 2652).
Las **licencias obligatorias** tienen un régimen muy similar al de las licencias obligatorias de patentes, a cuya normativa se remite la Ley (nº 2735 s.). La peculiaridad más notable de dichas licencias obligatorias es que su concesión se realiza por Consejo de Ministros, mediante real decreto y a propuesta del Ministerio de Agricultura.

Patentes y secretos empresariales relativos a materia biológica Pueden ser objeto de patente invenciones que se refieran a materia biológica, bien como patentes de producto, de uso o de procedimiento. Se exige al respecto que la materia biológica haya sido aislada o producida por un procedimiento técnico (LP art.4). 2800
La **cesión** de materia biológica tiene importancia en casos en los que se carece de un título adecuado (animales transgénicos, modelos de experimentación, cesión de sementales, etc.).
- Cuando **se carece de una patente** sobre dicha materia biológica, la única forma de protección es acudiendo a una cesión de know-how, o a una licencia de know-how (p.e. la empresa CELERA licencia sus datos sobre secuencias genéticas que no son patentables licencia de know-how, el toro Sultán fue cedido a una diputación española para fecundar un número determinado de vacas -licencia de materia biológica-).
- En cambio, cuando **existe patente**, la forma de protección será a través de la licencia (el ratón transgénico patentado por la Universidad de Harvard puede ser utilizado adquiriendo la correspondiente licencia de patente).

Precisiones 1) La **protección jurídica** de las invenciones biotecnológicas ha sido regulada a nivel europeo por la Dir 98/44/CE, incorporada de forma literal a nuestro ordenamiento por la L 10/2002 y actualmente en la LP. 2802

Los **principios** que subyacían a dicha norma de la Unión Europea se basaban en la asimilación de las invenciones biotecnológicas a las restantes invenciones y en la necesidad de dotar de un marco legal común a todos los Estados miembros a la hora de decidir la protección de las invenciones de carácter biotecnológico. En el ámbito de la patente europea, el Reglamento de ejecución del Convenio sobre la Patente Europea fue modificado en 1999 con el fin de adaptar sus disposiciones al tenor de la Directiva, del mismo modo fueron modificadas en el año 2001 las Directrices para el examen, con el objeto de resaltar las particularidades de la patente biotecnológica.

2) Se prevé que la venta o cualquier otra forma de comercialización de **material de reproducción vegetal** realizada por el titular de la patente o con su consentimiento a un agricultor para su explotación agrícola, implicará el derecho de este último a utilizar el producto de su cosecha para ulterior reproducción o multiplicación realizada por él mismo en su propia explotación (LP art.62). Es decir, el agricultor no puede ser demandado por infracción de patente sobre material biológico, cumpliendo los requisitos que se determinan en Rgto CE/2100/94 art.14.

3) La patente **no** se extiende a la **mera secuencia genética**. A nivel de la Unión Europea es muy relevante la cuestión prejudicial planteada por un tribunal holandés en el Asunto C-428/08, pendiente de resolución (conclusiones abogado general de 9-3-2010). El mismo caso fue resuelto por la AP Madrid 10-3-09, EDJ 77989, que resolvió en el mismo sentido que como después ha hecho el Abogado General. El supuesto de hecho es que la titular de la una patente sobre una secuencia genética introducida en el **ADN de una planta de soja** que la hace resistente a un herbicida demanda a la importadora desde Argentina (donde no existe patente) de harina de soja hecha con la planta transgénica. Esta harina contiene trazas de la secuencia genética pero el transgén ya no cumple la función de resistencia frente al herbicida. Los tribunales españoles, de acuerdo con el abogado general, consideran que **no hay infracción**. Solo habría infracción cuando la secuencia genética se encuentra en el **interior de una materia viva** de la que forma parte, es transmitida cuando la materia viva se reproduce y ejerce, de un modo continuado la función para la cual ha sido patentada.

2804 **Topografías de productos semiconductores** El producto semiconductor se define como la forma final o intermedia de cualquier producto constituido por un sustrato que incluya una capa de material semiconductor y que tenga una o más capas suplementarias de materiales semiconductores, aislantes o conductores, dispuestas en función de una estructura tridimensional predeterminada y destinado a desempeñar, exclusivamente o junto con otras funciones, una función electrónica.

La **protección jurídica** de las topografías de productos semiconductores se establece en la L 11/1988, que incorpora a nuestro ordenamiento la Dir 87/54/CEE.

En la práctica, los **contratos** sobre topografías de semiconductores se han articulado bajo la forma de cesión o licencia de know-how. La razón de esta utilización del know-how ha sido el fracaso del sistema registral diseñado por el legislador. En efecto, los fabricantes de topografías, ante los costes de registro y las dificultades de desentrañar el esquema o trazado del circuito -ingeniería inversa-, han optado por no registrar y mantener el trazado como secreto. El coste en que tendrían que incurrir los competidores para hallar el trazado es superior al que supondría desarrollar de modo independiente la topografía.

2806 **Diseños industriales** La regulación del diseño industrial **estatal** se recoge en la L 20/2003, de protección jurídica del diseño industrial, y en su reglamento de ejecución (RD 1937/2004). La puesta en marcha del diseño **comunitario** ha supuesto un claro desplazamiento, por razones de coste y de extensión territorial, del diseño industrial estatal (Rgto CE/6/2002).

El diseño industrial se concibe como un tipo de **innovación formal** referido a las características de apariencia del producto en sí o su ornamentación (L 20/2003 Exp.Motivos).

A efectos de la L 20/2003, se define el diseño como la **apariencia** de la totalidad o de una parte de un producto, que se derive de las características de, en particular, las líneas, contornos, colores, forma, textura o materiales del producto en sí o su ornamentación (L 20/2003 art.1.2.a).

Los contratos sobre diseños industriales son fundamentalmente la **cesión** y la **licencia voluntaria**. La licencia obligatoria no está prevista en la ley y no es en general admitida por las autoridades de la competencia (TJUE 5-10-88, C-238/87).

Los **derechos derivados** de la solicitud o del registro del diseño pueden transmitirse, darse en garantía o ser objeto de otros derechos reales, licencias, opciones de compra, embargos, otros negocios jurídicos o medidas que resulten del procedimiento de ejecución.

En el supuesto de que se constituya una **hipoteca** mobiliaria, ésta se rige por sus disposiciones específicas y se ha de inscribir en la sección 4ª del Registro de Bienes Muebles, con notificación de dicha inscripción a la Oficina Española de Patentes y Marcas para su anotación en el Registro de Diseños. Los dos registros estarán coordinados para comunicarse telemáticamente los gravámenes sobre diseños inscritos o anotados en ellos (L 20/2003 art.59.1).

Los contratos sobre el diseño deben constar por escrito para ser válidos. La **oponibilidad** de la cesión o licencia o cualquier otro negocio jurídico sobre el diseño se basa en el principio de prioridad registral (L 20/2003 art.59.2 y 3).

Precisiones La **comunidad de diseño** se expone en los nº 2905 s.

SECCIÓN 6

Cláusulas comunes a los contratos de licencia

Se exponen en los números siguientes ciertas cláusulas de posible utilización en cualquiera de los contratos de licencia sobre derechos de propiedad industrial, fundamentalmente **licencia de marca** (nº 2590) y **licencia de patente** (nº 2710). 2812
Asimismo y con carácter previo, se tratan algunas cuestiones de **Derecho de la competencia** que conviene tener en cuenta en la redacción del clausulado de estos contratos. Dichas cláusulas se refieren a los contratos típicos de licencia de tecnología: know-how y patentes.

Disposiciones relativas a la defensa de la competencia (LDC art.1) El análisis del clausulado de todo contrato de transmisión de propiedad industrial ha de tener en cuenta la normativa sobre defensa de la competencia, pues estos contratos, por su propia naturaleza, pueden contener cláusulas que resulten **restrictivas de la competencia** (sobre la defensa de la competencia, ver también nº 325 s.). 2814
En general, se prohíbe todo acuerdo que tenga por objeto o pueda producir el efecto de impedir, restringir o falsear la competencia; y particularmente los acuerdos que consistan en:
- la fijación directa o indirecta de precios o de otras **condiciones comerciales** o de servicio;
- la limitación o el control de la **producción**, la **distribución**, el desarrollo técnico o las inversiones;
- el reparto del **mercado** o de las fuentes de aprovisionamiento;
- la aplicación de **condiciones desiguales** para prestaciones equivalentes que coloquen a unos competidores en situación desventajosa frente a otros;
- la subordinación de la celebración de contratos a la aceptación de **prestaciones suplementarias** que no guarden relación con el objeto de tales contratos.

Así, cuando el contrato de licencia pueda afectar potencialmente al mercado español o de la Unión Europea, debe ser **notificado a las autoridades** nacionales o de la Unión Europea de defensa de la competencia.
En el ámbito de los **contratos de transferencia de tecnología** se plantean problemas específicos ante determinadas cláusulas como la de no pagar los cánones, aunque se extinga la patente. Existe, además, la obligación de negociar de buena fe.

Es posible, sin embargo, obtener **autorización** en el ámbito nacional para concertar acuerdos o prácticas de los señalados, siempre que contribuyan a mejorar la producción o la comercialización de bienes y servicios o a promover el progreso técnico o económico, beneficiando a los consumidores y siempre que no se impongan restricciones que no sean indispensables y que 2816 no se elimine una parte sustancial de la competencia para los productos o servicios de que se trate.

Los **acuerdos anticompetitivos** que no afecten de manera relevante al Derecho de la Unión Europea no pueden ser sancionados por la Comisión (Comunicación CE 9-12-97). En general se exige que se sobrepase un **umbral mínimo** del 10% del mercado de la Unión Europea relevante -en los acuerdos verticales- y del 5% de dicho mercado -en los acuerdos horizontales y mixtos-, siempre que los acuerdos no contengan fijación de precios, reparto de mercados o protección territorial absoluta. Con relación al mercado nacional se faculta a los órganos de defensa de la competencia para no perseguir las conductas prohibidas que, por su escasa importancia, no sean capaces de afectar de manera significativa a la competencia (LDC art.1.3).

Además, se establece la **exención automática** de acuerdos en función de su contenido (exención por categorías), siempre que no contengan cláusulas prohibidas. Esto no afecta directamente a los contratos de licencia de marca, pero sí a determinadas licencias que son accesorias de acuerdos de distribución (como el caso de la franquicia).

Precisiones Los contratos de licencia sobre patentes, know-how, obtenciones vegetales y mixtos, se rigen por la normativa sobre acuerdos de **transferencia de tecnología** (Rgto UE/316/2014).

2818 **Cláusulas sobre control de calidad** Las cláusulas relativas al control de calidad de los productos elaborados por el licenciatario son frecuentes sobre todo en los contratos de **licencia de marca**. Cláusulas de este tipo son:

- las relativas a instrucciones al licenciatario sobre **materias primas**, sobre **procedimientos** o sobre revisión de los productos o servicios confeccionados;
- las relativas al **suministro de ingredientes** (*tying clauses*: nº 2848);
- las relativas a examen de **muestras**.

Este tipo de cláusulas no plantean problemas desde la perspectiva del Derecho de la competencia.

2820 **Cláusulas accesorias sobre la transmisión de secreto empresarial o «know-how»** Es frecuente que en los contratos de licencia de marca y de licencia de patente se contemplen cláusulas que se refieren al secreto empresarial o *know-how*.

Las cláusulas accesorias relativas a la **obligación de guardar secreto** sobre los conocimientos técnicos transmitidos por el licenciante de la marca deben considerarse plenamente conformes al Derecho de la competencia, ya que la transmisión de estos conocimientos es accesoria al contrato de licencia de marca (criterio de la inherencia al contrato de la limitación de la competencia).

En el caso de que la transmisión de *know-how* sea la obligación más importante cualitativamente, el contrato ha de calificarse entonces como de **licencia de know-how**, con la cláusula accesoria de licencia de marca. Este supuesto se rige por la normativa sobre acuerdos de transferencia de tecnología (Rgto UE/316/2014).

En estas circunstancias y en términos generales, deben considerarse **restrictivas de la competencia** todas aquellas cláusulas que impidan al licenciatario usar el *know-how* una vez que éste haya devenido de dominio público. No obstante, deben ser consideradas válidas las cláusulas que impongan la obligación de pagar el canon correspondiente a la licencia de *know-how* o a la licencia de patente, cuando los conocimientos se hayan divulgado o la licencia haya caducado.

2822 En suma, la cláusula relativa a la transmisión de *know-how* y a preservar el **carácter secreto** del mismo debe considerarse por lo general como no restrictiva de la competencia.

Vinculadas a la transmisión del *know-how* pueden existir cláusulas que se refieran a la **transmisión de componentes secretos** del producto elaborado por el licenciatario (p.e., fórmula secreta de ciertos productos alimenticios). Estas cláusulas son inherentes a la transmisión de tecnología, por lo que resultan inobjetables desde la perspectiva del Derecho de la libre competencia (Decisión CEE 23-12-1977).

Precisiones En el contrato de **franquicia con licencia de marca** se debe tener en cuenta que, dado que el franquiciado carece de práctica y de conocimientos en el sector, es fundamental la actividad de formación del titular de la franquicia y, en este contexto, adquieren una particular relevancia los conocimientos secretos que transmite al franquiciado. Por tanto, las cláusulas que tienden a preservar los secretos industriales comunicados por el franquiciador son inherentes al contrato de franquicia y, por ende, justificables desde la perspectiva del Derecho de la competencia.

Cláusula de no impugnación del derecho de propiedad industrial Con esta cláusula el **cedente** de la marca, de la patente o de otro derecho de propiedad industrial cedido o licenciado, se obliga a no impugnar la validez del mismo. 2824

La cláusula de no impugnación se impone normalmente al cedente, pues no tiene sentido que el licenciante de la marca o derecho de propiedad industrial se comprometa a no impugnarlo, ya que está obligado a garantizar la posesión pacífica del licenciatario.

En cambio, y salvo que otra cosa se haya pactado en el contrato, se considera lícito que el licenciatario impugne la **validez del derecho licenciado**, ya sea durante la vigencia del propio contrato, ya una vez extinguido, salvo que la licencia se derive de una transacción o que la obligación de no impugnar se deduzca de otra circunstancia (p.e., licencia gratuita).

Desde la perspectiva del Derecho de la competencia de la **Unión Europea**, la cláusula ha de entenderse admisible, pero solo en determinados casos, como, por ejemplo, cuando la licencia tiene carácter gratuito o por otras circunstancias (TJUE 27-9-88, 65/86); en cualquier caso, la gratuidad no es requisito necesario para la admisibilidad de estas cláusulas (Decisión CE 23-3-1990).

Por otro lado, se concede una exención general a los pactos por los que se prohíba al licenciatario impugnar la validez de la patente o del carácter sustancial o secreto del **know-how**, siempre que el pacto sea notificado a la Comisión y ésta no se oponga a la exención en el plazo de cuatro meses. Además, no se considera restrictivo de la competencia el pacto de resolución del contrato en caso de impugnación del know-how comunicado o de la patente licenciados con carácter exclusivo (Rgto UE/316/2014 art.5.1.b).

Una cláusula distinta que, por supuesto, no afecta a la libre competencia es la contenida en determinados contratos de licencia de marca, por la que se establece que los licenciatarios no pueden adquirir **derechos sobre la marca**. Es una restricción inherente al propio contrato de licencia de marca y que, además, se sobreentiende, aunque no haya sido incluida en el contrato.

Precisiones La Comisión divulgó en 2013 una propuesta de revisión del Rgto CE/772/2004, sobre exención de acuerdos de trasferencia de tecnología, en la que **se suprime la facultad** de resolución del contrato de licencia en caso de impugnación por parte del licenciatario no exclusivo.

Indicación de la existencia de licencia e inclusión de una marca del licenciatario Puede requerirse contractualmente o ser impuesta por la Ley la obligación de indicar la **procedencia del producto o servicio**, ya sea indicando de la existencia de una licencia o bien mediante la identificación del licenciatario. 2826

En ninguno de estos casos debe existir objeción desde la perspectiva del Derecho de la competencia. Esta es una **cláusula no restrictiva** (Rgto UE/316/2014).

La inclusión de la marca del licenciatario supone que el licenciatario añade al producto, además de la marca del licenciante, una **marca propia**.

Es un caso diverso de la marca colectiva (donde también hay aposición de marcas) o de la marca perteneciente a una asociación.

Con independencia de lo anterior, otras cláusulas relevantes son aquellas que obligan al licenciatario a **usar una marca determinada**. Estas cláusulas suelen concertarse como accesorias de acuerdos de licencia de patente y son particularmente necesarias cuando la patente o la marca recaen sobre un producto novedoso.

Estas cláusulas posibilitan la institución por el licenciante de una red capilar de licenciatarios para lograr que, durante la vigencia de la patente (20 años), la marca obtenga la **mayor difusión posible**, de tal modo que, a la extinción de la patente, la marca del titular de dicha patente (pionero) se halle consolidada en el sector de que se trate, con lo que se obtiene una posición de ventaja respecto de los otros competidores. Así ha sucedido con invenciones patentadas ya revertidas en el dominio público. 2828

La normativa sobre competencia de la Unión Europea admite la cláusula por la que se obliga al licenciatario a utilizar solamente la marca de fábrica del licenciante o la presentación determinada por éste para distinguir el producto bajo licencia durante el período de validez del acuerdo de licencia, siempre que no se impida al licenciatario identificarse como fabricante del producto bajo licencia.

Precisiones 1) En la práctica, la aquiescencia del licenciante sobre el hecho de que el licenciatario incluya una marca acompañante será un supuesto excepcional.

La «**marca acompañante**» puede originar problemas cuando se extinga la licencia, pues el licenciatario titular de dicha marca podrá utilizarla con independencia del anterior titular. De este modo, la reputación generada por la actuación del licenciatario puede revertir también en éste, que, de otro modo, a la extinción del contrato se puede encontrar en una situación débil para la renegociación del mismo.

2) Ha de tenerse en cuenta que, en lo que afecta a la **responsabilidad por productos defectuosos**, el fabricante aparente se equipara al fabricante real (LGDCU art.5 y 138.1).

2830 **Cláusula del licenciatario más favorecido** Por la cláusula de licenciatario más favorecido se obliga el licenciante a conceder, en un futuro, al licenciatario cualquier **condición más favorable** que el licenciante conceda a otro licenciatario.
La existencia de esta cláusula indica una **posición negocial fuerte** por parte del licenciatario, sobre todo si se pacta que cualquier cláusula aislada (y, por tanto, desvinculada del resto del contrato) pueda serle aplicada.
En general, se admite su validez, por considerar que esta cláusula en sí misma no es contraria al **Derecho de la competencia**, siempre que no obstaculice la concesión de licencias posteriores, lo que debe juzgarse de acuerdo con las circunstancias particulares de cada mercado (Decisión CE 18-7-1975).

2832 **Cláusula de atribución de territorio** El Derecho industrial se caracteriza por el **principio de territorialidad**: los derechos surgen amparados en un determinado ordenamiento y para un ámbito territorial específico. Consiguientemente, siempre que se concede una licencia, implícita o explícitamente, se concede para un territorio, entendido como ámbito lícito de actuación. En general, la atribución de un territorio es una cláusula inherente a toda licencia.
Desde la perspectiva del **Derecho de la competencia**, estas cláusulas son inadmisibles cuando esta delimitación territorial sirve para formar territorios cerrados (compartimentación del mercado) en el contexto de un mercado integrado por varios mercados nacionales. La cuestión se relaciona con las **licencias absolutamente cerradas** (TJUE 8-6-82, asunto 258/78), que conceden al licenciatario una posición que le permite oponerse a importaciones paralelas en el territorio para el que se le ha concedido la licencia. Dicha compartimentación del mercado es ilícita e incompatible con el principio del agotamiento de los derechos de propiedad industrial (Tratado FUE art.26).

2834 Por otro lado, la asignación territorial de derechos puede tener carácter horizontal o vertical.
Las **asignaciones territoriales horizontales** tienen lugar entre productores o empresarios competidores directos, por estar en la misma fase en la producción y distribución de bienes y servicios. Dichas asignaciones se consideran, salvo supuestos excepcionales, como restrictivas de la competencia.
Las **asignaciones territoriales verticales**, en cambio consisten en que entidades colocadas en distintos tramos del sector productivo acuerdan explotar conjuntamente o coordinadamente un determinado territorio. Estas cláusulas pueden gozar de exención (Tratado FUE art.101.3).

Precisiones La repartición de territorio pugna con los **principios del Mercado Común** cuando supone una diversificación de las condiciones de venta por territorios o cuando se produce una división artificial del mercado mediante la constitución de titularidades fiduciarias (TJUE 13-7-66, asuntos 56/64 y 58/64).

2836 **Cláusula de exclusiva** La cláusula de exclusiva es aquella que obliga al **licenciante** a no conceder otras licencias en el territorio asignado y al **licenciatario** a no comercializar o fabricar productos competidores con los del licenciante. Puede ser recíproca (a favor del licenciante y del licenciatario) o establecerse solo en beneficio de una de las partes.
En la práctica actual se considera que la cláusula de exclusiva por sí misma no es restrictiva de la competencia, salvo que se combine con prohibiciones de exportar o se transforme en una licencia cerrada (TJUE 8-6-82, asunto 258/78). La propia normativa de la Unión Europea admite la validez del pacto de exclusiva y establece una **exención general** siempre que la empresa proveedora no posea una cuota de mercado que exceda del 30% del mercado de referencia (Rgto UE/720/2022).
No obstante, estas cláusulas resultarían **ilícitas** si con su aplicación se pretende controlar la distribución mediante prohibiciones de exportación o por el establecimiento de distribuciones cerradas.
Pueden darse también **cláusulas limitativas de la competencia** en el territorio de la exclusiva. Estas cláusulas son admitidas como exenciones siempre que no conviertan las licencias en cerradas. Así, se señala que no se otorgará la exención si existe una restricción del territorio en el que puede el comprador vender los bienes o servicios contractuales. Se contemplan, no obstante, las siguientes **excepciones** (Rgto UE/720/2022 art.4):
- la restricción de las ventas activas en el territorio asignado por el proveedor a otro comprador, siempre que la limitación no afecte a los clientes del comprador;
- la restricción de ventas a distribuidores no autorizados por los miembros de un sistema de distribución selectiva;
- la restricción de la capacidad del comprador de vender componentes a clientes que fueran competidores del proveedor.
Tampoco se otorga la exención si se producen **restricciones de las ventas** activas o pasivas a usuarios finales por parte de los miembros de un sistema de distribución selectiva.

Precisiones 1) En el Rgto UE/316/2014 sobre **exención de acuerdos de trasferencia de tecnología** está previsto también el control de las restricciones contractuales a las ventas pasivas.
2) En relación con el Rgto UE/720/2022 debe destacarse que el **límite** para aplicar la **exención del 30%** de cuota de mercado se aplica tanto al suministrador como a sus distribuidores. Ninguno debe exceder 30% de cuota de mercado en sus mercados respectivos.
3) En las Directrices sobre acuerdos verticales (DOUE 19-5-10 C 130/1) se ha ampliado considerablemente la sección sobre **ventas on-line** (comercio electrónico). En mayo de 2015 la Comisión realizó una «encuesta sobre el sector del comercio electrónico» para estudiar la incidencia de este sector. Está prevista la adopción de un Reglamento para prohibir las prácticas unilaterales de *geoblocking* o geo-discriminación por empresas no dominantes, para evitar que las empresas puedan practicar discriminación de precios.

Con respecto a los **acuerdos de transferencia de tecnología**, se permite la prohibición de política pasiva, esto es, la obligación del licenciatario de no comercializar el producto bajo licencia en los territorios concedidos a otros licenciatarios dentro del mercado común, como respuesta a pedidos de suministro no solicitados (Rgto UE/316/2014 art.4.1.c). Esta exención, tanto para la licencia de patente como de *know-how*, está limitada a un plazo de cinco años desde la primera introducción del producto en el mercado de la Unión Europea. En cualquier caso, son posibles las importaciones paralelas, pues, de otro modo, nos hallaríamos ante una licencia cerrada y, por tanto, ilícita. **2838**
La **protección territorial absoluta** queda además impedida por el principio del agotamiento del derecho (LM art.36; AP Baleares 27-6-94).
Finalmente, conviene señalar que la inserción de una cláusula de exclusiva puede venir justificada por la obligación de **indicación de procedencia empresarial**.

Precisiones 1) Un caso de exclusividad en relación con el empleo de las marcas y símbolos de la **Federación Española de Fútbol** puede verse en la sentencia TS 4-4-95, EDJ 1463.
2) En el ámbito de **productos o servicios con marca**, al existir una fuerte competencia entre las diferentes marcas, pierde forzosamente relevancia la competencia dentro de los concesionarios de la misma marca.

Prohibición de competencia La prohibición de competencia constituye el reverso de la cláusula de exclusiva por parte del licenciante. Se caracteriza porque al licenciatario se le prohíbe elaborar productos bajo **marcas pertenecientes a la competencia**. **2840**
En determinados casos, la cláusula de prohibición de competencia puede ser **abusiva**, sobre todo, en determinados contratos de distribución, cuando el principal ostenta una posición dominante en el mercado (ver al respecto TJUE 14-2-78, asunto 27/76).

Prohibición de conceder sublicencias Debe partirse del principio de que la prohibición de conceder sublicencias es algo inherente al contrato de licencia de marca. **2842**
En efecto, por **regla general**, las características del licenciatario influyen decisivamente en la voluntad del titular de la marca en conceder la licencia. Es, por ello, coherente que las cláusulas que prohíban la sublicencia puedan ser introducidas por el licenciante sin temor a la calificación de dicha cláusula como restrictiva de la competencia.
Otras cláusulas muy vinculadas con éstas son las que se refieren a la **prohibición de cesión del contrato**. La regla general en Derecho español es que el contrato no se puede ceder sin el consentimiento de la otra parte. Sin embargo, dichas cláusulas anti-cesión (*anti-assignment clauses*) pueden ser eludidas a través de otros mecanismos (venta de acciones o participaciones, cambio de control de la sociedad, etc.). Normalmente se establece la posibilidad de cambio de control, etc, sujeto a la autorización de la otra parte, que no debe ser indebidamente denegada (en base al principio de buena fe -CC art.7.1-). La cuestión clave será si el contrato se ha realizado en atención a la consideración especial de la otra parte (*intuitu personae*).

Cláusulas sobre la producción Deben considerarse admisibles las cláusulas que fijen un **determinado lugar de producción** (*site-licence*). **2844**
En cambio, deben considerarse restrictivas de la competencia las que establezcan **limitaciones cuantitativas** a la producción.

Cláusula «best-efforts» La cláusula *best-efforts* (*best-endeavours*) significa que el licenciatario se compromete a explotar el bien licenciado de la manera más eficiente y dinámica posible, normalmente es anexa a un pacto de exclusiva. **2846**
No es una cláusula restrictiva de la competencia.

Precisiones Debe tenerse en cuenta que, al ser un concepto del *Common Law*, **no es recomendable incluirla** en un contrato sometido a Derecho español. Por ejemplo, en Derecho de los Estados Unidos se distingue entre *best endeavours*, *all reasonable endeavours* y *reasonable endeavours*. Es evidente que en un contrato no sometido al Derecho de los Estados Unidos debe huir de este tipo de cláusulas que tienen un significado concreto en el *Common Law*. En particular, tiene que evitarse esta cláusula cuando se trate de contratos de muy larga duración.

2848 **Cláusulas vinculadas («tying clauses»)** Las llamadas *tying clauses* se caracterizan porque imponen al licenciatario la obligación de **adquirir otros productos** para obtener la licencia de marca.
Es decir, la contratación de la licencia se condiciona a otro contrato (p.e., un contrato de suministro).
En general, se suele considerar estas cláusulas como **restrictivas de la competencia**, siempre que afecten al mercado relevante, ya que sirven para crear mercados cautivos. Sin embargo, cuanto más intensa y efectiva sea la competencia entre marca (hay muchas franquicias que compiten en el mercado), resulta más difícil que la mencionada cláusula afecte al mercado relevante.
Dentro de la definición de **cláusula de no competencia** se comprende la obligación del comprador de adquirir del proveedor o de otra empresa designada por éste más del 80% del total de sus compras de los bienes o servicios contractuales y de sus sustitutos en el mercado de referencia. Estas cláusulas no pueden ser indefinidas o tener duración superior a cinco años, salvo que el comprador esté ocupando locales del suministrador (Rgto UE/720/2022).
No se consideran restrictivas de la competencia las cláusulas que hacen referencia a la **adquisición de un cantidad mínima** de productos (en los contratos de distribución).

Precisiones Se ha considerado restrictiva de la competencia la típica cláusula vinculada por la que las **empresas distribuidoras de películas cinematográficas** obligan a la adquisición de «paquetes», de tal modo que para adquirir una película determinada es preciso adquirir todas las incluidas en la lista (TS cont adm 26-10-98, EDJ 28521).

2850 **Cláusulas sobre el precio** Cuando se trate de una actividad industrial, las cláusulas de **imposición de precios** no son frecuentes en los contratos de licencia de marca. Tienen más aplicación en el ámbito de la franquicia de distribución o de servicio, respecto de las que es frecuente que existan recomendaciones de precio.
Son también frecuentes los **precios máximos**, precios por encima de los cuales se prohíbe la reventa del distribuidor. Los precios máximos en el ámbito de la licencia industrial de marca son extremadamente raros.
En general, se consideran lícitas las meras **recomendaciones de precios**, pero no así las cláusulas de imposición de precios, que son, en sí mismas, restrictivas de la competencia. Con todo, para que entre en juego el mecanismo sancionatorio de las infracciones de la libre competencia es preciso que la imposición de precios afecte al mercado relevante.

Precisiones **1)** La **recomendación de precios** se ha considerado admisible con respecto a máquinas fotocopiadoras, siempre que en el mercado hubiera suficiente competencia entre marcas (TDC Resol 25-10-96). En el mismo sentido sobre distribución selectiva de relojes (TDC Resol 13-5-98).
2) En algunos casos se pacta la obligación de **pagar regalías** en los contratos de licencia, incluso cuando el contrato ha cesado su vigencia. Dicha cláusula es válida. Sin embargo, la cláusula que obliga a pagar incluso cuando el derecho sea declarado nulo puede suscitar problemas ante las autoridades de defensa de la competencia y debe ser notificada, aunque en principio se ha admitido su validez (TJUE 12-5-89, asunto Kai Ottung).

2852 En relación con la **fijación de la regalía** deben tenerse en cuenta las siguientes consideraciones adicionales:
1. La **acumulación y deducción de regalías** (*royalty stacking*). Cuando hay múltiples derechos que afectan al derecho de propiedad industrial (p.e. existe una licencia de Donuts y otra de Dunkin" Donuts), o cuando hay varias patentes que afectan a la tecnología patentada y no todas pertenecen al licenciante, existe un alto riesgo de que la licencia no sea rentable. Por tanto, en este tipo de contratos se suele regular qué sucede con las varias regalías que pueden devengarse. Esta situación se puede regular a través de regalías variables (según la incidencia de derechos de tercero), establecimiento de formas de explotación común y establecimiento de «techos o límites de regalías» (el licenciatario establece lo máximo que pagará por la licencia deduciendo lo que tenga que abonar a terceros).
2. Frecuentemente se establecen **pagos iniciales** (*upfront payments, lump sum payments*) y **pagos por hitos** (*milestones payments*). En relación con estos pagos en el contrato normalmente se indica que no se deben devolver en el caso de que el derecho licenciado se declare nulo.

Precisiones La **competencia para otorgar** una licencia es un acto de administración. En el caso de que el acuerdo sea contrario al interés social, es posible impugnarlo ante los tribunales (AP Asturias 15-12-14, EDJ 251560).

Cláusulas de limitación de clientela Las cláusulas de limitación de clientela no suelen ser admitidas por las autoridades de defensa de la competencia, porque suponen la posibilidad de **compartimentación del mercado**. De estipularse una cláusula de esta naturaleza se podría asegurar la discriminación de precios entre los diferentes licenciatarios. **2854**
En definitiva, esta cláusula podría atentar contra el principio del agotamiento de los derechos de propiedad industrial.

Precisiones No obstante, se ha admitido la validez de esta cláusula en relación con la obligación de suministro del bien a una **determinada clase de consumidores** -residentes en bases militares estadounidenses- que estaban acostumbrados a ciertas características del producto (Decisión CEE 23-12-1977, caso «Campari»).

Cláusulas sobre publicidad Las cláusulas sobre publicidad son muy variadas y, en general, lícitas: imposición de una determinada publicidad, de una determinada imagen del establecimiento, obligación de sufragar parcial o totalmente los gastos publicitarios, etc. **2856**
Es posible también pactar la posibilidad de que el licenciante controle la publicidad del licenciatario, con el principal objetivo de que ésta no perjudique la **imagen o reputación de la marca** del licenciante.

Otras cláusulas Pueden pactarse, entre otras, las siguientes cláusulas: **2858**
- **Ámbito de la licencia**. Define la extensión de la misma (productos/servicios/tecnologías) cuyo uso se autoriza.
- Reglas sobre **defensa de los derechos** (gastos de litigios) o sobre **tramitación** de derechos de propiedad industrial (nombramiento de agentes, decisión sobre a qué países extender la protección territorial).
- Normas sobre el **tribunal competente** y el Derecho aplicable.

SECCIÓN 7

Comunidad de derechos de propiedad industrial y secretos empresariales

Los derechos de propiedad industrial pueden ser objeto de cotitularidad. Esta cotitularidad puede plantear diferentes problemas prácticos derivados de la posibilidad de **explotación múltiple de los derechos** de propiedad industrial. **2865**
En los números siguientes analizamos la comunidad de **marca** (nº 2870), la comunidad de **patente** (nº 2900) y la comunidad de diseños (dibujos y modelos industriales) y de secretos empresariales (nº 2915), aunque la regulación de éstas es aplicable, por analogía, a la comunidad sobre **otros derechos** (p.e., topografías de semiconductores y obtenciones vegetales).

1. Comunidad de marca

2870

La comunidad de marca se produce cuando la misma marca pertenece pro indiviso a varias personas (LM art.46.1; CC art.392). **2872**
Esta comunidad puede producirse **originariamente**, cuando varias personas solicitan conjuntamente una marca, o **sobrevenidamente**, cuando, por ejemplo, un único titular enajena una o varias cuotas de la marca. Puede ser además, una **comunidad incidental** (p.e., entre herederos, que continúan bajo la misma marca o nombre comercial el negocio de su causante) o manifestación de una forma de **cooperación empresarial** (p.e., una empresa en participación, filial común o *joint venture*).

La comunidad de marca tiene la peculiaridad de que recae sobre un **bien indivisible** (la marca), que, aunque sea de titularidad común, debe cumplir la función de indicación de origen empresarial, para evitar que la utilización conjunta de la marca produzca engaño en el consumidor.

2874 Aun cuando la Ley de Marcas contiene una **regulación sustantiva** de la comunidad de marca, su régimen jurídico se complementa, en defecto de pacto expreso, con las disposiciones sobre la **comunidad de bienes** en general (CC art.392 a 406).

Cuando existe pacto expreso, normalmente adopta la forma de un **reglamento de uso** o **contrato de comunidad de marca** en el que se indican las modalidades de utilización de la marca por parte de los condueños. El reglamento de uso es frecuente en los casos en que el origen de la comunidad de marca es un contrato.

De cara a sus relaciones con el Registro de Marcas (OEPM), los diferentes comuneros deben designar a uno como **representante**. En defecto de designación, se entiende que actúa como representante el primer solicitante (LPAC art.7).

Precisiones La **práctica registral** conoce muchas solicitudes de marca a nombre de comunidades de bienes. Estas solicitudes son declaradas en suspenso debido a que la comunidad, titular de la solicitud, carece de personalidad jurídica conforme a nuestro ordenamiento (CC art.35.2, 392 y 1669.2). Para que sea posible la inscripción en estos casos sería preciso indicar el **nombre de todos los comuneros**, lo cual no deja de suscitar algún problema, sobre todo cuando se trata de marcas de comunidades de propietarios de urbanizaciones o de regímenes de propiedad horizontal, comunidades en que los comuneros cambian cuando se transmita la propiedad sobre el elemento privativo del que son titulares. Una alternativa para estos casos puede ser constituir una **asociación** que ostente la titularidad de la marca o del rótulo.

2876 **Uso de la marca** A diferencia del régimen general de la comunidad de bienes (CC art.394), en la comunidad de marca no es posible el **uso independiente** de los comuneros, pues tal uso independiente es incompatible con la función de indicación de origen que debe cumplir la marca. La utilización individual y exclusiva de uno de los cotitulares es un acto de disposición que requiere el consentimiento de los demás (TS 11-7-97, EDJ 6088). Estas comunidades impropias son fuente de numerosos problemas en empresas familiares y pequeñas (AP Barcelona 10-1-23, EDJ 505995).

El uso de la marca por cada comunero presupone la existencia de un **reglamento de uso** que determine las relaciones entre los diferentes cotitulares.

Teóricamente un cotitular que disponga de la mayoría de intereses podría impedir que se utilizara la marca. Para dicha eventualidad, que será obviamente inusual, se establece que la **oposición absoluta e injustificada** de un partícipe al uso de la marca de forma que pueda dar lugar a su declaración de caducidad se considerará, a todos los efectos, como renuncia a su derecho (LM art.46.1). En definitiva, el cotitular que, teniendo la mayoría de intereses, impide el uso de la marca, está ejercitando abusivamente su derecho, en la medida en que pone la marca en peligro de extinción por **caducidad** (LM art.54.1.a).

En estos casos se considera que renuncia a su derecho de marca (en realidad, no es una renuncia, sino una **presunción de abandono** de la marca, ya que la renuncia exige una declaración expresa). Ello quiere decir que los restantes comuneros pueden prescindir de él a la hora de aprobar un reglamento de uso, sin perjuicio de que la sanción de pérdida del derecho en la comunidad tenga que ser sancionada por los tribunales.

Precisiones En comunidades de marca surgidas en comunidades de bienes de **carácter empresarial**, se ha admitido la facultad de uso de la marca o de nombre comercial con carácter independiente por parte de los comuneros al disolverse la empresa (TS 6-6-97, EDJ 4460; 6-11-97, EDJ 7499; AP Madrid 30-4-99; en contra TS 11-7-97, EDJ 6088).

2878 **Licencia de marca** Los comuneros pueden autorizar la utilización de la marca por un tercero, otorgando una licencia a su favor. La utilización de la marca puede efectuarse mediante la actuación de **terceros ajenos a la comunidad**, a través de la concesión por los comuneros de una licencia. La concesión de licencias y el uso independiente de la marca por cada partícipe deben ser acordados según las reglas de mayoría previstas en CC art.398 para los actos de administración: puede decidirse por mayoría de intereses, siempre que sea por tiempo determinado y que se asegure la posibilidad de control.

En cualquier caso, la licencia queda sujeta a la **revisión judicial**.

Precisiones Si se exigiera la **unanimidad** para otorgar la licencia, la explotación de la marca sería complicada, ya que los comuneros no pueden explotarla aisladamente en defecto de reglamento de uso.

Ejercicio de acciones (LM art.46.1) Cada partícipe puede, por sí solo, ejercitar las acciones civiles y criminales en defensa de la marca, pero debe notificarlo a los demás comuneros, a fin de que éstos puedan sumarse a las mismas y para que contribuyan al pago de los gastos habidos. **2880**

En materia de comunidad de marca debe recordarse que no rige el principio de la **cosa juzgada** en lo desfavorable para los cotitulares (TS 23-1-89, EDJ 395). Para evitar la aplicación de esta doctrina, el demandado por un solo comunero debe, a su vez, demandar a los restantes comuneros no demandantes en una acción negatoria y pedir posteriormente la acumulación de acciones.

Precisiones 1) Sobre el ejercicio de la acción de violación **por un comunero**, ver sentencia TS 11-12-93, EDJ 11267 (caso «Solán de Cabras»).

2) **No** es necesaria la **notificación fehaciente**, ni que la notificación sea anterior a la interposición de la demanda (TS 13-5-96, EDJ 2168).

3) Por aplicación de la LEC, es posible que la **reconvención** se dirija contra demandados no presentes en la litis (los comuneros). La sentencia de referencia estableció **restricciones** a la reconvención, que no son aplicables actualmente (TS 13-5-96, EDJ 2168).

4) El Tribunal Supremo ha aclarado que el comunero con una cuota del 50%, puede **ejercitar el retracto** por la cuota íntegra del otro copartícipe y no solo sobre la mitad de la cuota (rechazando una interpretación ilógica defendida por la Audiencia Provincial). Además, el **plazo** para el ejercicio del retracto comienza desde que el copropietario conoce todos los extremos de la venta (TS 9-3-21, EDJ 512880).

Enajenación de cuotas. Retracto de comuneros (LM art.46.1) Cada comunero puede enajenar libremente su cuota. En caso de enajenación existe un derecho de retracto en favor de los restantes comuneros (CC art.1522). **2882**

En caso de que un partícipe pretenda ceder una o de varias participaciones de la marca, los demás partícipes podrán ejercitar el **derecho de tanteo** en el plazo de un mes, a contar del momento en que fueran notificados del propósito y condiciones en que se llevaría a cabo la cesión, subrogándose en la posición del eventual adquirente los comuneros que ejerciten el derecho de tanteo y se comprometan a abonar la cantidad pactada.

A falta de notificación previa o si la cesión se hubiere realizado en condiciones distintas a las prevenidas en dicha notificación, los partícipes podrán ejercitar el **derecho de retracto** en el plazo de un mes contado desde la publicación en el Boletín Oficial de la Propiedad Industrial de la inscripción de la cesión en el Registro de Marcas.

Si todos los comuneros ceden la marca, no hay derecho de tanteo o de retracto, pese a lo que literalmente dispone la Ley: irían contra sus propios actos. El derecho de tanteo o retracto solo surge cuando se venden cuotas separadas, no en caso de **enajenación conjunta** de todas las cuotas por todos los comuneros.

No se determina qué **negocios jurídicos** son los que originan el derecho de tanteo o retracto, ya que la norma alude únicamente a la cesión de la marca. La cesión puede ser a título gratuito u oneroso y puede obedecer a múltiples negocios jurídicos (aportación a sociedad, compraventa, etc.). Estimamos que solo se aplica el retracto en la compraventa de la marca. Obviamente queda excluida en los negocios gratuitos y en otros negocios onerosos en los que los comuneros no pueden subrogarse, en sentido estricto, en la posición del adquirente (permuta, aportación a sociedad, dación en pago -aunque en este caso sí podría admitirse si los que ejercitan el derecho de tanteo liquidan la deuda-, etc.).

La subrogación en las condiciones del contrato no alcanzaría al posible **aplazamiento del pago**, salvo que se asegurara el pago aplazado mediante aval prestado por una entidad de crédito.

Precisiones 1) Realmente la única virtualidad de la regulación de estos derechos es que se fija un plazo para el ejercicio del derecho de tanteo y del retracto y que se explica el funcionamiento de ambas figuras, con lo que se excluye el peligro de la posible aplicación analógica de la Ley de Patentes (LP art.80.2.a). Sin embargo, la regulación legal deja sin resolver los **problemas** derivados del ejercicio del retracto.

2) Al contrario que la enajenación, no es posible la **hipoteca sobre una sola cuota** de la marca, sino sobre la totalidad, acto que además exige la unanimidad de los condueños (LHMPSD art.1 y 2; DGRN Resol 29-11-95).

3) En el caso de un **copropietario** que vende a otro copropietario su cuota no hay derecho de tanteo ni de retracto, que solo opera cuando se vende a un extraño (TS 9-3-21, EDJ 512880, que revoca la sentencia de segunda instancia que sí lo había concedido).

4) En contratos complejos de convivencia de marcas o de copropiedad es altamente recomendable prever las cláusulas de **terminación del contrato** y el régimen posterior a la terminación.

2884 **Comunidades impropias de marcas** Además de la comunidad de marca en sentido propio, existen comunidades impropias de marca. Esta concurrencia de derechos se produce en los siguientes **supuestos**:
- acuerdos de delimitación y modificación de marcas (nº 2886);
- doble inmatriculación parcial de marcas (nº 2888);
- coexistencia de marcas consolidadas (nº 2890);
- empleo simultáneo de varias marcas (nº 2892);
- utilización de la marca por las sociedades integrantes de un grupo (nº 2894).

2886 **Acuerdos de delimitación y modificación de marcas** Los acuerdos de delimitación son aquellos que posibilitan el uso de **marcas en conflicto** por dos o más empresas mediante la delimitación del territorio de uso de cada una, de los productos o servicios a los cuales van a aplicar sus respectivas marcas, o bien mediante la configuración de sus derechos de manera distinta.

Esta posibilidad es factible solo respecto de la **asignación de productos o servicios** (p.e., delimitación del uso de un mismo logotipo para un licor y para una prenda de vestir) pero no para partes del territorio español.

Estos acuerdos son frecuentes en el **ámbito de la Unión Europea**. A este respecto, la Comisión ha denegado la licitud de los acuerdos de delimitación territoriales en el ámbito europeo por suponer un reparto de mercados (Decisión CE 5-3-1975; Decisión CE 15-12-1982). Frente a esta posición restrictiva, el TJUE ha permitido los acuerdos de reparto de marcas por Estados (TJUE 22-6-94, asunto C-9/93).

Por otro lado, los acuerdos de modificación de marcas suponen una **alteración de los elementos formales** de la marca, con el fin de poder diferenciar dos marcas en conflicto en un mismo mercado (p.e., mediante el cambio de los colores del logotipo).

2888 **Doble inmatriculación parcial de marcas** La doble inmatriculación consiste en que **una misma marca** está registrada para los mismos productos y servicios más de una vez.

La Ley de Marcas, al suprimir el examen de oficio de las prohibiciones relativas, permite, de hecho, las inmatriculaciones dobles o múltiples.

Además, la OEPM concede registros sobre **marcas muy similares** (denominativamente idénticas pero que se refieren a productos o servicios parcialmente discordantes), siempre que pertenezcan al mismo titular.

Sin embargo, como no existe un control registral de las **ulteriores cesiones** efectuadas por el titular único originario, ello puede provocar la coexistencia de marcas prácticamente idénticas pertenecientes a distintos titulares.

> Precisiones La práctica española no admitía la doble inmatriculación **bajo la antigua Ley de Marcas** (la derogada L 32/1988), aun cuando las marcas pertenecieran al mismo titular (TS 2-6-98, EDJ 6027, caso «Puma»).

2890 **Coexistencia de marcas consolidadas** (LM art.52.2) Las marcas en conflicto con otra anterior se consolidan transcurrido el **plazo** de cinco años contados desde que el titular de la marca anterior conoce y tolera el uso de la marca registrada posterior, si ésta fue solicitada de buena fe. Se trata de un supuesto de «**prescripción por tolerancia**».

En estos casos no existe realmente comunidad sobre una única marca, sino que, de hecho, coexisten **marcas idénticas o similares**. Esta propia coexistencia puede forzar a las partes a llegar a un acuerdo de delimitación.

2892 **Empleo simultáneo de varias marcas** El empleo simultáneo, para productos complejos, de dos marcas de diferentes empresarios («**cobranding**» o «**joint advertising**») constituye una manifestación de marketing conjunto o copromoción.

La utilización de más de una marca tiene como finalidad indicar la idea de **fusión** o de **unión temporal** de las empresas concernidas (ver, como ejemplo TS 22-9-99, EDJ 21059, caso «Nike»).

2894 **Utilización de marca por sociedades integrantes de un grupo** Dentro de un grupo de sociedades, se puede producir una **utilización conjunta** de la marca por las diferentes sociedades integrantes del grupo.

Esta utilización se basa en una **licencia explícita o tácita** de la sociedad matriz, quien es normalmente titular de las marcas en todos los países en que están registradas. En estos casos, la titularidad formal de la marca determina la legitimación activa y pasiva en las acciones relativas a la marca (TS 20-5-98, EDJ 3146).

El empleo simultáneo de la misma marca sobre **productos idénticos o similares** por establecimientos industriales o comerciales considerados como copropietarios de la marca, no impide el registro ni disminuye en manera alguna la protección concedida a dicha marca, en tanto que dicho empleo no tenga por efecto inducir el público a error y siempre que no sea contrario al orden público (CUP art.5.C.3). Esta norma tiene por objeto permitir que todos los miembros de sociedades de un mismo grupo se consideren legitimados para usar la marca.

2. Comunidad de patente

(LP art.80)

La patente, como tal, es **indivisible**, aunque se puede dividir su solicitud en patentes divisionarias que dan lugar a patentes distintas e independientes unas de las otras (LP art.26). La comunidad de patente se produce cuando la titularidad de la patente corresponde a diversas personas. 2900

Los supuestos de comunidad de patentes pueden surgir por «**joint ventures**», por acuerdos de puesta en común de patentes («**patents pools**»), en supuestos de **licencias de patentes** o, en general, cuando se ejercite una empresa a través de sociedades internas.

Los *patent pools* constituyen una **puesta en común de conocimientos** por un sistema de licencias recíprocas de patentes, patentes que son necesarias para la explotación de una tecnología compleja. En general, las autoridades de competencia consideran que los *patent pools* no son contrarios a la competencia, siempre que las condiciones de licencia (*licensing out*) sean conforme a cláusulas FRAND (nº 2717).

La comunidad de patente encuentra su **regulación** en lo pactado por las partes, en su defecto, en las disposiciones de la Ley de Patentes y, en último término, en las normas del Código Civil sobre la comunidad de bienes (LP art.80.1; CC art.392 a 406).

Las disposiciones concretas de la Ley de Patentes son las siguientes: 2902

a) Cada comunero puede **explotar por sí mismo** la patente, previa notificación a los demás comuneros.

b) Cada comunero puede ejercitar **acciones civiles y criminales** para la defensa de los derechos derivados de la patente, ejercicio que ha de notificar a los restantes socios y realizar los actos necesarios para la conservación de la solicitud y de la patente (principalmente, el pago de tasas).

c) El **tanteo** y el **retracto** pueden ejercitarse acumulativamente, sin que uno excluya al otro. Para el tanteo se concede un plazo de dos meses y para el retracto de un mes.

d) Cada comunero puede instar la **disolución de la comunidad** de patente. La posibilidad de división lleva necesariamente a la venta en pública subasta, por tratarse de un bien indivisible, dado el principio de unidad de invención (TS 16-11-96).

e) Es posible la **enajenación aislada**, por cada comunero, de su cuota. No obstante, la enajenación de todas las cuotas requiere el consentimiento de todos los comuneros.

f) La **licencia de patente** debe ser otorgada por todos los comuneros -aunque en determinados casos la licencia pueda ser conceptuada como un acto de ordinaria administración-. En caso de desacuerdo es posible acudir a la autoridad judicial, que puede facultar a un comunero para que otorgue la licencia en nombre de todos, atribuyéndose los beneficios en proporción a las cuotas respectivas de los comuneros.

Precisiones **1)** Un ejemplo de «**patent pools**» lo encontramos en la explotación de la tecnología DVD («disco vertical digital», discos de almacenamiento óptico de alta densidad), ámbito en el que diversas empresas han establecido una red mundial de licencias no exclusivas para la explotación de la tecnológica en condiciones fijas para todas las empresas que quieran explotar dicha tecnología.

2) Los acuerdos de especialización o de **licencias recíprocas** tienen un régimen específico respecto del Derecho de la competencia (Rgto CEE/417/85).

3) Los **acuerdos de codesarrollo** (*co-developments agreements*) se realizan muchas veces como contrato inicial para regular una actividad de cooperación entre empresas. Muchos proyectos europeos se basan en estos modelos de colaboración, que suelen tener cláusulas bastante estandarizadas sobre el uso de los derechos previos de cada parte (*background IP rights*) así como del uso de los derechos resultantes (*foreground IP rights*). Se habla igualmente de **derechos laterales** (*sideground IP*) generados en un proyecto (esto es, generados por una de las partes durante el desarrollo del proyecto pero al margen de este) y **derechos posteriores** (*postground IP*), son derechos de IP generados después del proyecto pero que pueden tener incidencia en el mismo.

3. Comunidad de diseño

La L 20/2003 ha otorgado un régimen especial para la comunidad de bienes, que en buena medida, reproduce el régimen de la comunidad de patentes y marcas. Existe una importante excepción en relación con la posibilidad de otorgar licencias. 2905

2907 **Origen de la comunidad** (L 20/2003 art.14) La comunidad tiene su origen en la **solicitud común** del derecho, que puede determinar cuotas distintas de copropiedad.
Si el derecho se genera independientemente, pertenecerá al que lo solicite en primer lugar -cuando el derecho sea concedido-.

2909 **Contenido de los derechos de los cotitulares** (L 20/2003 art.58) El régimen de la comunidad de diseño -al igual que en las marcas, patentes y otros derechos- se rige por lo que hayan pactado las partes, en su defecto por lo dispuesto en la L 20/2003 art.58 y, finalmente, por las normas del Derecho común (lo que debe entenderse que se refiere exclusivamente al Código civil).
Los derechos de los cotitulares son los siguientes:
a) La **enajenación de su cuota**, notificándolo a los demás comuneros.
b) El derecho de **tanteo y retracto**, en el plazo de un mes a contar desde la notificación -en el caso del derecho de tanteo- o desde la inscripción de la cesión en el registro de diseños -en el caso del derecho de retracto-. La atribución conjunta de tanteo y retracto supone que se plantean los mismos problemas que con la comunidad de patente.
c) La **explotación individual** del diseño, previa notificación a los demás comuneros.
d) Ejercitar **acciones civiles o criminales** contra quienes infrinjan los derechos derivados del diseño registrado, notificándolo a los demás cotitulares a fin de que éstos puedan sumarse a la acción y para que contribuyan al pago de los gastos habidos.
La particularidad respecto del régimen existente en otras comunidades de derechos de propiedad industrial es que la **concesión de licencias a terceros** requiere el voto de la mayoría de los partícipes (CC art.398). Por la remisión que se hace al Código Civil, dicho régimen es por mayoría de intereses -esto es, mayoría de cuotas de participación-, no por mayoría de cabezas o comuneros.
La Ley considera, por tanto, la concesión de licencias como un acto de administración, no de disposición. Curiosamente no distingue entre licencia exclusiva y no exclusiva. La **licencia no exclusiva** podría calificarse como un acto de administración, lo que es más discutible para la licencia exclusiva (es asimilable a un acto de disposición). En cualquier caso, la Ley no distingue por lo que la licencia exclusiva (que priva de un derecho de explotación otorgado por la Ley) también puede otorgarse por mayoría de intereses.
Se plantea, al menos en las licencias exclusivas, la posibilidad de **exclusión del derecho de voto** cuando existe un conflicto de intereses (la licencia se otorga uno solo de los comuneros con exclusión de los demás, la licencia exclusiva se otorga a una sociedad vinculada con un comunero, etc.). Parece oportuno en estos casos aplicar analógicamente las reglas sobre el conflicto de intereses que existen en Derecho societario.

4. Comunidad de secreto empresarial («know how»)

(L 1/2019 art.5)

2915 El secreto empresarial puede pertenecer pro indiviso a varias personas. La comunidad de secreto empresarial -al igual que los demás derechos de propiedad industrial- **se rige** por:
- lo acordado entre las partes;
- en su defecto, por lo dispuesto en la Ley de Secretos Empresariales; y
- en último término, por las normas de derecho común sobre la comunidad de bienes (que debe entenderse que se refiere al CC exclusivamente).

En el ámbito del secreto empresarial el **pacto entre los copropietarios** es fundamental para regular las relaciones entre las partes. En los contratos de copropiedad se regulan el ámbito de uso de cada parte, la posibilidad de obtener licencias cruzadas cuando las partes han puesto en común tecnología que le pertenecía privativamente, así como el régimen de licencias a terceros, las mejoras, etc.
Salvo pacto en contrario, los **derechos de los cotitulares** (siguiendo el mismo esquema que la cotitularidad de patentes) son los siguientes.
a) Explotar el secreto empresarial previa notificación a los demás cotitulares.
b) Realizar los actos necesarios para la conservación del secreto empresarial como tal.
c) Ejercitar las acciones civiles y criminales en defensa del secreto empresarial, pero deberá notificarlo a los demás comuneros, a fin de que éstos puedan sumarse a las mismas, contribuyendo en tal supuesto al pago de los gastos habidos. En todo caso, si la acción resultase útil a la comunidad, todos los partícipes deberán contribuir al pago de dichos gastos.

Al igual que en la comunidad de patente y a diferencia de la comunidad de diseño, la **licencia** a un tercero requiere unanimidad de los partícipes. Cualquier partícipe puede **solicitar al juez** para que le faculte para otorgar la licencia. El legislador aplica el mismo régimen a la cesión del secreto empresarial. Nótese que, según esta norma, el cotitular puede solicitar al juez que se transmita el secreto empresarial a un tercero, privando a los demás copartícipes del mismo, lo que supone una expropiación. Nótese también que el régimen del secreto empresarial no alude al tanteo, ni al retracto, pero la aplicación del Código Civil supone que estos derechos existen, salvo que se haya dispuesto otra cosa en el contrato regulador de la comunidad del secreto empresarial. **2917**

SECCIÓN 8

Hipoteca mobiliaria de propiedad industrial

La marca, el nombre comercial, el rótulo (con carácter transitorio hasta su completa extinción), la patente, el modelo de utilidad y los modelos y dibujos industriales pueden ser objeto de hipoteca mobiliaria, bien **independiente**, bien como contenido natural de la **hipoteca del establecimiento mercantil** (LM art.46.2; LP art.82). **2920**
La hipoteca mobiliaria se regula en la L 16-12-54 de Hipoteca Mobiliaria y Prenda sin Desplazamiento (LHMPSD).

Hipoteca de establecimiento mercantil (LHMPSD art.19 a 21) La hipoteca del establecimiento mercantil se caracteriza por comprender necesariamente el **derecho de traspaso** de un local de negocio. Como contenido natural de dicha hipoteca (es decir, salvo que las partes lo hubieran excluido) se enumeran el nombre comercial, el rótulo de establecimiento, las marcas distintivas y demás derechos de propiedad industrial e intelectual. **2922**
Para que se produzca esta **extensión de la hipoteca** del establecimiento mercantil es necesario que su precio esté pagado y que se hallen destinados los signos de modo permanente a satisfacer las necesidades de la explotación mercantil e industrial.
El hecho de que el contenido natural de esta hipoteca comprenda **signos registrados**, sin necesidad de que se especifiquen los mismos en la escritura de constitución, contradice el principio de especialidad. Así, mientras no inscriba la hipoteca del establecimiento, es inoponible al adquirente del derecho registrado (patente, marca, etc.) que hubiera hecho constar su adquisición en el registro de la OEPM.

Precisiones Si bien la L 1/2019 considera que el **secreto empresarial** es objeto de propiedad, no cabe la hipoteca del mismo, porque los secretos empresariales no son inscribibles.

Hipoteca independiente de derechos de propiedad industrial (LHMPSD art.45 a 51) **2924**
La hipoteca mobiliaria de la marca o la patente se regula como una modalidad de la hipoteca mobiliaria sobre propiedad intelectual e industrial.
El **objeto** de la hipoteca de marca es la marca como bien independiente, así como las adiciones, modificaciones y perfecciones de la misma (es decir, las marcas derivadas y las posibles modificaciones del registro).
No es posible la hipoteca de **cuotas de copropiedad**, la hipoteca sobre **derechos embargados**, ni las **segundas o ulteriores hipotecas** (LHMPSD art.1 y 2).
Dada la peculiar estructura del sistema registral de la OEPM, no están previstas determinadas garantías atípicas. Así, es admisible el **pacto anticrético** (CC art.1881), en virtud del cual el acreedor hipotecario hace suyos los frutos -en el caso de los derechos de propiedad industrial, las regalías devengadas por un licenciatario- para imputarlos, primero, a los intereses y, cuando éstos estén satisfechos, al capital.
En cuanto a los **sujetos**, es posible que el titular de la marca hipotecada sea distinto del deudor, en cuyo caso se denomina tercer poseedor y se aplican *mutatis mutandis* las mismas reglas que al deudor hipotecario, salvo la responsabilidad solo real del tercer poseedor por el cumplimiento de la deuda.

Es posible que la hipoteca mobiliaria sobre una marca o derecho de propiedad industrial garantice una **deuda mancomunada de varias personas** (figura diferente de la hipoteca sobre la cuota, que no es admitida). Es también posible la hipoteca mobiliaria unilateral (DGRN Resol 28-7-98). **2926**
La hipoteca mobiliaria de marca debe constar en **escritura pública**, en la que han de identificarse la marca hipotecada y las licencias otorgadas por el titular de la marca, así como

el justificante de hallarse al corriente del pago de tasas. Es posible la hipoteca mobiliaria en **documento extranjero con apostilla** de la Convención de La Haya.
Se requiere una clara **identificación de los derechos sujetos a hipoteca** (número, fecha de registro, renovaciones, extensiones de protección, licencias, pago de tasas) (LHMPSD art.47).
Previamente a la constitución de la hipoteca se ha de solicitar de la OEPM un **certificado de cargas**, pues en la escritura ha de manifestarse que el bien hipotecado no es objeto de otra hipoteca o de embargos.

2928 **Contenido de la hipoteca** La hipoteca sujeta el derecho de propiedad industrial, objeto de garantía, al **cumplimiento de las obligaciones** para cuyo aseguramiento fue constituida (LHMPSD art.16).
Salvo pacto expreso, la hipoteca mobiliaria en garantía de una obligación que devengue **intereses** asegura, en perjuicio de tercero, además del principal, los intereses de los dos últimos años y la parte vencida de la anualidad corriente (LHMPSD art.9).
El **incumplimiento de la obligación** garantizada faculta al acreedor para proceder a la ejecución de la hipoteca. El acreedor puede asimismo dar por vencida la obligación hipotecaria si el deudor hipotecario no paga las **tasas de mantenimiento** del derecho (anualidades en el caso de las patentes y modelos; tasas de concesión y de renovación en los restantes derechos) y por **falta de uso de la marca** durante cuatro años consecutivos, a no ser que se hubiera estipulado otra cosa (LHMPSD art.51).
No obstante, si la hipoteca está inscrita en la OEPM no puede cancelarse la marca por **falta de pago de tasas** sin haber notificado previamente al acreedor hipotecario esta circunstancia, para que pueda ejercer el derecho de pagar las tasas.
La principal **obligación del titular del derecho** de propiedad industrial es mantener su derecho. Por ello, ha de pagar las tasas de concesión y renovación y no puede renunciar a su derecho, ni ceder su uso (licenciar) o explotación, total o parcialmente, sin consentimiento del acreedor (LHMPSD art.48). La ley prevé la posibilidad de **ejecución anticipada** si el titular de la patente no la usa por seis meses (se trata de una previsión que no es aplicable por ser incompatible con la carga de uso tal y como se regula en la Ley de Patentes, ver LHMPSD art.51.2).

Precisiones 1) El titular de la hipoteca puede hacer valer su derecho bien por un **procedimiento judicial** (LHMPSD art.82), bien por un **procedimiento extrajudicial** o notarial (LHMPSD art.86). Sin embargo, este último procedimiento encuentra dificultades en cuanto a su admisibilidad constitucional (TS 4-5-98, EDJ 3142; 20-4-99, EDJ 6316).
2) La L 15/2015 disp.final 13ª ha modificado el procedimiento extrajudicial de ejecución de la hipoteca mobiliaria, que pasa a denominarse **venta extrajudicial**.

2930 **Inscripción de la hipoteca** En la hipoteca mobiliaria de derechos de propiedad industrial se produce una **doble inscripción**:
- por un lado, en el Registro de Hipoteca Mobiliaria (LHMPSD art.3.3);
- por otro, en el Registro de Marcas y Patentes (LM art.46.2; LP art.79.2).

En la práctica, sin embargo, no se produce una doble inscripción en sentido estricto, pues el Registro que tiene asignada la llevanza del Registro de Hipoteca Mobiliaria de Propiedad Intelectual e Industrial comunica a la OEPM la constitución de la hipoteca.
En dicha **comunicación**, no se indican los pactos relativos a la constitución, es decir, el contenido de la hipoteca, puesto que la escritura se califica por el Registro de Hipoteca Mobiliaria y no por la OEPM. Así, dichos pactos no figuran en la publicación por la OEPM, debiendo acudirse al Registro de Hipoteca Mobiliaria para conocer el contenido de la hipoteca: cuantía, vencimiento de la obligación, etc.
El **acreedor hipotecario** no está expresamente legitimado para promover la inscripción de la hipoteca, si bien en la práctica no se plantean problemas por la presentación, por parte del acreedor hipotecario, de la solicitud de revistas expresamente.

Precisiones No deja de ser irregular esta práctica pero la publicidad sobre la existencia de hipoteca mobiliaria y la anotación de la mención de existencia de hipoteca -practicada en la OEPM- excluye la existencia de **buena fe en un tercer adquirente** o embargante de la marca.

SECCIÓN 9

Aportación de derechos de propiedad industrial y de los secretos empresariales («know-how») a una sociedad

La aportación, **a título de propiedad**, de un derecho de propiedad industrial a una sociedad constituye una cesión del derecho que se aporta. La aportación es la contraprestación que el socio debe realizar respecto de la sociedad como consecuencia de la adquisición de dicha condición de socio (suscripción de las acciones, firma del contrato social, etc.). 2935
Además de la aportación a título de propiedad es posible la aportación **a título de uso**.

Precisiones La **aportación a la sociedad** se estudia desde la perspectiva del Derecho de sociedades en el nº 4755 s. Memento Sociedades Mercantiles 2024.

Aportación de la titularidad de la marca La normativa societaria presume que la aportación se hace a título de **propiedad**, salvo que expresamente se indique que se efectúa a título de uso (LSC art.60). 2937
A efectos de garantizar la «recuperación» de la marca que se aporta a la sociedad, son frecuentes las **cláusulas de reversión** (p.e., para el caso de que se disuelva la sociedad). Esta reversión puede regularse como un derecho de preferente adjudicación en la liquidación o como un derecho de adquisición preferente. El derecho de adquisición preferente consiste en un **contrato de retracto convencional**, que nace cuando la sociedad pretende enajenar la marca. También es posible configurar esta preferencia como un **contrato de opción**. Este puede ser simple, esto es, ejercitable sin necesidad de que se cumpla ninguna condición, o condicionado a la aparición de determinadas situaciones (p.e., disolución de la sociedad, insolvencia, salida de determinados socios).
La participación en la sociedad impone a los socios y, especialmente, a los administradores un conjunto de **deberes fiduciarios**. Aun cuando nada se haya estipulado en el contrato social sobre los signos distintivos de la sociedad, ninguno de los socios o administradores puede entorpecer la marcha de la sociedad registrando los signos de ésta. En caso de que las marcas usadas por la sociedad sean registradas por un socio a espaldas de ésta, los órganos de la sociedad pueden ejercitar una acción reivindicatoria impropia -LM art.2.2- (TS 2-3-96, EDJ 963; AP Zaragoza 13-11-95).

Aportación del uso de la marca La aportación de la marca a una sociedad a título de uso no se presume, sino que debe efectuarse de un modo expreso (LSC art.60). 2939
Puede adoptar **diferentes formas**. En todas ellas, el titular de la marca puede controlar el uso que de ésta efectúe la sociedad.
a) Aportación de usufructo en favor de la sociedad. No puede tener una duración superior a 30 años (CC art.515).
b) Licencia de uso otorgada por el titular de la marca. Esta licencia puede ser por tiempo determinado o indeterminado. Si se concede por tiempo indeterminado, puede condicionarse a la permanencia del socio en la sociedad (lo que puede plantear problemas de validez de la condición), o bien establecerse la posibilidad de resolución por un conjunto de justas causas (insolvencia de la sociedad, disolución, falta de pago de las regalías, etc.).
No es aplicable la regla de la **resolución** *ad nutum* de los contratos por tiempo indeterminado, ya que en este caso la aportación del uso constituye la garantía de los acreedores (principio de realidad del capital social).
c) Cesión de la licencia de marca por el licenciatario de la marca, si está autorizado para hacerlo por el titular. En virtud de la cesión, el socio (anterior licenciatario) se desvincula del contrato de licencia, pasando la sociedad a ocupar su lugar.
d) Sublicencia de uso otorgada por el licenciatario de la marca, siempre que dicho licenciatario esté facultado para sublicenciar. En atención al carácter personal de la licencia, tanto la cesión como la sublicencia requieren necesariamente el consentimiento del titular.

La aportación de uso debe ser **objetivamente cuantificable e independiente** de la sociedad, a efectos de que pueda ser transmitido a terceros en caso de extinción anticipada de la sociedad. 2941
Pueden plantearse problemas cuando la aportación se efectúa por **tiempo indeterminado** (p.e., mientras la sociedad exista), tanto en cuanto a la posibilidad de valoración de los bienes aportados, como en cuanto a las garantías respecto de terceros en la liquidación.

Para evitar los inconvenientes de la aportación de uso de la marca a la sociedad pueden utilizarse otras **soluciones alternativas**:

• Una solución puede ser la de otorgar una licencia, en lugar de aportar el uso de la marca, **desvinculando la licencia** del contrato de sociedad, aunque en el contrato especial la sociedad debe reconocer que la titularidad de la marca corresponde al socio (para evitar la presunción de aportación a título de propiedad).

• Otra posibilidad es obligar al titular de la marca, como **prestación accesoria**, a licenciar el uso de la marca, fijándose un precio que no exceda el precio de mercado (LSC art.58).

La marca aportada a título de uso puede pertenecer al aportante o a **un tercero**. En este último caso, el contrato de licencia debe prever expresamente la facultad del licenciatario de sublicenciar y de ceder el contrato de licencia. En caso contrario, la aportación a la sociedad será nula.

2943 **Régimen jurídico de la aportación** La aportación de marca a una sociedad mercantil se rige por la disciplina general de las **aportaciones no dinerarias** a dichas sociedades (LSC art.63 s.).

A diferencia de la cesión y de la licencia, en el caso de aportación a una sociedad de la titularidad o del uso de una marca, el socio tiene obligación de responder frente a la sociedad por la **invalidez de la marca** transmitida o por la extinción del derecho aportado a la sociedad. También se responde por **evicción**, tanto en la aportación a título de propiedad como en la realizada a título de uso.

Los problemas de **garantía de terceros** se plantean por lo general respecto de las aportaciones de *know-how* o de patente, ya que son los casos más frecuentes en los que el derecho se puede perder durante la vigencia del contrato (divulgación del *know-how*, declaración de nulidad de la patente). Esta posibilidad de invalidez del derecho es normalmente más remota en la aportación de marca.

El socio aportante ha de respetar las **exigencias de la buena fe** y no puede apropiarse de la marca de la sociedad o registrar marcas semejantes a la que ésta usa (TS 28-3-77; 2-3-96, EDJ 963; 13-12-93, EDJ 11324).

2945 **Peculiaridades de la aportación de patente o de secreto empresarial («know-how»)** El régimen jurídico de la aportación de patente o de *know-how* es esencialmente idéntico al de la aportación de la titularidad de la marca.

Únicamente se debe ponderar, en estos casos, el **riesgo adicional** de que la patente sea declarada nula o de que el *know-how* entre en el dominio público. Este riesgo ha de ser valorado por el experto independiente que emita el correspondiente informe en la aportación a una sociedad anónima y puede dar lugar a responsabilidad en la aportación a la sociedad de responsabilidad limitada.

> Precisiones La Ley de Secretos Empresariales (que comprende el *know-how*) considera que el *know-how* es equiparable a la patente o a la marca en cuanto pueden ser objeto de propiedad (capítulo III de la L 1/2019): «el secreto empresarial es transmisible» (L 1/2019 art.4). La única **garantía** que se recoge expresamente en la Ley es la relativa a la garantía de la titularidad del secreto (L 1/2019 art.7).

SECCIÓN 10

Aspectos registrales

(LM art.46, 49 y 50; RMa art.30 s.; LP art.79)

2950 La toma de razón en la OEPM de los **contratos de transmisión plena o limitada** de derechos de propiedad industrial atiende a los siguientes principios registrales:

- calificación (nº 2952);
- prioridad (nº 2954);
- publicidad formal (nº 2956); y
- oponibilidad (nº 2958).

La **inscripción** de los contratos y derechos de propiedad industrial se expone en los números siguientes:

- cesión de marca: nº 2564;
- licencia de marca: nº 2622;
- cesión de patente: nº 2694;

Calificación (LM art.50.5; LP art.79.4) El contrato debe ser calificado por la OEPM antes de la inscripción. La calificación ha de centrarse en determinados **aspectos**: 2952
- capacidad de las partes;
- legitimación para disponer;
- naturaleza del contrato (cesión o licencia);
- tipo de licencia (exclusiva o no, parcial o total, territorial o para todo el Estado).

Con todo, no se realiza un examen minucioso de las **cláusulas del contrato**, pues no son objeto de calificación ni se inscriben. El contrato es archivado en la propia OEPM, con lo que dichas cláusulas pueden ser objeto de publicidad, pero no son oponibles a terceros.

No existe propiamente un principio de tipicidad, por lo que es también admisible la **inscripción de los contratos atípicos**, como la opción (TS 25-4-94, EDJ 3615).

Tampoco hay limitación sobre los **hechos inscribibles**. En lo que se refiere a la patente, se establece la inscribilidad, tanto de la constitución de derechos sobre la solicitud de patente como sobre la patente, así como de la transmisión de estos derechos (RD 316/2017 art.72). Además, mediante resolución motivada, el Director de la OEPM puede disponer la inscripción en la OEPM de otras menciones (RD 316/2017 art.73.2).

Estos principios enunciados son aplicables a los contratos sobre **cualquier derecho de propiedad industrial**.

Precisiones **1)** La **impugnación** del negocio civil de transmisión de la marca puede hacerse constar mediante anotación en el Registro de Marcas, pero la anotación no suspende la inscripción de dicho negocio de transmisión (TS 21-10-94, EDJ 9399).

2) En la práctica existen numerosos problemas derivados de la calificación del **poder de disposición** del transmitente de la marca (ver en este sentido TS 23-7-96, EDJ 5849; 7-7-93, EDJ 6763; AP Madrid 9-7-96).

3) Aunque la **marca UE** -como objeto de propiedad- esté sujeta al Derecho de un Estado miembro, la inscripción en el Registro comunitario (EUIPO) de la licencia de la marca UE se rige por el Derecho europeo (TG 22-11-23, -asunto T-679/22-).

Prioridad (LM art.46.4) De acuerdo con este principio, una vez inscrito en la OEPM alguno de los derechos o gravámenes que recaen sobre un derecho de propiedad industrial (transmisión, constitución de garantía, derechos reales, licencia, opción de compra, embargos, medidas de ejecución) no puede inscribirse otro de **igual o anterior fecha** que resulte opuesto o incompatible con aquél. 2954

Si solo se hubiera anotado la **solicitud de inscripción**, tampoco puede inscribirse, hasta la resolución de la misma, ningún otro derecho o gravamen de la clase antes expresada.

Publicidad formal (LM art.46.6; RMa art.53.4; LP art.79.4) En virtud del principio de publicidad formal, los registros de la OEPM tienen **carácter público**. 2956

La publicidad se hace efectiva, previo pago de las **tasas** correspondientes, mediante el acceso directo a las bases de datos, listado informático, consulta autorizada de los expedientes, obtención de las copias de los mismos y certificaciones.

La **certificación** se debe solicitar por el interesado mediante la presentación ante la OEPM del correspondiente impreso normalizado en el que se indicarán los particulares sobre los que ha de versar la misma. Cuando se solicite una certificación general sobre las inscripciones registrales de una marca o nombre comercial, la misma podrá consistir en el correspondiente listado informático de la base de datos certificado por el funcionario competente. Con la solicitud de certificación debe acompañarse el justificante de pago de la tasa correspondiente.

Oponibilidad (LM art.46.3; LP art.79.5) Para que la cesión o licencia de marca o de patente tengan **efecto contra terceros**, deben otorgarse por escrito e inscribirse en el registro correspondiente. 2958

Con respecto a las patentes, se establece además la prohibición de mencionar, por quien no tenga inscrito el derecho correspondiente, una solicitud de patente o una patente. Los actos realizados en violación de esta prohibición se deben sancionar como actos de **competencia desleal** -ver precisiones-.

La jurisprudencia ha partido de una **interpretación maximalista** del principio de oponibilidad:

a) Se exige que la licencia o la cesión estén inscritas **a favor de su titular actual** para que el derecho pueda ser opuesto a terceros infractores en una acción de violación. Así, por ejemplo, se ha negado legitimación activa para el ejercicio de la acción de violación -LM art.40- al titular de la marca por cesión que no la ha hecho constar en el Registro (TS 30-6-86, caso «Chiquita»).

b) Tampoco se admite la eficacia de la cesión no inscrita de la **solicitud de marca denegada**, a efectos de la impugnación de la denegación del registro por parte de la OEPM por no existir sucesión procesal del cesionario no inscrito (TS 20-10-97, EDJ 8004).

c) No se admite el ejercicio de **acciones de nulidad** por el licenciatario no inscrito, por carecer de interés legítimo (TS 18-10-95, EDJ 4927).
Existe, con todo, algún precedente jurisprudencial que no sigue una posición tan formalista (TS 10-5-89; 2-4-90). La nueva Ley aclara que es necesaria la **inscripción** o la solicitud de inscripción del licenciatario con carácter previo al ejercicio de acciones (LP art.117.1).

2960 Precisiones **1)** Esta doctrina jurisprudencial mayoritaria ha sido objeto de severas **críticas doctrinales**, pues la inscripción no supone una convalidación de los defectos de la adquisición del transmitente, sino que solo garantiza que no se ha producido doble venta (o doble licencia) o que, si ésta se ha producido, dicha doble venta no perjudica al que ha inscrito. Esta es la razón de que no sea adecuado aducir la regla de la inoponibilidad para negar la legitimación activa al cesionario o al licenciatario no inscrito que ejercitan una acción de violación.
En la práctica, la OEPM aplica un **principio de tracto sucesivo**. Ha habido un caso en el ámbito de la marca de la Unión Europea (TJUE 9-9-11, asunto T-83/09): se trataba de una solicitud de inscripción de una cesión de marca de la Unión Europea después del concurso del titular y la cesión de todos sus activos (incluida la marca) al Tesoro británico. La OAMI señaló que era una cuestión que excedía de su competencia, ya que solo podía comprobar quién era titular registral en el momento y el Tribunal General confirmó que esta cuestión debía ser decidida por los tribunales británicos.
2) Cuando no se trata de una cuestión de doble venta o de doble licencia, ha de entenderse que debe prevalecer la **verdad material** (la existencia de la cesión o de la licencia) frente a la **verdad formal** (la constancia de la licencia en el registro).
3) No puede decirse que un licenciatario no inscrito que demande por violación, esté cometiendo un acto de **competencia desleal**. La atribución de tal calificación ha de ceñirse a los casos en que se alega un derecho inexistente (p.e., alusión a patentes no concedidas, en folletos publicitarios). Esta mención falsa constituye un acto de competencia desleal porque causa engaño en los destinatarios del producto (TJUE 13-12-90, asunto C-238/89).
4) El adquirente que inscribe debe respetar los **derechos no inscritos de terceros** cuando, en el momento de la adquisición, aquél tuvo conocimiento de la existencia de los mismos (en este sentido TS 29-9-97, EDJ 7492). En cualquier caso, dado que la nueva Ley exige al menos la solicitud de inscripción, es conveniente hacerlo antes del ejercicio de cualquier acción (LP art.117.1).

2962 **Registro electrónico de la OEPM** (OEPM Resol 23-6-10) La OEPM permite la **presentación electrónica de formularios** para la mayor parte de los procedimientos de registro.
Existen procedimientos íntegramente telemáticos a través de la **oficina virtual** accesible en la página web http://www.oepm.es (con una **reducción del 15%** de la tasa):
- solicitud de registro de marca o nombre comercial individual o por lotes;
- solicitud de renovación de marca o nombre comercial individual o por lotes;
- solicitudes de invenciones: patentes y modelos de utilidad;
- solicitud de registro de diseños industriales;
- presentación de recursos;
- pago telemático;
- envío de ficheros de pago;
- consulta telemática;
- servicio de acceso digital a documentos de prioridad;

Los **datos relativos a estos trámites** se pueden consultar en la base de datos de la OEPM de Situación de Expedientes CEO (siglas de Consulta de Expedientes Oepm).
Además de éstos, existen **otros procedimientos** que se pueden solicitar por vía electrónica (que no son de la oficina virtual y que no llevan consigo el descuento del 15% de la tasa).
El registro electrónico de la OEPM permite la presentación de solicitudes, escritos y comunicaciones todos los días del año durante las veinticuatro horas. El registro indica la fecha y hora exacta de presentación. A efectos del **cómputo de plazos**, la presentación de una solicitud, escrito o comunicación en día inhábil se considera realizada a las cero horas del primer día hábil siguiente. No obstante, la fecha y hora de presentación efectiva será tomada en consideración a los efectos de determinar la prioridad de las solicitudes (OEPM Resol 23-6-10 art.4).
En caso de que existan **incidencias** del registro electrónico el usuario recibe un mensaje de error y debe acudir a un registro público o correos para la presentación de su escrito. Estas incidencias y el restablecimiento del servicio se publican en la página web de la OEPM (OEPM Resol 23-6-10 art.5).

2964 **Signos distintivos** Incluye los **procedimientos** de:
- solicitud de inscripción de cesión (transferencia), licencia y sublicencia de marcas o nombres comerciales;
- oposición a la solicitud de registro de marca y nombre comercial;
- contestación al suspenso de marcas y nombres comerciales y al de renovación;

- solicitud de certificación de marcas o nombres comerciales (general por base de datos y para datos concretos y determinados);
- solicitud de inscripción de cambio de nombre o dirección del titular de marcas;
- nombres comerciales o del nombre y dirección del representante;
- solicitud de transformación de registros internacionales y transformación de marcas de la Unión Europea en solicitud de marca nacional.

Diseños industriales En este bloque pueden englobarse: 2966
- solicitud de **inscripción** de cesión (transferencia), licencia y sublicencia de diseños industriales;
- solicitud de **renovación** de un registro de diseños industriales;
- **oposición** al registro de diseño industrial;
- **contestación al suspenso** de diseño industrial;
- solicitud de inscripción de **cambio de nombre o dirección del titular** de diseños industriales o del nombre y dirección del representante;
- solicitud de **renovación de modelo** y dibujo industrial;
- **otros escritos** relativos a diseños industriales: solo debe utilizarse para trámites que no se encuentren en la relación anterior, o para los que no haya un procedimiento específico en la oficina virtual.

Invenciones Comprende los siguientes **procedimientos**: 2968
- contestación a objeciones y/o oposiciones y a resolución motivada;
- petición de IET;
- petición de reanudación del procedimiento general de concesión;
- observaciones de terceros o del solicitante al IET y/o contestación a observaciones de terceros;
- petición de examen previo;
- presentación y contestación de oposiciones (patentes y modelos de utilidad);
- contestación a notificación en fase de oposición (modelos de utilidad);
- solicitud de prórroga de algún plazo, rectificación y retirada voluntaria;
- solicitud de conversión adición a patente;
- solicitud de un CCP y/o pediátricos;
- solicitud de anotación de transferencia, de certificación y/o copia autorizada de patentes y modelos;
- solicitud de inscripción de explotación o licencia;
- solicitud de topografías de productos semiconductores;
- otros escritos relativos a invenciones: solo debe utilizarse para trámites que no se encuentren en la relación anterior, o para los que no haya un procedimiento específico en la oficina virtual.

Información tecnológica Comprende: 2970
- los informes tecnológicos de patentes; y
- las búsquedas retrospectivas.

Precisiones La sede electrónica de la Oficina Española de Patentes y Marcas se crea por Resol 9-3-10. Esta sede, alojada en la **dirección** «https://sede.oepm.gob.es», permite que los solicitantes puedan acceder a todos los trámites y servicios electrónicos de la OEPM a través de un **único punto de acceso electrónico** (Resol 9-3-10 disp.final única).
La Resolución regula, además, algunos aspectos de la publicación del Boletín Oficial de la Propiedad Industrial (BOPI) en la sede electrónica, introduciendo los elementos esenciales de su **funcionamiento** de cara a los usuarios.

SECCIÓN 11

Creación de empresas de base tecnológica

Las empresas de base tecnológica (**EBT**), generalmente conocidas por su denominación anglosajona *spin off*, son entidades que tratan de desarrollar y explotar comercialmente una innovación tecnológica. 2975
Generalmente se crean por **investigadores** a partir de los resultados de un proyecto de investigación, muy frecuentemente desarrollado en el seno de entes públicos y protegidos a través de derechos de patentes y/o derechos de autor.
Cuando se crean, las tecnologías no suelen estar desarrolladas, por lo que, a los riesgos e incertidumbre sobre el éxito de la innovación en el mercado, se suma la necesidad de largos períodos de tiempo para desarrollar y madurar las tecnologías.

Precisiones Esta figura está muy vinculada a las empresas creadas en el seno de la **universidad o de organismos públicos de investigación** (OPIs). En el ámbito privado, existe el concepto de empresa emergente, regido por la L 28/2022 de fomento del ecosistema de las empresas emergentes.

2977 **Financiación** Estas empresas se enfrentan a importantes problemas de financiación, fundamentalmente por el **alto riesgo** que presentan y el carácter intangible de la mayoría de sus activos, siendo su principal activo el conocimiento.

Desde el punto de vista público cabe destacar la posibilidad de que los **entes públicos** participen en el accionariado de sociedades mercantiles y las ayudas públicas.

En relación con la participación en el accionariado de las EBT, cabe destacar la específica previsión legal de creación de estas empresas en el seno de las **universidades** (LO 2/2023).

En relación con las ayudas públicas, en España resulta destacable el papel del **Centro para el Desarrollo Tecnológico Industrial** (CDTI), entidad pública empresarial dependiente del Ministerio de Ciencia, Innovación y Universidades, que tiene un programa específico de ayuda a la creación de EBT (Programa NEBOTEC). Se trata de ayudas enmarcadas en el régimen de ayudas a empresas jóvenes e innovadoras (Acuerdo Consejo de Ministros 29-12-2017, que aprueba el Plan Estatal de Investigación Científica y Técnica y de Innovación para el período 2017-2020).

Desde el punto de vista de la **financiación privada**, las empresas de capital-riego son la principal fuente de financiación (ver nº 14050 s. Memento Sociedades Mercantiles 2024).

2979 **Necesidad de cesión de derechos por sus titulares** Salvo casos excepcionales, los investigadores no son los titulares de los derechos sobre las invenciones resultado de proyectos de investigación. En este sentido, como previo a la creación de una EBT, será necesario que los titulares de los derechos cedan, bien la titularidad, bien la explotación de los resultados a los investigadores. Generalmente, se otorgan **licencias exclusivas** de explotación de los resultados.

En la mayoría de los casos se crean a partir de resultados de proyectos de investigación surgidos en el seno de **entes públicos**, debiendo seguirse las prescripciones legales correspondientes para poder procederse a la cesión (LP art.21; estatutos de las universidades).

Cabe destacar que uno de los casos en que se permite la cesión de derechos sobre resultados de investigación a través de adjudicación directa es cuando resulte procedente por la **naturaleza y características** del derecho o de la transmisión, según la normativa vigente, como en los casos de las licencias de pleno derecho o de las licencias obligatorias. Resulta obvio que la creación de una EBT entra dentro de dicha previsión y, por ende, la cesión de los derechos de explotación podrá realizarse bajo el régimen de adjudicación directa.

2981 **Limitaciones de los investigadores pertenecientes a entes públicos** El personal que trabaja para los entes públicos, cualquiera que sea la naturaleza jurídica de la relación de empleo, está sometido a una serie de **incompatibilidades**. A continuación se señalan las incompatibilidades a las que, en general, están sometidos los investigadores a la hora de poder constituir, pertenecer y participar en una EBT.

Se trata de incompatibilidades de carácter general, pero existen particularidades, por lo que cada caso debe analizarse en detalle.

Precisiones Actualmente se está elaborando un real decreto sobre el **estatuto del personal docente e investigador**. La LO 2/2023 establece su aprobación en el plazo de seis meses, esto es, el 14-10-2023, plazo que no se ha cumplido.

2983 **Incompatibilidades sobre la constitución de una EBT y la pertenencia a la misma** Hay que distinguir dos colectivos de investigadores:

a) Investigadores pertenecientes a entes públicos (distintos de los profesores funcionarios en universidades públicas) (L 53/1984 art.12.1.a). No podrán ejercer las actividades siguientes:

• El desempeño de **actividades privadas**, incluidas las de carácter profesional, sea por cuenta propia o bajo la dependencia o al servicio de Entidades o particulares, en los asuntos en que esté interviniendo, haya intervenido en los dos últimos años o tenga que intervenir por razón del puesto público.

• Pertenecer al **consejo de administración** u órgano rector de empresas o entidades privadas cuya actividad esté directamente relacionada con las que gestione el departamento, organismo o entidad en que preste sus servicios.

b) Investigadores que ostentan la condición de **profesores funcionarios en universidades públicas** (aplicación de la LO 2/2023, por derogación de la LO 4/2007). Su régimen se iguala al de los demás investigadores del sector público.

En cualquier caso, en los supuestos en los que pueda haber conflictos de intereses, es necesario que que exista un **acuerdo explícito del consejo de gobierno** de la universidad o del órgano competente (CSIC, otros centros públicos de investigación) que autorice la creación de la EBT, y las peculiaridades de su régimen, previo informe del consejo social (en el caso de las universidades) o del órgano consultivo correspondiente.

Incompatibilidades en relación con el desarrollo de actividades en la EBT La LO 2/2023 parte de una **flexibilización** del régimen general de las incompatibilidades: **2985**

- No se aplican las limitaciones específicas de la L 53/1984 art.4 sobre el régimen de compatibilidad del **profesorado** de las **universidades públicas**.
- Se permite (en contra del régimen general) la **pertenencia a consejos de administración** u órganos rectores de empresas o entidades privadas, aunque la actividad de las mismas esté directamente relacionada con las que gestione el Departamento, Organismo o Entidad en que preste sus servicios el personal afectado.

Por tanto, los **investigadores en centros públicos** podrán participar en los órganos de dirección de EBT, aun cuando estén relacionados con la actividad de la Universidad, Instituto científico o ente público en el que el investigador preste sus servicios.

Igualmente, el límite tradicional que impedía sobrepasar la titularidad del **10% del capital** en relación con sociedades concesionarias, contratistas de obras o suministros no se aplica cuando se trate de EBTs (LO 2/2023 art.61.4). No se aplican tampoco los límites a la retribución establecidos en el régimen general de la L 53/1984 art.16.

Los investigadores se ven sometidos a los siguientes **límites para trabajar en una** *spin off* y continuar desempeñando su puesto de trabajo:

a) Necesidad de una **autorización de compatibilidad**. Para realizar actividades privadas, tales como el desarrollo de actividades profesionales en el seno de una EBT, es necesaria la obtención de una autorización de compatibilidad. Los **órganos competentes** para su otorgamiento son el Ministerio de la Presidencia, a propuesta del subsecretario del departamento y los órganos específicamente designados por las comunidades autónomas o el pleno de la corporación local, previo informe de los directores de los organismos, entes y empresas públicas involucradas (L 53/1984 art.14).

En principio, no habrá muchos impedimentos para conseguir dichas autorizaciones. Existen algunas limitaciones previstas en general (RD 598/1985 art.11) y otras concretas, en relación con **determinadas actividades** que pueda estar desarrollando el investigador.

Se prohíbe, como es obvio, la posibilidad de otorgar el reconocimiento en el caso de que las actividades de la EBT se relacionen directamente con los asuntos sometidos a informe, decisión, ayuda financiera o control en el departamento, organismo, ente o empresa donde el interesado esté prestando servicios, salvo en el caso de los profesores funcionarios de universidades si existe acuerdo explícito del consejo de gobierno de la universidad que autorice la creación de la empresa, previo informe del consejo social. En ocasiones, es necesaria además una autorización específica.

Así, cada proyecto o trabajo técnico realizado por arquitectos, ingenieros u otros titulados, deberá completarse con una autorización específica cuando se requiera licencia o **resolución administrativa o visado colegial** (RD 598/1985 art.12).

b) Límite temporal. Los reconocimientos de compatibilidad no pueden implicar una modificación de la **jornada de trabajo** ni el **horario** del interesado y quedarán automáticamente sin efecto en caso de cambio de puesto en el sector público (L 53/1984 art.14). **2987**

Cuando el trabajador esté en puestos de trabajo que requieran su presencia efectiva durante un horario **igual o superior a la mitad** de la jornada semanal ordinaria de trabajo en las Administraciones públicas, solo podrán autorizarse cuando la actividad pública sea de prestación a tiempo parcial (L 53/1984 art.12.2).

Además, en el caso de personas que ya tengan autorizados **dos puestos o actividades públicas**, no se les reconocerá compatibilidad si la suma de las jornadas que desempeñen en el ámbito público es igual o superior a la máxima (L 53/1984 art.13) y deberán pedir la solicitud de compatibilidad respecto de los dos puestos conjuntamente (L 53/1984 art.14).

c) Desaparece el límite específico para el **personal con complemento de exclusividad** (L 53/1984 art.16, no aplicable por lo dispuesto en la LO 2/2023 art.61.4.

Incumplimiento de incompatibilidades El incumplimiento de las normas sobre incompatibilidad por los administradores de la EBT, así como el incumplimiento de los límites en el capital social por cualquiera implica la **prohibición de contratar** de estas empresas con el sector público (LCSP art.71.g). **2989**

La prohibición se aplica igualmente a los **cónyuges** (o personas vinculadas con análoga relación de convivencia afectiva) y **descendientes** de las personas, respecto de los últimos, siempre que dichas personas ostenten su representación legal. La otra parte del contrato, en general, no se ve afectada por las sanciones derivadas del incumplimiento de las reglas sobre incompatibilidad.

Precisiones La **Ley de contratos del Sector Público** (L 9/2017 -LCSP-) establece un nuevo marco legal de la contratación del sector público. En el caso de que una empresa de base tecnológica preste servicios o suministre productos al Estado y entes públicos será aplicable la nueva legislación, que no contiene disposiciones particulares sobre estas empresas.

2991 **Excedencia** Aparte del caso de incompatibilidad por percepción de un **complemento específico de exclusividad** o similar, donde se tiene la opción de renunciar al complemento en caso de que la institución y puesto en concreto lo prevea, en el resto de casos en que se incurra en alguno de los límites y no se consiga la autorización, se puede optar por solicitar una excedencia.

Esta opción también puede resultar idónea para aquellos que precisen un tiempo para poner en marcha la empresa con dedicación en exclusiva. En general, con determinados límites y requisitos, se prevé la posibilidad de solicitar excedencias de hasta 5 años con reserva de puesto y con derecho a su cómputo a efectos de antigüedad para los investigadores pertenecientes a **puestos públicos** (LO 2/2023 art.61.3).

En relación con el **personal contratado** se aplica el convenio colectivo correspondiente en cada caso. Salvo disposición en contrario del convenio colectivo en cuestión, el trabajador con al menos una antigüedad en la empresa de un año tiene derecho a que se le reconozca la posibilidad de situarse en excedencia voluntaria por un plazo no menor a 4 meses y no mayor a 5 años. Este derecho solo podrá ser ejercitado otra vez por el mismo trabajador si han transcurrido 4 años desde el final de la anterior excedencia (ET art.46).

2993 La **investigación científica**, donde opera esta excedencia, abarca la investigación básica y la clínica con exclusión de los ensayos clínicos con medicamentos y el implante de órganos, tejidos y células. Existe una regulación específica de la investigación biomédica (RD 1014/2009). Es presumible que la legislación de desarrollo de la LO 2/2023 siga unos parámetros similares.

Las **características** principales de estas excedencias son las siguientes:

a) **Duración**: máximo 5 años -si se concede por tiempo inferior, podrá prorrogarse hasta 5 años-, no prorrogables ni solicitables excedencias adicionales.

b) **Objeto**: desarrollo de tareas que estén directamente relacionadas con la actividad científica o técnica que el personal funcionario o estatutario viniera realizando en el centro público de investigación de procedencia (ejemplo, médicos de hospitales públicos). En concreto, el solicitante deberá acreditar su participación en el proyecto científico del que surge la empresa a través de declaración de la entidad en que haya realizado el proyecto científico.

c) La **participación de los centros públicos** de investigación en el capital de la empresa de base tecnológica donde se vayan a prestar servicios, sea en especie o mediante aportación dineraria, no podrá ser inferior al 10%, en el momento de concederse la correspondiente excedencia.

d) **Instancia de solicitud**: Dirección General o Presidencia del centro público de investigación.

e) El **tiempo que dura la excedencia** es no retribuido, pero computa a efectos de antigüedad y se concede con derecho de reserva del puesto de trabajo.

f) Las **EBT** donde se podrán prestar servicios han de tener por **objeto** alguna de las siguientes actividades (RD 1014/2009 art.4.2 en relación con la L 2/2011 art.56.1 de Economía Sostenible):

- la investigación, el desarrollo o la innovación;
- la realización de pruebas de concepto;
- la explotación de patentes de invención y, en general, la cesión y explotación de los derechos de la propiedad industrial e intelectual;
- el uso y el aprovechamiento, industrial o comercial, de las innovaciones, de los conocimientos científicos y de los resultados obtenidos y desarrollados por dichos agentes;
- la prestación de servicios técnicos relacionados con sus fines propios.

2995 **«Due diligence». Contrato de auditoría legal** En general, toda adquisición de una empresa debe llevar consigo una operación de auditoría legal de los activos y posibles responsabilidades legales de la empresa (nº 1280 s.).

El **objetivo** es que el adquirente sepa lo que adquiere y evitar de este modo o al menos limitar las posibles contingencias, vicios ocultos, etc., que pueden afectar a la empresa adquirida.

En esta **operación de auditoría** (denominada *due diligence*) tiene especial importancia, cuando se trata de una **empresa tecnológica**, la valoración de la propiedad industrial y del know-how de la misma.

En general, el **know-how** no se exhibe hasta el final de la negociación, para evitar ponerlo a disposición de potenciales competidores.

Dicha auditoría técnico-legal se basa en una **lista de cuestiones** que deben comprobarse (llamada en la práctica con la terminología anglosajona *checklist*).

El **objetivo** es ver cómo están protegidos los derechos (si lo están adecuadamente), la extensión de la protección y posibles limitaciones derivadas de los contratos.
Las **principales cuestiones** que se deben incluir en una *check-list* en materia de propiedad industrial son las siguientes:
1. Listado de patentes, modelos de utilidad, marcas, nombres comerciales, diseños y nombres de dominio de titularidad o licenciados a la sociedad.
2. Documentos (certificados registrales / actas notariales) acreditativos de la titularidad de los Derechos de propiedad industrial y certificados de estar al corriente en el pago de las tasas correspondientes en cada registro.
3. Solicitudes que estuvieran pendientes de los diferentes derechos.
4. Contratos de licencia de los Derechos de propiedad industrial empleados por la sociedad propiedad de terceros o de los Derechos de propiedad industrial de su propiedad que se licencien a terceros.
5. Contratos relativos a la licencia o cesión de know-how.
6. Incidencias frente a terceros (oposiciones, litigios, cartas de requerimiento, etc.).

Acuerdos de transferencia de materiales («Material Transfer Agreements») 2997

Se trata de un contrato que regula la transmisión de la propiedad de un producto (material biológico, compuesto químico, etc.) con la **finalidad** de que el recipiendario pueda usarlo para investigación. Se denomina en la práctica *Material Transfer Agreement* o MTA.
Las **partes** del contrato suelen ser instituciones de investigación, laboratorios, universidades, etc.
Las cuestiones que hay que tener en cuenta en los acuerdos de transferencia de materiales son:
a) **Confidencialidad**. Se pacta siempre que con el producto se acompañe información confidencial. Puede impedir la publicación del resultado de la investigación, si la publicación supone divulgar la información confidencial. En este mismo sentido, si se transmite información confidencial puede tener que retrasarse la investigación de los resultados.
b) **Existencia de restricciones** para el uso del producto en relación con investigaciones patrocinadas por terceros (p.e., un competidor).
c) **Definición de «material»**. El MTA puede tener una definición de material que vaya más allá del producto entregado (p.e., alcance las modificaciones o mejoras del mismo).
d) **Transferencia de los resultados** de la investigación. Si el MTA supone transferencia de resultados de todo lo desarrollado por el recipiendario el contrato será más bien de cesión de derechos futuros, lo que tendrá que tenerse en cuenta a efectos de la aplicación de la Ley de Economía Sostenible.
e) **Conflicto con acuerdos anteriores**. Siempre que haya cesión de derechos debe revisarse que no se entre en conflicto con acuerdos anteriores.

CAPÍTULO 5

Contratos asociativos

En el presente capítulo y bajo la rúbrica de contratos asociativos se aborda el estudio de un conjunto de figuras contractuales que implican la **integración o agrupación,** más o menos intensa, de las partes contratantes en estructuras que, de una forma u otra, les permiten o facilitan el que las mismas alcancen una serie de objetivos o intereses que les son comunes. **3052**

SECCIÓN 1

Cuentas en participación

Mediante el contrato de cuentas en participación, los comerciantes pueden interesarse los unos en las operaciones de los otros, contribuyendo con la parte de capital que convengan y haciéndose **partícipes de sus resultados** prósperos o adversos en la proporción que determinen. Este contrato se define por la doctrina como «una fórmula asociativa entre empresarios individuales o sociales que hace posible el concurso de uno (**partícipe** o **cuenta-partícipe**) en el negocio o empresa del otro (**gestor**), quedando ambos a resultas del éxito o fracaso del último» (TS 30-5-08, EDJ 82749). **3057**

Su **regulación legal** es escasa (CCom art.239 a 243) y la redacción de los preceptos es imprecisa, lo que obliga a buscar la solución a los problemas que se plantean en la práctica mediante la aplicación supletoria de otras normas.

Precisiones El contrato de cuenta en participación aparece regulado en el CCom a continuación de las sociedades y antes de los contratos, como tránsito entre la compañía mercantil, que crea una personalidad jurídica distinta de sus socios, y la relación puramente contractual. Es una de las modalidades asociativas o de **cooperación mercantil más antiguas** que conoce el derecho de los negocios, que mantiene oculto para los terceros al capitalista participante, sea o no comerciante, lo que armoniza con el interés del gestor o empresario en aumentar su liquidez, sin obligación de pagar un interés ni de restituir las sumas recibidas.

El contrato de cuentas en participación comparte los rasgos propios de **otras figuras mercantiles** (contrato de sociedad, préstamo, comisión -nº 3067-), pero se puede resumir de la forma siguiente: el cuenta-partícipe realiza un **préstamo** al gestor para que éste lo emplee en su negocio, pero en lugar de obtener una retribución asegurada, el partícipe asume el **riesgo** del negocio a cambio de una participación en los beneficios (o pérdidas) del mismo, de manera similar a lo que sucede en los «préstamos participativos» del ámbito societario. **3059**

Precisiones **1)** La naturaleza jurídica de esta figura la aproxima a una «sociedad interna». Algunos autores estiman que las normas más apropiadas para tal fin son las que regulan la **sociedad comanditaria** (nº 15155 s. Memento Sociedades Mercantiles 2024), por ser éste el tipo social que mayor semejanza presenta con las cuentas en participación, con exclusión de las normas relativas a la personalidad jurídica y a la organización social (TS 24-9-87, EDJ 16074).
2) Sobre el **préstamo participativo**, ver nº 4557.

1. Consideraciones generales

3065 El concepto legal de cuentas en participación se ha ido matizando paulatinamente con distintas decisiones de los tribunales. El contrato se define como aquel convenio que se apoya en la existencia de un **propietario-gestor** que recibe **aportaciones de capital ajenas** y las hace suyas, para dedicarlas al negocio en que se interesan dichos terceros. Éstos no tienen intervención alguna en el negocio, salvo las derivadas del **lucro** que pretenden obtener con la contribución de capital que efectúan (TS 4-12-92, EDJ 12031; 5-2-98, EDJ 584).

Otros **rasgos adicionales** que configuran el contrato de cuentas en participación son:

• No implica la constitución de una entidad con **personalidad jurídica** propia ni la formación de un **fondo o patrimonio común** entre los partícipes, sino que lo aportado pasa al dominio del gestor (TS 30-4-64; 23-11-61; 8-2-63; 24-10-75; 6-10-86, EDJ 6068; 20-7-92, EDJ 8161; 5-2-98, EDJ 584). El partícipe, por ello, no dispone de un crédito de restitución del capital aportado, sino que se le atribuye el **derecho a las ganancias** en la proporción que se establezca, previa la liquidación y rendición de cuentas que proceda (AP Barcelona 16-4-18, EDJ 52764).

• Pese a que la dicción literal de la norma parece exigir la reciprocidad en el interés de las partes en sus respectivas operaciones, nada impide, y de hecho es lo más frecuente, que se trate de una **participación unilateral**.

• A pesar de la utilización de la expresión en plural («comerciantes»), lo normal es que el partícipe no solo no lo sea, sino que, por el contrario, se trate de personas totalmente ajenas a la actividad mercantil. En tal sentido se considera suficiente para que el contrato tenga **naturaleza mercantil** que tal condición concurra en la persona del **gestor** y que las operaciones a las que se destinen los capitales aportados por el partícipe sean mercantiles (TS 22-5-87, EDJ 4036; 24-9-87, EDJ 16074; AP Cádiz 22-10-93; AP Granada 10-12-96).

• Permite mantener **oculta** la participación de una o más personas frente a terceros, lo que justifica que no se pueda hablar de una verdadera organización colectiva, sino de un contrato de colaboración económica (ver nº 3075).

• Posibilita la participación en los **resultados**, positivos o adversos, que se obtengan en el negocio.

Precisiones Se ha considerado la condición de **comerciante** de las partes contratantes, en cuanto, uno de ellos se dedica al tráfico inmobiliario y de la construcción, y el otro a contribuir a dicho negocio con la finalidad de lucro aleatorio (TS 22-5-87, EDJ 4036; AP Granada 10-12-96).

3067 **Figuras afines** No es pacífica la doctrina acerca de la naturaleza jurídica de las cuentas en participación. Su proximidad al concepto de sociedad lleva a una parte de la doctrina y a cierta jurisprudencia a calificarla, con ciertos matices, como **sociedad interna** o accidental (TS 24-9-87, EDJ 16074; 30-5-08, EDJ 82749).

Las cuentas en participación se **diferencian** de las siguientes figuras:

1. **Contrato de sociedad**. En la sociedad se constituye un fondo común y una persona jurídica con capacidad y fines propios (AP Barcelona 2-4-91).

Por el contrario, en el contrato de cuentas en participación no puede constituirse un **patrimonio común** independiente del privativo del titular y del de los interesados (TS 4-12-92, EDJ 12031; 30-5-08, EDJ 82749). Tampoco surge una **persona jurídica** distinta de los contratantes: el comerciante gestor continúa con su empresa y organización, sin más, con aumento de sus medios económicos. No existe, por lo demás, una **organización colectiva** que se manifieste externamente a terceros como ocurre con la sociedad.

2. **Préstamo mercantil**. En el contrato de cuentas en participación se participa en los beneficios y en las pérdidas del negocio, lo que implica un riesgo que en el préstamo no concurre. Desde el punto de vista del gestor-empresario supone una ventaja que, en caso de fracaso del negocio, no está obligado a pagar intereses ni a la restitución en caso de pérdidas.

3. **Comunidad de bienes**. En esta figura cada parte ostenta su respectiva titularidad sobre su cuota de participación, con entidad y finalidad propia; subsiste asimismo el derecho a ejercitar la división de la cosa común por cualquiera de los comuneros y, en caso de indivisibilidad y ausencia de convenio de adjudicación, puede llegarse a la venta en pública subasta, con intervención de licitadores extraños (AP Barcelona 2-4-91). En las cuentas en participación solo cabe hablar de comunidad de fines o intereses.

4. **Comisión**. El comisionista interviene subordinado a los intereses del comitente, mientras que el gestor actúa como comerciante en interés propio, siendo libre de actuar en la forma que tenga por conveniente.

Precisiones 1) Un negocio o contrato plasmado en un documento privado, en el que se crea un fondo común de actividades y bienes, sustentados en una *afectio societatis* y con una finalidad lucrativa, constituye, por no haberse plasmado con las formalidades que exige la ley, una verdadera **sociedad irregular** a la que deben aplicarse las normas de la comunidad de bienes (nº 3265). Para que se hubiera definido como contrato de **cuentas en participación** era preciso que el negocio continuara

perteneciendo privativamente al gestor-propietario y que éste hiciera suyas las aportaciones efectuadas por el participante, el cual no tendrá en el negocio intervención alguna, salvo en la percepción, en su caso, de las ganancias obtenidas (TS 5-2-98, EDJ 584).
2) Estamos ante un supuesto de contrato de cuentas en participación en la medida en que la **aportación** económica efectuada por el demandante a la sociedad codemandada no lo fue para formar un fondo patrimonial común, ni para conseguir a cambio la **adquisición de acciones** de la receptora de dicha aportación, sino para participar económicamente en el negocio de hostelería explotado por la gestora, que así recibió el dinero para disponer con pleno dominio, habiéndose cumplido dicho destino con arreglo a lo anteriormente expresado, siendo determinante de dicha modalidad contractual la **ajenidad del cuentapartista** respecto del negocio en que se pretende participar, en lo que a gestión se refiere, no rompiendo dicha peculiaridad la posible **prestación de trabajos** por el actor como empleado (AP Madrid 7-5-04, EDJ 125066).

Particularidades Como notas específicas que definen esta figura contractual debe mencionarse: 3069
- ocasionalidad (nº 3071);
- transmisibilidad (nº 3073); y
- carácter oculto (nº 3075).

Ocasionalidad La normativa que regula la figura no resuelve de forma expresa la cuestión relativa a la ocasionalidad o permanencia de las cuentas, como elemento necesario o distintivo del contrato. La mayor parte de la doctrina opina que las cuentas en participación abarcan distintas **modalidades de participación,** que van desde la participación momentánea y ocasional en operaciones mercantiles aisladas, a una colaboración a largo o medio plazo, que comprende la totalidad de la actividad económica o la empresa mercantil del gestor (Garrigues, Girón, Broseta Pont, Serra Mayol). 3071
El contrato se puede, pues, **estipular**:
- para la realización de un solo acto;
- para la explotación de actividades duraderas;
- para un plazo determinado, sometido a una condición o término; o
- por tiempo indefinido.
Si no se especifica nada, debe presumirse la **cooperación indefinida.**

Precisiones Se ha calificado de **asociación ocasional** cuando se ha pactado en el contrato la realización de una actividad concreta, con su correspondiente financiación por alguno de los partícipes (TS 3-5-60, EDJ 1745).

Transmisibilidad Característica esencial de las cuentas en participación es la **virtualidad traslativa** de la aportación: el gestor-propietario hace suyas las aportaciones del cuenta-partícipe integrándolas en su patrimonio, sin que implique la formación de un patrimonio o fondo común de bienes entre aquél y los cuenta-partícipes (TS24-10-75, EDJ 281; 6-10-86, EDJ 6068; 20-7-92, EDJ 8161). El elemento aportado ingresa en el patrimonio del gestor, quien pasa a tener el exclusivo poder de disposición, conservando únicamente el partícipe un **derecho a la cuota de liquidación** que resulte al finalizar el término por el que fueron pactadas las cuentas. 3073
La **transmisión** de la aportación se realiza según las características propias del bien o derecho de que, en cada caso, se trate. Asimismo, las aportaciones pueden ser realizadas simultáneamente a la perfección del contrato o con posterioridad a dicho momento, y en una o más veces (Serra Mallol).
Si las aportaciones no se hubiesen realizado por el partícipe, o solo lo hubieran sido en parte, el gestor puede, en virtud de lo pactado, exigirlas. Realizadas las **aportaciones pactadas**, en ningún caso puede el gestor exigir otras.

Precisiones 1) El hecho de que la aportación ingrese en el patrimonio del gestor adquiriendo éste la plena titularidad de aquélla, no es óbice para que el capital aportado deba ser destinado necesariamente a la actividad empresarial desarrollada por el gestor, o a la realización de la operación u operaciones pactadas. La **distracción o desvío** de los fondos de los fines a que deben destinarse puede determinar la resolución por incumplimiento del contrato.
2) Nada impide que, caso de **pluralidad de partícipes**, éstos realicen su aportación de forma única y conjunta, en cuyo caso se produce entre ellos una situación de comunidad con respecto a los beneficios.

Carácter oculto (CCom art.241 y 242) Uno de los rasgos caracterizadores de las cuentas en participación es su **falta de proyección externa**. El contrato tiene por objeto una relación interna cuya existencia no suele revelarse a terceros. 3075
Solo el **gestor** del negocio se relaciona con terceros, actuando exclusivamente en su propio nombre y bajo su responsabilidad individual. En principio, existe una total incomunicación a

efectos de **responsabilidad** entre los acreedores del gestor y el o los partícipes, así como entre éstos y aquéllos (ver nº 3107).
En tal sentido, se establece una **doble prohibición**:
a) La adopción de una **razón comercial común** a todos los partícipes y que el gestor utilice más crédito que el suyo personal, cuya infracción, aunque no tiene establecida una sanción expresa, puede provocar, a juicio de ciertos autores (Gual Dalmau), la responsabilidad ilimitada de sus infractores por las deudas contraídas por el gestor en el ejercicio de su actividad empresarial, o en la ejecución de la operación u operaciones para las cuales se pactó la cuenta en participación.
b) De otra parte, el cuenta-partícipe no puede actuar contra los **terceros** que contrataron con el gestor para reclamar el cumplimiento de las obligaciones que contrajeron, a no ser que éste hubiese cedido sus derechos al partícipe.

Precisiones 1) El carácter secreto del contrato es una **reminiscencia histórica**. Con él se trataba de proteger el interés de los partícipes de no aparecer vinculado a negocios comerciales, en momentos en que el ejercicio del comercio estaba prohibido a determinadas clases sociales.
2) La simple **declaración de la existencia de la cuenta** o incluso del nombre del partícipe no debe tener relevancia jurídica, siempre que quede clara su condición de cuenta-partícipe y con ello no se induzca a los terceros que contratan con el gestor a conceder a éste más crédito del que, en otro caso, se le hubiera concedido (Gual Dalmau).

3077 **Función económica** El contrato de cuentas en participación cumple una doble función -de financiación y asociativa-, ofreciendo, en la práctica y desde una perspectiva funcional, las siguientes **ventajas** para las partes:
a) Para el **cuenta-partícipe**:
• Permite participar en negocios o actos de comercio a personas que no desean **desvelar su identidad** o, al menos, mantener en un relativo secreto la inversión realizada. La fórmula es tradicionalmente utilizada, por ejemplo, en la compra de diamantes.
• Cuando, más que la obtención de los elevados beneficios que podrían ofrecer el préstamo o los dividendos, se busque la seguridad o rentabilidad de una inversión que proporcionan el juicio que le merece el **titular del negocio** respecto a la diligencia, competencia, capacidad y cualidades empresariales.
• Cuando, por razón de su oficio, profesión o cargo, concurran en él causas de **incompatibilidad o inhabilitación** para ejercer el comercio por cuenta propia.
• Resulta una vía de colocación del **capital productivo** sin que lleve aparejados los costes anejos a la administración y gestión de la propiedad
b) Para el **gestor**:
En general, las cuentas en participación constituyen una forma de **unión empresarial** o colaboración económica que persigue la obtención de mayores beneficios, mediante la actuación asociada, en mercados inaccesibles para el empresario aisladamente considerado.
• En concreto, permite obtener una **financiación** más ventajosa que la que se pueda obtener si se acude al préstamo de las entidades de crédito. Con ello, el empresario puede trabajar con dinero ajeno durante un período más largo sin el gravamen de elevados intereses, que aumentarían sus costes fijos de explotación.
• Para las sociedades capitalistas, puede paliar situaciones puntuales de **iliquidez** o de dificultades de tesorería, sin tener que acudir a la ampliación de capital con nuevas acciones o a la emisión de obligaciones, lo que comportaría el pago de intereses a los obligacionistas.

Precisiones Desde el punto de vista de la **política social**, puede servir para fundamentar una presunta relación de colaboración entre el empresario y los trabajadores (Gual Dalmau).

2. Elementos

3080 Como elementos intervinientes del contrato se hace referencia en este apartado tanto a los personales o subjetivos (nº 3082) como al capital (nº 3088), y a los requisitos de forma (nº 3090).

3082 **Sujetos intervinientes** En las cuentas en participación se exige la existencia de dos elementos subjetivos:
- el gestor de la cuenta, y
- el cuenta-partícipe, capitalista o partícipe.
• **Gestor**: es el titular de la empresa o negocio en el cual se interesa y participa el cuenta-partícipe, y la persona encargada de llevar a cabo la operación u operaciones acordadas, para cuya financiación se acude a esta modalidad asociativa. Sus obligaciones se recogen en el nº 3095 s.

• **Partícipe**: es la persona, física o jurídica, que realiza la aportación de bienes y/o derechos al gestor (nº 3110), a cambio de la participación en los resultados del negocio (prósperos o adversos), en la proporción que se establezca. Es decir, el partícipe no conserva un crédito para la restitución de lo aportado, sino para la obtención de su parte de las ganancias, previa la liquidación y rendición de cuentas que proceda (ver nº 3125 s.).
Es admisible la **pluralidad de sujetos,** tanto de gestores como de partícipes. En caso de concurrencia de gestores, es conveniente que el contrato regule su forma de actuación (solidaria, conjunta, etc.).

Pese a que el contenido literal del precepto legal («comerciantes») da a entender que la **condición de comerciante** recaiga sobre todas las partes que intervienen en el contrato, tanto la doctrina como la jurisprudencia afirman que es suficiente que tal condición concurra en la persona del gestor y que las operaciones a las que se destinen los capitales aportados por el partícipe sean mercantiles (TS 22-5-87, EDJ 4036; 24-9-87, EDJ 16074; 26-1-06, EDJ 3931). **3084**
Incluso se admite que el gestor no sea comerciante en el momento de celebrarse el contrato, ya que el hecho de realizar negocios, aunque sea una operación única, le convierte en empresario (CCom art.2).

Régimen económico matrimonial Tras la reforma operada por la L 16/2022 (en vigor a partir del 7-10-2022), han quedado derogados los art.6 a 12 CCom y se ha modificado el CC art.1365.2. De este modo, se entiende que **responden** los bienes gananciales de las deudas contraídas por el cónyuge empresario en el seno de su actividad, sin más especialidad. **3086**
Ello incide en el **régimen de publicidad** que preveía el CCom art.11 de modo que ya no es necesario:
- Dado que no se publicitan los consentimientos, revocación y oposición previstos por los Ccom art.6 s., no habrá remisión al RMC, debiendo entenderse modificado el RRM art.386.
- Ya no será objeto de publicidad en la hoja del empresario individual, debiendo entenderse modificado el RRM art.87.
- Ya no se considerará al cónyuge del empresario individual como legitimado para solicitar la inscripción de aquél en el RM.

Capital Sin aportación no hay cuentas en participación. **3088**
La aportación de capital tiene **carácter**:
- obligatorio para el partícipe; y
- facultativo para el gestor, ya que éste contribuye a la consecución del interés común mediante la realización de las operaciones pactadas o con el ejercicio de la actividad empresarial en cuya financiación ha colaborado el partícipe.
La mayoría de la doctrina se inclina por aceptar que la expresión «capital» posee un significado más amplio que el de simple aportación de **dinero**, entendiendo que dentro de dicha expresión pueden incluirse **otro tipo de aportaciones** (muebles, inmuebles, derechos de propiedad industrial o intelectual, créditos, etc.), siempre que se trate de bienes y derechos económicamente valuables (Garrigues, Uría, Broseta Pont).
Únicamente suscita dudas el hecho de si es posible una aportación que consista en la **prestación del simple hacer** (trabajo, industria o servicios), cuestión que suele resolverse con carácter negativo.

Precisiones **1)** En particular, se discute sobre la admisión de la **prestación de garantía** (fianza o aval) a favor del gestor como objeto de aportación. Frente a quienes admiten tal posibilidad aduciendo que no altera la estructura jurídica básica del contrato, otros (Gual Dalmau) se muestran contrarios, alegando que, aun admitiendo su posible valoración económica, ni la expresión «capital» puede ser interpretada en un sentido tan amplio, ni constituye una forma de financiación directa del negocio del gestor.
2) Con carácter excepcional, admite la doctrina la **aportación** solo «**a título de uso**», en la que se entregarían ciertos bienes para contribuir a la actividad del gestor, con la condición de su restitución, además de la participación en resultados. La aportación a título de uso solo puede admitirse cuando se adopten medidas de publicidad, que permitan a los terceros acreedores conocer que el gestor que contrata con ellos no es el propietario de tales bienes aportados, ni responde con ellos de sus operaciones (Garrigues).

Requisitos formales (CCom art.240) El contrato no está sujeto en su formación a **ninguna solemnidad**, pudiendo contraerse privadamente, de palabra o por escrito. Su existencia se **prueba** por cualquiera de los medios admitidos en Derecho (CCom art.51). **3090**
No obstante, debido a los riesgos de prueba inherentes a la contratación verbal, es aconsejable formalizar el contrato en **documento público o privado**. En todo caso, y aunque el contrato se constituye en documento público, no se exige la **inscripción** en registro público alguno, en

particular en el Registro Mercantil, careciendo por tanto de publicidad frente a terceros (TS 30-9-60).
De otra parte, la **forma escrita**, pública o privada, puede venir impuesta:
- por las características propias de la aportación (p.e., inmuebles, que requieren de escritura pública para su inscripción en el Registro de la Propiedad);
- por mandato legal en los supuestos de inversiones extranjeras.

Precisiones Solo el gestor del negocio se relaciona con terceros. La **inclusión** del **nombre del partícipe**, si induce a confusión de terceros, puede provocar la responsabilidad personal de aquél. No obstante, la declaración de la existencia del contrato o de la identidad del partícipe, no tiene efecto alguno si queda clara su condición y no se le identifica como dueño del negocio.

3. Obligaciones del gestor

3095 Constituyen deberes del gestor:
a) Aplicar la aportación recibida del partícipe al destino pactado (nº 3097).
b) Explotar el negocio o actividad acordada (nº 3099).
c) Rendir cuentas de la evolución del negocio (nº 3103).
d) Responder personalmente frente a terceros contratantes (nº 3105).
e) Liquidar a los partícipes el resultado de su gestión (nº 3107).
f) Devolver al partícipe su aportación (nº 3115).

3097 **Inversión de la aportación** Es obligación del gestor aplicar la aportación recibida del partícipe al destino pactado, sin que sea lícito destinarla a otros fines, como tampoco apropiársela en beneficio propio. La **distracción de fondos** o una apropiación para otros fines, constituye justa causa de resolución del contrato, sin perjuicio de la eventual responsabilidad en otros ámbitos (como el penal).
Si la entrega se realiza para una **operación** que todavía **no se ha iniciado,** el gestor debe procurarse el resto de medios e instrumentos para que la misma comience en los términos esperados.

3099 **Explotación y dirección del negocio** El gestor ha de explotar el negocio o la actividad pactada con la **diligencia** de un ordenado comerciante, en su propio nombre y bajo su responsabilidad individual.
Dada la comunidad de intereses, y puesto que el gestor no solo administra negocios propios sino ajenos, se halla sujeto a una serie de **restricciones** en su quehacer empresarial.
Correspondiéndole la gestión del negocio con carácter exclusivo y excluyente, se plantea la posibilidad de **limitar las facultades** del gestor **mediante pacto**. A tal efecto se distingue entre diversos niveles:
En principio, no hay dificultad en la admisión de pactos que permitan la intervención del partícipe en relación con **actos concretos** (p.e., el derecho de veto para llevar a cabo operaciones que superen una determinada cifra), siempre que la eficacia de dichos pactos sea meramente interna, y sin que, por tanto, pueda oponerse frente a terceros (Garrigues).
No son admisibles, sin embargo, los pactos que permitan al partícipe intervenir directamente en la gestión del negocio. La **cogestión** se considera contraria al espíritu del legislador (Garrigues, Gual Dalmau).
Tampoco caben pactos en relación con la **responsabilidad** frente a terceros por las operaciones realizadas, la cual corresponde en exclusiva al gestor (CCom art.242).
Existen **límites** a ciertos actos que serían perfectamente lícitos en la normal gestión empresarial pero que, dada la naturaleza del contrato, se imponen a la voluntad del dueño del negocio. Así:
a) No puede **modificar** unilateralmente el **objeto** de la actividad o de las operaciones a realizar. Ello no quiere decir que no pueda ampliar o reducir el ámbito de las mismas, pero solo podrá hacerlo cuando no suponga una alteración esencial del negocio convenido.
b) Tampoco resulta admisible el **cese de la actividad** de la empresa por la sola voluntad del gestor (excluida la fuerza mayor), puesto que él mismo quedó comprometido a desarrollar y concluir sus operaciones.
c) *Para la* **transformación** de su empresa individual en otra social debe recabar la autorización del partícipe, ya que éste pudo depositar su confianza en una persona concreta y puede no estar de acuerdo en que en la gestión del negocio intervengan terceras personas.
d) Por idéntica razón, tampoco el dueño de la empresa puede **enajenarla** sin el consentimiento del partícipe.

e) Prohibición de **competencia.** El gestor no puede dedicarse por su cuenta a la misma actividad empresarial u otra similar capaz de detraer clientela para su exclusivo beneficio y en detrimento de la empresa en la cual está interesado el partícipe.

Precisiones Se plantea la posibilidad de que el gestor pueda celebrar **nuevos contratos** de cuentas en participación, admitiendo nuevos partícipes en el negocio, sin que sea necesaria la autorización del primer partícipe, si ello no perjudica la proporción inicial con él pactada.

Aportación La aportación de capital **no** es **obligatoria** para el gestor, ya que éste contribuye a la consecución del interés común mediante: **3101**
- la realización de las operaciones pactadas; o
- con el ejercicio de la actividad empresarial en cuya financiación ha colaborado el partícipe.

No obstante, nada impide que el gestor, además de su actividad personal, asuma la obligación adicional de realizar una aportación económica, en especial en aquellos casos en que la cuenta se pacta para la realización de una o varias **operaciones aisladas**. Por el contrario, si la cuenta tiene por objeto una explotación económica o industrial duradera, lo normal es que el gestor no se comprometa a aportar un capital concreto, sino que únicamente contribuya con su actividad y organización empresarial.

Rendición de cuentas En relación con el **momento** de rendir cuentas de la marcha del negocio, pese a la dicción legal («terminadas que sean las operaciones», CCom art.243), debe entenderse referido al convenido en el contrato (TS 3-7-91, EDJ 7204). Si nada se hubiera pactado y las relaciones fuesen duraderas o indefinidas, parece lógico que el gestor deba rendir cuentas con carácter anual al cierre de cada ejercicio. **3103**

El **modo** de rendir cuentas queda también a expensas de lo pactado (TS 24-9-87, EDJ 16074), debiendo presentarse, en todo caso, suficientes justificantes contables, sin que sean suficientes meros cálculos presupuestarios (TS 18-5-92; 30-7-96).

Responsabilidad El gestor responde personalmente frente a terceros que con él contratan. El **carácter oculto** del contrato de cuentas en participación (nº 3075) determina que el partícipe no contraiga responsabilidad alguna frente a terceros, y que carezca de la posibilidad de accionar contra las persona físicas o jurídicas con quienes contrate el gestor (TS 5-3-88, EDJ 1854). **3105**

Estas reglas generales presentan, sin embargo, las siguientes **excepciones**:

• Los terceros pueden dirigirse contra el cuenta-partícipe cuando éste incluya su nombre en la **razón social común** al gestor, ya que se entiende que asume el riesgo de todas las operaciones y se convierte en cogestor de la empresa.

• El partícipe pasa a tener responsabilidad solidaria cuando se **involucre en las negociaciones** de la competencia del gestor, por analogía a lo dispuesto con relación a los socios comanditarios en el CCom art.748.1 (TS 30-9-09, EDJ 229016).

• A pesar de que el partícipe no puede dirigirse contra los terceros que contrataron con el gestor para reclamar el cumplimiento de las obligaciones que asumieron, ello es posible cuando el gestor haya hecho a su favor **cesión formal de sus derechos** (CCom art.242).

• En todo caso, si el partícipe incumple, total o parcialmente, los acreedores del empresario principal pueden exigir que la verifique a través de la vía indirecta de la **acción subrogatoria** (CC art.1111). Del mismo modo, pueden acudir también a la **acción pauliana,** contenida en el mismo precepto, para anular las operaciones fraudulentas (p.e., la condonación de deudas entre gestor y partícipe).

Liquidación (CCom art.243) Corresponde al gestor liquidar a los partícipes el resultado próspero o adverso de su gestión, en la proporción convenida, bien al finalizar la actividad, bien de forma periódica, si el contrato es por tiempo indefinido. **3107**

4. Deberes del cuenta-partícipe

Las obligaciones del cuenta-partícipe se concretan, básicamente, en las siguientes: **3110**

a) Aportación. El partícipe debe entregar al gestor o dueño del negocio el capital convenido, o los bienes o elementos que se hayan pactado, en los términos y con los efectos ya expuestos (nº 3088).

A cambio de la aportación realizada, el partícipe se beneficia de los resultados del negocio en la proporción que se determine. Es decir, el cuenta-partícipe **no** ostenta un **derecho de crédito** frente al gestor, sino que se le atribuye un derecho a los beneficios y sobre una hipotética cuota de liquidación. Tal incertidumbre es compensada atribuyéndole un **derecho de control** sobre el destino de lo aportado, cuya mayor o menor intensidad depende de lo acordado entre las partes, pero con un contenido mínimo (nº 3115).

b) No intervención en la gestión del negocio. Sin perjuicio de su derecho de información (nº 3115), el partícipe no puede intervenir ni inmiscuirse en la gestión del negocio, la cual corresponde con carácter exclusivo y excluyente al gestor.

Precisiones 1) El negocio permanece ajeno a los cuenta-partícipes, como propiedad del gestor; aquéllos no tienen intervención en las **operaciones comerciales** o de todo tipo que se realicen (TS 24-10-75; 4-12-92, EDJ 12031; AP Araba 7-7-99, EDJ 25943; AP Almería 8-7-04, EDJ 306968).
2) Es determinante de esta modalidad contractual la **ajenidad del cuentapartista** respecto del negocio en que se pretende participar, en lo que a gestión se refiere, no rompiendo dicha peculiaridad la posible **prestación de trabajos** por el actor como empleado (AP Madrid 7-5-04, EDJ 125066).
3) Lo aportado pasa al **dominio** del gestor (TS 4-12-92, EDJ 12031; 5-2-98, EDJ 584).
4) En virtud de la autonomía contractual puede darse el caso de que se pacten **controles adicionales** del cuenta-partícipe sobre la actividad del gestor (p.e., la aprobación de operaciones que superen una determinada cifra) o, al contrario, que se le exonere de solicitar el consentimiento de aquél para efectuar las operaciones descritas. Tales pactos **no** pueden **oponerse a terceros**, ya que es el gestor el que negocia bajo su nombre y responsabilidad (CCom art.241). El partícipe no puede pedir la nulidad de tales actos sino solo resolver el contrato y entablar una acción de daños y perjuicios. No obstante lo expuesto, a nuestro criterio, no puede **limitarse** de tal modo la **capacidad del dueño** del negocio otorgando facultades al partícipe que le convierten en cogestor de la empresa. Ello violaría el CCom art.241 al colocarle en un plano de igualdad con el gestor principal, quien es, en definitiva, el que debe hacer y dirigir el negocio.

5. Derechos del cuenta-partícipe

3115 El derecho fundamental es el de **participar** en las **ganancias y en las pérdidas** (nº 3125). Junto a éste, tiene los siguientes derechos:
a) **Información.** Aunque tal derecho no aparece expresamente contemplado en la normativa reguladora de las cuentas en participación, no existe obstáculo en considerar como **contenido mínimo** del mismo, por aplicación analógica, la comunicación que se hace al socio comanditario del balance de la sociedad a fin de año, poniendo de manifiesto durante un plazo no inferior a quince días los antecedentes y documentos precisos para comprobarlo y juzgar las gestiones (CCom art.150).
Además, el contenido de este derecho puede ser **ampliado** por voluntad de las partes, si bien sus consecuencias quedan limitadas al ámbito interno: el partícipe-inversor no puede oponerlas a terceros, tratando de anular las operaciones llevadas a cabo por el gestor.
Las facultades de control del partícipe sobre la aplicación de su aportación se han visto incrementadas con el derecho que asiste a quien acredite un interés legítimo, de solicitar el sometimiento a **auditoría** de las cuentas del empresario (CCom art.40). Si bien, si de la auditoría no resultasen irregularidades esenciales en la gestión, quien la solicite debe sufragar los gastos generados por la labor comprobadora.

3117 b) **Nombramiento de auditor**. La L 15/2015 de Jurisdicción Voluntaria, como parte de las medidas adoptadas para la desjudicialización de determinadas materias que hasta ahora eran atribuidas a jueces y magistrados, modifica el CCom art.40, encomendando al letrado de la Administración de Justicia (secretario judicial) o al registrador mercantil del domicilio social la **facultad de nombrar auditor de cuentas** cuando así lo solicite una persona con interés legítimo (p.e., el cuenta-partícipe), facultad que hasta la fecha correspondía al juez de lo mercantil.
Los trámites de la solicitud varían según se haga al registrador o al letrado de la Administración de Justicia:
- Si se hace al **registrador mercantil**, el expediente se tramita de acuerdo a lo previsto en el RRM y la designación de auditor se sujetará al turno reglamentario que establece el RRM art.355.
- Si se hace ante el letrado de la Administración de Justicia, se siguen los trámites establecidos en la Ley de la jurisdicción voluntaria para el nombramiento de auditores (L 15/2015 art.122 y 123).
Procederá la **desestimación de la solicitud** de auditoría cuando, antes de la fecha de la solicitud, conste inscrito en el Registro Mercantil nombramiento de auditor para la verificación de las cuentas de ese mismo ejercicio o, en el caso de las sociedades mercantiles y demás personas jurídicas obligadas, no hubiese finalizado el plazo legal para efectuar el nombramiento de auditor por el órgano competente.
Antes de estimar esta solicitud, el secretario judicial o el registrador mercantil deberán exigir al solicitante que adelante los fondos necesarios para el pago de la retribución del auditor.
La sociedad únicamente podrá oponerse al nombramiento aportando prueba documental de que no procede el mismo o negando la legitimación del solicitante.

El mismo día en que el auditor emita su **informe**, lo entregará al empresario y al solicitante, y presentará copia a quien le hubiera designado. La emisión del informe de auditoría no impedirá el ejercicio del derecho de acceso a la contabilidad por aquellos a los que la Ley atribuya ese derecho.
En cuanto a los **costes** de la auditoría:
- Si el informe contiene **opinión denegada o desfavorable**, el secretario judicial o el registrador mercantil acordará que el empresario satisfaga al solicitante las cantidades que hubiera anticipado.
- Si el informe contiene una **opinión con reservas o salvedades**, se dictará resolución determinando en quién deberá recaer y en qué proporción el coste de la auditoría.
- Si el informe fuera con **opinión favorable**, el coste de la auditoría será de cargo del solicitante.
La resolución que se dicte sobre la procedencia o improcedencia de la auditoría será **recurrible** ante el juez de lo mercantil.

c) **Devolución de la aportación.** Extinguido el contrato (nº 3135 s.), el partícipe tiene el derecho a recibir su aportación que, en principio, se corresponde con el valor de la efectuada inicialmente, salvo que se haya pactado su revalorización (TS 3-4-71). **3119**
El partícipe no dispone de un **crédito** de restitución del capital aportado, sino que se le atribuye el derecho a las ganancias en la proporción que se establezca, previa la liquidación y rendición de cuentas que proceda (TS 30-5-08, EDJ 82749).

6. Participación en pérdidas y ganancias

La participación en las pérdidas y las ganancias es elemento esencial de las cuentas en participación. El **riesgo** inherente a la aportación es lo que diferencia al partícipe del prestamista. Por esto, no debe admitirse el pacto por el que se atribuya al cuenta-partícipe unas retribuciones fijas e independientes del resultado negocial del gestor. **3125**

Ganancias (CCom art.239) La participación en los beneficios del negocio del gestor constituye un elemento esencial del contrato de cuentas en participación, sin que sea admisible aquella cláusula en que de antemano se excluya totalmente la participación del partícipe en las ganancias. **3127**
En cuanto a la **proporción** en que se participa en los beneficios, en principio, ha de estarse a lo pactado. A falta de convenio, debe atenderse a la porción de interés o al valor de la inversión en el negocio, repartiendo las ganancias a prorrata y en proporción a la cuantía de la aportación de cada uno.
La voluntad de las partes es decisiva a la hora de fijar la **forma de participación**:
- puede pactarse una participación en beneficios distinta a la de las pérdidas; o
- la percepción de una cuantía fija, prorrateándose el resto; o
- convenir, dado el mayor riesgo que asume el partícipe al no intervenir directamente en el negocio, una participación mayor del inversor y no solo proporcional a la de su aportación, quedándose el gestor una parte mínima de los beneficios.
El partícipe solo tiene derecho a participar en los beneficios producidos durante la vigencia de la relación contractual, con exclusión de los producidos con anterioridad o posterioridad al plazo para el cual se celebró el contrato.
Si la relación se establece para **operaciones concretas**, el partícipe solo participa en los beneficios correspondientes a dichas operaciones y no a otras que, eventualmente, puedan realizarse por el gestor.

Pérdidas (CCom art.148 y 150) La distribución de las pérdidas ha de realizarse de acuerdo con lo establecido por las partes en el **contrato**, pudiendo ser distinta a la participación en los beneficios. En ausencia de pacto expreso, al igual que sucede con las ganancias, la participación ha de ser proporcional a la porción de interés da cada contratante. En la práctica, lo normal es que el partícipe no participe en las pérdidas más allá de su **aportación.** Esta es la solución que también se adopta para el socio comanditario. **3129**
En relación con este apartado, y ante el silencio normativo, la **doctrina** se plantea las dos cuestiones siguientes:
a) La admisión del pacto en virtud del cual se **excluya** al partícipe de la **participación en las pérdidas.** Al respecto, es postura mayoritaria la que, por razones de configuración del tipo contractual, rechaza abiertamente dicha posibilidad. De lo contrario, se aduce, el partícipe mantendría intacta su posición de acreedor, sin afectarle el riesgo empresarial (Garrigues, Serra Mallol, Gual Dalmau).

b) Más problemático resulta si se puede obligar al partícipe a contribuir a sufragar las pérdidas por un valor que exceda al de su aportación; en otros términos, si se puede exigir al partícipe **aportaciones complementarias** al objeto de cubrir una parte proporcional de las pérdidas. La doctrina se pronuncia en el sentido de considerar que la contribución del partícipe a las pérdidas debe quedar limitada, en principio, al tope máximo de la cuantía de su aportación, sin que pueda presumirse la participación ilimitada en las pérdidas. Ello no obstante, nada impide que, en virtud del principio de libertad de pactos, las partes acuerden un régimen distinto, sin que, en ningún caso, se convierta al partícipe en ilimitadamente responsable.

7. Extinción

3135 El estudio de la extinción de esta figura contractual se lleva a cabo desde el conocimiento de las posibles causas que la producen (nº 3137), así como de los efectos que se derivan de la misma (nº 3141).

3137 **Causas** (CCom art.221 s.) Aunque el Código de Comercio no ofrece precepto alguno en el que se indiquen causas específicas de extinción del contrato de cuentas en participación, por aplicación del régimen común de extinción de las obligaciones, así como -con las debidas matizaciones- las propias de las **sociedades** (dado que, en el fondo, se trata de una de las llamadas «sociedades internas»), pueden citarse como causas de extinción del contrato de cuentas en participación, las siguientes:

a) Mutuo acuerdo de las partes. Las partes, en el ejercicio de su autonomía contractual, pueden convenir el fin de su relación, bien de forma expresa -lo que resulta más conveniente y plantea menos problemas prácticos-, bien tácitamente, mediante actos inequívocos que manifiesten su intención (p.e., traspaso o enajenación de la empresa del gestor con el consentimiento del partícipe; inactividad del gestor y devolución de la aportación).

b) Denuncia unilateral del contrato. Al respecto se distingue:

• Si el contrato se pactó por **tiempo indefinido,** solo se exige que no haya mala fe por parte de aquél que denuncia. Puede entenderse que existe ésta por parte del gestor si, ante la perspectiva de una operación que pudiera reportar ganancias para la empresa, denuncia el contrato, precisamente para evitar tener que entregar parte de las mismas al partícipe. Por su parte, si es el partícipe quien denuncia, no puede impedir que el gestor concluya las operaciones iniciadas, debiendo hacerlo éste del modo más conveniente para la comunidad de intereses.

• Si el contrato se pactó por **tiempo determinado** es preciso que medie justa causa. A título de ejemplo, pueden citarse como causas justas de denuncia, entre otras, las siguientes:

- referidas al **gestor**: empleo en negocios propios del capital común que solo debe aplicar a la operación objeto de la cuenta en participación; fraude en la administración o contabilidad del negocio; realizar por cuenta propia operaciones que supongan competencia con las que son objeto del contrato; falta de diligencia en la explotación del negocio o incumplimiento de la obligación de rendir cuentas, etc.;
- referidas al **partícipe**: incumplimiento del deber de aportación; tratar de inmiscuirse en la gestión del negocio, etc.;
- referidas a **cualquiera de las partes**: incumplimiento de alguna de las obligaciones pactadas.

Precisiones Es motivo de extinción del contrato de cuentas en participación el **incumplimiento** de las **obligaciones** recogidas en el mismo (como puede ser la llevanza de contabilidad en debida forma y la información puntual sobre la marcha del negocio -nº 3115-), en cuyo caso no procede la rendición de cuentas del negocio, sino la devolución al cuenta-partícipe de la aportación efectuada (TS 29-5-14, EDJ 85664).

3139 **c) Transcurso del tiempo pactado,** cuando el contrato se pacte por un determinado término o en relación con una o varias operaciones concretas. La llegada de dicho término no implica necesariamente que el empresario-gestor deba cesar en toda su actividad empresarial, sino exclusivamente en la referida a la cuenta en participación.

Sobre la posibilidad de **prórroga** expresa o tácita, la doctrina se divide entre los que partiendo de la naturaleza cuasisocietaria la niegan (Gual Dalmau), y los que, sin embargo, negando la aplicación analógica de dicho precepto, la admiten (Garrigues).

d) Conclusión de la empresa, acto o actividad para la que el contrato se constituyó.

e) Imposibilidad de concluir las operaciones objeto del contrato.

f) Muerte del gestor, salvo pacto en contrario, lo que se justifica por el carácter *intuitu personae* de la figura. En cambio, la muerte del partícipe no extingue la relación, que continuará con sus causahabientes.

g) La apertura de la fase de liquidación en el **concurso de acreedores**. En relación con el **gestor**, existe unanimidad doctrinal. Cualquiera circunstancia que genere su inhabilitación para el ejercicio del comercio, pone fin a las cuentas en participación.
Si la situación afecta al **partícipe**, la doctrina se divide. Alguna opinión mantiene que los administradores concursales han de decidir acerca de la continuidad o no de la relación contractual. Para otros autores, las dificultades económicas de las partes impiden la continuación de la colaboración. La **sustitución** del partícipe concursado por los administradores concursales provoca que la relación personal que caracteriza al contrato desaparezca; no puede obligarse a ninguna de las partes a continuar relacionándose con otra distinta de la inicial y con quien no le une ninguna confianza.

Efectos (CCom art.243) La extinción del contrato trae consigo como efecto obligado la **liquidación** de la cuenta, que se lleva a cabo por el gestor. No se trata de una verdadera liquidación, en el sentido de realizar operaciones jurídicas con terceros, es más bien un «arreglo de cuentas», limitada a la relación contractual entre el gestor y el partícipe (Garrigues). **3141**
En cuanto al modo de realizar la liquidación, rigen las disposiciones del contrato. Finalizada la cuenta en participación, el gestor debe **rendir cuentas** justificadas de los resultados al partícipe, atribuyendo a este la porción de ganancia o pérdida que le corresponda.

Precisiones **1)** El gestor debe devolver las aportaciones realizadas por cada partícipe, y **repartir** los beneficios o las pérdidas producidos como consecuencia del resultado próspero o adverso del negocio, en las condiciones pactadas (TS 24-9-87, EDJ 16074).
2) En el supuesto de **resultados adversos** se produce una devolución parcial o ni siquiera tal devolución, todo ello dependiendo de la cuantía de las pérdidas y de lo estipulado en el contrato.
3) Se plantea el problema de si, para **devolver la aportación,** ha de seguirse un criterio nominalista o de valor. La jurisprudencia señala que debe seguirse el primero y restituir la misma cantidad, excepto en el caso en el que se haya pactado su revalorización por la depreciación monetaria (TS 3-4-71, EDJ 167).
4) En relación con los **incrementos patrimoniales** experimentados por la empresa dirigida por el gestor, bien provenientes de los beneficios netos obtenidos a través de la actividad empresarial, bien por la revalorización de los bienes integrantes del patrimonio empresarial, se plantea la cuestión relativa a si dicho aumento debe verse reflejado en la cuota de liquidación del partícipe. Este derecho, que es negado por quienes niegan el carácter societario de las cuentas en participación, es defendido, por el contrario, por quienes reconocen dicho carácter derivado del riesgo de la participación en el riesgo de ambas partes (Gual Dalmau).
5) Conforme al CCom art.243, el derecho a la cuota de liquidación se adquiere en el momento de finalizarse las operaciones. No obstante, si un contrato de cuentas en participación para la promoción de viviendas finaliza por **desacuerdos entre las partes** (mediante un documento de reconocimiento de deuda) antes de haberse terminado las promociones, no habrá que esperar hasta entonces para el pago de la liquidación de las cuentas (TS 12-2-08, EDJ 82682).

SECCIÓN 2

Joint-venture

3145

Bajo la denominación de joint-venture o **empresa conjunta** se hace referencia a una figura de naturaleza contractual y estructura más o menos compleja que, nacida del Derecho anglosajón, reviste, en la práctica, muy variadas formas de asociación y colaboración, que van desde acuerdos puramente contractuales hasta la constitución de una entidad con personalidad jurídica propia. **3147**

La idea general es la de una empresa o proyecto con participación de dos o más personas, físicas o jurídicas, y cuya **finalidad** es realizar una operación de negocio distinta y generalmente complementaria de la que desempeñan las empresas constituyentes, bajo cuya gestión está el control de la nueva empresa.

Precisiones 1) La normativa española de sociedades no contempla expresamente el fenómeno de la joint-venture; la figura que más se le asimila es la unión temporal de empresas (**UTE**) regulada, a efectos fiscales, por la L 18/1982, y que carece de personalidad jurídica (ver nº 15810 s. Memento Sociedades Mercantiles 2024).
2) En el Anexo nº 13240 se incluye un **modelo** de acuerdo de joint-venture.
3) Un **estudio detallado** sobre los acuerdos de joint-venture se recoge en el nº 11480 Memento Sociedades Mercantiles 2024 y en el nº 4400 s. Memento Transmisión de Empresas 2023-2024.

3149 **Consideraciones generales** Aunque se trata de una institución creada para la práctica de los negocios y que, por tanto, debe adaptarse a las necesidades específicas de cada sector, pueden señalarse como **características** comunes las siguientes:
a) **Origen y carácter contractual,** con ausencia de una forma específica, pudiendo dar lugar a la constitución de una sociedad o entidad con personalidad jurídica propia, o a simples acuerdos empresariales.
b) **Naturaleza asociativa,** es decir, con reparto de medios y de riesgos, si bien en el reparto de medios la presencia de aportaciones en el sentido estricto del término en derecho de sociedades no es necesaria ni suficiente, pero debe haber contribuciones de tipo contractual.
c) Resulta esencial el derecho de los participantes a la **gestión conjunta,** aunque no sea ejercido en la práctica y se limite a un veto sobre los puntos más importantes.
d) Tienen un **objetivo y duración limitada,** se trata de una actividad empresarial, no de una búsqueda del beneficio por todos los medios, o una ganancia ilimitada.
e) Aunque no se considera requisito imprescindible, la creación de una joint-venture suele dar lugar a la constitución de una **sociedad** dotada de personalidad jurídica propia, y con cometido y objeto diferente del propio de las sociedades que la forman.

3151 De las múltiples **clasificaciones** de joint-ventures que resultan de la aplicación de diversos criterios, cabe destacar las siguientes:
a) Según la ausencia o presencia de una sociedad común dotada de personalidad jurídica propia, se distingue entre:
- joint-ventures de **naturaleza societaria** (*corporate joint-ventures*); y
- las que se estructuran en **acuerdos puramente contractuales,** más o menos complejos, sin la constitución de una sociedad común (*non corporate joint- ventures*). Entre este tipo de joint-ventures, los primeros modelos trasplantados al ámbito internacional se deben a las compañías petrolíferas y mineras, y, más recientemente, las agrupaciones bancarias (sindicaciones), los acuerdos de cofinanciación y los grandes contratos de construcción y ejecución obras públicas.
b) Atendiendo al tipo de actividades económicas sobre las que se aplica, se suelen citar las siguientes:
- las que sirven de marco a una unidad común de **investigación o de fabricación,** o de otros servicios comunes como centrales de compras, y cuyo objetivo primordial es la racionalización de costes (industria química, industria del automóvil, industria aeronáutica);
- las que se utilizan como canal para las **inversiones extranjeras,** en particular en países del tercer mundo;
- las de concentración, que implican un procedimiento de **reagrupación de empresas** que se presenta como una alternativa a las fusiones y adquisiciones clásicas.
c) Conforme a un criterio subjetivo, se distingue entre aquellos supuestos en los que, junto a personas o entidades privadas, intervienen:
- Estados o **entidades de derecho público**; y
- aquellos otros en los que solo participan **particulares**.

3153 **Función económica** Entre las **razones** que justifican, en la práctica, la **formación** del joint-venture, los autores (Chuliá Vicent, Beltrán Alandete) distinguen entre razones:
- internas;
- competitivas;
- estratégicas.
Bajo la rúbrica de razones **internas** se engloban las tendentes a reducir la incertidumbre y debilidad de las capacidades específicas de los intervinientes, lo que se logra compartiendo recursos físicos (personal directivo y experto, líneas de producto, etc.), y técnicos (medios y servicios de aprovisionamiento, canales de distribución, etc.).
Las destinadas a reforzar posiciones **competitivas** hacen referencia a la expansión de negocios ya iniciados o a la racionalización y dimensión de industrias maduras; en otros casos, se

trata de evitar la duplicidad de proyectos, las guerras de precios, o ganar una posición de mercado o adelantarse a cubrir una demanda.
Finalmente, cabe que el objetivo sea aportar nuevas posiciones **estratégicas** mediante la creación y explotación de nuevos negocios, la integración vertical y horizontal de procesos productivos, la penetración en nuevos mercados, el aprovechamiento e incremento de experiencias, o incluso mediante la simple transferencia de tecnología.
Se trata, en definitiva, de **aunar esfuerzos y compartir responsabilidades** para atender a un proyecto que normalmente supera el ámbito que cada uno de los socios puede abarcar por separado, todo ello con la finalidad de obtener mejores resultados, si bien en la propia naturaleza asociativa de la relación puede residir su mayor riesgo o **desventaja,** derivada de la dificultad, muchas veces, de ensamblar, de forma equilibrada, la diferente cultura empresarial de cada uno de los asociados.

Finalidades Los **objetivos** que se persiguen con la creación de esta figura jurídica son muy variados. Pueden resaltarse, entre otros, los siguientes: 3155
- participación en mercados y proyectos de especial complejidad para su realización independiente;
- adquisición de experiencia;
- abaratamiento de costes productivos;
- acceso a canales de distribución;
- expectativas de beneficios;
- crecimiento de la línea de producción ya existente;
- interés común por parte de las empresas integrantes de la joint-venture (Modesto Bescós).

Competencia desleal Los acuerdos de joint-ventures pueden ser constitutivos de prácticas o **conductas contrarias** a la libre competencia, por lo que hay que tener en cuenta los controles establecidos en la normativa defensora de la competencia, tanto española (L 15/2007; RD 261/2008), como comunitaria (Rgto CE/139/2004). 3157
Los acuerdos de base contractual pueden incidir en cualquiera de los supuestos de conductas prohibidas, en tanto produzcan o sean susceptibles de producir el efecto de impedir, restringir o **falsear la competencia** en el mercado.
De otra parte, la formación de una joint-venture puede incidir también en otra práctica prohibida por la normativa aludida, cuando implique una **explotación abusiva** por una o varias empresas de su posición de dominio en todo o en parte del mercado.
Finalmente, las joint-ventures de naturaleza societaria pueden generar un riesgo o peligro para la competencia, cuando se proyecte o produzca una operación de **concentración de empresas** o toma de control de una o varias empresas por una sociedad dominante. Así, según establece la L 15/2007 art.7.1.c, cabe la posibilidad de que la concentración se produzca como consecuencia de un cambio estable de control, mediante la creación de una empresa en participación, cuando la empresa desempeñe de forma permanente las funciones de una entidad económica autónoma (lo que en la práctica comunitaria se conoce como *full function joint venture*).
Los diferentes supuestos atentatorios de la libre competencia, así como los controles establecidos por la normativa aplicable, son objeto de detallado análisis en el nº 325 s. de la presente obra.

Aportaciones de los asociados Su naturaleza varía considerablemente en función del tipo concreto y la actividad de que se trate (de naturaleza financiera, efectuar ciertos trabajos de construcción de la fábrica de explotación, zonas de explotación petrolera o minera, acceso a instalaciones industriales y locales, aprovisionamiento de materias primas, etc.), y suelen ir acompañadas de **prestaciones accesorias** (cláusula de secreto, de no competencia, etc.). 3159

Reparto de resultados Los beneficios de la sociedad común se distribuyen normalmente en proporción a las participaciones en el capital, siendo frecuente prever el reparto de un **porcentaje mínimo** de resultados. De otra parte, el interés en recibir dividendos no es siempre el mismo. A un asociado puede interesarle más las ventajas que obtiene por la venta de materias primas o semifacturadas, que los resultados mismos, o bien puede buscar la garantía de aprovisionamiento que representa esta forma asociativa con preferencia a los propios dividendos. Finalmente, las compensaciones que reciben las empresas participantes en un joint-venture comprenden, en su caso, **honorarios** de dirección y, eventualmente, honorarios por asesoría técnica o *royalties*. 3161

3163 **Duración** El joint-venture, como fórmula asociativa, implica normalmente una colaboración de mayor duración que la de una forma meramente transitoria. En general se suele fijar un período de duración media (5 años) con posibilidad de **prórroga,** o una duración larga (10 ó 20 años) con posibilidad de rehacer los compromisos en curso a la vista de los resultados. Muchas veces, y en función de la naturaleza de las actividades, se estipula un **período preparatorio corto,** tras el cual entra en juego un período largo o deviene indeterminado (joint-venture de petróleo).

En todo caso, las cláusulas de duración se suelen combinar, en la práctica, con previsiones relativas a las **modalidades de retirada** o cesión de acciones de la sociedad, permitiendo que los socios puedan retirarse si la inversión no ofrece rentabilidad en un cierto tiempo. Se trata, en definitiva, de conciliar el obligar al socio suficientemente para asegurar su presencia hasta la consecución de determinados objetivos, con su posible retirada si la evolución efectiva del contrato no conduce a los resultados esperados.

3165 **Estructura** Con independencia del tipo de joint-venture al que nos refiramos, en todos se plantean los mismos problemas: reparto de poder (paridad, control por uno de los asociados y garantías del minoritario), y deber de lealtad reforzada de los asociados. Y en todos se encuentra una estructura bastante parecida:

a) Un acuerdo base o documento contractual central, completado por acuerdos satélites.

b) Un órgano de gestión o de control específico, que dirige y manda sobre los órganos concebidos por el derecho de sociedades.

3167 **Acuerdo base** Es suscrito por los partícipes en la joint-venture y contiene todas las disposiciones originales del contrato entre las partes. Más exactamente, el acuerdo base permite aclarar los **acuerdos satélites** (nº 3169), singularmente aquellos que introducen estructuras societarias bajo aspecto específico muy diferente de aquél que contempla el legislador.

Por su naturaleza es un documento muy poco formal que, a modo de texto preliminar, **contiene** las bases de la negociación, las medidas en función de las circunstancias que rodean la creación del joint-venture, de sus objetivos, de la relación de las fuerzas en presencia y, en general, de la libre voluntad de las partes.

Es relativamente frecuente que al acuerdo base se incorpore un **preámbulo** expresando los objetivos perseguidos por las partes. Sin que pueda afirmarse que tiene un valor jurídico igual al contrato mismo, y cualquiera que sea el contexto jurídico, el preámbulo ofrece a las partes la posibilidad de dar a conocer ciertos aspectos de su voluntad que no aparecen forzosamente en las cláusulas contractuales. En ciertos casos, cumple una auténtica **función interpretativa e integradora,** suministrando aclaraciones del negocio que conducen a matizar o excluir la estricta aplicación del texto dispositivo, permitiendo que prevalezca su espíritu sobre la literalidad del contrato.

Precisiones 1) En algunos casos, particularmente cuando uno de los **socios** es un Estado, en el preámbulo se contiene un auténtico mensaje político.

2) En las cláusulas de introducción del acuerdo base suele quedar asimismo enunciado el deber de **lealtad reforzada** de las partes, entendido éste como una obligación de actuar activa y positivamente en el sentido favorable a los intereses comunes y a las decisiones del joint-venture.

3169 **Acuerdos satélites** El joint-venture se presenta, casi inevitablemente bajo la forma de un **grupo de contratos**. Parece lógico situar por un lado los grandes principios y, por otro, los detalles de ejecución adaptados a las circunstancias específicas. Cada uno de los acuerdos satélites puede así modificarse sin necesidad de afectar al conjunto. Por otra parte, los acuerdos satélites deben suscribirse por la sociedad común, mientras que el de base concierne a los partícipes. Finalmente, ciertos acuerdos satélites deben ser registrados: estatutos, patentes.

El tipo más importante de acuerdo satélite es la **sociedad común.** Aunque el joint-venture no comporta necesariamente la constitución de una entidad con personalidad jurídica propia (nº 3151), es frecuente que así ocurra por razones de muy diverso orden (económicas, industriales, financieras, fiscales, etc.), siendo las sociedades capitalistas, y dentro de éstas particularmente las sociedades anónimas, las más utilizadas en la práctica.

Otros acuerdos satélites tienen por objeto precisar la forma en que los participantes han de suministrar los **medios de funcionamiento,** los cuales pueden revestir múltiples formas:

- puesta a disposición de personal;
- financiación;
- relativos a la propiedad industrial: a través de contratos de transferencia de tecnología, de licencia de patentes o de comunicación de know-how (nº 2792 y nº 2820).

Operativa del contrato Aunque, en principio, el reparto de poder suele reflejar directamente la proporción en las aportaciones realizadas (gestión paritaria), nada impide que, en atención a diversas razones -p.e., joint-venture entre Estado y particulares; dependencia tecnológica-, el control y dirección quede reservado, directa o indirectamente, a alguno de los participantes (gestión mayoritaria). 3171

En los supuestos de **gestión mayoritaria** se suelen contener disposiciones que impidan la variación de las participaciones en las sociedades que se constituyan, mediante la inserción de «**cláusulas antidilución**» que prohíben a una de las partes modificar su proporción con ocasión de aumentos de capital que la otra no haya suscrito.

Debe tenerse en cuenta que la participación mayoritaria no comporta forzosamente el **control** de la organización. La normativa de las sociedades, en particular, la reguladora de la sociedad anónima prevé diversos mecanismos que permiten disociar la propiedad de las acciones del ejercicio del poder: ventajas de los fundadores, acciones privilegiadas, etc.

De otra parte, el control no se circunscribe al nombramiento de los órganos dirigentes, o al derecho de veto para la toma de determinadas decisiones. También existen los llamados medios de **control exterior,** que descansan sobre las aportaciones de crédito, gestión o tecnología, aprovisionamiento en exclusiva, etc.

En supuestos de **gestión paritaria,** y al objeto de evitar los problemas de funcionamiento que de ello puedan eventualmente derivarse, suelen incorporarse cláusulas que concilien los imperativos de igualdad de acceso al control de la gestión con los de la gestión económica eficaz, recurriéndose incluso, en las joint-ventures de naturaleza societaria a instrumentos jurídicos extraestatutarios (sindicatos de accionistas), e incluso confiando la gestión de la sociedad común a un tercero que no juega un papel en la estructura formal de la sociedad y que tiene como misión planificar las reglas de control de la sociedad (contrato de *management*).

En las **joint-ventures societarios** el acuerdo base contiene frecuentemente reglas que alteran o restringen el normal funcionamiento de los **órganos sociales** (elección del consejo de administración por una mayoría cualificada o por unanimidad de los accionistas, o reservando la designación de algún miembro a ciertos accionistas, reservar a la asamblea competencias que en los estatutos normales corresponden al consejo, etc.

En las **joint-ventures contractuales**, los órganos sociales presentan usualmente la forma de comité (de dirección, de coordinación, o técnicos o ejecutivos).

Contenido Para garantizar la seriedad del **acuerdo de intenciones** no vinculante entre las partes, éstas han de redactar un contrato que debe contener (Modesto Bescós): 3173

- objeto de la joint-venture así como el sistema de gestión y administración de la misma;
- forma de la compañía constituida;
- identificación de los socios;
- capital con el que se constituya la compañía;
- posibilidad de la transmisión de las participaciones;
- participación de cada socio y los acuerdos de no competencia entre los mismos;
- clases de acciones y si éstas permiten o no el derecho de voto;
- quórum necesario exigido para que los acuerdos adoptados sean válidos;
- remuneración de los socios y posibilidad de que éstos sean representados por medio de un consejo de administración;
- obligación precontractual de información;
- cláusula de salvaguardia o imprevisión;
- pruebas y garantías de la fidelidad de los datos aportados;
- derecho aplicable a la actividad desarrollada;
- negociación de litigios a través de una cláusula de arbitraje comercial internacional.

Modificación del contrato La flexibilidad de la estructura de los acuerdos de joint-venture constituye en sí misma un mecanismo que permite su adaptación a las diferentes situaciones que, en el curso de la relación, puedan suscitarse. En tal sentido, es frecuente la inclusión de determinadas **cláusulas de salvaguardia,** en las que, en aras de la supervivencia del contrato, las partes contemplan ciertas eventualidades posibles (evolución del mercado, la aparición de productos nuevos competidores, la modificación de la legislación, etc.), y prevén sus consecuencias. 3175

En todos los casos, dichas cláusulas reenvían, explícita o implícitamente, a los grandes objetivos del joint-venture, definidos en el **preámbulo del acuerdo base,** lo que refuerza la opinión de la conveniencia de su incorporación.

Los **mecanismos** de adaptación más usuales son:

- la **renegociación,** que exige que las partes, tras las oportunas negociaciones, alcancen un acuerdo;

- la **intervención de un tercero** («cláusula del amigo común»), cuyo principal escollo estriba en el valor jurídico de que se dote a la decisión del tercero; simple recomendación, en cuyo caso, las obligaciones de las partes se insertan en sede de renegociación, o verdadera decisión, situación que se asimila a una disposición contractual y no a una decisión arbitral.

3177 **Extinción** Cualquiera sea el modo de poner término al acuerdo de joint-venture, es necesario que las partes prevean las modalidades y las **reglas de liquidación** (liquidación de la sociedad común o adquisición de la totalidad de sus partes por uno de los asociados), así como el destino que han de seguir los elementos materiales (inmuebles, *stokcs*, etc.) e inmateriales (derechos de propiedad industrial, derechos de comercialización, etc.).
De entre las diferentes causas de extinción, presenta particular interés la relativa a la **separación** voluntaria o forzosa **de sus miembros**.
La retirada de las partes puede venir provocada por circunstancias objetivas o quedar a la iniciativa de las mismas. Así, junto a cláusulas relativas al caso de que una de las partes resulte culpable de un **incumplimiento contractual** o incurra en un proceso de **insolvencia**, son frecuentes otras ligadas al *intuitu personae*, en virtud de las cuales la cooperación termina si la composición del capital de un socio se modifica de modo significativo. El socio que no ha cambiado puede entonces retirarse u obligar al otro a cederle sus derechos, y, llegado el caso, sus acciones.
Es también usual acordar la finalización de la joint-venture en caso de **desacuerdo** entre las partes («cláusulas de outlock»), que deben reglamentar la manera en que el desacuerdo se entiende real y constatado y las modalidades de liquidación.
En todo caso, y toda vez que la separación de un socio puede deparar ciertos perjuicios para el otro u otros (p.e., dificultad en la repatriación de capitales para el inversor extranjero), sin perjuicio de la indemnización por los daños y perjuicios causados, la posibilidad de separación suele someterse a **restricción** a través de diversos **procedimientos**:
• Subordinar la **cesión de derechos** u obligaciones o de parte de la sociedad, a la aprobación de las otras partes.
• Derecho de **preferente adquisición** en favor de los otros participantes, de suerte que el no ejercicio del citado derecho se considera como un consentimiento tácito.
• Más sofisticado es distinguir según el origen del **ofrecimiento de cesión**, conforme al porcentaje del capital ofrecido, previniendo soluciones diferentes si el precio fijado por los expertos es superior o inferior al ofrecimiento inicial.
• Las «**cláusulas de ruleta rusa**», que permiten a la parte que desea retirarse ofrecer un precio por las acciones a la otra y ésta tiene la opción de comprarlas o venderle las suyas en iguales condiciones.
• Las *private actions*, a cuya virtud la parte que ofrece el **precio más elevado** por las acciones se las lleva y la otra se retira.

3179 **Joint-venture en el ámbito internacional** El uso de la joint-venture como medio de cooperación internacional entre empresas presenta indudables **ventajas** al posibilitar el acceso al mercado y compartir los riesgos de la operación lo que implica que éstos se reduzcan considerablemente.
A estos efectos, es posible la formalización de empresas conjuntas que se constituyen bajo una forma contractual simple, o bien en **forma societaria**.

Precisiones La elección de una de estas dos fórmulas depende de la legislación existente en cada país, especialmente la Ley de inversiones extranjeras.
La práctica de este sistema desarrollado en Estados Unidos se ha hecho extensivo a otros continentes. Puede destacarse la utilización de las dos modalidades expuestas (contractual y como sociedad) en **América Latina**, zona a destacar como muy útil para el exportador español (Modesto Bescós).

SECCIÓN 3

Sociedad civil

 3185

1. Consideraciones generales

La sociedad civil se define como aquel contrato por el cual dos o más personas se obligan a **poner en común** dinero, bienes o industria, con ánimo de partir entre sí las ganancias (CC art.1665). 3190

Se trata de un contrato de colaboración caracterizado por el **fin perseguido** (ánimo de lucro) y por la creación de una **organización,** en el sentido de que los socios prevén en el momento inicial la necesidad de ir tomando decisiones durante toda la vida de su relación y diseñan un sistema de toma de decisiones.

La sociedad civil nace de un contrato de carácter asociativo en el que deben concurrir los requisitos generales de todo contrato -consentimiento, objeto y causa (CC art.1261)- y, además, los requisitos específicos de este tipo de contrato:

a) La constitución de un **fondo común**, integrado por las aportaciones de los socios en el doble sentido de que:

- cada socio aporte o se obligue a aportar algo a la sociedad; y
- que lo aportado se haga común a todos los socios (patrimonio separado, que no necesariamente ha de generar autonomía patrimonial entendida como personalidad jurídica propia).

b) El **ánimo de lucro**, lo cual presupone que el objeto de la sociedad es obtener una ganancia y que la misma, o en su caso la pérdida, sea común a todos los socios, es decir, sea repartida entre los mismos (si no existiera fin de lucro para los integrantes estaríamos ante otra figura, como la asociación).

c) La «**affectio societatis**» o *animus contrahendae societatis*, como elemento subjetivo consistente en la intención de asociarse o de constituir la sociedad.

No obstante, su especial naturaleza hace que no sean aplicables al contrato de sociedad todos los principios establecidos en nuestro derecho para los contratos ordinarios. Así: 3192

- no es aplicable la **excepción de contrato no cumplido**, que permitiría a cada contratante negarse al cumplimiento de lo pactado mientras no cumpla el otro contratante;
- tampoco puede acudirse a la **condición resolutoria tácita**, que faculta al contratante a resolver el contrato si la otra parte no cumple;
- por último, no procede la nulidad del contrato por **vicios en el consentimiento** de uno de los contratantes, sino únicamente la nulidad del vínculo respecto del socio que haya prestado un consentimiento viciado, siempre que la aportación de quien prestó el consentimiento viciado no fuera esencial al contrato, pudiéndose en caso contrario instarse la extinción del mismo (Garrigues, Ascarelli).

En definitiva, la sociedad civil no es solo un contrato, pues derivado de él se crea una **entidad colectiva** que podrá desarrollar una actividad duradera y, entre otras cosas, también contratar.

Precisiones **1)** Parte de la doctrina adopta una **posición más institucionalista** y niega rotundamente el carácter contractual de la sociedad en base a la inexistencia de prestaciones recíprocas e intereses contrapuestos en los socios (Garrigues, Messineo).

2) También hay autores que cuestionan la esencialidad del **ánimo de lucro** en el contrato de sociedad. En la práctica existen sociedades con finalidades no lucrativas (dedicadas a fines culturales, deportivos, etc.).

3) La «**affectio societatis**» supone un «plus» añadido al simple consentimiento contractual (TS 30-4-86, EDJ 2904; 21-2-87, EDJ 1438), y consiste en la voluntad de unión paralela y dirigida a un mismo fin negocial (TS 8-3-95, EDJ 1574), o voluntad de unión de una pluralidad de sujetos para correr en común ciertos riesgos (TS 23-5-89, EDJ 5312).

Sociedad civil-mercantil (CC art.1665 a 1708; CCom art.116 a 237) Sin perjuicio de otras distinciones posibles, la que más interesa en el tráfico jurídico es la de sociedad civil y sociedad mercantil. La consideración como civil o mercantil de la sociedad determina su **sometimiento a la normativa** civil o a la contenida en el Código de Comercio y la legislación especial aplicable al tipo de sociedad. 3194

En un primer momento, cuando entró en vigor el CCom en 1885, el criterio de distinción entre sociedad civil y mercantil era el de la **«forma»**, pues la finalidad de una y otra era la misma. Así, el CCom art.116 dispone que «el contrato de compañía, por el cual dos o más personas se obligan a poner en fondo común bienes, industria o alguna de estas cosas, para obtener lucro, será mercantil, cualquiera que fuese su clase, siempre que se haya constituido con arreglo a las disposiciones de este Código. Una vez constituida la compañía mercantil, tendrá personalidad jurídica en todos sus actos y contratos». Conforme a este criterio, si la sociedad no se hubiera constituido mediante escritura pública inscrita en el RM, adoptando alguna de las formas recogidas en el CCom, siempre sería civil, aunque realizara actos de comercio.
El enfoque cambia en 1889, cuando se promulga el CC, cuyo art.1670 dispone que «las sociedades civiles, por el objeto a que se consagren, pueden revestir todas las formas previstas en el Código de Comercio». A partir de ahí, el criterio que se adopta para distinguir las sociedades civiles de las mercantiles ya no es la forma, sino la índole o **naturaleza de la actividad** a que se dedica la sociedad (**criterio objetivo**), lo que plantea varios problemas:
• La dificultad que entraña definir con precisión y claridad lo que es **actividad mercantil**, tráfico mercantil, acto de comercio (CCom art.1, 2 y 116).
• La admisibilidad de las denominadas **sociedades mixtas**, esto es, sociedades civiles que, por su objeto, pueden revestir todas las formas reconocidas en el Código de Comercio, y a las que, en tal caso, les son aplicables las disposiciones contenidas en dicho texto legal en cuanto no se opongan a las civiles (CC art.1670; LSC art.39.1).
La propia jurisprudencia no ha resuelto el problema de la distinción, ya que unas veces su criterio se sustenta:
- en la teoría de las sociedades mercantiles atípicas (**sociedad irregular**), aplicándoles el régimen legal de la sociedad civil;
- otras veces esgrime el **criterio mixto** de forma y objeto; y
- en ocasiones reconoce la aplicación parcial de las normas mercantiles.

3196 Precisiones 1) En sede de **sociedades mercantiles**, su legislación específica (actualmente LSC art.2) establece el criterio de forma para determinar cuándo estamos ante una sociedad de este tipo: «las sociedades de capital, cualquiera que sea su **objeto**, tendrán carácter mercantil». El problema de calificación jurídica permanece en el ámbito de las sociedades civiles con forma civil, donde no siempre está claro cuándo están sometidas a las disposiciones del CC y cuándo a las del CCom.
2) El CC art.1670 permite de forma expresa la constitución de **sociedades civiles con forma mercantil**, y, en cambio, el CCom art.116 no permite la constitución de sociedades con objeto mercantil y forma civil, por lo que si una sociedad tiene por objeto actividades mercantiles, la sociedad tiene carácter mercantil con independencia de su denominación, y debe por ello ajustarse a las disposiciones del CCom (entre ellas, la constitución en escritura pública e inscripción en el Registro Mercantil, sin lo cual la sociedad no adquiere, personalidad jurídica). En este sentido, la DGRN (actual DGSJFP) ha rechazado la inscripción de un inmueble a nombre de una sociedad civil cuyo objeto social era genuinamente mercantil (explotación de un negocio al por mayor de maquinaria), porque, siendo el **objeto mercantil**, la sociedad quedaba sometida a las disposiciones del Código de Comercio, entre ellas el otorgamiento de escritura pública e inscripción registral, sin que para eludir la aplicación de las reglas mercantiles de las sociedades sea suficiente la expresa voluntad de los socios de acogerse al régimen de la sociedad civil, pues las **normas mercantiles** aplicables son, muchas de ellas, de carácter **imperativo** por estar dictadas en interés de terceros o del tráfico, como ocurre con las que regulan el régimen de los órganos sociales, la responsabilidad de la sociedad, de los socios y de los encargados de la gestión social, la prescripción de las acciones o el estatuto del comerciante -contabilidad mercantil, calificación de las actividades empresariales, etc.- (DGRN Resol 21-5-13).
En **términos similares** se ha pronunciado la DGRN Resol 20-4-10; DGSJFP Resol 14-7-20, entre otras.
3) Una sociedad constituida como civil cuyo objeto es la explotación ganadera, realiza una actividad mercantil, por lo que su constitución debió ajustarse a las prescripciones del CCom art.116 s. Al no haberlo hecho, por no constar otorgada escritura pública ni inscripción en el registro mercantil, no tiene personalidad jurídica y debe ser calificada como **sociedad mercantil irregular** (AP Cantabria 12-5-21, EDJ 598317).

3198 En cualquier caso, aun admitiendo las dificultades apuntadas, es factible llegar a ciertas **conclusiones**:
a) Siempre que se trate de sociedades **externas** (esto es, que aparezcan en el tráfico como tales), son mercantiles objetivamente las sociedades que tengan por objeto una **actividad *comercial o industrial*** (TS 26-2-90, EDJ 2065; 6-10-90; 3-4-91, EDJ 3434; 9-3-92, EDJ 2232; 29-9-92, EDJ 9378; 21-6-98, EDJ 7140).

b) Las sociedades con **objeto mercantil** que sean meramente **internas** (esto es, que no aparezcan en el tráfico jurídico como tales) han de calificarse como cuentas en participación (nº 3055) o como sociedades civiles (AP Valencia, 28-7-89; AP Pamplona 22-4-89: la sociedad entre un grupo de limpiadoras para presentarse a un concurso para la limpieza de un colegio).
c) Son mercantiles subjetivamente, esto es, comerciantes, las sociedades que se **dedican al comercio** (CCom art.1; CC art.1670).
d) Son mercantiles objetivamente y subjetivamente civiles, esto es, no comerciantes, las sociedades que son civiles por tener un **objeto no mercantil**, pero adoptan las formas o los **tipos mercantiles** (TS 15-10-40; 14-2-45, EDJ 598; 22-12-76; 21-6-83; 7-3-12, EDJ 88250).
Estas sociedades se rigen en cuanto a sus relaciones internas y externas por las normas del CCom. Sin embargo, no se les aplica el estatuto del comerciante. Así debe interpretarse la referencia del CC art.1670, cuando afirma que solo se les aplican las normas del Código de Comercio en la medida en que no se opongan a lo establecido en el Código Civil. Tal regla debe entenderse teniendo en cuenta que «estas sociedades no dan lugar a un sujeto de derecho comerciante». Su **disolución** se rige por el Código de Comercio.
Por otra parte, dado que subjetivamente estas sociedades no son comerciantes, pese a adoptar una forma mercantil, **no** son **inscribibles** en el Registro mercantil (DGRN 1-8-22; 16-5-91).
e) Por último, son objetiva y subjetivamente mercantiles las sociedades que adopten el tipo de **SA**, **SComA** o de **SRL**, con **independencia del objeto** al que se dediquen (LSC art.2). Es el caso del «comerciante por razón de la forma» que se ha extendido a las sociedades de garantía recíproca, a las sociedades cooperativas (TCo 76/1983) y a las agrupaciones de interés económico.

Precisiones **1)** La calificación como **cuentas en participación** depende de que se cumplan los requisitos del nº 3055 s. **3200**
2) Una vez calificada como mercantil, hay que realizar una segunda calificación (sociedad anónima, limitada, etc.). Si no ha habido elección o la elección se frustra, se incardina en el **tipo general** del tráfico mercantil que es la **sociedad colectiva.** La participación en el tráfico mercantil exige someterse al rigor de la sociedad colectiva, del cual solo puede escaparse cumpliendo escrupulosamente las garantías establecidas por el legislador para el uso de otros tipos más benignos en el ámbito de la responsabilidad. La sociedad colectiva se trata en nº 15030 s. Memento Sociedades Mercantiles 2024.
3) Es irrelevante el **tamaño del negocio** para su calificación, aunque existe una tendencia jurisprudencial a calificar como civiles las sociedades para pequeños negocios (TS 21-10-93, EDJ 9379, que califica como civil la sociedad que explota un bar).
4) Sobre las diferencias entre sociedad y **comunidad de bienes** ver nº 3280.

Diferencias con las sociedades de capital Las diferencias prácticas más importantes que presentan las sociedades civiles frente a las sociedades de capital (SA y SRL) son: **3202**
a) Un mayor juego de la **autonomía de la voluntad**.
b) La extinción de la sociedad civil en caso de **muerte** de uno de los socios -salvo que se pactare en contrario- (CC art.1700).
c) Y, sobre todo, el régimen de **responsabilidad** por las deudas sociales, pues mientras que la sociedad de capital responde por sus deudas únicamente con su patrimonio y no con el patrimonio personal de los socios, en la sociedad civil la responsabilidad por sus deudas recae: en primer lugar, en la propia sociedad con su patrimonio, pero cuando éste sea insuficiente, pasa a responder cada socio con sus propios bienes de manera mancomunada (CC art.1698); es decir, proporcional a su participación en el patrimonio inicial de la sociedad civil (lo que a su vez es la principal diferencia que presenta la sociedad civil con la sociedad colectiva, en la que la responsabilidad de los socios por las deudas sociales es subsidiaria pero de carácter solidaria).
En cualquier caso, debemos destacar una idea importante: si bien las sociedades mercantiles pueden desarrollar una **actividad** propia de sociedad civil (CC art.1670), las sociedades civiles si desarrollaran una actividad propia de una sociedad mercantil, esto es, actos de comercio, estarán sujetas a las normas de la **sociedad colectiva** (TS 7-3-07, EDJ 13403). Así resulta de que el CC art.1670 admita las sociedades civiles con forma mercantil, no existiendo una norma similar para las sociedades mercantiles con forma civil; de que el CCom art.122 contenga una enumeración *numerus clausus* de sociedades mercantiles; y, sobre todo, de que el CCom art.1 repute comerciante a quién habitualmente se dedica al comercio. En consecuencia, una sociedad mercantil no podrá adoptar el tipo de sociedad civil, y si bajo la forma de sociedad civil o de comunidad de bienes realiza con habitualidad una actividad mercantil (lo que es relativamente frecuente) quedará sujeta como persona jurídica al estatuto del comerciante y como contrato a las normas del tipo general mercantil que es el de sociedad colectiva (ver nº 15030 s. Memento Sociedades Mercantiles 2024).

3204 **Aplicaciones prácticas** Entre los diferentes supuestos que se manifiestan en el tráfico jurídico bajo la forma de sociedad civil, pueden destacarse como más representativos los siguientes:

- las sociedades de **explotación agraria**, en la medida en que los sectores agrícola, ganadero, pesquero y forestal están excluidos del Derecho mercantil (TS 12-5-81, EDJ 1387; 24-6-88, EDJ 5507);
- las sociedades de **artesanos**;
- las sociedades de **uso y disfrute**;
- ciertas situaciones que se producen en el **tráfico inmobiliario**: comunidades para construir, aportaciones de solar a cambio de un piso o local, o de una participación en los beneficios resultantes de la venta;
- las integradas por **profesionales liberales**, como los abogados. Por ejemplo, una **sociedad de medios** a través de la cual varios abogados se asocian para dotarse y compartir los medios necesarios para el ejercicio de la profesión (inmueble, local, personal, etc.). O una **sociedad de comunicación de ganancias** mediante la cual varios abogados se asocian para distribuir los resultados que obtengan mediante el ejercicio de la profesión.

Precisiones Se ha considerado como civil la sociedad integrada por **profesores** que aportan su actividad docente, a diferencia de la sociedad de empresarios que organiza una actividad educativa, de carácter mercantil (DGRN Resol 29-2-92).

3206 **Personalidad jurídica** Una de las cuestiones que suscita más polémica con respecto a las sociedades civiles es la relativa al reconocimiento de su personalidad jurídica. El problema se plantea concretamente con aquellas **sociedades civiles con forma civil,** pues las sociedades civiles que adoptan forma mercantil (p.e., SA, SRL, SComA) se someten a las disposiciones del CCom y a su legislación específica, y adquieren personalidad jurídica tras su constitución en escritura pública e inscripción en el Registro Mercantil (CCom art.116; ver nº 167 Memento Sociedades Mercantiles 2024).

No existe ningún precepto específico en el CC que otorgue personalidad jurídica a las sociedades civiles. Existe, en cambio, uno que la niega para aquellas que mantengan **pactos secretos** entre los socios y en las que cada socio contrate en su propio nombre con los terceros -las denominadas sociedades internas (CC art.1669)-, lo cual puede interpretarse como un reconocimiento indirecto de la personalidad de aquellas sociedades civiles que no mantengan sus pactos secretos (sociedades externas).

Por otro lado, la versión consolidada del Tratado de Funcionamiento de la **Unión Europea** (Tratado FUE art.54), entiende por sociedad la de derecho civil o mercantil, incluso las sociedades cooperativas y las demás personas jurídicas de derecho público o privado, con excepción de las que no persigan un fin lucrativo, lo cual puede interpretarse en el sentido de reconocer personalidad jurídica a las sociedades civiles.

Unido al problema del reconocimiento de la personalidad está el de los **requisitos exigibles para la constitución** de la sociedad civil, ya que, en caso de reconocérsele personalidad jurídica, la válida constitución suele fijarse como el momento en que aquella nace.

3208 Ante la falta de concreción legal, recogemos a continuación una muestra de las divergentes **opiniones doctrinales y jurisprudenciales** en la materia, en las que late la tensión existente entre el principio general de libertad en el ejercicio del comercio, por un lado, y, por otro, la seguridad del tráfico jurídico, la cual exige el cumplimiento de determinadas formas y la publicidad de determinados hechos:

a) En contra de reconocer personalidad jurídica a las sociedades civiles con forma civil (esto es, aquéllas que no adoptan una forma mercantil, como pudiera ser la SA o SRL):

• Según el CC art.35.2º, son personas jurídicas las asociaciones de interés particular, sean civiles, mercantiles o industriales, a las que **la ley conceda personalidad propia,** independiente de la de cada uno de sus asociados. De este precepto se deduce que, para que una sociedad civil tenga personalidad jurídica, es preciso que una norma legal formulada **en términos positivos** se la conceda, cosa que no ocurre con las sociedades civiles, donde la ley (CC art.1669) se refiere a la personalidad en términos negativos (DGRN Resol 31-3-97).

• De la interpretación conjunta de CC art.1669 y 1670 se infiere que la sociedad civil solo puede tener personalidad jurídica cuando sus **pactos** puedan ser **conocidos por terceros** y que, a falta de un registro específico para este tipo de sociedades, solo tienen personalidad jurídica las sociedades que revistan una de las formas reconocidas en el CCom y se **inscriban en el RM**. Apoya este argumento el CCom art.119, del que se deduce que los pactos dejan de ser reservados cuando constan en la escritura social y se inscribe en el RM (DGRN Resol 31-3-97; 25-6-12). La sociedad civil **no inscrita en el RM** ha de calificarse como irregular o de hecho, válida en la esfera interna, pero no en sus relaciones con terceros y, por lo tanto, no dotada de personalidad jurídica (TS 27-5-93, EDJ 5039; AP Tarragona 26-4-00, EDJ 24788).

• Según la DGRN (actual DGSJFP), las sociedades civiles que no adoptan alguna de las formas reconocidas en el CCom (SA, SRL, SComA, conforme al CC art.1670) carecen de personalidad jurídica, produciéndose frente al exterior:
- en el aspecto activo, una **cotitularidad en los derechos sociales** que se rige por las disposiciones del contrato social, las disposiciones especiales sobre la sociedad y, subsidiariamente, por las normas de la comunidad de bienes; y
- en el aspecto pasivo, la **imputación** a los propios **socios** de las **obligaciones** nacidas de las relaciones con terceros, sin perjuicio de la especial afectación de los bienes sociales a su cumplimiento (DGRN Resol 31-3-97).
• Cuando para la constitución de la sociedad civil se exige el otorgamiento de **escritura pública** (forma que no se exige para la constitución de una sociedad civil, que puede constituirse por documento privado o incluso acuerdo verbal), su omisión determina que frente a terceros carezca de personalidad jurídica, independiente de la de sus socios, pero no en orden a las partes contratantes, entre las que produce sus efectos como sociedad irregular (TS 27-5-93, EDJ 5039).

Precisiones La DGRN Resol 31-3-97, entendió que se mantenían **secretos los pactos** entre los socios si no se inscribían en algún Registro público, como el mercantil, negando por ello personalidad jurídica a las sociedades civiles no inscritas. Por esa razón, se impulsó una reforma del RRM para permitir la **inscripción** en el Registro Mercantil de las **sociedades civiles con forma civil**, promulgándose al efecto el RD 1867/1998 que introdujo el art.269 bis en el RRM. No obstante, este precepto fue anulado por TS 24-2-00, EDJ 2580, por vulneración del principio de reserva de ley o de jerarquía normativa (CCom art.16.1.5). Poco después, la DGRN Resol 14-2-01, matizó su doctrina señalando que no puede negarse personalidad jurídica a una sociedad civil, aunque no revista forma mercantil, a los efectos de figurar como titular registral de determinado inmueble por ella adquirido mediante escritura pública de compraventa. Si bien, más tarde, la DGRN ha vuelto a su posición inicial, negando personalidad jurídica a las sociedades civiles no inscritas (DGRN Resol 25-6-12, revocada en sede judicial). **3210**

b) A favor de la personalidad jurídica de la sociedad civil que no adopta forma mercantil: **3212**
• La Const art.22 reconoce personalidad jurídica a las **asociaciones** que, entendidas en sentido amplio, incluyen a las sociedades.
• A diferencia de otros ordenamientos jurídicos, como el francés, en el que el reconocimiento de la personalidad jurídica de las sociedades civiles aparece vinculado a la inscripción de la sociedad, nuestro sistema **no exige** la **inscripción** de las sociedades civiles en registro alguno, y ni el CC art.1669 ni el 35 supeditan a la inscripción el reconocimiento de la personalidad de las asociaciones de interés particular, sean civiles, mercantiles o industriales, a las que la ley conceda personalidad propia, independiente de la de cada uno de los asociados (TS 7-3-12, EDJ 88250).
• Las sociedades civiles adquieren personalidad jurídica desde el momento en que actúan como **entidades autónomas en el tráfico jurídico** (TSJ Andalucía social 7-2-13, EDJ 54931). Lo relevante es que se exteriorice el vínculo societario, de manera que quien contrata sepa que lo está haciendo con un ente autónomo, distinto de sus integrantes.
• La personalidad jurídica de las **sociedades mercantiles no inscritas** en el Registro Mercantil ha sido declarada por TS 24-11-10, EDJ 326682, que asume la doctrina de la DGRN Resol 14-2-01, expresando que «de ciertos preceptos legales de reciente promulgación resulta que las sociedades mercantiles en formación e irregulares gozan de personalidad jurídica, o, al menos, de cierta personalidad, suficiente para adquirir y poseer bienes de todas clases, así como contraer obligaciones y ejercitar acciones, conforme al CC art.38, párrafo primero (LSC art.36 a 38 y 39; L 12/1991 de Agrupaciones de Interés Económico art.7.2).
• El RDL 5/2023 art.18.3 (recogido con anterioridad en la derogada L 3/2009 art.4.3) presupone la personalidad jurídica de las sociedades civiles con forma civil. Según este precepto, la **transformación**, entre otras, de una sociedad civil en cualquier tipo de sociedad mercantil no afecta a la personalidad jurídica de la sociedad civil transformada (Pantaleón).

• El CC art.1669, al negar personalidad jurídica a «las sociedades cuyos **pactos** se mantienen **secretos** entre los socios, y en que cada uno de éstos contrate en su propio nombre con terceros», no puede referirse a las sociedades en que se mantengan reservados algunos pactos, sino a las sociedades que no se muestren como tales frente a terceros, por mantenerse secreta u oculta entre los socios, como mero vínculo contractual entre éstos. Además, para excluir la personalidad jurídica de la sociedad se exige que no se haya configurado un régimen de gestión determinado, con mecanismos específicos de representación en nombre de un nuevo ente, sino que cada socio contrate en su propio nombre -y debe advertirse que la contratación en nombre de la sociedad como tal no requiere imprescindiblemente que aquélla goce de publicidad registral- (DGRN Resol 14-2-01). **3214**

Así lo ha manifestado más recientemente la jurisprudencia al afirmar que no se puede dudar de la personalidad jurídica de la sociedad civil, en la medida en que sus pactos son públicos por constar en escritura, **no** siendo requisito **imprescindible** que esté **inscrita en el RM**, pues tal circunstancia podrá dotar de mayor publicidad, pero su ausencia no significa que los pactos sean secretos. Así, la constancia en **escritura pública** y la contratación por los **órganos sociales** no deja lugar a dudas de que la entidad actúa en el tráfico jurídico como sujeto de derecho (TS 7-3-12, EDJ 88250; TSJ Granada cont-adm 2-7-12, EDJ 212899; TSJ Extremadura cont-adm 13-12-12, EDJ 292626).

• La opinión doctrinal mayoritaria (Castán, Girón, Lacruz, Menéndez, Paz-Ares, Pantaleón, Alonso Ureba) coincide en que para reconocer personalidad jurídica a las sociedades civiles con forma civil basta la mera **publicidad de hecho,** que existe cuando comienzan a ejercitarse actividades sociales en nombre de la sociedad (TS 12-3-88, 26-4-88, 10-11-88). A este respecto, ciertos autores exigen que se conozca en el tráfico que la sociedad existe, y otros, que haya en el tráfico una publicidad suficiente de su existencia. La **sociedad externa,** esto es, estructurada contractualmente por los socios para tener relaciones externas, para actuar en el tráfico unificadamente con el nombre de la sociedad, como si fuera un sujeto de derecho, está dotada de personalidad jurídica.

Precisiones 1) La asignación de un código de identificación fiscal (**CIF**) a la sociedad civil no atribuye por sí mismo personalidad jurídica, pero su obtención y uso, como la facturación a nombre de la sociedad, son indicativos de su **actuación en el tráfico** como tal sociedad y, por consiguiente, sin ocultación de su condición y contratando los socios en nombre de ella con los terceros (AP A Coruña 26-6-12, EDJ 176091).
2) Se reconoce personalidad jurídica a una sociedad civil que actuaba como tal en el tráfico jurídico, haciendo **presupuestos a su nombre** (AP Barcelona 7-5-21, EDJ 599190).

3216 **Clasificación** (CC art.1672 a 1678) Siguiendo a cierto sector doctrinal favorable al reconocimiento de personalidad jurídica a estas sociedades, se distingue entre:
- sociedades civiles **internas**, que son aquéllas que no operan como tales en el tráfico jurídico (es decir, se mantienen secretas en los términos del CC art.1669), y por tanto carecen de personalidad jurídica. No pueden contratar por sí mismas, ni ser titular de derechos u obligaciones, y los bienes destinados al cumplimiento del fin común no son propiedad de la sociedad como tal, sino de los socios;
- sociedades civiles **externas**, que gozan de personalidad jurídica (CC art.38.1), y en las que existe un **patrimonio social separado** de los personales de los socios. En este tipo de sociedades el socio se muestra como tal frente a terceros haciendo saber que contrata en nombre y por cuenta de la sociedad;
- sociedades civiles **con forma mercantil**, regidas por las normas correspondientes del CCom, inscribibles en el RM y dotadas de personalidad jurídica (SA, SRL, SComA).

3218 A su vez, el CC distingue entre sociedad civil universal y particular.
a) La sociedad **universal** puede ser de todos los bienes presentes o de todas las ganancias.
La primera es aquella por la cual las partes ponen en común todos los que actualmente les pertenecen, así como todas las ganancias que adquieran con ellos.
La segunda comprende todo lo que adquieran los socios por su industria o trabajo mientras dure la sociedad. Los bienes de cada socio continúan siendo de dominio particular, pasando solo a la sociedad el usufructo.
El contrato de sociedad universal celebrado sin determinar su especie solo constituye sociedad universal de ganancias.
b) La sociedad **particular** tiene por objeto cosas determinadas, su uso o sus frutos, una empresa señalada o el ejercicio de una profesión o arte.

2. Constitución

3225 Se estudian en este apartado:
- las partes que intervienen en el contrato (nº 3227);
- las diferentes formas de aportación de los socios (nº 3229); y
- las formalidades exigidas para la correcta constitución de la sociedad (nº 3231).

3227 **Sujetos intervinientes** Como contrato, la sociedad civil presupone la **pluralidad de partes.** No cabe una sociedad civil de un solo socio y la reducción a un único socio conduce a su extinción.
La **capacidad** de las partes del contrato de sociedad se rige por las **reglas generales** de carácter civil. Así pues, pueden ser parte en este contrato:
- los mayores de edad no incapacitados legalmente (CC art.240);

- los menores de edad emancipados (CC art.239 a 248);
- los menores de edad no emancipados con asistencia de su representante legal -progenitores, tutor, defensor judicial- (CC art.1263);
- las personas con discapacidad con el apoyo que precisen conforme a las medidas de apoyo adoptadas judicialmente para el ejercicio de su capacidad jurídica (CC art.249);
- las personas jurídicas, actuando por medio de sus órganos de representación.

La **falta de capacidad** determina la nulidad del consentimiento de quien la padece, pero, debido a la especial naturaleza del contrato, la validez del consentimiento subsiste respecto al resto de los contratantes, salvo en el supuesto en que la aportación del socio sin capacidad hubiera sido decisiva al contrato, en cuyo caso puede provocarse la extinción del mismo (Garrigues, Ascarelli).

Precisiones 1) No pueden contraer **sociedad universal** entre sí las personas a quienes está prohibido otorgarse recíprocamente alguna donación o ventaja (CC art.1677).
2) En el caso de que el **menor emancipado** aporte a la sociedad **bienes inmuebles, establecimientos mercantiles** o industriales u objetos de extraordinario valor, ha de contar con el consentimiento de sus padres o su defensor judicial (CC art.247).
Si el aportante es **menor no emancipado** o **persona con discapacidad** que precisa el apoyo de un curador, en los supuestos señalados y cuando la aportación sea de valores mobiliarios, requiere además autorización judicial (CC art.287).

Aportaciones de los socios La constitución de un fondo común con las **aportaciones de los socios** es el medio que permite la consecución del fin común de la sociedad. 3229
La aportación de los socios puede ser de **dinero, bienes** o de **industria** (trabajo o servicios) y, en todo caso, ha de ser lícita, determinada (o determinable) y posible, así como adecuada a la formación del patrimonio social.
La aportación de bienes puede hacerse **a título de propiedad o de uso**. En el primer caso ha de transmitirse a la sociedad la titularidad plena del derecho que se aporta. En otro caso, lo que se transmite es un derecho real limitado o un derecho de crédito.
El **riesgo** del bien aportado se transmite con la entrega del mismo. Con carácter general se establece que la pérdida de la cosa específica que un socio había prometido aportar, antes de su entrega a la sociedad, permite a cualquier socio solicitar la disolución de la sociedad, mediante denuncia unilateral. Asimismo, cuando la cosa se aporta a título de uso, reservándose el aportante la propiedad de la misma, puede también provocarse la disolución, aun cuando ya se haya transferido a la sociedad el uso o disfrute de la misma. En cambio, una vez que el objeto de la aportación a título de propiedad ha sido entregado, la pérdida la soporta la sociedad (CC art.1701). Ver nº 3260.

Precisiones 1) Según la naturaleza de su aportación, se distingue entre **socios capitalistas e industriales,** siendo los primeros los que aportan bienes o dinero, y los segundos los que realizan para la sociedad una aportación de trabajo o industria.
2) Se ha admitido como aportación el hecho de que uno de los socios **continúe trabajando en su empleo habitual** para obtener los ingresos necesarios para el mantenimiento de la sociedad mientras que el negocio objeto de la sociedad no produzca rendimientos suficientes (TS 7-10-65).
3) Es posible la existencia de una sociedad en la que **todas las aportaciones** sean **de trabajo** (TS 30-9-91, EDJ 9121).
4) Es posible la aportación de la **nuda propiedad** sobre un bien, conservando el aportante el usufructo sobre el mismo (TS 10-3-49).

Forma y publicidad (CC art.1667) La constitución de la sociedad civil no requiere el sometimiento a específicos requisitos de forma. Son posibles, por tanto, sociedades concertadas de forma oral, esto es, mediante **acuerdo verbal**, dado que el contrato se perfecciona por el mero consentimiento (TS 20-5-88, EDJ 4319; 12-7-96, EDJ 6098; 17-7-96, EDJ 52414), e incluso por actos concluyentes (TS 12-2-71; 25-5-93, EDJ 4942; 27-5-93, EDJ 5039). 3231
Sin embargo, cuando se aporten bienes inmuebles o derechos reales, es necesaria la constitución por **escritura pública**. No obstante, el contrato de sociedad civil se perfecciona por el mero consentimiento, sin que la aportación de inmuebles altere su eficacia interna, ya que la ausencia de escritura pública ha de entenderse que opera frente a terceros y no inter-partes (TS 10-11-78; 9-10-87, EDJ 7179; 31-5-94, EDJ 4987; 17-7-96, EDJ 52414; 12-7-96, EDJ 6098), por lo que hay que estimar que el ente societario es válido y operante entre las partes que lo estipularon (TS 21-6-90, EDJ 6628; 9-10-95, EDJ 4906).
En cualquier caso, aparte de su exigibilidad o no como medio constitutivo, la escritura pública es un eficaz **medio de prueba** de la existencia de la sociedad y de los pactos por los que se rige.
Se permite la **inscripción** en el Registro Mercantil de aquellas sociedades civiles por su objeto que decidan inscribirse en el mismo (L 18/2022 disp.adic.8ª).

Precisiones 1) Recuérdese que, con el fin de dotar de personalidad jurídica a las sociedades civiles mediante su inscripción en un registro público (el Registro Mercantil), el RD 1867/1998 añadió al RRM una sección 5ª, al capítulo IX del Título II bajo la rúbrica «De la inscripción de las sociedades civiles», integrada por un único art.269 bis, que establecía los requisitos para que una sociedad civil pudiera ser inscrita. Esa reforma del RRM fue anulada por TS 24-2-00, EDJ 2580, por vulneración del **principio de reserva de ley** establecido en CCom art.16.1.quinto. Actualmente, la posibilidad de inscripción de una sociedad civil se regula en norma con rango de ley (L 18/2022 disp.adic.8ª). Para mayor información, ver nº 14970 Memento Sociedades Mercantiles 2024.
2) Dado el carácter consensual del contrato de sociedad civil, su **perfección** no requiere ni tan siquiera la realización de las aportaciones por parte de los socios (TS 5-5-86, EDJ 2955; 9-2-94, EDJ 1077).

3233 **Constitución telemática** (RD 44/2015; RD 682/2003 art.5.1.b a n) Desde el 11-5-2015 es posible la constitución telemática de sociedades civiles mediante la utilización del Documento Único Electrónico (**DUE**) y el procedimiento electrónico del sistema. Quedan excluidos de esta posibilidad los sectores inmobiliario, financiero y de seguros.
La cumplimentación y envío del DUE se puede realizar a través de los Puntos de Atención al Emprendedor (**PAE**) o a través de la **Ventanilla Única** y, por vía electrónica, está disponible en la siguiente dirección de Internet: https://subsede.pyme.minetur.gob.es.
La regular cumplimentación del DUE correspondiente a sociedades civiles cuyo objeto sea la explotación de una actividad mercantil no convalida la nulidad de las que se constituyen en documento privado.
El DUE permite la realización electrónica de los siguientes **trámites**:
• Obtención del NIF provisional de la sociedad, previa remisión a la Administración tributaria del correspondiente contrato privado de constitución o copia simple electrónica de la escritura de constitución.
• Autoliquidación del ITP y AJD (operaciones societarias).
• Obtención del NIF definitivo de la sociedad, para lo que habrá que enviar a la Administración tributaria los datos del contrato privado de constitución o escritura pública, NIF de la persona que firme la declaración censal, y que ha de ser uno de los socios, o su representante, y liquidación por el ITP y AJD, en los casos que proceda.
• Declaración censal de inicio de actividad.
• Formalización de la cobertura de los accidentes de trabajo y enfermedades profesionales y de la prestación económica por incapacidad temporal por contingencias comunes de los trabajadores de la sociedad.
• Inscripción del empresario y apertura del código cuenta de cotización (CCC) en la Seguridad Social.
• Inscripción de embarcaciones y artefactos flotantes.
• Afiliación y alta de trabajadores en el sistema de la Seguridad Social.
• Alta en el IAE a efectos censales.
• Registro de nombre de dominio «.es».
• Inscripción de ficheros de datos personales en el Registro General de Protección de Datos.
• Solicitud de registro de marca y nombre comercial.
• Comunicación de la apertura del centro de trabajo.

3. Derechos y obligaciones de los socios

3240 Se exponen a continuación los derechos y obligaciones que, sin perjuicio de cualesquiera otros pactados por las partes, configuran el **estatus jurídico** de sus socios:
• Según la naturaleza de su aportación, los **socios** pueden ser **capitalistas o industriales**, siendo los primeros los que aportan bienes o dinero, y los segundos los que realizan para la sociedad una aportación de trabajo o industria.
• Cada socio adeuda a la sociedad lo que ha prometido como **aportación** y es responsable por evicción en cuanto a los bienes aportados (CC art.1681). Cuando la aportación consiste en una suma de dinero, se devengan **intereses** desde el día en que el socio debió aportarla y no lo hizo, sin perjuicio de la indemnización de daños que proceda (CC art.1682).
• Todo socio responde ante la sociedad por los **daños y perjuicios** que ésta haya sufrido por su culpa, sin que pueda compensarlos con los beneficios que por su industria le haya proporcionado (CC art.1686).

Precisiones Las **aportaciones** debidas por uno de los socios a la sociedad civil deben efectuarse con los intereses correspondientes, devengados al tipo de **interés legal** del dinero, desde el día en que debió hacerlas, pues no se trata de un interés de carácter moratorio sino compensatorio, que surge de forma automática y objetiva (TS 18-6-14, EDJ 111203).

• La sociedad responde a todo socio de las **cantidades desembolsadas** por cuenta de la misma y del interés correspondiente, así como de las obligaciones que de buena fe haya contraído para los negocios sociales y de los riesgos inseparables de su dirección (CC art.1688). 3242

• La sociedad queda obligada con terceros por los **actos de uno de los socios** cuando este (CC art.1697):
- obre como tal, por cuenta de la sociedad;
- tenga poder para obligar a la sociedad;
- obre dentro de los límites de su poder o mandato.

• Las **pérdidas y ganancias** se reparten según lo pactado. Si solo se ha pactado la parte de cada uno en las ganancias, será igual su parte en las pérdidas. A falta de pacto, la parte de cada uno en las ganancias y en las pérdidas es proporcional a su aportación (CC art.1689). Es nulo el pacto que excluye a uno o más socios de toda parte en las ganancias o en las pérdidas (AP Cádiz 22-10-93), si bien el socio de industria puede ser eximido de toda responsabilidad en las pérdidas (CC art.1691).

• Los socios no quedan obligados solidariamente respecto de las **deudas de la sociedad** (CC art.1698). Su responsabilidad es mancomunada, esto es, responden de las dudas sociales en la medida de su participación social, con todos sus bienes (CC art.1911), pero solo después de haberse hecho excusión del fondo social. Se trata, por tanto, de una **responsabilidad mancomunada y subsidiaria**, pues solo se procederá contra ellos y/o su patrimonio cuando previamente se haya procedido, sin éxito, contra los bienes y derechos titularidad de la sociedad civil (DGRN Resol 13-2-13).

• Los **acreedores** de la sociedad son preferentes a los de cada socio sobre los bienes sociales. A pesar de ello, los acreedores de cada socio pueden pedir el embargo y remate de la parte de éste en el fondo social (CC art.1699).

• El **socio industrial** debe a la sociedad las ganancias que durante ella haya obtenido en el ramo de industria que sirve de objeto a la misma (CC art.1683).

4. Administración y representación

(CC art.1692 a 1696)

Los administradores están facultados para realizar todas las actividades necesarias para la consecución del **fin común**, operando éste como límite de su actuación, y es el **contrato social** el que determina el ámbito de la administración y representación. Dentro del citado ámbito, y salvo pacto expreso de los socios, el poder es ilimitado. 3245

Existen, como en las sociedades de capital, distintos modos de administrar la sociedad civil:

a) **Administrador único**: puede ejercer todos los actos de administración a pesar de la oposición de sus compañeros, a no ser que proceda de mala fe. Si ha sido nombrado en el contrato social, su poder es irrevocable salvo que concurra causa legítima. Si ha sido nombrado con posterioridad, puede revocarse en cualquier momento.

b) **Administradores mancomunados**: si la administración se confía a dos o más socios y se ha estipulado que éstos no pueden obrar unos sin el consentimiento de los otros, es necesario el concurso de todos para la validez de los actos. No podrá alegarse la ausencia o imposibilidad de alguno de ellos, salvo si hubiera peligro inminente de un daño grave o irreparable para la sociedad.

c) **Administradores solidarios**: si la administración se confía a dos o más socios y no se establecen sus funciones ni se establece un régimen de actuación mancomunada, cada uno puede ejercer todos los actos de administración separadamente, pero cualquiera de ellos puede oponerse a las operaciones de otro antes de que éstas hayan producido efecto legal.

Precisiones El **derecho de oposición** de los administradores solidarios en modo alguno desnaturaliza el sistema convirtiéndolo en una suerte de sistema de administración conjunta encubierta. El fundamento del derecho de oposición se halla en el principio de igualdad, que impide que en la administración social pueda un socio imponerse sobre otro.

Este derecho de oposición ha de ejercitarse antes de que se ejecute la iniciativa contra la que se dirige (antes de que «haya producido efecto legal»). La oposición manifestada tardíamente es irrelevante y, por ende, no atribuye el derecho a que se eliminen los efectos de las medidas ya adoptadas. Salvo en un solo caso: cuando el retraso es debido a la infracción por parte del administrador que adoptó la medida del deber de comunicación. El deber de comunicación puede omitirse en los supuestos de urgencia o necesidad. La cláusula de peligro contenida en el último inciso del CC art.1694 debe aplicarse analógicamente.

El derecho de oposición se ejercita mediante la correspondiente **declaración de voluntad** recepticia dirigida hacia el administrador que se propone actuar (no es preciso dirigirla al tercero con el que se aspira a contratar) y no puede emplearse genéricamente con el propósito de bloquear la actividad del coadministrador.

Por otra parte, parece que podría pactarse la **supresión o modulación** del derecho de oposición, pues es un derecho de naturaleza dispositiva.

3247 Puede suceder que en el contrato **no** se haya estipulado nada sobre el **modo** de **administrar** la sociedad, en cuyo caso, han de observarse las siguientes normas:
a) Todos los socios se consideran **apoderados** y lo que cada uno haga por sí solo obliga a la sociedad, pero cada uno puede oponerse a las operaciones de los demás antes de que produzcan efecto legal.
b) Cada socio puede **servirse de las cosas** que componen el fondo social, según la costumbre del lugar, siempre que no lo haga contra el interés de la sociedad o impidiendo el derecho de uso de los demás socios.
c) Todo socio puede obligar a los demás a sufragar con él los gastos necesarios para la **conservación de los bienes comunes**.
d) Ningún socio puede sin consentimiento de los demás, **modificar los inmuebles** en común.

3249 **Derechos y deberes** Los administradores se rigen, a falta de normas específicas, por las reglas del **mandato** (CC art.1709 a 1739), siempre y cuando resulten compatibles con la naturaleza societaria del vínculo.
En particular, los administradores deben ejercer **personalmente** la administración, sin que les esté permitido delegar, con carácter general, en otra persona la dirección de los negocios sociales. Ello no obsta, sin embargo, para que en el desarrollo de sus funciones puedan servirse de auxiliares. De otra parte, deben **rendir cuentas** de su gestión, explicando el contenido de la actividad que han desarrollado por cuenta de la actividad y acreditando documentalmente los ingresos y gastos habidos.
En el desempeño de su cargo deben observar la **diligencia** de un padre de familia (CC art.1104), respondiendo frente a los socios y los terceros por los daños que su actuación les haya deparado. La **responsabilidad** de los administradores es, en principio, mancomunada.

5. Duración

(CC art.1679, 1680, 1705 y 1707)

3255 Salvo pacto expreso en otro sentido, la sociedad comienza desde el momento mismo de la celebración del contrato, y, quedando su duración al **arbitrio de las partes,** la misma dura el tiempo expresa o tácitamente convenido.
Si los socios pactan una **duración determinada,** no hay facultad de libre desistimiento, de no mediar justo motivo, aun cuando son válidos los pactos que conceden tal facultad a algunos o a todos los socios.
Si no se ha señalado tiempo de duración y si de la naturaleza de la empresa no resulta una duración determinada, la sociedad dura lo que el negocio que haya servido de objeto a la sociedad y, en otro caso, **toda la vida de los socios,** sin perjuicio de su extinción por las causas establecidas, entre ellas la voluntad de cualquier socio, que, en esos casos, y siempre que medie buena fe y se haya puesto en conocimiento de los otros socios, puede instar la disolución de la sociedad.
Se admite la **prórroga de la sociedad** constituida por tiempo determinado, siempre que se acuerde con el consentimiento de todos los socios, el cual puede ser tácito (TS 30-9-71, EDJ 628). Incluso es admisible que las partes prevean en el contrato inicial el tiempo de duración de cada prórroga (AP Badajoz 5-10-92).

6. Extinción

(CC art.1700 a 1707)

3260 La extinción de la sociedad puede producirse tanto por voluntad propia, como por la concurrencia de causas ajenas.
Concretamente, son **causas de disolución** de la sociedad, las siguientes:
- **Expiración del término** por el que se constituyó.
- **Pérdida la cosa**.
- **Conclusión del negocio** que le sirve de objeto.
- **Muerte, insolvencia**, incapacidad o declaración de prodigalidad de cualquiera de los socios; siendo válido el pacto de que, en caso de **fallecimiento** de uno de los socios, continúe la sociedad entre los que sobrevivan o entre éstos y el heredero (en el primer caso, el heredero tiene, no obstante, derecho a que se haga la partición).
- **Embargo** de bienes sociales a causa de las deudas de un socio.
- **Denuncia ordinaria** de cualquiera de los socios, siempre que la sociedad se constituya por tiempo indefinido. Para que la renuncia surta efectos, debe comunicarse al resto de socios y

hacerse en tiempo oportuno y de buena fe, siendo de mala fe la que efectúa el socio renunciante con el propósito de apropiarse del provecho que debe ser común (CC art.1705 y 1706).
Si la sociedad se ha constituido por tiempo determinado, o éste resulta de la naturaleza del negocio, el socio puede pedir su disolución únicamente si media **justo motivo** a criterio de los tribunales (CC art.1707), p.e, el incumplimiento de los socios de sus obligaciones, la inhabilitación para los negocios sociales, u otro semejante. Es lo que se conoce como denuncia extraordinaria pues exige, tratándose de sociedades por tiempo determinado, la concurrencia de «justo motivo».
- **Pérdida de la cosa específica** que un socio se había obligado a aportar a la sociedad, cuando la cosa perece antes de ser entregada, y lo mismo sucede cuando el socio se ha obligado a aportar el uso o goce de una cosa, reservándose la propiedad, y ésta perece. Sin embargo, no se disuelve la sociedad cuando la pérdida de la cosa tiene lugar después de que la sociedad ha adquirido su propiedad.

Precisiones 1) Considera el TS que concurre **justo motivo** para la **denuncia unilateral del contrato** de sociedad civil, que el socio haya sido condenado como autor de un delito, al vender, sin autorización del otro socio, la mitad del terreno a una sociedad que había constituido su cónyuge. Este comportamiento tiene, a juicio del TS, entidad bastante para considerar rota la relación de confianza entre los socios (TS 18-10-10, EDJ 213281).
2) Son válidas las cláusulas que prevén un derecho de **separación** a favor de todos o de algunos de los socios, sin más límites que los generales de la autonomía de la voluntad (TS 30-6-87, EDJ 5220).

Liquidación (CC art.1708) La disolución de la sociedad por la concurrencia de alguna de las causas examinadas no equivale, por sí sola, a su completa e inmediata extinción, pues determina la apertura del pertinente proceso o periodo de liquidación en el que la sociedad subsiste y conserva, si con anterioridad la tuviera, su personalidad jurídica como sociedad en situación de liquidación. De modo que sigue conservando los rasgos característicos del modelo de sociedad diseñado por el Código Civil. **3262**
Las **operaciones de liquidación** deben hacerse con arreglo a lo dispuesto en el contrato social y, en su caso, a lo convenido con posterioridad sobre liquidación de la sociedad. Estas operaciones comprenden: (i) inventario de los bienes; (ii) liquidación del activo y del pasivo; y (iii) rendición de cuentas.
Cuando nada se ha convenido, se aplica, como **régimen subsidiario**, el relativo a la **partición de la herencia**. Esta remisión a la partición debe entenderse en sentido amplio, incluyendo tanto los aspectos formales y procedimentales, como los materiales o sustantivos (CC art.1051 a 1087). De ahí que, a falta de acuerdo al respecto, para el avalúo de los bienes debe tomarse en cuenta el valor de los bienes a la fecha en que se practique la liquidación y no a la fecha de disolución de la sociedad, conforme al CC art.1708, 1045, 1074 (TS 14-1-15, EDJ 8545).
Efectuado el reparto, se **extingue** la sociedad solo si efectivamente se ha liquidado todo el pasivo (TS 27-6-69; 31-7-97, EDJ 6332). Si posteriormente aparecen **deudas** que no fueron saldadas, la sociedad ha de reputarse subsistente hasta que no se hayan liquidado todas las relaciones jurídicas.

Precisiones 1) En la remisión han de tenerse en cuenta, no obstante, las normas de la propia sociedad civil que se refieren a la sociedad en liquidación, así como las normas sobre la **liquidación** de **sociedades mercantiles**, que son aplicables por analogía (TS 2-1-40), e incluso las normas sobre liquidación de los patrimonios conyugales.
2) Toda esta normativa es de derecho dispositivo, de forma que puede ser sustituida por **pactos** entre los socios (TS 20-6-59).
3) Naturalmente, no pueden ser derogadas las normas que protegen intereses de **terceros,** en particular, la que prohíbe que se reparta el patrimonio social entre los socios antes de que hayan quedado atendidas las reclamaciones de los acreedores (CC art.1699).
4) Si **no** hay **patrimonio** en el momento de la disolución, la liquidación carece de presupuesto (TS 11-2-56).

SECCIÓN 4

Comunidad de bienes

3267 Por comunidad de bienes **se entiende** aquella situación en la que un bien o derecho o un conjunto de bienes o derechos pertenecen a varios titulares, comuneros o copropietarios, de forma conjunta y simultánea. Así, el CC art.392 establece que existe comunidad cuando la propiedad de una cosa o de un derecho pertenece *pro indiviso* a varias personas.

1. Consideraciones generales

3272 La esencia de la comunidad consiste en que cada propietario lo es de **cuotas abstractas** o ideales de la cosa, sin corresponderle una parte material, concreta y determinada, con exclusión de las restantes. Las mencionadas cuotas se presumen **iguales**, salvo que se pruebe lo contrario (CC art.393).

Al carecer la comunidad de personalidad jurídica, el contenido obligacional del **contrato** se limita a regular las relaciones jurídicas entre los comuneros, quienes establecen los pactos que estimen convenientes (nº 3290 s.). En **defecto de pacto**, se aplican, con carácter supletorio, las reglas contenidas en el Código Civil (CC art.392 a 406).

Precisiones 1) En nuestro derecho, la situación de comunidad ha sido tradicionalmente considerada como un **estado anormal y transitorio** y, en consecuencia, se otorga a cada comunero el derecho de poner fin a esta situación en cualquier momento, pidiendo la **división de la cosa común** (nº 3317).

2) Se parte del principio de la **autonomía de la voluntad**, por cuya virtud quienes constituyen o forman parte de una comunidad bienes pueden pactar la regulación que consideren conveniente (TS 2-2-93, EDJ 845).

3) La comunidad de bienes cuenta con regulación propia en el Derecho civil de **Cataluña**, materia que se expone con detalle en los nº 7950 s. Memento Experto Civil Cataluña

3274 Por su origen, se distingue entre:
- comunidad **contractual o voluntaria**, la cual nace de la voluntad coincidente de varias personas de adquirir o explotar conjuntamente una cosa o un derecho;
- comunidad **incidental**, que se produce como consecuencia de un hecho independiente de la voluntad de las partes (p.e., por causa sucesoria, donación, etc.).

La comunidad voluntaria se rige fundamentalmente por los **pactos** establecidos contractualmente por los comuneros, siempre y cuando no contraríen la ley, la moral o el orden público (CC art.1255), y, en su defecto, por las reglas contenidas en el **Código Civil**, que operan, en todo caso, como supletorias de las convencionales (TS 24-10-83).

3276 La doctrina y la jurisprudencia son concordes al afirmar que la **comunidad de bienes regulada en el Código Civil** es la denominada comunidad romana o por cuotas, frente a la germánica o en mano común.

En contraposición con la germánica, la comunidad romana tiene las siguientes **características**:

Comunidad romana	Comunidad germánica
Existe una titularidad por **cuotas indivisas** (CC art.392), en la que cada comunero participa con una determinada, que es la expresión de la medida de su derecho (AP Málaga 12-1-11, EDJ 149701). Las cuotas de los comuneros no han de ser necesariamente **iguales** (CC art.393.1), pero existe una presunción *iuris tantum* a favor de la igualdad (CC art.393.2)	La atribución de la titularidad no se verifica por cuotas indivisas, sino que existe una **única titularidad** de todos los comuneros, conjuntamente, sobre la cosa o derecho de que se trate.
Cada comunero puede **utilizar por sí solo la cosa** común (CC art.394).	Ninguno de los comuneros puede actuar sobre la cosa o derecho por sí solo, aunque pretenda hacerlo en beneficio de los demás (TS 31-1-02, EDJ 532).
Las decisiones acerca de la **administración** en la comunidad se adoptan por acuerdo mayoritario de todos los comuneros (CC art.398).	
La **responsabilidad por deudas**, frente a terceros, tiene carácter solidario, sin perjuicio de que en el orden interno cada uno de los comuneros responda por ellas y por las cargas de la comunidad en proporción a su respectiva cuota (CC art.393.1).	En cuanto a la responsabilidad por las deudas y cargas de la comunidad, la misma no es, como en la comunidad romana, de carácter solidario, sino mancomunado.
Cada comunero tiene derecho a **disponer de su cuota** en la comunidad, por separado de los demás (CC art.399).	Ninguno de ellos puede disponer por separado de su participación en la comunidad.
Cada comunero tiene derecho a pedir, en cualquier momento, la **división de la cosa común**, salvo especiales supuestos de indivisión (CC art.400 s.; DGRN Resol 30-6-1927).	Ninguno de los cotitulares puede pedir, por separado, la división de la cosa común.

Fórmula asociativa Nada se opone a que una **empresa** o **negocio** pueda ser objeto de comunidad, ni que ésta pueda ser utilizada como fórmula asociativa para el ejercicio y desarrollo de actividades propias del tráfico mercantil. **3278**

Así, cuando uno o varios inmuebles pertenecen *pro indiviso* a varios sujetos y forman parte de una actividad empresarial realizada en común, surge una situación que **trasciende la mera copropiedad**, pero que no llega a alcanzar personalidad jurídica independiente de la de sus componentes y propia de las sociedades (DGRN Resol 20-3-86). De hecho, atendiendo a un concepto subjetivo de empresario, las comunidades de bienes no ostentan tal condición, pues **carecen de personalidad jurídica**, sino que la condición de empresario ha de referirse a los comuneros o partícipes.

En el ámbito del Registro Mercantil no hay ninguna norma que permita la **inscripción** de las comunidades de bienes, por lo que los libros que puedan o deban llevar -pese a que las mismas ejerzan una actividad empresarial- no son **libros** de comercio de un concreto empresario (DGRN Resol 16-2-00).

En otros ámbitos, las comunidades de bienes son admitidas expresamente como empresarios, como en el **tributario y laboral**:

a) Se les considera sujetos pasivos tributarios (LGT art.35.4). Para actuar en el ámbito fiscal están obligadas a solicitar un número de identificación fiscal (RD 1065/2007 art.18.1).

b) Son equiparadas a las sociedades las constituidas por actos inter vivos, a efectos del Impuesto sobre Transmisiones Patrimoniales (RDLeg 1/1993 art.22).

c) También reciben la consideración de empresarios a efectos laborales (ET art.1.2).

Precisiones **1)** La **empresa** se configura como una unidad patrimonial propia de la personalidad individual o colectiva que la crea y mantiene, integrada no solamente por el trabajo y capital, sino también por la organización que, como elemento preponderante, tiende a que con el conjunto de bienes materiales y dinamismo creados se desarrolle una actividad en la esfera económica (TS 21-12-65).

2) Aunque la copropiedad no es un acto de comercio, sino un hecho, sí puede ser efecto o consecuencia de un **acto de comercio.** Las leyes mercantiles contemplan supuestos de comunidad; tal es el caso de:

- la copropiedad de buques (CCom art.589);
- la copropiedad de acciones y participaciones sociales (LSC art.126);
- la comunidad de los acreedores en los supuestos de concurso de acreedores, aunque con ciertos aspectos discutibles.

3280 **Diferencias con la sociedad** Si bien sociedad y comunidad son formas de organizar la estructura de la propiedad sobre el patrimonio común, los socios pueden optar entre:
- atribuir la titularidad del patrimonio aportado a un sujeto creado por ellos mismos (sociedad), con personalidad jurídica propia; o
- que el patrimonio aportado sea propiedad común de los socios (comunidad de bienes).
Así, la comunidad se diferencia de la sociedad en los siguientes **aspectos fundamentales:**
a) La comunidad de bienes carece de **personalidad jurídica** distinta de la de los comuneros, mientras que la sociedad tiene personalidad jurídica propia.
b) Los comuneros carecen de la denominada *affectio societatis* o intención de tenerse por **socios**.
c) En cuanto a sus **objetivos**:
- la comunidad de bienes está dirigida al mantenimiento y aprovechamiento plural de una propiedad común (TS 21-3-88, EDJ 2319);
- la sociedad, aun cuando en ella también existe un patrimonio comunitario, está dirigida a la intervención en el tráfico mercantil para obtener ganancias y lucros comunes, partibles y divisibles (TS 24-7-93, EDJ 7615).
Las diferencias expuestas no se dan en las denominadas **sociedades internas,** es decir, aquellas en las que los pactos se mantienen secretos entre los socios, que no tienen personalidad jurídica y que por expreso mandato legal (CC art.1669) se rigen por las disposiciones relativas a la comunidad de bienes.

3282 Precisiones **1)** Las comunidades de bienes que actúan en el tráfico bajo una razón unificada y explotando una empresa son, jurídicamente:
- **sociedades colectivas irregulares** si su objeto es mercantil; o
- **sociedades civiles** si es civil, o se trata de una sociedad interna (aquélla que no se revela como tal en el tráfico jurídico) aun cuando su objeto fuera mercantil (AP Valladolid 17-9-82).
2) Para parte de la doctrina, la aplicación a las **sociedades internas** de las reglas de la comunidad no es total, ya que las relaciones obligatorias entre los socios se siguen rigiendo por las normas del derecho de sociedades. Así, ni las normas de administración y disposición de la cosa común (CC art.393 s.), ni las de división y extinción de la comunidad (CC art.400 s.), serían de aplicación a las relaciones entre los socios. Por **ejemplo**, si unos amigos deciden comprar un vehículo todoterreno para dar la vuelta al mundo:
- el vehículo les pertenece en común;
- a las relaciones entre ellos se aplican las normas de la sociedad civil;
- ninguno puede pedir la división de la cosa común, sino que ha de denunciar el contrato de sociedad en los términos del CC art.1700.4º.
3) La distinción resulta mucho más difícil entre comunidades de bienes cuya finalidad es la **promoción de un inmueble** y sociedades civiles cuyo lucro es la consecución de una vivienda en condiciones más favorables para los socios. En general, puede resultar más beneficioso optar por la sociedad civil cuando los socios desean empezar a realizar contribuciones con carácter previo a la adquisición de derechos sobre el solar, sobre el que se realizará la construcción. En cualquier caso, la calificación que las partes atribuyan a las relaciones jurídicas que les vinculan no es determinante, ni configura de por sí la específica y propia naturaleza de las mismas, sino que está sujeta a la calificación que de ella puedan hacer los tribunales. Sin embargo, según se adopte una u otra normativa se derivan distintas **consecuencias**. Así, en la sociedad civil no cabe solicitar la división de la comunidad, puesto que para la división de los bienes de la sociedad civil se requiere la extinción de la sociedad y la distribución del patrimonio social de acuerdo con las normas concernientes a la partición de la herencia (CC art.1700).
4) Dos psicólogas **arriendan un inmueble**, ocupando cada una su despacho propio dentro de ese inmueble, siendo el resto elementos de uso compartido. Con ocasión de un litigio judicial entre las mismas, la Audiencia Provincial califica esa relación como comunidad de bienes, y el TS 19-2-16, EDJ 9668, en cambio, como **sociedad civil interna (de medios)**, por no revelarse al exterior como sociedad (CC art.1669). Las sociedades civiles internas se rigen por las disposiciones relativas a la comunidad de bienes (CC art.1669); sin embargo, solo son directamente aplicables las normas que estructuran la titularidad sobre el patrimonio o fondo común, rigiéndose las relaciones entre los socios/comuneros, en principio, por las normas del contrato de sociedad (esto se infiere de las palabras iniciales del CC art.392: «A falta de contratos...»).

3284 **Libertad de forma** Para la creación de una comunidad de bienes no se exige una **aportación mínima**, ni el cumplimiento de ningún tipo de **solemnidad**. Por tanto, bajo el principio de libertad de forma, nada impide constituir la comunidad en la forma que las partes consideren más oportuna.
Ello no obstante, la **forma escrita** sirve de prueba de las aportaciones, o puede venir exigida, junto con el cumplimiento de ciertos trámites (inscripción en el Registro de la propiedad, comunicación a la Dirección General de Comercio e Inversiones, etc.), por la naturaleza de los bienes sobre los que la comunidad recae (inmuebles, participaciones sociales de SRL, patentes y licencias, etc.), o por exigencias de la normativa de inversiones extranjeras.

Precisiones El **contenido** del documento en que conste la constitución de la comunidad debe mencionar lo siguiente:
- los datos identificativos de los comuneros, los cuales, por la propia fuerza de las cosas, deben ser al menos dos, ya se trate de personas físicas o jurídicas;
- la descripción de los bienes o derechos sobre los que recaiga la comunidad o la actividad objeto de la misma;
- en su caso, las reglas por las que se regirá la comunidad que decidan establecer las partes.

Relaciones con terceros Las relaciones con terceros no son con la comunidad, puesto que ésta carece de **personalidad jurídica,** sino con los comuneros, esto es, con las personas físicas o jurídicas que sean partícipes de la comunidad. 3286
En el ámbito mercantil un **copartícipe** únicamente puede obligarse a sí mismo, sin perjuicio de que, al contraer la obligación, obligue entre otros bienes de su patrimonio a la cuota de la comunidad. Por ello, los **acreedores** solo pueden dirigirse contra el firmante o persona o personas que hayan asumido la obligación.

2. Derechos de los comuneros sobre la cosa común

Sobre la cosa común los comuneros pueden ejercer, en los términos y condiciones que a continuación se exponen, los siguientes derechos: 3290
- uso;
- participación en resultados (nº 3294);
- administración (nº 3296);
- alteraciones (nº 3298);
- defensa (nº 3302);
- prescripción (nº 3304); y
- división de la cosa común (nº 3306).

Derecho al uso de la cosa (CC art.394) Cada partícipe puede servirse de las cosas comunes ateniéndose a las siguientes **limitaciones**: 3292
- disponer de ellas conforme a su destino;
- no perjudicar el interés de la comunidad; y
- no impedir a los demás copartícipes utilizarlas según su derecho.

Aunque tanto la doctrina como la jurisprudencia han entendido tradicionalmente que el citado precepto implica el **uso solidario** de la cosa, ello no puede entenderse de forma absoluta y para todo supuesto, sino solo cuando lo permita la naturaleza de la cosa común (TS 23-3-91, EDJ 3192).

Además, esa utilización por uno solo de la cosa común puede dar lugar a verdaderos **abusos**, frente a los cuales cualquier otro comunero puede ejercitar la acción de tutela de la posesión a través del juicio verbal, sin necesidad de que lo haga en nombre de toda la comunidad, y partiendo de la base de que su acción beneficia al resto de comuneros (AP Asturias 29-4-10, EDJ 108829).

Por otra parte, nada impide el establecimiento voluntario por los comuneros de **otras modalidades de uso** (como, por ejemplo, el uso por turnos) o de ciertas normas que reglamenten el uso de la cosa.

Precisiones **1)** El CC art.394 atribuye a cada comunero la facultad de servirse y usar plenamente la cosa común (definido por la jurisprudencia como «**uso solidario**», TS 7-5-07, EDJ 32753; 9-12-15, EDJ 259179), siempre que respete los **límites** de un uso «conforme a su destino» y que «no perjudique el interés de la comunidad». De tal manera que el ejercicio por un partícipe de la facultad de uso solidario de la cosa común no está condicionado a que exista un previo acuerdo de la mayoría de comuneros que así lo autorice, conforme al CC art.398. Por lo tanto, habrá de rechazarse, en cualquier caso, toda pretensión de un comunero de limitar el ejercicio por otro de la facultad de uso solidario, cuando el concreto uso de que se trate beneficie a éste y no cause a aquél ningún perjuicio relevante. Conforme a esto, en un supuesto en que dos psicólogas habían arrendado un inmueble para el ejercicio de su actividad, ocupando cada una de ellas un despacho y siendo el resto elementos comunes, el TS 19-2-16, EDJ 9668, declaró que los usos del derecho arrendaticio común por parte de una de las coarrendatarias no pueden calificarse de «alteraciones de la cosa común» en el sentido del CC art.397, por:
- no ser contrarios al «destino» establecido por las partes;
- no impedir el ejercicio de uso solidario de la cosa común;
- no contravenir el acuerdo inicial entre las coarrendatarias de que cada una tendría un uso excluyente de su respectivo despacho.

Así, respecto del uso por los comuneros de la cosa común rige el CC art.394, y si este precepto no existiera, la regla o máxima jurídica aplicable sería *quod tibi non nocet et alii prodest non prohibetur* («lo que a ti no te daña y a otro beneficia, no se prohíbe»).

2) En caso de **discrepancias sobre el uso** que cada copartícipe hace de la cosa común, se decide por acuerdo de la mayoría, en cuanto régimen previsto para la administración y mejor disfrute de la cosa (nº 3296).
3) Quien haga uso individual del bien o derecho común no puede pretender que los demás comuneros colaboren a los **gastos y cargas** que ese uso ha provocado (TS 15-10-92).

3294 **Participación en beneficios y cargas** (CC art.393 y 395) El concurso de los partícipes, tanto en los beneficios como en las cargas, debe ser **proporcional** a sus respectivas **cuotas.** A estos efectos hay que tener en cuenta que se presumen iguales, mientras no se pruebe lo contrario, las porciones correspondientes a los partícipes en la comunidad.
Esta regla de responsabilidad proporcional lo es exclusivamente a **efectos internos** de la propia comunidad, pues en el orden externo, **frente a terceros**, la responsabilidad de los comuneros es solidaria (AP Madrid 29-9-03, EDJ 247425).
Para hacer efectivo el principio de distribución proporcional de los gastos se establece que todo comunero tiene derecho para **obligar a los partícipes** a contribuir a los gastos de conservación de la cosa o derecho común.
Solo puede eximirse de la obligación de participar en las cargas aquel comunero que renuncie a la parte que tiene en la comunidad. Dicha **renuncia** no produce la extinción de la comunidad sino el acrecimiento a los demás titulares de la porción renunciada (DGRN Resol 2-2-60; 11-11-11 -que no admite la extinción parcial de la comunidad: o es total o no es extinción-; AP León 4-1-05, EDJ 1093).

3296 **Régimen de administración** (CC art.398) Para la administración y mejor disfrute de la cosa común son obligatorios los **acuerdos** de la mayoría de los partícipes.
Esta **mayoría** a que el Código Civil se refiere no es una mayoría de personas sino de intereses económicos o participaciones. Por ello no hay mayoría sino cuando el acuerdo esté tomado por los partícipes que representen la mayor cantidad de los intereses que constituyan el objeto de la comunidad.
Debe estarse a la mayoría de cuotas. La mayoría a la que se refiere el precepto es la llamada **mayoría absoluta**, es decir, aquélla que se forma teniendo en cuenta el total de las cuotas que integran la comunidad; frente a la mayoría relativa que sería la que se podría formar contabilizando solamente las cuotas de los asistentes a la votación.
Cuando no sea posible alcanzar esta mayoría, o el acuerdo de ésta fuera **gravemente perjudicial** a los interesados en la cosa común, el juez debe proveer, a instancia de parte, lo que corresponda, incluso nombrar un **administrador** que asuma las funciones normales de explotación y organización de la comunidad, sustituyendo la voluntad de los propios comuneros.
Cuando parte de la cosa pertenezca **privadamente** a un partícipe o a algunos de ellos y otra sea común, solo a ésta le resulta aplicable lo señalado en los párrafos anteriores.

3298 **Alteraciones en la cosa común** (CC art.397) Ninguno de los condueños puede, sin consentimiento de los demás, hacer alteraciones en la cosa común, aunque de ellas pudieran resultar ventajas para los otros. Para llevar a cabo estas alteraciones se exige la **unanimidad**, a diferencia de los actos de administración y gestión, que se toman por mayoría (nº 3296).
El mayor **problema práctico** que se plantea es saber cuándo un acto es de mera administración (para el que basta la mayoría) y cuando produce una alteración en la cosa (que exige la unanimidad de los copropietarios).
Doctrina y jurisprudencia entienden que la alteración supone transformar la esencia de la cosa con **carácter definitivo e irreversible.** Las simples transformaciones transitorias en el uso y aprovechamiento, que permiten que la cosa pueda volver a su primitiva utilización, se consideran actos de administración.

Precisiones 1) El **arrendamiento** del bien común ha sido considerado un acto de administración, aunque tratándose de arrendamientos de inmuebles de larga duración, se ha calificado como acto dispositivo que requiere el acuerdo de todos los partícipes (TS 30-6-93, EDJ 6477; 28-3-90, EDJ 3466).
2) El ejercicio del **derecho de tanteo** ha sido considerado como acto de disposición que exige el consentimiento no solo de la mayoría real de propietarios sino también de los partícipes minoritarios (TS 23-10-90, EDJ 9624).

3300 **Actos de disposición de la cosa común** Frente a los actos de gestión de los bienes o derechos comunes, para los que solo se exige la mayoría (nº 3296), para los de disposición (enajenación o gravamen) se precisa de la **unanimidad** de todos los comuneros.
El Código Civil no regula con carácter general esta materia. Han sido la **doctrina** y la **jurisprudencia** las que se han encargado de tratarla, afirmando mayoritariamente que son nulos los actos de disposición sobre la cosa común si no se efectúan unánimemente por todos los comuneros.

Un supuesto especial de disposición tiene lugar cuando se segrega una porción de la cosa y se transmite a uno de los comuneros en pago de su cuota en la comunidad. Con respecto a ésta tiene lugar entonces una **disolución parcial** (o modificación subjetiva de la comunidad -DGRN Resol 11-11-11-), con una disminución de la cosa común y del número de cotitulares; y con respecto al adjudicatario, un acto de especificación o de concreción de su anterior cuota indivisa en una porción concreta del bien (TS 9-6-95, EDJ 2443).

Precisiones 1) Una parte de la jurisprudencia, para exigir la unanimidad en los actos de disposición que afecten a toda la cosa en común, se base en el CC art.397 (TS 19-12-85, EDJ 6707; 8-7-88, EDJ 5987; AP Albacete 27-5-08, EDJ 185398), que trata de las **alteraciones en la cosa común**, para las cuales se exige la unanimidad. Las alteraciones pueden ser:
- tanto **físicas** (p.e. edificación de una nueva planta sobre el inmueble común),
- como **jurídicas** (p.e. constitución de una servidumbre sobre él) o,
- incluso, **de destino** (p.e. modificando el tipo de siembra o plantación de una finca rústica).

2) En esta materia es interesante cierto criterio jurisprudencial respecto de las enajenaciones de cosas en copropiedad, hechas por un solo comunero sin contar con el consentimiento de los demás: alguna sentencia considera que no se trata de un acto nulo por falta del consentimiento unánime necesario, sino que el acto se reconvierte en una **enajenación de la cuota indivisa** que pertenecía al enajenante (AP Segovia 16-1-09, EDJ 108766).

Defensa de la cosa común Cada copropietario puede defender a la comunidad y tiene plenas facultades para ello, ejercitando ante los tribunales **acciones** reivindicatorias (para recuperarla), negatorias (oponiéndose a las servidumbres sobre las mismas) o incluso interdictales (evitando las perturbaciones de terceros) (TS 6-11-84). **3302**
Cualquiera de los partícipes puede **actuar en juicio** cuando lo haga en beneficio de la comunidad (cada uno de ellos tiene **legitimación activa**), pero si se quiere demandar a la comunidad (**legitimación pasiva**), deben ser llamados a juicio todos los copropietarios (TS 22-5-93, EDJ 4853). En esto se diferencia de las comunidades de propietarios en régimen de **propiedad horizontal,** las cuales actúan en juicio como partes actoras o demandadas a través de la figura de su presidente (nº 8130 Memento Inmobiliario 2023-2024).

Prescripción (CC art.1933) La prescripción (adquisitiva) ganada por un copropietario o comunero aprovecha a los demás, de modo que la **posesión ininterrumpida** de la cosa a lo largo del tiempo por uno solo de los copropietarios puede beneficiar a la comunidad en su conjunto. **3304**

División (CC art.400) Ningún comunero está obligado a permanecer en la comunidad y, en consecuencia, cualquiera de ellos puede pedir, **en cualquier momento,** que se divida el bien común, extinguiéndose la comunidad. Ver nº 3317. **3306**

3. Derechos de los comuneros sobre su cuota

Disponibilidad (CC art.399) Todo condueño tiene la **plena propiedad** de su cuota parte y la de los frutos o utilidades que le correspondan, pudiendo en su consecuencia enajenarla, cederla o hipotecarla, y aun sustituir a otro en su aprovechamiento, salvo si se trata de derechos personales. No obstante, el efecto de esta **enajenación** o de la **hipoteca** con relación a los condueños está limitado a la porción que se le adjudicaría en la división al cesar la comunidad. **3310**
El derecho de cada comunero no se extiende a las cuotas de los otros comuneros sin contar con su **consentimiento.** Así, es nula la venta de todo el bien común por un solo de los comuneros sin el consentimiento de los demás (TS 29-4-86, EDJ 2870).

Precisiones Para que el partícipe pueda realizar actos de disposición como es el **arrendamiento de un inmueble** por periodo superior a seis años, es necesario el consentimiento unánime de todos los condueños de la finca arrendada. Si no se obtiene dicho **consentimiento**, la prórroga que dimana del contrato es nula (AP Murcia 4-12-03, EDJ 196621).

Retracto (CC art.1522) La **enajenación de la cuota** de cada comunero está sujeta a la limitación que representa el denominado retracto de comuneros, que puede ser ejercido por cualquier comunero en el caso de enajenarse a un extraño la parte de todos los condueños o de alguno de ellos. **3312**
Por efecto de dicho retracto se otorga a los otros comuneros el **derecho a adquirir** la participación que se pretende enajenar, con preferencia a cualquier otro comprador y en las mismas condiciones que éste. Cuando dos o más comuneros quieran ejercitar este retracto, solo pueden hacerlo a prorrata de la porción que cada uno tenga en la comunidad.

4. Extinción

(CC art.395 y 404)

3315 Son características fundamentales de la comunidad de bienes:
- su naturaleza incidental o transitoria; y,
- a falta de pacto entre los particulares, la inexistencia de vínculo por el cual los comuneros se encuentren obligados a permanecer en la comunidad.

En base a esto, la comunidad de bienes puede extinguirse por las siguientes **causas**:
a) La **renuncia** de los comuneros hasta quedar uno solo de ellos, que se convertirá en único o pleno propietario.
b) La **adquisición por uno de los comuneros** de las cuotas partes de los demás, bien por acuerdo entre ellos o propiciada por el retracto de comuneros (nº 3312).
c) La **adquisición por un tercero** de las cuotas de todos los comuneros.
d) La **división de la cosa común,** por medio de su reparto o partición entre los comuneros (nº 3317).

Precisiones Disolver la comunidad es cesar en la misma los comuneros que la integran. Si bien la división de la cosa y la subsiguiente adjudicación de las porciones separadas a los distintos cotitulares conlleva la extinción de la comunidad, la **disolución** de ésta no supone necesariamente la división de la cosa: no lo será en los casos en los que la cosa no se pueda dividir -física, económica o jurídicamente-, aunque en estos casos la jurisprudencia habla de «división económica» (TS 15-12-09, EDJ 307254); pero tampoco cuando, aun siendo divisible el objeto de la comunidad, se decida cesar en ella transmitiendo aquél a un tercero -que puede ser, incluso, uno de los antiguos comuneros-.

3317 **División de la cosa común** (CC art.400 a 406) El derecho a pedir la división de la cosa común es un principio fundamental de la comunidad romana o por cuotas, y se lleva a cabo mediante el ejercicio de la **acción de división** (TS 12-7-93, EDJ 6971).

La acción para exigir la división de la cosa común se caracteriza por ser:
- un **derecho potestativo** (AP Alicante 30-9-02, EDJ 63564), facultad que nace y renace en todo momento de la relación de comunidad (AP Alicante 1-4-08, EDJ 137650), de ahí que la petición de división pueda ejercitarse en cualquier momento;
- un derecho **indiscutible e incondicional** para cualquier comunero, de tal naturaleza que su ejercicio no está sometido a circunstancia obstativa alguna (AP Madrid 4-4-07, EDJ 86471), no pudiendo los demás comuneros impedir el uso del derecho a separarse que corresponde a cualquiera de ellos (TS 5-6-89, EDJ 5665);
- un derecho **imprescriptible** (nº 3323) e **irrenunciable**, en términos generales, por ser de orden público (AP Bizkaia 9-5-01, EDJ 45523; TS 16-3-16, EDJ 29531).

Con su ejercicio se persigue la cesación del estado de indiviso para que se adjudique al comunero la **propiedad plena y separada** de una parte o porción de la cosa común o, en el caso de que física o jurídicamente tal división no fuera posible -ver nº 3329- (p.e., un piso que no admita fácil división), se le atribuya la parte proporcional del precio obtenido mediante su venta en pública subasta (TS 1-4-09, EDJ 50751).

En el supuesto de que las mismas personas sean copropietarias de **varios bienes en común**, existiendo tantas comunidades ordinarias como bienes tienen en común, su división, a falta de acuerdo, no puede hacerse mediante la formación de lotes conforme al CC art.1061, precepto aplicable únicamente en los supuestos en que exista una comunidad universal de bienes en que los comuneros ostentan una participación indivisa sobre la totalidad del patrimonio en común y no sobre cada uno de los bienes concretos que lo integran. En tal caso, y a falta de que los comuneros convengan otro modo de poner fin a la comunidad, la única forma de proceder a la división de la comunidad es mediante la **venta en pública subasta** de cada uno de los bienes, con distribución del precio obtenido entre los comuneros (TS 30-7-99, EDJ 21404; 16-2-91, EDJ 1618).

3319 Precisiones **1)** Solicitada la división de la cosa común por uno de los comuneros, ante la **ausencia de acuerdo** entre las partes para su **adjudicación**, procede la venta de la misma en pública subasta (AP Valencia 11-3-05, EDJ 46506).

2) No puede procederse a la división de una cosa que forma parte de la **comunidad hereditaria**, sin que se haya practicado, una vez que los herederos hayan aceptado la herencia, la **participación y adjudicación** del bien de que se trate (TS 28-5-04, EDJ 44623; 25-6-08, EDJ 124045).

3) No es posible crear **nuevas situaciones de condominio** sobre las porciones resultantes de la división, salvo pacto en contrario (TS 1-4-09, EDJ 50751).

4) El incumplimiento del pago del precio conlleva la **resolución** del contrato de **compraventa de la mitad indivisa** de la vivienda (TS 8-11-12, EDJ 256830).

5) En caso de **pareja de hecho** que adquiere determinados bienes durante su convivencia en régimen de comunidad, acabada la convivencia el reparto de tales bienes se ha de hacer según las

reglas de división de la cosa común, y no según el régimen de sociedad de gananciales, el cual es propio del matrimonio (TS 7-7-10, EDJ 140017).
6) En caso de **doble inmatriculación** de una **finca**, antes de proceder a su división ha de dilucidarse la incertidumbre sobre la propiedad (TS 15-6-11, EDJ 113800).
7) La división de cosa común adquirida por **herencia**, mediante su adjudicación a varios de los comuneros, está exceptuada de la acción de **retracto** de la que disponen los arrendatarios. Se produce en tal caso una liquidación parcial para la extinción de la proindivisión, mediante agregación de cuotas, produciéndose las transmisiones dentro del ámbito de la comunidad hereditaria, sin introducción de terceros ajenos, por lo que la finca heredada indivisa sigue perteneciendo exclusivamente a coherederos; y, en todo caso, conforme a la LAU de 1964, el retracto entre comuneros siempre es prioritario al retracto arrendaticio, por lo que los comuneros tenían prioridad para la adquisición de los inmuebles (TS 14-11-16, EDJ 201747; 27-3-89, EDJ 3327).

Legitimación para pedir la división (CC art.400 y 403) Todos y cada uno de los **comuneros** están legitimados para pedir la división, pudiéndola pedir a título individual y sin que sea necesaria la concurrencia de todos ellos. La división de la cosa común es un acto de dominio que únicamente está al alcance de los **verdaderos propietarios**, de modo que si uno de los condóminos se opone a la acción de división y aporta datos suficientes para considerar que la propiedad puede corresponder a un tercero, la acción divisoria no puede prosperar (TS 15-6-11, EDJ 113800). 3321

En el caso de que existan **menores de edad** entre los partícipes en la comunidad, la división debe ser solicitada por sus representantes legales (padres o tutores), pero si éstos también tienen cuotas o intereses en la comunidad, entonces es preciso nombrar un defensor judicial para salvar el conflicto de intereses (DGRN Resol 27-11-86).

Por otro lado, con el fin de que la división no perjudique los derechos de los **acreedores y cesionarios** de los comuneros, se faculta a éstos para **concurrir** a la división y oponerse a que se realice sin su concurso. No obstante, una vez consumada la división no podrán impugnarla, salvo en estos dos casos:
- que se haya realizado en fraude de sus derechos; o
- que la división se haya realizado a pesar de haberse opuesto formalmente a la misma.

En todo caso, el comunero deudor, así como el comunero cedente de su derecho en la comunidad, tiene derecho a sostener la validez de la división efectuada.

Precisiones **1)** El derecho que reconoce el CC art.403 a acreedores y cesionarios es triple: concurrencia a la división, oposición e impugnación:
- el derecho de **concurrencia**, conocido doctrinalmente como «facultad de inspección», no va más allá de la intervención en el proceso de división para comprobar que la división se hace de una manera correcta, sin que se produzca fraude; es una intervención potestativa, sin que participen en la división propiamente dicha, pudiendo manifestar sus opiniones, pero sin llegar a la participación directa como si se tratara de un comunero más;
- el derecho de **oposición** tiene como finalidad salvaguardar los derechos de los acreedores (y cesionarios), y se da en un momento anterior a la división (TS 31-12-85, EDJ 11803);
- el derecho de **impugnación** tiene como objeto evitar el fraude de los acreedores (y cesionarios), como acción personal en la que el acreedor actúa «iure propio» (TS 26-4-62), o por razón de haberse realizado una oposición de manera formal para impedirla; impugnación, en todo caso, que deja a salvo los derechos del copropietario para mantener la validez de la misma (TS 28-1-11, EDJ 5186).

2) Aunque existen dudas sobre los poderes de **acreedores y cesionarios** en la partición, la doctrina mayoritaria entiende que no son parte en la misma, aunque pueden participar, intervenir y asistir a la división (TS 31-12-85, EDJ 11803). Su intervención tiene una finalidad preventiva, pues trata de evitar confabulaciones entre los interesados que hagan imposible el pago de sus créditos (TS 13-10-1911).
3) La **oposición** solo produce efectos a favor del que la propone individualmente, no pudiendo aprovecharse los demás acreedores o cesionarios, si los hay (TS 31-12-85, EDJ 11803).
4) La división afecta a los copropietarios, y no alcanza a quien no lo sea, como el titular de un derecho real (p.e., usufructo, servidumbre, hipoteca). Ver nº 3337.

Momento para solicitar la división (CC art.400 y 1965) Cada comunero puede pedir en cualquier tiempo que se divida la cosa común. No existe, por tanto, **límite temporal** para solicitar la división. 3323

La acción de división no prescribe entre los condueños.

Excepciones No obstante el principio general de divisibilidad apuntado encontramos ciertos supuestos en que no es posible pedir la división del bien común. 3325

a) Pacto de indivisión (CC art.400.2) Es válido el pacto de los comuneros para conservar la comunidad y la cosa indivisa por **tiempo determinado** siempre que la indivisibilidad pactada no exceda de 10 años. Se admite la prórroga de este plazo inicial por nueva convención. 3327

Esta **prórroga** exige:
- que el nuevo plazo de indivisión tampoco exceda de diez años; y

- que sea adoptado por la mayoría de los partícipes, aunque cierto sector de la doctrina exija la unanimidad de todos ellos.
El pacto de indivisión de la cosa común conlleva el **pacto de indisolubilidad** de la comunidad (por ello, tampoco se podrá pedir la venta a un tercero de la cosa) pero no necesariamente de permanencia en ella. Es decir, los comuneros pueden acordar, por plazo no superior a 10 años, que ninguno de ellos va a pedir que se divida la cosa objeto de la comunidad y que, consiguientemente, ésta no se va a disolver; pero a lo que no alcanza el pacto es a la **obligación de permanecer** en el condominio todos los comuneros, pues en cualquier momento pueden salirse de él, bien renunciando a su cuota, bien enajenándola (a otro comunero o a un tercero).
El pacto de indivisión no solo surte efecto entre los actuales comuneros, sino que alcanzará a cualesquiera **adquirentes de cuotas** transmitidas por éstos; y ello porque lo que el comunero transmite al enajenar su cuota es su posición en la comunidad, con todos los derechos y obligaciones que en ella tuviera.
Además, en cuanto que puede ser inscrito en el Registro de la Propiedad (LH art.2; RH art.7), es **oponible a terceros**.

Precisiones 1) En principio parece que es posible la **indivisión indefinida** en el tiempo a través de prórrogas sucesivas.
2) Para que el pacto de indivisión pueda **oponerse frente al comunero** que pretende la división, hay que demostrarlo, no pudiendo deducirse de meros estados o apariencias posesorias (AP Valladolid 8-5-06, EDJ 87953).

3329 **b) Indivisibilidad de la cosa común** Cuando la cosa común no es divisible -física, económica o jurídicamente-, porque de hacerla resultaría inservible para el uso a que se destina, ningún comunero puede exigir su división (CC art.401 párr 1º).
• Hay **indivisibilidad física** cuando la cosa objeto de la comunidad no puede ser troceada y dividida físicamente en diferentes porciones, normalmente, tantas cuantos comuneros participen en ella. Es entonces cuando la cosa es esencialmente indivisible. En la práctica, el supuesto más característico se encuentra en las **viviendas urbanas**.
• Hay **indivisibilidad económica** cuando, pese a ser posible dividir físicamente la cosa común, su división va a suponer una **merma importante** de carácter económico (TS 25-1-93, EDJ 450). Es el caso, por ejemplo, de un solar que tiene un determinado valor, y que puede ver mermado sustancialmente éste si se parcela en varios lotes.
A veces, también se considera indivisible económicamente cuando su partición va a conllevar **gastos muy importantes** (TS 22-7-02, EDJ 28314; 3-2-05, EDJ 6941); o cuando, además de esos gastos importantes, en el local comercial cuya división se pretende existe un arrendatario que saldría perjudicado en su negocio de llevarse a cabo esa división (AP Barcelona 25-4-02, EDJ 44281).
• Hay **indivisibilidad jurídica** (TS 15-12-09, EDJ 307254) cuando una norma legal o una determinada situación derivada de la ley hacen imposible, bien la división de la cosa común (p.e., una finca rústica sujeta a censo no se puede dividir si no lo consiente el censualista -CC art.1618 y 1619-), bien la división económica de ella (p.e., la vivienda que, en una separación matrimonial o divorcio, es adjudicada en uso a uno solo de los cónyuges, sobre la cual no puede el otro copropietario ejercer la acción de división mientras dure ese uso exclusivo -AP Barcelona 25-1-06, EDJ 26227-).
Hay también indivisibilidad jurídica cuando **no existe todavía la comunidad**. Es el supuesto de la compra de inmuebles, por varios adquirentes, con precio aplazado; mientras éste no se satisface en su totalidad, la propiedad no se adquiere, por tanto, la comunidad no surge; y, si la comunidad no existe, no puede ejercitarse respecto de esa cotitularidad la acción de división (AP León 22-10-01, EDJ 75244).
La determinación de la divisibilidad o indivisibilidad de la cosa común o de su desmerecimiento por la división material es cuestión de hecho de la exclusiva **apreciación de los tribunales** (TS 7-3-85, EDJ 7210; 13-7-96, EDJ 4140; 12-3-04, EDJ 10591; 7-7-06, EDJ 102972). Por tanto, solo es impugnable como un error de esa naturaleza (TS 10-12-85, EDJ 6467; 17-4-86, EDJ 2584; 25-3-96, EDJ 1361).

3331 Precisiones 1) No puede quedar a la decisión de alguno de los comuneros el hecho de llevar a cabo una división física cuando ello comporta una notable **depreciación económica** del bien considerado en su conjunto, lo que nos sitúa ante un supuesto de indivisibilidad jurídica por desmerecimiento de la cosa (TS 8-3-13, EDJ 24694).
2) La jurisprudencia no ha admitido la división por considerar que hacía al **bien inservible** en los siguientes supuestos:
- división de una vivienda de 140 m^2, en cuatro partes, porque ello la haría inservible para el uso a que se destina o produciría un excesivo desmerecimiento económico (TS 12-7-93, EDJ 6971);
- división de una casa de labranza integrada por dependencias destinadas a viviendas de sus moradores y por otra serie de dependencias (cochera, corral, pajar y cuadra) propias de un inmueble

dedicado a la agricultura en una zona agrícola, pues al quedar separadas estas dependencias de los espacios dedicados a vivienda se produciría el consiguiente demérito del conjunto constitutivo de una unidad orgánica atendido el destino que siempre ha tenido (TS 10-5-90, EDJ 4911).

3) Puede ocurrir que la división económica de un conjunto de inmuebles exija que su venta a terceros se haga en **un solo lote**, pues la enajenación por separado podría producir una infravaloración de los mismos (AP Baleares 31-3-09, EDJ 73826).

4) Se ha considerado **indivisible** el **objeto de una sociedad** constituido por un negocio eléctrico. El ejercicio de la acción de división conduce en este caso a la venta en pública subasta del negocio y no a la disolución de la sociedad que lo explota, más aún cuando no todos los comuneros están integrados en dicha sociedad (TS 25-3-96, EDJ 1361).

Pese a que se dé alguno de los supuestos de indivisibilidad, ello no quiere decir que la disolución de la comunidad no sea posible; ésta podrá llevarse a cabo a través de la denominada en la jurisprudencia **división económica**, consistente en sustituir la cosa común por su valor o precio, a repartir entre todos los comuneros: 3333
- si **hay acuerdo** entre todos ellos, se adjudicará a uno solo, que indemnizará a los demás;
- en su **defecto** -y para ello bastará con que uno solo de los comuneros se oponga a esa adjudicación (TS 21-11-96, EDJ 8000; 30-7-99, EDJ 21404)-, se enajenará a un tercero ajeno a la comunidad, bien mediante una transmisión voluntaria, bien mediante su venta en pública subasta con admisión de licitadores extraños (CC art.405).

En términos similares a los de los preceptos analizados, se establece para la **partición de la herencia** que cuando la cosa sea indivisible o desmerezca mucho por su división pueda adjudicarse a uno, a cambio de abonar a los otros el exceso en dinero, y que basta que uno solo de los comuneros pida su venta en pública subasta y con admisión de licitadores extraños, para que así se haga (CC art.1062).

Formas de verificar la división (CC art.402 y 406) La división puede practicarse a través de alguno de los siguientes procedimientos: 3335
- Por los propios **interesados**.
- Por **árbitros** de derecho o de equidad nombrados a voluntad de las partes. En este caso, los árbitros deben formar partes proporcionales a las cuotas de cada uno, evitando en cuanto sea posible los suplementos en metálico.
- Por el procedimiento **judicial** oportuno según la cuantía del bien.

En cualquiera de estos supuestos son aplicables las **reglas sustantivas** concernientes a la partición de la herencia (CC art.1051 a 1081).

Precisiones La remisión a las reglas de partición de la herencia debe entenderse hecha a sus normas materiales, lo que no significa que la acción de división, cuando se ejercite judicialmente, haya de tramitarse por el procedimiento del **juicio de testamentaría**.

Efectos de la división (CC art.405) La división de la cosa común produce los siguientes efectos: 3337

a) Convierte a cada comunero en **dueño absoluto y exclusivo** de la parte del bien que se le adjudique.

b) No puede perjudicar a **terceros**, los cuales continúan conservando los derechos de hipoteca, servidumbre y otros derechos reales que le pertenecieran antes de hacer la partición.

c) Tampoco puede perjudicar a los titulares de **derechos personales** frente a la comunidad. De estos derechos personales, los más importantes son los arrendamientos y los créditos.
- Si todo el bien en comunidad hubiera sido **arrendado** a un tercero, éste, pese a la división en lotes del bien, podrá seguir disfrutando de su derecho arrendaticio sobre la totalidad del mismo; por tanto, sin que la división le afecte.
- Respecto de los **créditos contra la comunidad**, el efecto principal es que los acreedores conservan la preferencia que su crédito tuviera pese a la división de la cosa; además, el carácter de deuda mancomunada se conserva pese a la división del objeto. Un supuesto práctico importante es el de la venta a varias personas, conjuntamente, de un bien, mediando precio aplazado; el incumplimiento en el pago por parte de cualquiera de los comuneros adquirentes, da derecho al vendedor a resolver la compraventa por la totalidad del objeto vendido.

Precisiones **1)** Con respecto a las **servidumbres** se establece que, si el predio sirviente se divide entre dos o más, la servidumbre no se modifica y cada uno de ellos tiene que tolerarla en la parte que le corresponda, sin poder perjudicar al titular del derecho. Por otro lado, si es el predio dominante el que se divide, cada porcionero puede usar por entero de la servidumbre sobre el sirviente, pero sin agravar la situación de éste (CC art.523).

2) Si una **finca hipotecada** se divide en dos o más, no se distribuye entre ellas el crédito hipotecario, salvo acuerdo entre deudor y acreedor. Cuando no se realice dicha distribución, el acreedor puede reclamar la totalidad de la suma asegurada contra cualquiera de las nuevas fincas en que la antigua se hubiera segregado o contra todas a la vez (LH art.123).

3) Con respecto al **derecho de censo**, también se aplica la norma protectora señalada. Así, no puede dividirse la finca gravada sin el consentimiento expreso del censualista (CC art.1618).

4) Si una empresa o finca en comunidad se divide, la división en modo alguno puede afectar al **arrendatario**, el cual conserva todos sus derechos arrendaticios sobre la totalidad de la finca o empresa alquilada (TS 30-5-90, EDJ 5687).

5) Los **usufructuarios** siguen manteniendo su derecho de usufructo sobre el bien en su conjunto, no obstante la división efectuada (AP Zamora 24-9-01, EDJ 41616; AP Pontevedra 17-2-11, EDJ 45730).

3339 **Edificios en régimen de propiedad horizontal** (CC art.396 y 401.2) En aquellos edificios cuyas características lo permitan, la división puede realizarse mediante la **adjudicación de pisos** o locales **independientes** con sus elementos comunes anejos. Se constituye así un régimen de propiedad horizontal, en el que cada piso o local pasa a ser objeto de propiedad separada, quedando el objeto de la comunidad reducido a los demás elementos del edificio, **elementos comunes** necesarios para su adecuado uso y disfrute.

Estos elementos comunes no son en ningún caso susceptibles de división, y solo podrán ser enajenados, gravados o embargados juntamente con la parte determinada privativa de la que son anejo inseparable.

Conforme a la jurisprudencia (TS 3-3-16, EDJ 15631; 1-3-01, EDJ 537), para poder transformar la comunidad de bienes en una **comunidad de propietarios** en régimen de propiedad horizontal se exige lo siguiente:

a) Que las **características del edificio lo permitan**, lo que ha de entenderse:

- tanto desde el punto de vista meramente estructural o arquitectónico, sin tener que acudir a la realización de importantes y sustanciales obras;
- cuanto desde la perspectiva de las adjudicaciones individualizadas de pisos o locales independientes a cada uno de los condueños, en función de sus respectivas cuotas y para el pago de las mismas, de tal manera que si, por razón de la ostensible desigualdad de dichas cuotas indivisas de unos condueños con respecto a las de otros, no cabe la posibilidad de hacer a cada uno las referidas adjudicaciones individualizadas de elementos independientes del edificio sin tener que acudir a elevadas compensaciones en metálico (supuesta, como es lógico, la oposición a ello por parte de alguno de los copropietarios), habrá de concluirse que, en dicho caso, las características del edificio no lo permiten.

b) En íntima relación con lo anteriormente dicho, este modo extintivo de la comunidad de bienes presupone necesariamente la **no pervivencia** (entre los mismos condueños o varios de ellos) **de la copropiedad ordinaria sobre parte del edificio**, pues, si así ocurre, se contradice la *ratio legis* de esta especifica forma de «división», que es, precisamente, la de poner fin de modo definitivo a la comunidad ordinaria que se trata de extinguir, dejando plenamente agotada ya la *actio communi dividundo*, lo que no ocurriría si se mantuviera la copropiedad ordinaria sobre parte del edificio entre los mismos condueños o varios de ellos, quienes volverían a poder disponer de la acción divisoria, cuando ésta debió haber quedado plena y definitivamente agotada.

Precisiones Para un estudio detallado del régimen de **propiedad horizontal**, ver nº 7480 s. Memento Inmobiliario 2023-2024.

SECCIÓN 5

Pactos parasociales

3345

3347 **Consideraciones generales** Con relativa frecuencia, los socios de una sociedad, o parte de ellos, suscriben **acuerdos de naturaleza parasocial** relativos al funcionamiento y organización de la sociedad o a la composición de su capital. En palabras de Paz-Ares, los pactos parasociales son aquellos convenios celebrados entre algunos o todos los socios de una sociedad anónima o limitada con el fin de completar, concretar o modificar, en sus **relaciones internas**, las reglas legales y estatutarias que la rigen.

La singularidad de tales fórmulas asociativas radica en su **carácter extraestatutario**, es decir, que los mismos, no obstante referirse al funcionamiento o estructura de la sociedad, no se

incorporan ni a los estatutos ni a la propia escritura de constitución social, quedando, pues, reservados entre los socios.
La finalidad de este tipo de acuerdos de carácter extraestatutario es diversa:
a) En algunos casos su justificación es que, aun siendo **posible** su **incorporación a los estatutos** sociales (p.e., prohibición temporal de transmitir las acciones/participaciones, derechos de adquisición preferente, en la medida en que se respeten los requisitos y límites legales establecidos), dicha inclusión no resulta factible, dada la limitación de su alcance a determinadas acciones/participaciones o a determinados socios, o, cuando menos aconsejable, por no corresponderse con el deseo de confidencialidad de los interesados.
b) En otros supuestos, su carácter reservado u oculto deriva de la **imposibilidad**, atendido el contenido del acuerdo, de su válida **incorporación como cláusulas estatutarias** (p.e., los sindicatos de voto que establecen, de una u otra forma, la vinculación del mismo a una disciplina unitaria).
Estos últimos pactos son los que presentan una mayor problemática jurídica y han sido objeto de una mayor controversia doctrinal.

Los **objetivos** perseguidos por dichos acuerdos son muy variados, si bien en la mayoría de los casos suelen ir dirigidos, entre otros aspectos, a: **3349**
- la atribución a determinados grupos minoritarios de un mayor peso político en la vida social mediante el establecimiento, entre otros, de derecho de veto sobre determinados acuerdos sociales;
- el mantenimiento de un grupo de control;
- la regulación de las entradas y salidas de los socios en la sociedad y la valoración de sus acciones o participaciones en caso de enajenación;
- el establecimiento de políticas de financiación de la sociedad ya sea mediante recursos propios o ajenos;
- la determinación de políticas de reparto o conservación de beneficios distribuibles de la sociedad;
- la regulación de obligaciones o prestaciones de determinados socios con la sociedad más allá de las derivadas de su condición de tales (p.e., acuerdos de prestación de servicios o comerciales); etc.

Aquellos pactos que afectan a una **sociedad cotizada** están sujetos a requisitos específicos de publicidad (LSC art.531).
Los acuerdos de sindicación son frecuentemente utilizados en el ámbito de las **empresas familiares,** como mecanismo para mantener la unidad del grupo familiar en la titularidad y dirección de la empresa, especialmente cuando, por razones de sucesión generacional, el núcleo familiar se amplía a favor de personas no directamente involucradas en la gestión empresarial.

Precisiones 1) En principio, y en la medida en que no vayan acompañados de cesiones o derechos susceptibles de valoración económica, los acuerdos de sindicación no dan lugar a **tributación** alguna.
2) Para un **estudio en detalle** de los pactos parasociales en el ámbito societario, ver nº 11230 s. Memento Sociedades Mercantiles 2024.

Antecedentes En España la primera manifestación de los acuerdos extraestatutarios o pactos parasociales se produjo en el campo de las sociedades cotizadas en Bolsa a través de los llamados **sindicatos de accionistas**, que dieron lugar a los primeros estudios doctrinales al respecto. **3351**
Los pactos parasociales aparecen por primera vez recogidos con este nombre en la Ley de Transparencia (L 26/2003), que modificó la LMV/15/88, estableciendo la necesidad de hacer públicos los pactos de esta naturaleza que afectasen a las **sociedades cotizadas**. Por su parte, el RD 171/2007 reconoce su existencia (y posibilidad de darles publicidad registral) en su manifestación de «**protocolos familiares**».
Con la **actual normativa**, se admite, en términos generales, la validez y licitud de tales pactos, si bien se les reconoce eficacia meramente interna sin que su validez esté exenta de ciertos límites (LSC art.29).

Clases Dada su gran variedad, puede establecerse la siguiente clasificación: **3353**
1) Por el número de suscriptores. Los pactos parasociales pueden estar suscritos por todos los socios que constituyen en un momento dado el accionariado de la sociedad o solo por algunos de ellos.
Los primeros, los realizados por **todos los socios**, son frecuentes en el entorno de las sociedades cerradas o de pocos socios (con independencia de que adopten la forma de SA o SRL).

Los segundos, los firmados por un **grupo de socios**, son más frecuentes en las sociedades bursátiles. Mediante la firma de este tipo de acuerdos y la correspondiente formación del sindicato de accionistas, sus integrantes pretenden reforzar su posición relativa en la sociedad y administrar el control de la misma.

3355 2) **Por su contenido**. La clasificación más importante de los acuerdos entre socios depende del distinto contenido de éstos, si bien es perfectamente posible, y frecuente en la práctica, que puedan presentar un contenido complejo, regulador de varias materias.

3357 En cualquier caso, a efectos de una mayor clarificación, conviene distinguir los siguientes **supuestos**:

a) Acuerdos **relativos al derecho de voto**. Dentro de ellos tenemos:

• **Sindicatos de voto.** Se trata de aquellos pactos que suponen la vinculación del derecho de voto de los socios que lo integran a una disciplina unitaria.

Su **objetivo** es reforzar la posición política del sindicato de accionistas/partícipes, bien manteniendo el control de la sociedad (el llamado **sindicato de mando**), bien protegiendo los intereses de un grupo de socios minoritario.

Actualmente se admite en términos generales su licitud; si bien, al igual que cualquier otro acuerdo extraestatutario, su eficacia es meramente interna, sin que pueda oponerse frente a terceros o frente a la propia sociedad (nº 3367). Sin embargo, dicha licitud debe ser examinada en cada caso concreto, debiendo tenerse por ilícitos aquellos convenios que vulneren normas o principios imperativos de carácter general o normas o principios imperativos de carácter específico, como los que resultan del vigente régimen de las sociedades anónimas. Se trata, por tanto, de un problema de límites.

Precisiones La doctrina señala, en este sentido, algunos **ejemplos de pactos ilícitos**:
- los que se proyecten sobre los administradores, tratando de vincular su voto como miembros del consejo de administración;
- los de duración ilimitada;
- los que impidan sistemáticamente el reparto de beneficios;
- los que constituyan «pactos leoninos» o abusivos;
- los que supongan venta o tráfico del voto;
- los que impliquen aceptar todas las propuestas de los administradores;
- los que instrumenten intereses contradictorios con los de la sociedad (Pedrol, Menéndez, Chuliá y Sánchez González).

3359 El **funcionamiento y estructura** de tales sindicatos admite muchas variantes. Así, su funcionamiento depende del tipo de compromiso asumido por el socio sindicado, que puede estribar:
- en el ejercicio personal del derecho de voto en el sentido acordado;
- en el otorgamiento de poderes para su ejercicio por parte del representante o síndico; o
- en la cesión o gravamen de las acciones/participaciones sindicadas a efectos de instrumentar el sindicato de accionistas/partícipes.

La estructura varía, asimismo, según que los acuerdos del sindicato se adopten por mayoría, por unanimidad o mediante la concesión de facultades discrecionales al síndico o representante del sindicato.

La **vinculación del derecho de voto** acordado en estos acuerdos puede tener un carácter general -vinculando el ejercicio del derecho de voto sea cual fuese la decisión social a adoptar- o particular, vinculándolo solo en relación con determinadas decisiones, como, por ejemplo, compromiso de reparto de los puestos del consejo de administración, decisiones de particular importancia para la vida social, etc.

3361 • **Acuerdos de reforzamiento de cuórum**. Estos acuerdos establecen la necesidad de alcanzar determinados cuórum reforzados de asistencia y/o de voto en los órganos sociales (junta general, consejo de administración) para la válida adopción de determinadas decisiones sociales que se estimen de especial trascendencia por los socios que los suscriben.

Este tipo de acuerdos, por su propia naturaleza, pueden ser materia de disposición **estatutaria**, siempre que se observen los límites establecidos por la ley a tal efecto. Además, la eficacia, e incluso la propia validez de los acuerdos con carácter extraestatutario -que estarían en contradicción, por tanto, con lo dispuesto en estatutos en dicha materia-, plantea graves interrogantes.

Por un lado, a través del establecimiento de estos **cuórum reforzados** se puede instrumentar *indirectamente* el derecho de veto de determinados socios sobre ciertas decisiones sociales, lo que puede plantear problemas teóricos y prácticos en la vida de la sociedad. Ello implica la necesidad de prudencia en el establecimiento de tales pactos y de interpretarlos restrictivamente.

b) Acuerdos **relativos a los derechos económicos** del socio. Normalmente tales acuerdos persiguen el **aseguramiento** a los socios minoritarios de un determinado **dividendo.** El socio no tiene un derecho al dividendo propiamente dicho, sin perjuicio de su derecho de separación en el caso previsto en la LSC art.348 bis, por lo que la junta puede decidir, supuesta la existencia de beneficios en el ejercicio, su destino total o parcial a la constitución de reservas. Para evitar esta situación por parte de los socios minoritarios, y asegurarse el reparto, aún parcial, de los beneficios, se establece, a través de acuerdos, el compromiso de repartir determinado porcentaje de los beneficios obtenidos. **3363**

En realidad, la naturaleza de tales acuerdos es la de un compromiso de ejercitar el **derecho de voto** en la junta general correspondiente, de forma que se adopte el acuerdo de reparto, por lo que estaríamos en un supuesto cercano a la figura de los sindicatos de voto (nº 3357).

Es de destacar, sin embargo, que tal pacto de reparto de dividendos también podría, dentro de límites razonables, ser objeto de una disposición estatutaria al efecto, con lo que su eficacia sería absoluta al condicionar directamente la decisión de la junta, cuya eventual decisión en contra sería directamente impugnable.

c) Acuerdos **relativos a la transmisibilidad** de las acciones/participaciones. Este tipo de acuerdos introduce restricciones a la libre transmisibilidad de las mismas a través de fórmulas variadas: derecho preferente de adquisición a favor del resto de los socios sindicados o del propio sindicato; necesidad de autorización a la transmisión; prohibición temporal de la cesión forzosa de las acciones/participaciones en determinados supuestos; etc. **3365**

La existencia de dichos acuerdos da lugar a lo que se ha venido a denominar **sindicatos de bloqueo**.

Es muy frecuente que los acuerdos vayan unidos a los de vinculación de voto (sindicatos de voto) como complemento de eficacia de éstos, ya que los integrantes de tal sindicato tratarían de evitar que la eficacia de sus compromisos de vinculación de voto quedase dañada por la transmisión de parte de las acciones/participaciones sindicadas a terceros no vinculados a la disciplina de voto.

En cualquier caso, conviene destacar que estas restricciones a la libre transmisibilidad de las acciones pueden constituir **materia estatutaria**, dentro de las limitaciones establecidas legalmente a tal efecto. Obviamente, estas restricciones estatutarias no solo serían eficaces frente a la propia sociedad, sino que, además, afectarían a todas las transmisiones de acciones/participaciones integrantes del capital de la sociedad, y no solo a las de las que fueran propiedad de los socios integrantes del sindicato de bloqueo.

Validez y eficacia (LSC art.29) La admisibilidad de los pactos parasociales se fundamenta en la existencia de una **esfera individual del socio** diferenciada de la propiamente corporativa, de manera que, en el ámbito de la primera, puede llegar a establecer vínculos obligacionales con otros socios sobre cuestiones concernientes a la compañía, sin modificar el régimen estrictamente societario y al margen de él. **3367**

La LSC establece expresamente que los pactos que se mantengan **reservados entre los socios**, sin que se incorporen por tanto a los estatutos ni a la escritura fundacional, no son oponibles frente a la sociedad. Ello supone delimitar al ámbito exclusivamente interno la eficacia que tienen tales pactos (DGRN Resol 24-3-10).

Examinemos a continuación el detalle de dicha eficacia en los distintos planos considerados:

Entre las partes Se admite la eficacia plena en el ámbito interno de tales pactos, es decir, su eficacia entre quienes lo suscribieron (CC art.1091). Son por tanto lícitos, exigibles y obligatorios entre las partes, por lo que, en caso de incumplimiento, las consecuencias serían las propias del incumplimiento de los contratos (CC art.1124). **3369**

Establecido lo anterior, el derecho común pone a disposición los siguientes remedios para obtener el *enforcement inter partes* de los pactos parasociales (según doctrina de Paz-Ares):

1. **Acción de indemnización de daños y perjuicios**: la parte que haya incumplido el pacto queda obligada a reparar los daños y perjuicio ocasionados a la contraparte, siempre que el incumplimiento le sea subjetivamente imputable (CC art.1101). Desde el punto de vista práctico, la efectividad de este mecanismo tropieza con la dificultad de probar y cuantificar el daño ocasionado por la infracción del pacto. En este sentido, es recomendable exigir de antemano en el pacto parasocial la inclusión de una cláusula penal (en su caso, adicional a la que pueda exigirse por daños) para el caso de incumplimiento de lo pactado (CC art.1152).
2. **Acción de cumplimiento**: en caso de incumplimiento puede solicitarse, sin perjuicio de la exigibilidad de la cláusula penal (CC art.1153), la ejecución específica de la prestación debida a través de diversas vías (CC art.1096, 1098, 1099, 1124, entre otros).

3. **Acción de remoción**: el recurso a este remedio abre la puerta a la posibilidad de exigir la eliminación del estado de las cosas causado por el incumplimiento del pacto (CC art.1098.II), esto es, remover o deshacer lo realizado en contravención del pacto.
4. **Acción resolutoria**: los pactos parasociales pueden ser objeto de remedios resolutorios para deshacer los compromisos en caso de incumplimiento de la contraparte, en los supuestos de imposibilidad, no exigibilidad del acuerdo, alteración sobrevenida de las circunstancias, etc. (CC art.1705.I, 1707, entre otros).
5. **Mecanismos de autotutela**: las partes pueden reforzar sus compromisos mediante determinados instrumentos, entre otros, la atribución de un *put* o de un *call* frente a la parte incumplidora, en cuya virtud esta quede obligada a adquirir las participaciones de quien lo ejercita o a transferir las suyas a favor de quien lo ejercita -a precios disuasorios, en el primer caso por encima del valor real/razonable y en el segundo caso, por debajo-. Ello sin perjuicio de lo que se expone a continuación en relación con su posible oponibilidad frente a la sociedad (Paz-Ares).

3371 Precisiones 1) Los pactos parasociales, mediante los cuales los socios pretenden regular, con la fuerza del vínculo obligatorio entre ellos, aspectos de la relación jurídica societaria sin utilizar los cauces específicamente previstos en la ley y los estatutos, son válidos siempre que no superen los **límites** impuestos a la **autonomía de la voluntad** (TS 6-3-09, EDJ 22853; 6-3-09, EDJ 22854).
2) La jurisprudencia los ha tomado en consideración como **negocios jurídicos válidos**, entre otras, en las TS 24-9-87, EDJ 6642; 26-2-91, EDJ 2049; 10-2-92, EDJ 137; 18-3-02, EDJ 4286; 19-12-07, EDJ 243065; 10-12-08, EDJ 234491; 3-11-14, EDJ 196425, así como la doctrina administrativa, entre otras, DGRN Resol 24-3-10; 26-6-18).
3) Se declara la existencia, validez y vinculación de un pacto parasocial que atribuye a uno de los socios (titular del 50% del capital) un **voto de calidad** en caso de conflicto, y se condena al otro socio (titular del otro 50%) a respetar este pacto, y ello, aunque los estatutos -de fecha posterior al pacto parasocial- no establezcan dicho voto dirimente, y aunque dicho pacto no tenga eficacia frente a la sociedad a efectos de impugnación de acuerdos sociales (AP Valencia 19-1-21, EDJ 514597).
4) La **acción de anulabilidad** del pacto parasocial, como cualquier contrato, está sometida al **plazo de caducidad** de cuatro años desde la fecha de consumación del mismo (CC art.1301), esto es, desde que empieza a regir la vida social. Por otro lado, tal tipo de pactos tiene difícil encaje en la normativa de protección de consumidores y usuarios (AP Barcelona 27-7-21, EDJ 655325).

3373 **Frente a la sociedad** De forma rotunda, la norma establece que dichos pactos no son oponibles frente a la sociedad, por lo que ni su existencia, ni su eventual incumplimiento surte efecto alguno frente a ésta. El incumplimiento de tales pactos por alguno de sus firmantes no afecta a la vida social.
Todo lo anterior supone, entre otras cosas:
- que no vinculan a los miembros y **órganos** de la persona jurídica;
- que no puedan ser hechos valer frente a **terceros**; y
- que no puedan utilizar los instrumentos de *enforcement* de la persona jurídica y del ordenamiento jurídico de sociedades para **sancionar el incumplimiento** del pacto parasocial.

Precisiones Los pactos parasociales son inoponibles a la sociedad, aun cuando hayan sido suscritos por todos los socios -pacto omnilateral-, salvo que medie **mala fe o abuso de derecho** (TS 25-2-16, EDJ 12915), y, en consecuencia, son válidos y eficaces los actos de la sociedad realizados en contra de lo previsto en los mismos.

3375 **Frente a terceros** Aunque la ley no dice nada expresamente sobre este punto, parece evidente y así se estima de forma prácticamente unánime por la doctrina, la ineficacia frente a terceros de tales pactos reservados. De hecho, el pacto extraestatutario interno, como contrato que es, solo produce efecto entre las partes que lo suscriben y sus herederos (principio de relatividad de los contratos establecido en CC art.1257).
Las anteriores conclusiones pueden verse matizadas por el régimen de **publicidad** establecido en relación con los pactos parasociales que afectan a una sociedad anónima cotizada (LSC art.531), así como en el caso de las empresas familiares y la publicación de sus protocolos (RD 171/2007 art.4 a 7).

Precisiones 1) Hay una parte de la doctrina (Paz-Ares) que, si bien admiten el principio general de inoponibilidad frente a terceros, sin embargo, identifican supuestos de **ruptura del principio de inoponibilidad**:
- cuando la sociedad sea parte en el contrato (no siendo, por tanto, un tercero), siempre y cuando se dé la *coincidencia* entre los miembros firmantes del pacto parasocial y aquellos que son parte del contrato de sociedad;
- cuando la sociedad se vea beneficiada por el pacto (p.e., los pactos de atribución, pues se trata de un contrato a favor de tercero -CC art.1257-);
- cuando una cesión anticipada del derecho de crédito (CC art.1526 s.) se incorpora en el pacto parasocial.

2) El TS ha admitido la ruptura del principio de inoponibilidad de los pactos parasociales cuando las partes de este y del contrato de sociedad coinciden (**identidad subjetiva**), invocando a tal efecto los principios generales sobre actos propios, abuso de derecho y buena fe, doctrina del levantamiento del velo y ficción de la existencia de una junta general en la celebración del pacto parasocial (entre otras, TS 24-9-87, EDJ 6642; 26-2-91, EDJ 2049; 18-3-02, EDJ 4286; 25-2-16, EDJ 12915; 25-2-16, EDJ 12915).
Así, por ejemplo, se ha declarado la **anulación de un acuerdo social** de ampliación de capital social, adoptado en abierta y franca contravención con lo que los cuatro accionistas de la sociedad habían pactado en documento privado, por entender que el mismo había sido adoptado con **abuso de derecho y mala fe** (TS 10-2-92, EDJ 137).
No obstante, una serie de sentencias consideran que la mera infracción del convenio o pacto parasocial de que se trate no basta, por sí sola, para la **anulación** del **acuerdo social** impugnado (TS 10-12-08, EDJ 234491; 5-3-09, EDJ 38155; 6-3-09, EDJ 22854; 6-3-09, EDJ 22853).
El TS también ha resuelto que no cabe hablar de pacto reservado para la sociedad el pacto de socios suscrito por la socia y administradora única y el futuro socio que regulaba una operación de **permuta**, considerando nulos los acuerdos de aprobación de las **cuentas anuales** por no reflejar la imagen fiel del patrimonio social, su situación financiera y sus resultados, al no poner de manifiesto en la documentación contable ni en la memoria de la sociedad la referida operación.
3) Considera Fernández del Pozo que sería admisible obligar societariamente al cumplimiento de una **prestación accesoria** de acatamiento de un acuerdo extraestatutario, de la misma forma que puede obligarse al adquirente de un inmueble a acatar las normas de la comunidad de propietarios, que, lógicamente, no gozan de publicidad registral. Así, la **doctrina administrativa** (DGRN Resol 26-6-18) reconoce la posibilidad de que los estatutos de una SA incluyan como prestación accesoria la obligación de cumplir las disposiciones de un pacto parasocial (en el caso, un protocolo familiar). En esta resolución se concluye que la cláusula debatida es inscribible, por no rebasar los límites generales de la autonomía de la voluntad, por cuanto no se opone a las leyes ni contradice los principios configuradores de la sociedad anónima (CC art.1255 y 1258; LSC art.28 y RRM art.114.2).

Instrumentación del acuerdo Uno de los problemas más graves que plantean los pactos parasociales es el de su eficacia práctica ya que, al no ser oponibles frente a la sociedad (nº 3367), su eventual incumplimiento por uno de sus suscriptores no puede hacerse valer frente a ésta. 3377

Caso particular: Sindicato de voto El problema de instrumentación se plantea con singular importancia en los sindicatos de voto ya que no pueden ser objeto, por su propia naturaleza, de disposición estatutaria (nº 3357). En la búsqueda de fórmulas que aseguren, en la mayor medida posible, su eficacia práctica, han sido propuestas diversas alternativas por la doctrina (Garrigues, Pedrol, Sánchez González): 3379
a) **Simple acuerdo**. Los socios integrantes del sindicato se comprometen a ejercitar su voto de manera unitaria en favor de quien establezca el acuerdo, sin que se prevean especiales mecanismos para instrumentar tal vinculación. Representa el estadio mínimo en el aseguramiento de la eficacia del sindicato.
b) **Sindicación con apoderamiento del síndico**. Al pacto de sindicación se acompaña el apoderamiento al síndico -o persona que el sindicato designe- para que, en representación formal de los socios, emita el voto unitariamente en el sentido acordado.
Esta fórmula presenta los siguientes inconvenientes: el carácter revocable del apoderamiento y la necesidad de que la representación del socio en junta se otorgue con carácter especial para cada una de ellas.
c) **Constitución de fiducia**. Defendida como una fórmula aconsejable por algunos autores e inspirada en la figura anglosajona del «trust», supone la existencia de dos negocios: el de transmisión de las acciones/participaciones al síndico y el pacto de fiducia mediante el cual éste se comprometería a ejercitar los derechos incorporados a las mismas -en concreto, el de voto- en el sentido pactado (Garrigues).
Si bien mediante esta fórmula se obtiene la plena legitimación formal del síndico como socio, la misma presenta algunos inconvenientes: riesgo de actuaciones -válidas, aunque ilícitas- del síndico, más allá de las instrucciones recibidas; muerte, quiebra o incapacidad sobrevenida del síndico. La mayoría de estos inconvenientes puede ser solventada, en mayor o menor medida, mediante fórmulas jurídicas adecuadas.
Desde el punto de vista fiscal esta fórmula presenta inconvenientes graves (tributación de las operaciones de transmisión de acciones/participaciones, reparto de dividendos, liquidación social).

3381 d) **Constitución de una sociedad tenedora de las acciones/participaciones**. La constitución de una sociedad -a la cual aportarían sus acciones/participaciones los socios sindicados- con el solo objeto de que gestione de forma unitaria las mismas, a través de sus órganos sociales de administración, es otra de las fórmulas propuestas para garantizar la eficacia de los pactos de sindicación de voto.

Al margen de su excesiva aparatosidad, que la hace inconveniente en algunos casos, presenta problemas fiscales y puede plantear, como señala Sánchez González, problemas de paralización de los órganos sociales en caso de participaciones igualadas y con intereses contrapuestos.

e) **Constitución de copropiedad sobre las acciones/participaciones**. Supone la transmisión a un tercero (el síndico) por parte de todos los socios sindicados de una pequeña cuota de participación en cada una de sus acciones/participaciones. El síndico se convertiría así en copropietario de todas las acciones/participaciones sindicadas, otorgándosele al mismo la representación de las distintas comunidades de propietarios constituidas sobre cada una de ellas.

La instrumentación de esta fórmula -estudiada en detalle y aconsejada por algunos autores- es compleja, requiriendo el establecimiento de un régimen detallado de previsiones contractuales en la escritura reguladora del condominio (Pedrol).

f) **Constitución de usufructo de las acciones/participaciones**. Consiste en la constitución de un usufructo sobre las acciones/participaciones sindicadas a favor del síndico, al cual, como usufructuario, se le atribuiría el derecho de voto. Esta solución requiere la existencia de una previsión estatutaria específica que atribuya el derecho de voto al usufructuario en el supuesto de usufructo de acciones/participaciones, ya que, en defecto de esta previsión, el ejercicio del derecho correspondería al nudo propietario.

Al margen de este inconveniente, que requiere la colaboración entre la sociedad y el sindicato, lo que, dependiendo de las circunstancias puede ser imposible (sindicatos minoritarios enfrentados o, al menos, ajenos al grupo de control), constituye una fórmula bastante eficaz y menos arriesgada para el socio sindicado que la fórmula fiduciaria.

3383 g) **Constitución de prenda**. Es la **fórmula considerada más aconsejable** por los autores (Chuliá, Pedrol, Sánchez González).

Consiste en la constitución de un derecho de prenda sobre las acciones/participaciones sindicadas en garantía de las obligaciones asumidas por los socios sindicados en el convenio de sindicación y, en su caso, de la cláusula penal en éste establecida.

Al igual que en el caso del usufructo, la fórmula requiere la inclusión de una cláusula estatutaria específica que confiera, en caso de prenda, el ejercicio del derecho de voto al acreedor pignoraticio. Éste puede ser un inconveniente práctico en algunos casos.

Desde el punto de vista fiscal es quizás la fórmula idónea, dado que no supone la cesión de derecho económico alguno sobre las acciones/participaciones al síndico o sindicato, permaneciendo íntegramente el valor económico de éstas en poder de los socios sindicados.

3385 **Duración del acuerdo** Los acuerdos entre socios pueden establecer un **plazo determinado** de duración. En caso contrario su duración es **indefinida,** por lo que su rescisión o terminación se regula por las reglas generales de los contratos (CC art.1124, 1290 a 1299). Sin embargo, la duración indefinida de tales acuerdos se considera ilícita por algunos autores -especialmente en supuestos como los de sindicatos de voto- en aplicación del principio de **no perpetuidad de las relaciones obligatorias**, que se infiere de varios preceptos y es común en Derecho comparado. Según esta corriente doctrinal, los pactos parasociales deben contener sus propios mecanismos de modificación, adaptación, disolución y, en su caso, prórroga.

3387 **Inobservancia del pacto** El incumplimiento de las obligaciones contenidas en los pactos parasociales constituye un supuesto de **incumplimiento de contrato**, pues, en principio, tienen eficacia meramente obligacional. Por ello, al margen de las consecuencias específicas que puedan haberse pactado en el propio acuerdo para el caso de incumplimiento (p.e., cláusula penal, ejecución de garantías, etc.), los efectos del incumplimiento se reconducen a las consecuencias previstas con carácter general en las normas civiles para el incumplimiento de los contratos: concesión a la parte cumplidora de la facultad de exigir, alternativamente, el cumplimiento de la obligación o la resolución del contrato, pudiendo exigir, en ambos casos y adicionalmente, el resarcimiento de los daños y perjuicios causados.

Ahora bien, la mayoría de los pactos parasociales incluyen **cláusulas penales** para los supuestos de incumplimiento, como medida de autotutela más eficiente y disuasoria. De igual forma, dominan las cláusulas de **arbitraje** sobre las de sometimiento a la jurisdicción ordinaria.

Precisiones Si un acuerdo es adoptado en el seno del órgano social contraviniendo lo acordado por todos los socios en un pacto parasocial, dicho acuerdo no podrá ser declarado nulo o anulable conforme a lo establecido en LSC art.204.1, pues, la mera infracción del convenio parasocial no basta, por sí sola, para la **anulación de un acuerdo social** válidamente adoptado conforme a la ley, los estatutos, y respetando los intereses sociales (TS 6-3-09, EDJ 22854).

CAPÍTULO 6

Garantías

3450

SECCIÓN 1

Fianza mercantil

3455

Del cumplimiento de las obligaciones responde el deudor con todos sus bienes presentes y futuros (principio de responsabilidad patrimonial universal -CC art.1911-). 3457
La fianza es uno de los mecanismos negociales que utilizan los acreedores para asegurarse la materialización práctica del principio de responsabilidad patrimonial universal. Es, por lo tanto, un instrumento de seguridad jurídico-patrimonial, una garantía de las llamadas «personales», pues no afecta directamente a ningún bien en concreto, sino a la conducta y patrimonio, en general, del garante (nº 3602).
Mediante la fianza, una persona se obliga a **pagar o cumplir**, en el caso de no hacerlo el obligado principal (CC art.1822).
Se protege con ella la posición jurídico-económica del **acreedor principal**, porque éste, ante incumplimientos del deudor, puede ir contra bienes y derechos no solamente del propio deudor sino también del fiador. El **fiador,** también el fiador mercantil, igualmente responde con todos sus bienes presentes y futuros del cumplimiento de la obligación del deudor principal. Con ello, se consigue la finalidad pretendida, pues, si el deudor primero y principal impaga, el acreedor mercantil puede acudir contra los **bienes y derechos** (contra cualquiera de ellos, contra todos) del fiador para aliviar su detrimento patrimonial.

Precisiones 1) Como garantía, la **fianza** es **accesoria** (presupone una obligación principal válida, contraída entre el acreedor y el deudor, no pudiendo el fiador obligarse a más que dicho deudor; CC art.1824, 1826 y 1847) y, en principio, **subsidiaria** (el fiador sólo paga de no hacerlo el deudor afianzado), aunque puede no serlo (fianza solidaria, en virtud de la cual puede el acreedor dirigirse contra el fiador a la vez o, incluso, antes que contra el deudor; en el ámbito mercantil acaba siendo, de facto, la regla general). Tanto la fianza civil como la mercantil pueden ser **onerosas** (a cambio de un precio) o **gratuitas** (CC art.1823). 3459
2) La **regulación** de la fianza mercantil se encuentra en el CCom art.439 a 442. Esta regulación es ciertamente escasa, y se complementa con la genérica sobre fianza del CC art.1822 a 1856, que rige de forma supletoria y con la aplicación de las disposiciones generales sobre los contratos de comercio (CCom art.50 a 63).
Por otro lado, las **fianzas mercantiles especialísimas** (las prestadas por sociedades de garantía recíproca y por entidades de crédito) se someten a la disciplina normativa de sus leyes especiales (L 10/2014; L 1/1994), aunque dicha normativa especial contiene pocas especialidades verdaderamente aplicables a la relación negocial, pues regula más bien la relación jurídica planteada entre la respectiva entidad financiera y la Administración pública encargada de la disciplina del mercado.
3) En cuanto a la **terminología**, ha de tenerse en cuenta que la denominación genérica empleada en el Código de Comercio es la de afianzamiento mercantil y en el Código Civil, la de fianza. Tanto uno como otro evitan la expresión contrato de fianza, en cuanto la relación negocial, que involucra al acreedor, al deudor y al fiador, es más amplia que el contrato en sí del que nace dicha garantía.

4) En el presente capítulo se estudian garantías nacidas de la voluntad de los contratantes (garantías contractuales). Consecuentemente, quedan **fuera de su ámbito** de estudio las medidas legales de **persecución de la morosidad** reguladas en la L 3/2004, cuya finalidad fue incorporar al derecho interno la Dir 2000/35/CE, del Parlamento Europeo y del Consejo, de 29-6-00, por la que se establecen medidas de lucha contra la morosidad en las operaciones comerciales que tanto deteriora la rentabilidad de las empresas, produciendo efectos especialmente negativos en la pequeña y mediana empresa. Precisamente, las últimas reformas de esta Ley se han producido por la L 11/2013, de medidas de apoyo al emprendedor y de estímulo del crecimiento y de la creación de empleo y por la L 17/2014, en la que se adoptan medidas urgentes en materia de refinanciación y reestructuración de deuda empresarial.
5) El **modelo** de póliza original de contrato mercantil de afianzamiento se encuentra en el nº 13265 (Anexos).

A. Consideraciones generales

3465

3467 **Calificación como mercantil** (CCom art.439) La definición general expuesta en el nº 3457 nos sirve para hacer una primera aproximación a la fianza mercantil, en el siguiente sentido: por la fianza mercantil se obliga uno a pagar o cumplir una **obligación de naturaleza mercantil**, en el caso de no hacerlo el obligado principal.
Hemos de plantearnos cuál es el **criterio aplicable** para considerar mercantil un afianzamiento. Su trascendencia es evidente, pues las especialidades del Código de Comercio (como, por ejemplo, que figure por escrito) solamente son aplicables a los afianzamientos mercantiles, no a los civiles.
El **criterio legal de mercantilización** dispone que es mercantil todo afianzamiento que tenga por objeto asegurar el cumplimiento de las obligaciones nacidas de un contrato mercantil, aun cuando el fiador no sea comerciante (CCom art.439).
De este precepto puede deducirse que son mercantiles las fianzas:
a) En garantía de obligaciones nacidas de un contrato mercantil (nº 3469).
b) En garantía de obligaciones nacidas de actos jurídicos que, siendo actos de comercio, no son contratos (nº 3471).
c) Prestadas por empresarios del mercado financiero, esto es, sociedades de garantía recíproca y entidades de crédito (nº 3475).

Precisiones **1)** La mercantilidad se adquiere por **accesoriedad**, lo cual, si bien es coherente, plantea dudas derivadas de las dificultades de concretar la mercantilidad de algunas relaciones contractuales. La difícil determinación de cuándo un contrato o un acto de comercio no contractual pueda reputarse mercantil tiene reflejo en la fianza, cuyo régimen jurídico va a depender de esa calificación previa (Ávila de la Torre).
La diferencia fundamental entre la **fianza civil y mercantil** es la exigencia de la forma escrita para la constitución de la mercantil, sin cuyo requisito no tendrá valor ni efecto (CCom art.440: nº 3530).
2) Existen ciertos empresarios sociales cuyo **exclusivo objeto social** es la prestación de fianzas mercantiles. Son las **sociedades de garantía recíproca**, sociedades mercantiles cuyo objeto social es el otorgamiento de garantías personales por aval, o por cualquier medio admitido en Derecho distinto del seguro de caución, a favor de sus socios, para las operaciones que éstos realicen dentro del giro o tráfico de las empresas de que sean titulares (L 1/1994 art.2 y 4; RD 2345/1996). Su **funcionamiento** es el siguiente: cuando determinado socio de la sociedad de garantía recíproca (socio que, por mandato legal, ha de ser una pequeña o mediana empresa, esto es, un empresario) precisa de una fianza para que los efectos de un acto administrativo por él recurrido sean suspendidos (esto es, un afianzamiento, pero no para garantizar obligaciones nacidas -al menos directamente- de un acto de comercio), le será admitida la prestada por su sociedad de garantía recíproca.
las **sociedades de reafianzamiento** son un instrumento jurídico-financiero de las sociedades de garantía recíproca, cuya finalidad es avalar a las propias sociedades de garantía recíproca, a fin de que éstas puedan dar efectivo cumplimiento a su objeto social -conceder avales a sus socios- (L 1/1994 art.11; RD 1644/1997). En virtud del reaval, el reavalista es responsable ante el acreedor en caso de incumplimiento a primer requerimiento del avalista por quien se obligó, en los términos que se definan en los contratos de reaval.

3469 **Fianzas en garantía de obligaciones nacidas de un contrato mercantil** Es mercantil la fianza que tenga por objeto asegurar el cumplimiento de las obligaciones nacidas de un contrato mercantil, aun cuando el **fiador no** sea **comerciante** (CCom art.439). Es consecuencia normal del **carácter accesorio de la garantía** respecto de la obligación principal: siendo ésta mercantil, es lógico que lo sea la fianza, con independencia incluso, del carácter del fiador. El problema radica en que los **criterios de mercantilidad** de los contratos no son indiscutidos: la tesis tradicional conforme a la cual son mercantiles todos los «**contratos de empresa**» (Uría, Sánchez Calero) no es unánime (de hecho, el propio Código de Comercio parece preferir un criterio más objetivo, el de «**acto de comercio**», objeto también de discutida interpretación), y plantea ciertos inconvenientes cuando intervienen **no comerciantes**, por ejemplo, consumidores. Son **contratos de empresa** los que se realizan en el marco de actividades empresariales organizadas, constituyendo precisamente el **desempeño de su objeto**, aunque la contraparte no fuera empresario. Otros autores (Martínez Sanz) matizan dicha concepción tan amplia de los contratos mercantiles, y señalan que, en ocasiones, el hecho de que intervenga la empresa no convierte al contrato en mercantil (como puede ser, por ejemplo, la compraventa al consumidor). En definitiva, puede atenderse a la mercantilidad según la figura esté o no regulada en el Código de Comercio o en leyes mercantiles, por analogía con figuras en ellas reguladas o por la propia interpretación finalista de las normas.

Precisiones 1) Sobre los **contratos en general** y los criterios de **mercantilidad**, ver nº 60 s.
2) Sobre la fianza prestada por **empresarios del mercado financiero**, ver nº 3475.

Fianzas en garantía de obligaciones nacidas de actos de comercio no contractuales La mercantilidad de estas fianzas no reside en el precepto general, sino en otros preceptos legales, tanto del propio Código de Comercio como de leyes especiales. 3471

Podemos exponer, entre otros muchos, un par de supuestos prácticos derivados de la normativa de sociedades mercantiles:

• En las **sociedades de capital**, los administradores están sujetos a un deber de lealtad con la sociedad que, entre otras cosas, les impide desarrollar actividades por cuenta propia o cuenta ajena que entrañen una competencia efectiva, sea actual o potencial, con la sociedad o que, de cualquier otro modo, le sitúen en un conflicto permanente con los intereses de la sociedad (LSC art.229.1.f). Para garantizar que no se produzca el incumplimiento de tal obligación (obligación de no hacer), o de cualquier otra derivada del citado deber de lealtad, la norma estatutaria puede exigir al administrador social, como requisito de aceptación del nombramiento, la presentación de una fianza mercantil prestada por fiador suficientemente solvente a juicio de la junta de socios (LSC art.214.2).

• La normativa de **sociedades anónimas** prevé que, dándose determinadas circunstancias, los acreedores pueden oponerse a los acuerdos de reducción de capital, en cuyo caso, dicha operación no podrá llevarse a efecto hasta que la sociedad preste garantía a satisfacción del acreedor (LSC art.337).

En estos casos, la fianza garantiza obligaciones nacidas no de un contrato mercantil (sí de un acto mercantil no contractual), por lo que, según el sentido estricto de la Ley estaríamos ante fianzas no mercantiles.

No obstante, en nuestra opinión, el afianzamiento de deudas nacidas de actos de comercio no contractuales tiene **carácter mercantil** y también se ha regir por las normas especiales reguladoras de dicha figura (CCom art.439 a 442).

Pueden señalarse al respecto los siguientes **argumentos**: 3473

a) En el CCom no se contiene una afirmación excluyente, lo cual permite que existan **otros afianzamientos mercantiles**, no incluidos dentro de su inicial afirmación. No hay razón para sostener que el Código define un género. Más bien parece limitarse a mercantilizar una especie.

b) Por aplicación del criterio objetivo y genérico de definición de todo **acto de comercio** hemos de reputar acto de comercio el afianzamiento mercantil al que nos estamos refiriendo, mediante la conexión del mencionado precepto con la norma mercantil especial que en cada caso regule el acto de comercio principal garantizado.

c) Por la **accesoriedad** propia de toda garantía. Lo accesorio sigue a lo principal, motivo por el cual el carácter mercantil de la obligación garantizada confiere, sin más, ese mismo carácter a la relación de fianza.

Precisiones En el mismo sentido se pronuncian autorizadas voces doctrinales, para quienes el legislador mercantil debió referirse a una **obligación mercantil afianzada** y no a un contrato, ya que pueden derivar obligaciones de negocios jurídicos unilaterales (Vicent Chuliá).

Fianza prestada por empresarios del mercado financiero Es la concedida por sociedades de garantía recíproca y **entidades de crédito**. En estos supuestos hemos de distinguir según que la obligación garantizada tenga o no su origen en un acto de comercio. 3475

a) Si la obligación garantizada nace de **acto de comercio**, aunque éste carezca de naturaleza contractual, no hay duda de su naturaleza mercantil, no sólo por aplicación de lo señalado en el nº 3471, sino porque, además, las entidades financieras tienen **naturaleza legal de empresarios**.

Como argumento retomamos un **ejemplo** mencionado en el nº 3471: según la normativa sobre sociedades anónimas, la reducción del capital social no puede llevarse a efecto hasta que la sociedad preste garantía a satisfacción del acreedor o, en otro caso, hasta que notifique a dicho acreedor la prestación de fianza solidaria a favor de la sociedad por una entidad de crédito debidamente habilitada para prestarla por la cuantía del crédito de que sea titular el acreedor y hasta tanto no prescriba la acción para exigir su cumplimiento.

b) Si la obligación garantizada **no** tiene su origen en un **acto de comercio**, por ejemplo, cuando un cliente no comerciante de determinada caja de ahorros (reguladas por la L 26/2013, de cajas de ahorros y fundaciones bancarias; aunque muy escasas en la práctica tras la crisis económica de 2008) precisa de un aval bancario para apelar una sentencia de remate en cierto juicio ejecutivo y la entidad lo concede, para su presentación ante el juzgado competente; en este caso, la **mercantilidad** puede defenderse con base en la regulación del objeto social de los antiguos bancos y sociedades agrícolas, según la cual corresponde principalmente a la índole de estas compañías garantizar con su firma pagarés y efectos.

3477 No obstante, este argumento es un mero indicio difícilmente sustentable, pues no se refiere el Código de Comercio exactamente al mismo negocio del que hablamos, sino a una suerte de **aval cambiario**, mercantil por naturaleza.

El apoyo definitivo lo hemos de encontrar, de nuevo, en otros preceptos del Código de Comercio (p.e., CCom art.2, 175, 177, 199, 212, 303, 311) y en leyes especiales, que permiten afirmar, con la generalidad de la doctrina y con reiterada jurisprudencia (muy citada por las Audiencias es, por ejemplo, la sentencia TS 9-5-44 que declaró que los préstamos bancarios eran mercantiles conforme al CCom art.2), que toda operación bancaria tiene naturaleza mercantil.

Precisiones **1)** Aun así, en atención al criterio objetivo, doctrina y jurisprudencia consideran de forma generalizada que aun cuando el **fiador** tenga el **carácter de comerciante**, como puede ser una entidad de crédito, la fianza es civil, no mercantil, si el **contrato principal** (la obligación principal garantizada) es **civil**, con independencia incluso del carácter de comerciantes de las partes. En la práctica, no obstante, las entidades de crédito tratan de revestir estos contratos de **características específicas** que los alejan de la normativa del Código Civil (Sánchez Calero).

2) Existen modelos bancarios de contratos denominados de **afianzamiento general** cuya redacción de cláusulas es de tal amplitud y complejidad que, en ocasiones, desnaturalizan como tal a la fianza, lo que aconseja el análisis de cada caso concreto, y sobre todo el de las **condiciones generales** predispuestas por la entidad crediticia para caso de reclamación y de garantías añadidas.

En tal sentido, la doctrina moderna admite el **aval** no sólo como afianzamiento propio y privativo del contrato de cambio, sino en el más amplio sentido, como un contrato de garantía de cumplimiento de otros contratos.

Es decir, frente al aval cambiario, existe un concepto más amplio de aval, en cuanto contrato de garantía de cumplimiento de otros negocios (TS 21-3-80, EDJ 787; 17-6-85, EDJ 7429).

3) La argumentación del carácter mercantil de las **operaciones bancarias** es objeto de estudio en el nº 7882.

3479 **Trascendencia de la calificación** La interpretación extensiva del precepto que define la fianza mercantil es instrumentalmente finalista.

Interesa extender las **especialidades de la fianza mercantil**, y principalmente su necesaria forma escrita protectora de los intereses del fiador, a todos aquellos supuestos en los que el acreedor, sin ser comerciante, pueda beneficiarse de las mismas. Esta extensión es necesaria, bien cuando la deuda principal garantizada traiga causa de un **acto de comercio no contractual** (mediante un argumento objetivo), o bien cuando el fiador sea, indiscutiblemente, una **entidad de crédito**, esto es, un empresario del mercado financiero (mediante un argumento subjetivo).

Precisiones **1)** Resulta dudoso si el carácter mercantil de la **fianza** la convierte, además, en **solidaria**. Tras una primera etapa en la que la jurisprudencia del Tribunal Supremo mantuvo que sí (privando al fiador del beneficio de excusión; TS 10-11-69, entre otras), el Tribunal Supremo resolvió después que tal carácter había de ser **acordado expresamente**, como en la fianza civil, con sentencias que llegan hasta época reciente: así, con referencia a un préstamo a sociedad anónima garantizado mediante aval de los socios, existe responsabilidad asumida contractualmente por los socios de la sociedad, pero la **responsabilidad** no se presume solidaria sino **mancomunada** aunque sea en el ámbito jurídico-mercantil, debiendo los socios responder ante sus acreedores de forma conjunta en proporción a la participación que ostentan en el capital de la sociedad (TS 18-2-03, EDJ 2054).

2) No obstante, otras sentencias han vuelto a la doctrina tradicional, ratificando el **carácter solidario** de la obligación del fiador en toda obligación mercantil (TS 7-3-92, EDJ 2211; 14-2-97, EDJ 742). Es el caso igualmente de un aval prestado en garantía de la devolución de las obligaciones nacidas de un contrato de crédito en cuenta corriente (TS 27-10-99, EDJ 32582) y de un **afianzamiento extracambiario** de unos efectos de comercio, en el que la fianza prestada en garantía del pago de diversos efectos de comercio, que traían causa de un suministro efectuado con anterioridad por la sociedad acreedora a la deudora, mereció, derivada de su calificación de mercantil, la consideración de solidaria, no pudiendo esgrimir el fiador los beneficios de excusión y división (TS 26-5-04, EDJ 51800).

3) En definitiva, y aunque hoy día pueda parecer asentada la doctrina tradicional (la fianza mercantil es, por definición, solidaria), con el fin de evitar problemas interpretativos y dado que la jurisprudencia no es unánime, es aconsejable, a efectos prácticos que el acreedor no olvide, al redactar la cláusula o contrato de fianza, explicitar el **carácter solidario** tanto del fiador respecto del deudor principal (renunciando a los beneficios de excusión y división) cuanto el carácter igualmente solidario en la hipótesis de varios fiadores.

Clases de afianzamientos mercantiles (CC art.1823) Para una clasificación de los afianzamientos mercantiles nos apoyamos en diferentes criterios: **3481**

A) Desde el punto de vista del **negocio jurídico principal** podemos diferenciar entre:

• Fianza mercantil **convencional** que, a su vez, puede ser:

- en garantía de obligaciones nacidas de contratos mercantiles;
- en garantía de obligaciones nacidas de actos de comercio sin estructura contractual.

• Fianza **legal y judicial**, que solamente puede reputarse mercantil cuando el fiador sea sociedad de garantía recíproca o entidad de crédito.

En este capítulo nos centramos en la fianza mercantil convencional y, sobre todo, en el afianzamiento mercantil en sentido estricto.

Precisiones Como ejemplo de **fianza administrativa**, está la exigida para acceder a la contratación pública común en las normas reguladoras de los concursos para la prestación de servicios públicos en los más diversos sectores.

B) Según la existencia o no de **retribución**, podemos diferenciar entre: **3483**

- fianza gratuita, que es la regla general (CCom art.441); y
- fianza retribuida, regla excepcional, si bien presente en el tráfico bancario con las comisiones de apertura y de riesgo trimestral.

C) Por razón de la **obligación garantizada**, hemos de distinguir entre:

• Fianza en garantía de una obligación dineraria, que es la más frecuente.

• Fianza en garantía de una obligación de dar cosa distinta de dinero, o bien de una obligación de hacer o de no hacer.

Precisiones En la práctica contractual ocurre, en realidad, que, para el caso de incumplimiento de la obligación principal afianzada, las partes pactan una indemnización convencional o **cláusula penal**, en cuyo caso la fianza garantiza el pago de la multa penitencial dineraria, con lo que, en realidad, se ha convertido en un negocio de la primera modalidad.

D) Puede distinguirse también, según la **deuda garantizada**: **3485**

• Fianza en garantía de **deuda existente**, que es la, regla general.

• Fianza en garantía de **deuda futura**, aplicable desde muy antiguo al afianzamiento mercantil (TS 10-1-1903). Esta fianza no se puede reclamar contra el fiador hasta que la deuda sea líquida. Incluso se admite el nacimiento de la fianza anterior al nacimiento del negocio del que nace la deuda garantizada (TS 31-10-84, EDJ 7457).

• Fianza general o fianza **ómnibus**. Así se denomina aquella fianza que garantiza el cumplimiento de todo tipo de obligaciones (dar, hacer o no hacer) a cargo del deudor principal, sean presentes o futuras.

Precisiones **1)** La **fianza de deuda futura** aparece expresamente admitida en el CC art.1825. Aunque la deuda sea futura (no haya nacido aún), el fiador queda ya obligado de forma firme, no condicional, y no puede desdecirse de lo comprometido (Díez Picazo y Gullón, Lacruz). No obstante, no podrá reclamarse al fiador hasta que, habiendo nacido la obligación principal, la deuda esté completamente determinada (TS 20-2-87, EDJ 1398; 23-2-00, EDJ 1932).

2) La validez de la **fianza ómnibus** se admite actualmente tanto por la doctrina (Guilarte Zapatero, Puig Brutau) como por la jurisprudencia destacando siempre la importancia de la buena fe (téngase en cuenta que a priori las partes no conocen el montante total garantizado), tanto en el momento de su constitución como en su posterior desarrollo. Sin embargo, no puede ocultarse la existencia de serias dudas sobre su licitud (TS 23-3-88, EDJ 2436; 29-4-92, EDJ 4126; 23-3-00, EDJ 3085; 18-3-02, EDJ 6480). Este tipo negocial es usado con frecuencia por las entidades de crédito.

3) Se han estudiado los efectos de la **fusión de sociedades** sobre la fianza y, en particular sobre la fianza ómnibus o fianza global. Conclusiones remarcables son las siguientes (Segismundo Álvarez Royo-Villanova):

a. Fusión **del acreedor**. Si la fianza es **simple**, ordinaria o individual, la fusión de la sociedad acreedora y la consiguiente subrogación acreedora no altera el negocio de fianza, que subsiste, sin que sea necesaria notificación al deudor, pues tal notificación quedaría suplida por los requisitos de publicidad (AP Ourense 7-10-97, EDJ 9161). Si la fianza es **global**, el citado autor diferencia tres casos:

- Deudas nacidas **antes de la fusión**. Quedan garantizadas por la fianza pre-existente (TS 17-5-99, EDJ 13355, parcialmente contradicha por la TS 3-7-99, EDJ 13509).

- Deudas nacidas **como consecuencia de la fusión**. Se mantiene el criterio de subsistencia de la fianza prestada (TS 28-1-03, EDJ 935), si bien Álvarez Royo-Vilanova no está de acuerdo con que la fianza se pueda extender a deudas a favor de la sociedad absorbente.
- Deudas nacidas **con posterioridad a la fusión**. Debe subsistir la fianza, en garantía de las deudas posteriores siempre que el fiador no haya ejercitado su derecho de denuncia.
b. Fusión **del deudor**. Si la fianza es **simple**, el que la solvencia del deudor disminuya nunca permite la liberación del fiador, sino proceder contra el deudor (CC art.1843). Sólo en el caso de que el derecho de regreso peligre, por actuación del acreedor, cabe reclamar la extinción (CC art.1852). Si la fianza es **global**, de nuevo distinguimos tres hipótesis:
- Deudas nacidas **antes** de la fusión. Vale lo dicho para la fianza simple.
- Deudas nacidas **como consecuencia** de la fusión. Vale lo dicho para la fusión de acreedor. Es contraria a la buena fe la extensión de la responsabilidad del deudor como consecuencia de la fusión.
- Deudas nacidas **con posterioridad** a la fusión. La protección del fiador proviene de su derecho de desistimiento.
c. Fusión **del fiador**. Se produce la transmisión de la condición de fiador al que, por causa del proceso de fusión, sucede universalmente a tal inicial fiador.
4) El Tribunal de Justicia de la UE ha refrendado la postura admisiva al declarar la legalidad de las **normas uniformes de la ABI** sobre esta relación negocial (TJUE 21-1-99, C-215/96).
5) Se admite la validez de una póliza de afianzamiento mercantil de todas las operaciones que en el futuro pudiera llevar a cabo una compañía con una entidad de crédito, que se superpone a un **préstamo con garantía hipotecaria**. No resulta de aplicación la extinción de la fianza por actos del acreedor que impidan al fiador subrogarse en sus derechos frente al deudor principal, aunque el acreedor opte por ejecutar en primer lugar la garantía hipotecaria antes de solicitar al fiador el pago de las cantidades todavía pendientes, impidiendo de esta manera que el fiador se subrogue en el derecho de hipoteca (TS 21-7-03, EDJ 50807).

3487 E) Como último argumento de clasificación, según su **relación formal con el negocio principal**, podemos diferenciar entre:
• Fianza mercantil en **cláusula adicional** inserta -con ordinal propio- dentro del conjunto de cláusulas integrantes del contrato principal.
• Fianza mercantil en **documento contractual separado**, en cuyos expositivos queda descrito el contrato principal cuyas obligaciones quedan garantizadas.

3489 **Exclusiones** No son afianzamiento (ni mercantil ni civil; ni contratos de fianza ni fianzas legales o judiciales) alguno supuestos denominados de **mera responsabilidad solidaria** (Vicent Chuliá), a los cuales se refieren las normas mercantiles con relativa frecuencia. Son los siguientes:
- la responsabilidad solidaria de los **socios colectivos**;
- la responsabilidad solidaria de los porteadores en el **transporte cumulativo**;
- la responsabilidad solidaria de los **fundadores y promotores** de la fundación y de los **administradores** de las sociedades anónimas, en especial, en el supuesto de incumplimiento de la obligación de convocar junta general o de instar la disolución judicial de las sociedades de capital no operativas;
- la responsabilidad solidaria de los sucesivos **adquirentes de acciones no liberadas** de una sociedad anónima;
- la responsabilidad solidaria de los socios de la sociedad de responsabilidad limitada por la realidad y valor de las **aportaciones no dinerarias**;
- la responsabilidad solidaria de los obligados en una **letra de cambio**, pagaré o cheque.
La responsabilidad en estos supuestos se distingue de la derivada de las obligaciones solidarias sobre la base de que en ellas todos y cada uno de los responsables son, a su vez, **codeudores**.

B. Elementos

3495

1. Intervinientes

3500 En el contrato de afianzamiento mercantil intervienen al menos dos partes: **acreedor principal y fiador**. Sin embargo, aun cuando el **deudor principal** no es parte en el contrato de fianza, no cabe hacer abstracción de sus intereses, pues la causa de la fianza está íntimamente conectada con la causa del contrato principal.

Precisiones 1) El **consentimiento del deudor** no es elemento esencial del contrato de fianza (TS 14-11-81, EDJ 1680), pudiendo suceder, incluso, que lo ignore o se manifieste en contra de una tal garantía (CC art.1823). No obstante, en las relaciones entre fiador y deudor principal pueden existir **circunstancias influyentes** en el nacimiento de la obligación asumida por aquél (clientela, vínculos familiares, etc.). Estas circunstancias no son, sin embargo, necesariamente determinantes (Paz-Ares), aunque pueden explicar el nacimiento de la fianza (esto es, el contrato entre acreedor y fiador), pudiendo responder ésta al propio acuerdo o contrato previo entre el deudor y el fiador (por cuya virtud éste adquiere la obligación de avalarle, dando su consentimiento posteriormente el acreedor), o entre el propio acreedor y el deudor, que asume la obligación de dar fiador (CC art.1828 y 1829).

2) El **consentimiento del acreedor** sí es esencial, pues de lo contrario el negocio de fianza no surge a la vida jurídica ni obliga al fiador (TS 23-3-88, EDJ 2436).

3) Requieren especial mención las garantías que se ofrecen a la persona con **discapacidad** mediante la prestación de asistencia económica, no sólo con cargo al Estado o a la familia, sino con cargo al propio patrimonio que permita garantizar el futuro de la persona con discapacidad en previsión de otras fuentes para costear los gastos que deban afrontarse (L 41/2003, de protección patrimonial de las personas con discapacidad y de modificación del Código Civil, de la Ley de Enjuiciamiento Civil y de la Normativa Tributaria con esta finalidad; L 8/2021, por la que se reforma la legislación civil y procesal para el apoyo a las personas con discapacidad en el ejercicio de su capacidad jurídica).

4) Cuando el **fiador** es un **consumidor**, queda protegido por la normativa de consumidores, y ello aunque la obligación garantizada tenga naturaleza mercantil. Así, como consecuencia de la aplicación al contrato de fianza de la normativa sobre condiciones generales de la contratación y sobre protección de consumidores, podrán considerarse **abusivas**, o contrarias a normas imperativas, determinadas cláusulas contractuales o condiciones generales de la contratación que se integren en el mismo, como por ejemplo (TS 29-19-21, EDJ 760102):
- la que exige que el fiador se obligue a más que el deudor principal (CC art.1826);
- la que permite al acreedor exigir otro fiador, aun cuando el inicial no viniere al estado de insolvencia (CC art.1829);
- la que exonera al acreedor negligente en la excusión de los bienes señalados cuando no concurra ninguna de las causas de exclusión de la excusión (CC art.1831 y 1833);
- la de renuncia a la extinción de la fianza cuando por algún hecho del acreedor no pueda quedar subrogado en los derechos o hipotecas del mismo (CC art.1852); o
- la que impida al fiador oponer al acreedor las excepciones propias del deudor principal y que sean inherentes a la deuda (CC art.1853).

Acreedor principal Persigue asegurar su crédito por una vía lícita y eficaz, cual es el contrato de fianza. Se le exige, por tanto, **capacidad** ordinaria para administrar sus bienes, pues no hay en su declaración de voluntad acto de disposición, sino de mera administración. 3502
Consecuentemente, si actúa a través de **representante** (ordinario u orgánico) basta, a la hora del bastanteo de poderes, que la lista de facultades delimitadora del ámbito de suficiencia del apoderamiento incluya la de administrar.

Fiador (CC art.1828) El fiador ha de tener capacidad para obligarse y bienes suficientes para responder de la obligación que garantiza. 3504
En nuestra opinión, ha de gozar de verdadera **capacidad** de disposición de todos sus bienes, pues todos sus bienes, incluso los futuros, se incorporan a la cifra de responsabilidad exigible para el cumplimiento de las obligaciones.

Precisiones 1) Apoyan lo expuesto los siguientes **argumentos**:
• Por medio de la fianza, queda afectado directamente el patrimonio del fiador. Consiste tal afectación en el hecho de que un tercero (el acreedor) puede proceder a la reclamación judicial (si el deudor principal incumple) y el juez puede declarar su derecho a la indemnización contra los bienes del fiador. Hay un verdadero **riesgo futuro** de que el fiador pierda el dominio de alguno o de todos sus bienes y derechos de contenido patrimonial. De ahí que el afianzamiento bancario constituya un riesgo económico que la entidad de crédito acreedora tiene obligación de informar al Banco de España, a efectos de que quede constancia de tal riesgo en el registro del tal fiador.
• La fianza también puede traer consecuencias al ejercicio de **facultades dominicales**, pues el fiador que, antes del exacto cumplimiento de la obligación principal, procede a enajenar bienes o derechos de su titularidad, puede estar actuando en perjuicio del acreedor. El acreedor que se sienta perjudicado puede, en consecuencia, accionar la revocatoria ordinaria (CC art.1111) e incluso reclamar responsabilidad penal en supuestos concursales (CP art.259, como supuesto de insolvencia punible, cuando se realizan actos de disposición patrimonial sin la autorización judicial ni de la administración concursal).

2) La responsabilidad con sus bienes futuros incrementa el riesgo del fiador en la misma medida en que incremente su prosperidad patrimonial. De ahí lo incierto del **afianzamiento en garantía de deudas futuras** cuyo importe no sea conocido o de la fianza ómnibus. Se dice, en consecuencia, que la fianza es la más gravosa de las garantías.

3) Si bien la fianza no atribuye al acreedor principal el privilegio de la reipersecutoriedad que se concede al acreedor hipotecario y al acreedor pignoraticio (nº 3932), le proporciona un más **amplio conjunto de bienes y derechos** contra los que acudir reclamando indemnización por incumplimiento.
De ahí que, si para la prenda y la hipoteca se exige capacidad de disposición de los bienes pignorados o hipotecados (CC art.1857), se deba exigir la misma capacidad para quien presta fianza, pues mediante la fianza, el fiador realiza un acto de disposición de estos.
4) Algunos autores prefieren calificar la fianza como **acto de administración extraordinaria** (Lacruz Berdejo, Guilarte Zapatero) lo que afecta luego a la toma en consideración de la legitimación de quienes administran bienes ajenos (padres, tutores, mandatarios, etc.).

3506 **Fiador menor de edad** (CCom art.5) Aunque en principio carecen de capacidad suficiente para obligarse, se les permite continuar, por medio de sus representantes legales, el comercio que hayan ejercido sus padres o causantes; vía por la que podría pensarse que es posible que se sitúen en la posición jurídica del fiador. Sin embargo, los **representantes legales** no pueden dar fianza mercantil en nombre y representación del comerciante menor, salvo autorización judicial.

Precisiones Apoyamos nuestra opinión en los siguientes **argumentos**:
a) Si, como regla general, se exige al comerciante plena capacidad de obrar (Sánchez Calero, Girón Tena, Langle), hemos de convenir que la excepción señalada ha de resolverse, en cuanto al juicio de capacidad, según las normas sobre la **patria potestad y tutela**. Según estas normas, se prohíbe a los padres ejercientes de la patria potestad que perfeccionen ciertos **actos dispositivos** (entre los que no se cita la fianza), salvo que concurran dos requisitos: causas justificadas de utilidad o necesidad y previa autorización del juez del domicilio, con audiencia del Ministerio Fiscal. Según una interpretación estricta de la norma podríamos concluir que se exige autorización judicial para vender cualquier inmueble y no se exige para prestar fianza, dando todos sus inmuebles en garantía del cumplimiento de la obligación principal. En nuestra opinión, la excepción comentada no puede convertirse en un precepto vulnerador de un principio de orden público, cual es el de la ineludible protección del menor.
b) El propio Código Civil, previendo la posibilidad de riesgos sobre dicho patrimonio del menor, establece que cuando la administración de los padres ponga en peligro el patrimonio del hijo, el juez puede adoptar las providencias que estime necesarias para la **seguridad y recaudo de los bienes**, exigir caución o fianza para la continuación en la administración o incluso nombrar un administrador (CC art.167).
c) La normativa de protección jurídica de los menores establece que las limitaciones a la capacidad de obrar de los menores han de ser objeto de **interpretación restrictiva** y que ha de primar el **interés de los menores** sobre cualquier otro interés legítimo que pueda concurrir (LO 1/1996 art.2). De ahí que hemos de aceptar que, en la fianza del menor, pugnan dos intereses patrimoniales contrapuestos: el del acreedor perseguidor de garantía y el del menor, que puede resultar expoliado por temeridad de su representante legal. En este caso ha de primar el segundo sobre el primero, por lo qué el mencionado precepto ha de interpretarse restrictivamente.

3508 **Menor emancipado** Con respecto al menor emancipado hemos de llegar a conclusiones similares a las expuestas en el nº 3506. Aunque, según el tenor estricto de la Ley, puede prestar fianza sin consentimiento de sus padres o curador (la fianza no aparece entre los actos que requieren dicho consentimiento -CC art.247-), la **interpretación protectora** de los intereses del emancipado (que sigue siendo persona necesitada de protección) reclama la necesidad de ese complemento de capacidad (TS 27-6-41). Además, parece lógico considerar que si el menor, aun emancipado, **no** puede tomar dinero a préstamo sin la concurrencia de padres o curador, tampoco **pueda avalar la deuda u obligación contraída por un tercero**. Téngase en cuenta que, al quedar comprometido todo el patrimonio del menor, podrían afectarse bienes (p.e., su propio establecimiento mercantil) sobre los que, en principio, no puede disponer ni concertar gravámenes sin autorización de padres o curador, por lo que una solución diferente podría servir para fundamentar ciertos negocios fraudulentos.

Precisiones En contra de esta postura se posiciona la **doctrina dominante**, para la cual las limitaciones de la capacidad, como restricciones de la libertad, poseen siempre un sentido excepcional. Por ello, señalan, no debe haber dificultad para que, por regla general, un menor emancipado se constituya en fiador, aunque, excepcionalmente, la **fianza** puede ser **inválida**, si la emancipación y el consentimiento para afianzar han constituido un mecanismo ideado para burlar las previsiones de la ley; pero, en tal caso, la invalidez procederá del carácter fraudulento del acto (Díez-Picazo). Por su parte, Albaladejo, que admite expresamente la fianza dada por un menor emancipado, considera que, cuando dicho menor diese su **consentimiento sin la concurrencia de la voluntad de los padres o curadores**, si ésta fuera necesaria, la responsabilidad por incumplimiento del deudor sólo podría hacerse efectiva frente al menor emancipado sobre todos aquellos bienes de éste que pudiese enajenar sin el consentimiento de aquéllos, pues de lo contrario se estarían permitiendo enajenaciones fraudulentas, no autorizadas por la normativa que tutela al menor emancipado.

Comerciante casado en régimen de gananciales (CC art.1375, 1322) La prestación de fianza constituye un **acto de disposición** recayente sobre todos sus bienes, incluidos, por tanto, los bienes gananciales. En consecuencia, para que la fianza sea válida respecto de los bienes gananciales, se precisa que sea consentida por el cónyuge no comerciante. 3510

Precisiones 1) La jurisprudencia exige, como **regla general**, que la fianza sea consentida por ambos cónyuges para que los bienes gananciales queden afectos a la suma de garantía y, como **regla excepcional**, admite que, si el interés del afianzamiento (causa de contratar) tiene relación directa con el interés familiar (causa del negocio jurídico principal garantizado), entonces se admite la validez de la extensión de los gananciales como patrimonio garantizador (TS 29-12-87, EDJ 9770; 30-4-90, EDJ 4540; 2-7-90, EDJ 7052; 28-9-01, EDJ 30959; 15-7-05, EDJ 116837).
La realidad (sobre todo en la **práctica bancaria**) demuestra que la excepción teórica se convierte en supuesto general práctico. Tal sería el caso de un contrato (bancario o no) cuyo deudor es la **sociedad mercantil familiar** (cónyuges e hijos únicos socios) y en el que uno de los cónyuges toma posición jurídica de fiador. Así, son de cargo de la sociedad de gananciales la explotación regular de los negocios o el desempeño de la profesión, arte u oficio de cada cónyuge. De igual forma, los bienes gananciales responderán directamente frente al acreedor de las deudas contraídas por un cónyuge en el ejercicio ordinario de la profesión, arte u oficio.
2) La fianza prestada por uno de los cónyuges **sin el consentimiento del otro** no puede, en general, estimarse que forme parte de la administración ordinaria de los negocios o el desempeño de la profesión, ni implica acto dispositivo alguno sobre los bienes gananciales, por lo que la sociedad de gananciales no asumirá los gastos ni la responsabilidad que de aquella actuación unilateral deriven, y ello con independencia de la posibilidad prevista en el CC art.1373 (Valenzuela Garach): el otro cónyuge puede pedir, en incidente durante el proceso de ejecución, que en la **traba de los bienes gananciales pedida por el acreedor** se sustituyan los bienes comunes por la parte que ostenta el cónyuge deudor (por fiador, en el caso que nos ocupa) en la sociedad ganancial, previa disolución de ésta (TS 12-1-99, EDJ 117).

Apoderado El apoderado que pretende dar fianza en nombre y representación de su principal precisa de un **poder formal, subsistente y suficiente**. Por consiguiente: 3512

- No se exige formalidad especial a tal apoderamiento, salvo que la fianza pretenda recibir la forma especial del documento público. En tal caso, es necesario que el fiador ostente un poder otorgado en documento público (CC art.1280.5º).
- Salvo las revocaciones inscritas en el Registro Mercantil (RRM art.87.2º, 94.5º, para los empresarios individuales y las sociedades en general, respectivamente), la única forma de aseguramiento de la subsistencia del poder es la declaración de parte.
- Es necesario **poder expreso**, ya que la fianza es un acto de disposición y el mandato, concebido en términos generales, no comprende más que los actos de administración. Para transigir, enajenar, hipotecar o ejecutar cualquier otro acto de riguroso dominio, se necesita mandato expreso (CC art.1713).

Distinto es el caso del apoderamiento orgánico (administradores de sociedades), cuyo ámbito de suficiencia ha de interpretarse extensivamente (DGRN Resol 4-3-85). Así se desprende, al menos para las sociedades mercantiles, de su normativa reguladora (LSC art.234) y de la regla de la no inscribibilidad de las listas de facultades de los administradores que consten en estatutos (RRM art.124.4, 185.6, para las sociedades anónimas y las sociedades de responsabilidad limitada, respectivamente).

Precisiones 1) Para que una persona tome posición jurídica de fiador, actuando por poder, se hace necesario que el ámbito objetivo del poder incluya expresamente la **facultad de afianzar a terceros** (TS 6-11-62; DGRN Resol 29-9-65).
2) Se prohíbe a la sociedad prestar garantías o facilitar algún tipo de asistencia financiera para la **adquisición de sus acciones o participaciones** o de la sociedad dominante por un tercero (LSC art.143 y 150).
3) La **sociedad de responsabilidad limitada** puede, sin necesidad de acuerdo de la junta, anticipar fondos y conceder a otra sociedad perteneciente al mismo grupo crédito o préstamos, garantías y asistencia financiera; en cambio, sí será necesario el acuerdo para la realización de dichos actos a favor de sus propios socios y administradores (LSC art.162). El socio interesado en obtener la fianza dada por la sociedad debe abstenerse de votar en Junta (LSC art.190), por lo que no cabe, pues, la fórmula del acuerdo unánime.

Pluralidad de partes El supuesto más sencillo de fianza contractual se produce cuando en la formación del contrato de fianza interviene un solo individuo en la posición de cada uno de los sujetos (acreedor, deudor y fiador) que pueden participar en la creación de la relación jurídica de fianza. 3514

Cuando interviene una pluralidad de personas, bien en la relación obligatoria principal, bien en la relación accesoria de fianza, se pueden distinguir varios supuestos:

1. Puede darse una situación de pluralidad de **deudores** en la relación obligatoria principal junto a la relación accesoria de fianza, pudiendo configurarse la deuda principal como

mancomunada o solidaria (CC art.1137 s.), que tiene repercusión en la fianza, sobre todo, en la posición en que se encuentra el fiador respecto a esa pluralidad de deudores y al acreedor.
2. Puede darse también un supuesto de pluralidad de **fiadores** en la relación jurídica de fianza por una misma deuda, que pueden encontrarse en dos situaciones:
- estos sujetos pueden obligarse entre sí mancomunada o solidariamente en un mismo plano de responsabilidad, dando lugar al supuesto de **cofianza** (CC art.1837); y
- en distinto plano de responsabilidad, dando lugar al supuesto de **subfianza** (CC art.1823.II).

3. Por último, puede tener cabida en la relación obligatoria de fianza el supuesto de pluralidad de **acreedores**. Al respecto, el CC art.1828 establece las condiciones que ha de reunir un fiador: tener capacidad para obligarse y bienes suficientes (solvencia) para responder de la obligación garantizada. La concurrencia de ambas determina la idoneidad del fiador que, si bien para una parte de la doctrina la solvencia no es precisa para todo supuesto de fianza, sí lo es -y en esto todos coinciden- el requisito general de capacidad, cuya exigencia procede siempre (Berrocal Lanzarot).

Precisiones **1)** La fianza debe interpretarse siempre en beneficio del fiador, de tal manera que, si en el título de una **póliza de afianzamiento de descuento de efectos** se añade el inciso «para crédito documentario de imputación», ha de interpretarse que lo segundo circunscribe el ámbito de la responsabilidad de los fiadores a la concreta operación contemplada, es decir, sólo al crédito documentario y no a otras deudas derivadas del descuento de efectos (TS 26-11-97, EDJ 9366).
2) El cofiador tiene derecho a resarcirse del deudor, mediante el ejercicio de la **acción de reembolso** y de los demás cofiadores, mediante el ejercicio de la acción de regreso, sin que la suma acreedora pueda ser superada por el ejercicio de estas acciones (TS 3-7-98, EDJ 11369).
3) La fianza posterior sustituye a la anterior, dejando a ésta sin efecto alguno, siempre que la primera se hubiese constituido con características subjetivas (fiadores nuevos que se añaden, por ejemplo) y objetivas divergentes respecto de la segunda. En consecuencia de lo anterior, el cofiador que hubiese pagado la deuda objeto de la segunda fianza **no** podría accionar **acción de regreso** con el título de la primera fianza, que carece de efecto por su extinción (CC art.1156 y 1847) (TS 17-11-98, EDJ 25682).
4) Resulta improcedente la **reclamación de reintegro** de un cofiador frente a otro cofiador tras haber anticipado el pago de la cantidad debida en virtud de un contrato de préstamo bancario, antes del vencimiento del plazo a que el mismo se había sometido (TS 15-10-04, EDJ 147760).

2. Objeto

3520 El objeto de la fianza es la garantía del cumplimiento de la obligación principal. De ahí que se afirme su coincidencia con el objeto de la **obligación principal garantizada**; esto es, que se verifique el exacto y completo cumplimiento de la prestación debida por el deudor. Como consecuencia de dicho carácter accesorio, han de tenerse en cuenta las siguientes normas:
a) Se exige que la obligación garantizada proceda de un **contrato mercantil** (nº 3469).
b) El fiador puede **obligarse a menos**, pero no a más que el deudor principal, tanto en la cantidad como en lo oneroso de las condiciones (CC art.1826; TS 15-12-07, EDJ 261547).
c) La fianza no puede existir sin una **obligación válida**, aunque puede, no obstante, recaer sobre una obligación cuya anulación pueda ser reclamada en virtud de una excepción puramente personal del obligado, como la de la minoría de edad (CC art.1824). En consecuencia, es eficaz la fianza en garantía de obligación meramente anulable (no de obligación nula de pleno derecho). En este caso, la responsabilidad del fiador subsiste en tanto no sea anulada la responsabilidad del deudor principal. Es válida la fianza en garantía de **deudas futuras** (CC art.1825).
d) Cabe **fianza ómnibus** en los términos expuestos en el nº 3485.
e) Si la fianza es simple o indefinida, comprende no sólo la obligación principal, sino todos sus **accesorios**, incluso los gastos del juicio, entendiéndose, respecto de estos, que el fiador no responde sino de los que se hayan devengado después de que haya sido requerido para el pago (CC art.1827).

Precisiones **1)** Partiendo del principio de autonomía de la voluntad, del concepto de contrato de fianza, y de su regulación relativa a la obligación garantizada como objeto del mismo, se debe admitir, en principio, su validez, ya que no hay norma que impida y restrinja la autonomía de la voluntad, siempre que:
a) No se atente a la normativa sobre **condiciones generales de la contratación** o cláusulas abusivas.
b) La **obligación** garantizada sea **determinada o determinable**, lo que significa, no sólo que exista la obligación y se desconozca su importe, sino también que no haya nacido la obligación y pueda nacer en el futuro, quedando determinada o determinable por fijarse (es el caso más frecuente) las partes cuyas relaciones jurídicas hagan nacer las obligaciones que se garantizan y el importe máximo de las mismas.

c) Se armonice la indeterminación de la obligación garantizada con la fianza con el carácter expreso de ésta, de tal manera que sólo se admite la obligación que sea determinable, no la absolutamente indeterminada por, como mínimo, la **concreción subjetiva de la cuantía**, aunque sólo sea como máximo (TS 23-2-00, EDJ 1932).

2) Ante un supuesto de afianzamiento prestado en refuerzo de una **prenda sin desplazamiento** otorgada en garantía de un préstamo mercantil, la fianza, cuya eficacia se había sometido a la condición de que se hubiera ejecutado previamente la prenda, resulta exigible tras haberse paralizado el procedimiento de ejecución ante la desaparición de los bienes pignorados (TS 7-5-04, EDJ 31344).

3) La fianza no debe comprender casos diferentes de los expresamente previstos (TS 27-10-05, EDJ 188336). En caso de duda, la fianza debe **interpretarse restrictivamente**, en beneficio del fiador, excluyendo toda posibilidad de extensión de la garantía a obligaciones distintas de las comprendidas en la misma (aunque quepa su aplicación analógica a otras figuras similares: TS 3-7-99, EDJ 13509) o a más de lo contenido en ella (TS 21-5-04, EDJ 40353).

3. Precio

(CCom art.441)

La **regla general** es que, salvo pacto en contrario, el afianzamiento mercantil es gratuito. De hecho, como precisa Carrasco Perera «esta situación revela que el Código de Comercio no está pensando en un garante profesional (banco), sino en un consumidor unido por relaciones personales o amistosas con el deudor que contrae una deuda mercantil». **3525**

No obstante, en el caso especial de afianzamientos prestados por **entidades de crédito** (las cuales se dedican, por su objeto social, al tráfico en el mercado financiero, lo que incluye las ofertas por ellas presentadas en el mercado de garantías, por las que se cobran comisiones que remuneran el servicio prestado y/o compensan el riesgo adquirido), es razonable la presunción jurisprudencial de su onerosidad (TS 18-11-88, EDJ 9082).

Precisiones **1)** La fianza en sí **no** exige ni **gratuidad ni onerosidad**, pudiendo ser constituida de cualquiera de las dos maneras (CC art.1823). La **causa** en el contrato de fianza se abstrae del carácter oneroso o gratuito del negocio de garantía. Le resulta indiferente, en el sentido de que el efecto perseguido, que es la responsabilidad del fiador con todos sus bienes (añadida a la del deudor), no se resiente sea onerosa o gratuita (Lacruz Berdejo).

Además, **no** exige la **condición de comerciante** para calificar una fianza como mercantil, por lo que ni siquiera se presume, *de iure*, un ánimo de lucro en la persona del fiador (CCom art.439).

2) En una reclamación por el fiador que ha tenido que hacer efectiva su obligación de fianza por exigencia del banco acreedor, el deudor principal no puede descontar de la cantidad reclamada el **importe anticipado** en concepto de retribución de fianza (TS 12-11-03, EDJ 146409).

3) Cuando la **fianza** sea **onerosa** y **por tiempo indefinido**, en relación con la aplicación del CCom art.442, ver nº 3568.

4. Forma

(CCom art.440; LEC art.517)

El afianzamiento mercantil debe constar por **escrito**, requisito sin el cual no tiene valor ni efecto. **3530**

No se exige **documento público**, si bien es habitual hacerlo, sobre todo en la práctica bancaria, pues solamente la fianza formalizada en póliza intervenida notarialmente lleva aparejado el privilegio del despacho de ejecución, en su caso.

Se admite igualmente que el documento de afianzamiento carezca de estructura formal de contrato (es decir, con declaración de voluntad explicitada por el acreedor principal y por el fiador), valiendo una simple **carta de compromiso** firmada por el fiador, siempre que reúna los mínimos requisitos de definición de los elementos reales (TS 14-11-88, EDJ 8943).

Precisiones **1)** El **Código Civil** se limita a exigir que la fianza sea expresa (CC art.1827), no requiriéndose forma alguna.

2) En la fianza mercantil, por el contrario, la **forma escrita** no reviste una mera función instrumental dirigida a la prueba, sino que constituye un **requisito esencial** para la validez del contrato. Sin dicha forma, la fianza no produce obligación ni acción en juicio (CCom art.440 y 52), será nula de pleno derecho (TS 30-1-90, EDJ 769; 17-12-96, EDJ 8349; 6-10-05, EDJ 157473; 30-11-05, EDJ 207162, que se refiere al carácter de expresa de la fianza y la forma escrita).

C. Relaciones entre acreedor y fiador

3535 El verdadero y fundamental efecto del contrato es que la fianza obliga al fiador a **pagar o cumplir** la obligación principal en caso de no hacerlo el deudor. El pago hecho por el fiador en tiempo y forma satisface el interés del acreedor en la obligación principal garantizada, y supone cumplimiento del contrato de fianza, extinguiéndolo. A partir de ese momento, el fiador puede subrogarse en el lugar del acreedor en la obligación principal, adquiriendo también un **derecho de regreso** frente al deudor por cuyo incumplimiento ha tenido que pagar (nº 3560 s.).
Sin embargo, se atribuyen legalmente al fiador dos **beneficios**: el de excusión y el de división. El primero de ellos es objeto de estudio a continuación (nº 3537); el segundo lo analizamos en el marco de las relaciones entre cofiadores (nº 3575 s.).

Precisiones La fianza, salvo pacto, incluye el **pago** no sólo de la obligación principal, sino también de sus **accesorios** y **gastos judiciales** (CC art.1827). Respecto de los accesorios, por lo tanto, el fiador habrá de pagar al acreedor igualmente los intereses, daños y perjuicios derivados del retraso o incumplimiento por parte del deudor, sin perjuicio de que luego pueda reclamárselos a éste. Respecto de los gastos judiciales, señala el Código que sólo serán de su cuenta los devengados después de que haya sido requerido de pago.

3537 **Beneficio de excusión** (CC art.1830 a 1836) El fiador no puede ser compelido a pagar al acreedor sin hacerse antes excusión de todos los bienes del deudor, esto es, el fiador puede señalar bienes en el patrimonio del deudor que sean suficientes para satisfacer el interés del acreedor, obligando a éste a perseguir tales bienes antes de poder reclamar la deuda al fiador.
El acreedor puede **citar al fiador** cuando demande al deudor principal, pero quedará siempre a salvo el beneficio de excusión, aunque se dé sentencia contra los dos.
No obstante, la excusión **no tiene lugar**:
- cuando el fiador haya renunciado expresamente a ella;
- cuando se haya obligado solidariamente con el deudor;
- en el caso de quiebra o concurso del deudor;
- cuando éste no pueda ser demandado judicialmente dentro de territorio español.

Para que el fiador pueda aprovecharse del beneficio de la excusión se exige el cumplimiento por su parte de dos **condiciones**:
- que oponga dicho beneficio al acreedor una vez que éste le requiera para el pago, tanto judicial como extrajudicialmente; y
- que le señale bienes del deudor realizables dentro del territorio español, que sean suficientes para cubrir el importe de la deuda.

Cumplidas por el fiador estas condiciones, el **acreedor negligente** en la excusión de los bienes señalados es responsable, hasta donde ellos alcancen, de la insolvencia del deudor que por aquel descuido resulte.
La **transacción** hecha por el fiador con el acreedor no surte efecto para con el deudor principal. La hecha por éste tampoco surte efecto para con el fiador, contra su voluntad (TS 25-9-19, EDJ 698339).
El **fiador de un fiador** goza del beneficio de excusión, tanto respecto del fiador como respecto del deudor principal.
El beneficio de excusión (también llamado en ocasiones «de orden»), en definitiva, es una muestra del carácter accesorio y subsidiario de la obligación del fiador con respecto a la obligación del deudor principal. Mediante este beneficio, el fiador se opone a la pretensión del acreedor si el deudor incumplidor tiene bienes suficientes en su patrimonio con los que responder de dicho incumplimiento.

3539 Precisiones 1) Frente a un **requerimiento extrajudicial**, se aconseja que el fiador oponga dicho beneficio de forma inmediata, pues, aunque se ha llegado a defender que cabe en cualquier momento hasta la interposición de la demanda (Guilarte), cabe la posibilidad de que, presentada la misma posteriormente, el tribunal mantenga un criterio más restrictivo, al no ser cuestión resuelta normativamente, y no lo dé por opuesto en tiempo.
2) En el caso de **demanda judicial**, ésta puede hacerse de forma conjunta contra deudor y fiador (litisconsorcio pasivo voluntario), aun siendo la fianza subsidiaria. La **oposición** en el proceso del beneficio de excusión y el **señalamiento de bienes del deudor** no impide que se dicte la sentencia condenando al fiador a pagar al acreedor con carácter subsidiario; el beneficio de excusión sólo va a desplegar su eficacia en la fase de ejecución de la sentencia firme que condene a ambos (deudor y, subsidiariamente, fiador). De esta manera, no podrá acudirse a la **vía de apremio** contra los bienes del fiador mientras previamente no se haya agotado esa vía de apremio contra los bienes del deudor designados por el fiador al oponer el beneficio de excusión (TS 20-2-08, EDJ 111567). Así pues, la **condena del fiador** no puede hacerse efectiva de forma inmediata, pues habrá que ver si ha opuesto, o lo hace en el propio trámite de ejecución, el beneficio de excusión (TS 20-1-99, EDJ 170; 20-2-08, EDJ 111567).

Además de la demanda conjunta, el acreedor tiene abiertas **otras posibilidades judiciales**, pudiendo demandar exclusivamente al deudor, o bien sólo al fiador. En el primer caso, el deudor puede pedir que intervenga en el proceso el fiador (LEC art.14), o éste, dado su interés legítimo y directo, puede solicitar ser admitido en el mismo (LEC art.13). Interviniendo en el proceso frente al deudor, o siendo demandado único, el fiador puede oponer, si lo desea, el beneficio de excusión. En ningún caso la **sentencia condenatoria sólo frente al deudor** es título suficiente para ejecutar los bienes del fiador.

3) La garantía para la satisfacción de una deuda entre sociedades mercantiles derivada del impago de determinados efectos por la sociedad acreedora y prestada a título personal por quien era administrador único de la sociedad deudora, y, a su vez, representante legal de la sociedad coavalista debe calificarse de **mercantil** y, además, incardinable en la figura del contrato de garantía por el cual, la obligación contraída por una o varias personas, tiene el carácter de **solidaria**.
Reconocido el carácter solidario de la fianza entre fiador y acreedor, no procede admitir los **beneficios de excusión y división** (TS 26-5-04, EDJ 51800).

Carácter accesorio de la obligación del fiador La accesoriedad de la fianza (civil o mercantil) es **característica esencial** del negocio jurídico y de ella se sigue que las vicisitudes de la deuda principal afectan también a la fianza. En consecuencia, se establece lo siguiente: **3541**

- la misma **mercantilidad** de la fianza se hace depender de la mercantilidad de la deuda garantizada;
- el fiador puede **obligarse a menos**, pero no a más que el deudor principal (CC art.1826), y ello en relación tanto con la cantidad debida en sí, como con las condiciones de la obligación (pueden ser menos onerosas para él que para el deudor principal, pero no más); regla también aplicable al subfiador (TS 31-1-77, EDJ 416);
- la fianza **se transmite** con el crédito garantizado (CC art.1528);
- la **confusión** que recae en la persona del deudor o del acreedor principal aprovecha a los fiadores;
- la **interrupción de la prescripción** contra el deudor principal por reclamación judicial de la deuda, surte efecto también contra su fiador; pero no perjudica a éste la que se produzca por reclamaciones extrajudiciales del acreedor;
- la fianza **se extingue** cuando lo hace la obligación principal (CC art.1847);
- si el acreedor acepta voluntariamente la **sustitución del objeto de la obligación** por otro diferente en el momento del pago (dación en pago), el fiador queda liberado, aunque después perdiera la cosa por evicción (CC art.1849);
- el fiador puede oponer todas las **excepciones** que competan al deudor principal y sean inherentes a la deuda, a excepción de las puramente personales del deudor (nº 3551).

En materia de **excepciones** cabe el intento de fraude y su consecuente penalización.

Precisiones **1)** Procede la **reclamación de cantidad** del acreedor al fiador, tras el requerimiento de pago en el plazo convenido y la acreditación del impago por el deudor, dado el protesto por falta de pago de determinadas cambiales (TS 19-6-97, EDJ 5244).

2) Los **fiadores de una sociedad suspensa**, uno de los cuales, al mismo tiempo, es socio único de la mencionada sociedad mercantil, no pueden alegar inexistencia de fraude en una donación previa al embargo de los bienes de su propiedad para impedir éste por un acreedor de la sociedad suspensa (TS 24-7-98, EDJ 14151).

3) El fiador de la **arrendataria de un contrato de leasing**, persiguiendo disminuir su masa de bienes afecta a la responsabilidad, vendió un inmueble a un tercero, venta que se juzga realizada en fraude de acreedores. Se decreta la nulidad de la misma, incluso acudiendo al mecanismo probatorio de las presunciones, pues se demuestra en el proceso que el pago del precio nunca llegó a verificarse. La ejecución infructuosa contra los bienes del fiador es suficiente para cumplir con el presupuesto del agotamiento previo del patrimonio del deudor, que impone el carácter subsidiario de la **acción pauliana** (TS 16-6-99, EDJ 13383).

Carácter subsidiario de la obligación del fiador (CC art.1826 y 1830) La subsidiariedad es elemento esencial tanto de la fianza civil como de la mercantil. El carácter subsidiario de la fianza tiene como consecuencia, no sólo el **beneficio de excusión** o de orden, concedido al fiador (nº 3537), sino también la imposición al acreedor principal de la **obligación de no reclamar** contra el fiador hasta tanto se haya producido el incumplimiento por el deudor principal. **3543**

De la misma manera que no hay responsabilidad del deudor principal sino por su incumplimiento, tampoco hay **responsabilidad del fiador** si no se verifica el previo incumplimiento del deudor, pues el fiador no puede obligarse a más que el deudor principal, ni en cantidad ni en onerosidad de condiciones (CC art.1826).

La **renuncia al beneficio de excusión** no supone, por tanto, una eliminación de dicho carácter subsidiario, pues supondría únicamente la negación de una de sus manifestaciones. Es por ello que se permite pactar la **solidaridad del fiador**, pacto que implicaría la renuncia de dicho beneficio de excusión.

Precisiones La renuncia de la propia subsidiariedad también sería lícita, pero originaría un cambio de naturalización del negocio, al menos en la configuración de la fianza regulada por nuestro legislador. Sólo hasta cierto punto, un ejemplo de ello son las llamadas **garantías a primera demanda** (nº 3625), que generan la responsabilidad del fiador por incumplimiento por el deudor principal, aunque sin necesidad de probarlo; resulta de difícil aplicación la completa disciplina normativa del afianzamiento.

3545 **Especialidades del afianzamiento mercantil** (CC art.1831.2º) En el afianzamiento mercantil es habitual el **pacto de solidaridad**, por lo que el beneficio de excusión tiene escasa presencia, pues queda excluido en el supuesto en que el fiador acepta quedar solidariamente obligado. Esta renuncia ha sido admitida abiertamente por la jurisprudencia (TS 28-12-77).
No se exige la concreta utilización del término solidaridad, sino que es suficiente que aparezca la **voluntad evidente** de los contratantes en ese sentido (TS 2-3-84).
Cuando la solidaridad **no se pacta explícitamente** la jurisprudencia ha adoptado diversas posturas:
• En un primer momento se afirmó la **presunción de solidaridad** en los afianzamientos mercantiles, alegando un pretendido principio general de solidaridad de las obligaciones mercantiles (TS 7-12-68, EDJ 837; 25-4-69, EDJ 139).
• Posteriormente, parece abandonarse la anterior postura, para, en defecto de proclamación legal expresa del mencionado principio general de solidaridad, imponer la aplicación del **principio de mancomunidad** ordinario (TS 10-11-72, EDJ 610; 7-4-75, EDJ 353; 5-3-90, EDJ 2422).
• No obstante, la **jurisprudencia más reciente** parece volver a patrocinar las tesis de partida (TS 20-10-89; 7-3-92, EDJ 2211; 14-2-97, EDJ 742; 26-5-04, EDJ 51800; 12-6-09, EDJ 225056), declarando el carácter solidario del afianzamiento mercantil, por el hecho de ser tal).

Precisiones Se reconoce el carácter solidario de la fianza mercantil cuando se presta como garantía para satisfacer una deuda entre las sociedades mercantiles, consecuencia del impago de diversos efectos cuya causa procede del suministro efectuado anteriormente por la sociedad acreedora. La garantía para satisfacer una **deuda entre sociedades mercantiles**, consecuencia del impago de diversos efectos por la sociedad acreedora, y a su vez, representante legal de la sociedad limitada coavalista, debe calificarse como mercantil e incardinada en el contrato de garantía de cumplimiento de otros contratos otorgándole **carácter solidario** si se contrae en términos generales y sin limitaciones (TS 26-5-04, EDJ 51800; 12-6-09, EDJ 225056).

3547 a) **Confusión entre accesoriedad y solidaridad**. En alguna ocasión se han confundido las naturalezas de ambos términos. Sin embargo, la fianza solidaria no deja de ser, por ese solo título, accesoria. En la **fianza solidaria** la acción contra el fiador es autónoma, y puede ejercitarse sin necesidad de actuar contra el patrimonio del deudor. En el supuesto de fianzas solidarias desaparece el **beneficio de excusión** y puede el acreedor dirigir su reclamación, desde luego, contra el fiador, sin perjuicio de que éste pueda reclamar contra el deudor por la totalidad de lo que hubiese satisfecho por él (TS 11-11-87, EDJ 8200).
Para que el acreedor pueda reclamar eficazmente al fiador, la norma general exige el cumplimiento de dos **requisitos**:
- que el deudor principal impague; y
- que se haga, antes de reclamar al fiador, excusión del patrimonio del deudor principal.
La cuestión en debate es si la **derogación particular** (renuncia por el fiador) de ambos requisitos es lícita.
Recordemos que la **renuncia a la accesoriedad** daría lugar a una fianza distinta de las que regulan nuestros códigos. Se estaría renunciando a un **elemento esencial** del contrato de fianza, cual es la necesidad de que la obligación del fiador (garante) nazca como dependiente de la del deudor (obligado principal), el contrato celebrado sería, pues, una garantía independiente.
Se puede **renunciar a la subsidiariedad** pero eso no implicaría abandonar la sede de la fianza. El contrato no se desnaturalizaría porque se permite el pacto de solidaridad. Se estaría renunciando a un elemento no esencial, sino meramente natural del contrato. El contrato celebrado seguiría siendo, pues, una fianza.
En definitiva, es cuestión permanentemente discutida la de si ha de reputarse carácter solidario o mancomunado respecto de la **fianza** mercantil -y, sobre todo, de la **bancaria** -, en defecto de pacto (nº 3479).
Las dos posturas encontradas son las siguientes:
1) Salvo pacto en contra, no cabe la calificación como solidaria del afianzamiento mercantil, porque no hay regla especial respecto de la general por lo que sólo habrá lugar a la solidaridad cuando la obligación expresamente lo determine, constituyéndose con el carácter de solidaria.
2) Aunque nada se haya pactado, la fianza mercantil, y sobre todo la bancaria, ha de reputarse solidaria «per se» (TS 27-10-99, EDJ 32582). Y, en el mismo sentido, se presume la existencia de solidaridad en las relaciones entre tres **codeudores** por el dato probado de que los tres habían solicitado al mismo tiempo la **suspensión de pagos**, ello, además, con la misma

postulación y con designación de los mismos interventores para analizar la situación financiero-patrimonial de los tres (TS 17-5-00, EDJ 9285).

Precisiones 1) En nuestra opinión, la solidaridad de la fianza mercantil, a la vista de la normativa en vigor, **no** debe ser **objeto de presunción**. Antes que el beneficio del acreedor (y del mercado) prima la necesidad de dar cumplimiento a la voluntad del legislador, con arreglo al más elemental método jurídico). Así, ante la ausencia de norma en el Código de Comercio, ha de recurrirse al Derecho común, según el cual la solidaridad se ha de establecer de forma expresa. Como se afirma en este sentido en TS 26-04-05), «una cosa es que no se exija necesariamente el pacto expreso de solidaridad para que ésta pueda considerarse existente y otra muy distinta que la regla general sea la solidaridad y no la mancomunidad». En apoyo de esta interpretación puede argumentarse también: 3549

- Que se exige que la **fianza** sea **expresa**, sin que pueda presumirse esa circunstancia, lo cual se resalta en la figura del afianzamiento mercantil. Se pone así de manifiesto un ánimo de no admitir la figura de la presunción con respecto a la fianza, lo cual, por lo demás, enlaza con la estricta regla de la admisibilidad de la prueba de presunción.
- Que, si para el nacimiento de la fianza se ordena pacto expreso (o incluso escrito), es coherente predicar la misma cualidad para desvirtuar la regla general de responsabilidad del fiador. De hecho, solo se admite la **elusión del beneficio de excusión** cuando el fiador haya renunciado expresamente a él (nº 3537 s.).
- Que la fianza **no puede extenderse** a más de lo contenido en ella (nº 3520).
- Que también se exige pacto expreso para la **fijación de plazo a la fianza**, cuando la obligación principal es de plazo indefinido, y para que los cofiadores se obliguen solidariamente.

2) La fianza estipulada para garantizar al fiador de una compañía mercantil constituye un **afianzamiento mercantil** de **carácter solidario**. Ante la reclamación por parte del acreedor no pueden oponerse los beneficios de excursión y división (TS 14-2-97, EDJ 742).

3) Puede presumirse la solidaridad de una fianza prestada en garantía de la **devolución de lo debido** por el deudor en una operación bancaria activa sin necesidad de una declaración de voluntad expresa sobre este particular, sino sólo con la constancia del ánimo de las partes de que la obligación sea solidaria tras aplicar todas las reglas de interpretación del contrato (TS 29-6-98, EDJ 8667).

4) Se reconoce el carácter solidario de la fianza mercantil cuando se presta como garantía para satisfacer una **deuda entre sociedades mercantiles**, consecuencia del impago de diversos efectos cuya causa procede del suministro efectuado anteriormente por la sociedad acreedora. El **administrador** había **suscrito el documento privado**, no solo en nombre y representación de la sociedad deudora, sino también en nombre propio y a título personal, demostrándolo así su expresa mención como avalista en dicho documento. Si bien es cierto que el documento privado en cuestión no contiene indicación expresa de solidaridad entre el aquí recurrente y la sociedad limitada como avalistas del importe de las letras, no lo es menos que la garantía para satisfacer una deuda entre sociedades mercantiles, consecuencia del **impago de diversos efectos por la sociedad acreedora**, y a su vez, representante legal de la **sociedad limitada coavalista**, debe calificarse como mercantil e incardinada en el contrato de garantía de cumplimiento de otros contratos otorgándole carácter solidario si se contrae en términos generales y sin limitaciones (TS 26-5-04, EDJ 51800).

b) **Excepciones**. Producida la reclamación del acreedor contra el fiador, corresponden a éste todas las excepciones que competan al deudor principal y sean inherentes a la deuda, mas no las puramente personales del deudor (CC art.1853). No cabe, por ejemplo, que el fiador oponga al acreedor reclamante excepción de **menor edad** del deudor principal. 3551

Precisiones Mediante la **oposición de excepciones** inherentes a la deuda, el fiador puede negarse a pagar discutiendo la existencia, legitimidad, validez, alcance o subsistencia de la obligación. El fiador puede alegar que la deuda no llegó a nacer por haber mediado **vicios de la voluntad** (dolo, violencia...), que ya había sido pagada (cumplimiento), que fue perdonada (condonación) en todo o en parte, que hubo compensación de deudas, etc. Por supuesto, el fiador puede oponer también las excepciones personales suyas frente al acreedor, o las que deriven de su propio contrato de fianza. Lo que no puede oponer al acreedor son excepciones derivadas de su relación con el deudor (p.e., que éste no pagó la remuneración pactada por la fianza).

c) **Fianza y legislación concursal**. El fiador que ve cómo el **deudor garantizado** es **declarado en concurso**, pierde el beneficio de excusión, en el caso de que lo haya tenido previamente a la declaración, quedando inmediatamente expuesto a la acción de reclamación del acreedor. El fiador soporta la insolvencia del deudor, sin que éste pueda oponerse frente a la reclamación de la garantía realizada por el acreedor (Ávila de la Torre). 3553

Sin embargo, el **fiador** puede **alegar excepciones** fundadas en la base de la situación concursal. Para regular tal situación, se establece la distinción entre (LCon art.399 -procedente de la LCon/03 art.135-):

1. **Acreedores** que **no** hayan votado **a favor del convenio**. No quedan vinculados por éste en cuanto a la subsistencia plena de sus derechos frente a los obligados solidariamente con el concursado y frente a sus fiadores o avalistas, quienes no pueden invocar ni la aprobación ni los efectos del convenio en perjuicio de aquéllos.

2. **Acreedores** que sí han votado **a favor del convenio**. La responsabilidad de los obligados solidarios, fiadores o avalistas del concursado frente a estos acreedores se rige por las normas aplicables a la obligación que hayan contraído o por los convenios que sobre el particular hayan establecido.
La comunicación de los créditos a la administración concursal puede hacerse no solamente por el acreedor, sino por cualquier otro interesado (LCon art.258 -procedente de la LCon/03 art.85.5-) (TS 12-4-16, EDJ 156533).

D. Relaciones entre fiador y deudor afianzado

3560 Las relaciones entre fiador y deudor principal pueden describirse prestando atención a las siguientes cuestiones:
- reacción del fiador tras efectuar el pago;
- acción de cobertura;
- excepciones del deudor principal;
- retribución.

3562 **Reacción del fiador tras efectuar el pago** (CC art.1838 y 1839) El fiador que paga por el deudor debe ser **indemnizado** por éste, incluso aunque la fianza se haya prestado ignorándolo el deudor. Para obtener dicha reposición patrimonial, el legislador le permite utilizar dos vías, a su libre elección:
- la acción de reembolso o regreso; y
- la acción de subrogación.

Por el ejercicio de la **acción de subrogación**, el fiador se coloca en el lugar del acreedor, disponiendo frente al deudor de todas las acciones que derivaran del crédito, con todos sus demás derechos accesorios y garantías.
Mediante la **acción de reembolso**, el fiador puede reclamar al deudor:
• la cantidad total de la deuda;
• los intereses legales de ella desde que se haya hecho saber el pago al deudor, aunque no los produjese para el acreedor;
• los gastos ocasionados al fiador después de poner éste en conocimiento del deudor que ha sido requerido para el pago;
• los daños y perjuicios, cuando procedan.

Ambos **recursos** pueden **utilizarse alternativamente**, no cumulativamente, aunque, señala la doctrina, podría ejecutarse uno y luego otro si, seguido el primero, no le sirvió al fiador para cubrir todos los daños que le ocasionó el pago (Albaladejo).
En caso de **transacción** con el acreedor, y sea cual sea el remedio por el que optó, el fiador no puede pedir al deudor más de lo que realmente haya pagado.

Precisiones En líneas generales, la doctrina mayoritaria y la jurisprudencia (TS 13-2-88, EDJ 1165) admiten esa **dualidad de acciones** (reembolso y subrogación).
Para otros autores, sin embargo, se trata de un único remedio, señalando que simplemente se concede al fiador la **subrogación** como medio de reforzar su posición a la hora de ejercitar el reembolso. Cabe pensar que la fianza se haya concertado entre el acreedor y el fiador no ya conociéndolo o ignorándolo el deudor (supuestos que contemplan los citados artículos), sino también contra la **expresa oposición de éste**, en cuyo caso parece procedente la aplicación del CC art.1158.3º, por cuya virtud el fiador podría reclamar del deudor sólo aquello en que le hubiera sido útil el pago (TS 3-6-16, EDJ 79329).
Ha de tenerse en cuenta, por último, la diferencia de trato entre el fiador solidario y otras **obligaciones puramente solidarias**, en las que el deudor que paga sólo puede reclamar de los codeudores la parte que a cada uno corresponda con los intereses del anticipo (TS 29-12-87, EDJ 9767).

3564 **Acción de cobertura** (CC art.1843) La acción de liberación o de cobertura es el derecho que compete al fiador, antes de haber pagado, para reclamar que el deudor principal le releve de la fianza.
Tiene lugar en los siguientes **supuestos**:
- cuando se vea demandado judicialmente para el pago;
- en caso de concurso de acreedores;
- cuando el deudor se ha obligado a relevarle de la fianza en un plazo determinado, y este plazo ha vencido;
- cuando la deuda ha llegado a hacerse exigible, por haber cumplido el plazo en que debe satisfacerse;
- al cabo de 10 años, cuando la obligación principal no tiene término fijo para su vencimiento, a menos que sea de tal naturaleza que no pueda extinguirse sino en un plazo mayor de los 10 años (y salvo cuando la fianza sea retribuida: nº 3568).

En todos estos casos, la acción del fiador tiene como **finalidad** obtener la relevación de la fianza o una garantía que lo ponga a cubierto de los procedimientos del acreedor y del peligro de insolvencia del deudor.

Precisiones La terminología empleada («relevación de la fianza») es poco acertada, pues no basta la sola voluntad del deudor para liberar al fiador. La **liberación** o **«relevación»** depende siempre del consentimiento del acreedor, pues se le priva del medio de garantía de su crédito. Lo realmente útil para el fiador, o en ausencia de dicho consentimiento del acreedor, es conseguir del deudor la prestación de **garantías para la vía de reclamación** (entre otras, la consignación de cantidad equivalente a la deuda garantizada o la concertación de contragarantía, nº 3610).

Excepciones del deudor principal (CC art.1840 a 1842) Si el fiador paga **sin notificación al deudor**, éste puede, por su parte y en su interés, hacer valer las excepciones que hubiera podido oponer al acreedor al tiempo de hacerse el pago pues parece justo que no corra el deudor por la negligencia del fiador. 3566
Además, si el deudor, ignorando el pago, **lo repite** por su parte (paga al acreedor), no queda al fiador recurso alguno contra el deudor, pero sí contra el acreedor que se enriqueció de forma injusta aceptando un segundo pago de su crédito. Nuevamente, la **negligencia del fiador** que no comunica el pago al deudor es la que lleva al legislador a optar por que sea él quien reclame al acreedor, y no frente al deudor.
Por otra parte, si la deuda era a plazo y el fiador la paga **antes de su vencimiento**, no puede exigir el reembolso del deudor hasta que venza el plazo señalado.

Precisiones No tiene lugar la **liberación del deudor**, aun faltando la notificación del pago hecho por el fiador, si el deudor tiene conocimiento de haberse verificado, aunque sea por noticia distinta de la que debió facilitarle aquél (Guilarte Zapatero).

Retribución (CCom art.442) Cuando se haya pactado retribución al fiador, el deudor afianzado está obligado a pagarla. Ahora bien, si la fianza es retribuida, en los **contratos por tiempo indefinido**, aquélla subsiste hasta que, por la terminación completa del contrato principal que se afiance, se cancelen definitivamente todas las obligaciones que nazcan de él, sea cual sea su duración, a no ser que por pacto expreso se haya fijado plazo para la fianza. 3568

Precisiones La retribución implica que el fiador, en el caso de que el contrato afianzado sea indefinido, pierde el **derecho de obtener la relevación** de la fianza (ex CC art.1843.5º) antes de haber pagado.

E. Cofianza

La cofianza es el supuesto en el que una **pluralidad de fiadores**, entre todos, garantiza unitariamente el cumplimiento de una obligación. Todos los cofiadores garantizan a un mismo deudor, frente al mismo acreedor y por una misma deuda, encontrándose cada fiador situado en el mismo plano respecto de la obligación principal garantizada. 3575

Relación entre los cofiadores y el acreedor (CC art.1837) Viene presidida por el denominado **beneficio de división**, esto es, por la responsabilidad mancomunada entre los cofiadores, establecida como regla general. 3577
Se establece, por tanto, que, siendo varios los fiadores de un mismo deudor y por una misma deuda, a menos que se haya estipulado expresamente la solidaridad, la obligación a responder de ella se divide entre todos. El acreedor no puede reclamar a cada fiador sino la parte que le corresponda satisfacer.
Este beneficio de división **cesa** en los mismos casos y por las mismas causas que el de excusión, es decir:
- cuando el fiador haya renunciado expresamente a ella;
- cuando se haya obligado solidariamente con el deudor;
- en el caso de concurso de acreedores del deudor;
- cuando éste no pueda ser demandado judicialmente dentro de territorio español.

Ha de tenerse en cuanta que, en los afianzamientos mercantiles, la presencia del **pacto de solidaridad** de cofiadores es la regla general (en el ámbito bancario lo contrario es prácticamente desconocido).
Por otro lado, cabe también aceptar la regla de la mancomunidad con **alteración del principio de cuotas iguales**. Por ejemplo: los cuatro socios de determinada sociedad mercantil salen fiadores de cierta deuda también mercantil y a cargo de la sociedad, pero solo aceptan dar fianza si su responsabilidad se reparte no por cuartas partes iguales, sino por idénticas proporciones a las que definen su participación en el capital de la sociedad deudora principal.

En **defecto de pacto**, el total garantizado se divide entre todos los fiadores a partes iguales (CC art.1138).

Precisiones De forma diferente a la cofianza, podría darse el caso también de que existieran **diferentes fiadores autónomos**, independientes los unos de los otros, que asumieran, cada uno por su cuenta, el riesgo total de impago del deudor. A estos fiadores independientes se les aplicarían (a cada uno de ellos por separado) las reglas generales de la fianza, pues no concurren conjuntamente en la garantía prestada, que es lo que caracteriza a la cofianza.

3579 **Relación entre los cofiadores y el deudor principal** Los cofiadores gozan de la facultad de solicitar **relevación** de fianza (nº 3564 y nº 3568), así como de las acciones de **reembolso** (nº 3581) y de **subrogación** (nº 3562).

En cuanto a la posibilidad de que cada cofiador realice una **reclamación individual**, contra el deudor principal, lo pagado al acreedor, sin ejercitar una acción de reclamación conjunta de parte de todos los cofiadores que pagaron, ha de resolverse aplicando las normas generales de las obligaciones fraccionadas. En ese sentido, la doctrina entiende que es admisible el ejercicio separado por cada fiador de su acción de cobertura, de la de relevación o de la de reembolso, aunque el mero ejercicio de la acción no concede a ninguno de los fiadores preferencia o **prelación frente a los demás** cofiadores.

3581 **Relación entre los cofiadores** (CC art.1844 y 1845) El cofiador que paga la deuda por entero tiene derecho de **reembolso** frente a sus socios en la fianza, es decir, puede reclamar de cada uno de ellos la parte que proporcionalmente le corresponda satisfacer.

Si alguno de los cofiadores resulta **insolvente**, la parte de éste recae sobre todos en la misma proporción.

Es preciso además que el pago se haya hecho en virtud de **demanda judicial**, o hallándose el deudor principal en estado de concurso de acreedores.

Los cofiadores pueden, por otro lado, oponer al que pagó las mismas **excepciones** que hubieran correspondido al deudor principal contra el acreedor y que no sean puramente personales del mismo deudor.

3583 Precisiones **1)** La acción de reembolso puede surgir en dos **situaciones**:

• El deudor pagó una parte de la deuda y un cofiador hubo de satisfacer la fracción impagada.

• El deudor no pagó en absoluto y un cofiador hubo de satisfacer íntegramente la totalidad de la deuda.

En cualquiera de los casos, el cofiador habrá pagado **más de lo que le corresponde**, y ello por dos posibles causas: bien por no haber opuesto el beneficio de división, en cuyo caso estamos frente a un pago hecho por tercero; o bien porque pactó solidaridad, en cuyo caso, el que hizo el pago sólo puede reclamar de sus codeudores la parte que a cada uno corresponda, con los intereses del anticipo (CC art.1145; TS 31-7-15, EDJ 213159).

2) Para casos de **subfianza** (nº 3605), se dispone que el subfiador, en caso de insolvencia del fiador por quien se obligó, debe responder frente a los cofiadores en los mismos términos que el fiador (CC art.1846).

3) El fiador que ha pagado la totalidad de la deuda tiene derecho a exigir su parte de los demás cofiadores solidarios, en los casos de **insolvencia conocida del deudor principal**, aunque no se haya declarado el concurso de acreedores (TS 18-9-97, EDJ 5780).

4) El fiador que ha pagado la totalidad de la deuda tiene derecho a exigir su parte de los demás cofiadores solidarios, aunque haya satisfecho la deuda mediante la ejecución de la garantía hipotecaria que gravaba uno de sus bienes. El hecho de que el acreedor haya elegido el **procedimiento ejecutivo hipotecario** y no la acción personal contra los fiadores no impide el derecho de reintegro aludido (TS 29-11-97, EDJ 9823).

5) La **fianza posterior** sustituye, dejando sin efecto, a otra anterior si se constituye en forma distinta y por personas no coincidentes totalmente. El cofiador que ha pagado la deuda objeto de la segunda fianza no puede ejercitar la **acción de regreso**, que prevé el CC art.1844, basándose en el primer contrato de fianza que carece de eficacia (TS 17-11-98, EDJ 25682).

6) Deben evitarse a los cofiadores los perjuicios de una **conducta infundada**, unilateral, caprichosa o, incluso, maliciosa por parte del fiador que paga, de ahí que la **acción de reembolso** procede sólo si el fiador pagó en virtud de demanda judicial o hallándose el deudor principal en estado de concurso (CC art.1844.3º). No obstante, aun faltando dicha demanda, la jurisprudencia admite su **válido ejercicio** frente a sus compañeros si el fiador que pagó lo hizo ante la **evidencia de la deuda** y la conveniencia de no incurrir en mayores responsabilidades en caso de dar lugar a la demanda judicial, beneficiando, por lo tanto, a todos los cofiadores (TS 16-7-99, EDJ 26162).

7) Se reconoce el **mejor derecho del cofiador** que ha pagado la deuda afianzada frente a sus cofiadores. Este cofiador se **subrogará** en la referencia que correspondía al crédito principal sobre el documentado en póliza de fecha posterior, aunque limitada a la parte correspondiente al resto de los cofiadores (TS 11-6-04, EDJ 58863).

F. Extinción

(CC art.1847 a 1853; CCom art.442)

En los contratos por **tiempo indefinido**, pactada una retribución al fiador, subsiste la fianza hasta que, por la terminación completa del contrato principal que se afiance, se cancelen definitivamente las obligaciones que nazcan de él, cualquiera que sea su duración, a no ser que por pacto expreso se haya fijado plazo a la fianza. Se deduce, por consiguiente, que cuando se haya pactado expresamente, por escrito un **plazo determinado** para la fianza, ésta queda extinguida al transcurso de ese plazo, aunque subsista la deuda principal. 3590

Cabe señalar:

a) La **obligación del fiador** se extingue al mismo tiempo que la del deudor, y por las mismas causas que las demás obligaciones (CC art.1847). Este precepto es totalmente coherente con el carácter accesorio de la situación jurídica de fianza.

Debe recordarse, respecto a las causas de **extinción de las obligaciones**, la enumeración no taxativa de las mismas.

Las obligaciones se extinguen:

- por el pago o cumplimiento;
- por la pérdida de la cosa debida;
- por la condonación de la deuda;
- por la confusión de los derechos de acreedor y deudor;
- por la compensación;
- por la novación.

b) El **fiador** (y, en su caso, los cofiadores) queda igualmente **liberado de su obligación**, extinguiéndose la fianza, si el acreedor realiza cualquier acto que le impida quedar subrogado en sus derechos. Dicho **acto** puede ser **voluntario** o simplemente **negligente**, por acción u omisión, pero ha de serle imputable (no obedecer a caso fortuito), no siendo necesario que sea ilícito; lo relevante es que el hecho del acreedor perjudique la subrogación del fiador en su derecho. La jurisprudencia realiza una **interpretación restrictiva** de esta causa de liberación del fiador, pues señala que éste tiene, al menos, que hacer patente la pasividad del acreedor (TS 1-3-83, EDJ 1359).

c) El **acreedor puede liberar al fiador de su obligación** (condonación de la fianza, renunciando a dicha garantía, que en nada afecta a la obligación principal). En caso de **cofianza**, si uno de los fiadores es liberado por el acreedor sin que los demás consientan, dicha liberación les aprovecha por la parte que correspondiera al liberado, es decir, ven disminuida su responsabilidad en proporción a la parte del cofiador que deja de serlo. Puede igualmente producirse **confusión** entre las personas del acreedor y el fiador, quedando extinguida la fianza, pero no la obligación principal.

d) La **prórroga** concedida al deudor por el acreedor sin el consentimiento del fiador, extingue la fianza (CC art.1851; TS 15-12-17, EDJ 261547). Es este un precepto que ha provocado una gran polémica doctrinal sobre el supuesto de hecho que produce el efecto extintivo de la **obligación fideiusoria**, siendo incluso criticado por algunos autores al entender que la prolongación del plazo de vencimiento lo permite el acreedor en interés del deudor principal, lo que no podría conducir a perjudicarle en las garantías de su derecho.

Precisiones 1) En relación con la **prórroga** concedida al deudor sin el consentimiento del fiador, la doctrina del Tribunal Supremo se resume en los siguientes puntos (Guilarte Zapatero): 3592

a) El precepto se aplica a la mera **prórroga del «terminus solutionis»**, sin distinguir si constituye o no un supuesto de novación de la obligación principal para aplicar el efecto extintivo.

b) Hay que distinguir la prórroga propiamente dicha del **aplazamiento de pago** en convenio de suspensión de pagos con los acreedores, el cual no afecta a los fiadores, que seguirán respondiendo en los términos en que se hubiesen obligado (TS 16-11-91, EDJ 10882; 14-6-04, EDJ 58870).

c) La prórroga es un acto que debe obedecer a la **exclusiva voluntad del acreedor**, otorgado sin consentimiento del fiador, luego si hay acuerdo previamente fijado en el contrato, no tendrá efecto extintivo (TS 8-5-84, EDJ 9754).

La prórroga precisa una declaración de voluntad expresa del acreedor, con **manifestación clara y terminante** de su intención de prorrogar, por actos negativos o positivos, pero inequívocos. Llega a exigirse en ocasiones convenio expreso, incluso con señalamiento de nuevo plazo y fecha determinada para el pago (TS 20-12-02, EDJ 59208; 2-3-06, EDJ 21304). No habría prórroga por el mero hecho de que el acreedor dejara transcurrir un cierto tiempo antes de reclamar el cumplimiento de la obligación principal vencida.

c) El artículo no es aplicable en el caso de **obligaciones indefinidas o futuras**.

d) Fundamentan el efecto extintivo de la prórroga la **mayor onerosidad** que le supone al fiador la ampliación del plazo por el que se obliga, el principio *res inter alios acta* y la prohibición de dejar al arbitrio del acreedor los efectos de la garantía en perjuicio del fiador.

2) En la **contratación mercantil bancaria** es práctica frecuente que las entidades de crédito incluyan entre las condiciones generales de sus pólizas de crédito, para evitar la aplicación de este precepto con su consiguiente efecto extintivo que provocaría una disminución de sus garantías, una cláusula predispuesta por la que los fiadores que intervienen en la operación expresamente consienten la prórroga que en su caso pudiera otorgar al acreditado renunciando a la excepción de liberación (p.e., y aunque la prórroga no llegara a efecto, en el supuesto contemplado en TS 1-7-09, EDJ 143739). Se ha llegado a admitir que el fiador dé un **consentimiento tácito a la prórroga**, por hechos concluyentes del propio fiador, cuando, por ejemplo, la fianza se constituyó en beneficio de los propios fiadores, que eran administradores de la sociedad afianzada (TS 8-6-06, EDJ 89263; 21-5-09, EDJ 92335).

3) El libramiento de una letra de cambio a un mes desde la fecha para el pago de la deuda no constituye **prórroga de la obligación** a los efectos de entender extinguida la fianza sobre la misma por no haber recabado el consentimiento del fiador (TS 30-12-97, EDJ 10469).

4) En un caso de fianza solidaria prestada por la Diputación Provincial para garantizar la devolución de unas cantidades prestadas por el Banco de España a los damnificados por unas inundaciones, el tribunal niega que se haya extinguido la fianza por **prescripción de la acción** contra la institución fiadora, dado que los créditos garantizados por la fianza se habían prorrogado tácitamente, en aplicación de unas cláusulas contractuales que otorgaban esta facultad al Banco relevándole de la obligación de notificar el incumplimiento por los prestatarios de sus obligaciones de devolución de las cantidades prestadas (TS 20-6-03, EDJ 81003).

5) No constituye causa de extinción de la relación contractual de aval o afianzamiento, la **extinción de la personalidad jurídica** de la sociedad absorbida a cuyo favor se presta el aval, pues subsiste en beneficio de la absorbente (TS 17-5-99, EDJ 13355).

3594 **Operaciones societarias** Estas operaciones presentan ciertas particularidades en lo que se refiere a su extinción, que son objeto de estudio desde la óptica de la fusión, tanto de la sociedad deudora como acreedora, como de la del deudor.

a) Fusión de la **sociedad deudora**. Toda vez que la sociedad absorbida (esto es la deudora) no implica la extinción de la obligación principal, sino la de la sociedad deudora, y puesto que la nueva entidad adquiere por sucesión universal los derechos y obligaciones de aquéllas (RDL 5/2023, art.34.1), no hay causa de extinción de la relación contractual de aval o afianzamiento en el dato de la extinción de la personalidad jurídica de la sociedad absorbida a cuyo favor se prestó el aval, pues subsiste en beneficio de la absorbente. Como en la fusión por absorción se produce la extinción de la personalidad de la sociedad absorbida, y como la absorbente adquiere por sucesión universal *ope legis* todo el patrimonio de la dicha absorbida, incluyendo derechos y obligaciones, también se subroga automáticamente en la posición jurídica que dicha absorbida había tomado en sus relaciones contractuales con terceros, incluyendo el contrato de fianza, cual es el caso de autos (TS 17-5-99, EDJ 13355; 22-12-00, EDJ 49612; 31-1-01, EDJ 246).

Esta misma doctrina ha de extenderse analógicamente (pues existe identidad de razón) a las operaciones societarias de **escisión** y **transformación** (nº 7550 Memento Sociedades Mercantiles 2024).

b) Fusión de la **sociedad acreedora**. A la hora de decidir la repercusión sobre el fiador, se acepta que subsista la fianza afirmando que la nueva sociedad se subroga en el activo de las sociedades fusionadas (TS 17-5-99, EDJ 13355). Sin embargo, también se patrocina la extinción de la fianza argumentando que el acreedor es elemento personal esencial en el momento en que el fiador, al prestar su consentimiento, perfecciona el contrato de fianza, lo cual, si se permite la crítica, supone etiquetar con el *intuitiu personae* a una relación negocial residente en otra sede (TS 3-7-99, EDJ 13509).

c) Fusión **del fiador**. El acreedor asegurado goza del derecho de oposición durante el plazo de un mes desde el último anuncio del acuerdo de la junta general (LSC art.334; RDL 5/2023, art.38.1).

SECCIÓN 2

Otras garantías personales

3600

Las garantías son de carácter personal en todos aquellos casos en que se confiere al acreedor un **derecho de naturaleza personal** o una facultad que no se dirige hacia una cosa concreta y determinada, sino hacia la misma persona del deudor o hacia la de un tercero. 3602

La **garantía personal** por excelencia es la fianza (nº 3455 s.), pero no la única.

Existen otras modalidades negociales, más o menos próximas al concepto y naturaleza jurídica de la fianza, que, como ésta, añaden al patrimonio del deudor una **adicional masa patrimonial** afecta al cumplimiento de la obligación principal.

En ninguno de los supuestos que se exponen a continuación se produce el efecto de la **reipersecutoriedad** propio de las garantías reales (nº 3932).

En todos ellos, pues, la inmediatividad es inferior que la de la prenda o la de la hipoteca (derechos reales de garantía por excelencia), pero, por el contrario, su **sustrato indemnizatorio** es superior.

Distintas de estas relaciones negociales (cuya causa es el **aseguramiento del pago de un crédito**) son ciertos mecanismos legales instrumentados por el legislador también con la finalidad última de asegurar la efectividad del principio de responsabilidad patrimonial universal. Estos últimos no son negocios de garantía, pero conviene hacer mención de ellos. Son los siguientes:

a) El **saneamiento por evicción** en el contrato de compraventa (CC art.1475 s.; TS 19-12-13, EDJ 26735), de escasa presencia en la compraventa mercantil por la singular regla de la usucapión sin plazo o prescripción inmediata (CCom art.85). Tal presencia es prácticamente nula en el caso de la compraventa bursátil, habida cuenta del mecanismo de la protección registral dado al tercer adquirente conforme a la LMV art.11.

b) La **acción revocatoria** (también llamada «pauliana») y la **subrogatoria** (CC art.1111).

c) En desarrollo de la acción revocatoria, los mecanismos de protección de los acreedores en los supuestos de **ejecución concursal**.

d) La **cláusula penal** (CC art.1152 a 1155; TS 23-10-14, EDJ 189804 y 11-11-14, EDJ 208185).

e) Los **seguros de cumplimiento contractual** (seguro de caución y de crédito respectivamente) (nº 3635).

Precisiones **1)** En sentido amplio, y con distintas naturalezas, además de todos los mecanismos y negocios mencionados hasta el momento, junto con las garantías reales tratadas más adelante (nº 3915 s.), se consideran igualmente garantías o medios de protección y defensa de los **créditos** tendentes a **garantizar el principio de responsabilidad patrimonial universal**, otros como las arras (CC art.1454), el derecho de retención, la acción directa, los privilegios y preferencias, o los propios procesos de ejecución forzosa.

2) Se adjunta en el nº 13270 un **modelo de carta orden de crédito**, como posible garantía personal.

3) La tradicional base del crédito, es la confianza, sin embargo, el apoyo de esa confianza, en el moderno tráfico mercantil y financiero-crediticio, ha ido desplazándose desde la solvencia patrimonial hacia el concepto de solvibilidad introducido por la doctrina italiana. La **solvibilidad** es la viabilidad futura de la actividad del deudor (principal o no) entendida como capacidad de generar recursos financieros suficientes para atender los compromisos de pago con causa en la obligación principal garantizada (De Angulo Rodríguez).

A. Subfianza

(CC art.1836, 1846, 1848 y 1856)

3605 La fianza puede también constituirse, no sólo a favor del deudor principal, sino al de **otro fiador**, consintiéndolo, ignorándolo y aun contradiciéndolo éste (CC art.1823). El citado precepto sanciona, por una parte, la figura de la subfianza y por otra, la validez y eficacia de la fianza con independencia de la actitud del deudor principal.

La subfianza, denominada también **fianza doble** o **fianza de segundo grado**, vincula al subfiador con el acreedor, asegurando a éste la obligación de garantía asumida por el primer fiador, y por tanto indirectamente la obligación principal, en los mismos términos, condiciones y extensión con que está fue constituida.

Trata de asegurar la solvencia del fiador y no la del deudor principal.

Por consiguiente, la subfianza es el negocio jurídico de garantía celebrado entre el acreedor y el subfiador, en virtud del cual éste se obliga a **pagar o cumplir por el primer fiador** en caso de no hacerlo éste.

En definitiva, la subfianza es el contrato de **fianza** por el que se garantiza una obligación de fianza. Participa, pues, de la naturaleza jurídica de la fianza, si bien el CC dedica a la subfianza algunas disposiciones concretas. En consecuencia, el estudio de los **elementos estructurales** del contrato, (personales, reales y formales), así como del **contenido** obligacional del mismo sería reiterativo. Nos remitimos pues a lo dicho para la fianza (ver nº 3495 s. y nº 3535 s., respectivamente).

3607 **Especialidades** Se señalan las siguientes:

a) No hay especialidades predicables de la subfianza con origen en el CCom. En este sentido, somos de la opinión, dado que el CCom se refiere en plural a las varias modalidades del contrato de fianza al hablar de los «**afianzamientos mercantiles**», que la calificación del **carácter mercantil** de la subfianza debe realizarse siguiendo las mismas reglas que las que sean de aplicación para calificar al contrato de fianza como mercantil. Por consiguiente, a la subfianza mercantil le será de aplicación el CCom art.439 a 442 y, supletoriamente, las normas civiles de la fianza (nº 3457).

b) El subfiador goza del **beneficio de excusión**, tanto respecto del fiador como del deudor principal (CC art.1836). Se trata de una **excepción propia del subfiador**, no de una excepción del fiador como consecuencia de la accesoriedad de la subfianza. El subfiador no se ve afectado por los pactos y renuncias del fiador sobre su propio beneficio de excusión; el subfiador no sólo puede alegar el beneficio de excusión respecto del fiador, sino incluso respecto del deudor principal, aunque el fiador haya renunciado al mismo, o se haya constituido la fianza como solidaria. No así en los supuestos CC art.1831.3 y 4 (quiebra o concurso del acreedor, o que éste no pueda ser demandado en España), en los que la pérdida de dicho beneficio es universal y se extiende al subfiador. En el caso de **fianza judicial**, tampoco puede el subfiador pedir la excusión de bienes del deudor principal ni del fiador judicial afianzado (CC art.1856).

Igualmente, la **subfianza** puede **acordarse de forma solidaria con la fianza**, incluso cuando ésta sea, a su vez, solidaria con la obligación del deudor principal, en cuyo caso, producido el incumplimiento del deudor, podría pedirse directamente al subfiador el cumplimiento de la obligación.

c) Si el subfiador garantiza la obligación de **uno solo de los cofiadores** (nº 3575 s.) y éste es **insolvente**, responde frente a los demás cofiadores en los mismos términos que lo estaba el fiador por él garantizado (CC art.1846).

Aunque el CC no diga nada, si el **subfiador paga por el cofiador afianzado**, podrá exigir del deudor principal la cantidad satisfecha, y éste oponerle las excepciones que tuviera contra el expresado cofiador. Asimismo, el subgarante podrá reclamar a los otros cofiadores la cantidad que exceda de la cuota propia del cofiador subafianzado, en los términos que podría hacerlo éste, y aquéllos oponerle las excepciones que tuvieran contra el expresado cofiador.

d) Si se **extingue la fianza por confusión** entre la persona del deudor principal y la del fiador, y había subfianza, no se extingue ésta, sino que se mantiene, aunque ya no será subfianza, sino fianza, dado que garantiza la obligación del deudor al haber desaparecido el fiador, por confusión (CC art.1848).

El subfiador puede regresar contra el deudor principal mediante la **subrogación** (CC art.1839; TS 30-12-15, EDJ 253664) en los derechos del acreedor.

La subfianza también **se transmite** con el crédito garantizado (CC art.1528); **se extingue** cuando lo hace la obligación principal (CC art.1847); y la **interrupción de la prescripción** produce contra el subfiador los mismos efectos que los producidos contra el fiador, y con las mismas excepciones (CC art.1975).

B. Contragarantía

En la fianza se describen las dos **acciones** de que goza todo fiador: 3610
- la de reembolso, y
- la de subrogación.

Mediante la de **reembolso**, el fiador intenta resarcirse del daño sufrido. Pero no tiene certidumbre de que vaya a cobrar. Habiendo pagado la deuda garantizada, el riesgo patrimonial que antes del pago recaía sobre el acreedor principal se sitúa ahora en el patrimonio del fiador, que es quien verdaderamente ha sufrido el deterioro patrimonial.

El contrato de contragarantía (también llamado en ocasiones retrofianza) se celebra con la finalidad de que dicho deterioro sea sanado mediante el **patrimonio de un nuevo garante** que lo es del fiador. Pero este nuevo garante (el contragarante) no responde frente al primer acreedor (quien normalmente ni siquiera conocerá la existencia de la contragarantía), sino solamente frente al fiador. Es, pues, un fiador también del deudor principal, si bien no a favor del acreedor, sino a favor del fiador a cuya iniciativa suele pactarse esta garantía.

No hay aquí, pues, subfianza. En la subfianza el subfiador responde frente al acreedor. En la contragarantía el contragarante es un **fiador de la obligación de reembolso** del deudor principal frente al fiador.

Pero, dada la afinidad de la figura con el contrato de afianzamiento, no se duda doctrinalmente a la hora de ubicar su régimen jurídico en la **sede normativa de la fianza mercantil**, de donde se deduce:
- que los problemas de mercantilización de la contragarantía (y sus soluciones) son idénticos a los estudiados para la fianza (nº 3467 s.);
- que el sistema de fuentes es el mismo (nº 3457).

Precisiones El **modelo** de póliza original de contrato mercantil de contragarantía se encuentra en el nº 13255.

Estructura del contrato Se alude en este apartado a los elementos personales, reales y formales que conforman esta figura. 3612

a) Elementos personales. El **contragarante** se obliga a favor del fiador. No hay relación jurídica entre acreedor y contragarante.

Vale, pues, lo dicho respecto de la **relación causal** entre la relación principal garantizada (el éxito de la acción de reembolso) y la relación accesoria que pueda existir entre el contragarante y el deudor principal (nº 3541 s.).

Es habitual, sobre todo en el tráfico bancario, que **deudor principal y contragarante** sean la **misma persona**.

Lógicamente, para todos aquellos que, en virtud del contrato salgan fiadores, será exigible la **capacidad de disposición** a la que ya nos hemos referido para el contrato de fianza (nº 3504).

Ejemplo Cierto **comerciante minorista** de productos alimenticios contrata el suministro de determinada marca con la correspondiente multinacional productora. Ésta acepta el pago aplazado de los futuros suministros, pero siempre que una entidad de crédito de prestigio salga fiadora. La entidad «Y» acepta su posición de fiadora, pero a condición de que el comerciante se avenga, con carácter previo, a firmar un contrato de contragarantía con ella.

Incluso cabe que, **a la garantía del contragarante, se añadan fiadores de éste** (en el ejemplo propuesto, supóngase que el comerciante minorista es una SL y que la entidad de crédito, para acceder a la firma de la póliza de contragarantía, exige que los socios de la SL afiancen la operación a título personal).

Precisiones En el supuesto contemplado por la sentencia de referencia, un grupo de agricultores presentan como **contragarantía** de su obligación frente a su fiador su propio aval solidario (TS 8-7-10, EDJ 152952).

b) Elementos reales. Respecto del **precio**, no hay especialidades (nº 3525). 3614

El **objeto** de la garantía es el éxito de la acción de reembolso del fiador. Por ello, en términos generales, debe pensarse que la única especialidad de este tipo de garantías es la obligación garantizada por ellas, que es en cierta medida una **obligación condicional**, aunque dependiente no de una condición negocial estricta sino *conditio iuris* del pago por el primer avalista o fiador y la producción ex lege de la obligación de reintegro y de reembolso (Díez Picazo).

c) Elementos formales. Tampoco hay aquí especialidades dignas de mención, salvo la **intervención por fedatario público** del documento de contragarantía. Así pues, la relación entre la sociedad de garantía recíproca y el socio en cuyo favor se haya otorgado una garantía debe formalizarse, para su validez, en **escritura pública** o en **póliza** firmada por las partes e intervenida por fedatario público.

3616 **Obligaciones de las partes** No hay especialidades respecto del contrato de afianzamiento mercantil. Las reflexiones hechas respecto de las **relaciones entre fiador y acreedor** valen aquí para las relaciones jurídicas planteadas entre el contragarante y el fiador (nº 3535 s.); lo dicho respecto de los **efectos de la fianza** entre el deudor y el fiador se predican aquí respecto de las relaciones entre el deudor y el contragarante (nº 3560 s.); y, si hay **varios contragarantes**, es de aplicación lo estudiado respecto de los cofiadores (nº 3575 s.).

3618 **Extinción del contrato** No hay especialidades respecto del contrato de afianzamiento mercantil (nº 3590 s.).

C. Garantías a primera demanda

3625 Las garantías a primera demanda son aquéllas en las que un **garante** (normalmente, un banco), atendiendo a las instrucciones de un cliente (principal) o de otra parte ordenante, se compromete a **pagar** una determinada **cantidad de dinero a un tercero** (beneficiario) cuando éste lo reclame al invocar el incumplimiento de la obligación de pago por el deudor (obligado principal). De esta manera, la garantía así constituida puede quedar sujeta a una reclamación, bien «de simple demanda» o de «demanda documentaria» sin estar sometida al régimen de la fianza, en cuanto a requisitos, excepciones oponibles, etc.

Precisiones Las garantías a primera demanda constituyen una **modalidad de garantías personales** nacida para satisfacer las necesidades del tráfico mercantil al resultar insuficiente o inadecuada la regulación legal de la fianza (TS 14-11-89, EDJ 10139; 27-10-92, EDJ 10517; 17-12-04, EDJ 234856; 9-12-05, EDJ 225515).

3627 **Régimen jurídico** Las garantías a primera demanda nacen como **mecanismo financiero** atípico vinculado al comercio internacional y se consagran gracias a la labor de la doctrina y de la jurisprudencia que reconocen la validez de esta figura de **garantía personal**, con base en el principio de autonomía contractual -CC art.1255- (TS 14-11-89, EDJ 10139; 27-10-92, EDJ 10517; 1-10-07, EDJ 184363).

Si el crédito documentario tradicional se desarrolla como mecanismo que facilita el cumplimiento de la obligación de pago del importador, esta garantía nace con la finalidad, al igual que la *stand-by letter of credit* (crédito documentario con función de garantía -nº 3639-), de garantizar el cumplimiento de las **obligaciones asumidas por el exportador** o, para el caso de las últimas, una obligación entre ordenante y beneficiario.

Algunos autores (J. Fernández-Armesto y L. de Carlos) han sostenido que, no existen diferencias sustantivas entre el crédito documentario y la garantía llamada autónoma. Son dos clases de un género común, en ambos casos el garante asume por cuenta del ordenante una **obligación (abstracta) de pagar**, contra entrega por el beneficiario de un documento; cuando se habla de **obligación abstracta** contraída por el garante, no se piensa en que existan obligaciones sin causa, no reconocidas en el Derecho español (CC art.1261), sino en obligaciones funcionalmente abstractas o negocios jurídicos que garantizan, formalizan o concretan un **negocio subyacente** y que tienen una naturaleza autónoma o no accesoria. Estos términos -abstracción, autonomía- deben ser utilizados, en Derecho español, en sentido relativo o aun impropio.

3629 **Accesoriedad** La accesoriedad radica en la **inoponibilidad de excepciones**, lo cual confiere autonomía (impropia) a la obligación del garante frente a la del deudor principal, y, por consiguiente, la imposibilidad para el garante de oponer excepciones que provengan de la relación jurídica entre el deudor principal y el acreedor. De ahí que reiterada jurisprudencia determine que el garante no puede oponer al beneficiario que reclama el pago otras excepciones que las que deriven de la propia garantía.

No obstante, la jurisprudencia sostiene que, en aras del principio de la buena fe contractual, se permita al garante, en caso de **contienda judicial**, probar que el deudor ha cumplido su obligación con la consiguiente liberación de aquél, produciéndose así una **inversión de la carga de la prueba**, ya que no puede exigirse al beneficiario que acredite el incumplimiento del negocio subyacente.

Es esta inversión la que caracteriza cabalmente a la garantía **a primera demanda** (Carrasco Perera), de suerte tal que este modo de interpretarla no subvierte los principios del Derecho español de garantías: el garante a primera demanda debe pagar al beneficiario de la garantía tan pronto como éste se dirija a aquél y le requiera de pago invocando el **incumplimiento del deudor**, sin necesidad de probarlo; es al garante, una vez que haya pagado, a quien incumbe demandar al beneficiario para probar que no procedía su requerimiento de pago. Luego la inversión de la carga va más allá de la de probar: es inversión de la carga de demandar.

Al excluir la oposición de excepciones, debe considerarse que las excepciones inoponibles son todas aquellas que permitiría el régimen ordinario de la fianza.

Precisiones La posibilidad de la *exceptio doli*, sostenida por la doctrina en términos matizados, se condiciona, en los casos de **ejercicio abusivo** o de **mala fe** de la garantía, al hecho de que el garante disponga de lo que se denominan «pruebas líquidas», esto es, medios de prueba que permitan demostrar con rapidez y rotundidad el carácter doloso o abusivo de la pretensión del beneficiario (Díez Picazo). Así lo reitera igualmente la doctrina jurisprudencial, que, para evitar la ejecución de una garantía abusiva o fraudulenta, admite la posibilidad de **paralizar la reclamación** del beneficiario mediante la alegación por el garante de la *exceptio doli* (TS 1-10-07, EDJ 184363).
El avalista puede oponer las excepciones derivadas de la propia garantía, pues la obligación del garante no puede extenderse más allá de lo que constituye el objeto de la garantía, así como las que se fundan en una clara inexistencia o cumplimiento de la obligación garantizada, dado que de no ser así se produciría una situación de enriquecimiento injusto (TS 12-7-01, EDJ 15059; 29-4-02, EDJ 12131; 27-9-05, EDJ 149438; 1-10-07, EDJ 184363). La autonomía e independencia de esta garantía respecto de la obligación garantizada y del contrato inicial (TS 27-9-05, EDJ 149438), que obliga al garante a no oponer al beneficiario otras excepciones que las que derivan de la garantía misma, lleva a la jurisprudencia a negar el carácter accesorio de la garantía a primera demanda (TS 4-12-09, EDJ 282142).

Naturaleza jurídica Suele haber en este tipo de garantía **dos contratos diferentes**, que plasman las relaciones surgidas entre ordenante, beneficiario y garante. 3631
a) **Relación ordenante-garante**. El cliente ordenante solicita al garante (normalmente, un banco) que otorgue una garantía a favor de un tercero siguiendo sus instrucciones. Aceptado el encargo por el garante nace una relación jurídica que tiene la naturaleza jurídica de comisión mercantil indirecta (nº 5580 s.).
El ordenante se obliga al **pago de la cantidad pactada** que suele ser calculada a partir de la suma garantizada y del riesgo financiero asumido.
El garante se compromete a **prestar un servicio**, en nombre propio, pero por cuenta de su mandante. Se obliga a emitir la garantía cumpliendo las instrucciones del ordenante, consultándole en lo no previsto y en su caso a pagar al beneficiario generalmente contra entrega de un simple requerimiento escrito. Como todo comisionista, debe mantener informado al cliente del estado de la comisión, rindiendo cuentas a la conclusión de la misma.
b) **Relación garante-beneficiario**. Entre el garante y el beneficiario se establece un verdadero **contrato unilateral**, formalizado mediante el envío de la garantía, por la que, se ha obligado a pagar al beneficiario una suma de dinero cuando éste se lo reclame en la forma pactada.

Caracteres La garantía a primera demanda tiende a abstraerse de las relaciones subyacentes que vinculan al principal con el beneficiario, y al principal con el garante. Es un compromiso personal, formal, irrevocable y condicional: 3633
a) El compromiso del garante es **personal**. Cuando se ejecuta, paga su propia deuda, distinta de la obligación principal.
b) Es un compromiso **formal**. La garantía debe constar por escrito como todo afianzamiento mercantil. Las instrucciones del ordenante en relación con la emisión de la garantía deben ser completas y precisas, sin entrar en excesivos detalles.
c) La garantía autónoma es **irrevocable**, salvo que se indique expresamente lo contrario. La garantía es eficaz desde la fecha de su emisión, salvo que de sus términos expresamente se deduzca que su efectividad sea en fecha posterior o que queda sometida a condición.
d) Es una garantía que se configura bien «de simple demanda» o de «demanda documentaria».
La garantía **a simple demanda** (o a primera demanda, o a primera solicitud, o a primer requerimiento) es aquélla en la que el pago queda condicionado únicamente a la existencia de una simple reclamación escrita del beneficiario que respete la garantía y el plazo de validez fijados en la garantía concedida.
Por su parte, la garantía **sometida a demanda documentaria** es aquélla cuyas condiciones exigen la presentación al garante de determinados documentos o certificaciones, reforzando la reclamación fundamentada en la garantía. Se suele exigir al beneficiario que junto a la reclamación escrita presente determinados documentos relacionados con el incumplimiento de la relación garantizada, con el fin de reducir el riesgo de reclamación abusiva.

Precisiones 1) En relación con una cuestión litigiosa surgida respecto a un **aval a primer requerimiento** emitido por una compañía de seguros, la interpretación contractual determina que no se trata de un seguro de caución, sino de un aval a primer requerimiento. Éste es una **garantía personal atípica**, que es relativamente diversa del contrato de fianza y del contrato de seguro de caución; el garante no puede oponer al beneficiario, que reclama el pago, otras excepciones que las que derivan de la garantía misma. En esta figura se produce una **inversión de la carga de la prueba**, no pudiendo exigirse del beneficiario que acredite el incumplimiento del obligado principal (TS 5-7-00, 3635

EDJ 15542). En ocasiones, se denomina seguro de fianza a lo que en la LCS queda tipificado como seguro de caución.
El caso objeto de litis era un **seguro de caución**, cuyos riesgos, a su vez, estaban asegurados mediante aval a primer requerimiento complementario. El establecimiento de este aval no desnaturaliza el contrato de seguro. El aval debe ser valorado según sus características: autonomía (impropia) y singular operatividad. Así, y respecto del **afianzamiento mercantil**, la compañía aseguradora tiene un derecho de reembolso frente a los fiadores solidarios del tomador, tras haber tenido que hacer frente a la indemnización prevista en la póliza de seguro (TS 23-7-04, EDJ 174108).
2) La cuestión de la **diferencia** entre el aval a primer requerimiento y el seguro de caución es interesante, porque se trata de figuras verdaderamente difíciles de deslindar. De hecho, cabe incluso la celebración de pacto de aval a primer requerimiento emitido con **carácter complementario** a un seguro de caución (TS 22-9-00, EDJ 25712; 13-12-00, EDJ 49732; 14-12-00, EDJ 44278; 13-12-00).
Para Díez Picazo, los **seguros de caución** no son contratos de fianza, que se caracterizan por su accesoriedad y subsidiariedad, ni verdaderos contratos de seguro ni créditos documentarios, por lo cual la calificación más probable es la de **contrato autónomo constitutivo de una garantía** que, en ocasiones, puede coincidir con la garantía o aval a primera demanda. La cuestión es, no obstante, complicada: algunas sentencias aceptan su calificación como **contrato de seguro** (TS 21-4-89, EDJ 4245; 5-6-92, EDJ 5817); otras, rechazan la extensión al seguro de caución de los preceptos de la fianza, argumentando que el asegurador se obliga no a cumplir por el deudor principal, sino a resarcir al acreedor de los daños y perjuicios que el incumplimiento le haya causado (dentro, claro está, de los límites legales y del propio contrato), y se trata de un **contrato principal y no accesorio** (TS 19-5-90, EDJ 5282).
3) Resolviendo un caso de garantía a primer requerimiento, se mantiene la imposibilidad de alegar, como excepción ante la reclamación del acreedor, la **compensación** con un hipotético **derecho de crédito a favor del garante**, cuya existencia no se acredita y que vendría derivado de la responsabilidad por culpa contractual en que incurrió el acreedor por no haber comunicado en tiempo al garante el importe concreto impagado por el deudor principal (TS 17-2-03, EDJ 2052).

3637 **Reglas y usos uniformes** La internacionalización de las relaciones mercantiles y crediticias ha originado un fenómeno normativo ligado a esta modalidad contractual.
La Cámara de Comercio Internacional (CCI) y la Comisión de las Naciones Unidas para el Derecho Mercantil Internacional (UNCITRAL) han promovido y concluido los siguientes textos que ayudan a entender, interpretar y completar normativamente las **garantías a primera demanda** (Díaz Moreno):
a) El 3-12-1991 el Consejo Ejecutivo de la CCI redactó una nueva versión de Las Reglas Uniformes sobre las Garantías a Demanda (RUGD), publicación núm.445, que sustituyen a las redactadas en 1978, publicación núm.325, que recibieron escasa aceptación en el tráfico. Es un conjunto de reglas que intentan uniformar la garantía ordinaria a simple demanda.
b) Las Reglas y Usos Uniformes relativos a los créditos documentarios. Concebidas para los créditos documentarios comerciales, incluyen en su ámbito potencial también a los que la doctrina denomina «stand-by» (nº 3639).
c) Las *International Standby Practices*, preparadas por el Institute of International Banking Law & Practice y aprobadas por la Comisión Bancaria de la CCI.
d) La Convención de las Naciones Unidas sobre Garantías Independientes y Cartas de Crédito Contingente fue aprobada por la Asamblea General de la ONU el 11-12-1995 en Nueva York en 1995. Entró en vigor, con carácter de Tratado Internacional abierto a la firma de los miembros de la ONU, el día 1-1-2000. Su éxito práctico se ha mostrado reducido.

Precisiones La postura del Tribunal Supremo acerca de la **naturaleza** de estas reglas es la siguiente (TS 25-11-92, EDJ 11627; 9-10-97, EDJ 7489; 10-7-07, EDJ 92315):
a) No son fuente de derecho, pues no se incluyen en la Ley, costumbre o principios generales.
b) Por vía de expresa remisión contractual pueden adquirir valor vinculante para las partes, si así lo explicitan y desean -con claridad- los contratantes.
c) Pueden tener valor hermenéutico si, nuevamente, los contratantes así lo señalan de manera explícita en alguna de sus disposiciones clausulares privadas.
d) Pueden llegar a alcanzar el valor de costumbre mercantil si, con el tiempo, alcanzan los datos definitorios de esta fuente (reiteración, licitud y voluntad normadora).

3639 **Carta de crédito «stand-by»** Surgida en la práctica comercial norteamericana, consiste en que el banco emisor se compromete a pagar cierta cantidad de dinero al beneficiario -o a aceptar letras de cambio emitidas por él, según el caso- cuando éste formule una **reclamación** acorde con los términos y condiciones de la carta de garantía. Así pues, mientras que en las cartas de crédito comerciales ordinarias (nº 3687), el beneficiario ha de presentar al pagador un acervo documental (previamente establecido) tendente a demostrar el cumplimiento de la obligación principal, en las cartas de crédito stand-by el beneficiario, para cobrar, intentará demostrar que el ordenante de la garantía ha incumplido sus obligaciones.
Existen los siguientes **tipos** de cartas de crédito stand-by (Díaz Moreno):
a) Stand-by financiera (financial stand-by), que garantiza la devolución de un préstamo.

b) Stand-by de buena ejecución (performance stand-by), que garantiza ejecución de contratos de obra.
c) Stand-by de reembolso (advance payment stand-by), que garantiza el reembolso de sumas prepagadas.
d) Stand-by de oferta o licitación (bid stand-by), que garantiza que el adjudicatario cumplirá el contrato adjudicado.
e) Stand-by comercial (commercial stand-by), que garantiza el pago de mercancía suministrada.
f) Contra-stand-by (counter stand-by), por la cual el beneficiario puede reclamar el pago contra la presentación de documentos que acrediten que él mismo ha debido cumplir con el compromiso adquirido en otra stand-by).

Extinción del contrato Se rige por las normas generales estudiadas para la fianza (ver nº 3590). 3641

D. Cartas de patrocinio

A partir del último cuarto del siglo XX, entre las garantías personales especiales o atípicas ha tenido cierta difusión aquel documento conocido como «carta de patrocinio». Se trata de un instrumento nacido en los usos bancarios internacionales y estrechamente relacionado con los procesos de financiación de los grupos de sociedades, aunque su versatilidad rebasa con creces tal ámbito de aplicación (Alcalde Silva). Con motivo de la negociación de un crédito a una o varias sociedades del grupo, la sociedad matriz o dominante, que habrá negociado previamente las condiciones del crédito con el banco, emite una carta a favor del (futuro) concedente del crédito, cuyo contenido es variable, pero que consiste en un **conjunto de declaraciones** orientadas todas ellas a asegurar o tranquilizar al destinatario acerca del buen éxito de la operación con la sociedad filial deudora. 3645
Es esta una definición genérica que admite tantas concreciones cuantas posibles redacciones sean dadas. En consecuencia, la determinación del alcance de las concretas **obligaciones accesorias** o instrumentales que contrae el emisor de la carta frente a su destinatario debe hacerse, necesariamente, caso por caso, mediante las técnicas de interpretación contractual. Con carácter general, cabe indicar, sin embargo, salvo afirmación expresa de concreta asunción de obligaciones, que éstas no pueden presumirse ni, por ende, tampoco cabe la **presunción de fianza** alguna, salvo expresión clara. Tampoco excluye, sin más la responsabilidad, si llega a probarse que la carta no se redactó con intención puramente informativa, sino con verdadera voluntad de obligar al firmante del patrocinio.
Nacida en la práctica comercial bancaria, no hay normas sobre la misma. Obedecen normalmente a un requerimiento o exigencia de una entidad de crédito, que condiciona la **concesión de un préstamo** u operación crediticia de cualquier otra naturaleza a que su futuro deudor (prestatario o acreditado) le presente la carta de patrocinio exigida. Esta circunstancia hace que no sea acertado encuadrar las cartas de patrocinio en el ámbito de los contratos o relaciones de colaboración (Cortés).

Precisiones **1)** La carta de patrocinio (también denominada cartas de confort, cartas de apoyo, cartas de conformidad, cartas de responsabilidad, cartas de garantía) se considera como un encargo de dar crédito a un tercero determinado, es decir, como una **oferta de mandato de crédito**. No supone, por tanto, la constitución de una fianza, aunque pueda participar en algunos aspectos de sus características. Se trata de contratos atípicos con personalidad propia y que no pueden confundirse con la fianza (TS 30-6-05, EDJ 113510; 18-3-09, EDJ 32128; 28-6-15, EDJ 187088; 20-12-17, EDJ 264724. 3647
2) Para una mayor garantía y eficacia de dicha figura, doctrinalmente ha surgido la distinción de dos **clases** de cartas de patrocinio, las cartas débiles y las cartas fuertes.
a) Las **cartas débiles** suelen ser emitidas, para declarar la confianza en la capacidad de gestión de los administradores de la sociedad que aspiran al crédito, de la viabilidad económica de la misma, por lo que se pueden estimar simplemente como verdaderas recomendaciones que no sirven de fundamento para que la entidad crediticia pueda exigir el pago del crédito a la entidad patrocinadora.
b) Las **cartas fuertes** pueden entenderse como un contrato atípico de garantía personal, con un encuadramiento específico en alguna de las formas negociales o categorías contractuales tipificadas en el ordenamiento jurídico -como contrato de garantía, contrato a favor de terceros o promesa de crédito-, criterio seguido por el Tribunal Supremo, que lo refiere al contrato de fianza (TS 16-12-85; 13-2-07, EDJ 10507; 30-6-05, EDJ 113510; 18-3-09, EDJ 32128).
3) Una entidad de crédito concede un préstamo a una sociedad, amparado con dos «**cartas de patrocinio fuertes**» otorgadas por otras dos sociedades (accionistas de la sociedad prestataria). Impagado el préstamo, la entidad de crédito demanda a las dos sociedades que habían otorgado la

carta de patrocinio, solicitando que abonen, con carácter solidario, el importe del préstamo impagado. Se plantea en el proceso, como cuestión de fondo, la eventual eficacia obligacional de la carta de patrocinio concedida. Las sociedades demandadas alegan que tal carta contiene una mera declaración de intenciones, y el TS, desestimando tal alegación, declara que la carta de patrocinio, en su calificación de fuerte, es un negocio jurídico unilateral con transcendencia **obligacional**, como declaración unilateral de voluntad, de carácter no formal, dirigida a la constitución o creación de una relación obligatoria, en virtud de la cual el patrocinador asume una obligación de resultado con el acreedor en aras al buen fin de la operación de financiación, de forma que garantiza su indemnidad patrimonial (entre otras, TS 26-12-14, EDJ 275293). En este caso, las cartas de patrocinio emitidas fueron determinantes para llevar a cabo la operación crediticia, condenando por ello a las dos sociedades de forma solidaria.
No obstante, el TS matiza que dicho efecto o eficacia obligacional de la carta de patrocinio no se produce, dada su naturaleza de negocio jurídico unilateral, de un modo automático, sino que requiere **dos presupuestos**:
- debe contemplar, de forma clara e inequívoca, el compromiso obligacional del patrocinador;
- se requiere que el compromiso del patrocinador resulte aceptado por el acreedor; aceptación que no tiene carácter formal o expreso, pudiendo ser tácita o presunta (TS 27-6-16, EDJ 98900).

4) El **modelo de carta de patrocinio** se adjunta en el nº 13275.

3649 **Carta de patrocinio no generadora de obligaciones** Son las también denominadas cartas de patrocinio **meramente informativas**. El firmante no expresa declaraciones de voluntad, sino **simples juicios de hechos** (Ejemplo: su opinión sobre la buena salud patrimonial de las cuentas anuales de determinada sociedad, o la aseveración de que una sociedad pertenece, efectivamente, a un concreto grupo empresarial).
No generan **responsabilidad contractual** aunque pueden generarla **extracontractual**, si se demuestran errores negligentes o dolosos en la información aportada. Pueden incluso llegar a originar **responsabilidad criminal** (falsedades reguladas en el CP art.390 s.).

Precisiones **1)** En esta modalidad, el patrocinante no trata de prestar fianza, sino de generar confianza. Y, consecuentemente su responsabilidad radica no en la declaración de voluntad contractual, sino en la exigencia objetiva de la **buena fe** y **lealtad** negociales (TS 16-12-85).
2) No cabe desconocer la **función de garantía** de las cartas de patrocinio ni considerarlas jurídicamente irrelevantes, pues el Derecho incide sobre los efectos que tales declaraciones producen, al menos a través de la construcción de la obligación natural (De Angulo Rodríguez).

3651 **Cartas de patrocinios generadoras de obligaciones** Diferenciamos:
a) Cartas generadoras de obligaciones **dinerarias**. El firmante emite una verdadera declaración de voluntad: quiere correr con el riesgo de insolvencia de su patrocinado. Se trata, pues, de una verdadera fianza, puesto que, a pesar de que la declaración de voluntad es unilateral «ab initio»:
- ni en el CC ni en el CCom se exige que la fianza tenga **estructura contractual;**
- el acreedor acepta tácitamente la garantía al **formalizar el riesgo** frente a su deudor. Es decir: hay verdadero contrato aceptado expresamente por una de las partes y tácitamente por la otra (ni que decir tiene que esa aceptación de la oferta de garantía puede formalizarse también por escrito).

Siendo fianza, le son de aplicación las normas de la misma (en cuanto a la forma, nº 3530).
b) Cartas generadoras de obligaciones **no dinerarias**. En ellas el patrocinador se obliga con firmeza a un hacer (mantener la participación en el capital del patrocinado durante determinado período temporal) o a un no hacer (no deshacer determinados vínculos comerciales en su calidad de proveedor o cliente del patrocinado).
Respecto de la **estructura contractual** de la figura, valen las reflexiones anteriores en cuanto a las cartas de afianzamiento (nº 3530). Hay que destacar, en todo caso, que las **obligaciones del patrocinador** son obligaciones de resultado y no meramente de medios, lo cual tiene evidentes implicaciones en el campo de la cuantificación de las responsabilidades.
El **incumplimiento de las obligaciones del patrocinador** genera su correspondiente responsabilidad indemnizatoria. Para aliviar la carga de la misma es lícito y usual el pacto de cláusula penal.

3653 **Posibles declaraciones incorporables a una carta de patrocinio** Se aportan posibles declaraciones incorporables a una carta de patrocinio extraídas de la **contratación práctica** y que por su interés reproducimos.
Una carta de patrocinio puede contener todas o sólo algunas de las declaraciones que se exponen (Carrasco Perera):

Declaraciones de hechos Se enumeran las siguientes: 3655
- de conocimiento del crédito concedido a la filial;
- aprobatorias del contrato y reconocedoras de que el crédito se concede por causa de la emisión de la carta o de la relación de grupo de sociedades;
- de control y participación en la filial;
- de la política seguida usualmente por la sociedad matriz respecto al sostenimiento de sus filiales;
- de confianza en la gestión de los administradores de la filial o de la disponibilidad de la sociedad misma para el pago.

Declaraciones de voluntad Se mencionan, entre otras: 3657
- declaraciones de compromiso de mantenimiento y/o no transferencia de control sobre la filial, salvo aprobación/conocimiento del banco;
- compromiso de buscar una solución satisfactoria/prestar garantías/reembolsar el crédito, si se produce una transferencia o pérdida de la participación de control;
- compromiso de ejercicio de influencia y vigilancia sobre la filial para que ésta cumpla regularmente frente al banco;
- compromiso de gestionar eficazmente a la filial para que no disminuya su capacidad de cumplimiento. Incluyendo el compromiso de no sustraer de la filial fondos o recursos;
- compromiso de poner en práctica/proveer/ejecutar todas las medidas necesarias para mantener a la filial en situación que le permita atender sus compromisos;
- compromiso de mantenimiento de cierto nivel de capital o ciertas ratios financieros o de subordinación de créditos propios frente a la filial;
- compromiso frente al banco de que el crédito será reembolsado en todo caso o en hipótesis determinadas;
- prestarse o comprometerse a prestar garantía (fianza, aval, etc.) de que el crédito será reembolsado subsidiariamente por la emitente de la carta, bien con carácter general y sin restricciones, bien para un evento determinado;
- compromiso de pago de una cláusula penal prefijada, para el caso de que la propia emitente incumpla las obligaciones de hacer comprometidas en la carta de patrocinio.

E. Aval cambiario

Podemos definirlo como la **declaración puesta en la letra**, en cuya virtud una persona (avalista) garantiza el cumplimiento de sus obligaciones cambiarias por alguno de los que formalmente resultan vinculados al pago -avalado- (Uría). 3660

El avalista responde de igual manera que el avalado, y **no** puede oponer las **excepciones personales** de éste. Es válido el aval aunque la obligación garantizada sea nula por cualquier causa que no sea vicio de forma.

Cuando el avalista paga la letra de cambio adquiere los derechos derivados de ella contra la persona avalada y contra los que sean responsables cambiariamente respecto de esta última. No obstante, está cuestión no es pacífica en nuestra doctrina. En opinión de Sánchez Calero, el hecho de que la LCC defina al aval como garantía de pago de una letra no permite, sin embargo, definir el aval como una garantía objetiva de dicho pago, sino que se corresponde con su naturaleza jurídica de su configuración como **garantía subjetiva**, es decir, aquella que persigue asegurar el comportamiento (en este caso el cumplimiento de una obligación cambiaria) de un determinado sujeto (TS 28-7-94, EDJ 6259; 28-3-03; EDJ 6531).

Debemos tener en cuenta dos **elementos esenciales** del sistema cambiario establecido en nuestro ordenamiento jurídico:
- la independencia y autonomía de las declaraciones cambiarias (LCC art.8); y
- la autonomía y abstracción de la obligación asumida por el avalista respecto a la del avalado, que hace que la garantía no se vea supeditada a la eficacia de la obligación avalada (LCC art.37).

Precisiones **1)** Si la **fianza mercantil** ordinaria es **accesoria y subsidiaria**, el aval cambiario (Uría), se configura por nuestra Ley Cambiaria como una garantía objetiva del pago, con existencia autónoma e independiente de la obligación garantizada (TS 30-9-91, EDJ 9115).

2) En nuestra opinión, es, en efecto, **autónomo e independiente** (TS 30-9-91, EDJ 9115; 5-2-99, EDJ 667; AP Madrid 31-5-06, EDJ 342254, entre otras).

3) La Ley Cambiaria trata de poner fin a la polémica doctrinal y jurisprudencial sobre la naturaleza jurídica del aval introduciendo dos **declaraciones cambiarias** que tienen fundamental importancia (LCC art.37):
- que será válido el aval aunque sea nula la obligación garantizada por motivo distinto de los vicios de forma, y
- que el avalista no podrá oponer las excepciones personales del avalado, aunque responda de igual manera que éste.

3662 **Forma** (LCC art.36) El aval ha de ponerse en la letra o en su suplemento, expresado mediante la palabra «por aval o cualquier otra fórmula equivalente», y firmado por el avalista, debiendo indicar, en principio, a quién se avala. Por tanto, lo que interesa es que se exprese que el **avalista asume su obligación cambiaria** en garantía del pago de la letra.
Por consiguiente, es necesario resaltar que:
a) El aval tiene que constar necesariamente en la **letra** o en su **suplemento**. En este sentido, se pronuncia la Ley cuando dice expresamente que «no producirá efectos cambiarios el aval en documento separado» (LCC art.36.4).
La garantía prestada en un **documento distinto** puede ser una fianza, pero nunca un verdadero aval (Uría). De esta forma, la LCC pone fin a una polémica doctrinal, al indicar de forma implícita que la **carencia de efectos cambiarios** no equivale a la carencia de efectos jurídicos.
En el tráfico mercantil es frecuente que se avale mediante **póliza separada**. Siguiendo de nuevo a Uría, aunque esta figura se llame aval, insiste en que nos hallamos ante un **afianzamiento mercantil**, que si está otorgado en escritura pública o póliza intervenida comportará acción ejecutiva, pero no de naturaleza cambiaria (TS 3-6-02, EDJ 20074; 2-6-04, EDJ 51833).
b) El aval tiene que ir **firmado** por el avalista. La LCC refuerza el valor de la firma al admitir que la expresión escrita del aval quede reducida a la simple firma del avalista. En este sentido, siempre que **no** se trate de la **firma del librado o del librador**, la simple firma de una persona puesta en el anverso de la letra de cambio vale como aval (LCC art.36). Por consiguiente, atendiendo a este tenor, no es necesaria la inclusión en la letra de las palabras «por aval» u otras equivalentes.
c) Asimismo, la propia LCC tampoco considera obligatorio que se indique la **persona avalada**, dado que el citado precepto establece que, a falta de esta indicación, se entenderá avalado el aceptante, y en defecto de éste, el librador (TS 11-6-86, EDJ 4942).

3664 **Efectos** El carácter autónomo del aval bancario produce los siguientes efectos:
a) En las **relaciones con el tenedor de la letra**, el avalista responde del pago de la misma en igual manera que la persona avalada. En consecuencia, el tenedor podrá reclamarle el pago de la letra sin que haya de acreditar previamente la insolvencia de aquél y sin necesidad de haber cumplido directamente frente a dicho avalista los actos o formalidades necesarios para conservar la acción cambiaria.
El avalista sólo podrá oponer al tenedor las **excepciones** derivadas de las relaciones personales con él y las que el avalado tuviera frente a los anteriores tenedores de la letra que al adquirirla hubieran procedido a sabiendas en perjuicio del deudor (LCC art.67). Se admite también que el avalista podrá alegar y oponer al pago aquellas excepciones que traigan causa de los **vicios o defectos de la letra**, o de las vicisitudes de la obligación cambiaria asumida o del crédito cambiario en sí; así, p.e., en la TS 28-3-03, EDJ 6531, la presunta cambial sobre la que se sustentaba la demanda carecía del nombre de la persona que sea tomadora y del timbre adecuado, por lo que el documento no se considera letra de cambio y el Tribunal no estima la garantía dada como aval cambiario.
No existe vicio de forma, a los efectos de nulidad del aval, cuando se produce la **firma de un avalado** de una persona con discapacidad sujeto a curatela representativa, o la nulidad o inexistencia de su obligación resulta de cualquier otra causa que no se aprecie en el texto de la letra (así, el supuesto de firma falsa o el de quien firma en representación de otro sin poder no constituyen vicios de forma de nulidad del aval) (Sánchez Calero).
b) El **avalista de una letra**, cuando consiente el aval, acepta el nacimiento de una **obligación** cambiaria nueva. Su obligación es distinta de la de su avalado. Nada se opone a la validez del aval prestado por personas ya obligadas en la letra (LCC art.35). Así, el crédito cambiario se apoya en una relación jurídica subyacente y en suspenso (CC art.1170; LCC art.20 y 67), mientras que el avalista se abstrae de la misma, respondiendo únicamente de la obligación cambiaria garantizada (no, por tanto, de la obligación causal; TS 30-3-06, EDJ 37230). Sin embargo está comunicado con la obligación cambiaria. Por eso, es ineficaz el aval cambiario de una letra nula por falta de los **requisitos esenciales** (mención del tomador). No obstante, el avalista sólo se obliga cambiariamente, y no podrá ser perseguido extracambiariamente, en el caso de que su obligación asumida en la letra se invalide por **defecto formal** del aval o de la propia letra.
Una fianza civil o mercantil tiene un ámbito no coincidente con el aval cambiario y no sólo el ámbito, sino también el efecto, ya que este último tiene unas **acciones de regreso** contra los firmantes de la letra que no tiene aquélla y, esencialmente, la naturaleza jurídica del aval cambiario es de afianzamiento específicamente cambiario, con un carácter sustancial de accesoriedad respecto a la obligación cambiaria, hasta tal punto que si ésta es nula por razón de la nulidad de la letra, carece de eficacia y virtualidad el aval (TS 28-3-03, EDJ 6531).

c) El avalista **no** puede oponer al acreedor **excepciones personales del avalado**, sólo puede oponer al tenedor las excepciones derivadas de sus propias relaciones personales con él. 3666
Respondiendo del pago, la **acción de regreso** puede dirigirse contra el avalista. Es el caso de la denominada acción de regreso anticipado, esto es, la admitida para el supuesto de denegación de la aceptación, de situaciones concursales, o de embargo infructuoso (Jiménez Sánchez; Rojo Fernández, sin embargo, patrocina la tesis contraria).
Si paga la letra, el avalista es igualmente autónomo, pudiendo repetir contra el avalado (LCC art.37) o contra cualquiera de los obligados cambiarios (LCC art.57.2º y 59).
d) Respecto del **pagaré**, se proclama la directa aplicabilidad, a su aval, de las normas del aval en la letra de cambio (LCC art.96 último párrafo).
e) En cuanto al **aval del cheque**, el avalista responde de igual manera que el avalado y no podrá oponer las excepciones personales de éste. Será válido el aval aunque la obligación garantizada fuese nula por cualquier causa que no sea la de vicio de forma.
Cuando el avalista pague el cheque adquirirá los derechos derivados del mismo contra la persona avalada y contra los que sean responsables de esta última.
Es válido también para el aval del cheque, lo dicho para el de la letra de cambio (nº 3660).

Subsidiariedad (LCC art.55.3º y 88) No obstante todo lo anterior, permanecen en la LCC supuestos de subsidiariedad que mencionamos: 3668
a) Si el **avalado es el aceptante**, para dirigirse cambiariamente contra el avalista, no será requisito indispensable el levantamiento de protesto.
b) En los supuestos de **perjuicio de la letra**, la pérdida por el tenedor de la acción cambiaria contra el librador o los endosantes alcanza también al avalista de éstos.
c) Los **plazos de prescripción** que hacen extinguir las acciones cambiarias contra aceptante, librador y endosante son igualmente aplicables a la garantía cambiaria de las mismas, pues si el avalista responde de igual manera que el avalado, también de igual manera cesa su responsabilidad.
d) Toda **comunicación de protesto** realizada a un firmante de la letra deberá hacerse en el mismo plazo a su avalista.

F. Letras de complacencia o de favor

Normalmente, la **falta de provisión de fondos** por parte del librador trae aparejada la falta de aceptación por parte del librado. Por tanto, los librados no suelen aceptar **letras en descubierto** a no ser que hayan autorizado expresamente al librador que, aun sin provisión, gira la letra contra ellos. 3675
En este sentido, en el tráfico habitual podemos encontrarnos situaciones en las que esa **autorización** se concede sin intención de pagar la letra y con la única finalidad de favorecer al librador, que a cambio de obtener inmediatamente, a través del descuento del efecto, el valor de la letra, se compromete a retirarla y pagarla antes de producirse el vencimiento, de forma que el librador aceptante no llegue nunca a hacer frente a su obligación de pagar la letra. En consecuencia, provocan la **apariencia de** que existe una **transmisión real de fondos**, pero en realidad no responden a transmisiones efectivas, encubriendo así el afianzamiento del valor de la letra. Esta situación nos colocará ante las llamadas letras de favor o de complacencia.
Su admisión dentro del sistema adoptado por la Ley Cambiaria es aceptada, siempre y cuando estas letras de complacencia, no encubran **hechos ilícitos**.
La creación de la llamada letra de favor, no descansa en la provisión de fondos que constituye normalmente la causa de las cambiales, sino en el **negocio subyacente** (extracambial) **de complacencia**, habiendo señalado reiteradamente la jurisprudencia, que la letra de favor no es una letra sin causa, ni mucho menos una cambial con causa ilícita, sino que la causa de la letra de complacencia está precisamente en el favor, en el contrato antecedente (TS 21-4-86, EDJ 2648; 4-10-95, EDJ 4859; 29-4-05, EDJ 62558). El **suscriptor de la letra**, generalmente el aceptante, cuando la firma no quiere contraer la obligación de pagarla a su vencimiento, y esta voluntad negativa es la esencia del pacto de favor, pacto que solamente vincula a quienes lo convinieron (AP Ciudad Real 13-10-06, EDJ 307227; AP Cádiz 22-9-09, EDJ 427639; AP Cáceres 5-10-09, EDJ 254566). Cuestión distinta es que el pacto de favor subyacente sea **contrario a derecho** (no es infrecuente, en efecto, que dicho pacto persiga el fraude, el cual no solamente originaría responsabilidad patrimonial, sino, en su caso, también penal).
Todo firmante de una letra de cambio tiene **responsabilidad cambiaria**. Así se infiere de la acción directa contra el aceptante o sus avalistas y de la acción de regreso contra los endosantes, librador y sus avalistas.

3677 **Pura firma de favor** La **aceptación de favor** es empleada en operaciones de crédito claras y normales, en las que nada cabe oponer a la licitud de las firmas de complacencia, siempre que este carácter sea puesto en conocimiento del tomador, circunstancia que explica con nitidez la sentencia de referencia al decir que «las letras de favor o complacencia no son instrumentos de un contrato de cambio, ni son un contrato causal, sino **instrumento de otro subyacente** del que trae su causa»; su expedición nada tiene en sí de contrario a la moral o al orden público, por lo que caben dentro de la **libertad de contratación** que configura el CC art.1255 (TS 4-11-94, EDJ 8687).

Sus elementos personales son los siguientes:

a) El **firmante o favorecedor**. Asume plena responsabilidad cambiaria. El régimen jurídico de éste dependerá del concepto en que haya firmado la letra (generalmente como librado).

Es necesario advertir que el aceptante de favor que pagó, sólo tendrá frente al favorecido, **acciones ordinarias**, puesto que pagada por él la letra, se extingue la vida del título cambiario (TS 20-01-91).

b) El **deudor favorecido** que recibe el crédito dinerario soportado documentalmente por la letra.

c) El **acreedor cambiario o tercero tenedor**, cuya posición patrimonial, una vez puesta en la letra la firma del favorecedor, pasa a experimentar menor riesgo. Así ocurre porque gozará de un incremento de la masa patrimonial afecta a la responsabilidad cambiaria (el patrimonio del favorecedor).

3679 Precisiones La **jurisprudencia** ha afirmado, respecto de la firma cambiaria de favor:

1) Que es **lícita**, sin perjuicio de que existan supuestos concretos que puedan llegar a calificarse de ilícitos.

2) Que su **naturaleza jurídica** es la de una garantía del crédito cambiario (TS 3-6-46; 9-4-49; 10-4-72; 14-11-90, EDJ 10351).

3) En un caso de letras giradas por el administrador de una sociedad mercantil, con la finalidad de obtener su descuento en una entidad de crédito, simulándose la persona del librado, el TS ha afirmado que **no** se trata de un **delito de estafa**, pues el banco permitía tales operaciones en las que las letras descontadas no respondían a negocio jurídico alguno. Tampoco existió **falsedad documental**, pues, de un lado, la conducta de autos estaba comprendida en la falsedad ideológica impune «faltar a la verdad en la narración de los hechos» y, del otro, las letras giradas tenían vinculación causal directa con un negocio jurídico-bancario en el que la simulación de la persona del librado podía ser más o menos aceptada y asumida por la propia entidad de crédito. Por el contrario, sí que existió **estafa** por razón de que no obedecían a operación alguna, sin que suponga un obstáculo la argumentación de que se firmaron «de favor» (TS 1-7-98, EDJ 11374).

4) En cuanto a la posible **calificación de la estafa** en este tipo de negocios, no concurre el engaño bastante cuando la entidad bancaria no ha desplegado actividad alguna encaminada a averiguar que los recibos descontados no respondían a operación comercial alguna y, además, admitió el descuento por la existencia de una póliza de afianzamiento (TS 27-11-00, EDJ 39263).

5) Queda calificada como delito de **falsedad en documento mercantil** y de **estafa** el libramiento de letra de cambio cuando se reúnen las dos circunstancias siguientes:

- la ausencia de contenido causal, esto es, carecer de soporte en relación subyacente de contenido material; y
- la intención probada de obtención de lucro mediante el descuento del efecto en establecimiento bancario (TS 28-3-00, EDJ 4668; 14-4-00, EDJ 6217).

G. Mandato de crédito

3685 Es un **contrato de mandato** por cuya virtud el mandante encarga al mandatario que conceda a un tercero un crédito en cualesquiera de las modalidades que conoce la práctica negocial (normalmente un crédito dinerario en forma de préstamo) (TS 13-2-07, EDJ 10507).

Su **modalidad mercantil** consiste en un contrato con la misma estructura, contenido y causa para el contrato de comisión mercantil de crédito. Por tanto, será mercantil el mandato de crédito si se dan los requisitos que permitan su calificación como **comisión mercantil**.

Precisiones **1)** Figura no regulada en el CC, pero sí en otros **códigos extranjeros**, como el alemán o el italiano, lo mismo que en la L 526 de la Compilación de Navarra (L 1/1973). No obstante, es perfectamente admisible al amparo del **principio de autonomía de la voluntad** recogido en el CC art.1255 y así lo ha manifestado la jurisprudencia (TS 8-10-27; 22-12-41), aunque es una figura poco usada en el tráfico mercantil.

2) Algunos autores afirman que **no** es un **verdadero mandato**, pues los efectos del préstamo que concede el mandatario al tercero no se trasladan al mandante, que no tiene que anticipar fondos ni ha de percibir el importe del crédito cuando éste se pague, sino que se limita, como todo fiador, a asumir el riesgo de que el deudor no pague, en contra del CC art.1728 (De La Cámara).

3) Lo único que se opone a la noción de mandato es que se gestionen únicamente intereses del mandatario. Ordinariamente funciona como una **fórmula de financiación**: se encarga a alguien que, en nombre y por cuenta propia, conceda un crédito a un tercero con el que se quiere contratar (y que no dispone del capital necesario), afianzando el que hizo el encargo la obligación de restitución y pago de intereses asumida por el tercero (Paz-Ares).

4) A diferencia de la fianza (Fernández Merino), entre otros rasgos, la **responsabilidad del mandante** no se hace efectiva hasta que el mandatario haya otorgado el crédito, pues se puede revocar la orden dada, y dicha responsabilidad emana del propio mandato, con el fin de resarcir al mandatario de los daños causados, si no paga el tercero (el mandante no está obligado a cumplir la deuda del tercero al que se dio el crédito). Por último, **no** reviste el **carácter formal de la fianza**.

Clases Existen diferencias entre: 3687

a) Mandato **inicial de crédito** que, una vez ejecutado por el mandatario, determina la responsabilidad del mandante de forma similar a la de un fiador.

b) Mandato **de crédito propio**, en el que el mandante responde sólo como tal, en la medida en que debe dejar indemne al mandatario que concedió el crédito.

Solamente origina responsabilidad para el mandante si el mandatario ejecuta el encargo. Supuesto típico es el de las **cartas-órdenes de crédito**.

c) Mera **indicación o recomendación** de que se otorgue un crédito a un tercero, sin que de ella se derive responsabilidad para el recomendante. No es realmente un mandato de crédito, sino una de las modalidades de carta de patrocinio aludidas en el nº 3645 s.

Precisiones No toda la doctrina acepta calificar al mandato de crédito como relación negocial de garantía.

a) Si el mandatario o comisionista obra **en nombre del mandante**, los efectos jurídicos quedarán residenciados en el patrimonio del mandante siendo éste el que debe responder de los eventuales incumplimientos de quien reciba el crédito. Por tanto, en este supuesto no cabe hablar de garantía personal ni típica ni atípica.

b) En el caso inverso (mandatario actuante **en nombre propio**, pero por cuenta del mandante o comitente), debe superarse la concepción de que lo que se produce en todo caso es la responsabilidad del tercero de reembolsar al mandatario o comisionista y dejarlos indemnes de los daños que les ocasione el mandato. En consecuencia, tampoco en este caso cabe hablar de garantía personal, típica o atípica, sino de mero cumplimiento por el mandante, o comitente de las responsabilidades dimanantes del contrato de mandato o comisión (De Angulo Rodríguez).

Normativa foral (L Navarra 1/1973 ley 526) Toda la doctrina cita, al estudiar las fuentes del mandato de crédito, y en sede de Derecho Civil español foral, la **Compilación Navarra**, que lo define como quien manda a otro que preste una cantidad o conceda u crédito a u tercero se hace fiador de la obligación contraída por éste. El mandatario puede liberarse del mandato si las condiciones patrimoniales del mandante o del tercero se han hecho tales que resulte más difícil la satisfacción de la deuda. 3689

Algunas **conclusiones** extrapolables a un estudio general de la figura son:

1. Una vez ejecutado el encargo, el **comisionista** alcanza dos posiciones jurídicas en sendas relaciones negociales:

- con el **acreditado**, el comisionista es acreedor de dinero;
- con el **ordenante-comitente**, el comisionista que cumplió el encargo pactado estará garantizado por el comitente, que tomará posición similar a la del fiador. Encubre una fianza «sui generis».

2. Esa posición similar se manifiesta en que:

- la **responsabilidad del comitente**, en tanto que fiador, trae causa del propio contrato de comisión crediticia (mandato mercantil de crédito);
- si el **comisionista da crédito** y el **deudor de éste impaga**, el comitente, por ser fiador, pagará.

A partir de ese momento, podrá accionar contra el deudor mediante la acción de reembolso y la de subrogación (nº 3579 y nº 3610). El sistema configurador del mandato estriba en que, si **uno gestiona en interés de otro**, es el otro quien además de recibir los resultados positivos ha de soportar las cargas patrimoniales negativas -los costes- en que haya sido preciso incurrir para cuidar de sus intereses (Paz-Ares).

3. A la hora de elaborar el contrato de comisión mercantil de crédito es aconsejable tomar ciertas precauciones y, sobre todo, especificar con claridad los **términos exactos de la fianza**, tales como la suma de responsabilidad del fiador-comitente. Por ser un afianzamiento mercantil, debe constar **por escrito** para producir efectos.

4. El contrato de comisión mercantil de crédito no se agota con la disciplina normativa de la fianza. El **contrato** lo es **de encargo**, y el encargo se regirá por lo dispuesto por el CCom art.244 a 280 y, supletoriamente, por las normas del CC aplicables al mandato (nº 5580).

3691 Precisiones 1) Existe la posibilidad de equiparar el mandato de crédito con algunas modalidades de **cartas de patrocinio**, de tal manera que estas últimas quedaran subsumidas en la disciplina jurídica de aquél. Con ello, quien refuerza su posición es la entidad destinataria de la supuesta carta, que, convertida en mandataria de crédito, dispone de la posibilidad de dirigirse contra la sociedad matriz en el caso de incumplimiento por la compañía filial deudora. Así, quien **insta a otro a dar crédito a un tercero** y logra efectivamente la **concesión del crédito** solicitado puede quedar obligado jurídicamente, no ya tanto por mediar contactos previos más o menos explicitados en acuerdos, sino porque el ordenamiento viene a contemplar y dar relevancia al hecho de haber obtenido la satisfacción del interés que el encargo expresaba, pudiendo el destinatario de la carta de patrocinio (concedente) dirigirse para **reclamar la efectividad y cumplimiento del contrato** de crédito contra el también interesado (patrocinador-mandante) cuando el acreditado incumpla -CC art.1712, 1729 y CCom art.287-, ello al margen de la responsabilidad que pueda apreciarse en el **emisor de la carta** de patrocinio, en cada caso concreto, como verdadero interesado en la subsiguiente operación de crédito y beneficiado en definitiva por la misma, cual sucede a menudo, en los supuestos de **sociedades participadas** o integrantes de grupo (AT Madrid 18-10-84; TS 16-12-85; 30-6-05, EDJ 113510).

2) El **anteproyecto de Ley del Código Mercantil** de 2014 indica que el emisor de manifestaciones de patrocinio de conformidad o de garantía, asumirá iguales obligaciones que un fiador por dicha manifestación cuando la vinculación obligacional la hubiese asumido de modo claro e indubitado, con expresiones vertidas que sean determinantes para la conclusión de la operación o actividad garantizada y con la intención de obligarse a prestar apoyo financiero o contraer deberes positivos de cooperación (art.578-6).

H. Promesa de prenda o de hipoteca

(CC art.1862)

3695 La promesa de constituir prenda o hipoteca sólo produce **acción personal** entre los contratantes, sin perjuicio de la responsabilidad en que incurre el que defraudase a otro ofreciendo en prenda o hipoteca como libres las cosas que sabía que estaban gravadas, o fingiéndose dueño de las que no le pertenecían.

Cabe configurar la promesa de prenda mediante dos **mecanismos** formales:

a) Mediante un **documento de estructura epistolar**, en el que únicamente firma el promitente. En tal caso no quedará manifestada al exterior el vínculo que une a promitente y promisionario (la valuta, que puede ser onerosa o gratuita).

b) Mediante un **documento de estructura contractual ordinaria**. Será consentido por ambas partes y, en consecuencia, para ambos surgirán obligaciones. Como es un contrato accesorio, su mercantilidad dependerá de la mercantilidad del crédito para cuya garantía se perfecciona la promesa.

En cualquiera de los dos casos la obligación del promitente es una **obligación de hacer**. Y tal cualidad es determinante a la hora de estudiar su cumplimiento.

3697 El Código Civil dice que el promitente **se obliga a constituir**. Esto significa que:

1. Si el objeto de la promesa es un **derecho real de prenda**, se obliga:
- a hacerse dueño de la cosa pignorada y a tener su libre disposición;
- a entregar la cosa objeto de la misma al acreedor o a un tercero;
- a otorgar documento público, a efectos de provocar eficacia frente a todos (nº 3746).

2. Si el objeto de la promesa es un **derecho real de hipoteca**, se obliga:
- a hacerse dueño de la finca hipotecada y a gozar de su libre disposición;
- a otorgar escritura pública de constitución de la hipoteca y a procurar su inscripción en el Registro de la Propiedad.

Si el **promitente cumple todo lo pactado**, la consecuencia será la efectiva constitución del derecho real prometido. Estamos ante una obligación de resultado pero cuya verificación efectiva puede no alcanzar el resultado final deseado (ejemplo: el promitente consiente la escritura hipotecaria y el registrador negligente tarda en inscribirla). En tales hipótesis no es posible reclamar indemnización al promitente, pues cumplió todo lo que le competía.

Si el promitente **incumple alguna de las obligaciones convenidas**, no podrán cumplirse las demás. Así, no habrá inscripción registral sin previo otorgamiento de escritura pública. Esto, unido al hecho de que sus obligaciones lo son de hacer y no de carácter personalísimo, lleva a la doctrina a afirmar que la voluntad incumplidora podrá ser sustituida por la voluntad judicial, en el expediente del cumplimiento forzoso (Cossío, Guilarte Zapatero y Gil-Antuñano Vizcaíno. Y, en el mismo sentido, TS 31-10-86, EDJ 6892).

Precisiones 1) Por ser un **contrato sinalagmático**, el acreedor podrá escoger entre reclamar el cumplimiento forzoso o la resolución contractual, en ambos casos con indemnización de daños y perjuicios (CC art.1124). 3699
2) Conviene, para poder reclamar el **cumplimiento forzoso**, tomar la cautela, a la hora de redactar el contrato, de describir con precisión cuál es el mueble sobre el que se pretende la futura prenda o cuál el que quedará gravado con hipoteca futura, así como describir bienes sustitutos para el supuesto de imposibilidad de los primeros. En caso contrario, el juez o Tribunal puede denegar su voluntad sustitutiva de la del deudor incumplidor, y no haberse logrado el deseado cumplimiento forzoso (TS 9-7-40; 24-4-41; AP Murcia 9-3-07, EDJ 123790). A tal efecto, hay que entender que, si la prestación prometida **deviene imposible**, y no hay obligaciones alternativas, el acreedor tendrá derecho a la indemnización de **daños y perjuicios** cuando por culpa del deudor hubiesen desaparecido todas las cosas que alternativamente fueron objeto de la obligación, o se hubiera hecho imposible el cumplimiento de ésta.
Como, de otra parte, es conveniente tomar la cautela de reclamar dicho cumplimiento forzoso antes de que sea inevitable el **concurso de acreedores** del promitente, pues, una vez ocurridos estos eventos, y no constituido el derecho real, el acreedor-promisario carece de derecho de separación (Gil-Antuñano Vizcaíno).
3) La **responsabilidad criminal** a la que hace referencia el CC art.1862 resulta estéril, porque dicha responsabilidad derivada de la conducta descrita en el propio artículo sólo se dará cuando la misma esté tipificada en el Código penal como delito.
4) Todo lo dicho también tiene validez si la promesa lo es de **hipoteca mobiliaria o de prenda sin desplazamiento de la posesión** (nº 4160 s.).

I. Comisión de garantía

(CCom art.272)

Al regular la **comisión mercantil** (nº 5580 s.), si el comisionista percibe sobre una venta, además de la comisión ordinaria, otra, llamada de garantía, corren de su cuenta los **riesgos de la cobranza**, quedando obligado a satisfacer al comitente el producto de la venta en los mismos plazos pactados por el comprador (TS 21-6-85, EDJ 7446; 4-10-86, EDJ 6046). 3705
Supone ese precepto una excepción a la regla general, pues de ordinario el comisionista no responde en la comisión de venta de la solvencia del comprador ni de su retraso en el pago del precio. El **pacto de garantía del comisionista** puede, naciendo en la regulación de la comisión de venta, extenderse a cualquier modalidad de comisión.
Además, no solamente hay comisión de garantía de origen convencional, sino también **legal** (y, así, en las **operaciones** que realicen **por cuenta ajena**), los miembros de los mercados regulados se atendrán a las obligaciones contempladas en los art.200, 201, 202, 203, 204, 205, 206, 207, 209, 210, así como en los artículos 218 a 223, en relación con su clientela cuando, actuando por cuenta de esta, ejecuten sus órdenes en un mercado regulado. No obstante, cuando se trate de operaciones entre miembros, por cuenta propia y en nombre propio, estos no estarán obligados a exigirse mutuamente el cumplimiento de las obligaciones establecidas en los artículos anteriormente citados responden ante sus comitentes de la entrega de los valores y del pago del precio (LMV art.62).

Naturaleza jurídica Para un sector de la doctrina, es un contrato atípico y sui generis de garantía (Garrigues). Para otros, se trata de un seguro de crédito. Para la mayoría, lo que hay es una fianza o, todo lo más, un negocio similar a la fianza (Vicent Chuliá) que, sin embargo, no hace desaparecer el inicial contrato de comisión (Uría, Broseta). 3707

Efectos Las características de la comisión de garantía son: 3709
a) Es **accesoria y subsidiaria**, de suerte que, salvo pacto en contra, solamente responde el comisionista-garante si el tercero incumple.
b) Si ese **tercero es el vendedor**, entonces el comisionista-garante (que era encargado de comprar) queda obligado a realizar una obligación de hacer: adquirir por y para sí los efectos objetos del encargo y venderlos al comitente.
c) Si el **tercero incumplidor es el comprador**, entonces el comisionista-garante (que era encargado de vender) queda obligado a realizar una prestación dineraria: pagar en los mismos plazos pactados por el comprador.
d) La **responsabilidad** del comisionista-garante nunca se extenderá a más de lo que fuera la obligación del tercero.
e) El comisionista-garante no puede oponer al comitente el **beneficio de división y excusión**, pero sí las excepciones personales que tuviere el tercero.
f) Si el comisionista-garante actuó **en nombre del comitente** y atiende la garantía, puede subrogarse en la posición jurídica del comitente frente al tercero incumplidor (AP Valencia 25-5-99, EDJ 15969).
g) Si actuó **en nombre propio**, actuará contra ese tercero por su propio derecho.

J. Asunción de deuda cumulativa

3715 Dada la importancia de los efectos de la figura de la asunción, debemos distinguir las diversas **modalidades** que puede presentar esta figura, entre la que se encuentra la asunción de deuda cumulativa, acumulativa o de refuerzo.

El contrato de asunción de deuda cumulativa se produce cuando el que se adhiere (asumente) no se obliga en lugar del deudor, sino con él, comprometiéndose a realizar la misma prestación, o en otros términos, **se introduce el asumente en la relación ya existente**, por lo que no será necesario el consentimiento del acreedor, porque podrá dirigirse contra el deudor primitivo (TS 15-12-89, EDJ 11334; 14-11-90, EDJ 10351; AP Málaga 19-1-99, Rec 1083/97).

La asunción es cumulativa hasta que el acreedor la consienta, liberando al deudor; hasta ese momento, la asunción significa solidaridad del deudor y del asumente en la deuda y en la responsabilidad.

Por tanto, podemos diferenciar entre:

a) Asunción **liberatoria**. El acreedor consiente que el primitivo deudor deje de responder de la obligación a partir de la perfección del contrato. Consecuentemente, se habrá producido una **traslación de la responsabilidad** patrimonial universal desde el patrimonio del primitivo deudor hasta el del nuevo.

b) Asunción **cumulativa**. El acreedor consiente únicamente que a la responsabilidad del primitivo deudor se sume la del nuevo. En consecuencia, nuevo y antiguo deudores serán co-deudores a partir de la fecha de perfección del contrato y, por ende, deberá convenirse el sistema de **responsabilidad** nacido de esa situación de cotitularidad.

En **defecto de pacto entre las partes**, el acreedor podrá dirigirse contra el asumente o contra el deudor, sin perjuicio de poder proceder contra el otro cuando su crédito no estuviese completamente satisfecho.

La **aceptación del acreedor del nuevo obligado**, no libera al originario y con ello no se da lugar a una novación propiamente dicha (extintiva), sino a la subsistencia de dos obligaciones idénticas en régimen de solidaridad, pero con una única y similar causa.

3717 Precisiones El tratamiento rotundo que desde un principio ha venido recibiendo la asunción acumulativa por parte del Tribunal Supremo ha sido el de equipararla con la **solidaridad pasiva**, descartando de forma expresa cualquier posible interpretación bajo el signo de la fianza.

Las razones que se ofrecen son tres:

- que el **asumente**, aceptada la asunción, se integra en la **posición pasiva de la obligación originaria** que vinculaba al acreedor con su deudor primitivo (en la fianza convencional el fiador ocupa frente al acreedor una posición jurídica distinta de la que venía ocupando el deudor originario);
- que en la asunción acumulativa existe una **única obligación antes y después de la intervención del asumente** (a diferencia de la fianza donde son dos: una, la originaria y garantizada, que vincula al deudor con el acreedor, y, otra, la nueva que se crea a partir de la perfección del contrato de fianza, que une al acreedor y al fiador); y, por último,
- que **asumente y fiador** están llamados a desempeñar **funciones distintas** porque, mientras que el asumente es obligado principal y solidario junto al deudor originario, la fianza convencional u ordinaria se caracteriza por su accesoriedad y subsidiariedad (Batuecas; TS 28-9-60; 15-12-89, EDJ 11334).

SECCIÓN 3

Especialidades mercantiles de la prenda

3720

A. Consideraciones generales

3725 Se define la prenda como un derecho real de garantía, por cuya virtud se entregan al acreedor o a un tercero **bienes del deudor** (o de un tercero), quedando tales bienes especial y preferentemente afectos al cumplimiento de la deuda, de manera que, de producirse un **incumplimiento**, el acreedor pueda «realizarlos», esto es, venderlos, y con el importe de dicha venta satisfacer su crédito.

La prenda es un **derecho real de garantía** y, como tal, su finalidad, como la de cualquier negocio jurídico garantizador (como las garantías personales, nº 3455 s.) es reforzar el principio de responsabilidad patrimonial universal permitiendo, en este caso, la ejecución directa sobre un bien del constituyente. Pero el derecho real de garantía (prenda o hipoteca) no excluye la responsabilidad patrimonial universal, de manera que, realizado el bien dado en garantía, si lo obtenido no es suficiente para pagar al acreedor, la deuda subsistirá por el remanente, y podrá procederse contra el resto del patrimonio del deudor -o, incluso, del tercero constituyente que afianzó así la deuda de otro, el «fiador real»- (Díez Picazo).
La distinción entre **responsabilidad** y **garantía real** se resume en los siguientes puntos (Amorós Guardiola):
a) En cuanto al objeto, masa patrimonial indiferenciada y cosa singular.
b) Formalmente, la garantía real exige un acto expreso de constitución de la afección, mientras que la responsabilidad general deriva naturalmente de la obligación contraída.
c) En cuanto al sujeto, en la garantía el bien puede ser de otro, mientras que la responsabilidad patrimonial es siempre del deudor.
e) Estructuralmente, cabe un derecho subjetivo sobre una cosa: prenda o hipoteca, pero no sobre todo un patrimonio.
El CCom no dedica un capítulo concreto a la regulación de la prenda mercantil. Se limita a aportar preceptos y secciones no sistematizados, cual es el caso de la regulación del préstamo con garantía de valores (CCom art.320 a 324), o de la prenda de títulos de tradición tales como los resguardos de depósito (CCom art.196 y 197).

Precisiones **1)** El Código español se encuentra desbordado en esta materia:
- cuantitativamente porque es cada vez mayor el número de **operaciones mercantiles** aseguradas mediante estas garantías (quizás por el impulso -generalización- del tráfico bancario), y
- cualitativamente porque el **objeto de la garantía** no se ha limitado a valores públicos y títulos de tradición, sino que se ha extendido a numerosos instrumentos jurídicos (Font Galán).
2) El **modelo** de póliza original de contrato mercantil de prenda se encuentra en el nº 13260.

Mercantilización del negocio accesorio de prenda En el Código de Comercio, no existe el concepto de prenda mercantil. Por ello, más bien podemos hablar de prenda de objetos mercantiles o, en su caso, de prenda para garantizar obligaciones mercantiles. **3727**
La **prenda de objetos mercantiles** es aquella que recae sobre bienes o derechos a los que el legislador atribuye «per se» carácter mercantil. Es el caso de los valores mobiliarios (CCom art.320) y de la letra de cambio (endoso de garantía -LCC art.22-).
Las **consecuencias prácticas** de tal atribución son:
a. Ordinariamente, la tipificación de un **régimen jurídico singular** como tales negocios de garantía. Con **carácter supletorio** y general, se aplican las normas ordinarias de la prenda del Código Civil (CC art.1857 a 1873).
b. Excepcionalmente, la naturaleza mercantil del objeto negocial tiene tal intensidad, que resulta bastante para que el negocio accesorio (la prenda) atribuya el mismo carácter mercantil al negocio principal (el préstamo). Es lo que ocurre con el **préstamo con garantía de valores** admitidos a negociación en un mercado secundario oficial, que, hecho en póliza con intervención de fedatario público o en escritura pública, se reputa siempre mercantil.

Así pues: **3729**
1º) Es mercantil la prenda -cualquiera que sea el bien o derecho sobre el que recaiga- garantizadora de **obligaciones nacidas de contratos mercantiles**.
2º) Es mercantil la prenda -cualquiera que sea el bien o derecho sobre el que recaiga- garantizadora de **obligaciones nacidas de actos de comercio** carentes de estructura contractual. La mercantilidad de la prenda en garantía de obligaciones nacidas de este tipo de actos de comercio, es válida, con los mismos argumentos, para el derecho real de fianza (ver nº 3471).
3º) Es mercantil la prenda recayente sobre **bienes o derechos de naturaleza mercantil** «per se».

Precisiones Aceptado, por tanto, el calificativo, nos encontramos ante la necesidad de cuestionarnos la **utilidad** (doctrinal y práctica) **de la mercantilización**. Si la mercantilización de la fianza acarrea la directa aplicabilidad del CCom art.439 a 442, la mercantilización de la prenda no provoca resultado parejo pues, como ya se ha advertido, el Código de Comercio español no incorpora una regulación específicamente aplicable a la generalidad de las prendas mercantiles.

Características (CC art.1857 a 1873) La prenda es un derecho real normalmente constituido como ejecución de una **declaración de voluntad** constante en un contrato y caracterizada por las siguientes notas: **3731**
1. Es un **derecho real**. Atribuye a su titular un poder inmediato y directo de disposición sobre la cosa (facultad de instar su venta), y una eficacia «erga omnes» dotada de acción real.

2. Es un derecho real **de garantía**. Se constituye para asegurar una obligación principal. Al seguir la suerte de la misma, su transmisión o su extinción implican la de la prenda. Atribuye al acreedor pignoraticio, por su carácter de derecho de garantía, el privilegio de **reipersecutoriedad** (nº 3932), mas siempre con el límite de la prohibición del pacto comisorio: el que recibe la cosa en prenda no se la puede apropiar. La nulidad del pacto comisorio no afecta a la garantía, que sigue siendo válida.
3. Es un derecho **accesorio** respecto a la obligación garantizada (CC art.1857.1º), de modo que siguen su misma suerte (la transmisión o extinción de la obligación implican la de la prenda).
4. Es un derecho real **mobiliario** e **individualizado**. Tiene por objeto una cosa específica y determinada, de necesaria naturaleza mueble, susceptible de posesión y dentro del tráfico (ha de ser enajenable, por si el acreedor debe realizarla para cobrarse su crédito).
5. Es un derecho **real indivisible** (CC art.1860), pues garantiza toda la deuda y cada una de sus partes, y afecta a todas las cosas ofrecidas en garantía. Subsiste hasta la completa extinción del crédito garantizado: los **pagos parciales** no dan derecho al deudor para pedir la cancelación parcial de la prenda. No obstante, cabe pacto en contra, pues la indivisibilidad se establece en beneficio del acreedor, por lo que éste puede renunciar a ella. Además, puede suceder que se entreguen **varias cosas en prenda**, garantizando cada una de ellas una parte del crédito: para tal supuesto, el CC art.1860.4º y 5º prevé la posibilidad de que según se vaya pagando cada parte (por completo) se extinga la correspondiente prenda.
6. Exige el **desplazamiento de posesión**, quedando así la cosa en poder del acreedor o de un tercero (de común acuerdo entre deudor y acreedor), sustraída, en definitiva, a la disponibilidad del deudor (no puede deteriorarla, destruirla, etc.). Cabe también, no obstante y respecto de determinados bienes, la llamada «prenda sin desplazamiento» (nº 4160 s. y nº 4200 s.).
7. Incumplida la obligación principal, pueden ser **enajenadas las cosas** en que consiste la prenda para pagar al acreedor (CC art.1858). Lo que nunca será posible es apropiarse de la cosa dada en prenda ni disponer de ella ante el incumplimiento de la obligación garantizada (prohibición de pacto comisorio también predicable de la prenda, CC art.1859).

3733 Como acaba de anticiparse, la **prohibición del pacto comisorio**, recogida en el CC art.1859, supone la prohibición de todo acuerdo por cuya virtud el acreedor o un tercero designado por él se apropie del bien dado en prenda (o en hipoteca) en caso de incumplimiento del deudor en el tiempo pactado.
El **fundamento de esta prohibición** se suele situar en «evidentes razones morales reflejadas en los ordenamientos jurídicos» (TS 4-2-20, EDJ 507665), y en la exigencia de conmutatividad de los contratos, puesto que existe un obvio riesgo de que, dadas las presiones a las que se puede someter el deudor necesitado de crédito al tiempo de su concesión, las cosas ofrecidas en garantía reciban una valoración muy inferior a la real o que, en todo caso, tengan un valor superior al de la obligación garantizada. En definitiva, se trata de impedir que el acreedor se enriquezca injustificadamente a costa del deudor y que este sufra un perjuicio desproporcionado (así lo sostienen la DGRN Resol 26-12-18 y las DGSJFP Resol 28-1-20; Resol 5-3-21; Resol 10-3-22; Resol 18-7-22).
Ahora bien, como indica Galicia Aizpurua, si las partes conjuran por sí mismas dicho peligro, no hay inconveniente alguno para **levantar la prohibición**: esto es lo que ocurre cuando convienen un pacto «marciano», es decir, cuando garante y acreedor garantizado adoptan todas las disposiciones imprescindibles en orden a que, en la adjudicación del bien a este último, el principio de conmutatividad quede salvaguardado. En efecto, como es la desproporción entre el valor de la cosa dada en garantía y el importe de la deuda lo que excluye la eficacia del pacto comisorio, ningún reproche cabrá hacer cuando el valor del bien objeto de apropiación por el acreedor venga determinado por referencia a criterios objetivos que permitan identificar su valor de mercado: el patrimonio del deudor no padecerá perjuicio alguno, ni tampoco, en consecuencia, el resto de sus acreedores, ya que el exceso del valor resultante de la tasación objetiva (*rectius*: el derecho de crédito al *superfluum*) quedará integrado en él. Es por esto que, según indican las resoluciones recién citadas, la prohibición no tiene un carácter absoluto en nuestro ordenamiento, en el que se han venido a admitir nuevas vías de ejecución de las garantías o de realización de los bienes objeto de estas que, aparte de ser «más eficientes» que las tradicionales, exceptúan la prohibición contenida en el CC art.1859 al llevar consigo un mecanismo de valoración objetiva.
En la práctica, aplicada dicha prohibición sin mayores problemas (salvo alguna **excepción**, como la TS 24-6-10, EDJ 145097, que considera que sí cabe pacto en contra) por parte de la jurisprudencia, no suele manifestarse tal pacto de forma pura, sino que se oculta detrás de otros negocios, generalmente de naturaleza transmisora, pero que, en realidad, **encubren negocios de garantía**, tales como compraventas con pacto de retro, ventas en garantía o la *fiducia cum creditore*; en ocasiones, también, bajo daciones en pago (Reglero Campos). Realmente, todos estos negocios pueden ser perfectamente válidos, al igual que cualquier

constitución de una garantía atípica (CC art.1255), pero, en un caso concreto, su validez puede depender de su causa, de que no encubran fraudulentamente una garantía con pacto comisorio que permita al acreedor apropiarse definitivamente de los bienes dados en garantía por el deudor.

B. Constitución

La prenda se constituye por **negocio jurídico** de constitución de prenda que puede ser «inter vivos» (contrato de prenda) o «mortis causa» (legado de prenda o de crédito con garantía pignoraticia). **3740**
Si bien el mecanismo habitual y espontáneo de constitución de la prenda es el **título contractual**, se admiten otros títulos constitutivos tales como la adquisición *a non domino*, la usucapión (mediante la posesión de la cosa en concepto de titular del derecho real de prenda), o incluso la Ley (se discute, en tal sentido, si la prenda a favor del depositario -CC art.1780-, o del mandatario -CC art.1730- son verdaderamente, o no, una prenda en sentido técnico).
Cuando la prenda se constituya mediante contrato (supuesto prototípico), se han de cumplir los siguientes **requisitos** (CC art.1857 a 1861, 1863 a 1865):
a) La **entrega del bien mueble** objeto de garantía al acreedor o un tercero (CC art.1863).
b) Que la cosa dada en prenda **pertenezca** a quien la empeña (CC art.1857.2º) y que éste tenga libre disposición sobre la misma o esté legalmente autorizado al efecto (CC art.1857.3º).
c) Que las cosas muebles dadas en prenda sean **susceptibles de posesión** y estén en el comercio de los hombres (CC art.1864).
d) Que se haga constar por instrumento público la constancia de la **fecha de constitución** de la prenda, pues de lo contrario carecerá de eficacia frente a terceros (CC art.1865) -Murga Fernández-.
De otra parte, cualquiera que sea el **título constitutivo**, no nace el derecho real de prenda hasta que se haya producido de manera efectiva el modo o traslación física (transmisión de la posesión).
En el caso de la prenda mercantil, el título constitutivo por excelencia es el contrato.

Precisiones Algunos autores dudan de la posibilidad de la **adquisición** del derecho real de prenda **«a non domino»** o por **usucapión**. En el primer caso, señalan, se chocaría con la exigencia del CC art.1857, que requiere que la cosa dada en prenda pertenezca en propiedad al que la empeña (Serrano Alonso). En cuanto a la usucapión, señalan, faltaría la exigencia de voluntad de entrega de la cosa por el deudor o un tercero.

Intervinientes Son partes en el contrato de prenda el acreedor pignoraticio y el constituyente, que puede ser el deudor o un tercero. **3742**
El **constituyente** es el titular del derecho real de prenda. Además, es el acreedor principal y, por tanto, aquél cuyo crédito recibe un plus de seguridad derivado de la prenda. Se le exige **capacidad** para administrar sus intereses.
El **deudor pignoraticio** es el propietario del bien o derecho pignorados. Pierde, al constituir la prenda, una de las facultades integrantes de la relación dominical cual es la posesión, que pasa al acreedor pignoraticio. Como el **interés del acreedor** es meramente patrimonial (la persecución de una cosa), y no personal (el deudor principal), le resulta indiferente si coinciden o no la persona del propietario de la cosa o derecho y la persona del deudor del crédito. Por eso, aunque lo habitual es que la constituya el deudor (y se hable, en general, de deudor pignoraticio), las **terceras personas extrañas** a la obligación principal pueden asegurar ésta pignorando o hipotecando sus propios bienes (a veces se denomina a estos terceros «fiadores reales»).
Al constituyente se le exige **capacidad de disposición**, pues es lugar común que la prenda viva en la esfera extraordinaria de los actos dispositivos. Así se desprende, en efecto, del hecho del desapoderamiento unido a la facultad de reipersecutoriedad atribuida *ope legis* al acreedor pignoraticio.
La constitución de prenda puede hacerse por **apoderado con poder expreso** (CC art.1713).
Podría suceder también que la prenda no quede en poder del acreedor, sino de un **tercero depositario**, designado de común acuerdo por acreedor y deudor (CC art.1863), de manera que el acreedor quede liberado de la obligación de custodia y el deudor sólo pueda retirarla cuando acredite haber pagado la deuda por completo; además, la intervención de este tercero depositario puede resultar útil cuando la cosa es dada en prenda a varios acreedores (cuestión generalmente admitida, aunque no aluda a ella el Código) por cuanto permite dar seguridad a todos ellos.

En definitiva, son **requisitos esenciales** de la prenda:
- que la cosa pignorada pertenezca en propiedad al que la empeña y tenga la libre disposición de la misma;
- que la persona que constituya la prenda tenga la libre disposición de sus bienes o, en caso de no tenerla, se halle legalmente autorizada al efecto.

3744 **Elementos reales** (CC art.1861 y 1864) Son la cosa o derecho pignorados y la obligación garantizada.

a) **La cosa o derecho pignorados**. Pueden darse en prenda todas las **cosas muebles** que están en el comercio (enajenables), con tal que sean susceptibles de posesión.

Dentro de este apartado, hemos de hacer mención a la prenda de **derechos y de títulos valores**, figura que, por sus especiales características, es objeto de estudio separado en el marginal nº 3755 s.

No cabe la **prenda de cosa futura** ni la prenda **de cosa ajena**. En el primer caso, por devenir imposible el traslado posesivo de la cosa y, en el segundo, por exigir el CC art.1857 que la cosa pignorada sea de propiedad de quien constituye la prenda (TS 30-12-15, EDJ 253664).

Sin embargo, este principio admite hoy **excepciones** legislativas en materia de **prenda de créditos**, iniciadas con la L 41/2007, que, al reformar la Ley de hipoteca mobiliaria y prenda sin desplazamiento, introdujo, con ciertas limitaciones, la posibilidad de pignorar créditos futuros (nº 4204). Asimismo, la L 40/2015 confirmó esta tendencia, reformando la -hoy derogada- LCon/03 art.90.1.6º (equivalente a la vigente LCon art.271.3 y 4), en materia de requisitos de la prenda sobre créditos futuros para que pueda ser calificada con privilegio especial.

b) **La obligación garantizada**. La obligación garantizada es la principal, respecto de la cual la prenda es accesoria (sigue las vicisitudes de aquélla).

El contrato de prenda puede **asegurar toda clase de obligaciones**, ya sean puras, ya estén sujetas a condición suspensiva o resolutoria. También cabe garantizar mediante una garantía real, como la prenda, obligaciones futuras (TS 25-6-01, EDJ 12641; 26-9-02, EDJ 35887; 10-3-04, EDJ 10586; 20-6-07, EDJ 70119).

3746 **Elementos formales** (CC art.1863 y 1865) La prenda es un contrato real: no produce efecto alguno sin **entrega de la cosa** o derecho (requisito constitutivo, esencial).

Si en tal entrega el pretendido acreedor pignoraticio no lo es, no habrá logrado el perseguido efecto de desapoderamiento. La tradición (física o ficticia) genera el **nacimiento del derecho** entre los contratantes. Para generar efectos externos, se exige formalización de **documento público** en el que conste la veracidad de la fecha; sin este requisito, el negocio tendrá los habituales efectos obligaciones entre las partes, pero no producirá efectos frente a terceros (no habrá, por lo tanto, un auténtico derecho real de prenda, erga omnes).

Existen especialidades, en materia de forma, aplicables a la prenda:
- de derechos (nº 3755 s.);
- de acciones (nº 3795 s.);
- de participaciones sociales (nº 3835 s.); o
- de anotaciones en cuenta (nº 3840 s.).

C. Derechos y obligaciones de las partes

(CC art.1866 a 1871)

3750 Los derechos del acreedor pignoraticio son correlativas cargas u obligaciones del dueño de la cosa/derecho pignorados. Son los siguientes:

1. Derecho a poseer la cosa hasta el pago total de la deuda.

2. Derecho de retención para otra deuda (prórroga de la retención si el deudor contrae nueva obligación con el acreedor exigible antes de haber pagado la primera, hasta el pago de ambas).

3. Derecho a la percepción de intereses (el acreedor compensa los que produzca la prenda con los que se le deben o, si no se le deben o son aquéllos superiores, los podrá imputar al capital).

4. Derecho al abono de gastos, en equivalencia de su obligación de conservar.

5. Derecho de ejercitar contra terceros, acciones que correspondieran al dueño para reclamar o defender la cosa (acción reivindicatoria, interdictos, etc.).

6. Derecho de preferencia en los supuestos de concurso de acreedores.

7. Derecho a transmitir el crédito.

8. Derecho de persecución o de realización del valor de la cosa dada en prenda. Se trata de la **reipersecutoriedad** (nº 3932) con el límite del pacto comisorio (nº 3731) que en la práctica se concreta en el expediente de la subasta. Resultado de esta facultad es el derecho de **cobrar**

(con cargo a la suma obtenida en la ejecución de la prenda) **con preferencia** a otros acreedores del deudor (CC art.1922.1.2º y 1926.1º).

3752 Son obligaciones del acreedor pignoraticio, correlativas a los derechos del dueño de la cosa/derecho pignorados.
1. Deber de **conservación de la cosa**, materializado en:
- no usar la cosa dada en prenda sin autorización del dueño (si lo hace o abusa, el dueño puede pedir que se constituya en depósito);
- no apropiarse de la cosa o disponer de ella, fuera de los límites de su derecho de realización de valor;
- cuidar de la cosa dada en prenda con la diligencia de un buen padre de familia, de donde nace la obligación de hacer para ello los desembolsos necesarios. Las cantidades destinadas a **gastos de conservación** gozan también del derecho de preferencia y del de retención.
2. Deber de **restitución de la cosa**. El acreedor tiene la obligación de restituir la cosa dada en prenda cuando el deudor pague (a salvo la referida prórroga de la retención, nº 3750). Si la prenda es de derechos, este deber se traduce en una nueva notificación al deudor cedido comunicándole la liberación de la garantía.

D. Prenda de derechos y de títulos-valores

3755 Aunque no se contemple como tal, la prenda de derechos existe y es lícita sobre la base de los siguientes **argumentos:**
1. La prenda, como derecho real de garantía, da mayor firmeza al principio de **responsabilidad patrimonial universal** (CC art.1911). Este precepto no explicita, como parte integrante del patrimonio del deudor (patrimonio afecto), a los derechos (literalmente se refiere sólo a los «bienes»). Sin embargo, en nuestros días nadie duda de la existencia de **derechos subjetivos de contenido económico** que tienen un doble valor patrimonial: como suma de cambio (precio) y como suma de garantía (indemnización). De ahí la **transmisibilidad de los derechos no personalísimos** y la perseguibilidad de los derechos no personalísimos para la que quedan legitimados los acreedores defraudados. En definitiva, la responsabilidad patrimonial universal significa que el deudor responde de sus deudas y obligaciones con todo su patrimonio, integrado por bienes (cosas) y derechos de contenido patrimonial.
2. El Código Civil regula el **usufructo de derechos y de créditos** (CC art.486 y 507). Admite, por tanto, la segregación de facultades dominicales también en la hipótesis en de que el dominio recaiga sobre una realidad jurídica como son los derechos. Tal segregación también puede darse, entonces, si hablamos de constituir prenda (segregando la posesión). Desde esta perspectiva se contempla la **prenda productora de intereses** (TS 19-9-87, EDJ 6455). Además, en apoyo de este argumento cabría que el Código Civil (CC art.437), cuando regula la posesión, también admite la **posesión de derechos**.
No existe **apropiación indebida** en el supuesto de que se estipule como garantía del pago de una póliza (CC art.437) de crédito el importe de una subvención, sin que la cantidad obtenida en este concepto se ingrese finalmente en la cuenta del banco acreedor, de forma que la cuenta de crédito resulta con saldo deudor. La razón de la inexistencia del tipo delictivo es que nos encontramos ante una prenda de derechos y no ante una cesión del crédito en que la subvención consiste, dado que la titularidad de la misma en ningún momento ha pasado a la entidad, a la que además se le concedieron poderes para solicitar la subvención en su nombre (TS 5-3-04, EDJ 12762).
3. Modernamente se admite la **propiedad de realidades inmateriales** (nº 1700 s.) (propiedad intelectual, propiedad industrial, etc.). Las leyes reguladoras de las mismas admiten la constitución de derechos reales (usufructo e hipoteca mobiliaria de marca, o usufructo e hipoteca mobiliaria de patente).
4. La doctrina admite la teoría del *numerus apertus* respecto de la **creación de nuevos derechos reales**, sin más que la necesidad de arbitrar los mecanismos técnico-jurídicos necesarios, para caracterizar el derecho real en cuestión con suficiente grado de seguridad jurídica (Díez-Picazo).

3757 **Eficacia frente a todos** Aceptada la figura de la prenda de derechos, aparece un problema de práctica jurídica. Es el de definir los **mecanismos técnicos** adecuados para la correcta configuración de la eficacia frente a todos. Es decir, de la creación de un derecho real.

A ese fin se exigen, para la efectiva constitución de la prenda de derechos, los siguientes **requisitos**:

a) Que el derecho objeto de la prenda tenga **valor patrimonial cuantificable** en una suma indemnizatoria. Es ésta una cualidad esencial; sin ella la garantía en sí misma no tendría sentido y, por descontado, el acreedor no la aceptaría.

b) Que sea «**res intra commercium**». No cabe, por ejemplo, la prenda de participaciones en fondos de pensiones, pues los derechos consolidados de los partícipes sólo se hacen efectivos a los exclusivos efectos de su integración en otro plan de pensiones, o, en su caso, cuando se produzca el hecho que da lugar a la prestación (RDLeg 1/2002 art.8.8 redacc L 16/2022 disp.final 6ª).

c) Que el derecho tenga **carácter mobiliario**. Lo cual implica que, si es un derecho real, no debe recaer sobre bienes inmuebles (pues entonces sería hipotecable con arreglo a la LH art.106). Y si es un derecho de crédito, debe ser transmisible con sujeción a las leyes (CC art.1112).

d) Que se alcance la **publicidad de hecho** (eficacia frente a todos) requerida para el nacimiento del derecho real, lo cual ocurre, en la prenda, mediante el traslado la posesión y la formalización en documento público. Si poseer un derecho es ejercitar su contenido (CC art.1164 y 1464), **trasladar la posesión del derecho** es transmitir esa facultad de su ejercicio.

En la figura que analizamos tenemos cuatro **elementos personales**:

- el acreedor principal, cuyo derecho de cobro se garantiza;
- el deudor principal, cuya obligación de pago se asegura;
- el titular del crédito pignorado. En la relación principal toma posición de deudor pignoraticio, pero en la relación de garantía (el derecho pignorado) es acreedor-pignorante. Normalmente el deudor principal es la misma persona que el acreedor-pignorante, si bien esto no es necesario; y
- el deudor del crédito pignorado (que llamaremos deudor cedido), inexistente en la prenda ordinaria de bienes muebles.

3759 El **traslado de la posesión**, por ser físicamente imposible debido a la esencia intangible del derecho, deviene ficticio, alcanzándose gracias a un mecanismo jurídico que provoca idénticos **efectos inmovilizatorios:** se notificará al deudor cedido la prenda constituida, requiriéndole para que no pague al acreedor pignorante. La **notificación** al fiador realiza la misma función que la transmisión de la posesión, esto es, la indisponibilidad por el deudor pignorante (Puig Peña). Dicha notificación es necesaria si se quiere evitar el riesgo de que -desconociendo la pignoración- el deudor se libere ulteriormente por el pago al nudo acreedor, haciendo desaparecer la garantía (CC art.1164 y 1527).

Si el **crédito pignorado se paga antes de que venza el crédito garantizado**, la garantía sigue operando, pero ya como derecho real sobre la cosa con que se haya pagado, apareciendo, si la cosa es mueble, como una prenda con pacto anticrético, y si es inmueble, como una anticresis.

Si **vence antes el crédito garantizado que el dado en garantía**, podrá el acreedor pignoraticio promover la venta forzosa de éste y hacer pago con precio que se obtenga e, incluso, si es dinero, hacerse pago de su propio crédito mediante el mecanismo de la compensación.

3761 **Prenda de títulos valores** En el título-valor el **documento** existe físicamente, y da **cuerpo físico** al derecho. El **derecho**, incorporado al título valor, por su parte, aporta el valor. Entonces, si el ejercicio del derecho queda condicionado a la posesión del documento, resulta que la **tradición física del documento** provoca la traslación jurídica de la posesión del derecho. En definitiva, la prenda de títulos-valores, institución tradicionalmente mercantil, está próxima a la teoría de la prenda de bienes muebles (nº 3720 s.) y alejada de la teoría de la prenda de derechos (nº 3755).

3763 Precisiones **1)** Se admite la pignorabilidad de la **cuota de capital** aportada por un socio a una sociedad comanditaria, en garantía de las deudas que aquél contrajera con la sociedad en cuestión.

2) La garantía formalizada sobre una **imposición bancaria a plazo fijo** no es prenda de título-valor, sino de un mero título de legitimación, y, por tanto, sobre el crédito correspondiente. Sobre tal base, niega a tal garantía la calificación de prenda propiamente dicha (TS 27-12-85).

3) El Tribunal Supremo cambia radicalmente el criterio de la anterior y admite que es posible -y lícita- la prenda de derechos. Y que hay prenda propiamente dicha cuando se pignora el **derecho de cobro** subyacente en una imposición bancaria a plazo fijo (TS 19-9-87, EDJ 6455).

4) Se afirma la **pignorabilidad de una libreta bancaria** de imposición a plazo fijo argumentando que el objeto de la prenda será el derecho de crédito y que la aptitud de los créditos para ser objeto de prenda es aceptada unánimemente por la doctrina (Eizaguirre).

E. Concretos supuestos de prenda mercantil

3770

Los tipos de prenda más habituales en el tráfico mercantil, pueden ser clasificados de la siguiente manera: 3772

A. Prendas reguladas **en el Código de Comercio:**

1. Prenda de valores admitidos a negociación, en garantía de préstamo o de apertura de crédito en cuenta corriente.
2. Prenda de títulos representativos de mercancías.

B. Prendas reguladas **en Leyes especiales:**

3. Prenda de acciones de sociedad anónima.
4. Prenda de acciones bursátiles.
5. Prenda de participaciones sociales.
6. Prenda de valores anotados de deuda pública.
7. Prenda de letra de cambio.

C. Prendas **no tipificadas:**

8. Prenda de pólizas de seguro de vida.
9. Prenda de participaciones en fondos de inversión mobiliaria.
10. Prenda de certificaciones de obra.

D. Mención especial de la prenda irregular y de la prenda de dinero. **Prenda de saldos bancarios**.

Anticipamos que las especialidades que analizaremos poco alteran el régimen ordinario de contenido del derecho real de prenda (nº 3750 s.). Se trata, más bien, de **singularidades** relativas al objeto sobre el que recae la garantía. Valga para cada uno de ellos, en consecuencia, el estudio genérico con el que hemos iniciado este capítulo (nº 3744).

1. Prenda de valores admitidos a negociación, en garantía de préstamo o de apertura de crédito en cuenta corriente

(CCom art.320 a 324)

La redacción inicial del CCom únicamente contempló la prenda de valores cotizados en garantía de préstamos, de suerte que ha habido que esperar a la reforma por la LMV/15 para aceptar que la regulación debía ser extendida a la apertura de crédito en cuenta corriente (CCom art.323). 3775

Del mismo modo, la redacción inicial del Código solamente abarcaba la prenda de efectos públicos, mientras que en la actualidad, siguiendo las directrices del uso bancario, se regula la de **cualquier valor negociable** (como ya había previsto, por demás, el Reglamento de Bolsas de 30-6-1967, derogado por el RD 878/2015 sobre compensación, liquidación y registro de valores negociables representados mediante anotaciones en cuenta, sobre el régimen jurídico de los depositarios centrales de valores y de las entidades de contrapartida central y sobre requisitos de transparencia de los emisores de valores admitidos a negociación en un mercado secundario oficial, derogado a su vez por el RD 814/2023, sobre instrumentos financieros, admisión a negociación, registro de valores negociables e infraestructuras de mercado).

Asumido que a esta modalidad de prenda le son de aplicación las previsiones generales del Código Civil (nº 3720 s.), las **especialidades** contempladas en el CCom se centran en las siguientes circunstancias:

a) El **traslado de la posesión** preceptivo se sustituye por la anotación contable de la prenda en el registro informático-bursátil en los términos del nº 3820 s.

b) La perfecta **identificación del objeto de la garantía** se manifiesta en que en la **póliza** deben expresarse los datos y circunstancias necesarios para la adecuada identificación de los valores dados en garantía.
c) La fehaciencia legal se concreta en la exigencia de **póliza intervenida por fedatario público**.
d) Junto a las especialidades, conviene subrayar que el acreedor pignoraticio tiene derecho de **compensar los intereses** producidos por la prenda con los que se le deban, lo cual lleva, en el plano de la prenda de valores negociables, a diferenciar:
• Si los **valores pignorados son acciones** (renta variable), los dividendos corresponden al propietario de las acciones, que es el deudor pignoraticio. Además, los dividendos de las acciones no tienen naturaleza jurídica de intereses, ni pueden tenerla, dada la prohibición de emisión de acciones a interés fijo (LSC art.96).
• Si los **valores pignorados son obligaciones** (renta fija), entonces sí que cabría aplicar el derecho de compensación.

3777 e) La **reipersecutoriedad** propia de toda prenda tiene su reflejo en los siguientes privilegios:
1. Privilegio **de preferencia**. Los intereses del acreedor pignoraticio vencen a los de otros acreedores, motivo por el cual su **crédito** se convierte en **ejecutable** sobre los valores pignorados, con preferencia a los demás acreedores, quienes no podrán disponer de los valores objeto de la garantía, salvo que hayan confortado patrimonialmente al acreedor principal realizando el pago de lo debido por el deudor pignoraticio.

3779 2. Privilegio **de enajenación** (CCom art.322). Consiste en atribuir al acreedor pignoraticio un **límite temporal:** solamente puede ejercitar este derecho en el plazo de los tres días hábiles siguientes al vencimiento del préstamo (AP Barcelona 26-4-12, EDJ 100992). La razón de dicho plazo tan perentorio hay que buscarla en la voluntad del legislador de impedir que el acreedor pignoraticio pueda especular con los valores en su provecho, y en perjuicio del deudor, dadas las posibles oscilaciones de los cambios (TS 10-12-08, EDJ 234486).
El procedimiento de enajenación no es una solución nueva, sino una singularización de la solución genérica que existe para la prenda civil. Es, pues, norma especial, si la ponemos en comparación con la regla general de **enajenación en subasta pública**.
En el mercado de valores ocurre una permanente subasta con propuestas (oferta) y contrapropuestas (demanda) y, por supuesto, con remate (precio). Entonces, la seguridad pretendida con la objetivación de la subasta queda garantizada por la existencia de un **mercado** (la Bolsa) **con precio objetivo** (CC art.1448); la rectitud del proceso se alcanza con su fiscalización por parte del organismo rector del mercado; y la celeridad se consigue mediante la precisión de los plazos: tres días para reclamar y un día para enajenar: el **organismo rector**, una vez hechas las oportunas comprobaciones, adoptará las medidas necesarias para enajenar los valores pignorados, en el mismo día en que reciba la comunicación del acreedor, o, de no ser posible, en el día siguiente a través de un miembro del correspondiente mercado secundario oficial.
Para **cuantificar la deuda** para cuyo cumplimiento se enajenarán los valores es necesario establecer cuál es la suma efectivamente adeudada.
3. Privilegio **de irreivindicabilidad** (CCom art.324). Incluso en el caso de que el deudor pignoraticio fuera declarado no propietario de los valores pignorados, el acreedor pignoraticio tendría derecho de ejecución.
En realidad, es ciertamente difícil que tal situación ocurra en la práctica, teniendo en cuenta los **mecanismos técnicos de cautela** establecidos por las normas del mercado de valores.

Precisiones El **plazo** legal de tres días desde el vencimiento del préstamo para la ejecución de una prenda sobre valores cotizables dados en garantía (CCom art.322) tiene carácter **dispositivo** (TS 27-7-21, EDJ 647646).

2. Prenda de títulos representativos de mercancías

(CCom art.193 a 198; RD 22-9-1917)

3785 La prenda de títulos representativos de mercancías, tiene la **función** de permitir y facilitar la prenda de mercancías sobre las que el propietario no tenga la posesión material por encontrarse en curso de transporte o por estar depositadas en almacenes generales u otros establecimientos análogos.
Las compañías de **almacenes generales de depósitos** (CCom art.193) son compañías mercantiles que realizan las siguientes operaciones:
- el depósito, conservación y custodia de los frutos y mercaderías que se les encomienden, y
- la emisión de sus resguardos nominativos o al portador.

Tanto el CCom como el RD 22-9-1917 (art.15 s. no derogados por la LHMPSD), sobre prenda agrícola, todavía parcialmente vigente, permiten que las entidades a las que se refiere la norma se dediquen a operaciones peculiares de las compañías de almacenes generales de depósitos, emitiendo **resguardos** como títulos valores transferibles, mediante los que se puede constituir prenda sobre las mercancías. En estos casos, la prenda se constituye poniendo en posesión del acreedor no las cosas, sino su equivalente que son los **especiales documentos** (conocimiento de embarque, talón de ferrocarril, resguardo de depósito, etc.) que confieren al tenedor legítimo el derecho a la entrega de las mercancías documentadas y a disponer de éstas negociando el título. Se trata de una **prenda corporal** cuyo desplazamiento posesorio ha sido sustituido por la posesión mediata que supone la **posesión pignoraticia del resguardo o warrant**.

Para comprender la mecánica operativa de la **documentación de los depósitos** verificados en las compañías generales debemos tener en cuenta:

a) El **cliente** entrega (deposita) las mercaderías, obligándose a pagar un precio por el servicio de custodia.

b) La **compañía depositaria** emite y entrega al depositante dos documentos:
- el resguardo, que acredita el depósito y que sirve para la enajenación de las mercancías; y
- el resguardo de garantía o warrant, que es el equivalente de las mercancías para el caso de procederse a su pignoración.

Como los títulos representativos de las mercancías, pueden **emitirse** al portador, a la orden o nominativamente.

La constitución de la prenda requerirá en cada caso diversos procederes para adecuarse a la distinta ley de circulación de unos y otros documentos.

Tratándose de **títulos al portador**, bastará ponerlos en posesión del acreedor, identificándolos por su numeración o de otra forma adecuada en el documento del contrato.

Si los títulos son **a la orden**, deberá hacerse además un endoso a título de garantía, al modo utilizado en la letra de cambio.

Por último, cuando el **título** sea **nominativo**, será necesaria la notificación al emisor del título.

Constitución de la prenda sobre bienes depositados El sistema del RD 22-9-1917 es singular dado que permite: **3787**
- en primer lugar, la emisión de estos títulos valores a pesar de que la posesión material de los bienes continúe en poder del deudor, y no del depositario; existe una **ficción de posesión inmediata del almacenista**, que se constituye por el solo hecho de que éste garantice la existencia de las mercancías;
- en segundo lugar, la norma crea los dos **resguardos** distintos descritos en el nº 3785.

La **cesión** de ambos resguardos comporta la transmisión absoluta y libre del dominio. Sin embargo, la **transmisión separada del warrant** tan sólo implica la pignoración de los productos depositados.

Si se emiten resguardos sobre **productos sometidos a algún gravamen anterior**, el depositario será solidariamente responsable de la cantidad que figure en el resguardo.

Legitimación por la posesión Tanto el resguardo de depósito (nº 3785) como el resguardo de garantía o warrant (nº 3787) tienen la naturaleza jurídica de **título valor**, pues gozan de las propiedades esenciales del título-valor: legitimación por la posesión, literalidad y autonomía. **3789**

Al serles de aplicación el principio de literalidad y autonomía, al tenedor del título no le serán oponibles las **excepciones personales** que correspondan a tercero contra el depositante, salvo las que correspondan al propio depositario por transporte, almacenaje y conservación.

El warrant atribuye un **derecho al pago del crédito** indicado en el título, del que serán deudores el primer emitente y los endosantes posteriores, un derecho real de prenda sobre las mercancías, y la posesión mediata de las mismas.

Ocurre, pues, que se da una **identificación jurídico-real entre el título y las cosas** o mercancías a que éste se refiere, de suerte que es jurídicamente irrelevante hablar de prenda de mercancías representadas por títulos de tradición o de prenda de títulos de tradición. La esencia pues del negocio garantizador radica en el **valor indemnizatorio** de las mercaderías depositadas.

La **publicidad de la prenda** resulta de la posesión del warrant, que el titular de la mercancía y poseedor del resguardo no habrá podido transferirle al adquirente, y de la obligada anotación de la prenda en el resguardo de depósito.

La pignoración se anotará en el **resguardo de depósito** y deberá **registrarse** la operación en los libros de la entidad depositaria y en la matriz del contrato sin lo cual no surtirán efecto dichas pignoraciones.

3791 **Ejecución** La ejecución de la prenda constituida sobre las mercancías representadas por estos títulos tiene lugar mediante el ejercicio, primero, del derecho a obtener la **entrega** de las mismas, y su **venta**, después, en subasta pública notarial en la forma prevista en el CC art.1872.

En el caso de existir **«warrant»**, es más sencillo, pues su tenedor podrá requerir a la entidad depositaria que las enajene en subasta pública celebrada en el propio almacén o depósito, con intervención de notario (CCom art.196 y 197).

3. Prenda de acciones de sociedad anónima

(LSC art.116, 120, 121, 132 y 149)

3795 La LSC sólo se ocupa de la prenda de acciones para regular el reparto de los derechos sociales entre acreedor y accionista. Para lo demás, la prenda es considerada por la LSC como una **forma de transmisión limitada de las acciones**, que sigue el régimen general previsto para las transmisiones inter vivos con las particularidades previstas en el LSC art.121.

La sociedad anónima sólo podrá aceptar en prenda **acciones propias suyas** o de la **sociedad dominante**, dentro de los límites y con los mismos requisitos aplicables a la adquisición de las mismas (LSC art.149).

Las acciones de una sociedad anónima pueden estar representadas por medio de **títulos** (acciones tituladas) o por medio de **anotaciones en cuenta** (acciones anotadas).

Estas últimas tienen escasa utilidad práctica, pues la representación por medio de anotaciones en cuenta es un mecanismo pensado para la negociabilidad de las acciones admitidas en un mercado secundario oficial.

Precisiones Cumple con las obligaciones derivadas del contrato de préstamo el prestatario, que, habiéndose obligado a la constitución de garantías complementarias y sin especificación del **género de cosas muebles** como las cuales debiera recaer dicha garantía, constituye una prenda de acciones de sociedades no cotizadas en mercado oficial. Dicha garantía es perfectamente apta para justificar el cumplimiento contractual. El banco concedente del préstamo no puede negarse de forma arbitraria a la aceptación de dichas garantías como suficientes para acreditar el cumplimiento por parte del prestatario (TS 21-10-03, EDJ 130277).

3797 **Acciones tituladas** Por acciones tituladas entendemos las acciones **representadas por medio de títulos**, por oposición a las acciones que se representen por medio de anotaciones contables.

Pueden ser:

a) Efectivamente impresas y entregadas y, a su vez, pueden ser nominativas o al portador.

b) No impresas y entregadas.

El cauce formal de **constitución de la prenda** depende del tipo de representación de las acciones (nº 3807 y nº 3809). Sin embargo, desde el punto de vista patrimonial es indiferente la elección tomada, pues lo que importa al acreedor pignoraticio es el **valor de garantía** de las mismas.

3799 **Intervinientes** No hay especialidades dignas de mención. Al **deudor pignoraticio** se le exige ser propietario de las acciones, y tener capacidad para su libre disposición (CC art.1857).

3801 **Elementos reales** No hay singularidades predicables de la **obligación garantizada**. Generalmente, la prenda de acciones se utiliza para garantizar operaciones crediticias de entidades financieras, pero pueden asegurarse toda clase de obligaciones - puras, condicionales, a término, pecuniarias o no...- (Mejías Gómez).

Respecto de la **cosa pignorada**, recordaremos que los requisitos generales de pignorabilidad son:

- que la prenda sea cosa mueble; y
- que esté en el comercio.

Que las acciones **tituladas** son cosas muebles es indiscutible; expresamente recoge su valor mobiliario la LSC art.92.1 (que así considera igualmente a las acciones representadas por anotaciones en cuenta).

3803 **Prenda de acciones sin inscripción registral** Las **acciones pignoradas**, han de ser *res intra commercium*. Este requisito suscita una interesante cuestión, cual es la de la pignorabilidad de acciones (cualquiera que sea el soporte de representación) si la **escritura de constitución** (o de aumento de capital) no está inscrita en el Registro Mercantil.

Siguiendo los criterios jurisprudenciales que afirman que **sin inscripción no hay acción** ni, por ende, licitud del negocio de transmisión plena de acciones (TS 22-10-64; 14-2-67 y 8-5-87, EDJ 3604), se niega la validez del negocio jurídico-real de prenda de acciones sin el requisito de la

previa inscripción registral. Sin inscripción registral no hay acción y sin acción no hay objeto de la prenda. La acción de sociedad no inscrita es *res extra commercium*.
Soluciones posibles ante la necesidad práctica de ofrecer una garantía sobre tales acciones son:
a) Dar promesa de prenda sobre las mismas (CC art.1862).
b) Pignorar el derecho económico al cobro del dividendo de la sociedad en formación (LSC art.36 a 38) o, en su caso, de la sociedad irregular (LSC art.39 y 40). Pero siempre que el dividendo ya haya sido aprobado por la Junta (LSC art.273); es decir, siempre que esté cuantificado y atribuido individualmente a cada socio.
El derecho potencial a **participar en el reparto de las ganancias** sociales (LSC art.93.a) no es susceptible de ser objeto de derecho de prenda, pues siendo cosa futura no puede pignorarse (no es verificable el requisito de su entrega). El mecanismo formal de esta prenda es el ordinario que se ha estudiado más arriba para cualquier pignoración de derechos (nº 3755 s.).
c) Posibilidad de que **la sociedad tome posición acreedora** en un negocio jurídico y, para garantizar el mismo, se le proponga la prenda de sus propias acciones.
A las **acciones poseídas en concepto de prenda** o de otra forma de garantía se les aplica, en cuanto resulte compatible, el régimen jurídico de las acciones propias (nº 5480 s. Memento Sociedades Mercantiles 2024).

Elementos formales (LSC art.121) Es necesario que la prenda conste en **documento público**, para su eficacia «erga omnes» (CC art.1865), de ahí que en la práctica mercantil, la prenda de acciones se haga normalmente en escritura pública. Ese documento público contractual hace las veces del **título** requerido en el Derecho privado español para la constitución de derechos reales. El **modo** es la entrega, cuyas diferentes modalidades procedimentales -en función del tipo de representación de la acción empeñada- detallamos a continuación. 3805

Acciones nominativas **a)** Existen **títulos impresos y entregados**. Dos son los expedientes de pignoración admitidos por la LSC: 3807
• El primero (sistema tradicional) consiste en **entregar físicamente la acción** al acreedor pignoraticio, redactar sobre la misma una diligencia haciendo constar el empeño, y notificar la pignoración a la sociedad emisora para que los administradores la inscriban en el obligatorio libro registro de acciones nominativas.
Para el **cobro de los dividendos**, el deudor pignoraticio puede legitimarse ante la sociedad apelando no a la exhibición de las acciones (no dispone de ellas, que están en posesión del acreedor), sino a las inscripciones registrales. **Liberada la acción de la prenda**, habrá que reponer su posesión al titular, anulando la diligencia inicialmente redactada.
• El segundo consiste en el **endoso de garantía** (LSC art.121). Se trata de una declaración cartular (valor en garantía) puesta en el impreso de la acción, descriptora de la fecha y del endosatario y reveladora de la situación pignoraticia de la acción. Ésta se entrega al acreedor; a continuación, se notifica a la sociedad y los administradores de ésta la inscriben en el libro registro. La posterior legitimación se realiza del mismo modo que en la hipótesis anterior.
Si lo que se ha impreso y entregado son **resguardos provisionales**, entonces es posible la prenda de éstos conforme a cualquiera de los procedimientos anteriores (en contra, Mejías González, para quien no es posible el endoso). Ahora bien, quedan pignoradas todas las acciones representadas mediante el resguardo provisional. Si se quieren **pignorar solamente una fracción** de ellas, es necesario reponer el resguardo a la emisora y que se produzca la emisión de dos nuevos resguardos: el representativo de las acciones pignoradas y el representativo de las libres.
La **posesión de los resguardos provisionales** cumple las exigencias posesorias a este respecto.
Cuando los títulos definitivos sean emitidos, se aplicará el **procedimiento de sustitución** del LSC art.117, pero no será preciso constituir una segunda prenda sobre éstos (A. Carrasco).
La misma reflexión puede hacerse para los **títulos múltiples definitivos**.
b) No existen títulos impresos y entregados. Si los títulos no han sido impresos y entregados a los socios, y no existen resguardos provisionales, la pignoración se realizará como si de una prenda de derechos de crédito se tratara y, en consecuencia, habrá de **notificarse a la sociedad para su inscripción** en el libro registro de acciones nominativas. Así, en el caso de que los títulos sobre los que recae su derecho no hayan sido impresos y entregados, el acreedor pignoraticio y el usufructuario tienen derecho a obtener de la sociedad una certificación de la inscripción de su derecho en el libro registro de acciones nominativas.

Acciones al portador Se contemplan dos posibilidades: 3809
a) Existen **títulos impresos y entregados**. El **modo** es la mera tradición física del documento. Es posible -y aconsejable en aras de un superior grado de seguridad jurídica- diligenciar la prenda en el documento.

b) No existen **títulos impresos y entregados**. Es de aplicación lo dicho para las acciones nominativas cuando los títulos no han sido impresos y entregados a los socios (nº 3807). Como cautela adicional, debe **diligenciarse la prenda** en el título de propiedad de las acciones (la escritura pública de constitución o de ampliación del capital).

3811 **Análisis económico del derecho real de prenda sobre acciones tituladas** Nos cuestionamos qué valor patrimonial queda afecto en garantía cuando se pignora una acción titulada, esto es, una acción no admitida a negociación en un mercado secundario oficial de valores.

La prenda no embrida a los **dividendos recibidos por la acción** para añadirlos a la cifra de seguridad patrimonial deseada por el acreedor pignoraticio, pues pertenecen al propietario (LSC art.132) y éste puede disponer de los mismos, en tanto que propietario (ello salvo disposición en contra de los estatutos, que es un supuesto práctico altamente improbable).

La prenda de acciones es, pues, una garantía recayente sobre el valor de mercado de la acción. En este valor quedará soportado el **remate de la subasta futura**. Ha de tenerse en cuenta que, a pesar de que los dividendos actuales no pertenecen al acreedor pignoraticio, el **valor actual de los beneficios futuros** es uno de esos métodos que permiten conocer la suma de responsabilidad de la prenda.

La prenda de acciones cuyos **títulos no han sido impresos** y entregados a los socios sigue las reglas de la prenda de derechos de crédito, pero:

- no del derecho al dividendo porque pertenece al propietario de las acciones;
- no del derecho a la cuota de liquidación porque tal es un valor futuro y, por ende, esencialmente no-pignorable;
- no de los derechos políticos porque carecen de valor patrimonial.

La prenda ordinaria de derechos requiere un **deudor cedido** al que notificar la pignoración.

En el caso de prenda de acciones no existe ese deudor cedido, de la misma manera que no lo hay en la prenda ordinaria de cosas. El único deudor es el **mercado**, que valora una joya pignorada, un número de toneladas de trigo pignorado o un conjunto de acciones pignoradas.

Y es que la prenda de acciones (se hayan o no impreso y entregado los títulos) es, en realidad, **prenda de valor patrimonial**. Es prenda del valor de enajenación que puedan alcanzar las acciones.

3813 Por eso, la prenda de acciones no cotizadas suele predicarse en supuestos muy concretos dada la limitada garantía que este derecho real de la naturaleza de los de realización del valor cumple. El **acreedor** pignoraticio puede preguntarse cuál es el valor de su garantía, si no hay mercado que determine un precio objetivo. Es prenda de un valor, si este valor depende de los beneficios futuros, y si esos **beneficios futuros** dependen de la gestión de unos administradores y de la decisión de reparto de la Junta (entre cuyos miembros se encuentra el propietario). La prenda de acciones no cotizadas no interesará -normalmente- al acreedor pignoraticio, pues llegará a la conclusión de que difícilmente puede valorar su cifra de garantía. Más aún: cabe pensar en la posibilidad de su **impugnación posterior** si la Junta -dominada por el propietario- toma acuerdos conscientemente reductores del valor de la acción y, consecuentemente, perjudiciales al acreedor pignoraticio. En tal caso habría quedado el contrato de prenda al arbitrio de una sola de las partes. Lo mismo es predicable de la **prenda de participaciones sociales**.

3815 **Ejecución de la prenda de acciones tituladas** (TS 21-11-00, EDJ 39467) La ejecución de la prenda de valores representados mediante títulos sigue el mismo régimen que el de la **prenda de valores anotados en cuenta**.

El Tribunal Supremo se ha pronunciado acerca de esta cuestión. El supuesto de hecho es el siguiente: se constituye, en **póliza mercantil intervenida**, un derecho real de prenda sobre acciones. En el momento de perfección de la prenda las acciones están admitidas a negociación. Posteriormente, su negociabilidad se suspende y, en tal situación, se produce la ejecución de la prenda, por subasta notarial.

La **valoración de las acciones pignoradas** no se puede hacer a precio de mercado porque las acciones han dejado de cotizar, así que es el propio acreedor el que, unilateralmente, realiza el avalúo. Para ello, simplemente, divide el importe de la deuda entre el número de acciones dadas en prenda. El resultado (tanto por acción) queda señalado como precio de salida para la subasta.

Hecha esta operación, el día 22-7-1992 se cursan certificaciones con acuse de recibo al deudor principal y también al deudor pignoraticio (y, simultáneamente, fiador) con el texto conteniendo el **anuncio de la subasta**, para que sirva de citación. El mismo día se reciben en la notaría sendos avisos de recepción de dichos certificados.

El anuncio de la subasta se publica el día 23-7-1992 (al día siguiente) en el periódico Marca (diario de información deportiva editado en Madrid y que cumple con el requisito de ser de tirada nacional, lo cual era condición de publicidad necesaria según título). El plazo para el inicio de la subasta, según el anuncio publicado, es de 25 horas.
Al día siguiente (24-7-1992) se inicia la **subasta notarial**. Se persona el deudor y también el dueño de la prenda y fiador, quienes, por escrito, se oponen ante el notario, manifestando su intención de impugnarla. No obstante, se practica la subasta con un único licitador, que es el acreedor. Se remata a favor de éste.

El TS afirma que el punto de vista normativo ha de ser, para este tipo de subastas, el CC art.1872. Añade que este precepto abre una laguna legal pues no fija los requisitos a que ha de sujetarse la subasta pública ante notario. Y confirma que tal laguna debe resolverse por la vía analógica del CC art.4.1. La norma colacionable por tal método analógico no es una, sino una pluralidad, y se encuentra en el conjunto normativo regulador de los **procesos ejecutivos**, judiciales y extrajudiciales. A saber: LHMPSD art.87 y 94; RH art.236 s.; LH art.129 a 235; RH art.225 a 233. Habría aquí que colacionar, además, la L Cataluña 22/1991, de la Generalidad de Cataluña, de Garantías Posesorias sobre Cosa Mueble (derogada, regulándose esta materia en la L Cataluña 5/2006). **3817**
Y de dichas normas resulta que, para el TS, las subastas notariales, como en realidad cualquier procedimiento de ejecución de garantías, deben cohonestar dos **principios jurídicos** (sustantivos y procesales):
a) El de **no expoliación del deudor pignoraticio**, quien tiene derecho a que la valoración de la garantía sea de carácter objetivo, Así, si la deuda es de 100 y la garantía valor 500, el dueño de la prenda obtendrá para sí la diferencia, sin verse decomisado, habiendo dado satisfacción al acreedor ofendido.
b) El de **no erosión del acreedor**, quien precisa de celeridad en el conjunto de las actuaciones, para que su inicial perjuicio patrimonial sea efectivamente restablecido.
Ambos principios se plasman en la necesidad de:
1. Crear un mercado ficticio, que es la subasta. De ahí saldrá un valor objetivo, con base en el **precio de tasación inicial**, y ello por el juego del desplazamiento de la curva de demanda. Esa objetivación ampara al deudor. Es claro que, cuando las acciones están admitidas a negociación, ese mercado ya está creado. Es la bolsa de valores; y, de ahí, el procedimiento de ejecución inmediato que regula el CCom art.320 a 324.
2. Crearlo rápidamente, para **proteger al acreedor**. Pero no tan rápidamente que se incurra en abuso, pues entonces la protección de uno desequilibra la balanza y se convierte en desprotección para el otro. El plazo de 25 horas del caso de autos es rechazado por el TS, pues es a todas luces insuficiente para provocar la concurrencia de postores que hubieran podido elevar el precio ofrecido por las acciones, conculcándose así el derecho e interés del propietario de las acciones a obtener el mayor precio posible.
3. Darle suficiente **publicidad**. Para el TS, la publicación en el diario Marca no parece el mecanismo más adecuado pues, a pesar de su difusión nacional, está exclusivamente dedicado a la información deportiva. La publicidad ha de ser objetivamente suficiente (difusión general) y también subjetivamente sólida (difusión a potenciales miembros del repetido mercado ficticio-la subasta).

Precisiones **1)** El **diario Marca** es, de entre los periódicos no gratuitos, uno de los de mayor difusión a nivel nacional, por lo que en muchas ocasiones es utilizado para dar publicidad a cuantos actos la requieran a dicho nivel (convocatorias de juntas, publicación de fallos de sentencias, declaraciones de concurso, etc.).
2) La prenda sin desplazamiento guarda ciertas similitudes con la **hipoteca mobiliaria**, y por eso ambas figuras están reguladas en la L 16-12-54. Téngase en cuenta que el procedimiento extrajudicial de la hipoteca mobiliara, regulado en los art.86 s. de dicha ley, ha sido modificado por la L 15/2015 disp.final 13ª.
3) El apartado 2.a) de la LH art.129 ha sido reformado por la L 5/2019 disp.final.1.3 -reguladora de los contratos de crédito inmobiliario-, con efectos a partir del 16-6-2019, cuyo nuevo tenor literal es el siguiente: «La **venta extrajudicial** se realizará ante Notario y se ajustará a los requisitos y formalidades siguientes: a) El valor en que los interesados tasen la finca para que sirva de tipo en la subasta no podrá ser distinto del que, en su caso, se haya fijado para el procedimiento de ejecución judicial directa, ni podrá en ningún caso ser inferior al valor señalado en la tasación que, en su caso, se hubiere realizado en virtud de lo previsto en la Ley 2/1981, de 25 de marzo, de regulación del mercado hipotecario».

4. Prenda de acciones bursátiles

3820 Económicamente es predicable de este negocio lo dicho antes para las **acciones no cotizadas** (nº 3811): estamos en presencia de un derecho de la naturaleza de los de realización del valor.
Todas las acciones admitidas a cotización están representadas mediante **anotaciones en cuenta**, pues las acciones y obligaciones que pretendan acceder o permanecer **admitidas a cotización** en un mercado secundario oficial, necesariamente han de representarse por medio de anotaciones en cuenta.
Además, todas las acciones de sociedades revisten la **naturaleza jurídica de valor negociable** (LMV Anexo, apartado a.1º).

Precisiones 1) Las acciones representadas mediante anotaciones en cuenta tienen también **carácter mobiliario** (LSC art.92.1), al igual que las tituladas (nº 3801).
2) La LMV/15 ha sido derogada por la vigente L 6/2023, de los Mercados de Valores y de los Servicios de Inversión (LMV).

3822 **Especialidades formales** De esa naturaleza jurídica y de esa **forma de representación** (nº 3820) derivan las siguientes especialidades formales:
a) Título constitutivo. La premisa genérica del requisito documental público queda sustituida por la **publicidad registral**. Así la constitución del gravamen es **oponible a terceros** desde el momento en que se haya practicado la correspondiente inscripción en el registro contable correspondiente. De hecho, además del documento público, resulta posible acreditar la prenda ante el encargado del Registro a través de **documento privado** expedido por una sociedad o agencia de valores acreditativo del acto o contrato traslativo (RD 814/2023 art.56.1).
b) Modo de tradición (LMV/15 art.12 párrafo 1º). La constitución de derechos reales limitados u otra clase de gravámenes sobre valores representados por medio de anotaciones en cuenta debe inscribirse en la cuenta correspondiente. La **inscripción de la prenda** equivale al desplazamiento posesorio del título y tiene idéntica eficacia.
Por lo demás, el **régimen de distribución de derechos** es el expuesto en el nº 5250 s. Memento Sociedades Mercantiles 2024. Son estas acciones las que quedan subsumidas dentro del ámbito objetivo de los **préstamos con garantía de valores** (nº 3775 s.).

Precisiones El RD 878/2015 ha sido **derogado** por el RD 814/2023, sobre instrumentos financieros, admisión a negociación, registro de valores negociables e infraestructuras de mercado

3824 **Procedimiento para pignorar acciones cotizadas** Los pasos a dar son los dos siguientes:
1º) Celebrar el contrato de prenda (el título constitutivo). Si bien se aconseja el **documento público**, la inscripción de las transmisiones se puede realizar mediante **documento expedido por una sociedad o agencia de valores** acreditativo del acto o contrato traslativo. Ello se entiende sin perjuicio de que la entidad deba proceder también a inscribir en cuanto tenga **constancia** de que el titular inscrito y la persona a cuyo favor hayan de inscribirse los valores consientan la inscripción. Se trata de un sistema -del todo peculiar- de simple **consentimiento formal y abstracto**, que se manifestará por escrito ante la propia entidad encargada del registro. Existe un Registro Central a cargo del Servicio de Compensación y Liquidación de Valores, y una serie de Registros periféricos a cargo de las entidades adheridas al mismo. Pueden adherirse **empresas de servicios de inversión** (LMV art.9).

3826 **2º)** Acudir a alguna **empresa de servicios de inversión** o, en su caso, entidad de crédito que tenga carácter de entidad adherida y presentar el documento (público o privado) o bien consentir el contrato directamente allí. Acto seguido, solicitar la **inscripción de la garantía**. No obstante, la **intervención de una sociedad o agencia de valores** no es precisa al carecer la constitución de la prenda de la naturaleza de operación bursátil.
Es necesario **justificar la propiedad** de los valores dados en garantía y, para ello:
• Si la entidad ante la que se legitima el dueño de los valores es la **entidad encargada del registro contable**, se produce la legitimación inmediata. Basta la presentación del DNI/NIF, pues el **procesamiento informático** de los valores se encarga, automáticamente, de comprobar que a tal persona física o jurídica el registro contable de valores apareja la propiedad de los valores en cuestión.
La persona que aparezca legitimada en los asientos del registro contable se presume **titular legítimo** (LMV art.13).
• Si es **distinta entidad**, la legitimación es mediata. El **procedimiento** idóneo es la solicitud, obtención y exhibición del certificado de legitimación expedido previamente por la entidad encargada del registro contable (RD 814/2023 art.21 a 24). Tiene únicamente **valor legitimador** y, una vez expedido, queda prohibida la transmisión de los valores a que se refiere (inmovilización registral, y salvo que la transmisión traiga causa de ejecuciones forzosas judiciales o

administrativas) hasta que se restituya el certificado a la emisora, ello como cautela para evitar la duplicación de las justificaciones de la propiedad. Como la **caducidad de los certificados** se produce a los seis meses de su expedición, la obligación de su restitución decae en ese mismo plazo.

Verificado lo anterior, la **entidad adherida** se encarga de proceder a: 3828
• **Inscribir** la garantía, por el procedimiento informático adecuado.
• **Desglosar** los valores. Esto significa que la referencia técnica ordinaria se segrega. Al nombre informático del valor (que se manifiesta en una referencia técnica de varios dígitos en clave) se le añaden -informáticamente- unos apellidos informáticos (dígitos que indican la situación pignoraticia) (RD 814/2023 art.37.4, en conexión con el art.42.1).
• **Inmovilizar** los valores. Los valores afectados por el desglose no pueden ser objeto de negociación a través de los sistemas de contratación que las bolsas tengan establecidos (RD 814/2023 art.45.3).

En definitiva, en tanto no se libere la prenda, las acciones pierden su cualidad bursátil, pues no pueden negociarse en el mercado. Las únicas hipótesis en que se admite la **enajenación de las acciones** representadas por medio de anotaciones en cuenta admitidas a negociación en Bolsa y reglamentariamente pignoradas son:

a) Ejecución judicial o administrativa.

b) Ejecución extrajudicial mediante el procedimiento previsto en el CCom art.322.

Para **liberar la prenda** el acreedor pignoraticio debe consentirlo y el deudor pignoraticio (propietario de las acciones) legitimarse nuevamente ante la entidad encargada del registro acreditando su condición y el consentimiento prestado por el acreedor a la liberación de la garantía. Cumplidos estos trámites, la entidad encargada procede a **anular el desglose** y las acciones recuperan su transmisibilidad bursátil ordinaria.

Precisiones La **cancelación** del derecho de prenda sobre acciones anotadas en cuenta requiere el consentimiento del acreedor pignoraticio, o la acreditación del hecho determinante de su extinción y, en su caso, la restitución de los certificados expedidos (RD 814/2023 art.57.2).

Ejecución de la prenda de acciones cotizadas (CC art.1872) Además, del procedimiento extrajudicial (CC art.1872), el acreedor dispone de un **procedimiento especial** que, salvo pacto en contrario, no exige ni la notificación al deudor, ni la presencia notarial, ni la doble subasta con carácter previo a la adjudicación, en su caso, del bien con carta de pago por la totalidad de la deuda. Todos estos requisitos impuestos por el legislador, resultan innecesarios, al poder **sustituirse por la enajenación de los valores** con las garantías que representa, o debe representar, su realización o ejecución en el mercado oficial. 3830

El acreedor pignoraticio que haya constituido su garantía sobre acciones admitidas a negociación en un mercado secundario oficial y que garantice un crédito firmado en **póliza intervenida notarialmente** (o en documento privado), está facultado para utilizar el procedimiento ejecutivo especial contenido en el nº 3775.

Del procedimiento se destacan los siguientes puntos:

a) Nada se dice acerca del supuesto más ordinario, y es que el **valor de la prenda** (los valores) **supere**, en el mercado, al **valor de la deuda**. El organismo rector del mercado debe velar por la conjunción de tres intereses: la indemnidad del acreedor, la protección del deudor y la seguridad del mercado. De ahí que, aunque nada diga la ley, debe impedir que se ejecuten más valores de los estrictamente necesarios (Veiga Copo).

b) El acreedor solicita la **enajenación de los valores** con abstracción de las excepciones que pueda oponerle el deudor-propietario de las acciones. La ausencia del deudor, amparada legalmente en el procedimiento, genera aparente indefensión. Sin embargo, el amparo legal de esa ausencia se basa en la objetivación del precio a recibir por el acreedor en la venta de los valores.

c) La enajenación de los valores, por título de compraventa, debe hacerse con la **participación** obligatoria **de un miembro del mercado**, a ser posible el mismo día en que se recibe la solicitud u orden bursátil o bien al día siguiente.

d) El acreedor dispone de un **plazo** de tres días siguientes al incumplimiento para iniciar el procedimiento, si bien cabe la **ampliación** convencional de tal plazo.

5. Prenda de participaciones sociales

(LSC art.92.2, 104, 106, 132 y 143)

3835 Es aplicable el análisis económico elemental realizado al estudiar la **prenda de acciones tituladas** (nº 3811), con las oportunas adaptaciones.
Las participaciones sociales:
- no tienen el carácter de valores;
- no pueden estar representadas por medio de títulos o de anotaciones en cuenta;
- ni denominarse acciones.

La **constitución** de la prenda de las participaciones sociales debe constar en documento público (LSC art.106.1) -requisito de forma esencial-, y el acreedor pignoraticio sólo puede ejercer los derechos de socio, -en caso de corresponderle por el LSC art.132, es decir, por disposición de los estatutos- desde que la sociedad tenga conocimiento de la constitución del gravamen (LSC art.106.2).
Una vez constituida, la prenda ha de notificarse a la sociedad, para que sus administradores la anoten en el **libro registro de socios**.
Esta inscripción, ni es constitutiva de la prenda ni es requisito de eficacia de este gravamen frente a la sociedad. Dado que las participaciones sociales no podrán estar representadas por medio de títulos ni de anotaciones en cuenta, el **traspaso posesorio** plantea serias incógnitas dado que no podrá lograrse eficazmente por medio de la cesión o el endoso del título representativo. Además, la función de **publicidad** atribuida a la inscripción en un registro, no es suficiente porque en puridad no existe un deber de notificar. Por tanto, algunos autores entienden que a menos que la pignoración vaya seguida de actos que inequívocamente sean considerados socialmente como **actos de desposesión del deudor**, la prenda acabará constituyéndose como derecho real en virtud de su propia forma documental, sin más requisitos (A. Carrasco, F. Moltó, N. Carol).
Se prohíbe, del mismo modo que para las sociedades anónimas, la **transmisión de las participaciones** hasta tanto se haya inscrito en el Registro Mercantil la escritura pública de constitución de la sociedad o, en su caso, del aumento de capital.
Al igual que para la prenda de acciones, se establece que, salvo disposición contraria de los estatutos, en caso de prenda de participaciones corresponde al propietario de éstas el **ejercicio de los derechos de socio**.
La sociedad de responsabilidad limitada **no puede aceptar en prenda** o en otra forma de garantía sus propias participaciones o las acciones o participaciones emitidas por sociedad del grupo a que pertenezcan.
En caso de **ejecución de la prenda**, hay que coordinar la ejecución notarial (CC art.1872) con el derecho de adquisición preferente (LSC art.109), y el notario tiene que hacer las correspondientes notificaciones a la sociedad.

3837 Precisiones Para el caso de la **prenda de participaciones sociales**, al igual que para el de las acciones, jurisprudencia y doctrina señalan que se genera una **duplicidad de relaciones**:
- por una parte, la interna entre el acreedor pignoraticio y el socio deudor que constituye la prenda en favor de aquél; y
- por otra, la externa frente a la sociedad que es ajena a ese pacto.

Producido el supuesto de que los estatutos no contemplen nada en relación con el ejercicio de los derechos en caso de prenda de las participaciones (o las acciones), permitiendo o prohibiendo que puedan corresponder al acreedor pignoraticio (en virtud del pacto que alcanzara con el socio deudor), surge la cuestión de la **eficacia de esta cláusula en la prenda**: si prima el pacto entre acreedor y deudor o se entiende que al no decir nada los estatutos remiten a la disposición legal pertinente (en este caso, LSC art.132, que otorga los derechos al socio «salvo disposición en contra» en los estatutos que, evidentemente, no se da aquí). La jurisprudencia se inclina por esta segunda opción, impidiendo que el **acreedor pignoraticio ejercite los derechos que corresponden al socio**: TS 5-11-87, EDJ 8068 para las acciones; la AP Sta. Cruz de Tenerife 10-4-12, EDJ 193981 lo estima aplicable también al supuesto de las participaciones sociales (a mayor abundamiento, en la LSC tienen tratamiento conjunto e idéntico). En su caso, el deudor responderá ante el acreedor del incumplimiento de sus obligaciones.

6. Prenda de valores anotados de Deuda Pública

3840 Por ser **valores negociables**, se someten a la misma disciplina procedimental de constitución de prenda que los valores anotados en cuenta (nº 3775 y nº 3820):
a) Respecto del **título constitutivo**, la oponibilidad nace y radica en la inscripción registral.
b) Respecto del **modo (tradición)**, la inscripción de la prenda equivale al desplazamiento posesorio del título (LMV art.12.1).

7. Prenda de letra de cambio

(LCC art.1.2º y 22)

La **letra de cambio** es un título-valor, formal y completo, por el que una persona (librador) manda a otra (librado) que pague a su vencimiento, y en un lugar determinado, una cantidad cierta de dinero a la persona primeramente designada en el documento (tomador), o, a la orden de ésta, a otra distinta también designada en el documento (Uría). 3845

El **valor de la letra** de cambio es facial: la suma dineraria consta obligatoriamente en el documento. Ese valor lo es de transmisión patrimonial (endoso) y lo puede ser de suma indemnizatoria a ejecutar (prenda).

El **procedimiento de constitución** de la garantía pignoraticia requiere, como para cualquier prenda, título y modo.

El **título** es, habitualmente, contractual, sin que quepan predicar especialidades y sin que resulte precisa la forma pública exigida por el CC art.1865.

El **modo** viene dado por el endoso de garantía. Por medio de éste, el endosatario adquiere la posesión de la letra a título de prenda, es decir solamente a efectos de garantía (no de plena titularidad). Por eso el **endosatario** está legitimado para ejercer los derechos cambiarios con esa finalidad de garantía que le permite cobrar la letra, si ésta vence antes que la obligación garantizada y con su importe pagar la deuda garantizada, entregando (si la hubiera) la diferencia, correspondiéndole, en su caso, las acciones cambiarias directas o de regreso. Y por eso si pretende cobrarla mediante tercero, este **segundo endoso** sólo produce los efectos del apoderamiento.

Excepciones oponibles Las personas obligadas no pueden invocar contra el tenedor de una letra recibida en prenda o en garantía las excepciones fundadas en sus **relaciones personales con el endosante** que las transmitió en garantía, a menos que el tenedor, al recibir la letra, hubiera procedido a sabiendas en perjuicio del deudor. 3847

La **liberación de la prenda** provoca la anulación formal del endoso de garantía y la devolución del título cambiario por el endosatario (acreedor pignoraticio) al endosante (deudor pignoraticio).

Garantía oculta bajo forma de negocio fiduciario Además del mecanismo legal previsto para el endoso de garantía (nº 3807), la realidad práctica presenta supuestos en los que la garantía queda oculta bajo forma de negocio fiduciario (Garrigues): 3849

- Externamente, se transmite el pleno dominio de la letra de cambio mediante un **endoso ordinario**.
- Internamente, vendedor y comprador acuerdan un **pacto de garantía** que no alcanza virtualidad formal externa.

Precisiones Existen tres motivos para proceder así (Navarro Chinchilla):

- no se menoscaba el **crédito del endosante pignorante** (no aparece en la letra ninguna mención a la garantía);
- añade un **plus de garantía**, pues en caso de incumplimiento, el acreedor encubierto enajenará inmediatamente la letra, figurando -como figura- en ella como auténtico endosatario; y
- se evita que el deudor pueda oponer al endosatario de garantía **excepciones personales.** El Tribunal Supremo ha admitido la validez de la figura (TS 3-7-92, EDJ 7278; 19-5-82, EDJ 3161), si bien la jurisprudencia menor, con buen criterio para Navarro Chinchilla -en contra de Paz-Ares- proclama la necesidad de admitir la *exceptio doli* (AT Sevilla 11-3-90; AT Barcelona 19-1-84). Consecuentemente, se abre la diferenciación entre el **endosatario de buena fe** (inmune a la citada excepción) y el **de mala fe** (expuesto a la misma).

8. Prenda de pólizas de seguro de vida

(LCS art.99)

El tomador de un seguro de vida puede, en cualquier momento, ceder o pignorar la póliza, siempre que no haya sido designado beneficiario con carácter irrevocable. 3855

La **cesión o pignoración** de la póliza implica la revocación del beneficiario.

Si la póliza se emite **a la orden**, la cesión o pignoración se realizan mediante endoso. La constitución mediante endoso elimina la necesidad de documento público. La misma aplicación analógica puede hacerse a la póliza nominativa.

El tomador debe comunicar **por escrito** o fehacientemente al asegurador la cesión o pignoración realizada.

Precisiones 1) El LCS art.99 contiene una norma especial para la pignoración de la póliza del seguro de vida, es decir, del **derecho de crédito común documentado en la póliza**. El resto de los seguros distintos del de vida podrán ser pignorados conforme al régimen común de la prenda de créditos, que tendrá que construirse a partir del LCS art.9 (A. Carrasco).
2) Remitimos al nº 13250 (Anexos), donde se encuentra un **modelo** de pignoración de seguro de vida.

3857 **«Unit linked»** En el **ámbito bancario** existe la figura de la pignoración de un seguro de vida de los denominados «unit linked», prenda que queda en garantía de una **previa operación de activo** (normalmente un préstamo).

3859 **Régimen jurídico** La estructura de esta garantía es así:
• Hay un **acreedor principal:** la entidad de crédito prestamista.
• Hay un **deudor principal:** el particular prestatario. Éste se adhiere a una póliza de seguro colectivo de vida promovida por determinada compañía de seguros (muy probablemente del mismo Grupo que la entidad de crédito prestamista). Es, pues, el asegurado.
• Hay un **tomador del seguro**, que es la entidad de crédito prestamista. Hay, pues, escisión de elementos personales, en el sentido de que el seguro se estipula no sobre la vida propia, sino sobre la de un tercero.
He aquí un **posible fraude**. Existirá si llegara a probarse que la prima (siempre a cargo del tomador) ha sido repercutida -directa o indirectamente- al asegurado-prestatario, pues en ese caso sería éste el verdadero tomador y, por ende, el único legitimado para pignorar (nº 3855).
• Hay, finalmente un **beneficiario**. Habitualmente lo es el cónyuge del prestatario y se designa expresamente con carácter revocable. La posibilidad de pignorar una póliza de seguro se vincula a que no se haya designado un beneficiario de forma irrevocable ni se haya renunciado a la facultad de revocación. Cabe, no obstante, la posibilidad de que el beneficiario establecido irrevocablemente, si lo es a título oneroso, pueda autorizar expresamente la pignoración.

3861 Sobre esta estructura subjetiva, la prenda tiene por **objeto**, no tanto la póliza en sí, cuanto los derechos que se derivan de la misma contra el asegurador: derecho a percibir la suma asegurada en caso de producirse el siniestro (si todavía está pendiente la obligación de pago de la principal); derechos de reducción o rescate (si la obligación principal vence antes que la prestación exigible al asegurador); y, por último, la facultad de solicitar anticipos sobre la póliza (Aurioles Martín).
Para su formal constitución, el titular-asegurado entrega al tomador-entidad de crédito el **certificado individual del seguro**, que permanece en poder de la entidad hasta que se levante la prenda. El tomador notifica la garantía al asegurador.
Pignorada la póliza, el tomador del seguro sigue siendo titular de los derechos que en dicho seguro le reconoce la LCS, aunque su ejercicio corresponda al acreedor pignoraticio. El tomador tiene obligación de seguir pagando las **primas** correspondientes; en caso de **impago**, podrá abonarlas el acreedor pignoraticio por cuenta de aquél, pudiendo luego reclamárselas incluso por vía ejecutiva. El **beneficiario del seguro** pierde sus derechos al revocarse su designación, salvo que exista sobrante una vez aplicado lo obtenido por la ejecución de la prenda al pago de la deuda principal.
Si el **asegurado fallece** sin que haya vencido la obligación principal, el acreedor pignoraticio tiene derecho a percibir la suma que haya de satisfacer el asegurador, señalando la doctrina que, en ese caso, la garantía se convierte en prenda irregular (nº 3900) hasta el momento del vencimiento de aquélla. En ese momento, si resulta impagada, se aplicarán esas cantidades a la cancelación de la prenda y, si hubiera remanente, éste sería para el beneficiario, en su caso (o para el deudor pignorante). Si, por el contrario, el **vencimiento de la obligación principal** fuera anterior al momento en que sea exigible la obligación del asegurador, y resultara impagada, el acreedor pignoraticio podrá ejecutar la prenda y aplicar el valor de rescate al cobro de su crédito, hasta donde proceda.

9. Prenda de participaciones en fondos de inversión

(LIIC art.7; RD 1082/2012)

3865 Los fondos de inversión son **instituciones de inversión colectiva** de carácter financiero definidas en los siguientes términos:
a) Son patrimonios pertenecientes a una **pluralidad de inversores**, cuyo derecho de propiedad se representa mediante un certificado de participación, que están administrados por una sociedad gestora, a quien se atribuyen las facultades del dominio sin ser propietaria del fondo, con el concurso de un depositario.

b) Constituidos con el exclusivo **objeto** de tener la finalidad de adquisición, tenencia, disfrute, administración en general y enajenación de valores mobiliarios y otros activos financieros, para compensar, por una adecuada composición de sus activos, los riesgos y tipos de rendimiento, sin participación mayoritaria, económica o política en otras sociedades.
Se constituyen mediante la efectiva puesta en común de los bienes que integran su patrimonio.
Son **administrados** por una sociedad gestora a la que se atribuyen facultades de dominio sobre todo el fondo, con el concurso del depositario.
Deben **inscribirse** en un Registro especial de la CNMV y en el Registro Mercantil.
El **patrimonio** de los Fondos de Inversión está dividido en **participaciones nominativas**, sin valor nominal, de iguales características, teniendo la consideración de valores negociables.
Los **partícipes** pueden en cualquier momento solicitar a la entidad gestora, la suscripción o reembolso de participaciones.
Son estas **participaciones** las que, en su calidad de valores negociables, pueden ser objeto de pignoración, pues gozan de valor patrimonial.
Las participaciones pueden ser **representadas** por certificados nominativos sin valor nominal y por anotaciones en cuenta, con el certificado de legitimación (LMV art.14).

Constitución Ha de hacerse mención a: 3867
a) Elementos **personales**. No hay especialidades (nº 3742).
b) Elementos **reales**. No hay nada que añadir respecto de la obligación garantizada (nº 3744).
En cuanto al **objeto de la garantía**, hay que diferenciar si la prenda recae sobre títulos documentados o sobre participaciones anotadas en cuenta.
Si las participaciones se representan mediante **certificados nominativos**, la prenda se constituirá como cualquier título valor nominativo documentado en un título. El **desplazamiento posesorio** debe referirse a estos certificados, y no a los «estados de posición» ni al «resguardo» de participación (RD 1082/2012 art.4.3 redacc RD 816/2023).
Por analogía con el LSC art.121.2 podrá constituirse la prenda mediante endoso en garantía.
Si las participaciones se representan mediante **anotaciones en cuenta**, se aplican sin especialidades los LMV art.5 a 15.
Uno de los problemas que plantea la pignorabilidad de las participaciones es, precisamente, la cuantificación de su valor patrimonial de realización. El **valor de las participaciones** en Fondos de Inversión Mobiliaria no puede consistir en una rúbrica fija (un valor nominal, como el de los valores de renta fija o variable), sino que es el resultado, momento a momento, de dividir el valor patrimonial de las inversiones del fondo entre el número de participaciones emitidas menos/más los descuentos y comisiones autorizados. Consecuentemente, cuando **oscile el valor de mercado** de las inversiones, oscilará el valor conjunto del patrimonio invertido por el Fondo y, por ende, se alterará el **valor liquidativo de cada participación**. Es práctica habitual de los mercados la de calcular día a día ese valor liquidativo.

Ejecución La prenda de este tipo de valores puede ser ejecutada conforme al CC art.1872, aunque no por el procedimiento especial del CCom art.322 al no tratarse de valores negociables en un mercado secundario oficial. 3869

10. Prenda de certificaciones de obra

Existen dos **ámbitos jurídicos** en que se desenvuelven las certificaciones de obra: 3875
- el de la contratación privada, y
- el de la contratación pública.

En los **contratos privados** de cuantioso presupuesto y amplia duración (construcción inmobiliaria, construcción de buques...), es práctica habitual el **cobro contra certificación**, la cual (certificación de los tramos de obra ya terminados) es expedida por un técnico cualificado y previamente designado por las partes, de común acuerdo. Con este certificado el contratista queda legitimado frente al promotor para el cobro (del importe consignado en la certificación) a cuenta del precio final. Este certificado no se regula en norma alguna.
En la presente exposición vamos a analizar los **certificados de obra pública**, que son los más habituales en el tráfico mercantil (y, sobre todo, en el bancario).
La certificación de obra se define como el documento emitido por un órgano administrativo, el director de obra, en el que este manifiesta, con presunción de veracidad, que el contratista ha ejecutado la totalidad o parte de una obra pública (en este último caso el pago de la certificación de obra no supone aprobación y recepción de las obras que comprende), y en el que se recoge la cantidad debida por la Administración al contratista por tal concepto.

3877 La **documentación de los derechos de crédito**, que nacen del contrato administrativo de obra a favor del contratista y contra la Administración, encuentra su justificación en la **protección** de un doble interés:
a) El de la **propia Administración** de control de la ejecución de la obra y de los pagos de ella derivados.
b) Y el de los **contratistas** de obtener liquidez con la financiación de terceros mediante la circulación de su crédito, utilizándolas como objeto de negocios mercantiles al efecto.

3879 **Certificación de obra como objeto de negocios jurídicos** (L 9/2017 art.198.4, 200 y 240; RD 1098/2001 art.72, 99, 145 y 150) En esta materia, haremos referencia a las siguientes normas:
a) Pago del precio. La Administración tiene la obligación de abonar el precio dentro de los 30 días siguientes a la fecha de la aprobación de las certificaciones de obras o de los correspondientes documentos que acrediten la realización total o parcial del contrato. Si se demora debe abonar al contratista, a partir del cumplimiento de dicho plazo, los intereses de demora y la indemnización por los costes de cobro en los términos previstos en la L 3/2004 art.7 y 8.
La Administración debe **aprobar las certificaciones de obra** dentro de los 30 días siguientes a la entrega efectiva de los bienes, salvo acuerdo expreso en contrario establecido en el contrato y en alguno de los documentos que rijan la licitación, siempre que no sea manifiestamente abusivo para el acreedor en el sentido de la L 3/2004 art.9.
b) Transmisión de los derechos de cobro. Los contratistas que tengan derecho de cobro frente a la Administración, pueden ceder el mismo conforme a Derecho.
Para que la cesión del derecho de cobro tenga plena efectividad frente a la Administración, es requisito imprescindible la notificación fehaciente a la misma del acuerdo de cesión.
Una vez que la Administración tenga conocimiento del acuerdo de cesión, el mandamiento de pago ha de ser expedido a favor del cesionario. Antes de que la cesión se ponga en conocimiento de la Administración, los mandamientos de pago a nombre del contratista o del cedente surten efectos liberatorios.
c) Certificaciones y abonos a cuenta. A los efectos del pago, la Administración expedirá mensualmente, en los primeros diez días siguientes al mes al que correspondan, certificaciones que comprendan la obra ejecutada durante dicho período de tiempo, salvo prevención en contrario en el pliego de cláusulas administrativas particulares, cuyos abonos tienen el concepto de pagos a cuenta sujetos a las rectificaciones y variaciones que se produzcan en la medición final y sin suponer en forma alguna aprobación y recepción de las obras que comprenden.

3881 Precisiones **1)** El marginal anterior (nº 3879) hace referencia a **preceptos positivos aislados** que no configuran un régimen jurídico completo de las certificaciones de obra: no hay definición legal ni descripción de su naturaleza. Sí establecen unos requisitos de circulación sobre el **principio de libre transmisibilidad** (tanto plena como limitada a constituir el derecho real de garantía prendaria) de las certificaciones de obra conforme a derecho.
2) De este régimen de transmisión habrá que extraer la **naturaleza jurídica atribuida a las certificaciones**, que será la que, a su vez, determine la ley de circulación de las mismas, completando lo dispuesto en las normas administrativas citadas para establecer tanto los requisitos necesarios del negocio de transmisión como sus efectos. En este punto, las **posiciones de los autores**, determinadas por su adscripción a las tesis vivantina o brunneriana sobre el concepto de título valor, varían:
a) Algunos consideran, sin más, que la certificación es un **mero título probatorio** del derecho de crédito del contratista, lo que supondría la sujeción en su transmisión a las normas sobre cesión de créditos del Código Civil y Código de Comercio.
b) Otros afirman que se trata de un **título valor impropio o de legitimación**, de carácter nominativo, que no llega a reunir los requisitos de los títulos valores.
c) Otros, finalmente, sostienen su naturaleza de **título valor nominativo**, cosificando el derecho. Para esta tesis las certificaciones de obra quedarían sometidas supletoriamente -en su circulación- a las reglas propias de los bienes muebles. Garrigues llega a señalar que las certificaciones son, por tanto, títulos nominativos cuyo régimen de circulación prevé congruentemente el propio Reglamento.
3) La jurisprudencia, por su parte, no se ha pronunciado sobre la calificación de la naturaleza jurídica de las **certificaciones de obra**, limitándose a considerarlas un título o documento que incorpora un derecho de crédito ante la Administración.
4) Sin pronunciarnos tampoco sobre la controvertida naturaleza, sí es de destacar que el análisis de los preceptos administrativos y la **práctica administrativa** de hacer circular la **certificación por endoso** parecen consagrar un régimen de transmisión casi idéntico al de otros títulos nominativos cuya naturaleza de títulos valores está admitida doctrinalmente sin grandes vacilaciones: las **acciones nominativas**.

Constitución de la prenda de certificaciones de obra Sobre la base de lo expuesto, nos centraremos en el estudio de los requisitos de constitución del derecho real de prenda sobre las certificaciones de obra y en sus efectos jurídicos, ya se entienda como prenda de título valor o como prenda del derecho de crédito documentado o cesión en garantía. 3883
Distinguiremos, siguiendo el sistema español de transmisión del dominio y demás derechos reales, entre título y modo de adquirir.

Título La celebración del contrato de constitución de la prenda entre contratista y acreedor no presenta especialidades. Lo destacable es la posibilidad de constituir la prenda por medio del **negocio de endoso:** es la práctica habitual para la cesión plena de la certificación admitida por la Administración, que incluso en el modelo oficial de certificación de obra incluye una **cláusula tipo de endoso** que recoge la firma del endosante contratista y la del endosatario como expresión de sus consentimientos. La doctrina no encuentra inconvenientes legales (y sí muchas ventajas prácticas) para que la prenda o cesión en garantía se realice por endoso con la **cláusula valor en garantía** o **valor en prenda**, reforzándose la legitimación si en el texto del endoso se hace constar «páguese a..., valor en prenda». 3885

Modo El modo en la constitución de la prenda de las certificaciones de obra se integra por los siguientes **elementos**: 3887
• Entrega del documento al acreedor, primer paso de la **desposesión del pignorante**.
• **Notificación fehaciente** del negocio **a la Administración**, con entrega del título para que tome razón del endoso de garantía en el libro registro correspondiente y lo consigne mediante diligencia en el propio documento. Es el momento en que puede hablarse de derecho real de prenda con desposesión efectiva del cedente constituyente, obligando a la Administración a expedir los **mandamientos de pago** a favor del cesionario acreedor pignoraticio.

• Respecto de que la **fecha del negocio de cesión** deba tenerse por cierta, podría argumentarse que quedaría cumplido desde el momento en el que por la toma de razón queda incorporado al libro registro público de certificaciones. Pero algún sector doctrinal piensa que lo necesario es que el negocio de constitución de la garantía se autorice por **fedatario público**, por las siguientes razones (Barrios y Fugardo): 3889
1) La LCSP viene a exigir en la comunicación a la Administración un plus, consistente en que la **notificación** sea **fehaciente** (L 9/2017 art.200).
Con la **intervención del fedatario** en el negocio causal, se consigue:
- no sólo que la comunicación a la Administración (que se realiza en el cumplimiento de los requisitos legales del contrato), sea fehaciente,
- sino que, además, la Administración adquiera **seguridad** sobre todos los elementos del contrato (subjetivos y objetivos) a los que se extiende la **fe pública** y que, precisamente, van a ser objeto de inscripción o toma de razón en un registro suyo. Con ello se evitará que un documento o título por ella expedido pueda utilizarse en contiendas judiciales en las que los contratantes particulares diriman sus diferencias (falsedad de las firmas, falta de representación); Disminuirá la posibilidad de que la Administración atienda el mandamiento de pago expedido conforme a la notificación y toma de razón a favor de quien luego, por la resolución judicial, pueda no ser el legítimo titular.
2) Se exige que conste por instrumento público la **certeza de la fecha** para la eficacia contra tercero de la prenda.
La **autorización del fedatario público** supondría el cumplimiento simultáneo del requisito de la certeza de la fecha a efectos de terceros.

Derechos y deberes del cesionario acreedor pignoraticio (CC art.1866 a 1872) Se enumeran los siguientes: 3891
• **Legitimación activa** para el cobro de la certificación de obra. Una vez practicada la notificación fehaciente, el **mandamiento de pago** se expedirá a nombre del cesionario que es quien figura legitimado en el libro registro en el que ha tomado razón y que se ha hecho constar en el propio documento mediante diligencia. Tal legitimación para reclamar el pago se refuerza sobre **usufructo de créditos** (CC art.507) y en la, sobre **endoso de garantía de la letra** de cambio (LCC art.22).
• Derecho de **retener la certificación de obra y el crédito** que documenta hasta la satisfacción de la obligación asegurada. Caso de que el pago de la certificación sea anterior al vencimiento de dicha obligación, se produciría un cambio en el objeto de la garantía pignoraticia, transformándose en prenda irregular de dinero.
• Deber de **conservar y defender la cosa** dada en prenda. Al **acreedor pignoraticio** le incumbiría reclamar el pago, no dejar prescribir el crédito y reclamar administrativamente ante la falta de pago de la Administración.

• Derecho de **compensación anticrética**. En este punto, el acreedor pignoraticio será el legitimado para reclamar **intereses de demora**.
• Derecho de **disposición de la certificación de obra**. Cabría que el acreedor realizara una nueva cesión a los solos efectos de comisión para cobranza, único supuesto que no se incluiría en la prohibición de uso y abuso.
• Derecho de **ejecución de la certificación** para el caso de obligación garantizada vencida y no pagada. La cesión adjudicación resultante de la subasta tendría que notificarse a la Administración en la forma y para los efectos ya expuestos.
• Derechos de **preferencia y prelación de créditos** y de ejecución separada en los casos de insolvencia del cedente deudor, conforme a los artículos antes citados.

3893 **Derechos del cedente deudor** (CC art.1869.1 y 1871) Son los siguientes:
• Conservación del **derecho de propiedad o titularidad del crédito**. Cabría la posibilidad de una **nueva cesión de la titularidad** del crédito a un tercero que plantearía numerosos problemas prácticos, si se tiene en cuenta que el documento ya se hallaría en poder del acreedor pignoraticio y que a la notificación a la Administración no se le podría acompañar el mismo para la necesaria toma de razón. En todo caso, la transmisión se realizaría, desde luego, con el gravamen de la prenda.
• Derecho de **restitución de la certificación** una vez cumplida la obligación garantizada. La recuperación efectiva de la posesión del crédito exigiría una nueva notificación a la Administración con entrega del documento para la toma de razón.

3895 **Efectos respecto a la Administración** La Administración, una vez cumplidos los requisitos de la constitución de la garantía prendaria, sólo podrá **pagar con efectos liberatorios** al acreedor pignoraticio, a cuyo nombre habrá expedido el correspondiente mandamiento de pago.

3897 **Excepciones oponibles por la Administración** En este punto adquiere especial relevancia el requisito de la toma de razón por parte de la Administración del **endoso en garantía**.
La **doctrina** está mayoritariamente a favor de considerar que una cesión con toma de razón por la Administración es una cesión consentida; y de la **jurisprudencia** parece desprenderse igual criterio: aun cuando los tribunales son claros a la hora de configurar las cesiones como negocios causales, tal **consentimiento** proporcionaría al tercero cesionario una situación de protección, fundada en la voluntad de la Administración manifestada por dicha toma de razón y consignada en el propio documento, equiparable a la que consigue el legítimo tenedor de un título valor abstracto, literal y autónomo. Esto supondría excluir, en principio, como excepciones oponibles al pago por la Administración al cesionario de todas aquéllas que trajesen su causa de una relación jurídica ajena a aquél.

Precisiones 1) La cesión de las certificaciones al banco constituye a éste en titular del crédito del contratista contra la Administración. En virtud de tal cesión y de su toma de razón incondicional por la Administración, el banco tiene el **derecho al cobro del importe** de las certificaciones, sin que aquélla pueda oponerle las excepciones que tuviera contra el contratista derivadas del contrato de obras o de cualquier otra relación jurídica ajena al banco, ello sin perjuicio de las acciones que asistan a aquélla frente al contratista (TS 6-9-88, EDJ 6901).
2) La toma de razón de la cesión de las certificaciones de obra por la Administración, sin que por ésta se formule oposición ni reparo alguno, implica su **consentimiento**, interpretación consecuente con la finalidad de ese negocio jurídico en el que la propia Administración garantiza con su toma de razón el pago del crédito bancario coincidente con el importe de las certificaciones al asegurar el pago de éstas al cesionario, no pudiendo ésta oponer la compensación con otros créditos que ostente contra el contratista (TS 17-7-90).

11. Prenda irregular. Prenda de dinero. Prenda de saldos de depósitos bancarios

3900 En sentido genérico, es prenda irregular aquella cuyo **objeto** no es una cosa específica o determinada, sino una suma de dinero o una cosa fungible, de modo que no ha de devolverse al dueño cuando se pague el crédito la misma cosa que se entregó sino otro tanto de la misma especie y calidad.

Precisiones La **prenda irregular** se admite, con carácter general, por doctrina y jurisprudencia, a salvo alguna resolución aislada, como la sentencia TS 27-12-85.

3902 Específicamente, la **prenda de dinero** puede entenderse en dos sentidos:
a) Prenda de **dinero fiduciario**. Se llama así a la que recae sobre dinero fiduciario estatal o bien sobre dinero bancario. Es decir, sobre poder patrimonial abstracto.

Habitualmente se suele denominar **caución** o **fianza**, y es habitual en determinados contratos en los que se quiere garantizar una obligación de hacer (así, en los arrendamientos urbanos). En realidad, no es **prenda** de cosa, sino **de derecho:**
1. Si **el dinero se entrega físicamente**, el acreedor adquiere la propiedad y el deudor sustituye ese derecho real por otro de crédito a la devolución (condicionado al cumplimiento de su obligación). En realidad, lo que se pignora es el valor de ese derecho de crédito, de suerte que aquí coinciden las personas del acreedor principal y del deudor del crédito dado en garantía.
2. Si **el dinero es bancario**, lo mismo. Cuando una persona deposita dinero en una entidad de crédito se repite el anterior esquema jurídico: pierde la propiedad del numerario y gana el crédito a su cobro contra la entidad receptora. Es este derecho de cobro lo que se pignora.
En el primer caso no es necesario notificar la prenda por la confusión de posiciones jurídicas antes apuntada. En el segundo supuesto sí.
El **crédito dinerario** tiene un valor patrimonial de garantía plena y constantemente evaluado por el mercado (su valor facial), de suerte que la subasta nada aporta: ni al interés del acreedor ni al del deudor.

b) Prenda de **moneda que no es dinero**. Aquí hay prenda de cosa, pero la cosa no es dinero en sentido estricto (poder patrimonial abstracto), sino mero depósito de riqueza. Su valor patrimonial queda determinado por el mercado y, en consecuencia, sujeto a las oscilaciones de éste, por lo que, en su caso, será la definitiva subasta la que lo especifique. **3904**

F. Extinción

La prenda, por su carácter accesorio, se extingue cuando lo hace la **obligación principal garantizada**. Cabe, sin embargo, y dado dicho carácter accesorio, que se extinga la prenda (por destrucción o pérdida de la cosa, o por remisión del acreedor) y continúe produciendo efectos la obligación principal. **3910**
Se presume **remitida la obligación** accesoria de prenda, cuando la cosa pignorada, después de entregada al acreedor, se encuentre en poder del deudor (CC art.1191). Esta presunción es *iuris tantum* y, por lo tanto, cabe prueba en contrario, y que el acreedor demuestre que la entrega de la cosa no se hizo para remitir (perdonar) la prenda, sino por cualquier otra causa (proceder a una reparación, por ejemplo).
Si la **cosa dada en prenda se pierde** y estaba asegurada, la garantía recae sobre el crédito para hacer efectiva la indemnización del seguro y sobre la suma recibida (LCS art.40 a 42).

SECCIÓN 4

Hipoteca en garantía de obligaciones mercantiles

3915

A. Consideraciones generales

3920

Se define como el derecho real de garantía típico, que sujeta directa e inmediatamente los bienes sobre los que se impone, cualquiera que sea su poseedor, al cumplimiento de la obligación para cuya seguridad fue constituida, concediéndole a su titular la facultad de solicitar la

realización del valor de los bienes hipotecados a través del procedimiento legalmente establecido y percibiendo el precio de lo obtenido tras su venta. Se caracteriza por su accesoriedad e indivisibilidad (CC art.1528, 1212; LH art.122, 149); constitución registral (CC art.1875.1; LH art.145, 149); gravar bienes inmuebles, ajenos y enajenables (CC art.1874; LH art.106), que permanecen en posesión de su propietario. La hipoteca **no exige desplazamiento de la posesión**, lo que supone que los bienes sobre los que recae permanecen en poder del hipotecante de modo que pueda seguir utilizándolos.
El sistema hipotecario español, desde sus orígenes, ha escogido el **modelo hipotecario germánico** (caracterizado por la publicidad, la especialidad y la determinación de la hipoteca, lo que impide la existencia de hipotecas ocultas y generales), si bien, con admisión de rasgos del **sistema hipotecario francés** (asume el sistema de publicidad y especialidad para las hipotecas voluntarias, pero admite algunas hipotecas legales de carácter general), lo que termina por convertirlo en un sistema «sui generis» o mixto, si bien más próximo al sistema germánico (Gordillo Cañas).

3922 La hipoteca se **diferencia** de otras clases de garantía real, como la **prenda** (ya que ésta recae sobre bienes muebles y en ella el propietario del bien dado en prenda pierde la posesión sobre el mismo) y la **anticresis** (caracterizada porque en ella el acreedor adquiere el derecho a percibir los frutos que produzca un bien, para aplicarlos al pago de los intereses, si se debieran, y después del capital; no siendo un derecho real de garantía de realización de valor (CC art.1881 a 1886).

Precisiones En un supuesto de **préstamo con garantía real anticrética**, no procede la acumulación de sendas acciones personal, de reclamación de cantidad contra los prestatarios, y real, contra sus bienes, cuando existe una cláusula expresa que impone, para el caso de impago, que se proceda contra los bienes objeto de la garantía real y, subsidiariamente, contra los demás bienes y derechos de los deudores (TS 13-11-98, EDJ 25114).

3924 **Mercantilidad de la hipoteca** Necesidades del tráfico mercantil, como la incorporación dentro de la Ley Hipotecaria de la **hipoteca en garantía de deudas** nacidas de operaciones tradicionalmente consideradas como mercantiles o reformas normativas tales como la Ley de Hipoteca Naval y la Ley de Hipoteca Mobiliaria, propiciaron que el CCom también regulara por su parte la hipoteca.
Nacen así determinados tipos de hipotecas que, por su directa **vinculación con el tráfico mercantil** y por satisfacer exigencias del mismo, pueden denominarse mercantiles (Uría).
Son objeto de estudio en esta sección:
- la hipoteca en garantía de cuentas corrientes de crédito (nº 4020), y
- la hipoteca en garantía de títulos endosables y al portador (nº 4045);
- la hipoteca en garantía de letras de cambio (nº 4060);
- la hipoteca unilateral (nº 4120);
- la hipoteca de máximo (nº 4010);
- la hipoteca en garantía de obligaciones futuras o condicionadas (nº 4100), y
- la hipoteca en garantía de préstamos con cláusula de estabilización (nº 4040).

3926 **Normas bancarias de transparencia hipotecaria** Junto a las normas de referencia, aplicables a la hipoteca (LH, CC y CCom, fundamentalmente), en el ordenamiento jurídico español existe un conjunto de normas reguladoras del **mercado hipotecario**; esto es, del mercado oficial regulado y estandarizado que pretende encauzar flujos financieros del público inversor -demanda- hacia productos financieros dinamizadores de la financiación hipotecaria -oferta-. Dicho mercado tiene su soporte, precisamente, en la enorme seguridad que al crédito en general (y, al bancario en particular) proporciona la garantía hipotecaria.
Por su evidente **carácter mercantil** interesa destacarlas. Son las siguientes:
• L 2/1981 del Mercado Hipotecario, que desde el 8-7-2022 queda derogada, siendo sustituida por el RDL 24/2021 art.1 a 61 (Libro Primero) y disp.adic.1ª a 4ª, sobre la emisión y la supervisión pública de bonos garantizados, que incorpora la Dir (UE) 2019/2162. Corresponde al Banco de España el control e inspección de la aplicación de la Ley de regulación del mercado hipotecario (L 10/2014 art.42).
• RD 716/2009 que la desarrolla determinados aspectos de la Ley de regulación del mercado hipotecario antes citada.
• L 19/1992, sobre régimen de las sociedades y fondos de inversión inmobiliaria y sobre fondos de titulización hipotecaria.
• L 5/2015 Título III, que reforma el régimen de las titulizaciones con la finalidad de incrementar su transparencia, calidad y simplicidad, y unifica los fondos de titulización bajo una única categoría legal, eliminando la actual distinción y regulación separada de los fondos de titulización hipotecaria, por un lado, y los fondos de titulación de activos.

• OM PRE/627/2011 en el que se establecen los requisitos a los que deberán ajustarse los Convenios de Promoción de Fondos de Titulización de Activos para favorecer la Financiación Empresarial.
• L 20/1998 disp.adic.1ª. Autoriza al Ministerio de Fomento para ceder los créditos hipotecarios de los que es titular la Administración.
• L 37/1998 disp.adic.4ª. Permite titulizar créditos hipotecarios perjudicados.
• OM EHA/2899/2011, de transparencia y protección del cliente de servicios bancarios.
• L 2/2009, por la que se regula la contratación con los consumidores de préstamos o créditos hipotecarios y de servicios de intermediación para la celebración de contratos de préstamo o crédito.
• RD 106/2011, por el que se crea y regula el Registro estatal de empresas previsto en la L 2/2009, y se fija el importe mínimo del seguro de responsabilidad o aval bancario para el ejercicio de estas actividades.
• Circ BE 5/2012, a entidades de crédito y proveedores de servicios de pago, sobre transparencia de los servicios bancarios y responsabilidad en la concesión de préstamos.
• RDL 6/2012, de medidas urgentes de protección de deudores hipotecarios sin recursos (aprueba el «Código de Buenas Prácticas» para la reestructuración de las deudas hipotecarias sobre la vivienda habitual).
• L 1/2013, de medidas para reforzar la protección a los deudores hipotecarios, reestructuración de deuda y alquiler social.
• L 25/2015, de mecanismo de segunda oportunidad, reducción de la carga financiera y otras medidas de orden social.
• RDL 1/2017, de medidas urgentes de protección de consumidores en materia de cláusulas suelo.
• L 5/2019 reguladora de los contratos de crédito inmobiliario. Se trata de un texto normativo de suma importancia, que tiene como objeto la trasposición de la Dir 2014/17/UE. Entró en vigor el 19-6-2019, de acuerdo con su disp.final 16ª.
• L 11/2023, de trasposición de Directivas de la Unión Europea en materia de accesibilidad de determinados productos y servicios, migración de personas altamente cualificadas, tributaria y digitalización de actuaciones notariales y registrales; y por la que se modifica la L 12/2011, sobre responsabilidad civil por daños nucleares o producidos por materiales radiactivos. Las reformas atinentes a la LH entran en vigor a partir del 9-5-2024, según establece la disp.final.18.6 de la citada Ley.

Fuentes y naturaleza La hipoteca es un derecho real que puede **nacer de**: 3928
- la Ley (hipoteca legal);
- el contrato; o
- actos mortis causa (el testamento).

En este apartado se trata la hipoteca **voluntaria de origen contractual**.
Su origen voluntario no obstaculiza su **eficacia frente a todos**, ya que el que presta con hipoteca, si lo hace es en atención al valor de la finca hipotecada (ésta es la causa por la que participa de la obligación). Al prestamista, antes que estado de la fortuna o las cualidades morales de la persona a quien presta su dinero, lo que verdaderamente le importa es que la finca no desaparezca o sufra algún tipo de daño que haga decrecer su valor. Su crédito no es un crédito personal que dependa de la persona del deudor, sino que es un **crédito real** que está adherido a la finca.
Este origen voluntario no obstaculiza su **eficacia frente a todos**, pues el que presta con hipoteca, más bien que a la persona, puede decirse que presta a la cosa: el **valor de la finca hipotecada** es la causa por que entra en la obligación. El deudor es sólo el representante de la propiedad; al prestamista nada le interesan el crédito, el estado de la fortuna o las cualidades morales de la persona a quien da su dinero; lo que le importa es que la finca no desaparezca y baste en su día para reintegrarle de lo que dio. Su crédito no es un crédito personal, es un crédito real; no depende de la persona del deudor, no está sujeto a sus vicisitudes; adherido, por el contrario, su crédito a la finca, no se altera por la pérdida del crédito personal de su dueño.

Carácter real del derecho de hipoteca La caracterización del crédito hipotecario como crédito real admite dos significados (Lalaguna Domínguez): 3930
1º. La independencia o **autonomía del acreedor** en lo relativo a la protección y satisfacción de su crédito y la oponibilidad de su derecho *erga omnes*.
2º. La garantía genera el privilegio de la **reipersecutoriedad** (nº 3932). En orden a que el objeto del derecho del acreedor hipotecario es la finca hipotecada, éste puede instar su enajenación, en ejecución de la garantía. La hipoteca sujeta directa e inmediatamente los bienes sobre los que se impone, cualquiera que sea su poseedor, al cumplimiento de la obligación para cuya seguridad fue constituida.

Precisiones 1) Existen distintas posturas sobre el **carácter real** del derecho de hipoteca. Para unos la hipoteca se explica desde una **concepción obligacionista** fundada en la pura noción de derecho subjetivo como interés jurídicamente protegible (en este caso, obtener el pago de la deuda -De La Cámara o Vallet-). Para otros la hipoteca encuentra su sentido desde una visión procesalista, lo que supone que no sea sino un **privilegio de ejecución** (Fenech y Carreras; sobre la naturaleza real u obligacional de la hipoteca, Cerdeira Bravo de Mansilla).
2) La teoría que sigue nuestro Derecho y que es casi unánime es aquella que defiende la **naturaleza real** del crédito hipotecario. (DGRN Resol 4-7-84; 26-5-86; 20-5-87; 26-10-87 y 4-11-02; TS 13-7-84; EDJ 7315; 4-7-89; 12-3-07, EDJ 15754; 10-12-07, EDJ 233280).
3) La **autonomía del crédito hipotecario** consiste en la desvinculación del derecho de las contingencias que pueda sufrir la situación patrimonial del deudor. Ello ocurre así porque los que están sujetos a la satisfacción del crédito son determinados bienes concretos del patrimonio del deudor. Consiguientemente, el crédito hipotecario no está sometido al riesgo de las situaciones de insolvencia (Lalaguna).
4) Se califica de **fianza** (no de hipoteca) un contrato por el cual una persona se compromete a atender una deuda ajena, en caso de incumplimiento por el deudor principal, vinculando y afectando, para ello, unos bienes determinados, y comprometiéndose a no gravarlos o enajenarlos para una finalidad distinta. Distingue el Alto Tribunal el carácter real de una garantía respecto del mero carácter obligacional. Así, la parte garante, en el caso de autos, se había limitado a poner determinadas propiedades a ella pertenecientes como garantía del buen fin de las obligaciones garantizadas. Al faltar la **publicidad legal** (escritura pública e inscripción registral), falta la eficacia «erga omnes», por lo que la garantía únicamente es reconducible a la figura de la fianza, con independencia de que la misma se concrete con respecto a la afectación mediante referencia a dos bienes específicos; y ello sin perjuicio de que pueda darse una especialidad dentro de la responsabilidad universal, en el sentido de que, en el caso de que se procediera a la afectación universal propia de todo afianzamiento, existiría un cierto grado de prelación a favor del acreedor contra los bienes específicamente señalados, mas ello únicamente con eficacia entre las partes (TS 23-3-00, EDJ 2629).

3932 **Caracteres** Se enumeran los siguientes:
1. Es un **derecho real**, al recaer sobre bienes determinados, que confiere a su titular un poder directo sobre un inmueble, oponible frente a cualquiera (eficacia erga omnes), que puede ejercitarse sin intermediación de persona alguna: el acreedor hipotecario puede instar la realización forzosa del bien, al margen de cuál sea la voluntad del dueño o poseedor actual del inmueble, esto es, sin necesidad de que realicen una conducta para dar efectividad a su derecho (CC art.1876 CC; LH art.104).
2. Es un **derecho real de garantía**, pues se constituye para asegurar el cumplimiento de una obligación principal. Es un medio de protección del derecho de crédito, en tanto somete los bienes sobre los que recae a la responsabilidad que deriva del deber de cumplimiento de una obligación.
3. Es un derecho de realización de valor y genera el **privilegio de la reipersecutoriedad**, lo que significa que, vencida la obligación principal, pueden ser enajenados los bienes en que consiste la hipoteca para pagar al acreedor (CC art.1858); y que la hipoteca es eficaz cualquiera que sea el poseedor de los bienes.
Aunque la hipoteca puede garantizar toda clase de obligaciones, es necesario que se fije el **importe (numerario)** del principal de la deuda y, en su caso, el de los intereses pactados, o el importe máximo de la responsabilidad (LH art.12 y 153). Por eso, lo que viene a asegurarse, en todo caso, es el **cumplimiento de una obligación dineraria**. Si la obligación asegurada no tuviese esta naturaleza, la hipoteca lo que haría sería garantizar la suma de dinero en que se convierte la finca cuando se enajena por ejecución de la acción hipotecaria.
4. Es un **derecho real de garantía inmobiliaria**, pues recae sobre bienes inmuebles o sobre derechos reales sobre bienes inmuebles. La hipoteca ha de recaer sobre **bienes inmuebles** que sean enajenables.
5. Es un derecho real inmobiliario **determinado** (recae sobre una concreta finca registral, sólo sobre ella), e **indivisible** (permanece inalterable incluso aunque la deuda se divida -CC art.1860; LH art.122-) y especial (garantiza no cualquier deuda del deudor, sino específicamente aquélla que dio origen a la hipoteca).

3934 6. Es un **derecho real accesorio**, en cuanto depende de una obligación principal. La cesión del crédito principal supone también la de la hipoteca (CC art.1528); y la condonación de la deuda principal extingue la hipoteca (CC art.1190).
7. Es un **derecho real** de constitución registral. Para que la hipoteca quede válidamente constituida, se exige que sea otorgada en escritura pública e inscrita en el Registro de la Propiedad. La inscripción tiene valor *ad solemnitatem*, no de eficacia frente a terceros. De este modo, la inscripción es un requisito legal de existencia y de validez del negocio; sin inscripción no nace la hipoteca (CC art.1875.1; LH art.145, 149). Es uno de los casos excepcionales de

nuestro Derecho en que la **inscripción** registral tiene carácter **constitutivo**. Esto explica que el desplazamiento posesorio no sea necesario, pues la publicidad del derecho de hipoteca viene dada a través Registro de la Propiedad, de ahí que no quepan hipotecas ocultas.
Frente a lo anterior, que es la regla general, excepcionalmente existen ciertas hipotecas de origen legal cuyo nacimiento no requiere inscripción registral. Son las **hipotecas legales tácitas** (CC art.1875.2 *in fine*). Este tipo de hipotecas quedan constituidas por puro imperativo legal, sin necesidad de inscripción registral:
a) En favor del Estado, provincias y pueblos, sobre los bienes inmuebles de los contribuyentes, por el importe de la anualidad corriente y de la última vencida y no satisfecha de las contribuciones o impuestos que graven dichos bienes (LH art.194).
b) En favor de los aseguradores, sobre los bienes inmuebles asegurados, por las primas del seguro de dos años o por los dos últimos dividendos pasivos, en el caso de seguros mutuos (LH art.196).
8. Es un **derecho real transmisible e hipotecable**. El crédito hipotecario puede ser enajenado o cedido a un tercero en todo o en parte, con las formalidades exigidas por la ley. Puede también hipotecarse el derecho de hipoteca voluntaria, pero quedando pendiente la que se constituya sobre él, de la resolución del mismo derecho (LH art.107.4).
9. Es un derecho real **no traslativo** en el sentido de que no implica desplazamiento de posesión de la finca hipotecada del sujeto hipotecante al acreedor hipotecario.

Clases Las hipotecas pueden clasificarse atendiendo a muy numerosos criterios: **3936**

Por su origen Las hipotecas pueden ser **voluntarias** y **legales** (LH art.137): **3938**
1º. Son hipotecas **voluntarias** las convenidas entre partes o impuestas por disposición del dueño de los bienes sobre los que se establezcan. Sólo pueden constituirlas quienes tengan la libre disposición de los bienes o, en caso de no tenerla, se hallen autorizados para ello con arreglo a las leyes (LH art.138). Las hipotecas voluntarias, a su vez, pueden ser:
- **Convencionales**: cuando nacen de un acuerdo entre las partes.
- **Unilaterales**: cuando nacen de la voluntad del dueño del bien hipotecado (LH art.138).
Las hipotecas voluntarias siempre necesitan de un acto específico de constitución e inscripción en el Registro de la Propiedad, de ahí que sean en todo caso expresas.
2º. Frente a lo anterior, son hipotecas **legales** las admitidas expresamente por las Leyes con tal carácter. Las personas a cuyo favor concede la Ley hipoteca legal no tienen otro derecho que el de exigir la constitución de una hipoteca especial suficiente para la garantía de su derecho (LH art.158). Las hipotecas legales pueden ser expresas o tácitas:
- **Expresas**: constituyen el supuesto general, pues la práctica totalidad de las hipotecas legales son expresas. Para su válida constitución necesitan la inscripción del título en cuya virtud se constituyan (LH art.159).
- **Tácitas**: son aquellas que se establecen automáticamente por obra de la Ley, sin necesidad de acto constitutivo ni de inscripción en el Registro de la Propiedad. Suelen citarse como ejemplos discutidos dentro de esta modalidad: la hipoteca para el cobro de las contribuciones que graven periódicamente los bienes inmuebles, así como la hipoteca para el cobro por los aseguradores del premio del seguro (CC art.1923.1º y 2º) -Murga Fernández-.

Por el contenido Diferenciamos entre hipotecas ordinarias o de tráfico e hipotecas de seguridad. **3940**
a) Hipoteca **ordinaria o de tráfico** es la que asegura una obligación concreta y existente. La obligación asegurada tiene existencia cierta y es conocida en su cuantía.
b) Hipoteca **de seguridad** es aquella en la que se garantiza una obligación de existencia dudosa y cuya cuantía no está determinada, o, en términos más exactos, la que garantiza el crédito, siempre que se pruebe su existencia y cuantía por medios ajenos al Registro. Las principales **modalidades** de hipoteca de seguridad son:
- la hipoteca en garantía de títulos de crédito al portador o a la orden, y
- la llamada hipoteca de máximo (aquella en que sólo se fija el importe máximo del crédito del cual responde la finca hipotecada).

Por su forma de constitución Las hipotecas pueden ser expresas o tácitas. Las hipotecas **expresas** son aquellas que deben inscribirse en el Registro de la Propiedad para quedar válidamente constituidas. Atribuyen a ciertas personas el derecho a poder exigirles a otras la constitución de hipoteca sobre ciertos bienes. En cambio, las hipotecas **tácitas** son algunas modalidades de hipotecas legales que no exigen para su validez y eficacia de ningún acto constitutivo, ni de la inscripción en el Registro de la Propiedad (nº 3934). **3942**

B. Constitución

3945

3947 **Intervinientes** Los sujetos que forman parte de la relación hipotecaria son:
a) El **acreedor hipotecario** es el titular del derecho real de hipoteca. Es, además, el acreedor principal. Se exige simplemente que posea capacidad general para obligarse.
b) El **deudor hipotecario** es el propietario de la finca hipotecada. Al contrario de lo que le ocurre al deudor pignoraticio, el hipotecario no pierde la posesión de la finca hipotecada. El deudor hipotecario puede o no coincidir con el deudor de la obligación garantizada (CC art.1857 in fine):
- Si el dueño de la cosa es, a su vez, deudor de la obligación garantizada. Hablaremos del **hipotecante deudor o deudor hipotecario**.
- Si el dueño de la cosa no es deudor de la obligación garantizada mediante hipoteca. A esta situación puede llegarse de dos formas diversas:
• Constitución originaria de una hipoteca en garantía de una deuda ajena. En ese caso, hablaremos de **hipotecante no deudor**. Nótese que el hipotecante no deudor sólo responderá con el objeto garantizado, no convirtiéndose en deudor ni fiador.
• Transmisión (a título gratuito u oneroso) a un tercero del inmueble hipotecado perteneciente originariamente al deudor de la obligación garantizada. El nuevo dueño del inmueble hipotecado recibe la denominación de «**tercer poseedor de la finca hipotecada**». Este sujeto carece igualmente de la condición de deudor, aunque responderá lógicamente con la finca adquirida, al subsistir la hipoteca que sigue gravando el bien.
Se admite la **hipoteca unilateral** (nº 4120).
Al deudor hipotecario se le exige **capacidad de disposición**, del mismo modo que al pignoraticio. Los requisitos relativos a capacidad deben concurrir en el momento de constitución del derecho real, no necesariamente en el de la inscripción registral. Además, el hipotecante debe ser el titular registral de la finca, ya que sin previa inscripción registral de la titularidad no es posible la inscripción de la carga (nº 3953).
Los que tienen la facultad de constituir hipotecas voluntarias, pueden hacerlo por sí o por medio de apoderado, con poder especial bastante (LH art.139).

3949 Precisiones 1) La DGRN adopta una actitud cautelosa en cuanto al alcance de poderes concretos, pero decididamente extensiva en cuanto a los **representantes orgánicos** de sociedades mercantiles (Gil Rodríguez).
2) Es lícita la **ratificación posterior** subsanadora de posibles defectos de suficiencia en el apoderamiento: rige con todo su vigor la regla de la retroacción de los efectos consolidadores de la ratificación (Roca Sastre).
3) Al respecto del **juicio de capacidad del notario autorizante** y su eficacia, hay que recordar que en los instrumentos públicos autorizados por representantes o apoderado, el notario autorizante ha de insertar una reseña significativa del documento auténtico que se le haya aportado para acreditar la representación alegada y expresar que, a su juicio, son suficientes las facultades representativas acreditadas para el acto o contrato a que el instrumento se refiera.
La reseña por el notario del documento auténtico y su valoración de la suficiencia de las facultades representativas hacen fe suficiente, por sí solas, de la representación acreditada, bajo la responsabilidad del mismo.
4) En un supuesto de hipoteca constituida sobre el único bien significativo de una sociedad, siendo acreedor hipotecario otra sociedad, se **rescinde la hipoteca** alegándose como causa el fraude de acreedores, y ello porque se supone intención fraudulenta en el negocio por existir una identidad prácticamente total entre los socios de ambas sociedades y un lapso de tres años desde la celebración del contrato privado de préstamo hipotecario y la inscripción en el Registro, impidiendo a los demás acreedores conocer la constitución del gravamen sobre el único bien con el que podría responder la sociedad frente a éstos (TS 23-6-03, EDJ 35130).

3951 **Elementos reales** (CC art.1861 y 1874; LH art.105 a 108; RH art.219.1) Son la obligación garantizada y la finca hipotecada.
Con respecto a la obligación garantizada la hipoteca puede asegurar toda clase de obligaciones, ya sean puras, ya estén sujetas a condición suspensiva o resolutoria (CC art.1861 y LH art.105).
El **importe de la obligación asegurada** con la hipoteca o la cantidad máxima de que responda la finca hipotecada debe ser fijado en moneda nacional o señalando la equivalencia de las monedas extranjeras en signo monetario de curso legal en España (RH art.219.1).

En cuanto a los **bienes hipotecables**, con arreglo al CC sólo pueden ser objeto de hipoteca:
- los bienes inmuebles (CC art.334); y
- los derechos reales enajenables con arreglo a las leyes, impuestos sobre bienes de aquella clase.

Sin embargo, el sistema de definición de los bienes hipotecables es más perfecto en la LH, que diferencia entre bienes y derechos objeto de hipoteca (los mencionados por el CC), otros derechos objeto de hipoteca (donde alude al derecho de usufructo, los derechos de superficie, pastos, aguas, el derecho de retracto y otros) y derechos excluidos de la hipoteca (las servidumbres, los usufructos legales salvo el del cónyuge viudo, o los derechos de uso y habitación -LH art.107-).

Precisiones Se ha afirmado la **inscribibilidad del derecho de uso de un arrendatario** en un contrato de leasing inmobiliario, ello dándose la circunstancia de que el acreedor hipotecario y el propietario de la finca dada en arrendamiento financiero eran la misma persona) (DGRN Resol 26-10-98).

Elementos formales (CC art.1875; LH art.3, 145 y 159; RH art.33) Con la excepción de las hipotecas legales tácitas, no existe hipoteca sin inscripción registral. 3953

Si la **hipoteca** es **voluntaria**, accede al Registro de la Propiedad la escritura pública de constitución de la hipoteca.

Como lo que accede al Registro, por vía de presentación, es la **copia autorizada de la escritura matriz**, hay que tener en cuenta que las copias autorizadas de las matrices, pueden expedirse y remitirse electrónicamente, con **firma electrónica avanzada** (nº 11680), por el notario autorizante de la matriz o por quien le sustituya legalmente (práctica ya generalmente extendida). Dichas copias sólo pueden expedirse para su remisión a otro notario o a un registrador o a cualquier órgano de las Administraciones públicas o jurisdiccional, siempre en el ámbito de su respectiva competencia y por razón de su oficio. Pero el traslado al papel de las copias autorizadas telemáticas es exclusivo del notario al que se hayan remitido si se quiere conservar su autenticidad notarial.

Ahora bien, también pueden los registradores de la propiedad y mercantiles, así como los órganos de las Administraciones públicas y jurisdiccionales, trasladar a **soporte papel** las copias electrónicas que hubiesen recibido, a los únicos y exclusivos efectos de incorporarlas a los expedientes o archivos que correspondan por razón de su oficio en el ámbito de su competencia.

El notario podrá expedir copias autorizadas con su firma electrónica cualificada bajo las **mismas condiciones** que las copias en papel, con la indicación al pie de copia del destinatario, previa comprobación de su interés legítimo. La copia autorizada se remitirá a través de la sede electrónica notarial. Del mismo modo remitirá **copia simple electrónica** con mero valor informativo, incorporando la sede electrónica notarial sello electrónico con marca de tiempo confiable (L 28-5-1862 art.17 bis.3 redacc L 11/2023).

C. Extensión de la hipoteca

(LH art.109 a 115)

Respecto de la **obligación garantizada**, el capital (principal del crédito) queda íntegramente asegurado. En cuanto a los **intereses**, quedan asegurados *ope legis* los de los dos últimos años transcurridos y la parte vencida de la anualidad corriente, salvo superior extensión convencional, que no puede alargar el tiempo de responsabilidad más allá de cinco años, al menos con eficacia real (esto es, en perjuicio de terceros; entre las partes cabe cualquier extensión). Para asegurar las **costas** es necesario pacto expreso, que ha de incluir la cantidad máxima de responsabilidad. 3960

Respecto de la **finca hipotecada**, se habla de extensión objetiva de la hipoteca. Bajo esta denominación se determinan los concretos bienes que quedan afectados por la responsabilidad hipotecaria ante su eventual ejecución. Desde el momento de la constitución de la hipoteca hasta su ejecución, el inmueble hipotecado puede sufrir todo tipo de vicisitudes físicas o jurídicas (incorporación de bienes muebles, construcciones, mejoras, etc.) y se hace necesario concretar si éstas acaban o no afectando a la responsabilidad hipotecaria. La materia se regula en el CC art.1877 y LH art.109 a 113. La hipoteca alcanza a toda la extensión superficial y espacial de la finca y se extiende a las accesiones, mejoras e indemnizaciones debidas al propietario, lo que se conoce como la **extensión natural** de la hipoteca. Se confirma la extensión general de la hipoteca en estos supuestos, y se establecen una serie de límites cuando la **finca hipotecada pase a un tercer poseedor** (como bienes muebles colocados por el nuevo poseedor, mejoras realizadas por éste o los frutos que le pertenezcan).

Frente a lo anterior, y salvo pacto expreso o disposición legal en contrario, la **hipoteca no comprenderá** los objetos muebles que se hallen colocados permanentemente en la finca hipotecada, los frutos (cualquiera que sea la situación en la que se encuentren) y las rentas vencidas y no satisfechas al tiempo de exigirse el cumplimiento de la obligación garantizada. Si la hipoteca se ejecuta, es claro que todo aquello a lo cual no se extiende no debe entrar en ejecución.

D. Efectos de la hipoteca

(LH art.105, 107.4, 117, 118 y 140; CC art.1858 y 1859)

3965 Se producen:
1. En relación al **acreedor hipotecario**. Esta figura goza de:
a) La constitución de la hipoteca no altera la responsabilidad patrimonial universal del deudor hipotecario, salvo pacto expreso.
El acreedor hipotecario conserva su **acción personal** contra el deudor (derivada de la obligación principal), pero tiene además la **acción real** contra la finca hipotecada en los términos que estudiaremos al analizar la ejecución de las garantías reales (nº 4284).
b) Facultad de **transmisión del crédito hipotecario**, que se analiza en el nº 3978.
2. En relación al **deudor hipotecario**. Este sujeto:
a) Sigue siendo **dueño** de la finca.
b) Conserva la **posesión**, el **uso** y el **disfrute** de la finca, pudiendo arrendarla, usufructuarla e incluso enajenarla, si bien que con la carga de la hipoteca. Lo que no puede hacer es conculcar el derecho de su acreedor, quien, ante actuaciones productoras de deterioro de la finca hipotecada, tiene la facultad de solicitar al juez que adopte las medidas necesarias que eviten o remedien el daño (LH art.117).
c) Puede gravar la finca con una **subhipoteca** (LH art.107.4).

Precisiones No caben las cláusulas por las que se imponga al deudor hipotecario la **prohibición de enajenar, arrendar o gravar** la finca hipotecada (TS 16-12-09, EDJ 327236; DGRN Resol 1-10-10 y 4-11-10).

E. Vicisitudes de la hipoteca

3970 Las modificaciones que pueden afectar a la hipoteca obligan a diferenciar entre:
a) Alteración de los **elementos subjetivos** de la relación obligacional garantizada. Tiene dos manifestaciones concretas:
- la cesión del crédito hipotecario; y
- la subrogación hipotecaria.
b) Alteración de los **elementos objetivos** de la misma. Se agrupan en este apartado las figuras de:
- la transmisión de la finca hipotecada;
- la ampliación de la hipoteca;
- la división de la hipoteca; y
- la posposición de la hipoteca.

3972 **Cesión del crédito hipotecario** (CC art.1526 s. y 1878; LH art.149, 150 y 151) Consiste en un negocio jurídico celebrado por el acreedor (cedente) con otra persona (cesionario) con la finalidad de producir la **transmisión de la titularidad** del crédito entre uno y otro. Cumple la **función económica** de circulación de los créditos dentro del tráfico o del comercio jurídico y la transmisión de la posición jurídica lleva anexa, inseparablemente, la **garantía**, que también se cede.
El crédito hipotecario puede ser cedido a un tercero, en todo o en parte, de conformidad con lo dispuesto en el CC art.1526, es decir, de acuerdo con las normas generales sobre transmisión de créditos (nº 1655). La cesión de la titularidad de la hipoteca que garantiza el crédito debe hacerse en **escritura pública** e **inscribirse** en el Registro de la Propiedad (LH art.149.1).
La nueva regulación de la cesión del crédito hipotecario, resultado de la modificación de la LH por la L 41/2007, de Reforma del Mercado Hipotecario, ha suscitado un vivo debate en la doctrina:
• Ciertos autores consideran que, en virtud del principio de accesoriedad, la cesión del crédito hipotecario, con independencia de su forma, comporta necesariamente la de la hipoteca, y que, por tanto, el otorgamiento de escritura pública y la inscripción registral son simplemente requisitos de **eficacia** frente a terceros (Carrasco Perera, Cordero Lobato, Marín López).
•Otros entienden que se trata de requisitos de **validez**, en cuya ausencia se transmite el crédito pero no la hipoteca que lo garantiza (Parra Lucán).
Pronunciándose después de la reforma, el Tribunal Supremo se siente más cercano a la primera línea doctrinal (TS 14-04-10, EDJ 70480).

3974 En caso de que no se dé **conocimiento al deudor** de la cesión del crédito hipotecario, el cedente será responsable de los perjuicios que pueda sufrir el cesionario por consecuencia de dicha falta de comunicación (LH art.151).

En el supuesto de **hipoteca en garantía de obligaciones transferibles** mediante endoso o títulos al portador, el derecho hipotecario se entenderá transferido, con la obligación o con el título, sin necesidad de dar de ello conocimiento al deudor ni de hacerse constar la transferencia en el Registro (LH art.150). Este precepto es una **excepción** que se fundamenta en la necesidad de establecer mecanismos ágiles de transmisión cuando el crédito hipotecario se convierte en un activo financiero negociable en un mercado secundario oficial. En tal caso (cédulas, bonos y participaciones hipotecarias), junto al imperativo de la seguridad registral, el legislador pondera el de la **agilidad del mercado**. Por eso los mencionados títulos del mercado hipotecario se transmiten mediante cauce que **no** requiere **intervención fedataria**, constancia registral ni notificación al deudor. En tal sentido, cabe recordar que los **títulos del mercado hipotecario** tienen naturaleza jurídica de valores negociables a los efectos de las normas rectoras de éstos (RD 878/2015), y lo mismo cabe predicar respecto de los **bonos de participación** emitidos por los Fondos de titulización hipotecaria (L 41/2007 y L 19/1992, sobre régimen de las sociedades y fondos de inversión inmobiliaria y sobre fondos de titulización hipotecaria, que permite exclusivamente la titulización de préstamos hipotecarios).

Precisiones Aunque se hubiera formalizado el préstamo con anterioridad a la L 2/2009 -por la que se regula la contratación con los consumidores de préstamos o créditos hipotecarios y de servicios de intermediación para la celebración de contratos de préstamo o crédito-, el cesionario que pretenda su inscripción con posterioridad a la entrada en vigor de esta ley y esté dedicado profesionalmente a esta actividad, requiere el cumplimiento de los requisitos en ella establecidos; concretamente que la **entidad cesionaria** esté **inscrita** en el Registro a que se refiere la L 2/2009 art.3, y que tenga un **seguro de responsabilidad civil** vigente a que se refiere la L 2/2009 art.7 y 14. En el supuesto de hecho de este expediente, no se trata de la cesión de un préstamo o crédito hipotecario aislado, ya que el objeto de la transmisión fueron tres préstamos hipotecarios sobre fincas que constituyen la vivienda habitual de deudor persona física (DGSJFP Resol 10-9-21).

3976 **Subrogación hipotecaria** (CC art.1211; L 2/1994) La subrogación hipotecaria también implica una **sustitución del acreedor hipotecario**, aunque en este caso no venga motivada por una transmisión voluntaria del crédito, que es lo que la distingue de la cesión del crédito. Se produce cuando un **tercero paga al acreedor hipotecario**, concediéndosele a dicho tercero la misma posición jurídica que hasta entonces tenía el acreedor pagado.

Especial importancia tiene a este respecto el CC art.1211, que regula un supuesto de **subrogación legal** que posibilita un cambio en la persona del acreedor por pago de un tercero (solvens), a iniciativa del deudor y sin necesidad de contar para ello con el consentimiento del acreedor originario. En desarrollo de este precepto, y en el específico ámbito de los créditos hipotecarios, se dictó la L 2/1994 sobre subrogación y modificación de préstamos hipotecarios, conforme a la cual los deudores hipotecarios pueden cambiar de acreedor hipotecario mediante su exclusiva iniciativa, pudiendo así aprovecharse de las condiciones más favorables ofrecidas por una entidad financiera distinta a la originariamente prestamista. La subrogación se produce cuando para pagar la deuda haya tomado prestado el dinero de la nueva entidad acreedora por escritura pública, haciendo constar su propósito en ella, conforme a lo dispuesto en el CC art.1211 (L 2/1994 art.2).

Precisiones Los **prestamistas inmobiliarios**, según se definen por la Ley reguladora de los contratos de crédito inmobiliario (L 5/2019 art.4.2), podrán ser subrogados por el deudor en los préstamos hipotecarios concedidos por otros prestamistas análogos (L 2/1994 art.1 redacc RDL 19/2022).

3978 **Venta de la finca hipotecada** (LH art.118) Distingue dos hipótesis:

a) Compraventa **con asunción del débito por el adquirente**. Si el vendedor y el comprador hubieren pactado que el segundo se subrogará no sólo en las responsabilidades derivadas de la hipoteca, sino también en la obligación personal con ella garantizada, quedará el primero desligado de dicha obligación, si el acreedor prestase su consentimiento expreso o tácito.

b) Compraventa **realizada con descuento de la carga o retención de su importe**. Si no se hubiese pactado la transmisión de la obligación garantizada, pero el comprador hubiese descontado su importe del precio de la venta, o lo hubiese retenido y al vencimiento de la obligación fuese ésta satisfecha por el deudor que vendió la finca, quedará subrogado éste en el lugar del acreedor hasta tanto que por el comprador se le reintegre el total importe retenido o descontado.

3980 **Ampliación de la hipoteca** (LH art.115) Permite al acreedor solicitar una ampliación de la hipoteca con la finalidad de **dotar de garantía real al crédito** por intereses que no estuvieran garantizados en los términos expuestos en el nº 3960.

Precisiones 1) La ampliación del principal del préstamo garantizado con hipoteca supone el **fraccionamiento** de la **responsabilidad hipotecaria** en dos partes, una la de la constitución propiamente dicha y otra la de ampliación, viniendo a equipararse esta última a una segunda hipoteca (DGRN Resol 24-2-14). No obstante, este supuesto hay que entenderlo referido, básicamente, a los supuestos de existencia de **cargas o titularidades intermedias** entre la constitución inicial y la ampliación. No existiendo tales cargas o titularidades intermedias, ha de primar la **voluntad de las partes** de establecer un único y uniforme régimen jurídico contractual para la obligación resultante de la ampliación, o, si se quiere, para la total deuda resultante de la acumulación de dos obligaciones, unificando su pago a los efectos del CC art.1169. En definitiva, en **ausencia de terceros**, la solución dependerá de cuál sea la verdadera voluntad de las partes en cada caso concreto. En todo caso, la concurrencia de estas incertidumbres, junto con la repetida necesidad de **claridad de los asientos registrales**, imponen la aclaración de la escritura por parte del acreedor en el sentido de indicar si quiere que se inscriba la ampliación de la hipoteca como **una sola hipoteca** sumada a la anterior, **o** que se inscriba como **segunda hipoteca** con distinto rango (DGRN Resol 19-9-17).

2) La ampliación de hipoteca ha de asimilarse a efectos prácticos a la constitución de una nueva, de tal manera que (DGSJFP Resol 22-12-21):- si se tratara de **ampliación sobre la misma finca ya hipotecada** con anterioridad, de existir cargas intermedias, la pretendida ampliación no puede perjudicarlas, pero la garantía hipotecaria preferente no tiene por qué posponerse a ellas, de modo que la ejecución de esa carga intermedia determinará la cancelación de la llamada ampliación en tanto que hipoteca de rango posterior (LH art.134), pero no la de la hipoteca inicial;- si **se ejecuta la hipoteca ampliada**, su titular tan sólo tendrá preferencia para el cobro con cargo al precio de realización por las cantidades inicialmente garantizadas, pues en cuanto al exceso serán preferentes para el cobro los titulares de aquellas cargas intermedias y tan solo en la medida en que aún quede sobrante, la parte del crédito ampliado y posteriormente garantizado.Sus efectos, en definitiva, son los mismos que si hubiera dos hipotecas, cada una con su rango.

3982 **División de la hipoteca** (CC art.1860; LH art.123 y 124) Si bien la hipoteca es esencialmente indivisible, cabe la posibilidad de que la finca hipotecada se divida **entre sus comuneros**. En tal caso, y siempre que medie acuerdo entre el acreedor y el deudor, la primitiva hipoteca se fraccionará en tantas hipotecas (independientes unas de otras) cuantas sean las partes en que la finca primera haya quedado escindida. No verificándose esta distribución, podrá repetir el acreedor por la totalidad de la suma asegurada contra cualquiera de las nuevas fincas en que se haya dividido la primera o contra todas a la vez.

3984 **Posposición de la hipoteca** Se llama así al **cambio** que se introduce, en virtud de negocio jurídico, en el rango o puesto que corresponde, **por razón de la antigüedad**, a cada una de las hipotecas constituidas sobre una misma finca, haciendo que una hipoteca posterior se anteponga a otra anterior y, consiguientemente, se posponga ésta a aquélla.

La posposición implica un acto dispositivo del titular de la hipoteca y supone en realidad una **renuncia** a su rango.

Para que la posposición tenga efectividad se requiere que el **acreedor** que haya de posponer **consienta expresamente** la posposición, que se determine la **responsabilidad máxima** por capital, intereses, costas u otros conceptos de la hipoteca futura, así como su **duración** máxima, y que la hipoteca que haya de anteponerse se inscriba dentro del plazo necesariamente convenido al efecto (RH art.241).

Transcurrido el plazo señalado sin que haya sido inscrita la nueva hipoteca **caducará** el derecho de posposición, haciéndose constar esta circunstancia por nota marginal.

F. Principios hipotecarios

3990 No hay hipoteca sin inscripción registral, y no hay estudio de la hipoteca sin conocimiento mínimo de los principios reguladores de esa inscripción. Son, muy resumidamente, los siguientes:

3992 **Principios previos a la inscripción** (LH art.6 y 18) Se enumeran los siguientes:

a) Principio de rogación (LH art.6). La inscripción de los títulos en el Registro puede pedirse indistintamente:

- por el que adquiera el derecho;
- por el que lo transmita;
- por quien tenga interés en asegurar el derecho que se deba inscribir;
- por quien tenga la representación de cualquiera de ellos.

b) Principio de legalidad (LH art.18). Los registradores califican, bajo su responsabilidad, la legalidad de las formas extrínsecas de los documentos de toda clase, en cuya virtud se solicite la inscripción, así como la capacidad de los otorgantes y la validez de los actos dispositivos contenidos en las escrituras públicas, por lo que resulte de ellas y de los asientos del Registro.

Principio de inscripción Hace referencia al papel que desempeña la inscripción en la mecánica de la constitución, transmisión o modificación de un derecho real sobre un bien inmueble. En el caso de la hipoteca, la **inscripción** es **constitutiva**. 3994

Principios posteriores a la inscripción (LH art.12, 20, 24, 25, 34, 38 y 221) Relativos a los efectos que produce: 3996

a) **Principio de publicidad** (LH art.221). Los Registros son públicos para quienes tengan interés conocido en averiguar el estado de los bienes inmuebles o derechos reales inscritos.

b) **Principio de legitimación** (LH art.38 párr.1º, 97 y 1 párrafo.3º; TS 29-9-15, EDJ 177343). A todos los efectos legales se presume que los derechos reales inscritos en el Registro existen y pertenecen a su titular en la forma determinada por el asiento respectivo.

La cancelación de un asiento hace presumir extinguido el derecho a que dicho asiento se refiera.

Los **asientos** del Registro practicados en los libros que se determinan en la LH art.238 s., en cuanto se refieran a los derechos inscribibles, están bajo la salvaguardia de los Tribunales y producen todos sus efectos mientras no se declare su inexactitud en los términos establecidos en dicha Ley.

c) **Principio de fe pública registral** (LH art.34). El tercero que de buena fe adquiera a título oneroso algún derecho de persona que en el Registro aparezca con facultades de transmitirlo, será mantenido en su adquisición, una vez que haya inscrito su derecho, aunque después se anule o resuelva el del otorgante por virtud de causas que no consten en el mismo Registro. La buena fe del tercero se presume siempre, mientras no se pruebe que conocía la inexactitud del Registro. Los adquirentes a título gratuito no gozan de más protección registral que la que tuviere su causante o transferente. El principio de fe pública es considerado la piedra angular del sistema registral español, donde se cifra el nivel de protección máximo proporcionado por el mismo, ya que establece una presunción *iuris et de iure* de exactitud del contenido publicado por el Registro de la Propiedad, dándose los requisitos establecidos en la LH art.34. Junto a los requisitos de la LH art.34, su completa aplicación exige atender igualmente a la LH art.33, pues el título del tercero hipotecario ha de ser válido (Murga Fernández, Espejo Lerdo de Tejada).

d) **Principio de prioridad** (LH art.24 y 25). Consiste en la aplicación en el ámbito registral del principio *prior tempore potior iure*, característico de los derechos reales. Opera de dos formas distintas, en función de la compatibilidad o incompatibilidad de los derechos reales que pretendan tener acceso al Registro de la Propiedad: si son compatibles, el principio de prioridad se traduce en la asignación del rango hipotecario (por ej. la hipoteca); mientras que sin son incompatibles, el principio de prioridad opera el cierre registral de los derechos posteriores (p.e., el derecho de propiedad). Se considera como fecha de la inscripción para todos los efectos que ésta deba producir, la fecha del asiento de presentación, que debe constar en la inscripción misma. Para determinar la preferencia entre dos o más inscripciones de igual fecha, relativas a una misma finca, se atenderá a la hora de la presentación en el Registro de los títulos respectivos. 3998

e) **Principio de tracto sucesivo** (LH art.20 párr.1º). Para inscribir o anotar títulos por los que se declaren, transmitan, graven, modifiquen o extingan el dominio y demás derechos reales sobre inmuebles, debe constar previamente inscrito o anotado el derecho de la persona que otorgue o en cuyo nombre sean otorgados los actos referidos.

f) **Principio de especialidad** (LH art.12). En la inscripción del derecho real de hipoteca se ha de expresar el importe del principal de la deuda y, en su caso, el de los intereses pactados, o, el importe máximo de la responsabilidad hipotecaria, identificando las obligaciones garantizadas, cualquiera que sea la naturaleza de éstas y su duración.

G. Supuestos particulares de hipoteca garantizadora de deudas mercantiles

4005

4007 Las hipotecas pueden clasificarse en hipotecas ordinarias o de tráfico e hipotecas de seguridad.
Hipoteca **ordinaria o de tráfico** es la que asegura una obligación concreta y existente, mientras que hipoteca de seguridad es aquella en la que se garantiza una obligación de existencia dudosa y cuya cuantía no está determinada.
La hipoteca **de seguridad** no está regulada por la Ley, aunque sí es reconocida por nuestra doctrina y por el criterio de reiterada jurisprudencia. Así, se hace hincapié en la relación íntima de la hipoteca de seguridad con el tráfico mercantil, pues debe darse a tales hipotecas la flexibilidad que requieren las necesidades del comercio (DGRN Resol 21-3-1917; 16-6-36).
Dentro de la categoría de la hipoteca de seguridad, se catalogan las siguientes **figuras** (Roca Sastre):
1) La hipoteca de máximo, cuya modalidad más frecuente es la hipoteca en garantía de cuentas corrientes de crédito.
2) La hipoteca en garantía de obligaciones futuras o condicionales.
3) La hipoteca en garantía de títulos valores, endosables o al portador, principalmente, en cuanto a la persona que ostente en cada momento su titularidad, comprendiendo la hipoteca cambiaria o en garantía de crédito derivado de letras de cambio, libranzas, pagarés y cheques a la orden, o de otros títulos transmisibles por endoso.
4) La hipoteca de fianza, que incluye las que garantizan créditos con cláusulas de estabilización de moneda.

1. Hipoteca de máximo

4010 Una de las principales modalidades de la hipoteca de seguridad es la hipoteca de máximo, que se define como aquella que se constituye por una **cantidad máxima en garantía de créditos indeterminados** en su existencia o cuantía, que sólo se describen, en el título constitutivo, en sus líneas fundamentales, y cuya determinación se efectúa por medios extrahipotecarios.

4012 **Requisitos estructurales** La indeterminación inicial de la hipoteca de máximo queda atemperada cuando se estudian sus requisitos estructurales. Además de los ordinarios (nº 3945), exigibles de toda hipoteca, aparecen los siguientes, necesarios para la constitución de la garantía (DGRN Resol 5-3-29):
1. En el título constitutivo y en el asiento registral debe figurar una **cifra máxima de responsabilidad** hipotecaria (LH art.12 y 153).
2. Los **elementos personales** del crédito hipotecario están perfectamente definidos:
- acreedor hipotecario, y
- deudor hipotecario.
Respecto de los **elementos objetivos** del negocio, tenemos:
- la finca hipotecada debe estar, de igual manera, perfectamente delimitada;
- sin embargo, es la obligación garantizada la que queda pendiente de determinación. Está indeterminada en su existencia, en su cuantía, o en ambas circunstancias. No obstante, se exige aportar unos mínimos **datos definitorios** para el acceso al Registro de la Propiedad, en particular, los que permitan identificar la relación causal de la obligación garantizada (DGRN Resol 3-10-91).
3. La **ejecución** de la hipoteca exige que se prueben por medios extrarregistrales los datos necesarios para determinar la suma líquida reclamada que soportará la reclamación, y,

previamente a la misma, la existencia del crédito y su vencimiento. No es suficiente, para ello, el título constitutivo, pues o bien no aporta información suficiente o bien su información ha de ser complementada por informaciones extrarregistrales siempre posteriores al nacimiento de la deuda. Debe diferenciarse entre:
- el **título constitutivo** es la escritura pública y la inscripción registral;
- el **título ejecutivo** es la yuxtaposición del anterior con ciertos mecanismos probatorios de la deuda (titularidad, existencia y cuantía del crédito) que se conocen a posteriori.
De ahí que deba quedar perfectamente delimitado, por pacto entre las partes, cuál será el medio a utilizar para tal determinación.

4. En cuanto al **procedimiento** concreto para ejercitar la acción hipotecaria, aunque sea discutido, parece admitirse cualquiera de los procedimientos señalados por la LH y la LEC (Fernández Costales). **4014**
Para utilizar el procedimiento **extrajudicial**, el mecanismo de concreción de la deuda debe ser el siguiente: en las hipotecas constituidas a favor de bancos, cajas de ahorro y sociedades de crédito debidamente autorizadas, en **garantía de operaciones cambiarias y crediticias**, podrá pactarse que el importe de la obligación asegurada se determine en su día según el saldo resultante de los libros de contabilidad de los acreedores, con referencia a una cuenta especial de la que serán partidas de abono y de cargo el importe de los efectos descontados, el de los que hayan sido satisfechos a su vencimiento y el de los que hubiesen sido devueltos impagados, y siempre que se consignen en la escritura los demás requisitos señalados legalmente.
Si el **acreedor no es una entidad de crédito**, el procedimiento que puede seguirse es el relativo a hipotecas en garantía de obligaciones sometidas a condición (nº 4100 s.).
Las hipotecas de máximo más habitualmente utilizadas son las que constituyen los **tutores o funcionarios** en garantía de las obligaciones propias de su cargo y, en general, las de un largo tracto, como las constituidas en garantía de un contrato de suministro o arrendamiento. También son hipotecas de máximo las constituidas en garantía de **cuentas corrientes de crédito** y de **préstamos con cláusula de estabilización**, que se estudian de forma específica (nº 4020 y nº 4040, respectivamente).

Precisiones Es difícil encajar la figura de hipoteca de máximo en el sistema hipotecario español (DGRN Resol 23-12-87; 26-11-90). Existen autores para quienes no existe una hipoteca diferenciada como tal tipo de «máximum», sino una **mera cualidad de ciertas hipotecas ordinarias** que se limita a afectar a su mecanismo de ejecución. **4016**

2. Hipoteca en garantía de cuentas corrientes de crédito

La hipoteca en garantía de cuentas corrientes de crédito es el paradigma de la hipoteca de máximo. En ella el **crédito** que se garantiza es **indeterminado** en su existencia o en su cuantía. En este tipo de hipoteca la obligación que se garantiza es el **saldo definitivo** resultante de la liquidación de un contrato consensual de apertura de crédito en cuenta corriente (sobre el concepto y régimen jurídico de este contrato, ver nº 8195 s.). **4020**

Precisiones La hipoteca de máximo en garantía de cuenta corriente de crédito ha ido abandonándose progresivamente por los **acreedores bancarios**, a la vista de las dificultades técnicas de su ejecución. Para garantizar las deudas nacidas de tales operaciones activas las entidades de crédito prefieren la **garantía personal o la pignoraticia** (Font Galán, Camy).

Características (LH art.153 bis; RH art.245 y 246) Son las siguientes: **4022**
1. La garantía se constituye antes del nacimiento de la obligación principal. Para su constitución, esta hipoteca requiere **escritura pública** e **inscripción registral** (requisitos generales).
2. En la inscripción solamente aparece una alusión a la **obligación posible o potencial**.
La constitución de hipoteca en garantía de cuentas corrientes de crédito exige que se determine en la escritura la cantidad máxima de que responde la finca y el plazo de **duración**, haciendo constar si éste es o no prorrogable y, en caso de serlo, la prórroga posible y los plazos de liquidación de la cuenta (LH art.153.1º).
3. La **existencia y cuantía de la deuda** se determinan posteriormente y por medios extrarregistrales. Si al vencimiento del término fijado por los otorgantes o de la prórroga, en su caso, el acreedor no se hubiere reintegrado del saldo de la cuenta, podrá utilizar la **acción hipotecaria** para su cobro en la parte que no exceda de la cantidad asegurada con la hipoteca por el procedimiento establecido en la LH art.129 s.; TS 7-3-16, EDJ 14623).
A la escritura y demás documentos debe acompañarse el que acredite el **importe líquido de la cantidad adeudada** (LH art.153.2º).

Precisiones Se plantea la duda sobre si la **novación de una hipoteca** de máximo, en garantía de cuenta corriente de crédito, por ampliación del plazo inicialmente convenido y con aumento del límite de la cuenta de crédito, afecta al rango de la inscripción de la hipoteca novada o de su ampliación cuando existen **cargas intermedias**, como embargos, y los titulares de las mismas no prestan su consentimiento a la referida doble ampliación del plazo y de la responsabilidad hipotecaria. La DGRN declara al respecto lo siguiente:
- Si se acuerda únicamente la **ampliación del plazo de vencimiento** de la obligación garantizada, tanto si existen terceros titulares de derechos anotados posteriormente, como si esos terceros lo son de derechos inscritos, ese pacto es perfectamente válido e inscribible sin pérdida de rango de la hipoteca inscrita, aun en ausencia del consentimiento de los titulares de esos derechos inscritos o anotados con posterioridad.
- Igualmente, si se acuerda la **ampliación del capital**, tampoco será necesario contar con el consentimiento de los acreedores posteriores, salvo cuando dicha ampliación vaya acompañada de un aumento de la responsabilidad hipotecaria (L 2/1994 art.4.3).
- Por el contrario, cuando se trata de un supuesto de ampliación del plazo de vencimiento de la obligación con simultánea ampliación de capital -límite del crédito- e **incremento de la responsabilidad hipotecaria,** en el caso de que existan anotaciones de embargo posteriores se hace necesario el **consentimiento** de los titulares de dichos derechos anotados con rango posterior. La ausencia de tal consentimiento implica la pérdida del rango preferente de esa ampliación, e impide también la práctica de la inscripción de la ampliación de hipoteca aunque lo sea con el rango que le corresponda conforme a la fecha de su inscripción actual, si no media el consentimiento expreso por parte de la entidad acreedora para su inscripción en tales condiciones, por afectar tales estipulaciones al contenido esencial del derecho real de hipoteca, como son el rango, plazo y responsabilidad hipotecaria (DGRN Resol 14-5-15).
- Junto al procedimiento ordinario para el ejercicio de la acción hipotecaria previsto en la LH art.129, hay que tener presente la LH art.129 bis, introducido por la L 5/2019 disp.final 1.4 -reguladora de los contratos de crédito inmobiliario- (entró en vigor el 16-6-2019). La LH art.129 bis regula especialidades del ejercicio de la acción hipotecaria para el caso en que el préstamo o crédito haya sido concertado por una **persona física** y esté garantizado mediante hipoteca sobre bienes inmuebles para **uso residencial** o cuya finalidad sea adquirir o conservar derechos de propiedad sobre terrenos o inmuebles construidos o por construir para uso residencial.

4024 4. Especialmente interesante es lo relativo a la **determinación del saldo**. El modo de fijarlo será el pactado, pero, para poder utilizar el procedimiento judicial sumario de ejecución, es preciso que se empleen los medios de doble libreta o de certificación bancaria:
a) El **sistema de doble libreta** (LH art.153 párrafos 3º y 4º; RH art.246). En él es necesaria la **presentación del ejemplar** que obre en poder del actor de la libreta.
Para que pueda determinarse al tiempo de la **reclamación la cantidad líquida** a que asciende el saldo final, los interesados llevan una libreta de ejemplares duplicados; uno en poder del deudor y otro en el del acreedor, en los cuales, al tiempo de todo cobro o entrega se hace constar, con aprobación y firma de ambos interesados, cada uno de los asientos de la cuenta corriente.
Los **ejemplares duplicados** de las libretas que, para acreditar el estado de las cuentas corrientes abiertas con garantía de hipoteca, pueden llevar los interesados, deben estar sellados y rubricados por el notario autorizante de la escritura en todas las hojas, con expresión certificada en la primera del número de las que contenga.
b) El **sistema de certificación bancaria** (LH art.153 párrafo 5º; RH art.245). No obstante, en las cuentas corrientes abiertas por los bancos, cajas de ahorro y sociedades de crédito debidamente autorizadas, puede convenirse que, a los efectos de proceder ejecutivamente, el **saldo** puede acreditarse mediante una certificación de la entidad acreedora. En este caso, para proceder a la **ejecución** se notificará judicial o notarialmente, al deudor un **extracto de la cuenta**, pudiendo éste alegar en la misma forma, dentro de los ocho días siguientes, error o falsedad. No basta con notificar el saldo, sino que es necesario entregar al deudor un **completo extracto de cuenta** (TS 21-2-85, EDJ 7186).

4026 **Oposición del deudor** (LH art.153 párrafos 6º, 7º y 8º) Si el deudor opusiera **error**, el juez competente para entender del procedimiento de ejecución, a petición de una de las partes, citará a éstas dentro del término de ocho días, a una **comparecencia** y, después de oírlas, admitirá los **documentos** que se presenten y acordará, dentro de los tres días, lo que estime procedente. El **auto** que se dicte será apelable en un solo efecto, y el **recurso** se sustanciará por los trámites de apelación de los incidentes.
Cuando se alegue **falsedad**, y se incoe **causa criminal**, quedará interrumpido el procedimiento hasta que en dicha causa recaiga sentencia firme o auto de sobreseimiento libre o provisional.
Opuesta por el deudor alguna de estas **excepciones**, no puede aducirlas nuevamente en los juicios ejecutivos que, para hacer efectivo dicho saldo, puedan entablarse, sin perjuicio de que en su día ejercite cuantas acciones le competan en los **procedimientos civiles o criminales** correspondientes.

3. Hipoteca «global» o «flotante»

La L 41/2007 introdujo en la LH la figura de las hipotecas llamadas doctrinalmente globales o flotantes, que forman parte del género de las **hipotecas de máximo** (nº 4010). 4030
Las hipotecas globales o flotantes se pueden definir como aquéllas que garantizan un número ilimitado de **obligaciones** que no están perfectamente determinadas al constituirse la hipoteca, pero que son **determinables** conforme a los criterios pactados por las partes, no existiendo asignación de cuotas separadas de valor en garantía para cada obligación (Carrasco Perera, Cordero Lobato, Marín López). Se piensa especialmente en las necesidades de **financiación de las empresas**.
La LH admite esta modalidad de hipoteca únicamente a favor de ciertos sujetos y con sujeción a ciertos requisitos.

Sujetos (LH art.153 bis) Solo pueden constituirse hipotecas globales o flotantes a favor de: 4032
1. **Entidades de crédito** en garantía de una o diversas obligaciones, de cualquier clase, presentes y/o futuras.
2. **Administraciones públicas** titulares de créditos tributarios o de la Seguridad Social.

Precisiones El RDL 24/2021 incorpora a nuestro ordenamiento interno la Dir (UE) 2019/2162 sobre la emisión y la supervisión pública de **bonos garantizados** (Libro Primero: art.1 a 61; disp.adic.1ª a 4ª), y deroga íntegramente la L 2/1981 del mercado hipotecario con efectos desde el 8-7-2022.

Requisitos (LH art.153 bis) Es necesario que se especifiquen en la **escritura de constitución** de la hipoteca y se hagan constar en la **inscripción** de la misma: 4034
a) Su denominación y, si fuera preciso, la descripción general de los actos jurídicos básicos de los que deriven o puedan derivar en el futuro las obligaciones garantizadas.
b) La cantidad máxima de que responde la finca.
c) El plazo de duración de la hipoteca.
d) La forma de cálculo del saldo final líquido garantizado. Cabe la posibilidad de pactar en el título que la cantidad exigible en caso de ejecución sea la resultante de la liquidación efectuada por la entidad financiera acreedora en la forma convenida por las partes en la escritura.
Si al **vencimiento** del término fijado por los otorgantes o de la prórroga, en su caso, existieran obligaciones garantizadas no satisfechas, el acreedor podrá ejercitar la **acción hipotecaria** por el procedimiento establecido en la LH art.129 s. y de conformidad con lo previsto en la LH art.153 para la hipoteca en garantía de cuentas corrientes de crédito.

4. Hipoteca en garantía de préstamos con cláusula de estabilización

(RH art.219.3)

Son aquellas en que, para neutralizar los efectos de la devaluación monetaria, se fijan en el préstamo **módulos revalorizadores** del montante del crédito, que dan un valor monetario estable a la responsabilidad hipotecaria. 4040
En las **inscripciones** de escrituras de préstamos hipotecarios se pueden hacer constar las cláusulas de estabilización de valor, cuando concurran las **circunstancias** siguientes:
1. Que la **duración mínima** pactada sea de tres años.
2. Que se determine la estabilización con referencia a uno de los **tipos o módulos** siguientes, vigentes en la fecha del otorgamiento de la escritura y en la del vencimiento del crédito:
- valor del trigo fijado a efectos del pago de renta por el Ministerio de Agricultura;
- índice general ponderado del costo de la vida fijado por el INE;
- precio del oro en las liquidaciones de los derechos del arancel de aduanas señalado por el Ministerio de Hacienda.

En la inscripción constará la cifra del tipo o módulo vigentes en la **fecha del otorgamiento de la escritura**.
3. Que se fije una **cantidad máxima de responsabilidad hipotecaria** que no podrá exceder, aparte de intereses y costas, del importe del principal más un 50% si el plazo del préstamo fuera superior a diez años o un 25% en los demás casos.
Es de destacar que lo que se intenta, con esta figura, es aparejar la suma de responsabilidad hipotecaria a las **oscilaciones experimentadas por el principal** del crédito garantizado. Figura distinta a ésta es la el préstamo sin cláusula de estabilización, pero con intereses variables (nº 8675 s.).
Lo dispuesto en RH art.219, en cuanto a las **cláusulas de estabilización de valor** no será aplicable a las hipotecas constituidas en garantía de cuentas corrientes de crédito.

5. Hipoteca en garantía de títulos transmisibles por endoso o al portador

(LH art.150, 154 a 156; RH art.247)

4045 Es aquella que se constituye para garantizar obligaciones transferibles por endoso o títulos al portador. En ellas, el crédito hipotecario se entenderá **transferido con la obligación o con el título**, sin necesidad de dar conocimiento de ello al deudor, ni de hacer constar la transferencia en el Registro.

El acreedor o titular se determina por la **tenencia de un título al portador o a la orden**, que le legitima para la ejecución del crédito hipotecario a su vencimiento.

La constitución de hipotecas para garantizar títulos transmisibles por endoso o al portador deberá hacerse por medio de **escritura pública**, que se inscribirá en el Registro o Registros de la Propiedad a que correspondan los bienes que se hipotequen, o en el de arranque o cabeza de la obra pública, cuando sea de esta clase la garantía hipotecaria, haciéndose en este caso breve referencia en los demás Registros por cuyo territorio atraviese aquélla, a continuación de las **inscripciones de referencia de la de dominio**, que deben constar en los mismos.

4047 **Especialidad de esta hipoteca** (LH art.150) Consiste principalmente:

a) En ser **indeterminado el titular** o sujeto a quien favorece (el tenedor del título al tiempo de poder pedirse su pago).

b) En bastar para su transmisión el mero **endoso o tradición del título**, si necesidad de dar conocimiento al deudor ni de hacerlo constar en el Registro de la Propiedad.

4049 **Características** Estas hipotecas presentan las siguientes características:

a) Son hipotecas **de seguridad**, al asegurar un crédito determinado en su existencia y cuantía, pero cuyo titular se determina por la tenencia del título (al portador) o por la regularidad en la cadena de endosos (a la orden).

b) Tanto el crédito como la garantía hipotecaria se incorporan a un **título valor**, cuya transmisión supone la de aquéllos, sin tener que cumplir los requisitos generales de la cesión de créditos hipotecarios.

c) La existencia de **varios títulos garantizados por la misma hipoteca** produce que todos sus tenedores gocen del mismo rango, en cuanto titulares de la misma hipoteca.

d) Las normas que regulan estas hipotecas están pensadas para los **títulos-valores emitidos en masa**, fundamentalmente obligaciones, aunque también se aplican a las letras de cambio (Cachón Blanco).

4051 **Requisitos de la escritura** (LH art.154 párrafo 2º) En la escritura han de **consignarse**, además de las circunstancias propias de las de constitución de hipoteca (nº 3945):

- las relativas al número y valor de las obligaciones que se emitan y que garanticen la hipoteca;
- la serie o series a que correspondan;
- la fecha o fechas de la emisión;
- el plazo y forma en que han de ser amortizadas;
- la autorización obtenida para emitirlas, en caso de ser esta necesaria, y
- cualesquiera otras que sirvan para determinar las condiciones de dichos títulos, que habrán de ser talonarios; haciéndose constar expresamente, cuando sean al portador, que queda constituida la hipoteca a favor de los tenedores presentes y futuros de las obligaciones.

4053 **Requisitos de los títulos** (LH art.154 párrafo 3º) En los títulos debe hacerse asimismo constar la **fecha** y el **notario** autorizante de la escritura, y el **número, folio, libro y fecha** de su inscripción en los respectivos Registros de la Propiedad y Registro Mercantil, cuando así proceda.

La LH está redactada pensando en **títulos cartulares**.

La hipoteca en garantía de **títulos tabulares** es la que asegura las cédulas, bonos y participaciones hipotecarias reguladas en la L 2/1981 hasta el 8-7-2022, fecha a partir de la cual ha entrado en vigor el RDL 24/2021 art.1 a 61, que la sustituye. Respecto a estos títulos, la referencia a la autorización para su emisión debe entenderse referida a la **verificación de la CNMV** más, en los escasos supuestos en que procede, la autorización administrativa correspondiente.

Aunque las **emisiones de obligaciones por parte de personas físicas** están prohibidas (LSC disp.adic.1ª), se han seguido planteado supuestos de emisión de una obligación al portador con garantía de hipoteca. Si bien se argumentaba que una sola obligación no constituía emisión y que debía quedar al margen de la normativa del mercado de valores y de la referida prohibición, la DGRN ha seguido manteniendo un criterio impeditivo de estas supuestas emisiones (DGRN Resol 28-1-00, 9-2-00).

En las hipotecas en garantía de títulos endosables o al portador, como **no se conoce quién es el acreedor**, la hipoteca se constituye unilateralmente por el hipotecante, el cual realiza por sí solo la distribución de la responsabilidad hipotecaria entre las fincas gravadas (LH art.119) y determina el precio en que tasa la finca, a efectos del procedimiento judicial sumario de ejecución (LH art.130).

Precisiones El RDL 24/2021 incorpora a nuestro ordenamiento interno la Dir (UE) 2019/2162 sobre la emisión y la supervisión pública de bonos garantizados (Libro Primero: art.1 a 61; disp.adic.1ª a 4ª), y deroga íntegramente la L 2/1981 del mercado hipotecario **a partir del 8-7-2022**.
Las participaciones hipotecarias y certificados de transmisión hipotecaria emitidos **antes de dicha fecha**, y por tanto emitidas conforme a la L 2/1981 de regulación del mercado hipotecario y L 5/2015 disp.adic.4ª -de fomento de la financiación empresarial-, seguirán rigiéndose por la normativa con la que se emitieron hasta su vencimiento (RDL 24/2021 disp.trans.primera).

Procedimiento (LH art.129 s. y 155) Estos artículos establecen el procedimiento para hacer efectiva la acción hipotecaria nacida de los títulos, tanto nominativos como al portador, cualquiera que sea el importe de la cantidad reclamada. Con los títulos u obligaciones debe acompañarse un **certificado de inscripción** de la hipoteca en el Registro de la Propiedad, y el **requerimiento de pago** al deudor o al tercer poseedor de la finca, si lo hubiese. 4055

6. Hipoteca cambiaria

(LH art.154; LHMPSD art.7)

Por hipoteca cambiaria se entiende aquella que garantiza la obligación de pago incorporada a una letra de cambio y concede al acreedor cambiario el derecho de hacer efectivo su importe con lo que obtenga de la **venta de la finca gravada** en caso de no resultar atendida la cambial a su vencimiento. 4060
De acuerdo con la LHMPSD art.7, puede constituirse **hipoteca mobiliaria o prenda sin desplazamiento**, en garantía de cuentas corrientes de crédito o de letras de cambio. Esto, unido a la dificultad de coordinar los principios cambiarios con los principios hipotecarios, lleva a considerar que se trata de una subespecie de la hipoteca en garantía de títulos-valores transmisibles por endoso (DGRN Resol 26-10-73). La DGRN ha admitido que a este tipo de hipoteca se le aplique el régimen jurídico de la **hipoteca en garantía de obligaciones transferibles por endoso o al portador** y ello aunque este régimen jurídico esté pensado para títulos que han sido emitidos en masa o en serie (y la letra de cambio no tiene por qué haberse emitido de esa manera). No se debe confundir con otro tipo de hipoteca de mayor profusión en la práctica bancaria, como es la **hipoteca de máximo en garantía de descuento**. Esta última garantiza una línea de descuento cambiario concedida al cliente bancario que, por quedar contablemente aparejada a una cuenta corriente en la que se practican abonos (efectivo descontado) y cargos (efectos no atendidos), tiene un saldo cuya liquidación final es desconocida.
En la hipoteca cambiaria hay determinación en el **quantum del crédito** pero hay **indeterminación en su sujeto** titular. En la hipoteca de máximo en garantía de descuento el sujeto titular está perfectamente determinado (es el cliente bancario, también titular de la mencionada cuenta corriente), mientras que hay indeterminación en la cantidad final garantizada (esto es, el saldo de la cuenta contable).

Notas características La hipoteca cambiaria se caracteriza por las siguientes notas: 4062
a) Es una **garantía real inmobiliaria** que asegura el pago de la letra de cambio previamente emitida, con independencia de cuál sea su tenedor futuro.
b) Esta **indeterminación del futuro titular** lleva a ubicarla dentro de la categoría de la hipoteca de seguridad.
c) Provoca el nacimiento de un **nuevo derecho de crédito**, que queda incorporado al documento emitido y sujeto a un régimen jurídico específico. Dicho derecho de crédito es radicalmente distinto de la eventual relación de crédito subyacente anterior que determinó aquella emisión, por más que esta última relación quede en suspenso en tanto se produce el pago de las letras emitidas o su perjuicio imputable al tenedor, y por más que el pago de éstas provoque al mismo tiempo la extinción de aquélla (DGRN Resol 17-8-93).
Hay que poner de relieve el **acceso al Registro de la hipoteca cambiaria**, dato que, unido al de la accesoriedad, permite concluir que las peculiaridades del crédito cambiario se comunican a la hipoteca, pero no hasta el punto de quedar desnaturalizada en sus caracteres esenciales (Roca Guillamón). Así, si la abstracción propia de la letra proporciona al acreedor cambiario un mecanismo protector especial, fundado en la **limitación de excepciones** (LCC art.20 y 67), esa abstracción no se comunica a la hipoteca porque ésta cuenta con su propia vida, y su dinámica, aunque paralela a la de la letra, se produce fuera de ella.

Para consolidar esta realidad, se exige que los datos registrales de la hipoteca se consignen en la cambial (DGRN Resol 26-10-73; 31-10-78 y 18-12-96).

4064 d) Es una **hipoteca unilateral**, en el sentido de que, en el momento de su constitución, el acreedor no está determinado, o, si lo está, lo normal es que no sea el acreedor definitivo. La constitución de la hipoteca se ajusta a las normas generales y, por eso, debe constar en **escritura pública** que se inscribirá en el Registro de la Propiedad (LH art.154; RH art.247).

e) Es **garantía del crédito cambiario** y no de la obligación causal, de donde se deduce la necesidad, por imperativo del principio de especialidad, de la más perfecta identificación de dicho crédito en el Registro, a través de la consignación de los datos de la cambial en la escritura pública.

Precisiones Al respecto de si es posible la constitución de una **única hipoteca para garantizar** no una, sino **varias letras de cambio**, la DGRN se muestra generalmente a favor de ello, aunque excepcionalmente existe alguna Resolución que lo reprueba.
A favor, DGRN Resol 31-10-78 y 18-10-79. Las posturas en contra se basan en que, al ser las obligaciones cambiarias (nacidas de letras diferentes) distintas y autónomas, también deben serlo las hipotecas que las garantizan (DGRN Resol 18-12-96).

4066 Plantea problemas prácticos la **inscribibilidad** de las letras de renovación y, sobre todo, la letra en blanco.

1. **Letra de renovación**. Es posible prever en la escritura pública que, en caso de letra de renovación, la hipoteca pasa a garantizar esta última. Estaríamos, en tal caso, en presencia de una hipoteca en garantía de una obligación futura. Es necesario acreditar al Registro la renovación de la letra, identificando la nueva que sustituye a la primitiva, y afirmando la inutilización de ésta, todo ello en nueva escritura pública.

2. **Letra en blanco**. El principio de especialidad no implica que sea esencial la inscripción de todos los requisitos exigidos para el nacimiento de la letra, pues estos se refieren a la eficacia ejecutiva cambiaria, pero carecen de trascendencia hipotecaria (DGRN Resol 18-10-79; 2-9-83 y 3-12-86; TS 7-6-88). Sin embargo, no habrá hipoteca si en el momento de la constitución el título no contiene todos los requisitos que la Ley exige para ser considerado letra de cambio (DGRN Resol 22-3-88).

Finalmente, como sin obligación no hay hipoteca, no habrá inscripción si, por estar **girada la letra a la propia orden** y no haber sido aún endosada, no hay todavía acreedor cambiario.

4068 f) Para la **transmisión del crédito hipotecario,** el crédito hipotecario queda transferido al nuevo tenedor por el mero **endoso de la letra**, sin necesidad de dar de ello conocimiento al deudor ni de hacerse constar la transferencia en el Registro.

g) La **ejecución** puede hacerse por el procedimiento judicial sumario siempre que se pacte expresamente (DGRN Resol 26-10-73). Además:

• Se puede proceder a la ejecución de la hipoteca cuando la letra de cambio **no sea pagada a su vencimiento**, sin necesidad de acudir previamente a la vía de regreso.
• No cabe ejecutar la hipoteca si se ha **perjudicado la letra**, en los casos de la LCC art.63.
• El procedimiento ejecutivo no se suspende por las **excepciones cambiarias** de la LCC art.67.

h) Respecto de la **cancelación**, como **reglas especiales**, aparecen las siguientes:

1ª. Se admite la cancelación, aun **sin conocimiento del acreedor**, cuando conste suficientemente el pago de la letra y la consiguiente inutilización de la misma (DGRN Resol 30-10-89).
2ª. Si la hipoteca inscrita lo fuera **en garantía** no de una sino **de varias letras de cambio**, se admite la cancelación parcial (DGRN Resol 15-1-91).

4070 **Garantía de varias obligaciones** Tanto la Ley Hipotecaria como el Código Civil prevén que se garanticen con una sola hipoteca obligaciones distintas reducibles a dinero (por ejemplo, CC art.1137; DGRN Resol 31-10-72). Parece evidente que la **garantía única** está justificada por el vínculo que las partes establecen entre las diversas obligaciones y las relaciones económicas existentes. Nacen tanto la obligación principal de pago de la letra como la accesoria de intereses.

Así, nada impide que pueda garantizar además de la obligación cartular otras **extracambiarias**, siempre que -como acontece con la de pagar intereses de demora superiores al referido límite legal- estas mantengan la debida conexión con la relación cambiaria.

La máxima según la cual una única hipoteca no puede garantizar obligaciones de **distinta naturaleza** y sometidas a diferente régimen jurídico no puede mantenerse como principio axiomático y absoluto. Sobre una interpretación meramente literalista del CC art.1876 y la LH art.104 ha de prevalecer la que, con criterio lógico, sistemático y finalista, resulta de otros preceptos legales, como el CC art.1861 o la LH art.154 y 155 atendiendo a las necesidades del tráfico jurídico.

Indudablemente, obligaciones distintas pueden recibir una única cobertura hipotecaria cuando aquéllas tienen **conexión causal** entre sí o de dependencia de una respecto de la otra. No lo impide la aplicación del principio de especialidad ni el de accesoriedad de la hipoteca, en tanto en cuanto las distintas obligaciones estén determinadas en sus aspectos definidores (o al menos sean éstos determinables, como -con notable flexibilidad, a fin de facilitar el crédito- se permite en algunos supuestos, siempre que se cumplan ciertas exigencias mínimas) y la hipoteca constituida quede enlazada con esas distintas obligaciones de suerte que aquélla quede debidamente supeditada a éstas en su nacimiento, vigencia y exigibilidad.
Cuando esas diversas obligaciones garantizadas mediante una relación hipotecaria de carácter unitario y esten sometidas a **diferente régimen jurídico** y tengan **distinto título** para conseguir su efectividad hipotecaria es necesario, en principio y por exigencias de determinación del derecho real constituido, establecer separadamente la cantidad que respecto de cada obligación cubre la garantía (LH art.9 y 12; TS 12-3-91, EDJ 2693; DGRN Resol 26-10-87; 23-10-87; 31-10-84; 26-10-84).

7. Cédulas, bonos y participaciones hipotecarias

Son **activos financieros** emitidos con la finalidad de captar ahorro garantizando la devolución del mismo con la constitución de una hipoteca. **4075**
El legislador los concibe como herramienta para **canalizar fondos masivos** hacia las actividades de financiación de las entidades de crédito, siempre que esa financiación esté asegurada mediante garantía hipotecaria. Así pues, la entidad de crédito concede préstamos hipotecarios y, para obtener los fondos suficientes, emite cédulas, bonos o participaciones hipotecarias. La **emisión** de este tipo de activos financieros sólo puede hacerse, en las condiciones determinadas reglamentariamente, por los bancos, las cajas de ahorro, la Confederación Española de Cajas de Ahorro, las cooperativas de crédito y los establecimientos financieros de crédito regulados por la L 5/2015 Título II y el RD 309/2020 (que deroga y sustituye al RD 692/1996).
Se definen como **títulos valores** (o anotaciones en cuenta) que representan derechos de crédito contra la entidad emisora, los cuales están especialmente garantizados sobre ciertos créditos hipotecarios que la entidad emisora tenía ya constituidos, a su vez, frente a terceros (Peña).

Precisiones Con efectos a partir del **8-7-2022,** se **deroga** íntegramente la L 2/1981 del mercado hipotecario, cuyo régimen pasa a regularse en el RDL 24/2021 art.1 a 61 (Libro Primero) y disp.adic.1ª a 4ª, que incorpora a nuestro ordenamiento interno la Dir (UE) 2019/2162 sobre la emisión y la supervisión pública de bonos garantizados.

Cédulas hipotecarias (RDL 24/2021 art.23; RD 716/2009 art.14) Deberán estar en todo momento **garantizadas** por los activos primarios admisibles recogidos en el Rgto (UE) 575/2013 art.129.1 d, letras d) y f) -sobre los requisitos prudenciales de las entidades de crédito, y por el que se modifica el Rgto (UE) 648/2012-. **4077**
Además de reunir las condiciones establecidas en el Rgto (UE) 575/2013 Capítulo 4, la **hipoteca inmobiliaria** que garantiza los préstamos deberá estar constituida con **rango de primera** sobre el pleno dominio de la totalidad de la finca. Si sobre el mismo inmueble gravasen otras hipotecas o estuviere afecto a prohibiciones de disponer, condición resolutoria o cualquier otra limitación del dominio, habrá de procederse a la cancelación de unas y otras o a su posposición a la hipoteca que se constituye previamente a su inclusión en el conjunto de cobertura. No se considerarán carga, a estos efectos, las afectaciones por razón de impuestos devengados por el Estado, la Administración Autonómica o la Administración Local.
La **inmatriculación** de la finca hipotecada debe estar vigente y sin contradicción alguna, y no sujeta a limitaciones por razón de inmatriculación.
En el momento de su incorporación al conjunto de cobertura, el préstamo garantizado con hipoteca inmobiliaria **no podrá exceder**:
- del **60%** del valor de tasación del bien hipotecado;
- salvo que se trate de bienes inmuebles residenciales, en cuyo caso el préstamo podrá alcanzar el **80%**.

El **plazo de amortización del préstamo** garantizado, cuando financie la adquisición, construcción o rehabilitación de la vivienda habitual, no podrá exceder de 30 años. Si como consecuencia de la amortización de un préstamo inelegible inicialmente por exceder de los límites señalados, se llegará a los umbrales correspondientes, el préstamo con garantía hipotecaria podría ser elegible como activo en garantía a partir de ese momento.

Precisiones Las cédulas hipotecarias podrán estar **respaldadas hasta** un límite del **10%** del principal por los siguientes **activos de sustitución**:
- valores de **renta fija** admitidos a negociación en mercados regulados emitidos por las contrapartes mencionadas en las letras a) y b) del Rgto (UE) 575/2013 art.129.1;
- **depósitos a corto plazo** en entidades de crédito que cumplan lo previsto en la letra c) del Rgto (UE) 575/2013 art.129.1, y con los límites previstos en el citado artículo.

Si por razón de la amortización de los préstamos que conforman el conjunto de cobertura, los **activos de sustitución** que respaldan las cédulas hipotecarias emitidas **excedieran de los límites** aplicables, la entidad emisora podrá optar por **adquirir sus propias cédulas** hasta restablecer la proporción, o sustituirlos por otros activos de cobertura que reúnan las condiciones exigidas.

4079 **Bonos hipotecarios** (RDL 24/2021 art.26 RD 716/2009 art.15) Al igual que las cédulas, son representativos de un **derecho de crédito** frente a la entidad emisora, pero se diferencian de aquellas en que los bonos no se afectan más que los créditos hipotecarios que se determinan o concretan en la **escritura de emisión**. Así, confieren una garantía hipotecaria sobre determinados créditos hipotecarios de la entidad emisora (concretamente, sobre aquéllos cuya afectación se especifique en la escritura de emisión) y no sobre todas las hipotecas a favor de la emisora, como ocurre en el caso de las cédulas hipotecarias.

Los bonos hipotecarios estarán **garantizados por activos** de las clases especificadas en y con las condiciones establecidas en el RDL 24/2021 art.23, 24 y 25.

Si por razón de la amortización de los préstamos o créditos que conforman el conjunto de cobertura, los activos de sustitución que respaldan los bonos hipotecarios, territoriales y de internacionalización emitidos **excedieran de los límites aplicables**, la entidad emisora deberá cubrir la diferencia mediante un depósito de efectivo o de fondos públicos en el Banco de España.

4081 **Participaciones hipotecarias** (RDL 24/2021 disp.adic.1ª; RD 716/2009 art.26) Las entidades de crédito y los establecimientos financieros de crédito podrán hacer **participar a terceros** en todo o en parte de un préstamo hipotecario de su cartera que cumpla las condiciones para ser activo de cobertura de cédulas hipotecarias conforme a lo previsto en el RDL 24/2021 art.23 (nº 4077), mediante la emisión de **títulos valores** denominados participaciones hipotecarias.

Sobre un mismo préstamo hipotecario se podrán emitir varias participaciones.

La participación podrá realizarse al comienzo o a lo largo de la vida del préstamo concedido, si bien el **plazo de la participación** no podrá ser superior al que reste por transcurrir para el vencimiento del préstamo hipotecario, ni el interés superior al establecido para éste.

El titular de la participación hipotecaria tendrá **acción ejecutiva** contra la entidad emisora, siempre que el incumplimiento de sus obligaciones no sea consecuencia de la **falta de pago del deudor** en cuyo préstamo participa dicha persona. En este caso, el titular de la participación concurrirá, en igualdad de derechos con el acreedor hipotecario, en la ejecución que se siga contra el mencionado deudor, cobrando a prorrata de su respectiva participación en la operación y sin perjuicio de que la entidad emisora perciba la posible diferencia entre el interés pactado en el préstamo y el cedido en la participación, cuando éste fuera inferior.

El titular de la participación podrá **compeler al acreedor hipotecario** para que inste la ejecución. Si el acreedor hipotecario no instare la ejecución judicial dentro de los sesenta días desde que fuera compelido a ello, el titular de la participación podrá subrogarse en dicha ejecución, por la cuantía de su respectiva participación. Las notificaciones pertinentes se harán fehacientemente.

En el supuesto de **concurso de la entidad emisora** de la participación, el negocio de emisión de la participación sólo será impugnable en caso de existencia de fraude en la constitución de gravamen, quedando en todo caso a salvo los derechos de terceros de buena fe. El titular de la participación gozará de un **derecho absoluto de separación** en caso de concurso de la entidad emisora de la participación.

4083 **Fondos de titulización** (L 5/2015 art.15, 16, 22, 24) Son un tercer operador del mercado, situado entre inversores y emisores. Captan el **ahorro popular** y lo canalizan al mercado financiero-hipotecario. Los inversores, ahora, suscribirán un activo financiero denominado **bono de titulización** y la sociedad gestora del fondo de titulización (que es el verdadero especialista) decidirá qué activos adquiere. Para proteger los intereses de los pequeños inversores, se incorpora al sistema una pieza de salvaguarda pública consistente en que las **sociedades gestoras** son supervisadas por el organismo público competente, en general, en la materia: la CNMV.

Los fondos de titulización constituyen **patrimonios separados**, carentes de personalidad jurídica, con valor patrimonial neto nulo, integrados:
a) En cuanto a su **activo**, por los derechos de crédito, presentes o futuros, que agrupen. Pueden incorporarse al activo:
- Derechos de crédito que figuren en el activo del cedente. Se entienden incluidas en esta letra las participaciones hipotecarias, así como los certificados de transmisión de hipoteca. Los valores emitidos por fondos de titulización que integren en su activo participaciones hipotecarias o certificados de transmisión hipotecaria tienen la consideración de títulos hipotecarios del RDL 24/2021 art.1 a 61 (Libro Primero).
- Derechos de crédito futuros que constituyan ingresos o cobros de magnitud conocida o estimada, y cuya transmisión se formalice contractualmente de modo que quede probada de forma inequívoca y fehaciente, la cesión de la titularidad. Se entiende que son derechos de crédito futuros: (i) el derecho del concesionario al cobro del peaje de autopistas; y (ii) los restantes derechos de naturaleza análoga a los anteriores que se determinen la CNMV.
b) En cuanto a su **pasivo**, por los valores de renta fija que emitan con cargo al fondo, que sólo pueden representarse mediante anotaciones en cuenta, y por los créditos concedidos por cualquier tercero.
Los activos y pasivos del fondo deben estar equilibrados de modo que su valor patrimonial sea nulo. En este sentido, se obliga a que los **flujos de principal e intereses** correspondientes al conjunto de valores emitidos con cargo al fondo, coincidan con los del conjunto de participaciones agrupadas en él, sin más diferencias o desfases temporales que los derivados de las comisiones y gastos de administración y gestión, primas de aseguramiento u otros conceptos aplicables.

Precisiones Ante la enorme dispersión normativa que existía en el régimen jurídico español de las titulizaciones, la L 5/2015 opera su refundición, para garantizar la coherencia y sistemática de todos los preceptos que disciplinan esta materia. En este sentido, cabe destacar la unificación en una **única categoría legal** de los denominados **fondos de titulización de activos** y **fondos de titulización hipotecaria**. No obstante, los fondos de titulización hipotecaria existentes en el momento de entrada en vigor de la Ley (esto es, 29-4-2015) cohabitarán con los nuevos fondos de titulización de activos hasta que se extingan progresivamente (L 5/2015 dips.trans.séptima).

Constitución. Está sujeta al cumplimiento previo de los **requisitos** siguientes: 4085
a) Escrito de **solicitud** de constitución del fondo, presentado por la sociedad gestora ante la CNMV.
b) Aportación y **registro** previo en la CNMV de:
- proyecto de escritura pública de constitución del fondo de titulización;
- documentación acreditativa de los activos a agrupar en el fondo; y
- cualquier otra documentación acreditativa precisa para la constitución del fondo y creación de los compartimentos, si los hubiera, que requiera la CNMV.
c) Aportación de los **informes** elaborados bien por las sociedades gestoras, bien por auditores de cuentas u otros expertos independientes con aptitud suficiente a juicio de la CNMV, sobre los elementos que constituirán el activo del fondo de titulización o sus compartimentos. Este requisito puede ser exceptuado por la CNMV, atendiendo al tipo de estructura del fondo y a las circunstancias relevantes de mercado y de protección de los inversores.
d) Aprobación y registro en la CNMV de un **folleto informativo** sobre la constitución del fondo de titulización y los compartimentos, si los hubiera, y los pasivos que financiarán los mismos. Este folleto se adaptará al modelo específico que determine la CNMV de conformidad con el Derecho de la UE.
Cuando los valores emitidos por un fondo de titulización de activos se dirijan exclusivamente a **inversores cualificados** y no vayan a ser admitidos a negociación en un mercado secundario oficial, únicamente resultará obligatoria para su constitución la solicitud previa a la CNMV y la aportación y registro de la escritura pública de constitución; y la transmisión de los valores sólo se podrá realizar entre inversores cualificados.
La **inscripción** de la escritura de constitución del fondo y sus compartimentos en el **Registro Mercantil** es potestativa. En todo caso, las cuentas anuales de los fondos deben ser depositadas en la CNMV.

Respecto a la **modificación de la escritura de constitución**, la sociedad gestora debe acreditar la obtención bien del **consentimiento** de todos los titulares de los valores emitidos con cargo al fondo y de los restantes acreedores de sus pasivos, excluidos los acreedores no financieros, o bien el consentimiento de la junta de acreedores, de conformidad con el procedimiento establecido en la escritura de constitución del fondo. 4087

No es necesario el citado **consentimiento**, cuando concurra alguno de los supuestos siguientes:
a) Que la modificación sea de escasa relevancia a juicio de la CNMV.
b) Que, tratándose de un fondo abierto por el pasivo, la modificación sólo afecte a los derechos y obligaciones de los titulares de valores emitidos con posterioridad a la fecha de otorgamiento de la escritura pública de modificación.
En ningún caso la modificación de la escritura de constitución del fondo puede suponer la creación de un **nuevo fondo**.
La modificación de la escritura de constitución del fondo debe ser difundida por la sociedad gestora a través de la **información pública** periódica del fondo y su **página web**. Asimismo, cuando resulte exigible, debe elaborarse un suplemento al folleto del fondo y comunicarse y difundirse como información relevante.
En cuanto a la **extinción del fondo**, la sociedad gestora debe instarla en los supuestos y a través del procedimiento que a tal efecto se haya establecido en la escritura pública de constitución. En todo caso, se debe proceder a la extinción del fondo cuando:
a) Se hayan amortizado íntegramente los derechos de crédito que agrupe y se hayan liquidado cualesquiera otros bienes y valores que integren su activo.
b) La junta de acreedores decida por mayoría de tres cuartos su extinción.
c) Se hayan pagado por completo todos sus pasivos.
d) Se dé el caso de sustitución forzosa de la sociedad gestora.

4089 **Sociedades gestoras** (L 5/2015 art.25 a 33; RD 926/1998 art.5, 6.3, 13 y 17). Al carecer los fondos de titulización de personalidad jurídica, se hace necesaria su gestión y representación por una sociedad gestora. Son entidades financieras cuyo **objeto** social exclusivo es la constitución, administración y representación legal de los fondos de titulización, y de los fondos de activos bancarios en los términos de la L 9/2012.
Sus funciones alcanzan todas aquellas actividades que sean necesarias para asegurar el funcionamiento de dichos fondos.
En calidad de gestoras de negocios ajenos, les corresponde la **representación** y **defensa** de los intereses de los tenedores de los valores emitidos con cargo a los fondos que administren y de los restantes acreedores de los mismos, siendo responsables frente a ellos por todos los perjuicios que les cause el incumplimiento de sus obligaciones.
Es decir, es el **sujeto especializado** y administrativamente supervisado que se interpone entre el inversor no especializado (público en general) y el emisor profesionalizado (la entidad de crédito).
Su **creación** debe estar autorizada por la CNMV, que deberá resolver y notificar dentro de los 6 meses siguientes a la recepción de la solicitud, o al momento en que se complete la documentación exigible. Si transcurre dicho plazo sin que se dicte resolución expresa, puede entenderse estimada la solicitud, por silencio administrativo. Una vez obtenida la autorización y tras su **constitución** e **inscripción** en el Registro Mercantil, deben, antes de iniciar sus actividades, quedar inscritas en el Registro Especial abierto al efecto en la CNMV. Dicha inscripción debe producirse en el plazo de 6 meses a partir de la concesión de la autorización. En caso contrario, se produce la caducidad de la autorización.

4091 La **solicitud de autorización** para la creación de una sociedad gestora de fondos de titulización debe ir acompañada de la documentación que se establezca reglamentariamente, incluyendo en todo caso (L 5/2015 art.27):
- el proyecto de Estatutos sociales;
- una Memoria explicativa, en la que se describa con detalle la estructura organizativa de la sociedad, la relación de actividades a desarrollar y los medios técnicos y humanos de que dispondrá;
- la relación de quiénes ostentarán cargos de administración o dirección en la entidad, así como la acreditación de su idoneidad;
- la identidad de los accionistas, ya sean directos o indirectos, personas físicas o jurídicas, que posean una participación significativa en la sociedad y el importe de la misma; y
- cuantos datos, informes o antecedentes determine la CNMV necesarios para verificar el cumplimiento de las condiciones y requisitos a los que están sujetos.
La **modificación de estatutos** se ajusta al mismo régimen jurídico que el procedimiento previsto para la autorización de la sociedad gestora y sus estatutos.
Las sociedades gestoras están sometidas al régimen de **supervisión**, **inspección** y en su caso, **sanción** por la CNMV, remitiéndose a lo dispuesto en la Ley reguladora de las IIC.
Las sociedades gestoras pueden **renunciar** a su función de administración y representación legal de todos o parte de los fondos que gestione cuando así lo estime pertinente, solicitando su sustitución, que deberá ser autorizada por la CNMV.

Cuando una sociedad gestora hubiera sido declarada en **concurso**, deberá proceder a encontrar una sociedad gestora que lo sustituya.

Las específicas **obligaciones profesionales** de la sociedad gestora son, entre otras, las siguientes (L 5/2015 art.26): **4093**
1. Contar con expertos de probada experiencia en la materia.
2. Valorar los riesgos del activo con diligencia y rigor.
3. Redactar el folleto de emisión con claridad y transparencia.
4. Evitar los conflictos de intereses y dar prioridad a los tenedores de los valores y financiadores.
5. Remitir a la CNMV el informe de auditoría del último ejercicio y cuanta información resulte necesaria para la supervisión de las obligaciones previstas en la Ley.
6. Cumplir todas las obligaciones de información que se contienen en la legislación sobre mercados de valores.

Para el ejercicio de la actividad se exigen los siguientes **requisitos** (L 5/2015 art.29): **4095**
a) Revestir la **forma** de sociedad anónima, constituida por el procedimiento de fundación simultánea y con duración indefinida.
b) Tener por **objeto** social exclusivo es la constitución, administración y representación legal de los fondos de titulización, y de los fondos de activos bancarios en los términos de la L 9/2012.
c) Que su **domicilio** social, así como su efectiva administración y dirección, esté situado en territorio español.
d) Disponer de unos **recursos propios** totales y de un **capital social** mínimo de un millón de euros, totalmente desembolsado en efectivo y representado en acciones nominativas.
e) Que los titulares de **participaciones significativas** sean idóneos.
f) Contar con un **consejo de administración** formado, al menos, por tres miembros.
g) Contar con una **organización** administrativa y contable adecuada y proporcionada conforme al carácter, escala y complejidad de sus actividades, y contar con los medios técnicos y humanos suficientes para llevar a cabo sus actividades.
h) Incluir en su **denominación** social la expresión «Sociedad Gestora de Fondos de Titulización» o su abreviatura «SGFT», que quedan reservadas a estas entidades.
i) Contar con procedimientos y mecanismos de **control interno** adecuados que garanticen la gestión correcta y prudente de la sociedad, incluyendo procedimientos de gestión de los riesgos asociados a su actividad, así como mecanismos de control y de seguridad en el ámbito informático y órganos y procedimientos para la prevención del blanqueo de capitales y de la financiación del terrorismo, y un régimen de operaciones vinculadas.
j) Aprobar un **reglamento interno** de conducta, que regule las actuaciones de administradores, directivos, empleados, apoderados y personas o entidades en las que la sociedad pueda delegar funciones, de conformidad con los requisitos exigidos en la normativa aplicable a las empresas de servicios de inversión, con las adaptaciones que resulten necesarias.

8. Hipoteca en garantía de obligaciones futuras o condicionadas

(CC art.1861; LH art.105, 118, 142 y 143; RH art.230, 231, 232, 238 y 239)

La hipoteca en garantía de obligaciones futuras o condicionales se admite en LH art.142 y 143. **4100**
La primera está referida a la constitución de aquellas hipotecas actuales que garantizan obligaciones futuras, caso que la **obligación llegue a nacer**. La segunda alude a aquella hipoteca que garantiza una obligación sujeta a condición (por lo tanto, no garantiza una obligación futura, sino una **obligación que ya existe**, aunque tenga pendiente su efectividad).
Si la finca hipotecada en garantía de una obligación futura o sujeta a condición suspensiva o resolutoria es **adquirida por un tercero** que retiene o descuenta el importe de la obligación asegurada, la hipoteca subsiste, aunque como una hipoteca ordinaria (y no de seguridad), para garantizar al deudor que vendió la finca la devolución del importe retenido o descontado, siempre que éste presente el documento que acredite que la obligación garantizada no llegó a contraerse o se ha extinguido, acompañando, en su caso, instancia pidiendo que se haga constar la subrogación en el Registro.
El mismo derecho tiene el propietario ejecutado respecto del rematante o adjudicatario si la finca está hipotecada en garantía de una obligación futura o sujeta a condición suspensiva o resolutoria anterior o preferente al crédito del actor y dicha **obligación no llega a contraerse o se extingue**, porque lo normal es que su importe se haya rebajado del precio de remate.
En lo relativo a la hipoteca sobre obligaciones futuras, teniendo en cuenta que la hipoteca es actual, tiene **acceso al Registro de la Propiedad** y es objeto de inscripción. La inscripción señalará que los efectos normales de la hipoteca se subordinarán al nacimiento de la obligación la condición.

4102 **Hipoteca en garantía de una obligación futura o sujeta a condición suspensiva**
(LH art.142.1 y 143; RH art.238) La hipoteca constituida para la seguridad de una obligación futura o sujeta a condición suspensiva inscrita surte **efecto contra tercero** desde su inscripción, si la obligación llega a contraerse o la condición a cumplirse.
Por extensión de la regla de la accesoriedad, **pendiente la obligación principal**, pendiente su garantía. Sin embargo, el efecto producido contra tercero se retrotrae al momento de la inscripción.

Precisiones Se trata, en ambos casos, de **hipotecas de seguridad**, en el sentido de que la obligación garantizada no aparece definida, en todos sus términos, por datos registrales (TS 18-4-59).

4104 Cuando se contraiga la obligación futura o se **cumpla la condición suspensiva**, pueden los interesados hacerlo constar así en el Registro por medio de una nota al margen de la inscripción hipotecaria, pero no están obligados ello.
Para **hacer constar en el Registro** que se han cumplido las condiciones suspensivas o que se han contraído las obligaciones futuras, cualquiera de los interesados puede presentar al registrador copia del documento público que así lo acredite y, en su defecto, una solicitud firmada por ambas partes, ratificada ante el registrador o cuyas firmas estén legitimadas, pidiendo que se extienda la nota marginal y expresando claramente los hechos que deben dar lugar a ella. Si alguno de los interesados se niega a firmar o ratificar dicha solicitud, puede el otro demandarle en juicio ordinario. Si la resolución fuera favorable a la demanda, el registrador extenderá la correspondiente nota marginal.

4106 Respecto a la hipoteca en garantía de obligaciones futuras, discuten doctrina, jurisprudencia y DGRN acerca de si cabe -o no- constituir hipoteca en garantía de **cualquier obligación futura**. La actual doctrina de la DGRN parece romper con la inicial posición amplia (vale cualquier obligación futura, siempre que sea identificable y lícita), y actualmente afirma que solamente es posible constituir hipoteca por deuda futura si a la hipoteca **preexiste una relación jurídica sustantiva** de la que nazca la obligación garantizada en el futuro (DGRN Resol 22-3-88; 17-1-94 y 11-1-95).

4108 **Hipoteca en garantía de una obligación sujeta a condición resolutoria** (LH art.142.2; RH art.239) Si la obligación asegurada está sujeta a condición resolutoria inscrita, la hipoteca surte **efecto frente a tercero**, hasta que se haga constar en el Registro el cumplimiento de la condición.
A. Durante la **fase de pendencia**, como el crédito está determinado, tienen lugar todos los efectos de una hipoteca ordinaria o de tráfico, tanto entre las partes, como respecto de terceros, aunque bajo la amenaza de su posible resolución.
B. Si **la condición no se cumple**, cesa dicha amenaza, y los efectos de la hipoteca devienen definitivos.
C. **Cumplida la condición**, se resuelve la obligación asegurada y, como consecuencia de ello, se extingue la hipoteca que la garantizaba y se extenderá una cancelación formal.

9. Hipoteca en garantía de rentas o prestaciones periódicas

(LH art.157; RH art.248; CC art.1802)

4115 Puede constituirse hipoteca en garantía de rentas o prestaciones periódicas.
En la **inscripción** se hace constar el acto o contrato por el cual se hubieran constituido las rentas o prestaciones y el plazo, modo o forma con que deban ser satisfechas.
El **acreedor** de dichas rentas o prestaciones periódicas puede ejecutar estas hipotecas utilizando el procedimiento sumario establecido en la LH art.129
El que remate los bienes gravados con tal hipoteca los adquiere con subsistencia de la misma y de la obligación de pago de la pensión o prestación hasta su vencimiento. No significa esto que el adquirente asuma la deuda (liberando al deudor anterior de tener que seguir pagando las pensiones), sino que lo que se afirma en LH art.157 es el efecto propio de la hipoteca (subsistencia de la obligación y no extinción pese a la ejecución de la hipoteca). **No** es éste un supuesto de **asunción de deuda**, sino que lo que parece decir la norma es que el adquirente responde, aunque no deba (Díez Picazo). Iguales efectos produce la hipoteca en cuanto a tercero, pero respecto a las **pensiones vencidas y no satisfechas**, no perjudican a este sino en los términos señalados en la LH art.114.1 y 2 y 115.1 y 2.
Transcurridos seis meses desde la fecha en que, a tenor de lo consignado en el Registro, debiera haberse satisfecho la última pensión o prestación, el titular del inmueble puede solicitar la **cancelación de la hipoteca**, salvo pacto en contrario, siempre que no conste asiento

alguno que indique haberse modificado el contrato o formulado una **reclamación contra el deudor** sobre pago de dichas pensiones o prestaciones.
No se admite la **garantía de rentas perpetuas**, pues la legislación hipotecaria enfatiza siempre la necesidad de que se concrete la fecha de vencimiento de la obligación principal garantizada o el evento o condición que determina su extinción, en aras de un perfecto desarrollo del principio de especialidad. Nada empece, sin embargo, la admisibilidad de la garantía de **renta vitalicia**, que no sería otra cosa sino la yuxtaposición de una condición resolutoria (el fallecimiento de determinada persona) a la garantía.
Desde el punto de vista de su **constitución**, se admite que la misma tenga lugar por acto unilateral, sea inter vivos o sea mortis causa.

10. Hipoteca unilateral

(LH art.141)

Además de la hipoteca tradicional y típica (constituida por acuerdo bilateral entre acreedor y deudor hipotecarios), se conoce otra modalidad diferente de hipoteca en la que la garantía es fruto de la **exclusiva decisión y disposición del propietario** de la cosa gravada: la llamada hipoteca unilateral. **4120**
La hipoteca unilateral es la constituida por **acto unilateral del dueño** de la finca hipotecada. Sin embargo, la mera inscripción del acto unilateral no basta, por sí, para la plena eficacia de la garantía real, sino que se requiere además la **aceptación del acreedor** y su constancia en el Registro por nota marginal.

Efectos Mientras dura tal situación interina, operan los efectos de las **anotaciones preventivas** y, en consecuencia: **4122**
1. Se crea **reserva de rango** a favor del futuro derecho hipotecario.
2. Mientras no se produzca la aceptación, el acreedor no podrá hacer uso de la llamada **acción de devastación**, ni ceder el crédito hipotecario, ni ejercitar la acción hipotecaria.
3. Desde el **punto de vista registral**, comienzan los siguientes efectos:
• **Prioridad**. Se reserva el rango, y se crea una situación latente en espera de la aceptación posterior, con sus correspondientes efectos retroactivos.
• **Legitimación**. La presunción de la LH art.38 es plenamente aplicable.
• **Fe pública registral**. Favorece al acreedor desde la inscripción de la declaración unilateral. Aunque se ataque el contenido del Registro antes de su aceptación, el acreedor puede esgrimir la aplicabilidad de la LH art.34, pues le bastaría aceptar.

Constitución La eficacia total de la hipoteca unilateral solamente se despliega cuando se reúnen dos requisitos materiales: **4124**
a) El **acto unilateral de constitución de la hipoteca por parte del dueño de la finca hipotecada**, que puede ser inter vivos o mortis causa y que ha de inscribirse según las reglas generales de la documentación en escritura pública.
En el caso de **hipoteca testamentaria** es necesario presentar en el Registro el testamento, y los certificados de defunción del testador y del Registro General de Actos de Última Voluntad.
b) La **aceptación del acreedor hipotecario**, que igualmente ha de constar en escritura pública e inscribirse en el Registro de la Propiedad.
En las hipotecas voluntarias constituidas por acto unilateral del dueño de la finca hipotecada, la aceptación de la persona a cuyo favor se establecieron o inscribieron se hace constar en el Registro por **nota marginal**, cuyos efectos se retrotraen a la fecha de la constitución de la misma. Si **no consta la aceptación** después de transcurridos dos meses a contar desde el requerimiento que a dicho efecto se haya realizado, puede cancelarse la hipoteca a petición del dueño de la finca, sin necesidad del consentimiento de la persona a cuyo favor se constituyó (LH art.141). Si transcurridos los dos meses el dueño no solicita la **cancelación**, queda abierta la posibilidad de anotar marginalmente la aceptación con efectos retroactivos a la fecha de inscripción (DGRN Resol 22-4-96). Se mantiene que la constitución de esta hipoteca se produce con la **inscripción del título unilateral**: TS 1-6-92, EDJ 5615; DGRN Resol 22-4-96; 16-5-05 (entre la doctrina Díez-Picazo, Gullón Ballesteros, Carrasco), aunque existen algunos pronunciamientos en contra defensores de que la hipoteca unilateral se constituye con la aceptación del acreedor hipotecario: TS 4-10-1915 (entre la doctrina Albadalejo).
En definitiva, interesa subrayar el **carácter retroactivo de la aceptación**, porque reafirma el efecto de preconstitución de rango. De él se deriva la exclusión de adquisiciones y derechos reales ulteriores a la fecha de la primera inscripción, en cuanto resulten incompatibles con la misma, lo cual es verdaderamente subrayable a efectos prácticos en el ámbito de las situaciones concursales.

Precisiones El Tribunal Supremo admitió la licitud de la hipoteca unilateral aceptada posteriormente a la fecha a la que se retrotrajeron los **efectos de la quiebra**, pues se había inscrito la declaración unilateral antes y para garantizar obligaciones nacidas también anteriormente (TS 1-6-92, EDJ 5615).

4126 **Cancelación** (LH art.82, 141.2, 156.6; RH art.179 y 237) La hipoteca unilateral puede cancelarse:
1. Por **sentencia**.
2. Por **escritura pública** en que el acreedor hipotecario consienta tal cancelación.
3. Por **escritura**, también unilateral, **cancelatoria** otorgada por el mismo deudor hipotecario que unilateralmente declaró la constitución de la garantía. La Ley, requiere que hayan transcurrido **dos meses**, a contar, no desde la fecha del acceso al Registro de la primera declaración unilateral, sino desde la del requerimiento hecho al acreedor para que acepte la constitución de hipoteca, razón por la que el requerimiento suele practicarse notarialmente.
En el supuesto de hipoteca unilateral constituida en garantía de **títulos endosables o al portador** (nº 4045 s.), si la entidad emisora declara que no han sido puestos en circulación, se establecen, por razones análogas, garantías especiales para la cancelación.
Si, transcurrido el plazo de dos meses el **deudor opta por no cancelar**, la aceptación posterior del acreedor es plenamente válida.

4128 Precisiones 1) La cuestión de fondo consiste en determinar si es posible **cancelar** una **hipoteca unilateral no aceptada** constituida **a favor de la AEAT** sin que conste el consentimiento del acreedor designado, ni el requerimiento a que se refiere la LH art.141. De la regulación legal y de la doctrina registral (p.e., DGRN Resol 17-6-13), resulta que:
- la hipoteca unilateral existe desde su inscripción;
- en caso de no aceptación por el titular del bien o derecho hipotecado, la Ley contempla un procedimiento especial para procurar su cancelación; y
- tal procedimiento exige una solicitud, mediante escritura pública, del titular del derecho hipotecado, así como la práctica de un requerimiento al designado como acreedor en la inscripción, y el transcurso de dos meses desde su práctica sin que resulte del Registro la aceptación de la hipoteca.
El **requerimiento** implica tanto la intimación para que el acreedor acepte la hipoteca a su favor, como la advertencia de que, de no hacerlo, la hipoteca podrá ser cancelada transcurridos dos meses desde el mismo (LH art.141; RH art.237). Por tanto, no basta con probar que el acreedor conocía la existencia de la hipoteca y el transcurso de dos meses desde su conocimiento; es preciso, a fin de conseguir la cancelación de la hipoteca unilateral inscrita y no aceptada, que junto a la solicitud del titular registral en escritura pública, se acompañe el requerimiento practicado en los términos expresados.
Este procedimiento es aplicable a cualquier hipoteca unilateral, con independencia de que el favorecido por la misma sea la Administración tributaria (DGRN Resol 12-6-17; en el mismo sentido, DGSJFP Resol 30-9-21).
2) La cancelación de inscripciones o anotaciones preventivas a favor del deudor, de los acreedores o de las partes afectadas que resulte de un **plan de reestructuración homologado** respecto a quienes lo hubieran suscrito o a quienes se les hubieran extendido sus efectos se practicará por testimonio del auto de homologación de ese acuerdo (LH art.82.1º redacc L 11/2023).

11. Hipoteca inversa

4135 La hipoteca inversa se puede definir como aquélla que se constituye sobre la **vivienda habitual** de una **persona mayor o dependiente** en garantía de un préstamo o crédito, concedido a esta última por una entidad de crédito o aseguradora, cuyo vencimiento se produce, con carácter general, con la muerte del deudor hipotecario o del último de los beneficiarios por él designados. Se caracteriza por los importantes beneficios fiscales y arancelarios que de ella se derivan (nº 4143).

4137 **Intervinientes** (L 41/2007 disp.adic.primera.1.a y 2) Son sujetos intervinientes en este tipo de hipoteca son:
a) El **acreedor hipotecario** debe ser una entidad de crédito, establecimiento financiero de crédito o aseguradora autorizada para operar en España, sin perjuicio de los límites, requisitos o condiciones que a las entidades aseguradoras imponga su normativa sectorial.
b) El **deudor hipotecario** o beneficiario a quien el deudor designe debe ser una persona física de edad igual o superior a los 65 años o afectada de dependencia o persona a la que se le haya reconocido un grado de discapacidad igual o superior al 33%. Los mismos requisitos se exigen al beneficiario o beneficiarios que el deudor hipotecario, en su caso, designe.

Elementos reales (L 41/2007 disp.adic.primera.1.b, c y d y 6) La hipoteca debe recaer sobre un inmueble que constituya la **vivienda habitual** del deudor hipotecario, vivienda que debe haber sido tasada y asegurada contra daños de acuerdo con los términos y requisitos establecidos en el RDL 24/2021 art.18 -redacc RDL 5/2023-, 20 y 23.6 (que desde el 8-7-2022 deroga y sustituye a la L 2/1981; ver nº 4075). 4139

La hipoteca asegura la obligación de restitución derivada de un **préstamo o crédito** de que el deudor ha **dispuesto**, ya sea mediante disposiciones periódicas o una disposición única. Estas disposiciones están sujetas a un límite máximo determinado por un porcentaje del valor de tasación de la finca en el momento de la constitución de la hipoteca.

Respecto a los **intereses** asegurados, no es de aplicación lo dispuesto en la LH art.114 (TS 19-7-16, EDJ 113543), y, por tanto, cabe pactar que la hipoteca inversa asegure intereses por plazo superior a cinco años, incluso con perjuicio de terceros.

Vencimiento de la obligación asegurada (L 41/2007 disp.adic.primera.5 y 6) Con carácter general, la obligación asegurada vence con el **fallecimiento** del deudor hipotecario o, si así se estipula en el contrato, del último de los beneficiarios por aquél designados. 4141

Al fallecimiento del deudor o del último beneficiario, y dentro del plazo contemplado para ello en la escritura, los herederos del deudor pueden **cancelar el préstamo hipotecario**, abonando al acreedor la totalidad de los débitos vencidos, con sus intereses, sin que el acreedor pueda exigir compensación alguna por la cancelación. En caso de no hacerlo, la **hipoteca** es **ejecutable por el acreedor**, que sólo puede obtener recobro hasta donde alcancen los bienes de la herencia.

Como excepción a lo anterior, en caso de que el deudor hipotecario transmita voluntariamente la finca, el acreedor pude declarar el **vencimiento anticipado** de la obligación garantizada, salvo que se proceda a la sustitución de la garantía de manera suficiente.

Beneficios fiscales y arancelarios (L 41/2007 disp.adic.primera.7, 8) Las escrituras públicas que documenten operaciones de constitución, subrogación, novación extintiva y cancelación están **exentas** de la cuota gradual de documentos notariales de la modalidad de actos jurídicos documentados del Impuesto sobre Transmisiones Patrimoniales y Actos Jurídicos Documentados (**ITP y AJD**). 4143

Para el cálculo de los **honorarios notariales** de estas escrituras, se aplican los aranceles correspondientes al número 1, «Documentos sin cuantía», del anexo I del RD 1426/1989, por el que se aprueba el arancel de los Notarios.

Por lo que se refiere al cálculo de los honorarios **registrales**, se aplican los aranceles correspondientes al número 2, «Inscripciones», del anexo I del RD 1427/1989, por el que se aprueba el arancel de los Registradores de la Propiedad, tomando como base la cifra del capital pendiente de amortizar, con una reducción del 90%.

Precisiones **1)** Es válido el **pacto** denominado «**inexistencia de garantía patrimonial**», conforme al cual, si en el momento de vencimiento anticipado del préstamo o crédito, como consecuencia de la venta de la finca hipotecada, el importe de lo adeudado supera el valor de la finca, el deudor puede ver limitada su responsabilidad a la cantidad neta obtenida de dicha venta, siempre que:

- notifique a la acreedora su intención de vender;
- la finca se venda por su valor de mercado;
- el acreedor pueda verificar el valor de la finca por medio de un tasador independiente con anterioridad a la venta; y
- no se haya producido ningún incumplimiento contractual (DGRN Resol 21-12-07; 14-1-08; 1-2-08; 8-2-08; 22-2-08; 14-3-08; 15-3-08).

2) Es válida y aconsejable la previsión contractual de un procedimiento para adaptar, a lo largo de la vida del préstamo o crédito, el tipo fijado para **subasta** a efectos de ejecución hipotecaria. Este procedimiento juega no sólo en beneficio del acreedor, que de esa manera puede tener más posibilidades de ser reintegrado de la totalidad de su crédito, sino también en beneficio del dueño de la finca hipotecada, pues cuanto más alto sea el valor de adjudicación, mayores posibilidades habrá de que exista sobrante una vez satisfecha la deuda (DGRN Resol 21-12-07; 14-1-08; 1-2-08; 8-2-08; 22-2-08; 14-3-08; 15-3-08).

H. Extinción de la hipoteca

El carácter accesorio de todo derecho real de garantía lleva a afirmar que su extinción puede proceder, tanto de la extinción **de la obligación principal** (extinción mediata), como también, de la extinción inmediata **de la propia garantía**. 4150

Extinción mediata (LH art.144; RH art.179) Se somete a las reglas generales de extinción de las obligaciones (nº 300 s.). El pago, la compensación, la espera, el pacto o promesa de no pedir, la novación del contrato primitivo y la transacción o el compromiso **no** surtirá **efecto contra tercero** como no se haga constar en el Registro mediante una inscripción nueva, de una 4152 cancelación total o parcial o de una nota marginal, según los casos. Esto significa que, para el **tercer adquirente del crédito hipotecario**, éste subsiste tal y como consta registralmente mientras que cualquier vicisitud del mismo no se haya hecho constar en el Registro. Aun cuando el crédito se haya **extinguido por pago**, por la especialidad registral que tiene la hipoteca ésta no se extingue mientras no se cancele registralmente su inscripción. La inscripción se cancela en virtud de **escritura pública** en la que preste su consentimiento para la cancelación el acreedor o las personas expresadas en la LH art.82.1, o en su defecto, en virtud de ejecutoria.

4154 **Extinción inmediata** (LH art.76 s.) Las **causas** más frecuentes son:
- renuncia del acreedor hipotecario;
- acuerdo extintivo entre éste y el deudor hipotecario;
- pérdida de la finca, consumación o agotamiento;
- purga o liberación por ejecución de una hipoteca anterior o preferente;
- prescripción;
- caducidad de la inscripción, etc.

Dado el carácter real de la garantía, se precisa la **cancelación registral** para obtener los beneficiosos efectos de la publicidad registral y poder oponer la misma frente a terceros.

Precisiones La Ley Hipotecaria (LH art.82) exige para cancelar las inscripciones practicadas en virtud de escritura pública, el **consentimiento** de la **persona a cuyo favor** se hubiera hecho la inscripción o una sentencia firme (DGRN Resol 27-9-99; 12-9-00; 24-9-05; 26-9-05; 14-7-15). Cuando el titular del derecho real de hipoteca no se limita a dar un mero consentimiento para cancelar, sino que dispone unilateralmente de su derecho a cancelar la hipoteca, hay que interpretar que estamos ante una **abdicación unilateral de la hipoteca por su titular**, ante una renuncia de derechos, acto que por sí sólo tiene eficacia sustantiva (CC art.6.2).

Por tanto, **renunciando el acreedor** de forma indubitada al derecho real de hipoteca, son intrascendentes, a la hora de su **reflejo registral**, las vicisitudes del crédito por él garantizadas que se hayan reflejado en la escritura. En este caso, la cancelación de la hipoteca se consiente por la **causa** del pago de parte de la deuda pendiente y de la quita parcial de deuda, precisamente para facilitar la venta de la finca liberada de responsabilidad y la correspondiente obtención de dinero para realizar aquel pago (DGRN Resol 9-10-17).

SECCIÓN 5

Hipoteca mobiliaria y prenda sin desplazamiento de posesión

4160

4162 La expansión de la actividad económica general, y con ello el desarrollo del crédito como instrumento indispensable para la vida de la empresa y el funcionamiento del tráfico económico, impulsó a los operadores económicos y a los juristas a la búsqueda de nuevas modalidades de garantías reales, a fuerza incluso de alterar el sistema de garantías patrimoniales codificado (Font Galán).

Surge así la Ley de hipoteca mobiliaria y prenda sin desplazamiento (L 16-12-1954) (en adelante, **LHMPSD**) y el Reglamento del Registro de hipoteca mobiliaria y prenda sin desplazamiento aprobado por D 17-6-1955.

Precisiones El Código Civil regula una hipoteca que recae sobre **inmuebles** y una prenda con objeto en bienes **muebles** cuya posesión se trasladaba al acreedor o a un tercero de común acuerdo (CC art.1863). Son las figuras tradicionales de derecho real de garantía.

A. Disposiciones comunes

 4165

Tanto la hipoteca mobiliaria como la prenda sin desplazamiento son contratos de garantía real que recaen sobre **bienes muebles**. La doctrina basa la diferenciación en que la hipoteca recae sobre bienes muebles perfectamente identificables y susceptibles de publicidad formal y en la prenda el objeto son bienes muebles no perfectamente identificables ni susceptibles de publicidad registral. Ambas instituciones dejan en posesión de sus dueños los bienes sobre los que se impone la garantía. 4167

Precisiones Se trata de **derechos de garantía** que dan derecho a la realización del valor de la cosa gravada, como contenido único y máximo. En esto difieren de otras garantías como la reserva de dominio, que constituye una verdadera disociación entre posesión y propiedad (García-Pita).

Elementos (LHMPSD art.1 a 3) **1)** Los **intervinientes** son: 4169
- el acreedor hipotecario o pignoraticio, que es la misma persona que el acreedor principal; y
- el deudor, que ha de ser dueño de la cosa, pudiendo ser o no el deudor principal.

2) El **objeto** lo constituyen los bienes enajenables taxativamente enumerados en la propia LHMPSD (nº 4184). En particular se prevé que puedan garantizar incluso cuentas corrientes de crédito, letras de cambio y títulos al portador o transmisibles por endoso (LHMPSD art.7 y 15).

Tras la reforma introducida por la L 41/2007 se elimina la prohibición, existente hasta ese momento, de constituir hipoteca mobiliaria y prenda sin desplazamiento sobre bienes que ya estuvieran hipotecados, pignorados o embargados o cuyo precio no se hallare íntegramente satisfecho, careciendo de eficacia cualquier pacto que contraviniera el tenor de este precepto (LHMPSD art.2).

3) En cuanto a la **forma**, se exige que la hipoteca mobiliaria y la prenda sin desplazamiento se constituyan en escritura pública. No obstante, en determinados casos, la prenda sin desplazamiento puede también constituirse mediante póliza intervenida por fedatario público.

La escritura o póliza, en su caso, deben ser inscritas en un registro especial que la propia LHMPSD crea al efecto. La inscripción tiene carácter constitutivo. Su falta priva al acreedor hipotecario o pignoraticio de los derechos que se les reconoce legalmente (LHMPSD art.3).

Precisiones **1)** El registro de hipoteca mobiliaria y prenda sin desplazamiento está bajo la dependencia del Ministerio de Justicia y de la DGSJFP, y a cargo de los registradores de la propiedad (LHMPSD art.67 a 80). Se ha creado un **Registro de Bienes Muebles** en el que se practican estas inscripciones en sus correspondientes secciones (nº 534).
2) Los créditos garantizados con hipoteca mobiliaria o prenda sin desplazamiento pueden servir de cobertura a las emisiones de **títulos del mercado secundario** (LHMPSD art.54).

Contenido del contrato (LHMPSD art.5, 9, 11, 79) La hipoteca y la prenda se extienden a toda clase de **indemnizaciones** que correspondan al hipotecante o pignorante, concedidas o debidas por razón de los bienes hipotecados o pignorados, si el siniestro o hecho que los motiva acaecen después de constituida la hipoteca o la prenda. 4171

Si las indemnizaciones han de pagarse antes del vencimiento de la obligación garantizada, el que haya de satisfacerlas entregará su importe con arreglo a lo convenido y, en defecto de convenio, deberá aplicarse el procedimiento marcado en la LCS art.40 a 42 (ya que aunque la Ley habla de pagar de acuerdo con lo dispuesto en el CC art.1176 s., esto debe entenderse derogado por la LCS), siempre que en uno y otro caso haya sido notificado previamente de la existencia de la hipoteca o de la prenda.

Salvo pacto expreso, la hipoteca mobiliaria y la prenda sin desplazamiento, en garantía de una obligación que devengue **intereses**, asegurará, en perjuicio de tercero, además del principal, los intereses de los dos últimos años y la parte vencida de la anualidad corriente.

El plazo de **prescripción** de la acción hipotecaria o pignoraticia es de tres años, contados desde que puedan ser legalmente ejercitadas.

Además, las acciones hipotecarias y pignoraticias se extinguen por **caducidad**, una vez transcurridos seis o tres años, respectivamente, desde el vencimiento de la obligación.

En cuanto a los procedimientos para hacer efectivos los créditos garantizados, ver nº 4280.

4173 **Facultades del acreedor hipotecario y pignoraticio** (LHMPSD art.8, 10, 81) Los acreedores hipotecario y pignoraticio, en cuanto titulares de derechos de realización de valor, tienen las siguientes facultades comunes:
- derecho a enajenar o ceder el crédito garantizado, en todo o en parte, por escritura, en todo caso, con los requisitos y efectos de la LH art.149 y 151;
- imponer la enajenación de la cosa;
- cobrar su crédito con preferencia a otros acreedores, dejando a salvo la prelación por créditos laborales; y
- exigir ejecución separada en los supuestos concursales.

4175 **Facultades y deberes del deudor** (LHMPSD art.4, 6, 17, 44, 59, 61) El deudor, **dueño de la cosa**, tiene las siguientes facultades y deberes:
- puede usar los bienes conforme a su destino, pero sin mermar su valor;
- no puede enajenar los bienes hipotecados o dados en prenda sin el consentimiento del acreedor;
- está obligado a conservar los bienes con la diligencia debida, respondiendo en caso de deterioro;
- se halla también obligado al pago de la prima del seguro, cuando proceda. La falta de pago faculta al acreedor para dar por vencida la obligación o para abonar su importe por cuenta del deudor.

B. Hipoteca mobiliaria

4180

4182 La hipoteca mobiliaria sujeta directa e inmediatamente los bienes sobre los que se impone, cualquiera que sea su poseedor, al **cumplimiento de la obligación** para cuya seguridad fue constituida.
El **hipotecante** ha de conservar los bienes hipotecados con la diligencia de un buen padre de familia, y deberá hacer en ellos las reparaciones o reposiciones que fueran necesarias.
La **depreciación** de los bienes hipotecados, excepto cuando provenga de caso fortuito, concede al acreedor el derecho a pedir que se intervenga judicialmente la administración de tales bienes.

4184 **Objeto** (LHMPSD art.12 y 14) Únicamente **pueden ser hipotecados** los siguientes bienes:
- los establecimientos mercantiles;
- los automóviles y otros vehículos de motor, así como los tranvías y vagones de ferrocarril de propiedad particular;
- las aeronaves;
- la maquinaria industrial; y
- la propiedad intelectual e industrial.

También se admite la hipoteca en garantía de títulos transmisibles por endoso o al portador, sujetándose a lo dispuesto en LH art.154 y 155.
No puede hipotecarse el derecho real de hipoteca mobiliaria ni los bienes que puedan ser objeto de prenda sin desplazamiento (ver nº 4204).
Si se hipotecan conjuntamente varios bienes, debe distribuirse entre ellos la responsabilidad real por principal y, en su caso, por intereses y costas.

4186 **Forma** (LHMPSD art.13) Desde el punto de vista formal, la **inscripción** en el Registro de Bienes Muebles es constitutiva y ello aunque la mayoría de las hipotecas mobiliarias tengan sus registros específicos (salvo las que recaen sobre buques y aeronaves, que sólo son inscribibles en la sección de buques y naves del Registro de Bienes Muebles). Así, cualquier hipoteca mobiliaria se constituye *erga omnes* desde su inscripción en el Registro de Bienes Muebles, incorporando notas marginales en los registros específicos.

La **escritura pública** debe contener, además de las circunstancias exigidas por la legislación notarial, las siguientes:
- identificación de la persona del acreedor, del deudor y, en su caso, del dueño de los bienes hipotecados;
- descripción de los bienes que se hipotequen, especificando su naturaleza, cantidad, calidad, signos distintivos y demás particularidades que en cada caso sirvan para identificarlos o individualizarlos;
- título de adquisición de los bienes y declaración del hipotecante de que no están hipotecados, pignorados ni embargados;
- importe, en moneda nacional, del principal garantizado, plazo para su devolución, tipo de interés si se pactare y cantidad que se señale como costas y gastos; y
- fijación de un domicilio para requerimientos y notificaciones al deudor y, en su caso, al hipotecante no deudor.

Hipoteca de establecimiento mercantil (LHMPSD art.19 a 33) Al reconocerse específicamente la hipoteca de establecimiento mercantil, ésta se concibe, no como la hipoteca sobre el inmueble en el que se desarrolla el negocio (lo que sería sin más una hipoteca inmobiliaria sin ninguna especialidad), sino como aquella que recae sobre el **derecho de arrendamiento del local o inmueble**. Es por esta razón por la que para que puedan ser hipotecados los establecimientos mercantiles deben estar instalados en **local de negocio**, del que, el titular, sea dueño o arrendatario, con facultad de traspasar (LHMPSD art.19). Ello se observa claramente en caso de que sea necesario ejecutar la hipoteca, ya que lo que adquiere el adjudicatario es el derecho de arrendamiento del local o inmueble. 4188

La hipoteca comprende:

1) Necesariamente, el **derecho de arrendamiento** sobre el local si lo tiene el hipotecante y, en su defecto, si la hipoteca se ha constituido por el mismo propietario del local, el adjudicatario, en caso de ejecución, adquiere, de pleno derecho, la cualidad de arrendatario con sujeción a lo pactado en la escritura de hipoteca.

También comprende las **instalaciones fijas** o permanentes siempre que pertenezcan al titular del establecimiento.

2) Salvo pacto en contrario, los siguientes bienes, que se han de describir en la escritura pública correspondiente:

a) Nombre comercial, rótulo del establecimiento, marcas distintivas y demás **derechos de propiedad industrial e intelectual**.

b) Máquinas, mobiliario, utensilios y demás **instrumentos de producción y trabajo**, siempre que:
- sean propiedad del titular del establecimiento;
- su precio de adquisición esté pagado; y
- estén destinados de modo permanente a satisfacer las necesidades de la explotación mercantil o industrial.

3) En caso de pacto expreso, las **mercaderías y materias primas** destinadas a la explotación propia del establecimiento, cuando:
- sean propiedad del titular del establecimiento; y
- su precio de adquisición esté pagado.

4) Por subrogación, las **indemnizaciones** que deba satisfacer el arrendador al arrendatario con arreglo a la LAU.

Desde el punto de vista formal, interesa destacar que si el local está arrendado, la hipoteca ha de **notificarse** a su propietario.

Precisiones La hipoteca mobiliaria no sujeta todos los bienes integrantes del establecimiento, sino aquellos elementos patrimoniales de éste susceptibles de ofrecer garantía real, con excepción, en cualquier caso, de los **elementos inmateriales** (expectativas, clientela) de muy difícil o imposible sujeción a las normas de una hipoteca (Uría).

Para vigilar el cumplimiento de esta obligación, se concede al acreedor hipotecario la facultad de **inspeccionar el giro** o tráfico **del establecimiento** (debiéndose pactar la forma y los plazos en los que desarrollar la inspección), pero sin estorbar en ningún caso el normal desenvolvimiento de la empresa.

Hipoteca de automóviles y otros vehículos a motor (LHMPSD art.34 a 37 y 76) Se consideran vehículos de motor, además de los automóviles, los camiones, autocares, autobuses, tractores, motocicletas y cualquiera que sea susceptible de matrícula en el correspondiente registro administrativo. 4190

También son hipotecables los tranvías, trolebuses y vagones de ferrocarril de propiedad particular.

El notario, en el momento del otorgamiento de la escritura, ha de hacer la anotación correspondiente en el **permiso de circulación** del vehículo. Estos vehículos no pueden salir del territorio nacional sin consentimiento del acreedor.
Los vehículos hipotecados deben ser **asegurados** contra los riesgos de robo, hurto, extravío, sustracción o menoscabo, por una cantidad igual o superior al importe total de la responsabilidad hipotecaria.
Además de inscribirse en el registro de hipoteca mobiliaria, ha de anotarse en los **registros** administrativos **especiales**, sin que la falta de esa toma de razón altere los efectos de la inscripción.

4192 **Hipoteca de aeronaves** (LHMPSD art.38 a 41; L 48/1960 art.131 y 133) Únicamente puede recaer sobre aeronaves **matriculadas en España** construidas o en construcción. En este último caso, se exige que se haya invertido un tercio de la cantidad total presupuestaria.
Las aeronaves tienen que estar **inscritas** en la sección correspondiente del Registro Mercantil de la provincia donde estén matriculadas. Las aeronaves se matriculan necesariamente en un Registro Mercantil, de carecer especial, como requisito previo para la inscripción en el mercantil.
La hipoteca comprende, además de la aeronave, los derechos y enseres destinados a su servicio, aunque sean separables de ella.
Desde el punto de vista material, la especialidad radica en que la preferencia propia del acreedor hipotecario decae ante otros **créditos preferentes** (remuneraciones debidas por salvamento y gastos absolutamente necesarios para la conservación de la aeronave).

Precisiones 1) La **inscripción** de las aeronaves sigue rigiéndose transitoriamente por el RRM/56 art.177 a 190 hasta la publicación del Reglamento del Registro de Bienes Muebles (RRM disp.trans.13ª). Éste ya ha sido creado por RD 1828/1999, si bien la sección correspondiente a buques y aeronaves continúa sin regularse.
2) En cuanto a las **aeronaves extranjeras**, se estará a los convenios internacionales y al principio de reciprocidad.
3) Para la inscripción en el Registro de Bienes Muebles de un contrato de **arrendamiento financiero** o «leasing» sobre una aeronave es requisito imprescindible la **previa inscripción de la aeronave**, primero en el Registro de Matrícula de Aeronaves (RD 384/2015) y, a continuación, en la sección correspondiente del Registro de Bienes Muebles. Solo una vez se ha matriculado la aeronave en el registro administrativo e inmatriculado en el Registro de Bienes Muebles, podrán registrarse los avatares de carácter jurídico que le afecten, como su arrendamiento financiero, sin que el contrato de arrendamiento sirva como título inmatriculador (DGRN Resol 20-12-16).

4194 **Hipoteca de maquinaria industrial** (LHMPSD art.42 a 44) Pueden hipotecarse las máquinas, instrumentos o utensilios instalados y destinados por su propietario a la **explotación de una industria** y que directamente concurran a satisfacer las necesidades de la explotación misma. Dicha industria debe figurar anotada en el censo industrial o minero a nombre del hipotecante.
El **dueño** de las máquinas y demás bienes hipotecados tiene la obligación de conservarlos. Puede usarlos normalmente conforme a su destino, pero sin merma de su integridad.

Precisiones 1) A efectos de esta hipoteca, se consideran también como máquinas las calderas de vapor, los hornos que no formen parte del inmueble, las instalaciones químicas y los demás **elementos materiales fijos afectos** a la explotación de la industria.
2) Se trata de una **hipoteca específica**, puesto que las máquinas, utensilios y demás instrumentos de producción y trabajo también pueden resultar gravados por la hipoteca mobiliaria genérica del establecimiento mercantil (Font Galán).
3) Acerca de la hipoteca mobiliaria de maquinaria industrial radicada en local comercial previamente hipotecado con **pacto de extensión hipotecaria**, se ha afirmado que, por estar la maquinaria incluida en esa extensión hipotecaria, habrá que denegar la hipoteca mobiliaria (DGRN Resol 16-11-98).
4) Practicada la inscripción de hipoteca, el encargado del Registro Bienes Muebles hará constar de oficio, por nota, al margen de la inscripción de propiedad del inmueble en el que la industria esté instalada, si el **inmueble** estuviera **inscrito a nombre del hipotecante** (RHMPSD art.25).

4196 **Hipoteca de propiedad intelectual e industrial** (LHMPSD art.45 a 51) Pueden ser hipotecados los derechos protegidos por las leyes de propiedad intelectual e industrial, **marcas y patentes** esencialmente.
Constituida la hipoteca, el **titular** no puede renunciar a su derecho ni ceder su uso o explotación sin consentimiento del acreedor. Se exceptúa el titular de una película cinematográfica, que puede hacer cesión parcial de su derecho de explotación bajo determinadas condiciones.
Por su parte, el **acreedor** puede obtener, si no lo hace el titular, la renovación, rehabilitación o prórroga, necesarias para el mantenimiento de los derechos hipotecados, así como abonar el canon correspondiente.

Precisiones La constitución de hipotecas sobre propiedad intelectual e industrial requiere la **previa inscripción** de las mismas respectivamente en el Registro General de la Propiedad Intelectual o en el Registro de Patentes y Marcas. La hipoteca de propiedad intelectual e industrial se constituye *erga omnes* mediante su inscripción en el Registro de Bienes Muebles, no desde que la hipoteca se haga constar de oficio por el registrador respectivamente en el Registro General de la Propiedad Intelectual o en el Registro de Patentes y Marcas.

C. Prenda sin desplazamiento de posesión

4200

Prenda sin desplazamiento es aquella garantía que recae sobre **cosas muebles no susceptibles de hipoteca mobiliaria**, por su imperfecta identificación registral, que han de permanecer situadas en un lugar determinado, en poder de su dueño y en concepto de depósito, de tal modo que, incumplida la obligación asegurada, el acreedor puede proceder a su venta y cobrarse con su precio. 4202
En cuanto a su naturaleza jurídica se afirma su carácter de **derecho real** porque genera inherencia y reipersecutoriedad (nº 3932). La prenda sin desplazamiento es oponible frente a terceros de mala fe, e incluso es oponible frente a los terceros de buena fe siempre que la cosa pignorada se encuentre localizada en el lugar donde se formalizó su depósito.
El **dueño de los bienes pignorados** tendrá la consideración de depositario de los mismos a todos los efectos legales.

Objeto (LHMPSD art.52 a 54) Según los bienes sobre los que puede recaer, las clases de prenda sin desplazamiento son: 4204
1) **Prenda agrícola**: Es la que constituida por los titulares de explotaciones agrícolas, forestales y pecuarias, recae sobre:
- los frutos pendientes y las cosechas esperadas dentro del año agrícola en que se celebre el contrato;
- los frutos separados o productos de dichas explotaciones;
- los animales, sus crías y productos; y
- las máquinas o aperos de las referidas explotaciones.

2) **Prenda industrial**: También puede constituirse prendas sin desplazamiento sobre los siguientes bienes:
- máquinas y demás bienes muebles identificables por sus características propias (como marca y número de fabricación, modelo y otras análogas) y que no sean susceptibles de hipoteca de maquinaria industrial (nº 4194); y
- mercaderías y materias primas almacenadas.

3) **Prenda artística**: Son susceptibles de prenda sin desplazamiento:
- las colecciones de objetos de valor artístico e histórico, como cuadros, esculturas, porcelanas o libros; y
- esos mismos bienes aunque no formen parte de una colección.

4) **Prenda crediticia**: Igualmente podrán sujetarse a prenda sin desplazamiento:
- los créditos y demás derechos que correspondan a los titulares de contratos, licencias, concesiones o subvenciones administrativas siempre que esté permitida su enajenación a un tercero;
- los derechos de crédito, incluso los créditos futuros, siempre que no estén representados por valores y no tengan la consideración de instrumentos financieros.

Precisiones Se abre la posibilidad de constituir prenda sin desplazamiento de **créditos**, lo que no implica de ningún modo que se menoscabe, limite o prohíba la prenda ordinaria de tales créditos (DGRN Resol 18-3-08).

Exclusiones (LHMPSD art.55 y 56) No puede constituirse prenda sin desplazamiento sobre los siguientes bienes: 4206
- los que sean susceptibles de ser objeto de **hipoteca mobiliaria** (ver nº 4184);
- los que **por pacto** hayan sido **hipotecados** con arreglo a la LH art.11 (objetos muebles colocados permanentemente en la finca hipotecada, frutos o rentas vencidas y no satisfechas); y
- los que se hallen **pignorados** con arreglo a la LHMPSD.

La constitución de la prenda no perjudicará, en ningún caso, los derechos legítimamente adquiridos por terceros con anterioridad sobre los bienes pignorados, en virtud de documento de fecha auténtica anterior, sin perjuicio de la responsabilidad civil o criminal en que incurra el pignorante por ofrecer en prenda como libres las cosas que sabía estaban gravadas o fingiéndose dueño de las que no le pertenecen.

4208 **Forma** (LHMPSD art.3, 57 y 60) La prenda sin desplazamiento se ha de constituir en **escritura pública**. No obstante, puede también constituirse mediante **póliza** intervenida por fedatario público, cuando se trate de operaciones bancarias, o contratación de efectos públicos, valores industriales y mercantiles, mercaderías, etc. La **inscripción** de la escritura o de la póliza intervenida es constitutiva.

Además de las circunstancias generales, la escritura o póliza de prenda ha de contener:
- descripción de los bienes que se pignoran, con expresión de su naturaleza, cantidad, calidad, estado y demás circunstancias que los individualicen o identifiquen;
- determinación, en su caso, del inmueble en que se sitúen esos bienes por su origen, aplicación, almacenamiento o depósito;
- obligación del dueño de conservarlos y tenerlos a disposición del acreedor, para que éste pueda, en cualquier momento, inspeccionarlos y comprobar la existencia y estado de los mismos; y
- los seguros concertados, con referencia a la póliza correspondiente.

Los bienes pignorados no pueden **trasladarse** del lugar en que se encuentren, según la escritura o póliza, sin consentimiento del acreedor.

4210 **Facultades del acreedor pignoraticio** (LHMPSD art.10, 57, 61 a 66, 92 s.) El acreedor pignoraticio puede:

1) Imponer la **enajenación** de la cosa mediante el ejercicio de alguna de las acciones que le atribuye la Ley: procedimiento judicial sumario o procedimiento extrajudicial.
2) Exigir del dueño-deudor pignoraticio-depositario que acometa los **gastos necesarios** para la conservación, reparación, administración o recolección de los bienes pignorados.
3) **Inspeccionar** en cualquier momento los **bienes pignorados**, así como comprobar la existencia y estado de los mismos.
4) **Resolver la obligación**, en caso de incumplimiento de los deberes a cargo del deudor, pudiendo incluso, en tal caso, encargarse de la conservación, administración y, en su caso, recolección de los bienes.

4212 **Facultades del dueño de la prenda** (LHMPSD art.4 y 65) El deudor puede **enajenar** el bien pignorado, siempre que lo consienta el acreedor. En este caso, se establece un derecho de tanteo a favor del acreedor pignoraticio. Así, tiene derecho preferente para adquirirlos por dación en pago, siempre que el precio convenido para esa proyectada venta fuera inferior al total importe del crédito, y quedara subsistente por la diferencia.

SECCIÓN 6

Hipoteca naval

4215

4217 La hipoteca naval persigue facilitar el crédito a la construcción del buque o a las cuantiosas necesidades financieras de navegación mercantil. Pueden ser objeto de hipoteca naval no sólo los **buques terminados**, sino también los que estén **en construcción**.

Su **regulación** viene recogida esencialmente en:
- La L 14/2014, de Navegación Marítima (**LNM**), vigente desde el 25-9-2014, que deroga la L 21-8-1893 (LHN), y que da nueva regulación al contenido de la hipoteca naval.
- El Reglamento del Registro Mercantil (D 14-12-1956 art.145 a 176) (en adelante **RRM/56**).
- El RDLeg 2/2011, por el que se aprueba el Texto Refundido de la Ley de Puertos del Estado y de la Marina Mercante.
- El RD 1027/1989, de Abanderamiento, que exige la matriculación administrativa de los buques en los registros de matrícula de las jefaturas provinciales de la marina mercante. Para que surta plenos efectos administrativos la creación, modificación o extinción de un gravamen

sobre el buque, deberá ser notificado a la Dirección General de Marina Mercante o a la jefatura provincial competente, según la eslora.

- El Convenio de Bruselas de 10 de abril de 1926, que regula la concurrencia de acreedores de diversas nacionalidades frente a un solo deudor naviero, así como, en su caso, la solución que a las garantías constituidas por éste deba darse.
- Los Convenios de Bruselas de 1967 y de Ginebra de 1993.

Precisiones 1) La hipoteca naval no fue recogida ni en el CC ni en el CCom ya que se consideraba que sólo podían ser objeto de hipoteca los bienes inmuebles, reconociéndosele al buque el carácter de bien mueble. Para resolver este problema, se declaró el carácter de **inmueble** del buque en la, hoy derogada, LHN art.1 al solo efecto de la hipoteca. La normativa en vigor describe el buque como **bien mueble** registrable (LNM art.60.1), que puede ser objeto de hipoteca naval (LNM art.126.1).
2) Los **libros de buques** siguen rigiéndose transitoriamente por el RRM/56 art.145 a 176 hasta la publicación del Reglamento del Registro de Bienes Muebles (RRM disp.trans.13ª). Éste ya ha sido creado por RD 1828/1999, si bien la sección correspondiente a buques y aeronaves continúa sin regularse.

A. Elementos

4220

4222 **Intervinientes** (LNM art.129 y 130) Las partes que intervienen en el contrato son el **acreedor**, con capacidad general para contratar y obligarse, y el **deudor** hipotecario o hipotecante, con capacidad dispositiva.
Sólo pueden constituir hipoteca los que tengan la **libre disposición del buque** y estén facultados para gravarlo. Además, la hipoteca sólo podrá inscribirse si tales disposiciones resultan de los asientos del Reglamento de Bienes Muebles (RRM/56 art.146).
Los que tienen la facultad de constituir hipoteca voluntaria, pueden hacerlo por sí o por medio de **apoderado** con poder especial para contraer este tipo de obligaciones, otorgado ante notario o agente mediador del comercio colegiado. Así, puede constituir la hipoteca el naviero con poder especial del propietario. Este poder se exige también en los casos de copropiedad o construcción del buque.
La hipoteca sobre **buques en construcción** puede también constituirla el comitente si se le hubiere concedido especialmente esta facultad.
La hipoteca puede constituirse **a favor de** una o varias personas determinadas, o a favor de quien resulte titular del crédito en las constituidas en garantía de títulos emitidos en forma nominativa, a la orden o al portador. También cabe la hipoteca naval en garantía de cuentas corrientes de crédito o de letras de cambio u otros instrumentos, conforme a lo establecido en la legislación hipotecaria.

Precisiones El **menor emancipado** precisa consentimiento de de sus progenitores y, a falta de ambos, el de su defensor judicial (CC art.247).

4224 **Objeto** (LNM art.126, 131, 132.2, 134; RRM/56 art.146) Todos los buques, embarcaciones y artefactos navales, incluso en construcción, pueden ser objeto de hipoteca naval con arreglo a las disposiciones de esta ley y al Convenio internacional sobre los privilegios marítimos y la hipoteca naval. No obstante, para que pueda inscribirse la hipoteca sobre un **buque en construcción** es indispensable que esté invertida en ella la tercera parte de la cantidad en que se haya presupuestado el valor total del casco y que la propiedad del buque figure inscrita en el Registro de Bienes Muebles.
Cuando se hipotequen **varias naves** a la vez por un solo crédito, se determinará la cantidad de gravamen por la que cada una deba responder.
La **garantía se extiende**, tanto a las partes integrantes del buque como a sus pertenencias, pero a sus accesorios. La hipoteca también se extiende, salvo pacto expreso en contrario, a las indemnizaciones por daños materiales ocasionados al buque y no reparados por abordaje u otros accidentes, así como a la contribución a la avería gruesa y a la del seguro, tanto por averías no reparadas sufridas por el buque, como por pérdida total del mismo. Puede pactarse la extensión a licencias vinculadas al buque en la medida y condiciones que lo permitan las disposiciones que regulen su concesión.
La hipoteca naval puede asegurar toda clase de **obligaciones**, lo cual debe hacerse constar en el contrato.

Salvo pacto en contrario, la hipoteca constituida a favor de un crédito que devengue **interés** no asegurará en perjuicio de tercero, además del capital, sino los intereses de los dos últimos años transcurridos y la parte vencida de la anualidad corriente. Puede pactarse que la hipoteca asegure intereses remuneratorios hasta de 5 años e intereses de demora hasta igual plazo.

Precisiones 1) La mayoría de la doctrina considera que no cabe hipotecar la **participación** en el buque de uno de los copropietarios. Argumentan que el único objeto de hipoteca naval admitido legalmente es el buque, en ningún caso derechos sobre el mismo (Padilla González, Ferre Moltó y Jiménez Villanueva).

2) Se entiende por **buque** todo vehículo con estructura y capacidad para navegar por el mar y para transportar personas o cosas, que cuente con cubierta corrida y de eslora igual o superior a 24 metros (LNM art.56).

Se entiende por **embarcación** el vehículo que carezca de cubierta corrida y el de eslora inferior a 24 metros, siempre que, en uno y otro caso, no sea calificado reglamentariamente como unidad menor en atención a sus características de propulsión o de utilización (LNM art.57).

Se entiende por **artefacto naval** toda construcción flotante con capacidad y estructura para albergar personas o cosas, cuyo destino no es la navegación, sino quedar situada en un punto fijo de las aguas. Se considera, asimismo, artefacto naval, el buque que haya perdido su condición de tal por haber quedado amarrado, varado o fondeado en un lugar fijo, y destinado, con carácter permanente, a actividades distintas de la navegación (LNM art.58).

3) La **inscripción** en el Registro de Bienes Muebles de los **buques en construcción** que vayan a ser hipotecados es **obligatoria**.

Dicha inscripción se puede efectuar:

- presentando copia certificada de su **matrícula o asiento**, expedida por el Comandante de Marina de la provincia en que esté matriculado; o
- en virtud de **escritura pública**, póliza intervenida por notario, resolución judicial firme o documento administrativo expedido por funcionario con facultades suficientes por razón de su cargo.

A este efecto, el dueño debe presentar en el Registro una **solicitud**, acompañada de certificación expedida por el constructor, en que conste el estado de construcción del buque, longitud de su quilla y demás dimensiones de la nave, tonelaje y desplazamientos probables, calidad del buque, lugar de construcción y expresión de los materiales que en él hayan de emplearse, coste de casco y plano del mismo buque (L 14/2014 art.69.3).

4226 **Forma** (LNM art.128, 132, 133; RRM/56 art.146, 147, 154 y 160) Para la validez del contrato de hipoteca naval se requiere:

1) La forma **escrita**. Puede otorgarse por:

- escritura pública;
- documento privado.

En todo caso se exige la **inscripción** en el Registro de Bienes Muebles.

2) Un **contenido mínimo**. Ha de constar necesariamente en el contrato de hipoteca naval:

- Acreedor, deudor y, en su caso, hipotecante no deudor, especificando todas las circunstancias personales que exige la legislación hipotecaria.
- El importe del crédito garantizado con hipoteca y de las sumas a que, en su caso, se haga extensivo el gravamen por costas y gastos de ejecución y por los intereses remuneratorios y de demora y otros gastos.
- Fecha de vencimiento del capital y del pago de los intereses.
- Descripción del buque y todos los datos de identificación que consten, con indicación, en su caso, de que el buque está en construcción.
- El valor o aprecio que se hace del buque y que, en su caso, pueda servir como tipo para la subasta; y los domicilios que el deudor y, eventualmente, el hipotecante no deudor designen para requerimientos y notificaciones.
- Cantidades de que responde cada buque, en el caso de que se hipotequen dos o más en garantía de un solo crédito.
- Las circunstancias que reglamentariamente se determinen en caso de hipoteca en garantía de títulos cualquiera que sea su denominación.
- Las demás estipulaciones que establezcan los contratantes sobre intereses, seguros, vencimiento anticipado y extensión y cualesquiera otras que tengan por conveniente.

3) La **inscripción** en el la sección 1º del Registro de Bienes Muebles de la provincia en que esté matriculado el buque o, en su defecto, en el lugar de construcción, cuando se trate de buques que no tengan matrícula definitiva. Para practicar la inscripción debe aportarse la **certificación de dominio**, salvo que el dueño manifieste que el buque se encuentra de viaje, en cuyo caso habrá que esperar a su regreso. La inscripción en el Registro de Bienes Muebles tiene eficacia constitutiva: el derecho de hipoteca no tiene efecto «erga omnes» hasta que se inscribe el contrato.

La inscripción en el registro de las hipotecas navales sólo puede ser cancelada por consentimiento del acreedor hipotecario o sus causahabientes o por auto o sentencia firme.

En el primer caso el consentimiento del acreedor se hará constar en escritura pública, o por comparecencia del acreedor ante el registrador.
En la inscripción de la hipoteca se harán constar las circunstancias expresadas en el punto anterior que tengan trascendencia real, así como las demás exigidas por la legislación hipotecaria.
4) En materia de **anotaciones** e **inscripciones** practicadas en el Registro de buques, el Registro Central debe tener conocimiento de:
a) Nombre del buque, número OMI (Organización Marítima Internacional), pabellón, arqueo y lista, matrícula nacional y NIB (número de identificación del buque), si constan.
b) Datos relativos al **contenido del acto** o contrato inscrito o anotado.
c) **Datos de sus titulares**, ya sean personas físicas o jurídicas, identificando su nombre, apellidos o denominación social, número o cédula de identificación fiscal, así como el nombre y apellidos del cónyuge en su caso.
d) **Cargas** que afecten al buque.
e) **Datos registrales** del asiento practicado.

Precisiones **1)** Los registradores de buques deben llevar un **índice de titularidades informatizada**, debiendo estar finalizada la recuperación informática de los asientos posteriores a 1950 a los seis meses de la facilitación por el colegio del correspondiente programa informático (DGRN Instr 26-4-01).
2) Para que la hipoteca naval quede válidamente constituida puede ser **otorgada** en escritura pública, en póliza intervenida por notario o en documento privado y deberá inscribirse en el Registro de Bienes Muebles (L 14/2014 art.128).

Si el contrato se otorga en **país extranjero**, se exige su celebración ante el cónsul español del puerto en que tenga lugar y, además, inscribirse en el Registro del Consulado y anotarse en la certificación de dominio. **4228**
Cuando el contrato se otorgue en uno de los **países firmantes del Convenio de Ginebra** de 1993, la hipoteca estará válidamente constituida y será ejecutable en España si está constituida e inscrita en un registro, de conformidad con lo previsto en la legislación del Estado de matrícula, si el registro y los documentos relativos al contrato pueden ser consultados por el público y si el contrato especifica los contenidos que exige el art.1.c) del Convenio.
En el mismo caso, son inscribibles los demás contratos otorgados en el extranjero que hayan de tomar prelación sobre la hipoteca naval.
Los **cónsules españoles** que autoricen algún contrato de hipoteca naval han de remitir inmediatamente copia auténtica del mismo al Registro de Bienes Muebles del lugar en que el buque esté matriculado. El registrador, deberá efectuar la inscripción en cuanto reciba la copia.

Precisiones **1)** Han de constar necesariamente en **escritura pública** (RRM/56 art.162): **4230**
a) La **hipoteca naval en garantía de cuentas corrientes**. En la inscripción se ha de expresar, además de las circunstancias generales, la cantidad máxima de que responda el buque y el plazo de duración haciendo constar si éste es o no prorrogable y, en su caso, la prórroga posible y los plazos de liquidación de la cuenta (RRM art.162).
b) La **hipoteca naval en garantía de títulos al portador**. En su inserción han de constar, como circunstancias especiales, las relativas al número, valor, serie, fecha y plazos de la emisión y de la amortización de los títulos respectivos.
Estos títulos tienen doble matriz, una de ellas se ha de depositar en el registro mercantil, quedando la otra en poder de la entidad emisora. En ellos constará la fecha, el notario autorizante de la escritura y el registro mercantil donde se hubiera inscrito la hipoteca.
2) Para que surta plenos **efectos administrativos** cualquier acto que suponga la creación, modificación o extinción de un gravamen que pese sobre el buque, debe ser notificado a la Dirección General de la Marina Mercante (eslora superior a seis metros) o Jefatura Provincial de Marina Mercante (eslora inferior a seis metros) o autorizado por mandamiento judicial. Dichos actos, así como la **transferencia de propiedad**, se anotarán en el asiento de matrícula con carácter definitivo a la vista de la certificación que acredite haberse inscrito los mismos en el registro mercantil correspondiente (RD 1027/1989 art.56 y 57).
3) El **Registro de Buques y Empresas Navieras** es un registro público de carácter administrativo en donde constan las hipotecas de los buques abanderados en España (RDLeg 2/2011 art.251).

B. Contenido

4235

4237 El **derecho real** de hipoteca naval, como cualquier hipoteca, es accesorio y atribuye a su titular los derechos de preferencia y persecución.

4239 **Derecho de preferencia** (LNM art.137) Consiste en la facultad del titular de la hipoteca de **cobrar su crédito** garantizado con preferencia a otros acreedores.
La hipoteca naval goza de preferencia desde el momento de la **inscripción** en el Registro de Bienes Muebles. Se considera como fecha de la inscripción para todos los efectos que ésta deba producir, la del asiento de presentación, que deberá constar en la inscripción misma.
Para determinar la preferencia entre dos o más inscripciones de una **misma fecha** relativas a un mismo buque, se atiende a la hora de presentación en el Registro de los títulos respectivos.

4241 **Derecho de persecución** (LNM art.140) La hipoteca naval sujeta directa e inmediatamente las naves sobre las que se impone al cumplimiento de las obligaciones para cuya seguridad se constituye.
El acreedor hipotecario puede **ejercitar su derecho** sobre el buque dondequiera que se encuentre y cualquiera que sea el poseedor.
Este derecho se puede ejercitar en cinco **supuestos**:
1) Al vencimiento del plazo estipulado para la devolución del capital o para el pago de los intereses, en la forma que se hubiere pactado.
2) Cuando el deudor fuese declarado en concurso de acreedores.
3) Cuando cualquiera de los buques hipotecados sufriera deterioro que le inutilice para navegar.
4) Cuando existan dos o más buques afectos al cumplimiento de una misma obligación y ocurra la pérdida o deterioro que inutilice definitivamente para navegar a cualquiera de ellos, salvo pacto en contrario.
5) Cuando se cumplan las condiciones pactadas como resolutorias del contrato de préstamo, y todas las que produzcan el efecto de hacer exigible el capital o los intereses.

Precisiones La **prescripción** de la acción hipotecaria naval se produce a los tres años, contados desde el momento en que pueda ejercitarse. El titular registral del buque puede solicitar la cancelación por **caducidad** de la inscripción de hipoteca, transcurridos seis años desde el vencimiento, si no consta que ha sido novada, interrumpida la prescripción o ejercitada la acción hipotecaria (LNM art.142).

SECCIÓN 7

Ejecución de garantías

4245

A. Consideraciones generales

4250 Todos los derechos reales de garantía, que sujetan directamente los bienes sobre los que recaen, cualquiera que sea su poseedor, al cumplimiento de la obligación garantizada, *implican necesariamente* la existencia del *ius distrahendi*. Es decir, en caso de **incumplimiento del deudor** el acreedor puede instar la enajenación de la cosa dada en garantía para satisfacer su crédito con el importe así recaudado.
Este derecho puede hacerse valer por el acreedor a través de diferentes **procedimientos**:
1) El acreedor puede, en primer lugar, hacer efectivo su derecho acudiendo al **procedimiento** de ejecución directa contra los bienes hipotecados (nº 4290).

2) Puede también, si concurren los requisitos legales, optar por defender su derecho de crédito en el **juicio ejecutivo**, a partir del título extrajurisdiccional de constitución de la garantía.
3) Sin embargo, una de las ventajas de los derechos reales de garantía es que el «ius distrahendi» se suele potenciar legalmente a través de **procedimientos de ejecución**, a los que puede recurrir el acreedor si median las circunstancias exigidas legalmente. Así, se establece para las hipotecas (y para la prenda sin desplazamiento de la posesión) procesos de ejecución judicial basados en el título extrajurisdiccional de constitución de la garantía, aún más rápidos que el juicio ejecutivo; no son procesos declarativos, sino procesos de ejecución dirigidos a la venta forzosa del bien dado en garantía.
4) En ocasiones, el acreedor tiene también otra posibilidad: la de optar por un **procedimiento extrajudicial de ejecución**. La hipoteca puede hacerse valer, si así se pacta, por el procedimiento de venta extrajudicial. Cabe, asimismo, la ejecución extrajudicial de la hipoteca mobiliaria y de la prenda sin desplazamiento.
La ejecución extrajudicial es, a falta de procesos judiciales especiales de ejecución, lo normal en toda clase de prendas ordinarias.

Precisiones **1)** El problema de la admisibilidad de la **ejecución extrajudicial** ha sido abordado por la jurisprudencia, que entiende que la existencia del procedimiento extrajudicial de ejecución hipotecaria es contraria a la Constitución, al ser la función de ejecución cometido de los jueces y tribunales (TS 4-5-98, EDJ 3142; 20-4-99, EDJ 6316). No obstante, la controversia quedó salvada desde la redacción que la LEC dio al LH art.129, en virtud del cual en la escritura de constitución de la hipoteca puede pactarse la **venta extrajudicial** del bien hipotecado. **4252**
2) La LEC reduce a dos los **procesos ordinarios** (para reclamaciones dinerarias). Por otro lado, el casi centenar de **procesos especiales** se reduce a cinco.
En cuanto a la **ejecución forzosa** propiamente dicha, diseña un proceso de ejecución idóneo para cuanto puede considerarse genuino título ejecutivo, sea judicial o contractual o se trate de una ejecución forzosa común o de garantía hipotecaria. Pero esta sustancial unidad de la ejecución forzosa no impide ciertas particularidades. Así, en la oposición a la ejecución, existen:
- las especialidades razonables en función del carácter judicial o no judicial del título; y
- las que resultan necesarias cuando la ejecución se dirige exclusivamente contra bienes hipotecados o pignorados.

3) La ejecución de garantías de carácter real supone un negocio jurídico traslativo del dominio de bienes (el bien dado en garantía) a cambio de dinero (la suma que el rematante entrega al acreedor). Por ello, se ha de someter al régimen jurídico de **blanqueo de capitales** estudiado en el nº 7950 s., al que nos remitimos.
La posible **intervención notarial** en la ejecución de la garantía obliga al notario autorizante a observar los oportunos deberes de comunicación (Instr DGRN 10-12-99).

B. Prenda

4255

Vencida la obligación principal, se pueden vender las cosas en que consista la prenda para pagar al acreedor. **4257**
La **realización del valor de la prenda** se puede llevar a cabo a través de diversos sistemas de ejecución:
- mediante ejecución directa, aplicando normas particulares para la ejecución de bienes hipotecados o pignorados -LEC art.681 a 698- (ver nº 4290); o
- extrajudicialmente.

Precisiones **1)** Si se embargan **valores** admitidos a negociación en un mercado secundario oficial, su venta ha de hacerse a través de dicho mercado. Si se embargan otros valores, se venderán a través de fedatario público.
2) Si los bienes embargados son **acciones, obligaciones** u otros valores admitidos a negociación en mercado secundario, se ordenará que se enajenen con arreglo a las leyes que rigen estos mercados. Lo mismo se hará, si el bien embargado cotiza en cualquier mercado reglado o puede acceder a un mercado con precio oficial.
Si lo embargado son **acciones o participaciones societarias** de cualquier clase, que no coticen en Bolsa, la realización se hará atendiendo a las disposiciones estatutarias y legales sobre

enajenación de las acciones o participaciones, respetando en cualquier caso, los derechos de adquisición preferente que puedan existir. A falta de disposiciones especiales, la realización se efectuará mediante fedatario público (LEC art.635).
3) La **realización** de los **bienes pignorados** se regula en el nº 4290 s.

1. Ejecución extrajudicial

(CC art.1872)

4260 El acreedor a quien oportunamente no haya sido satisfecho su crédito, puede proceder a través de notario a la enajenación de la prenda. Esta enajenación tiene que hacerse en **subasta pública** y con citación del deudor y del dueño de la prenda en su caso. Si en la primera subasta no se enajena la prenda, puede celebrarse una segunda con iguales formalidades; y, si tampoco da resultado, puede el acreedor hacerse dueño de la prenda. En este caso, está obligado a dar carta de pago de la totalidad de su crédito.
Con esta solución se intenta proteger:
- al **acreedor impagado**, a través de la dación de fe pública manifestada en un acta de remate que justificará frente a todos la propiedad adquirida por él; y
- al **deudor**, evitando el ser privado de sus bienes de forma violenta, al ser la subasta el intento de simular un mercado generador de un precio razonablemente objetivo y público.

Precisiones **1)** Este sistema es **dispositivo**. Lo que se ejecuta no es tanto la cosa pignorada sino el valor de la cosa pignorada. De ello se deduce que la ejecución pignoraticia provoca un efecto «pro solvendo».
Este sistema es una facultad que se concede al acreedor, no una obligación, por lo que puede utilizar otro procedimiento para enajenar la garantía.
2) La **ejecución extrajudicial** de la prenda no está regulada de modo general, ni en el CCom (sí se regula específicamente la ejecución de la prenda de valores, CCom art.322), ni en leyes especiales. En el Derecho Foral encontramos referencias legislativas regulando esta materia como en la Compilación de Navarra ley 469.
Conviene, en este punto, recordar la sentencia TS 21-11-00, EDJ 39467, más arriba analizada (nº 3815).

2. Normas especiales

4265 **Valores admitidos a negociación** (CC art.1872.2; CCom art.320 a 324) Si la prenda consiste en valores cotizables se venderán en la forma prevista por el Código de Comercio.
Se atribuye al acreedor el privilegio de enajenación, facultándole para iniciar un **procedimiento ejecutivo extrajudicial**, siempre dentro del plazo de los tres días hábiles siguientes al vencimiento del préstamo. El procedimiento también se aplica a las cuentas corrientes de crédito abiertas por entidades de crédito, cuando se haya convenido que la cantidad exigible en caso de ejecución sea la especificada en certificación expedida por la entidad acreedora.
El acreedor, sin necesidad de requerir al deudor, está autorizado para pedir la enajenación de los valores dados en garantía, a cuyo fin entregará a los **organismos rectores** del correspondiente mercado secundario oficial la póliza o escritura de préstamo, acompañada de los títulos pignorados o del certificado acreditativo de la inscripción de la garantía, expedido por la entidad encargada del correspondiente registro contable.
El organismo rector, hechas las oportunas comprobaciones, adopta las medidas necesarias para **enajenar los valores pignorados**, en el mismo día en que reciba la comunicación del acreedor, o, si no es posible, en el día siguiente, a través de un miembro del correspondiente mercado secundario oficial.

Precisiones **1)** El **plazo de tres días** desde el vencimiento del préstamo que fija la ley para la ejecución de una prenda sobre valores cotizables dados en garantía (CCom art.322 último párrafo), tiene carácter dispositivo (TS 27-7-21, EDJ 647646).
2) No se requiere subasta especial, puesto que la **negociación bursátil** es un mercado más objetivo y eficiente que la subasta (es, en realidad, una subasta diaria). Por eso tampoco se reclama la actuación del fedatario público en esta fase ejecutiva, aun habiéndose exigido póliza intervenida (o escritura pública) en la constitutiva.

4267 **Resguardos de depósitos** (CCom art.196 y 197) El acreedor que, teniendo legítimamente en prenda un resguardo, no sea pagado el día del vencimiento de su crédito, puede requerir a la **compañía de almacenes generales de depósito** para que enajene los efectos depositados, en cantidad bastante para el pago, y tendrá preferencia sobre los demás débitos del depositante, salvo si estos últimos proceden del transporte, almacenaje o conservación de las mercancías.
Estas ventas se han de efectuar en el depósito de la compañía, sin necesidad de orden judicial, en **subasta pública** anunciada previamente, y con intervención de notario.

Participaciones sociales (LSC art.109) El **embargo** de las participaciones debe ser inmediatamente notificado a la sociedad limitada por el juez o autoridad administrativa que lo haya decretado, haciendo constar la identidad del embargante, así como las participaciones embargadas. La sociedad anotará el embargo en el libro registro de socios. **4269**
Celebrada la **subasta** o, tratándose de cualquier otra forma de enajenación forzosa legalmente prevista, en el momento anterior a la adjudicación, quedará en suspenso la aprobación del remate y la adjudicación de las participaciones sociales embargadas.
El **remate** o la adjudicación al acreedor serán firmes transcurrido un mes a contar de la recepción por la sociedad del testimonio literal del acta de subasta o del acuerdo de adjudicación y, en su caso, de la adjudicación solicitada por el acreedor.
Mientras que no son firmes, los socios y, en su defecto, la sociedad (si los estatutos establecen en su favor el derecho de adquisición preferente) podrán **subrogarse** en lugar del rematante o, en su caso, del acreedor, mediante la aceptación expresa de todas las condiciones de la subasta y la consignación íntegra del importe del remate o, en su caso, de la adjudicación al acreedor y de todos los gastos causados.

Prenda sin desplazamiento (LHMPSD art.94 y 95) Se reconocen dos procedimientos especiales, sin perjuicio de los establecidos en la LEC, para la realización del objeto de la garantía prendaria sin desplazamiento (ver nº 4321 s.). **4271**

Contratos inscritos en el registro de venta a plazos de bienes muebles (LVPBM art.16.2.c) En caso de incumplimiento de un contrato inscrito en el registro de venta a plazos de bienes muebles, se regula un procedimiento de **ejecución contractual** que permite al deudor moroso entregar al acreedor los bienes adquiridos a plazos. En tal hipótesis, se procederá a su enajenación en **pública subasta**, con intervención de notario. **4273**
En la subasta se seguirán, en cuanto fuesen de aplicación, las reglas establecidas en el CC art.1872, así como las normas reguladoras de la actividad profesional fedatarios públicos. En la primera subasta servirá como **tipo** el valor fijado a tal efecto por las partes en el contrato.
No obstante, el acreedor puede optar por la **adjudicación de los bienes** para pago de la deuda sin necesidad de acudir a la pública subasta.

Precisiones En este caso, la **deuda se extingue** por la cuantía correspondiente al **valor del bien** en el momento de la entrega conforme a las **tablas de depreciación** establecidas en el contrato (LVPBM art.16.2), y no por el importe del precio (menor) que el acreedor obtenga mediante la venta del bien a un tercero (TS 3-10-18, EDJ 589934).
El caso resuelto por esta sentencia versa sobre un contrato de préstamo de **financiación al comprador para la compra de automóvil**, en el que al no poder hacer frente al pago de las cuotas, este entregó el vehículo al Banco firmando un impreso proporcionado por la entidad en el que declaraba que la entrega servía para que, en su nombre, el Banco procediese o autorizase la venta. La **entidad bancaria** reclamó el pago de la cantidad resultante de descontar, del saldo deudor por impago de las cuotas del préstamo, lo obtenido por la venta del vehículo (3.800 euros), cuando el valor del vehículo en el momento de la entrega, según las tablas de depreciación que figuraban en el contrato, era de 15.540 euros. A tal efecto, el TS sostiene, con cita de la TS 2-2-18, EDJ 3699, «que el art.16.2.e) LVPBM es aplicable en todos los casos en los que el deudor entrega los bienes al acreedor, con independencia de que esa entrega se haga para la venta a un tercero. Ello no puede ser de otra manera por el hecho de que la entrega del bien por el deudor y aceptada por el acreedor no fuera precedida de un requerimiento notarial del acreedor. Tampoco por la circunstancia de que el impreso firmado por el deudor responda a un modelo autorizado en su día por la Resolución de la Dirección General de los Registros y del Notariado de 26 de septiembre de 2001 o de que con posterioridad la posibilidad de entrega del bien para pago de la deuda haya sido incorporada por Resolución de 21 de febrero de 2017 a los modelos de contratos de ventas a plazos de bienes muebles. Es indudable que tales modelos se insertan necesariamente dentro del régimen legal que, en atención a su declarado carácter imperativo y tuitivo del comprador, no puede ser desplazado en su perjuicio ni por un pacto ni por una cláusula contractual (art.14 LVPBM) ni por una práctica habitual generalizada en contra de la ley. Así mismo habrá que descontar del valor el importe de los posibles desperfectos que pudieran quedar acreditados. Ello aunque el precio de la venta al tercero resulte ser menor, tal y como sucedió en el caso».

C. Hipoteca

4280

4282 El acreedor hipotecario puede hacer efectivo su derecho a través de diferentes **procedimientos**:
- el proceso **declarativo ordinario** correspondiente, esto es el juicio ordinario o el verbal, cuya diferencia determinante estriba en la cuantía. Sin embargo, la lentitud no aconseja habitualmente esta vía, dada la existencia de las demás alternativas;
- el proceso de **ejecución forzosa** en virtud de los títulos ejecutivos o que tengan aparejada ejecución (LEC art.517), entre ellos la escritura pública (nº 4284);
- el procedimiento de **ejecución directa** contra los bienes hipotecados o procedimiento para exigir el pago de deudas garantizadas por prenda e hipoteca, que se articula como una particularidad de la ejecución dineraria. Se rige por las normas generales de la LEC art.571 s. con las especialidades previstas en el nº 4290;
- la **venta extrajudicial** (nº 4298).

4284 **Proceso de ejecución forzosa o proceso de ejecución común** (LH art.126 y 127; LEC art.538 s.) La doctrina ha sostenido que el crédito hipotecario está protegido por dos acciones:
- una **acción personal** derivada del crédito, que abre el camino a la ejecución contra **cualquier bien** que integre el patrimonio del deudor; y
- una **acción real** derivada de la hipoteca, dirigida sólo a la realización del **bien hipotecado** cualquiera que sea su titular, el deudor o un tercero.

El acreedor es libre para ejercitar cualquiera de ellas o para acumularlas. Lo normal, si se pretende hacer efectiva la garantía hipotecaria a través del cauce del juicio ejecutivo, será la **acumulación** de las dos acciones, hipotecaria y personal, pues el acreedor suele preferir precisamente este cauce procesal para poder ir contra otros bienes del deudor en el caso de que no resulte suficiente la garantía del bien hipotecado.

Es posible que el acreedor hipotecario prescinda del privilegio que le otorga la hipoteca y concurra frente a los demás acreedores haciendo valer su preferencia derivada de la **constancia de su crédito en escritura pública**. De este modo, no está obligado el tercerista a limitar su ejecución a los bienes especialmente hipotecados (TS 23-11-00, EDJ 39469).

No obstante, nuestra legislación civil y procesal, y las precisiones que en esta materia ha venido a establecer la jurisprudencia permiten deducir que en tanto subsista la hipoteca, no se puede producir el ejercicio aislado e independiente de una acción personal contra el deudor que provoque la ejecución sobre bienes de su patrimonio sin alcanzar a los bienes especialmente hipotecados en garantía del crédito, y que el ejercicio de la acción personal sólo procede cuando se haya realizado o extinguido la acción hipotecaria.

Si se ejercita la acción hipotecaria (sea sólo esta acción o sea acumulándola a la acción personal) puede ocurrir que el bien hipotecado haya pasado a un **tercer poseedor**.

Cuando en un juicio ejecutivo seguido conforme a las disposiciones de la LEC se persiguieran bienes hipotecados, y éstos hubieran pasado a poder de un tercer poseedor, podrá el acreedor reclamar de éste el **pago de la parte de crédito asegurada** con los que el mismo posee, si al vencimiento del plazo no lo verifica el deudor después de requerido judicialmente o por notario.

A estos efectos, es tercer poseedor el propietario, el usufructuario, el titular del dominio directo o el titular del dominio útil de la finca.

El **tercer poseedor** puede:

1) **Pagar el crédito** con los intereses correspondientes, con lo cual finaliza el proceso.

2) **Desamparar los bienes hipotecados**, en cuyo caso se considerarán éstos en poder del deudor a fin de que pueda dirigirse contra los mismos el procedimiento ejecutivo. Si en la subasta el valor de la finca fuera superior al importe del crédito, intereses y costas aseguradas, el sobrante pertenecerá al tercer poseedor si no hubiera persona con derecho a todo o parte de dicho sobrante.

3) **Oponerse**, en cuyo caso será considerado parte en el procedimiento respecto de los bienes hipotecados que posea, pudiendo alegar las excepciones y motivos de nulidad de la LEC.

Además, si antes de que se venda o adjudique en la ejecución el bien hipotecado y después de haberse consignado registralmente el comienzo del procedimiento, el tercer poseedor

acredita la **inscripción de su título**, puede pedir que se le exhiban los autos en la secretaría, entendiéndose también con él las actuaciones ulteriores.
El tercer poseedor puede, en cualquier momento anterior a la aprobación del remate o a la adjudicación al acreedor, **liberar el bien**, satisfaciendo lo que se deba al acreedor por principal, intereses y costas, dentro de los límites de la responsabilidad a que esté sujeto el bien.

El procedimiento judicial de ejecución hipotecaria se caracteriza por ser **breve y sumario**, de forma que sólo existen tres **causas** posibles de **suspensión**: **4286**
a) **Tercería de dominio**, en los términos de la LEC art.696.
b) **Prejudicialidad penal**, de conformidad con la LEC art.697.
c) **Oposición** a la ejecución de acuerdo con las causas tasadas y previstas en la LEC art.695:
- Extinción de la garantía o de la obligación garantizada, siempre que se presente certificación del Registro expresiva de la cancelación de la hipoteca, o escritura pública de carta de pago o de cancelación de la garantía.
- Error en la determinación de la cantidad exigible, cuando la deuda garantizada sea el saldo que arroje el cierre de una cuenta entre ejecutante y ejecutado. Deberá acreditarse en la forma prevista en la LEC art.695.1.2º.
- En caso de ejecución de bienes muebles hipotecados o sobre los que se haya constituido prenda sin desplazamiento, la sujeción de dichos bienes a otra prenda, hipoteca mobiliaria o inmobiliaria o embargo inscritos con anterioridad al gravamen que motive el procedimiento, lo que habrá de acreditarse mediante la correspondiente certificación registral (LEC art.695.1.3º).
- El carácter abusivo de una cláusula contractual que constituya el fundamento de la ejecución o que hubiese determinado la cantidad exigible. Esta causa de oposición se introdujo para cumplir con lo establecido en la trascendental sentencia TJUE 14-3-13.

Hipotecas en garantía de cuentas corrientes o de crédito (LH art.153) Se establecen dos **sistemas alternativos** de liquidación de la deuda en caso de hipotecas en garantía de cuentas corrientes o de crédito: **4288**
a) El sistema de **doble libreta**, que requiere la presentación, en el momento del ejercicio de la acción hipotecaria, del ejemplar en poder del acreedor de la libreta de ejemplares duplicados en los que se deben constar, al tiempo de todo cobro o entrega, con aprobación y firma de ambos interesados, los asientos de la cuenta corriente.
b) El segundo sistema, aplicable a las cuentas corrientes abiertas por los bancos, cajas de ahorro y sociedades de crédito debidamente autorizadas, implica el pacto previo de admisión de la **liquidación unilateral** certificada por el acreedor, ante la cual el deudor sólo puede alegar error o falsedad.

Procedimiento de ejecución directa contra los bienes hipotecados (LEC art.681.1, 682, 685.1 y 2, 686.1 y 2, 688.1, 689.1 y 690; LH art.129.1 y 130) Con esta vía, el acreedor pretende el cobro de su crédito a través de un proceso especial de ejecución dirigido exclusivamente contra los **bienes hipotecados**. **4290**
La característica fundamental de este procedimiento especial es su **carácter sumario**.
Como **requisitos** para la utilización de este procedimiento, aparte de que se dirija el procedimiento exclusivamente contra los bienes hipotecados, se exige que:
- en la **escritura de constitución de la hipoteca** se determine el precio en que los interesados tasan la finca o bien hipotecado, para que sirva de tipo en la subasta, que no puede ser inferior, en ningún caso, al 75% del valor señalado en la tasación realizada conforme a las disposiciones del RDL 24/2021 art.18 (que entra en vigor el 8-7-2022, derogando la L 2/1981 del mercado hipotecario; ver nº 4075), y que
- en la misma escritura, conste un **domicilio**, que fijará el deudor, para la práctica de los requerimientos y de las notificaciones.
El procedimiento se inicia con la **demanda ejecutiva** dirigida frente al deudor y en su caso frente al hipotecante no deudor o frente al tercer poseedor de los bienes hipotecados, siempre que éste último hubiese acreditado al acreedor la adquisición de dichos bienes.
A la demanda se acompañan el **título o títulos de crédito**, y si no pueden presentarse, certificación del Registro que acredite la inscripción y subsistencia de la hipoteca.
En el **auto** en que se autorice y despache ejecución se manda que se requiera de pago al deudor y en su caso al hipotecante no deudor o al tercer poseedor, no siendo necesario este requerimiento cuando se acredite haberse efectuado extrajudicialmente.
Se reclama del registrador **certificación de dominio y cargas**, en la que se exprese que la hipoteca se halla subsistente y sin cancelar.
Si de la certificación registral se desprende que la **persona** a cuyo favor resulte practicada la última inscripción de dominio **no ha sido requerida de pago** en ninguna de las formas notarial

o judicial, se le notifica la existencia del procedimiento para que pueda intervenir en la ejecución o satisfacer antes del remate el importe del crédito y los intereses y costas.
Transcurridos 10 días desde el **requerimiento de pago**, el acreedor puede pedir que se le confiera la administración o posesión interina del bien hipotecado, sin que exceda de dos años.

4292 **Subasta del bien hipotecado** (LEC art.691, 692) Transcurridos 20 días desde el requerimiento de pago y las notificaciones oportunas, se procede a instancia del actor, del deudor o del tercer poseedor a la subasta de la finca.
La subasta se llevará a cabo, en todo caso, de forma **electrónica** en el **Portal de Subastas**, bajo la responsabilidad del Letrado de la Administración de Justicia y se anunciará y dará publicidad en la forma determinada por la LEC art.667 y 668.
El Portal de Subastas se comunicará, a través de los sistemas del Colegio de Registradores, con el Registro correspondiente a fin de que éste confeccione y expida una **información registral electrónica** referida a la finca o fincas subastadas que se mantendrá permanentemente actualizada hasta el término de la subasta, y será servida a través del Portal de Subastas.
Por el mero hecho de participar en la subasta se entenderá que los **postores**:
- aceptan como suficiente la titulación que consta en autos o que no exista titulación; y
- aceptan, asimismo, subrogarse en las cargas anteriores al crédito por el que se ejecuta, en caso de que el remate se adjudique a su favor.

Durante el periodo de licitación cualquier interesado en la subasta podrá solicitar del tribunal **inspeccionar el inmueble** o inmuebles ejecutados, quien lo comunicará a quien estuviere en la posesión, solicitando su consentimiento. Cuando el **poseedor** consienta la inspección del inmueble y colabore adecuadamente ante los requerimientos del tribunal para facilitar el mejor desarrollo de la subasta del bien, el deudor podrá solicitar al tribunal una reducción de la deuda de hasta un 2 por cien del valor por el que el bien hubiera sido adjudicado si fuera el poseedor o éste hubiera actuado a su instancia. El tribunal, atendidas las circunstancias, y previa audiencia del ejecutante por plazo no superior a cinco días, decidirá la reducción de la deuda que proceda dentro del máximo deducible.
La subasta se regula por las normas generales de la subasta de inmuebles, permitiéndose además la realización mediante **convenio** o por medio de persona o **entidad especializada**.
El **precio del remate** se destina a pagar al actor el principal de su crédito, los intereses devengados y las costas causadas.
El **exceso**, si lo hay, se deposita a disposición de los titulares de derechos posteriores sobre el bien hipotecado y satisfechos los mismos el remanente se entrega al propietario del bien hipotecado.
El **testimonio del decreto** de remate o adjudicación es título bastante para practicar la inscripción de la finca a favor del rematante o adjudicatario siempre que se acompañe el mandamiento de cancelación de cargas (LH art.133).

4294 Precisiones **1)** La resolución dictada en el proceso de ejecución especial de hipoteca otorgada a favor de una entidad de crédito no impide al deudor o al tercero adquirente de los bienes hipotecados ejercitar la **acción de enriquecimiento injusto** o de cobro de lo indebido en proceso declarativo posterior. Supone **cobro de lo indebido** el hecho de que el tercer poseedor pagara por los bienes hipotecados mayor cantidad que la adeudada. No se condena al pago de intereses porque no existió mala fe por parte de la entidad (TS 24-7-00, EDJ 33046).
2) El hecho de que después de la emisión de la nota marginal de expedición de cargas se hubieran adquirido los bienes hipotecados por una sociedad mercantil no trae como consecuencia que el adquirente tenga la condición de **tercero**, beneficiándose de la limitación de responsabilidad de la LH art.114.
3) Se plantea en este expediente, resuelto por la DGRN Resol 21-12-18, si procede o no la inscripción de una escritura de constitución de **hipoteca mobiliaria**, otorgada por treinta y seis sociedades mercantiles hipotecantes, como propietarias en pleno dominio de determinada maquinaria industrial. La registradora suspende la inscripción porque, si bien se señala un valor de tasación a efectos de subasta, sin embargo no se presenta el correspondiente certificado de tasación, por lo que entiende que no se cumple lo dispuesto en la LEC art.682.2.1º, en relación al RD 716/2009 art.8. La DGRN señala que para la tramitación del procedimiento de ejecución directa sobre bienes hipotecados es necesario que los interesados fijen en la escritura de constitución de la hipoteca el precio en que tasan el bien para que sirva de tipo en la subasta (LEC art.682.2.1). Dado el carácter constitutivo de la inscripción de la hipoteca, el procedimiento de ejecución hipotecaria se desarrolla sobre la base de los pronunciamientos registrales, de ahí que el **tipo para subasta** no sólo se hace constar en la escritura de constitución de la hipoteca, sino también en la propia inscripción causada por aquélla (DGRN Resol 14-9-16; 7-10-15; 24-3-14; 29-10-13).
Tratándose de **bienes muebles**, las especialidades de la Ley sobre hipoteca mobiliaria y prenda sin desplazamiento de posesión de 1954 (LHMPSD) en relación con el procedimiento de ejecución judicial para hacer efectivos los créditos garantizados por hipoteca mobiliaria, fueron eliminadas, quedando como **única regulación en la materia** la contenida en la LEC art.681 s. sobre ejecución

directa sobre bienes hipotecados. La **LEC**, por tanto, no es de mera aplicación supletoria, sino de **aplicación directa** en virtud de la citada remisión, norma cuyo tenor literal no excluye en modo alguno los bienes muebles, al aludir genéricamente al precio en que los interesados tasan «**la finca o el bien hipotecado**», expresión que reiteran otros artículos del mismo capítulo (LEC art.690 y 691), respondiendo al criterio de regulación conjunta o unitaria de la ejecución directa sobre bienes hipotecados, con independencia de que estos sean muebles o inmuebles, y sin perjuicio de las particularidades que la propia LEC establece para los primeros, como son las contenidas en materia de:
- competencia judicial (LEC art.684.1.3ª);
- en materia de subastas (LEC art.691.4), o;
- causas de oposición, especialidades concretas que no alcanzan a las normas sobre tasación y sobre tipo de subasta (LEC art.695.1.3ª).

Desde una perspectiva sustantiva, el procedimiento de ejecución y, específicamente, la **realización forzosa mediante subasta judicial**, trae consigo los siguientes **efectos**: **4296**
a) El **efecto extintivo** (total o parcial) del crédito ejecutado. En el caso en que la cantidad dineraria obtenida mediante la realización del bien hipotecado sirva para cubrir la totalidad del crédito garantizado e insatisfecho del que trae causa el proceso de ejecución, el crédito en cuestión quedará completamente extinguido.
b) El «**efecto purgativo**», dado que se cancelan todas las cargas, gravámenes e inscripciones posteriores a la hipoteca, dejando subsistente las anteriores en las que el adjudicatario del bien quedará subrogado (LEC art.668.3º, 669.2, 670.5 y 674).
c) Y, finalmente, el **efecto traslativo**, pues a través de los distintos mecanismos de realización forzosa tiene lugar la transmisión de un derecho real a cambio de un precio en dinero (precio de remate, en caso de subasta judicial). El adjudicatario del inmueble realizado forzosamente podrá, pues, **inscribir** el derecho adquirido en el Registro de la Propiedad, siendo título bastante para ello el testimonio, expedido por el Letrado de la Administración de Justicia, del decreto de adjudicación (LEC art.673), acompañado del mandamiento judicial de cancelación de cargas (LEC art.674 y LH art.133) -Murga Fernández-.

Venta extrajudicial (LH art.129; RH art.234 a 236) En la escritura de constitución de la hipoteca puede pactarse la venta extrajudicial del bien hipotecado, con las formalidades establecidas en el Reglamento Hipotecario. **4298**
Ésta se realiza **ante notario** y se ajusta a los requisitos y formalidades siguientes:
a) El **valor** en que los **interesados tasen la finca** para que sirva de tipo en la subasta no puede ser distinto del que, en su caso, se haya fijado para el procedimiento de ejecución judicial directa, ni puede en ningún caso ser inferior al valor señalado en la tasación que, en su caso, se haya realizado conforme a lo previsto en el RDL 24/2021 art.18 (que entró en vigor el 8-7-2022, derogando la L 2/1981 del mercado hipotecario).
b) La **estipulación** en virtud de la cual los otorgantes **pacten la sujeción** al procedimiento de venta extrajudicial de la hipoteca debe **constar separadamente** de las restantes estipulaciones de la escritura y debe señalar expresamente el carácter, habitual o no, que pretenda atribuirse a la vivienda que se hipoteque. Se presume, salvo prueba en contrario, que en el momento de la venta extrajudicial el inmueble es **vivienda habitual** si así se ha hecho constar en la escritura de constitución.

c) La venta extrajudicial sólo puede aplicarse a las hipotecas constituidas en **garantía de obligaciones** cuya **cuantía** aparezca **inicialmente determinada**, de sus intereses ordinarios y de demora liquidados de conformidad con lo previsto en el título y con las limitaciones señaladas en la LH art.114. **4300**
En el caso de que la cantidad prestada esté inicialmente determinada pero el contrato de préstamo garantizado prevea el **reembolso progresivo del capital**, a la solicitud de venta extrajudicial debe acompañarse un documento en el que consten las amortizaciones realizadas y sus fechas, y el documento fehaciente que acredite haberse practicado la liquidación en la forma pactada por las partes en la escritura de constitución de hipoteca.
En cualquier caso, en que se hubieran pactado **intereses variables**, a la solicitud de venta extrajudicial, se debe acompañar el documento fehaciente que acredite haberse practicado la liquidación en la forma pactada por las partes en la escritura de constitución de hipoteca.
d) La venta se realiza mediante **una sola subasta**, de **carácter electrónico**, que tiene lugar en el portal de subastas que a tal efecto dispone la Agencia Estatal en el Boletín Oficial del Estado. Los tipos en la subasta y sus condiciones son, en todo caso, los determinados por la LEC.
e) En el Reglamento Hipotecario se determina la **forma** y **personas** a las que deban realizarse las notificaciones, el procedimiento de subasta, las cantidades a consignar para tomar parte en la misma, causas de suspensión, la adjudicación y sus efectos sobre los titulares de

derechos o cargas posteriores, así como las personas que hayan de otorgar la escritura de venta y sus formas de representación.

4302 f) Cuando el notario considerase que alguna de las **cláusulas del préstamo hipotecario** que constituya el fundamento de la venta extrajudicial o que hubiese determinado la cantidad exigible pudiera tener **carácter abusivo**, lo pondrá en conocimiento de deudor, acreedor y, en su caso, avalista e hipotecante no deudor, a los efectos oportunos.
En todo caso, el notario suspende la venta extrajudicial cuando cualquiera de las partes acredite haber planteado ante el juez que sea competente, conforme a lo establecido en la LEC art.684, el carácter abusivo de dichas cláusulas contractuales. La cuestión sobre dicho carácter abusivo se sustancia por los trámites y con los efectos previstos para la **causa de oposición** regulada en el LEC art.695.1 aptdo.4.
Una vez sustanciada la cuestión, y siempre que no se trate de una cláusula abusiva que constituya el fundamento de la ejecución, el notario puede proseguir la venta extrajudicial a requerimiento del acreedor.
g) Una vez concluido el procedimiento, el notario expide **certificación acreditativa del precio del remate** y de la **deuda pendiente** por todos los conceptos, con distinción de la correspondiente a principal, a intereses remuneratorios, a intereses de demora y a costas, todo ello con aplicación de las reglas de imputación contenidas en la LEC art.654.3. Cualquier **controversia** sobre las **cantidades pendientes** determinadas por el notario es dilucidada por las partes en juicio verbal.
h) La LEC tiene **carácter supletorio** en todo aquello que no se regule en la LH y en el RH.

4304 **Procedimiento** En lo que se refiere al procedimiento, hay que señalar:
a) No existe libre elección del notario. El RH establece las reglas para precisar el notario competente señalando que la realización extrajudicial de la hipoteca se llevará a cabo ante el notario hábil para actuar en el **lugar donde radique la finca hipotecada** y, si hubiese más de uno, ante el que corresponda con arreglo a turno. Cuando sean **varias las fincas hipotecadas** y radiquen en **lugares diferentes**, podrá establecerse en la escritura de constitución cuál de ellas determinará la competencia notarial. En su defecto, ésta vendrá determinada por la que haya sido tasada a efectos de subasta con un mayor valor.
b) Se inicia el procedimiento con **requerimiento dirigido al notario** que contiene:
- hechos y razones jurídicas de la certeza, subsistencia y exigibilidad del crédito, y
- la cantidad exacta que se reclama.
c) Al requerimiento se acompañan los siguientes **documentos**:
- escritura de constitución de la hipoteca,
- nota de la inscripción, y
- los documentos que permitan determinar con exactitud el interés en el caso de hipotecas en garantía de créditos con interés variable.
d) El notario, tras examinar el requerimiento y los documentos, si estima cumplidos los requisitos legales, solicita **certificación de cargas** al registrador y si de ésta no resultan obstáculos para la realización hipotecaria requiere de pago al deudor, advirtiéndole que de no pagar en diez días se procederá a la ejecución de los bienes hipotecados. En el caso de que el notario no pudiese practicar el requerimiento dará por terminada su actuación.
e) En la regulación de la **subasta, aprobación del remate, pago del precio** y su destino se sigue en lo fundamental la regulación del procedimiento de ejecución directa sobre los bienes hipotecados con la particularidad de que se lleva ante notario.
f) Todos los trámites y diligencias se consignan en **acta notarial**. Tras la subasta se otorga escritura pública por el adjudicatario y la persona designada en la escritura por el deudor.
g) La **escritura** es título bastante para la inscripción a favor del adjudicatario, así como para la cancelación de la hipoteca y derechos, cargas y gravámenes posteriores pudiendo el adjudicatario pedir la posesión de los bienes adquiridos al juez de 1ª instancia del lugar donde radiquen.

Precisiones La existencia del procedimiento extrajudicial de ejecución hipotecaria, ha sido calificado reiteradamente por la jurisprudencia del TS como inconstitucional, alegando que la **función de ejecución**, es cometido de los **jueces y tribunales** integrantes del poder judicial (TS 20-4-99; 4-5-98, EDJ 3142; 20-4-99, EDJ 6316; en contra de lo que la Sala 3ª del propio TS había defendido en sentencia TS 16-10-95, EDJ 5691 y 23-10-95, EDJ 6380). Esta postura ha sido cuestionada por la doctrina (Roca Sastre, Carrasco) y, en cualquier caso, se ha visto desvirtuada después de la nueva redacción de la LEC art.129.

4306 **Hipoteca cambiaria** (LCC art.51 y 56) Llegado el vencimiento de la letra y resultando ésta impagada, el acreedor cambiario, que sea también hipotecario, tiene a su disposición la acción real dirigida a la realización del valor de la finca hipotecada, para el cobro de la cantidad que se le adeuda. Dispone para ello, en cuanto acreedor hipotecario, del procedimiento de ejecución directa contra los bienes hipotecados y de la venta extrajudicial (nº 4290 y nº 4298).

Junto a estos procedimientos, específicamente hipotecarios, conserva siempre la posibilidad de acudir al **proceso de ejecución forzosa** (nº 4284), para el que constituye título suficiente la escritura de constitución de la hipoteca.
Además, y puesto que el crédito está documentado en una letra de cambio, el acreedor puede acudir al **juicio cambiario** (LEC art.819 a 827) siempre que la letra reúna los requisitos previstos en la Ley Cambiaria y del Cheque, así como al proceso declarativo ordinario correspondiente, en el que tras obtener la declaración de la existencia del crédito y de la garantía que le acompaña, puede instar la ejecución sobre los bienes que integran el patrimonio del deudor.
Junto con la escritura de constitución de la hipoteca debe acompañar la **letra o letras impagadas** o, en su caso, sus duplicados, si han sido detallados en la escritura o se corresponden exactamente con la letra al tiempo de la constitución.
La acreditación del **vencimiento** de las cambiales se verifica, ordinariamente, a través del protesto por falta de pago. Pero si éste ha sido dispensado por convenio de los interesados, el vencimiento podrá probarse por el tenedor acreditando que la letra ha sido presentada dentro de los plazos correspondientes. Igualmente puede no ser necesario el protesto por falta de pago al haber sido protestada la letra por falta de aceptación y en los casos de suspensión de pagos, quiebra o concurso del librado.

Precisiones Se trata de determinar si es susceptible de **cancelación por caducidad** una inscripción de **hipoteca en garantía de letras de cambio** constituida a favor de su primer tomador y de los tenedores futuros cuando se pactó un **plazo de vencimiento** de un año prorrogable, en beneficio de los titulares de las cambiales, por un plazo de diez años más. **4308**
El recurrente considera que las hipotecas en garantía de las distintas letras de cambio han **caducado** al haber transcurrido el plazo de un año desde su vencimiento, así como el plazo de 20 años previsto en LH art.128 y el de un año más establecido en LH art.82.5. Por su parte, la DGRN Resol 18-7-17, señala que el supuesto de hecho es idéntico a otros respecto de los que ha elaborado la siguiente **doctrina** (DGRN Resol 15-2-10; 14-10-11; 20-2-13; 5-11-14):
• La regla general es que las inscripciones sólo pueden cancelarse por **consentimiento** del titular registral **o** por **resolución judicial firme**;
• Cualquier otro supuesto, convencional (LH art.82 párr.2º) o no (LH art.82 párr.5º), solo es aplicable cuando resulte de manera clara, precisa e indubitada, que concurren los requisitos legalmente previstos.
• Respecto del supuesto de cancelación sin consentimiento del titular registral y sin sentencia firme (LH art.82 párr.5º), la cuestión se centra en determinar el *dies a quo* y que no se produce ninguna de las circunstancias que alteren el cómputo como la renovación o la interrupción de la prescripción (CC art.1973). Estos requisitos deben dimanar del contenido del Registro de modo que cualquier otra circunstancia alegada por la parte interesada y que no resulte de los libros registrales deberá ser objeto de apreciación en el procedimiento judicial correspondiente (LH art.40).
En este supuesto de hecho no se dan las circunstancias que permitan cancelar el asiento de hipoteca sin consentimiento del titular registral y sin resolución judicial firme, pues del Registro resulta que, aunque el plazo de las obligaciones garantizadas con hipoteca se estableció en un año desde el otorgamiento de la escritura, se pactó su **prórroga** facultativa por plazo de diez años. El **tenor literal de la inscripción** es clarísimo en cuanto a que la prórroga pactada por plazo de diez años es una facultad potestativa de los acreedores que no precisa de nuevo acuerdo, por lo que su oponibilidad frente al nuevo titular es indiscutible.

Suspensión de lanzamientos (L 1/2013 art.1) Con la finalidad de proteger a los deudores hipotecarios que acusan problemas económicos, se posibilita la **suspensión inmediata**, y por un **plazo** de 11 años desde la entrada en vigor de la L 1/2013 (esto es, hasta el 15-5-2024), de los **desahucios** de las familias que se encuentren en una situación de **especial riesgo de exclusión**. Esta medida afecta a cualquier proceso judicial de ejecución hipotecaria o venta extrajudicial por el que se adjudique al acreedor la **vivienda habitual** de personas pertenecientes a determinados colectivos. En estos casos, la Ley, sin alterar el procedimiento de ejecución hipotecaria, impide que se proceda al lanzamiento que culminaría con el desalojo de las personas. **4310**
La suspensión de los lanzamientos afecta a las personas que se encuentren dentro de una situación de especial vulnerabilidad, exigiéndose para ello el cumplimiento de dos **requisitos** (L 1/2013 art.1):
1º Los **colectivos sociales** que pueden acogerse son:
- Familia **numerosa**, de conformidad con la legislación vigente;
- Unidad familiar monoparental con al menos un **hijo a cargo**;
- Unidad familiar de la que forme parte un **menor de edad;**
- Unidad familiar en la que alguno de sus miembros tenga reconocido un grado de **discapacidad** igual o superior al 33%, situación de **dependencia o enfermedad** que le incapacite acreditadamente de forma permanente para realizar una actividad laboral;
- Unidad familiar en la que el deudor hipotecario se encuentre en situación de **desempleo**;

- Unidad familiar con la que convivan, en la misma vivienda, una o más personas que estén unidas con el **titular de la hipoteca** o su cónyuge por vínculo de **parentesco** hasta el tercer grado de consanguinidad o afinidad, y que se encuentren en situación personal de discapacidad, dependencia, enfermedad grave que les incapacite acreditadamente de forma temporal o permanente para realizar una actividad laboral;
- Unidad familiar en la que exista una víctima de **violencia de género**; o
- el deudor mayor de **60 años**.

4312 2º Se den las **circunstancias económicas** siguientes:
a) Los **ingresos de las familias** que se acojan a esta suspensión no pueden superar el límite de tres veces el Indicador Público de Renta de Efectos Múltiples anual de catorce pagas. Este límite se eleva respecto de unidades familiares en las que: (i) algún miembro sea persona con discapacidad superior al 33% o dependiente o con enfermedad que le incapacite de forma permanente para realizar una actividad laboral; o (iii) que conviva con personas con discapacidad, dependientes o con enfermedad grave que les incapacite de forma temporal o permanente para realizar una actividad laboral.
El **límite de ingresos** de los miembros de la unidad familiar definido para cada caso **se incrementa por cada hijo a cargo** dentro de la unidad familiar en:
- 0,15 veces el IPREM para las familias monoparentales;
- 0,10 veces el IPREM para el resto de familias.

b) Que, en los cuatro años anteriores al momento de la solicitud, la unidad familiar haya sufrido una **alteración significativa de sus circunstancias económicas**, en términos de esfuerzo de acceso a la vivienda. La alteración significativa de sus circunstancias económicas se produce cuando el esfuerzo que represente la carga hipotecaria sobre la renta familiar se haya multiplicado por al menos 1,5.
c) Que la cuota hipotecaria resulte superior al 50% de los **ingresos** netos que perciba el conjunto de los miembros de la unidad familiar.
d) Que se trate de un crédito o préstamo garantizado con hipoteca que recaiga sobre la **única vivienda** en propiedad del deudor y concedido para la adquisición de la misma.
La trascendencia de esta previsión normativa es indudable, pues garantiza que, durante este período de tiempo, los deudores hipotecarios especialmente vulnerables no puedan ser desalojados de sus viviendas, con la confianza de que, a la finalización de este período, puedan haber superado la situación de dificultad en que se encuentran en el momento actual.
Para estos deudores especialmente vulnerables se prevé además que la deuda que no haya podido ser cubierta con la vivienda habitual no devengue más **interés de demora** que el resultante de sumar a los intereses remuneratorios un 2% sobre la deuda pendiente (RDL 6/2012 art.4).

Precisiones Respecto de la **suspensión de lanzamientos**, hay que tener presente el RDL 8/2023, que en el Título VI, Capítulo III «Medidas en materia de vivienda», Sección 2ª «Medidas para la protección de personas vulnerables», extiende determinadas medidas de protección en situaciones de vulnerabilidad en materia de vivienda, concretamente amplía los **plazos de solicitud**:
- sobre la suspensión del procedimiento de desahucio y de los lanzamientos para hogares vulnerables sin alternativa habitacional (RDL 11/2020 art.1 redacc RDL 8/2023);
- sobre la suspensión del procedimiento de desahucio y de los lanzamientos para personas económicamente vulnerables sin alternativa habitacional en los supuestos de a LEC art.250.1. 2º, 4º y 7º, y en aquellos otros en los que el desahucio traiga causa de un procedimiento penal (RDL 11/2020 art.1 bis redacc RDL 8/2023).

En ambos casos, **extiende los plazos** para solicitar dicha suspensión hasta el 31-12-2024.

D. Hipoteca mobiliaria y prenda sin desplazamiento

4315 **Hipoteca mobiliaria** (LEC art.571 s. y 681 a 698; LHMPSD art.81 y 86 a 91) El acreedor hipotecario puede hacer efectivo su derecho a través de los procedimientos señalados anteriormente:
- proceso declarativo ordinario (nº 4280);
- proceso de ejecución forzosa (nº 4284);
- procedimiento de ejecución directa contra los bienes hipotecados (nº 4290) y
- procedimiento extrajudicial (nº 4298).

Precisiones **1)** Además de lo establecido, con carácter general, para la hipoteca mobiliaria, existen reglas especiales para la hipoteca de **establecimientos mercantiles** y la hipoteca sobre **vehículo de motor**.
2) El plazo de **prescripción** de la acción hipotecaria es de tres años, contados desde que pueda ser legalmente ejercitada (LHMPSD art.11).
3) En el nº 13245 aparece un **modelo** de póliza original de contrato mercantil de prenda sin desplazamiento.
4) Señalaremos las especialidades del **procedimiento** de ejecución directa contra los bienes hipotecados (nº 4317) y del procedimiento extrajudicial (nº 4319).

Procedimiento de ejecución directa contra los bienes hipotecados (LEC art.684.1.3º, 687, 690.3, 691.4) Presenta las siguientes especialidades respecto a lo visto anteriormente (nº 4290): 4317
1ª La **competencia** corresponde al juzgado de primera instancia al que las partes se hubieran sometido en la escritura de constitución de la hipoteca y en su defecto, al del partido judicial donde ésta hubiese sido inscrita.
2ª Cuando el procedimiento tenga por objeto deudas garantizadas por **hipoteca de vehículos de motor**, el secretario judicial mandará que los vehículos hipotecados se depositen en poder del acreedor o de la persona que éste designe, precintados y sin poder ser utilizados.
3ª La **administración y posesión interina** que pudiese concederse al acreedor no excederá de un año.
4ª La **subasta** se realizará con arreglo a lo dispuesto para la subasta de bienes inmuebles (ver nº 4292).

Procedimiento extrajudicial (LHMPSD art.86 a 88) Para que sea aplicable el procedimiento de venta extrajudicial es necesario que concurran los siguientes **requisitos**: 4319
a) Que en la escritura de constitución de la hipoteca se designe por el deudor, o en su caso por el hipotecante no deudor, un mandatario que le represente, en su día, en la venta de los bienes hipotecarios; pudiendo ser mandatario el propio acreedor.
b) Que se haga constar el precio en el que los interesados tasan los bienes, teniendo en cuenta que el tipo de subasta pactado no puede ser distinto del que se fije, en su caso, para el procedimiento judicial.
c) Que se fije por el deudor, o hipotecante no deudor en su caso, un domicilio para requerimientos y notificaciones, pudiéndose designar también una dirección electrónica, en cuyo caso los requerimientos y notificaciones se harán, además, en esa forma.
Además, es necesario que en la escritura de constitución de la hipoteca se designe por el deudor un **domicilio** para la práctica de los requerimientos y notificaciones y el precio en que las partes tasan la finca para que sirva de tipo en la subasta.
Este procedimiento sólo puede ser seguido por **notario competente** para actuar en el lugar donde radiquen los bienes hipotecados.
Se inicia por **requerimiento** dirigido por el acreedor al notario, quien procederá, previo el cumplimiento de los requisitos legales exigidos, a la venta de los bienes en pública **subasta**.
El procedimiento de venta extrajudicial solo puede **suspenderse** por alguna de las **causas** siguientes:
1. Que se presente certificación del Registro acreditativa de estar **cancelada** la hipoteca **o** presentada escritura pública de **carta de pago** o cancelación de aquélla.
2. Cuando se acredite documentalmente la existencia de **causa criminal** sobre cualquier hecho de apariencia delictiva que determine la falsedad del título en virtud del cual se proceda, la invalidez o ilicitud del procedimiento de venta.
3. Si el notario tiene constancia de la declaración de **concurso del deudor**, aunque ya estuvieran publicados los anuncios de la subasta del bien. En este caso solo se alza la suspensión cuando se acredita, mediante testimonio de la resolución del juez del concurso, que los bienes o derechos no están afectos, o no son necesarios para la continuidad de la actividad profesional o empresarial del deudor.
4. Si se interpone **demanda de tercería de dominio**, acompañando inexcusablemente con ella título de propiedad, anterior a la fecha de la escritura de hipoteca. Si se trata de bienes susceptibles de inscripción en algún Registro, dicho título ha de estar inscrito también con fecha anterior a la hipoteca. La suspensión subsiste hasta el término de juicio de tercería.
5. Si se acredita, con certificación del Registro correspondiente, que los mismos bienes están sujetos a **otra hipoteca mobiliaria o** afectos a hipoteca **inmobiliaria**, en virtud de la LH art.111, vigentes o inscritas antes de la que motivare el procedimiento. Estos hechos se han de poner en conocimiento del juzgado correspondiente, a los efectos prevenidos en el CC art.1862.
6. Cuando cualquiera de las partes acredite haber planteado ante el juez competente el **carácter abusivo** de alguna de las cláusulas contractuales del **préstamo hipotecario** que constituye el fundamento de la venta extrajudicial o que haya determinado la cantidad exigible. Una vez sustanciada la cuestión, y siempre que, de acuerdo con la resolución judicial correspondiente, no se trate de una cláusula abusiva que constituya el fundamento de la ejecución o hubiera determinado la cantidad exigible, el notario puede proseguir la venta extrajudicial a requerimiento del acreedor.
Por lo demás, este procedimiento es análogo al establecido en la LH (ver nº 4298).

Prenda sin desplazamiento (LHMPSD art.94 y 95) Además del procedimiento ejecutivo ordinario (LEC art.571 s.), para la ejecución pignoraticia el acreedor dispone de dos procedimientos especiales: 4321
- el procedimiento de ejecución directa contra los bienes pignorados (nº 4323), y
- el procedimiento extrajudicial (nº 4325).

Precisiones 1) En lo referente a la ejecución de la prenda sin desplazamiento, con independencia de la acción personal que le corresponda, el acreedor pignoraticio tiene la posibilidad de utilizar la **acción real** para solicitar la venta de los bienes gravados, sobre los que gozará para el cobro de su crédito de la preferencia y prelación establecidas en el CC art.1922.2 y 1926.1, dejando a salvo siempre la prelación por créditos laborales.
2) El plazo de **prescripción** de la acción pignoraticia es de tres años, contados desde que pueda ser legalmente ejercitada (LHMPSD art.11).

4323 **Procedimiento de ejecución directa contra los bienes pignorados** (LEC art.684.1.4°, 685.2, 687 y 694) Presenta las siguientes especialidades respecto a lo visto anteriormente (nº 4290):
1°. La **competencia territorial** se atribuye al juzgado al que las partes se hubiesen sometido en la escritura o póliza de constitución de la garantía y, en su defecto, al del lugar en que los bienes se hallen, estén almacenados o se entiendan depositados.
2°. Junto con la demanda ejecutiva se presenta el **título inscrito** del crédito pignoraticio (escritura o póliza).
3°. Cuando el procedimiento tenga por objeto **deudas garantizadas por prenda**, se manda que los bienes pignorados se depositen en poder del acreedor o persona que éste designe.
4°. Constituido el depósito se procede a la **realización de los bienes** pignorados conforme a lo previsto en la LEC para el apremio (art.634 a 636).

4325 **Procedimiento extrajudicial** (LHMPSD art.94 y 95) El valor de la prenda se realiza por **subasta notarial**, previo requerimiento de pago al deudor, quien deberá efectuar el pago o entregar la posesión de los bienes en el plazo de tres días. Si el deudor incumple la obligación de entregar la **posesión de los bienes**, el notario no seguirá adelante su actuación y el acreedor puede, para hacer efectivo su crédito, acudir a cualquiera de los procedimientos judiciales, sin perjuicio de ejercitar las acciones civiles y criminales que le correspondan. Si el deudor no paga, pero entrega la posesión de los bienes, el notario procederá a la enajenación de éstos mediante pública subasta (CC art.1872).

E. Hipoteca naval

(RRM/56 art.165; LNM art.141; LEC art.681.2, 683.1.3°, 685.3, 690.3)

4330 La acción para exigir el pago de las deudas garantizadas por hipoteca naval, así como todo lo relativo al procedimiento a seguir y a la competencia para conocer del mismo, se sujeta a lo dispuesto en la LEC art.681 a 698, para la ejecución sobre bienes hipotecados o pignorados (ver nº 4290), salvo las **especialidades** que se establecen a continuación:
1. El **procedimiento** para exigir el pago de deudas garantizadas por hipoteca naval es el siguiente:
a) La acción puede ejercitarse **directamente** contra el buque o buques hipotecados:
- cuando el acreedor con hipoteca naval ejercite su derecho al vencimiento del plazo para la devolución del capital o para el pago de los intereses (LNM art.140.a); o
- cuando se cumplan las condiciones pactadas como resolutorias de la obligación garantizada, y todas las que produzcan el efecto de hacer exigible el capital o los intereses (LNM art.140.e).
b) La acción solo puede ejercitarse **previa constatación de la situación real del buque** a través de certificación emitida por la administración competente:
- cuando el buque hipotecado haya sufrido deterioro que le inutilice definitivamente para navegar (LNM art.140.e); o
- cuando existan dos o más buques afectos al cumplimiento de una misma obligación y ocurra la pérdida o deterioro que inutilice definitivamente para navegar a cualquiera de ellos (LNM art.140.d).
c) Es necesario presentar testimonio de la ejecutoria en que conste la **declaración de concurso**, cuando la acción se ejercite porque el deudor haya sido declarado en concurso (LNM art.140.b).
2. El **deudor** y el hipotecante no deudor podrán **cambiar el domicilio** que hubieran designado para la práctica de requerimientos y notificaciones. Para ello, bastará con poner en conocimiento del acreedor el cambio de domicilio.
3. *A la* **demanda ejecutiva** se debe acompañar el título o títulos de crédito revestidos de los requisitos que la Ley exige para el despacho de la ejecución. A estos efectos, se considera título suficiente para despachar ejecución el documento privado de constitución de la hipoteca naval inscrito en el Registro de Bienes Muebles.
4. La **administración y posesión interina** que pudiese concederse al acreedor no excederá de un año.

F. Ejecución concursal

(LCon art.142 s.)

La L 22/2003 (derogada con carácter general, desde el 1-9-2020), supuso un verdadero cambio en el tratamiento normativo de los procesos concursales. Tal alteración ha provocado efectos en materia de ejecución concursal de garantías reales. **4335**
Actualmente, en esta materia rige esencialmente el **Texto Refundido** de la Ley Concursal, aprobado por RDLeg 1/2020 (en adelante LCon).

a. Ejecuciones y apremios

(LCon art.142, 143 y 144)

Declarado el concurso, no pueden iniciarse ejecuciones singulares, judiciales o extrajudiciales, ni seguirse apremios administrativos o tributarios contra el patrimonio del deudor. **4340**
Hasta la aprobación del plan de liquidación, pueden continuarse aquellos procedimientos administrativos de ejecución en los que se haya dictado diligencia de embargo y también las **ejecuciones laborales** en las que se hayan embargado bienes del concursado, todo ello con anterioridad a la fecha de declaración del concurso, siempre que los bienes objeto de embargo no resulten necesarios para la continuidad del proceso productivo del deudor.
Cuando las **actuaciones de ejecución** hayan quedado **en suspenso**, el juez, a petición de la administración concursal y previa audiencia de los acreedores afectados, puede acordar el levantamiento y cancelación de los embargos tratados cuando el mantenimiento de los mismos dificulte gravemente la continuidad de la actividad profesional o empresarial del concursado. El levantamiento y cancelación no puede acordarse respecto de los **embargos administrativos.**
Las **actuaciones** que se hallen **en tramitación** quedan en suspenso desde la fecha de declaración de concurso, sin perjuicio del tratamiento concursal que corresponda dar a los respectivos créditos.
Las actuaciones que se practiquen en contravención de lo establecido son **nulas de pleno derecho**.
Se exceptúa de lo anterior lo establecido en esta Ley para los acreedores con garantía real.
Queda vetada la **acumulación** al concurso de **ejecuciones singulares**, y ello con la sola excepción de los acreedores con garantía real, los cuales solamente ven paralizada su situación de conformidad con lo dispuesto en el nº 4350.

Otros legitimados Además de los acreedores con garantía real, tienen igualmente facultad para perseguir o **ejecutar fuera del concurso** los bienes del deudor los siguientes acreedores, cuando se incorpore a las actuaciones o al procedimiento correspondiente el testimonio de la resolución del juez del concurso que declare que un bien o derecho concreto que hubiese sido objeto de embargo no es necesario para la continuidad de la actividad profesional o empresarial del deudor: **4342**
1º Las ejecuciones laborales en las que el embargo de ese bien o derecho fuese anterior a la fecha de declaración del concurso.
2º Los procedimientos administrativos de ejecución en los que la diligencia de embargo fuera anterior a la fecha de declaración del concurso.

Prohibición legal (LCon art.142, 144.1, 143.1) La Ley Concursal contiene una doble prohibición: **4344**
a) Una vez declarado el concurso, no pueden iniciarse **ejecuciones singulares**, cualquiera que sea su clase, judicial o extrajudicial, ni iniciarse apremios administrativos o tributarios contra los bienes y derechos que integran la masa activa (nº 4340).
b) Las actuaciones y los procedimientos de **ejecución contra los bienes o derechos de la masa activa** que se hallaran en tramitación quedarán en suspenso desde la fecha de declaración de concurso, sin perjuicio del tratamiento concursal que corresponda dar a los respectivos créditos (nº 4340).
El **fundamento** de esta doble prohibición legal radica en proteger satisfacción de los acreedores conforme a la clasificación y preferencias legalmente establecidas en caso de concurso.
La **iniciación** o la **falta de paralización** de ejecuciones producirían como efecto necesario la progresiva disminución de la masa activa, con daño evidente para la colectividad de los acreedores en el caso de que, como sucede habitualmente, dicha masa fuera insuficiente para la satisfacción de todos y cada uno de ellos. La doble prohibición legal no genera **indefensión** para los acreedores que instaron -o que tenían legitimación para instar- las ejecuciones singulares, pues los créditos reconocidos en el título o documento que les permitía acceder al

proceso ejecutivo son reconocidos e incorporados al proceso concursal para alcanzar en él satisfacción con sujeción a las reglas y procedimiento propios de este último.
Las actuaciones que se practiquen en contravención de la prohibición legal de iniciar ejecuciones o de la prohibición legal de continuar las ya iniciadas en la fecha de la declaración de concurso son nulas de pleno derecho. Es ésta la misma sanción que se establece para el caso de que los jueces del orden civil o del orden social no se abstengan de conocer de las demandas de **nuevos juicios declarativos** que se formulen después de la declaración judicial de concurso.
Esta nulidad de pleno derecho es independiente de la **buena** o de la **mala fe** de los ejecutantes, es decir, de que conozcan o no la existencia del concurso de acreedores del ejecutado; y no es subsanable. La **nulidad** puede ser declarada de oficio o a instancia de parte (LOPJ art.240.2).

b. Paralización de ejecuciones

(LCon art.145 a 151)

4350 Desde la declaración de concurso, los titulares de derechos reales de garantía, sean o no acreedores concursales, sobre **bienes** o derechos de la masa activa n**ecesarios para la continuidad de la actividad** profesional o empresarial del concursado, no podrán iniciar procedimientos de ejecución o realización forzosa sobre esos bienes o derechos (LCon art.145.1).
En particular, **no se consideran necesarias** para la continuación de la actividad las acciones o participaciones de sociedades destinadas en exclusiva a la tenencia de un activo y del pasivo necesario para su financiación, siempre que la ejecución de la garantía constituida sobre las mismas no suponga causa de resolución o modificación de las relaciones contractuales que permitan al concursado mantener la explotación del activo (LCon art.147.2).

4352 La declaración del carácter necesario o no necesario de cualquier bien o derecho integrado en la masa activa corresponde al **juez del concurso**, a solicitud del titular del derecho real, previa audiencia de la administración concursal, cualquiera que sea la fase en que se encuentre el concurso de acreedores (LCon art.147.1).
La **apertura de la fase de liquidación** producirá la pérdida del derecho a iniciar la ejecución o la realización forzosa de la garantía sobre bienes y derechos de la masa activa por aquellos acreedores que no hubieran ejercitado estas acciones antes de la declaración de concurso o no las hubieran iniciado transcurrido un año desde la declaración de concurso. Durante este tiempo tampoco pueden ejercitarse
a) Las acciones tendentes a recuperar los bienes vendidos a plazos o financiados con reserva de dominio mediante contratos inscritos en el Registro de Bienes Muebles (nº 530 s.).
b) Las acciones resolutorias de ventas de inmuebles por falta de pago del precio aplazado, aunque deriven de condiciones explícitas inscritas en el Registro de la Propiedad.
c) Las acciones tendentes a recuperar los bienes cedidos en arrendamiento financiero mediante contratos inscritos en los Registros de la Propiedad o de Bienes Muebles o formalizados en documento que lleve aparejada ejecución.
Las ejecuciones que hubieran quedado suspendidas como consecuencia de la declaración de concurso se acumularán al concurso de acreedores como pieza separada. Desde que se produzca la **acumulación**, la suspensión quedará sin efecto. Además, desde la declaración de concurso, las actuaciones de ejecución o realización forzosa ya iniciadas a esa fecha sobre cualesquiera bienes o derechos de la masa activa quedaran suspendidas, aunque ya estuviesen publicados los anuncios de subasta.

4354 En tanto se encuentren paralizadas las ejecuciones de garantías reales y el ejercicio de acciones de recuperación asimiladas o subsista la suspensión de las ejecuciones iniciadas antes de la declaración de concurso, la administración concursal podrá comunicar a los titulares de estos créditos con privilegio especial que opta por atender su **pago con cargo a la masa** y sin realización de los bienes y derechos afectos. Comunicada esta opción, la **administración concursal** habrá de satisfacer de inmediato la totalidad de los plazos de amortización e intereses vencidos y asumirá la obligación de atender los sucesivos como créditos contra la masa y en cuantía que no exceda del valor de la garantía conforme figura en la lista de acreedores. En caso de incumplimiento, se realizarán los bienes y derechos afectos para satisfacer los créditos con privilegio especial (LCon art.430.2).
La declaración de concurso no afecta a la ejecución de la garantía cuando el concursado tenga la condición de **tercer poseedor** del bien objeto de ésta (LCon art.151).

4356 Están, pues, sometidas al régimen de paralización de la ejecución o realización forzosa todas las formas o **modalidades de garantía real** (prenda, hipoteca, anticresis y cualesquiera otras que, al amparo de la libertad de pactos puedan constituirse).

Para todas ellas tiene entrada el privilegio que se reconoce al acreedor sobre el bien (LCon art.270.1): son los créditos con privilegio especial.
En estos casos el ejercicio del derecho se presenta como una **ejecución individual**. Esta puede desenvolverse tanto:
- judicialmente, a través del procedimiento general de ejecución;
- a través del procedimiento específico de las particularidades de la ejecución sobre bienes hipotecados (LEC art.681 s.); o
- extrajudicialmente.
La paralización temporal de la realización o ejecución de las garantías reales (nº 4350), tiene su razón de ser en el interés de evitar la **disgregación de los bienes** vinculados a la actividad productiva del deudor, a partir de la razonable presunción de que una organización articulada de bienes incorpora un valor superior al de la mera suma de los elementos materiales que la integran.
La paralización permite la **continuidad en el ejercicio de la actividad profesional** o empresarial que venga ejerciendo el deudor. Al mismo tiempo, constituye presupuesto necesario para la aplicación de una serie de disposiciones encaminadas a:
- abrir vías de solución mediante la aprobación de determinadas **propuestas de convenio** (LCon art.317);
- garantizar una mínima racionalidad en el momento de la liquidación del patrimonio del deudor.

c. Inicio o reanudación de ejecuciones

(LCon art.148, 149)

El ejercicio de acciones que se inicie o se reanude conforme a lo previsto en el nº 4350 durante la tramitación del concurso se somete a la **jurisdicción** del juez de éste, quien a instancia de parte decide sobre su procedencia y, en su caso, acuerda su tramitación en pieza separada, acomodando las actuaciones a las normas propias del procedimiento judicial o extrajudicial que corresponda. **4360**
Iniciadas o reanudadas las actuaciones, **no** pueden ser **suspendidas** por razón de las vicisitudes propias del concurso.
Abierta la **fase de liquidación**, los acreedores que antes de la declaración de concurso no hayan ejercitado estas acciones, pierden el derecho de hacerlo en procedimiento separado. Las actuaciones que hayan quedado suspendidas como consecuencia de la declaración de concurso se reanudan, acumulándose al **procedimiento de ejecución colectiva** como pieza separada.
La ejecución o realización separada de la garantía, instada por el legitimado, no debe alterar la **unidad de competencia judicial**, sino que el inicio o la reanudación de la realización de las garantías reales que los acreedores puedan promover sobre los bienes del concursado queda sometida a la jurisdicción del juez del concurso (nº 4362). Sus posibles dudas interpretativas han de ser resueltas con base en las disposiciones generales sobre la competencia del juez del concurso (LOPJ art.86 redacc LO 7/2022).

Atribución de competencia al juez del concurso (LCon art.148.2) La competencia del juez del concurso se extiende a **todas las acciones** que se ejerciten durante la tramitación del concurso. **4362**
En el ámbito temporal, queda delimitada por el **auto de declaración** del concurso y por **resolución firme** que acredite la conclusión del mismo. Las actuaciones ya iniciadas al tiempo de la declaración se suspenden (salvo en el supuesto marginal que contempla el nº 4350, y, en su caso, pueden reanudarse ante el juez del concurso.
Por el contrario, si la ejecución se lleva a cabo con **posterioridad a la conclusión del concurso**, queda sometida en todos sus aspectos, incluida la competencia judicial, al régimen general (en caso de bienes pignorados o hipotecados, el previsto en la LEC art.684).

Precisiones La atribución de competencia al juez del concurso constituye una importante **desviación del régimen general** de los derechos reales de garantía, y proporciona un medio de tutela sumamente enérgico de los intereses de masa, al evitar que se produzcan actuaciones al margen del cauce del procedimiento concursal (Sánchez Rus).

Cuestiones registrales (LEC art.674.1 y 2; LH art.133 y 134) Una vez practicada la **anotación de concurso** sobre los bienes del deudor, no pueden tener acceso al Registro las actuaciones encaminadas a la ejecución de las garantías que no se hayan desarrollado ante el juez del concurso. **4364**
La **realización de los bienes del deudor** durante el concurso, ya sea en ejecución separada o colectiva, genera un título que tiene acceso al Registro de la Propiedad, cual es el que

documenta la adquisición del rematante o la adjudicación de la finca al acreedor. A su vez, la inscripción a favor del rematante o adjudicatario debe determinar la **cancelación** de la garantía y de las cargas, gravámenes e inscripciones posteriores.
En estos casos, el régimen concursal y el registral deben estar coordinados.

4366 **Comunicaciones** (RH art.236.b y ñ, 238.b; LEC art.656 y 688; LCon art.37) El registrador calificante queda obligado a comunicar la **anotación preventiva** de situación concursal al juez competente.
La comunicación ha de practicarse tanto en el caso de ejecución ordinaria como en el del procedimiento especial de ejecución hipotecaria, y, una vez el juez tenga constancia de la declaración de concurso decretará la **suspensión de las actuaciones** (nº 4350).
Del mismo modo, queda el registrador obligado a **notificar al notario** (ante el que se siguen las actuaciones): la presentación en el Registro de la Propiedad del título de cancelación de la hipoteca. Este hecho o la tramitación de un procedimiento criminal, por falsedad del título hipotecario en virtud del cual se proceda, en que se haya admitido querella, dictado auto de procesamiento o formulado escrito de acusación, dará lugar a la suspensión de las actuaciones en este supuesto y en el de prejudicialidad penal.
Las comunicaciones sólo se practican en relación a aquellos **procedimientos anteriores a la declaración de concurso** de cuya iniciación tenga noticia el registrador; es decir, cuando conste esta circunstancia en el Registro por haberse extendido la nota al margen de la inscripción de hipoteca (o de la anotación de embargo, en el poco habitual supuesto de que la realización de la garantía se lleve a cabo a través del procedimiento ejecutivo ordinario) de la que resulta la expedición de la certificación de dominio y cargas, así como la fecha y el procedimiento a que se refiere.

4368 **Calificación del registrador** (LH art.100; RH art.100) La calificación del registrador en relación a las **resoluciones judiciales** se limita a:
- la competencia del órgano jurisdiccional;
- la congruencia del mandato con el procedimiento seguido;
- las formalidades extrínsecas del documento; y
- los obstáculos que surjan del Registro.

4370 **Inscripciones** (LEC art.674.1; LH art.133.1 y 134.1) Para la inscripción en el Registro de la Propiedad de la finca o derecho a favor del rematante o adjudicatario, es **título bastante**:
- el testimonio del decreto del remate o adjudicación, expedido por el secretario judicial; y
- el mismo testimonio de la transmisión por persona o entidad especializada.

d. Créditos con privilegio especial

(LCon art.270 y 271.2 y 3)

4375 Son créditos con privilegio especial:
1º. Los créditos garantizados con **hipoteca** legal o voluntaria, inmobiliaria o mobiliaria, o con prenda sin desplazamiento, sobre los bienes o derechos hipotecados o pignorados.
2º. Los créditos garantizados con **anticresis**, sobre los frutos del inmueble gravado.
3º. Los créditos **refaccionarios**, sobre los bienes refaccionados, incluidos los de los trabajadores sobre los objetos por ellos elaborados mientras sean propiedad o estén en posesión del concursado.
4º. Los créditos por **contratos de arrendamiento financiero** o de compraventa con precio aplazado de bienes muebles o inmuebles, a favor de los arrendadores o vendedores y, en su caso, de los financiadores, sobre los bienes arrendados o vendidos con reserva de dominio, con prohibición de disponer o con condición resolutoria en caso de falta de pago.
5º. Los créditos con **garantía de valores** representados mediante anotaciones en cuenta, sobre los valores gravados.
6º. Los créditos garantizados con p**renda constituida en documento público**, sobre los bienes o derechos pignorados que estén en posesión del acreedor o de un tercero.
7º Los créditos a favor de los **tenedores de bonos garantizados**, respecto de los préstamos y créditos, y otros activos que los garanticen, integrados en el conjunto de cobertura, conforme al RDL 24/2021, de transposición de directivas de la Unión Europea en las materias de bonos garantizados, distribución transfronteriza de organismos de inversión colectiva, datos abiertos y reutilización de la información del sector público, ejercicio de derechos de autor y derechos afines aplicables a determinadas transmisiones en línea y a las retransmisiones de programas de radio y televisión, exenciones temporales a determinadas importaciones y suministros, de personas consumidoras y para la promoción de vehículos de transporte por carretera limpios y energéticamente eficientes, hasta donde alcance su valor.

Objeto del privilegio (LCon art.272.1 y, 273 a 279) Puede ser **bien mueble o inmueble**. 4377
A los efectos del convenio, acuerdos de refinanciación y acuerdos extrajudiciales de pago, el privilegio especial estará limitado al **valor razonable del bien o derecho** sobre el que se hubiera constituido la garantía, con las deducciones establecidas en esta ley. El importe del crédito que exceda del reconocido como privilegio especial será clasificado según corresponda (LCon art.272).
Una vez determinado el valor razonable (en los términos que se verán en el nº 4379), para calcular el **límite del privilegio** especial la administración concursal procederá a realizar las siguientes deducciones:
- el 10% del valor razonable del bien o derecho sobre el que esté constituida la garantía.
- el importe de los créditos pendientes que gocen de garantía preferente sobre el mismo bien o sobre el mismo derecho.

En ningún caso el **valor de la garantía** puede ser inferior a cero ni superior al valor del crédito con privilegio especial, así como tampoco al valor de la responsabilidad máxima hipotecaria o pignoraticia que se hubiera pactado (LCon art.275).
En el caso de que la garantía a favor de un mismo crédito recayera sobre **varios bienes** de la masa activa, se aplicarán sobre cada uno de los bienes las reglas establecidas en los artículos anteriores, sin que el valor conjunto de las garantías constituidas pueda exceder del valor del crédito del acreedor correspondiente (LCon art.276).
En caso de **garantía constituida en proindiviso** sobre uno o varios bienes o derechos de la masa activa a favor de dos o más créditos, el valor de la garantía correspondiente a cada crédito será el resultante de aplicar al límite del privilegio especial la proporción que en el mismo corresponda a cada uno de ellos, según las normas y acuerdos que rijan el proindiviso (LCon art.277).

A los efectos de la determinación del límite del privilegio especial, se entenderá por **valor razonable** de los bienes y derechos de la masa activa: 4379
1º En caso de **bienes inmuebles**, el resultante de informe emitido por una sociedad de tasación homologada e inscrita en el Registro especial del Banco de España. Este informe no será necesario cuando dicho valor hubiera sido determinado por una sociedad de tasación homologada e inscrita en el Registro especial del Banco de España dentro de los seis meses anteriores a la fecha de declaración de concurso.
2º En caso de **valores mobiliarios** que coticen en un mercado regulado, el precio medio ponderado al que hubieran sido negociados en uno o varios mercados regulados en el último trimestre anterior a la fecha de declaración de concurso, de conformidad con la certificación emitida por la sociedad rectora del mercado secundario oficial o del mercado regulado de que se trate.
3º En caso de **bienes o derechos distintos de los señalados** en los números anteriores el resultante de informe emitido por experto independiente de conformidad con los principios y las normas de valoración generalmente reconocidos para esos bienes. Este informe no será necesario cuando dicho valor hubiera sido determinado por experto independiente, dentro de los seis meses anteriores a la fecha de declaración del concurso.
Los bienes o derechos sobre los que estuviesen constituidas garantías denominadas en **moneda distinta al euro**, se convertirán al euro aplicando el tipo de cambio de la fecha de la valoración, entendido como el tipo de cambio medio de contado.
El informe no será necesario cuando la **garantía** se hubiera constituido **sobre efectivo**, sobre el saldo de cuentas corrientes y de ahorro, sobre dinero electrónico o sobre imposiciones a plazo fijo (LCon art.273).
Si concurrieran **nuevas circunstancias** que pudieran modificar significativamente el valor razonable de los bienes o derechos sobre los que se hubiera constituido la garantía, deberá aportarse un nuevo informe de sociedad de tasación homologada e inscrita en el Registro especial del Banco de España o de experto independiente, según proceda. Cuando se alegue por el acreedor afectado la concurrencia de circunstancias que hagan necesaria una nueva valoración, el informe se emitirá a su costa (LCon art.279).
El **coste** de los informes o valoraciones será liquidado con cargo a la masa y deducido de la retribución de la administración concursal salvo que el acreedor afectado solicitase un informe de valoración contradictorio, que deberá emitirse a su costa.

Precisiones La existencia o inexistencia de un derecho real es un rasgo que diferencia a las garantías reales de las demás causas de preferencia especial. Sin embargo, en el texto refundido de la Ley Concursal esa diferencia viene atenuada por el sometimiento de los créditos con garantía real a la **suspensión de ejecuciones** (nº 4350), y por el hecho de que la existencia o inexistencia de un derecho real no afecta al contenido del derecho de preferencia sobre el objeto del privilegio. 4381

4383 **Accesorios del crédito** (LCon art.245 s.) Respecto de los accesorios del crédito, esto es, **intereses** y **demoras**, se subordinan los intereses como accesorios de los créditos concursales, con la excepción de los correspondientes a créditos hipotecarios y pignoraticios hasta donde alcance la respectiva garantía.
Respecto de otros accesorios, como las **costas**, el Texto Refundido de Ley Concursal (LCon) carece de previsión alguna, pero puede aplicarse la regla general a tenor de la cual los créditos nacidos con posterioridad al concurso no guardan relación alguna con el procedimiento concursal, salvo que sean calificados como créditos contra la masa.
Como las costas de los acreedores con privilegio especial no aparecen entre los créditos contra la masa, carecen de ese tratamiento y no pueden ser tampoco satisfechas como créditos privilegiados, ordinarios ni subordinados.

4385 **Intereses y demoras** La causa de **preferencia** beneficia a un determinado crédito.
En la determinación de ese crédito influyen en diverso grado la autonomía privada y las disposiciones legales.
En la mayoría de las garantías reales la **autonomía privada** es primordial para determinar el crédito que queda tutelado. Sin embargo, son abundantes las causas de preferencia en las que la Ley establece cuáles son los créditos que pueden quedar tutelados por la preferencia (p.e., en las hipotecas legales).
Al margen de la necesidad de determinar el crédito que se beneficia de la preferencia especial, es preciso tener en cuenta el tratamiento de los accesorios del crédito, que comprenden los intereses y las costas (nº 4383).
La Ley exceptúa del tratamiento subordinado a los intereses de los **créditos cubiertos** por algunos de los privilegios especiales, pero somete al tratamiento subordinado a toda una serie de créditos tutelados por privilegios especiales, ya que la prenda y la hipoteca constituyen sólo una parte de las técnicas de tutela del crédito agrupadas bajo la rúbrica de privilegio especial.
En cuanto a las **cláusulas penales** o **penas convencionales**, el privilegio no se extiende a las mismas, ya que, en principio, son extrañas a la causa del crédito protegida por el legislador al contemplar el privilegio, y, tratándose de garantías reales, no se ha contemplado excepción alguna al respecto.

CAPÍTULO 7

Financiación, gestión financiera y custodia

4450

SECCIÓN 1

Contrato de préstamo mercantil

4455

A. Consideraciones generales

(CCom art.311 a 324; CC art.1740 a 1757)

4460

El CCom no define el contrato de préstamo mercantil, por lo que el punto de partida definitorio debe ser el concepto legal de préstamo del CC, conforme al cual el contrato de préstamo es aquel en virtud del cual una de las partes entrega a la otra, o alguna cosa no fungible para que use de ella por cierto tiempo y se la devuelva, o dinero u otra cosa fungible, con condición de devolver otro tanto de la misma especie y calidad (CC art.1740 y 1753). 4462

Del Código Civil se deduce la existencia de dos **tipos** de préstamo:

a) El **comodato**: es un préstamo de cosa no fungible. Por ser éste un contrato esencialmente gratuito, se aleja de las posibilidades de ser utilizado en el ámbito de la explotación mercantil. Así, la cesión de uso contra precio, que será lo que exija un empresario, se naturaliza como arrendamiento de cosa.

b) El **mutuo**: es un préstamo de cosa fungible. Es éste el tipo contractual de cuya definición parte el CCom. El préstamo mercantil es, pues, técnicamente, un mutuo mercantil que puede ser de dinero, de valores o de mercaderías, en el que el deudor no devuelve el mismo objeto contractual recibido, sino otro tanto de la misma especie y calidad.

En el CCom (art.311) el préstamo es accesorio, en tanto que su mercantilidad depende de una doble y necesaria **conexión con el comercio**: objetiva (financiar la explotación mercantil) y subjetiva (carácter de empresario de una de las partes). En efecto, a la hora de indicar qué préstamos son mercantiles, el CCom exige la concurrencia de una **doble circunstancia**: una circunstancia **subjetiva** (que alguno de los contratantes sea comerciante) y una circunstancia **objetiva** (que las cosas prestadas se destinen a actos de comercio). Esta última constituye un requisito teleológico que suele ser fuente de incertidumbre, al resultar problemática la determinación de ese elemento intencional.

Precisiones 1) El CCom aporta pocas especialidades respecto del préstamo civil, pero resulta eficaz para encontrar normas aplicables a figuras contractuales bajo cuya causa subyace alguna forma de **financiación**: crédito en cuenta corriente, descuento bancario, arrendamiento financiero, etc.

2) Puede considerarse que la **finalidad** de mercantilizar el contrato de préstamo consiste en configurar la relación jurídica de manera especial. Tal especialidad tiene apoyo en:
- la protección del mercado, en oposición de la protección del individuo;
- la defensa de la parte débil (protección del consumidor) como instrumento de represión del abuso;
- la ordenación disciplinada de la competencia (Ley de Defensa de la Competencia, Ley de Competencia Desleal, Ley General de Publicidad...).

3) En cuanto a sus **características**, el contrato de préstamo mercantil es un contrato típico (regulado legalmente), real (requiere la entrega de la cosa, nº 4522), no formal (no requiere de forma especial), oneroso naturalmente (pero no esencialmente), unilateral (solamente genera obligaciones en el prestatario, a salvo de la promesa de préstamo, nº 4522), traslativo del dominio de las cosas prestadas por su condición de mutuo, conmutativo, de tracto sucesivo, y, generalmente, **de adhesión**: el prestamista-predisponente presenta al prestatario un formulario contractual preimpreso con escasas posibilidades de modificación, en tal caso, el depositante consiente adherirse o no adherirse.

4) La **póliza original** del contrato de préstamo mercantil se adjunta en el nº 13280 (Anexos).

1. Interpretaciones del contrato

4465 Existen dos posibles interpretaciones:

a) Interpretación **estricta**. No se exige que ambos contratantes sean comerciantes, por lo que cabe pensar en el préstamo mercantil como **acto mixto**, es decir, siempre que o bien el prestamista o bien el prestatario sea comerciante. En virtud de esta interpretación, no se podrían reputar mercantiles:
- los préstamos celebrados entre comerciantes, si el dinero no va destinado a un acto de comercio;
- los celebrados entre no comerciantes, aunque el dinero vaya a destinarse a un acto de comercio;
- los celebrados entre un comerciante y un no comerciante, lo que ocurre siempre con los realizados por entidades de crédito y financiación, si el dinero está destinado a financiar un contrato civil: por ejemplo, cualquier compra para uso o consumo del comprador (Vicent Chuliá).

Esta era la doctrina tradicional del Tribunal Supremo (TS 11-10-1918).

b) Interpretación **amplia**. Según esta interpretación, el requisito del destino a actos de comercio de las cosas prestadas es difícilmente acreditable en el momento de la perfección contractual. De ser rigurosamente aplicado, únicamente podría naturalizarse como mercantil el préstamo cuando se hubiera demostrado esa concreta finalidad.

Efectivamente, para saber qué norma resulta de aplicación a un contrato de préstamo, habría que conocer un **elemento intencional** (conocer el destino de las cosas dadas en préstamo). La interpretación estricta de este requisito generaría una gran incertidumbre y una fuerte inseguridad.

De otro lado, si el prestatario es comerciante, cabría entender que la **presunción** del ejercicio habitual del comercio se comunica a sus relaciones negociales, de suerte que se alteraría la carga de la prueba. Habría que probar, pues, que el destino de la financiación no fue satisfacer necesidades de la explotación comercial. No verificándose tal prueba, el préstamo permanecerá mercantilizado (Garrigues, Uría, Sánchez-Calero, Broseta, García Villaverde; TS 9-5-44; DGRN Resol 1-2-80).

4467 Precisiones **1)** Los **préstamos bancarios** tienen «en todo caso» **carácter mercantil**, aunque se hagan a favor de personas ajenas al comercio que no se propongan emplear lo recibido en operaciones mercantiles. Así, el Tribunal Supremo ha reconocido que, prescindiendo de la exigencia de que las cosas prestadas se destinen a actos de comercio, no ha de incurrirse en el absurdo de negar el carácter mercantil a los préstamos perfeccionados por empresarios societarios dedicados, precisamente, a la **explotación comercial del préstamo dinerario**; es decir, las entidades de crédito u oferta del mercado financiero. Criterio éste reforzado por el hecho de que las operaciones bancarias, y el préstamo entre ellas, alcanzarían el carácter objetivo de acto de comercio. En consecuencia, los préstamos bancarios son siempre mercantiles (TS 9-5-44; DGRN Resol 1-2-80; 1-6-99).

2) Quizás para evitar estos obstáculos, el CCom reputa imperativamente mercantil al préstamo, cualquiera que sea su destino, con **garantía de valores negociables** hecho en póliza intervenida por fedatario público mercantil o en escritura notarial (CCom art.320).

2. Clasificación

Criterios clasificatorios Existen varias clasificaciones de los préstamos mercantiles: 4470

a) Por su objeto: existe préstamo de dinero, de títulos valores o de mercaderías.

No es lo mismo un **préstamo de dinero** que un préstamo de moneda. Así ocurre porque no todas las monedas tienen curso legal. El préstamo de dinero, en sentido estricto, tiene por objeto moneda de curso legal (esto es, poder patrimonial abstracto). Esto nos lleva a diferenciar entre:

• Préstamo de dinero ordinario: se presta una suma, expresada en moneda de curso legal y se recibe la misma suma, con abono de intereses.

• Préstamo de dinero con **especificación de moneda**. Admite dos variantes:

- con suma de valor determinada. Ejemplo: Se prestan 1.000 euros en «X» monedas de 100 dólares de plata. Se devolverán «Y» monedas de 100 dólares de plata, con abono de intereses («Y» dependerá de la equivalencia dólar plata/euro -aplicada a los 1.000 euros- en la fecha pactada de restitución);

- sin suma de valor determinada. Ejemplo: presto 300 monedas de 100 dólares de plata, para, a la fecha pactada, recibir otras 300 monedas del mismo tipo y sus intereses.

• **Cesión del uso** de determinadas monedas, para devolver esas mismas monedas (identificadas de cualquier modo: año de acuñación...) al cabo de cierto tiempo, sin precio. Las monedas no son, pues, fungibles. Esto es un comodato (nº 4460) y, por tanto, de imposible mercantilidad.

• Cesión del uso de esas mismas monedas, con idéntica obligación (sin fungibilidad, pues), pero cobrando precio. Hay aquí arrendamiento de cosa. Tal sería el caso de un coleccionista que cede el uso de su colección a una determinada exposición, contra canon periódico o a tanto alzado.

Por su parte, el **préstamo de valores** puede ser de valores cartulares (actual o potencialmente) o de valores tabulares (representados por anotación en cuenta). Estos pueden estar admitidos a negociación (hipótesis general) o no admitidos (hipótesis residual).

b) Por su duración: el préstamo puede ser por tiempo determinado, de manera que será exigible la devolución de lo prestado el día de su vencimiento, o por tiempo indeterminado, que precisa requerimiento notarial para su devolución en los términos nº 4522. 4472

c) Por su retribución: pueden ser gratuitos o retribuidos. La onerosidad del préstamo mercantil no se presume, pudiendo tener el carácter de gratuito (Cachón Blanco). Esta postura es criticada por Broseta y por Sánchez Calero, que considera un contrasentido que el CCom admita préstamos mercantiles sin interés.

d) Por su perfección: existen dos tesis al respecto:

• Para la doctrina tradicional y la jurisprudencia, el préstamo es un **contrato real**. Para esta tesis, el préstamo es un contrato por el que una persona (prestatario) que ha recibido de otra persona (prestamista) una cosa fungible en propiedad, se obliga a devolverle otro tanto de la misma especie y calidad. En tal caso, el préstamo es un contrato unilateral (solo tiene obligaciones a su cargo el prestatario, y estas consisten en devolver el principal más los intereses).

• La doctrina minoritaria considera, por el contrario, que el préstamo es un **contrato consensual**. Para esta tesis, el préstamo es un contrato en virtud del cual el prestatario se obliga a recibir una cosa fungible del prestamista, para devolverle otro tanto de la misma especie o calidad. En consecuencia, el préstamo es un contrato bilateral (pues implica obligaciones tanto a cargo del prestamista como a cargo del prestatario).

A pesar de que la doctrina mayoritaria defiende que los contratos de préstamo son de naturaleza real, la práctica bancaria tiende a hacerlos consensuales por voluntad de las partes.

Supuestos En atención a las características que reúna el contrato de préstamo, puede afirmarse lo siguiente: 4474

a) Son mercantiles los préstamos de **comerciante prestamista** (no necesariamente financiero) a **comerciante prestatario**. Esta afirmación quedaría desvirtuada si se probase que el prestatario desvió la financiación a fines distintos de los propios de su industria.

Este negocio jurídico es el contrato-tipo.

b) Son mercantiles los préstamos de **empresario del sector financiero** (bancos, cajas de ahorros, cooperativas de crédito y establecimientos financieros de crédito), con independencia de la naturaleza civil o mercantil del prestatario y con independencia del destino final de la financiación.

La fiscalidad de este tipo de préstamos bancarios refuerza la calificación mercantil de este tipo de préstamo, pues estas operaciones constituyen hecho imponible a efectos del impuesto indirecto recayente sobre el tráfico mercantil (IVA), no sobre el tráfico civil (ITP y AJD) (ver nº 11845 s. Memento Fiscal 2024).

c) Son mercantiles los préstamos de **prestamista particular-no comerciante** a prestatario empresario. Salvo que llegara a acreditarse que el empresario destinó la suma objeto de la financiación a destinos distintos de los propios de su organización empresarial.

Precisiones Los préstamos entre quienes no son empresarios o profesionales están sujetos pero exentos de **ITP y AJD**; sin embargo, los préstamos realizados en el ámbito de una actividad empresarial o profesional, no están sujetos a la modalidad TPO, por estar sujetos y exentos a **IVA**, así como a la cuota gradual de AJD (DN) (TS cont-adm 23-10-00, EDJ 36583; 27-6-02, EDJ 26966; 20-1-06, EDJ 6379).

4476 d) Son siempre mercantiles los préstamos con **garantía de valores negociables** hechos en póliza intervenida por fedatario público mercantil, o en escritura notarial.

e) No son mercantiles los préstamos de prestamista empresario-no financiero a **prestatario particular-no comerciante**. Si bien con dos matices:

- si el objeto del préstamo es dedicado a financiar el comienzo de la actividad mercantil, también será mercantil la operación financiera, pues en realidad estaríamos en el supuesto de la letra a);
- aunque sea hipótesis poco habitual, cabrá mercantilizarlos si se demostrara que el prestatario destinó las sumas prestadas a algún acto de comercio (ejemplo: el prestatario destina el dinero, las mercaderías o los valores prestados, inmediatamente que los recibe, a prestarlos a un empresario).

f) No son mercantiles los préstamos de **particular a particular**. También cabría aquí señalar las mismas excepciones de la letra anterior.

g) No es mercantil ningún contrato de **comodato** (nº 4460).

Precisiones Los ingresos contabilizados en las «**cuentas de socios y administradores**», que reflejan préstamos de los socios y administradores a la sociedad, responden al concepto de préstamos mercantiles. Dichas cuentas son, según el plan general contable, cuentas corrientes de efectivo con socios, administradores y cualquiera otra persona natural o jurídica que no sea un banco o entidad de crédito, ni cliente o proveedor de la empresa, y que no corresponda a cuentas en participación (AP Valladolid 11-3-05, EDJ 29364).

3. Usura y protección al consumidor financiado

(CC art.7, 57 y 1258)

4480 Los derechos deben ejercitarse conforme a las exigencias de la **buena fe**. La ley no ampara el **abuso de derecho** o el ejercicio antisocial del mismo. Esta proclamación general encuentra reflejo en el área del derecho contractual:

- con carácter general, ya que los contratos obligan también a todas las consecuencias que, según su naturaleza, sean conformes a la buena fe, al uso y a la ley; y
- en el especial ámbito mercantil, en el que los contratos de comercio se ejecutan y cumplen de buena fe.

En lo que se refiere al préstamo mercantil, también tienen cabida estos principios, y así lo reconoce la doctrina (Díez-Picazo, De Angel Yangüez, Gullón, O'Callaghan, etc.). Argumentan estos tratadistas que así se manifiestan en dos normas especiales:

- la Ley de Usura (nº 4482); y
- las normas relativas a la protección de los consumidores (nº 4488).

4482 **Usura** (L 23-7-1908 art.1, 2, 8, 9, 12 y 13; LEC art.319.3) Es nulo todo contrato de préstamo en que se den las siguientes circunstancias:

1º. Cuando se estipule un **interés notablemente superior** al normal del dinero y manifiestamente desproporcionado con las circunstancias del caso (circunstancias objetivas), o en condiciones tales que resulte aquél abusivo, habiendo motivos para estimar que ha sido aceptado por el prestatario a causa de su situación angustiosa, de su inexperiencia o de lo limitado de sus facultades mentales (circunstancias subjetivas).

2º. Cuando se suponga **recibida mayor cantidad** que la verdaderamente entregada, cualesquiera que sean su entidad y circunstancias.

Será también nula la **renuncia del fuero propio**, dentro de la población, hecha por el deudor en esta clase de contratos.

Lo dispuesto en la Ley de Represión de la Usura (también conocida como Ley Azcárate) se aplica a toda operación sustancialmente equivalente a un **préstamo de dinero**, cualesquiera que sean la forma que revistan el contrato y la garantía que para su cumplimiento se haya ofrecido. Así, esta Ley también resulta aplicable a los préstamos mercantiles, si bien en el conocimiento de que debe autorizarse para ellos un abanico más amplio de tipos de interés (TS 20-6-86, EDJ 4275).

Precisiones 1) Aunque el Tribunal Supremo inicialmente negó la posibilidad de que esta Ley fuera aplicable al **préstamo mercantil** (y por ende al bancario), no tardó en revisar su opinión y declararse favorable a tal aplicabilidad (TS 9-5-44; 31-5-45; 19-12-74, EDJ 181; 13-11-75, EDJ 406).

2) La antigua **incriminación penal**, como delito especial de la usura, ha sido sustituida por una ubicación como tipo especial de estafa (CP art.250.1.6º, que considera **estafa** el abuso de las relaciones personales existentes entre víctima y defraudador, o el aprovechamiento por este último de su credibilidad empresarial o profesional.

3) Las **normas procesales** contenidas en la Ley de Usura 23-7-1908, fueron derogadas por la LEC. Los tribunales resuelven en cada caso formando libremente su convicción sin vinculación a los **documentos públicos** comprendidos en la LEC art.317 núm 1º a 6º, los cuales hacen prueba plena del hecho, acto o estado de cosas que documenten, de la fecha en que se produce esa documentación y de la identidad de los fedatarios y demás personas que, en su caso, intervengan en ellas (LEC art.319.3).

4) Es unánime la opinión de que, en la actualidad, la Ley de Usura está vigente, es constitucional y tiene evidente **utilidad actual** (Tapia Hermida) y, para corroborarlo, la LEC deroga, con efectos desde su entrada en vigor, determinados artículos de la L 23-7-1908, referentes a la nulidad de ciertos contratos de préstamo; luego, a contrario, reafirma la vigencia del resto del articulado de la Ley.

La Ley de Usura, en vez de fijar un tipo de interés que establezca la frontera entre lo lícito y lo usurario, adopta la fórmula de definición-y-albedrío jurisdiccional, fórmula que se mantiene actualmente. **4484**

De ahí la abundancia de pronunciamientos jurisprudenciales, que permiten establecer tres **clases** de **préstamos usurarios**:

a) Los que establecen un **interés notablemente superior al normal** del dinero y manifiestamente desproporcionado con las circunstancias del caso. En tal sentido, en determinadas ocasiones el TS ha considerado normal un interés algo superior al legal (así, el 8% en muchas sentencias).

b) Los pactados en **condiciones leoninas** (ventajas solo para el prestamista), con origen en situaciones angustiosas del prestatario, lo cual excluye (TS 25-2-88, EDJ 1543) la financiación a precio excesivo pero de un bien de lujo. Sí que es angustiosa, empero, la situación de suspensión de pagos (TS 5-7-82, EDJ 4491).

c) Aquellos en que se simule **cantidad superior a la realmente recibida**, y ello sin necesidad de que concurra ningún otro requisito (TS 24-5-69, EDJ 355; 15-6-20, EDJ 576463).

Precisiones 1) Como regla general, el Tribunal Supremo ha considerado que, dada la distinta naturaleza de los **intereses remuneratorios** y los moratorios, a estos últimos no se les debe aplicar la Ley de Usura, pues cuando en ella se habla de intereses se hace referencia a los retributivos, ya que hay que contar con el carácter bilateral de la obligación y la equitativa equivalencia de las prestaciones de los sujetos de una relación jurídica que es bilateral, onerosa y conmutativa, en la que el interés remuneratorio es el precio del préstamo (TS 2-10-01, EDJ 30968; 4-6-09, EDJ 134647; 26-10-11, EDJ 276917; 23-1-19, EDJ 501276). Frente a ello, los **intereses moratorios** sancionan un incumplimiento del deudor jurídicamente censurable, y su aplicación tanto sirve para reparar, sin la complicación de una prueba exhaustiva y completa, el daño que el acreedor ha recibido, como para constituir un estímulo que impulse al deudor al cumplimiento voluntario, ante la gravedad del perjuicio que le producirían el impago o la mora (TS 5-3-19, EDJ 519281). No obstante, en algún caso (TS 7-5-02, EDJ 13197; y 2-12-14, EDJ 279620), también se han reputado usurarios los intereses moratorios, pero no aisladamente considerados, sino como un dato más entre un conjunto de circunstancias que conducen a calificar como usurario el contrato de préstamo en sí: la simulación de la cantidad entregada, el plazo de devolución del préstamo, el anticipo del pago de los intereses remuneratorios, el tipo de tales intereses remuneratorios, etc.

2) Aunque la LCCo art.20.4 solo establece limitación para los créditos concedidos en forma de descubierto en cuenta corriente, y no existe normativa que excluya la posibilidad de establecer intereses moratorios superiores para los préstamos bancarios, ha de tomarse lo dispuesto en el precepto citado como **referencia legal** y útil para determinar el **carácter abusivo del tipo de interés**, en la medida en que se aleje de 2,5 veces el interés legal del dinero (AP Córdoba auto 18-2-03, EDJ 248767).

3) *Se presume el carácter usurario* de un préstamo cuyo interés ascendía al 24%, por ser notablemente superior al normal del dinero. Señala el TS que el porcentaje que ha de tomarse en consideración para determinar si el interés es notablemente superior al normal del dinero no es el nominal, sino la **tasa anual equivalente** (TAE). No puede argumentarse, como hace el usurero, que el interés del 24% estaba justificado porque el préstamo se concedía sin ninguna **revisión de la solvencia del deudor** y de su capacidad para devolver el crédito. No resulta apropiada tal conducta por parte de una entidad de crédito: quien presta dinero a un consumidor ha de asegurarse de que lo podrá devolver y, si no lo hace, corre con el riesgo correspondiente, sin que pueda cargarse al prestatario con unos intereses desproporcionados (TS 25-11-15, EDJ 216418).

4) Para determinar la referencia que ha de utilizarse como «interés normal del dinero» de la Ley de Represión de la Usura (L 23-7-1908 art.1), debe utilizarse el **tipo medio de interés**, en el momento de celebración del contrato, correspondiente a la categoría a la que corresponda la operación

4484 (sigue) crediticia, publicado en las estadísticas oficiales del Banco de España. Teniendo en cuenta que el interés medio de los **créditos al consumo** correspondientes a las tarjetas de crédito y «revolving» era algo superior al 20%, el interés aplicado por la entidad de crédito al crédito mediante tarjeta «revolving» concedido a la demandante, que era del 26,82%, ha de considerarse como «notablemente superior» a ese tipo utilizado como índice de referencia. Asimismo, como declaró la sentencia TS 25-11-15, EDJ 216418, no puede justícarse la fijación de un interés notablemente superior al normal del dinero por el riesgo derivado del alto nivel de impagos en operaciones de crédito al consumo concedidas de un modo ágil y sin comprobar adecuadamente la capacidad de pago del prestatario, ya que la concesión irresponsable de préstamos al consumo a tipos de interés muy superiores a los normales, que facilita el sobreendeudamiento de los consumidores, no puede ser objeto de protección por el ordenamiento jurídico (TS 4-3-20, EDJ 512653).

No obstante, el TS ha considerado **no usurario** un contrato de tarjeta revolving celebrado en 2006, en el que se establecía una **TAE del 24,5%**, puesto que, de los datos obtenidos del Banco de España, el tipo de interés correspondiente a la categoría específica de las tarjetas de crédito y revolving aplicado por las entidades bancarias en esas fechas, era frecuentemente superior al 20% y también era habitual que superase el 23%, 24%, 25% y hasta el 26% anual (TS 4-5-22, EDJ 559950).

5) A efectos de determinar el carácter usurario de los intereses remuneratorios en préstamos hipotecarios concertados entre particulares, y a falta de otros elementos objetivos de comparación, el **canon de comparación** de los tipos medios de interés deben ser los **precios habituales del dinero** en el mercado extrabancario, esto es, los del mercado de crédito alternativo regido por la L 2/2009 por la que se regula la contratación con los consumidores de préstamos o créditos hipotecarios. El criterio de determinación del interés normal del dinero a través de las estadísticas del Banco de España, como canon o referencia a partir de la cual enjuiciar el carácter usurario o no de un préstamo, no puede aplicarse fuera del ámbito de las operaciones que nutren esas estadísticas, limitado al propio de las entidades de crédito (TS 15-2-23, EDJ 512970).

6) A efectos de determinar el carácter usurario del interés remuneratorio pactado en un **contrato de tarjeta de crédito**, debe tomarse el que habitualmente regía en el mercado en el momento de su celebración. Ahora bien, por mucho que, en la fecha de celebración del contrato, los datos estadísticos de las tarjetas no contaban todavía con una categorización diferenciada en la publicación del Banco de España, no puede tomarse como referencia el interés correspondiente a la categoría general de préstamos de consumo. Sin embargo, sí que pueden emplearse como referencias los datos publicados por la ASNEF para el año más próximo al de celebración del contrato (AP Asturias 3-11-22, EDJ 733771).

7) Determinación del carácter usurario de los intereses remuneratorios en las **tarjetas «revolving»**. La jurisprudencia del TS sobre el carácter usurario de los intereses remuneratorios en este tipo de contratos se ha ido fijando en las siguientes resoluciones judiciales:

• TS 25-11-15, EDJ 216418: establece que, para considerar usura en la operación, se tiene que estipular «un **interés notablemente superior al normal** del dinero y manifiestamente desproporcionado con las circunstancias del caso»; y para juzgar si el interés es notablemente superior al normal del dinero, se deben dar las siguientes circunstancias: (i) el porcentaje a tomar en consideración para determinar si el interés es notablemente superior al normal del dinero no es el nominal, sino la tasa anual equivalente (TAE); (ii) la comparación no debe hacerse con el interés legal del dinero, sino con el interés normal o habitual, para cuyo conocimiento puede acudirse a las estadísticas que publica el Banco de España, tomando como base la información que mensualmente tienen que facilitarle las entidades de crédito.

• TS 4-3-20, EDJ 512653: aborda la cuestión sobre qué referencia tomar en consideración para fijar cuál es el **interés normal del dinero**, si es el interés medio de las operaciones de crédito al consumo en general o el más específico de los créditos «revolving», declarando que para la comparación debe utilizarse el tipo medio de interés en el momento de la celebración del contrato que corresponda a la operación crediticia cuestionada, en concreto la tarjeta de crédito «revolving». Esta línea jurisprudencial ha sido posteriormente confirmada por la TS 4-5-22, EDJ 559950 y 4-10-22, EDJ 701291. En esta última resolución, el Tribunal Supremo concluye que la TAE pactada en el contrato (20.9%) no era superior al normal del dinero, porque, aunque en el año de celebración del contrato (2001) no se publicaba todavía por el Banco de España el tipo medio de las operaciones «revolving», el tipo medio de productos similares era superior a la citada cifra.

• TS 15-2-23, EDJ 513138: plantea la dificultad de determinar el **interés medio de las operaciones de crédito** mediante tarjetas de crédito «revolving» en relación con los contratos anteriores a que el boletín estadístico del Banco de España desglosara un apartado especial a este tipo de créditos (en el año 2010). En esos casos, debe acudirse a la información específica más próxima en el tiempo (en el caso enjuiciado fue la que se ofreció en 2010, al tratarse de un contrato de 2004). Hay que matizar que el índice analizado por el Banco de España en esos boletines estadísticos no es la TAE, sino el **TEDR** (tipo efectivo de definición restringida), que equivale a la **TAE sin comisiones**. Si a ese TEDR se le añadieran las comisiones, el tipo sería ligeramente superior, y la diferencia con la TAE también ligeramente menor. Una vez determinado el índice de referencia, hay que valorar el margen admisible por encima del tipo medio de referencia, es decir, en cuántos puntos porcentuales o en qué porcentaje puede superarlo el tipo TAE contractual para que no se considere un interés notablemente superior al normal del dinero. La Ley de Usura (L 23-7-1908 art.1) utiliza una fórmula amplia (interés notablemente superior al normal del dinero), adecuada a un contexto histórico anterior a la litigación en masa. Hasta ahora el TS no ha fijado un criterio uniforme para cualquier contrato, sino que ha ido precisándolo para cada caso controvertido. En la TS 25-11-15, EDJ 216418, se considera usurario un interés superior al **doble del tipo medio** de referencia y en la TS 4-3-20, EDJ 512653, se considera usurario en atención a la diferencia de puntos porcentuales (en ese caso, **más de 6 puntos porcentuales**), que se consideró muy relevante. El TS enjuiciando este caso concreto, y tras analizar su propia jurisprudencia, establece más adecuado, para los contratos de tarjeta «revolving», seguir el criterio de que la diferencia porcentual entre el tipo medio de mercado y el convenido para que pueda ser considerado usurario, sea superior a 6 puntos porcentuales. De conformidad con este criterio, el interés pactado en este contrato (23,9% TAE) no se considera notablemente superior al tipo medio en el tiempo de contratación (ligeramente inferior al 20%), por no superar los 6 puntos.

El carácter usurario del crédito conlleva su **nulidad**, «radical, absoluta y originaria, que no admite convalidación confirmatoria, porque es fatalmente insubsanable, ni es susceptible de prescripción extintiva» (TS 14-7-09, EDJ 158034). **4486**
Declarada la nulidad del contrato:
- el **prestatario** está obligado a entregar tan solo la suma recibida; y
- si hubiera satisfecho parte de aquélla y los intereses vencidos, el **prestamista** debe devolver al prestatario lo que, tomando en cuenta el total de lo recibido, exceda del capital prestado.

En tal sentido, el Tribunal Supremo ha declarado que la **acción de nulidad** concedida por la Ley de represión de la usura (Ley Azcárate) no es una acción pública que pueda ser ejercitada por todos, pues se concede exclusivamente a favor del **contratante perjudicado** (que es el único legitimado para ejercitarla, o en su caso sus herederos). En alguna ocasión se ha declarado la inoponibilidad de la nulidad frente a terceros de buena fe (TS 6-11-70, EDJ 590).

Protección del consumidor (Const art.51; Tratado UE art.153) La protección a los consumidores en España tiene sus **bases normativas** en dos normas: **4488**
• RDLeg 1/2007, que aprueba el texto refundido de la Ley General para la Defensa de los Consumidores y Usuarios y otras leyes complementarias (LGDCU).
• L 7/1998, sobre Condiciones Generales de la Contratación (LCGC).

Otras **leyes especiales** estatales que persiguen el mismo objetivo de protección de los consumidores son:
- L 3/1991, de Competencia Desleal.
- L 28/1998, de Ventas a Plazos de Bienes Muebles.
- L 16/2011, de Contratos de Crédito al Consumo (LCCo).
- RDL 6/2012, de medidas urgentes de protección de deudores hipotecarios sin recursos.
- L 1/2013, de medidas para reforzar la protección a los deudores hipotecarios, reestructuración de deuda y alquiler social.
- L 5/2019, sobre contratos de préstamo inmobiliario (se estudia en profundidad en el nº 8757).
- RD 193/2023, por el que se regulan las condiciones básicas de accesibilidad y no discriminación de las personas con discapacidad para el acceso y utilización de los bienes y servicios a disposición del público.

Precisiones En relación con el **préstamo bancario de dinero**, téngase en cuenta la L 10/2014, de ordenación, supervisión y solvencia de entidades de crédito.

Protección del consumidor a crédito (L 16/2011; LGDCU art.46 a 52, 61 y 85.3 redacc L 23/2022) La protección del consumidor a crédito está **regulada** en la L 16/2011, de Contratos de Crédito al Consumo (LCCo), que incorpora al ordenamiento jurídico interno la Dir 2008/48/CE y deroga la L 7/1995, de Crédito al Consumo. Téngase en cuenta que la L 16/2011 fue modificada, en lo que respecta a las acciones de cesación que corresponden al consumidor, por la L 3/2014. **4490**
La LCCo se aplica a los contratos por los cuales un prestamista concede o se compromete a **conceder a un consumidor un crédito** bajo la forma de pago aplazado, préstamo, apertura de crédito o cualquier medio equivalente de financiación.
El **consumidor** es la persona física que, en la obtención del crédito, actúa con fines que están al margen de su actividad comercial o profesional.
El **prestamista** es la persona física o jurídica que concede o se compromete a conceder un crédito en el ejercicio de su actividad comercial o profesional.
El **intermediario de crédito** es la persona física o jurídica que no actúa como prestamista y que en el transcurso de su actividad comercial o profesional, contra una remuneración, que puede ser de índole pecuniaria o revestir cualquier otra forma de beneficio económico, acordado:
- presenta u ofrece contratos de crédito;
- asiste a los consumidores en los trámites previos de los contratos de crédito; o
- celebra contratos de crédito con consumidores en nombre del prestamista.

Determinados **contratos** están **excluidos del ámbito de aplicación** de la LCCo:
a) Los contratos de crédito garantizados con **hipoteca inmobiliaria**.

b) Los contratos de crédito cuya finalidad sea adquirir o conservar derechos de propiedad sobre **terrenos o edificios construidos o por construir**.
c) Los contratos de crédito cuyo **importe total** sea inferior a 200 euros.
d) Los contratos de arrendamiento o de **arrendamiento financiero** en los que no se establezca una obligación de compra del objeto del contrato por el arrendatario.
e) Los contratos de crédito concedidos en forma de **facilidad de descubierto** y que tengan que reembolsarse en el plazo máximo de un mes.
f) Los contratos de crédito concedidos **libres de intereses** y sin ningún otro tipo de gastos, y los contratos de crédito en virtud de los cuales el crédito deba ser reembolsado en el plazo máximo de tres meses y por los que solo se deban pagar unos gastos mínimos.
g) Los contratos de crédito concedidos por un **empresario a sus empleados** a título subsidiario y sin intereses o cuyas tasas anuales equivalentes sean inferiores a las del mercado, y que no se ofrezcan al público en general.
A estos efectos se entenderá por tasas anuales equivalentes inferiores a las del mercado las que sean inferiores al tipo de interés legal del dinero.
h) Los contratos de crédito celebrados con **empresas de servicios de inversión** o con entidades de crédito con la finalidad de que un inversor pueda realizar una operación relativa a uno o más de los instrumentos financieros enumerados en la LMV art.2, cuando la empresa de inversión o la entidad de crédito que concede el crédito participe en la operación.
i) Los contratos de crédito que son el resultado de un **acuerdo** alcanzado **en los tribunales**.
j) Los contratos de crédito relativos al **pago aplazado**, sin intereses, comisiones ni otros gastos, de una deuda existente.
k) Los contratos de crédito para cuya celebración se pide al consumidor que entregue un bien al prestamista como **garantía de seguridad** y en los que la responsabilidad del consumidor está estrictamente limitada a dicho bien.

Precisiones Con fecha de entrada en vigor a partir del 18-11-2023, se ha publicado la **nueva regulación de los contratos de crédito al consumo** en el ámbito de la UE, la Dir (UE) 2023/2225, que deroga y sustituye a la Dir 2008/48/CE. La finalidad de la nueva Directiva es reforzar la protección del consumidor y facilitar el mercado transfronterizo del crédito al consumo. Véase nº 8610.

4492 La LCCo regula dos **aspectos principales**:
- La información y las actuaciones previas a la celebración del contrato de crédito.
- La información y los derechos de los consumidores en relación con el contrato de crédito.

1) Por lo que respecta a la **información** y las **actuaciones previas** a la celebración del contrato de crédito, debe tenerse en cuenta lo siguiente:

• El prestamista que ofrezca un crédito a un consumidor está obligado a entregarle antes de la celebración del contrato, si el consumidor así lo solicita, un **documento** con todas las **condiciones del crédito** para la información previa al contrato, como **oferta vinculante** que debe mantener durante un plazo mínimo de 14 días naturales desde su entrega, salvo que medien circunstancias extraordinarias o no imputables a él.
• En la **publicidad, comunicaciones comerciales, anuncios y ofertas** exhibidos en los locales comerciales, en los que se ofrezca un crédito o la intermediación para la celebración de un contrato de crédito, debe figurar una **información básica** (el tipo deudor fijo o variable, los recargos incluidos en el coste total del crédito para el consumidor, el importe total del crédito, la tasa anual equivalente, la duración del contrato de crédito, etc.).
• El prestamista o el intermediario deben facilitar de **forma gratuita** al consumidor, con la debida antelación y antes de que el consumidor asuma cualquier obligación, la información que sea precisa para **comparar las diversas ofertas** y adoptar una decisión informada sobre la suscripción de un contrato de crédito. Esta información previa al contrato debe suministrarse en **papel** o en cualquier **otro soporte duradero** y especificar, entre otros datos, el tipo de crédito, la identidad y el domicilio social del prestamista y del intermediario, el importe total del crédito, las condiciones que rigen la disposición de fondos, la duración del contrato, la tasa anual equivalente, el tipo de interés de demora, advertencias sobre las consecuencias en caso de impago, etc.
• El prestamista o el intermediario deben prestar **asistencia al consumidor** previa al contrato y facilitarle explicaciones adecuadas de forma individualizada para que éste pueda evaluar si el contrato de crédito propuesto se ajusta a sus intereses, a sus necesidades y a su situación financiera, si fuera preciso explicando la **información precontractual**, las características esenciales de los productos propuestos y los efectos específicos que pueden tener sobre el consumidor, incluidas las consecuencias en caso de impago por parte del mismo.
• El prestamista debe evaluar la **solvencia del consumidor** antes de que se celebre el contrato de crédito.

2) Por lo que respecta a la **información** y los **derechos de los consumidores** en relación con el **contrato de crédito**, la norma establece lo siguiente: 4494

• La **forma del contrato** debe ser necesariamente escrita. Todas las partes contratantes recibirán un ejemplar del contrato de crédito.

• Además de las **condiciones esenciales** del contrato, el documento debe especificar, de forma clara y concisa, los datos que debe contener la información previa a la que antes se ha hecho referencia.

• Existe la obligación de informar al consumidor sobre **modificaciones del tipo deudor** y sobre determinados aspectos de los contratos de crédito en forma de posibilidad de descubierto.

• El **coste total del crédito** no podrá ser modificado en perjuicio del consumidor, a no ser que esté previsto en acuerdo mutuo de las partes formalizado por escrito y cumpla unos determinados requisitos.

• Existen previsiones específicas para los **contratos de crédito vinculados**, que son aquellos en los que el crédito contratado sirve exclusivamente para financiar un contrato relativo al suministro de bienes específicos o a la prestación de servicios específicos, de forma que ambos contratos constituyen una unidad comercial desde un punto de vista objetivo.

Si el consumidor ha ejercido su **derecho de desistimiento** respecto a un contrato de suministro de bienes o servicios financiado total o parcialmente mediante un contrato de crédito vinculado, dejará de estar obligado por este último contrato sin penalización alguna para el consumidor.

Igualmente, la **ineficacia del contrato de consumo** determinará también la ineficacia del contrato de crédito destinado a su financiación. El consumidor dispondrá en todo momento de la opción de no concertar el contrato de crédito, realizando el pago en la forma que acuerde con el proveedor del contrato de consumo.

Por otra parte, la eficacia de los contratos de consumo vinculados a la obtención de un crédito se condiciona a la efectiva obtención de ese crédito.

Será **nulo** el pacto en el contrato de consumo por el que se obligue al consumidor a un **pago al contado** o a otras fórmulas de pago, para el caso de que no se obtenga el crédito previsto.

Se tendrán por **no puestas las cláusulas** en las que el proveedor exija que el crédito para su financiación únicamente pueda ser otorgado por un determinado prestamista.

Precisiones En caso de que el **contrato incumpla alguno de los requisitos** indicados, se producen los siguientes efectos: 4496

a) Si **no** reviste **forma escrita**, el contrato es anulable.

b) Si falta la mención de la **tasa anual equivalente** (TAE), la obligación del consumidor se reducirá a abonar el interés legal en los plazos convenidos.

c) Si falta la mención del **importe**, el **número** y la **periodicidad de los pagos** que deberá efectuar el consumidor, la obligación del consumidor se reducirá a pagar el precio al contado o el nominal del crédito en los plazos convenidos. En el caso de omisión o inexactitud de los plazos, dicho pago no podrá ser exigido al consumidor antes de la finalización del contrato.

d) En el caso de que los **datos** figuren en el documento contractual pero sean **inexactos**, se modularán, en función del perjuicio que debido a tal inexactitud sufra el consumidor, las consecuencias anteriores.

El **incumplimiento** de las obligaciones anteriores será sancionado como infracción en materia de consumo, aplicándosele lo dispuesto en el régimen sancionador general de protección de los consumidores y usuarios previsto en la LGDCU. 4498

El **incumplimiento** de las disposiciones relativas a la **información previa al contrato** y la obligación de evaluar la **solvencia del consumidor**, siempre que no tengan carácter ocasional o aislado, se considerarán como infracciones graves, pudiendo ser en su caso consideradas como infracciones muy graves.

En el caso de **entidades de crédito**, determinadas normas se consideran normas de ordenación y disciplina, por lo que su **incumplimiento**, siempre que no tenga carácter ocasional o aislado, será sancionado como infracción grave.

Se establece un **sistema de resolución extrajudicial** de los conflictos que puedan surgir entre el prestamista, el intermediario de crédito y el consumidor.

Contra las conductas contrarias a esta Ley puede ejercitarse la **acción de cesación**.

Compatibilidad de la Ley de usura y las normas de consumo (LGDCU art.80, 82, 83, 85 a 90) La Ley de represión de la usura ni está derogada ni es incompatible con la Ley de Crédito al Consumo. Cada una de ambas normas regulan supuestos de hecho diferentes (O'Callaghan, Tapia Hermida). 4500

Tanto es así que la consecuencia normativa de la Ley de Usura (conocida también como Ley de Azcárate) es la nulidad total del contrato, cuando en la LCCo cabe, como se ha visto, el expediente de la **nulidad parcial** para el caso de contravención de alguno de sus mandatos normativos.

4502 Son **condiciones generales de la contratación** las cláusulas predispuestas cuya incorporación al contrato sea impuesta por una de las partes, con independencia de la autoría material de las mismas, de su apariencia externa, de su extensión y de cualesquiera otras circunstancias, habiendo sido redactadas con la finalidad de ser incorporadas a una pluralidad de contratos (Bercovitz). Este concepto es de recibo tanto en el caso de usura como en el del crédito al consumo.

El concepto anterior, y su regulación, encuentran complemento en la **LGDCU**, que regula:

a) Los **requisitos** de las condiciones generales predispuestas en contratos celebrados con consumidores.

b) Las **cláusulas abusivas**, las consecuencias para la supervivencia del contrato de la presencia en el mismo de alguna de ellas y los supuestos de cláusulas generales consideradas como abusivas en todo caso.

Precisiones No es posible realizar un control de transparencia material y un juicio de abusividad en contratos en los que el adherente no tiene la condición de consumidor (TS 10-3-14, EDJ 30166; 15-12-15, EDJ 264301, entre otras). Ni el legislador comunitario, ni el español, han dado el paso de ofrecer una modalidad especial de protección al **adherente no consumidor**, más allá de la remisión a la legislación civil y mercantil general sobre respeto a la **buena fe** y el **justo equilibrio** en las prestaciones para evitar situaciones de abuso contractual (TS 30-1-17, EDJ 7387). En la **contratación entre empresarios**, cuando el adherente no tiene la condición de consumidor, el carácter contrario a la buena fe vendría determinado por la existencia de **cláusulas sorprendentes** (doctrina desarrollada jurisprudencialmente en otros ámbitos, especialmente en relación con el contrato de seguro), conforme a la cual son inválidas aquellas estipulaciones que, a tenor de las circunstancias y la naturaleza del contrato, son tan insólitas que el adherente no podía haberlas previsto razonablemente (TS 3-6-16, EDJ 78893). Por otra parte, no cabe equiparar el concepto de buena fe al control de transparencia propio de la contratación con consumidores (AP Madrid 13-1-23, EDJ 507437).

4504 **Caso particular: abusividad de las cláusulas suelo** En materia de cláusulas suelo (aquellas que limitan la bajada de la cuota para el prestatario en los préstamos de interés variable), se han planteado dos grandes cuestiones: (i) su abusividad por falta de transparencia y (ii) el carácter retroactivo (o no) de la nulidad en caso de que se consideren abusivas.

1. En relación con el posible **carácter abusivo** de las cláusulas suelo, el deber de transparencia comporta que el consumidor disponga «antes de la celebración del contrato» de **información** comprensible acerca de las condiciones contratadas y las consecuencias de dicha celebración. De esta forma, el control de transparencia tiene por objeto que el adherente pueda conocer con sencillez tanto la **carga económica** que realmente le supone el contrato celebrado, esto es, el sacrificio patrimonial realizado a cambio de la prestación económica que quiere obtener, como la **carga jurídica** del mismo, es decir, la definición clara de su posición jurídica tanto en los elementos típicos que configuran el contrato celebrado, como en la asignación de los riesgos del desarrollo del mismo.

Respecto de las **condiciones generales** que versan sobre **elementos esenciales del contrato** se exige una información suficiente que pueda permitir al consumidor adoptar su decisión de contratar con pleno conocimiento de la carga económica y jurídica que le supondrá concertar el contrato, sin necesidad de realizar un análisis minucioso y pormenorizado del contrato. Esto excluye que pueda agravarse la carga económica que el contrato supone para el consumidor, tal y como este la había percibido, mediante la inclusión de una condición general que supere los requisitos de incorporación, pero cuya trascendencia jurídica o económica pase inadvertida al consumidor porque se le da un inapropiado tratamiento secundario y no se facilita al consumidor la información clara y adecuada sobre las consecuencias jurídicas y económicas de dicha cláusula en la caracterización y ejecución del contrato.

La **información precontractual** es la que permite realmente comparar ofertas y adoptar la decisión de contratar. No se puede realizar una comparación fundada entre las distintas ofertas si al tiempo de realizar la comparación el consumidor no puede tener un conocimiento real de la trascendencia económica y jurídica de alguno de los contratos objeto de comparación porque no ha podido llegar a comprender lo que significa en él una concreta cláusula, que afecta a un elemento esencial del contrato, en relación con las demás, y las repercusiones que tal cláusula puede conllevar en el desarrollo del contrato (entre otras, TS 9-5-13, EDJ 53424; 8-9-14, EDJ 180029; 7-11-17, EDJ 232868; 23-12-15, EDJ 253610; 4-3-19, EDJ 514872; TJUE 30-4-14, caso Kásler; 21-12-16, caso Gutiérrez Naranjo; 20-9-17, caso Ruxandra Paula Andricius). Por otra parte, el mero hecho de que la cláusula suelo no haya sido objeto de aplicación durante un periodo de tiempo no la convierte, sin más, en transparente, ya que el control de transparencia se proyecta sobre el cumplimiento de estos especiales deberes de información y comprensibilidad material que incumben al predisponente en la formación y perfección del contrato sujeto a condiciones generales de la contratación (TS 1-12-17, EDJ 249273).

2. En relación con el **carácter retroactivo (o no) de la nulidad** en caso de que se consideren abusivas, el Alto Tribunal estableció que esta nulidad tenía carácter irretroactivo, esto es, que las entidades de crédito solo estaban obligadas a devolver a sus clientes lo cobrado indebidamente a partir de mayo de 2013 (TS 9-5-13, EDJ 53424). La irretroactividad de los efectos de la nulidad de las cláusulas suelo fue posteriormente confirmada por la sentencia TS 25-3-15, EDJ 44468. **4506**

Posteriormente, la sentencia del TJUE 21-12-16 (resolución con carácter inapelable) se pronunció en contra de la limitación de la retroactividad de la nulidad de las cláusulas suelo, frente a la doctrina sentada por el Tribunal Supremo español. En virtud del fallo del Tribunal de Justicia, las entidades de crédito están obligadas a devolver todo el dinero cobrado ilegalmente por las cláusulas suelo desde la fecha de la firma de la hipoteca inmobiliaria para la adquisición de vivienda. La sentencia TS 24-2-17, EDJ 9042 confirma la doctrina comunitaria y declara la **retroactividad total** de la nulidad de las cláusulas suelo.

La relevancia práctica de lo anterior es enorme, habida cuenta que, en España, casi todos los préstamos hipotecarios establecían cláusulas suelo. Con el fin de habilitar un cauce que facilitase la reclamación, por parte de los consumidores, de lo cobrado indebidamente, el Gobierno aprobó el RDL 1/2017, de medidas urgentes de protección de consumidores en materia de cláusulas suelo. Esta norma establece un **procedimiento extrajudicial** para canalizar las **reclamaciones**.

Precisiones **1)** Debe tenerse asimismo en cuenta la sentencia TS 9-3-17, EDJ 12759, que apreció la incorporación transparente y falló la consiguiente **validez de una cláusula suelo**. En este caso, la cláusula estaba ubicada dentro del contrato sin aparecer enmascarada entre otras cláusulas. Además, la cláusula suelo había sido negociada individualmente entre los prestatarios y la entidad de crédito.

2) Se declara la **inconstitucionalidad** del RDL 1/2017 art.4.2 relativo a la no imposición de **costas** a la entidad de crédito que se allana a la demanda en un proceso judicial, cuando el consumidor que interpone la demanda no acude previamente al procedimiento extrajudicial previsto en esta norma (TCo 16-9-21).

3) Antes de la declaración de inconstitucionalidad, en un caso donde el consumidor presentó una **reclamación previa** a la entidad de crédito **antes** de la **entrada en vigor** del RDL 1/2017, y, ante su fracaso, interpuso una demanda judicial cuando ya había entrado en vigor dicha norma, el TS condenó en **costas** a la entidad de crédito que se allanó a la demanda, y que pretendía que no se le impusiesen las costas alegando que el consumidor tenía que haber intentado el procedimiento específico de reclamación extrajudicial previsto en dicho RDL 1/2017. Para el TS, el consumidor ya había intentado sin éxito una reclamación previa, por lo que no era necesario que presentase otra nueva al amparo de la citada norma TS 27-1-21, EDJ 501920.

4) Se declara la validez de un acuerdo por el que se **modifica** la **cláusula suelo** inicialmente contenida en el contrato, pasando de un suelo de 3,75% a uno de 2,5%, informando al consumidor de sus efectos, declarándose al mismo tiempo la **nulidad** de la **renuncia a ejercer acciones** derivadas del contrato de préstamo originario (TS 28-9-21, EDJ 697184).

5) La **cláusula de renuncia de acciones** se considera abusiva cuando el predisponente no facilita al consumidor la información sobre las consecuencias jurídicas y económicas derivadas de dicha renuncia, y tal información resulta necesaria para considerar que la renuncia fue fruto de un consentimiento libre e informado, conforme a los criterios sentados por el TJUE 9-7-20 -asunto C-452/18-. La consecuencia derivada de la falta de transparencia de la cláusula de renuncia al ejercicio de acciones, al no haber podido conocer el consumidor sus consecuencias jurídicas y económicas, consecuencias que no se advierten beneficiosas para el consumidor, es su consideración como abusiva y su declaración de nulidad de pleno derecho (TS 26-1-23, EDJ 505783).

6) El contrato de préstamo hipotecario puede ser objeto de novación, en el seno de una transacción, en lo relativo a la regulación del tipo de interés remuneratorio, aunque la cláusula que resulta modificada o suprimida, en tanto que establecía un interés mínimo o «suelo», pudiera ser abusiva, por falta de transparencia. El TJUE exige, para que sea válida la **novación de la cláusula de interés remuneratorio** que contiene un interés mínimo o «suelo», que el consumidor preste un consentimiento libre e informado, pues el consumidor debe estar en condiciones de comprender las consecuencias jurídicas y económicas determinantes que para él se derivan de la celebración de ese contrato de novación (TJUE 9-7-20, -asunto C-452/18-; TS 5-11-20, EDJ 705110; 9-2-21, EDJ 504528, ente otras).

7) Para **más información** sobre este tema, ver nº 8083.

B. Elementos

4510

4512 **Contratantes y capacidad** (CC art.247 y 287.8º redacc L 8/2021) Son el prestamista y el prestatario.

Teniendo en cuenta que el mutuo provoca la **transmisión de la propiedad**, hay que afirmar su naturaleza dispositiva. No hay reglas especiales en cuanto a la **capacidad** para prestar, aplicándose las reglas generales cuando falta la misma, de manera que:
- tanto el **menor emancipado** (CC art.239.2º) como el que ha obtenido judicialmente el beneficio de la mayor edad (CC art.239.3º), necesitan el consentimiento de sus progenitores, y a falta de éstos, del defensor judicial, para tomar dinero a préstamo;
- el **curador** que ejerza funciones de representación de la **persona con discapacidad** que precisa el apoyo necesita autorización judicial para los actos que determine la resolución y, en todo caso, entre otros, para dar y tomar dinero a préstamo.

Precisiones Como consecuencia de la modificación del CC realizada por la L 8/2021, por la que se reforma la legislación civil y procesal para el apoyo a las personas con discapacidad en el ejercicio de su capacidad jurídica (en vigor desde el 3-9-2021 -a los tres meses de su publicación en el BOE-), se reubica en el Código Civil la regulación legal de la mayoría de edad y la emancipación y de las instituciones de protección del menor (tutela, curatela y defensor judicial). El nuevo Título XI del Libro Primero (CC art.249 a 299) regula las **medidas de apoyo a las personas con discapacidad** para el ejercicio de su capacidad jurídica. Con la nueva regulación, se produce un **cambio de modelo**: se pasa de un sistema en el que predominaba la sustitución en la toma de las decisiones que afectan a las personas con discapacidad (incapacitación), a otro basado en el respeto a la voluntad y las preferencias de la persona, quien, como regla general, será la encargada de tomar sus propias decisiones, con las medidas de apoyo que en su caso adopte el juez atendiendo a las concretas circunstancias de la persona. Solo en **casos excepcionales**, cuando, pese a haberse hecho un esfuerzo considerable, no sea posible determinar la voluntad, deseos y preferencias de la persona, las medidas de apoyo podrán incluir **funciones representativas** (CC art.249).
Cuando el interesado no es siquiera consciente de su discapacidad (p.e., cuando sufre un trastorno mental o de conducta), el juez puede adoptar medidas de apoyo para el ejercicio de su capacidad jurídica aun en contra de su voluntad (TS 8-9-21, EDJ 686146).

4514 **Objeto y precio** La **cosa prestada** ha de ser necesariamente fungible. No hay especialidades a mencionar, salvo de lo señalado en el nº 4460 respecto de las tres categorías de objetos fungibles dables en el mutuo mercantil: dinero, mercaderías o títulos valores (CCom art.312).
El **precio** puede ser a tanto alzado o bien a tasa de interés, que es lo habitual si el mutuo es de dinero.

4516 **Forma** (CC art.1755) El préstamo mercantil se caracteriza por ser no formal, si bien la forma escrita es necesaria en los **préstamos con interés**.
Esta es una de las singularidades respecto a la regla de la forma en el mutuo civil, que no exige escritura aunque sí pacto.

Precisiones 1) Existen reglas especiales sobre la forma del préstamo financiador del **consumo** (nº 4490 y nº 4547).
2) A pesar de que no se requiera una forma específica, hay que recordar que la **declaración de testigos** no es por sí sola bastante para probar la existencia de un contrato cuya cuantía exceda de 9,02 euros, si no existe otra prueba (CCom art.51).
3) Se califica de contrato préstamo mercantil el **otorgado en documento privado** a favor de una sociedad por uno de los socios y por otros administradores que actúan por sí y por sus grupos familiares en la sociedad, ratificándose posteriormente esta situación en acta del Consejo de la Administración (TS 11-7-06, EDJ 102960).

C. Obligaciones de las partes

Considerando que el préstamo es un contrato real, la **entrega de la cosa** no es una obligación nacida del contrato, sino un presupuesto de existencia de éste. Sin entrega no hay contrato y sin contrato no nacen obligaciones. 4522

Cosa distinta es que resulte lícito el pacto de **promesa de préstamo** o **préstamo convencional**. Por virtud de este contrato, el promitente queda obligado frente al promisario a entregar en préstamo una cantidad de dinero en una fecha señalada y en unas condiciones financieras señaladas. El promisario queda obligado a recibir el préstamo.

Por ello, el negocio de **oferta vinculante** regulado en leyes especiales (Ley de contratos de crédito al consumo, Ley de subrogación hipotecaria), que obliga al oferente pero no al receptor de la oferta, es más bien una declaración unilateral de voluntad.

Al préstamo convencional le resultan aplicables normas generales de contratación (nº 55 s.), ahora bien, una vez producida la entrega, se disciplina por las normas del préstamo mercantil. El **momento de restitución** será el día del vencimiento pactado, el cual funcionará como plazo esencial por aplicación de las reglas generales (CCom art.62 y 63). Si no se ha marcado un plazo de vencimiento, no puede exigirse al deudor el pago sino pasados 30 días, a contar desde la fecha del requerimiento notarial que se le hubiera hecho, pero para ello es necesario que el **tiempo** esté **indeterminado**, lo que no sucede si la obligación está vencida y es, por lo tanto, exigible (TS 9-3-67; 29-1-82, EDJ 392; 26-2-92; 15-10-04, EDJ 147760; 6-6-06).

Precisiones **1)** El prestatario no está obligado a indemnizar por daños y perjuicios ni a satisfacer intereses remuneratorios si no se han pactado expresamente. Ciertamente, la inexistencia de pacto sobre **intereses remuneratorios** y de plazo para la devolución del dinero implican la ausencia de morosidad, por lo que no puede reclamarse indemnización por daños y perjuicios (AP Burgos 17-10-03, EDJ 266167).

2) El contrato de préstamo, por su carácter real, exige la **entrega del capital** para su perfección, extremo que no queda suficientemente acreditado en el litigio que origina esta sentencia, por lo que el Tribunal Supremo entiende que el negocio ha sido simulado. La necesaria entrega del capital solo está avalada por la existencia de un **asiento contable** en el libro diario del demandante, así como por el contenido de una **cláusula contractual** donde se indica tal extremo, sin que las partes hayan podido indicar el modo en que se efectuó la operación y la vía por la que el dinero entró en el patrimonio del demandado (TS 18-7-05, EDJ 116829).

3) La existencia de **circunstancias excepcionales** que hagan cambiar las condiciones de un contrato han de ser de interpretación restringida y únicamente tendrán validez cuando sean aceptadas por ambas partes (AP Zaragoza 3-12-03, EDJ 266240).

4) La **promesa de préstamo** es un verdadero préstamo si se llega a manifestar el consentimiento con intención de vincularse jurídicamente, lo que dependerá de las circunstancias del caso. En este caso, el socio se comprometió a realizar una aportación a la sociedad, como préstamo participativo, por lo que está obligado a realizar el préstamo, y ello aunque **no** esté **determinado** en el momento de la promesa ni el **término** ni la forma de **amortización**, pues estos elementos no son esenciales, conforme al CCom art.313, según el cual «en los préstamos por tiempo indeterminado o sin plazo marcado de vencimiento, no podrá exigirse al deudor el pago sino pasados treinta días, a contar desde la fecha del requerimiento notarial que se le hubiere hecho» (TS 11-7-18, EDJ 516932; 23-11-21, EDJ 748484).

Obligación de amortización del principal (CCom art.312) Se revela como la obligación principal del prestatario. Para su estudio es necesario diferenciar entre las tres categorías de préstamo por razón del objeto (nº 4470): 4524

Préstamo de dinero Hay que distinguir los siguientes supuestos: 4526

a) Si el préstamo es **ordinario** de dinero (nº 4470), como el prestatario queda obligado a devolver una cantidad igual a la recibida, se beneficiará con la inflación y se perjudicará con la deflación. Impera aquí el principio nominalista.

b) Si el préstamo es de moneda específica, en su variante «**con suma de valor determinada**» se produce el mismo efecto económico. Impera el principio nominalista.

c) Pero si el préstamo es de moneda específica, en su variante «**sin suma de valor determinada**», el efecto es el inverso, pues las tensiones al alza en el mercado de divisas favorecerán al prestamista, y viceversa. De ahí la conveniencia y la práctica habitual de concertar seguros de cambio. Impera aquí el principio valorista.

Precisiones Existen unos intereses que son prioritarios, por su carácter general, con respecto a los intereses particulares de prestamista y prestatario (Morán Bovio):
- la **seguridad del tráfico**, que reclama una definición de la deuda exigible como suma de unidades monetarias antes que como suma de unidades físicas;
- la **soberanía monetaria** del Estado, que impera a la hora de confirmar la función de garantía de la moneda fiduciaria emitida. En este punto no puede excusarse la cita de los imperativos comunitarios expresados en el Tratado de la Unión Europea (privilegio de emisión de euros a favor del Banco Central Europeo) y, en particular, la L 46/1998, sobre introducción del euro.
Por otra parte, la solución planteada por el Código es derogable por convenio. Se admite, en efecto, el préstamo con **pacto de estabilización de moneda**.

4528 **Préstamo de mercaderías** En este caso, el deudor debe devolver igual cantidad de la **misma especie y calidad**, siempre que no medie un pacto en sentido distinto. Si se hubiese extinguido la especie debida, deberá devolver su equivalente en metálico. Opera, en definitiva, el principio valorista.

4530 **Préstamo de valores** La solución es la misma que la del nº 4528, pues la figura no es sino una especificación de la anterior. También rige aquí el principio valorista, pues el deudor debe devolver, salvo pacto en contrario, otros **títulos de la misma clase** e idénticas condiciones, o sus equivalentes si los títulos se hubieran extinguido.

Precisiones Ver préstamo de **valores bursátiles** de carácter especulativo (nº 4549).

4532 **Obligación de pagar intereses** (CCom art.315, 317 y 318) Los intereses son el **fruto civil** del dinero prestado y por eso se entienden percibidos día a día. Los préstamos no devengan intereses, salvo pacto expreso en contrario. Dicho pacto debe ser **por escrito**, ya sea en documento público o privado (TS 16-4-84, EDJ 7184; 23-2-96, EDJ 1122). Respecto de ellos, el Código de Comercio precisa las siguientes reglas:
a) Regla cualitativa. No importa la denominación que el prestamista pretenda darles, pues se reputará interés toda **prestación a favor del acreedor**. Por eso las comisiones bancarias han de computarse a efectos del cálculo de la TAE (tasa anual equivalente). Ver préstamo bancario, nº 8530.
b) Reglas cuantitativas. Puede pactarse el interés del préstamo sin tasa ni limitación de ninguna especie. Ahora bien, además de los límites generales propios de cualquier estipulación contractual, encontramos leyes especiales con otras tantas **limitaciones**:
• Ley de Represión de la Usura de 23-7-1908, también conocida como Ley Azcárate, que declara nulo todo contrato de préstamo en que se estipule un interés notablemente superior al normal del dinero y manifiestamente desproporcionado con las circunstancias del caso. Esa nulidad lo es de pleno derecho, insanable (TS 30-12-87, EDJ 9803). Ver nº 4482.
• RDLeg 1/2007, que aprueba el texto refundido de la Ley General para la Defensa de los **Consumidores** y Usuarios y otras leyes complementarias (LGDCU).
• L 2/1994, sobre subrogación y modificación de **préstamos hipotecarios**.
• L 16/2011, de contratos de **crédito al consumo** (LCCo).
• Ciertas reglas insertas dentro del conjunto normativo denominado Normas sectoriales de transparencia bancaria.
• RDL 1/2017, de medidas urgentes de protección de consumidores en materia de **cláusulas suelo** -declaradas nulas por abusivas-. Ver nº 4504.
• L 5/2019, de contratos de **préstamo inmobiliario**, que establece en el art.25, con carácter imperativo, que el interés de demora en los préstamos o créditos concluidos por una persona física que estén garantizados mediante hipoteca sobre bienes inmuebles para uso residencial, será el interés remuneratorio más tres puntos porcentuales a lo largo del período en el que aquel resulte exigible. El interés de demora solo podrá devengarse sobre el principal vencido y pendiente de pago y no podrá ser capitalizado en ningún caso, salvo en el supuesto previsto en la LEC art.579.2.a). Ver nº 8757.

4534 En principio, los **intereses vencidos y no pagados** no devengan intereses. Sin embargo, las partes pueden capitalizar los intereses líquidos y no satisfechos, que, como aumento de capital, devengarán nuevos réditos.
Esta norma se viene interpretando tradicionalmente en el sentido de afirmar que lo que el Código de Comercio prohíbe, como norma general, es el **anatocismo**, esto es, que los intereses vencidos y no pagados devenguen nuevos intereses (CC art.1109), pero admitiendo también el acuerdo en contrario. En otras palabras, el pacto de anatocismo será válido siempre y cuando se haga de forma expresa (TS 10-7-90, EDJ 7423; 24-10-94, EDJ 8184; 27-3-99).

Precisiones Interpuesta una demanda, no puede hacerse la **acumulación de interés al capital** para exigir mayores réditos y afirman que el Código no prohíbe el anatocismo. Lo que prohíbe es que los intereses todavía no exigibles devenguen nuevos intereses (TS 23-6-78 y 5-1-80, EDJ 1100).

c) Regla formal: Si, a pesar de no haberse pactado intereses por escrito, el deudor los paga, no puede repetirlos ni imputarlos al capital. 4536
Pero, de otra parte, si el acreedor da **carta de pago del capital**, sin reservarse expresamente el derecho a los intereses pactados o debidos, extingue la obligación del deudor respecto de los mismos. Ha de entenderse que se trata del recibo del capital completo, no de parte del mismo (TS 27-5-83; 12-3-84, EDJ 7096; 21-9-07, EDJ 159283).

Mora del deudor (CCom art.316) Entrado el prestatario en mora, se plantean dos problemas prácticos: 4538
a) La **base** a la que se aplica el interés moratorio:
- si el préstamo es **dinerario** ordinario: la base es el principal cuyo pago no ha quedado atendido. Si el préstamo es de moneda específica, en su variante con suma de valor determinada la solución es la misma (nº 4526);
- si el préstamo es en **especie**, hay que acudir de nuevo al principio valorista, y la base es el precio de mercado de las mercaderías prestadas, al día siguiente del vencimiento. Y, si no hay mercado, el que determinen los peritos. Esta misma solución es aplicable en el préstamo de moneda específica en su variante sin suma determinada;
- si el préstamo es de **valores** se aplica la misma regla: la base es el precio de mercado (sea o no bursátil) el día del vencimiento.
b) El tipo de **interés moratorio** a aplicar:
- si el préstamo es de dinero, en cualquiera de sus modalidades, o de mercaderías, los deudores que demoren el pago de sus deudas después de vencidas, deberán satisfacer desde el día siguiente al del vencimiento el interés **pactado** para este caso, o, en su defecto, el **legal**, regla en concordancia con otras dadas para situaciones similares (deudas de dinero);
- si el préstamo es de valores, el rédito por mora es el que los mismos valores devenguen o, en su defecto, el legal.

D. Préstamos mercantiles especiales

4545

Contrato de crédito al consumo La L 16/2011, de Contratos de Crédito al Consumo (en adelante LCCo) tiene su fundamento en la **protección al consumidor**, e incorpora al ordenamiento español la Dir 2008/48/CE, relativa a los contratos de crédito al consumo (por la que se deroga la Dir 87/102/CEE). 4547
El carácter tuitivo de la norma respecto a los consumidores se muestra, entre otros, en el **carácter imperativo** de la misma, que hace que los consumidores no puedan renunciar a los derechos que se les reconocen y que, de hacerlo, la renuncia sea nula.
El crédito al consumo se estudia en el nº 8610. Existe una especial **regla de formalización**: los contratos sometidos a la LCCo se harán constar por escrito, pues en caso contrario resultan anulables. Deberán formalizarse en tantos ejemplares como partes intervengan, entregando a cada una de ellas su ejemplar debidamente firmado y deben recoger obligatoriamente una serie de menciones de carácter financiero (ver nº 4490 s.).

Precisiones Con fecha de entrada en vigor a partir del 18-11-2023, se ha publicado la **nueva regulación** de los contratos de crédito al consumo en el ámbito de la UE, la Dir (UE) 2023/2225, que deroga y sustituye a la Dir 2008/48/CE. La **finalidad** de la nueva Directiva es reforzar la protección del consumidor y facilitar el mercado transfronterizo del crédito al consumo. Véase nº 8610.

4549 **Préstamo de valores bursátiles. Crédito al mercado** (OM 25-3-1991) Se regulan, con naturaleza jurídica de operaciones bursátiles singulares, las de crédito a mercado en su modalidad de **crédito a vendedor**. Constituyen préstamos de valores negociables cuya finalidad es la disposición de los mismos para su enajenación posterior, para ser objeto de préstamo o para servir como garantía en una operación financiera.

Presentan las siguientes características:

a) Solo son aptos para ser objeto del préstamo aquellos valores que por su **frecuencia de negociación y liquidez** o por su aptitud para servir de garantía en operaciones de política monetaria, sean designados por el organismo rector del mercado en cuestión.

b) Los valores deberán pertenecer al prestamista y estar libres de toda **carga** o gravamen.

c) La operación de préstamo será **registrada o anotada** en la correspondiente cuenta y comunicada tanto al organismo rector del mercado como al sistema de compensación y liquidación.

d) El prestamista, salvo pacto en contrario, percibirá los **frutos**.

e) El **plazo de vencimiento** del préstamo no podrá ser superior a un año.

f) El prestatario deberá asegurar la devolución del préstamo mediante la constitución de las **garantías**.

Precisiones La Orden de referencia desarrolla las **obligaciones específicas de información** de carácter financiero de los contratos de préstamo de valores admitidos a negociación en un mercado secundario (OM ECO/764/2004).

4551 **Préstamo atomizado. Empréstito** Se establece la distinción entre préstamos individuales y **préstamos colectivos o en masa**. Estos últimos son aquellos en los que una pluralidad de prestamistas financia al prestatario mediante el recurso técnico de atomizar una cantidad extremadamente alta de dinero en diversas fracciones de valor facial asequible para el público. El prestamista adquiere, en definitiva, un instrumento financiero (como una obligación) con un dinero que va a parar al prestatario (la sociedad emisora o, en su caso, el Tesoro Público).

Precisiones Las **emisiones de obligaciones** quedan prohibidas para las personas físicas y las sociedades civiles, colectivas y comanditarias simples. La L 5/2015, de Fomento de la Financiación Empresarial, eliminó la prohibición para que las sociedades de responsabilidad limitada puedan emitir obligaciones. Ver nº 10100 s. Memento Sociedades Mercantiles 2024.

4553 La naturaleza jurídica de toda obligación que se emite es doble, de un lado, una parte alícuota de un préstamo y, del otro, un valor negociable:

a) Es una **fracción de un préstamo**. Como ocurre en todo préstamo-mutuo de dinero, surgen dos obligaciones para el prestatario (aquí, sociedad emisora) las cuales se incorporan al valor negociable (la obligación u otro tipo de valor): el reembolso del principal, que se produce generalmente por sorteo, motivo por el cual se dice de él que es aleatorio; y el pago de intereses.

b) Es un **valor negociable** de los regulados en la LMV/15 y en sus desarrollos reglamentarios. La LSC, aunque admite y regula ambos aspectos jurídicos (el negocio jurídico-financiero y el valor negociable), pone énfasis en el segundo. Y ello porque los empréstitos son **emisiones de valores** que se erigen en instrumento idóneo para la financiación atomizada que con ellos se persigue, pues la sociedad podrá emitir series impresas y numeradas de obligaciones u otros valores que reconozcan o creen una deuda.

Los requisitos de emisión se contienen en la propia LSC y en la LMV/15. Se consagra el principio de **libertad de emisión** de cualquier clase de valores mobiliarios. Sin embargo, el Ministro de Economía (RD 829/2023) podrá prohibir o determinar que se sometan a su **autorización** previa los siguientes tipos de emisión: las de intereses revisables, las de rendimientos con plazo superior al año, las expresadas en moneda extranjera realizadas en el mercado nacional y las realizadas en el mercado nacional por no residentes.

No obstante, esta libertad de emisión exige la observancia de los siguientes **requisitos** generales: comunicación previa a la CNMV, aportación a la CNMV del documento del acuerdo de emisión, existencia y registro de una auditoría de cuentas, presentación y registro en la CNMV de un folleto informativo y transcurso de los plazos reglamentarios mínimos.

4555 **Préstamo sindicado** Se caracteriza por la existencia de un **sindicato de entidades de crédito** que financian un proyecto de inversión de tal magnitud que excede de los recursos y deseos de riesgo de una sola de ellas.

Es habitual su presencia en el tráfico bancario, ver nº 9030.

4557 **Préstamo participativo** Son préstamos en los que se estipula que el acreedor-financiador, además de la remuneración ordinaria vía interés, obtendrá una remuneración dependiente de los beneficios obtenidos por el deudor-financiado.

El principal problema que plantean es el de su naturaleza jurídica, toda vez que se discute sobre si conservan su carácter financiero de **recursos ajenos** o bien si, por el contrario, la nota de la **participación en beneficios** les atribuye naturaleza de fondos propios, con la consecuente repercusión jurídica.
En el análisis de su régimen jurídico debemos diferenciar la regulación general privada (Código de Comercio y Código Civil) respecto de ciertas **normas especiales** de **carácter administrativo** contenidas en el RDL 7/1996, sobre medidas urgentes de carácter fiscal y de fomento y liberalización de la actividad económica. Ver nº 8695.

Precisiones La aportación de los socios a una sociedad en concepto de préstamo participativo no puede tener tal consideración si se acuerda que la remuneración anual sea de un 3%, liquidable mensualmente, pues dicha mención no cumple la exigencia legal del **interés** variable determinable en función de la **evolución de la actividad** de la empresa prestataria (TS 23-11-21, EDJ 748484).

Préstamo hipotecario Se trata de un préstamo donde las obligaciones a cargo del prestatario se garantizan por medio de hipoteca. **4559**
En el ámbito mercantil (y sobre todo en el bancario) la evolución de las necesidades de los empresarios ha reclamado la regulación de concretas modalidades de garantía hipotecaria (de máximo, cambiaria, de títulos del mercado hipotecario, etc). Ver nº 8705.
La L 5/2019, reguladora de los contratos de préstamo y crédito inmobiliario introdujo importantes **novedades** en la materia. Ver nº 8757.

Precisiones **1)** En materia de préstamos hipotecarios resulta de singular relevancia la doctrina relativa a la nulidad (por abusivas) de las **cláusulas suelo** (ver nº 4504 y nº 8083) y de **gastos** (TS 23-12-15, EDJ 253610, que declara la abusividad de las cláusulas que hacen recaer en el hipotecado la totalidad de los gastos relativos a la constitución de hipoteca; y TS Pleno cont-adm 27-11-18, EDJ 641978, que establece que el cliente es quien debe pagar el AJD).
2) La DGRN ha considerado ajustado a Derecho que, en una **diligencia de subsanación** de una escritura de préstamo hipotecario, comparezca exclusivamente el **representante** de la **entidad acreedora**, interviniendo en representación de esta y de la parte prestataria e hipotecante en virtud de las facultades contenidas en la propia escritura de préstamo (DGRN Resol 19-7-17).
3) Respecto del control de transparencia de las condiciones generales de un préstamo hipotecario multidivisa, no existen medios tasados para obtener el resultado que se persigue con el requisito de la transparencia material: un **consumidor suficientemente informado**. El adecuado conocimiento de la cláusula, su trascendencia e incidencia en la ejecución del contrato a fin de que el consumidor pueda adoptar su decisión económica después de haber sido informado cumplidamente, es un resultado insustituible, aunque susceptible de ser alcanzado por pluralidad de medios. En el caso concreto, no quedó acreditado que los prestatarios hubieran recibido una información precontractual sobre los **riesgos** del **préstamo hipotecario multidivisa** que estaban contratando, y por lo tanto, se incumplieron los deberes de transparencia. Esta falta de transparencia de las cláusulas relativas a la denominación en divisa del préstamo y la equivalencia en euros de las cuotas de reembolso y del capital pendiente de amortizar, no es inocua para el consumidor, sino que provoca un grave desequilibrio, en contra de las exigencias de la buena fe. A mayor abundamiento, tiene poca relevancia que la iniciativa en la contratación de esta clase de préstamos provenga de los prestatarios, ya que en cualquier caso el banco debe cumplir con la exigencia de suministrar la **información precontractual necesaria** sobre los riesgos que implica el préstamo multidivisa (TS 27-9-22, EDJ 696712).

Préstamo con garantía de valores (CCom art.320 a 324) Los préstamos con garantía de valores admitidos a negociación en un mercado secundario oficial, hechos en **póliza intervenida** por fedatario público o en **escritura pública**, se reputan siempre mercantiles. En la póliza del contrato deben expresarse los datos y circunstancias necesarios para la adecuada **identificación** de los valores dados en garantía, los cuales pueden ser tanto acciones como deuda pública o privada u otros valores que coticen en otros mercados organizados. Su cualidad de cotizables exige su representación mediante anotación en cuenta. **4561**
Al **acreedor** se le reconocen tres privilegios:
a) Preferencia para el cobro de su crédito con respecto a los demás acreedores, quienes no pueden disponer de los valores salvo que se satisfaga el crédito constituido sobre ellos.
b) Enajenación. Vencido el préstamo, el acreedor, sin necesidad de requerir al deudor, está autorizado para la **ejecución de la garantía** (no es necesario el requerimiento al deudor para que se produzca la mora), a cuyo fin entregará a los organismos rectores del correspondiente mercado la póliza o escritura del préstamo, acompañada del certificado acreditativo de la inscripción de la garantía, expedido por la entidad encargada del registro contable.

Se regula un **procedimiento extrajudicial** para la ejecución de la garantía. El acreedor pignoraticio solo puede hacer uso del procedimiento ejecutivo en los tres días hábiles siguientes al vencimiento del préstamo, para lo cual acudirá al organismo rector del correspondiente mercado secundario, el cual, hechas las oportunas comprobaciones, adoptará las medidas necesarias para la enajenación de los valores pignorados en el mismo día en que se reciba la comunicación o en el día siguiente.
c) Irreivindicabilidad. Los valores pignorados no están sujetos a reivindicación mientras no sea reembolsado el prestador, sin perjuicio de los derechos y acciones del titular desposeído contra las personas responsables de los valores dados en garantía.

4563 **Préstamo con garantía de cédulas pignoraticias** Es un préstamo cuyas obligaciones de amortización de principal y de pago de intereses quedan garantizadas mediante la prenda del **warrant** que, con naturaleza de título de tradición, expide una compañía de almacenes generales de depósito del nº 4977.

4565 **Contrato mercantil de reconocimiento de deuda** El reconocimiento de deuda es aquella **declaración de voluntad** por la que una persona reconoce la existencia de un crédito en su contra.
No está tipificado en el ordenamiento jurídico español, aunque existen algunas referencias dispersas acerca del mismo que permiten afirmar su aceptación (LSC art.401; LITP art.10.2.j).
Para que haya verdadero contrato de reconocimiento de deuda se requiere:
- subjetivamente, que además de consentir el deudor, consienta el acreedor; y
- objetivamente, que la deuda no tuviera manifestación externa antes de quedar reconocida.
De ahí su carácter abstracto, en el sentido de que la deuda vivirá jurídicamente no sin causa, sino con **independencia de la causa** (CC art.1277). Y de ahí que solo hay reconocimiento de deuda cuando se trata de un reconocimiento **constitutivo** de deuda.
No hay criterio de **mercantilización** en el Código de Comercio. Por eso se afirma la mercantilidad del reconocimiento de deuda con los mismos argumentos con que quedó defendida la del préstamo mercantil (nº 4460). En consecuencia, es mercantil el reconocimiento de una deuda a favor de un deudor comerciante y con causa en un acto de comercio. Es decir, la mercantilidad de la causa comunica la naturaleza mercantil al contrato fundado en ella.

Precisiones Esta figura puede estudiarse dentro de la rúbrica de los **contratos abstractos** (TS 8-3-56).

E. Extinción del contrato

(CCom art.318; CC art.1110)

4570 En el Código de Comercio únicamente encontramos, como normas propias de la extinción obligacional del préstamo mercantil, las siguientes:
a) El **recibo de capital,** sin reserva expresa de intereses, extingue estos.
b) Las **entregas a cuenta**, cuando no resulte expresa su aplicación, se imputan, en primer término al pago de intereses por su orden de vencimientos, y después al capital.
Además, el recibo del **último plazo** de un débito, cuando el acreedor tampoco haga reservas, extingue la obligación en cuanto a los plazos anteriores.

Precisiones No habiendo otras normas especiales, se aplican las generales, y el contrato queda extinguido cuando se extingan las **obligaciones** de él nacidas por alguno de los mecanismos del nº 300 s.

SECCIÓN 2

Arrendamiento financiero («leasing»)

A. Consideraciones generales

Tienen la consideración de operaciones de arrendamiento financiero aquellos contratos que tengan por objeto exclusivo la **cesión del uso** de bienes muebles o inmuebles, adquiridos para dicha finalidad según las especificaciones del futuro usuario, a cambio de una contraprestación consistente en el abono periódico de cuotas. El contrato de arrendamiento financiero incluirá necesariamente una **opción de compra**, a su término, en favor del usuario (L 10/2014 disp.adic.3ª). **4582**

El arrendamiento financiero es una **operación financiera** dirigida a permitir a un empresario/usuario la inmediata utilización de un bien que necesita acudiendo al crédito y asegurar al financiador una garantía real hasta que la suma anticipada haya sido reembolsada. De esta manera:

- el **usuario** decide la inversión y obtiene el uso del bien;
- la **entidad de crédito** financia la operación y se asegura el reembolso reservándose la propiedad del bien.

El empresario utiliza el bien soportando el riesgo de que éste quede en desuso, pero evitando la inmovilización de capital que resultaría de haber optado por la compra.

Es, además, una operación financiera que goza de **ventajas fiscales** (ver nº 6760 Memento Fiscal 2024).

Un **modelo de póliza** original de este contrato se adjunta en el nº 13285 (Anexos).

Precisiones **1)** Los **precedentes** de esta figura se encuentran en la innovación financiera procedente de sistemas anglosajones.

2) La **regulación del contrato** de arrendamiento financiero es parte integrante de la legislación mercantil y, consecuentemente, es competencia estatal. Asimismo, las normas que regulan las sociedades de arrendamiento financiero son **normas de ordenación del crédito** y, en virtud de tal carácter, la configuración de la estructura y aspectos fundamentales de su actividad corresponden al Estado (TCo 96/1996).

3) La jurisprudencia considera el arrendamiento financiero como un **contrato complejo** y atípico, distinto del arrendamiento común. No obstante, en lo que se refiere a la **prescripción** de acciones, la propia jurisprudencia reconoce el componente arrendaticio del contrato (TS 24-5-97, EDJ 3429), declarando aplicable el plazo de cinco años como el de prescripción de la acción procesal para la reclamación de las cuotas del contrato vencidas y no pagadas, plazo que se interrumpe por el ejercicio de una reclamación o reconocimiento de un derecho. De manera que -tal y como sucede en el supuesto concreto-, la presentación de la demanda judicial de resolución contractual determinó la **interrupción de la prescripción**, iniciándose nuevamente el cómputo del plazo prescriptivo desde que la sentencia dictada en dicho procedimiento adquirió firmeza (AP Las Palmas auto 17-2-03, EDJ 84351).

4584 **Caracteres** Para el estudio del contrato, debe hacerse mención de sus rasgos característicos:

a) Es de **naturaleza mercantil**. Ello no solamente por ser un contrato bancario, sino por las necesidades de la explotación del que adquiere tal uso.

b) Por ser un **negocio de financiación**, se caracteriza por las siguientes notas:
- atípico;
- obligacional (se perfecciona con el mero consentimiento);
- no formal (no requiere forma especial), salvo las excepciones que se estudiarán específicamente (ver nº 4651 s.);
- oneroso;
- bilateral;
- conmutativo;
- de tracto sucesivo; y
- generalmente, de adhesión: el arrendador financiero-predisponente presenta al arrendatario un **formulario contractual preimpreso** con escasas posibilidades de modificación. En tal caso, el prestamista consiente adherirse o no adherirse.

c) Por ser **contrato bancario**, reúne los siguientes rasgos:
- en él rige la mutua confianza;
- las obligaciones de pago que nacen a cargo del prestatario son aseguradas bien con garantía real, o con garantía personal, o con una garantía de tipo procesal, como es la intervención de un fedatario público;
- son contratos sometidos al principio de **especialización operativa** (nº 7884).

4586 **Normativa aplicable** En materia de fuentes, como en todo contrato bancario, debemos diferenciar dos ámbitos normativos:

4588 1. **Fuentes jurídico-privadas**.

a) **Voluntad privada** de las partes, sin perjuicio del control sobre las condiciones generales estudiado en sede general de contratos bancarios.

b) **CCom**:
- Respecto del encargo: nº 5580 s.
- Respecto de la financiación: nº 4460 s.
- Respecto de las compraventas: nº 900 s.

c) **CC**. Por remisión expresa del CCom art.50.
- Respecto del encargo: Mandato: nº 5592.
- Respecto de la financiación: Préstamo y simple préstamo, así como otros conceptos como el pago de deudas de dinero, mora del deudor e intereses legales.
- Respecto de las compraventas: naturaleza y forma del contrato (nº 945 s.).

d) **Normas generales de la contratación**, tanto de uno como de otro Códigos (de Comercio y Civil), en cuanto sean compatibles con la naturaleza del contrato.

e) L 7/1998, de Condiciones Generales de Contratación (**LCGC**).

f) Los contratos de arrendamiento financiero que se refieran a bienes muebles que reúnan las características del nº 1330 s., pueden ser inscritos en el Registro de Ventas a Plazo de Bienes Muebles en una sección especial (nº 534).

g) L 23-7-1908, de la Usura (**Ley Azcárate**).

h) L 46/1998, del Euro.

i) LH y RH, si el arrendamiento financiero es **inmobiliario**.

4590 2. **Fuentes jurídico-públicas**.

a) **Disciplina del mercado**.
- L 10/2014 disp.adic.3ª, de ordenación, supervisión y solvencia de entidades de crédito.
- L 5/2015, de fomento de la financiación empresarial.
- L 5/2015 Título II y RD 309/2020 (régimen jurídico de los establecimientos financieros de crédito).

b) **Legislación fiscal**.
- LIS art.106.

c) **Ordenación del mercado en general**.
- LGP.
- LDC.
- LCD.

Figuras contractuales relacionadas con la operación El arrendamiento financiero es una realidad jurídica amplia que comprende las figuras contractuales que a continuación se relacionan, según el **orden cronológico** en que van siendo formalizadas: 4592

1º. Contrato de **comisión**. El cliente bancario (futuro arrendatario) encarga a la entidad de crédito que compre y se convierta en propietario de un determinado bien de equipo. El encargo debe explicitar que su finalidad es exclusivamente la de que el bien a adquirir se destine a la operación de arrendamiento financiero.

2º. Contrato de **compraventa**. La entidad de crédito negocia con el suministrador del bien de equipo y lo compra. Se convierte en propietario del mismo tan pronto como se reúnen los ordinarios requisitos de título y modo (nº 1184).

3º. Cesión financiera del uso. Éste es el núcleo de toda la cadena contractual. En él conviven:

a) Una cesión del uso. No hay transmisión de la propiedad, sino solamente de una de las facultades (el uso) integrantes de la relación dominical. Como contrapartida de los beneficios fiscales que reserva a la operación se exige que ese uso sea el propio de **explotaciones agrícolas, pesqueras, industriales, comerciales, artesanales, de servicio o profesionales** (L 10/2014 disp.adic.3ª). Este imperativo cierra la posibilidad de que el contrato de arrendamiento financiero pueda convertirse en fuente de financiación de consumidores y usuarios.

b) Una intención (causa de contratar) financiera contrastable en ambas partes contractuales. De ahí el nacimiento de **intereses repercutidos por el arrendador financiero** (que es arrendador y que es, también, financiador) a cargo del arrendatario financiero (que es cesionario del uso y que es, también, financiado).

4º. Un contrato de **opción de compra**. El contrato de arrendamiento financiero incluirá necesariamente una opción de compra, a su término, en favor del usuario. Es elemento esencial de la operación de arrendamiento financiero que las partes acepten, como **negocio inseparable** del previo y principal (el anterior de cesión financiera de uso), un contrato de este tipo en el que:

a) El cesionario del uso (el cliente bancario) es el **optante**. Tiene la facultad (no la obligación) de exigir a la otra parte que le transmita la propiedad del bien. Esto puede ocurrir, por mandato legal, únicamente el día pactado del vencimiento de la operación.

b) La entidad de crédito es la **aceptante de la opción**. No puede negarse a transmitir la propiedad si su cliente ejecuta su facultad.

5º. Un **segundo contrato de compraventa**. Este negocio jurídico final es ejecución del anterior de opción de compra. Así, ejecutada la opción, el cedente del uso se convierte en forzoso vendedor y el cesionario en comprador forzoso. Hay que aceptar por consiguiente que, verificados los dos requisitos de título y modo, el **cliente bancario** ha tomado posición jurídica de propietario final del bien de equipo.

Precisiones 1) Cuando por cualquier causa el usuario no llegue a adquirir el bien objeto del contrato, el arrendador podrá **cederlo a un nuevo usuario**, sin que el principio de opción de compra se considere vulnerado por la circunstancia de no haber sido adquirido el bien de acuerdo con las especificaciones de dicho nuevo usuario (L 10/2014 disp.adic.3ª). 4594

2) No puede admitirse como una operación de arrendamiento financiero el **préstamo con garantía real** a través de pacto comisorio. Debe además tenerse en cuenta que, puesto que el **lease-back** es una modalidad de arrendamiento financiero, es obligada la **necesidad del bien concreto** sobre el que se constituye, sin que pueda estimarse que exista tal necesidad si el bien ya es propiedad de quién, en apariencia, se convierte en arrendatario del mismo con opción de compra (TS 10-2-05, EDJ 11830).

3) Cuando el **pago de las mensualidades** para la adquisición de determinada maquinaria se ha hecho mediante letras de cambio aceptadas y posteriormente negociadas, no puede hablarse de la existencia de derecho de opción por el adquirente de la maquinaria. El contrato de autos fue calificado correctamente como contrato traslativo de dominio, puesto que el arrendatario se comprometió a pagar todas las mensualidades mediante letras de cambio aceptadas y posteriormente negociadas (TS 16-3-04, EDJ 10583).

4) No se confunden las relaciones entre el contrato de venta y el de arrendamiento, aunque se haya permitido por la jurisprudencia, al arrendatario usuario, la **subrogación** en los derechos del comprador para hacer efectivo el contrato de compraventa frente al vendedor, así ha de ser solamente en el caso de que en el contrato de arrendamiento exista una **cláusula** en virtud de la cual se **exima al arrendador de la responsabilidad** del adecuado funcionamiento de la máquina dada al arrendatario, ya que solo en este caso, y para que la cláusula no sea considerada como abusiva, se le concede a la arrendataria la facultad de subrogarse en los derechos del comprador (TS 24-5-99, EDJ 9709), subrogación que no implica que asuma para los demás supuestos la condición del comprador, y puede exigirse el pago del precio del negocio anterior, cuando en virtud del contrato de leasing la obligación que tiene el arrendatario, es la del **pago de las rentas** o canon en los períodos fijados en el contrato de leasing (TS 5-3-03, EDJ 3674).

5) La cláusula en virtud de la cual «el arrendatario financiero no podrá, sin el previo consentimiento expreso y escrito del arrendador financiero, ceder, vender, traspasar o aportar, total o

parcialmente, los derechos que a su favor dimanen del contrato de arrendamiento financiero inmobiliario, aunque se tratase de sucesor o continuador de su negocio», tiene carácter real y, en consecuencia, es necesario, para poder inscribir la cesión de los derechos dimanantes del contrato, acreditar la obtención del **previo consentimiento** expreso y escrito del arrendador a la **cesión del contrato por parte de los arrendatarios financieros** (DGSJFP Resol 30-9-20).

4596 **Naturaleza jurídica** Cuando nos encontramos ante una figura jurídica compuesta de varias prestaciones que aparentemente derivan de contratos ya tipificados, para proceder a su calificación ha de saberse si las **prestaciones** nacidas de los mismos **tienen o no interconexión** y en qué grado.
Existen dos posturas (Vara de Paz):
1. Los que opinan que los cinco **contratos** son **independientes** (nº 4592). El verdadero y único contrato de arrendamiento financiero es el situado en el centro de la cadena. Su naturaleza es la de un verdadero **arrendamiento de cosa** al que la financiación no altera en su esencia.
2. Los que entienden que el **grado de interrelación** entre los distintos contratos es máximo. Existe una verdadera fusión de las realidades contractuales encadenadas, de suerte que ninguna tiene virtualidad sin la existencia de las precedentes y todas son determinantes para el nacimiento de los subsiguientes, estando la cadena en su conjunto abocada a una **función** única y exclusiva: la satisfacción de los intereses particulares de los contratantes (la causa de contratar, en definitiva).
Este segundo extremo, con más o menos matices, parece ser el admitido por la generalidad de la doctrina y por la jurisprudencia del Tribunal Supremo.
En el arrendamiento financiero no hay un complejo de causas, sino una causa compleja y única. La **causa del contrato** es la obligada fusión de dos lícitos intereses particulares:
- el de obtención del uso del bien de equipo (causa de arrendar); y
- el de aplazar el pago con la carga de los intereses (causa de financiar).
Y esta **causa** es tan singular que se hace **autónoma** respecto de las que idealmente son las causas de cada una de los contratos encadenados.

4598 Precisiones 1) La **operación**, en su conjunto, también es **compleja y autónoma**. El arrendamiento financiero se aproxima a la figura del arrendamiento de cosa, pero no es exactamente un arrendamiento de cosa. Se aproxima a la figura del préstamo, pero tampoco es exactamente un préstamo. Se aproxima a la venta a plazos, pero tampoco coincide exactamente con ella (TS 10-4-81, EDJ 1483; 18-11-83; 26-6-89, EDJ 6468).
2) El contrato de leasing no se configura como un solo negocio jurídico con intervención de tres partes contratantes, sino que se articula a través de dos contratos diferenciados:
- un contrato de **compraventa** por el que la sociedad de leasing adquiere del proveedor los bienes previamente seleccionados por el usuario; y
- un **arrendamiento con opción de compra** o arrendamiento financiero, por el que la sociedad de leasing cede mediante una contraprestación dineraria fraccionada y periódica, con otorgamiento de una opción de compra a su término por el valor residual fijado en el contrato (TS 24-5-97, EDJ 3429).
En suma, el contrato de leasing es un contrato atípico y mixto, integrado por un **arrendamiento** y una **opción de compra**, que responde a una función económica de financiación. La relación jurídica es, pues, trilateral, lo cual genera situaciones de litis consorcio pasivo necesario en el ámbito procesal (TS 25-6-97, EDJ 4461).
3) El contrato de arrendamiento financiero no puede ser calificado de **préstamo**, pues tiene causa distinta. Está reconocido legalmente y se recurre a él por razones fiscales y de financiación. Tampoco el arrendatario financiero no tiene la consideración de **consumidor** a efectos de la Ley General de Defensa de los Consumidores y Usuarios (TS 17-3-98, EDJ 2102).
4) Es un especial arrendamiento financiero que genera unas **cuotas** que superan el precio de un alquiler normal y que engloban dos conceptos: la **financiación** de la compra de los objetos arrendados y su **amortización** (TS 15-11-99, EDJ 33644).

4600 **Leasing financiero y leasing operativo** El leasing **financiero** es el ordinariamente existente en el **ámbito bancario**. En él actúa como entidad financiadora (nº 4575 s.), una entidad de crédito o un establecimiento financiero de crédito especializado en este mercado. Es, por tanto, una genuina actividad de financiación.
El leasing **operativo** es el verdadero germen de este tipo de operaciones financieras, si bien es mucho menos frecuente en España. En él **no** existe la figura de la entidad de crédito, sino que el fabricante del bien de equipo directamente cede el uso a su cliente, el cual lo adquiere contra el pago del canon periódico pactado. Por tanto, el leasing operativo es un negocio cerrado entre dos partes (y no tres, como el leasing financiero) y concebido como distinto e independiente de cualquier intervención de tercero que aporta los recursos precisos para llevarlo a efecto. Esta fórmula es muy empleada por empresas fabricantes de determinados bienes, en especial de locomoción, que fomentan con ella la comercialización de sus productos, simultaneándola o no, según los casos, con la venta al contado y con la venta a plazos.

Precisiones 1) Por imposición de la oferta y la demanda en materia de equipamiento, algunas empresas vendedoras instrumentaron **nuevas líneas comerciales** para la venta realización de sus productos o de sus mercaderías, añadiendo a las clásicas formas de venta al contado y de venta con pago aplazado una forma contractual de arrendamiento a la que se incorporaba una opción de compra a favor del arrendatario.

2) El leasing operativo es fundamentalmente utilizado por las empresas multinacionales sobre un tipo de bienes estandarizado que tienden a quedarse en desuso. En este sentido, esta fórmula debe contemplarse, más bien, como un **medio de promoción de ventas** para determinadas empresas y productos.

En consecuencia, entre el leasing operativo y el financiero existe una notable **diferencia**, consistente en que en el leasing financiero se produce la irrupción de un **tercero**, que ni es el propietario que desea vender ni el no propietario que desea utilizar y, en su caso, adquirir, y es precisamente ese tercero (empresario de leasing) el que protagoniza la compleja operación resultante y establece y asume las relaciones jurídicas y económicas que coadyuban a la producción del resultado. **4602**

Así, el **empresario de leasing** (financiero) recibe y acepta de su cliente órdenes determinadas para adquirir por sí y para sí un bien concreto, ofrecido en precio cierto por un vendedor también concreto, y al tiempo que se constituye y acepta esa obligación, el cliente conviene con el empresario de leasing que, una vez adquirido por éste el bien en cuestión, su utilización le es cedida durante un tiempo especificado, al final del cual puede adquirirlo en propiedad, si entonces lo desea. Como **contraprestación** por todo ello, y con independencia del precio fijado para esa eventual compra final, el cliente y el empresario de leasing convienen otro precio, que normalmente es pagado de manera paulatina a lo largo del período de utilización del bien de que se trata (cuotas periódicas). Esta obligación inicial, que unifica y centra las relaciones entre empresario de leasing y cliente, y que además motiva al primero para adquirir el bien del vendedor ofertante, posee entidad bastante para permitir entender que leasing operativo y leasing financiero conforman negocios jurídicos netamente diferenciados y operaciones económicas por completo distintas.

Aparte de la existencia de un tercero o no en la relación contractual, hay otras diferencias entre ambos tipos de leasing: **4604**

1. El contrato de leasing financiero es **irrevocable** para el período inicial de arrendamiento, mientras que el contrato de leasing operativo puede ser rescindido antes de finalizar el plazo inicialmente acordado.
2. La sociedad de leasing, al término del período irrevocable, recupera el **valor** total de su **inversión** más un beneficio por la prestación del servicio financiero; en el leasing operativo, el proveedor-arrendador obtendrá un beneficio en función de las posibilidades de realquiler del material que se presenten y que dependen de la duración económica del bien.
3. La consideración de los **riesgos** para el proveedor o para la sociedad de leasing también presenta ciertas diferencias según se trate de una operación operativa o financiera, respectivamente. Así:
- en el leasing financiero la solvencia económica del futuro usuario-arrendatario es el elemento clave en la evaluación de riesgos;
- mientras que, en el operativo, este análisis se basa en la vida útil del bien a arrendar.
4. Tradicionalmente, los **plazos** de los contratos de leasing financiero oscilan, por lo general, entre dos y cinco años para bienes mobiliarios, mientras que los de leasing operativo difícilmente superan los tres años.

Leasing de retro o lease-back En él falta como elemento objetivo del contrato el **suministrador** o proveedor. El propietario de un bien lo vende a la entidad de crédito, la cual simultáneamente le cede el uso contra el pago del correspondiente canon periódico. **4606**

Es una fórmula de leasing en la que cual el futuro arrendatario, un empresario o usuario, se desprende de un bien de su propiedad, vendiéndolo a una sociedad de leasing que, a su vez, se lo arrienda en régimen de leasing propiamente dicho. Es decir, el propietario de un bien lo vende y se convierte en arrendatario del mismo.

Se trata de operaciones en que el **vendedor** o proveedor del material y el **usuario** son una misma persona. Salvo en lo concerniente a este aspecto subjetivo del negocio jurídico, se documenta en contratos con los mismos pactos y cláusulas básicas que se contienen en los demás.

La **ventaja financiera** que se obtiene con esta operación es la conversión del inmovilizado en recursos disponibles, mediante la reducción del primero a cambio de aumento de los segundos. La finalidad económica comúnmente perseguida por el usuario en este tipo de operaciones es la de obtener tesorería para atender a las necesidades de explotación del negocio o para atender a nuevas inversiones en activos.

Por otros motivos, el *lease-back* es frecuentemente utilizado en las operaciones de leasing sobre **materiales de importación**, cuando es el futuro usuario quien, por razón de licencias u otros trámites administrativos, ha importado a su propio nombre el bien en cuestión, y una vez en territorio nacional, lo vende a la entidad de arrendamiento financiero, que se lo cede en leasing.

4608 La operación de *sale and lease back* se caracteriza por:

a) El **precio pagado** a la empresa propietaria es, frecuentemente, inferior al valor del bien en el mercado.

b) Desde el punto de vista económico, los contratos (de venta y arrendamiento) representan un **contrato único complejo** en el sentido de que la empresa no vendería si no estuviese segura de disfrutar del mismo bien en arrendamiento.

c) El **importe de los cánones** se establece en función del precio pagado para la adquisición, de la duración del contrato de arrendamiento y de la modalidad de restitución.

d) Los **gastos** de mantenimiento, seguro y gastos fiscales relativos a la propiedad de los bienes corresponden al vendedor arrendatario, que puede efectuar todas las modificaciones que considere oportunas.

e) La empresa vendedora y posterior arrendataria al final del contrato vuelve a ser propietaria del bien pagando un módico **precio de rescate** preestablecido desde el inicio del acuerdo; también, en algunos casos, con el pago del último plazo de los cánones, la empresa recupera automáticamente la propiedad del bien.

f) Tratándose de una forma de **financiación a largo plazo** de importe relevante, se adapta, preferentemente, a las empresas industriales o de grandes dimensiones y, en particular, a aquellas de servicios.

Precisiones **1)** El contrato de arrendamiento financiero está sometido a un **régimen fiscal** especial (nº 6760 s. Memento Fiscal 2024). Se caracteriza porque al interés ordinario y privado de las partes se añade el interés de aprovechamiento de los beneficios fiscales.

2) Entrando en la valoración de la delimitación con la compraventa a plazos de un contrato de lease-back mobiliario, respecto de la **cuantía de la opción**, no hay base legal ni lógica que establezca un parámetro para indicar la proporción que deba tener la opción de compra respecto al **valor monetario del bien** objeto del contrato de leasing (TS 1-2-99, EDJ 666). La determinación de cuándo ese **valor residual** es o no puramente nominal o simbólico es facultad de los tribunales (TS 29-5-99, EDJ 13361). El reducido importe del valor residual para ejercitar la opción no es suficiente, por sí solo, para desvirtuar la calificación de arrendamiento financiero que deriva de otras estipulaciones del contrato (TS 15-6-99, EDJ 13274).

3) Al contrato de *lease-back*, no le resulta aplicable la Ley de la Usura de 1908 (TS 2-2-06, EDJ 6337; 8-6-06, EDJ 83834).

4610 **Leasing mobiliario e inmobiliario** Su calificación depende, obviamente, del **objeto** sobre el que recae.

Habitualmente tiene por objeto la cesión del uso de bienes de equipo muebles, pero también existe en el tráfico bancario el leasing inmobiliario, el cual plantea singulares problemas, sobre todo en el orden registral.

Por la naturaleza de su objeto, el **leasing sobre inmuebles** presenta peculiaridades jurídicas que pueden ser de carácter sustantivo, fiscal, urbanístico, de Administración local, de ordenación del territorio o de índole registral, entre otras. Por todo ello, constituye una actividad con características propias dentro del marco general del sector.

Se documenta normalmente en **escritura pública**. El arrendatario financiero puede inscribir en el Registro de la Propiedad los derechos que adquiere por el leasing, incluido el de opción de compra.

4612 Los contratos de leasing mobiliario e inmobiliario tienen una **duración mínima** de dos años cuando tengan por objeto bienes muebles y de diez años cuando tengan por objeto bienes inmuebles o establecimientos industriales. No obstante, reglamentariamente, para evitar prácticas abusivas, se pueden establecer **otros plazos mínimos** de duración de los mismos en función de las características de los distintos bienes que puedan constituir su objeto. Por tanto, para poder aprovechar los beneficios fiscales, los contratos de leasing inmobiliario no pueden concertarse por duración inferior a diez años, en contraposición con la duración mínima ordinaria, que es de dos años.

Y la LIVA excluye de la **exención del impuesto** prevista para las segundas y ulteriores entregas de edificaciones las entregas de edificaciones efectuadas en el ejercicio de la opción de compra inherente a un contrato de arrendamiento, por empresas habitualmente dedicadas a realizar operaciones de arrendamiento financiero. Y excluye de la exención del impuesto prevista para los arrendamientos que tengan la consideración de **servicios**, los arrendamientos con opción de compra de terrenos o viviendas cuya entrega esté sujeta y no exenta al impuesto (LIVA art.20.1 núm 22.a y 23.d).

Leasing internacional Puede considerarse leasing internacional todo aquel en que intervienen **agentes situados en diversos países** y que actúan desde ellos. Así, el leasing de exportación y el leasing de importación quedarían integrados en el leasing internacional. 4614
En este sentido, pueden combinarse, por lo menos, elementos procedentes de tres sistemas nacionales distintos y soberanos, por concurrir un proveedor de determinada residencia nacional, una sociedad de leasing que actúa desde un Estado diferente y un usuario que utilizará el bien en un tercer Estado.

Leasing de exportación Los supuestos típicos del leasing de exportación consisten en que el vendedor o proveedor es nacional, o residente en España, y el bien se encuentra inicialmente en territorio español, si bien debe ser trasladado a territorio extranjero para su utilización allí por el usuario. 4616
Este tipo de operaciones plantea especialidades en punto a la necesidad de **autorizaciones administrativas** para llevar a cabo la exportación del bien, así como para la introducción en territorio español del importe de las **cuotas** que el usuario debe abonar, normalmente, desde un punto exterior a nuestras fronteras nacionales.
Son de tener en cuenta los riesgos que puedan producirse por eventuales modificaciones de los **cambios de divisa**, si el pago de ésta se ha convenido en moneda del país de utilización del bien, y no en euros.
Un contrato de leasing de exportación requiere, además, el estudio de la **legislación del país de destino**, que en principio es la aplicable en los supuestos de crisis de la operación y de conflictos, no solo con el usuario, sino con terceros que puedan embargar, o retener, el bien por créditos frente al cliente. La regulación del leasing difiere notablemente de un estado nacional a otro, por lo que debe dedicarse especial atención al conocimiento de cuál sea el régimen jurídico aplicable a las relaciones que hayan de establecerse entre las partes.
Es importante conocer el **sistema fiscal** del Estado donde se producirá el pago de las cuotas y la medida en que la legislación fiscal española elimina o al menos mitiga la doble imposición que puede resultar de la desconexión entre las normas tributarias del país de percepción de rendimientos (tributación de no residentes, en concepto que genéricamente puede denominarse de impuesto sobre las rentas del capital) y las del Estado español (imposición fiscal sobre rentas societarias).
Normalmente los tratados internacionales y, en su defecto, la legislación española, tienden a evitar la **doble imposición**.

Leasing de importación Las operaciones concertadas sobre un objeto situado en el extranjero, y que debe ser introducido en territorio español para su utilización por el usuario, presentan las peculiaridades propias de toda importación. 4618
En estas operaciones, normalmente, el proveedor o vendedor es una persona extranjera, a la que el precio de adquisición del bien debe ser abonado por la sociedad de leasing fuera de España, y en divisas, lo que requiere las pertinentes autorizaciones de índole administrativa y, de hecho, la **apertura de un crédito documentario** a favor de aquel proveedor o vendedor.
Por otra parte, siendo importador del bien la sociedad de leasing, se requiere que la **licencia de importación** y el despacho de aduanas se tramiten a su nombre.
Los contratos de leasing de importación suelen estar condicionados a la obtención de los **permisos oficiales** necesarios, y requieren una serie de contactos con la Administración pública, con la entidad de crédito que vaya a intervenir como entidad delegada, y con una agencia de aduanas. Suele ser usual prevenir que, si en el **plazo** determinado no se obtienen las licencias administrativas, quede sin efecto el contrato, liquidando las partes entre sí los gastos en que se haya incurrido, en cuya atención se señalan los criterios liquidatorios que se consideren oportunos.
Como en cualquier operación de comercio exterior, debe atenderse al riesgo de **cambio de las divisas**, y a las contingencias del transporte (que pueden incidir también en la fijación de la base sobre la que girarán las tarifas arancelarias).

Leasing con mantenimiento Se considera que el leasing financiero no impone a la sociedad de leasing ninguna obligación en orden a la **conservación del bien** afecto a la operación, y que, por el contrario, esa conservación constituye una de las obligaciones naturales del usuario. Los contratos de leasing financiero desarrollan normalmente esos criterios, asumidos de manera unánime por el sector. 4620
No suele ocurrir lo mismo en el leasing de marca (nº 4626), y menos aún en el leasing operativo (nº 4602 s.). En éstos, la **asistencia técnica** y los **servicios postventa** se incorporan frecuentemente al ámbito de las prestaciones incluidas en el leasing, aunque las prestaciones en cuestión sean realizadas por la organización del proveedor, y no directamente por la sociedad de leasing, que se limita a asumir su coste.

Sin perjuicio de cuanto queda indicado, existen líneas de actuación en que la sociedad de leasing, en típicas operaciones de leasing financiero, incluye entre sus servicios los del **mantenimiento del material** a través de empresas concertadas, especialmente en los sectores de la automoción y de la informática. En los contratos de este tipo se detallan las prestaciones que corren a cargo de la sociedad de leasing y el condicionamiento general a que se ajustarán las prestaciones.

Una variante de estas fórmulas negociales consiste en la asunción de las obligaciones de mantenimiento por una sociedad relacionada con la entidad de leasing, y se documenta mediante un **contrato de servicio** entre aquélla y el usuario; este contrato es distinto del de leasing, aunque suele supeditarse su vigencia al desarrollo sin conflictos del arrendamiento financiero.

4622 **Leasing de automoción** El leasing sobre **vehículos automóviles**, también llamado leasing de automoción, incluye un amplio número de modalidades negociales, como el leasing de flotas, de autocamiones o elementos de transporte, taxis, turismos y vehículos sanitarios, entre otros. Se practica en muchas ocasiones por empresas **filiales o subsidiarias**, relacionadas o vinculadas con las empresas fabricantes o distribuidoras y también acostumbra a combinarse con el llamado leasing de **mantenimiento**.

En lo que concierne a los **turismos**, es posible constituir sobre ellos una operación de leasing cuando estén afectos a una actividad empresarial o profesional, pero no cuando están incorporados al patrimonio personal de su titular y destinados a usos particulares.

4624 **Leasing de construcción** Dentro del leasing inmobiliario (nº 4610 s.) posee caracteres propios el llamado leasing de construcción, en que el **objeto del contrato** no es un edificio preexistente, sino un edificio que no existe en el momento de la contratación, y cuya promoción propone el futuro usuario a la sociedad de arrendamiento financiero. Ésta adquiere el suelo (o su derecho de superficie), construye a su costa la edificación de que se trata y concierta con el futuro usuario el leasing del inmueble resultante.

4626 **Leasing de marca** Se llama leasing de marca al practicado por una sociedad de arrendamiento financiero, filial del fabricante, o perteneciente a su grupo económico, sobre los fabricados de éste.

Aunque guarda cierta semejanza respecto del llamado leasing operativo (nº 4602 s.), se diferencia de éste en ser un verdadero leasing financiero, y en que el **proveedor** y **sociedad de leasing** se identifican, aunque actúen de consenso.

Por las relaciones especiales que en este tipo de operaciones existen entre proveedor y sociedad de leasing, es habitual que ésta asuma en mayor o menor grado el **riesgo técnico del material**, no quedando liberada de responsabilidad por sus eventuales defectos. También puede cubrirse con el leasing los costes de la asistencia técnica postventa ofrecida por el proveedor.

En los sectores del **automóvil** y de la **informática** es frecuente la existencia de entidades de arrendamiento financiero cuya primordial (y a veces exclusiva) actividad es el leasing de marca, es decir, referido a productos de las líneas de fabricación o comercialización de una sociedad dominante, cuyo nombre y signos identificadores suelen compartir.

4628 **Leasing directo** El Tribunal Supremo califica de directo, por contraposición al indirecto, al leasing en cuyo origen el futuro usuario se dirige a la sociedad de arrendamiento financiero sin haber establecido con carácter previo un acuerdo, aunque sea de principio, con el proveedor (TS 26-6-89, EDJ 6468). En la práctica del sector este tipo de operaciones se conocen como **leasing de comprador**, porque proceden de su iniciativa, y no de la del proveedor del material.

El carácter directo de estas operaciones no queda desnaturalizado por la posible existencia de **acuerdos** o **convenios complementarios**, concertados entre usuario y proveedor al tiempo o posteriormente al contrato de leasing, en que se regulen cuestiones referidas a conservación y mantenimiento del material, asistencia técnica, etc.

El leasing **directo** se caracteriza por realizarse mediante negociaciones entre el futuro arrendatario y la compañía de leasing, la que, a tenor de las indicaciones de aquél, procederá a la compra del material, para su posterior arrendamiento. Y el **indirecto** por realizarse el leasing a propuesta del fabricante, distribuidor o proveedor de determinados equipos a la sociedad de leasing, la que financiará la operación propuesta.

Dentro de la variedad del **directo**, cabe la posibilidad de la existencia de un **contrato precedente o previo** que, de cierta manera, funcionaría como preparatorio entre el fabricante o proveedor y el futuro usuario o arrendatario.

Leasing apalancado El *leveraged leasing* o leasing apalancado es una fórmula muy utilizada en Estados Unidos y su peculiaridad reside en que intervienen **tres partes** como mínimo en la formalización de la operación: 4630
- la sociedad de leasing;
- el usuario-arrendatario; y
- un financiador o, en algunos casos, más de uno.

La **sociedad arrendadora** aporta entre un 20% y un 40% de los fondos necesarios para la operación, obteniendo todas las ventajas fiscales y de otra índole.

El **financiador**, con frecuencia un banco o compañía de seguros, aportan el resto de los fondos sin garantía de la entidad arrendadora, teniendo, como contrapartida, derecho preferente sobre los pagos o sobre el bien en arriendo en caso de situaciones conflictivas.

B. Elementos

4635

Sujetos intervinientes Sin perjuicio de que existe un **comerciante suministrador** del bien que se cede en arrendamiento, y sin cuyo concurso resulta imposible la viabilidad de la operación en su conjunto, el estudio se centra en: 4637
- el arrendador financiero; y
- su cliente.

Arrendador financiero Puede ser arrendador financiero: 4639

a) Cualquier **entidad de crédito**.

b) Aquellos **establecimientos financieros de crédito** que se hayan especializado en este mercado; es decir, los que, debidamente autorizados, hayan incluido en sus estatutos la actividad negocial del arrendamiento financiero: las sociedades de arrendamiento financiero.

Precisiones Pueden constituirse como establecimientos financieros de crédito aquellas empresas que, sin tener la consideración de entidad de crédito y con previa autorización del Ministro de Economía, se dediquen con carácter profesional a ejercer actividades de arrendamiento financiero, con inclusión de las siguientes **actividades complementarias** (L 5/2015 art.6; L 10/2014 disp.adic.3ª):
- actividades de mantenimiento y conservación de los bienes cedidos;
- concesión de financiación conectada a una operación de arrendamiento financiero, actual o futura;
- intermediación y gestión de operaciones de arrendamiento financiero;
- actividades de arrendamiento no financiero que podrán complementar o no con una opción de compra;
- asesoramiento e informes comerciales.

Cliente En cuanto al cliente del contrato de leasing, necesariamente debe de tratarse de **empresario** o profesional que pueda destinar el bien de equipo cuyo uso se cede a las explotaciones agrícolas, pesqueras, industriales, comerciales, artesanales, de servicio o profesionales. 4641

Objeto Lo constituyen, como en todo contrato de causa financiera: el bien o cosa, el precio y el tiempo. 4643

1. Bien. La cosa cuyo uso se cede ha de estar necesariamente afecta a las antedichas **explotaciones** (nº 4592), lo cual no impide la existencia de arrendamiento financiero inmobiliario (nº 4610), siempre que el inmueble de que se trate sea, verdaderamente, un bien afecto a necesidades de la explotación. 4645

2. Precio. Es libre, y al ser un contrato financiero hay que diferenciar entre interés-suma e interés-cuota (o tipo de interés). 4647

Las operaciones de arrendamiento financiero suelen pactarse a **tipos de interés** algo superiores a los del préstamo ordinario. Es habitual la exigencia de una **comisión de apertura**.

Las **cuotas** han de ser constantes o crecientes, pero nunca decrecientes, pues de serlo acelerarían en exceso la ventaja fiscal de la deducibilidad en los primeros períodos de la vida contractual.

Tipos, comisiones y plazos originan la existencia de una **TAE** que normalmente no coincide con el tipo de interés nominal anual.

Para el **cálculo de la TAE** existe una regla especial aplicable al arrendamiento financiero: se considera como efectivo recibido el importe del principal del crédito más el valor residual del bien. El importe, en su caso, de las fianzas recibidas se tiene en cuenta como sustraendo, a fin de establecer el efectivo puesto a disposición del cliente (Circ 5/2012 BE, norma 13ª aptdo.7).

Precisiones 1) Si el **valor de la opción de compra** es relativamente insignificante, el contrato de arrendamiento financiero puede quedar desnaturalizado como tal y convertirse en una mera operación de venta a plazos de bienes muebles (TS 28-5-90, EDJ 5583; 29-5-99, EDJ 13361; AP Lérida 8-11-95 Rec 262/95). No obstante, el contrato de arrendamiento financiero o leasing en el que el precio de opción de compra **coincide con el valor residual** de una mensualidad de amortización no encubre un contrato de venta a plazos (TS 28-11-97, EDJ 9844).
2) La mayoría de los contratos financieros constituyen realmente una **venta en garantía** en las que aparece como propietario (derecho real) la entidad de crédito, que a efectos internos no es sino el titular de un derecho de crédito (Fernández-Armesto y De Carlos, Cabanillas).

4649 **3. Tiempo** (LIS art.106.2). El tiempo también es **libre**. Sin embargo, la legislación fiscal española establece unas **limitaciones** que son de necesaria observancia para la obtención de los beneficios fiscales deseados.
Así, en el arrendamiento **financiero mobiliario** (nº 4610) el período mínimo de duración es de dos años, y en el **inmobiliario** de diez. No obstante, para evitar prácticas abusivas, se pueden establecer otros **plazos mínimos** de duración de los mismos en función de las características de los distintos bienes que puedan constituir su objeto (ver nº 6760 s. Memento Fiscal 2024).

4651 **Elementos formales** Se distinguen dos planos:

4653 **a)** El plano de la **forma del negocio jurídico** (punto de vista jurídico-privado). Rigen las disposiciones generales en materia de forma contractual. Por tanto, es un contrato **consensual** y **no formal**, con la **excepción** del arrendamiento financiero inmobiliario que vaya a inscribirse en el Registro de la Propiedad, el cual ha de elevarse a escritura pública en el momento en que se ejercite la opción de compra final.
En esta materia se ha dividido la doctrina:
1. Para cierto sector el **arrendamiento financiero inmobiliario** ha de inscribirse en el **Registro de la Propiedad** en el mismo momento de su perfección. Así, el arrendatario quedaría protegido registralmente en el ejercicio de la opción de compra frente a terceros a quienes pudiera haber sido intentada la transmisión del inmueble por parte de la entidad financiera (incluso en casos excepcionales como el de concurso de acreedores).
2. Para otros tratadistas **no es necesaria la inscripción** más que en el momento final del ejercicio de la opción de compra, sin que la falta de inscripción en el momento inicial implique la ruptura del principio de tracto (DGRN Resol 12-5-94; 21-6-94). Es suficiente que se produzca la **conexión directa** de la adquisición por el arrendatario con la inscripción del dominio del titular registral, que es la entidad de crédito. No es necesario, pues, pasar por el estadio intermedio que supone la previa inscripción del contrato de arrendamiento financiero en el momento de su celebración. Esta postura admite la existencia de **riesgos derivados de la falta de inscripción** (pues el usuario carece de un derecho real eficaz frente a terceros). Sin embargo el riesgo desaparece a la vista de la legislación especial de carácter público reguladora de la disciplina financiera de entidades de crédito y establecimientos financieros de crédito, que permite asegurar un cierto grado de tranquilidad financiera y con ello la elusión del riesgo de situaciones de insolvencia.

4655 **b)** El plano de la forma **por razones de transparencia y fiscalidad** (punto de vista jurídico-público).
Respecto a ello:
1. Las **normas de transparencia bancaria** son también aplicables y con el mismo régimen de eficacia. Esto es, en caso de incumplimiento del deber de contenido contractual, del deber de entrega de un ejemplar contractual o del deber de publicidad de las condiciones económicas, estaríamos ante una infracción de disciplina bancaria que acarrearía la correspondiente sanción.
2. Además, las **normas fiscales** exigen la constancia en el documento contractual de una serie de cuestiones tales como el plazo, la cuantía de las cuotas, el desglose de estas en recuperación del coste del bien y pago de intereses, etc.
Por tanto, cualquiera que sea el motivo, el contrato de arrendamiento financiero siempre consta **por escrito**. Si es mobiliario, en póliza intervenida por fedatario público y, si es inmobiliario, en escritura pública.

Registro de Venta a Plazos de Bienes Muebles (L 28/1998 art.15 y disp.adic.1ª núm 1) Los contratos de arrendamiento financiero pueden ser inscritos en una el Registro de Venta a Plazos de Bienes Muebles, a cargo de los registradores de la propiedad y mercantiles. 4657
Se trata de una inscripción **voluntaria**, por lo que no es requisito para la validez y eficacia del contrato (TS 23-7-15, EDJ 153875).
La inscripción, en una sección especial del Registro (nº 534), se practica sin necesidad de que conste en los contratos nota administrativa sobre su **situación fiscal**.
El **arrendamiento financiero inmobiliario** posee un plus de seguridad a través de su inscripción en el Registro de la Propiedad.

Precisiones Este Registro de Venta a Plazos de Bienes Muebles está en la actualidad configurado como una **sección especial del Registro de la propiedad mobiliaria**. Este último ha sido creado por RD 1828/1999, por el que se aprueba el Reglamento del Registro de Condiciones Generales de la Contratación.

C. Obligaciones de la entidad de crédito

Dada la duplicidad de fuentes (privadas y públicas) debemos diferenciar también dos planos obligacionales. 4660

Nacidas del contrato Se incluyen: 4662
1. **Entregar el bien de equipo.** En la vida real la entidad de crédito no llega nunca a poseer físicamente el bien que adquiere, porque el proveedor del mismo se lo entrega directamente al usuario. Nos cuestionamos cómo, entonces, resulta ser dueña si, aunque haya título (la compraventa al proveedor), no hay modo (la entrega de la posesión). Para evitar este posible defecto técnico-jurídico, en el clausulado contractual se redacta una **estipulación** que afirma que el usuario ha recibido físicamente el bien de equipo bajo **dos títulos legitimadores**: primero, como representante de su verdadero propietario, que es la entidad de crédito; y, segundo, como usuario del bien, según el contrato de arrendamiento celebrado.

Precisiones **1)** Resulta muy discutible cargar al cesionario con los **riesgos de la entrega** del bien o de una **entrega irregular** (Vara de Paz).
2) Solamente cuando el usuario recibe el bien de equipo (firmando el correspondiente certificado de entrega) nace la obligación de **pago de las cuotas periódicas** (AP Barcelona 5-7-86).
3) Entre las obligaciones del arrendador se encuentra comprendida la entrega de la documentación legalizadora de su explotación. Por tanto, la falta de entrega jurídica del objeto contractual, al faltar la **entrega de los títulos de pertenencia del bien** arrendado, privando al usuario del normal uso del objeto al resultar imposible su matriculación, supone la declaración de nulidad del contrato (TS 25-1-01, EDJ 437).
4) La **diferencia** entre la celebración de un contrato de **arrendamiento financiero y** una **compraventa a plazos** (se alegaba por la recurrente la simulación del arrendamiento encubriendo una compraventa a plazos), radica en el **valor residual del bien**, pues su importe tiene en cuenta la naturaleza perecedera y susceptible de rápido deterioro que sufre el bien -equipo informático en este caso- (TS 23-12-01, EDJ 49716).

2. **Ceder el uso pacífico del bien de equipo**. Ha de ser una posesión activa, en el sentido de que el bien de equipo se utiliza para satisfacer las necesidades de la explotación concreta de titularidad del cliente bancario. 4664
3. **Ceder las acciones del propietario contra el proveedor del bien**. Tal cesión es obligatoria consecuencia de la cesión contractual de los riesgos derivados de los **vicios ocultos**. Se ha dicho en tal sentido que si la entidad de crédito incluye en la póliza contractual una cláusula por la cual queda exonerada de la responsabilidad de todo arrendador en materia de vicios de la cosa (pues él es el propietario), tal cláusula sería abusiva si no fuera acompañada de la posibilidad de ejercitar acciones contra el proveedor. Y como esas acciones son también del propietario, ha de cedérselas al usuario.

Precisiones **1)** El cliente bancario puede, incluso, solicitar la **resolución de la compraventa** perfeccionada entre entidad de crédito y proveedor (TS 26-6-89, EDJ 6468).
2) De igual forma, tiene **legitimación activa** para reclamar la resolución no solamente de la primera compraventa (entidad de crédito-proveedor), sino el mismo contrato de arrendamiento de crédito si los bienes cuyo uso se adquiere son totalmente inhábiles e inservibles para el fin para el que se inició la relación contractual (TS 26-2-96, 24-5-99).

Emanadas de las normas de transparencia y fiscales Quedan aquí subsumidas todas las emanadas de la L 2/2011 art.29 y de la BE Circ 5/2012. Actualmente, la obligación de transparencia se lleva a cabo por el **Servicio de Reclamaciones del Banco de España** (OM EHA/2899/2011). 4666

De otra parte, se han de observar los requisitos tributarios si se quieren conservar las **ventajas tributarias** recogidas en la LIS art.106 sobre la deducibilidad fiscal de las cuotas del arrendamiento y la carga financiera (ver nº 6760 s. Memento Fiscal 2024).

D. Obligaciones del usuario

4670 Se enumeran las siguientes:
1. **Recibir el bien**. En caso contrario incurre en **mora**, produciéndose los efectos ordinarios de la morosidad en un contrato sinalagmático (nº 4584).
2. **Usar diligentemente el bien**. Lo cual implica no solamente un deber general de actuación protectora de los intereses del propietario, sino una especial obligación de afectación de la cosa a las necesidades de la explotación de su negocio.
3. **Permitir la inspección**. La entidad de crédito queda facultada para inspeccionar el estado del bien de equipo, en ejercicio de su potestad dominical de protección preventiva.
4. **Pagar las cuotas periódicas pactadas**. El financiador asume las consecuencias del incumplimiento por el usuario de la obligación de pagar las cuotas. La propiedad del bien constituye su garantía. Puede utilizar su derecho de propiedad para garantizar el reembolso del crédito concedido.
Se suele pactar la facultad de la entidad de crédito de **resolver anticipadamente el contrato** ante el impago de una de las cuotas. La entidad de crédito queda facultada para recuperar el bien y exigir la penalización pactada.
Es práctica habitual acordar que la entidad de crédito, en caso de **incumplimiento del cliente**, pueda exigir, en concepto de reparación de daños y perjuicios, el pago anticipado de las cuotas pendientes.
El **reembolso parcial del crédito** justifica que, por haber sido cumplida en parte la obligación principal, los tribunales puedan llegar a moderar la obligación del cliente derivada de esta cláusula penal. Este poder de moderación no puede ser excluido por voluntad de las partes expresada en el contrato. Debe reputarse no escrita toda cláusula en este sentido.
5. **Pagar la prima del seguro**. Es también habitual que se concierte un seguro de cosas vinculado y cuya finalidad sea cubrir el riesgo que pueda recaer sobre el bien objeto del contrato. De ser así, hay que observar que el pago de la prima nacería directamente del contrato de seguro celebrado (si bien indirectamente del de arrendamiento financiero de que aquél trae causa).

Precisiones Se ha declarado la validez de una cláusula de **sumisión expresa** inserta en un contrato de leasing, inmediatamente antes de la firma de los contratantes (TS 29-1-97, EDJ 320).

E. Procedimiento para recuperar el bien en caso de incumplimiento

(L 28/1998 disp.adic.1ª)

4675 El arrendador financiero puede exigir el cumplimiento de las obligaciones derivadas de los contratos de arrendamiento financiero a que se refiere el nº 4660 s., mediante el **ejercicio de las acciones** que correspondan en procesos de declaración ordinarios, en el proceso monitorio o en el proceso de ejecución, conforme a la LEC.
Unicamente constituyen título suficiente para fundar la **acción ejecutiva** sobre el patrimonio del deudor los contratos de arrendamiento financiero que consten en alguno de los documentos a que se refieren la LEC art.517.2, aptdos 4º y 5º, que son:
- las escrituras públicas, con tal que sea primera copia; o si es segunda que esté dada en virtud de mandamiento judicial y con citación de la persona a quien deba perjudicar, o de su causante, o que se expida con la conformidad de todas las partes;
- las pólizas de contratos mercantiles firmadas por las partes y por corredor de comercio colegiado que las intervenga, con tal que se acompañe certificación en la que dicho corredor acredite la conformidad de la póliza con los asientos de su libro registro y la fecha de éstos.

Precisiones 1) El ejercicio de una demanda de **tercería de dominio** sobre un bien con la finalidad de dejar sin efecto el embargo sobre el mismo, requiere para su prosperabilidad que el tercerista pruebe que es el dueño del bien embargado. Tal acreditación no se da en este caso, pero no porque el contrato deba calificarse de venta a plazos y no de arrendamiento financiero por la escasa entidad de la cantidad fijada para ejercitar la opción de compra (circunstancia que no sería suficiente para cambiar la calificación del contrato), sino porque la arrendadora financiera no puede actuar **en contra de sus propios actos**. El hecho de haber embargado los bienes objeto del arrendamiento financiero en el procedimiento ejecutivo contra el arrendatario (aun con la salvedad de que no se reclamaba la cuota residual para evitar la transmisión de la propiedad de los bienes al arrendatario), determina la titularidad dominical del arrendatario, pues solo pueden embargarse los bienes pertenecientes al ejecutado (TS 7-11-02, EDJ 46504).

2) Se estima una tercería de dominio interpuesta por el arrendador financiero ante el embargo por un tercero del bien objeto del contrato. Existe un contrato de leasing y, por consiguiente, se estima la tercería frente a la alegación de la **simulación de una compraventa** basada en el escaso valor residual pactado para el ejercicio de la opción de compra (TS 12-3-03, EDJ 4245).

Resolución del contrato por incumplimiento En caso de incumplimiento de un contrato de arrendamiento financiero otorgado con las debidas formalidades legales (LEC art.517.2, aptdos 4º y 5º) o inscrito en el Registro de Venta a Plazos de Bienes Muebles (nº 530) y formalizado en el modelo oficial establecido al efecto, el arrendador puede declarar resuelto el contrato y exigir la **recuperación del bien** cedido en arrendamiento financiero (TS 19-5-06, EDJ 80789; 1-3-07, EDJ 10510), conforme al procedimiento que a continuación se expone. **4677**

Procedimiento para recuperar el bien (L 28/1998 disp.adic.1ª.3) Se deciden en **juicio verbal** las demandas que pretendan que el tribunal resuelva, con carácter sumario, sobre el incumplimiento de un contrato de arrendamiento financiero o contrato de venta a plazos con reserva de dominio, siempre que, en ambos casos, estén inscritos en el Registro de Venta a Plazos de Bienes Muebles (nº 530) y formalizados en modelo oficial establecido al efecto, mediante el ejercicio de una acción exclusivamente encaminada a obtener la inmediata entrega del bien al arrendador financiero o al vendedor o financiador en el lugar indicado en el contrato, previa declaración de resolución de éste, en su caso (LEC art.250.1.11). **4679**

Este procedimiento está sujeto a los siguientes **trámites**:

a) El arrendador, a través de **fedatario público** competente para actuar en el lugar donde se hallen los bienes, donde haya de realizarse el pago o en el lugar donde se encuentre el domicilio del deudor, hace un **requerimiento de pago** al arrendatario financiero, expresando la cantidad total reclamada y la causa del vencimiento de la obligación. Asimismo, se apercibe al arrendatario de que, en el supuesto de no atender el pago de la obligación, se procede a la **recuperación de los bienes**.

b) El **arrendatario**, dentro de los tres días hábiles siguientes a aquél en que sea requerido, debe pagar la cantidad exigida o entregar la posesión de los bienes al arrendador financiero o a la persona que éste hubiera designado en el requerimiento.

c) Si el **deudor no paga** la cantidad exigida ni entrega los bienes al arrendador financiero, éste puede instar, ante el juez competente y por los cauces del juicio verbal (LEC art.250.1.11), la inmediata recuperación de los bienes cedidos en arrendamiento financiero.

d) El juez ordena la **inmediata entrega del bien** al arrendador financiero en el lugar indicado en el contrato. Todo ello, sin perjuicio del derecho de las partes a plantear otras pretensiones relativas al contrato de arrendamiento financiero en el proceso declarativo que corresponda.

La **interposición de recurso** contra la resolución judicial no suspende, en ningún caso, la recuperación y entrega del bien.

Precisiones Para resolver el conflicto entre la **preferencia de créditos** entre póliza de arrendamiento financiero y póliza de préstamo habrá que estar a las fechas de las pólizas, pues en el leasing la exigibilidad del precio surge desde el momento mismo de la firma, aunque se establezcan cuotas periódicas de amortización (TS 17-6-03, EDJ 35084).

Requerimientos y notificaciones Se efectúan en el **domicilio** del arrendatario financiero fijado en el contrato inicial. Dicho domicilio puede ser **modificado ulteriormente** siempre que de ello se dé conocimiento al arrendador y se haga constar en el Registro de Venta a Plazos de Bienes Muebles (nº 530). **4681**

F. Extinción del contrato

El contrato de arrendamiento financiero normalmente se extingue, en la fecha de **vencimiento** pactado, mediante el **ejercicio de la opción de compra** por parte del usuario, lo que le obliga al pago del valor residual y, verificado éste, le convierte en propietario del bien de equipo. **4685**

Si el usuario excepcionalmente **no ejercita la opción**, puede suceder:

- que se prorrogue el contrato por el período que las partes pacten;
- que el cesionario devuelva a la entidad de crédito la posesión del bien. Ésta puede, a su vez, enajenarlo, o volver a cederlo en arrendamiento financiero (L 10/2014 disp.adic.3ª).

La doctrina destaca el estudio de las **consecuencias del impago** por el usuario de alguno de los plazos, pues tal es una hipótesis frecuente en la práctica bancaria, y que se somete a condiciones generales cuya redacción ha sido calificada como abusiva por numerosos tratadistas (Vives Martínez).

Genéricamente son dos los **tipos de condición general** utilizados:
1) Condición general por la cual el usuario carga con todos los **riesgos de la cosa**, incluso en los supuestos de fuerza mayor y caso fortuito. Por tanto, en tales situaciones el **impago** por el usuario legitima a la entidad de crédito para reclamar contra él.
La única posibilidad de legitimar esta cláusula (pues en otro caso sería abusiva) es la formalización de un **seguro de los bienes** cuyo beneficiario sea la entidad de crédito, lo cual permitiría la inmediata reposición, evitando el desequilibrio prestacional existente en la situación siguiente: el usuario está obligado a pagar por usar nada.
2) Condición general por la cual el usuario que impaga (estando el bien de equipo en perfecto estado de utilización) alguna de las cuotas periódicas pactadas se somete a la regla de la **resolución contractual**, con **pago de cláusula penal**. Las cláusulas generales ordinariamente insertan este tipo de condición por medio de la cual el arrendador, ante el incumplimiento del arrendatario, y especialmente en caso de impago de algún plazo, puede optar entre solicitar la resolución del contrato (perdiendo el arrendatario los plazos ya pagados), o bien exigirle el pago de la totalidad de los plazos pendientes.

Precisiones Ante esta situación contractual, la postura de la doctrina es la siguiente:
1) Que se trata de una **cláusula penal**, lo cual permite y exige la entrada de la atenuación de la pena por el juez cuando la obligación principal haya sido en parte o irregularmente cumplida por el deudor (CC art.1154) (AT Granada 5-12-84; TS 10-12-82; 5-10-83). La **facultad moderadora** atribuida por la Ley a los tribunales puede emplearse para moderar o descartar la aplicación de la cláusula penal en aras al mantenimiento del equilibrio contractual (TS 28-3-03, EDJ 6513; AP Pontevedra 19-4-12, EDJ 84962; AP Madrid 6-9-12).
2) Que, de ser **demasiado gravosa**, puede llegar a calificarse de abusiva. Tienen tal consideración aquellas estipulaciones que, para el caso de impago de alguna cuota, legitimen la reclamación de, no solo una fuerte sanción económica (p.e, el 50% de las cuotas pendientes), sino, además, la **devolución inmediata de la posesión** del bien de equipo (TS 2-12-98, EDJ 27983).
3) El contrato de arrendamiento financiero queda resuelto por **incumplimiento de la sociedad arrendadora** debido a la falta de aseguramiento del bien a que venía obligada contractualmente, sin que sea necesario demandar a quién no fue parte en él. En lo que se refiere al **litisconsorcio pasivo necesario**, la doctrina exige llamar a juicio a todas las personas que puedan estar directamente afectadas por la resolución que se dicte, si bien es cierto, como en el caso de autos, que si no se trata de la misma relación jurídico material sobre la que se produce la declaración, los efectos hacia un tercero se producen por **simple conexión**, por lo que su intervención en el litigio no es necesaria (TS 22-1-04, EDJ 858).

4687 **Especialidades en caso de concurso de acreedores** Se considera que el contrato de arrendamiento financiero o leasing no es un contrato de tracto sucesivo para ambas partes cuando la sociedad de leasing satisface íntegramente su prestación con la adquisición y entrega del bien al usuario; y, por ese motivo, al no existir obligaciones recíprocas pendientes de cumplimiento al tiempo de declararse el concurso del arrendatario del bien (usuario), procede calificar a los créditos del arrendador (sociedad de leasing), tanto anteriores como posteriores a la declaración de concurso, como **créditos concursales con privilegio especial**, por lo que los créditos posteriores al concurso no son créditos contra la masa, y ello aunque la sociedad de leasing esté obligada a permitir el goce pacífico de la cosa arrendada por parte del arrendatario concursado (TS 11-2-14, EDJ 21205; 24-3-14, EDJ 42768; 2-9-14, EDJ 179967; 12-11-14, EDJ 204305).
En todo caso, para saber si la relación jurídica nacida del contrato de leasing sigue funcionando como sinalagmática después de declarado el concurso, habrá que atender a las cláusulas válidamente convenidas, en cada caso, por los contratantes (TS 5-9-13, EDJ 196346; 2-11-16, EDJ 196184, entre otras).
Por otra parte, el crédito podría calificarse como **subordinado** si el juez constata, previo informe de la administración concursal, que la sociedad de leasing acreedora obstaculiza de forma reiterada el cumplimiento del contrato en perjuicio del interés del concurso.

Precisiones En caso de concurso de la sociedad de leasing, resulta aplicable la disciplina concursal de las entidades financieras, en tanto que son **establecimientos financieros de crédito** (RD 309/2020 art.4 con relación a las actividades previstas en la L 5/2015 art.6; LCon art.578; L 6/2005).

4689 Puede **resolverse** el contrato de leasing en **interés del concurso**, como mayor satisfacción de los acreedores del concursado. Concurre dicho interés en el supuesto de que el concursado haya cesado en su actividad y no utilice la maquinaria que financiaba con el leasing, o bien cuando la carga financiera sea inasumible. En ese caso de resolución del contrato:
- surge la obligación de restituir el bien objeto del contrato;
- se han de satisfacer las cuotas pendientes como créditos contra la masa; y
- cabe obtener la indemnización de los daños causados con cargo a la masa.

Respecto a la indemnización derivada de una **cláusula penal** prevista en el contrato para casos de resolución por incumplimiento del arrendatario, esta puede ser calificada como crédito **subordinado**, según cumpla una función indemnizatoria o punitiva. Para determinar dicha función, habrá de atenderse a lo pactado por las partes, teniendo en cuenta que, si el contrato arbitra otros mecanismos encaminados a reparar el daño derivado de la resolución, la indemnización constituye de facto una sanción, y debe ser calificada como crédito subordinado -LCon/03 art.92.4- (AP Barcelona 15-5-09, EDJ 219757).

El **privilegio especial** de la sociedad de leasing se extiende: 4691
- tanto sobre la cuota neta, que corresponde a la recuperación del coste del bien por la entidad arrendadora;
- como sobre la cuota bruta, que incluye la carga financiera y los impuestos.

Por consiguiente, tanto el **interés remuneratorio** pactado como el **IVA** gozan también del privilegio especial.
En el caso de que se opte por el **vencimiento anticipado** de las cuotas pendientes para cumplir el contrato y hacer efectiva la transmisión del bien, también gozan de privilegio especial dichas cuotas.
Sin embargo, los **intereses de demora** devengados por las cuotas vencidas e impagadas no forman parte de la cuota, y por lo tanto, además de estar sujetos a la regla del cese en su devengo desde la declaración de concurso, los devengados hasta entonces deben ser clasificados como créditos subordinados (LCon art.281.1.3º).
Las **comisiones** y **gastos** deben calificarse como créditos ordinarios (LCon art.269.3), ya que al no estar incluidas en el concepto de cuota no gozan de privilegio especial, pero tampoco se incardinan en ninguna de las categorías de créditos subordinados.
Cuando los **bienes muebles** objeto del contrato de arrendamiento financiero por su naturaleza y destino, y atendido el objeto social de la concursada, están **afectos a la actividad empresarial** y esta continúa, el interés del concurso faculta y determina que, aunque exista impago de las cuotas de arrendamiento financiero y por tanto causa de resolución, pueda acordarse el cumplimiento del contrato y la desestimación de la acción resolutoria. En tal caso, todo el crédito, tanto el devengado antes de la apertura del procedimiento como el que se devengue después, será contra la masa.

SECCIÓN 3

Arrendamiento empresarial («renting»)

4695

A. Consideraciones generales

En su configuración más habitual, el contrato de arrendamiento empresarial («renting», en terminología anglosajona) puede definirse como el contrato por el que una de las partes, el arrendador empresarial, se obliga a ceder a otra parte (el arrendatario empresarial) el **uso de un bien de utilización empresarial** por tiempo determinado y contra el pago de un precio normalmente expresado en términos de cuota de arrendamiento periódica, pero quedando **a cargo del arrendador** (y éste es el rasgo distintivo fundamental respecto del leasing operativo) las prestaciones (más o menos amplias, según lo pactado) propias del mantenimiento del bien cuyo uso se cede en las condiciones de utilización más perfectas. 4700
Es característica su **utilización** en mercados de bienes de rápida obsolescencia técnica (ordenadores, fotocopias, etc.) y también de los de mantenimiento excesivamente especializado (automóviles).

Precisiones 1) El **modelo** de póliza original de este contrato se adjunta en el nº 13290 (Anexos).
2) Las características y **naturaleza jurídica** de este contrato son las propias del arrendamiento financiero (leasing), ya descritas en nº 4584: contrato atípico, obligacional, no formal, oneroso, bilateral, conmutativo, de tracto sucesivo, y generalmente de adhesión; a las que se unen las especialidades propias de los contratos bancarios.

4702 **Naturaleza jurídica** Queda delimitada por tres notas:
a) Es un contrato **mercantil**, dado que se celebra entre dos comerciantes.
b) Es un contrato **de colaboración**, en el sentido de que se aúnan los esfuerzos de los dos empresarios que entran en relación jurídica, de suerte que para ambos nacen beneficios derivados, directa o indirectamente, de la contraprestación del otro.
c) Es un arrendamiento puro de cosas, y, en tal sentido, siendo el leasing operativo también un **arrendamiento de cosa**, ambas figuras presentan indudables semejanzas (nº 5175 s.).

4704 **Normativa aplicable** En materia de fuentes, diferenciamos dos ámbitos normativos:
1. **Fuentes jurídico-privadas**.
a) Voluntad privada de las partes, sin perjuicio del control sobre las condiciones generales estudiado en sede general de contratos bancarios (nº 7894).
b) CCom: Normas generales de la contratación.
c) CC: Por remisión expresa del propio CCom art.50, son de aplicación las normas propias del arrendamiento de cosas (CC art.1542 s.), y además sus normas generales de la contratación, en cuanto sean compatibles con la naturaleza del contrato.
d) LCGC.
e) Ley del Euro (L 46/1998).
2. **Fuentes jurídico-públicas**.
a) **Disciplina del mercado. Normas de transparencia**.
- RD 309/2020 art.4 con referencia a las actividades previstas en la L 5/2015 art.6, que integran a las sociedades de leasing en el concepto de establecimientos financieros de crédito.
b) **Legislación fiscal**.
- LIS art.106, donde se establece el tratamiento fiscal de este contrato (ver nº 6760 s. Memento Fiscal 2024).
c) **Ordenación del mercado en general**.
- LGP.
- LDC.
- LCD.

4706 **Distinción con figuras afines** En la sección anterior hemos diferenciado entre leasing financiero y leasing operativo (nº 4600 s.):
- El **leasing financiero** es el existente en el ámbito bancario de forma ordinaria. En él actúa como entidad financiadora una entidad de crédito o un establecimiento financiero de crédito especializado en este mercado.
- El **leasing operativo**, mucho menos frecuente en el ámbito bancario español, se caracteriza, frente al financiero, en que no existe la figura de la entidad de crédito, sino que el fabricante del bien de equipo directamente cede el uso a su cliente, el cual lo adquiere contra el pago del canon periódico pactado.
El leasing operativo es el origen del contrato de arrendamiento empresarial.

4708 En el ordenamiento jurídico español, la diferenciación entre leasing financiero, leasing operativo y arrendamiento empresarial (renting) esta desdibujada, de suerte que el dato de la **prestación de mantenimiento** propio de esta última figura contractual no tiene otra base que la expresión actividades complementarias (L 3/1994 disp.adic.1ª, derogada y sustituida por L 5/2015 art.6).

4710 **Ventajas e inconvenientes del renting** Desde un punto de vista puramente económico destacamos:
a) **Ventajas**.
• **Mejor precio**. Dado que la compañía de renting puede adquirir los **vehículos** en cantidades importantes, es capaz de conseguir, por economía de escalas, los precios más ventajosos que puede trasladar al arrendatario, con el correspondiente ahorro para éste.
• **Financiación**. Cuando se adquiere un vehículo, el comprador debe hacer frente al coste de la financiación o, en su caso, a asumir el coste de oportunidad por el valor total del mismo. En cambio, en el caso del renting, el **coste** de esa financiación se aplica con exclusividad sobre la depreciación o uso del mismo.
• **Optimización de la gestión de la liquidez**. Cuando se trata de una **flota propia**, los costes ocasionan que su mantenimiento, reparaciones, etc., sean de tipo variable; es decir, se deben atender cuando se producen. En cambio, con la aplicación de esta modalidad la cuota se convierte en un coste fijo. Esta característica proporciona un mayor control para la planificación de los pagos.
• **Apoyo logístico de la gestión**. Cuando se trata de la flota propia, el comprador debe estar pendiente y atender el cumplimiento y vencimiento de las obligaciones accesorias a esa titularidad, como por ejemplo el pago de impuestos, prima de seguros, compra y venta del

vehículo, etc. En el caso del contrato de renting todas esas funciones las asume la compañía de renting.
• **Efectos económicos y financieros**. El hecho de tratarse de un arrendamiento supone para el usuario un coste que se refleja en la **cuenta de explotación**. En cambio, no figura en el balance, con lo que al no reflejarse en el pasivo la deuda, se mejora la gestión financiera, dado que los ratios de endeudamiento mejoran si se comparan con la existencia de un crédito.
• **Mejora de la imagen corporativa**. La utilización racional del renting proporciona a la empresa la renovación constante y permanente de su flota, lo cual es un incremento de su **prestigio** ante sus clientes y proveedores.
b) **Inconvenientes**.
• Al tratarse de un arrendamiento, el renting no supone la propiedad del bien objeto del contrato.
• Dado que, por lo general, no se contempla **opción de compra**, el vehículo no puede llegar a ser propiedad del arrendatario.
• En el contrato de renting se fija un límite de tiempo, así como un **número de kilómetros** máximo a realizar. La superación de estos límites puede suponer un coste adicional.
• Si bien el contrato ofrece la posibilidad de **cancelación anticipada**, esta opción supone al arrendatario una penalización equivalente al 50% de las cuotas pendientes de liquidar.
• El cliente solo puede acudir a **talleres** y **servicios oficiales**, por lo que debe renunciar a su taller habitual.
• A pesar de que se está ampliando con rapidez la oferta, algunas empresas de renting ofrecen un **catálogo limitado** de modelos y tipos de vehículos.
• A la firma del contrato el arrendatario debe abonar una **fianza**, equivalente normalmente a dos cuotas, en concepto de garantía sobre posibles daños.

B. Elementos

La estructura del contrato se compone de elementos subjetivos, objetivos y formales. **4715**

Sujetos intervinientes Son los propios de cualquier arrendamiento, esto es, arrendador y **4717**
arrendatario:
a) El **arrendador** empresarial es, por su propia naturaleza, un empresario, pero no tiene por qué ser una entidad de crédito (o establecimiento financiero de crédito).
En cualquier caso (lo sea o no), no es necesario que sea propietario del bien cuyo uso se cede, pues lo que cede no es la propiedad, sino la **utilización del bien**.
b) El **arrendatario** empresarial ha de ser comerciante y destinar el uso del bien a necesidades de su tráfico. No siendo consumidor, no le resulta de aplicación la LGDCU.
El **usuario** (arrendatario empresarial) satisface una **cuota de arrendamiento** superior a la que pagaría si hubiera adquirido el uso del mismo bien mediante un contrato de leasing financiero, pero simplifica profundamente el mantenimiento del bien de equipo, que corre a cargo del arrendador en las condiciones pactadas. Cabe, incluso, la posibilidad de que el arrendador quede obligado a, en determinadas condiciones, entregar a su cliente un **bien de equipo** que sustituya al inicial mientras dure la reparación de este.

Objeto El bien objeto de este contrato es de carácter **mueble**, y de utilización industrial o **4719**
comercial.
Cabe la posibilidad de arrendar inmuebles, pues nada se dice en contra. Se trata, no obstante, de un supuesto más bien teórico que real.
También puede cederse el uso de modelos de utilidad, marcas, rótulos de establecimiento, propiedad intelectual, etc.

Precio Como en todo arrendamiento, es elemento esencial del contrato. **4721**
Ahora bien, al contrario de lo que ocurre en el contrato de arrendamiento financiero, en el arrendamiento empresarial **no** hay **precio financiero**. No hay interés, ni causa (en sentido técnico-jurídico) de financiación.
En el **arrendamiento financiero** (leasing) se retribuye no solamente la cesión del uso del bien, sino también la financiación de su futura adquisición cuando se ejercite la opción de compra. De ahí que se limite legalmente el plazo mínimo de duración.

Por el contrario, en el **arrendamiento empresarial** (renting) lo que se retribuye es la cesión del uso y, además, el servicio de mantenimiento. Pero no se pagan intereses porque no se está financiando adquisición definitiva alguna. Esto no es incompatible con el pacto de una posible opción de compra. Ahora bien, mientras en el arrendamiento financiero la opción de compra tiene un valor aproximadamente equivalente al de una de las cuotas periódicas (el valor residual), no ocurre lo mismo en el arrendamiento empresarial, en el que el **valor de la opción de compra** es el precio ordinario de mercado en el momento de su ejercicio.

4723 **Elementos formales** Rigen las normas generales de libertad de pactos (nº 175).
Solamente cuando el arrendador sea **entidad de crédito** o **establecimiento financiero** de crédito son de aplicación las normas de transparencia crediticia (ver nº 4655).

C. Derechos y obligaciones

(CC art.1553 a 1555)

4730 Tanto el arrendador como el arrendatario empresarial vienen obligados al cumplimiento de:
1. Obligaciones del arrendador empresarial. Se sintetizan en las siguientes:
a) **Entrega de la cosa**. En función del tipo de bien cuyo uso se cede, es necesario, o no, cumplir determinadas prestaciones accesorias.
b) **Mantenimiento**. Es esta la obligación característica del contrato (AP Madrid 12-5-10, EDJ 118173; 11-2-13, EDJ 40195). Los **pactos**, en este orden de cosas, suelen exceder de las obligaciones ordinarias de todo arrendador, pues esta prestación de mantenimiento, y las accesorias que de ella se derivan, es el estímulo comercial de las empresas especializadas del sector.
Suele, por tanto, pactarse el **deber de reposición**. Consiste éste en que, si la reparación o el mantenimiento superan determinado número de horas o de días, el arrendador mercantil queda obligado a entregar un bien de equipo de idénticas condiciones a su contraparte.
c) Garantía del **goce pacífico**. Con abstracción de las normas ordinarias del CC, es necesario pactar con precisión las obligaciones y derechos de ambas partes para el caso de perturbación (sea ésta física o jurídica).
d) **Saneamiento**. Se aplican las normas generales (ver nº 1105).
2. Obligaciones del arrendatario empresarial. El arrendatario asume los siguientes deberes:
a) Pagar el precio del arriendo.
b) Usar diligentemente el bien arrendado.
c) En su caso, pagar los gastos de la escritura del contrato.

D. Extinción del contrato

4735 Se aplican las **reglas generales** de extinción del contrato de arrendamiento de cosas (ver nº 5201).
Cabe la resolución del contrato en **interés del concurso** en caso de insolvencia del usuario. En cuanto a los **efectos** de esta resolución, las cuotas del arrendamiento posteriores a la declaración de concurso constituyen un crédito contra la masa (LCon art.242.8º y 165). Entender lo contrario significaría que, además de la resolución del contrato, a la parte *in bonis* (el arrendador) se le impone la **conversión en créditos concursales de las cuotas pendientes** a cargo del concursado que, de no mediar la resolución y seguir vigente el contrato, serían, sin duda, créditos contra la masa (AP Barcelona 9-9-10, EDJ 236251).
La **cláusula de resolución automática** de los contratos de *renting* como consecuencia de la declaración de concurso se tiene por no puesta (JM Barcelona núm 3, 21-7-08).

SECCIÓN 4

Facturación y/o gestión de cobro («factoring»)

 4740

A. Consideraciones generales

 4745

Se **define** como un contrato por el cual un empresario transmite (en el sentido puramente económico) los créditos comerciales que ostenta frente a su clientela a otro empresario especializado (la sociedad de factoring), que se compromete a cambio a prestar una serie de servicios respecto de los mismos. 4747
El factoring se menciona como una de las posibles operaciones financieras para las que, con los correspondientes requisitos, quedan habilitados los **establecimientos financieros de crédito** (RD 309/2020 art.4 con referencia a las actividades previstas en la L 5/2015 art.6).
No hay concepto legal de este contrato. Tampoco unidad doctrinal a la hora de su definición.
El término puede traducirse como **facturación** y/o **gestión de cobro**.
En realidad, no hay un modelo homogéneo de contrato de factoring. Subyace en todos los que se celebran bajo tal rúbrica contractual la figura de la **cesión de créditos comerciales** que el empresario transmite a su factor para que éste pase a cobrarlos (anticipando o no su importe). Si hubiese **anticipo** existiría contrato de financiación; y, si no, de pura gestión. Sin embargo, la **libertad de pactos** es muy elevada, quizás debido a su falta de tipificación.

El contrato de factoring es calificado por la doctrina como un contrato atípico, mixto y complejo, llamado a cumplir diversas finalidades económicas y jurídicas del empresario por una sociedad especializada, que se integran por diversas funciones, aun cuando alguna de ellas no venga especialmente pactada, y que se resumen: 4749
- en la **función de gestión** por la cual la entidad de factoring se encarga de todas las actividades empresariales que conlleva la función de gestionar el cobro de los créditos cedidos por el empresario, liberando a éste de la carga de medios materiales y humanos que debería arbitrar en orden a obtener el abono de los mismos;
- la **función de garantía**, en este supuesto la entidad factoring asume, además, el riesgo de insolvencia **del deudor cedido**, adoptando una finalidad de carácter asegurativo, y
- la **función de financiación**, que suele ser la parte de los créditos transmitidos, permitiendo la obtención de una liquidez inmediata, que se configura como un anticipo de parte del nominal de cada crédito cedido, aparte de la percepción por la sociedad de factoring de un interés de esta suma.
El factoring ofrece un conjunto de **servicios de naturaleza contable y administrativa**, así como de operaciones financieras y de garantía que permiten a las empresas productoras de bienes o suministradoras de servicios transferir a economías externas (es decir, a la sociedad que realice el factoring), la gestión y cobro de los créditos dimanantes de suministros realizados y eventualmente del riesgo de insolvencia de los deudores, gozando al propio tiempo de financiación y asistencia en diversos sectores (AP Madrid 10-7-96).

Precisiones 1) La **doctrina** conceptúa este tipo de contrato de diversas formas: 4751
• Contrato **atípico, mixto**, con elementos o funciones que corresponden a:
- prestación de servicios o arrendamiento de servicios;
- comisión de cobro;
- asunción de créditos o cesión salvo buen fin; y
- cesión *pro soluto*, en el factoring propio.
• Conjunto prestacional nacido del **encargo de gestión**.
• Complejo de prestaciones nacidas de la **financiación**.
• Se afirma el carácter de **contrato-marco** que se va ejecutando durante el tiempo a medida que el empresario transmitente va experimentando necesidades de gestión de cobro de créditos y/o de

financiación. Se llega, en tal sentido, a rubricar el contrato de factoring como una cesión global anticipada de créditos futuros.
2) La **póliza** original de este contrato se adjunta en el nº 13295 (Anexos).

4753 **Notas características** Se enumeran las siguientes:
a) El factoring es de **naturaleza mercantil**, lo cual es aceptado por la totalidad de la doctrina, pues la misma se apoya tanto en argumentos objetivos (acto de comercio de la entidad de factoring o de una entidad de crédito), como en argumentos subjetivos (presencia de dos comerciantes).
b) En tanto se trata de un **negocio mixto**, se caracteriza por las siguientes notas (que también concurren en el arrendamiento financiero o leasing -nº 4584- y en el arrendamiento empresarial o renting -nº 4700-):
- atípico: la ausencia normativa es debida, probablemente a que, por tratarse de un contrato entre empresarios (del que por su naturaleza están excluidos los consumidores), no ha requerido una atención excesiva por parte de los poderes públicos. No obstante, es de mención especial la L 1/1999 disp.adic.3ª, que conserva su vigencia conforme a lo previsto en la L 25/2005 disp.derog. (nº 4761);
- obligacional (se perfecciona con el mero consentimiento);
- no formal (no requiere forma especial), salvo las excepciones que se mencionan de forma específica (nº 4786);
- oneroso;
- bilateral;
- de tracto sucesivo; y
- generalmente de adhesión, esto es, el prestamista-predisponente presenta al prestatario un formulario contractual preimpreso con escasas posibilidades de modificación. En tal caso, el prestamista consiente adherirse o no adherirse.
c) Por ser un **contrato bancario**, reúne los siguientes rasgos:
- en él rige la mutua confianza; y
- son contratos sometidos al principio de especialización operativa en los términos del nº 7884. Ello sin perjuicio de la duda doctrinal acerca de si es posible el factoring sin presencia de entidad de crédito ni establecimiento financiero de crédito (nº 4753).

4755 **Normativa aplicable** En materia de fuentes, como en todo **contrato bancario**, debemos diferenciar dos ámbitos normativos:

4757 **Fuentes jurídico-privadas** Hay que distinguir entre:
a) **Voluntad privada de las partes**, sin perjuicio del control sobre las condiciones generales estudiado en el capítulo de contratos bancarios (nº 7894).
b) **CCom**:
• Respecto del encargo: referente a los comisionistas (nº 5580 s.).
• Respecto de la financiación: el préstamo mercantil (nº 4455 s.).
• Respecto de la cesión de créditos: transferencias de créditos no endosables.
c) **CC**. Por remisión expresa del propio CCom art.50:
• Respecto del encargo: mandato.
• Respecto de la financiación: préstamo y simple préstamo, así como otros preceptos tales como forma de pago de deudas de dinero, mora del deudor y devengo de intereses vencidos.
• Respecto de la cesión de créditos: transmisión de créditos y demás derechos incorporales.
d) **Normas generales de la contratación,** de ambos códigos, en cuanto sean compatibles con la naturaleza del contrato y en cuanto sean de recibo.
e) LCGC.
f) Ley de 23-7-1908 de **préstamos usurarios** (conocida como Ley Azcárate).
g) L 46/1998, del **Euro**.

4759 **Fuentes jurídico-públicas** Existen dos bloques:
1. **Disciplina del mercado. Normas de transparencia**.
a) RD 309/2020 art.4 con referencia a las actividades previstas en la L 5/2015 art.6, que integran a las entidades de factoring en el concepto de establecimientos financieros de crédito.
b) L 10/2014, de ordenación, supervisión y solvencia de entidades de crédito.
c) Resol 29-10-1982, de la Dirección General de Política Financiera, por la que se regula la información financiera de las empresas de factoring.
2. **Ordenación del mercado en general**.
a) LGP.
b) LDC.
c) LCD.

Normativa sobre el factoring (L 1/1999 disp.adic.3ª) La Ley referenciada tiene por **objeto** regular las Entidades de Capital Riesgo y sus Sociedades Gestoras. 4761

Se aplica a las **cesiones de créditos** que se efectúen al amparo de un contrato de cesión que cumpla las siguientes **condiciones**:

1ª Que el **cedente** sea un empresario y los créditos cedidos procedan de su actividad empresarial.

2ª Que el **cesionario** sea una entidad de crédito o un fondo de titulización.

3ª Que los **créditos** objeto de cesión al amparo del contrato existan ya en la fecha del contrato de cesión, o nazcan de la actividad empresarial que el cedente lleve a cabo en el plazo máximo de un año a contar desde dicha fecha, o que conste en el contrato de cesión la identidad de los futuros deudores.

4ª Que el **cesionario pague al cedente**, al contado o a plazo, el importe de los créditos cedidos con la deducción del coste del servicio prestado.

5ª Que en el caso de que no se pacte que el cesionario responda frente al cedente de la **solvencia del deudor cedido**, se acredite que dicho cesionario ha abonado al cedente, en todo o en parte, el importe del crédito cedido antes de su vencimiento.

Las cesiones de créditos empresariales a que se refiere la presente disposición tendrán **eficacia frente a terceros** desde la fecha de celebración del contrato de cesión a que se refiere el número anterior siempre que se justifique la certeza de la fecha por alguno de los medios establecidos en el CC art.1218 y 1227 o por cualquier otro medio admitido en derecho.

Precisiones Con carácter general, la L 1/1999 reguladora de las Entidades de Capital-Riesgo y de sus sociedades gestoras fue derogada y sustituida por la L 25/2005, a excepción de la disp.adic.3ª sobre las **cesiones de crédito** (factoring) y la disp.adic.4ª, que conservan su **vigencia**.

Concurso de acreedores En caso de concurso del empresario que cede sus créditos (**concurso del cedente**), las cesiones de crédito serán rescindibles de conformidad con lo dispuesto en la LCon art.226 (antes LCon/03 art.71). 4763

Los pagos realizados por el deudor cedido al cesionario **no** estarán sujetos a la **rescisión** prevista en la normativa concursal, en el caso de declaración de **concurso del deudor de los créditos cedidos** (LCon art.230.5º).

Sin embargo, podrá ejercitarse la **acción rescisoria** cuando se hayan efectuado pagos cuyo vencimiento fuera posterior al concurso o cuando quien la ejercite pruebe que el cedente o cesionario conocían el estado de insolvencia del deudor cedido en la fecha de pago por el cesionario al cedente. Dicha **revocación** no afectará al cesionario sino cuando se haya pactado así expresamente.

Las operaciones de cesión de créditos que habitualmente realizan los empresarios en el ámbito de su actividad profesional, a favor de una entidad bancaria, se articulen o no como contrato de factoring, lejos de causar necesariamente un perjuicio patrimonial a la masa en la eventualidad de la declaración de situación concursal del cedente, cumplen ordinariamente una función ventajosa desde el momento en que el empresario obtiene por esta vía una financiación que de otro modo le privaría de los recursos necesarios para su habitual ejercicio. Las razones expuestas han llevado al legislador a conservar la vigencia de la L 1/1999 disp.adic.3ª, tras la reforma concursal (LCon/03 disp.adic.2ª aptdo.2.f -actualmente, LCon art.578.2.4º-), apareciendo como una de las especialidades que escapa al régimen concursal general y se someten a la regulación prevista en cada una de las legislaciones específicas (JM Oviedo 26-6-06, EDJ 93043; JM San Sebastián 4-12-06). El precepto alude a los sistemas de **compensación bancaria**, que por razones de seguridad jurídica y económica han de ser irrevocables, como exige tanto la normativa comunitaria (Dir 98/26/CE) como nacional (L 41/1999), como reitera la LCon/03 disp.adic.2ª2.g -actual LCon art.578.2.4º - (JM Bilbao núm 1, 3-10-07, EDJ 268301).

Precisiones La L 1/1999 disp.adic.3ª, se aplica a las cesiones de créditos que se efectúen al amparo de un **contrato de cesión** que cumpla las condiciones arriba enumeradas y con independencia de que los créditos objeto de cesión al amparo del contrato tengan o no por deudor a una Administración pública.

Operativa práctica La norma ha pretendido abordar las principales cuestiones que preocupan en la operativa práctica a los **operadores** en materia de factoring. Son las siguientes: 4765

a) **Formalidades de la cesión**: el interés de todos los operadores económicos es reducir al mínimo las formalidades legales de la cesión, sin que obviamente ello no afecte a la necesaria seguridad jurídica que deben presidir las relaciones empresariales.

b) **Cesión global de créditos futuros**: se prevé legalmente una cesión individualizada de créditos, lo que no concuerda con el tráfico global y en masa que supone la figura del factoring. Por ello, parece necesario regular no solo la cesión de créditos futuros, sino también aquellas

situaciones en las que esa cesión se hace de forma global y en masa, es decir, afectando a toda la operativa del empresario cedente, y sin determinar la identidad de futuros deudores.
c) **Eficacia de la cesión frente a terceros acreedores del cedente**: uno de los graves problemas que en la práctica se produce con cierta frecuencia es el embargo de los créditos que el cedente (cliente) ha cedido a la sociedad de factoring, por deudas del propio cedente y la puesta en duda (por aquellos terceros) de la eficacia de la cesión de dichos créditos a favor del cesionario.
d) **Eficacia de la cesión frente a terceros acreedores del deudor**: también se producen en la práctica algunos problemas en cuanto a la eficacia de la cesión frente a los acreedores del deudor, especialmente en lo que se refiere a la fecha de la misma, en materia de preferencia en el cobro de los créditos.

4767 **Clasificación** Pueden hacerse las siguientes clasificaciones de esta figura:

4769 **Factoring con o sin recurso** (CCom art.348; CC art.1529) El cedente responde de la legitimidad del crédito y de la personalidad con que hizo la cesión; pero no de la solvencia del deudor, a no mediar pacto expreso que así lo declare.
En base a esta previsión legal se distingue entre:
a) Factoring **sin recurso**: cuando el crédito se cede en condiciones tales que, para caso de insolvencia del deudor cedido, el cesionario no tiene la posibilidad de repetir contra su cedente, pues éste **no responde** de la solvencia del deudor.
b) Factoring **con recurso**: se produce la situación contraria, esto es, cuando el cesionario sí tiene la facultad de ejercitar la **acción de repetición** contra su cedente, por haberse así pactado.
En cuanto a la **eficacia frente a terceros** de la cesión -p.e., frente a un acreedor del empresario cedente, que pretende embargarle un crédito que ha sido cedido- (nº 4761), depende de si existe o no transmisión del riesgo de insolvencia (García Solé), de manera que cuando el cedente:
- no asuma el riesgo de insolvencia del deudor cedido (factoring sin recurso), se haya o no pagado antes del vencimiento el importe del crédito (nº 4795), la cesión afecta a terceros;
- asuma el riesgo de insolvencia (factoring con recurso), es necesario que se produzca un pago total o parcial (un anticipo) antes del vencimiento, pues en caso contrario la cesión no resulta eficaz frente a terceros.

Precisiones **1)** La atribución al cedente del riesgo relativo al cobro del crédito cedido no puede ser determinante de la existencia o no de una auténtica cesión de crédito, habida cuenta que la regla general en nuestro derecho, que responsabiliza de ello al cesionario, puede ser invertida en los **contratos a título oneroso** (AP Castellón 10-5-97).
2) Nada impide a las partes **resolver libremente** sobre tal cuestión en el marco de una relación de **compraventa**, al ser una materia expresamente sometida por nuestros textos legales a la libertad contractual. Y aunque existan inconvenientes para tal articulación contractual derivados del **pago de intereses** por el empresario cedente a la entidad de factoring, por las cantidades anticipadas por ésta, tal sistema retributivo se presenta como una fórmula para asegurar la correcta adecuación del precio satisfecho a la utilidad económica producida por los créditos adquiridos, por ser el mecanismo de los intereses el lógico y natural para dar entrada a la variable temporal en la fijación de un precio (García de Enterría).
3) Cuando la aseguradora limita la aprobación del contrato a la cesión del derecho del asegurado al cobro de las indemnizaciones en relación con los impagos de los créditos cedidos en virtud de un **contrato de descuento**, al tratarse de un factoring sin recurso, la transmisión de los créditos cedidos no se produce mediante operaciones de descuento, sino mediante una **cesión por precio** asimilada a la compraventa (TS 2-2-01, EDJ 1251).
4) La **cesión de créditos** realizada en el marco de un contrato de factoring con recurso y con financiación transmite plenamente su propiedad, por lo que procede la tercería de dominio instada por la sociedad de factoring frente a la embargante. Excepto si la cesión de un determinado crédito se realiza a los exclusivos efectos de su cobro, todas las cesiones de crédito que provienen de un contrato de factoring originan plenos **efectos traslativos** de la titularidad de los créditos cedidos (TS 11-2-03, EDJ 1557).
5) A partir de la **notificación al deudor cedido** de los créditos que el acreedor cedente pueda ostentar contra el mismo, solo producirá el efecto liberatorio de la deuda el pago efectuado al acreedor cesionario. Resulta intrascendente el hecho de que la notificación se efectúe por persona que carezca de autorización para realizarla. Lo importante para que la notificación produzca el efecto perseguido es que el deudor tome conocimiento de la cesión (TS 28-5-04, EDJ 51813).
6) Procede estimar la **tercería de dominio** presentada por una sociedad de factoring frente al embargo por parte de la Agencia Tributaria de los créditos previamente adquiridos en virtud de un contrato de factoring con financiación y con recurso. La **inexistencia del pacto de garantía**, que no es esencial al contrato, no dista para que se haya operado la cesión definitiva de los créditos a favor de la sociedad de factoring (TS 6-10-04, EDJ 143900).

7) En un contrato de factoring sin recurso, el deudor cedido puede **oponer al cesionario** las **excepciones** que derivan de la relación obligatoria con un carácter objetivo, entre las cuales se encuentran las que condicionan el pago de la deuda, como las recogidas en la cláusula de indemnidad objeto del recurso (TS 2-9-15, EDJ 187087, en la que se citan las TS 28-11-12, EDJ 333547; 25-2-13, EDJ 187273).

Cesión individual y cesión global Es posible que el empresario tenga interés en transmitir un solo crédito, pero también puede darse la transmisión de la totalidad de los créditos de que es titular contra uno o varios clientes. **4771**
En este segundo caso, la entidad de factoring realiza un **previo estudio** de la **solvencia** y **situación patrimonial** del deudor cedido, quedando el cedente obligado a facilitar al cesionario la información financiera y de todo tipo que le sea solicitada.

Cesión de crédito presente y de crédito futuro En el caso de **créditos inexistentes** en el momento de celebrar el contrato (nº 4761), se exige que éstos reúnan los siguientes **requisitos**: **4773**
- que nazcan de la actividad empresarial del cedente; y
- que la cesión futura se lleve a cabo en el plazo de un año a contar desde la fecha del contrato, salvo que conste en el contrato la identidad del futuro deudor. En este segundo caso quedaría enervada la premura del mencionado plazo.

Distinción con figuras afines a) El servicio de gestión (nº 4784), esencial al contrato, tiene naturaleza de **comisión mercantil** (nº 5580 s.). Es el núcleo contractual alrededor del cual giran el resto de otros posibles servicios pactados. Si a la gestión se añade la transmisión del crédito, la conclusión es su naturalización como cesión mercantil de créditos. **4775**
b) El servicio de garantía (nº 4784), tiene naturaleza próxima a la de un contrato aleatorio de **aseguramiento de riesgos**.
c) El servicio de financiación (nº 4784) participa de la esencia del **préstamo mercantil** (nº 4455) por cuanto hay en él un anticipo de fondos que obliga a remunerar satisfaciendo el pago de los intereses convenidos (normalmente, éstos son cobrados por anticipado mediante la técnica del descuento).
d) El resto de los servicios prestados (nº 4784) participan de la configuración jurídica del **arrendamiento de servicios** (nº 5175 s.).

B. Elementos

4780

Sujetos intervinientes En la operación de factoring intervienen las siguientes figuras: **4782**
a) **Factor-cesionario**: puede serlo:
- una entidad de crédito; o
- una entidad especializada (entidad de factoring, con naturaleza jurídica de establecimiento financiero de crédito). En efecto, la L 5/2015 art.6 establece que pueden constituirse como establecimientos financieros de crédito aquellas empresas que, sin tener la consideración de entidad de crédito y con previa autorización del Ministro de Economía y Competitividad -actual titular del Ministerio de Economía, Comercio y Empresa; RD 829/2023-, se dediquen con carácter profesional a ejercer actividades de factoring, con o sin recurso, y a las actividades complementarias de esta actividad (tales como la investigación y clasificación de la clientela, contabilización de deudores, y en general, cualquier otra actividad que tienda a favorecer la administración, evaluación, seguridad y financiación de los créditos que le sean cedidos).
b) **Cliente-cedente del factor**: ha de ser necesariamente comerciante.
c) **Deudor cedido**: puede serlo cualquiera, incluso las Administraciones públicas (reforma introducida en la L 1/1999 por la L 30/2007).
Cabe, por tanto, la posibilidad de ceder **créditos contra consumidores**, siempre que el cedente sea empresario. Respecto de tal posibilidad, cuando el cedente de un crédito ceda sus derechos a un tercero, el consumidor tiene derecho a oponer contra el tercero las mismas **excepciones** que le hubieran correspondido contra el acreedor originario, incluida, en su caso, la de compensación.

Precisiones En nuestra opinión, se echa de menos la inclusión explícita de **créditos de profesionales** y personas asimiladas a un concepto amplio de empresario. Sin embargo, se puede afirmar que existe, en este punto, identidad de razón con la normativa sobre el **arrendamiento financiero** (nº 4575 s.), por lo que debe admitirse la celebración de contratos de factoring por parte de todo tipo de personas (físicas o jurídicas) dedicadas a explotaciones agrícolas, pesqueras, industriales, comerciales, artesanales, de servicio o profesionales.

4784 **Objeto** Su estudio depende de las prestaciones pactadas, en función de los distintos **servicios contratados**.

En concreto, los servicios prestados por la entidad de factoring son:

a) De administración o gestión de créditos comerciales. Si se incluyen en el contrato individualmente concertado, la entidad de factoring queda obligada, contra precio, a cumplir el encargo de gestionar el cobro de los créditos transmitidos. El empresario transmitente queda liberado de imputar medios materiales y personales a la realización de tal gestión.

Este servicio es esencial a cualquier modalidad de factoring.

b) De garantía. Como elemento natural del contrato, la sociedad de factoring asume el **riesgo de insolvencia** del deudor cedido. Desde este punto de vista, el contrato de factoring permite canalizar una finalidad de seguridad similar a la del seguro de crédito, por medio de la cual se obtiene cobertura frente a un determinado riesgo (en este caso, el de insolvencia de los deudores cedidos), que es transmitido a un empresario externo especializado en su previsión y administración (la sociedad de factoring) (García de Enterría).

c) Servicio de financiación. La financiación empresarial no solo es servicio esencial al contrato, sino que se erige en la verdadera causa delimitadora del interés de contratar (L 1/1999 disp.adic.3ª).

Por ser el característico de la **práctica bancaria**, se consideran elementos objetivos de la cesión:

- el **crédito cedido**, que puede ser actual o futuro (nº 4773);
- el **precio**, que incluye dos elementos:
• el tipo de interés pactado; y
• el plazo durante el cual se aplicará, que no es otro que el tiempo de aplazamiento en el pago del crédito cedido.

En la práctica, lo habitual es que, en cuanto a este servicio de financiación, sea en la ejecución del contrato cuando, respecto de cada cliente cedido (y previamente aprobados por la entidad de factoring), el empresario cedente del crédito solicite la obtención de anticipos.

d) Otros servicios. Las partes pueden pactar que la entidad de factoring quede obligada a realizar prestaciones conectadas al tráfico mercantil del comerciante: estudios de mercado, informaciones comerciales, selección de clientela, formación de personal, contabilización parcial de ventas, etc.

Precisiones Los servicios prestados por la entidad de factoring pueden reconducirse básicamente a tres categorías distintas que no siempre se presentan en la misma medida y que pueden ser objeto de **combinaciones** diversas **en relación a cada crédito** (AP Madrid 10-7-96, Rec 166/95; 2-10-98).

4786 **Forma del contrato** Debemos diferenciar, de nuevo, los dos planos ordinarios en toda la contratación bancaria:

a) El de la forma **del negocio jurídico** (punto de vista jurídico-privado). En lo que se refiere a la eficacia frente a terceros de las cesiones de créditos empresariales, ha de tenerse en cuenta la fecha de celebración del contrato.

b) El de la forma **por razones de transparencia y fiscalidad** (punto de vista jurídico-público).

Las normas de transparencia bancaria son también aplicables (nº 4759) y con el mismo régimen de eficacia. Esto es, en caso de **incumplimiento** del deber de contenido contractual, del deber de entrega de un ejemplar contractual o del deber de publicidad de las condiciones económicas, estamos ante una infracción de disciplina bancaria que acarrea la correspondiente sanción.

C. Obligaciones del cliente-cedente

4790 Puede hacerse la siguiente enumeración:

a) Transmisión de los créditos. Se pacta que el empresario no es que tenga la facultad, sino la obligación (y, además, normalmente en exclusiva) de ceder los créditos nacidos a consecuencia de su actividad comercial. De aquí se derivan las siguientes **prestaciones**:

- obligación de comunicar a la entidad de factoring los **datos identificativos** de los clientes del empresario cedente (esto es, los datos de los deudores cedidos);
- obligación de trasladar la **posesión de los créditos** (cualquiera que sea el soporte material de los mismos) con la periodicidad pactada;

- obligación de incluir en los contratos celebrados por el empresario cedente con sus clientes una cláusula por la cual éstos queden obligados a **pagar directamente** a la entidad de factoring.

b) Pago de la remuneración. Se liquida mediante la técnica financiera del **cálculo de intereses** (normalmente anticipados) (nº 4747).

c) Deber de información. El cliente cedente debe informar a su contraparte de las posibles vicisitudes de que tenga conocimiento que puedan originar situaciones de **insolvencia** en sus clientes (deudores cedidos).

d) Apoderamiento. Si se trata de **factoring sin recurso** (nº 4769), el cliente cedente debe dar poder a la entidad de factoring cesionaria con suficiente extensión para que ésta pueda legitimarse en el momento del litigio contra el deudor cedido incumplidor.

Precisiones Una de las cuestiones centrales de la cesión de créditos empresariales es la de los efectos temporales de la cesión. Las cesiones de créditos empresariales tienen **eficacia frente a terceros** (p.e., frente a un acreedor del empresario cedente que pretende embargar los créditos cedidos) desde la fecha de celebración del contrato de cesión, siempre que se justifique la certeza de la fecha por alguno de los medios establecidos en el CC art.1218 y 1227 o por cualquier otro medio admitido en derecho (L 1/1999 disp.adic.3ª, aptdo 2). Desde el momento en que el crédito nace, ya nace cedido, por lo que su titularidad se transmite mecánica, individual e inmediatamente al cesionario (la entidad de factoring).

D. Obligaciones del factor-cesionario

Como figura interviniente del contrato, viene obligado a: **4795**

a) **Recibo de los créditos**. Deber éste paralelo al de su contraparte de la tradición de los mismos. En caso de negarse a recibir los créditos caería en **mora,** con los consecuentes efectos indemnizatorios.

b) **Pago del importe del crédito adquirido a su cliente**. Existen tres sistemas:

• **PAP** (*pay as paid*). Se paga en el momento en que se ha cobrado.

• **FMP** (*fixed maturity period*). Se calcula un período medio de maduración de todos los créditos y, en ese momento, se paga el saldo entre el importe de los créditos cedidos y el importe de la remuneración a favor de la entidad de factoring.

• **CCF** (*credit cash factoring*). La entidad de factoring anticipa el importe de los créditos (deducida su comisión) antes de ese vencimiento medio.

c) **Obligación de diligencia en el cobro**. Ello según los usos de comercio o en supuestos de créditos incorporados a letra de cambio.

d) **Asunción del riesgo de la insolvencia**. En función de si se ha pactado o no el regreso del factoring (nº 4769).

e) **Garantías**. En la práctica existen muy diversas, pudiendo clasificarse en:

- preliminares;
- de examen de la contabilidad y documentación del cliente;
- regulación de un fondo de retenciones en garantía (que revela, como en las SGR, una técnica similar a la del seguro); y
- reales sobre bienes inmuebles, muebles, títulos valores.

f) **Otras obligaciones**. Dependen de los servicios complementarios que se hayan concertado.

SECCIÓN 5

Contrato de confirmación («confirming»)

 4800

Consideraciones generales No hay concepto legal. La traducción del término anglosajón se conoce como contrato **confirmativo** o de confirmación. **4802**

En su modalidad más elemental, el contrato origina la **gestión de pagos** realizada por un establecimiento financiero de crédito (normalmente una entidad de factoring). El «confirming» puede considerarse el reverso del «factoring», donde lo que gestiona la entidad de factoring son los cobros de los créditos, y no el pago de las deudas (nº 4740).

El confirming es un contrato a medio camino entre la gestión de pagos y la **posible financiación**.
En función de lo pactado por las partes, su **naturaleza jurídica** puede considerarse como:
- un arrendamiento de servicios; o
- una comisión mercantil.

Si se añade el **pacto de financiación** al empresario ordenante o bien a su proveedor, la naturaleza jurídica del contrato se completa con la incorporación de las notas características del descuento (nº 8905) o de la apertura de crédito en cuenta corriente (nº 8830) o, en su caso, del préstamo bancario (nº 8530).

Precisiones 1) La **póliza original** del contrato mercantil de confirmación se adjunta en el nº 13300 (Anexos).
2) La **marca** Confirming© está registrada por «Santander Factoring y Confirming SA, EFC». Esta compañía ha dado su autorización para la utilización de la marca en esta obra.

4804 **Normativa aplicable** Siendo innominado y **atípico** no hay fuentes especiales, por lo que son de aplicación las propias de la comisión mercantil (nº 5580) -o, en su caso, del arrendamiento de servicios (nº 5175 s.)- y, en su caso, las del préstamo bancario de dinero (nº 8537).
Ello sin perjuicio de la entrada de las normas de **transparencia bancaria** (nº 7870) y de las ordinarias de **disciplina del mercado** (nº 7884), así como de las reglas sobre **condiciones generales** de la contratación (nº 8065 s.).
Las dos partes son **comerciantes**, lo que enerva la aplicación del RDLeg 1/2007, que aprueba el texto refundido de la Ley General para la Defensa de los Consumidores y Usuarios y otras leyes complementarias (LGDCU).

Precisiones La doctrina lo considera un supuesto especial de **contrato de comisión mercantil**, regulado por el CCom art.244 a 280 y, supletoriamente, por CC art.1709 a 1739 (AP Sevilla 2-3-23, EDJ 697959, citando la AP Granada 8-11-21, EDJ 879550 y TS 12-7-12, EDJ 201028).

4806 **Operativa del contrato** Para conocer la relación material que se trata de regular mediante este contrato partimos de que, por medio del mismo, un **cliente bancario** solicita a la entidad de crédito o al establecimiento financiero de crédito (habitualmente una compañía de factoring) la prestación de un **servicio de pago** cuya gestión y liquidación se contrata.
Las **fases** a seguir son las siguientes:
a) Un **empresario** compra mercaderías a sus proveedores.
b) Como **compra a crédito**, queda obligado a pagar los suministros a la fecha del vencimiento convenido.
c) El empresario traslada esa obligación a una **entidad de crédito** o a un establecimiento de crédito (normalmente una compañía especializada en el mercado de factoring, que ha abierto una nueva línea de negocio, que es el confirming). Quiere esto decir que la entidad financiera **gestionará el pago** y pagará a los proveedores de su cliente. Se pagarán las facturas que, a través de una **notificación** formalmente estandarizada, el empresario librado notifica al establecimiento financiero de crédito. Este último confirmará al proveedor del primero que tiene a su disposición los **fondos necesarios** para que su crédito quede satisfecho.
d) Como pacto accesorio, la entidad financiera podrá financiar a dicho proveedor el **adelanto de los pagos** (para él cobros) obteniendo remuneración financiera por el mecanismo técnico del **descuento**.
e) Adicionalmente, si a la **fecha de vencimiento** el empresario que cedió los pagos no tiene disponibilidad en cuenta alguna de pasivo, se puede pactar que la entidad financiera aportará esa disponibilidad abriendo **crédito** a su cliente y, de nuevo, obtendrá remuneración financiera (ahora por el mecanismo técnico del interés). De pactarse así, el **abono** realizado por la entidad financiera no supondrá un simultáneo cargo en la cuenta del cliente ordenante, sino que ese cargo se producirá con posterioridad en el tiempo.

Precisiones El confirming es un servicio financiero de **gestión de pagos a proveedores**. Una vez que la empresa que contrata el servicio con el banco recibe una factura de un proveedor, si está conforme, comunicará a su banco que emita un confirming a su favor al plazo que indique. Cuando la entidad financiera recibe la **orden de su cliente**, emite un aviso y lo hace llegar al proveedor indicando **cantidad y vencimiento para el pago**, actuando como simple gestor del deudor. En dicha comunicación, el banco ofrece la posibilidad al proveedor de anticipar el importe mediante una **operación de descuento**. El confirming, salvo pacto expreso, no garantiza el pago. Si el cliente no tiene fondos al vencimiento, el banco no tiene obligación de pagar las facturas. Sin embargo, si el **proveedor decide anticipar o descontar su importe**, el cobro es irrevocable y sin posibilidad de impago (AP Madrid 3-3-10, EDJ 67622).

Ventajas e inconvenientes del confirming La doctrina pone de manifiesto lo siguiente: 4808
1. **Ventajas**:
a) En el orden de su **relación con su proveedor**, éste alcanza un mayor grado de seguridad en el cobro de sus créditos, incluso con ahorros fiscales, pues no hay que timbrar letra alguna salvo que ése sea deseo expreso del vendedor.
Además, desde el **punto de vista contable**, si bien las remesas descontadas deben permanecer en cuentas de activo realizable hasta que hayan vencido, cuando se perciban las deudas por confirming el tratamiento contable, en caso de hacer uso del anticipo y ser éste irreversible o firme (cuando se ha concedido crédito), el proveedor puede cancelar la cuenta de activo realizable y darlo de alta en tesorería. Esta operación optimiza sustancialmente la gestión financiera, en la medida en que facilita un mayor grado de liquidez, con reducción del riesgo (Santandreu).
b) En su **orden interno**, el encargo de gestión de pago simplifica la administración de sus cuentas a pagar, por cuanto utiliza los servicios de un tercero. La utilidad mayor o menor de este servicio se valora vía precio.
2. **Desventajas**:
a) **Dependencia negocial** de una concreta entidad, o de un número reducido de ellas, con la consiguiente reducción de margen de maniobra y de la posibilidad de aprovecharse de la competencia entre entidades y de las ventajas comparativas que va presentando el mercado.
b) **Dependencia formal** en lo referente a las propias directrices señaladas por la entidad (p.e. soporte documental predeterminado).
c) **Dependencia operativa** de la misma emisión de facturas y control del proceso.
Para el **proveedor**, puede ocurrir que exista una dependencia operativa excesiva respecto de la entidad de factoring (Vázquez García).

Elementos La estructura contractual de esta figura se integra por: 4810
a) **Sujetos intervinientes**. Son:
- el empresario librado;
- su proveedor; y
- la entidad de crédito (o establecimiento financiero de crédito) confirmadora.
b) **Objeto**. Lo constituyen:
- los pagos cuya gestión y liquidación se contrata; y
- el precio del servicio.
c) **Forma**. Se aplican las reglas generales (nº 170 s.), tanto desde el punto de vista privado-contractual como desde la óptica de la ordenación crediticia.
Destaca la figura de la **notificación** a través de la cual el empresario comunica a su contraparte (la entidad confirmadora) la lista de pagos (identificación, importes y vencimientos) que ha de atender ésta.
Se pacta que esa notificación quede ajustada a un **modelo-tipo** que se incorpora al contrato, de suerte que, una vez recibida la misma, la entidad de crédito oferta al proveedor el anticipo (contra descuento) de los pagos confirmados.

Obligaciones de las partes Las obligaciones se generan para ambas partes en los siguientes aspectos: 4812
1. Obligaciones **de la entidad gestora**. Son las propias del encargo recibido:
a) Gestión diligente.
b) Remisión al proveedor de la confirmación de su pago.
c) Abrir, en su caso, **crédito al proveedor** anticipando la fecha de su cobro, contra el correspondiente descuento.
d) Abrir, en su caso, **crédito al cliente** ordenante retrasando la fecha del cargo en cuenta, contra el correspondiente cobro de intereses.
2. Obligaciones **del empresario ordenante**. Son las propias del encargo ordenado:
a) Dar **instrucciones** precisas. En este punto los contratos al uso son detallistas y tratan de precisar al máximo posible el contenido de la notificación a enviar por el empresario ordenante, que normalmente queda obligado a utilizar el **formulario estandarizado** expedido por la entidad financiera, que se lo entrega. Se suele pactar que, de no utilizarse este formulario (o de utilizarse inadecuadamente), la entidad financiera no queda obligada a realizar los pagos objeto del contrato.
b) Si se le abre crédito en el momento del vencimiento de los recibos, **pagar intereses**.
c) Si no se le abre crédito, tener **disponibilidad** en cuantía suficiente. En caso contrario, la entidad de factoring queda liberada de cumplir su prestación de pago, o bien de abrirle cuenta especial, procediendo al cargo de intereses moratorios.

d) Pagar la **remuneración** convenida a favor de la entidad de confirming. Esta **comisión** puede estar fijada según el volumen de las órdenes de pago, pudiendo establecerse un baremo ponderado en función del número de las órdenes a cumplimentar o, en su caso, la aplicación de un tipo variable en función de ciertos parámetros, como vencimiento, importe, etc., a aplicar a cada documento ordenado.

4814 **Extinción del contrato** Se aplican las **reglas generales** por lo que nos remitimos al estudio que se hace en la parte general (ver nº 300).

SECCIÓN 6

Contrato de financiación de exportaciones sin recurso («forfaiting»)

4820

4822 En el contexto internacional, las importaciones y exportaciones suelen conllevar periodos de pago más extensos que en el ámbito nacional. Ello aumenta el riesgo de que el vendedor de las mercancías se quede sin cobrar. Para reducir ese riesgo y facilitar la liquidez a las empresas, surgió el forfaiting, que implica en la operación a un tercero. Se trata de un **contrato atípico**, surgido del principio de libertad contractual y cuya finalidad es mejorar las necesidades de financiación de las empresas y profesionales.

Es una **técnica de financiación** por medio de la cual una persona, bien física o jurídica, realiza una compra sin recurso de un instrumento de pago que tiene su origen en una operación de comercio o financiera, ya sea a corto o a largo plazo.

Su traducción puede ser **financiación de exportaciones sin recurso**. Ello significa que el banco que financia la operación es responsable de cualquier incumplimiento en el pago por parte del obligado al mismo. Para la recuperación del importe no satisfecho, no puede ejercitar ninguna acción contra el exportador.

Como consecuencia de las **ventas con pago aplazado** del importador al comprador, la entidad financiera compra al exportador/vendedor sus derechos de cobro.

Los créditos cedidos a forfait suelen adoptar la forma de letra de cambio aceptada o pagaré, con independencia de la aceptación de cualquier tipo de deuda.

El **vendedor** suele ser un exportador que recibe los efectos como pago de las mercancías suministradas, y que transfiere la responsabilidad y riesgo de cobro al forfaiter. De esta manera cobra de forma inmediata y al contado sin perjuicio de las reducciones propias del descuento (Medina de Lemus).

Las operaciones de financiación sin recurso consisten, por consiguiente, en el **descuento de los efectos de comercio** que libra un exportador recibiendo a cambio la totalidad del importe.

El **vencimiento** de los mencionados instrumentos de pago suele estar entre seis meses y cinco años, por lo general, en cuotas semestrales, pudiendo ampliarse, excepcionalmente, hasta siete años.

En la práctica, estos instrumentos de pago, objeto de forfaiting, corresponden a contratos comerciales de compraventa de **bienes de equipo** para los cuales esta modalidad de financiación resulta ventajosa (nº 4848).

Precisiones 1) El **modelo de póliza** original de este contrato se adjunta en el nº 13305 de los Anexos.
2) Esta sección se ha elaborado sobre la base del estudio de D. Emilio J. Estebaranz Alcaide y D. Julio Revilla Puebla -Instrumentos de apoyo a la exportación- publicado en «Comercio exterior» editado por el Consejo Superior de Cámaras de Comercio y por el ICEX, Madrid, 1996.
3) La Comisión Bancaria de la Cámara de Comercio Internacional (ICC) y de la Asociación Internacional de Forfaiting (IFA) han desarrollado un proyecto conjunto que culmina con la publicación de las primeras **Reglas Uniformes relativas al Forfaiting (URF 800)**.

Las URF establecen, por primera vez, un conjunto de reglas que regirán el sector de la **financiación comercial**, incluyendo un **conjunto no vinculante de acuerdos modelo** para ayudar a los profesionales a su aplicación.
Cubren tanto el **mercado primario**, en el que exportadores y otros vendedores originan las operaciones, como el **secundario**, donde estas transacciones pueden ser comercializadas por bancos y por otros proveedores de financiación, proporcionando así una sólida fuente de liquidez, abordando también cuestiones como el cierre de la compraventa, la naturaleza de los documentos satisfactorios o el recurso contra el vendedor.

Figuras afines Aunque se trata de dos cuestiones conceptuales diferentes, es necesario establecer las diferencias entre el forfaiting, como técnica de financiación, y el seguro de crédito, ambas contempladas desde la óptica del exportador. También cabe diferenciar el forfaiting del factoring. **4824**

Seguro de crédito Es una modalidad de seguro por la que el asegurado puede cobrar una indemnización si se produce una **situación de impago** que se encuentre recogida en la póliza o el contrato. **4826**
Las **diferencias** que se establecen entre ambas figuras son:
• En lo que se refiere a la **cobertura del riesgo**, en el forfaiting puede ser del 100% mientras el seguro de crédito no llega a este porcentaje.
• En cuanto a los **bienes**, el forfaiting suele referirse, normalmente, a bienes de equipo, mientras el seguro de crédito cubre todo tipo de bienes.
• Por lo que se refiere al **coste**, el seguro de crédito varía en función del plazo, del deudor y su país de origen, resultando el forfaiting más costoso.
• En materia de **plazos de cobro**, el forfaiting se cobra antes del vencimiento de la letra mientras, en el seguro, el cobro no se produce hasta que la obligación incumplida haya vencido.
• Los **riesgos cubiertos** por el forfaiting son la insolvencia y el cambio de tipo de interés, mientras el seguro de crédito cubre riesgos comerciales, políticos y extraordinarios.

Factoring Al igual que en esta figura, el empresario cede sus créditos a cambio de una contraprestación al forfaiter. Su diferencia, por el contrario, radica en que el forfaiting **anticipa** unos **recursos líquidos** contra la cesión de un papel comercial avalado por el librado, y, mejor aún, por un banco. Estamos ante el descuento de una operación, que toma unos documentos comerciales compensatorios, anticipa el dinero y, en caso de insolvencia del cliente, actúa contra él por su propia cuenta, dado que el régimen de la operación pactada es sin recurso (nº 4769). **4828**
El factoring abarca toda una cartera de créditos, concertándose éstos a corto plazo, mientras en el forfaiting se tratan créditos individuales a medio plazo.

Sujetos intervinientes Los agentes que intervienen en una operación de forfaiting son: **4830**
• **Librador**. También denominado exportador o vendedor. Se trata de la persona que, una vez realizada la venta a plazos, gira los efectos como consecuencia de la misma.
• **Librado**. Se le designa también con los términos importador y comprador. Es el aceptante del efecto, siendo por consiguiente el obligado principal.
• **Avalista**. Es el obligado subsidiario al pago del efecto.
• **Cedente**. Es el endosante sin recurso del efecto al tomador del mismo. Por regla general, coincide con el librador.
• **Tomador**. También conocido como tenedor o forfaiter. Generalmente, se trata de un banco, si bien puede ser cualquier entidad, compradora del efecto. Esta operación se realiza a través de un descuento sin recurso de las letras a un tipo de interés, generalmente fijo, que se mantiene durante toda la vida de los mismos.

Para realizar la operación del forfaiting, el exportador suele recurrir a su **entidad financiera habitual**, si bien existen una serie de **entidades no bancarias** en el mercado que actúan de intermediarias entre posibles vendedores y potenciales compradores de los títulos. **4832**

Precisiones En España, es de destacar la compañía **TRAFCO** (*Trade Finance Consultants*), por medio de la cual, cualquier exportador o institución financiera que desee colocar títulos sin recurso en el mercado primario o secundario, puede utilizar esta compañía, que a su vez actúa como partícipe en el Mercado Internacional de Deuda Comercial (MIDEC).
La intermediación de TRAFCO entre comprador y vendedor no supone ningún coste adicional para el vendedor (Estebaranz Alcaide, Revilla Puebla).

Sistemática del forfaiting La operativa de esta forma contractual se basa en que un forfatizador (por lo general, una entidad financiera), acuerda con un exportador la adquisición al contado de los documentos (efectos comerciales) derivados de las operaciones de exportación. **4834**

El **forfatizador** paga al exportador el valor total de la factura, y este, en compensación, adjudica a aquél documentos (pagarés o letras) a cargo del cliente, que han sido originados por la venta.

De forma concreta, las **operaciones** a realizar son:

a) El suministro de los **bienes y/o servicios** por el exportador deben someterse a los términos del contrato comercial firmado, en el cual se hace específico el medio de pago y el Incoterm elegido (nº 1465).

b) El exportador recibe del importador las **letras** aceptadas **u otros documentos** con distintos vencimientos por el importe aplazado de la operación.

c) El exportador se dirige a su banco financiador con las letras de cambio para concretar una **operación de forfaiting**. Mediante la misma, el banco adquiere del exportador las letras convirtiéndose, por medio del endoso, en el tenedor legítimo de las mismas.

Por su parte, el banco anticipa al vendedor el importe de las letras, menos la **tasa de descuento** (nº 4840) y **comisiones pactadas** (nº 4842).

d) Una vez el exportador haya satisfecho los trámites jurídicos oportunos, el importador debe **reembolsar** el **importe** de la **operación** al banco financiador.

El reembolso debe realizarse en los **plazos** indicados en las letras.

Todos los **riesgos** del impago de la operación son asumidos íntegramente por el forfaiter, desentendiéndose totalmente el exportador del buen fin de estos pagos.

4836 **Formación del contrato** La formalización de las operaciones de forfaiting se caracteriza por la sencillez de su sistemática.

Los pasos a seguir son:

1. El exportador, el banco o el importador, contactan con el forfaiter, cuya intervención se realiza antes de la formalización de la compraventa.

2. Una vez estudiada la operación que el exportador propone al banco (con especial detenimiento en comprobar la solvencia y antecedentes de las partes involucradas, así como el país dónde se localizan), este último emite una **carta** en la que se inserta un documento confirmando las condiciones en las que se va a efectuar la transacción.

En este documento se especifica, de forma clara, la **renuncia** del banco al recurso contra el exportador.

3. Aceptada la oferta, la función del exportador es que el importador acepte las letras de cambio o libre los pagarés a favor del forfaiter, que se endosan con la **cláusula sin recurso**.

El banco se hace depositario de los documentos hasta que estén completos, momento en que el exportador los entrega al forfaiter que los descuenta y presenta al cobro en la fecha acordada.

El exportador hace **cesión de sus derechos** al banco mediante alguna de las siguientes formas:

a) Por el **librador** de los efectos. El banco debe determinar, en documento formalizado aparte, su renuncia al ejercicio de las acciones cambiarias y extracambiarias contra el librador.

Cuando la operación **no** se instrumente en **letras de cambio**, se procede de igual forma.

b) Por el **endosante** (no librador). Junto a su firma, y mediante fórmula «sin mi responsabilidad», es de obligado cumplimiento que se incluya la cláusula de exclusión de responsabilidad del endosante.

En documento aparte se recoge la exclusión de **responsabilidades extracambiarias**.

4. Mediante una **carta del exportador** al obligado al pago, se comunica al deudor la cesión de los derechos de cobro que el acreedor inicial, que es quién realiza la comunicación, ha realizado a favor del forfaiter. En ella ha de indicar que es a éste a quien debe reembolsar el importe de la deuda.

5. El banco exige algún tipo de **garantía de pago**. Normalmente, la fórmula que se exige es el **aval**, el cual debe aparecer incluido en los documentos que vayan a descontarse.

Si se acepta **otra modalidad** de garantía, debe formalizarse en documento aparte, y ser de la conformidad del banco (Medina de Lemus).

Precisiones La **renuncia al recurso** correspondiente obliga a la formalización del mencionado aval para dar seguridad a la operación. En la práctica, es el cesionario el que determina, en función de la situación de mercado y los posibles riesgos que conlleve la operación, sus propios límites temporales (Medina de Lemus).

4838 **Coste de las operaciones** La cuantía de las operaciones que determinan la operación de forfaiting se calcula mediante la **suma** de los siguientes conceptos (Estebaranz Alcaide, Revilla Puebla):

- tipo de descuento;
- comisiones y gastos de cobertura de riesgo comercial;
- comisiones y gastos de cobertura de riesgos políticos y extraordinarios;

- comisión de administración;
- comisión de compromiso.

El **resto de los gastos**, a excepción del tipo de descuento, pueden o no devengarse. Ello depende de:
- la capacidad financiera del obligado al pago;
- las posibilidades de negociación del cedente con el forfaiter; y
- el país del deudor.

Tipo de descuento Se refiere al **tipo de interés** que la entidad financiera aplica al descuento de los efectos que le son entregados. Este tipo se integra por los tipos de interés para cada una de las monedas en el mercado europeo, más un **diferencial**, que varía en función de la moneda, país del deudor y evaluación crediticia del mismo. 4840

Comisiones y gastos Además del tipo de descuento, el coste de las operaciones de «forfaiting» viene determinado por las siguientes comisiones y gastos: 4842

a) **De cobertura del riesgo comercial**. En el se incluyen los costes que exige el banco o tomador, en su caso, correspondientes a los avales, primas de seguro y garantías bancarias Corren a cargo del cedente, del obligado al pago o del importador.

b) **De cobertura del riesgo político y extraordinario**. Para asegurar este tipo de riesgo, debe atenderse a las condiciones que el mercado establezca según la calificación del país del obligado al pago y/o avalistas.

Aunque se admite que ciertas entidades privadas se ocupen de este tipo de negocio, lo habitual es que este tipo de riesgos sean cubiertos por **agencias oficiales** del seguro de crédito a la exportación.

El cedente, importador u obligado al pago son los sujetos que corren con los gastos.

c) **Comisión de administración**. Se fija en función de las tarifas de cada entidad financiera.

d) **Comisión de compromiso**. Es la suma que cobra el forfaiter por mantener la oferta de financiar la operación durante el periodo que transcurre entre la aceptación de su oferta y la entrega de las mercancías (Medina de Lemus).

Su **cálculo** se realiza desde la fecha de compromiso hasta la del descuento, produciéndose su **devengo** cuando, emitida por el forfaiter una carta de compromiso, se ha pactado la cesión de los documentos con anterioridad a su entrega.

Derechos y obligaciones de las partes Se resumen en las siguientes: 4844

a) Existen varios **tipos de riesgo** ante la imposibilidad de impago que ha de asumir el **cesionario**:
- por insolvencia del deudor;
- políticos, en el supuesto de surgir dificultades de reembolso de la deuda por el país del importador;
- de fluctuación de los tipos de cambio, puesto que la compra se realiza al contado sin posibilidad de reclamación (Medina de Lemus).

Cuando el banco asume alguno de los dos primeros, se apoya en elementos de seguridad al estar considerados como de **alto riesgo**, exigiendo el cumplimiento de una serie de **garantías**. Por regla general, los asegura en **compañías especializadas** como CESCE, SA. En otras ocasiones, bien para evitar nuevos costes, bien porque la compañía de seguros no desea asumir riesgos con ese deudor o con el país de éste, el banco realiza una **clasificación de solvencia** del obligado al pago. Esta clasificación puede llevar al banco financiador a exigir garantías colaterales en forma de aval, de entidades privadas o públicas.

La fórmula **aval de terceros** (que debe figurar en la propia letra), es la mejor aceptada por el banco, pues garantiza el pago de forma irrevocable e incondicional.

La existencia de aval produce los siguientes **efectos**:

• Facilita que los documentos mercantiles puedan ser, a su vez, revendidos por el banco en el **mercado secundario** (nº 4846).

Si se trata de **sindicaciones de créditos** (nº 9030 s.), el banco puede introducir en el negocio de forma más sencilla a otras entidades financieras que, hasta entonces, pudieran ser reticentes por las características financieras del deudor.

• Garantiza el pago ante el incumplimiento del deudor principal de forma adicional.

b) La intervención del **exportador** finaliza al momento del endoso, quedando liberado, mediante la cláusula sin recurso, de toda responsabilidad ante la posible insolvencia del deudor, una vez recibidas las cantidades.

c) El **cesionario** goza del derecho de conservación de los efectos en su propia cartera, o puede volver a cederlos a inversores privados, presentándolos al cobro al vencimiento de los mismos (Medina de Lemus).

4846 **Reventa de la operación** El forfaiter puede o no querer que sus recursos se destinen a una inversión durante un periodo determinado de tiempo, buscando revender, total o parcialmente, la operación a alguien, momento en que nace el **mercado secundario** del forfaiting.
Es conveniente tener en cuenta en este apartado lo expuesto en el nº 4832 referente al **Mercado Internacional de Deuda Comercial** (MIDEC).
Conforme las operaciones de forfaiting son cada vez de mayor entidad adquiriendo el banco compromisos cada vez mayores, aparece la figura de la **sindicación**, caracterizada porque solo requiere el simple contacto de un forfaiter con otro.
En ambos casos es de destacar la figura del **avalista** en la operación, pues facilita la circulación y colocación en el mercado de los efectos objeto de descuento.

4848 **Ventajas e inconvenientes** Las **ventajas** que el forfaiting proporciona al usuario son:
- disponibilidad de liquidez inmediata, por realizarse el pago al contado;
- utilización de financiación con costes competitivos;
- eliminación de costes administrativos y de cobro;
- eliminación del riesgo por cambio del valor de la divisa, comercial, político o por fluctuaciones en los cambios de tipo de interés;
- financiación del 100% de las ventajas del exportador;
- no consume líneas de crédito abiertas en su banco;
- tramitación relativamente sencilla.

A sensu contrario, los **inconvenientes** que plantea se resumen en:
- implica una serie de gastos de importante cuantía;
- está excluida su utilización en las relaciones con algunos países por razones políticas, de riesgo excesivo, económicas, etc.;
- los importadores no están dispuestos en todos los casos a avalar o garantizar la operación;
- la responsabilidad sobre la veracidad de los documentos financieros de la operación recae sobre el exportador;
- el impago de un efecto no acelera el vencimiento de los posteriores ante la existencia de una serie de letras (Estebaranz Alcaide, Revilla Puebla).

SECCIÓN 7

Contrato de cuenta corriente mercantil

4855

A. Consideraciones generales

4860

4862 En el convenio comercial de cuenta corriente mercantil, un comerciante es cliente de otro, quien a su vez es cliente del anterior. Al comprar uno las mercaderías del otro, no las paga, sino que las **anota «a mi cuenta»**. El otro hace lo propio y, llegada la fecha pactada de liquidación, se procede a **saldar**.
Saldada la cuenta, nace una **deuda** a cargo de uno de los dos contratantes (crédito a favor del otro) que, según lo convenido, debe pagarse al momento, o bien pasará a anotarse como primer apunte «a cuenta» del que salió deudor.

Precisiones 1) El contrato se define como el pacto por el que dos partes estipulan que los créditos que puedan nacer de sus relaciones de negocios pierden al anotarse en cuenta su propia individualidad, de modo que el saldo resultante es el único crédito exigible en la época convenida. La esencia del contrato se encuentra en la **recíproca concesión de crédito** (Garrigues).
2) Es un **contrato consensual** de carácter normativo e implica la concesión recíproca de crédito mediante la dispensa de **reembolso inmediato** de las singulares remesas para sustituirlas por el pago del saldo al cierre de la cuenta, entrando durante el mismo las remesas por su valor

convencional, constituyendo dos masas homogéneas de «**debe**» y «**haber**» **indivisibles**, que se enfrentan y comparan, compensándolas por primera vez al cierre de la cuenta, dando lugar al solo crédito del saldo (TS 16-2-65, 7-3-74, EDJ 309; 11-3-92, EDJ 2361; 20-5-93, EDJ 4772).

3) La **póliza original** de contrato mercantil de cuenta corriente se adjunta en el nº 13310 (Anexos).

Función económica Es necesario distinguir la diferencia entre el contrato de cuenta corriente y el **instrumento contable** de la cuenta corriente. 4864

Para el primero es necesario un compromiso recíproco de mutua concesión de crédito. El segundo es una simple **técnica matemática** de apunte de compras y ventas por partida doble.

La función económica del contrato de cuenta corriente coincide con su causa: coadyuvar al **incremento de las relaciones comerciales** mediante el crédito mutuamente concedido. Sin embargo, la enorme trascendencia que tuvo este tipo contractual hoy decae como consecuencia de la mayor sencillez y agilidad del crédito bancario por descuento de créditos.

Precisiones La **diferencia** entre ambas figuras ha sido subrayada por el Tribunal Supremo en las siguientes sentencias (TS 27-1-1928; 3-2-44; 23-5-46, 16-2-65).

Naturaleza jurídica La doctrina discute de manera extensa sobre la misma. 4866

En general, los distintos autores se han esforzado en encajar este contrato en los **esquemas típicos**: en el de préstamo, en el depósito o en el mandato. Más tarde se intentó su configuración como **contrato mixto** y finalmente se admitió su **autonomía** (Garrigues).

La figura se concibe como **especial**, **autónoma** y **sui generis**. No se ajusta a ninguno de los tipos contractuales reconocidos en la codificación, sino que nació y ha crecido con vida propia (Valenzuela Garach).

Las discrepancias llevan a la doctrina a plantearse la relación existente entre la pura **cuenta corriente comercial** y la cuenta corriente **bancaria**.

La **cuenta corriente bancaria** se define como contrato de gestión, en virtud del cual el banco se compromete a realizar por cuenta de su cliente cuantas operaciones son inherentes al servicio de caja, realizando las correspondientes anotaciones contables (Garrigues).

Para dilucidar si ambas cuentas participan o no de la misma naturaleza jurídica, se parte, en síntesis, de dos tesis doctrinales:

Concepción bipolar a) Son **contratos distintos**, pues, en la **cuenta corriente mercantil**, es elemento esencial la mutua concesión de crédito entre los dos comerciantes convenidos, nota que no existe en el servicio bancario de caja, en el que únicamente aparece la gestión de cobros/pagos (Eizaguirre, Garrigues, Uría, Sánchez-Calero Guilarte, Embid Irujo). 4868

b) En concordancia, Vicent Chuliá apostilla que la cuenta corriente comercial es un **contrato de compensación** periódica o diferida. Es en el **momento del cierre**, y solo en este momento, cuando las remesas anotadas en el Debe y en el Haber se compensan, extinguiéndose los créditos subyacentes a las remesas y calculándose, en su caso, los intereses. Esta es la técnica contractual practicada uniformemente por los **comerciantes**, desde el nacimiento de la figura, por su incuestionable sencillez.

En la **cuenta corriente bancaria** no solo no hay mutua concesión de crédito, sino que la compensación es permanente, progresiva (opera día a día), de suerte que, cualquiera que sea el sistema contable utilizado, tras cada uno de los apuntes se provoca un nuevo saldo inmediata y automáticamente (Vicent Chuliá).

Concepción unitaria Para sus seguidores, existe una **definición común** en el marco del concepto de negocio jurídico de cuenta corriente (Moll de Miguel, García-Pita, Eizaguirre y Chiomenti). 4870

La aceptación de la **tesis bipolar** no ha de impedir que se permita a los comerciantes convenidos, por razón de su autonomía en la regulación de sus relaciones, utilizar la **técnica contable bancaria** y, en consecuencia, pactar el cálculo inmediato y automático del saldo tras cada cargo y abono. Sería un contrato de cuenta corriente comercial con compensación progresiva.

Caracteres Son los siguientes: 4872

a) Es nominado, atípico, especial y *sui generis*. Se ha dicho, sin embargo, que es **socialmente típico**, en el sentido de que la reiteración de su utilización en la vida comercial ha generado una disciplina, no de carácter legal pero sí de tipo usual.

b) Es **consensual** (no formal).

c) Es **bilateral** y de mutua confianza entre las partes.

d) Es **normativo**, en la medida que en él se establecen las reglas a que han de ajustarse los contratantes en sus mutuas relaciones de crédito, es decir, impone a las partes una conducta futura sin obligaciones inmediatamente exigibles (Garrigues, Sánchez Calero y Cachón Blanco).

e) Es de **duración continuada** o tracto sucesivo.

f) Es **conmutativo** y habitualmente **oneroso**, pues se pactan intereses a calcular en la fecha de liquidación convenida.

Precisiones Son **requisitos esenciales** del contrato:
- la llevanza de una cuenta corriente por «debe» y «haber», bien por ambas partes o bien unilateralmente por una sola de ellas;
- el pacto sobre inexigibilidad aislada de los créditos;
- la compensación periódica de los créditos; y
- la definición de los créditos o remesas susceptibles de inclusión en la cuenta corriente (Vicent Chuliá).

4874 **Fuentes** No se encuentran normas en el CCom por tratarse de un contrato atípico. No obstante, tratándose de un contrato *sui generis*, resulta forzado acudir a la **aplicación, directa o analógica**, de la disciplina de otras figuras contractuales.
Así pues, en la definición de la sistemática reguladora, cobran importancia determinante:
- los **pactos concretos** contenidos en el documento contractual;
- la aplicación de las normas generales de la **contratación mercantil** que sean de recibo, así como, supletoriamente, las de la **contratación civil** con el mismo requisito; y,
- los **usos de comercio** generalmente aceptados en la plaza mercantil.

B. Elementos

4880

4882 **Intervinientes** Los elementos subjetivos son los dos **cuentacorrentistas**.
Ambos han de ser **comerciantes**. En caso contrario, el contrato carece de carácter mercantil, es más, si no se celebra entre dos comerciantes, desaparece el dato esencial de la mutua concesión de crédito (Vicent Chuliá).
La cuenta corriente entre un **comerciante y un particular** es unidireccional: solamente hay cargos (un cargo por cada operación de venta) practicados en la cuenta que el empresario abre a su cliente, saldándose y liquidándose periódicamente. No pueden existir otros abonos porque el particular nunca vende a su comerciante suministrador.
Cuando un **particular abre cuenta en un empresario** (p.e., las cuentas de librería), hay contrato y es lícito, pero su naturaleza no es la del contrato de cuenta corriente mercantil, pues es esencial en éste la mutua concesión de crédito, que no existe en aquél.
A ambos se les exigen las reglas de **capacidad** ordinarias para contratar (nº 110), pues estamos ante un contrato de mera administración negocial de los intereses de la explotación mercantil.

4884 **Objeto** Son las remesas anotadas y los intereses pactados.

4886 **Remesas** Son las **prestaciones recíprocas** cumplidas en ejecución de los negocios jurídicos diversos (habitualmente compraventa, pero cabe comisión, préstamo...) que hayan celebrado los cuentacorrentistas para el desenvolvimiento idóneo de las necesidades de su tráfico. De ahí que se afirme que la remesa **no** trae **causa del contrato de cuenta corriente**, sino del de venta, comisión, fletamento, transporte, etc., originador de la prestación patrimonial.
Es de especial trascendencia que, en las estipulaciones contractuales (contrato normativo), queden **descritas con el mayor detalle** posible qué prestaciones pueden apuntarse como remesas y cuáles no.
Como **caracteres** a destacar se mencionan:
- han de ser dinerarias o computables a metálico;
- no pueden incluirse créditos no susceptibles de compensación diferida, como los que tienen vencimiento fijo;
- solo cabe anotar las prestaciones que comporten una contraprestación, no las a título gratuito; y
- han de pertenecer a las relaciones mercantiles habituales entre las partes.
La doctrina enfatiza el problema planteado por las **remesas de títulos-valores** (en particular, letras de cambio).
Si en la cuenta se apunta el **valor de una letra de cambio** como remesa, debe entenderse que el apunte es «salvo buen fin», dado el efecto retardado de extinción (*pro solvendo*), esto es, siempre que se ingrese en caja.

En caso de que el **título quede impagado**, se debe admitir un contra-asiento para no desvirtuar la situación crediticia neta.
Las remesas de títulos valores han de anotarse aceptando su carácter de **excepción** al principio general de **irrevocabilidad unilateral** de los asientos ya practicados, principio éste derivado del efecto llamado «paso de la propiedad» (Valenzuela Garach).

Ejemplo Si el comerciante A vende hoy al comerciante B determinada cantidad de mercancía, «a su cuenta», la remesa que A anotará al «debe» (cliente B) será el **importe** del débito por razón de la venta comercial. Ese mismo importe será anotado por B como «haber» a su pasivo contable (proveedor A).

Intereses La anotación de una remesa-crédito y su correspondiente vigencia hasta la **fecha de liquidación** no genera intereses salvo que así se haya pactado. 4888
Lo normal, en el ámbito mercantil, es el **pacto** de intereses, pero nada impide lo contrario. Si **no se devengan intereses**, lo que subyace es: «no cobro para que no me cobres», nunca una donación.
En todo caso, se trata de intereses **remuneratorios**. No cabe hablar de intereses **moratorios** porque, desde el momento del apunte contable de la remesa, el crédito deja de ser exigible.

Forma No hay especialidades. Nos remitimos a la parte general (ver nº 170 s.). 4890

C. Obligaciones de las partes

Las **dos partes** contratantes asumen las mismas obligaciones: 4897
- de no hacer (negativa: no reclamar los créditos anotados); y
- de dar (positiva: pagar el saldo y, en su caso, los intereses convenidos).

Obligación de no hacer Las partes aceptan que los créditos anotados devienen inexigibles a partir del **momento del apunte**, si bien no por esto los créditos pierden su naturaleza jurídica ni su fisonomía propia. Entran en un estado de **exigibilidad aplazada**, pero continúan teniendo individualidad propia. No se funden con otros. 4899
No pueden cederse, pues quedan **inmovilizados**, pero, de otra parte, tampoco pierden las garantías que los aseguran, ni las posibles prestaciones accesorias.
No hay **novación inmediata** y mecánica, en contra de la postura de reiterada jurisprudencia del Tribunal Supremo (TS 24-5-48; 6-4-33; 8-4-44; 16-2-65). Los créditos anotados continúan, pues, siendo **créditos individuales**, distintos y separados, si bien con exigibilidad aplazada hasta el momento del cierre de la cuenta, en que **se compensan entre sí**. Hasta ese momento subsisten las acciones y excepciones inherentes a los negocios causantes de las remesas, así como el riesgo de las **acciones de nulidad**, anulabilidad, rescisión o resolución de los mismos. Hay, en definitiva, un **único expediente novatorio**, y es final y total.
Es entonces cuando desaparecen, como consecuencia de la compensación global, para quedar sustituidos por la obligación única y nueva de satisfacer el **saldo resultante**, que ya trae causa del contrato de cuenta corriente. Solo entonces se puede hablar de novación.
Es también en este momento cuando se inicia el **plazo de prescripción**, una vez aceptado el saldo.

Obligación de dar En la fecha pactada se cierra la cuenta y se calculan: 4901
- el **saldo** a cargo de uno de los contratantes, y
- los **intereses** correspondientes.

El **cierre de la cuenta**, normalmente, se pacta para que tenga carácter periódico (p.e., cada tres meses).
El cierre de la cuenta **no** debe confundirse con la **extinción del contrato**, ya que por sí solo no significa el fin del mismo, sino la terminación de un periodo (Sánchez Calero).
El principal **efecto** del cierre es la fijación del saldo. En ese momento se produce la **compensación** entre ambas partes y se determina quién es el acreedor y quién es el deudor (TS 2-12-05, EDJ 213899).
Calculado el saldo, si es aceptado por el cuentacorrentista a cuyo cargo nace, resulta **exigible por la otra parte** en el plazo fijado por las partes o en su defecto, en los 10 días siguientes al cierre de la cuenta. Lo mismo cabe decir respecto de los intereses. Cabe entonces, o bien:
- pagar en el acto;

- entrar en mora; o
- computar el débito como primer apunte deudor del nuevo período liquidatorio (saldo a cuenta nueva).

Conviene que en el documento contractual queden suficientemente descritas las reglas conforme a las cuales se va proceder al **cálculo del saldo** y, en su caso, a dirimir las **posibles diferencias**.

Es habitual que el **cierre de la cuenta** se practique por una de las partes, que lo remitirá a la otra, pudiendo ser aceptado por ésta de forma expresa o tácita (no manifestación de disconformidad).

D. Extinción

4905 Puede obedecer a las siguientes causas:

a) Dependientes de la **voluntad de las partes**:
- el cumplimiento del plazo por el que se pactó el contrato;
- el mutuo disenso; o
- la denuncia unilateral del contrato, si éste se pactó por tiempo indeterminado (Sánchez Calero añade en este caso la necesidad de una notificación a la otra parte con antelación suficiente).

b) Objetivas:
- muerte o incapacidad de algún contratante; o
- concurso de acreedores: la **declaración judicial de concurso** precipita el cierre anticipado de la cuenta y se compensan los créditos existentes hasta ese momento. El **cierre anticipado** se explica porque, una vez declarado el concurso, el deudor insolvente ya no puede seguir disponiendo libremente de sus créditos ni de la facultad de compensar (LCon art.106 y 153). Sin embargo, la doctrina apunta a que es dudoso que el contrato de cuenta corriente se extinga a resultas de la declaración de concurso, sino que debería quedar sometido al régimen de los **contratos pendientes de ejecución** -LCon art.157 y 158- (Bermejo Gutiérrez).

SECCIÓN 8

Contrato de depósito mercantil

4910

A. Consideraciones generales

4915 El depósito se constituye desde que se recibe la **cosa ajena** con la obligación de guardarla y de restituirla. La **custodia de la cosa** no es un elemento único del depósito, sino que aparece en otros contratos (el transporte, la comisión, la venta, etc.). Solo se trata de un contrato de depósito cuando la finalidad esencial de las partes sea precisamente esa custodia (TS 20-2-91, EDJ 1795; 19-12-98, EDJ 30779).

El Código de Comercio se limita, simplemente, a aceptar este concepto como punto de partida definitorio y a intentar una fórmula de mercantilización tal que permita separar con la mayor nitidez posible entre el puro **depósito civil** (entre particulares) y el depósito concertado como **negocio jurídico** propio de una explotación mercantil especializada en el sector.

Precisiones 1) El depósito mercantil es el único que reclama una norma singular, que defina una **responsabilidad** rigurosa para el **depositario**. Por lo demás, las diferencias de régimen entre el Código Civil y el de Comercio son escasas (Vicent Chuliá).

2) El contrato de depósito mercantil es un contrato típico, real, no formal, oneroso naturalmente, pero no esencialmente, bilateral (genera obligaciones entre ambas partes, si es oneroso), conmutativo, de tracto sucesivo y generalmente de **adhesión**: el depositario-predisponente presenta al depositante un formulario contractual preimpreso con escasas posibilidades de modificación. En tal caso, el depositante consiente adherirse o no adherirse.

3) A pesar de configurarse como un contrato real, que se perfecciona con la entrega de la cosa al depositario, puede perfeccionarse por el mero **consentimiento de las partes**, de manera que la

entrega de la cosa marque el momento a partir del cual se inicia la exigibilidad de las obligaciones del depositario.
4) La **póliza original** del contrato de depósito mercantil se adjunta en el nº 13315 (Anexos).

El depósito mercantil puede clasificarse según distintos criterios: **4917**
a) Por su **retribución**, puede ser gratuito o retribuido. El depósito mercantil es naturalmente retribuido, pues el depositario tiene derecho a exigir retribución por el depósito, de no mediar pacto expreso en contrario.
b) Por su **objeto**, el depósito puede ser de dinero, de títulos valores o de mercancías. A su vez, el depósito de dinero puede ser, por la forma de su constitución, con o sin especificación de moneda; y abierto o cerrado (nº 8344).
c) Por la **naturaleza de las cosas depositadas**, el depósito puede ser:
- regular: tiene por objeto un bien no fungible. El depositante conserva la propiedad de la cosa y el depositario debe devolverle la misma cosa depositada. Este es el depósito que se estudia a lo largo de esta sección;
- irregular: que recae sobre dinero u otras cosas fungibles, adquiriendo el depositario la propiedad de las cosas depositadas (nº 4967).
d) Por las **obligaciones del depositario** cabe diferenciar entre depósito simple o de estricta custodia y depósito administrado.
e) Por la **independencia** respecto de otras **relaciones jurídicas**, diferenciamos entre depósito independiente, que es en sí un negocio principal, y depósito accesorio, que se constituye en desarrollo de algún negocio principal preexistente (una comisión de venta, un hospedaje...).

Requisitos (CCom art.303) Para que el depósito sea mercantil se requiere que **concurran simultáneamente** tres requisitos: **4919**
1) Que, al menos el **depositario**, sea comerciante.
2) Que las **cosas depositadas** sean objeto de comercio.
3) Que el depósito constituya por sí mismo una **operación mercantil**, o se haga como causa o a consecuencia de operaciones mercantiles.

Precisiones No obstante, se plantea la **duda** de si el depósito es mercantil cuando concurre solo uno o dos de los mencionados requisitos.

Respecto al primero de los requisitos, no basta con que el depositario sea comerciante, sino que es necesario que el contrato de depósito pertenezca a la clase de actos de comercio (depósitos) que constituyan el **objeto de la empresa** de dicho comerciante (Garrigues). Así pues, el CCom debería haber aclarado que ese depositario, al menos, sea comerciante del mercado de depósitos. **4921**
El servicio de custodia de mercaderías, de títulos valores o de dinero constituye una **actividad económica** de gran importancia y utilidad, que cuando se presta profesional o habitualmente, atribuye a quien lo hace la condición de empresario y la naturaleza de mercantil a los contratos que a este fin estipule con sus depositantes (Broseta).

Como segundo requisito, para que el depósito sea mercantil, ha de tener por **objeto** un bien caracterizado por tres notas: **4923**
• que se trate de un **bien mueble**;
• que esté dentro del comercio de los hombres;
• que sea **objeto de comercio** (mercancías, dinero, títulos-valores, etc.) (TS 13-12-96; 24-7-03, EDJ 80459; 9-3-06).
La cuestión se suscita sobre para quién ha de ser objeto de comercio, si solo para el depositario, solo para el depositante o para ambos.
La teoría de la interpretación estricta afirma que ha de ser objeto de comercio para ambas partes, pues ambas partes han de ser comerciantes si se quiere que el depósito sea mercantil. Solamente sería mercantil, pues, el depósito si es **acto de comercio propio**, esto es, las dos partes son empresarios.
Sin embargo, si se admite esta teoría, no tendría sentido que el CCom exija que al menos el depositario sea comerciante.
Por ello, la teoría de la interpretación amplia intenta compatibilizar ambas posturas y admite que un depósito sea mercantil aunque solamente una de las partes (el depositario) sea comerciante. Para esta orientación doctrinal el bien mueble depositado ha de ser objeto de comercio solamente para el depositario. Sería, así pues, un **acto de comercio mixto** (p.e., el depósito de una alfombra hecho por un particular en una compañía especializada en recibir ese tipo de bienes muebles).

4925 El tercer requisito exige que el depósito constituya por sí mismo una **operación mercantil**, o se haga como causa o a consecuencia de operaciones mercantiles. Tal requisito encierra una contradicción en sus propios términos, toda vez que, para que el depósito constituya por sí una operación mercantil, han de concurrir todos los requisitos del nº 4919. Y para que se haga como causa o a consecuencia de operaciones mercantiles lo mismo vale decir de esa causa o de esa consecuencia (Garrigues).

No obstante, hay posturas doctrinales críticas que consideran que este tercer requisito está orientado del lado del depositante y, en tal sentido, afirman que el CCom exige que, o bien el depósito de mercancías u otras cosas destinadas al comercio constituya un acto de comercio o de especulación aislada del depositante, o bien esté relacionado con otras operaciones mercantiles (Vicent Chuliá).

Precisiones Según algunos autores, no puede exigirse como requisito para que el depósito sea mercantil, la necesidad de que constituya por sí una operación mercantil, pues el depósito nunca constituye por su propia naturaleza una operación de comercio, sino que su mercantilidad proviene de su **adscripción al tráfico** peculiar de un empresario especialmente cualificado para recibir depósitos o de que se cumplan los otros requisitos del nº 4919.

4927 **Supuestos** En función de las características que reúna el contrato de depósito puede distinguirse:

a) Son mercantiles los depósitos en que el depositario es un empresario dedicado al mercado de depósitos (oferta) y el **depositante** es un **empresario** que precisa de la custodia de sus mercaderías (demanda).

Un ejemplo típico es el del concesionario de automóviles (depositante) que contrata con un empresario de garajes (depositario) el depósito-custodia de cierto número de vehículos (sus mercaderías, en definitiva). Contratos distintos son el de arrendamiento de un local completo o fraccionado y el de parking por un tiempo limitado, respecto de los cuales existen dudas sobre su calificación.

b) Son mercantiles los depósitos en que el depositario es un empresario dedicado al mercado de depósitos (oferta) y el **depositante** es un **particular-no-empresario** que precisa de la custodia de un bien.

Por ejemplo, el depósito de una alfombra hecho por un particular en una compañía especializada en recibir ese tipo de bienes muebles.

En apoyo de la mercantilización de esta modalidad de depósito hay que resaltar las mayores **responsabilidades del depositario** en beneficio de su cliente particular (nº 4460).

Precisiones 1) El legislador parece aceptar la mercantilidad de este negocio en el sector fiscal, pues considera a estas actividades hecho imponible a efectos del **IVA** recayente sobre el tráfico mercantil.

2) Es mercantil el depósito (en empresario-depositario del sector de depósitos) de cosas dedicadas por un particular a un concreto **acto aislado de especulación**, sin pretender convertirse en empresario. Así, el depósito de cebollas en almacenes frigoríficos (TS 7-10-76, EDJ 308).

3) Existe un sector doctrinal que niega el **carácter comercial** a este depósito, con arreglo a la interpretación expuesta en el nº 4925 (Vicent Chuliá).

4) No es un depósito mercantil el **almacenamiento de productos con destino a su distribución**, dada la desnaturalización de la obligación de conservar y devolver la cosa. Se trata de un contrato de comisión mercantil (TS 13-12-96, EDJ 9054).

4929 **c)** No es mercantil el depósito hecho en empresario oferente del mercado de depósitos cuando la cosa depositada no pertenece a su **género de comercio**.

En esta hipótesis está ausente el segundo requisito del nº 4919 ya que habría un depositario que, siendo empresario, no ejerce como tal; un depositante que, o bien es particular (no empresario) o bien, siendo empresario, tampoco ejerce como tal; y un objeto del depósito que no es mercadería.

d) No es mercantil el depósito hecho en un particular por un empresario.

e) No es mercantil el depósito hecho en un particular por otro particular.

f) Secuestro mercantil. Se trata del supuesto de un depósito de cosa mueble que determinado **juzgado** ordena se haga en un depositario especializado en el negocio de estos bienes (p.e., una joya objeto de litigio en una compañía de seguridad). En este caso:

- el depositario cobra su tarifa ordinaria, a pagar por quien designe el juez;
- es, en consecuencia, responsable en los términos del nº 4956;
- sin embargo, también le son de directa aplicación las normas ordinarias del secuestro (CC art.1787 y 1789).

B. Elementos

 4935

Intervinientes Son el depositante y el depositario. Este último ha de ser comerciante del mercado de depósitos, no así el depositante. Si éste es particular-no comerciante, estaría perfeccionando lo que la doctrina denomina **acto de comercio mixto** (nº 4923). 4937

La **causa** del contrato es, para el depositante, la necesidad de custodia; y, para el depositario, la remuneración con que engrosa su beneficio mercantil.

Incapacidad (CC art.1263, 1764, 1765, 1771, 1773, 1774 y 1775) Como el depósito regular no provoca la transmisión de la propiedad, ni siquiera del uso, se acepta que es un negocio jurídico de los de mera administración. No se requiere, pues, capacidad para disponer. Se exige, simplemente, **capacidad general para contratar** y no es imprescindible que el depositante sea propietario de la cosa, pues basta que tenga sobre ella alguna facultad de administración y consecuente responsabilidad. 4939

Las posibles situaciones de incapacidad son las siguientes:

a) Si el **depositante** es un **menor o una persona con discapacidad** y el depósito se realiza sin contar con la medida de apoyo prevista, el depósito vinculará al depositario a todas las obligaciones que nazcan del contrato (CC art.1764 redacc L 8/2021).

b) Si el **depositante** es **capaz**, pero **pierde la capacidad** con posterioridad y cuenta con medidas de apoyo para el ejercicio de su capacidad jurídica, la devolución del depósito se ajustará a lo que resulte de dichas medidas de apoyo (CC art.1773 redacc L 8/2021).

c) Si el **depositario** es un **menor**, el depositante solo tendrá acción para reivindicar la cosa depositada mientras exista en poder del depositario, o a que este le abone la cantidad en que se hubiese enriquecido con la cosa o con el precio. Esta regla también resultará de aplicación cuando el depósito haya sido hecho en una **persona con discapacidad que haya prescindido de las medidas de apoyo** previstas cuando fueran precisas y el depositante fuera conocedor de la existencia de medidas de apoyo en el momento de la contratación o se hubiera aprovechado de otro modo de la situación de discapacidad obteniendo de ello una ventaja injusta (CC art.1765 redacc L 8/2021).

Precisiones 1) Como empresario, el depositario queda sometido a las normas ordinarias de **disciplina del mercado**: defensa de la competencia, competencia desleal, publicidad y comercio minorista.
2) Sobre la **modificación legal** del régimen de discapacidad operado por la L 8/2021, ver nº 4512.

Objeto y precio Respecto de la **cosa**, ha de ser: 4941

- **mueble**: es admisible el contrato de custodia de bienes inmuebles, pero no bajo la rúbrica del depósito, sino naturalizado como un contrato de arrendamiento de los servicios de una compañía de seguridad;
- **objeto de comercio** para el depositario, sin lo cual el depósito deja de ser mercantil (nº 4919);
- **lícita**;
- no necesariamente **propiedad** del depositante.

El **precio** es una obligación a cargo del depositante, en los términos del nº 4962.

Forma No hay reglas especiales, salvo para el depósito en Compañías de Almacenes Generales (nº 4977). 4943

En consecuencia, son válidos los contratos mercantiles cualquiera que sea su forma, siempre que conste su existencia por alguno de los medios que el derecho tenga establecidos.

Precisiones Si el depósito está formalizado en un contrato documentado como **formulario con condiciones generales**, ha de estarse a lo dispuesto en la L 7/1998 (LCGC).

C. Obligaciones de las partes

 4950

Al ser un contrato de carácter real, la **entrega de la cosa** no se configura como una obligación a cargo del depositante, sino como un requisito de existencia del contrato. Sin entrega no hay contrato, y sin contrato no nacen sus obligaciones. Por tanto, el depósito queda constituido mediante la entrega, al depositario, de la cosa que constituya su objeto. 4952

No obstante, nada se opone a que los contratantes perfeccionen, por el mero consentimiento, una **promesa de depósito** por virtud de la cual el promitente quede obligado a entregar la cosa en determinada fecha al promisario, que queda desde entonces obligado a recibir el depósito en la fecha señalada y, habitualmente, también a acondicionar el lugar de depósito, incurriendo en gastos -a partir del momento de la promesa- a indemnizar por el primero si incumple.

4954 **Obligaciones del depositario** El depositario tiene las siguientes obligaciones:

4956 **Custodia** (CCom art.306) El depositario está obligado a **conservar la cosa** objeto de depósito. El régimen ordinario de responsabilidad no es suficiente para un empresario especializado en la custodia y, de ahí que:

a) El depositario comerciante responde de los menoscabos, daños y perjuicios que las cosas depositadas sufran por su **malicia y negligencia**.

b) También responde de los daños que provengan de la naturaleza o **vicio de las cosas**, si en estos casos no hizo por su parte lo necesario para evitarlos o remediarlos, dando aviso de ellos, además, al depositante, en cuanto se manifiesten.

El depositario mercantil no cumple su obligación de custodia con una mera conducta pasiva (la del depositario civil), sino que debe prestar una **activa diligencia** en los servicios de custodia. Este mayor grado de diligencia se justifica porque el contrato se presume retribuido (TS 4-12-65; 20-12-79).

4958 Precisiones **1)** El depósito mercantil, como remunerado, impone una **obligación de guarda** no accesoria, sino **específica** y característica del contrato. El CCom impone al depositario un mayor rigor en el cumplimiento del deber de custodia (TS 5-3-75; 8-7-88, EDJ 5993; 30-7-91, EDJ 8345; 24-7-03, EDJ 80459). La **actitud del depositario** no es simplemente pasiva, sino que ha de custodiar la cosa de forma que no se deteriore (Sánchez Calero).

2) Si la cosa depositada ha de mantenerse en **cámaras frigoríficas**, entre las obligaciones propias del depositario ha de incluirse lógicamente la del mantenimiento del nivel de frío necesario (TS 20-10-89, EDJ 9310).

3) Sin embargo, el depositario no será responsable de los daños causados a las mercancías cuando su deterioro se deba a la **demora del depositante en retirarlas** (TS 13-6-07, EDJ 70086).

4) No se produce un **caso de fuerza mayor** cuando una huelga de los trabajadores del depositario impide la devolución de la cosa al depositante (TS 14-3-01, EDJ 6174).

4960 **Devolución** (CC art.1771 a 1776) Tiene dos rasgos característicos:

- ha de incluir los **aumentos de la cosa**; y
- ha de verificarse tan pronto lo pida el depositante, aunque en el contrato se haya fijado un plazo o tiempo determinado para la devolución.

En cuanto a la **obligación de devolución**, el destinatario de la devolución es, con carácter general, el propio depositante o bien sus causahabientes o la persona designada en el contrato.

En el **depósito de cosa ajena** se admite la restitución al verdadero dueño con ciertos requisitos.

En caso de **pluralidad de depositantes** no solidarios, si la cosa depositada es divisible, cada uno de ellos no puede pedir más que su parte; si son solidarios o la cosa es indivisible, cualquiera de los depositantes puede pedir la restitución de la cosa.

Si se ha designado un **lugar de devolución**, el depositario debe llevar a él la cosa depositada, siendo los gastos del traslado a cargo del depositante. Ahora bien, si éste no se ha designado, la devolución se hace en el lugar en que se halle la cosa depositada, aunque no sea el mismo lugar en que se hizo el depósito, siempre que no haya mediado malicia por parte del depositario.

Cumplida la obligación del depositario de devolución de la cosa, se pone **fin al contrato** (TS 18-9-97, EDJ 6814).

4962 **Obligaciones del depositante** (CCom art.304; CC art.1779 y 1778) Su única obligación es el **pago de la remuneración** pactada, teniendo en cuenta que si las partes no han fijado una retribución, se regula según los usos de la plaza en que el depósito se haya constituido.

El depositario puede retener en **prenda** la cosa depositada hasta el completo pago de lo que se le deba por razón del depósito.

Precisiones Se divide la doctrina al discutir si el depositante está obligado o no a reembolsar al depositario los **gastos** que haya hecho para la **conservación de la cosa depositada** y a indemnizarle de todos los perjuicios que se le hayan seguido del depósito. Esta obligación propia del depósito civil recae también sobre el depositante en el contrato mercantil (Uría y Vicent Chuliá). Sin embargo, otros autores opinan lo contrario, argumentando que esos **gastos e indemnizaciones** habrán sido previstos por el empresario como parte de su estructura de costes y, en consecuencia, aflorarán en la determinación del precio (Broseta y Sánchez Calero).

D. Depósitos mercantiles especiales

 4965

Depósito irregular Es depósito irregular el que se caracteriza por las siguientes notas: 4967
1) Tiene por objeto **cosas fungibles**, como el dinero (nº 4969). Esto puede ocurrir también en el depósito regular.
2) El depositante, al entregar los bienes objeto del contrato, pierde su **derecho de propiedad**, que pasa a ser adquirido por el depositario, lo que supone lo contrario del depósito regular.
3) El depositario puede **usar de las cosas** depositadas, y aún disponer de ellas, pues es su único y verdadero propietario. Lo contrario del depósito regular.
4) A cambio, el depositante adquiere un **derecho de crédito** (del mismo valor patrimonial que el derecho real perdido) cuyo objeto es una prestación de dar a cargo del depositario: la de devolver, a su petición, otro tanto de la misma especie y calidad. Lo contrario del depósito regular.

Para que exista depósito irregular es, pues, necesario el **acuerdo de las partes**. En caso contrario el depósito es siempre regular.

El CCom dispone que, en este caso de depósito irregular, cesan los derechos y obligaciones propios del depositante y depositario, y se observan las reglas y disposiciones aplicables al **préstamo mercantil**, a la **comisión** o al contrato que en sustitución del depósito hayan celebrado.

Precisiones Sin embargo, parte de la doctrina estima que el depósito irregular podría considerarse como una **variedad particular del depósito**. Para permanecer en el ámbito del depósito, deberían concurrir en el depósito irregular dos **circunstancias**: que el fin que persiga el depositante sea confiar la custodia de la cosa al depositario y la ausencia de plazo para la devolución de la cosa (TS 19-9-87, EDJ 6455; 10-1-91, EDJ 144, citadas por Sánchez Calero).

Depósito de dinero El depósito irregular más común es el depósito de dinero, pues el dinero es una cosa perfectamente fungible, jurídicamente **no consumible** ni extinguible. El más frecuente de los depósitos de dinero es el bancario. 4969

Al reflexionar acerca de la naturaleza jurídica del **depósito bancario** de dinero, la doctrina y la jurisprudencia afirman que más bien corresponde a la del préstamo mutuo, si bien nunca desapareciendo la causa de la custodia propia del depósito (nº 4956). A pesar de ello, el CC califica como depósito al depósito de dinero, considerando que el depositario está obligado a pagar **intereses** (tanto remuneratorios como moratorios, en su caso), que es la obligación característica del prestatario de dinero. De manera que el CC ordena la aplicación de las normas del mutuo de dinero al contrato de depósito de dinero; y, sin embargo, sigue llamándolo depósito.

El CCom diferencia entre depósito de numerario con o sin especificación de moneda (nº 4969). 4971
Sin embargo, más bien parece referirse a un numerario diferente del dinero fiduciario (y aún bancario) actualmente en circulación. En efecto:

a) Si el objeto es numerario abierto y **con especificación de moneda** o bien es cerrado, entonces no es depósito de dinero en sentido estricto, sino de **metal amonedado** (monedas antiguas, monedas de plata o de oro...). No hay depósito irregular. El depositario tiene que devolver no el *tantumdem*, sino exactamente la misma moneda depositada.

Solamente así cobra sentido el que sean de cuenta del depositante los **aumentos o bajas** que su valor experimente, pues éste no ha perdido su propiedad. En concordancia con lo anterior, se agrava la responsabilidad del depositario, pues los riesgos de dichos depósitos corren a su cargo, siendo también de su cuenta los **daños** que sufran, salvo que pruebe que ocurrieron por fuerza mayor o caso fortuito insuperable (CCom art.307).

b) Si el objeto es numerario abierto y **sin especificación de moneda**, entonces sí que estamos en presencia de depósito irregular de dinero en su sentido técnico-jurídico (poder patrimonial abstracto), respondiendo el depositario de su conservación y riesgos en los términos del nº 4956.

Depósito administrado (CCom art.308) Si se trata de depósitos de **títulos, valores, efectos o documentos** que devengan intereses, el depositario tiene la obligación de realizar su cobro en los vencimientos y de llevar a cabo aquellos actos necesarios para que los efectos depositados conserven su valor y los derechos que les correspondan. 4973

Se trata de un régimen impuesto legalmente que conjuga las posiciones jurídicas del comisionista (encargado de la gestión de los valores) y del depositario (recibe en depósito los valores a gestionar), lo cual redunda en una ampliación de la obligación de percibir los frutos de la cosa de todo depositario.

Precisiones El depósito administrado tiene una singular aplicación en la actividad de los **operadores bursátiles** (nº 9260).

4975 **Depósito no principal** En realidad, el depósito como contrato no puede ser más que principal o sustantivo. En otros muchos contratos existen **obligaciones de custodia y restitución**, pero no son contrato auxiliar de depósito; son depósitos en sentido material, contenido de la obligación de transporte, que incluye la custodia de las mercancías (TS 10-6-87, EDJ 4620; 19-10-87, EDJ 7436). El transportista responde como tal transportista, el comisionista como tal comisionista, sin que tengan que aplicarse las normas del depósito para regular sus respectivas obligaciones de custodia. Tan solo cabe admitir que en contratos atípicos aislados se produzca la necesidad de aplicar, por analogía, las normas del depósito junto a las de otro contrato (**contratos coaligados**) (Vicent Chuliá).
Ejemplo de esto último es el **contrato de hospedaje**, en el que el cliente no solamente se aloja en el establecimiento hotelero, sino que necesariamente deposita su equipaje en la habitación utilizada, además de, en ocasiones, alquilar una caja de seguridad especial.
El CCom no dice nada sobre ellos, pero sí el CC art.1783 y 1784 (**depósitos necesarios**).

4977 **Depósito en compañías de almacenes generales** (CCom art.193 a 198; RD 22-9-1917 art.15 a 31)
Estas compañías se encargan generalmente del depósito, conservación y custodia de los frutos y mercaderías que se les encomienden y de la emisión de sus resguardos nominativos o al portador.
El depósito en estos almacenes presenta las siguientes peculiaridades:
1º Es siempre **mercantil**.
2º Es siempre **retribuido**.
3º Es **formal**. Ha de formalizarse por escrito, que expresa los datos de identificación de depositante y depositario, de las mercancías o productos depositados, y del contenido obligacional.
4º Las entidades depositarias deben necesariamente haberse constituido bajo la forma de **sociedad anónima**. No pueden realizar esta actividad ni los empresarios individuales ni las empresas acogidas a otros tipos societarios.
El **objeto social** de las entidades depositarias debe ser fundamentalmente el depósito, la conservación y custodia de los frutos y mercaderías que les encomienden y la emisión de los resguardos justificativos. Aunque estas actividades sean el núcleo principal de su actividad, no se impide que desarrollen actividades complementarias.
5º En cuanto a los **bienes susceptibles de depósito**, el CCom no contiene reglas específicas. El RD 22-9-1917 art.15 a 31, de crédito mobiliario agrícola (actualmente solo están en vigor estos artículos), establece la inadmisibilidad de dejar en depósito «los frutos o mercaderías que por la acción del tiempo por el cual el depósito se constituya se mermen o destruyan». Esta exclusión pretende asegurar la efectividad de la custodia y la credibilidad de los **resguardos justificativos**.
Estos depósitos pueden ser individuales o colectivos. En cualquiera de los casos nunca son irregulares, pues el depositante nunca pierde la propiedad de la cosa depositada.
Si es **individual**, no hay pérdida de la individualidad de lo depositado, y el depositante tiene derecho a la restitución de las mismas mercancías depositadas.
Pero si es **colectivo** hay pérdida de dicha individualidad, en cuyo caso el depositante entrega determinadas mercancías (cuya propiedad no adquiere el depositario), las cuales se funden con las de idéntica naturaleza y tan solo puede exigir la restitución de la cantidad análoga a la entregada, pero no las mismas cosas que entregó.

4979 Nota característica de la relación negocial surgida de estos depósitos es la emisión por la compañía depositaria de **resguardos justificativos**, los cuales son negociables; se trasfieren por endoso, cesión o cualquier otro título traslativo de dominio, según sean nominativos o al portador, y tienen la fuerza y el valor del conocimiento mercantil.
Los resguardos se configuran documentalmente como un cuerpo escindido en tres secciones separables y que, perfeccionado el depósito, se separan:
- La primera es una **matriz** que queda en poder de la compañía.
- La segunda es el **justificante del depósito** (el resguardo propiamente dicho) que se entrega al depositante. Es un título de tradición que confiere a su titular el pleno dominio de los efectos depositados. Estos resguardos deben expresar necesariamente la especie de mercancías con el número o cantidad que cada uno represente.

- La tercera es una **cédula pignoraticia o warrant**, que se entrega igualmente al depositante, y permite a éste pignorar las mercancías depositadas mediante la entrega de la dicha cédula (nº 3787).

Para el estudio de la **ejecución de la garantía**, ver nº 4255.

E. Extinción del contrato

No hay especialidades respecto de las reglas generales del depósito civil, que, en realidad, son las normas genéricas de **extinción de las obligaciones** (nº 300 s.). **4985**

Precisiones **1)** Cabe destacar los siguientes preceptos: reguladores del **principio de identidad** en el cumplimiento de las obligaciones de entrega (CC art.1166 y 1167), la materia que regula el **principio de integridad** CC art.1169, y el que impide extinguir por compensación las deudas provinientes del depósito (CC art.1200).

2) Más difícil es la aplicación de la regla de la extinción de la obligación si la **cosa** determinada a entregar se **pierde o destruye** sin culpa del deudor, dada la especial regla del CCom art.306 (CC art.1182).

CAPÍTULO 8

Arrendamientos mercantiles

5050

Los contratos de arrendamiento de obras y de servicios han sido normativamente reservados a la **esfera del Derecho común** (CC art.1544, 1583 a 1600). Según la regulación civilista, mediante estos contratos, una de las partes se obliga a ejecutar una obra o a prestar a la otra un servicio por precio cierto. Ver nº 7100 s. Memento Civil. Obligaciones y Contratos 2023. 5052
A pesar de este encuadre normativo, en la práctica es cada vez más frecuente que dichos contratos tengan lugar en el marco de una actividad empresarial organizada. En este sentido, la **mercantilidad** de estos contratos deriva necesariamente de la existencia de un comerciante o empresa mercantil, que se dedica con habitualidad a realizar este tipo de actividades. Si el servicio o la obra se realizan, a su vez, para otro empresario, es indudable que estamos ante un contrato de los típicos entre empresas, que pueden calificarse como mercantiles en virtud de dicho componente subjetivo. Más dudoso es el caso en que la obra o el servicio se realizan para personas que no tienen la condición de comerciantes, en cuyo caso parece conveniente aplicar también los preceptos del Código de Comercio y de las leyes especiales a fin de evitar conflictos de normativa aplicable y sin perjuicio de la aplicación subsidiaria del Código Civil (en este sentido Cano Rico).
El arrendamiento de obras y servicios sirve además de **base normativa** para un extenso grupo de contratos mercantiles surgidos en los últimos tiempos y que carecen de regulación legal. Estos contratos diversos también son objeto de estudio en este capítulo.
Por otro lado, hemos excluido voluntariamente el estudio de ciertos contratos que, aun calificables como arrendamientos o prestaciones de servicios, atendiendo a su función económica, tienen mejor encuadre en otros capítulos. Ejemplos de ello son el arrendamiento financiero o **leasing** (que se expone en el nº 4575), el arrendamiento empresarial o **renting** (nº 4695), los contratos de representación y **distribución comercial** (nº 5500), los contratos **publicitarios** (nº 6150 s.), el contrato de **transporte** (nº 6450) y la transferencia de tecnología o **know-how** (nº 2780).

SECCIÓN 1

Ejecución de obras y prestación de servicios

5055

Mediante estos contratos, una parte se obliga a ejecutar una obra o prestar un servicio, a cambio de una contraprestación que ha de pagar la otra parte (CC art.1544). 5057
Nuestro ordenamiento considera estos contratos como **modalidades del arrendamiento** y consecuente se refiere a ellos como arrendamientos de obras y servicios. En este sentido, es el **arrendador** aquel que se compromete a realizar la obra o a prestar el servicio y es el **arrendatario** quien, a cambio del precio estipulado, adquiere derecho a los mismos.
Sin embargo, tanto la práctica como la doctrina y jurisprudencia actuales suelen prescindir de estas denominaciones y utilizar otras más adecuadas a los tiempos que vivimos. Así, es más habitual designar a quien presta un servicio como **profesional o prestatario**, o bien con el nombre de la profesión que desempeñe; quien realiza una obra suele denominarse **contratista o constructor**. El acreedor en uno u otro caso será el **cliente** de los servicios, o bien el **comitente o dueño** de la obra.

5059 La **distinción principal** entre los contratos de ejecución de obra y de prestación de servicios se concreta en que en el primero se compromete un **resultado**, cualquiera que éste sea y con independencia del trabajo que se requiera para obtenerlo; mientras que en el segundo se promete una **actividad**, la propia prestación de servicios, con independencia del resultado que se obtenga (ver nº 5080).

Es, por tanto, crucial el conocimiento de la **verdadera intención** de los contratantes, pues una misma actividad u operación puede constituir una ejecución de obra o una prestación de servicios.

5061 Precisiones 1) Por **obra** no ha de entenderse una obra en sentido material (p.e., construir un edificio), sino que significa una realización completa, un resultado, cualquiera que se haya pactado y en las condiciones estipuladas (p.e., la emisión de un informe).

2) El deslinde entre el arrendamiento de obra y el de servicios resulta, en muchos casos, difícil, por lo que ha de recurrirse a diferentes criterios para determinar si se trata de una obligación de resultado o de medios y para ello deberá examinarse cuál fue la **voluntad de las partes**, la **finalidad útil** perseguida, e incluso el carácter más o menos aleatorio del **resultado** esperado. Así, si la obligación tiende a la realización de un resultado en sí mismo aleatorio, se tratará de una obligación de medios, ya que no es razonable en este tipo de supuestos garantizar un resultado, pero si el resultado considerado debe ser normalmente alcanzado con el empleo de los medios de que dispone o debe disponer el deudor, la obligación será normalmente de resultado y el incumplimiento vendrá determinado por la no obtención de ese resultado prometido (AP Lleida 12-1-01, EDJ 102998).

1. Ejecución de obra

5065

a. Concepto y caracteres

5070 El Código Civil regula el contrato de ejecución o arrendamiento de obra, casi exclusivamente, respecto de las **obras de edificación**. Hay que advertir, no obstante, que es posible y frecuente que la obra recaiga sobre otro objeto, que puede ser de muy variada naturaleza (ver nº 5080).

Conforme a lo dispuesto en el CC art.1544, el contrato de arrendamiento de obra se puede **definir** como aquél por el cual una persona (contratista) se obliga respecto de otra (comitente), mediante precio cierto a la obtención de un resultado, al que, con o sin suministro de materiales, se encamina la actividad creadora del mismo que asume los riesgos de su cometido.

Precisiones Es preciso hacer notar que, aun aplicadas en el ámbito de la construcción inmobiliaria, las **normas** del Código Civil al respecto han quedado un tanto **anticuadas**, teniendo en cuenta las modernas formas de construcción y la diversidad de relaciones que se pueden establecer entre los intervinientes de un proceso constructivo (promotor, arquitecto, aparejador, contratista, etc.).

Además, debe tenerse en cuenta que el sector de la construcción inmobiliaria es especialmente reacio a confiar a la justicia la resolución del conflicto contractual que se haya generado, ya que los tiempos de la justicia no se adecuan al dinamismo y necesidades de los promotores. Por ello, hay que tratar de evitar la existencia en el contrato de conceptos jurídicos indeterminados, así como prever mecanismos de **garantía de cumplimiento** de las obligaciones contractuales, como es la cláusula penal, una figura jurídica de gran utilidad y muy popular en esta tipología de contratos.

5072 **Características** En cuanto los caracteres del contrato de arrendamiento de obra inmobiliaria, podemos resumirlos en los siguientes:

a) Contrato de **naturaleza consensual**: rige la libertad de forma perfeccionándose por el mero consentimiento de las partes (CC art.1258 y 1544), siendo válido incluso el contrato verbal de obra (TS 3-10-01, EDJ 32275; AP Las Palmas 14-11-23, EDJ 813887).

b) Contrato **bilateral**: en tanto que genera obligaciones recíprocas entre las partes; el comitente se obliga al pago del precio y el contratista a la ejecución de la obra pactada y a su entrega (TS 22-10-97, EDJ 7802). El sinalagma está en el génesis de la relación obligatoria, constituyendo el deber de la prestación de una de las partes la causa por la cual se obliga la otra (TS 15-11-93, EDJ 10307).

c) Contrato de **tracto único**: a diferencia del contrato de arrendamiento sobre finca urbana o rústica o de servicios, estamos ante un contrato de tracto único que se agota con la entrega de la obra ejecutada, si bien es de ejecución diferida, como en el caso de la compraventa de finca sobre plano.
d) Contrato **oneroso**: la causa de la ejecución de la obra es la entrega de una suma de dinero.

Precisiones 1) El encargo realizado por el dueño de la obra, aceptado por el **arquitecto**, determina el nacimiento del contrato de arrendamiento de obra, previsto en el CC art.1544 del que surge la obligación del arquitecto no solo de redactar un proyecto técnicamente viable, sino de asumir la dirección de la obra durante la ejecución, de manera tal que esta pueda ser llevada a su práctica material de acuerdo con lo proyectado (TS 26-9-12, EDJ 217975).
2) El **contrato de construcción** inmobiliaria se expone en los nº 940 s. Memento Inmobiliario 2023-2024.

Modalidades (CC art.1588) Existen dos modalidades de este contrato, según que los **materiales** los suministre el comitente o el contratista. En el primer caso se habla simplemente de ejecución de obra y en el segundo de ejecución de obra con suministro de materiales (ver nº 5104). En este último caso, el contrato comparte elementos con el contrato de compraventa (ver nº 5084). **5074**

Precisiones Si las partes no pacta expresamente quién aporta los materiales, se estará a los **usos sociales** (CC art.1258 y 1287). Por ejemplo, en la construcción de un edificio, lo normal es que el que ejecute la obra, ponga también los materiales.

b. Naturaleza jurídica

Distinción con el contrato de arrendamiento de servicios Lo fundamental para considerar que existe un contrato de ejecución de obra (y, sobre todo, para distinguirlo de una prestación de servicios) es que el contratista se obligue a prestar al comitente, no propiamente una actividad, sino más concretamente el **resultado** producido por la misma (TS 4-10-89, EDJ 8695; 8-10-01, EDJ 32282; 6-5-04, EDJ 26176; 9-1-06, EDJ 1856), con independencia de la actividad o trabajo que sea necesario emplear. Así pues, el arrendatario se obliga a una prestación de resultado, y no de medios, de ahí que no estemos ante un arrendamiento de servicios propiamente, sino de obra. **5080**
Es común a ambos contratos -de arrendamiento de servicios y de obra- que el obligado debe llevar a cabo una **obligación de hacer**, pero mientras en el arrendamiento de servicios se establece una obligación de medios, de esfuerzo, en el contrato de obra no importan las horas de trabajo, sino el resultado obtenido; todo ello sin perjuicio de la importancia de que la actividad prestada por el contratista deba ajustarse a las reglas de la *lex artis* del sector.
Tal como afirma la doctrina (SALVADOR CODERCH, P.), otro rasgo diferencial respecto del contrato de servicios, es que el contrato de arrendamiento de obras no consiste solamente en una obligación de hacer, sino también existe una **obligación de dar** la obra ejecutada al comitente.
Dicha prestación de resultado no se agota con su mera ejecución, sino que debe ejecutarse empleando para ello la diligencia debida del profesional adecuándose a lo pactado y a la **finalidad** deseada y prevista por las partes contratantes, de modo que reúna las cualidades prometidas y que no adolezca de vicios o defectos que eliminen o disminuyan el valor o utilidad previstos en el mismo.

Jurisprudencialmente se ha admitido la existencia de contrato de ejecución o arrendamiento de obra en muy diversos **supuestos**, entre otros: **5082**
- construcción de un campo de fútbol (TS 6-6-00, EDJ 13842);
- instalación en una bodega de depósitos para la elaboración de vino (TS 22-2-97, EDJ 727);
- instalación de un depósito de combustible destinado a usos agrícolas (TS 30-6-99, EDJ 14359);
- instalación de cocinas (TS 27-2-99, EDJ 2924);
- pintura y limpieza de un buque (TS 18-6-99, EDJ 13386) o reparación de un yate (TS 29-12-00, EDJ 49614);
- realización de mobiliario (TS 28-11-98, EDJ 26846);
- reforma de prendas de vestir;
- realización de una hidrosiembra -sistema con el que se pretende conseguir la revegetación en zonas o terrenos de fuerte pendiente o difícil acceso- en un vertedero (AP Lleida 12-1-01, EDJ 102998);
- reparación de vehículos (AP Cuenca 21-10-96; AP Baleares 18-1-99, EDJ 3237; AP Ciudad Real 24-2-98, EDJ 3799);
- ciertos trabajos médicos, como implantación de prótesis dentarias (AP Soria 26-10-95);

- instalación de una red de agua potable para conjunto de viviendas (TS 14-12-99, EDJ 37873);
- reparación de máquinas y aparatos (AP Madrid 19-6-95);
- realización de proyectos de obra por un arquitecto (TS 29-5-87, EDJ 4253); no así la dirección facultativa de la obra que es arrendamiento de servicios (TS 22-7-00, EDJ 22072; AP Toledo 7-10-94);
- confección y entrega de determinados ejemplares de un programa de fiestas (AP Huesca 13-6-92);
- montaje e instalación de una sala de ordeño (AP Lleida 26-1-01, EDJ 102999);
- impresión, encuadernación y distribución de publicaciones (AP Madrid 24-3-98; AP Barcelona 4-11-04, EDJ 201520);
- contratos informáticos, consistentes en la instalación de sistemas informáticos, incluyendo los servicios de programación, análisis funcional, formación, mantenimiento y asistencia post-venta (AP La Rioja 16-9-03, EDJ 266046);
- un tratamiento médico dental, de cirugía estética o vasectomía, pues se trata de una obligación de resultado. Ahora bien, lo normal es que la relación jurídica entre paciente y médico sea de prestación de servicios profesionales en orden a la salud del paciente (TS 28-6-99, EDJ 14358).

Precisiones 1) El que la **retribución** se realice en atención del tiempo empleado no desnaturaliza la calificación del contrato como arrendamiento de obra (TS 6-5-04, EDJ 26176).
2) La existencia de un **proyecto básico** de obra es suficiente para considerar la individualización del objeto contractual y la existencia del contrato de obra, aunque falte un presupuesto donde se determinen las partidas a realizar con su calidad y cuantía. Tampoco la falta de **proyecto de ejecución** es determinante de la inexistencia de contrato. Dicha carencia puede incidir en el cumplimiento del contrato, pero no afecta a la determinación de su objeto (TS 25-4-03, EDJ 9895).

5084 **Distinción con el contrato de compraventa** Puede contratarse la ejecución de una obra conviniendo en que el que la ejecute ponga solamente su trabajo o su industria, o que también suministre el material (CC art.1588).
El contrato de ejecución de obra con **suministro de materiales** comparte elementos del contrato de ejecución de obra y del de compraventa. Para determinar la verdadera naturaleza jurídica del contrato es importante atender a la **intención de las partes** y a la naturaleza del objeto o **resultado deseado**. Así, puede estimarse que existe compraventa si el contratista realiza la obra a iniciativa propia, con intención de vender el resultado y aun cuando la otra parte se haya comprometido a adquirirlo desde un principio (compraventa de futuro). Por el contrario, el contrato sería de ejecución de obra cuando la ejecución se lleva a cabo por encargo y con sujeción a las instrucciones del comitente, cuando lo esencial de la relación es la actividad del contratista, el trabajo, dirigida a obtener un resultado (TS 20-7-95, EDJ 4238; 25-4-80, EDJ 849; AP Ourense 31-7-98, EDJ 68775).
De este modo, se reputará **compraventa**, y quedará sujeto a sus normas reguladoras, cuando así lo hayan querido las partes en atención, únicamente, a la prestación de entrega de la cosa pactada (CC art.1255); y se reputará **arrendamiento de obra** cuando las partes hayan atendido al trabajo a desarrollar para la obtención del resultado.
Cuando las partes hayan prestado especial atención a la **habilidad del aportante** de los materiales para el desarrollo sobre los mismos de una actividad para los que se precise determinada especialización o conocimiento, estaremos ante un verdadero contrato de obra, pues lo querido por las partes no es, en rigor, el material aportado, sino el trabajo que sobre los mismos va a realizar la contraparte.
En palabras de O'CALLAGHAN MUÑOZ X., mientras en la compraventa la causa radica en el cambio de cosa por precio, en el contrato de obra se adquiere el derecho a un resultado de la actividad humana.
Si atendemos a la **naturaleza del objeto** u obra esperada, cuando estamos ante una **cosa fungible**, que puede obtenerse de múltiples agentes o empresarios dedicados habitualmente a la producción del mismo tipo de objeto, y donde el proceso productivo pierde importancia frente a la entrega, lo pertinente es entender que estamos ante un contrato de compraventa.
Por último, para DIEZ-PICAZO y GULLÓN otro indicio razonable para calificar el contrato como uno de obra o uno de compraventa es que el artífice o contratista haga con la materia aportada una **cosa nueva principal**, o se limite sólo a realizar **obras accesorias** en ella. A juicio de estos autores, la fabricación de un coche de carreras con prestaciones especiales es claramente un arrendamiento de obra; mientras que la adquisición de un coche con el encargo de incorporar más elementos de seguridad es compraventa, aunque con prestaciones accesorias que no desnaturalizan este contrato.

c. Obligaciones del contratista

La **obligación principal** del contratista es la realización de la obra con arreglo a lo estipulado en el contrato. Es por ello que resulta fundamental, para una posible reclamación por incumplimiento, la delimitación clara y precisa de la obra a realizar y de las condiciones y circunstancias del resultado a obtener (mediante plano, descripción, etc.). 5090

En el contrato de ejecución de obra con **suministro de materiales**, el contratista está, asimismo, obligado a aportar los materiales sobre los que ha de realizar su trabajo.

Ejecución de la obra El contratista está obligado a **realizar y entregar la obra** y que ésta sea la prevista, correcta y adecuada, siendo ello determinante del derecho al pago o retribución. Es decir, de la realización y perfección de ese resultado depende que el contratista haya o no cumplido, o lo haya hecho defectuosamente. 5092

La apreciación de la **perfección del resultado** es con frecuencia dificultosa por la parquedad normativa del CC, y porque el concepto de obra -como resultado- presenta diversas modalidades (elaboración de un dictamen técnico, confección de una prenda o de útiles varios, obra de arte, construcción, edificación, rehabilitación, reparación, etc.) que no son susceptibles de un tratamiento unitario. Por ello, la determinación de la perfección del cumplimiento debe ser valorada en relación con lo **convenido** -deducible de las estipulaciones contractuales, presupuesto, proyecto, hoja de encargo, garantía suscrita, oferta del contratista, u otro elemento evidenciador-, pero cuando falta una previsión específica debe prestarse singular atención a las circunstancias del caso. La bondad del resultado no cabe supeditarla sin más a la satisfacción del **interés del acreedor** del mismo, pues puede ser insatisfactorio para el comitente y, en cambio, ser ajustado a la consecuencia o efecto normal del trabajo efectuado y contratado. Lo relevante no es que el resultado coincida con la finalidad perseguida por el comitente, sino el correspondiente a la ejecución de obra que se contrató, pues aquel interés puede ir más allá de lo que es connatural o consecuencia de lo encargado o convenido (TS 9-1-06, EDJ 1856).

Precisiones 1) La «obra a **satisfacción del propietario**» no constituye un elemento natural del contrato de obra, sino que conforme a la reiterada jurisprudencia, requiere una estipulación concreta sobre el particular (AP Zaragoza 8-10-18, EDJ 731728).
2) Se condena al ingeniero técnico industrial de una obra porque, a pesar de la inicial conformidad del comitente respecto de la realización de las obras encargadas, el **resultado final no cumplió** con el objetivo primario de insonorización del local, lo cual generó la denegación de la licencia de apertura del local (TS 14-7-06, EDJ 265957).

El contratista ha de actuar prestando atención a los **usos profesionales** imperantes en la profesión u oficio que desempeña (CC art.1258), que adquieren una especial relevancia en este contrato, teniendo en cuenta la escasa normativa que lo regula. Es exigible al contratista la **diligencia** que se derive de dichos usos, de tal forma que la impericia en el desempeño de su trabajo podrá entenderse como una actuación negligente a efectos de reclamar su responsabilidad. 5094

A estos efectos ha de entenderse que, por aplicación analógica de las normas de la compraventa, el contratista responde por los **defectos** de que adolezca la obra, tanto si son aparentes como ocultos. No obstante, su responsabilidad por los defectos **aparentes** desaparece en el momento en que el comitente, tras examinar la obra, manifiesta su aprobación sobre la misma (CC art.1484; CCom art.336).

En lo que respecta a los defectos **ocultos**, no se establece plazo en cuanto a la duración de su responsabilidad. Las normas de la compraventa al respecto establecen el **plazo** de caducidad de 6 meses desde la entrega (CC art.1490; en este sentido ver sentencia AP Córdoba 20-12-99, EDJ 54817). Hay que advertir, no obstante, que, en las obras de cierta entidad, será común que los vicios no se manifiesten en dicho plazo, lo que haría conveniente aplicar el plazo general de prescripción por incumplimiento contractual que, desde el 7-10-2015, es de 5 años (CC art.1964).

Precisiones La reforma del CC art.1964 se aplica en los términos del CC art.1939; la **prescripción** comenzada antes de **7-10-2015**, se somete al régimen anterior -15 años-; pero, si desde esta fecha transcurre el nuevo plazo íntegramente -5 años-, este surte efecto (L 42/2015 disp.trans.5ª).

El contratista responde, además, no solo por su propio trabajo, sino también por el de las **personas que ocupe** en la obra (CC art.1596). Dicha responsabilidad alcanza tanto a sus empleados como a los subcontratistas (TS 16-3-98, EDJ 969; 4-6-02, EDJ 20076), sin perjuicio de que posteriormente pueda, a su vez, reclamar responsabilidad a éstos. 5096

Con respecto a la ejecución, puede estipularse como su objeto la totalidad de la obra, o bien partes de la misma, en cuyo caso la ejecución se fracciona en **ejecuciones parciales**. A este último supuesto se refiere el Código Civil con la terminología «obras por piezas o por medida», para las que se dispone que el comitente ha de recibir la obra por partes y pagarla de forma proporcional a lo ejecutado (CC art.1592).

Es posible que el objeto del contrato experimente alguna variación en el curso de su ejecución. Toda modificación del proyecto original, ya suponga **ampliación o disminución de la obra**, ha de ser convenida por ambas partes. En consecuencia, no es posible la variación unilateral por el contratista, que, al menos, debe contar con la aprobación tácita del comitente (TS 6-4-99, EDJ 5409; 16-11-99, EDJ 33653; 15-6-09, EDJ 120220).

En cuanto al **plazo de ejecución**, ha de estarse a lo estipulado por las partes en el contrato o a las modificaciones que sobre el mismo establezcan en el curso de la ejecución. A este respecto se entiende que, aunque nada se haya pactado sobre esta circunstancia, la ampliación del proyecto inicial de la obra implica tácitamente una derogación del plazo de ejecución fijado, siempre que el exceso de obra tenga relevancia con respecto a la totalidad (TS 23-6-95, EDJ 3630).

Hasta la entrega efectiva de la obra al comitente, el contratista es responsable de su **conservación** y custodia (CC art.1094). Además, si la obra se ha realizado sobre un bien mueble, puede el contratista **retener en prenda** dicho bien hasta que le sea pagado lo que le corresponde (CC art.1600).

5098 **Incumplimiento o cumplimiento defectuoso** En casos de ejecución defectuosa del contrato de obra, el contratista es responsable ante el comitente por incumplimiento irregular o inexacto de la obligación, con derecho al consiguiente resarcimiento, que se traduce en la reparación específica o en la reducción del precio, siempre y cuando los vicios de la obra no la hagan impropia para satisfacer el interés del comitente, en cuyo caso se pueden usar las acciones del CC art.1124 (TS 15-3-79, EDJ 614).

Así, frente al cumplimiento defectuoso o incumplimiento del contratista, el **comitente** puede exigir judicialmente (TS 24-9-98, EDJ 17482; 12-6-98, EDJ 8649):

a) La **reparación** o rectificación de los defectos, a fin de que se realicen las obras correctoras precisas, incluso a costa del contratista (CC art.1091 y 1098).

b) La **reducción del precio**.

c) La **resolución del contrato** (CC art.1124), cuando los defectos sean de cierta importancia o trascendencia en relación con la finalidad perseguida y con la finalidad o dificultad de su subsanación, haciendo la obra impropia para satisfacer el interés del comitente (TS 12-6-98, EDJ 8649); o bien cuando se produzca la frustración del fin del contrato para la otra parte y el incumplimiento sea inequívoco y objetivo. No es preciso que el incumplidor actúe con ánimo deliberado de causar dicho incumplimiento (TS 30-4-94, EDJ 3844).

La Ley no establece en este caso un **plazo de reclamación** específico, por lo que ha de aplicarse el general para las acciones personales que, desde el 7-10-2015, es de 5 años -CC art.1964- (TS 27-1-92, EDJ 621; AP La Rioja 5-5-99, EDJ 87266). La reforma del CC art.1964 se aplica en los términos del CC art.1939; la prescripción comenzada antes de **7-10-2015**, se somete al régimen anterior -15 años-; pero, si desde esta fecha transcurre el nuevo plazo íntegramente -5 años-, este surte efecto (L 42/2015 disp.trans.5ª).

Precisiones 1) La responsabilidad por defectos en el **contrato de compraventa** se expone en el nº 1110 s.

2) Las deficiencias e irregularidades en la obra no constituyen un incumplimiento que permita la aplicación de la excepción de contrato no cumplido (*non adimpleti contractus*) para justificar el **impago del precio** (TS 22-10-97, EDJ 7802).

La *exceptio non adimpleti contractus* sólo opera cuando concurre una manifiesta **intención de incumplir** y no bastan meras sospechas o temores de consecuencias futuras e incluso meros incumplimientos accesorios (TS 22-11-95, EDJ 6897; 25-1-01, EDJ 354).

5100 Cuando el incumplimiento se produce por negligencia del contratista puede el comitente exigir la **indemnización de daños y perjuicios** que se hayan ocasionado (CC art.1101).

En estos contratos es frecuente el establecimiento por las partes de una **cláusula penal** para sancionar la **terminación tardía de la obra**. La pena pactada sustituye a la indemnización de daños y perjuicios y al abono de intereses en caso de falta de cumplimiento por parte del contratista, salvo pacto en contrario entre las partes. Ha de entenderse que esta cláusula solo resulta efectiva cuando el retraso supone un incumplimiento contractual (CC art.1152).

Teniendo en cuenta dicha función sustitutiva de la indemnización, parece lógico que la pena no pueda imponerse cuando no proceda exigir indemnización por daños y perjuicios (p.e., en caso de incumplimiento no culpable).

Precisiones 1) El **retraso en la entrega de la obra** no es un supuesto de incumplimiento, sino un caso de cumplimiento tardío de la obligación, porque, al haberse concluido la obra por el contratista, aunque se hubiera efectuado fuera del plazo convenido, esta tardía conclusión no puede servir de base para la resolución del contrato de ejecución de obras. Únicamente se podrá solicitar la indemnización de los daños y perjuicios ocasionados al dueño de la obra (TS 28-9-00, EDJ 28963). 5102

2) El TS declara que el **retraso en la terminación de la obra**, causado por el abandono injustificado, da lugar a la indemnización de los daños y perjuicios, desde la fecha en que la constructora comunica su voluntad de paralizar las obras, hasta la fecha en que se comunica a ésta la voluntad de resolver el contrato (TS 1-4-16, EDJ 30597).

3) La **moderación de la cláusula penal** no procede cuando la penalidad pactada se refiere precisamente al incumplimiento producido, excluyendo cualquier forma de moderación una vez producida la resolución contractual por incumplimiento del contratista (TS 28-1-20, EDJ 505940).

4) El **Project Manager** en el proceso de edificación asume responsabilidades de agente de la edificación cuando su intervención es activa y decisoria, respondiendo por los defectos de ejecución en la medida que le son imputables según las funciones contractuales encomendadas (TS 15-10-20, EDJ 684299).

Suministro de materiales La aportación de los materiales a cargo del contratista determina la configuración del contrato como de ejecución de obra con suministro de materiales, que comparte elementos del contrato de ejecución de obra y del de compraventa (nº 5084). 5104
Por ello, en el cumplimiento de esta obligación se aplican las **normas de la compraventa** relativas a la entrega (nº 1065 s.).

d. Obligaciones del comitente

Son obligaciones principales del comitente la recepción de la obra (nº 5112), y el pago del precio (nº 5116). En este punto la ejecución de obra se asemeja a la compraventa, pues las obligaciones del comitente son similares a las del comprador que también debe cumplir con el recibo de la cosa y con el pago de lo que se haya estipulado por ella (ver al respecto nº 1135 s.). 5110
Analizamos cada una de estas obligaciones separadamente.

Recepción de la obra Una vez que la obra está concluida, el contratista tiene obligación de entregarla y el comitente de recibirla. La obligación de recepción es, por tanto, paralela a la de entrega y consecuencia lógica de la misma. 5112
No obstante, el comitente solo está obligado a la recepción de la obra cuando el **resultado** sea **conforme** con lo estipulado. Para verificar este extremo, el comitente puede y debe examinar el producto y mostrar su aprobación, expresa o tácita, sobre el mismo.
Es posible que las partes no hayan estipulado detalladamente las condiciones que debe reunir el producto final y que, en cambio, hayan hecho depender el cumplimiento correcto de la satisfacción o aprobación del comitente. Para este supuesto se establece que, en caso de falta de conformidad, se ha de recurrir al **juicio pericial** a fin de determinar si la obra se ajusta o no a lo pactado (CC art.1598).
También es posible que la apreciación de que la ejecución de la obra se ajusta a lo estipulado se deje a **juicio de un tercero**. En este caso habrá que estar a lo que éste decida (CC art.1598).
Cuando la obra es cuantificable en **piezas o medida**, el contratista puede exigir al comitente la **recepción parcial** de la misma y el pago proporcional de lo recibido. En este caso se presume aprobada y recibida la parte satisfecha (CC art.1592).

En las **obras de gran magnitud** (p.e., construcción de un edificio, reparación de un buque) es habitual pactar una doble recepción (TS 16-6-94, EDJ 5406): 5114
• En primer lugar, la **recepción provisional**, mediante la que el comitente toma posesión de la obra y que inicia el plazo para examinarla, a fin de comprobar que el resultado se ajusta a lo pactado.
• En segundo lugar, la **recepción definitiva**, que se produce una vez transcurrido el plazo convenido para su examen sin que el comitente haya denunciado ningún defecto.
La recepción puede ser **expresa o tácita**. La segunda se da cuando el comitente lleva a cabo ciertos actos que indican su aprobación sobre la obra, como puede ser el pago del precio o la propia utilización de la obra entregada, o simplemente cuando transcurre el tiempo estipulado sin que manifieste su disconformidad (TS 22-3-97, EDJ 2372; 7-12-96, EDJ 9926; 5-7-96, EDJ 5298).
La aprobación y recepción de la obra por el comitente le imposibilita para reclamar por los **defectos aparentes** de la obra entregada -CC art.1484; CCom art.336- (TSJ Navarra 30-4-93, EDJ 14521).

Precisiones En general, salvo lo especialmente pactado, solo la recepción **definitiva** tiene efectos liberatorios para el contratista. La recepción provisional no impone el pago por el comitente de obras no realizadas (TS 21-10-11, EDJ 313625; 14-2-03, EDJ 2063).

5116 **Pago del precio** Constituye la **contraprestación** a la ejecución de la obra por el contratista. Es la obligación esencial o principal de la parte comitente.

Aun cuando la norma establece que el precio debe ser **cierto** (CC art.1544), esto es, que debe estar determinado, la jurisprudencia ha entendido reiteradamente que no es indispensable dicha determinación en el momento de celebrar el contrato, pues basta con que pueda **determinarse con posterioridad**, bien por los contratantes, bien por un tercero o bien a través de tasación pericial (TS 31-10-98, EDJ 22771; 20-7-95, EDJ 4238; 3-5-06, EDJ 59547). Así, el precio en un contrato de ejecución de obra se puede fijar de antemano o bien puede resultar, una vez realizada la obra, de un dictamen pericial o por uso o costumbre o por resolución judicial (TS 16-2-01, EDJ 1298; 18-11-05, EDJ 197570; 4-2-16, EDJ 5932).

Precisiones 1) El precio cierto del contrato de obra puede ser **predeterminado, determinado o determinable**, admitiendo diversas variedades para su fijación y pago (TS 22-10-97, EDJ 7802).
2) La contraprestación de pagar un precio cierto se suele concretar en la entrega de una cantidad de **dinero**. No obstante, el TS ha considerado que es un pacto lícito aquél que establece que el precio se pagará parte en dinero y el resto mediante la transferencia de la propiedad de determinados **pisos** (TS 4-10-89, EDJ 8695).

5118 La **fijación del precio** puede realizarse, principalmente, a través de uno de los sistemas siguientes:

a) Por **ajuste o a precio alzado**. Consiste en la fijación de un precio global para toda la obra. Se caracteriza por la invariabilidad del precio, la existencia de un presupuesto cerrado y la asunción del riesgo por el contratista. El contratista carga con todo el riesgo del coste final de la obra, conforme a lo dispuesto en el CC art.1593, salvo que se hayan hecho modificaciones de la obra proyectada y hayan sido autorizadas por el comitente; todo ello sin perjuicio de que se pueda pactar una cláusula de revisión de precios, y a salvo de la excepcional aplicación de la cláusula *rebus sic stantibus*.

b) Por **unidad de medida**. El precio total de la obra se determina mediante la fijación de precios unitarios por unidad de medida (p.e., metro cúbico de excavación, metro cuadrado de pared enyesada, etc.).

c) Por **piezas o unidad de obra**. Consiste en el señalamiento de un precio por unidad de obra (p.e., fabricación de 3.000 ordenadores a 300 euros por unidad). Esta modalidad de fijación del precio está prevista expresamente en el CC art.1592.

d) Por **economía o administración**, sistema en el que el precio se fija posteriormente, al finalizar la obra, en relación a los trabajos ejecutados y materiales empleados (TS 31-10-98, EDJ 22771; 16-2-01, EDJ 1298; 26-6-01, EDJ 13856).

La única condición que impone la certeza del precio es que el precio resulte cierto **sin** necesidad de acudir a un **nuevo acuerdo** entre las partes.

Precisiones 1) No debe confundirse el precio cierto con el **precio fijo**, pues el legislador lo que ha declarado es la certeza de la concurrencia del precio, no sus contingencias ni las modalidades de pago (TS 4-9-93, EDJ 7804; 13-12-94, EDJ 9798).
2) El arrendamiento **por unidad de medida o de pieza** se da cuando se encarga un trabajo a pagar en función de parámetros lineales, longitudinales, cubicables o de realización de piezas a destajo, en razón de la extensión del objeto o de la obra (TS 23-7-64; 7-10-64). Por otro lado, debe calificarse el contrato como **de precio alzado** cuando, sin perjuicio de los sistemas contables de presupuestación, facturación y control de mediciones en unidades, lo que se encarga es una obra completa, compleja, con posible precio unitario de algunas partidas, pero cómputo total global, aunque dicho cómputo se someta a comprobaciones (AP Barcelona 9-6-05, EDJ 110833).
3) Se ha considerado que el precio está establecido **a tanto alzado** en un contrato en el que concurren las siguientes circunstancias (AP Barcelona 9-6-05, EDJ 110833):
• Las **obras contratadas** se presupuestan con referencia tácita a las partidas que se describen, de manera que el presupuesto es incompleto.
• El **presupuesto** no describe un solo tipo de actividad, sino la totalidad de las tareas necesarias para llevar a cabo la obra, usando indistintamente medidas o unidades, cuya descripción responde, en general, a tareas completas (suministro y colocación) y globales (la obra en su conjunto), dejando de fijar precio unitario cuando se trata de tareas de electricidad, fontanería, suplementos y ayudas.
• Se fija un **precio alzado** para cada obra, aunque se someta a las mediciones reales efectuadas por la dirección facultativa. Se estructuran como contratos «totales» para bloques completos, permitiendo la subcontratación, estableciendo penalizaciones por retraso, sistema de pago por certificaciones, posibles pagos de anticipos y de modificaciones de obra y previsiones para su finalización;

• Las **certificaciones de obra** aportadas son parciales e insuficientes y presentan una cuantificación cerrada, por fases de obra acabadas, cuantificando por unidades en vez de por porcentajes.
• Las **facturas** presentan una única unidad de facturación, lo que responde a un sistema contable e informático de desglose y no a la fijación de precio de la obra en su conjunto por unidad o pieza.
4) En cuanto al supuesto de que se pacte que el precio sea **fijado por un tercero**, conviene tener en cuenta que el TS ha declarado que la palabra «arbitrio» que emplea el CC art.1447 no debe entenderse en el sentido de que la actuación del tercero haya de estar en extraordinaria amplitud que se pudiera llegar a permitir la más absoluta arbitrariedad; por ello es lógico, que se exponga a la persona encargada de determinar el precio, las condiciones y demás circunstancias de lo convenido para que, con arreglo a todo ello, emita su decisión (TS 21-4-56, EDJ 1048).

En principio, habiéndose pactado el precio a tanto alzado, no es posible el **incremento** por el contratista del precio establecido, aun cuando haya aumentado el precio de los jornales o de los materiales (TS 21-4-15, EDJ 58387; 20-4-09, EDJ 72797). No obstante, sí se prevé dicha posibilidad cuando se produzca un aumento o incremento del **volumen de obra**, siempre que se cuente con el consentimiento o autorización del comitente (CC art.1593). Basta con que dicho consentimiento se produzca de forma tácita (TS 2-7-98, EDJ 18026; 31-10-98, EDJ 22771; 6-4-99, EDJ 5409; 23-1-01, EDJ 1277; 13-7-01, EDJ 15321). La jurisprudencia también ha extendido la posibilidad de incremento del precio cuando la obra ejecutada cobra mayor valor en razón de la **superior calidad de los materiales** empleados o de la realización de obras complementarias o de mejora, siempre que se cuente con el consentimiento del comitente (TS 15-3-90; 6-4-00, EDJ 7011). Es posible también que el aumento de obra sea concertado entre el comitente y el subcontratista, sin intervención del contratista (TS 15-3-90). **5120**
En cuanto al **momento del pago**, si nada se ha establecido al respecto, el pago debe realizarse al hacerse la entrega (CC art.1599).

Precisiones El contrato de obra por ajuste alzado supone para el constructor la exigencia de aplicar su experiencia para calcular el coste total de la obra y apreciar la posibilidad de eventualidades e imprevistos que pueden aparecer en el transcurso de la misma. Habiendo adoptado tal modalidad de contrato, el constructor debe **asumir los incrementos** en el coste de la obra producidos por la necesaria modificación del proyecto inicial.
No obstante, el principio de invariabilidad del precio en este tipo de contratos puede matizarse en determinadas hipótesis de trabajos necesarios y para evitar el enriquecimiento injusto (en ese sentido TS 12-1-99, EDJ 304), en supuestos en que las partes pactan la **posibilidad de rectificación** del precio fijado en función de las diferencias que existan entre la obra proyectada y la obra ejecutada efectivamente (TS 10-10-03, EDJ 110408).

El pago se puede realizar todo de una vez o fraccionado, mediante **pagos parciales**. A este respecto se establece que, si el precio se ha fijado por piezas o medidas, puede el contratista exigir al comitente que reciba la obra por partes y que la pague en proporción. En este caso se presume aprobada y recibida la parte satisfecha (CC art.1592; TS 30-6-11, EDJ 130897). Cuando no concurre esta circunstancia (por pactarse, por ejemplo, un precio alzado), la realización del pago de forma fraccionada no obliga al comitente a efectuar **recepciones parciales** y puede, por tanto, negarse a la posterior recepción de la obra, y exigir la devolución de lo pagado, cuando el resultado no se corresponde con lo convenido. **5122**
La **inexistencia de precio** debe comportar la nulidad de pleno derecho del contrato ya que falta el elemento esencial de la causa del contrato (CC art.1261). No obstante, no debe considerarse que hay inexistencia de precio en aquellos casos en que existe una indeterminación contractual del mismo, como es frecuente en contratos verbales de escasa importancia económica en los que el comitente de buena fe no reclama presupuesto. En estos casos sí que hay precio, pero su indeterminación obliga al juzgado a integrarlo a través de la prueba pericial emitida en atención al coste de los materiales invertidos y mano de obra utilizados, en aras de respetar el principio general de conservación de los negocios jurídicos previsto en el CC art.1284 al estipular que «si alguna cláusula de los contratos admitiere diversos sentidos deberá entenderse en el más adecuado para que produzca efecto» y al principio de buena fe.

Precisiones La **indeterminación** del precio no es **causa de nulidad** del contrato de obra, puesto que puede ser determinado con posterioridad a la celebración del contrato por las partes o por tasación pericial -conforme al coste de los materiales, mano de obra, etc.- efectuada por un tercero o por el juzgador (TS 13-12-94, EDJ 9798; 18-11-05, EDJ 197570).

Incumplimiento de la obligación de pago Ante el incumplimiento del comitente de su obligación de pago, si la obra se ha realizado sobre un bien mueble, puede el contratista retener en **prenda** dicho bien hasta que le sea satisfecho el precio que se le adeuda (CC art.1600). **5124**
La acción personal para **reclamar el pago** del precio no es incardinable en el plazo de **prescripción** de 3 años previsto para reclamar el pago por los servicios prestados por menestrales, criados y jornaleros (CC art.1967.3). Lo determinante del plazo de prescripción no es tanto la consideración genérica de una actividad o de la condición jurídica de quien la

presta o ejecuta como la del contenido del contrato específico del que traen causas las acciones ejercitadas y siempre teniendo en cuenta la restrictiva interpretación de la prescripción. En consecuencia, debe entenderse que esta acción no tiene señalado un plazo de prescripción específico, por lo que ha de aplicarse el **plazo general** de prescripción por incumplimiento contractual de 5 años del CC art.1964.2 (TS 14-2-11, EDJ 10612; AP Murcia 20-10-04, EDJ 167437).

Precisiones **1)** El plazo actual de prescripción de 5 años (anteriormente eran 15 años) fue introducido por la L 42/2015 de reforma de la LEC, si bien, se introdujo un **régimen transitorio** (L 42/2015 disp.trans.quinta) en virtud del cual las acciones personales que no tuvieran señalado término especial de prescripción, nacidas antes de la fecha de entrada en vigor de la referida norma (esto es, antes del 7-10-2015), se regirían por lo dispuesto en el CC art.1939. Ver nº 1202.

2) Conforme al CCC art.121-21.b, el **plazo de prescripción en Cataluña** por las pretensiones relativas a la remuneración de los contratos de obra o de servicios es de 3 años, frente a los 10 años para los contratos atípicos.

El contrato entre una empresa hotelera y una entidad dedicada al asesoramiento y suministro de mobiliario y enseres decorativos para la realización de un proyecto de decoración de un hotel, y por el que ésta asume el suministro de materiales y la ejecución de obras, constituye un supuesto de contrato de obra con suministro de materiales (CC art.1588), y no un negocio de compraventa o contrato mixto con predominio de la compraventa (como pretende la empresa hotelera demandada), pues el **suministro del material** es un **medio para la ejecución de la obra** y prestación del encargo de decoración que se le facturó. En consecuencia, el plazo prescriptivo es el de 3 años (AP Barcelona 16-12-14, EDJ 282263).

e. Pérdida de la cosa

(CC art.1589 y 1590)

5130 Como regla general, si la obra se destruye por **caso fortuito** antes de su entrega, no puede el contratista reclamar al comitente el precio estipulado, corriendo, por tanto, con el riesgo de su pérdida o destrucción.

Se establecen no obstante dos **supuestos excepcionales**, en los que sí deberá el comitente pagar el precio:

• Cuando haya habido **morosidad** en la recepción de la obra.

• Cuando la destrucción se deba a la **mala calidad** de los materiales, siempre que el contratista hubiese advertido tal circunstancia al comitente.

Puede darse la situación de que el contratista **no haya advertido la mala calidad** de los materiales, en cuyo caso solo resulta liberado de responsabilidad si los vicios de los materiales son de tal naturaleza que no pueden objetivamente detectarse por un profesional de su clase.

5132 A estos supuestos excepcionales habría que añadir aquel en el que se ha reservado el comitente el **control sobre la ejecución de la obra**, supuesto en que recae sobre él la responsabilidad de la pérdida (TS 19-10-95, EDJ 24240).

En cuanto a la **pérdida de los materiales**, también por caso fortuito, con los que se proyectaba realizar la obra, debemos distinguir dos supuestos:

a) En la ejecución de obra con **suministro de materiales** (nº 5104), debe el contratista sufrir la pérdida de los mismos, salvo si ha habido morosidad en recibir la obra.

b) Si los materiales fueron **aportados por el comitente**, debe correr éste con el riesgo de su pérdida.

Ha de recordarse en todo caso que, **hasta la entrega de la obra** al comitente, el contratista es responsable de su conservación (CC art.1094).

Precisiones Los dos preceptos comentados se refieren, en todo caso a la pérdida o destrucción de la cosa por caso fortuito. La **conducta dolosa o culposa** del contratista se rige por CC art.1101 s. (TS 15-6-94, EDJ 5360).

f. Extinción del contrato

(CC art.1594 y 1595)

5135 Aparte de las causas generales de extinción de los contratos, la ejecución de obra puede extinguirse por las siguientes causas específicas:

a) Por **desistimiento unilateral del comitente**. Éste puede, por su sola voluntad, desistir de la construcción de la obra, aunque ya se haya empezado. La doctrina jurisprudencial tiene declarado que la facultad de desistimiento unilateral del contrato de obra no está condicionada a la concurrencia de requisito alguno, sino que se determina como una facultad *ad nutum*, dependiente de la sola voluntad del comitente (TS 2-2-93, EDJ 9803; 4-2-02, EDJ 631), por lo que resultan irrelevantes los motivos que le lleven a ello y, también, la innecesariedad del previo

incumplimiento del contratista (TS 31-5-01, EDJ 6633; 25-11-02, EDJ 51342; 19-2-10, EDJ 14185).
Eso sí, debe **indemnizar al contratista** todos los gastos, el trabajo y la utilidad que pudiera obtener de la obra (TS 17-6-08, EDJ 103337; 5-6-16, EDJ 34060). Se trata, en definitiva, de que el contratista quede indemne en cuanto a los efectos económicos que suponga la decisión unilateral de la contraparte, lo que significa que haya de percibir también la ganancia dejada de obtener (TS 18-6-10, EDJ 122271; AP Madrid 28-6-19, EDJ 672267).
b) Por **muerte del contratista**, siempre que la obra le haya sido encargada en razón de sus cualidades personales. En este caso se debe abonar a los herederos del mismo el valor proporcional de la parte de obra ejecutada y de los materiales preparados, siempre que de estos materiales reporte algún beneficio (esto es, cuando son aprovechables en la continuación de la obra o en otra).
c) Por **imposibilidad de acabar la obra** por el contratista, siempre que dicha imposibilidad se deba a una causa independiente de su voluntad. En este caso se ha de proceder igual que en el caso b) anterior. No podría entenderse como imposibilidad la prohibición de realizar la obra por mandato de la autoridad al no solicitar los permisos necesarios (Cano Rico).

Precisiones **1)** La facultad de **desistimiento unilateral** del comitente es autónoma e independiente de la **facultad de resolver el contrato**. Ambas responden a presupuestos distintos, como también son diferentes sus consecuencias en orden a las respectivas indemnizaciones. El ejercicio de la facultad de desistimiento no requiere alegar causa o motivo alguno, mientras que para el ejercicio de la facultad resolutoria se requiere el incumplimiento de alguno de los obligados. **5137**
No cabe solicitar la resolución del contrato por incumplimiento de la parte contraria, cuando, con anterioridad, se ha optado por el desistimiento. Ambas **acciones** son **incompatibles**. No es imputable al contratista la causa de resolución, incumplimiento, cuando es el comitente el que, por propia voluntad, ha renunciado a la prestación del contratista (TS 4-2-02, EDJ 631; 8-11-06, EDJ 306309; AP Málaga 4-4-13, EDJ 121441).
2) En caso de **mutuo disenso** entre las partes de un contrato de obra, la extinción de las obligaciones conlleva que a partir de ese momento las partes nada se adeudan con respecto a las posibles prestaciones de futuro no pactadas, pero ello no es óbice para que deban afrontar los pagos por prestaciones efectuadas antes del mutuo disenso (TS 13-1-21, EDJ 500741).
3) El **contratista** no puede continuar ejecutando trabajos prescindiendo de la voluntad del comitente, incluso si se han realizado modificaciones consentidas sobre el contrato inicial. En caso de **desistimiento unilateral del comitente**, el contratista tiene derecho a indemnización, pero no a continuar los trabajos sin el consentimiento del comitente (AP Valencia 19-6-20, EDJ 678624).
4) El concepto de **utilidad** a que se refiere el art.1594 CC se refiere a la de toda la obra y no sólo a la de la parte utilizada (TS 10-3-79, EDJ 610; 15-12-81, EDJ 1773), incluido lógicamente el beneficio industrial que el contratista confiaba obtener y que deberá calcularse sobre la totalidad de la obra proyectada y no sólo sobre la parte ejecutada, descontando el beneficio efectivamente obtenido por la eventual realización de parte de la obra y cobro del precio correspondiente a la misma (TS 18-6-10, EDJ 122271).
Para el **cálculo del beneficio industrial** ha de estarse a lo pactado entre las partes, o al cálculo con arreglo a los márgenes o elementos que figuren en el contrato, y, en su defecto, al cálculo que determinen los jueces conforme a los hechos acaecidos en cada caso. A este respecto, la jurisprudencia no ha establecido un porcentaje fijo y no sometido a las circunstancias económico-sociales de los tiempos, al tratarse de un uso general, cambiante y acomodado a cada realidad histórico-social (TS 17-10-96, EDJ 6720; 28-7-00, EDJ 20662; AP Barcelona 25-6-14, EDJ 152986).

g. Subcontratación

Es frecuente que, sobre todo en las obras de gran entidad, el contratista contrate, a su vez, con otros empresarios para la realización de **parte de la obra** o de **ciertos trabajos**, necesarios para llevar a cabo la ejecución comprometida. **5140**
Se crea de esta forma un subcontrato, **relación negocial distinta e independiente** de la principal (la ejecución de obra) que no supone la entrada y acceso del tercero al contrato originario, sino más bien su intervención en el logro de la realización de lo que constituye su objeto y finalidad, es decir, su ejecución (TS 30-12-93, EDJ 11967).
Con la intervención del subcontratista, las relaciones entre las partes presentan las siguientes particularidades:
a) En cuanto a la **relación del contratista con el comitente**, el primero es responsable del trabajo realizado por las personas que ocupe en la obra (CC art.1596), entre las que hay que entender incluidos a los subcontratistas (TS 30-12-93, EDJ 11967; 16-3-98, EDJ 969; 4-6-02, EDJ 20076).
b) Con respecto a la **relación del contratista con el subcontratista**, el primero -o, en su caso, los subcontratistas anteriores- ocupa frente a él la posición del comitente y debe, por tanto, cumplir con las obligaciones que se imponen a éste (TS 22-2-90, EDJ 1871; 13-7-93, EDJ 7045;

AP A Coruña 14-1-98, EDJ 65177). Así, el subcontratista es acreedor tanto del precio ajustado como del incremento producido por las mejoras autorizadas (TS 22-12-99, EDJ 40481; 13-5-14, EDJ 37311).

c) En contrapartida, el **subcontratista** debe cumplir, con respecto al **contratista** -o al subcontratista que le contrató-, el mismo tipo de obligaciones que se imponen a este último frente al comitente.

5142 **Acción directa** (CC art.1597) El **subcontratista** solo tiene relación jurídica con el contratista y, por lo tanto, es éste, y no el comitente, quien está obligado directamente a satisfacerle el pago (AP Córdoba 13-3-98, EDJ 65152). No obstante, el subcontratista puede ejercitar acción directa, reclamando el pago, tanto contra el contratista como contra el comitente o contra otro subcontratista anterior.

Se dice que la acción directa del Código Civil constituye una **excepción** al CC art.1257 porque implica que **terceros ajenos** al principal del contrato de obra, pero sí relacionados con ella por su condición de subcontratistas, se vean alcanzados por sus efectos, en el sentido de que pueden accionar frente al dueño de la obra o frente a un subcontratista anterior para percibir lo que se les debe (TS 2-7-97, EDJ 4464, reiterada por muchas otras).

Son **presupuestos** para su ejercicio los siguientes (entre otras, TS 24-1-06, EDJ 2830; 25-4-13, EDJ 67723):

• Que la persona que reclama haya puesto su **trabajo y materiales** (subcontratista primero o subcontratista posterior en la cadena de subcontratos), *ex* CC art.1597.

• Que se trate de una obra **ajustada alzadamente** por el contratista (CC art.1597). Tal requisito está referido a la obra originalmente contratada entre el dueño de la obra y el contratista, cuyo precio es el que marca el límite cuantitativo máximo de responsabilidad que dicho precepto contempla (TS 20-11-09, EDJ 332673; AP Barcelona 9-6-05, EDJ 110833). El requisito de que el crédito del contratista sea cierto y determinado desde su inicio queda cumplido tanto si el precio de la obra principal se determina por el sistema de precio alzado, como si lo está por unidades de obra, siempre que estén también determinadas el número de unidades a ejecutar (TS 14-10-10, EDJ 213592).

• Que la acción se dirija **contra el dueño de la obra** o contra el contratista o subcontratista, dentro de la cadena de subcontratos, siempre que se dé el presupuesto siguiente consistente en la realidad de la deuda. También es posible que la acción se dirija contra todos ellos simultáneamente, al estar afectados y obligados en la relación contractual instaurada, que de esta manera se proyecta al comitente y, en tal caso, la responsabilidad del comitente y del contratista es solidaria (TS 15-3-99; 29-4-91, EDJ 22447; 27-7-00, EDJ 32589, etc.). Además esta acción no es sustitutiva, lo que significa que el subcontratista podrá ejercitarla sin reclamar previa o simultáneamente al contratista (TS 16-3-98, EDJ 969 y 11-10-02, EDJ 39385), al que basta con haber constituido en mora, sin necesidad de haber hecho excusión de sus bienes ni de haberle declarado en insolvencia (TS 12-5-94, EDJ 4278).

• Que el **objeto de la acción** (reclamación pecuniaria) esté dentro de la deuda que el demandado (dueño de la obra, contratista o subcontratista) deba a cualquiera de los demás contratistas, hasta la cantidad que les adeude. La **fecha** esencial para determinar la deuda que tiene pendiente el dueño de la obra o el contratista o el subcontratista, es la del requerimiento que le hace el subcontratista en virtud del CC art.1597. En esta fecha, la deuda de aquél a quien se reclama debe ser vencida, líquida y exigible.

La tutela que prevé el CC art.1597, en favor del subcontratista de la obra, también alcanza o se proyecta en el **deber** que incumbe al **comitente o dueño de la obra** de «abstenerse» de realizar el pago liberatorio al contratista principal cuando el subcontratista le comunica previamente, bien extrajudicialmente, o bien judicialmente, la existencia y reclamación de la deuda contraída por el contratista principal en la ejecución de la obra adjudicada (TS 23-11-17, EDJ 243389).

Precisiones **1)** Con respecto a la acción directa que se concede al subcontratista, la jurisprudencia ha declarado que tiene eficacia no solo la **reclamación judicial**, sino también la petición formulada en **privado** (TS 17-7-97, EDJ 21574).

2) En caso de ejercicio de la acción directa por el subcontratista, corresponde al comitente, o al contratista anterior, probar que se ha realizado el **pago al subcontratista** (TS 2-7-97, EDJ 4464).

3) Realizada la obra subcontratada sin objeción ni alegación de defectuosa, el subcontratista debe ser pagado en ejercicio de la acción directa contra el dueño de la obra. El hecho de que el subcontratista no pruebe que el dueño de la obra debe parte del precio de la obra al primer contratista no es obstáculo a su pretensión. Es el dueño de la obra el que ha de probar la inexistencia de la deuda. Se establece, por tanto, la inversión de la **carga de la prueba** (TS 18-7-02, EDJ 28349).

4) En el ámbito de la **contratación pública**, los subcontratistas quedan obligados solo ante el contratista principal que asume la total responsabilidad de la ejecución del contrato frente a la Administración, y no tienen acción directa frente a la Administración contratante por las obligaciones contraídas con ellos por el contratista como consecuencia de la ejecución del contrato principal y

de los subcontratos, y ello con independencia que haya conocido o autorizado la subcontratación (LCSP art.215.4 y 9).
Con **anterioridad a la L 24/2011** (que excluyó en todo caso la acción directa del subcontratista en los contratos de obra con Administraciones Públicas), cabía la acción directa, pero mientras el crédito contra la Administración Pública no hubiera sido cedido y notificada la cesión a la Administración (TS 1-6-21, EDJ 579469).

Es frecuente en la práctica que el promotor, al celebrar el contrato de obra con el contratista, exija que cualquier subcontratación que se realice de partes o unidades de la obra vaya precedida de la **renuncia previa** por parte de los subcontratistas a la acción del CC art.1597. Esta renuncia es válida al amparo del principio de autonomía de la voluntad. Pero, como tiene declarado el **Tribunal Supremo**: la renuncia es un negocio jurídico unilateral por el que el titular de un derecho subjetivo hace dejación del mismo, abdicando del mismo y consintiendo que el mismo salga de su patrimonio. En todo caso, la renuncia debe ser clara, terminante e inequívoca, es decir, que se exprese de un modo inequívoco, necesario e indudable. En el caso enjuiciado, la cláusula contractual controvertida decía literalmente que «las partes aceptan expresamente en este acto que el presente contrato no tiene en ningún caso, la consideración de contrato a precio alzado, no resultándole de aplicación lo dispuesto en el artículo 1597 del Código civil»; y el Tribunal Supremo concluye declarando la **invalidez de la renuncia** previa a la acción por no reunir aquélla los requisitos señalados (TS 6-4-15, EDJ 51590). **5144**

2. Construcción de buque

El contrato de construcción de buque es aquel por el que una parte (constructor) se obliga a construir y entregar un buque en un plazo y a cambio de un precio convenidos. **5150**
Los **materiales** pueden ser aportados, en todo o en parte, por cualquiera de los contratantes.
En cuanto a su **calificación**, la construcción de buque normalmente constituye un contrato de ejecución de obra con suministro de materiales (nº 5104). Así, partiendo de que los materiales son aportados por el constructor, el problema se plantea en torno a su calificación como **ejecución de obra** o como **compraventa**. El elemento determinante para calificar el contrato como de ejecución de obra se concreta en la preponderancia que tenga el proceso técnico constructivo sobre la entrega (ver nº 5084).
Cuando los **materiales** son **aportados por el comitente** el contrato no plantea dudas sobre su calificación como ejecución de obra.
Su **regulación** se encuentra contenida, principalmente, en la L 14/2014 de Navegación Marítima (LNM) (art.108 a 115), que actualiza y codifica el Derecho marítimo español, coordinándolo con el Derecho marítimo internacional. Por lo que respecta al contrato de construcción de buque, la citada Ley regula el tema principal del paso de la propiedad y de los riesgos según las prácticas contractuales más difundidas en el tráfico. Esta norma es de **aplicación supletoria**, en defecto de pacto libremente convenido por las partes (excepto por lo que respecta a la responsabilidad del constructor en caso de dolo o culpa grave, que no es susceptible de exoneración -LNM art.113.4-).
Las normas sobre el contrato de construcción de buque contenidas en la LNM son de aplicación supletoria a los contratos de **reparación o remodelación naval** cuando la importancia de éstas lo justifique (LNM art.108.3).

Precisiones **1)** Las normas contenidas en el **CCom Libro III** relativas al comercio marítimo (art.573 a 869 y art.951 a 954) quedaron derogadas, desde el 25-9-2014, por la Ley de Navegación Marítima. **5152**
2) El **carácter mercantil** de este contrato no ofrece duda para algunos autores, en base a que se presenta como un contrato de empresa realizado por quien asume profesionalmente el ejercicio de esa industria (Cano Rico, Uría). La jurisprudencia también afirma su carácter mercantil y la aplicación al mismo de la normativa supletoria del Código Civil (TS 27-6-96, EDJ 4778; 21-2-94, EDJ 1526; 20-10-04, EDJ 159585).
3) La **hipoteca naval** se expone en el nº 4215 y el contrato de **compraventa** de buque en el nº 1415, ambos de esta misma obra.
4) Sobre el **concepto de buque**, ver nº 1417.

Forma del contrato (LNM art.109) El contrato de construcción naval debe constar por **escrito** o en cualquiera de los otros documentos previstos para su **inscripción** en el Registro de Bienes Muebles (LNMV art.73.1); esto es: **5154**
- escritura pública;
- póliza intervenida por notario;
- resolución judicial firme; o
- documento administrativo expedido por funcionario con facultades suficientes por razón de su cargo.

Precisiones Se condena a la sociedad constructora, disuelta y extinguida por conclusión del concurso de acreedores que presentó, a **elevar a escritura pública** el contrato de compraventa de la embarcación, pues la obtención de un título público es necesaria para la inscripción registral del buque (JM Santander 19-4-21, EDJ 891096).

5156 **Obligaciones de las partes** (LNM art.111, 112 y 114) El **constructor** está obligado:

a) En primer lugar, a **construir** el buque en el plazo pactado y según las características pactadas en el contrato y, en su caso, en las especificaciones y planos, prevaleciendo en caso de discrepancia el contrato sobre las especificaciones, y éstas sobre los planos.

b) En segundo lugar, el constructor debe **entregar** el buque al comitente en el lugar y fecha pactados, una vez cumplidas las pruebas de mar y las demás condiciones, acompañándose los documentos necesarios para su despacho.

El **retraso** culpable que supere los 30 días dará lugar a la indemnización de perjuicios y si supera los 180 días, a la resolución del contrato, si la demora, en ambos casos, fuera irrazonable.

Precisiones La normativa sobre **abanderamiento y matriculación** de buques (RD 1027/1989 art.39 a 42) establece, como garantía adicional de que la construcción de ha realizado correctamente, la obligatoria solicitud por el constructor a la Dirección General de la Marina Mercante de autorización para realizar las **pruebas oficiales del buque**, que tienen como finalidad:
- comprobar que el buque cumple las condiciones del proyecto; y
- comprobar que el buque se encuentra en condiciones de prestar servicios de su clase.

5158 Como contrapartida, el **comitente** resulta obligado a:

a) **Recibir** el buque de acuerdo con lo convenido.

b) **Pagar** por él la contraprestación o precio estipulado.

El comitente puede **negarse a recibir** el buque en caso de incumplimiento grave de las especificaciones pactadas que no se deriven directa o indirectamente de actos u omisiones que le sean imputables, sin menoscabo de su derecho a ejercitar las acciones que le correspondan.

En caso de **incumplimiento** de la **obligación de recepción**, el comitente está obligado a indemnizar los daños y perjuicios pactados en el contrato o, en su defecto, los que se hayan efectivamente producido.

Salvo pacto en contrario, el **precio** se ha de abonar en el momento de la entrega. Si se hubieran convenido pagos parciales a medida que avancen los trabajos, el comitente puede solicitar al constructor la certificación correspondiente.

En caso de **pérdida del buque** durante la construcción, el constructor no puede exigir el pago del precio, a menos que la destrucción provenga de la mala calidad o inadecuación de los materiales o elementos suministrados por el comitente, o bien haya concurrido morosidad en recibirlo.

Si se pacta la constitución por parte del comitente de una **garantía** a favor del constructor que cubra su obligación de pago del precio, el incumplimiento de ésta permitirá al constructor rescindir el contrato o exigir su cumplimiento y, en ambos casos, reclamar la indemnización de los daños causados.

5160 **Responsabilidad del constructor** (LNM art.113) El constructor debe subsanar los **defectos del buque** que no sean manifiestos o no hubieran podido apreciarse razonablemente durante la construcción o en el momento de la entrega, siempre que sean denunciados dentro del año siguiente a ésta. Esta responsabilidad no es susceptible de exoneración en caso de dolo o culpa grave del constructor.

La responsabilidad del constructor no se extiende a los vicios que sean consecuencia de la mala calidad o inadecuado diseño de los **materiales** o elementos aportados por el comitente.

Cuando los vicios o defectos hagan al **buque inadecuado** para su **uso normal**, el comitente puede optar por la resolución del contrato.

Todo ello, sin perjuicio de la obligación del constructor de indemnizar **daños y perjuicios**, si procede, salvo disposición contractual diversa.

Precisiones En cuanto a la aplicación al constructor del buque de la **responsabilidad decenal** establecida para los contratos de construcción inmobiliaria (CC art.1591; L 38/1999 art.17), la jurisprudencia ha entendido que no es posible, pues dicha garantía está específicamente dirigida a los vicios constructivos que se produzcan en bienes inmuebles, sin perjuicio de que los dueños del buque dispongan de las acciones derivadas del contrato mercantil (TS 27-6-96, EDJ 4778; 21-2-94, EDJ 1526).

5162 **Formalidades previas a la construcción** (RD 1837/2000 art.21 a 26; RD 1027/1989 art.34 y 35; RD 638/2007 disp.final 1ª) Para iniciar la construcción de un buque en territorio español se requiere la **autorización previa** por parte del Director general de la Marina Mercante. La autorización se otorga después de que se verificar que el **proyecto de construcción** y la documentación técnica correspondiente cumplen con las regulaciones establecidas. Para las construcciones menores de 7,5 metros que se hagan en serie, sólo se requerirá autorización para el prototipo. En caso de construcciones en diversos lugares, cada parte o fase requerirá su propia autorización.

Las **solicitudes de autorización** deben especificar razón y destino del buque y han de incluir el proyecto de construcción del buque y la justificación técnica de las soluciones propuestas de acuerdo con las normas técnicas aplicables.

Las **autorizaciones** para los proyectos de construcción **caducan** si, un año después de la fecha de construcción planificada, los trabajos no han comenzado.

La **renuncia** del astillero **a la construcción** del buque debe ser comunicada para el registro y control a la Capitanía Marítima correspondiente.

Otorgada la autorización de construcción y una vez comunicado este extremo al astillero o taller solicitante, éste debe **designar** a un técnico titulado competente, que reúna las condiciones exigibles para el ejercicio de su profesión, como **director de obra**, el cual dirigirá el correcto desarrollo de todo el proceso, en lo relativo a la seguridad marítima y a la prevención de la contaminación del medio ambiente marino.

El **expediente de abanderamiento** del buque se inicia con la solicitud de autorización para iniciar la construcción.

Precisiones 1) La normativa sobre abanderamiento, matriculación y registro administrativo de buques se aplica a todos los **buques, embarcaciones y artefactos navales**, con independencia de su procedencia, tonelaje o actividad (RD 1027/1989 art.1).

2) En un caso en el que **no** se llegó a concederse la **autorización del proyecto** de construcción ni en consecuencia a nombrar director de la obra, ni por tanto existía la ingeniería que según el contrato debía firmar con carácter previo al pago, concluye el tribunal que el astillero no estaba en condiciones, según lo pactado en el contrato, de exigir ningún pago, que exigía la certificación previa del ingeniero, ni por tanto de resolver el contrato por dicha circunstancia. Y tampoco podía empezar la construcción del buque, por lo que tampoco era procedente las sumas pactadas en concepto de estadía como indemnización por paralización de las obras, que presuponían el comienzo de la construcción del buque (AP Murcia 24-7-18, EDJ 605873).

Transmisión de la propiedad y registro (LNM art.110; RD 1027/1989 art.6, 48, 50, 51, 52, 53 y 54) La propiedad del **buque** en construcción corresponde al constructor hasta el momento de su entrega al comitente, salvo que las partes acuerden diferirla a un momento posterior. 5164

Los **materiales** y equipo suministrados por el comitente se consideran de su propiedad hasta el momento en que sean incorporados al buque.

Para que tenga lugar la adquisición de la propiedad sobre el buque por el comitente, es preciso que la entrega se instrumente en **documento público**, otorgado a favor del comitente.

El documento público permite, a su vez, la inscripción del buque, que ha de realizarse en el **Registro de Bienes Muebles**, que cuenta con una sección al efecto (nº 530 s.). La inscripción es requisito para el otorgamiento de la patente de navegación.

Con carácter previo a la inscripción y para que la transmisión de propiedad surta plenos **efectos administrativos**, el adquirente ha de notificarla a la Dirección General de la Marina Mercante, en el plazo máximo de tres meses desde el otorgamiento del documento público. Debe asimismo solicitar la matriculación definitiva del buque en el **Registro de Matrícula** del distrito marítimo que corresponda.

Por otro lado, cuando el buque que se transmite está **en construcción**, el titular del astillero debe comunicar la conformidad del transferente y, en su caso, de los organismos que hayan concedido el crédito para su construcción. 5166

Para las **notificaciones y solicitudes** señaladas es preciso aportar copia autorizada de la escritura pública de transmisión.

Téngase en cuenta además la existencia y funciones del **Registro de Buques y Empresas Navieras**, registro de carácter administrativo que tiene por objeto la inscripción de los buques abanderados en España y las empresas navieras españolas.

La inscripción en este registro no exime del cumplimiento de los deberes de inscripción en otros registros públicos que puedan existir (RDLeg 2/2011 art.251 y disp.adic.16ª).

Precisiones 1) El Reglamento del Registro Mercantil de 1956 (RRM/56 art.149 a 151) sigue en vigor con **carácter transitorio**, en tanto en cuanto no se apruebe el Reglamento del Registro de Bienes Muebles.

2) Cualquier discusión sobre la posibilidad de instrumentar la transmisión en **póliza intervenida por corredor de comercio** colegiado ha de entenderse superada a partir del 1-10-2000, momento en que se produce la fusión de los cuerpos de notarios y de corredores de comercio colegiados (L 55/1999 disp.adic.24ª).

5168 **Acciones y plazos** (LNM art.115) Las acciones nacidas del **incumplimiento del contrato** de construcción por el constructor prescriben a los 3 años de la entrega del buque.
Las acciones nacidas de la **falta de pago** del precio de la construcción prescriben a los 3 años desde la fecha prevista en el contrato o, en su defecto, desde que se produjo la entrega.

3. Arrendamiento o prestación de servicios

5175

5177 Por el contrato de arrendamiento o prestación de servicios una de las partes se compromete a prestar un servicio a otra, que, a su vez, se compromete a pagar un precio a cambio (CC art.1544). Con este contrato se origina para el profesional contratado una **obligación de medios** (consistentes en prestar un servicio), que no de resultado, eso sí, desarrollados con una diligencia cuya intensidad debe ser mayor que la propia de un padre de familia dada la condición de profesional del contratado.
La jurisprudencia ha declarado que el **objeto de este contrato** es la prestación de servicios y éstos pueden ser predominantemente intelectuales o manuales, pudiendo ser los propios de las profesiones liberales -abogados, médicos auditores, traductores, artistas, etc.- (TS 8-6-00, EDJ 14304; 3-10-98, EDJ 26459; AP Madrid 3-6-00, EDJ 5466).
El presente contrato se **regula** por lo pactado, por las normas del Código Civil que resulten de aplicación (CC art.1544, CC art.1583 a 1587), y por lo dispuesto en la normativa sectorial reguladora de las distintas actividades profesionales (TS 8-6-00, EDJ 14304; 25-3-98, EDJ 1530; AP Madrid 3-6-00, EDJ 5466).
El concepto de arrendamiento o prestación de servicios, en su sentido más genérico, incluye **multitud de relaciones jurídicas** en las que se presta un servicio. Por ello es preciso excluir de antemano ciertos contratos que, por razón de su especialidad, son objeto de estudio en otro apartado, dentro de este mismo capítulo: así, por ejemplo, el contrato de **ingeniería** (nº 5205) y la **colaboración externa empresarial** (nº 5230).
Tampoco es objeto de estudio en esta obra el **contrato de trabajo**, puesto que, como hemos dicho, en la actualidad su regulación corresponde al Derecho laboral. Puede verse al respecto el nº 1500 s. Memento Social 2024.

5179 Precisiones 1) Téngase en cuenta que, en la medida en que el arrendamiento de servicios tenga como destinatario un consumidor, resulta de aplicación la normativa específica de defensa de los **consumidores y usuarios** (LGDCU). A este respecto nos remitimos al tratamiento de la materia que se hace en el Memento Defensa del Consumidor.
2) El CC art.1583 a 1587 se refiere principalmente a los servicios prestados por **criados y trabajadores asalariados** relaciones que actualmente están excluidas del ámbito mercantil, correspondiendo su estudio al Derecho laboral.
3) En trasposición de la Dir 2006/123/CE («Directiva de servicios»), se ha aprobado la L 17/2009 sobre el **libre acceso a las actividades de servicios** y su ejercicio, que tiene por objeto establecer las disposiciones generales necesarias para facilitar la libertad de establecimiento de los prestadores y la libre prestación de servicios, simplificando los procedimientos y fomentando, al mismo tiempo, un nivel elevado de calidad en los servicios, así como evitar la introducción de restricciones al funcionamiento de los mercados de servicios que no resulten justificadas o proporcionadas.
La Ley **es de aplicación** a los servicios que se realizan a cambio de una contraprestación económica y que son ofrecidos o prestados en territorio español por prestadores establecidos en España o en cualquier otro Estado miembro de la Unión Europea.
Esta Ley **no es aplicable** a los servicios financieros; los servicios y redes de comunicaciones electrónicas; los servicios en el ámbito del transporte, incluidos los servicios portuarios; los servicios de las empresas de trabajo temporal; los servicios sanitarios; los servicios audiovisuales, incluidos los servicios cinematográficos y la radiodifusión; las actividades de juego, incluidas las loterías; los servicios sociales relativos a la vivienda social, la atención a la infancia y el apoyo a familias y personas temporal o permanentemente necesitadas, proporcionados directa o indirectamente por las Administraciones públicas; y los servicios de seguridad privada.

5181 **Existencia y distinción con figuras afines** El elemento esencial de la relación de prestación de servicios y lo que la distingue, a su vez, de la **ejecución de obra**, es que el prestatario de los servicios no se compromete a obtener un resultado, sino a realizar un trabajo, a desarrollar una actividad. En la medida en que el profesional no pueda garantizar objetivamente el **resultado a obtener**, estaremos ante una prestación de servicios y no ante una ejecución de obra (TS 27-1-99, EDJ 173; 8-10-01, EDJ 32282; AP Lleida 12-1-01, EDJ 102998). El surgimiento de la responsabilidad depende, por tanto, no del éxito del servicio encomendado, sino del empleo u omisión de la **diligencia** debida conforme a la *lex artis*, en cuanto patrón de la correcta realización del servicio conforme a los especializados conocimientos del profesional. En consecuencia, la responsabilidad existirá, no si no se consigue el resultado perseguido, sino si en esa actividad se ha prestado la diligencia profesional debida, de manera que el daño sufrido por el actor sea consecuencia del actuar profesional negligente del asesor (AP León 24-10-12, EDJ 251296). Ver nº 5080 para más diferencias con el contrato de ejecución de obra.

Por otro lado, el arrendamiento de servicios presenta cierta similitud con el **mandato**. Como criterio distintivo de este último, suele señalarse que el mandatario obra por cuenta o encargo del mandante, estableciéndose así una especial relación de representación y confianza entre ambos de la que el arrendamiento de servicios carece. La jurisprudencia ha establecido como criterio distintivo, entre el mandato y el arrendamiento de servicios, el de la **sustituibilidad**. En este sentido, solo pueden ser objeto posible del mandato aquellos actos en que quepa la sustitución, o sea, los actos que el mandante podría realizar normalmente por sí mismo, que pertenecen a la esfera propia de su misma actividad. Cuando se encomienda a otra persona la realización de servicios que no son propios de la actividad de quien los encomienda, entonces se trata de arrendamiento de servicios, al exigirse al prestatario la posesión de cualidades técnicas, que son las que mueven a encomendarle los servicios (TS 14-3-86, EDJ 1948; 1-3-90; 12-5-98, EDJ 2953).

Se pueden citar diversos **ejemplos** de contratos de arrendamiento de servicios, extraídos de la jurisprudencia: **5183**

- La actuación de **artistas** (TS 26-6-98, EDJ 7145; AP Valencia 16-1-01, EDJ 103283).
- La prestación de **servicios médicos** a una sociedad sanitaria (TS 18-2-99, EDJ 1588; 16-12-99, EDJ 38423) o a una clínica (TS 5-6-09, EDJ 120187; AP Madrid 16-11-20, EDJ 767330), así como el trabajo de los profesionales médicos o sanitarios (AP Baleares 10-1-01, EDJ 102864). No obstante, conviene introducir matizaciones en la medicina voluntaria o «medicina satisfactiva», entendiendo por tal aquella en que el interesado acude al médico, no para ser tratado de una patología previa, sino con otros propósitos (entre otros, cirugía estética, vasectomía y odontología), en los que el médico se obliga a producir un resultado (AP Valencia 3-4-12, EDJ 152124). Por otra parte, existiría una relación labora, y no un arrendamiento de servicios, cuando concurran las notas títpicas del contrato de trabajo (nº 5187), con independencia de que tenan licencia, como los odontólogos (TS social 7-10-09, EDJ 245794; TSJ Castilla-La Mancha 25-4-19, EDJ 585724).
- La defensa y representación jurídicas realizadas por un **abogado**, pues el deber de defensa no implica una obligación de resultado, sino una obligación de medios, en el sentido de que no comporta, como regla general, la obligación de lograr una estimación o una resolución favorable a las pretensiones deducidas o a la oposición formulada contra las esgrimidas por la parte contraria, pues esta dependerá, entre otros factores, de haberse logrado la convicción del juzgador (TS 30-5-98, EDJ 7111; 3-10-98, EDJ 26459; 26-2-07, EDJ 13389; 20-5-14, EDJ 82619; AP Madrid 29-1-00, EDJ 21332; 26-2-07, EDJ 13389; 10-6-19, EDJ 619730).
- La asesoría fiscal y la llevanza de **contabilidad** (AP Málaga 2-3-99; AP Madrid 3-6-00, EDJ 5466).
- La prestación de **servicios telefónicos** (TS 22-3-01, EDJ 2191; 12-7-01, EDJ 15318).
- La actividad desarrollada por **agencias de viajes** (AP Bizkaia 13-9-99, Rec 584/97).
- La relación que une, en ciertos casos, a los **administradores y altos cargos** con la sociedad (TS 8-6-94, EDJ 5202; 9-5-01, EDJ 5535).
- Los servicios de **vigilancia y seguridad** (TS 29-4-98, EDJ 2948; AP Madrid 30-6-11, EDJ 211467).
- La dirección facultativa de la obra por un **arquitecto**; no así la realización del proyecto de obra que se considera arrendamiento de obra (TS 22-7-00, EDJ 22072; AP Toledo 7-10-94, Rec 47/94).
- La realización de gestiones tendentes a conseguir una **recalificación de terrenos** en el planeamiento urbanístico (AP Sevilla 6-3-00, EDJ 18185).
- El **mantenimiento** de los ascensores de una comunidad de propietarios (TS 3-2-94, EDJ 867; AP Alicante 3-7-00, EDJ 46991).
- La prestación del servicio de **guardería infantil** (TS 20-12-99, EDJ 40462).
- La relación que une a un **deportista no profesional** o amateur con el club deportivo en el que realiza su actividad (AP Gipuzkoa 20-4-98, EDJ 21930). El desarrollo de la misma actividad con carácter profesional es relación laboral.

• La prestación de servicios de **dirección periodística** -contrato de dirección periodística- (TS 31-10-92, EDJ 10687).
• El arrendamiento de un caballo para practicar la **equitación** (TS 8-3-06, EDJ 24772).
• La prestación de servicios por una **agencia de publicidad** para impulsar una candidatura a la presidencia de un club de fútbol (TS 8-7-19, EDJ 646286).

5185 Precisiones 1) La intervención de un **profesional liberal** no es señal inequívoca de hallarnos ante un arrendamiento de servicios. Así, cuando lo que se compromete es un resultado -p.e., fabricación de una prótesis por un profesional médico, elaboración de un proyecto de obra por un arquitecto- el contrato ha de calificarse como de ejecución de obra (TS 25-5-88; 22-7-00, EDJ 22072). Por otro lado, en ocasiones, atendiendo a la especial relación de confianza y al componente representativo, la relación podrá ser calificada como mandato (p.e., gestor administrativo, administrador de fincas). Por último, cuando el servicio se preste en las condiciones determinantes de la existencia de un contrato de trabajo, ha de quedar sometido al Derecho laboral.

2) El denominado **contrato de arquitecto** (TS 2-10-95, EDJ 4854), puede presentarse en dos modalidades: como simple arrendamiento de servicios o de ejecución de obra. Debe calificarse como esta segunda modalidad cuando en la hoja de encargo el trabajo contratado no se refiere solamente al proyecto básico, que justificaría el contrato de prestación de servicios, sino que también incluye, como objeto del negocio, el encargo de ejecución y dirección de obra, esto es, el resultado de la actividad encomendada para hacer viable el proyecto (AP Alicante 29-6-01, EDJ 39802).

3) Sobre la distinción entre **prestación de servicios y ejecución de obra**, resulta ilustrativo el fundamento de la siguiente resolución judicial: Cuando se acude a determinados profesionales que, por la configuración de su trabajo, no pueden garantizar la obtención de un resultado por mucha que sea su dedicación, diligencia y buen hacer, lo que se compromete por el prestatario es, precisamente, el despliegue diligente de esa actividad (orientada, desde luego, a la consecución de un resultado que, al fin y a la postre, es lo perseguido por el cliente), pero sin que pueda comprometerse la consecución efectiva de aquel resultado. Así, el enseñante, **maestro** o preparador cumple su obligación desplegando la necesaria diligencia, conforme a la *lex artis*, sin que pueda serle exigido, para liberarle de responsabilidad, el aprobado del alumno. El **médico** no garantiza la salud del paciente, ni es responsable en caso de no conseguirla. Igualmente, el **abogado** se compromete, al aceptar el encargo profesional, a desplegar la diligencia necesaria en la defensa de los intereses de su cliente, pero no, desde luego, a ganar necesariamente el pleito (AP Cuenca 28-10-98, EDJ 32329; AP Baleares 10-1-01, EDJ 102864).

4) Si el encargo al **abogado** tenía como finalidad la actividad encaminada a obtener el desalojo de unos inquilinos, lograr la declaración de ruina del inmueble y autorizar su derribo con derecho de retorno para los inquilinos y la permuta sobre edificación futura, esto es, actividades o resultados concretos, pero su retribución dependía de la actividad profesional desarrollada y no del resultado obtenido, se trata de un arrendamiento de servicios y no de obra, por cuanto la cantidad a percibir depende de la actividad profesional que tuviera que desarrollarse con independencia de la obtención del resultado (AP Barcelona 4-7-00, EDJ 113261).

5) Los contratos a través de los cuales se encarga a profesionales la realización de **gestiones ante organismos oficiales** son calificables, con carácter general, como arrendamiento de servicios (TS 25-4-02, EDJ 10139).

6) Una relación de servicios profesionales entre un **abogado** y un **cliente** que tiene la cualidad legal de **consumidor** está sujeta a la legislación protectora de los consumidores (TS 8-4-11, EDJ 34612).

5187 **Diferencias entre el arrendamiento de servicios y el contrato de trabajo** Los profesionales liberales, como médicos, abogados, arquitectos, peritos tasadores de seguros, asesores fiscales, psicólogos, etc., pueden realizar su trabajo tanto por cuenta ajena, mediante un contrato de trabajo, como por cuenta propia, de forma libre, ofreciendo sus servicios directamente en el mercado a través de contratos de arrendamiento de servicios.

La diferencia entre el arrendamiento de servicios y el contrato de trabajo se encuentra en las **circunstancias concurrentes** en la relación que une a las partes y en el desarrollo y contenido de la relación, con independencia de la denominación que los interesados hubieran dado al contrato (TS social 17-6-10, EDJ 14023). Estriba fundamentalmente en el modo de asignar o atribuir el resultado del trabajo (TS social 8-10-92, EDJ 9796; 21-11-14, EDJ 237211):

- Contrato de **arrendamiento de servicios**: el esquema de la relación contractual es un genérico intercambio de obligaciones y prestaciones de trabajo con la contrapartida de un precio o remuneración de los servicios.

- Contrato de **trabajo:** este esquema o causa objetiva del tipo contractual consiste en el intercambio de obligaciones y prestaciones de trabajo dependiente por cuenta ajena a cambio de retribución garantizada.

Por tanto, cuando concurren, junto a las notas genéricas de **trabajo y retribución**, las notas específicas de **ajenidad** del trabajo y de **dependencia** en el régimen de ejecución del mismo nos encontramos ante un contrato de trabajo, sometido a la legislación laboral (TS social 16-11-17 262773; auto 13-9-22, EDJ 696908). *A sensu contrario*, existe arrendamiento de servicios y no relación laboral cuando la prestación se limita a la práctica de actos profesionales concretos sin sujeción ninguna a jornada, vacaciones, practicando su trabajo con entera libertad, o que realizara su trabajo con independencia, salvo las limitaciones accesorias (TS social 25-3-13, EDJ 68100).

Precisiones 1) El **arrendamiento de servicios** comporta en sí mismo una libertad de actuación profesional por parte del arrendatario que **no se da** cuando concurren los siguientes elementos (TS social 22-4-96, EDJ 2071):
- directrices uniformadoras en la realización del trabajo;
- control del trabajo mediante comunicación directa con las personas encargadas del mismo;
- penalización en el retraso de su conclusión;
- asignación de zonas geográficas para su desarrollo.

2) También se ha entendido que, aunque reúne las mismas características de subordinación y ajenidad, la diferencia se establece por el **carácter personalísimo** de la relación laboral (TS social 9-12-04, EDJ 234947).

3) Es indicio contrario a la existencia de laboralidad la percepción de **honorarios** por actuaciones o servicios fijados de acuerdo con **indicaciones corporativas** o de igualas o cantidades fijas pagadas directamente por los clientes (TS social 12-2-08, EDJ 90871; 23-11-09, EDJ 338496; 16-11-17, EDJ 262773).

4) Son **indicios de dependencia**: la asistencia al centro o lugar de trabajo designado por el empresario (TS social 23-11-09, EDJ 338496); la ordenación del trabajo por parte de la empresa mediante directrices y comunicaciones de régimen interior detalladas y minuciosas, en lugar de la mera concreción del objeto del contrato (TS social 3-11-14, EDJ 222830; 20-1-15, EDJ 17320); sujeción a cierto horario, más o menos flexible (TS social 23-1-90, EDJ 499); supervisión y control por parte de la empresa de la calidad del servicio, a efectos de posibles quejas de los clientes y valoración de la actuación del profesional (TS social 14-3-05, EDJ 37514); que el profesional no participe en la fijación del baremo de sus honorarios (TS social 18-3-09, EDJ 42682); imposibilidad de rechazar encargos (TS social 10-7-00, EDJ 36194); reconocimiento de vacaciones fijadas por la empresa (TS social 12-6-12, EDJ 141931).

Duración (CC art.1583) En cuanto a la duración de este contrato, caben diversas posibilidades: **5189**

- Que se contrate la prestación de un **servicio autónomo** e individualizado, en cuyo caso la duración de la relación se limita a la de la prestación del servicio contratado.
- Que se contrate la prestación de un **servicio continuado** en el tiempo, ya sea por un plazo determinado o bien de forma indefinida.

Debe entenderse que el arrendamiento de servicios hecho **por toda la vida** es nulo (ver nº 5201 para la extinción de los contratos de duración indefinida). El fundamento del precepto reside en la idea de evitar la perpetuidad de las relaciones obligatorias (TS 5-3-08, EDJ 56450).

Precisiones 1) Aunque el tenor literal del art.1583 CC se refiera a los servicios de «**criados y trabajadores asalariados**», las doctrinas científica y jurisprudencial amplían el espacio de aplicación del precepto a cualquier contrato de servicios, incluidos los prestados en el ejercicio de profesiones liberales, desde la perspectiva de la interpretación conjunta de esa norma y del CC art.1544 (TS 5-6-09, EDJ 120187).

2) Dentro de la prestación de servicios contratada como un servicio continuado habría que incluir las llamadas «**igualas**», contratos en los que el prestatario se compromete a prestar ciertos servicios -médicos, de gestión de negocios, etc.- a requerimiento del cliente, por un precio global computado por periodos de tiempo -mensual, anual-, lo cual no impide que otros servicios, no incluidos en el contrato, sean facturados de forma independiente (TS 14-5-09, EDJ 82793; AP Alicante 15-2-99, Rec 107/97).

3) En caso de que no se pacte un plazo, el contrato podría **resolverse por la voluntad unilateral** de cualquiera de las partes (TS 19-12-91, EDJ 12091; 12-5-97, EDJ 3428; 5-6-09, EDJ 120187; 5-6-09, EDJ 120187), debiendo preverse en el contrato las consecuencias de dicha rescisión unilateral (nº 5201).

Obligaciones del prestatario El prestatario (también denominado arrendador) tiene como obligación principal la prestación del servicio al que se ha comprometido. En el desarrollo de su actividad, le es exigible la **diligencia** que corresponde a un profesional de su clase, determinada, en su caso, en atención a los usos profesionales del lugar. En este sentido, la impericia profesional se asimila a la culpa. **5191**

Precisiones 1) El **abogado** (y referimos tanto su actuación en la defensa judicial como en la extrajudicial de su cliente) tiene una obligación de medios, lo que supone que debe desplegar sus actividades con la **debida diligencia**, siendo acordes las mismas con su «Lex artis», sin que por tanto garantice o comprometa el resultado de lo postulado; es decir, el éxito de la pretensión (entre otras, TS 23-5-01, EDJ 5999; 26-2-07, EDJ 13389). La jurisprudencia no ha formulado con pretensiones de exhaustividad una enumeración de los deberes que comprende el ejercicio de este tipo de actividad profesional del abogado. Se han perfilado únicamente a título de ejemplo algunos aspectos que debe **comprender** el ejercicio de esa prestación: informar de la gravedad de la situación, de la conveniencia o no de acudir a los tribunales, de los costos del proceso y de las posibilidades de éxito o fracaso; cumplir con los deberes deontológicos de lealtad y honestidad en el desempeño del encargo; observar las leyes procesales; y aplicar al problema los indispensables conocimientos jurídicos (TS 14-7-05, EDJ 116838).

2) Con respecto a un contrato de **arrendamiento de servicios médicos**, se ha señalado como una de las obligaciones esenciales la de informar al paciente o, en su caso, a sus familiares, sobre el diagnóstico, el pronóstico y las alternativas de tratamiento de su enfermedad, sin que, en ningún caso, se pueda garantizar su curación o restablecimiento, pues la obligación del profesional médico es de medios, no de resultado (L 41/2002 art.4; AP Baleares 10-1-01, EDJ 102864).

3) En el contrato de **prestación de servicios de vigilancia**, la empresa de seguridad se compromete a prestar los servicios en las condiciones pactadas, legales y reglamentarias, con la necesaria diligencia profesional, lo que no obsta a que se puedan producir **hechos delictivos**, de los que no sería responsable la empresa prestataria, salvo que haya incurrido en falta de diligencia. Aunque en el contrato en cuestión se establezca como objetivo evitar la comisión de hechos delictivos, ello quiere decir que la empresa se compromete a realizar una **actividad diligente** dirigida a evitar tales hechos, no que se garantice que tales hechos no ocurrirán (AP Las Palmas 1-6-05, EDJ 121564).

4) No cabe la compensación de **daños morales** por una mala prestación del servicio como **asesor fiscal**, cuando el contrato incumplido es de contenido puramente económico y no afecta a bienes de la personalidad (TS 8-10-13, EDJ 192451).

5193 Como regla general, el servicio ha de **prestarse personalmente**, pues es probable que el cliente haya tenido en cuenta, al contratar, las cualidades personales o el prestigio del prestatario. No obstante, en la práctica es común que el prestatario se sirva de **auxiliares o empleados** que trabajan bajo su dirección.

Cuando el prestatario es una **empresa social** que tiene por objeto la prestación de servicios del tipo de los que se ofrecen, dicha exigencia de personalidad en la prestación ha de ser referida a dicha empresa como persona jurídica. Desde este punto de vista, podría exigirse al prestatario-empresario social que el servicio contratado se preste por **personal propio**, sin recurrir a subcontrataciones.

También es posible que, siendo el prestatario una empresa social, se estipule la realización efectiva del servicio por un **concreto integrante** de la misma, en atención a sus características personales (AP Madrid 30-11-93, Rec 600/92).

5195 **Obligaciones del cliente** El cliente (también denominado arrendatario) está obligado a pagar el **precio o contraprestación** convenida, para cuya determinación habrá de estar a lo acordado por los interesados y, en su defecto, a la fijación jurisdiccional (TS 30-4-04, EDJ 26175). Aun cuando nada se hubiera pactado, el arrendamiento de servicios, entendido como prestación por un profesional de los servicios propios de su profesión, se presume oneroso (CC art.1711).

Aunque la norma exige que el precio sea **cierto** (CC art.1544), la jurisprudencia ha considerado que basta con que pueda ser determinado. Es decir, que sea cierto no quiere decir que esté fijado expresamente de forma previa y concreta en el momento de la celebración del contrato, sino también cuando debe ser determinado ulteriormente al no existir al respecto pacto previo de cuantificación de su importe (TS 17-4-23, EDJ 550589). A estos efectos se ha admitido como precio cierto el establecido por **costumbre o uso frecuente** en el lugar donde se prestan los servicios, o bien el fijado, con carácter obligatorio u orientativo, por el **colegio profesional** al que pertenece el prestatario -p.e., honorarios de abogados- (en este sentido TS 3-2-98, EDJ 333; 25-10-02, EDJ 49688; 20-11-03, EDJ 152436; 19-1-05, EDJ 3641; AP Madrid 29-4-98, EDJ 65309; AP Lugo 30-9-03, EDJ 110313).

El **pago** ha de realizarse en el momento y forma estipulados. A este respecto es usual que se realice a la finalización del servicio o, cuando éste consiste en una prestación continuada, de forma periódica. También es habitual la entrega de una **cantidad anticipada**, a modo de provisión de fondos, a cuenta de la liquidación final.

En determinadas profesiones es frecuente establecer el pago mediante **iguala**. Ésta consiste en el pago de un importe periódico fijo por la prestación de determinados servicios a requerimiento del cliente -p.e., consultas jurídicas, revisiones médicas-, de tal forma que aquellos servicios no incluidos -p.e., actuación en juicio, operaciones quirúrgicas- se han de pagar aparte (TS 7-5-99, EDJ 8827; AP Sevilla 17-5-99, EDJ 38151). Por la naturaleza de la iguala, es indiferente la mayor o menor complejidad de los trabajos, pues éstos se remuneran con un precio único, al margen de la complejidad o falta de complejidad de los trabajos, y al margen incluso de si éstos llegan a producirse (TS 19-1-05, EDJ 3641; 5-7-22, EDJ 627928).

Precisiones **1)** La prestación de **servicios jurídicos** de un **despacho profesional** (ya sea en forma societaria o como ejercicio profesional de un abogado), está sujeta a la aplicación de la L 3/2004, por la que se establecen medidas de lucha contra la morosidad en las operaciones comerciales, y, por consiguiente, a los **intereses de demora** previstos en la misma (TS 17-10-17, EDJ 208833).

2) La **presunción de onerosidad** se quiebra en la medida en que la relación se aproxime al mandato o carezca del rasgo de habitualidad. Así, como ejemplo, se ha estimado que la asunción de la **defensa jurídica de parientes** por quien es licenciado en Derecho y cuenta con la habilitación para ello por el colegio de abogados correspondiente, carece de ese carácter de onerosidad esencial del contrato de arrendamiento de servicios (TS 25-5-92, EDJ 5242).

3) En ausencia de pacto respecto a los **honorarios del abogado**, las normas de honorarios del correspondiente colegio de abogados proporcionan «criterios indicativos sobre el coste de los servicios», debiendo valorarse su ajuste al caso concreto del modo más objetivo posible (TS 21-7-14, EDJ 165051).

La jurisprudencia ha establecido una serie de **criterios ponderativos** de la determinación del importe de los honorarios profesionales de los abogados, que se describen en la sentencia TS 30-4-04, EDJ 26175; reiterados, entre otros, por TS 28-4-09, EDJ 62979; 17-4-23, EDJ 550589.

Como obligación complementaria a la del pago, el cliente tiene el deber de no dificultar o impedir, e incluso de **cooperar** con el prestatario, en el cumplimiento de su obligación, proporcionándole cuanta **información** sea precisa para el adecuado cumplimiento del servicio comprometido. **5197**

Incumplimiento de la obligación de pago La falta de pago del precio constituye un incumplimiento contractual por parte del cliente. **5199**

El **plazo de prescripción** de la acción para exigir dicho pago es el plazo previsto en el CC art.1964 de 5 años, salvo en lo que se refiere a los **honorarios y derechos de abogados**, registradores, notarios y peritos, para los que se establece un plazo de prescripción de 3 años, computables desde que dejaron de prestarse los servicios (CC art.1967.3º). En este sentido, la jurisprudencia ha precisado que dicho plazo trienal se aplica cuando se trata de honorarios devengados por prestaciones concertadas como autónomas e individualizadas, que generan minutas singulares en razón a cada cometido encargado y no en los supuestos en los que el abogado se integra en una empresa, al estar remunerado con retribuciones periódicas constantes y quedar obligado por un contrato de ejecución permanente y sucesiva (TS 30-5-98, EDJ 7111). El TS ha argumentado que tanto la norma del Código Civil (CC art.1967) como la jurisprudencia consideran que el **cómputo de la prescripción** no se realiza por cada servicio profesional, sino por el conjunto de servicios, siendo el «**dies a quo**» por tanto, el día en que finalizan los servicios profesionales del abogado, considerados globalmente (TS 12-2-16, EDJ 9656).

Precisiones 1) La reforma del CC art.1964 se aplica en los términos del CC art.1939; la prescripción comenzada antes de **7-10-2015**, se somete al régimen anterior -15 años-; pero, si desde esta fecha transcurre el nuevo plazo íntegramente -5 años-, este surte efecto (L 42/2015 disp.trans.5ª).

2) En el caso la **prescripción trienal** del CC art.1967, la norma contiene un error aclarado por la doctrina y la jurisprudencia. El último párrafo establece que la prescripción «a que se refieren los tres párrafos anteriores...» y no son 3 sino cuatro. Hay sentencias que aclaran que este último párrafo de la norma alcanza también al número primero, el que se refiere a los **profesionales jurídicos** (TS 12-2-16, EDJ 9656; 22-1-07; 14-2-06).

Extinción del contrato Cuando se han tenido en cuenta para contratar las **cualidades personales del prestatario**, en base a la especial relación de confianza que se crea (contrato de prestación de servicios *intuitu personae*), el contrato se extingue por las siguientes causas específicas: **5201**

- Por **fallecimiento del prestatario** (AP Madrid 30-11-93, Rec 600/92).
- Por **desistimiento unilateral** de cualquiera de las partes sin necesidad de alegar justa causa (TS 9-2-96, EDJ 297; 25-3-98, EDJ 1530; 4-3-08, EDJ 56449), cuando el contrato se concierte con **carácter indefinido** o no se establezca plazo de duración, ya que las partes no deben permanecer indefinidamente vinculadas (TS 19-12-91, EDJ 12091; 9-10-97, EDJ 6604; 12-5-97, EDJ 3428; 28-10-98, EDJ 25101; 5-6-09, EDJ 120187; 16-11-16, EDJ 208756; AP Guadalajara 10-9-03, EDJ 208363). En estos casos es usual pactar un **plazo de preaviso** razonable para ejercitar el desistimiento, y solo dará lugar a **indemnización** si se realiza con abuso de derecho, conducta desleal o enriquecimiento injusto y se prueban los daños y perjuicios (TS 5-6-09, EDJ 120187; AP Madrid 10-5-21, EDJ 662610).

Cuando el contrato es de **duración determinada**, el régimen general del CC art.1124 exige un incumplimiento de la contraparte para que prospere la resolución unilateral, pues la validez y eficacia de los contratos no puede dejarse al arbitrio de una de las partes (CC art.1256) (AP Asturias 1-12-03, EDJ 196891).

Precisiones 1) Es innecesario el **preaviso** para resolver los contratos de duración indefinida. No obstante, si bien ello es así, un ejercicio de la facultad resolutoria de una forma sorpresiva o inopinada, sin un margen de reacción en forma de un prudente preaviso, puede ser valorado como un **ejercicio abusivo** de derecho, o constitutiva de conducta desleal incursa en la mala fe en el ejercicio de los derechos, que si bien no obsta a la extinción del vínculo, sí debe dar lugar a una indemnización cuando ocasione daños y perjuicios (indemnización distinta a la que tiene su origen en la frustración contractual que se causa con tal desistimiento) (TS 16-11-16, EDJ 208756).

2) El **fallecimiento del prestatario** como causa de resolución puede operar aun cuando el contrato de arrendamiento de servicios se haya suscrito entre dos compañías mercantiles, siempre que en el momento de contratar se tuviesen en cuenta las características personales de quien, en la práctica, había de prestar el servicio (AP Madrid 30-11-93, Rec 600/92).
3) Se declara **improcedente la resolución unilateral** del contrato de prestación de servicios de vigilancia y seguridad, condenando a la demandada al pago de una indemnización por daños y perjuicios, al considerar que no hubo un incumplimiento contractual grave que justificara la resolución unilateral (TS 29-4-98, EDJ 2948).
4) Las partes pueden pactar como **cláusula penal** que, en caso de desistimiento unilateral del contrato, la parte que rescinda indemnizará a la otra en una determinada cuantía. En estos casos, la valoración judicial respecto al alcance patrimonial o "exceso" de dicha pena queda excluida y, por tanto, fuera de la facultad de moderación (TS 10-3-14, EDJ 30166).
5) No son aplicables al arrendamiento de servicios las causas de extinción particulares expuestas para el contrato de **ejecución de obra** (nº 5135).

SECCIÓN 2

Contrato de ingeniería (engineering)

5205

5207 Por contrato de ingeniería o *engineering* ha de entenderse más un género que un solo tipo de contrato. El **contrato de ingeniería complejo** comprende todos los suministros y prestaciones que conducen a la realización de un establecimiento industrial o una obra civil, incluida la asistencia para el funcionamiento de un establecimiento o la comercialización de los productos de la fabricación. Engloba, por tanto, un amplio abanico de operaciones, encaminadas al genérico fin de mejorar o desarrollar cualquiera de los aspectos o **procesos de una empresa**, operaciones tales como la realización de estudios técnicos de organización empresarial, régimen de mercados, productividad, planificación, realización y ejecución de proyectos industriales, e incluso la construcción y montaje de plantas industriales completas (Uría, Medina de Lemus, Pérez-Serrabona).

Así, en un sentido estricto, por el contrato de ingeniería, una empresa se limita a suministrar a su cliente determinados **estudios de carácter técnico-económico** dirigidos a la realización de un proyecto industrial o, simplemente a la reorganización, modernización o ampliación de una empresa, investigación de un mercado, etc. En un sentido más amplio, el contrato de ingeniería puede incluir prestaciones de naturaleza distinta, como la **cesión de patentes** o de procedimientos industriales secretos no patentados, el **suministro de maquinaria** o de bienes de equipo y la **asistencia técnica** para su montaje, e incluso la instalación de una planta industrial completa que debe ser entregada en funcionamiento (Uría).

5209 Como hemos comentado, en su concepción más amplia, los contratos de ingeniería pueden **englobar** los denominados contratos de asistencia técnica, de transferencia de tecnología, de comercialización e incluso de cesión de derechos de propiedad industrial. A pesar de ello, en la presente sección trataremos de limitarnos al estudio del contrato de ingeniería en la medida en que constituye una **especie diferenciada**, sin perjuicio del reenvío a otras partes de esta obra para el estudio de contratos complementarios que, por su entidad y posible autonomía, reciben un tratamiento separado.

El contrato de ingeniería, como tal, carece de **normativa aplicable**, aun cuando, como modalidad del arrendamiento de obras y servicios, le resultan de aplicación las normas referidas a éste (nº 5055 s.).

Ha de tenerse en cuenta, además, que en la medida en que se engloben en el contrato de ingeniería **otras operaciones con regulación normativa** (p.e., cesión de patentes), ésta es aplicable al correspondiente aspecto de la relación.

No obstante, la verdadera regulación de estos contratos deriva de los **pactos y condiciones** que establezcan las partes, a menudo haciendo mención o inspirándose directamente en guías y directrices publicadas por distintos organismos internacionales y asociaciones profesionales, así como en contratos tipo y condiciones generales de común aplicación en el sector.

Precisiones Entre las **guías y condiciones generales** de más frecuente referencia en el ámbito internacional pueden citarse: 5211

• Para el «**consulting engineering**» (nº 5213), la *Guide for drawing up international contracts on consulting engineering including some related aspects of technical assistance* (United Nations Publications núm 145), así como las condiciones generales de la Federación Internacional de Ingenieros Consultores: *Model Form and international general rules of agreements between client and consulting engineer*.

• En lo que se refiere al «**engineering operativo**» (nº 5213), la *Guide for drawing up contracts for large industrial works» (United Nations Publications* núm 117), las *Conditions of contracts for works of civil engineering construction* (Red book) y la *Legal Guide on Drawing Up International Contracts for the Construction of Industrial Works* (UNCITRAL, 1987).

Modalidades La doctrina (Medina de Lemus, Uría) ha clasificado la casuística alrededor de estos contratos del siguiente modo: 5213

a) Contratos u operaciones de «**consulting engineering**», que tienen por objeto principalmente prestaciones de servicio de naturaleza intelectual, como el asesoramiento, la elaboración de planos, proyectos y estudios técnico-económicos, y, en su caso, la vigilancia de los trabajos. Estos contratos son asimilables al arrendamiento de servicios, en el sentido de que la empresa de ingeniería se compromete a la realización de una actividad, más que a obtener un resultado (nº 5181).

b) Contratos u operaciones de «**process engineering**», con los que se pretende la transmisión de los procedimientos necesarios para la construcción del establecimiento y su funcionamiento. Incluirían, en su caso, la transferencia de tecnología (nº 2792) y la cesión de derechos de propiedad industrial (nº 2450 s.), en la medida en que tales contratos sean necesarios para la ejecución de obra contratada. Constituye un contrato de ejecución de obra, pues la empresa de ingeniería resulta obligada a obtener el resultado comprometido.

c) Contratos y operaciones de «**general contracting**», entre las que se incluyen los estudios técnicos, el aprovisionamiento de materiales y la puesta en práctica del establecimiento. Pueden englobar, a su vez, diversos contratos, tales como el suministro de materiales (nº 1610) y la asistencia técnica (nº 2792).

Con carácter general, y por oposición al «consulting engineering», los contratos comprendidos en las letras b) y c) reciben también la denominación de «**engineering operativo**».

Según la participación del cliente en el proceso general, se distingue entre los siguientes **modelos**: 5215

• Modelo **clásico o convencional**: la empresa de ingeniería realiza funciones de asesoramiento externo del cliente en todo lo que concierne a la elaboración del proyecto, la elección de los promotores y suministradores y el control de la ejecución.

• Modelo **interno** (*in-house*), en el que el cliente emprende la obra con personal propio y la empresa de ingeniería limita su actividad al asesoramiento y asistencia en aquellos puntos del proyecto en que el personal del cliente no tiene la suficiente competencia.

• Modelo de **gestión del proyecto** (*project management*), en el que la empresa de ingeniería se encarga de elaborar el proyecto, de su gestión, de los estudios técnicos, de los suministros, de la gestión de la construcción e incluso de la búsqueda de los medios de financiación, pero limitando su actividad al plano intelectual, con exclusión de la ejecución del proyecto.

• Modelo «**llave en mano**» (*turn key*), en el que la empresa de ingeniería se ocupa de todo el proceso, desde la elaboración del proyecto hasta su completa ejecución e incluso de su mantenimiento posterior. En definitiva, se encarga de la instalación de una fábrica completa.

Contratación Debido a la complejidad de la relación establecida en virtud de este contrato, su **preparación**, la correcta elección del contratista, la solvencia del cliente y otros muchos factores cobran una especial importancia. 5217

Así, sobre todo cuando la obra o servicio contratado es de gran envergadura, es frecuente la selección de la empresa de ingeniería mediante **concurso**. Este procedimiento permite comparar distintas propuestas y conseguir un menor coste, además de que disminuye el riesgo de favoritismos en la adjudicación. El concurso puede ser público o privado. En el primero se invita públicamente a presentar ofertas acordes con las bases establecidas. En el segundo, dicha invitación se limita a determinadas empresas.

El procedimiento del concurso comienza con la **publicación de la convocatoria** en diarios de gran circulación. Las empresas interesadas pueden solicitar el envío de las **bases o pliego de condiciones**, en los que se suelen especificar los términos del contrato y los datos técnicos sobre la obra a realizar. Suele exigirse la prestación de garantía para tomar parte en el concurso. Las bases del concurso vinculan a las partes en el futuro contrato.

Es posible la **adjudicación a una sola empresa o a varias**, de forma parcial, por sectores o fases de obra.

5219 Una vez adjudicado el contrato, es usual el envío al contratista adjudicatario de una **carta de intenciones** en la que se anticipen otras cláusulas del contrato, tales como las referidas al precio o a los plazos. Dicha carta tiene el carácter de contrato preparatorio y, al igual que el pliego de condiciones, vincula a las partes en sus futuras relaciones.

En lo que se refiere al contrato definitivo, debido a la ausencia de normativa en la materia y a la amplitud objetiva del contrato que analizamos, es conveniente la especificación detallada de todos los **elementos y circunstancias del contrato**, tales como naturaleza y amplitud del proyecto, obligaciones de las partes, fechas de comienzo y de terminación, mecanismos de resolución de conflictos, cláusulas interpretativas, etc.

Efecto de la adjudicación es también la exigencia al adjudicatario de **constitución de garantía** para la correcta ejecución de la obra.

Aunque nada obliga a la formalización del contrato por escrito, teniendo en cuenta su trascendencia económica, es recomendable que se instrumente en **escritura pública** o de otro modo que deje fehaciencia de su celebración.

5221 **Obligaciones de la empresa de ingeniería** Debido a la existencia de diversas **modalidades de contrato** (nº 5213), las obligaciones del contratista, la empresa de ingeniería, variarán según se adopte una u otra. No obstante, puede decirse, en general, que ésta resulta obligada a entregar la obra encargada en tiempo y forma.

En particular, la empresa de ingeniería puede haberse comprometido a la realización de todas o algunas de las siguientes actividades:

a) **Asesoramiento** del cliente en la mejora de sus procesos productivos, en la instalación de nuevos centros de producción, en la comercialización de sus productos o en cualquier otro aspecto de su empresa.

b) Realización de **estudios y proyectos técnico-económicos** de carácter preliminar. Esta obligación comprende la elaboración de planos, dibujos y cálculos técnicos, económicos o financieros sobre la ejecución de una obra, así como, en su caso, la legalización y el visado de los mismos.

En ocasiones, estas actividades, así como las señaladas en la letra a) anterior, constituyen el núcleo del contrato de ingeniería, en cuyo caso recibe la denominación de «**consulting engineering**» (nº 5213). En otros casos, estas operaciones «consultivas» tienen carácter preliminar con respecto a otras.

c) Obtención de cuantos **permisos y autorizaciones** administrativos sean precisos para realizar el proyecto.

d) Suministro de los **materiales** y de la **maquinaria** necesarios para realizar la obra. En este sentido, el contrato se puede equiparar al de ejecución de obra con suministro de materiales. En otras ocasiones la empresa de ingeniería se limita a gestionar la elección de los suministradores.

e) Asesoramiento en la selección o elección directa del **contratista** que vaya a realizar la obra, en el caso de que ésta no se vaya a acometer por la propia empresa de ingeniería.

f) Gestión de la **financiación** necesaria para la ejecución de la obra proyectada.

g) Suministro y **transferencia de tecnología** (ver nº 2792), así como cesión de **patentes** y de otros **derechos de propiedad industrial** (nº 2450 s.), cuando sean necesarios para la ejecución proyectada o para su mantenimiento.

h) Ejecución de la **obra principal** y de otras complementarias en los términos estipulados, recurriendo, en su caso, a la subcontratación (nº 5140).

i) Seguimiento y vigilancia de la **ejecución del proyecto**, cuando dicha ejecución no se realice por la propia empresa de ingeniería.

j) Prestación de **asistencia técnica** y de **mantenimiento** del proyecto realizado.

k) **Coordinación** de la actividad de todos los intervinientes en el proyecto.

l) **Información** de los trabajos realizados y entrega al cliente, al finalizar la obra, de la **documentación** relativa a los mismos.

En el desarrollo de las actividades mencionadas, la empresa de ingeniería y, por ella, los técnicos que intervengan en la obra han de actuar con la **diligencia y pericia** exigibles a un empresario de su condición.

5223 Los supuestos de **incumplimiento** son tan variados como las obligaciones que pueden asumirse. En general, la empresa de ingeniería es responsable no solo de la **realización de la actividad** a la que se ha obligado, sino también, en la medida en que el contrato pueda calificarse como de ejecución de obra, de la obtención de un **resultado**.

El incumplimiento puede producirse además por **mora**, esto es, por retraso en la realización de los trabajos, y también por cumplimiento defectuoso.

En todas las cuestiones habrá que estar a lo que los contratantes hayan pactado, aplicando en su defecto las normas de los arrendamientos de obras y servicios.

Es frecuente en esta materia la estipulación tanto de **cláusulas penales** para garantizar el cumplimiento, como de cláusulas de **limitación** e incluso de **exoneración** de responsabilidad, por ejemplo, en caso de que la obra se frustre por causas de fuerza mayor.

Obligaciones del cliente Su obligación principal es la de satisfacer el **precio** pactado con la empresa de ingeniería. Dicho precio puede determinarse en el contrato o dejarse su determinación para un momento posterior (nº 5116). 5225

Aun cuando se haya fijado un precio cierto, es posible su **incremento** cuando se ha producido un aumento de obra (nº 5120). De la misma manera, es frecuente pactar cláusulas de **adecuación al cambio de circunstancias**, para restablecer el equilibrio de las prestaciones cuando se produce una circunstancia no prevista que pueda quebrar dicho equilibrio, como, por ejemplo, la modificación sustancial del precio de los materiales.

De forma complementaria, el cliente debe facilitar al contratista toda la **información necesaria** para la ejecución de los trabajos, así como efectuar la recepción de la obra cuando esté finalizada.

El **incumplimiento** del cliente puede darse por falta o demora en el pago del precio, así como por no cumplir con sus deberes de cooperación con el contratista. En defecto de norma expresa pactada contractualmente, se aplican a este respecto las normas de los arrendamientos de obras y servicios (nº 5055 s.).

SECCIÓN 3

Colaboración externa empresarial (outsourcing)

5230

El contrato de colaboración externa empresarial (también denominado de **externalización de funciones** o, en su terminología inglesa, «**outsourcing**») consiste en la realización, por una empresa externa, de trabajos y funciones que normalmente serían realizados por la propia organización empresarial de quien lo contrata. 5232

Se configura como una herramienta organizativa de **subcontratación**, que se lleva realizando desde los albores de la Edad Moderna. Ha sido en tiempo recientes cuando, sin embargo, la figura se ha implantado extraordinariamente en el mundo de los negocios. El atractivo de la misma para las empresas radica en una regulación de las relaciones laborales que comporta costes excesivos y, acaso por ello, reduce los beneficios y, sobre todo, las ventajas competitivas.

Se trata de un mecanismo de «externalización» o «tercerización» de ciertos cometidos o áreas funcionales que una industria, empresa u organización precisa llevar a cabo, mediante la que se contrata a un **tercero** para que realice un trabajo en el que está **especializado**, con los objetivos de reducir costos y evitar a la organización la adquisición de una infraestructura propia que le permita la correcta ejecución de esos cometidos, al tiempo que permite la concentración de los esfuerzos en las actividades esenciales a fin de obtener competitividad y resultados tangibles. El outsourcing es la acción de acudir a una agencia exterior para operar una función que bien puede realizarse en el interior de la empresa; es contratar un servicio o producto final sin que tenga responsabilidad alguna en la administración o manejo de la prestación del servicio, la cual actúa con plena autonomía e independencia para atender diversos usuarios (AP Madrid 24-7-23, EDJ 688775).

El *outsourcing*, más que una modalidad contractual o contrato *sui géneris*, es una modalidad comercial que puede llevarse a cabo mediante contratos de **naturaleza** diversa. 5234

Este contrato puede tener un **contenido muy variado**, pues en unos casos la empresa colaboradora actúa prestando servicios, mientras que en otros suministra maquinaria o equipos, o bien ejecuta una obra para la empresa cliente. Así, según la naturaleza de la prestación que se preste, el contrato puede ser asimilado a:

- un **arrendamiento de servicios** (nº 5175), cuando la empresa colaboradora se compromete a prestar un servicio por un tiempo determinado (TS 30-10-14, EDJ 220753);

- un contrato de **ejecución de obra** (nº 5065), con suministro de materiales o sin él, cuando se compromete un resultado (AP Madrid 16-10-12, EDJ 257159);
- un contrato de **compraventa** (nº 945) o de **suministro** (nº 1610), en lo que se refiere a la parte de la prestación que consiste en la entrega de bienes, como puede ser maquinaria, equipos informáticos.

El contrato de colaboración externa empresarial es un contrato **atípico** o innominado, es decir, carece de regulación específica, por el que una de las partes contratantes, el «outsoucer», se obliga a prestar un servicio o ejecutar una obra (lograr un resultado), y la otra parte, el «usuario» a pagar un precio, por ello. De ahí que su naturaleza jurídica se acerque a la de un arrendamiento que, en función de que, el pago del precio, se supedite o condicione a la mera prestación de un servicio o al logro de un resultado, lo será de servicio o de obra (CC art.1544) (AP Madrid 16-10-12, EDJ 257159).

La circunstancia de no existir en nuestro derecho positivo una normativa específica para este tipo de contratación, entraña que a los fines de la **legislación aplicable**, sea necesario acudir a disposiciones de carácter general en materia contractual, tales como el Código Civil y Código de Comercio, así como también, a aquellas disposiciones reguladoras de cierto tipo de contratos como leasing, transferencia de tecnología o suministro, que fueren aplicables al caso concreto.

Precisiones El hecho de que sea calificado como **arrendamiento de servicios o de obras** tiene su importancia en la medida que de calificarse como un arrendamiento de servicios, las obligaciones del «outsourcer» serían obligaciones de medios, de tal modo que el acreedor debería acreditar el incumplimiento y además la culpa del deudor, que no se presume. Por el contrario, si se califica como arrendamiento de obra, las obligaciones del «outsourcer» serían de resultado, y al usuario (acreedor de la prestación del «outsourcer») sólo le basta con probar el incumplimiento, de modo tal que si no se da el resultado, el deudor («outsourcer») sólo se exonera de culpa probando el caso fortuito o la fuerza mayor.

Sin embargo, la propia naturaleza del instituto sugiere, en general, un tratamiento unificador de los servicios, aprovechando el carácter duradero y estable de la relación, pudiendo las partes tipificar el contrato como un arrendamiento de servicios con un precio pactado en función de las **unidades de cálculo** (horas, meses, entregas, etc.) y estableciendo un control periódico sobre la consecución de los objetivos perseguidos. En definitiva, cabría concluir: que desde el punto de vista doctrinal, el «outsourcing» se corresponde mejor, en principio, con la figura análoga del **arrendamiento de servicios**, antes que con el arrendamiento de obra (AP Madrid 24-7-23, EDJ 688775).

5236 **Finalidad económica** Hemos señalado que la colaboración externa empresarial tiene como finalidad mejorar la **eficacia de ciertos trabajos** que podría realizar la propia empresa que contrata, así como ahorrar el coste que supondría para la empresa asumir por sí misma las funciones que se externalizan.

Más concretamente, este contrato permite (Cano Rico):

• A las empresas productoras de bienes, una **producción más económica**, al reducir los costes laborales, y la utilización de tecnología más actual, que es la que se subcontrata.

• A las empresas mercantiles en general, una mejora en la **rentabilidad de sus activos**, al reducir el inmovilizado material que subcontrata y que no debe amortizar. Además, en ese inmovilizado contratado no sufre directamente la empresa que subcontrata externamente la depreciación derivada de su obsolescencia.

• En general, una mayor **flexibilidad y competitividad**, al poderse adaptar más fácilmente a las oscilaciones del mercado y de la producción, acomodándose, también más fácilmente, a las limitaciones propias del mercado de trabajo.

• La alta **especialización y modernización** de las empresas de outsourcing, lo que implica una sensible mejora en el servicio subcontratado o en la cesión de los bienes y equipos actualizados.

5238 **Obligaciones de la empresa colaboradora** Mediante este contrato, la empresa colaboradora o empresa de outsourcing puede comprometerse a la realización de todas o algunas de las siguientes actividades:

a) La prestación de **servicios de carácter administrativo**, como pueden ser funciones de secretariado, atención telefónica, recepción, documentación, traducción de documentos, etc.

b) El suministro de **maquinaria**, como, por ejemplo, de equipos informáticos, junto con el **mantenimiento** y la **asistencia necesaria** para su perfecto funcionamiento, o bien la gestión informática (u otra gestión de carácter técnico) de la empresa, lo cual puede incluir, por ejemplo, la elaboración de programas informáticos adaptados a los procesos del cliente, la resolución de incidencias, el mantenimiento o sustitución de los equipos y programas, etc.

c) La prestación de **servicios contables, fiscales o jurídicos**, en general, como la llevanza de la contabilidad, la gestión de nóminas, el asesoramiento contable y fiscal, la liquidación de impuestos, el asesoramiento jurídico, la redacción de contratos, la representación en juicio, etc. 5240
d) La prestación de **servicios de seguridad**, tales como control de entrada y salida en el centro empresarial, atención de alarmas, vigilancia, protección frente a atentados externos, etc.
e) La prestación de servicios de **mantenimiento y limpieza** de los locales de la empresa.
f) Pacto de **exclusividad**, por el cual la empresa colaboradora se compromete a no prestar los mismos servicios para otra empresa del sector que se estipule, en el territorio que se estipule y durante un tiempo determinado (que puede ser igual al plazo de duración del contrato, a dicho plazo más un plazo adicional posterior, etc.).
g) Deber de **confidencialidad**, que obliga a la empresa colaboradora a guardar secreto sobre los datos proporcionados por el cliente y sobre aquellos que conozca en el desempeño de las funciones contratadas (p.e., datos económicos a los que tiene acceso el contable o el asesor fiscal).

Obligaciones de la empresa cliente La empresa que recibe los servicios (empresa cliente o arrendadora) tiene como obligación principal la de satisfacer a la empresa colaboradora el **precio** que se haya estipulado. 5242
El pago ha de hacerse en el momento o momentos convenidos. En este sentido, según las particularidades de cada contrato, es habitual pactar el **pago periódico** de una cantidad de dinero, fija o variable en función de los servicios prestados. Es posible cualquier modalidad al respecto.
Aun cuando es norma general para los contratos de arrendamiento de servicios que el precio se encuentre determinado en el contrato, basta al respecto con que se hayan fijado los medios para determinarlo, lo cual es especialmente aplicable a contratos de este tipo, en los que, por su duración y por la diversidad de su contenido, dicha **previa determinación** no es fácil.
Complementariamente, el cliente tiene obligación de **cooperar** con la empresa colaboradora y de facilitarle la **información** que sea necesaria para la adecuada realización de los trabajos encargados.

SECCIÓN 4

Contrato de comercialización (merchandising)

5245

El creciente desarrollo del comercio de productos de consumo en las últimas décadas, así como la mayor influencia y protagonismo que cada vez cobra el **marketing y la publicidad**, han hecho aparecer contratos que, como el que ahora analizamos, tienen como **finalidad** mejorar todas aquellas circunstancias o aspectos que, sin constituir la esencia del producto o servicio que se pretende promocionar, influyen significativamente en su comercialización y venta. 5247
Estas circunstancias o **aspectos del producto** son principalmente su presentación, su aspecto externo, su promoción, su distribución e incluso la forma concreta en que se pone a disposición del consumidor final (en términos sencillos, desde el envase en que se presenta hasta su ubicación en el supermercado).

Así, en un **sentido amplio**, el contrato de comercialización (también denominado *merchandising*, mercadeo o contrato de reclamo) puede definirse, por tanto, como un contrato de servicios por el que una empresa colabora con otra para hacer que los productos de esta última sean más competitivos. Dicha colaboración puede hacerse a través de **diferentes vías** (Cano Rico): 5249
- Haciendo que los bienes a comercializar sean más claramente diferenciables de los demás, de modo que el consumidor los identifique con unos **rasgos positivos propios**.
- Facilitando su **almacenamiento y transporte**.

• Incrementando la eficacia de los **puntos de venta.**

Como en los contratos de ingeniería o de transferencia de tecnología, la empresa cliente se sirve del **asesoramiento, conocimientos o experiencia** de otra empresa para mejorar sus procesos empresariales, pero a diferencia de aquellos contratos, el de comercialización va dirigido no a la producción o gestión de la empresa, sino a la comercialización de sus productos.

Este contrato puede tener lugar de **forma independiente** o como parte integrante de **contratos más complejos**, en los que se presten además servicios de ingeniería (nº 5205) o transferencia de tecnología (nº 2792), o bien en conjunción con contratos publicitarios (nº 6150) o de cesión de derechos de propiedad industrial -especialmente marcas- (nº 2540), contratos con los que también presenta una evidente relación.

5251 En un **sentido más estricto**, el contrato de comercialización se configura como una **transferencia** de derechos o **bienes inmateriales**. Es el contrato en virtud del cual el titular de un derecho (derecho de marca, derecho de autor, derecho de la personalidad), en atención al valor publicitario del mismo, lo cede ilimitadamente a un tercero, para su empleo en la comercialización de productos o servicios, a cambio de una contraprestación.

El contrato de comercialización no es objeto de **regulación positiva**, por lo que para determinar su régimen jurídico ha de estarse a lo que las partes estipulen y a las normas generales sobre obligaciones y contratos (CC art.1088 a 1314), sin perjuicio de la aplicación, cuando proceda, de la normativa sobre derechos de imagen, publicidad, propiedad intelectual, marcas y sobre competencia desleal.

Precisiones Lo indudable del merchandising es que tiene su origen en la voluntad del fabricante en **llamar la atención del consumidor** final del producto. ¿Cuáles son los motivos? Los obvios, ya que no es suficiente que un producto sea excelente para que su venta sea óptima, sino que además debe llegar al consumidor. Tampoco sería suficiente que el producto tuviese buena aceptación entre los distribuidores e intermediarios, sino la aceptación del producto concreto, por parte del cliente (Chuliá Vicent y Beltrán Alandete).

5253 **Modalidades** Pueden señalarse las siguientes modalidades de contrato de comercialización (Chuliá Vicent y Beltrán Alandete, Martín Muñoz):

a) Comercialización de **derechos de la personalidad** o *personality merchandising*, en el que se explota la imagen y nombre de una persona. En esta modalidad, la fama o notoriedad de una persona, ya sea física o jurídica, sirve como vehículo para la promoción de determinados productos. Es ejemplo de esta figura el contrato por el cual un deportista se compromete a usar, en el desarrollo de su actividad profesional, vestimenta o utensilios en los que figura la marca de ciertos productos, o bien el permiso por parte de una persona célebre para usar su nombre como marca de determinados productos (p.e., gafas Alain Delon). Ver nº 5261.

b) Comercialización de **creaciones intelectuales** o *character merchandising*, en el que se explota una creación intelectual, principalmente, la imagen y nombre de personajes de ficción creados con otra finalidad (p.e., personajes de Disney, Tarzán, James Bond), para la promoción de ciertos productos (p.e., juguetes, perfumes, productos alimenticios, prendas de vestir). Ver nº 5265.

c) Comercialización de **marca** o *brand merchandising*, que consiste, básicamente en la autorización de uso o licencia de una marca en productos de un sector diferente al de los productos a los que originalmente se aplica (p.e., utilización de la marca «Lacoste», registrada originalmente para prendas de vestir, como distintivo de un modelo de automóvil). Ver nº 5269.

d) Contrato o **licencia atípica** de merchandising, categoría de carácter residual en la que se incluyen otros supuestos en que el derecho licenciado carece de una tutela específica a través de un derecho de exclusiva, pero cuyo uso comercial no autorizado puede ser impedido mediante la aplicación del Derecho de la competencia desleal (Martín Muñoz).

5255 **Contenido** Debido a la amplitud de su objeto y a la diversidad de modalidades posibles, el contenido del contrato de comercialización puede ser muy variado.

En general y con carácter previo, conlleva la realización de **estudios sobre el producto** que permitan conocer sus características y limitaciones, a fin de adaptarlo en la forma más adecuada a las necesidades y gustos de los consumidores.

Los **factores fundamentales** de la comercialización son la presentación del producto, sus elementos identificativos, los envases o envoltorios utilizados, los embalajes, el precio, el margen de beneficio. Se han de investigar además los procesos de transporte y distribución, el mercado al que se dirige el producto, el momento en que se introduce en el mercado, otros productos que puedan hacerle competencia. Han de analizarse los medios posibles para ayudar a los comerciantes minoristas en la venta de dichos productos, así como la adopción de nuevas técnicas publicitarias y métodos de venta y distribución, o bien la mejora de los existentes.

Por último, el **núcleo del contrato** está constituido por la cesión o autorización del uso de un **derecho inmaterial** (de la personalidad, de autor, de marca, según la modalidad) cuyo valor publicitario puede servir para la promoción de los productos de la empresa cliente.

Obligaciones de la empresa de comercialización La empresa de comercialización es normalmente una empresa especializada en la **investigación de mercados**, así como en la promoción de productos de alto consumo. Sus obligaciones con respecto a la empresa cliente o comercializadora pueden consistir en la realización de todas o algunas de las siguientes actividades: 5257

a) Realización de **estudios de mercado** referidos al sector en que se proyecta comercializar los productos fabricados por la empresa cliente y que constituyen el objeto del contrato.

b) Realización de **estudios de producto**, incluyendo el examen de sus características, sus rasgos diferenciadores, los envases y embalajes, su precio, el margen de beneficio y de otros aspectos del mismo que puedan influir en su promoción.

c) Realización de estudios sobre los medios de **transporte y distribución**, así como sobre el **almacenamiento y venta al por menor** de los productos.

d) Presentación a la empresa cliente de un **informe** sobre las posibilidades de mejorar la comercialización y lograr un incremento de las ventas de los productos de que se trate.

e) Adopción directa o asistencia e intermediación en la **adopción de las medidas propuestas** en el informe.

f) Deber de **confidencialidad**, que conlleva la obligación de guardar secreto sobre toda aquella información de la empresa cliente a la que tenga acceso.

g) Pacto de **exclusiva**, por el cual se compromete a no contratar prestaciones iguales o similares con otra empresa del sector y territorio que se señalen y en el plazo que se estipule.

h) Intermediación en la contratación o contratación directa de las **autorizaciones necesarias** para la explotación del derecho de la personalidad (imagen, nombre), creación intelectual, marca, etc., que va a servir para la promoción de los productos de la empresa cliente.

i) Prestación de **garantía** al cliente en la utilización del derecho objeto de licencia o cesión.

j) Prestación de **otros servicios** que sirvan a la promoción y comercialización de los productos.

Obligaciones de la empresa cliente La obligación principal de la empresa cliente es la de satisfacer a la empresa de comercialización el precio o **remuneración estipulada** en el contrato. 5259

El pago ha de hacerse en el plazo o plazos convenidos. A este respecto, como en todos los contratos duraderos, es frecuente el **fraccionamiento del pago** en el curso de la ejecución del contrato.

Complementariamente, la empresa cliente tiene obligación de **cooperar con la empresa de comercialización** en el cumplimiento de sus obligaciones, debiendo, por ejemplo, facilitarle los datos que requiera, o bien permitiéndole el acceso a sus instalaciones, siempre y cuando sea necesario para la realización de las labores encomendadas.

Comercialización de derechos de la personalidad Como hemos comentado, el contrato de comercialización de derechos de la personalidad o «**personality merchandising**», es aquel cuyo objeto consiste en la imagen, nombre o en cualquier otro signo distintivo de la personalidad, de un sujeto que, por su fama, celebridad o notoriedad, puede suponer un reclamo publicitario en la promoción de determinados productos. En ese sentido, se dice que el **objeto** de este contrato es realmente el valor publicitario y comercial de la imagen (Martín Muñoz). 5261

Con respecto a este contrato hay que tener en cuenta que la propia imagen está garantizada constitucionalmente, junto con el honor y la intimidad de las personas, como un **derecho fundamental** (Const art.18). En desarrollo de dicha garantía constitucional y en lo que al ámbito de este contrato puede afectar, la normativa de protección de tales derechos (LO 1/1982 art.2.2 y 7.6) dispone lo siguiente:

• El **derecho a la imagen** de una persona se configura como un derecho irrenunciable, inalienable e imprescriptible.

• En principio, la utilización del nombre, de la voz o de la imagen de una persona para **fines publicitarios, comerciales** o de naturaleza análoga, tiene la consideración de intromisión ilegítima en el honor, la intimidad o la propia imagen de una persona.

• Sin embargo, no se aprecia que exista intromisión ilegítima cuando esté expresamente autorizada por Ley o cuando el titular del derecho haya otorgado al efecto su **consentimiento expreso**.

• Dicho consentimiento puede ser, en cualquier momento, objeto de **revocación**, con indemnización, en su caso, de los daños y perjuicios causados, debiendo incluir en ellos las expectativas justificadas.

5263 No obstante, en la determinación del régimen que resultaría aplicable a este contrato, tanto la doctrina como, en menor medida, la jurisprudencia ha puesto de manifiesto la necesidad de deslindar el **contenido constitucional** del derecho a la imagen de aquellos otros aspectos del mismo derecho que presentan un **carácter patrimonial**. El Tribunal Constitucional ha distinguido al respecto entre la vertiente constitucional del derecho a la imagen y sus diversas vertientes colaterales, entre las que destaca su uso con fines comerciales (TCo 99/1994; 156/2001).

Así, con referencia a la **revocación del consentimiento**, se ha precisado que cuando se trate de cesión voluntaria de una o varias imágenes, el régimen de los efectos de la revocación debe atender a las relaciones jurídicas y derechos creados, condicionando o modulando algunas de las consecuencias de su ejercicio (TCo 117/1994).

Precisiones 1) El **derecho al valor publicitario** y comercial de la imagen puede calificarse como un derecho de naturaleza especial asimilado a los de propiedad intelectual. El régimen jurídico que le resulta aplicable no es el de la LO 1/1982, válida para explicar su concepto y ámbito de aplicación, sino la normativa sobre propiedad intelectual y el derecho general de los contratos (Martín Muñoz).
2) Configurado de esta forma, el contrato de merchandising presenta un gran paralelismo con el **contrato de patrocinio** (nº 6410).

5265 **Comercialización de creaciones intelectuales** La comercialización de creaciones intelectuales o de derechos de autor (en terminología anglosajona «**character merchandising**»), es aquel contrato de comercialización cuyo objeto consiste, principalmente, en la imagen y nombre de personajes de ficción, susceptibles de ser utilizados con el propósito de promocionar productos o servicios.

El **objeto del contrato** puede ser tanto un personaje extraído de un cómic (personajes de Walt Disney), como el protagonista de una novela, de una obra de teatro o de una película (Don Quijote, Fígaro, James Bond). A este respecto, ha de tenerse en cuenta que la normativa protectora de la **propiedad intelectual** (RDLeg 1/1996 art.10.1 -LPI-) incluye expresamente dentro de su ámbito objetivo de protección los libros, las obras dramáticas y dramático musicales, las obras audiovisuales, los dibujos y las historietas gráficas, tebeos o comics (nº 1739).

5267 Aun cuando la explotación de la creación intelectual mediante merchandising no es una de las **modalidades de explotación** expresamente prevista en la normativa reguladora de la propiedad intelectual, el contrato de comercialización puede configurarse en base a la cesión del derecho de transformación de la obra o de parte de la misma.

A este respecto se establece que los derechos de propiedad intelectual de la **obra resultado de la transformación** corresponden al autor de esta última, sin perjuicio del derecho del autor de la obra preexistente de autorizar, durante todo el plazo de protección de sus derechos sobre ésta, la explotación de esos resultados en cualquier forma y, en especial, mediante su reproducción, distribución, comunicación pública o nueva transformación (LPI art.21).

El supuesto más problemático en este sentido lo constituye el merchandising sobre una **obra audiovisual** o sobre parte de la misma (personajes, escenas...). Con respecto a estas obras, se establece que son sus autores el director-realizador, los autores del argumento, de la adaptación y del guion o los diálogos, así como los autores de las composiciones musicales creadas especialmente para la obra (LPI art.87). Aun cuando se presume la **cesión de derechos al productor**, esta presunción se refiere solo a los derechos de reproducción, distribución y comunicación pública, así como a los de doblaje o subtitulado de la obra (LPI art.88.1), por lo que, en principio, la cesión del derecho de utilización de un personaje con fines comerciales habría de autorizarse expresamente por el autor o autores de la obra.

Precisiones Los contratos sobre **derechos de propiedad intelectual** se exponen en los nº 1700 s.

5269 **Comercialización de marca** El contrato de comercialización de marca o «**brand merchandising**» tiene por objeto la aplicación de una marca a productos de un sector diferente al de los productos a los que originalmente se aplica, de tal forma que una misma marca es utilizada simultáneamente por su titular y por otra u otras personas distintas.

La comercialización o merchandising de marca se configura a través de un contrato de **licencia de marca**, figura plenamente admitida en nuestro ordenamiento, que es objeto de un estudio más detallado en el nº 2590 de esta misma obra.

Este contrato tiene como ventaja, para el licenciatario, que puede beneficiarse en sus productos de la buena **fama o reputación** de que goce en el mercado, tanto la marca en sí, como los productos representados por ella o el fabricante de los mismos.

Las particularidades de este contrato con respecto a los contratos de licencia de marca en general, hacen conveniente que se estipulen procedimientos para el **control por el licenciante** de los productos licenciados. Ello tiene como objetivo impedir que el valor promocional de estos signos en el mercado resulte perjudicado a causa del mal uso que pueda realizar un licenciatario, así como evitar la confusión de los consumidores que, instintivamente, asociarán la marca y sus valores intrínsecos, con independencia del producto que ésta distinga en el mercado (Martín Muñoz).

SECCIÓN 5

Arrendamiento de empresa o de industria

 5275

El contrato de arrendamiento de empresa (también denominado de unidad productiva, de industria o de negocio) puede definirse como aquel por el cual el titular de una empresa cede a otra empresa o empresario el uso o explotación de su empresa por tiempo determinado y mediante el abono de una contraprestación monetaria. Su **finalidad** es, por tanto, la explotación de la propia empresa (Cano Rico). Lo que se cede no es el propio local de negocio, sino los elementos de la explotación, con aptitud para ser explotados inmediatamente o mediante el cumplimiento de meras formalidades administrativas (TS 24-5-06, EDJ 80808). **5277**

Normativa aplicable Este contrato no está expresamente regulado en nuestro ordenamiento y se rige, en consecuencia, por (TS 18-3-09, EDJ 25505): **5279**
- lo estipulado entre las partes;
- las normas sobre el arrendamiento de cosas (CC art.1542 a 1545); y
- las normas que regulan las obligaciones y contratos en general.

Hay que tener en cuenta que las **normas del Código Civil** están pensadas para el arrendamiento de fincas rústicas o urbanas y no para el arrendamiento de industria. Por ello, para un correcto funcionamiento del contrato, es recomendable que las partes recojan en el contrato todas las cuestiones necesarias para evitar la aplicación supletoria del Código Civil (p.e. para evitar el subarriendo sin consentimiento del arrendador).

Aunque la **LAU** no hace mención al arrendamiento de industria y podría pensarse que está sometido a la regulación de los arrendamientos para uso distinto del de vivienda, tanto la jurisprudencia como la doctrina mayoritarias interpretan que se considera un **contrato excluido** de su ámbito de aplicación de la LAU al no ajustarse su objeto a la LAU y exceder del arrendamiento regulado en ella (TS 18-3-09, EDJ 25505; 25-3-11, EDJ 34608; AP Las Palmas 30-1-03, EDJ 84239).

Objeto El objeto de este contrato está **constituido** por la explotación de una empresa o unidad productiva. **5281**

La **empresa o unidad productiva** puede definirse (en los términos de la antigua normativa de arrendamientos urbanos) como una unidad patrimonial con vida propia y susceptible de ser inmediatamente explotada o pendiente para serlo de meras formalidades administrativas (LAU/64 art.3.1). Está constituida tanto por el local como por el negocio (enseres, herramientas, maquinarias, local, clientela, etc.) que forma un todo orgánico para la actividad industrial (TS 12-5-86, EDJ 3108; 24-2-87, EDJ 1503; 7-7-06, EDJ 98668).

Así, es la **industria ya instalada**, con elementos coordinados para su inmediata puesta en marcha, lo que constituye la unidad patrimonial con vida propia, determinante del concepto jurídico de industria susceptible de ser inmediatamente explotada o pendiente para serlo de meras formalidades administrativas. Nada importa al respecto que no exista un **inventario** de dichos elementos (TS 25-4-97, EDJ 3581), ni que, a la fecha del contrato, el negocio no se encuentre en **funcionamiento efectivo** (TS 13-12-90, EDJ 11410; 25-4-97, EDJ 3581), ni que el arrendatario amplíe la actividad o introduzca sensibles **mejoras en el negocio** o mobiliario de la industria cedida (TS 8-11-82; 7-5-85, EDJ 7335), ni que el arrendatario cambie o reemplace la **maquinaria o menaje** entregado, siempre que queden subsistentes los elementos

esenciales, aunque sean escasos, para obtener la finalidad lucrativa perseguida (TS 21-5-84, EDJ 9783; 6-3-87, EDJ 1820).
La empresa es independiente del **local o inmueble** que ocupa, aunque el arrendamiento de aquella presupone el de éste. Para que se dé el arrendamiento de empresa es preciso, por tanto, que el arrendatario reciba, además del local, el negocio, industria o empresa en él establecido.

Precisiones El arrendamiento de negocio conlleva el de la propia **actividad desarrollada** en el **local arrendado**, que ha de constituir para la arrendadora una actividad económica desarrollada de forma continuada en cumplimiento de su objeto social (DGT CV 10-2-14).

5283 **Distinción con el arrendamiento de local de negocio** El arrendamiento de industria no debe ser confundido con otros contratos de objetos parecidos, como el arrendamiento de local de negocio (nº 5310 s.).
En el arrendamiento de industria es preciso que el arrendatario reciba tanto el local como el negocio en él establecido. Sin embargo, si la **finalidad del arrendamiento** es el establecimiento por el arrendatario de su propio negocio o industria (distinto del negocio del arrendador), estamos ante la figura del arrendamiento de local de negocio, por muy importantes, esenciales o diversas que sean las estipulaciones pactadas o los bienes -maquinaria, etc.- que con el local se hayan arrendado (AP Barcelona 18-6-98, EDJ 28471).
En definitiva, mientras que en el arrendamiento de local de negocio se cede el elemento inmobiliario, es decir, un espacio construido y apto para que en él se explote el negocio, en el arrendamiento de empresa el objeto contractual está determinado por una **doble composición integradora**:
• por un lado, el **local**, como soporte material; y
• por otro, el **negocio** o empresa instalada y que se desarrolla en el mismo, con los elementos necesarios para su explotación continuada, conformando un todo patrimonial autónomo, sin que se precise que el arrendador facilite necesariamente todos los medios para la comercialización de la actividad negocial a desarrollar, que pueden ser ampliados o mejorados con los que aporte el arrendatario, incluso sustituidos, sin que ello afecte a la calificación y naturaleza del contrato como de locación industrial (AP Salamanca 29-9-23, EDJ 766973).
La determinación de cuáles son estos **elementos necesarios** es una cuestión controvertida que ha de resolverse en cada caso (TS 20-9-91, EDJ 8777; 25-5-92, EDJ 5246; 8-6-98, EDJ 7126; 21-2-00, EDJ 2110).
Constituyen **indicios favorables** a la existencia de un **arrendamiento de empresa**, entre otros:
- el previo funcionamiento de la empresa o industria, aunque en el momento de la formalización del contrato se encontrase paralizada (TS 19-1-90, EDJ 330; AP Sta. Cruz de Tenerife 8-7-00, EDJ 67813);
- la utilización del mismo nombre comercial o la misma licencia de apertura (TS 21-5-84, EDJ 9783; 3-10-85);
- la realización de un inventario detallado de todos los elementos entregados al arrendatario (TS 8-7-88; AP Baleares 26-7-00, EDJ 117129);
- la propia denominación expresada por las partes en el contrato (TS 19-1-90, EDJ 330; 13-12-90, EDJ 11410);
- la estipulación de cláusulas contrarias o completamente ajenas a las normas de la LAU (AP Madrid 4-2-92, EDJ 13168);
- la fijación de una renta o fianza muy elevadas (AP Baleares 8-2-01, EDJ 102865).
- cuando se firman dos contratos diferentes, uno para arrendar la maquinaria y otro para arrendar el local (TS 31-1-87, EDJ 783).
En los **casos dudosos** de si se trata de un arrendamiento de industria o no, debe decantarse por aplicar la legislación común del Código Civil en lugar de la LAU (TS 4-10-95, EDJ 5498).

5285 En algunas ocasiones, puede encontrarse contratos de arrendamiento de local a los que se le añaden elementos y que hace más complicado de distinguir con el contrato de arrendamiento de industria. Así, pueden destacarse:
• **Arrendamiento de local y venta simultánea de empresa**. Aquí se plantea la duda sobre qué régimen jurídico ha de aplicarse, si una regulación unitaria para todo el contrato o la normativa específica de cada negocio independiente. Hay que acudir a cada caso concreto y ver si se trata de dos negocios jurídicos independientes relacionados entre sí y plasmados en un único documento o si se trata de un contrato complejo al no poder desligarse en dos contratos independientemente. También pueden surgir problemas de interpretación si una de las partes incumple una obligación contractual, p.e. si el impago del arrendamiento invalida también la venta (TS 21-2-00, EDJ 2110; 8-4-00, EDJ 4365).
• **Arrendamiento de local con entrega de elementos que no se configuran como unidad patrimonial**. No se trata de un arrendamiento de industria, por ejemplo, si el local no reúne

las condiciones básicas para la inmediata puesta en marcha de la industria (AP Barcelona 18-6-98, EDJ 28471; AP Gipuzkoa 19-10-00, EDJ 53084).

Precisiones 1) Especialmente controvertidos en cuanto a su calificación son los contratos en los que el arrendatario, sin llegar a establecer un negocio distinto del que desarrollaba el arrendador, realiza **modificaciones sustanciales** (p.e. ampliación del negocio a otros conexos, como ampliar una guardería con un espacio para celebrar cumpleaños). La clave en este caso estriba en determinar si dichas modificaciones cambian completamente la naturaleza del negocio.
2) No podemos hablar de arrendamiento de industria cuando, en el local que se alquila, **no se estaba ejercitando actividad** industrial alguna, con independencia de que se alquilara con el local determinado material que le sirviera para desarrollar la actividad para la que se alquilaba el local (AP Salamanca 29-9-23, EDJ 766973).

Distinción con la aparcería industrial Cuando el precio del arrendamiento consiste en su totalidad en una **participación de beneficios**, estamos ante una aparcería industrial. La aparcería industrial es un contrato por el cual una parte aporta una industria para obtener unos beneficios de la explotación que otro se compromete a realizar sobre ella. Comparte características tanto del contrato de sociedad como del arrendamiento de industria. **5287**
Debido a su **atipicidad**, se regula por lo pactado entre las partes y por el Derecho común, siendo inaplicables las normas del contrato de sociedad o de los arrendamientos urbanos (TS 25-4-97, EDJ 3581; 8-7-02, EDJ 26094).

Precio (CC art.1543) En principio, el precio que se fije por el arrendamiento (renta) ha de ser cierto, es decir, debe ser determinado o determinable. **5289**
El precio puede consistir en:
- una cantidad fija determinada (lo más común);
- un precio combinado con una parte fija y otra determinable, por ejemplo, en función de los beneficios.

Si la totalidad del precio consiste en una **participación en los beneficios**, el contrato no es un arrendamiento de industria, sino una aparcería industrial (nº 5287).
Aunque no existe obligación legal, es frecuente la estipulación de **cláusulas de estabilización** o actualización de la renta, normalmente con referencia a los incrementos anuales del Índice de Precios al Consumo (IPC) o el Índice de Garantía de Competitividad (IGC).
No existe obligación de prestar **fianza** en esta clase de arrendamientos, aunque lo habitual será que las partes lo acuerden. Sí es obligatoria para los arrendamientos de fincas urbanas, fijándose en dos mensualidades en los arrendamientos para uso distinto al de vivienda (LAU art.36).

Obligaciones del arrendador (CC art.1554, 1559, 1560 y 1564) En virtud del contrato de arrendamiento de empresa y según lo pactado por las partes, el arrendador resulta obligado a: **5291**
1. Entregar la empresa con todos sus elementos. Es preciso además que confiera al arrendatario poder para disponer sobre aquellos elementos (materias primas, mercancías) cuya enajenación o transferencia sea necesaria para la normal explotación de la empresa.
Es recomendable elaborar un **inventario** de los bienes y derechos para evitar problemas en la determinación del objeto del contrato. Si se hace el inventario, la obligación de entrega se extiende a todos los inventariados. En caso contrario, en opinión de la jurisprudencia, deben entregarse, al menos, los elementos que sean esenciales para la explotación de la empresa (TS 20-9-91, EDJ 8777; 8-6-98, EDJ 7126; 21-2-00, EDJ 2110); entre ellos cabe citar: el propio local donde se desarrolla la actividad, los signos distintivos -marcas, nombre comercial y rótulo del establecimiento- y, según el caso, las patentes y los derechos de propiedad intelectual.
Como la empresa está compuesta de elementos de naturaleza diferente, ligados por vínculos diversos a la persona de su titular, que no necesariamente debe ostentar un título de dominio sobre cada uno de ellos, se deben cumplir con los **requisitos y formalidades** legales para la entrega de cada elemento -cesión de contratos, de derechos o de créditos, licencias administrativas, etc.- (Moralejo Imbernón).
La empresa o industria ha de entregarse, en principio, en **condiciones aptas** para el uso pactado. Cabe, no obstante, que el arrendatario se muestre conforme en recibirla en cualquier estado e incluso que se comprometa él mismo a realizar las reparaciones o modificaciones necesarias para el desarrollo de la actividad, en cuyo caso, el arrendador cumple con la entrega de los elementos pactados, con independencia de su estado (TS 15-3-97, EDJ 1098).

2. Colaborar con el arrendatario para iniciar la actividad. El arrendador está obligado a colaborar con el arrendatario en todo aquello que sea necesario para que pueda comenzar la explotación del negocio. A tal efecto, ha de poner a su disposición los documentos (informes, contabilidad, listas de clientes) precisos para que sea posible la normal explotación. **5293**

3. **Goce pacífico** de la industria arrendada. Ello se traduce en el deber de responder frente a posibles perturbaciones de derecho procedentes de terceros, así como de abstenerse él mismo de realizar actos que perjudiquen el disfrute de la cosa arrendada. El arrendatario está obligado a poner en conocimiento del arrendador, en el plazo más breve posible, toda usurpación o novedad dañosa que otro haya realizado o abiertamente prepare en la cosa arrendada. El arrendador no está obligado a responder de las **perturbaciones de hecho**, pero el arrendatario tiene acción directa contra el perturbador (CC art.1560).
4. **Deber de reparación**. Durante el tiempo que dure el arrendamiento, el arrendador debe hacerse cargo de la conservación de la empresa, asumiendo las reparaciones que sean necesarias para mantenerla en estado de servir para el uso preestablecido por las partes, siempre que el deterioro no haya sido causado por el arrendatario o por alguna persona dependiente de él. El arrendatario debe comunicar al arrendador, en el plazo más breve posible, la necesidad de realizar tales reparaciones.
En el caso en que el arrendador **no realice las reparaciones** necesarias, a pesar de que el arrendatario se las requiera de forma fehaciente, el arrendatario no puede dejar de pagar la renta, pero puede exigir judicialmente el cumplimiento de la obligación al propietario o bien instar la resolución del contrato por incumplimiento.
Además, es habitual que el arrendador se comprometa a **abstenerse de competir** con el arrendatario en empresas de características similares o dentro del sector o ramo donde la empresa arrendada opera.

5295 **Obligaciones del arrendatario** (CC art.1555, 1558, 1559, 1561, 1563 y 1573) En virtud del contrato de arrendamiento de empresa y según lo pactado por las partes, el arrendatario está obligado a:
1. **Pagar la renta**. El arrendatario tiene como obligación principal la de pagar la renta o precio pactado. Además, aunque el Código civil no lo establece, es habitual que las partes pacten la obligación de prestar fianza, más aún teniendo en cuenta que sí que existe dicha obligación respecto de los arrendamientos para uso distinto al de vivienda (LAU art.36; ver nº 1050 Memento Arrendamiento de Inmuebles 2024-2025).
2. **Explotación de la industria**. El arrendatario debe también explotar la empresa por sí mismo, según el **destino** pactado, sin alterar la forma o sustancia de la misma. Le está permitido hacer **mejoras** en la cosa arrendada. A la finalización del contrato no puede reclamar indemnización por tales mejoras, pero podrá retirarlas o compensar con ellas los desperfectos que haya causado (CC art.487 y 488).
3. **Conservación**. Debe conservarla en buen estado, evitando en la medida de lo posible su deterioro, a fin de que sea posible su restitución al arrendador en el mismo estado en que se recibió. Se establece la presunción de que el arrendatario es responsable del **deterioro o pérdida** de la cosa arrendada, a no ser que pruebe que se ha ocasionado sin culpa suya, ni de sus empleados. No es responsable el arrendatario del deterioro debido al uso y funcionamiento normal de la empresa, durante el tiempo que dure el arrendamiento.
El arrendatario está obligado a poner en conocimiento del arrendador, en el plazo más breve posible, las **reparaciones** que sean necesarias para conservar la empresa en estado de servir para el uso a que ha sido destinada. Está obligado también a tolerar las reparaciones urgentes que deban hacerse en la cosa arrendada, siempre que no puedan diferirse hasta la conclusión del arrendamiento. Si la reparación dura más de 40 días, debe disminuirse la renta en proporción al tiempo y a la parte de la finca de la que el arrendatario se vea privado.
4. **Restitución**. A la finalización del arrendamiento, el arrendatario viene obligado a la devolución del objeto arrendado, lo cual comprende tanto el local como todos los bienes muebles contenidos en él, en perfecto estado de conservación y funcionamiento, a salvo del desgaste natural derivado del uso normal de dichos bienes (AP Asturias 18-4-05, EDJ 53410).

5297 Precisiones El TS determina que el **pago del IVA** es una obligación legal que relaciona a la Administración Tributaria con el sujeto pasivo del impuesto, por lo que los pactos celebrados entre los particulares contratantes son ineficaces frente a aquella, si bien dichos pactos sí serían eficaces a efectos de determinar, en el ámbito civil, quién soporta el pago del impuesto, debiendo prevalecer lo **pactado** frente a cualquier incidencia administrativa (TS 16-11-15, EDJ 225207; 18-5-16, EDJ 68563; 26-1-18, EDJ 2595; 21-5-20, EDJ 558737).

5299 **Extinción** (CC art.1556, 1565, 1566, 1568, 1571 y 1581) El arrendamiento de empresa o industria se extingue por las causas generales de extinción de los contratos y por algunas específicas derivadas de su especial naturaleza. Entre estas causas de extinción hay que citar especialmente las siguientes:
a) **Expiración del término contractual**. El arrendamiento concluye el día prefijado sin necesidad de **requerimiento**; esto es, sin necesidad de que el arrendador notifique al arrendatario ni que tenga que requerirle a desalojar la finca o a abandonar la cosa. En caso de que no se haya

fijado un plazo, debe tenerse en cuenta que para los arrendamientos de fincas urbanas el Código civil establece que el arrendamiento se entiende hecho por años cuando se ha fijado un alquiler anual, por meses cuando es mensual, o por días cuando es diario.
No obstante, si al terminar el contrato, permanece el arrendatario disfrutando de la cosa arrendada durante 15 días, con aquiescencia del arrendador, se entiende que se produce la **tácita reconducción** y el contrato se renueva por los plazos señalados (anual, mensual o diario), según el caso. En este caso no nos encontramos ante una continuación/prórroga del arrendamiento, sino uno nuevo que requiere el consentimiento presunto de todas las partes (TS 31-3-21, EDJ 520183), de idéntico contenido salvo en cuanto al plazo y a las obligaciones asumidas por terceros para la seguridad del contrato principal de arrendamiento, las cuales solo subsistirán si prestan su consentimiento expresamente (ej: fiadores, avalistas etc.).
Si expira el contrato y el arrendatario no devuelve la industria arrendada, el exceso en el **uso más allá del término contractual** impide al arrendador el disfrute de la misma y por lo tanto tiene derecho a percibir en concepto de indemnización el precio del arriendo devengado desde la expiración del término hasta el desalojo (TS 8-5-08, EDJ 48899).
b) **Resolución por incumplimiento**. El incumplimiento de cualquiera de las partes permite a la otra pedir la resolución del contrato y la indemnización de daños y perjuicios o solo esto último, dejando el contrato subsistente. El incumplimiento debe ser esencial y no referido a obligaciones accesorias (TS 15-10-02, EDJ 39395).
La **falta de licencia** para la concreta actividad tiene suficiente entidad para entender producido un incumplimiento grave que autoriza la oposición de la excepción de contrato no cumplido, que permite la resolución del mismo (AP Barcelona 19-6-13, EDJ 149895).
c) **Pérdida de la empresa o industria**. Esta causa de resolución se refiere tanto a la pérdida del local o de los elementos materiales que constituyen el objeto del contrato, como a la «pérdida jurídica» de la empresa, en situaciones en las que no sea posible continuar con la explotación (p.e. por la denegación de la pertinente licencia administrativa). Para que se dé esta causa de extinción, la pérdida no debe deberse a la actuación de las partes.
d) **Enajenación de la empresa arrendada**. El adquirente tiene derecho a la extinción del arrendamiento, salvo pacto en contrario y salvo que el arrendamiento estuviese inscrito en el Registro de la Propiedad o fuese conocido por el adquirente al tiempo de concertarse la venta.
e) **Subarriendo y cesión inconsentidos**. Aunque con respecto al arrendamiento de cosas en general, se permite el subarriendo siempre que no se prohíba expresamente, con respecto al arrendamiento de empresa, en atención a su carácter personalísimo, debe entenderse que es preciso el consentimiento del arrendador para subarrendar o ceder el contrato. Por ello, el subarriendo o cesión realizados sin contar con tal requisito son causa de extinción del contrato -TS 8-11-89, EDJ 9980; 20-7-90; AP Barcelona 30-3-02, EDJ 23094 - (Moralejo Imbernón).
f) **Fallecimiento del arrendatario**. Considerando, como en la causa anterior, que el contrato tiene carácter personalísimo, el fallecimiento del arrendatario es causa de extinción del contrato (Moralejo Imbernón).

Precisiones En los arrendamientos urbanos, el arrendador puede resolver el contrato por falta de pago de la renta o de cualquiera de las **cantidades cuyo pago ha asumido o corresponde al arrendatario** (LAU art.27.2.a). Esta causa se ha aplicado a los arrendamientos de industria declarando la procedencia del desahucio por la falta de pago del IBI -Impuesto sobre Bienes Inmuebles-, cuando en el contrato se pacta que corre a cargo del arrendatario (AP Madrid 25-1-00, EDJ 8922).

Desahucio (CC art.1569) El desahucio es una acción especial de **resolución** por incumplimiento que tiene el arrendador del inmueble que, por esta vía, vuelve a tomar posesión del mismo. **5301**
El arrendador puede ejercitar el desahucio contra el arrendatario por alguna de las **causas** siguientes:
- Por haber expirado el término convencional o el que deriva de la Ley.
- Por falta de pago de la renta.
- Por incumplimiento de cualquiera de las condiciones estipuladas en el contrato.
- Por destinar la cosa arrendada a usos o servicios no pactados que la hagan desmerecer.

Para más información sobre el juicio de desahucio, ver nº 10345 Memento Arrendamiento de Inmuebles 2024-2025).

Sucesión de empresa La finalización del contrato de arrendamiento de empresa o industria implica un cambio de titularidad y la aplicación del ET art.44, lo que conlleva la **subrogación** en la posición empresarial por parte de la propiedad del negocio o industria arrendado, tanto si lo asume para explotarlo directamente o con la intención de cederlo a través de un nuevo contrato de arrendamiento (TS social 10-9-20, EDJ 662537), sin que resulte impedimento para ello el hecho de que el arrendatario lo devuelva con graves deterioros que no permiten la inmediata continuidad de la actividad y hacen necesaria la realización de obras de reforma (TS social 8-2-23, EDJ 527818). **5303**

SECCIÓN 6

Arrendamiento de local de negocio

1. Consideraciones generales

5315 El contrato de arrendamiento de local de negocio puede definirse como aquel en virtud del cual una parte cede a otra, a cambio de una contraprestación, el **uso y disfrute** de un bien inmueble destinado al ejercicio de una actividad empresarial (industrial, comercial, profesional...).

En la presente Sección se aborda el estudio de los arrendamientos celebrados **con posterioridad a 1-1-1995**.

Para un estudio del régimen aplicable a los arrendamientos de local de negocio celebrados **entre 9-5-1985 y 1-1-1995**, ver nº 2860 s. Memento Arrendamiento de Inmuebles 2024-2025, y para el de los celebrados **con anterioridad a 9-5-1985**, ver nº 2300 s. Memento Arrendamiento de Inmuebles 2024-2025.

En lo que se refiere al **régimen jurídico aplicable** a estos arrendamientos, según la fecha de su celebración, hay que distinguir tres regímenes:

• Arrendamientos celebrados con posterioridad a **1-1-1995**.
• Arrendamientos celebrados entre **9-5-1985** y **1-1-1995**.
• Arrendamientos celebrados con anterioridad a **9-5-1985**.

Para un estudio más detallado del **contrato de arrendamiento urbano**, ver nº 9860 s. Memento Inmobiliario 2023-2024, así como el nº 1005 s. Memento Arrendamiento de Inmuebles 2024-2025.

5317 Los arrendamientos de local de negocio celebrados con posterioridad al 1-1-1995 (fecha de entrada en vigor de la L 29/1994) se rigen por las normas sobre **arrendamientos para uso distinto al de vivienda**, recogidas en dicha Ley (en adelante LAU).

5319 **Ámbito de aplicación** (LAU art.3) La LAU no se refiere a arrendamiento de locales de negocio, sino de edificaciones destinadas a usos distintos del de vivienda.

A estos efectos, se considera **arrendamiento para uso distinto del de vivienda** aquel que, recayendo sobre una edificación, no tenga como destino primordial el de satisfacer la necesidad permanente de vivienda del arrendatario y sus familiares. En especial, tienen esta consideración los arrendamientos de fincas urbanas celebrados:

- por **temporada**, sea ésta de verano o cualquier otra;
- para ejercer en la finca una **actividad industrial, comercial, artesanal, profesional**, recreativa, asistencial, cultural o docente.

Todo ello con independencia de quienes sean las personas que los celebren.

Es frecuente que se especifique y **delimite la actividad** a que el arrendatario va a destinar el inmueble. Asimismo, es habitual que en el contrato se prevea que la **modificación** del destino pactado sin autorización previa y por escrito del arrendador constituya causa de resolución del contrato. El no uso del local arrendado puede dar lugar también a la resolución.

Si no se pacta un **uso concreto**, se entiende que el arrendatario puede destinar el inmueble durante la vigencia del contrato al que estime conveniente.

Si bien la norma no lo dice expresamente, puede entenderse implícito que el inmueble arrendado para uso distinto de vivienda ha de reunir las condiciones de **salubridad e higiene** necesarios para el ejercicio de la actividad a que va a ser destinado (LAU art.3; TS 7-11-78, EDJ 409; AP Girona 19-9-08, EDJ 267420; AP Córdoba 16-4-02, EDJ 24184).

5321 Sea cual sea la actividad pactada -incluso en el supuesto de no pactarse una específica-, en el desarrollo de la misma el arrendatario tiene ciertos **límites**. Así, debe respetar las normas que rigen el funcionamiento de la **comunidad de propietarios** de la que, en su caso, forme parte el local; en particular las prohibidas en los estatutos y las que contravengan las disposiciones generales sobre actividades molestas, insalubres, nocivas, peligrosas o ilícitas.

Es conveniente adjuntar al contrato como **anexo**, una copia de los **estatutos** por los que se rige la comunidad o, al menos, hacer entrega de la misma al arrendatario.
El arrendador se puede reservar el derecho de acceso e inspección al local para **comprobar el uso correcto** del mismo. En este caso, se suele prever un plazo de preaviso y que el acceso se realice dentro de horarios que no perturben el desarrollo de la actividad.
Quedan **excluidos** del régimen de estos arrendamientos:
- el arrendamiento de industria (nº 5275);
- el arrendamiento de solar;
- las plazas de garaje y trasteros, cuando no constituyan un elemento accesorio o complementario del local arrendado; y
- la cesión temporal de uso de la totalidad de una vivienda amueblada y equipada en condiciones de uso inmediato, comercializada o promocionada en canales de oferta turística.

Precisiones 1) Se ha considerado excluido de la LAU un contrato de explotación del **servicio de bar-restaurante en una estación de ferrocarril**. En cualquier caso, dicho contrato se trataría de un arrendamiento complejo en el que el arrendatario se obliga a realizar prestaciones que no son propias y específicas de la relación arrendaticia, lo que constituye un supuesto de exclusión reconocido jurisprudencialmente (TS 24-1-00, EDJ 167; 17-3-03, EDJ 4258). 5323
2) Aunque las partes denominaron al contrato como arrendamiento de **vivienda**, la arrendataria es una **entidad mercantil** y no es posible que una mercantil tenga necesidad permanente de vivienda porque no es una persona física, sino de domicilio social para desarrollar su objeto social. Así pues, nos encontramos ante un arrendamiento para uso distinto del de vivienda (AP Alicante 3-10-02, EDJ 64635).
3) La **diferencia** fundamental entre un arrendamiento de local de negocio y un **arrendamiento de industria** radica en que, en el primero, se cede el elemento inmobiliario apto para la explotación del negocio, mientras que en el segundo se incluyen tanto el local como el negocio o empresa instalada, conformando un todo patrimonial autónomo. En el arrendamiento de industria, se alquilan elementos como la empresa, las instalaciones y la clientela, además del local, que constituyen una unidad patrimonial con vida propia. Ver nº 5283.

Régimen aplicable (LAU art.4) Los arrendamientos para uso distinto del de vivienda se rigen: 5325
- en primer lugar, por la voluntad de las partes;
- en su defecto, por lo dispuesto en el título III de la LAU (art.29 a 35); y
- supletoriamente, por las disposiciones del Código Civil.

Es posible la **exclusión de la aplicación de los preceptos de la LAU**. Esta exclusión debe hacerse de forma expresa, señalando cada precepto que se acuerde eliminar.
Sin perjuicio de lo señalado en los párrafos anteriores, las disposiciones de la LAU tienen **carácter imperativo** en lo que se refiere al ámbito de la Ley (LAU art.1 a 5), la fianza (LAU art.36) y la formalización del arrendamiento (LAU art.37).

Formalización del contrato (LAU art.37) El contrato no tiene que ser necesariamente escrito, se da **libertad de forma** a las partes, de manera que sirve cualquiera en que haya sido concertado, oral o escrita, siempre que se pueda demostrar su existencia y en él concurran los condiciones esenciales para su validez: consentimiento, objeto y causa (CC art.1261 y 1278). 5327
No obstante, las partes pueden compelerse recíprocamente a la formalización del mismo por **escrito**, en cuyo caso se deben hacer constar en el contrato los siguientes **datos**:
- la identidad de los contratantes;
- la identificación de la finca arrendada;
- la duración pactada;
- la renta inicial del contrato; y
- las demás cláusulas que las partes hayan libremente pactado.

Cabe la **inscripción** de los contratos de arrendamiento en el Registro de la Propiedad. Igualmente son inscribibles los subarriendos, cesiones, subrogaciones, prórrogas y cualquier otra modificación de los arrendamientos inscritos (LH art.2.5ª). 5329
Para la inscripción del arrendamiento o de sus modificaciones en el Registro es preciso que se formalice en **escritura pública** notarial o bien que se eleve a escritura pública el documento privado en el que se formalizó el contrato (RD 297/1996 art.2 a 4).

2. Duración

(LAU art.4.3; CC art.1256 y 1543)

5335 La duración del arrendamiento se deja a la **libre voluntad** de las partes, ya que no se establece legalmente un plazo de duración mínimo ni máximo.

Por lo general, el plazo de duración del arrendamiento para uso distinto de vivienda suele ser superior al del arrendamiento de vivienda, permitiendo así al arrendatario recuperar, cuando menos, la inversión realizada al inicio del mismo en las obras de su adaptación y acondicionamiento.

En los contratos de larga duración se suele pactar un **derecho de desistimiento** unilateral para el arrendatario cada cierto número de años, fecha que suele coincidir con la de revisión de la renta a precios de mercado.

Se consideran **cláusulas nulas** las que:

- pactan una duración perpetua o indefinida del arrendamiento, por ser contraria a la naturaleza temporal del contrato (TS 31-3-21, EDJ 520183); y
- fijan un plazo contractual inicial, pero prevén que a su extinción el arrendamiento puede prorrogarse por la exclusiva voluntad del arrendatario, porque, además de ser contraria a la naturaleza temporal del contrato, lo es a la prohibición de que la validez y el cumplimiento de los contratos queden al arbitrio de una de las partes.

A **falta de estipulación expresa** en el contrato, y dado que la LAU no establece nada al respecto, se ha de estar a lo dispuesto en el CC (art.1581). Así, el arrendamiento se entiende hecho:

- por **años** cuando se ha fijado un alquiler anual;
- por **meses** cuando es mensual;
- por **días** cuando es diario.

En todo caso, el arrendamiento cesa cumplido el término, sin necesidad de requerimiento especial.

Precisiones **1)** Aun cuando del tenor de la LAU pudiera entenderse que la duración pactada pudiera ser **indefinida**, esta dicha solución vulnera los preceptos de carácter general que disciplinan los contratos de arrendamiento (TS 9-9-09, EDJ 217416). La expresión «duración del contrato por tiempo indefinido» constituye un concepto contrario al arrendamiento, que se caracteriza por su naturaleza temporal (TS 31-3-21, EDJ 520183).

2) Cuando el arrendatario es persona jurídica y se pacta una duración que, en la práctica es **indefinida** -duración prorrogable anualmente a voluntad del arrendatario-, se ha resuelto acudir por analogía a la figura del **usufructo**, entendiendo que el contrato se ha concertado por el plazo de 30 años (TS 9-9-09, EDJ 217416; 14-11-12, EDJ 248606).

3) Es válida la cláusula que establece un plazo de duración de **un mes**, **prorrogable** mes a mes, pues no hay límite mínimo legal para el tiempo de duración del contrato de arrendamiento de local comercial, y podía ser prorrogado, como así se convino, sin que la duración dependiera de una sola de las partes, pues a ambas vinculaba el plazo pactado y las dos podían renunciar a las sucesivas prórrogas (AP Barcelona 28-6-18, EDJ 525391).

5337 **Periodo de obligado cumplimiento** En los arrendamientos para uso distinto de vivienda es habitual pactar un plazo mínimo de duración de obligado cumplimiento. La **duración** de este periodo es muy variable, si bien en la práctica suele oscilar entre los 3 y los 5 años, según el contrato se pacte por un plazo de duración inferior o superior a 10 años, respectivamente.

Asimismo, es frecuente que, al término de este periodo, las partes pacten, en caso de que el contrato se prolongue, una **revisión** de la **renta** al precio de mercado en este momento calculado por medios más o menos objetivos.

Asimismo, las partes pueden llegar a **otros acuerdos** sobre la duración del contrato:

• Establecer un **único periodo** de obligado cumplimiento desde el inicio del contrato hasta un momento determinado, concediendo al arrendatario la facultad de:

- extinguir voluntariamente el contrato a la finalización de dicho periodo, o prolongarlo por uno o más periodos de igual o distinta duración hasta el plazo máximo de duración; u
- optar entre extinguir o continuar con el arrendamiento, de forma que si se decanta por la continuación, este se prolonga hasta el plazo de duración total estipulado en el contrato.

• Estructurar la duración total del contrato en **dos o más periodos** de obligado cumplimiento consecutivos y de igual o distinta duración, de forma que al concluir cada uno de ellos, si el arrendatario decide continuar con la relación arrendaticia esta quede prolongada por el plazo de duración de cada uno de ellos.

Las anteriores alternativas admiten, a su vez, **múltiples variables** en cuanto a la fijación del plazo de preaviso, las formalidades requeridas para la comunicación por el arrendatario de su decisión, la obligación o no de indemnizar al arrendador por desistimiento unilateral o no prolongación del contrato y otras cautelas que las partes estipulen en cada caso.

Prórroga La posibilidad de que llegado el vencimiento del plazo contractual fijado, el arrendamiento pueda ser prorrogado es una cuestión que queda a la voluntad de las partes. 5339
En **defecto de pacto**, no se prevé legalmente la existencia de prórroga forzosa, por lo que, vencido el plazo convenido, el contrato se extingue, sin perjuicio de la tácita reconducción (nº 5341).
Las partes pueden **convenir**, pese a haberse pactado una duración determinada, que el contrato se prorrogue, por uno o más periodos de igual o distinta duración a la originalmente estipulada. Se suele fijar un **plazo de preaviso** durante el cual el arrendatario ha de comunicar al arrendador su decisión de prorrogar el contrato. Transcurrido dicho plazo sin que el arrendatario se manifieste al respecto, el contrato termina.

Precisiones 1) De prorrogarse el contrato, el arrendador puede exigir el incremento de la **fianza** constituida inicialmente adicionando al importe originario el derivado de la actualización de la fianza (AP Madrid 26-9-12, EDJ 223706).
2) Pactada una prórroga, si la arrendataria desiste del contrato de manera unilateral **incumpliendo el plazo de preaviso**, quedará obligada al pago de la renta correspondiente a todo el año de duración del contrato (TS 7-6-18, EDJ 96420).

Tácita reconducción (CC art.1566, 1567 y 1581) Una vez finalizado el contrato, este puede entrar en tácita reconducción, relación jurídica que consiste en el nacimiento de **nuevo contrato** de arrendamiento sobre el mismo inmueble, a partir del consentimiento presunto de ambas partes al permitir que se continúe en el disfrute del mismo al terminar el arriendo. 5341
El nuevo contrato, reproduce las características del anterior, salvo en el **plazo** de duración. Se entiende hecho por años cuando se ha fijado un alquiler anual -con independencia de que se haya fraccionado su pago en meses-, por meses cuando es mensual, y por días cuando es diario (TS 26-9-18, EDJ 588456).
Los **requisitos** para que se dé la tácita reconducción son los siguientes:
• Que haya terminado el **plazo contractual** pactado por las partes, así como las prórrogas convencionales (AP Asturias 27-9-99, EDJ 32505).
• Que no conste en el contrato la existencia de un **pacto** previo que excluya la aplicabilidad de la tácita reconducción.
• El arrendatario ha de **permanecer** en el inmueble arrendado por 15 días, al menos, una vez terminado el plazo del arriendo o el de la prórroga.
• El arrendador debe prestar su **consentimiento**, entendiéndose que concurre el mismo cuando este no haya manifestado de manera expresa o implícita su voluntad contraria a la continuación del arriendo.
• Que el arrendador no requiera al arrendatario para finalizar el contrato. Este **requerimiento** debe ser entendido en el más amplio sentido de notificación de voluntad contraria a la reconducción.

Precisiones 1) No cabe tácita reconducción del contrato cuando esta **se excluyó expresamente** del mismo y el propietario del inmueble manifiesta al arrendatario su voluntad de extinguirlo, aunque se mantenga en su posesión (TS 10-11-20, EDJ 715547).
2) La mera tolerancia del arrendador, que permite la permanencia del arrendatario durante algunos días, por ejemplo, mientras hace la **mudanza**, no supone una ampliación del contrato (AP Badajoz 18-10-04, EDJ 158107).

3. Obligaciones económicas

Renta La determinación de la renta en este contrato está sujeta a la autonomía de la voluntad y al principio de libertad de pactos la estipulan libremente las partes (LAU art.4.3 y CC art.1255). Las **modalidades** más frecuentes son: 5345
- renta **fija**;
- renta **variable** en base a algún parámetro objetivo cuyos valores puedan oscilar (p.e., volumen de ventas del arrendatario, nivel de ocupación hotelera...);
- renta **escalonada** o por tramos, es decir, que se incrementa a medida que avanza la duración del contrato (AP Málaga 13-2-06, EDJ 92855);
- renta en **especie** o servicios, por ejemplo, mediante el compromiso del arrendatario de reformar el inmueble. Al finalizar el arrendamiento, el arrendatario no podrá pedir en ningún caso compensación adicional por el coste de las obras realizadas en el inmueble.

El principio de libertad de forma también rige en cuanto a la fijación por las partes de la **forma y lugar** en que se ha de efectuar el pago de la renta.
Efectuado el pago, el arrendador está obligado a entregar al arrendatario **recibo del pago**, salvo que se hubiera pactado que éste se realice mediante procedimientos que acrediten el efectivo cumplimiento de la obligación de pago por el arrendatario. El recibo o documento

acreditativo que lo sustituya debe contener separadamente las cantidades abonadas por los distintos conceptos de los que se componga la totalidad del pago y, específicamente, la renta en vigor. Si el arrendador no hace entrega del recibo, serán de su cuenta todos los gastos que se originen al arrendatario para dejar constancia del pago.

Precisiones 1) La alteración esencial y sobrevenida de las circunstancias es una de las excepciones que la jurisprudencia viene admitiendo frente al principio de cumplimiento del contrato -**cláusula «rebus sic stantibus»**-. Su aplicación permite la modificación del contrato para compensar el desequilibrio de las prestaciones causado por dicha alteración, si bien no tiene efectos rescisorios, resolutorios o extintivos del contrato, salvo cuando no sea posible de otra forma el equilibrio de las prestaciones (JPI Cáceres 11-8-20, EDJ 649046). Se debe **reducir la renta** pactada inicialmente cuando se ha producido una alteración imprevisible de las circunstancias que ha generado, además, un desequilibrio de las prestaciones a cargo de las partes (JPI Barcelona núm 20, 8-1-21, EDJ 500275; JPI Palma de Mallorca núm 4, 30-7-21, EDJ 682468). Para más información, ver nº 10269 Memento Inmobiliario 2023-2024.
2) Las **CCAA** carecen de competencia para establecer una regulación que incida directamente en la **fijación de la renta** en los contratos privados de arrendamiento para uso distinto del de vivienda (TCo 150/2022).

5347 **Reducción o moratoria de pago por COVID-19** (RDL 15/2020; RDL 35/2020) En el contexto de la crisis sanitaria ocasionada por la COVID-19, se estableció la posibilidad de las partes llegaran a acuerdos de reducción o de moratorias en el pago de la renta con distinto alcance en función de que el arrendador pudiera ser o no considerado «**gran tenedor**», entendiendo por tal la persona física o jurídica titular de más de 10 inmuebles urbanos, excluyendo garajes y trasteros, o una superficie construida de más de 1.500 m^2.
Dichas medidas, con distinto alcance temporal, fueron establecidas mediante el RDL 15/2020 y posteriormente mediante el RDL 35/2020.
Transcurridos 4 meses desde la **finalización del estado de alarma** -lo que finalmente se produjo el 9-5-2021-, hay un período máximo de 2 años para el pago de las **rentas aplazadas**, de forma proporcional a lo largo del periodo, y siempre y cuando continúe vigente el contrato.
El **incumplimiento** por el arrendatario de los requisitos legales para la moratoria -en este caso, por no haber acreditado la **suspensión de actividad**-, justifican la resolución del contrato de arrendamiento y la reclamación de las rentas impagadas (TS 16-1-23, EDJ 501301).

5349 **Carencia de rentas** En los contratos de arrendamientos de oficinas, locales comerciales o naves industriales, es habitual pactar un período al inicio del contrato en el que no se pague la renta, ya que el arrendatario suele tener que realizar algunas **obras en el inmueble** para adaptarlo a sus necesidades e imagen de marca (nº 5372). Esto se hace porque el arrendatario no puede explotar el inmueble mientras duren las obras.
El **plazo** de carencia en el pago puede comprender:
- todo el periodo de ejecución de las obras;
- un determinado periodo independiente del estimado para la ejecución de las obras; o
- hasta la fecha de apertura del local con un límite temporal.
En la práctica, lo más frecuente es pactar un plazo **determinado**, de manera que una vez vencido el mismo, surge la obligación por el arrendatario de pagar la renta.
La falta de devengo es independiente de las acciones que deba realizar el arrendatario y su resultado:
- aunque la carencia se suele justificar por la **necesidad** de hacer algo que impide el uso del inmueble, esto no obliga al arrendatario a llevar a cabo ninguna obra ni actuación para subsanar el defecto alegado; y, por ello,
- la carencia no va vinculada necesariamente a las actuaciones que haya que hacer, por lo que las **modificaciones** en el coste o en la duración no sirven para justificar modificaciones en la carencia.

Precisiones 1) La **sustitución de renta por obras** es similar a la carencia de rentas en cuanto a sus efectos económicos, puesto que tampoco hay obligación de pagar renta en dinero, pero totalmente distinta en sus efectos jurídicos.
2) Cuando el arrendamiento recae sobre un **inmueble comunal**, la reducción del importe de la renta, o la concesión de una determinada carencia temporal en el pago, se deben considerar actos de administración ordinaria, para los que es necesario el acuerdo de la mayoría de los cotitulares (AP Barcelona 29-7-19, EDJ 658021).

5351 **Actualización de la renta** La actualización de la renta se somete a la voluntad de las partes. Dado que arrendamientos para uso distinto de vivienda suelen ser de larga duración, es frecuente encontrar en los contratos estipulaciones en las que se establece un mecanismo para la actualización **periódica**, normalmente cada año, fijando una subida o bajada en relación con un índice de referencia.

Aunque es menos frecuente, las partes pueden convenir la **exclusión** de la actualización de la renta durante toda la vigencia del arrendamiento o durante un periodo determinado. En estos casos, se suele **compensar** con el pacto de incrementar la renta anualmente en un importe o porcentaje determinado en el propio contrato, con independencia de la fluctuación de los índices oficiales de referencia.

Los **índices objetivos de referencia** más utilizados en la práctica son el Índice de Precios de Consumo (**IPC**), sin perjuicio de que se puedan usar otros tales como el Producto Interior Bruto (**PIB**), el Euribor o, en general, cualquier otro que las partes consideren adecuados a sus intereses, incluyendo el Índice de Garantía de Competitividad (**IGC**) establecido, en defecto de pacto, para los arrendamientos de vivienda.

Otro de los mecanismos comunes para la actualización de la renta es la denominada **revisión de renta**. Es frecuente esta revisión en los contratos de larga duración con el objeto de evitar que la renta quede desfasada. Dicha revisión consiste en la comparación de la renta aplicable en un momento concreto del contrato con las rentas que se están pagando en ese momento en el mercado libre para edificios similares y ubicados en la misma zona.

Se consideran válidos los **pactos** que establecen que la actualización de la renta se efectuará:

• Únicamente **al alza**, de forma que, si por aplicación del índice de referencia, resulta procedente la reducción de la renta, esta se excluye, manteniéndose el importe vigente en ese momento.

• Aplicando a la renta vigente un **porcentaje fijo**.

• Añadiendo un **margen adicional** al índice de referencia (p.e IPC más tres puntos).

Incremento de la renta (LAU art.19, 30 y 32) Existen diversas situaciones en las que se reconoce al arrendador el derecho a elevar la renta pactada. **5353**

a) Por mejoras (ver nº 5388).

b) Por cesión y subarrienda (ver nº 5418).

c) Por fusión, transformación o escisión de la sociedad arrendataria, en las mismas proporciones que en la cesión o subarriendo de la finca (nº 5418), aunque las partes pueden pactar que no se produzca la misma o, incluso, un porcentaje de elevación de la renta superior al previsto en la Ley.

Precisiones **1)** Es habitual encontrar cláusulas en las que además de la fusión, transformación o escisión de la sociedad arrendataria, se establece que el **cambio de control** sufrido en esta última, da derecho a la elevación de renta.

2) El derecho a incrementar la renta se produce desde la **inscripción** de la **fusión** en el Registro Mercantil (TS 20-7-12, EDJ 154593).

Reducción de la renta por obras (LAU art.21.2 y 22.3) Para que opere la reducción de la renta por obras es necesario que el arrendatario se vea privado de una parte del local, no bastando a tal efecto que simplemente soporte las molestias e incomodidad que puede suponer cualquier obra. **5355**

Según que las obras sean de conservación o de mejora la reducción de renta opera de distinta manera:

• Las **obras de conservación**, dan derecho al inquilino a la reducción de la renta si:

- duran más de 20 días; y
- le privan de una parte del local.

Estas obras no dan derecho al arrendatario a obtener una indemnización por los gastos ocasionados.

• Cuando se trata de **obras de mejora**, ser reduce la renta desde el mismo día en que estas comienzan y se indemnizan los gastos provocados al arrendatario.

Precisiones Si la obra es de **conservación** el arrendatario está obligado a soportarla, pero si es de **mejora**, puede desistir del contrato cuando se le comunique que se va a realizar la misma.

Fianza (LAU art.36) En el momento de celebrar el contrato de arrendamiento, es obligatorio para el arrendador exigir, y para el arrendatario prestar, una fianza en **metálico**, cuya **cuantía**, para el caso de arrendamiento para uso distinto del de vivienda, es de dos mensualidades de renta. **5357**

El saldo de la fianza en metálico debe ser **restituido** de forma inmediata al arrendatario al final del arriendo y devengará el interés legal si no se restituye antes de que transcurra un mes desde la entrega de las llaves por el arrendatario. No obstante, en caso de existir **obligaciones pendientes** (desperfectos, rentas, importe de suministros...), el arrendador puede retener este importe, restituyendo solo la diferencia entre lo entregado y la cantidad en que se calcule la responsabilidad imputable al arrendatario (AP Barcelona 3-3-10, EDJ 103850).

De forma adicional, las partes pueden pactar **otras garantías** del cumplimiento por el arrendatario de sus obligaciones arrendaticias. Mientras que la fianza ha de prestarse siempre en metálico, el **contenido** de las garantías adicionales queda a la libre disposición de las partes.

Pueden consistir en una prenda, garantías personales de un tercero, como el aval bancario o privado, hipotecas o depósitos en metálico. En cualquier caso, para los arrendamientos de vivienda suscritos **desde 6-3-2019** y entre **19-12-2018 y 23-1-2019**, cuya duración esté sujeta al plazo mínimo legal de 5 o 7 años, el **valor de esta garantía** adicional no puede exceder de dos mensualidades de renta.

Precisiones 1) La exigencia de que se preste una fianza es, no solo obligatoria, sino también **irrenunciable** para el arrendador. Así, no será posible entender que el arrendador ha renunciado tácitamente a que el arrendatario preste fianza, por lo que en caso de que este no cumpla dicha obligación, a pesar de serle requerida, va a prosperar la acción de desahucio (AP Barcelona 14-2-08, EDJ 42461). No obstante, existen pronunciamientos que afirman la posibilidad de que las partes **renuncien** a la misma, dado que no se vulneran los límites de la autonomía privada ex CC art.6.2 y 3 (AP Barcelona 3-3-10, EDJ 103850).
2) La ley no determina el destino al que se puede aplicar la fianza. Cabe la compensación con las **rentas debidas** al concluir el arrendamiento (AP Madrid 31-3-08, EDJ 53341).
3) Quedan **exceptuadas** de la obligación de prestar fianza,
cuando la renta haya de ser satisfecha con cargo a sus respectivos presupuestos (LAU art.36.6):
- la Administración General del Estado;
- las administraciones de las comunidades autónomas;
- las entidades que integran la Administración local;
- los organismos autónomos, entidades públicas empresariales y demás entes públicos vinculados o dependientes de ellas; y
- las mutuas colaboradoras con la Seguridad Social en su función pública de colaboración en la gestión de la Seguridad Social, así como sus centros y entidades mancomunados.

5359 **Actualización de la fianza** (LAU art.36.2 y 3) Durante el **plazo mínimo legal** del contrato, la fianza no se actualiza. Transcurrido ese plazo la actualización es voluntaria: cada vez que el arrendamiento se prorrogue, las partes pueden pedir que se incremente o disminuya hasta igualarse a una mensualidad de la renta vigente en ese momento.
Cuando la duración del contrato de arrendamiento **exceda de dicho plazo** mínimo legal, la actualización de la fianza se regirá por lo estipulado por las partes en el contrato. A falta de pacto especifico, lo acordado sobre actualización de la renta se aplica también para la actualización de la fianza.

Precisiones **1)** Si bien la actualización de la fianza tiene carácter potestativo para las partes, habitualmente las **CCAA** exigen la actualización de la **cantidad depositada** en este concepto paralelamente a la actualización de la renta.
2) El **plazo mínimo legal**, durante el que no se actualiza la fianza, varía en función del régimen aplicable al contrato. El plazo mínimo legal de los contratos de arrendamiento actualmente es de 5 años, si el arrendador es una persona física, y 7 años si es una persona jurídica (LAU art.9).

5361 **Depósito** (LAU disp.adic.3ª) Las comunidades autónomas pueden establecer la obligación de que el importe de la fianza se deposite en el organismo correspondiente a disposición de la **Administración autonómica**.
Una vez que el arrendador comunica a este organismo la **finalización del arrendamiento**, este le ha de restituir la fianza, en principio sin devengo de intereses, salvo que hubiera transcurrido más de un mes desde la finalización del contrato, en cuyo caso devengará el interés legal que corresponda en ese momento.
Actualmente, la mayoría de las **CCAA** disponen de **normativa propia** en esta materia y en algunas se ha suprimido la obligación de depósito de la fianza.

5363 **Gastos generales y suministros** En los contratos para uso distinto de vivienda, como puede ser el alquiler de oficinas o locales en centros comerciales, es práctica frecuente que, además de la renta y con independencia de las variaciones que esta pueda experimentar, se pacte el pago de otras cantidades, o **cantidades asimiladas a la renta**.
Entre estos gastos, cabe destacar los siguientes:
- gastos de comunidad de propietarios;
- gastos de promoción del centro comercial;
- Impuesto sobre Bienes Inmuebles (IBI);
- limpieza, vigilancia y mantenimiento en general;
- gastos generales para promoción y publicidad.

Habitualmente estos gastos **se repercuten** al inquilino en función del porcentaje de ocupación que el local representa en el total del edifico o centro comercial.
El **pago** se puede realizar mensualmente y por una cantidad estimada con base en los del ejercicio anterior, realizándose al final del año una regularización en función de los gastos reales que han existido.
La **falta de pago** de dichas cantidades puede dar lugar a la resolución del contrato.

Los gastos propios del **uso del local** -agua, gas, electricidad, aire acondicionado, teléfono, etc.- son en la inmensa mayoría de los casos, por cuenta del arrendatario, que ha de concertar a su nombre y cargo exclusivo los oportunos contratos con las respectivas compañías suministradoras, no integrándose por este motivo en la renta.
No obstante, cuando dichos **suministros** se encuentren centralizados y gestionados por el arrendador (p.e., centro comercial o edificio de oficinas), nada impide que puedan ser repercutidos por este al arrendatario en función de su consumo individual y del que le sea imputable en los elementos comunes.

4. Obras

(LAU art.30)

En relación con las obras se establece la **libertad de pactos** para las partes y subsidiariamente la regulación establecida para las obras de conservación o mejora o las propias del arrendatario en arrendamiento de vivienda (LAU art.19, 21 a 23 y 26). **5370**
En cualquier caso, no basta con renunciar a la aplicación de la LAU, sino que esos pactos han de contener un **régimen de obras completo y alternativo** a la misma.

Obras de adaptación Es frecuente que el inmueble objeto de arrendamiento requiera la realización de obras de adecuación que lo hagan apto para el **desarrollo de la actividad** a la que se va a dedicar. **5372**
En otras ocasiones, tales obras responden al lógico deseo del arrendatario de **personalizar** o, incluso a su propósito de reproducir en él, en la medida de lo posible, la configuración de otros locales ocupados por él, cual es el caso, por ejemplo, de las franquicias o, en general, de los negocios con una determinada imagen de marca.
Puede existir o no un **acuerdo entre las partes** en relación con estas obras de adaptación:
a) En el contrato de arrendamiento de local para instalar un negocio, es frecuente incluir una cláusula que recoge la **autorización** del arrendador para que el arrendatario pueda, antes de iniciar el desarrollo del mismo, acometer las obras de acondicionamiento del local a la actividad o actividades pactadas.
Asimismo, son usuales **otros pactos** estableciendo que:
- que la realización de las obras es a cargo del arrendatario, tanto en lo relativo a la obtención de las pertinentes licencias y autorizaciones de obras como en cuanto al coste de su ejecución;
- que las obras realizadas por el arrendatario quedan, a la finalización del contrato, en beneficio del propietario -con o sin derecho de aquel a percibir una indemnización-; o
- que, a la extinción del contrato, el arrendatario debe reponer el local al estado que se encontraba antes de las obras, cuando ello pueda hacerse sin menoscabo del mismo -retirada de rótulos, mamparas, alarmas, etc.-. El arrendatario debe arreglar los desperfectos que se produzcan como consecuencia de ello.

b) Cuando **no haya pacto** sobre las obras, se entiende implícita la autorización para realizarlas en los siguientes casos (TS 19-4-13, EDJ 67715; AP León 7-3-03, EDJ 83292; AP Sevilla 1-7-16, EDJ 217782): **5374**
- cuando las obras sean necesarias para la instalación, adaptación o acondicionamiento del local arrendado, de manera que este pueda servir al destino pactado. Esto presupone que el mismo no reúne de inicio las condiciones precisas para la puesta en funcionamiento el negocio;
- cuando las obras sean ejecutadas en fecha próxima a la de celebración del contrato, por lo que no tienen esa consideración si se realizan en fechas muy posteriores.
En estos casos, la **carga de la prueba** de que existe un consentimiento para llevar a cabo las obras recae sobre el arrendatario, y ha de deducirse de manera clara de actos o hechos realizados por el arrendador, que no admitan otra interpretación (TS 15-7-92, EDJ 7902; AP Madrid 25-5-04, EDJ 129586).
La ejecución de **obras no consentidas** por el arrendador, cuando dicho consentimiento es preceptivo, faculta a este para instar la resolución de pleno derecho del contrato.
Tanto si existe pacto expreso sobre las obras de adaptación del local como en ausencia del mismo, hay ciertos **límites** que el arrendatario debe tener en cuenta:
- no puede realizar obras que provoquen una disminución en la estabilidad o seguridad del local; y
- no puede ejecutar obras modificativas de la configuración del local sin el consentimiento expreso del arrendador. El concepto de configuración y alteración de la cosa arrendada es algo contingente y circunstancial a examinar en cada caso.

5376 **Obras de conservación** (LAU art.21) El arrendador está obligado a realizar, sin derecho a elevar la renta, las **reparaciones necesarias** para conservar el local en las condiciones precisas para servir al uso convenido, salvo cuando se trate de un deterioro imputable al arrendatario. Se trata de obras de conservación y no de pequeñas reparaciones reservadas al arrendatario (nº 5382).

Esta obligación tiene su **límite** en la **destrucción** del inmueble por causa no imputable al arrendador. Tal supuesto, de producirse, constituye causa de extinción del contrato, sin que el arrendador esté obligado a la reconstrucción de la finca, sin perjuicio de la posible indemnización que se pueda derivar a favor del arrendatario.

El **incumplimiento del arrendador** no suele considerarse en la práctica motivo de resolución del contrato por parte del arrendatario, pero sí le da derecho a ser **indemnizado** por los daños y perjuicios que sufra en su patrimonio por responsabilidad contractual derivada del CC art.1101 y 1556 (AP Barcelona 27-7-15, EDJ 124370).

El incumplimiento de arrendador tampoco da derecho al arrendatario a suspender el pago de la **renta**. La obligación de conservación del arrendador y la obligación de pago de la renta no son recíprocas y, por tanto, no se condicionan recíprocamente en su cumplimiento. Son obligaciones autónomas (AP Madrid 1-7-01, EDJ 40647; AP Cantabria 15-5-00, EDJ 27394).

Precisiones **1)** Dado que la obligación del arrendador es mantener la vivienda no cabe exigirle la reparación de **defectos que esta ya tenía** en el momento de arrendarla, cuando fueron conocidos y aceptados por el arrendatario que tuvo oportunidad de examinar la finca antes de firmar el contrato (AP Navarra 11-2-00, EDJ 120297; AP Madrid 18-2-15, EDJ 27475).

2) Cuando el deterioro se produce por el **incumplimiento** del arrendatario de sus **obligaciones de mantenimiento**, y no al mero transcurso del tiempo, el arrendador queda exonerado de realizar las reparaciones (TS 17-6-15, EDJ 111113; AP Badajoz 8-6-15, EDJ 101140).

3) El arrendador no está obligado a reparar los daños causados en el local arrendado sometido al régimen de **propiedad horizontal** producidos por los defectos existentes en elementos comunes. La reparación de tales daños así como las innovaciones para prevenir nuevos daños corresponde a la **comunidad de propietarios** (TS 29-2-12, EDJ 39380).

4) Se consideran que no son necesarias para conservar el local, sino de meras obras de adaptación, las obras que se deben realizar en virtud de reciente normativa administrativa aplicable a las **residencias geriátricas** en la localidad donde está situado el local, por lo que el arrendador no queda obligado a hacer frente al coste de las mismas (TS 20-2-12, EDJ 30171).

5) Se equipara a la **destrucción** de la cosa arrendada cuando para la reconstrucción se haga precisa la ejecución de obras cuyo costo exceda del **50% del valor real** de la cosa arrendada para poner el inmueble en condiciones de seguridad y habitabilidad (TS 5-1-06, EDJ 1859).

5378 En contrapartida, el **arrendatario** está obligado a **soportar las obras** de conservación cuando su ejecución no pueda razonablemente diferirse hasta la conclusión del arrendamiento. El arrendatario solo **puede negarse** a su realización si las reparaciones no son imprescindibles para frenar el deterioro del inmueble y evitar así que aumenten los gastos de reparación. La oposición del arrendatario, cuando no sea razonable, da lugar a la indemnización de daños y perjuicios.

Si la obra dura más de 20 días, debe **disminuirse la renta**. No obstante, cuando la ejecución en el local arrendado de estas obras de conservación lo hagan **inhabitable**, el arrendatario tiene la opción de suspender el contrato o de desistir del mismo.

El arrendatario debe **poner en conocimiento del arrendador**, en el plazo más breve posible, la necesidad de realizar reparaciones, a cuyo efecto debe también facilitar al arrendador la verificación directa de dicha necesidad.

Precisiones No puede imputarse responsabilidad al propietario de la vivienda o local arrendado cuando el **inquilino no ha advertido** de la existencia de deficiencias en el inmueble (TS 22-7-03, EDJ 50789).

Así, se ha considerado que el propietario de un inmueble no es responsable de los daños producidos por su **inundación** si no ha sido advertido por el arrendatario sobre la existencia de defectos que puedan provocar daños (TS 15-4-21, EDJ 534333).

5380 **Reparaciones urgentes** (LAU art.21.3) En todo momento y previa comunicación al arrendador, el arrendatario puede realizar las reparaciones urgentes para evitar un daño inminente o una incomodidad grave, exigiendo de inmediato su importe al arrendador.

El arrendatario puede **deducir el importe** de la obra del siguiente pago que realice de la renta. Si el arrendador se niega a pagar el importe adelantado por el arrendatario para la reparación, alegando que no tenía carácter urgente, corresponde a los tribunales establecer los límites de la obligación de comunicación y los requisitos de la urgencia (AP Madrid 21-4-10, EDJ 118055).

La realización de estas reparaciones es una posibilidad que se da al arrendatario, pero en ningún caso una **obligación** del mismo. Realmente el único deber que se impone es comunicar al arrendador la necesidad de llevarlas a cabo (TS 28-1-81, EDJ 1311).

Precisiones Se han considerado obras de reparación urgente las que afectan a la **seguridad o salubridad** (AP Gipuzkoa 19-7-99, EDJ 27765), como la de la instalación del gas (AP Alicante 7-7-05, EDJ 123541).

Reparaciones menores (LAU art.21.4) Corresponde al **arrendatario** realizar las pequeñas reparaciones que exija el desgaste por el uso ordinario de la vivienda. 5382

La **determinación** de estas reparaciones menores es habitualmente fuente de controversias:

- No se trata de los **daños materiales** producidos por el arrendatario, culposa o negligentemente, de los que, por su intervención directa ya es claramente responsable (CC art.1563).
- Se trata del **mantenimiento ordinario** del local, obligación derivada de la de usarlo de forma diligente (CC art.1555) y devolverlo tal y como se recibió, salvo lo que hubiera perecido o se hubiera menoscabado por una causa inevitable (CC art.1561).

Por lo tanto, cabe entender que la obligación del arrendatario incluye reponer el desgaste por el uso ordinario (**mantenimiento**), pero no lo que se menoscabe por el paso del tiempo (**obsolescencia**). Si bien teniendo en cuenta que en ocasiones la vida útil de un objeto se acorta porque se ha utilizado de forma inadecuada o se ha realizado un mantenimiento inadecuado o insuficiente.

Corresponde en cualquier caso a los tribunales concretar el **límite** de las mismas, aunque, en todo caso, hay que considerar la duración del arrendamiento.

El arrendador puede exigir que en el momento de la **devolución** del local se efectúen todas las pequeñas reparaciones que resulten necesarias para que se devuelva en condiciones equivalentes a las que fue entregado, salvo lo que se haya perdido o menoscabado por el transcurso del tiempo o por una causa inevitable (CC art.1561).

Precisiones 1) La **revisión del gas** obedece a su utilización ordinaria, siendo a cargo del arrendatario (AP Albacete 24-2-00, EDJ 8717; en sentido contrario, AP Valencia 5-6-12, EDJ 241694).
2) La reparación en los deterioros de la **pintura** corre a cargo del arrendador cuando el uso de las paredes ha sido el normal. Por ejemplo es normal que haya cercos oscuros alrededor de los interruptores de la luz, no así paredes con graffitis, agujeros o desconchones (AP Las Palmas 26-11-14, EDJ 269352).

Obras de mejora (LAU art.22) Por obras de mejora se entiende aquellas que tienen **carácter de voluntario**. Por tanto, son, en principio, las que no se pueden calificar como de conservación o reparación. 5384

El **arrendatario** está obligado a **soportar** las obras de mejora cuando su ejecución no pueda razonablemente diferirse hasta la conclusión del arrendamiento. El **diferimiento** no es posible:

- Para las obras en que se ha obtenido la **subvención** de algún órgano de la Administración municipal, autonómica o estatal, que otorga un plazo para su ejecución, condicionando la subvención al cumplimiento de dicho plazo.
- Las obras impuestas al arrendador por acuerdo de la **comunidad de propietarios** del inmueble en propiedad horizontal.
- Las obras convenientes por **oportunidad estacional**.

El **arrendador** debe **notificarlas** por escrito al arrendatario con 3 meses de antelación, expresando su naturaleza, fecha de comienzo, duración y coste previsible.

Precisiones Se consideran **mejoras** aquellas obras que supongan un resultado apreciable, económica, social o estéticamente que, como consecuencia de la inversión material o jurídica, aumentan duraderamente el valor de la vivienda, la utilidad o el rendimiento (AP Córdoba 16-4-02, EDJ 24184). No obstante, otro sector de la doctrina considera que solo se puede aplicar la regulación de la LAU art.22 a las **mejoras útiles**, es decir, a las que permiten una mayor funcionalidad o comodidad a la vivienda.

Ante la notificación, el **arrendatario** puede: 5386

a) **Desistir del contrato** en el plazo de un mes desde la notificación, salvo que las obras no afecten o afecten de forma irrelevante al local arrendado. En caso de desistimiento, el arrendamiento se extingue en el plazo de 2 meses durante los que no podrán comenzar las obras.

b) **Aceptar** la realización de las obras. Cuando el arrendatario opta por soportar las obras, tiene derecho a una reducción de la renta proporcional a la parte del local del que se vea privado por esta causa, así como a la indemnización de los gastos que las obras le obliguen a efectuar.

c) **Negarse** a la realización de las obras, alegando y probando que no son justificables y que son razonablemente diferibles.

5388 **Elevación de la renta por mejoras** (LAU art.19) Respecto a la posibilidad de que el arrendador eleve la renta basándose en las mejoras que ha realizado en la vivienda arrendada, pueden darse **dos situaciones**:

a) Cuando hay un **acuerdo entre arrendador y arrendatario** para realizar las obras de mejora, estas pueden realizarse en cualquier momento desde que comience la vigencia del contrato y dan derecho a elevar la renta. Sin perjuicio del derecho del arrendatario a que le sean indemnizados los gastos que le generen las obras o a que, mientras estas duren, se le reduzca la renta en proporción a la parte del local que no pueda, en su caso, utilizar (nº 5355). Ello no implica la interrupción del periodo de prórroga obligatoria o tácita o un nuevo inicio del cómputo de tales plazos. Esta posibilidad se aplica para los contratos suscritos **desde 6-3-2019** y, en iguales condiciones, para los que lo fueron entre **19-12-2018 y 23-1-2019**.

b) Tratándose de obras de mejora realizadas **por voluntad del arrendador**, que no puedan razonablemente diferirse hasta la conclusión del arrendamiento, este tiene derecho a elevar la renta anual si concurren las siguientes **condiciones**:

- que haya transcurrido el **plazo mínimo** legal desde la celebración del contrato. Las obras de mejora realizadas por exclusiva voluntad del arrendador antes de este plazo, no dan derecho a elevar la renta, ni siquiera después de cumplido ese plazo mínimo legal;
- que se haya **notificado** por escrito al arrendatario; y
- que no exista **pacto** en contrario. No se exige que el pacto en contrario deba hacerse por escrito para que sea válido, por lo que puede ser verbal. En todo caso, corresponde al arrendatario la prueba de la existencia del pacto, si el arrendador quiere hacer uso de la posibilidad de elevación.

La elevación de renta se produce desde el mes siguiente a aquel en que, ya finalizadas las obras, el arrendador **notifique por escrito** al arrendatario la cuantía de aquellas. En la notificación debe:

- detallar los cálculos que conducen a su determinación; y
- aportar copias de los documentos de los que resulte el coste de las obras realizadas.

El arrendatario puede negarse a abonar el aumento de la renta por las mejoras realizadas hasta que no se le aporten los documentos indicados.

5390 La **cuantía del incremento** anual de la renta resulta de aplicar al capital invertido en las obras el interés legal del dinero incrementado en un 3%, teniendo en cuenta:

- del capital invertido hay que descontar, en su caso, el importe de las subvenciones públicas obtenidas para las obras;
- el tipo de interés es el vigente en el momento en que se acaben las obras;
- el incremento de la renta no puede ser superior al 20% de lo que se venía pagando.

Tratándose de obras que afecten a **varias fincas**, se distingue en función de que las mismas se encuentren o no en régimen de propiedad horizontal:

• Cuando la mejora afecta a varias fincas de un edificio **en régimen de propiedad horizontal**, el arrendador debe repartir proporcionalmente entre todas ellas el capital invertido de acuerdo con las cuotas de participación correspondientes a cada una. El porcentaje correspondiente a cada finca, según su participación en la propiedad horizontal, no debe sobrepasar el límite del 20% de la renta vigente para cada una de las fincas mejoradas.

• Cuando los edificios **no se encuentren en régimen de propiedad horizontal**, el capital invertido se reparte proporcionalmente entre las fincas afectadas por acuerdo entre arrendador y arrendatarios. En defecto de acuerdo, se reparte proporcionalmente en función de la superficie de la finca arrendada.

5392 **Obras del arrendatario** (LAU art.23) Una vez concluidas las obras de adaptación del local, la realización de cualquier obra por el arrendatario -a excepción de las reparaciones urgentes (nº 5380)- queda sujeta a los pactos convenidos por las partes en el contrato, o, en su defecto, a los establecidos en la LAU.

En **caso de pacto**, lo más frecuente a este respecto es que se condicione la realización de obras a la autorización previa y escrita del arrendador, sin que el mero silencio o conocimiento de las obras implique su consentimiento (AP Granada 21-12-07, EDJ 364008; AP Baleares 27-9-02, EDJ 109306).

En **defecto de pacto**, la ley requiere el consentimiento escrito del arrendador para la realización de cualquier obra que modifiquen la configuración del local arrendado o de los accesorios de la finca, sin que en ningún caso puedan realizarse obras que provoquen una disminución en la estabilidad o seguridad del local.

La realización de las obras señaladas sin la autorización del arrendador faculta a éste para instar la **resolución del contrato** y, sin perjuicio de dicha facultad, le permite optar entre:

• exigir al arrendatario la reposición de las cosas al estado anterior; o

• conservar la modificación efectuada, sin que el arrendatario pueda reclamar indemnización alguna.
Si el arrendatario realiza obras que han provocado una **disminución de la estabilidad** de la edificación o de la seguridad del local o sus accesorios, el arrendador puede exigir de inmediato del arrendatario la reposición de las cosas al estado anterior.

Precisiones 1) La exigencia de **reposición de las cosas** a su estado anterior solo es posible a la finalización del contrato, momento en el que el arrendatario ha abandonado la vivienda, lo que dificulta, en la práctica, el cumplimiento de la norma sin acudir a los tribunales.
2) La autorización concedida al arrendatario para realizar las obras de reparación y mejora a su costa, no implica una **obligación** para este ni exime al arrendador de hacer las reparaciones procedentes (TS 24-5-95, EDJ 3309).
3) Las obras hechas por el arrendatario en la finca, al **término del arriendo** quedan a beneficio del propietario (AP Asturias 18-3-03, EDJ 119331).
4) Cuando la vivienda sea de **varios propietarios**, la autorización para realizar obras que alteren la configuración del inmueble requiere la unanimidad de los comuneros, pues es acto de disposición y no de administración (CC art.397).

El arrendatario puede realizar **sin autorización**, aunque notificándolo previamente: 5394
- las obras que no modifiquen la configuración del local o los accesorios de la finca;
- las reparaciones urgentes y las debidas al desgaste.

5. Cambio de titularidad

Durante la vigencia del contrato puede producirse el cambio de titularidad del inmueble 5400
arrendado por alguna de las circunstancias expuestas en los números siguientes.
Las partes disponen de absoluta **libertad** para, mediante pacto excluir, renunciar o modificar las previsiones legales.

Enajenación del local arrendado (LAU art.29) La trasmisión del local arrendado implica 5402
un cambio de titularidad en la propiedad y, consecuentemente, en la persona del arrendador. La condición de arrendador pasa a ser ocupada por el **adquirente**, que, en principio, si las partes no han pactado otra cosa, se subroga en todos los derechos y obligaciones del contrato, salvo que pueda ser considerado tercero hipotecario (LH art.34; ver nº 5404).
Además, cuando la transmisión es a título oneroso, se reconoce a favor del arrendatario un derecho de adquisición preferente (nº 5406).
Asimismo, dado que en estos contratos prima la voluntad de las partes, en relación con la transmisión del local, estas **pueden pactar**:
- la renuncia expresa del arrendatario a continuar con el arrendamiento si el local se transmite, en cualquier caso o, en determinados supuestos, lo que implicaría la extinción del contrato desde la adquisición por un tercero; o
- la remisión directa al CC art.1571, conforme al cual la compraventa de una finca arrendada faculta -no obliga- al adquirente para terminar con el arrendamiento.

Precisiones La jurisprudencia aplica la LAU art.29 en los casos de **enajenación forzosa** de la finca o local arrendado -vía de apremio- (TS 21-7-98, EDJ 11951; AP Asturias 9-4-01, EDJ 10450).
Cuando se adquiere el local de negocio por **ejecución hipotecaria** el arrendador tiene la facultad de resolver el contrato y, en caso de no hacerlo, éste subsiste subrogándose el adquirente en la posición del arrendador (TS 15-11-21, EDJ 738547; 6-7-23, EDJ 624294).

Subrogación (LAU art.29) En principio, si las partes no han pactado otra cosa, el adquirente de 5404
la finca se subroga en los derechos y obligaciones del arrendador, salvo que este pueda ser considerado **tercero hipotecario** (LH art.34); es decir, si ha adquirido la finca a título oneroso y la inscribe en el Registro de la Propiedad, sin que lo estuviera previamente el arrendamiento. En este caso se presume que es **tercero de buena fe** y desconoce la existencia del contrato, por lo que este se puede dar por extinguido.
Se discute en estos casos si la **extinción** se produce de forma automática o si el adquirente puede optar entre poner fin al contrato de arrendamiento -ejerciendo, en su caso, la acción de desahucio-, o continuar con él, tal y como prevé el CC art.1571, aplicable supletoriamente a la voluntad de las partes y la LAU art.29.
Por otra parte, al verse el arrendatario privado del arrendamiento antes del plazo pactado, se ha de considerar que el arrendador transmitente queda obligado a satisfacerle la correspondiente **indemnización** por incumplimiento de contrato (CC art.1101 y 1571), calculada conforme a las reglas previstas en el CC art.1106 y 1107.
Si el adquirente **conocía la existencia del arrendamiento**, ya sea porque este estuviera inscrito o porque, sin estarlo, hubiera podido tener esta información por otro medio, salvo pacto

previo en contrario ha de subrogarse en la posición del primer arrendador y continuar con el contrato, pues ya no concurren en él los requisitos de la LH art.34 (LAU art.29).
Si la adquisición de la finca hubiera sido **a título lucrativo**, por ejemplo, por herencia o donación, se produce también la subrogación y el contrato no queda extinguido, pues este adquirente no goza de más protección registral que la que tuviera su transmitente (LH art.34.3).

Precisiones 1) Para evitar que se produzca la **subrogación**, es preciso que el arrendador que transmite la finca sea titular registral de la misma y, además, que el contrato de arrendamiento no esté inscrito en el Registro de la Propiedad, cobrando así la inscripción registral del contrato de arrendamiento una excepcional importancia (AP Albacete 13-5-04, EDJ 116475; AP Barcelona 30-9-09, EDJ 351498). Es adquirente de buena fe -y, por tanto, no se produce la subrogación- el que adquiere por título oneroso del titular registral, confiando en el Registro de la Propiedad, en el que no consta la existencia del arriendo e inscribe su derecho en dicho Registro (AP Albacete 13-5-04, EDJ 116475; AP Barcelona 30-9-09, EDJ 351498).
2) La **buena fe** consiste, de una parte, en la creencia por parte de quien pretende ampararse en la protección registral de que la persona de quien adquiere el inmueble es dueña de él y puede transmitir su dominio, y, de otra, en la ignorancia o desconocimiento de la existencia del arrendamiento. El adquirente del inmueble no puede invocar a su favor la buena fe de la LH art.34, al ser **público y notorio** que en el local se encontraba una tienda abierta y funcionando, por lo que un mínima actividad de la compradora le hubiera permitido tener conocimiento del arrendamiento (AP Alicante 22-5-03, EDJ 104016).

5406 **Derecho de adquisición preferente** (LAU art.25 y 31) Este derecho tiene como **finalidad** facilitar al arrendatario el acceso a la propiedad del inmueble que tiene arrendado, con preferencia o en sustitución de un tercer adquirente, en caso de que este se pusiera a la venta.
En el arrendamiento para uso distinto de vivienda este derecho no tiene carácter imperativo, por lo que puede ser **excluido o modificado** por la voluntad de las partes. En defecto de pacto, son de aplicación las normas previstas en esta materia para los arrendamientos de vivienda (LAU art.25).

5408 Para el ejercicio de su derecho de adquisición preferente el arrendatario tiene las siguientes **opciones**:
- derecho de tanteo, que opera antes de la transmisión (nº 5412); o
- derecho de retracto, que opera después de la transmisión (nº 5414).

Este derecho del arrendatario es **preferente** sobre cualquier otro derecho similar, excepto sobre el retracto de comuneros o el convencional a favor del propietario anterior inscrito en el Registro de la Propiedad al tiempo de celebrarse el contrato de arrendamiento (CC art.1507 y 1518).
Se establecen como **excepciones** las siguientes:
- que el local arrendado se venda conjuntamente con los restantes locales o viviendas, propiedad del arrendador, que formen parte de un mismo inmueble;
- que la totalidad de los pisos y locales del inmueble se vendan de forma conjunta por distintos propietarios, a un mismo comprador.

A estos efectos es indiferente que el inmueble esté constituido o no en régimen de propiedad horizontal (DGRN Resol 24-7-95; TS 6-3-71, EDJ 96; 15-6-74; 6-10-86).
Si en el inmueble existe un **único local**, el arrendatario del mismo tiene los derechos de tanteo y retracto previstos por la LAU.

Precisiones 1) Para los contratos suscritos **desde 6-3-2019** y entre **19-12-2018 y 23-1-2019**, con la modificación de la LAU art.25.7 llevada a cabo, respectivamente, por el RDL 7/2019 y el RDL 21/2018, ahora derogado, para los casos de **venta conjunta** en los que se suprime el derecho de adquisición preferente del arrendatario, se habilita al legislador sobre vivienda para establecer el derecho de tanteo y retracto, respecto a la totalidad del inmueble, en favor del órgano designado por Administración competente en materia de vivienda. En estos casos es aplicable la regulación del derecho de adquisición preferente de la LAU respecto a la notificación y el propio ejercicio del derecho.
2) Cuando el inmueble transmitido constituye una **unidad patrimonial**, ha de negarse el ejercicio de los derechos de adquisición preferente a quien no ostente un derecho arrendaticio sobre la totalidad de aquel, sino solo sobre una de sus partes integrantes (TS 22-10-04, EDJ 152669).

5410 **Renuncia** En la práctica, en los arrendamientos de local de negocio, la renuncia al derecho de *adquisición preferente* (tanteo y retracto) es **habitual**, en cuyo caso se suele acompañar de la facultad del arrendatario de dar por finalizado el contrato, con o sin derecho a la percepción de una indemnización.
Cuando se haya pactado la renuncia del arrendatario al derecho de adquisición preferente, el arrendador debe **comunicar al arrendatario** su intención de vender el local con una **antelación** mínima de 30 días a la fecha de formalización del contrato de compraventa (LAU art.25.8).

Precisiones 1) Si bien actualmente es posible que las partes acuerden la renuncia a este derecho en todos los contratos, para los firmados **entre 1-1-1995 y 5-6-2013**, este acuerdo solo es posible cuando la duración pactada es superior a 5 años, plazo mínimo legal de los mismos.
2) Si el derecho de adquisición preferente no existe, porque se ha renunciado al mismo o porque en el contrato de arrendamiento se excluyó por las partes, no es exigible ninguna notificación al arrendatario para **inscribir la transmisión** de la finca arrendada (DGRN Resol 4-7-18). La mera manifestación del vendedor de que el arrendatario del local vendido ha renunciado al derecho de adquisición preferente es suficiente para inscribir la compraventa en el Registro de la Propiedad (DGSJFP Resol 30-10-23).

Derecho de tanteo (LAU art.25.2) El arrendador que decide vender el local arrendado debe **notificarlo fehacientemente** al arrendatario, especificándole el precio y demás condiciones esenciales de la transmisión. Los efectos de la notificación caducan a los 180 días naturales siguientes a la misma. **5412**
Una vez notificado, el arrendatario puede ejercitar un derecho de tanteo sobre la misma. Dispone para ello del **plazo** de 30 días naturales, a contar desde el siguiente a la notificación. Este plazo se considera de caducidad, por lo que no admite interrupción (AP Baleares 10-1-03, EDJ 102879).

Derecho de retracto (LAU art.25.3; CC art.1518) El arrendatario puede ejercitar el derecho de retracto, en los siguientes **supuestos**: **5414**
- cuando no se le haya notificado la venta;
- si se ha omitido en la notificación cualquiera de los requisitos exigidos;
- cuando resulte inferior el precio efectivo de la compraventa o menos onerosas sus restantes condiciones esenciales.

Para poder ejercitar su derecho es preciso que el arrendatario conozca la venta producida. A tal efecto, el adquirente debe **notificar de forma fehaciente** al arrendatario las condiciones esenciales en que se efectuó aquella, mediante entrega de copia de la escritura o documento en que fuere formalizada.
El derecho de retracto se ejercita reembolsando al comprador los siguientes **gastos**:
• el precio de la venta;
• los gastos de compraventa, es decir, los gastos del contrato y cualquier otro pago legítimo hecho por la venta;
• los gastos necesarios y útiles hechos en la cosa vendida.

El derecho de retracto tiene un **plazo de caducidad** de 30 días naturales, contados desde el siguiente a la notificación.
El **conocimiento extrarregistral** pleno y circunstanciado por el arrendatario de la transmisión, a través de un medio fehaciente, implica una **renuncia tácita** al derecho a ser notificado por el adquirente. En este caso es a partir de ese momento cuando empieza a correr el plazo de caducidad. Se trata así de evitar que el arrendatario que conoce la transmisión espere a la inscripción registral para, a su amparo formal, ejercitar un derecho ya precluido por no haberlo hecho cuando pudo y debió hacerlo (TS 6-3-00, EDJ 2145).

Cesión del contrato y subarriendo (LAU art.32) La cesión del contrato de arrendamiento supone la transmisión por el arrendatario (cedente) de su **posición contractual** íntegra a un tercero (cesionario), quien, como consecuencia de ello, lo sustituye en el contrato con todos los derechos y obligaciones inherentes al mismo. **5416**
Salvo pacto en contrario, el arrendatario puede ceder el contrato de arrendamiento **sin el consentimiento del arrendador** siempre que se cumplan dos requisitos:
- que en la finca arrendada se ejerza una **actividad** empresarial o profesional; y
- que lo **notifique** al arrendador, de forma fehaciente, en el plazo de un mes desde que la cesión o subarriendo se hubiera concertado.

En la notificación se ha de **indicar** la fecha en que la cesión se ha concertado y es eficaz, y los datos de identificación del cesionario -nombre, apellidos o razón social, domicilio y NIF-. No es preciso que en ella se incluya el precio de la cesión, salvo cuando en el contrato de arrendamiento exista un pacto en virtud del cual el arrendador tiene derecho a participar en un porcentaje determinado del mismo.
La **ausencia de notificación** faculta al arrendador para resolver el contrato, de pleno derecho (AP Barcelona 26-4-22, EDJ 609450).

Precisiones 1) La **prestación de servicios por un tercero** dentro del local, que complementarios a los inicialmente previstos en el arrendamiento del mismo, no constituyen una cesión inconsentida. Son admisibles siempre que no se desvirtúe el objeto y el carácter del arrendamiento o se altere la vida económica del negocio por no ser proporcionados a su resultado (AP Alicante 5-6-19, EDJ 648891).
2) Es eficaz la **notificación** a la entidad arrendadora remitida por burofax al último **domicilio** que constaba como suyo en el Registro Mercantil, dado que el arrendatario no tenía la obligación de conocer el nuevo domicilio (AP Valencia 19-7-11, EDJ 193991).

3) La finalidad de la notificación se entiende cumplida sin necesidad de la misma cuando se emiten los **recibos** a nombre de la cesionaria de manera continuada y dilatada en el tiempo desde su constitución (AP Castellón 1-6-11, EDJ 202963).

5418 En supuestos de subarriendo o cesión, el arrendador tiene derecho a una **elevación de renta** en las siguientes cuantías:
- si el subarriendo es parcial: el 10%;
- si se trata de cesión o de subarriendo total: el 20%.

No se considera cesión el cambio producido en la persona del arrendatario como consecuencia de la **fusión, transformación o escisión** de la sociedad arrendataria. No obstante, salvo pacto en contrario, el arrendador también tiene, en estos casos, derecho a la elevación de la renta en las mismas proporciones.

Precisiones 1) No existe traspaso inconsentido o cesión ni por el **cambio de nombre** de la sociedad arrendataria, ni por la venta del 99,9% de sus acciones, si no desaparece la persona jurídica (TS 12-12-96, EDJ 9137).

2) La venta de **todas las acciones** de una sociedad anónima a otra sociedad de la misma naturaleza, sin que exista fusión entre ellas, no entraña, por sí sola, la pérdida de la personalidad jurídica de aquella cuyas acciones fueron vendidas, sino que ambas -transmitente y adquirente- conservan sus respectivas personalidades jurídicas. No puede en modo alguno decirse que la sociedad adquirente se haya introducido en el arrendamiento del local del que era arrendataria la sociedad cuyas acciones han sido vendidas, sino que esta continúa conservando esta condición, con su propia personalidad jurídica (TS 4-10-99, EDJ 29510).

5420 **Fallecimiento del arrendatario** (LAU art.33) En caso de fallecimiento del arrendatario, el **heredero o legatario** puede subrogarse en los derechos y obligaciones de aquél hasta la extinción del contrato. No es una obligación, sino una facultad. Si se opta por ella, los subrogados pasan a ocupar la posición contractual del arrendatario fallecido, sin variación de la renta ni de las demás condiciones contractuales. Si **ninguno** de los herederos o legatarios **se subroga**, el arrendamiento se extingue, sin perjuicio de la responsabilidad de los sucesores del pago, con cargo al caudal hereditario, de las rentas pendientes y de las que se devenguen hasta la devolución del local al arrendador.

Salvo acuerdo en otro sentido, para que se produzca la **subrogación** es necesario que se cumplan los siguientes **requisitos**:
- ejercicio de actividad empresarial o profesional;
- continuación por el heredero o legatario en el ejercicio de la misma actividad;
- notificación escrita al arrendador, dentro de los dos meses siguientes al fallecimiento del arrendatario.

6. Extinción del contrato

5425 La regulación que prima en esta materia es la **voluntad de las partes**. No obstante, se establece una lista de causas que, sin ser una lista cerrada, producen la resolución del contrato. Así las partes tienen plena libertad para:
- excluir las causas recogidas en la LAU art.35;
- fijar las causas de la LAU art.35;
- establecer otras causas.

Si las partes no han estipulado nada en este sentido, se está a lo establecido en la LAU.

Ambas partes pueden resolver el contrato de arrendamiento en caso de incumplimiento de la otra de una obligación esencial del mismo (CC art.1556).

Asimismo, en caso de que una de las partes falte al cumplimiento de lo estipulado incurriendo en **dolo**, **negligencia** o **morosidad** o cualquier otra forma de contravención, la otra parte puede reclamarle una indemnización por los daños y perjuicios ocasionados (CC art.1101), o el cumplimiento o resolución con abono de daños e intereses en ambos casos (CC art.1124).

Precisiones La **enajenación forzosa** de la finca arrendada, derivada de una ejecución hipotecaria, no extingue el contrato de arrendamiento, y el nuevo propietario se subroga en la posición del arrendador (TS 15-11-21, EDJ 738547).

5427 **Vencimiento del término pactado** El contrato de arrendamiento tiene un carácter eminentemente temporal, por tanto, una vez cumplido el plazo de duración del arrendamiento pactado, el contrato se extingue.

El **arrendatario** debe desalojar el local y **entregar su posesión** al arrendador. Debe retirar todos los bienes y accesorios que le sean propios y que lo ocupen hasta ese momento (maquinaria, muebles, etc.). Puede el arrendador exigirle que deshaga a su costa las modificaciones introducidas en el mismo, incluso las autorizadas, salvo que se hubiera previsto otra cosa.

La devolución al arrendador de la posesión del local se materializa normalmente con la **entrega de llaves**, que puede hacerse constar mediante documento privado. Es desde ese momento cuando el arrendador puede proceder a la verificación del estado del local (nº 5429).
Por su parte, el **arrendador** debe restituir la **fianza** arrendaticia prestada por aquel (nº 5357).
Además, una vez finalizado el arrendamiento, el arrendador puede quedar obligado a abonar al arrendatario una **indemnización por clientela** (nº 5431).

Precisiones 1) En contratos de arrendamiento de local de negocio, la voluntad de las partes de someter el contrato al régimen de **prórroga forzosa**, en situaciones posteriores a la entrada en vigor del RDL 2/1985, implica la **extinción del contrato** al cumplirse el plazo legal de veinte años desde la entrada en vigor de la LAU (AP Barcelona 9-4-14, EDJ 69955).
2) Si, injustificadamente, el arrendador se niega a aceptar la entrega de llaves el arrendatario puede realizar su **consignación notarial** o, en su caso, judicial.

Reconocimiento del local Al objeto de facilitar la **prueba** de los desperfectos en una futura reclamación, es aconsejable que en el momento del reconocimiento del local, el arrendador recurra, entre otros, al empleo de los siguientes medios: **5429**
• La asistencia de **testigos**, preferiblemente perito o experto que tase los daños y redacte un informe en cuanto a la valoración, al menos estimada, del coste de su reparación.
• La utilización de medios técnicos que permitan obtener o grabar **imágenes** del estado del local -cámara fotográfica o video-.
• Requerir la presencia de un notario a fin de que levante **acta notarial** que recoja el estado del inmueble.
Si se comprueba que existen **desperfectos** y el arrendatario no realiza las reparaciones a que está obligado para la entrega del local en buen estado, el arrendador **puede optar** entre:
- reclamar judicialmente el cumplimiento de dicha obligación, así como, en su caso, la indemnización por los daños y perjuicios ocasionados (p.e., pérdida de un nuevo arrendamiento); o
- asumir el coste de las mismas reteniendo o aplicando total o parcialmente la fianza y, en su caso, las otras garantías adicionales constituidas al efecto y, posteriormente reclamar judicialmente el exceso no cubierto.
Corresponde al arrendador acreditar la producción de los daños y su cuantía. Sin embargo el arrendador se encuentra protegido por una **doble presunción**, de forma que, salvo prueba en contrario se presume:
- la recepción por el arrendatario del local en **buen estado**, de acuerdo con el uso y destino convenido; y
- la **culpabilidad** del arrendatario por el deterioro, correspondiendo a éste la prueba de su ausencia de culpa o negligencia.
Por su parte, el arrendatario puede **desvirtuar la presunción** probando que (TS 30-5-08, EDJ 82721; AP Barcelona 9-4-14, EDJ 95121):
- la devolución del local se hace en las mismas condiciones y estado en que lo recibió; o
- el deterioro o pérdida no se ha debido a su actuación culposa, o a la de las personas de quien debe responder, y que ha actuado con diligencia para evitar el daño.

Indemnización por clientela (LAU art.34) La extinción, por transcurso del término convencional, del arrendamiento para uso distinto del de vivienda puede dar lugar a una indemnización a favor del arrendatario. No obstante, dado el carácter dispositivo de esta norma, las partes pueden pactar su **exclusión**. **5431**
Para que proceda la indemnización señalada, a favor del arrendatario, es necesaria la concurrencia de los siguientes **requisitos**:
• **Extinción** por el transcurso del término convencional. Dentro del término convencional han de entenderse comprendidas las sucesivas prórrogas o renovaciones. Si el contrato se extingue por cualquier otra causa, aunque esta sea motivada por el arrendador, se podrá pedir otro tipo de indemnización, pero no la aquí prevista.
• **Actividad comercial.** Para que surja el derecho indemnizatorio se requiere que el arrendatario viniera ejerciendo una actividad comercial de venta al público. Lo determinante es que se trate de una actividad de **venta al público**, esto es, que exista un contacto directo con los clientes o consumidores. Se han de entender incluidas a estos efectos la venta de mercancías en una tienda o establecimiento y otras actividades que originen una clientela susceptible de perderse por el arrendatario o ser aprovechada por otros (p.e., restaurante, cafetería, gimnasio, cine, discotecas, etc.). Se han de considerar **excluidos** los locales destinados a oficinas, almacenes y depósitos cerrados, despachos profesionales, actividades industriales, administrativas, recreativas, docentes y culturales (AP Madrid 17-5-05, EDJ 87485; AP Ciudad Real 17-6-04, EDJ 135979).
• **Plazo**. La actividad comercial se ha de venir desarrollando durante 5 años. Las partes pueden haber pactado cualquier plazo de duración del contrato, pero para que nazca el derecho a la indemnización la actividad comercial debe haber durado, como mínimo, cinco años.

• **Oferta de renovación del contrato**. El arrendatario debe haber manifestado su voluntad de renovar el contrato con, al menos, 4 meses de **antelación** a la finalización del contrato. Esta oferta debe hacerse:
- por un **periodo** de, al menos, 5 años; y
- por la **renta** de mercado (AP Madrid 5-4-04, EDJ 119963). A estos efectos se considera renta de mercado la que acuerden las partes o, en defecto de pacto, la que determine el árbitro designado por ellas.

Si el arrendador **no acepta** la oferta, el arrendatario tiene derecho a percibir la indemnización por clientela, siempre que, además, se cumplan los restantes requisitos legalmente exigidos (AP Lleida 15-9-23, EDJ 713308).

Precisiones El precepto exige literalmente que durante los últimos cinco años se haya venido ejerciendo una actividad comercial de **venta al público**, independientemente de quien haya ejercido esa actividad, y de si se ha tratado siempre de la misma actividad comercial. Por tanto, puede ser de aplicación el precepto cuando un arrendatario ejerció una actividad de venta al público durante un plazo inferior a cinco años, y después otro arrendatario continuó la misma actividad u otra hasta transcurrir dicho plazo.

5433 Para la **determinación de la cuantía** de la indemnización se tiene en cuenta un margen temporal de 6 meses después de la expiración del plazo y se contemplan las siguientes situaciones:

• Si, dentro de este plazo, el arrendatario inicia en el mismo municipio el **ejercicio de la misma actividad** a la que se venía dedicando, la indemnización comprende: los gastos del traslado y los perjuicios derivados de la pérdida de clientela ocurrida con respecto a la que tuviera en el local anterior, calculada con respecto a la habida durante los seis primeros meses de la nueva actividad.

• Si el arrendatario inicia, dentro de este plazo, una **actividad diferente** o **no inicia actividad alguna**, y el arrendador o un tercero desarrollan en la finca dentro del mismo plazo la misma actividad o una afín a la desarrollada por el arrendatario, la indemnización debe ser de una mensualidad por año de duración del contrato, con un máximo de 18 mensualidades.

En caso de **falta de acuerdo** entre las partes sobre la cuantía de la indemnización, la misma debe ser fijada por el árbitro que hubieran designado y, en su defecto, por el designado judicialmente.

Precisiones **1)** La **clientela** se materializa realmente en la facturación. Así, para valorar la posible pérdida de clientela, hay que calcular primero la facturación de los últimos seis meses en el local arrendado, y luego restarle la facturación de los seis primeros meses en el nuevo local.
2) Se consideran **actividades afines** las típicamente aptas para beneficiarse, aunque solo sea en parte, de la clientela captada por la actividad que ejerció el arrendatario.
3) Se entienden por «**gastos del traslado**» los generados por el traslado del mobiliario, maquinaria, útiles y mercadería desde el local que constituía la antigua sede del negocio, al nuevo, quedando excluidos otros gastos como los de acondicionamiento y adecuación del nuevo local (AP Girona 5-10-05, EDJ 253803).

5435 **Resolución por incumplimiento** (LAU art.35; CC art.1124) Ante el incumplimiento por una de las partes de alguna de las obligaciones asumidas en un contrato de arrendamiento, la **parte cumplidora** tiene la opción de exigir el cumplimiento de dicha obligación o resolver el contrato.

Si se opta por el cumplimiento y este resulta imposible, se puede pedir posteriormente la resolución del contrato. Para ambas casos, se puede pedir el **resarcimiento** de daños y abono de intereses.

5437 **A instancias del arrendador** Salvo pacto en contrario, el arrendador puede resolver de pleno derecho el contrato por las siguientes **causas** (LAU art.27.2.a, b, d y e):
- falta de pago de la **renta** o cantidades asimiladas;
- falta de pago del importe de la **fianza** o de su actualización;
- realización de **daños** causados dolosamente en la finca o de obras no consentidas por el arrendador cuando el consentimiento de éste sea necesario;
- cuando en el local tengan lugar **actividades molestas**, insalubres, nocivas, peligrosas o ilícitas;
- por **cesión o subarriendo** del local incumpliendo lo señalado en el nº 5416.

El **cambio de actividad** *no está recogido* como causa resolutoria en la legislación especial. Sin embargo, en la normativa civil común -de aplicación supletoria- se prevé como obligación del arrendatario de usar la cosa arrendada como un diligente padre de familia, destinándola al uso pactado. Por tanto, aun en defecto de pacto contractual, el arrendador puede instar la resolución del contrato si el arrendatario incumple dicha obligación, siempre, además, que el cambio de destino sea unilateral y sustancial, con posibles perjuicios para el arrendador.

Precisiones 1) Para los contratos suscritos **antes de 6-6-2013**, no se contempla, de forma expresa, como causa de resolución la causación dolosa de daños en el inmueble por el arrendatario, ni la realización de obras que no hubieran sido consentidas por el arrendador, cuando este consentimiento fuera necesario (LAU art.27.2.d).
2) Un **ligero retraso** en el abono de la renta -10 días en el caso de autos- no equivale al impago (AP Pontevedra 30-7-01, EDJ 103203).
3) Es doctrina jurisprudencial que el **pago** total de la renta del arrendamiento de una local de negocio, **fuera de plazo** y después de presentada la demanda de desahucio, no excluye la posibilidad de la resolución arrendaticia, aunque la demanda se funde en el impago de una sola mensualidad de renta, sin que el arrendador venga obligado a que el arrendatario se retrase de ordinario en el abono de las rentas periódicas (TS 22-11-10, EDJ 258972; 9-9-11, EDJ 204888).
3) El **no uso del local** arrendado es equiparable al cierre, sin que sean admisibles las ficciones encaminadas a sostener una mera apariencia de actividad (TS 3-2-75, EDJ 68).

A instancia del arrendatario El arrendatario puede resolver de pleno derecho el contrato por las siguientes **causas**: 5439
- falta de entrega del inmueble;
- omisión del deber de conservación;
- que el arrendador incumpla su obligación de mantenerlo en el goce pacífico del arrendamiento.

Aunque nada impide que las partes incluyan en el contrato **otras causas** de resolución derivadas de otros incumplimientos del arrendador, lo cierto es que es muy infrecuente en la práctica.

Precisiones La denegación del cambio de **titularidad de la licencia de actividad** a favor del arrendatario, que le impide utilizar el local, le permite resolver el arrendamiento aun cuando se hubiera pactado expresamente que este hecho no afectaría a la arrendadora (TS 20-4-22, EDJ 551157).

Desistimiento unilateral del arrendatario

Desistimiento unilateral del arrendatario En el arrendamiento para uso distinto de vivienda no se regula de forma expresa ni se reconoce un derecho de desistimiento unilateral, tal y como se contempla para el arrendamiento de vivienda. Por otro lado, la jurisprudencia niega para estos contratos, la **aplicación analógica** de la facultad de desistimiento unilateral en arrendamiento de vivienda (TS 23-7-18, EDJ 526228; 3-10-17, EDJ 196369; 19-12-22, EDJ 769904; AP Madrid 1-3-05, EDJ 43307). 5441

Ahora bien, nada impide la existencia de un **pacto contractual** que faculte expresamente al arrendatario para ejercitar el derecho de desistir unilateralmente a cambio de una **contraprestación** pecuniaria, en cuyo caso, no se trataría de un incumplimiento contractual.

Precisiones Atendiendo a las circunstancias concretas se ha aceptado la aplicación a estos contratos del **criterio indemnizatorio** para el desistimiento en el arrendamiento de vivienda (LAU art.11) por considerarse excesivo en el caso concreto obligar al arrendatario a satisfacer el importe de las rentas que se hubieran devengado hasta el final del arrendamiento, en la medida en que no constaba probado que concurrieran circunstancias que hicieran previsible una especial dificultad para encontrar un arrendatario al que se pudiese solicitar una renta similar a la pactada (TS 20-5-04, EDJ 40359). No obstante, no se debe acudir a este criterio orientador de manera indiscriminada, sino cuando por las circunstancias concurrentes no haya otra forma de fijar la indemnización; y, desde luego, en ningún caso cuando resulta ser manifiestamente insuficiente para paliar los perjuicios causados al arrendador (TS 11-2-16, EDJ 9662).

A. **Si existe pacto contractual** sobre el desistimiento, el mismo puede incluir: 5443
- Una cláusula que otorgue al arrendatario la facultad de resolver el contrato a cambio de pagar al arrendador una determinada cantidad de dinero (**multa penitencial**). Este importe no está sujeto a moderación judicial, ya que en este caso, no se está propiamente ante una indemnización o una pena convencional, sino del precio pactado por las partes en contraprestación de la concesión al arrendatario de una facultad que la ley no le reconoce (TS 6-11-13, EDJ 219925; 10-12-13, EDJ 261133; 23-12-09, EDJ 299934).
- Una **cláusula penal** para el supuesto de terminación anticipada del contrato por parte del arrendatario. La pena pactada sustituye a la indemnización de daños y al abono de intereses. Entiende la jurisprudencia que la cláusula penal no puede aplicarse de forma completa y automática y que el importe de la cláusula debe ser objeto de moderación. Si el arrendador percibiese la totalidad de la cláusula penal y, además rentas de un nuevo arrendatario se daría un claro enriquecimiento injusto (CC art.1154; TS 18-3-16, EDJ 23782). Sin embargo, también se ha admitido que se exija el pago de la cláusula penal pactada a pesar de que, tras el incumplimiento del arrendatario, el arrendador celebró un nuevo contrato con un tercero de forma inmediata (TS 14-2-18, EDJ 9572).

5445 B. **Si no existe pacto contractual** sobre desistimiento, pueden darse dos circunstancias:

• El arrendatario da por terminado el arrendamiento pero el arrendador no lo acepta y **pide el cumplimiento**, esto es, el pago de las rentas pendientes hasta la finalización del contrato. El arrendador no reclama una indemnización sino que insta el cumplimiento de las obligaciones del contrato y el arrendatario puede ser condenado al pago de todas las rentas pendientes hasta la finalización del contrato. No cabe moderación judicial, pues lo solicitado no es propiamente una indemnización ni una cláusula penal, sino el pago de las rentas adeudadas (TS 23-7-18, EDJ 526228).

• El arrendatario manifiesta su voluntad de terminar el arrendamiento y el arrendador **acepta la resolución**, reclamando una indemnización por los daños y perjuicios causados -lucro cesante-. Se admite la moderación de dicha indemnización, atendiendo a las circunstancias concurrentes, como pueden ser, entre otras, la dificultad de obtener un nuevo arrendatario, el descenso o incremento de las rentas en el mercado, así como la demanda de alquileres (TS 9-4-12, EDJ 216658).

Precisiones La **aceptación de la entrega** del inmueble y la firma de un documento de entrega de llaves no implica por sí solo la renuncia por parte del arrendador a la percepción de la indemnización prevista en el contrato para el caso de desistimiento unilateral del arrendatario ni a la percepción de las rentas adeudadas (TS 27-9-13, EDJ 192455).

CAPÍTULO 9

Representación mercantil y distribución comercial

SECCIÓN 1

Consideraciones generales

La **representación** puede definirse como la relación jurídica, reconocida por la Ley, por medio de la cual el representante interviene en actos o negocios jurídicos declarando su propia voluntad, la cual produce efectos en la esfera patrimonial o personal del representado. 5507
La **distribución** comprende todos aquellos procedimientos de los que hacen uso los productores y fabricantes para la comercialización de productos o servicios que se ofertan a los consumidores y usuarios. Es esta una actividad de intermediación que intenta adecuar la producción al consumo y a la inversa, a través de la oferta y la demanda, con la finalidad de lograr un mercado competitivo.
En la representación, cabe la posibilidad de distinguir entre:
a) **Voluntaria**, o nacida por voluntad del representado, y **legal**, impuesta por disposición normativa en supuestos como la del menor o el concursado.
b) **Orgánica e inorgánica**, cuya distinción se basa en que la primera se produce cuando una persona actúa, no como representante propiamente dicho de otra, que es el supuesto de la segunda, sino como órgano de un ente social (p.e., administradores societarios).
c) **Verbal, escrita o solemne**, cuya diferenciación se basa en la forma de manifestación externa de la representación conferida.
d) La relación entre las partes, que incluye:
1. Representación **directa**. El representante actúa en nombre del representado realizando el acto o negocio en nombre de éste. En la representación directa son decisivos los criterios externos, como las facultades otorgadas en el documento notarial de apoderamiento. Los efectos se producen de forma inmediata en la esfera patrimonial del representado. En este tipo de representación existe un cierto grado de independencia del poder respecto del negocio causal que motivó su otorgamiento. También recibe la denominación de inmediata.
2. Representación **indirecta**. El representante actúa en nombre propio aunque por cuenta e interés del representado. En principio, es él el que adquiere los derechos y obligaciones derivados del contrato estipulado con el tercero, si bien debe trasladarlos a su representado. La ley también reconoce efectos directos entre el tercero y el representado. Es conocida también como representación mediata.

Precisiones 1) La **diferencia** fundamental entre la **representación mercantil** y la **civil** consiste en el hecho de que la Ley predetermina el ámbito y el contenido de representantes mercantiles como los factores o gerentes (nº 5534). 5509
La Ley ordena, además, que las **limitaciones** a tales facultades, si se establecen, sean inoponibles a terceros. Así, a diferencia de la representación civil que exige a quien contrata con el representante examinar los poderes, dado que si este se excede no obliga al poderdante, salvo que éste lo ratifique; en el ámbito mercantil su poder abarca todo lo que el propio comerciante puede hacer, salvo que sea personalísimo (AP Madrid 20-12-12, EDJ 317235).

En Derecho mercantil, por el prevalente carácter de protección de la seguridad del tráfico, tiene que defenderse al tercero que contrate fiado en la **apariencia** de representación ilimitada (TS 28-6-84, EDJ 7270).

2) La distinción entre **representación orgánica** y **por apoderado** es importante para aplicar a cada una, respectivamente, sus propias normas; las de la LSC a los administradores y las propias de la representación (CC art.1709 s.) a quienes actúen como apoderados.

Los **administradores de sociedades** carecen del vínculo de dependencia, ya que únicamente forman parte de un órgano social que se integra en el empresario mismo, o de la sociedad (DGRN Resol 20-9-83 y 11-10-83).

Los **apoderamientos** voluntarios no confieren al apoderado la condición de administrador, ni hacen que pase a formar parte del órgano administración social como cargos delegados (DGRN Resol 16-7-84; 9-6-86; 26-2-91).

Ver nº 5525 para un **cuadro comparativo** entre administrador y apoderado.

5511 **Representación voluntaria y contratos causales** No existe una clara delimitación de los distintos supuestos de representación mercantil. Existen multitud de **términos**: apoderamiento mercantil, mandato mercantil, comisión, agencia, corretaje, mediación, cuyo **denominador común** es la existencia de un encargo por parte de una persona física o jurídica para que otra realice un servicio o formalice un negocio jurídico representando los intereses de la primera.

La representación voluntaria guarda estrecha conexión con el contrato de **mandato** (nº 5592) y el de **comisión** (nº 5580) puesto que su cumplimiento depende del seguimiento de las instrucciones del representado al autorizado para contratar por él. Sin embargo, no puede confundirse:

- el **mandato**, que es un contrato en virtud del cual se obliga una persona -el mandatario- a prestar algún servicio o hacer alguna cosa por cuenta o encargo de otra -el mandante- (CC art.1709);
- con el **poder**, que es el instrumento formal mediante el cual el mandatario puede actuar válidamente en nombre del mandante frente a terceros (representación propiamente dicha).

Mientras que el poder se centra en la **representación externa** ante terceros, el mandato implica una relación más estrecha entre el mandante y el mandatario, en la que las **instrucciones** del mandante son decisivas en las relaciones entre ellos (CC art.1727; TS 10-6-15, EDJ 116785).

Precisiones **1)** «En general, el poder otorgado por el representado es para la **defensa de sus intereses**, lo que supone que existe un contrato causal de mandato (pero también puede ser un contrato de sociedad o de trabajo). También puede otorgarse voluntariamente el poder de representación por el representado para que el representante defienda un **interés propio o de ambos** (p.e., la concesión de un poder suficiente al acreedor pignoraticio para la venta de los bienes pignorados, independientemente del derecho a ejecutar la prenda)» (Vicent Chuliá).

2) La **calificación de los contratos** es competencia de los tribunales de las instancias y las conclusiones de los mismos, al respecto, no pueden ser revisadas por medio del recurso de casación, a no ser que resulten contrarias a la ley, arbitrarias o ilógicas (TS 27-11-06, EDJ 331099).

5513 **Forma** El poder para obrar frente a terceros puede otorgarse:

- **verbalmente** (mandatario verbal); o
- por **escrito**, bien sea documento privado o público (escritura notarial de poder).

Ahora bien, deben constar necesariamente en **documento público** (CC art.1280.5º), entre otros, los siguientes poderes:

- el general para pleitos y los especiales que deban presentarse en juicio;
- para administrar bienes; y
- cualquier otro que tenga por objeto un acto redactado o que deba redactarse en escritura pública, o haya de perjudicar a tercero.

Precisiones **1)** Para la transmisión del dominio de un inmueble o realizar cualquier otro acto de riguroso dominio, se requiere **mandato "expreso"**, el cual puede darse **verbalmente** -no es necesario que conste por escrito- (LCon art.1710 y 1713), si bien debe estar suficientemente probado y claramente precisado en su objeto y extensión (TS 7-11-05, EDJ 188339; AP Tarragona 15-11-23, EDJ 792670).

Esta normativa genérica referente a las modalidades del mandato se complementa en materia mercantil con el CCom art.292, para los supuestos que el mismo contempla. La referencia de este precepto a que la existencia del pacto escrito o verbal se consigne en los **reglamentos de las compañías**, es a los meros efectos de publicidad para la mayor garantía de los terceros (TS 25-11-05, EDJ 207151).

2) Como estable el CC art.1710 el mandato puede ser expreso o tácito y el expreso puede darse por instrumentos público o privado y aun **de palabra**; por ello, la circunstancia de que el Sr.X no figurase en el Registro Mercantil como administrador o apoderado de la recurrente, no es obstáculo a que el mismo se hallase facultado por la constructora para recibir de los comitentes cantidades a cuenta del precio convenido (TS 29-9-05, EDJ 149437).

El poder general, así como su modificación, revocación y sustitución, es de inscripción **obligatoria** en el RM, pero no constitutiva (RRM art.87.2º y 94.1.5). Ver nº 5548. **5515**
En cambio, **no es obligatoria** la inscripción de:
- el poder general para pleitos; ni
- el concedido para la realización de actos concretos (poder especial).

El título inscribible es la **escritura pública** (DGRN Resol 22-5-99).

Precisiones 1) El apoderado puede actuar válidamente frente a terceros en base a la publicidad del Registro Mercantil (inscripción del poder), o a través de la publicidad de hecho, esto es, la **apariencia** o **notoriedad** de sus facultades de representación, sin que puedan desvirtuarse por la publicidad legal o registral. Sobre la figura del factor notorio, ver nº 5540.
2) La inscripción del poder general es obligatoria aunque **no constitutiva**. Es decir, el **poder general** mercantil debe inscribirse en el Registro Mercantil, y si no se inscribe se estará incumpliendo una obligación, pero el poder vale y vincula al poderdante (generalmente una sociedad). Así, si el poder se inscribe y se revoca no inscribiéndose la **revocación**, el tercero con el que se contrate que lo ignoraba quedará protegido (RRM art.8), de manera que el representado quedará obligado a pesar de que revocó el poder.

Doctrina de la protección de la confianza en la apariencia (CCom art.286 y 292 a 296) **5517**

Los principios de seguridad jurídica y protección de terceros de buena fe (CC art.7.1; CCom art.57) imponen que no se deba perjudicar a dichos terceros por limitaciones del poder de representación que no hayan podido conocer ni racionalmente prever, por lo cual el **representado** queda siempre obligado en favor de terceros, en virtud del llamado mandato ostensible o representativo aparente, incluso por aquellos actos de su representante en los que se haya excedido de los límites, siempre que esos terceros hayan podido suponer legítimamente la existencia de representación bastante, correspondiendo al representado, cuando **limite los poderes** del representante más estrechamente de lo que resulta de la apariencia, adoptar las medidas necesarias para impedir que puedan engañar a terceros por esa apariencia.
En suma, el contrato realizado de buena fe con un **representante aparente** debe ser mantenido, siempre que ese **tercero de buena fe** funde su creencia no en meros indicios, sino en la consistencia de una situación objetiva, de tal significación que tomarla como expresión de la realidad no pueda imputársele como negligencia descalificadora; o cuando alguien con sus declaraciones o conducta induce al tercero de buena fe a creer razonablemente que se le había apoderado para realizar el acto representativo, se considera como si dicha persona estuviera apoderada (AP Pontevedra 5-5-22, EDJ 636131; AP Salamanca 27-10-23, EDJ 786631; que cita TS 20-11-13, EDJ 261136; 13-2-14, EDJ 21212; 7-10-14, EDJ 188237).
De acuerdo con la doctrina (Vicent Chuliá), esta protección de la apariencia o notoriedad se integra por cuatro **presupuestos**:
• Un hecho **aparente** (que aparece y se muestra a la vista);
• El hecho de apariencia ha de imputarse a su **representante**. En este supuesto la responsabilidad recae sobre el comerciante, que no respondería si aquella circunstancia obedece a actuaciones delictivas como coacciones, amenazas o estafa, de las cuales haya sido sujeto pasivo.
• El tercero que ha contratado debe ser de **buena fe**; esto es, que ignore que la persona que se encuentra al frente del establecimiento no posee autorización del dueño o principal.
• La **relación** de tráfico existente es **onerosa**. Las adquisiciones a título gratuito quedan al margen de esta protección y de la responsabilidad por riesgo impuesta al titular del establecimiento.

Duración de las facultades representativas (CCom art.290) **5519**

El poder de representación del factor permanece a pesar del fallecimiento del principal o de las personas que se lo otorgaron, mientras no se revoque expresamente.

Ámbito de las facultades representativas (CCom art.281 y 283) **5521**

El comerciante puede nombrar apoderados o mandatarios **generales o singulares** para que hagan el tráfico en su nombre y por su cuenta en todo o en parte, o para que le auxilien en él.
Al nombrar al representante mercantil, el comerciante individual puede **limitar** a su libre criterio las **facultades** que otorga a éste, sin que existan límites legales a las facultades representativas que se le pueden conceder.

Precisiones 1) Si el acto realizado por un apoderado, aunque esté dentro del giro o tráfico del negocio encomendado, no se encuentra comprendido en el poder, se exige **mandato expreso** para la realización de los actos que señala y debe considerarse que el poder para practicar operaciones de tipo registral no autoriza para enajenar inmuebles (DGRN Resol 6-9-82).
2) Aunque exista una inicial falta de poder, la **ratificación**, por **hechos posteriores** de la representación, subsanan la mencionada falta inicial y acreditan la existencia de ésta (TS 19-7-99, EDJ 26164).

5523 **Representación de sociedades** (CCom art.141; LSC art.233, 234 y 249 bis) Las personas jurídicas ejercen la actividad empresarial mediante las personas a quienes corresponda su representación, de acuerdo con sus leyes reguladoras, así como a través de apoderados, generales o especiales, que aquéllas designen.

En las **sociedades de capital** la representación de la sociedad, en juicio y fuera de él, corresponde al **órgano de administración** (ya esté compuesto por un administrador único, administradores solidarios, administradores mancomunados o un consejo de administración). La representación se extiende a todos los actos comprendidos en el objeto social delimitado en los estatutos. Cualquier **limitación** de las facultades representativas de los administradores, aunque estén inscritas en el RM, son ineficaces frente a terceros. Es más, la sociedad quedará obligada frente a terceros que hayan obrado de buena fe y sin culpa grave, aún cuando se desprenda de los estatutos inscritos en el RM que el acto no está comprendido en el objeto social.

Además de la representación orgánica (administradores), la sociedad puede nombrar **apoderados**, cuya designación compete al órgano de administración (no a la junta de socios). Las facultades que pueden delegarse nunca podrán comprender la rendición de cuentas de la gestión social o la presentación de balances a la junta general, ni las facultades que ésta conceda al órgano de administración, salvo que sea expresamente autorizado por ella, ni las demás facultades indelegables enumeradas en la LSC art.249 bis. Así, por ejemplo, al **director general** de una sociedad de capital no pueden otorgársele facultades que, en caso de existir consejo de administración, no serían delegables en consejeros delegados.

Para más información sobre la representación de los administradores, ver nº 2315 s. Memento Sociedades Mercantiles 2024, y sobre el apoderamiento, ver nº 3335 Memento Sociedades Mercantiles 2024.

Precisiones 1) Las SA pueden otorgar poderes para hacerse **representar en juntas** generales de sus sociedades participadas, ya sean SA (LSC art.187), como SRL o personalistas (DGRN Resol 10-11-92).

2) La actuación de los apoderados puede someterse a **previa autorización** de otros apoderados y estos últimos actuar como una comisión colegiada (DGRN Resol 5-11-92).

3) El **consejo de administración** puede otorgar apoderamientos, pero haciendo salvedad expresa, en los generales, de que no incluyen las facultades indelegables (DGRN Resol 20-12-90).

5525 En el siguiente cuadro destacamos las **diferencias** entre la figura del administrador y la del apoderado:

	Administrador	**Apoderado**
Naturaleza jurídica	Representación orgánica: cargo necesario en la sociedad.	Representación voluntaria: cargo no necesario.
Nombramiento	Por la junta general (LSC art.214.1).	Por el órgano de administración. En caso de que así se haya autorizado al apoderado, este puede, a su vez, nombrar otros apoderados a través de la sustitución del poder o del subapoderamiento.
Facultades	Administración y representación de la sociedad en sus más amplios términos.	Las facultades concedidas en el poder, que puede ser general o especial. En todo caso, no se pueden delegar en el apoderado las funciones que corresponden de forma exclusiva y excluyente a los administradores, por ejemplo, la formulación de cuentas.
Aceptación	Tiene que ser expresa para que pueda el nombramiento ser inscrito (LSC art.215.1)	Puede ser expresa o tácita.
Inscripción en RM del nombramiento	Obligatoria -pero no constitutiva-.	Obligatoria: poder general. No obligatoria: poder especial, poder general para pleitos.
Duración del cargo	La estatutariamente prevista, con los límites de la LSC, sin perjuicio de la reelección del administrador por la junta.	Hasta la revocación del poder o, en caso de que el poder se haya otorgado con término final, hasta la fecha prevista en el poder.
Cese/revocación	Por acuerdo de la junta general (separación). Por caducidad del cargo.	Por el órgano de administración o, si así ha sido autorizado, por un apoderado.

	Administrador	Apoderado
Notificación de renuncia	El administrador que renuncia al cargo debe notificarlo a la sociedad, para que la renuncia pueda ser inscrita en RM.	No es necesario que el apoderado que renuncia al cargo lo notifique a la sociedad para que la renuncia sea inscrita en el RM. Si bien, es conveniente hacerlo para evitar una eventual responsabilidad por daños.
Responsabilidad	Régimen mercantil específico de responsabilidad por daños -social e individual- y por deudas sociales en caso de incumplimiento de determinadas obligaciones legales (LSC art.236 y 367).	Régimen civil de responsabilidad del mandatario (CC art.1725, 1729). No obstante, el apoderado está sometido al régimen específico de responsabilidad de los administradores cuando actúa como administrador de hecho.

1. Auxiliares dependientes del comerciante

El empresario, para el desarrollo de su actividad, puede servirse de la **colaboración** de otras personas, que pueden ser permanentes u ocasionales, internas o externas a la empresa, subordinadas o autónomas. 5530

Los colaboradores que se encuentran en situación de **independencia**, son a su vez empresarios cuya actividad consiste en gestionar intereses de otros. Se trata de una colaboración realizada por otros empresarios mediante los llamados contratos de agencia (nº 5710), de mediación (nº 5830) o de comisión (nº 5580).

A su lado, se encuentra la colaboración prestada de forma **estable y dependiente** por los llamados colaboradores subordinados. Dentro de esta categoría de colaboradores subordinados, hay que diferenciar entre aquellos cuya colaboración consiste en la simple prestación de servicios al empresario y aquellos otros que entran en relaciones contractuales con terceros por cuenta del empresario. La diferencia fundamental entre ambos estriba en el «**poder**» conferido a los segundos para realizar actos jurídicos en nombre y por cuenta del empresario. Sólo éstos merecen la calificación de **auxiliares de la empresa**: sujetos que, vinculados de forma estable o permanente a un empresario, gozan de un poder de representación y tienen como función facilitar la actuación del empresario en el tráfico.

Los auxiliares de la empresa se **clasifican**, atendiendo a la extensión de sus poderes, en:

1) **Apoderados generales**: es el caso del factor mercantil, que recibe un poder general para actuar en el tráfico en nombre y por cuenta del empresario (nº 5534).

2) **Apoderados singulares**, que son el dependiente (nº 5550) y el mancebo (nº 5552), que gozan de poderes específicos:

- el dependiente está facultado para realizar las operaciones propias de un ramo o sector del negocio; y
- el mancebo para realizar alguna operación específica.

Precisiones Los auxiliares dependientes establecen con el empresario una **doble relación**:

a) Relación **laboral**, de efectos internos al servicio del empresario, sujeta a:

- el Estatuto de los Trabajadores (RDLeg 2/2015) y disposiciones complementarias; o
- la legislación sobre relación laboral especial de alta dirección, aunque se establezca la aplicación subsidiaria de la legislación civil y mercantil (RD 1382/1985 art.3).

b) Relación de **apoderamiento**, de efectos externos (lo que se conoce como representación mercantil propiamente dicha), regulada en el CCom bajo los tipos legales de factor, dependiente, mancebo y otras figuras auxiliares.

Las **características** fundamentales de los auxiliares del empresario son las siguientes: 5532

• Gozan de los **poderes** necesarios para el ejercicio de su función, sin necesidad de un **otorgamiento expreso**; no obstante, puede otorgarse el poder de forma escrita e incluso practicar su inscripción en el Registro Mercantil. A estos efectos, téngase en cuenta que los poderes generales otorgados por una persona jurídica o por un empresario individual inscrito son de inscripción obligatoria en el RM, salvo los generales para pleitos y los otorgados para actos concretos (RRM art.87.2º y 94.1.5º). Ver nº 5515.

• El **alcance** de las facultades de representación viene determinado por el propio poder general o singular, o por la función que desempeñen los distintos auxiliares. Aunque el poder del auxiliar tiene su origen y su extensión en el negocio jurídico por el que se le encomienda el ejercicio de determinadas funciones, ese poder se presenta configurado con un contenido presuntivo, de modo que el auxiliar puede realizar todos los actos que integran su función. La razón de ello es la protección de la buena fe de los terceros, ante la apariencia que genera la actuación del auxiliar en el tráfico (ver nº 5517).

La **limitación** de dichas facultades y su revocación exigen el requisito de publicidad. El comerciante debe realizar actos de publicidad registral o anuncios de otra naturaleza (p.e., el aviso de «pagos en caja» para destruir la presunción de estar los dependientes facultados a cobrar las ventas al contado) para **eliminar la apariencia** de autorización frente a terceros.

Precisiones La **interpretación de un poder** no puede hacerse ni extensiva ni restrictivamente, sino atendiendo a lo que propiamente constituye su propio contenido (DGRN Resol 14-12-16).

5534 **Factor, gerente o apoderado general** (CCom art.281 a 291) Es la persona que el comerciante sitúa al frente de su establecimiento, un apoderado general del empresario **para todos los actos** relativos al giro y tráfico de la empresa, bien en relación con la totalidad de la empresa, bien respecto de una sucursal («factoría»).

El «**giro o tráfico de la empresa**» constituye para el factor un doble **límite**:

1º Un límite a su **apoderamiento**, porque las facultades conferidas al factor se entienden comprendidas y circunscritas a dicho ámbito. Es decir, que cualquier actuación llevada a cabo por el factor excediéndose del ámbito de su apoderamiento no obligará al empresario, salvando el supuesto de que el empresario le hubiese concedido previamente autorización al factor para llevarla a cabo, o bien, en su defecto, el empresario la hubiese ratificado posteriormente.

2º Un límite a la **responsabilidad** del empresario, pues éste responde de la actuación llevada a cabo por el factor cuando la misma derive de su apoderamiento; o bien cuando, la actuación llevada a cabo por el factor, excediéndose en su apoderamiento, haya sido previamente autorizada por el empresario, o bien ratificada posteriormente por éste.

El factor depende directamente del principal, sin ningún intermediario jerárquicamente superior, por lo que se le exige la misma **capacidad** que el Código de Comercio dispone para ser empresario (CCom art.282).

Precisiones Un mismo empresario puede tener **varios factores**, ya sea porque lo estime necesario para el correcto funcionamiento del negocio, si esté es amplio, o bien por la existencia de diversas sucursales (Sánchez Calero). En tal caso, la actuación de cada uno de ellos puede seguir alguno de los siguientes esquemas:

a) Que la actuación de cada factor sea autónoma e **independiente** con relación a la actuación de los demás, al estar dotado cada uno de ellos de las mismas facultades generales para el desarrollo de la actividad empresarial. En este supuesto, cada uno de los factores designados por el empresario dependerá directamente de éste pero sólo de éste.

b) Que la actuación de un factor **dependa**, a su vez, de otro factor pero con más amplias facultades.

5536 **Régimen de actuación** (CCom art.281, 283, 284, 285, 286, 287 y 288) El factor, como apoderado general del empresario para todos los actos del giro y tráfico de la empresa, debe actuar:

1. **Por cuenta del empresario**; es decir, en interés de éste. Se entiende que el factor realiza, en el ámbito de su apoderamiento, operaciones con terceros «por cuenta del empresario» cuando así lo refleje en los contratos que celebre, o cuando, pese a no indicar nada en el contrato, se deduzca del propio documento con claridad que la actuación del factor fue en interés del empresario y no en interés propio.

Puede ocurrir, sin embargo, que en el contrato no se indique que el factor actúa «por cuenta» del empresario, y que, además, no se deduzca con claridad del propio contrato; en este caso, es el **factor** el que queda **personalmente obligado** frente al tercero con el que contrató, a no ser que el factor pruebe que actuó por cuenta del principal y no en su propio interés (Pedro Javier Lassaletta García).

Lo que se persigue con la exigencia de que la actuación del factor sea «por cuenta» del empresario es que el factor no se aproveche, con su actuación, de las oportunidades de las que deba beneficiarse el empresario. Por ello, el Código de Comercio le prohíbe hacer la **competencia a su principal**, ya que no puede realizar por su cuenta o por cuenta ajena negocios del mismo género que las que realiza en nombre de su principal, salvo que le autorice expresamente. Si lo hace, los eventuales beneficios son para su principal y las pérdidas para el propio factor.

5538 2. **En nombre de su principal**, en cuyo caso en todos los documentos que suscriba en tal concepto ha de expresar que lo hace con poder o en nombre de la persona que represente, recayendo sobre éste todas las obligaciones que contraiga. Se producen, pues, los efectos propios de la representación directa, es decir, la vinculación del principal y no del factor por los actos realizados, de forma que cualquier reclamación se hará efectiva solamente en los bienes del principal. Sin embargo, a esta regla general se añade la excepción de que los bienes del factor y del principal se encuentren confundidos.

Los contratos celebrados por el **factor notorio** se entienden hechos en nombre del empresario, aun cuando el factor no lo haya expresado al celebrarlo (ver nº 5544).

3. Cuando actúa **en nombre propio** pero por cuenta del principal (representación indirecta), el tercero contratante puede dirigir su acción solidariamente contra el factor y contra el

principal. Los efectos de los actos realizados por el factor recaen no sólo sobre quien contrató en su propio nombre (el factor), sino también sobre aquel por cuya cuenta se contrató (principal).
4. **Personalmente** en el desempeño de las funciones encomendadas por el empresario. Por tanto, no puede **delegar** su actuación en otras personas sin autorización del principal. Si lo hace, responde directamente de las gestiones y obligaciones contraídas con los sustitutos (nº 5640).
5. **Con la diligencia de un buen empresario** y siempre bajo el cumplimiento de las órdenes e instrucciones que reciba del empresario. Por tanto, **responde** frente a su principal de los perjuicios que le ocasione por desempeñar sus funciones con malicia, negligencia o infracción de instrucciones recibidas, así como de las multas que, por su culpa, haya de hacer frente el principal a causa de la infracción de leyes fiscales o reglamentos administrativos.

Precisiones El presupuesto para que surja la vinculación del empresario a los actos realizados por el factor mercantil es que tales actos o negocios pertenezcan al **giro o tráfico de la empresa** (TS 30-12-99, EDJ 43932).

Poder de representación (CCom art.282, 290, 291) El factor necesita, para el desempeño de sus funciones, de un **poder general** otorgado por el empresario a quien representa, pues en otro caso se desnaturalizaría su figura. Se entiende que el poder es general cuando: **5540**
a) El apoderamiento se otorga, en términos generales, para el giro o tráfico de la empresa.
b) El apoderamiento contenga una enumeración de facultades que, consideradas globalmente, permiten la dirección de la empresa en su conjunto.
No obstante, el poder del factor es **limitado**, en tanto se extiende sólo al giro y tráfico de la empresa, y **limitable** por el principal. Es decir, aunque se trate de un poder general para el giro o tráfico de la empresa, ello no quiere decir que sea ilimitado, pues el empresario puede restringir las facultades conferidas al apoderado general siempre y cuando conserve, en términos generales, facultades para llevar a cabo la dirección de la empresa en su conjunto. Ahora bien, las limitaciones al apoderamiento general del factor sólo producen efectos frente a terceros cuando se encuentran inscritas en el RM, por lo que no afectan al factor notorio (nº 5544).
El poder general, en cuanto poder para administrar bienes, debe otorgarse en **documento público** (CC art.1280.5º) e **inscribirse en el RM** cuando el principal sea una sociedad mercantil o empresario individual inscrito (CCom art.22; RRM art.87.2º y 94.1.5º). Si el empresario individual no está inscrito, el poder no podrá acceder al registro (CCom art.19.1).
No obstante, bajo determinadas circunstancias, también es posible otorgar poderes de **forma tácita**, cuando públicamente se le reconozca al factor legitimidad suficiente para operar en el giro o tráfico de la empresa (es lo que se conoce como "factor notorio", nº 5544). E, incluso, algunos tribunales parecen ir más allá y extienden el concepto de apoderamiento más allá de la mera inscripción registral, admitiendo que el mismo pueda ser también **privado o verbal** (AP Bizkaia 4-2-09, EDJ 149776; AP Lugo 11-5-21, EDJ 622753; 25-2-22, EDJ 570632).
La **extinción** del poder conferido a un factor no se produce por la muerte o disolución de su principal (como ocurre con el mandato, conforme al CC art.1732), sino que subsiste mientras no sea expresamente revocado.
La **revocación** del poder debe ser expresa. En las relaciones internas, sólo surte efecto cuando la comunicación se notifique al factor por un medio legítimo. En las externas, frente a terceros, cuando se publique en el BORME, en caso de factor inscrito, y cuando llegue a su conocimiento (por medio de anuncios, circulares, notificaciones, etc.), en caso de factor no inscrito.

Precisiones **1)** El CCom no regula un supuesto de representación con **contenido legal de facultades** de representación. Este poder legal -o típico- sólo se da en los administradores de sociedades de capital (LSC art.234.2). **5542**
2) Normalmente, en la escritura pública de apoderamiento consta **nominalmente** el apoderado. Ahora bien, es posible documentar el nombramiento en dos o más escrituras: una con una indvidualización genérica con **referencia al cargo** (p.e., presidente, consejero delegado), y otra con la individualización personal del apoderado. Lo que no es posible es otorgar una escritura de nombramiento genérico de apoderado y que la concreción o individualización del nombramiento conste en documento privado, como sería una certificación de nombramiento expedida por un órgano social, aun con firma legitimada notarialmente (DGRN Resol 13-5-76; 26-10-82; AP Valencia 28-1-10, EDJ 110989).
3) Facultado un apoderado para administrar bienes muebles o inmuebles, ejercitar y cumplir toda clase de derechos y obligaciones, reconocer cualesquiera deudas y créditos, puede también imputar a su poderdante un **documento privado anterior**, o ratificarlo, o alterar el mismo (DGRN Resol 13-1-99).
4) No es inscribible la escritura por la que el titular registral manifiesta que, cuando compró, actuó como fiduciario de otras personas, y en nombre propio y en representación de éstas, mediante poder posterior a la fecha de adquisición, solicitando la inscripción en nombre de las mismas, pues del Registro no resulta ninguna de estas circunstancias y su solicitud es una **declaración unilateral**, sin que el poder con el que actúa, que es de fecha posterior a la adquisición, le faculte para hacer reconocimientos de actos anteriores (DGRN Resol 15-4-99).

5) En una escritura de **revocación de poder** en la que se expresan los datos de los apoderados, notarios autorizantes de las escrituras de apoderamiento y fecha del otorgamiento de éstas, no es necesario que se indique, además, el número de protocolo de dichas escrituras, pues su misión no impide conocer el exacto alcance subjetivo de la revocación que ha de inscribirse (DGRN Resol 26-1-99).

5544 **Doctrina del factor notorio** (CCom art.286) El factor mercantil requiere, en principio, para su correcta actuación en el mundo negocial, de la previa existencia de un apoderamiento escriturado otorgado por su principal (CCom art.281 a 284; CC art.1280.5º), así como acomodar su actividad a las facultades conferidas en el poder o directrices marcadas por su mandante (nº 5540).
Sin embargo, también es posible -y así lo ha confirmado numerosa jurisprudencia (entre muchas, TS 31-3-98, EDJ 1703; 2-4-04, EDJ 14252; 20-4-11, EDJ 130906)-, que el empresario o sociedad **apodere al factor de forma tácita**, poniéndole al frente de su empresa o establecimiento para contraer obligaciones, de forma que le reconozca públicamente legitimidad suficiente para el giro o tráfico de la empresa. Es lo que se conoce como «**factor notorio**»; esto es, la persona que, por su actividad, celebra contratos u operaciones propias del ámbito del negocio de la empresa, sin que registralmente tenga la capacidad legal para ello.
En estos cosos, con el fin de proteger la **confianza en la apariencia** (nº 5517), especialmente necesaria en el ámbito de la contratación mercantil, el CCom art.286 establece que «[l]os **contratos** celebrados por el factor de un establecimiento o empresa fabril o comercial, cuando notoriamente pertenezca a una empresa o sociedad conocidas, se entenderán hechos por cuenta del propietario de dicha empresa o sociedad, aun cuando el factor no lo haya expresado al tiempo de celebrarlos, o se alegue abuso de confianza, transgresión de facultades o apropiación por el factor de los efectos objeto del contrato, siempre que estos contratos recaigan sobre objetos comprendidos en el giro y tráfico del establecimiento, o si, aun siendo de otra naturaleza, resultare que el factor obró con orden de su comitente, o que éste aprobó su gestión en términos expresos o por hechos positivos».

5546 De este modo, para que la regla expuesta despliegue su eficacia es preciso que concurran los siguientes **requisitos** (TS 20-4-11, EDJ 130906):
1. Que el contrato sea celebrado por un "**factor**" o mandatario permanente y general subordinado del empresario.
2. Que concurra **apariencia** o notoriedad de que actúa desde dentro de una determinada empresa o sociedad.
3. Alternativamente:
a) Que el contrato recaiga sobre objetos comprendidos en el **giro o tráfico** del establecimiento; o
b) Haya obrado con **orden** de su comitente; o
c) El comitente haya **aprobado la gestión** del factor en términos expresos o por hechos positivos.
A los anteriores requisitos añade la doctrina:
1. Que el **tercero** actúe de **buena fe** en creencia racional de estar contratando con un verdadero apoderado.
2. Que el tráfico sea **oneroso**.

Precisiones El TS en esta sentencia distingue entre mandato tácito y mandato o apoderamiento aparente (TS 27-11-12, EDJ 305811):
El **mandato tácito**, admitido por el CC art.1710, se deduce de hechos concluyentes del mandante, esto es, actitudes o comportamientos que, interpretados en un contexto relacional determinado, revelan inequívocamente la voluntad de dar vida a un contrato de mandato.
Por su parte, el **mandato aparente** ocurre cuando el mandante aparente, con su comportamiento, genera en el tercero con quien se relaciona la convicción de la existencia del mandato, corroborado por la actitud del mandatario que actúa frente al tercero bajo esta apariencia de representación.
En el primer caso (mandato tácito) existe un verdadero mandato, en el segundo (mandato aparente), aunque no existe, la apariencia generada frente al tercero de buena fe provoca que no pueda verse perjudicado por la **ausencia de poder de representación**.
Cuestión distinta es que un contrato celebrado en nombre de otro sin ostentar la representación para ello, pueda ser **ratificado** por aquel a nombre de quien contrató, y que esta ratificación pueda ser, no sólo expresa, sino también tácita, con el consiguiente efecto de validar el negocio (CC art.1259). Lógicamente:
- el **apoderamiento tácito**, por tratarse de un verdadero mandato, no necesita de ratificación alguna;
- mientras que la ratificación posterior de un **apoderamiento aparente** subsana el defecto de apoderamiento y el tercero que contrató fiado por esta apariencia de poder no necesita invocar su condición de buena fe para eludir las consecuencias de la falta de representación.
Sobre el representante aparente y la **validez de los actos realizados** por él que vinculan al mandante aparente, esta sentencia cita numerosa jurisprudencia: TS 24-11-89, EDJ 10538; 27-9-95, EDJ 4866; 18-3-99, EDJ 3267; 14-4-08, EDJ 128027. Para su apreciación, se exige que el **tercero** haya fundado su creencia de **buena fe**, no en meros indicios, sino en la consistencia de una situación objetiva, de tal significación o fuerza reveladora que el haberla tomado como expresión de la realidad no puede imputársele como negligencia descalificadora.

Efectos del apoderamiento frente a terceros (RRM art.87.2º y 94.5º; CCom art.286) Cabe cuestionarse hasta qué punto el tercero contratante que confía en el hecho de **apariencia** prevalece sobre la **publicidad registral** mercantil (G. Jiménez Sánchez). 5548

1. En el caso de la persona que actúa como **factor notorio**, esto es, sin estar inscrita como apoderado mercantil en el RM (nº 5544), prevalece la apariencia:

- en aras de la protección de la **confianza** en este hecho aparente;
- por aplicación de la **buena fe** en el tráfico;
- porque la **inscripción** del poder en el RM **no es constitutiva** y, si no hay inscripción, no pueden producirse efectos de presunción de conocimiento derivados de la publicidad material (nº 5515).

Paradójicamente, dispone de plenas facultades dentro del ámbito del giro o tráfico del establecimiento a cuyo frente se encuentra, limitándose sus facultades a los **efectos puramente internos** entre el propio factor y su principal. Esto es así porque al no haberse inscrito el RM el poder, tampoco se pueden inscribir las eventuales limitaciones sobre el mismo, por lo que los terceros de buena fe no pueden tener conocimiento de su existencia y, en consecuencia, dichas limitaciones no inscritas no producen efectos frente a terceros.

Los contratos que estipule, cuando pertenezca notoriamente a una empresa y recaigan sobre su giro o tráfico, se entienden celebrados **por cuenta de su principal** y obligarán al empresario, aunque el factor no lo haya expresado al celebrarlos, o se alegue abuso de confianza, transgresión de facultades o apropiación por el factor de los efectos objeto del contrato.

Su **revocación** es preciso que sea notoria, mediante anuncios, circulares, etc., para evitar la invocación de la buena fe.

2. Por contra, si la persona que actúa como factor aparece **inscrita en el RM** como factor o apoderado en el RM, mayoritariamente se considera que las limitaciones al poder publicadas a través del Registro prevalecen sobre la presunción de que el poder comprende todo el tráfico del establecimiento; esto es, la limitación es oponible a terceros en razón de los efectos de la publicidad registral (ver nº 5540).

Precisiones **1)** Si el dueño del establecimiento demuestra que fue **exhibido** al tercero contratante el **poder escrito** de representación por él concedido al factor, mediante otorgamiento público o privado, la apariencia se desvirtúa.

2) Ante el factor notorio, el tercero de buena fe no tiene que llevar a cabo una **investigación en el registro mercantil**. Pues no sólo podría paralizar el tráfico jurídico, sino también obviar los mencionados principios de la protección a la apariencia jurídica y a la buena fe. Estos protegen firmemente la confianza en la apariencia con la finalidad de potenciar al máximo la protección del tercero de buena fe, de modo que para destruir ésta haya que probar que éste conocía el acto inscrito y no publicado (TS 12-11-13, EDJ 233979, que cita TS 28-9-07, EDJ 166142; 2-11-12, EDJ 248611; y citada por, entre otras, AP 28-1-16, EDJ 13668).

Dependientes o apoderados singulares (CCom art.292) Son auxiliares del empresario que desempeñan, de **forma permanente**, alguna o algunas de las gestiones propias del negocio en nombre y por cuenta del principal (p.e., jefe de compras, director de personal, etc.). 5550

Son apoderados singulares, por lo que sólo obligan a su principal con relación a las operaciones que expresamente se les hayan asignado. Es decir, el **poder** está **limitado** a un sector del giro o tráfico de la empresa.

La encomienda puede hacerse por escrito o verbalmente, y, en cualquier caso, debe darse a conocer del siguiente modo:

- Las **sociedades mercantiles** deben consignarlo en sus reglamentos.
- Los **empresarios individuales** comunicarlo mediante avisos públicos o circulares a sus corresponsales.

Sus poderes pueden ser **inscritos en el RM**, en cuyo caso también debe serlo su **revocación** que sigue el régimen previsto para el factor (nº 5540).

Precisiones El CCom utiliza una terminología arcaica y equívoca, porque habla de dependientes y mancebos como dos clases de apoderados singulares.

En el uso actual de las palabras son, en realidad, **dependientes de comercio** aquellas personas que el código califica como mancebos (denominación impropia que sólo sigue teniendo cierto uso en los comercios de farmacia). Pero si los términos no coinciden con los de uso vulgar, tampoco son exactos desde el punto jurídico, ya que todos los auxiliares del empresario (sean apoderados generales o particulares) son dependientes, por estar sujetos a su poder jerárquico.

Conviene, pues, hablar simplemente de **apoderados singulares** que son los que tienen alguna gestión concreta encomendada para la que necesitan cierto poder de representación (p.e., jefe de almacén, de compras, cajero, etc.) (Sánchez Calero).

5552 **Mancebos** (CCom art.293 a 302) Son **apoderados singulares** a los que el empresario encarga, por escrito o verbalmente, dirigir una operación de comercio o alguna parte de ella. Los mancebos también tienen la condición de apoderados, aunque su apoderamiento y sus funciones tienen un **ámbito más restringido** que el de los dependientes.

En materia de **delegación**, rigen las normas expuestas para el factor, al igual que en lo referente a la **responsabilidad** en el desempeño de sus funciones con malicia o negligencia (ver nº 5536). Pero cuando, con motivo de la prestación de su servicio, el mancebo incurra en algún **gasto extraordinario** o experimente alguna **pérdida** debe ser indemnizado por el principal, aunque no se hubiera pactado.

Pueden establecerse diferentes tipos con especiales **encargos**:

- el que vende al por menor en un almacén público, y está autorizado para cobrar el importe de las ventas que se realicen y a expedir recibos en nombre de sus principales;
- el que se encarga de vender en un almacén al por mayor, facultado únicamente para cobrar y expedir recibo si la venta es al contado y el pago se hace en el mismo almacén. En caso contrario, ha de firmarlo el principal, su factor o apoderado legítimamente constituido para cobrar;
- el mancebo al que se encarga la recepción de mercaderías, la cual surte los mismos efectos que si la hace su principal.

Aunque el empresario se encuentre inscrito en el Registro Mercantil, este apoderamiento singular no es de **inscripción** obligatoria.

5554 **Otras figuras auxiliares: representantes de comercio** Con el empresario pueden colaborar otros auxiliares que dependen del mismo, como son los viajantes o representantes de comercio, cuya **labor principal** es la de ensanchar el círculo de operaciones de la empresa y aumentar en lo posible la clientela.

Los viajantes o representantes de comercio son colaboradores permanentes del empresario en régimen de **dependencia o subordinación** al mismo que desarrollan, fuera del establecimiento mercantil, la labor de promoción y preparación. En ocasiones, estipulan contratos mercantiles por cuenta de su principal disponiendo de facultades de representación, aun cuando limitadas (Luis Angulo Rodríguez).

La **relación** que une a este tipo de auxiliares con el empresario es de **naturaleza laboral** especial, pues el ET considera relación laboral especial «la de personas que intervengan en operaciones mercantiles por cuenta de uno o más empresarios sin asumir el riesgo y ventura de aquéllas» (ET art.2.1.f), precepto que guarda estrecha relación con el RD 1438/1985, el cual reconoce que la autorización al agente para contratar en nombre del empresario, como representante del mismo, no impide que la relación tenga naturaleza laboral especial. Ver nº 7802 Memento Social 2024.

Esta figura debe **diferenciarse** de los **agentes comerciales** (relación mercantil), que, aun cuando cumplen funciones similares, son empresarios auxiliares independientes del empresario vinculados a través de un contrato de agencia (ver nº 5721). Así, la diferencia establecida por la jurisprudencia deriva de la nota de la **dependencia**. Si se da una dependencia aunque no sea muy estricta del empresario, ya no se puede hablar de contrato de agencia, sino de una relación laboral especial de representante de comercio (TS social 17-4-00, EDJ 9105; TSJ Castilla-La Mancha 13-10-16, EDJ 192651; TSJ Madrid 10-9-18, EDJ 641167).

Otra de las notas diferenciadoras de este tipo de auxiliares y otros de naturaleza mercantil (p.e., la comisión) es la **asunción o no del buen fin** de la operación comercial. Si la persona que se dedica a la actividad comercial por cuenta ajena, responde de que la operación llegue a buen fin -o lo que es lo mismo, que si no se llega a abonar el producto de la venta por el resultado final, el mediador corre con el riesgo y la obligación de abonarlo al principal, como si hubiera cobrado-, está claro que estamos en una relación no laboral de clara naturaleza mercantil. Para que pueda hablarse de relación laboral especial es necesario que el mediador o representante de comercio no responda del buen fin de la operación (TS social 24-1-90, EDJ 571).

Precisiones 1) Estos auxiliares carecen de **regulación en el CCom**.

2) La determinación de cuando estamos en presencia de un **agente comercial o un representante de comercio** va a ser una gran fuente de conflictividad social y procesal debida a la casi idéntica regulación legal de estas dos figuras. Salvo supuestos en el que el contrato de agencia se pacte con una persona jurídica y no física, en cuyo caso queda excluida directamente la naturaleza de relación laboral, sea normal o especial, en caso de la formalización con una persona física que, además, no responda el buen fin de la operación, aparece el problema básico de que las regulaciones de estas dos figuras son muy similares por no decir idénticas en cuanto su contenido y ámbito.

2. Contratos más difundidos

Las figuras mayormente utilizadas en la práctica comercial, y que serán tratadas en sus secciones correspondientes, son: 5560
- comisión (nº 5580 s.);
- agencia (nº 5710 s.);
- mediación (nº 5830 s.);
- concesión (nº 5885 s.);
- franquicia (nº 5960 s.).

Diferencias entre figuras afines Las distinciones entre las distintas posibilidades de intermediación en el proceso productivo se establecen en consideración a diversos **factores económicos y técnicos**, tales como: 5562
- disponibilidad financiera;
- características del producto o servicio;
- objetivos de expansión en el mercado;
- estabilidad y duración de la colaboración;
- grado de autonomía;
- coste de la distribución;
- transferencia del riesgo.

Lo esencial de las figuras de comisión, agencia, representación, mediación, etc., es la existencia de un **mandato** por el que una persona desarrolla una actividad representando los intereses de otra.

Los contratos de comisión, agencia y corretaje tienen **en común** la promoción o estipulación de negocios ajenos.

En el siguiente cuadro se resumen las características principales de los distintos tipos de contratos mencionados, ofreciendo una **visión comparativa** de todos ellos. 5564

Característica	Comisión	Agencia	Mediación o Corretaje	Concesión Mercantil	Delegación	Franquicia
Definición	Contrato por el cual una parte se obliga a ejecutar una o más operaciones comerciales por cuenta de otra sin que necesariamente actúe en su nombre.	Contrato en el cual el agente se obliga a promover o concretar negocios por cuenta y nombre del principal.	Acuerdo donde un corredor pone en contacto a dos partes para que celebren un negocio, sin vincularse a ninguna.	Acuerdo por el que se concede el derecho a vender productos o servicios bajo condiciones específicas.	Contrato donde una parte delega funciones específicas a otra que actuará en su nombre.	Acuerdo que permite a una parte usar el modelo de negocio y la marca de otra bajo condiciones específicas.
Partes involucradas	Comisionista y comitente	Agente y principal	Corredor y las partes interesadas	Concedente y concesionario	Delegante y delegado	Franquiciador y franquiciado
Autonomía de las partes	Actúa por cuenta del comitente pero puede hacerlo en nombre propio o del comitente.	Siempre actúa en nombre del principal.	No tiene poder de representación.	Depende del concedente en cumplimiento de condiciones.	Actúa bajo las instrucciones del delegante.	Debe seguir las directrices del franquiciador.
Exclusividad	Generalmente no hay exclusividad.	Comúnmente se establece exclusividad.	No hay exclusividad.	Exclusividad típicamente otorgada en un territorio.	Dependiente del contrato.	Comúnmente exclusivo en un territorio.
Duración	Instantáneo por transacción específica.	Duración establecida, puede ser indefinida.	Instantáneo por operación.	Largo plazo con condiciones de renovación.	Variable según el acuerdo.	Largo plazo con renovación posible.

Característica	Comisión	Agencia	Mediación o Corretaje	Concesión Mercantil	Delegación	Franquicia
Responsabilidad	Responsable de ejecutar el encargo correctamente.	Responsable de actuar conforme a las instrucciones del principal y proteger sus intereses.	Limitada a conectar las partes correctamente.	Gestiona ventas bajo términos contractuales.	Sigue las directrices del delegante.	Operativo bajo su propia responsabilidad pero según estándares del franquiciador.
Estabilidad/ Permanencia	Instantáneo.	Contrato de duración.	Instantáneo.	Largo plazo.	Variable.	Largo plazo.
Representación	Puede actuar en nombre propio o del comitente.	Actúa en nombre del comitente.	Sin poder de representación.	Representación según términos específicos.	Actúa en representación del delegante.	Actúa bajo la marca común.
Naturaleza de la actividad encomendada	Estipula negocios jurídicos por cuenta del comitente.	Promueve o concreta negocios para el principal.	Promueve encuentros entre partes sin representar a ninguna.	Vende productos o servicios en un área exclusiva.	Realiza tareas específicas en nombre del delegante.	Opera un negocio bajo un método común.
Profesionalidad	Habitualmente dedicados a gestionar intereses ajenos.	Ídem.	Ídem.	Depende de la estructura del contrato.	Puede o no ser habitual.	Habitualmente gestionan intereses bajo una marca común.
Revocación	Libremente revocable.	Revocable con preaviso o no según contrato de duración.	Libremente revocable.	Dependiente de los términos contractuales.	Sujeto a términos específicos del contrato.	Sujeto a términos específicos, no fácilmente revocable.
Resultado	Retribución tras la ejecución del negocio.	Retribución tras la ejecución del negocio.	Retribución tras la perfección del contrato objeto de la mediación.	Basada en las ventas o resultados obtenidos bajo la concesión.	Depende del tipo de delegación y de si implica la gestión de ventas o tareas específicas.	Generalmente, basada en regalías sobre ventas o resultados.

3. Representación en el contrato internacional

5570 En el tráfico jurídico internacional es importante destacar que, en la práctica, más de la mitad de los contratos internacionales celebrados se realizan con la intervención de algún tipo de representación (Medina de Lemus).

En este sentido, siguiendo al mencionado autor, y por razón de los **sujetos de la venta**, se mencionan como formas contractuales de representación:

- la comisión mercantil (nº 5580);
- el contrato de agencia (nº 5710); y
- el de mediación o corretaje (nº 5830).

Por razón del **producto vendido**, deben citarse las distintas formas de su distribución:

- el contrato de suministro (nº 1610);
- el estimatorio (nº 1630);
- la concesión comercial (nº 5885), y
- la franquicia (nº 5960).

La **exportación sin organización de venta** o de distribución en el extranjero puede revestir la forma de ventas directas, intermediarios ocasionales o mayoristas.
La **organización propia de venta en el extranjero** se realiza, bien a través de sucursales o filiales, bien a través de representantes de comercio asalariados.
La **organización de venta o distribución autónoma** controlada por el exportador se lleva a cabo por medio de alguna de las siguientes fórmulas:
- franquicias (nº 5960);
- agencias (nº 5710); y
- concesionarios (nº 5885).

Convención de Ginebra de 1983 En Ginebra, Suiza, el 17 de febrero de 1983, dentro del marco del Instituto para la Unificación del Derecho Privado Internacional (UNIDROIT), se aprobó la Convención sobre **Representación en la Compraventa Internacional de Mercancías**. 5572
Constituye un importante complemento de las Convenciones de Roma, Viena 11-4-1980 (nº 1432) y La Haya 14-3-1978, formando un **código unificado** de venta internacional. De ahí la importancia de conocer sus determinaciones, aunque en España aún no se ha ratificado porque, en cualquier caso, puede resultar aplicable en virtud del principio de **autonomía de la voluntad** reconocido en la Convención de Viena y en las normas de conflicto nacionales, permitiendo así su vigencia anticipada.
Prevé reglas uniformes para el supuesto del comercio internacional en virtud del cual la parte interesada en la adquisición o venta de un producto decide valerse de un **intermediario**, aunque pueda contratarlo directamente (Medina de Lemus).

Normativa internacional aplicable Para determinar el régimen jurídico de los contratos internacionales, el procedimiento habitual es el método del «**conflicto de leyes**», por el cual el derecho internacional privado de cada Estado proclama unas reglas de conflicto que designan la Ley aplicable a través de factores de conexión (en España, ver CC art.8 a 12). 5574
El problema es importante porque la solución del conflicto de ley puede influir sobre la solución del fondo en sentido más o menos favorable a una de las partes, por las diferencias sensibles entre los derechos nacionales que regulan el contrato de agencia y el de concesión, toda vez que algunos ordenamientos reconocen un **estatuto protector del agente o del concesionario**, mientras que otros rehusan el beneficio de una específica protección.
Con la intención de evitar problemas que pudieran surgir de la aplicación de diferentes sistemas de Derecho internacional privado, se aprobó la **Convención de la Haya 14-3-1978** sobre ley aplicable a los contratos de intermediación y representación. Si hubiera colisión con el Convenio de Roma, prevalece la primera por su especificidad en la materia.
Al tratarse de una Ley existente, aunque no en vigor en España por no haber sido aún ratificada, no obstante, puede ser elegida por el exportador español en virtud del principio de **autonomía de la voluntad conflictual** (Medina de Lemus).

SECCIÓN 2

Comisión

5580

1. Consideraciones generales

Es el contrato, consensual y no formal, por el que una de las partes (**comisionista**) queda obligado a realizar por cuenta y encargo de otro (**comitente**) una o varias operaciones mercantiles, siempre que alguno de ellos tenga la condición de comerciante o agente mediador de comercio (CCom art.244). 5585
Se **regula** en el CCom art.244 a 280 y, supletoriamente, por el CC art.1709 a 1739 (TS 12-7-12, EDJ 201028).

En la jurisprudencia, encontramos **concepciones** muy **amplias** del contrato de comisión que comprenden, no sólo los intermediarios y comisionistas ordinarios de compra o de venta (TS 6-10-72), sino también a comisionistas de transporte, de suministro, de depósito, o de ejecución de obra (TS 21-4-71).
En cuanto a su **aplicación práctica**, el contrato de comisión ha sufrido un desplazamiento en el sentido de que los comerciantes tienden a sustituir la colaboración esporádica de los comisionistas en la distribución de sus productos o servicios por la implantación de **redes comerciales propias** (sucursales, delegaciones, o agencias). Éstas se encargan, en forma dependiente o independiente, pero estable, de contratar o promover la estipulación masiva de contratos apoyados en los actuales medios de comunicación y de la telemática. Pero esta debilitación cuantitativa de la comisión se compensa por la multitud de comisiones que prestan los bancos a sus clientes (p.e., servicio de caja, órdenes bursátiles, depósito administrado, etc.; ver nº 7941), por las comisiones de compra o de venta de valores (comisión bursátil: nº 9405) y por los comisionistas de transporte (nº 5687).

Precisiones Se **excluyen** de la categoría figuras como el descuento bancario, uso de tarjetas de crédito, suministro, franquicia, ventas ambulantes o en máquinas automáticas, etc. (Alvarez Caperochipi).

a. Figuras afines

5590 La comisión presenta analogías y diferencias con otras figuras jurídicas:

5592 **Mandato civil** (CC art.1709 a 1739) Es **gratuito**, salvo pacto en contrario, mientras la comisión es retribuida.
El **objeto** del encargo u operación en la comisión debe, necesariamente, tener carácter mercantil.

Precisiones **1)** La comisión representa un **mandato mercantil**, no existiendo diferencias esenciales en torno a la naturaleza jurídica entre mandato y comisión mercantil. La comisión es, pues, un mandato cualificado por la cualidad de una de las partes (ha de ser comerciante) y por la naturaleza empresarial del negocio objeto de promoción o ejecución (AP Toledo 1-2-02, EDJ 15464).
2) Existe mandato en la compraventa en un caso en que el mandatario, en nombre propio, actuó por cuenta y para su mandante de la mitad indivisa de unas fincas. El mandante anticipó los fondos necesarios para la ejecución del encargo, transmitido de **forma verbal** al mandatario, el cuál lo aceptó voluntariamente (TS 18-1-00, EDJ 273).
3) Los actos de comercio y, en especial, los contratos mercantiles se rigen en primer lugar, como ley especial, por lo dispuesto en el **CCom**, respecto del cual el **CC** es **Derecho supletorio**. Por lo que, calificado el contrato de autos como «comisión mercantil» debería la parte recurrente haber buscado en el Código de Comercio la solución que trata de encontrar en el Código Civil, al que sólo en caso de insuficiencia de la regla mercantil hay que acudir, sin perjuicio de señalar que hay en esta materia una suerte de concurso normativo, puesto que, salvo supuestos específicos puntuales, la regulación está inspirada en los mismos principios (TS 2-1-06, EDJ 1862).

5594 **Agencia** (L 12/1992) Las características principales del contrato de agencia, que lo distinguen respecto de la comisión, son las siguientes:
a) El contrato de agencia tiene un **carácter duradero**, permanente, de exclusividad (generalmente en el objeto de su actividad y en la determinación del territorio), participando de una estabilidad que le obliga a promover o a contratar tantos negocios cuantos sean posibles mientras dure el encargo. Es decir, es un contrato de tracto sucesivo, ya sea de duración determinada o indeterminada, mientras que la comisión es un contrato de tracto único e instantáneo (AP Cádiz 10-6-02, EDJ 110944).
b) El agente, bien contrata, bien aproxima o promueve la existencia de relaciones entre su comitente o mandante y terceros **en nombre de su principal** (la representación es siempre directa) (nº 5717), de forma que se anuncia o gira con una denominación que incluye el nombre de éste y una referencia al territorio, mientras que el comisionista puede desempeñar la comisión contratando en nombre propio o en el de su comitente (AP Zaragoza 16-7-15, EDJ 135309).
c) La parcialidad obliga al agente a actuar en defensa de los **intereses de su principal** (nº 5755).
d) El **resultado** suele consistir en la estipulación y cumplimiento por el tercero del contrato a cuya promoción se ordene la agencia (nº 5755).
e) La libre ***revocabilidad*** de la relación en la comisión no acontece en la agencia, cuya regulación en cuanto a la necesidad de preaviso e indemnización por clientela viene establecida en la Ley de Contrato de Agencia (nº 5780).

Concesión Así como el contrato de agencia tiene por objeto la promoción de actos u operaciones de comercio por cuenta ajena del agente o intermediario independiente, en la concesión o distribución ese objeto se circunscribe a la **reventa** o distribución de los propios productos del concedente, y, por lo general, con un pacto en exclusiva -positivo y negativo-: vender sólo el concesionario y no vender nadie más en su zona (TS 16-11-00, Rec 3392/95). 5596

Precisiones En la nota de la **dependencia** puede radicar la no inclusión de la concesión en el contrato de agencia, pues la independencia del agente es básica -art.2-. En cambio, esa dependencia (al margen de la laboral) puede darse en la concesión (art.2.2: cuando el concesionario "no puede organizar su actividad profesional... conforme a sus propios criterios", pues el concedente se los ha impuesto), en cuyo caso la concesión no es agencia, sin que ello excluya la llamada concesión independiente que suele darse en el sector del automóvil, por el efecto traslativo del vehículo en favor del concesionario y la ejecución del negocio por cuenta y riesgo de éste (TS 12-6-99).

Mediación o corretaje Las características principales, que lo distinguen de la comisión, son las siguientes: 5598

a) Tienen carácter **esporádico**.

b) Su fin es **promover** los contratos o las relaciones precisas para la consecución de sus objetivos, con independencia de que luego se ejecute o no, pero nunca contrata con ellos por cuenta de su mandante. No existe, por consiguiente, representación (nº 5835).

c) Recibe un **encargo aislado**, singular o individual, por ello se le califica de contrato de ejecución instantánea.

d) **No** cabe **exclusividad** alguna a favor de su cliente.

e) **No** siempre ha de existir la **parcialidad** puesto que cabe incluso que, cuando el mediador actúa para una sola de las partes en el contrato que se promueve, se limite a informar o asesorar a su cliente, que será quién adopte la decisión de concertarlo.

f) La **revocación** es libre.

Precisiones Normalmente, en la **intermediación inmobiliaria** es frecuente la afirmación de que a la mediación se le debe aplicar la normativa sobre el mandato (TS 6-10-90, EDJ 9065; 5-2-96, EDJ 274).

Arrendamiento de servicios (CC art.1544) Sus características son: 5600

a) Es esencial en el arrendamiento la existencia de un **precio cierto**, que se percibe por la mera realización de la actividad convenida, mientras que la retribución del comisionista no es elemento esencial del contrato, pudiendo pactarse comisión sin premio, y, si es onerosa, el comisionista únicamente percibe su retribución cuando haya alcanzado el resultado de realizar el acto u operación de comercio en que la comisión consista (nº 5674).

b) El arrendamiento tiene por **objeto** actos materiales, la realización de una actividad, como medio que puede permitir alcanzar un resultado, pero el contrato queda consumado con independencia de que, efectivamente, se llegue a conseguir ese resultado; la comisión se ciñe a operaciones mercantiles, y su objeto es, precisamente, el resultado mismo de la realización del citado acto u operación, sin lo cual el contrato no queda consumado (nº 5624).

Contrato estimatorio (CCom art.266 y 270) Sus características principales son: 5602

a) Atribuye al *accipiens* un **poder exclusivo de disposición** sobre las cosas, poder del que carece el comisionista aunque se trate de comisión de venta.

b) El *accipiens* asume los **riesgos** de la cosa mientras estén en su poder; en cambio, el comisionista está exonerado de responsabilidad por las destrucciones o menoscabos en la cosa producidos por caso fortuito, fuerza mayor, transcurso del tiempo o vicio propio de la cosa.

c) El *accipiens* tiene **libertad para vender** en las condiciones que desee (al contado o a plazos), mientras que el comisionista necesita autorización del comitente para vender al fiado.

Sobre el contrato estimatorio, ver nº 1630.

Reventa La distinción entre comisionista y revendedor interesa, en gran medida, a la jurisprudencia. 5604

El revendedor fija libremente el **precio**, responde por **evicción y vicios ocultos** en la mercancía, y asume el **riesgo** de destrucción de la cosa desde el contrato hasta su entrega efectiva, esto es, asume en exclusiva la iniciativa y responsabilidad en el negocio de reventa.

El comisionista, por el contrario, realiza la gestión en nombre ajeno, y, por ello, la **relación contractual** se establece directamente entre el principal y el comprador final, y el comisionista sólo es responsable frente al comprador cuando oculta su carácter de intermediario, y ello siempre que éste no sea notorio (y sin perjuicio del carácter directo de la relación que se establece entre comitente y tercero) (Alvarez Caperochipi).

Precisiones 1) La **jurisprudencia** declara que, en caso de duda, hay que calificar la actividad como intermediación y no como reventa (TS 17-2-89; 3-6-94, EDJ 5111).

2) La **explotación de una gasolinera** puede hacerse tanto a través de contratos de compraventa mercantil (el que explota la gasolinera sería comprador para revender) como a través de un contrato de comisión mercantil (el que explota la gasolinera sería comisionista). En el presente caso nos encontramos ante una comisión mercantil y no ante una compraventa mercantil, toda vez que en el contrato se pacta el cobro de una «comisión» y no de un «**precio cierto**» por la compra del producto. La Ley de Hidrocarburos permite transformar el contrato de comisión en uno de compraventa pero solo a los propietarios de la gasolinera, condición que no concurre en el demandante, dado que es arrendatario (AP Madrid 5-7-05, EDJ 115604; 20-9-05, EDJ 168430, confirmada por TS 5-5-10, EDJ 113289).

5606 **Factoring** A la concepción tradicional de esta figura (ver nº 4740), en virtud de la cual un empresario encomienda a un tercero (sociedad de factoring) la gestión de cobro de sus facturas, se ha incorporado la eventual **concesión de anticipos** en efectivo a dicho empresario sobre el importe de las facturas a cobrar, lo que supone una forma de obtener financiación por parte del empresario.

Como contraprestación de los servicios que presta, la sociedad de factoring percibe una **comisión variable** en función de las circunstancias concretas que concurren en cada operación. Igualmente, los anticipos devengan el correspondiente **interés** a favor de dicha sociedad.

b. Clases

5610 Se pueden hacer diferentes clasificaciones de la comisión (Iriarte Ibargüen):

5612 **Por el alcance y concreción del encargo** La comisión puede ser:

a) **Imperativa.** El comitente determina de forma específica los términos de la ejecución de la comisión. En todo lo no previsto por éste, el comisionista está obligado a consultarle.

b) **Indicativa.** El comitente señala alguno de los elementos del contrato, y en lo no previsto por éste, se remite a los usos de comercio y el buen hacer del comisionista. Este último no puede, en ningún caso, actuar en contra de lo señalado expresamente por el comitente, respondiendo de todos los daños y perjuicios que ocasione por contravención.

c) **Facultativa.** El comitente autoriza ampliamente al comisionista para actuar en su nombre como si el negocio fuera propio. Los únicos límites en la ejecución son la prudencia y los usos del comercio. Ello contribuye a una mayor objetivación de la responsabilidad de la que ya comporta la responsabilidad contractual, en la que el obligado, para exonerarse, debe probar que no ha cumplido por fuerza mayor o caso fortuito. Así se observa en la actuación de los bancos como comisionistas (TS 23-2-93, EDJ 1727).

5614 **Por la proyección y vinculación con terceros** (CCom art.245 a 247) El comisionista actúa necesariamente por cuenta del comitente, si bien puede desempeñar la comisión contratando en nombre propio o en el de su comitente:

a) **En nombre propio.** El comisionista no está obligado a desvelar quién es el comitente (representación indirecta), quedando él vinculado de modo directo con las personas con quienes contrate, como si el negocio fuese propio. No obstante, los efectos del negocio de ejecución debe trasladarlos a su comitente.

Los terceros no tienen acción contra el comitente ni éste contra ellos.

b) **En nombre del comitente.** El comisionista debe manifestar que actúa en nombre del comitente, siendo éste último quién se obliga directamente con las personas con quienes hubiera contratado el comisionista. Si el contrato se realiza por escrito debe quedar constancia de este hecho en el mismo o en la antefirma, expresando el nombre, apellido y domicilio del comitente. En este caso, las acciones derivadas del contrato producen efecto entre el comitente y las personas que contraten con el comisionista, si bien este último queda obligado con las personas con las que contrata si el comitente niega que exista un contrato de comisión, hasta que éste quede probado.

Los terceros tienen acciones contra el comitente; éste contra ellos, y comisionista y comitente entre sí.

5616 Precisiones 1) El comisionista realiza una **venta de máquina defectuosa** contratando **en su propio nombre**, y siendo exclusivamente suya la mercancía que adquirió, para después revender al accionante. Queda, por consiguiente, ligado como si el negocio fuera suyo, y, por ende, responsable de las consecuencias de la compraventa realizada (TS 3-12-84).

2) No puede exigirse responsabilidad al **comisionista de tránsito en transporte marítimo** en el caso que nos ocupa, dado que el alcance de la responsabilidad de éste, que actúa por cuenta del comitente cargador, viene limitada al concierto del contrato de transporte que le fue encomendado realizar que, cumplido adecuadamente, desplaza al **porteador** su directa responsabilidad con relación al cargador una vez que aquél haya recibido la mercancía para llevar a cabo el transporte

concertado. Por tanto, todo lo que ocurriese durante el transporte venía atribuido en la actividad negocial al porteador, que ha de responder de ello frente al cargador por el que dicho comisionista actuaba (TS 14-10-85).

3) El hecho de que el comisionista haya concertado la venta de unos vehículos **en nombre propio**, en lugar de haberlo hecho en nombre de sus comitentes en cuanto titulares de los vehículos vendidos, no constituye una actuación mendaz, y al tratarse de una facultad plenamente acomodada a la Ley, excluye la existencia del engaño exigido por el tipo penal de **estafa** (AP Cantabria 24-10-22, EDJ 760096).

2. Formalización

Son objeto de estudio en este apartado: **5620**
- las partes que intervienen en el contrato de comisión (nº 5622);
- el objeto del contrato (nº 5624); y
- la ausencia de requisitos de formalización (nº 5626).

Intervinientes En el contrato de comisión intervienen dos partes: **5622**
- el **comisionista**, que es el obligado a prestar sus servicios en favor del comitente; y
- el **comitente**, que es la persona por cuenta de la cual el comisionista realiza el negocio.

El Código de Comercio da una gran amplitud al contrato de comisión porque el acto que ha realizar quien ha recibido el encargo (comisionista) puede ser, no ya una compra o una venta, sino en general cualquier **acto u operación de comercio**.

Por otro lado, la exigencia de que el comitente o el comisionista deba ser **comerciante** ha de interpretarse en el sentido de que debe serlo, en todo caso, el comisionista, por dedicarse profesionalmente a recibir y ejecutar encargos por cuenta de sus clientes-comitentes. Además, el carácter profesional del comisionista justifica algunos de los deberes y obligaciones que se le imponen, cuya extensión a comisionistas no comerciantes parece poco lógica.

Precisiones **1)** Subjetivamente, el precepto resulta criticable, ya que se refiere a los **agentes mediadores de comercio** como condición diferente a la de comerciantes; y, además, considera suficiente que sea el **comitente** y no el comisionista quien tenga la condición de comerciante, cuando lo normal es que el comisionista sea un empresario cuya actividad precisamente consista en la realización sistemática y continuada de operaciones de comercio por cuenta ajena.

2) La relación que une al comitente y comisionista se basa en la **confianza**, por ello es considerada la comisión como un contrato «intuitu personae» (TS 6-4-67).

3) Cuando el intermediario no tiene **ánimo de lucro**, p.e. organismo administrativo en actividad de fomento de la exportación, se trata de funciones de gestión oficiosa, pero no estamos ante una comisión mercantil (TS 7-6-78).

Objeto En su configuración legislativa, es un **mandato mercantil**. **5624**

Es característica esencial del mismo la realización de una actividad de **intermediación con ánimo de lucro**. Cuando se consigue el resultado previsto, normalmente la actividad es remunerada (CCom art.277).

La comisión es, por consiguiente, la **retribución de un servicio** y no el pago de una mercancía o la retribución de un uso. Por ello, se considera un modo excepcional de retribución porque lo frecuente es que el servicio se pague en función del tiempo (arrendamiento de servicios) o en función de la obra realizada (arrendamiento de obra), o que se trate de la realización de un trabajo dependiente (representantes de comercio).

Las **operaciones** encomendadas al comisionista han de ser determinables, pues su actividad es temporal, de modo que, ejecutado el negocio, se extingue el contrato.

Las dos **operaciones mercantiles** más idóneas para servir de objeto a la comisión son:
- la compraventa (nº 900); y
- el transporte (nº 6450).

Precisiones Pertenece al ámbito de la comisión la actividad de introducción o penetración en el mercado (mediante la oportuna publicidad y el contacto permanente con organismos estatales, paraestatales y públicos) de todas las especialidades de una determinada empresa, respecto de las cuales, aunque fueran vendidas directamente por tal empresa, correspondía cobrar, en todo caso, un diez por ciento de la venta (TS 3-1-92, EDJ 36).

Forma No es necesaria formalización alguna, siendo suficiente para que obligue a las partes el mero **consentimiento** (nº 100), manifestado de forma expresa o tácita. Se trata, por consiguiente, de un contrato **consensual**. **5626**

Las **formas de celebración** son:
- mediante documento público o privado, e incluso
- de forma verbal.

Rigen, por consiguiente, las reglas generales del mandato con las especialidades expuestas en el nº 5636.

Al entenderse aceptada la comisión siempre que el comisionista ejecute alguna gestión en el desempeño del encargo que se le ordenó (TS 29-6-92, EDJ 7048), se está produciendo una **aceptación tácita** que tiende a facilitar la perfección del contrato.

Precisiones La libertad de forma contractual (CC art.1278) permite la existencia de un contrato de comisión mercantil bajo la **forma verbal**, siempre y cuando se acrediten los elementos esenciales de la relación contractual a través de pruebas documentales y testimoniales (AP Madrid 8-11-12, EDJ 291273).

3. Obligaciones del comisionista

5630 Se enumeran las siguientes:
- ejecución del encargo conforme a lo estipulado, con diligencia y buena fe (nº 5632);
- conservación de las mercaderías que haya recibido (nº 5648);
- deber de información (nº 5650);
- rendición de cuentas de las cantidades recibidas (nº 5652);
- prohibición de autocontratación (nº 5654).

5632 **Ejecución del encargo** (CCom art.249) Se entiende que el comisionista **acepta** el encargo cuando realice alguna gestión en el desempeño del encargo que le hizo el comitente.

Una vez aceptado el encargo, el comisionista está obligado a desempeñar todas las actividades necesarias para obtener el **resultado** pretendido, bien entendido que, como éste no depende sólo de su voluntad sino también de las circunstancias del mercado y de terceros, únicamente se le exige que despliegue la actividad normal que sería necesaria para su obtención. En caso contrario recae sobre él la **responsabilidad** que su incumplimiento genere al comitente, traducida en la indemnización de daños y perjuicios que por ello le sobrevengan (CCom art.252), de igual forma que si su proceder es contrario a las instrucciones de éste (nº 5642) o si actúa con malicia o abandono (CCom art.256).

La obligación de **diligencia** se une a la necesidad de que el comitente realice la debida provisión de **fondos** (nº 5672), salvo que se concrete su adelanto por el comisionista, o sea innecesaria (AP Sta Cruz de Tenerife 13-7-17, EDJ 316892).

Precisiones **1)** Si el comisionista no expresa en el contrato que actúa a nombre de otro, la obligación de pago es suya, sin perjuicio del **derecho de repetición** contra quién proceda (AP Toledo 4-11-03, EDJ 207099).

2) El comisionista queda **liberado** de cualquier **responsabilidad** si actúa siguiendo las **instrucciones** de su comitente conforme con las normas de buena conducta exigibles, mas no responde en su caso del buen fin de las operaciones y contratos que concierta en interés del comitente si tales contratos u operaciones son incumplidos por los terceros obligados, siendo la única consecuencia que deberá soportar por dicho incumplimiento del tercero, la eventual pérdida de su derecho al premio o retribución. La única **excepción** a dicha regla general deriva de la inclusión en los contratos de la cláusula de comisión en garantía (ver nº 3705) (AP Toledo 1-2-02, EDJ 15464).

En este otro caso, se entendió que la operación no estaba sujeta a dicha cláusula de comisión en garantía, concluyendo que el comisionista **cumplió fielmente el encargo** que se le realizó, ejecutando todas las operaciones necesarias para que el comitente adquiriese la propiedad de los títulos mediante el ingreso de la cantidad correspondiente en la cuenta de la entidad gestora de la operación, e informando documentalmente al cliente de la falta de depósito de tales valores (AP Cantabria 18-12-03, EDJ 197233).

3) La entidad bancaria es responsable de indemnizar al demandante porque, a pesar de no ser responsable de la **pérdida del cheque** entregado para su gestión de cobro, la documentación aportada al procedimiento demuestra que el banco recibió el efecto mercantil, no percibió su importe debido a su extravío en poder de terceros, y posteriormente cargó su importe en la cuenta del demandante, considerándolo impagado. Además, la entidad bancaria comisionista comunicó a la mercantil comitente la razón de no haber podido llevar a cabo la gestión de cobro, lo que lleva a la responsabilidad de la comisionista por incumplir el contrato de comisión, y por ende, a la obligación de indemnizar al perjudicado (AP Alicante 4-12-00, EDJ 62669).

5634 Normalmente el comisionista se limita a estipular el negocio de ejecución en nombre del comitente o en nombre propio. Pero una vez estipulado, el comisionista no garantiza el **buen resultado** económico de dicho negocio, a menos que se haya comprometido expresamente a ello mediante la percepción de una sobreprima denominada de **garantía**. Así lo establece el CCom art.272 para la comisión de venta, aunque este sistema de garantía pueda extenderse a cualquier otro encargo. Cuando se pacta esta garantía, el comisionista añade a sus obligaciones típicas la de responder frente al comitente del **incumplimiento del tercero**, en calidad de fiador solidario, en los mismos casos y condiciones que el tercero mismo (AP Sta Cruz de Tenerife 13-7-17, EDJ 316892).

Precisiones 1) En la comisión de venta, el comisionista no responde de la **solvencia** del comprador ni de su **retraso** en el pago, salvo que expresamente se haya pactado así (AP Valencia 4-3-05, EDJ 46476).

No aceptación del encargo (CCom art.248 y 249) Conlleva la obligación de ponerlo en **conocimiento del comitente** de la forma más rápida posible, debiendo confirmarlo, en todo caso, por el correo más próximo al día en que recibió la comisión. Esta obligación se entiende desde la óptica de que el comisionista es un profesional cuya diligente actividad exige que comunique al comitente, una vez recibido el encargo, que decide no aceptarlo (rehusa la comisión). El comitente puede presumir, si el comisionista calla, que el encargo ha sido aceptado. Por consiguiente, si no lo comunica, debe indemnizar a éste por los **daños y perjuicios** que se deriven de su silencio. **5636**

Hasta la designación de **nuevo comisionista,** debe prestar la diligencia debida en la custodia y conservación de los efectos que el comitente haya remitido. No obstante, puede liberarse de la obligación mediante la **consignación judicial** de bienes.

Precisiones Hoy en día, a diferencia de la situación existente cuando se promulgó el CCom, el uso de las nuevas tecnologías permite al comisionista **comunicar de forma instantánea** al comitente la no aceptación del encargo.

No obligación de desempeño del cargo (CCom art.250, 251 y 255) El comisionista, aunque haya aceptado la comisión, no está obligado a desempeñar el cargo en los siguientes supuestos: **5638**

- cuando la comisión exija **provisión de fondos**, y el comitente no ponga a su disposición la cantidad necesaria;
- cuando por causa imprevista, pueda ser **perjudicial para el comitente** que el comisionista siga las instrucciones de éste. En este supuesto, debe comunicarse, por el medio más rápido posible, las causas que motiven su actuación de forma distinta a la dispuesta por el comitente;
- cuando habiendo invertido las sumas recibidas, el comitente rehúse la remisión de los **nuevos fondos** solicitados;
- cuando el **comitente** sea declarado **en concurso**, pese a estar pactado que el comisionista anticipe los fondos necesarios para el desempeño de la comisión.

Sustitución (CCom art.261 y 262) El comisionista debe **desempeñar por sí mismo** los encargos recibidos del comitente. **5640**

No es posible la **delegación** sin el consentimiento previo del comitente, pero el comisionista puede, bajo su responsabilidad, emplear dependientes para gestiones subalternas que, según las costumbres y usos del comercio, puedan encomendarse a éstos.

En caso de elección de **sustituto** responde de las gestiones que éste realice; si el sustituto fuera elegido por el comitente, cesa esta responsabilidad.

El supuesto de sustitución no coincide exactamente con el de **subcomisión**. En ésta, el comisionista celebra un nuevo contrato de comisión con un tercero, que figura como subcomisionista, mientras que el comisionista originario es el subcomitente. Este comisionista mantiene su posición respecto al comitente originario, ya que el contrato de comisión primitivo no se ve afectado.

Precisiones 1) El **consentimiento del comitente** aceptando la delegación ha de manifestarse de forma terminante, clara e inequívoca (TS 6-4-67).
2) La figura del **contrato de subcomisión** ha sido admitida jurisprudencialmente (TS 23-7-91, EDJ 8235; 22-10-91, EDJ 9952).

Respeto de instrucciones del comitente (CCom art.254 a 256) Aceptado el encargo, el comisionista ha de sujetarse a las instrucciones del comitente. Está obligado a defender los intereses del comitente con la debida diligencia, respetando las instrucciones de éste. **5642**

Para ello ha de someterse a las siguientes **normas de conducta**:

- no actuar contra **disposición expresa** del comitente, bajo su total responsabilidad, en caso contrario;
- consultar, siempre que lo permita la naturaleza del negocio, las circunstancias que no se hayan previsto en las instrucciones del comitente. En caso contrario, actuar conforme le dicte la **prudencia**, como si de su propio negocio se tratase.

El **poder de decisión** del comisionista depende pues de la amplitud, condiciones y modalidades del encargo, a las que obligatoriamente debe sujetarse si no quiere incurrir en la responsabilidad consiguiente. Respetando las reglas, queda exento de toda **responsabilidad** contractual frente a su comitente, cualquiera que sean las consecuencias de su gestión.

Precisiones 1) En el contrato de comisión mercantil, en lo **no previsto por el comitente**, éste debe ser consultado por el comisionista (TS 30-6-05, EDJ 108751).

2) En **defecto de instrucciones** del comitente, el comisionista ha de proceder con **diligencia**, que el CC art.1719 mide con el parámetro tradicional del *bonus ac diligens paterfamilias*, en tanto que el CCom art.255 II refiere al standard de lo «que dicte la prudencia y sea más conforme al uso del comercio, cuidando el negocio como propio», con lo que se recibe el modelo general de diligencia *quam in suis*, pero, en el fondo, expresando la idea de un proceder cuidadoso y diligente en el cumplimiento del encargo de modo semejante. Siempre, además, en una tensión entre las instrucciones recibidas del mandante o comitente, que exoneran de responsabilidad al comisionista o mandatario cuando ajusta a ellas su conducta (TS 2-1-06, EDJ 1862).

3) En el caso de que un accidente no previsto hiciere, a juicio del comisionista, arriesgada o perjudicial la ejecución de las instrucciones recibidas, podrá **suspender el cumplimiento de la comisión**, comunicando al comitente, por el medio más rápido posible, las causas que hayan motivado su conducta. Aunque, en ningún caso podrá el comisionista proceder contra disposición expresa del comitente, quedando responsable de todos los daños y perjuicios que por hacerlo le ocasionare (AP Barcelona 2-7-21, EDJ 665009).

5644 **Defensa de los intereses de su comitente** Pensando que, en la realización de un negocio por cuenta ajena, los **efectos** favorables o desfavorables van a depender de su actuación, el comisionista viene obligado a:
- llevar a cabo la negociación confiada con estricta observancia de la **legislación** vigente (CCom art.259);
- **cobrar** los **créditos** del comitente **sin demora**, siendo responsable de los perjuicios que ocasione si no verifica la cobranza en el momento exigido, salvo que demuestre que hizo uso de los medios legales para obtener el pago (CCom art.273);
- **destinar** los **fondos** confiados **al negocio** o inversión establecida, siendo responsable, en caso contrario, de los daños y perjuicios ocasionados desde el día en que los recibió, y quedando obligado a abonar al comitente el capital e interés legal, sin perjuicio de las acciones penales correspondientes que procedan, en su caso (nº 5652);
- suplir fondos, si se hubiese concertado la **anticipación** (CCom art.251);
- evitar confusión entre géneros de distintos comitentes que obren en su poder, lo que obliga a distinguirlos por una **contramarca** designando la propiedad respectiva de cada comitente (CCom art.267 y 268);
- abstenerse de realizar **préstamos o ventas a plazo** sin autorización del comitente. Si vende a plazos con la autorización del comitente, ha de manifestar el nombre de los compradores en los avisos que dé a éste, entendiendo en caso contrario, que las ventas fueron al contado (CCom art.270);
- asumir el riesgo de los **fondos** que obren en su poder por razón de la comisión;
- no realizar operaciones a **precios o condiciones** que resulten **más onerosas** que las habituales del mercado, ni siquiera alegando que al mismo tiempo y en iguales circunstancias hizo operaciones por su cuenta (CCom art.258);
- proceder a la venta urgente de los efectos que pudieran sufrir alteraciones. Es precisa la **autorización judicial** si la premura del tiempo impidiese poner este hecho en conocimiento del comitente y esperar a sus órdenes (CCom art.269);
- **asegurar**, si tiene orden del comitente, los **efectos** que tenga en su poder, siempre que esté hecha la provisión de fondos para pagar el seguro. Si durante el riesgo, el asegurador se declara en concurso, el comisionista está obligado a concertar nuevo contrato de seguro, salvo que el comitente haya dispuesto otra cosa (CCom art.274.2).

5646 Precisiones 1) No puede imputarse al comisionista **negligencia en el cumplimiento** de un contrato de comisión que tiene por objeto el cobro de un título, por cuanto éste actuó en todo momento en defensa de los intereses del comitente gestionando el **cobro del efecto bancario** por remisión del cheque a través de un servicio de mensajería. Desde entonces, se realizan gestiones para que se proceda al abono, aportándose telex en el que se menciona la no localización de los fondos, así como la existencia de unas **condiciones no cumplidas** que fueron puestas de manifiesto por el banco al acusar recibo del efecto remitido. El cheque no se pagó, pero ello no puede imputarse a una defectuosa gestión de la entidad demandada ni a una voluntad deliberada de incumplimiento, la cual es innecesaria; bastaría con una prolongada pasividad del deudor (TS 1-6-98, EDJ 7115).

2) El **enriquecimiento injusto** conexiona dos patrimonios, el supuestamente enriquecido de una de las partes, y el empobrecido de la otra, pero nunca a través de terceras personas extrañas a este desequilibrio económico. Ello no concurre en este caso en el que, lo que se contempla, es la facilidad buscada por la parte demandante, dirigiendo su acción frente a la demandada, y tratando por esta vía de hacer efectivas las obligaciones nacidas del contrato de subcomisión por la misma celebrado cuando su contraparte ha caído en **suspensión de pagos**, y ella ha omitido perseguir los bienes de su deudor, para resarcirse con los mismos, si los hubiera, o bien para dejar abierta la vía subsidiaria de la **acción subrogatoria** (TS 22-10-91, EDJ 9952).

3) No puede considerarse **abuso de derecho** el ejercicio legítimo a defenderse en la posición contractual de una parte, cuando la otra no cumple con sus compromisos de pago (el **incumplimiento previo del comisionista** provoca el del comitente). Ello deriva en que su reacción se adecue a dejar de suministrar la mercancía acordada, habida cuenta además de que se trata de un contrato de subcomisión mercantil en donde, por su naturaleza personal o negocio de confianza, podría aceptarse un **desistimiento** de lo pactado, con independencia de las consecuencias derivadas, en su caso, si tal desistimiento no fuese ajustado a derecho (TS 23-7-91, EDJ 8235).
4) La cláusula de **desistimiento** o **modificación unilateral** del contrato sin reconocer a la otra parte la misma facultad es nula (TS 3-6-08, EDJ 111547).

Conservación de mercaderías (CCom art.265 y 266) El comisionista responde de la conservación de las mercaderías (o efectos) que tenga en su poder, por cuenta ajena, manteniéndolas en el estado en que las recibió y devolviendo las que no hayan sido vendidas. 5648
Si se produce **destrucción o menoscabo** de las mismas debido a caso fortuito, fuerza mayor, transcurso del tiempo o vicio propio de la cosa, queda exonerado de responsabilidad.
Si por las causas citadas, se produce **pérdida parcial o total**, viene obligado a acreditar el menoscabo de las mercaderías dando conocimiento de ello al comitente.
La **responsabilidad** sobre las mercaderías que el comisionista tenga en su poder se extiende a las condiciones, términos y calidades con que reciba la remesa, salvo que, al hacerse cargo de ellas, haga constar las averías y desperfectos que resulten.
El estado de las mismas se compara con el que conste en las cartas de porte o fletamento, o en las instrucciones recibidas del comitente.

Precisiones El alcance de la responsabilidad del comisionista frente a terceros por el estado de la mercancía, debe estar necesariamente en razón de su **capacidad de iniciativa**, y de su actuación, lógicamente, en nombre propio o ajeno. Así, se impone la responsabilidad del comisionista en una venta de maquinaria en mal estado porque, aunque actuó como **intermediario**, cobró una comisión alta y la venta se hizo «sin indicar la persona por encargo de quién lo hacía» (TS 3-12-84).

Deber de información (CCom art.260) Es precisa la comunicación frecuente con el comitente, remitiendo información sobre: 5650
- los **contratos** celebrados objeto de la comisión, por el correo del mismo día o del siguiente a su celebración;
- los **nombres** de los compradores y condiciones de pago en las ventas a plazo. En caso contrario, se entiende que las ventas se han realizado al contado;
- las **noticias** que interesen acerca del buen éxito de la negociación y que permitan al comitente dar las instrucciones oportunas con relación a la ejecución del mandato.

Precisiones El deber de información del comitente en una comisión mercantil de **compra de acciones** es menos exigente que el previsto para los contratos de asesoramiento financiero en la LMV/88 art.79 bis.6 (que incluye los test de idoneidad y conveniencia), pues no existe asesoramiento alguno sino la ejecución de una concreta orden de compra realizada por los clientes (AP Murcia 30-5-16, EDJ 115596).

Rendición de cuentas (CCom art.263) El comisionista está obligado a rendir cuenta de forma específica y justificada respecto de las cantidades percibidas para ejecutar el encargo. 5652
En plazo y forma acordados, el comisionista debe **restituir** al comitente la **cantidad sobrante**, si la hubiera, y el **interés legal** en caso de mora.
Si se produce **pérdida o extravío** del fondo sobrante habiendo observado las instrucciones del comitente respecto a la devolución, el comisionista queda exonerado de toda responsabilidad.

Precisiones **1)** Se considera delito de **apropiación indebida** la distracción de dinero por el comisionista procedente del contrato de comisión, el cual, contra el percibo de determinadas comisiones, asumió la obligación de promover, comercializar y vender al público determinados productos turísticos, dejando de abonar a la empresa comitente el dinero que percibía de los clientes, una vez descontada la comisión que le correspondía (TS 12-2-99). En términos similares: AP Sevilla 12-12-22, EDJ 857033.
2) En una relación de comisión, como la concurrente en las **agencias de viaje** para la **venta de billetes** aéreos, tanto la entrega del billete como el cobro del precio deben considerarse actos hechos por la Agencia por cuenta del comitente, de modo que el comisionista del servicio prestado solo puede considerarse propietario del concreto porcentaje, convenido como comisión, del precio cobrado. El resto del precio no le pertenece, siendo el comisionista mero receptor y poseedor de su importe, con obligación de entregarlo a su propietario, el comitente, por cuenta del cual ha actuado. Es por tanto un título posesorio idóneo para el **delito de apropiación indebida**, pues la comisión o mandato mercantil, cuando es una comisión de venta, da lugar a tal infracción criminal tanto si el apoderamiento se produce respecto del dinero de la venta, como si lo apropiado es la propia cosa recibida para ser vendida (TS penal 8-2-16, EDJ 5980; 15-11-21, EDJ 738532).

5654 **Prohibición de autocontratación del comisionista** (CCom art.267) La norma general en el tráfico comercial es la participación de un tercero en la ejecución del encargo hecho al comisionista. Sin embargo, puede darse el supuesto de que el comisionista lleve a cabo el **negocio consigo mismo** (p.e. comprando para él las mercancías que le habían encargado vender).

El peligro que supone anteponer el interés personal del comisionista al del comitente hace que la Ley prohiba al comisionista comprar para sí ni para otro lo que tenga encargado vender, ni vender lo que se le haya mandado comprar, **salvo que**:

- tenga autorización expresa del comitente o su ratificación posterior; o
- la fijación del precio esté justificada sobradamente, de forma que no cabe causar perjuicio al comitente.

Tampoco puede alterar las **marcas** de los efectos que haya adquirido o vendido por cuenta de otro.

La prohibición al comisionista comprende:

- comprar o vender **para sí**; o
- comprar **para un comitente** lo que otro le haya mandado vender.

5656 Precisiones 1) La **autoentrada** del comisionista en la compraventa **autorizado por el comitente** no es ilícita, aunque éste fuese propietario en todo momento, incluso cuando ingresaba la mercancía en los depósitos frigoríficos y aunque los gastos fueran por cuenta de los armadores (TS 31-10-88).

2) Cuando una sociedad designa **apoderados a los mismos miembros del Consejo** con facultades suficientes (compuesto por tres personas), exigiendo siempre la actuación mancomunada de dos de ellos, la venta que hagan éstos al tercer apoderado no implica que el mandatario incurra en autocontrato (DGRN Resol 1-3-82).

3) La **doctrina** se divide acerca de los contratos en los que cabe la autoentrada. Cano Rico considera que, en cualquier caso, la autoentrada queda limitada al supuesto de comisión de compraventa. La postura de Uría es que, si bien el terreno más propio para la autoentrada es la comisión de compraventa, también en otras comisiones puede hacer el comisionista de contraparte. A nuestro juicio, puesto que el CCom art.267 establece una regla prohibitiva, no debe ampliarse ni extenderse a casos no previstos en ella.

4. Derechos del comisionista

5660 **Derechos de comisión, anticipos y gastos** (CCom art.250, 277 y 278) El principal derecho del comisionista es el **cobro de la retribución** pactada como pago por su gestión (ver nº 5674). Además, tiene derecho a:

- la **provisión de fondos** necesarios para el desempeño de su encargo; provisión que puede ser efectuada mediante entrega de cantidades, efectos o mercancías, según los casos (ver nº 5672); y
- el **reembolso** de todos sus gastos y desembolsos, justificándolo mediante cuenta (ver nº 5678).

Precisiones El comisionista **no puede** exigir el **pago de la comisión** y demás gastos sin poner a disposición del comitente el resultado del negocio en la rendición de cuentas y por tanto su incumplimiento debe ser reputado previo y esencial (AP Asturias 9-12-20, EDJ 802311).

5662 **Medios de protección** (CCom art.276) Cuando el comisionista se convierta en **acreedor del comitente** por anticipos concedidos o gastos realizados, o bien, por comisiones devengadas y no pagadas, los medios de protección de los que puede valerse son los siguientes:

a) **Derecho de retención de mercancías**. No puede privarse al comisionista de los efectos que haya recibido en consignación si, previamente, no le han sido reembolsados los anticipos, gastos, y derechos de comisión.

Precisiones 1) El derecho de retención sobre los efectos que el comisionista recibió en consignación requiere que se justifique la existencia de derechos de comisión, anticipos y gastos, ya que dicho derecho responde a la finalidad de afectar dichos efectos al pago de lo adeudado por el comitente. Y como la **carga de la prueba** de la existencia de los gastos y desembolsos corresponde al comisionista, mediante cuenta justificada (CCom art.278), si falta tal presupuesto -antecedente- no puede interesarse su efecto jurídico -consecuente- (TS 20-4-09, EDJ 56249; citada por AP Asturias 9-12-20, EDJ 802311).

2) El derecho de retención del CCom art.276 no implica **derecho de ejecución** o venta directa por el intermediario de los valores adquiridos e impagados, facultad que, para poder ejercitarse, ha de estar expresamente pactada (AP Madrid 20-1-98, EDJ 5381).

5664 b) **Derecho de preferencia**. Consiste en el derecho al cobro, por cuenta del producto de los mismos géneros, con preferencia al resto de los acreedores del comitente. Para ello es necesario:

- que los **efectos** se encuentren **en poder del comisionista** o a su disposición en depósito, almacén público, o en manos de un porteador; o

- que se haya **verificado la expedición** consignándola a su nombre, habiendo recibido el conocimiento, talón o carta de transporte firmada por el encargado de verificarlo. Queda a salvo el derecho prevalente del **porteador** para cobrar sobre los efectos transportados el precio del transporte y reintegrarse de los gastos hechos hasta la entrega (CCom art.375).

Este privilegio se entiende concedido en garantía de toda clase de **derechos de comisión, anticipos y gastos** realizados por el comisionista, aunque no provengan de los negocios a que correspondan los efectos que el comisionista tenga en su poder. Se extiende a cualquier operación de comisión que dé lugar a **consignación o depósito** de efectos en poder o a disposición del comisionista. No es necesaria la relación directa entre el crédito y la mercancía.

Tampoco debe limitarse el privilegio a las comisiones para vender. Se extiende también al **comisionista comprador** que reciba efectos o mercaderías de los vendedores.

Se entiende que el comisionista está autorizado a **deducir** de la cantidad que ha de entregar al comitente por los géneros vendidos el importe de las cantidades que éste le adeuda.

Precisiones 1) El comisionista es el que cobra la **comisión** (TS 20-10-89).

2) Con relación al tema de si la **deuda de una empresa a su comisionista** ha de considerarse crédito privilegiado, la cuestión se resuelve manteniendo el carácter salarial de la comisión aunque el comisionista no sea un trabajador dependiente, y asimilando los créditos por comisiones a los créditos salariales (TS 3-10-94, EDJ 7977).

5. Obligaciones del comitente

Se señalan las siguientes: 5670

- realización de provisión de fondos al comisionista (nº 5672);
- abono de la comisión (nº 5674);
- reembolso de gastos (nº 5678); y
- aceptación de las consecuencias derivadas de la comisión (nº 5680).

Precisiones Es carga del comitente la comprobación de las **condiciones de partida** para la ejecución del encargo (TS 2-1-06, EDJ 1862).

Provisión de fondos (CCom art.250 y 251) El comitente está obligado a proveer al comisionista 5672
de los fondos necesarios para el desempeño de la comisión, provisión que puede ser efectuada mediante entrega de **cantidades, efectos o mercancías**, según los casos. La realización de esta provisión evita que el comisionista pueda suspender el desempeño de sus funciones.

Debe realizarse **previamente** al encargo o **durante el desarrollo del mismo** si se han agotado los dispuestos para la ejecución del negocio. En este segundo supuesto, la provisión, más que como una obligación respecto del mandato, ha de entenderse como una carga que ha de cumplir el comitente para evitar que el comisionista pueda suspender el desempeño de la comisión cuando no se ha pactado que éste anticipe o supla los fondos necesarios para ello.

Precisiones En la comisión mercantil en la que el comisionista adquiere la condición de **consignatario del buque**, el comitente tiene la obligación de efectuar la oportuna provisión de fondos. Demostrada la **insuficiencia de la provisión** entregada, el comisionista queda relevado de la obligación de desempeñar la comisión conferida constituyendo causa legal para la interrupción de la ya iniciada (TS 8-2-99, EDJ 943).

Pago de retribución (CCom art.277) La comisión, a diferencia del mandato (CC art.1711), se 5674
presume retribuida. El comitente viene obligado al abono al comisionista de la **comisión** (retribución pactada o premio), que se ha de satisfacer en los términos estipulados como pago por su gestión. A falta de pacto, se fija de acuerdo a los usos y práctica mercantil de la plaza donde se realice el mandato.

Sólo pactando expresamente la **gratuidad** de la comisión queda relevado el comitente de esa obligación; pero en la práctica, el pacto es sumamente excepcional, por razones obvias, tratándose de tráfico comercial (Uría).

La **cuantía** de la retribución se fija, por lo general, en un tanto por ciento del importe de la operación.

Es usual, en la práctica, la inclusión de **sobreprimas** o cantidades adicionales para premiar, en su caso, el buen fin de las operaciones.

Precisiones La fijación del **importe de la comisión**, o del criterio para determinarla, no es un elemento esencial del contrato, por cuanto que el CCom art.277 prevé que a falta de pacto expresivo de la cuota en que haya de consistir la comisión del agente, "se fijará ésta con arreglo al uso y práctica mercantil de la plaza donde se cumpliere la comisión" (AP Madrid 15-1-09, EDJ 15762; 4-10-10, EDJ 296870).

5676 El Código de Comercio no aclara en forma expresa el momento del **nacimiento del derecho** al cobro de las gestiones realizadas a favor del comisionista.
Aunque la estipulación del contrato sólo obliga al comisionista a desplegar una actividad conducente a un resultado -pero no a la obtención de éste-, es evidente que el premio tan sólo se debe si, llegando las gestiones a buen fin, el comisionista obtiene para el comitente el **resultado perseguido**. Pero tampoco está claro en nuestro Derecho cuál es este resultado. Cabe pensar en dos soluciones:
a) La que considera que el resultado se obtiene cuando el comisionista estipula el **negocio** que se la ha encomendado (compra, venta, transporte), aunque no se obtenga después la consumación (ejecución) del contrato, cuyo riesgo correría de cargo del comitente.
b) La que considera que el resultado del que depende la exigibilidad de la comisión sólo se produce cuando, estipulado el negocio de ejecución, éste es efectivamente **cumplido o consumado** a favor y beneficio del comitente, porque es en este momento cuando el comitente obtiene el resultado económico perseguido (el precio de la venta, la propiedad de la cosa, etc.).
Habrá que estar en primer lugar a los que hayan **pactado** las partes en el contrato de comisión. En defecto de pacto, la **jurisprudencia** del Tribunal Supremo se inclina por esta última solución, al entender que la comisión se devenga, no con la simple conclusión o perfeccionamiento del negocio de realización, sino con su **consumación** (ejecución), al cumplir sus obligaciones el tercero con el que se hubiese concertado, menos en los casos en los que el defecto de consumación sea imputable al propio comitente, pues en tal caso quedaría obligado también a pagar la comisión (TS 3-1-1947; AP Valencia 18-12-98, EDJ 38463; AP Sta Cruz de Tenerife 13-7-17, EDJ 316892).

Precisiones 1) Para los **representantes de comercio** o viajantes (nº 5554), se establece expresamente que únicamente tienen derecho a cobrar comisión cuando el cliente cumple su prestación, salvo pacto en contrario (RD 1438/1985 art.8.3; ET art.29.2).
2) Cuando el **contrato** es **de duración**, de forma que el comisionista realiza operaciones sucesivas en el tiempo, la comisión se devenga, salvo buen fin, no cuando el contrato de realización se ha perfeccionado, sino cuando se ha ejecutado correctamente.
3) El comisionista **pierde el derecho** a la comisión si el encargo -compraventa- no llega a realizarse con las condiciones pactadas, sino bajo otras distintas en cuya negociación no intervino (TS 20-11-12, EDJ 263394).

5678 **Reembolso de gastos y desembolsos** (CCom art.278) El comitente está obligado a satisfacer al comisionista el importe de todos sus gastos y desembolsos, justificándolo mediante cuenta.
Si se produce **retraso** en el mismo, debe abonarse el interés legal desde el día en que se hubiesen hecho los desembolsos hasta su total reintegro.
Si el **comisionista** ha actuado **en nombre propio** de forma diligente, el comitente debe aceptar todas las consecuencias de la comisión, de forma que su realización no debe tener consecuencias gravosas para el primero.

Precisiones 1) Se encuadran en el amplio abanico de cesión, gestión, comisión y mandato para otro, las relaciones convencionales que declaran la obligación que pesa sobre los comitentes de abonar, mediante **cuenta justificada de comisionista**, todos los gastos y reembolsos que se efectuaron por su parte. Ello sin perjuicio de los efectos de los contratos concertados por el comitente con terceras personas, ya que el consignatario puede ser considerado como comerciante individual asociado autónomo (empresa marítimo naviera), que realiza una actividad comercial, propia de los comisionistas. Por otra parte, en el caso de referencia, no cabe admitir la **novación subjetiva** en la persona del sujeto deudor, que siempre lo fue una determinada entidad, aunque utilizara los servicios y actividad de su agente, para la materialización efectiva de los pagos acreditados por otra entidad, siempre por cuenta directa de aquélla (TS 27-6-91, EDJ 6914).
2) Ha de calificarse de comisión mercantil, con el consiguiente derecho al **reintegro de los gastos efectuados** (fletes, aduanas, muellería y embarque), la relación que une a una compañía vendedora de aires acondicionados con el **comisionista del transporte**, toda vez que queda acreditado que las licencias y todos los trámites necesarios en el tráfico marítimo se hicieron en nombre y por cuenta de la compañía vendedora, que si se valió de dicho comisionista del transporte fue exclusivamente a los efectos del transporte de material de las mercancías de Madrid a Valencia, teniendo que utilizar los servicios de otra entidad (un agente de esta especialidad) que realizase los trámites formales de aduana (TS 10-7-80, EDJ 900).
3) El comitente tiene la obligación legal de satisfacer al comisionista el importe de todos sus gastos y desembolsos, y la falta de documentación que **acredite el pago** por parte del comitente implica que debe probarlo (AP Lugo 17-12-13, EDJ 264214). Es el comitente quien tiene la **carga de probar** que el comisionista no tiene derecho al reembolso de sus gastos (AP Córdoba 20-3-17, EDJ 130289).

Aceptación de las consecuencias derivadas de la comisión (CCom art.253) El comitente ha de aceptar, como norma básica en las relaciones internas comitente-comisionista, todas las consecuencias económicas derivadas de la gestión encomendada, si el contrato ha sido celebrado con todas las **formalidades** establecidas. 5680

Esta norma es aplicable con independencia de que el comisionista actúe **en nombre propio o ajeno**, dado que el sistema de representación -directa o indirecta- incide en las relaciones externas que dimanen del negocio jurídico de ejecución de la comisión, pero no en las internas derivadas de la comisión misma.

Queda a salvo el derecho del comitente a **reclamar al comisionista** por las faltas u omisiones cometidas en la ejecución del mandato.

6. Supuestos especiales

Existe una gran variedad de empresarios dedicados a la gestión de negocios ajenos, con especialidades sectoriales y con estatutos jurídico-profesionales propios, cuyas denominaciones no siempre coinciden con la naturaleza de los contratos que celebran con sus clientes (AP Cádiz 10-6-02, EDJ 110944). 5685

En este sentido, pueden considerarse como auténticos comisionistas:

- las **agencias de transportes**, encargadas de estipular contratos de comisión de transporte o de expedición en nombre propio y por cuenta de transportistas (nº 5687);
- las **agencias de viajes** (nº 6845 s.), que actúan como comisionistas de transportes de viajeros, de contratos de hospedaje y de venta de viajes organizados;
- las **sociedades** y **agencias de valores y bolsa**, cuando negocien valores en bolsa en nombre propio pero por cuenta ajena (nº 5695);
- los **bancos** y demás **entidades de crédito** cuando, por cuenta de sus clientes, estipulan negocios jurídicos de cobro, pago, compra, venta o administración de valores mobiliarios, etc.;
- las **entidades de factoring**, cuando cobran créditos por cuenta del cliente a quien financian, en el *factoring* impropio (nº 4767);
- los **consignatarios de buques**, sin relación permanente con un concreto naviero, y los comisionistas-transitarios, que se encargan de contratar el transporte preciso para que la mercancía arribada a un puerto continúe su viaje hacia su destino en el interior.

Comisión de transporte (CCom art.275) La figura del comisionista ostenta un importante papel en las operaciones de transporte, ya sea de mercancías (nº 6460) o de personas (nº 6685), en función de la naturaleza del contrato de transporte que se celebra. 5687

El objeto de la comisión es la conclusión de un contrato de transporte. El comisionista no se obliga a realizar el **transporte por sí mismo** o por medio de sus dependientes, sino a contratarlo con un porteador que asume directamente la obligación de llevarlo a cabo. Así, la función principal del comisionista de transporte es actuar como **intermediario** para contratar a un transportista y organizar el envío de mercancías o personas a nombre de su cliente, o comitente.

Puede ocurrir que el comisionista cuente con los **medios propios** para la realización del transporte, en cuyo caso se convierte en transportista y porteador al mismo tiempo. Pero no es un requisito inherente a su papel como comisionista.

Cuando el comisionista asume la tarea de enviar artículos a otro lugar, debe contratar los servicios del transporte y cumplir con todas las **obligaciones** que normalmente tiene el **cargador** en las modalidades de transporte marítima y terrestre. Por tanto, tiene un deber de preparar correctamente las mercancías para el transporte, proporcionar toda la documentación necesaria, cumplir con las regulaciones pertinentes y pagar las tarifas correspondientes.

Si el comisionista contrata el transporte **en nombre propio**, aunque lo haga por cuenta ajena (de su comitente), sigue estando sujeto a todas las obligaciones impuestas al cargador para con el porteador.

La comisión de transporte se considera una modalidad de **comisión de garantía** (nº 5695), salvo que expresamente se establezca lo contrario (TS 7-6-91, EDJ 6015). 5689

Aunque la comisión del transporte no obliga al comisionista a llevar a cabo la operación por sí mismo, este responde por el **buen resultado del transporte**, que finaliza con la entrega al consignatario de la carga, siguiendo una modalidad de transporte "de puerta a puerta" (TS 11-10-86, EDJ 6287).

Así, en base al contrato de comisión mercantil, el comisionista queda obligado a atenerse, en el desempeño de la comisión, a las instrucciones recibidas del comitente y **responde por incumplimiento** de esta obligación siempre que tal incumplimiento le sea jurídicamente imputable (tan solo no lo será por caso fortuito o fuerza mayor) en cuyo caso deberá indemnizar al comitente el perjuicio que se le hubiere ocasionado (a *contrario sensu* CCom art.254 y 256 párr 1º, en relación con el CC art.1101, 1105 y 1106). Pero es que además la responsabilidad del porteador por la **pérdida de la cosa** transportada se extiende al comisionista, quien responderá, frente al comitente-importador, solidariamente con el porteador, por el incumplimiento obligacional del porteador (pérdida de las mercancías). Si el comisionista, en base a su responsabilidad, indemniza al comitente-importador tendrá acción de repetición para recuperar lo que ha indemnizado al comitente-importador contra el porteador (AP Madrid 5-2-13, EDJ 23593, en la que se citan TS 11-10-86, EDJ 6287; 19-4-01, EDJ 6385; en términos similares: TS 9-7-07, EDJ 92310; AP Valencia 13-2-07, EDJ 117743).

5691 Los comisionistas de transporte de **mercancías** reciben la denominación de **agencia de transportes**. Según el TS, el comisionista, en el transporte de mercancías, es un alter ego del comitente (TS 14-12-99, EDJ 40325).

En caso de transporte terrestre de mercancías, los comisionistas deben contratar el transporte necesariamente **en nombre propio** y asumir la posición del porteador (L 5/2009 art.5.2). Ver nº 7736.

En lo que se refiere al transporte de **personas**, las **agencias de viaje** son sociedades mercantiles cuya actividad fundamental se centra en la mediación en la venta de billetes o reserva de plazas en toda clase de medios de transporte (ver nº 6845).

El estudio de esta materia puede ampliarse en el capítulo dedicado al **contrato de transporte** (nº 6450 s.).

5693 En el comercio internacional juega un rol crucial el mediador, comisionista o **transitario de transportes**, también conocido como agente de carga o *freight forwarder*. Según la doctrina más autorizada, la naturaleza jurídica de estos transitarios es la de intermediarios entre los productores o exportadores de mercancías y los compradores o importadores, cuyo cometido básico consiste en planificar y evaluar a nivel de costes los movimientos de mercancías en los **mercados extranjeros**. Actúan en representación de los productores o exportadores, y negocian con uno o más porteadores (terrestres, marítimos o aéreos) o consignatarios de éstos, las condiciones del transporte de las mercancías, aparte de negociar con otras partes las demás condiciones requeridas, la documentación, gestión de trámites, contratación de transportistas terrestres, operadores portuarios, agentes de aduanas, etc. Sus funciones son claramente **diferentes** a las de los **agentes consignatarios de buques**, con quienes frecuentemente compiten en la localización y cierre de mercancías para su transporte. Los transitarios no representan por lo común a armador alguno, sino a productores o exportadores de carga cuyo transporte "de puerta a puerta" organizan, con el consiguiente alivio en el esfuerzo de organización y gestión de dichos productores y exportadores. Así pues, las obligaciones del transitario son mayores que las del porteador (AP Valencia 10-3-14, EDJ 87353; AP Alicante 20-10-99, EDJ 53254).

Precisiones 1) La **función del transitario** es la de organizar «... los transportes internacionales y en todo caso de aquellos que se efectúen en régimen de tránsito aduanero, caracterizándose por «contratar en nombre propio» tanto con el transportista como con el usuario o cargador, ocupando por tanto la posición de estos últimos frente al transportista y la de éste frente a aquéllos, de manera que según dicho precepto frente al cargador efectivo ocupa la posición de transportista...» (AP Sta. Cruz de Tenerife 14-1-02, EDJ 8839).

2) El comisionista puede absorber las funciones de los **transitarios** o **agentes de aduanas**, pero no a la inversa, salvo expresa atribución (TS 14-12-99, EDJ 40325).

5695 **Comisión de garantía** (CCom art.272) Intenta resolver el riesgo que supone para el comitente que, por regla general, el comisionista no responda frente a éste del cumplimiento por el tercero del contrato que ha concertado con él.

Establece una **responsabilidad personal** del comisionista con relación al contrato que celebre con terceros.

Puede pactarse por las partes (la ley sólo prevé el pacto para el caso de comisión de venta, siendo extensivo a los demás supuestos), o derivar de los **usos mercantiles** en relación con el importe del premio asignado a la comisión.

La letra de la Ley permite aceptar esta solución pues, aunque expresamente no corran de cuenta del comisionista los riesgos de la cobranza, del hecho de que se estipule un **premio suplementario** sobre el ordinario, puede deducirse la existencia de una comisión de garantía.

El pacto de garantía **no es una fianza**, porque la obligación asumida por el comisionista frente al comitente no es accesoria de la del comprador, ya que el comisionista puede obrar en nombre propio, en cuyo caso el comprador queda obligado con él, sin que pueda hacer uso de los beneficios de división y excusión.

Tampoco es un **seguro**, porque, aunque su objetivo es proporcionar seguridad al comitente, faltan los elementos que caracterizan a este contrato.

El **comisionista** queda **obligado** de igual forma que el tercer contratante, de forma que si éste no cumple su obligación, el comitente puede exigir directamente el cumplimiento al tercero o al propio comisionista.
Cuando se establece la comisión de garantía, el comisionista, normalmente, tiene derecho a percibir una **remuneración más elevada**, recibiendo, junto a la comisión ordinaria, otra denominada «de garantía». En este caso, corren de su cuenta los **riesgos de la cobranza**, quedando obligado a satisfacer al comitente el producto de la venta en los mismos plazos pactados por el comprador.

Precisiones Las sociedades y **agencias de valores y bolsa**, cuando actúen por cuenta ajena en los mercados secundarios oficiales de valores (nº 3705), o los **comisionistas de transporte** (nº 5687), vienen obligados a crear, por ley, la comisión de garantía.

Comisión de compra y venta Es, en la mayoría de los supuestos, el objeto del contrato de comisión, si bien no precisa la **transmisión de la propiedad**, pues ello depende de que el comisionista actúe en nombre del comitente o en nombre propio: 5697
a) Si actúa en **nombre del comitente**, los efectos del contrato de compraventa se producen directamente entre el comitente y la persona con la que contrató el comisionista, por lo que no hay problema de transmisión de propiedad al comisionista.
b) Si, en cambio, contrata **en nombre propio**, aunque lo haga por cuenta del comitente, se entiende, conforme a una interpretación literal del CCom art.246, que el comisionista adquiere la propiedad de las mercancías a vender, e, igualmente, de las que compre en cumplimiento de la comisión, originándose así una doble transmisión de propiedad.

Precisiones La **doctrina** rechaza esta interpretación por entenderla poco realista, fundamentándola en:
- la distinción entre el efecto obligacional de los contratos y la transmisión de la propiedad; y
- la alusión a los dueños de los efectos (CCom art.268).

7. Extinción

El contrato se extingue, aparte de por las **causas generales** de extinción de las obligaciones (nº 300 s.), por: 5700
- el transcurso del plazo de duración;
- el cumplimiento del encargo;
- la comisión que tenga por objeto una o varias operaciones determinadas; o
- la imposibilidad sobrevenida de llevarla a efecto.

Rescisión (CCom art.280) Son **causa** de rescisión de la comisión: 5702
a) La **muerte** del comisionista.
b) La **inhabilitación** del comisionista. Se encuentran inhabilitados los sujetos siguientes (Iriarte Ibargüen):
- los declarados en concurso de acreedores, en tanto no se haya obtenido rehabilitación o autorización judicial;
- los que no puedan comerciar por leyes o disposiciones especiales;
- los socios de una sociedad colectiva, si no cuentan con el consentimiento de la sociedad, no pueden hacer operaciones por cuenta propia;
- los representantes, los cuales necesitan autorización expresa del principal para gestionar por su cuenta o interesarse en nombre propio o ajeno en asuntos del mismo género de los que hacen a nombre de éstos;
- los jueces, magistrados y funcionarios del Ministerio fiscal en activo. No se aplica sin embargo a alcaldes, jueces y fiscales municipales, ni a los que, accidentalmente, desempeñen estas funciones;
- los jefes gubernativos, económicos y militares de distritos, provincias o plazas;
- los empleados en la administración de fondos y recaudación del Estado, excepto los que recauden por asiento y sus representantes;
- los fedatarios públicos.
La muerte o inhabilitación del **comitente** no son causa de rescisión del contrato, si bien pueden **revocarlo** sus representantes o causahabientes.

Precisiones **1)** Los representantes de los que habla la Ley pueden ser los **herederos** del comitente (TS 7-5-90, EDJ 4763).
2) Cuando el comisionista sea empresario social, se ha de equiparar la **disolución de la sociedad** a la inhabilitación.
3) La **transformación de la sociedad** comisionista, no extingue, por el contrario, la comisión, al no cambiar la personalidad jurídica de la entidad.

5704 **Revocación** (CCom art.279) El **comitente puede** revocar la comisión en cualquier estado de la comisión, sin necesidad de justa causa, poniéndolo en conocimiento del comisionista, y quedando obligado a sufragar los gastos en que hubiera incurrido el comisionista antes de la revocación.

Esta facultad de desistimiento unilateral, que es excepcional en el marco de las relaciones contractuales de carácter bilateral, se explica por la naturaleza de esta figura negocial, basada en la recíproca confianza, y se convierte en regla cuando la relación negocial **no tiene plazo** definido de duración (TS 13-11-08, EDJ 217192).

La revocación surte **efectos** a partir del momento en que llega a conocimiento del comisionista:

- Los resultados de las gestiones realizadas antes de comunicar la revocación al comisionista son de cuenta del comitente.
- Los resultados de las gestiones posteriores a la notificación son de cuenta del comisionista (que en ese momento ya no ostentaría tal condición).

Cuando el comisionista tenga **poderes inscritos en el RM**, la revocación de éstos sólo surte efectos frente a terceros cuando se dé publicidad registral a la misma (CCom art.22.1; RRM art.87.2).

El **comitente no puede** revocar la comisión en los siguientes supuestos:

- si se ha pactado un **plazo**, salvo que exista justa causa (TS 15-11-00, EDJ 37084);
- en otros supuestos de **poder irrevocable** (si, además del interés del comitente, el comisionista defiende un interés propio: p.e., es acreedor pignoraticio, o copropietario de la cosa que se le encarga vender).

El **comisionista** no puede renunciar la comisión una vez aceptada, aunque sí se permita hacerlo al mandatario, lo que se justifica cuando el comisionista tiene la condición de comerciante pero no cuando carece de ella.

5706 Precisiones 1) Esta facultad revocatoria, basada en la **mutua confianza**, constituye una excepción a la teoría general de los contratos, que requiere el mutuo consentimiento para su disolución. La jurisprudencia ha estimado que puede eliminarse mediante pacto en el que se señale **plazo de duración** de la comisión (TS 21-12-63).

2) Teniendo en cuenta que la comisión es contrato *intuitu personae*, fundado, como el mandato, en la mutua confianza entre los contratantes, el comitente puede revocar la comisión a su voluntad, sin otra obligación que la de responder de las gestiones practicadas anteriormente, y sin que puedan exigírsele los **daños y perjuicios** que al comisionista, por la revocación, le sucedan; de manera tal que no acreditado que quede algo por liquidar a la comisionista, ésta nada puede reclamar (TS 4-4-98, EDJ 65207).

3) Cuando el mandato se pacta con una **duración determinada**, si se produce una revocación anticipada por el mandante sin causa justificada, existe obligación por parte de éste de **indemnizar** al mandatario (TS 3-3-98, EDJ 1123).

4) El contrato puede ser denunciado unilateralmente por una de las partes, si se pretende su **duración ilimitada**, la cual no puede admitirse en los casos en los que se establezcan **pactos de exclusividad**, en defecto de expresa estipulación (TS 19-12-85).

5) No procede la **indemnización por lucro cesante** reclamada por el comisionista contratado para la gestión de la venta de una promoción inmobiliaria, cuando el promotor-comitente resuelve unilateralmente el contrato de comisión alegando la imposibilidad de obtener licencia administrativa de obras, pues al no haberse fijado un **plazo** de duración en el contrato de comisión, la resolución unilateral por parte del comitente no requiere de justa causa, y solo obliga a sufragar los gastos en que hubiera incurrido el comisionista antes de la comunicación de la extinción del contrato (TS 13-11-08, EDJ 217192).

6) La regla general es la revocabilidad de la comisión a voluntad del comitente, siendo la excepción lo contrario (TS 20-11-07, EDJ 213146), ya porque se haya pactado expresamente la **irrevocabilidad** o porque el contrato sirva de instrumento formal al negocio subyacente (TS 15-11-10, EDJ 253924).

SECCIÓN 3

Agencia

5710

1. Consideraciones generales

El contrato de agencia **se define** como aquel contrato por el que una persona natural o jurídica (el agente), se obliga frente a otra (el principal), de forma continuada y estable, a cambio de una remuneración, a promover y concluir por cuenta ajena operaciones de comercio, como intermediario independiente, sin asumir el riesgo de tales operaciones, salvo pacto en contrario. 5715

De esa definición pueden destacarse las siguientes notas: 5717
1. El agente es un empresario que actúa como **intermediario independiente**, no pudiendo encuadrarse dentro de esta figura las personas vinculadas por una relación laboral con el principal.
Se presume que existe dependencia cuando la persona que se dedique a realizar las operaciones anteriormente mencionadas no puede organizar su actividad profesional, ni el tiempo que tenga destinado a desempeñar la misma conforme a sus propios criterios.
2. La **actividad del agente** se dirige a promover y a concluir actos u operaciones de comercio en **nombre de su principal**.
3. No asume **riesgos** en las operaciones que promueve, salvo que se pacte expresamente, y sólo podrá concluirlas cuando tenga expresamente atribuida esta facultad (LCA art.6).
4. Origina una **relación duradera** o estable, pudiendo establecerse un **plazo** determinado o indefinido (LCA art.23).
5. Es una **actividad remunerada** (LCA art.11.5), pudiéndose establecer distintas modalidades de remuneración.
6. Es un **contrato consensual**, si bien las partes pueden compelerse a formalizarlo por escrito (LCA art.22).
7. Las partes pueden establecer **por escrito** cualquier **otra condición** que, de otro modo, afectan a su validez, como las cláusulas de garantía por las que el agente responde de las operaciones concluidas, a cambio de una remuneración o comisión de garantía, o las cláusulas de exclusividad y los pactos de no competencia, por un plazo determinado (2 años) y en una zona concreta, por lo general, en la que el agente ha desplegado su actividad (nº 5757).
El **contenido** del contrato de agencia delimita las obligaciones de las partes y las facultades representativas del agente (nº 5755 s.). En **defecto de pactos** contractuales y de la normativa específica de la LCA, se aplican, por analogía, las normas referidas a la comisión (nº 5580).
Si el agente tuviera **poder de representación**, de forma que pudiera concluir contratos en nombre y por cuenta del empresario principal, además de las obligaciones y derechos surgidos del contrato de agencia, han de tenerse en cuenta los que resultan de la relación representativa entre las partes, que se regirán por las normas generales sobre la representación.

Precisiones **1)** Este tipo de contrato se utiliza frecuentemente en el **mercado financiero** por parte de entidades financieras para la ampliación de la red de comercialización de sus productos financieros. 5719
Por medio de la figura del colaborador o agente -corresponsal-, sus **actividades de promoción** pueden desarrollarse a un coste más reducido que el que les supondría la apertura de nuevas sucursales y oficinas de representación (Cano Rico).
2) También la agencia es una forma de colaboración muy practicada por las **industrias de producción** y **de transformación**, pues por medio de agentes pueden lograr extensas cadenas de comercialización, sin las grandes inversiones que exigiría su creación (Broseta).
3) Falta en la definición toda alusión a la **zona** y a la **exclusiva** del agente. Siguiendo el modelo alemán, el contrato puede o no pactarse con asignación de una zona o grupo de clientes al agente (aunque la designación de varios agentes para un mismo territorio puede ser conflictiva) y la zona o

grupo de clientes puede asignarse a un agente con o sin carácter exclusivo. Lo que tiene relevancia es a efecto del cobro de **comisiones indirectas** (nº 5770 s.): todas las devengadas en la zona, si es exclusiva (Vicent Chuliá).

4) La **atribución de zona** no significa, por sí, que se ostente **exclusividad**, pues ésta, como condición especial del contrato, debe presentarse como realmente otorgada y bien definida, y por ello, suficientemente demostrada (TS 18-12-95, EDJ 6376).

5) Cuando el agente **actúa en su propio nombre**, como dueño exclusivo de la mercancía que revende, estamos ante un contrato de naturaleza atípica, integrado por componentes de suministro con exclusiva de venta y agencia, aunque predomine el primero. No nos encontramos pues con un contrato de agencia, sino ante la figura del **distribuidor en exclusiva** (TS 4-10-99, EDJ 27844).

6) Sólo cuando concurren las notas de promoción, comercio-venta, relación estable e independencia, se aplica la LCA, tanto en cuanto a la **rescisión** como en lo que se refiere a la **indemnización** (AP Bizkaia 25-1-00, EDJ 46381).

7) En el nº 13335 se adjunta un **modelo** de contrato de agencia y prestación de servicios.

5721 **Normativa aplicable** (LCA art.3) Con carácter general, el contrato de agencia se rige por la L 12/1992 (**LCA**). No obstante, algunos colectivos tienen su propio desarrollo, como ocurre con los agentes de entidades de crédito (L 10/2014 art.14 y RD 84/2015 art.21 y 22), los agentes comerciales (RD 118/2005) o los agentes de seguros (RDL 3/2020, Libro Segundo; nº 5837).

Los preceptos de la LCA tienen **carácter imperativo**, salvo que en ellos se disponga expresamente otra cosa.

De forma **supletoria** se aplican las normas del CCom y el CC.

5723 Precisiones **1)** La LCA no será de aplicación imperativa a un **contrato** similar al de agencia, pero calificado por el Tribunal como **"mixto y atípico"** por carecer de independencia el agente. Sin embargo, puede aplicarse analógicamente (TS 28-5-09, EDJ 112083).

2) No se regula la figura de los **agentes comerciales** en el CCom, pero sí está regida en la actualidad por normas administrativas referentes tanto a su colegiación, como a la regulación de los estatutos generales de los colegios de agentes comerciales de España y de su Consejo General (RD 118/2005). Con estos estatutos se trata de cumplir con el doble objetivo de adecuar la estructura interna y el funcionamiento de los órganos colegiados de los agentes comerciales, tanto a la normativa vigente como a la realidad actual del Estado español y su organización territorial.

El agente comercial es un empresario, persona natural o jurídica que, de forma permanente, con cierta independencia y mediante remuneración, asume el encargo de **promover o realizar contratos mercantiles** por cuenta y en nombre de otro empresario. En ocasiones, los representantes de comercio reciben, en la práctica, la denominación de agentes comerciales. Sobre la línea divisoria entre el contrato de agencia y el de trabajo, de **régimen especial de los representantes de comercio**, ver nº 5554.

No cabe duda, sin embargo, de que nos hallamos ante un agente comercial en sentido estricto, en cuanto que son empresarios vinculados con otros mediante contrato de agencia (de carácter mercantil), cuando el agente comercial es una **persona jurídica**, p.e., una sociedad mercantil, o cuando es una persona física titular de una «**organización empresarial autónoma**» (Sánchez Calero).

5725 **Competencia judicial** (LCA disp.adic.2ª) La competencia para el conocimiento de las acciones derivadas del contrato corresponde al juzgado de primera instancia del **domicilio del agente**, considerándose nulo cualquier pacto en contrario (TS auto 26-3-19, EDJ 544383; auto 10-12-19, EDJ 755486; auto 20-4-21, EDJ 538476).

Precisiones En casos de solicitud de **diligencias preliminares** en un contrato de agencia, la competencia territorial corresponderá al juez del domicilio del agente, y no donde tenga un establecimiento abierto al público y donde nació la relación jurídica (TS auto 26-3-19, EDJ 544383).

5727 **Características** Los caracteres jurídicos de este contrato son:

a) El contrato de agencia es un contrato de colaboración de naturaleza consensual, por lo que se perfecciona con el consentimiento de las partes, existiendo **libertad de forma** (nº 5748).

b) Es un contrato entre **empresarios independientes**, es decir, sin que mantengan ninguna relación de dependencia o subordinación. Cada uno de ellos tiene su estructura empresarial propia y desarrolla su actividad de manera organizada y autónoma. Esta es la nota que sirve para distinguir el contrato de agencia del de trabajo, que vincula al empresario con los viajantes o con los representantes de comercio, regidos por las normas generales del contrato de trabajo o por las especiales contenidas en el RD 1438/1985 (ver nº 5554).

c) Es sinalagmático o de **prestaciones recíprocas**, pues surgen obligaciones a cargo de ambas partes (ver nº 5755 para las obligaciones del agente, y nº 5765 para las del empresario).

d) Es un contrato bilateral oneroso, en cuanto que la actividad del agente ha de ser **remunerada** (nº 5767).

e) Se exige **permanencia o estabilidad**; es decir, tiene carácter duradero, por cuanto el agente se obliga a una permanente promoción del negocio del empresario mientras esté en vigor el contrato. Es de **tracto sucesivo**, ya sea de duración determinada o indeterminada.

f) El agente no asume el **riesgo de las operaciones** que promueve o contrata por cuenta ajena, si bien puede garantizar su cumplimiento como en el caso de la comisión de garantía (ver nº 5757).

Precisiones 1) Para que pueda ser calificado un contrato como de agencia, el agente comercial tiene que ser el que se encargue de «manera permanente» de negociar por cuenta del empresario la compra y venta de mercancías o de negociar y concluir estas operaciones en nombre y por cuenta del empresario. La LCA caracteriza esta relación entre agente y empresario por su **estabilidad y permanencia** (TS 10-1-11, EDJ 2399; 30-7-14, EDJ 165044; 21-5-15, EDJ 86721; AP Alicante 8-7-22, EDJ 684763). Afirma también el Tribunal Supremo que «no puede confundirse la "**estabilidad**" de una determinada relación con la duración de la actividad desarrollada a fin de ejecutar lo pactado, singularmente cuando a pesar de efectuarse un encargo aislado su ejecución requiere una actividad dotada de cierta continuidad debido a la existencia de plurales actos de mediación o ejecución del contrato único, que es lo acontecido en este caso...».

2) No se incluye la **exclusiva** como rasgo definidor del contrato de agencia (LAC Exposición de Motivos). Para que el agente sólo pueda desarrollar su actividad para un empresario es necesario que así se pacte expresamente en el contrato; en caso contrario, puede desarrollar su actividad profesional por cuenta de **varios empresarios**.

3) Antes de la tipificación legal de esta figura, la doctrina y jurisprudencia consideraban este contrato como una **subespecie de la comisión** (TS 30-11-64; 14-2-73; 23-4-74).

Figuras afines A continuación se analizan las principales diferencias del contrato de agencia con otras figuras afines: 5729

• **Comisión**. Para el estudio de las diferencias entre el contrato de agencia y el de comisión mercantil nos remitirnos a lo expuesto en el nº 5594.

• **Concesión o distribución comercial**. Las notas que diferencia el contrato de agencia del contrato de concesión o distribución comercial (nº 5885) son las siguientes:

a) Mientras que en el contrato de agencia, el agente actúa en nombre del empresario promoviendo y, en su caso, concluyendo actos u operaciones de comercio **por cuenta ajena** (LCA art.1 y 3); en el contrato de distribución, el distribuidor asegura la colocación en el mercado de los productos del concedente **por cuenta propia**, comprando y revendiendo los productos, y asumiendo el riesgo de las operaciones emprendidas (TS 20-1-00, EDJ 171; 16-11-00, EDJ 38855; 31-10-01, EDJ 38476; 21-3-07, EDJ 16949; 20-5-09, EDJ 92340; 13-6-23, EDJ 595428; AP Murcia 23-3-05, EDJ 35340). Ver nº 5904.

b) La **remuneración** del agente se fija de acuerdo con los usos del comercio y puede incluir una indemnización por clientela en caso de extinción del contrato (nº 5797). La remuneración del distribuidor se basa en el margen de beneficio obtenido al revender los productos, es decir, en la diferencia entre el precio de compra y el precio de venta al cliente.

c) Así como la independencia del agente es básica (LCA art.2), esa **dependencia**, al margen de la laboral, puede darse en la concesión: LCA art.2.2: cuando el concesionario «no puede organizar su actividad profesional... conforme a sus propios criterios», pues el concedente se los ha impuesto. En tal caso, la concesión no es agencia, sin que ello excluya la llamada concesión independiente que suele darse en el sector del automóvil, por el efecto traslativo del vehículo en favor del concesionario y la ejecución del negocio por cuenta y riesgo de éste (TS 12-6-99, EDJ 11526).

Precisiones 1) La calificación como una u otra modalidad de contrato es relevante ya que el el modo de **cálculo de la indemnización** no es el mismo, calculando en vez de sobre las comisiones percibidas por el agente, sobre los beneficios netos obtenidos por el distribuidor esto es, el porcentaje de beneficio que le queda al distribuidor una vez descontados los gastos y los impuestos, y no sobre el margen comercial, que es la diferencia entre el precio de adquisición de las mercancías al proveedor y el precio de venta al público (TS 21-3-07, EDJ 16949; 20-5-09, EDJ 92340).

2) Un contrato denominado por las partes «Memorando de entendimiento» es calificado por el TS como contrato de distribución, ya que establece unas condiciones que van **más allá de la mera promoción comercial**, propia del contrato de agencia, puesto que el distribuidor se compromete a vender, facturar, aplicar los precios mínimos establecidos por el concedente y prestar asistencia post venta a los clientes; lo que encaja en un contrato de distribución comercial. (TS 13-6-23, EDJ 595428).

• **Mediación o corretaje**. El contrato de agencia se diferencia del contrato de mediación o corretaje en que: 5731

a) El contrato de agencia es un contrato de tracto sucesivo por el que se establece una relación jurídica estable o **duradera** entre las partes, tenga o no carácter de exclusiva, mientras que el contrato de mediación o corretaje es de **tracto único e instantáneo**, sin perjuicio de que su objeto comprenda la ejecución de uno o más encargos (TS 10-1-11, EDJ 2399; 9-11-11, EDJ 270374).

b) En la mediación o corretaje no se pacta **exclusividad**, mientras que en la agencia sí se puede (nº 5755).

c) Mientras que el agente actúa siempre en nombre del empresario, el corredor o mediador no llega a concertar el contrato, pues se limita a poner en contacto las dos partes contratantes, pero carece de **representación**.
d) También se diferencian por el **resultado**: mientras que en la agencia la retribución se percibe cuando se ejecuta el contrato por el tercero (nº 5772), en la mediación o corretaje la retribución se devenga cuando se estipula el contrato, sin esperar a su ejecución (ver nº 5876).

Precisiones En la comisión y la mediación o corretaje la colaboración no es **estable y duradera** como en el agente, sino aislada y esporádica (AP Jaén 15-6-96). No debe confundirse "estabilidad" de una relación con la duración de la actividad desarrollada a fin de ejecutar lo pactado (ver TS 10-1-11, EDJ 2399).

5733 • **Representante de comercio**. Los agentes comerciales también deben distinguirse de los denominados viajantes o representantes de comercio, que, aun cuando cumplen funciones similares, se distinguen por el **tipo de relación con el empresario**.
Mientras que los agentes comerciales son empresarios auxiliares independientes del empresario vinculados a éste a través de un contrato **mercantil** de agencia, la relación que une a los representantes de comercio con el empresario es de naturaleza **laboral especial**. Así, la diferencia establecida por la jurisprudencia deriva de la nota de la **dependencia**. Si se da una dependencia aunque no sea muy estricta del empresario, ya no se puede hablar de contrato de agencia, sino de una relación laboral especial de representante de comercio (TS social 17-4-00, EDJ 9105; TSJ Castilla-La Mancha 13-10-16, EDJ 192651; TSJ Madrid 10-9-18, EDJ 641167). La **independencia** se presume concurrente cuando el agente organiza su propia actividad profesional y el tiempo que dedica a la misma conforme a sus propios criterios, sin quedar sometido en el desenvolvimiento de su relación a instrucciones que pudiera impartir en tal aspecto la empresa por cuya cuenta actúa (LCA art.2.2).

Precisiones **1)** El legislador laboral se decantaba por la nota de la «ajenidad», y más en concreto por su variante de la **ajenidad en los riesgos**, como presupuesto delimitador de la existencia de la relación laboral en quien se dedica profesionalmente a ejercer actividades de mediación mercantil por cuenta de terceros. Ahora bien, con la entrada en vigor de la L 12/1992, sobre régimen jurídico del Contrato de Agencia, se pone de relieve algo que ya tenía dicho la jurisprudencia: la inoperatividad por insuficiente de la nota de ajenidad como elemento que permita establecer en todo caso la frontera entre la relación laboral especial del representante de comercio y el contrato de agencia. Y ello porque la L 12/1992 contempla como hipótesis normal la de que el agente comercial, al igual que el representante de comercio, sea ajeno a los riesgos de actividad, salvo pacto en contrario, por lo que al ser la ajenidad una nota compartida por ambos negocios jurídicos no puede ser utilizado como criterio delimitador (TSJ C.Valenciana 13-12-23, EDJ 813764).
2) El criterio delimitador de una u otra figura es extraño el *nomen iuris* -o calificación jurídica- que las partes den a la relación, como ocurre con todo tipo de contratos, pues la esencia no es tal nombre sino el contenido de las obligaciones asumidas por ambas partes, el contenido del negocio jurídico en sí (TSJ Cataluña social 14-5-08, EDJ 91538).

2. Formalización

5740 Son objeto de estudio en este apartado:
- los sujetos que intervienen en el contrato de agencia (nº 5742);
- la actividad del agente que constituye el objeto del contrato (nº 5744);
- la duración del contrato (nº 5746); y
- la ausencia de formalidades para su perfección (nº 5748).

5742 **Intervinientes** (LCA art.2.1, 5 a 7) El contrato de agencia es un contrato entre empresarios independientes en el que participa:
a) El **principal** representado o contraparte, denominado empresario o agenciado.
b) El **agente**, que es un empresario, persona natural o jurídica, que actúa como intermediario independiente. No pueden encuadrarse dentro de esta figura:
- las personas vinculadas por una relación laboral con el principal, sea común o especial; ni
- los representantes y viajantes de comercio dependientes (ver nº 5727).
La **profesionalidad del agente** se caracteriza, precisamente, por hacer de la agencia su actividad económica habitual, poniendo su propia empresa a disposición de la colaboración de su representado.
La **actividad** del agente se dirige a promover y, en su caso, a concluir actos u operaciones de comercio, excepto las que se efectúen en mercados secundarios oficiales o reglamentados de valores (LCA art.3).
El agente no asume **riesgos** en las operaciones que promueve, salvo que se pacte expresamente, y sólo puede concluirlas cuando tenga expresamente atribuida esta facultad.

Pueden existir **subagentes** siempre y cuando medie autorización expresa del empresario. Cuando el agente designe la persona del subagente responderá de su gestión.

Precisiones 1) La prestación de servicios de forma simultánea para otras empresas del sector con el **consentimiento tácito** o sin oposición del empresario implica que la actuación del agente es válida, con los efectos legales que ello conlleva (AP Bizkaia 17-12-97).
2) Para la validez de la **cesión del contrato** es necesario que al acuerdo entre el cedente y el cesionario se una el consentimiento del contratante vinculado con el cedente, denominado «contratante cedido» (TS 5-3-94, EDJ 2013).

Objeto (LCA art.5.1) El agente debe realizar de forma **permanente**, por sí mismo o a través de sus dependientes, la promoción y, en caso de atribución expresa, la conclusión de los actos u operaciones de comercio que se le hayan encomendado, incluso de servicios. **5744**
La **actividad del agente** se dirige, en la práctica, a la captación de nuevos clientes para el principal. De ahí que:
a) Unas veces se limite a **proporcionar el producto** o servicio ofertado por el empresario, aproximando posibles clientes para que, de forma directa, contraten con éste.
b) Otras, concluye, por estar dotado con poder de representación, **contratos con terceros** en nombre del empresario representado.

Precisiones El contrato de autos no es un contrato de agencia porque falta el elemento esencial de **búsqueda de clientela** para el comitente, quedando demostrado que es el apelante quien contrata directamente con los usuarios de la red eléctrica, apareciendo los actores únicamente en la fase de ejecución de tales contratos, al reducirse su actuación al cobro de los recibos de la energía eléctrica consumida y facturada por su comitente (AP Valencia 29-9-97).

Duración (LCA art.23 y 24.2) El contrato de agencia puede ser por tiempo determinado o indefinido. **5746**
La duración indefinida opera como **presunción** siempre que las partes no hayan señalado una duración determinada.
Los contratos de duración determinada que se ejecuten por las partes después de transcurrido el plazo inicialmente previsto, quedan **transformados** en contratos de **duración indefinida**. Esta transformación no se produce *ope legis*. La Ley emplea la expresión «se considerarán» transformados, no «se transformarán», lo cual permite concluir que dicha continuación de la ejecución constituye una presunción *iuris tantum* de transformación en contrato de duración indefinida, pero cabe cualquier pacto que neutralice esa transformación, como puede ser el de señalar un nuevo plazo de duración, u otro acuerdo revelador de una voluntad de las partes de no convertir al contrato de duración determinada en uno de duración indefinida (AP Baleares 16-6-03, EDJ 157461).

Forma (LCA art.19, 21 y 22) Para la realización de este contrato no se requiere formalidad alguna. **5748**
No obstante, cualquiera de las partes puede exigir a la otra la formalización **por escrito** del contrato en cualquier momento de la operación, en cuyo caso se harán constar las modificaciones que, en su caso, se hubieran introducido en el mismo.
El carácter no formal del contrato de agencia quiebra respecto a determinados pactos susceptibles de ser acordados, que han de constar por escrito, tales como:
- el pacto de **limitación de la competencia** una vez extinguido el contrato (ver nº 5815);
- el pacto de asumir el agente el **riesgo y ventura** de los actos promovidos o concluidos por su actuación y la comisión especial que se establezca. Ver nº 5757.
Ambos pactos son **nulos** si no constan por escrito.

Precisiones 1) Se admite, tanto doctrinal como jurisprudencialmente, la compatibilidad en un acto o contrato de pactos válidos e inválidos, sin que la **nulidad** de algunos de los pactos trascienda a la totalidad del negocio (TS 22-4-88).
2) Resulta indiferente, a efectos jurídicos, que el pacto sobre el porcentaje en un contrato de agencia se establezca con carácter **verbal** (TSJ Navarra 21-6-05, EDJ 96759).
3) En el documento de formalización del contrato se deben hacer constar las **modificaciones** que, en su caso, se hubieran introducido en éste. No se refiere a las modificaciones posteriores a la confección del escrito, las cuales resulta lógico que deban reflejarse en él, una vez realizada la documentación del contrato, sino a las modificaciones llevadas a cabo después de celebrado el contrato y antes de su formalización por escrito. Mas, dichas modificaciones, si se produjeron, constituyen parte del contenido del contrato en el momento de exigir la confección del documento, por lo que necesariamente han de figurar en el referido documento, que recoge el contenido del contrato tal como existe cuando es elaborado (AP Baleares 16-6-03, EDJ 157461).

3. Obligaciones del agente

(LCA art.5, 6, 9 y 19)

5755 El agente debe velar por los intereses del empresario o empresarios por cuya cuenta actúe, ejerciendo su actividad profesional lealmente y de buena fe.

Particularmente, viene obligado a:

a) **Mediación y promoción por cuenta del empresario**: La labor del agente es la de cuidar, con la diligencia de un ordenado empresario, de la promoción y, en su caso, la conclusión de los actos y operaciones que se le hayan encomendado por cuenta del empresario. No asume una obligación aislada, esporádica o con cumplimientos periódicos o intermitentes, sino que queda relacionado con el empresario de forma estable, continua y duradera.

Cuando existe el pacto de **exclusividad**, el agente no puede realizar la actividad propia del contrato de agencia más que por cuenta del empresario con el que ha celebrado el contrato, si bien, como excepción, la Ley permite al agente ejercer su actividad por cuenta de varios empresarios.

b) **Actuación en nombre del empresario**: La representación es siempre directa, de forma que el agente se anuncia o gira con una denominación que incluye el nombre del empresario y una referencia al territorio.

c) **Cooperación e información**: El agente debe comunicar al empresario toda la información de que disponga, cuando sea necesaria para la buena gestión de los actos u operaciones que se le hayan encomendado, así como, en particular, la relativa a la solvencia de los terceros con los que existan operaciones pendientes de conclusión o ejecución.

d) **Acatamiento de instrucciones**: El agente debe desarrollar su actividad con arreglo a las instrucciones lógicas recibidas del empresario, siempre que no afecten a su independencia.

e) **Reclamaciones de terceros**: El agente tiene legitimación pasiva para recibir, en nombre del empresario, las reclamaciones que los terceros puedan efectuar sobre defectos o vicios de calidad o cantidad de bienes vendidos, así como de los servicios prestados como consecuencia de las operaciones promovidas, aunque no las haya concluido.

f) **Contabilidad separada**: Cuando el agente ejerza su actividad por cuenta de varios empresarios, debe llevar una contabilidad independiente de los actos u operaciones relativos a cada empresario.

g) **Prohibición de competencia**: Implica el no ejercer, por su cuenta o por la de otro empresario, alguna actividad profesional igual o análoga respecto a los mismos bienes o servicios objeto del contrato de agencia, esto es, no hacer competencia al empresario principal. La prohibición de competencia durante la vigencia del contrato tiene su fundamento en el **deber de lealtad** con que el agente debe gestionar los intereses del empresario y la Ley la considera como algo consustancial al contrato, por lo que el agente sólo quedará liberado de aquella mediante el consentimiento del empresario (AP Madrid 30-3-07, EDJ 86749).

5757 **Otras posibles obligaciones** Las partes pueden establecer por escrito otras condiciones, tales como:

a) **Garantía de las operaciones**. En principio, el agente no asume el riesgo y ventura de los actos u operaciones promovidos o concluidos por cuenta del empresario. No obstante, las partes pueden acordar que el agente asuma dicho **riesgo y ventura**, siempre y cuando:

- lo hagan constar por escrito, siendo nulo el pacto no formalizado documentalmente (nº 5748); y
- se determine la comisión a percibir (que será añadida a la propia del contrato de agencia), sin límite cuantitativo alguno. Se la conoce como **comisión de garantía**.

El riesgo y ventura a cargo del agente tanto puede afectar a la totalidad de los actos u operaciones promovidos o concluidos por éste, como a varios, o a uno solo.

b) **Exclusividad**. Aunque no es un elemento definidor del contrato de agencia, las partes pueden acordar incluir una cláusula de exclusividad en virtud de la cual se prohíbe que en una misma zona territorial actúen para un mismo empresario varios agentes en el mismo ramo de actividad, o viceversa, que un agente realice una labor de promoción para el mismo giro de negocios de varias empresas en competencia entre sí.

c) **Pacto de no competencia**. Tras la finalización del contrato, las partes pueden acordar restricciones a la actividad profesional del agente, por un plazo determinado y en una zona concreta, por lo general en la que el agente ha desplegado su actividad. A este respecto nos remitimos a lo expuesto en el nº 5815 y, sobre la forma escrita, en nº 5748.

Precisiones El Tribunal Supremo identifica el «riesgo y ventura» de las operaciones que realice el agente con «**responder del buen fin**» de las mismas (TS social 30-4-85). Existe asunción de **riesgo y ventura** por parte del agente si éste pierde las comisiones en caso de impagados (TS social 1-4-91, EDJ 3379), y no asume el riesgo y ventura cuando puede descontar del precio de las mercancías que recibe para venderlas el importe de las devoluciones (TS social 29-9-93, EDJ 8456).

4. Derechos del agente

(LCA art.8, 12.1, 15, 16 y 18)

El agente tiene derecho a: 5760
a) Percibir una **comisión** por los actos y operaciones que haya concluido durante la vigencia del contrato (ver nº 5770).
b) Recibir una relación de las **comisiones devengadas** por cada acto u operación, el último día del mes siguiente al trimestre natural en que se hayan devengado. En la relación han de consignarse los elementos esenciales en base a los que haya sido calculado el importe de las comisiones.
c) Solicitar del empresario la **exhibición de la contabilidad** al objeto de verificar sus comisiones, así como de otras informaciones de que disponga el empresario y que sean necesarias par verificar su cuantía.
d) Exigir al empresario, en el acto de la entrega, el **reconocimiento** de los bienes vendidos.
e) Efectuar el **depósito judicial** de los bienes vendidos en el supuesto de que el tercero, sin causa justificada, no acepte o se demore en la recepción de las mercaderías.

El agente solo tiene derecho al **reembolso de los gastos** ocasionados en el ejercicio de su actividad profesional si así se acuerda expresamente en el contrato. 5762

5. Obligaciones del empresario

(LCA art.10 y 11)

En igual medida en que se exige al agente, el empresario, en sus relaciones con el agente, debe actuar **lealmente** y de **buena fe**. 5765
En particular, el empresario debe:
a) **Remuneración**: El empresario viene obligado a satisfacer al agente la remuneración pactada, que puede ser:
- una cantidad fija;
- una cantidad variable o comisión (nº 5770); o
- una combinación de ambas.

La **ausencia de estipulación expresa** en el contrato sobre este punto no significa que sea gratuito, sino que la remuneración tiene que fijarse conforme a los usos del comercio del lugar donde el agente ejerza su actividad o en atención a las circunstancias y operaciones requeridas para la ejecución del encargo.
b) **Asistencia e información**: El empresario debe proveer al agente de comercio con todos los materiales e información necesarios para el desarrollo de sus actividades. En particular:
- debe poner a disposición del agente, con suficiente antelación, y en cantidad apropiada, **muestrarios**, **catálogos**, **tarifas** y demás documentos que éste necesite para el desarrollo de su actividad profesional; y
- debe advertirle, cuando tenga noticia de ello, que prevé que el **volumen de las operaciones** va a ser sensiblemente inferior al que pueda esperar el agente.
c) **Resultado de la operación comunicada**. El empresario debe comunicar al agente la aceptación o el rechazo de la operación dentro de un plazo de 15 días. De igual forma, y a la mayor brevedad posible, teniendo en cuenta la naturaleza de la operación, ha de comunicarle la ejecución, ejecución parcial o falta de ejecución de ésta.

Precisiones 1) Para la **reclamación de honorarios** por el agente al mandante, es innecesario demandar al mandatario y a la sociedad propietaria, puesto que ésta, en el caso que nos ocupa, no adoptó acuerdo social alguno para autorizar la enajenación de la finca. No existe, por consiguiente, litisconsorcio pasivo necesario (TS 30-4-98, EDJ 2306). 5767
2) El **derecho al devengo** de los honorarios del agente mediador surge desde que el comprador y el vendedor, mediante el correspondiente contrato, se ponen de acuerdo en la cosa y en el precio (AP Zaragoza 28-7-97), si bien, tal derecho permanece aun cuando después se rescinda o no pueda consumarse el contrato por causas que no le son imputables, pues el agente dirige su actuación profesional a su perfección, pero no puede garantizar su definitiva conclusión (TS 6-10-90, EDJ 9063).
3) Acreditado en el caso de autos la existencia de contrato de agencia o mediación, debe abonarse la cantidad que se reclamaba a través de carta remitida por conducto notarial consistente, tanto en unos **honorarios fijos** por los trabajos realizados en la fase preliminar, concepción y ejecución del contrato de colaboración, como el **incentivo variable** equivalente a un porcentaje fijado en función de las ventas comercializadas en fase de ejecución (TS 31-12-98, EDJ 31406).
4) En un supuesto en el que las partes convienen un **sistema de remuneración combinado**, una parte fija y otra mediante comisión, y en la que la remuneración mediante comisión fue prevista sólo para los casos en que la operación alcanzara éxito por la actividad propiciadora del agente, el

TS declara que no procede el pago de las comisiones reclamadas, al no haber quedado acreditado por el agente que el **éxito de las operaciones** alegadas hubiera sido debido a su intervención. Su actividad de cooperación en dichas operaciones se considera retribuida con la cuota fija anual pactada (TS 5-11-14, EDJ 230611).

6. Comisiones

(LCA art.12 y 13)

5770 Se entiende por comisión cualquier elemento de la remuneración que sea **variable** según el volumen o el valor de los actos u operaciones promovidos y, en su caso, concluidos por el agente.

El agente tiene **derecho a cobrar la comisión** cuando:

- la operación se concierte con su intervención;
- concluya las mismas en su zona geográfica, si tiene concedida la exclusividad de ésta;
- se trate de operaciones con personas con las que se haya concluido alguna operación anterior por su intervención.

Para el cobro de actos u operaciones que se concluyan **con posterioridad a la extinción del contrato** de agencia (nº 5780 s.) es preciso:

a) Que la operación se deba, fundamentalmente, a la actividad desarrollada por el agente durante la vigencia del contrato, siempre que éste se haya concluido dentro del **plazo** de los tres meses posteriores a la extinción de dicho contrato.

b) Que el agente o empresario hayan recibido el pedido o **encargo antes de la extinción del contrato** de agencia, en tanto en cuanto el agente, de haberse concluido el acto u operación de comercio durante la vigencia del contrato, hubiera tenido derecho a percibir la comisión.

Si la comisión correspondiese a un **agente anterior**, el agente no tiene derecho a la comisión por los actos u operaciones concluidos durante la vigencia del contrato, salvo que, atendiendo a las circunstancias que concurran en la referida operación, fuese equitativo distribuir la comisión entre ambos agentes.

Precisiones 1) Partiendo de las **normas orientativas de honorarios** de los colegios oficiales, se puede tener por constatado el conocimiento del importe mínimo de la mediación para cada tipo de operación (TSJ Navarra 21-6-05, EDJ 96759).

2) El agente tendrá **derecho a la comisión** no sólo cuando la operación de comercio se haya concluido como consecuencia de su intervención profesional, sino también cuando se haya concluido con una persona respecto de la cual el agente hubiera concluido con anterioridad una operación de naturaleza análoga (AP Castellón 14-7-14, EDJ 193240).

3) La remuneración queda configurada como una contraprestación a la actividad desarrollada por el agente, esto es, por la promoción y, en su caso, la conclusión de los actos u operaciones que le fueron encomendados. De ahí que el concepto de remuneración no consista en el **beneficio neto obtenido** por el agente en el ejercicio de su actividad, sino en la cantidad realmente percibida por la prestación realizada. Del mismo modo que, la remuneración tampoco comprende el **reembolso de los gastos** que al agente le hubiese originado el ejercicio de su actividad como profesional independiente (LCA art.18) (AP Barcelona 6-3-18, EDJ 33113).

5772 **Devengo de la comisión** (LCA art.14) La Ley distingue entre el devengo y el pago de la comisión. El devengo de la comisión se produce:

- cuando el **empresario** haya ejecutado o debido ejecutar el acto u operación de comercio promovido por el agente; o
- cuando la operación se ejecute total o parcialmente por el **tercero**.

El derecho nace cuando se produce cualquiera de los dos supuestos anteriores, sin que las partes en el contrato puedan establecer que sólo surge en uno de los casos (Dir 86/653/CEE art.10).

Precisiones 1) El **comienzo del devengo de los intereses moratorios** no puede llevarse a fecha anterior a la de interposición de la demanda. En el caso de autos, ésta fue la de la reclamación judicial de la deuda (en ese sentido, TS 20-1-09, EDJ 11739; 6-11-09, EDJ 251503).

2) Salvo pacto expreso, el derecho al cobro de los honorarios (comisión) del **agente** surge cuando **pone en relación** a los **futuros contratantes** sobre un objeto determinado, contribuyendo de manera eficaz a que el cliente y la empresa concluyan el negocio. Entre las obligaciones del agente no está la de garantizar la consumación del contrato en cuya mediación intervino el agente. Por tanto, el derecho del agente a la percepción de la comisión por el trabajo realizado nace, no con sujeción a las ventas realmente facturadas y realizadas, sino con la aceptación por el cliente de la operación convenida por el agente (AP Murcia 25-2-16, EDJ 35722).

3) Fijar como condición suspensiva del devengo de la comisión por una venta el **cobro por el principal** de su precio es tanto como hacer recaer en el agente, aunque sea con carácter limitado, el riesgo y ventura de la operación, supuesto en que la LCA art.19 exige que conste por escrito bajo sanción de nulidad (TS 21-5-15, EDJ 86721; AP Cantabria 19-5-05, EDJ 69986).

Pago (LCA art.16) Salvo que se pacte uno inferior, el **plazo** para el pago de la comisión ha de realizarse, como máximo, el último día del mes siguiente al trimestre natural en el que el empresario o, en su caso, los terceros, hayan ejecutado el acto u operación de comercio contratado. 5774

En cualquier caso, debe respetarse el **modo de pago** de las comisiones pactado entre las partes, pues el sistema de retribución del agente previsto en la LCA es subsidiario respecto de la autonomía de la voluntad (TS 3-12-14, EDJ 244449).

Precisiones El **plazo de prescripción** de la acción de los agentes comerciales para reclamar el pago de sus comisiones es de tres años conforme al CC art.1967.1ª, computados desde que dejaron de prestarse los respectivos servicios (TS 22-1-07, EDJ 2675; 7-10-10, EDJ 233317).

Pérdida del derecho a la comisión (LCA art.17) El agente pierde este derecho si existe **prueba**, por parte del empresario, de que el acto u operaciones concluidas por intermediación de aquél entre él y el tercero, no se han ejecutado por circunstancias no imputables al mencionado empresario. 5776

En este supuesto, procede la **restitución** inmediata al mismo, de la comisión que el agente haya recibido a cuenta de la operación pendiente de ejecución.

Precisiones No puede elevarse a la categoría de negocio que no ha llegado a buen fin por **culpa del empresario** todo pedido cursado por el mediador no servido por la empresa, ya que el no llegar a poder constituirse una operación de venta puede obedecer a múltiples causas. Pero en el contrato de agencia es el empresario quien ha de **probar** que la **no ejecución de la operación** concluida por intermediación del agente no ha sido ejecutada por circunstancias no imputables al empresario; esto es, el empresario ha de probar las circunstancias, su relación causal con la no ejecución, y la no imputabilidad al mismo del acaecimiento de dichas circunstancias (AP Baleares 16-6-03, EDJ 157461).

7. Extinción

Causas (LCA art.24, 25, 26 y 27) El contrato de agencia se puede extinguir por las siguientes causas: 5780

1. Por **mutuo acuerdo** de las partes.
2. En los contratos de duración determinada, por el transcurso del **tiempo pactado**. Pero esta causa no opera de forma automática e indefectiblemente, de tal manera que si, cumplido el término, continúa siendo ejecutado por ambas partes, se considera transformado en contratos de duración indefinida (nº 5746).
3. En los contratos de duración indefinida, por **denuncia unilateral** de cualquiera de las partes mediante preaviso por escrito (nº 5784).
4. En los contratos de duración determinada o indefinida, por voluntad de una de las partes y **sin necesidad de preaviso** (nº 5790):

- por **incumplimiento** total o parcial por alguna de las partes, de las obligaciones legal o contractualmente establecidas; y
- cuando la otra parte haya sido declarada en **concurso**.

5. Por **muerte** o declaración de fallecimiento del **agente**. No se extingue por muerte o declaración de fallecimiento del empresario, aunque puedan denunciarlo sus sucesores en la empresa con el preaviso que proceda.

Precisiones 1) Ha de entenderse que, normalmente, también es causa de extinción la **disolución de la sociedad** que sea parte en el contrato, siendo indiferente que asuma la posición de empresario principal o la de agente (Sánchez Calero, Martínez Sanz, Porfirio Carpio). 5782

2) En base al principio general de mantenimiento del contrato y al de buena fe, la **transmisión de la empresa** del empresario principal solo debe ser causa de extinción del contrato de agencia cuando el *intuitu personae* del empresario se haya tenido también en cuenta para su celebración, pero no en los demás casos (Moxica Román).

3) El contrato de agencia queda extinguido por el **transcurso del tiempo** estipulado y mediando **denuncia** por una de las partes con la antelación convenida (TS 26-6-98, EDJ 9878).

4) El agente tiene derecho a indemnización cuando el contrato se extingue **por sorpresa** (AP Bizkaia 25-1-00, EDJ 46381).

Resolución unilateral con preaviso (LCA art.25.1) El contrato de agencia puede extinguirse por la denuncia unilateral de cualquiera de las partes, siempre y cuando concurran los siguientes requisitos: 5784

- que se trate de un contrato de **duración indefinida** o indeterminada;
- que la denuncia se notifique por **escrito**; y
- con la **antelación** señalada legal o convencionalmente (ver nº 5786).

La denuncia unilateral no produce el efecto extintivo del contrato hasta la finalización del plazo de preaviso.
La doctrina jurisprudencial admite la resolución o disentimiento unilateral por **decisión «ad nutum»** (sin justa causa), tanto más si hay en la relación una impronta de confianza como sucede en los contratos de agencia. La extinción del vínculo contractual por ejercicio de la facultad resolutoria unilateral se produce en todo caso, incluso aunque sea **arbitraria o injustificada**, pero sus consecuencias económicas son distintas según las circunstancias concurrentes (ver nº 5795 s.).

Precisiones **1)** Un ejercicio de la facultad resolutoria de forma **sorpresiva o inopinada**, sin margen de reacción en forma de un prudente preaviso, puede ser valorado como un ejercicio abusivo del derecho, o constitutiva de una conducta desleal o de mala fe en el ejercicio de los derechos, que si bien no obsta a la extinción del vínculo, sí debe dar lugar a una **indemnización** cuando ocasione **daños y perjuicios** (TS 17-1-19, EDJ 500897).
2) El contrato de agencia puede revocarse unilateralmente, aun cuando la revocación no esté fundada en **justa causa**, sin perjuicio de que la otra parte pueda reclamar una indemnización de daños y perjuicios (TS 16-2-90; AP Granada 30-9-96).
3) El reconocimiento de la facultad de denuncia "ad nutum" o desistimiento en las relaciones obligatorias con duración indefinida o indeterminada se apoya en la idea de que la perpetuidad del vínculo contractual es opresiva y odiosa por ser contraria tanto a la libertad personal como al orden público, a la organización de la propiedad y a los intereses generales de la economía. De ahí la imposibilidad de **derogar convencionalmente** la "denuncia" o el **desistimiento "ad nutum"** en las vinculaciones que imponen obligaciones de prestar (TS 9-6-20, EDJ 575449).
4) En caso de resolución unilateral de un contrato de agencia, el agente tiene derecho a cobrar las **comisiones no abonadas**, a menos que exista un pacto contractual y por escrito que establezca que solo devengarán comisión las ventas cuyo precio sea cobrado efectivamente (AP Castellón 17-10-16, EDJ 244087).

5786 **Plazo de preaviso** (LCA art.25.2, 3, 4 y 5) Para la extinción de los contratos de agencia de duración indefinida, la parte que quiera darlo por terminado debe notificar por escrito a la otra parte con un preaviso **mínimo** de un mes por cada año de vigencia del contrato, hasta un **máximo** de seis meses. Si el contrato ha estado vigente por tiempo inferior al año, el plazo de preaviso es de un mes.
Las partes pueden pactar **plazos mayores**, sin que el establecido para el agente pueda ser inferior, en ningún caso, al establecido para el empresario.
El **final del plazo** coincide, salvo pacto en contrario, con el último día del mes.
Para la determinación del plazo de preaviso en los contratos de **duración determinada** que se hubieran transformado en contratos de duración indefinida (nº 5746), se debe computar la duración que haya tenido el contrato por tiempo determinado, añadiendo a la misma el tiempo transcurrido desde que se produjo la transformación.

Precisiones Si el empresario remite el aviso pero no respeta los **plazos mínimos** legales o pactados pretendiendo dar por finalizado el contrato desde dicho momento, no debe entenderse que se produce la extinción hasta que transcurra el plazo correspondiente, por lo que las **comisiones** que se devenguen durante el transcurso del mismo deben ser abonadas por el agente. Es el caso de la sentencia referenciada que, aunque dictada en relación a un contrato de agencia no regulado por la presente Ley, por ser de fecha anterior, como existía un pacto de preaviso de dos meses, hace aplicación de la doctrina mencionada, concediendo al agente demandante en concepto de **perjuicios** el importe de los ingresos dejados de obtener durante tal plazo, y dejando para la ejecución de sentencia la determinación de su importe (TS 31-12-97, EDJ 10452).

5788 **Indemnización por falta de preaviso** Es doctrina jurisprudencial que la resolución unilateral sin preaviso no deriva necesariamente un **daño** y, en su caso, este no tiene por qué coincidir con el promedio de remuneraciones percibidas por el agente durante el periodo de tiempo cubierto por el preaviso (TS 18-7-12, EDJ 154596, aplicada, entre otras, por AP Jaén 12-4-23, EDJ 651689). Dicha doctrina fue reiterada por TS 8-10-13, EDJ 197141, que ratificó que la mera ausencia de preaviso no comporta la concesión automática de una **indemnización de daños y perjuicios** al amparo de la LCA art.29.
Sin embargo, también tiene declarado el TS que la inobservancia del plazo de preaviso, al impedir al agente reorientar su actividad comercial, supone una **infracción** de los deberes de **lealtad y buena fe** en el desarrollo de un contrato de larga duración resuelto unilateralmente por la comitente. De conformidad con el CC art.1101 y 1106, acarrea, por tanto, el derecho a la consiguiente indemnización, que es independiente de aquellas otras que la propia ley sujeta a un régimen especial por clientela y la prevista en el art.29 LCA (TS 19-11-03, EDJ 146444; 30-4-04, EDJ 26200; 23-6-05, EDJ 103451; 7-10-05, EDJ 197573; 19-12-05, EDJ 244423; 8-10-13, EDJ 197141; 11-12-14, EDJ 244455; citadas por AP Cádiz 26-7-22, EDJ 716137).
Esta modalidad de indemnización, de origen culpabilístico, deriva de un **incumplimiento contractual** específico imputable al empresario, consistente en la vulneración del plazo de

preaviso, cuya observancia viene legalmente impuesta, y para cuya valoración debe atenderse a la normativa general sobre responsabilidad contractual (CC art.1101). No puede confundirse con la que regula el la LCA art.29 (vinculada o no a la falta de preaviso), circunscrita a la reparación de daños por imposibilidad de amortizar determinados gastos (ver nº 5803).
Los perjuicios derivados del incumplimiento del plazo de preaviso pueden extenderse, al amparo de lo previsto en el CC art.1106, al **lucro cesante**, esto es, a la ganancia que haya dejado de obtener el agente y que se ha visto frustrada por la resolución unilateral decidida por el empresario (TS 8-10-13, EDJ 197141; 17-1-19, EDJ 500897).

Precisiones El TS considera una manera razonable y correcta de calcular estimativamente el **beneficio dejado de obtener** con el incumplimiento del deber de preaviso, la vía de acudir al beneficio medio mensual obtenido por el agente proyectado sobre el periodo incumplido durante el que el contrato debía haber continuado en vigor (TS 8-10-13, EDJ 197141; 19-5-17, EDJ 72594; 17-1-19, EDJ 500897).

5790 **Resolución sin preaviso por incumplimiento o declaración de concurso** (LAC art.26) Como excepción a la regla anterior, cuando alguna de las partes haya incumplido, total o parcialmente, las obligaciones legales o contractualmente establecidas, o haya sido declarada en concurso, la otra parte podrá dar por finalizado el contrato **sin necesidad de preaviso.** En tales casos se entiende que el contrato finaliza a la recepción de la **notificación escrita** en la que conste la voluntad de darlo por extinguido y la causa de la extinción. Esta declaración, aun cuando produzca efectos entre las partes, puede impugnarse judicialmente solicitando la parte perjudicada la indemnización de daños y perjuicios o el cumplimiento del contrato más la indemnización que pueda corresponderle.
Esta causa de resolución es aplicable tanto a los contratos de duración **determinada como indefinida**.

Precisiones **1)** Cuando el contrato se resuelve por incumplimiento del empresario, no es necesario el preaviso del agente. Basta la propia demanda en que se ejercita la **acción resolutoria** (TS 1-4-00, EDJ 5228; AP Sevilla 7-5-01, EDJ 41840).
2) El **incumplimiento de objetivos** no supone un incumplimiento contractual, sino que se trata, en este caso, de una condición indispensable para la prórroga del contrato. Asimismo, no supone incumplimiento contractual por parte del comitente el hecho de no realizar actividad alguna para el establecimiento de las previsiones de venta y comisiones fijadas para el ejercicio económico (propiciando así la imposibilidad de cumplir los objetivos al no fijarlos), pues no existe base alguna para atribuir la iniciativa de tal actividad en exclusiva al empresario (comitente), que pudo haber partido igualmente del agente. Tampoco procede la indemnización de daños y perjuicios porque, en este caso, no se produce la resolución del contrato, sino su extinción por **imposibilidad de prórroga** al no cumplirse la condición indispensable (cumplimiento de objetivos) pactada por las partes para que la misma tuviera lugar (TS 27-1-03, EDJ 2539).
3) El **bajo rendimiento** y actividad del agente con incumplimiento de sus obligaciones (numerosos testimonios de los testigos que declaran en las actuaciones que no les visitó, habiéndose remitido cartas de quejas de clientes), supone dar por finalizado el contrato **sin** necesidad de **preaviso**, una vez recibida la notificación escrita en la que conste así la voluntad de darlo por extinguido y la causa de la extinción (AP León 21-11-96).
4) La práctica constante y originaria de **fraccionar y diferir el pago** de las comisiones estipuladas no puede tener virtualidad resolutoria alguna en la medida en que siempre, desde el inicio de la relación negocial, contó con la aquiescencia del agente (TS 14-5-09, EDJ 92338).

a. Indemnizaciones

5795 La extinción del contrato de agencia puede dar derecho al agente a obtener una indemnización.

Precisiones El régimen indemnizatorio del contrato de agencia se ha extendido a **otras actividades de intermediación y colaboración** con el principal, sea distribuidor, concesionario o cualquier otra actividad, que coadyuve con el empresario a incrementar el negocio, basado, como común denominador, en la confianza que caracteriza determinadas relaciones. La aplicación analógica de tales contratos con los de agencia no es automática, dado que debe probarse la concurrencia de la identidad de razón necesaria para tal aplicación analógica (TS 2-10-13, EDJ 201109; 29-10-13, EDJ 206252).

5797 **Por clientela** (LCA art.28) La indemnización por clientela no opera de modo automático por la simple extinción del contrato (TS 20-5-04, EDJ 40360; 29-9-06, EDJ 275336; 22-3-07, EDJ 25361).
El agente tiene derecho esta indemnización cuando se extinga el contrato, tanto si es de duración determinada como por tiempo indefinido, y se den los siguientes **requisitos** (de carácter acumulativo y no alternativos):
1º El agente, durante la vigencia del contrato de agencia, aporta **nuevos clientes** al empresario o incrementa sensiblemente las **operaciones** con la clientela preexistente.

2º La actividad del agente **continúa produciendo ventajas sustanciales** al empresario después de extinguido el contrato de agencia. Ventajas que deben entenderse como un aumento en la perspectiva de obtener una ganancia o beneficio empresarial derivada de la actividad de captación y de establecimiento de relaciones comerciales desarrollada por el agente (AP Barcelona 6-3-18, EDJ 33113). Es necesario **probar** el aprovechamiento económico por el empresario (TS 25-11-05, EDJ 197577). No se trata de imponer al agente una prueba de la efectividad de tales ventajas o efectivo disfrute por el empresario, sino que basta un pronóstico razonable (TS 4-1-10, EDJ 3498). La norma no exige que efectivamente se produzcan estas ventajas sustanciales sino que exista esa posibilidad (AP Málaga 30-9-16, EDJ 218587).
3º La indemnización resulte **equitativamente procedente** por la existencia de pactos de limitación de competencia, por las comisiones que pierda o por las demás circunstancias que concurran.
Incumbe al agente **probar** la efectiva aportación de clientela o incremento de las operaciones y su potencial aprovechamiento por el empresario (entre otras, TS 7-11-13, EDJ 225908).

5799 Conviene advertir que el legislador no **cuantifica la indemnización** por clientela ni suministra los parámetros para su cuantificación, sino que se limita a establecer un **tope máximo**: en ningún caso puede exceder del importe medio anual de las remuneraciones percibidas por el agente durante los últimos cinco años, o durante todo el período de duración del contrato, si éste fuera inferior. No consiste en el total de las remuneraciones percibidas durante dicho período, sino en la cantidad que resulte de calcular la media de las percibidas en tales períodos, cantidad que se obtiene, no por la suma de las comisiones de cada año, sino por la división de esa suma entre los años a que se refieren (AP Baleares 16-6-03, EDJ 157461).
También se genera este derecho en el supuesto de que el contrato se extinga por **muerte** o declaración de fallecimiento del agente.
La **acción** para reclamar esta indemnización **prescribe** al año, a contar desde la extinción del contrato (LCA art.31) (AP Castellón 17-10-16, EDJ 244087).

5801 Precisiones 1) No puede concederse indemnización por clientela tras la extinción del contrato por la exclusiva voluntad del comitente si no se prueba que tal extinción repercute positivamente en éste. Puede alegarse que esos clientes seguirían buscando la **seguridad** y **prestigio de la marca**. Pero también puede presumirse que, parte de esa clientela, se mueve por otros motivos como precios más competitivos, mejores servicios, o incluso mejores ventajas que puedan seguirse ofreciendo a los clientes. No puede deducirse, por consiguiente, con la necesaria exactitud, las posibles **reacciones de la clientela** ni, en consecuencia, en qué medida puede resultar beneficiado el comitente por la rescisión del contrato. Es por ello por lo que, al no ofrecerse prueba alguna, en el caso que nos ocupa, procede **reducir en un 50% el importe de la indemnización**, presumiendo con ello que un 50% de la nueva clientela seguirá atendiendo a los móviles que representa la marca, y el resto se moverá por otros criterios que no redunden en un beneficio directo o indirecto para el comitente (TS 17-11-98, EDJ 26816).
2) Cuando la resolución del contrato sea por **incumplimiento del empresario**, el agente tiene derecho a ser indemnizado por la pérdida de comisiones que deja de obtener al ver suprimida su clientela (TS 1-4-00, EDJ 5228).
3) Cuando la **denuncia unilateral** del contrato vaya seguida de un disfrute por parte del empresario representado de la clientela aportada por el agente, al permanecer e integrarse ésta en la de la empresa concedente, produciéndose un desplazamiento a su fondo comercial -existe un enriquecimiento por parte del concedente de la exclusiva que ha de ser compensado al agente, pues, en caso contrario, puede calificarse de **enriquecimiento sin causa** (TS 22-3-88; AP Toledo 8-2-00, EDJ 30352; TS auto 25-1-00, EDJ 117267; AP Bizkaia 27-1-00, EDJ 46376).
4) Si no se produce un aumento o mantenimiento, sino una manifiesta **reducción** de la **clientela**, la indemnización por este concepto pierde su razón de ser (AP Badajoz 17-4-01, EDJ 102852; AP Murcia 23-3-05, EDJ 35340).
5) Es factible pactar la indemnización por clientela en un **porcentaje** de la media que resulte de las comisiones percibidas por el agente en los últimos años (sector automovilístico) más los intereses legales que se devenguen (AP Segovia 18-1-02, EDJ 15037).
6) Procede el **juicio de equidad** tanto para determinar la procedencia de la indemnización por clientela, como para la fijación de su importe, dentro del límite máximo establecido por la norma (TS 31-5-12, EDJ 109284).
7) El incremento de clientes u operaciones y el potencial aprovechamiento constituyen cuestiones de hecho, cuya verificación judicial ha de tener lugar mediante la denuncia de error en la valoración de la prueba (TS 5-5-06, EDJ 65257), de modo que las consecuencias desfavorables de la **deficiencia probatoria** recaen sobre el agente, porque es a quien incumbe la carga de la prueba (TS 26-4-04, EDJ 17046; 20-5-04, EDJ 40360; 2-6-09, EDJ 120211).
8) Para **interpretar** el contrato no pueden tomarse en consideración expresiones aisladas del mismo, descontextualizadas del conjunto, puesto que la intención común de las partes, de cuya indagación realmente se trata (CC art.1281), no se puede encontrar en una cláusula aislada de las demás, sino en el todo orgánico que constituye el contrato, lo que obliga a utilizar otros medios

hermenéuticos, como el denominado de la totalidad expresamente reconocido en el CC art.1285 (TS 20-2-14, EDJ 21203). Teniendo en cuenta lo anterior, a efectos de calcular la indemnización por clientela se ha de tener en cuenta, no solo lo establecido al respecto en el contrato de agencia, sino en cualesquiera otros pactos (como, en este caso, lo estipulado en los documentos denominados "progamas y ayudas" y "pago punto servicio post venta"), de los que resulta que las relaciones entre las partes no se limitaban a la mera comisión porcentual por facturación, sino que incluían otros conceptos que, en su totalidad, conformaban la retribución vinculada al contrato de agencia; **conjunto retributivo** que es el que debe tenerse en cuenta para el cálculo de la indemnización por clientela (TS 1-10-19, EDJ 700965).

De daños y perjuicios (LCA art.29) Si se dan los presupuestos necesarios para ello, el agente tiene derecho a una indemnización de daños y perjuicios sólo exigible en los contratos de duración indefinida. **5803**

Los **requisitos** para el nacimiento de la obligación a cargo del empresario del pago de dicha indemnización son (TS 2-6-09, EDJ 120211):

1º Que se trate de un contrato de agencia de duración **indefinida** (AP Jaén 12-4-23, EDJ 651689).

2º Denuncia **unilateral** del contrato por parte del empresario.

Esta indemnización no está vinculada a la **falta de preaviso**. De hecho, como tiene declarado el TS, la mera ausencia de preaviso, en sí misma considerada, no comporta la concesión automática de la indemnización al amparo del art.29 LCA (TS 17-1-19, EDJ 500897). Ver nº 5788.

3º Existan **gastos** de inversión o adecuación pendientes de amortización por el agente, los que deben demostrarse cumplidamente (TS 30-4-04, EDJ 26200).

4º Que los gastos se hayan realizado en virtud de **instrucciones** del empresario; aunque dichos gastos deben entenderse «no sólo cuando existan órdenes expresas en ese sentido, sino también si la inversión fue para desarrollar convenientemente el encargo conferido» (TS 19-11-03, EDJ 146444).

5º Que la extinción anticipada no permita la **amortización** de dichos gastos (TS 9-2-03, EDJ 3623). Es decir, al agente no se le ha permitido, en el ejercicio normal de su actividad profesional, resarcirse de los susodichos gastos debido a la extinción por sorpresa del contrato de agencia (AP Baleares 16-6-03, EDJ 157461).

Es pacífica la doctrina jurisprudencial que considera que las únicas **partidas** que deben ser **indemnizadas** son aquellos gastos o inversiones que el agente, instruido por el empresario, haya realizado para la ejecución del contrato y que no hayan sido amortizados. Son los llamados «gastos de confianza».

El ejercicio de la acción de reclamación **prescribe** al año de haberse extinguido el contrato (LCA art.31).

Precisiones 1) No procede la indemnización por «gastos de confianza», pues la **nave industrial y terrenos** anexos son una inversión inmobiliaria susceptible de ser destinada a otra actividad y que ha incrementado el haber patrimonial del agente, pero sí son indemnizables los gastos por despido de personal (TS 29-10-13, EDJ 206252). **5805**

2) Considera el TS que ni las dependencias de la **vivienda** ni el **vehículo** del agente pueden considerarse gastos de confianza, dado que ni fueron adquiridos a requerimiento del empresario ni se trata de bienes con una naturaleza específica para una concreta actividad, ya que pueden ser destinados a cualquier otra de carácter empresarial o ser usados en beneficio propio (TS 12-3-14, EDJ 34298; AP Baleares 12-3-14, EDJ 34298).

3) No procede la condena a cantidad alguna en concepto de daños y perjuicios cuando la incidencia de que el contrato se concierte con una **duración inicial determinada** (ocho meses), sin posibilidad de prórroga, indica que las inversiones realizadas y las expectativas de beneficios no pueden responder exclusivamente al mismo y, solo si aquéllas se hubiesen realizado una vez que el **contrato** se transformó en **indefinido** por el transcurso del plazo inicialmente previsto, podría reclamarse tal indemnización (TS 17-11-98).

4) En modo alguno es aplicable la normativa del contrato de agencia, en lo que se refiere al concepto de indemnización por daños y perjuicios, al contrato de **concesión y distribución** (ver nº 5904) (TS 20-1-00, EDJ 171).

5) No debe confundirse la **indemnización por falta de preaviso** de la indemnización de daños y perjuicios del art.29 LCA (vinculada o no a la falta de preaviso), que está circunscrita a la reparación de daños por imposibilidad de amortizar determinados gastos (AP Málaga 30-9-16, EDJ 218587).

Supuestos de inexistencia del derecho a la indemnización (LCA art.30) El agente no tiene derecho a la indemnización por clientela o de daños y perjuicios cuando: **5807**

a) El empresario extinga el contrato por **incumplimiento** de las **obligaciones** legal o contractualmente establecidas a cargo del agente.

b) El agente **denuncie el contrato**, salvo que la denuncia tenga como causa circunstancias imputables al empresario, o se funde en la edad, invalidez o enfermedad del agente, sin que se le pueda exigir, de forma razonable, la continuidad de sus actividades.

c) Con el consentimiento del empresario, se haya producido una **cesión de** los **derechos y** las **obligaciones** de que era titular el agente a un tercero, en virtud del contrato de agencia.

5809 **Acuerdo de las partes sobre la cuantía de la indemnización** (Dir 86/653/CEE art.19)
Por el carácter imperativo de la Ley, las partes no pueden establecer más causas de extinción que las prescritas legalmente, ni establecer distinta indemnización que la que consta en los preceptos legales como consecuencia de ella.
Por el contrario, cuando las partes **ponen fin de común acuerdo** a la relación jurídica, o cuando ésta se extingue por otra causa, pueden ponerse de acuerdo sobre la cuantía de la indemnización.

b. Prohibición de competencia

(LCA art.20 y 21)

5815 Las partes pueden incluir, entre las estipulaciones del contrato de agencia, una vez extinguido el contrato, **restricciones** o **limitaciones** a las actividades profesionales a desarrollar por el agente.
El pacto de limitación de competencia no puede tener una **duración** superior a dos años, a contar desde la extinción del contrato, ni superior al año si éste se hubiese pactado por tiempo menor.
Las **características** del pacto de limitación de competencia son:
- formalización del mismo por escrito (nº 5748);
- extensión únicamente a la zona geográfica predeterminada o a ésta y al grupo de personas confiados al agente;
- afectación a la clase de bienes y servicios objeto de los actos u operaciones promovidos o concluidos por el agente.

c. Prescripción de acciones

(LCA art.4; CCom art.942 s.)

5820 La prescripción de acciones se produce, salvo disposición en contra de la LCA, por las reglas establecidas en el CCom.
La **interrupción** de la prescripción se produce por:
- demanda o interpelación judicial hecha al deudor;
- reconocimiento de las obligaciones;
- renovación del documento en que se funde el derecho del acreedor.
Se considera como **no interrumpida** por la interpelación judicial;
- si el actor desiste de ella;
- si se produce caducidad en la instancia; ó
- si es desestimada la demanda.
Con relación al plazo de prescripción de la acción de **responsabilidad** de los agentes y de la relativa al **cobro** de sus remuneraciones, se aplica el término de tres años (CC art.1967.1º; CCom art.945) (TS 22-1-07, EDJ 2675; 7-10-10, EDJ 233317).
En lo que se refiere a la acción del agente para reclamar **indemnización por clientela** o **daños** y **perjuicios**, ver nº 5799 y nº 5803, respectivamente.

5822 Precisiones **1)** La **reclamación extrajudicial**, prevista como una de las formas de interrumpir la prescripción, es una declaración de voluntad del acreedor que exterioriza su deseo de obtener el cumplimiento de su obligación utilizando cualquier medio idóneo para ello, carta, telegrama, teléfono, etc., siempre que pueda probarse su realización dada su **naturaleza receptiva**, aunque, una vez recibida, sus efectos se retrotraigan al día de la emisión y no al de la recepción (TS 24-12-94, EDJ 9914).
2) La formulación de reclamación ante un juzgado (de lo social, en el caso que nos ocupa), tras recibir comunicación por la que se daban por extinguidas las relaciones comerciales entre las partes, si se declara la **incompetencia de jurisdicción** remitiéndose las actuaciones a la vía civil, se producen **efectos interruptivos** del plazo prescriptivo anual, pues no se precisa, a tal efecto, una plena identidad objetiva de las acciones ejercitadas, más aún, cuando es evidente la intención del interesado, como es el caso, de hacer efectivos sus derechos frente a la entidad demandada (AP Bizkaia 25-1-00, EDJ 46381).
3) En lo que se refiere a la **interrupción** de la prescripción, no se admite la acción del agente tendente a obtener la indemnización por clientela y perjuicios derivados del incumplimiento del preaviso (TS 21-7-04, EDJ 82543).
4) Por lo que respecta a la prescripción de acciones por el transcurso de tres años para el cumplimiento de determinadas obligaciones, no se pueden equiparar las **profesiones** referidas en el CC art.1967.1 (jueces, abogados, registradores, notarios, etc.) caracterizadas por el pago rápido e

inmediato, con las que se enmarcan en la Ley de Contrato de Agencia de 1992 entre las que se ubica el concepto de agente (TS 25-2-09, EDJ 19050).

5) En los contratos de **tracto sucesivo**, como puede ser el de agencia, el comienzo del plazo de prescripción (dies a quo) para la reclamación de la retribución de los distintos servicios singulares que devenguen una comisión es la **terminación de cada uno** de los servicios, por lo que si, en el marco de un contrato de agencia, el agente devenga una comisión por haber intermediado en una operación, es a partir del devengo de esa concreta comisión cuando comienza el cómputo del plazo de prescripción de tres años -CC art.1967- (TS 23-19-21, EDJ 748448).

8. Contrato internacional de agencia mercantil

El **derecho comparado** presenta grandes diferencias entre las distintas normativas de los Estados. **5825**

Algunos países carecen de estatuto especial del agente comercial, mientras otros contienen reglas intervencionistas para asegurar la protección del agente (p.e., España o Francia).

Ello hace que no exista una legislación unificada y que la existente se modifique frecuentemente debido a las **normas comunitarias**.

En el ámbito de la UE, hay que mencionar la Dir 86/653/CEE en lo referente a la coordinación de los ordenamientos de los Estados miembros en relación con los **agentes comerciales independientes.** Fue recogida en el Acuerdo sobre Espacio Económico Europeo.

Persigue dos **objetivos**:

- aproximar las legislaciones de los Estados miembros, y
- asegurar un mínimo de protección al agente.

Recoge las siguientes cuestiones:

- Define la figura del agente comercial.
- Enumera las **obligaciones** de las partes.
- Determina que la cuantía de la **remuneración** del agente debe fijarse de mutuo acuerdo.
- Califica de **comisión** cualquier elemento de la remuneración que varíe según el número o el valor de las operaciones y regula los casos en que el agente tiene derecho a ella. También contempla la posibilidad de que el agente perciba comisión por operaciones concluidas tras la terminación de su contrato.
- Establece que el contrato de agencia puede redactarse por **escrito** o bien puede ser **verbal**, pero los contratantes tienen el derecho irrenunciable a que se concreten por escrito las estipulaciones y apéndices oportunos. También tienen derecho a que los contratos de duración limitada se transformen en ilimitados.
- Cuando la **duración del contrato** se haya pactado como ilimitada, las partes pueden finalizarla mediante preaviso, si bien se exime del mismo cuando se den circunstancias excepcionales o una de las partes incumpla la ejecución total o parcial de sus obligaciones.
- Cuando finalice el contrato, el agente tiene derecho a recibir una **indemnización** si su labor produce ventajas al empresario (p.e., nuevos clientes), así como a reclamar daños y perjuicios si se le hubieran causado.
- En lo referente a la **cláusula de no competencia**, la restricción de las actividades profesionales del agente comercial, tras la terminación del contrato, debe establecerse por escrito.

La **transposición de la Directiva** al ordenamiento español se realizó a través de la LCA.

SECCIÓN 4

Mediación o corretaje

5830

1. Consideraciones generales

El contrato de corretaje o mediación **se define** como un contrato por el que una persona se obliga a pagar una remuneración a otra para que ésta realice una actividad encaminada a ponerla en relación con un tercero, con el fin de concertar un contrato determinado en el que **5835** el mediador no interviene (TS 6-10-90, EDJ 9065). En otras palabras, es el negocio jurídico por el que una de las partes (el **comitente**) encomienda a la otra (el **corredor o mediador**) la realización de gestiones dirigidas a facilitar la ulterior celebración con un tercero de un contrato en el que está interesado o para que le indique la oportunidad o la persona con quien puede celebrarlo. Por lo tanto, podemos decir que la esencia del contrato es facilitar la aproximación de comprador y vendedor, poniéndolos en contacto para lograr la celebración del contrato; y ello, a cambio de una remuneración que percibe el agente o mediador, fijada normalmente en un porcentaje sobre el precio de la transacción económica (AP Ourense 12-2-23, EDJ 566271).

El contrato de mediación se integra en los contratos de **colaboración y gestión de intereses ajenos**, cuya esencia reside en la prestación de servicios encaminados a la búsqueda, localización y aproximación de futuros contratantes, sin intervenir en el contrato ni actuar propiamente como mandatario (TS 10-3-92, EDJ 2317; 19-10-93, EDJ 9253; 30-3-07, EDJ 21898; 25-5-09, EDJ 120193).

Es un contrato **atípicio**, que aunque tenga similitud o analogía con el de comisión, con el de mandato e incluso con el de prestación de servicios, sin embargo nunca responderá a una combinación formada con los elementos a dichas figuras contractuales típicas (TS 2-10-99, EDJ 27842; 25-11-11, EDJ 289666).

Constituye, así, un contrato innominado y **atípico, consensual, bilateral, oneroso y aleatorio**, puesto que su resultado es incierto, y se rige por las estipulaciones de las partes que no sean contrarias a la ley, a la moral o al orden público y, en lo no previsto, por los preceptos correspondientes a figuras afines, como el mandato, el arrendamiento de servicios o la comisión mercantil (TS 6-10-90, EDJ 9065, entre muchas).

Precisiones **1)** El mediador facilita la conclusión del contrato y su remuneración suele condicionarse a esa conclusión. Parte de la doctrina estima, basándose en este criterio, que el **contrato** es **unilateral**, pues solo obliga al pago de la comisión a la parte que contrata al mediador (Sánchez Calero). A sensu contrario, otra tendencia doctrinal (Broseta, Vicent Chuliá) y la jurisprudencia, estiman que el contrato es **bilateral**, pues el mediador asume una obligación de hacer (TS 4-7-94, EDJ 11851; AP Ourense 13-2-23, EDJ 566271). En el mismo sentido, el carácter bilateral se confirma en el caso de que el mediador reciba dos **encargos concurrentes** para un mismo contrato: p.e., mediación concertada por el comprador pero aceptada y aprovechada por el vendedor (TS 11-2-91).

2) Para la calificación del **contrato** como **laboral** se exige que sea persona física o natural la que realice la mediación, así como el dato de la profesionalidad, esto es, que la mediación constituya el medio de vida del mediador, excluyéndose la esporádica o no habitual (TS 18-5-87).

3) El «éxito de la mediación» debe atenderse principalmente al propósito negocial buscado por las partes como criterio preferente de interpretación, y de forma complementaria a los usos y costumbres que resulten de aplicación. En el caso enjuiciado en la sentencia de referencia el alcance de la gestión de mediación comprometida debe calificarse **de resultado** y no de mera actividad (TS 20-5-15, EDJ 122585). Ver nº 5874.

5837 **Normativa aplicable** El contrato de mediación es **atípico**, pues no está regulado expresamente en las leyes civiles ni en el CCom, sin perjuicio de considerarlo mercantil cuando el mediador sea un profesional que se dedique habitualmente a promover negocios por cuenta ajena, y sea mercantil el contrato objeto de la mediación, o en aquellos casos en que la legislación específica lo determina así expresamente.

Al carecer de específica regulación en nuestro ordenamiento, el contrato de mediación ha de regirse por:

1º Lo **pactado** por las partes que no sea contrario a la ley, a la moral o al orden público (CC art.1091 y 1255).

2º Las **normas generales** de las obligaciones y contratos (CC art.1254 s.)

3º Los **usos de comercio,** así como la jurisprudencia pacífica y consolidada.

4º La **aplicación analógica** de las normas de otros tipos contractuales afines al mismo, como el mandato, la comisión mercantil regulada en el CCom art.244 s. o el arrendamiento de servicios (TS 6-10-90, EDJ 9065; 25-11-11, EDJ 287666; 20-11-12, EDJ 263394).

2. Clases de agentes o mediadores

5840 En determinados sectores de actividad es habitual el uso de mediadores o agentes que intermedian en la conclusión de contratos u operaciones. Es el caso de:

- los mediadores de **seguros** (nº 5842);
- los agentes de **comercio** (nº 5844);
- los agentes de la propiedad **inmobiliaria** o de **valores** (nº 5850).

Distribución de seguros y reaseguros (RDL 3/2020 art.127 a 211) Se entiende por distribución de seguros toda actividad de asesoramiento, propuesta o realización de trabajo previo a la celebración de un contrato de seguro, de celebración de estos contratos, o de asistencia en la gestión y ejecución de dichos contratos, incluyendo la asistencia en casos de siniestro. También se entenderán incluidas la aportación de información relativa a uno o varios contratos de seguro de acuerdo con los criterios elegidos por los clientes a través de un sitio web o de otros medios, y la elaboración de una clasificación de productos de seguro, incluidos precios y comparaciones de productos, o un descuento sobre el precio del seguro, cuando el cliente pueda celebrar el contrato de seguro directa o indirectamente utilizando un sitio web u otros medios. **5842**

Para poder iniciar y desarrollar estas actividades, el mediador deberá inscribirse en el **registro administrativo** de distribuidores de seguros y reaseguros.

Los sujetos a través de los cuales puede canalizarse la actividad de distribución de los seguros (o reaseguros), aparte de por la propia entidad aseguradora a través de sus empleados (RDL 3/2020 art.138 y 139), son los siguientes (RDL 3/2020 art.128):

1. Mediador de seguros: Toda persona física o jurídica, distinta de una entidad aseguradora o reaseguradora y de sus empleados, y distinta asimismo de un mediador de seguros complementarios, que, a cambio de una remuneración, emprenda o realice una actividad de distribución de seguros.

2. Mediador de seguros complementarios: Toda persona física o jurídica, distinta de una entidad de crédito o de una empresa de inversión -según se definen en el Rgto (UE) 575/2013 art.4.1.d, apartados 1 y 2-, que, a cambio de una remuneración, emprenda o realice una actividad de distribución de seguros con carácter complementario, siempre y cuando concurran todas las condiciones siguientes:

- la actividad profesional principal de dicha persona física o jurídica sea distinta de la de distribución de seguros;
- la persona física o jurídica solo distribuya determinados productos de seguro que sean complementarios de un bien o servicio;
- los productos de seguro en cuestión no ofrezcan cobertura de seguro de vida o de responsabilidad civil, salvo cuando tal cobertura sea complementaria del bien o servicio suministrado por el mediador en su actividad profesional principal.

3. A su vez, los mediadores de seguros se clasifican en (RDL 3/2020 art.135):

- **agentes de seguros** (RDL 3/2020 art.140), que son aquellas personas físicas o jurídicas, distintas de una entidad aseguradora o de sus empleados, que mediante la celebración de un contrato de agencia con una sola entidad aseguradora (agente de seguros **exclusivo**; RDL 3/2020 art.147 y 148) o varias entidades aseguradoras (agente de seguros **vinculado**; RDL 3/2020 art.149), se comprometen frente a estas a realizar la actividad de distribución de seguros;
- **corredores de seguros**, que son aquellas personas físicas o jurídicas que realizan la actividad de distribución de seguros, ofreciendo asesoramiento independiente basado en un análisis objetivo y personalizado, a quienes demanden la cobertura de riesgos (RDL 3/2020 art.155). A tal fin, deberán informar, a quien trate de concertar el seguro, sobre las condiciones del contrato que a su juicio conviene suscribir y ofrecer la cobertura que, de acuerdo a su criterio profesional, mejor se adapte a las necesidades de aquel; asimismo, velarán por la concurrencia de los requisitos que ha de reunir la póliza de seguro para su eficacia y plenitud de efectos.

La condición de agente de seguros y de corredor de seguros son **incompatibles** entre sí, en cuanto a su ejercicio simultáneo por las mismas personas físicas o jurídicas.

A su vez, los mediadores de seguros (agentes o corredores) pueden celebrar contratos mercantiles con **colaboradores externos** -personas físicas o jurídicas- que realicen actividades de distribución por cuenta de dichos mediadores (RDL 3/2020 art.137), los cuales:

- no tienen la condición de mediadores de seguros;
- han de desarrollar su actividad bajo la dirección, régimen de responsabilidad administrativa, civil profesional, y régimen de capacidad financiera del mediador para el que actúen;
- no pueden colaborar con otros mediadores de seguros de distinta clase (o para agentes o para corredores).

4. Operador de banca-seguros: tienen tal consideración las entidades de crédito, los establecimientos financieros de crédito y las sociedades mercantiles controladas o participadas por cualquiera de ellos, que, mediante la celebración de un contrato de agencia de seguros con una o varias entidades aseguradoras, se comprometan frente a estas a realizar la actividad de distribución de seguros como agentes de seguros utilizando sus redes de distribución (RDL 3/2020 art.150 a 154).

Precisiones 1) Los mediadores de seguros que se sirvan de **sitios web u otras técnicas de comunicación a distancia** para **ofertar o comparar productos de seguro** deberán elaborar políticas escritas que garanticen su transparencia, debiendo estar a disposición de la Dirección General de Seguros y Fondos de Pensiones para su supervisión. Dichas políticas escritas incluirán, al menos, la información que se detalla a continuación, la cual deberá incluirse de forma destacada en la página web del distribuidor (RDL 3/2020 art.134.3):
a) En su caso, los criterios utilizados para la selección y comparación de los productos de las entidades aseguradoras.
b) Las entidades aseguradoras sobre las que se ofrecen productos y la relación contractual con el mediador.
c) Si la relación con las entidades aseguradoras es o no remunerada y la naturaleza de la remuneración.
d) Si el precio del seguro que figura al final del proceso está o no garantizado.
e) La frecuencia con la que la información de los distribuidores es actualizada.
Junto a la información anterior, los mediadores deberán indicar la titularidad y condición de los sitios web, de tal manera que los usuarios puedan ejercer con la máxima garantía los derechos de asistencia y defensa de sus intereses y, en especial, utilizar las instancias de reclamación interna.
2) El **corredor de seguros** es un mediador de seguros privados no vinculado a las compañías aseguradoras por un contrato de agencia de seguros, al modo que lo está el agente de seguros, debiendo calificarse la relación jurídica que le liga con las entidades aseguradoras como contrato de mediación (TS 22-10-96, EDJ 7756). No cabe, por consiguiente, imputársele **culpa contractual** cuando media en la contratación de este tipo de seguros al no ser parte contratante (TS 23-1-98, EDJ 311).
Tampoco cabe la **reclamación por daños y perjuicios** por el incumplimiento de su compromiso de que la prima del seguro concertado no excediese de determinada suma durante cuatro años. El **contrato** de corretaje es **nulo** por infracción de la prohibición de asumir el corredor cualquier clase de riesgo (TS 11-12-99, EDJ 37868).
3) La figura del corredor de seguros es completamente independiente de la compañía aseguradora correspondiendo al cliente asegurado su **designación** sin que la aseguradora pueda imponer o impedir dicho nombramiento ni su revocación (TS 7-2-07, EDJ 7303).

5844 **Agentes mediadores de comercio** (CCom art.88 a 115) El Código de Comercio distingue entre agentes mediadores de comercio colegiados y libres:
a) Los **mediadores libres** no tienen fe pública, por lo que los actos y contratos en que intervienen han de probarse por los medios comunes de prueba de las obligaciones.
b) Los **agentes colegiados** tienen el carácter de notarios en cuanto se refiere a la contratación de efectos públicos, valores industriales y mercantiles, mercaderías y demás actos de comercio comprendidos en su oficio, en la plaza respectiva. Llevan un **libro-registro**, asentando en él por su orden, separada y diariamente, todas las operaciones en que hayan intervenido, pudiendo, además, llevar otros libros con las mismas solemnidades. Los **libros y pólizas** de los agentes colegiados hacen fe en juicio (CCom art.93).
Dentro de los agentes colegiados, el CCom **distingue** ente:
- Agentes de Cambio y Bolsa;
- Corredores de Comercio; y
- Corredores Intérpretes de Buques.

Precisiones Los **Agentes de Cambio y Bolsa** se integraron en el Cuerpo de corredores de comercio en virtud de la LMV/88 disp.adic.segunda.
Los **Corredores de Comercio** colegiados tienen la facultad de intervenir en la certificación de operaciones comerciales y en la expedición de pólizas de contratos mercantiles. También pueden realizar el cotejo de documentos públicos y verificar su conformidad con los asientos de su libro registro. Sin embargo, es importante destacar que desde el 1-10-2000, los corredores de comercio y los **notarios** han sido integrados en un cuerpo único de notarios, por lo que ahora las funciones que antes realizaban los corredores de comercio son ejercidas por los notarios (RD 1643/2000, sobre medidas urgentes para la efectividad de la integración en un solo Cuerpo de Notarios y Corredores de Comercio Colegiados; Instr DGRN 29-9-00). Ello no obsta, sin embargo, para que sigan siendo instrumentos públicos distintos las escrituras públicas y las pólizas.
Los **Corredores colegiados Intérpretes de Buques** sólo pueden existir en las plazas marítimas, y, de muchas de ellas, han ido desapareciendo al poder desempeñar sus funciones los notarios.

5846 En su condición de fedatarios mercantiles, los agentes colegiados tienen las siguientes **obligaciones** (CCom art.95):
1. Asegurarse de la **identidad** y **capacidad legal** para contratar de las personas en cuyos negocios intervengan y de la legitimidad de las firmas de los contratantes.
2. Proponer los **negocios** con exactitud, precisión y claridad, procurando no inducir a error a los contratantes.
3. Guardar **secreto** sobre las negociaciones en las que intervengan, sin revelar los nombres de quienes se las encarguen, a menos que éstos lo consientan, salvo que la ley, o su naturaleza, así lo exija.

4. Expedir, a costa de los interesados que lo soliciten, **certificaciones** de los **asientos** de sus respectivos contratos, así como llevar un libro registro.

Precisiones Los agentes mediadores dan **fehaciencia y credibilidad** en los **actos de comercio** comprendidos en el ámbito de su competencia en la plaza respectiva; no siendo preciso, a tal efecto, que ello se lleve a cabo mediante unidad de acto, sino que puede realizarse en diferentes momentos, puesto que la comprobación de los aspectos identificativos y personales mencionados puede realizarse en un determinado momento respecto de unas personas, y en otro momento en cuanto a otras distintas, manifestando cada una su voluntad obligacional a presencia del fedatario mercantil (AP Murcia 5-6-99, EDJ 27030).

Se establecen legalmente las siguientes **prohibiciones** para los agentes colegiados (CCom art.96): **5848**

1. Comerciar por cuenta propia o ajena con relación a **actividades mercantiles** distintas de las encomendadas.
2. Constituirse en **aseguradores de riesgo** mercantiles.
3. Negociar valores o mercaderías por cuenta de quienes se encuentren en **concurso de acreedores.**
4. Adquirir **para sí los efectos** cuya negociación se le hubiese encargado, salvo que el agente tenga que responder frente al vendedor de falta de pago del comprador.
5. Dar **certificaciones** que no se refieren directamente a hechos que consten en los asientos de sus libros.
6. Desempeñar cargos de tenedores de libros o **dependientes de comerciantes** o establecimientos mercantiles.

Otras clases de agentes Otros sectores económicos donde es frecuente el uso de intermediarios para concluir operaciones son el inmobiliario y el de los mercados financieros: **5850**

1. Agentes de la propiedad inmobiliaria (D 3248/1969 derog RD 1294/2007 -excepto art.1-; L 10/2003 art.3), encargados exclusivamente de aproximar a los contratantes interesados en operaciones inmobiliarias. Ver nº 4863 Memento Inmobiliario 2023-2024.

2. Agencias de valores, sociedades, entidades oficiales de crédito, bancos y cajas de ahorros, cooperativas de crédito, sociedades mediadoras del mercado de dinero y los corredores colegiados de comercio, cuando se limitan a mediar, esto es, a aproximar a los contratantes (nº 5715 s.).

Precisiones **1)** Los **agentes de la propiedad inmobiliaria** han sido calificados repetidamente por la jurisprudencia como mediadores (TS 26-3-91; 23-9-91; 21-5-92, EDJ 5087), si bien no tienen exclusividad en la mediación inmobiliaria, que es una actividad esencialmente libre. Cuestión distinta es que la persona que no tenga el correspondiente **título profesional** pueda usar el nombre de agente de la propiedad inmobiliaria (TDC 28-7-98).

2) Celebrado un contrato de mediación concertado por **mandatario verbal** del administrador y representante de una sociedad propietaria de una finca objeto de compraventa, se produce una vinculación directa entre el mandante y el agente mediador (TS 30-4-98, EDJ 2306).

3) Un gran número de sentencias civiles se refieren al corredor o **agente inmobiliario** como profesional especializado al hablar de la mediación. Sin embargo, ni la profesionalización de la función, ni el carácter corporativo de su ejercicio, ni el carácter inmobiliario de la gestión, son esenciales a la calificación como corretaje de una intermediación (Alvarez Caperochipi).

4) Los agentes de la propiedad inmobiliaria (API) tienen derecho a percibir los **honorarios** fijados en el reglamento del colegio de agentes (AP Albacete 29-1-00, EDJ 4632). No obstante, no procede la reclamación de honorarios exigida por el agente de la propiedad inmobiliaria al no haberse logrado la **perfección del contrato** de compraventa, que era el objeto de la mediación pactada (AP Almería 18-2-04, Rec 354/02), si bien tiene derecho a recibir la remuneración pactada, aun cuando la compraventa no se lleve a efecto por el **precio neto** que las vendedoras habían acordado percibir (TS 20-5-04, EDJ 51795).

5) El comprador de una casa no puede reclamar al API la **devolución de arras** ante la falta de entrega en plazo, al resultar probado que éste actuó, no como vendedor, sino en su representación, por lo que deberá realizar la reclamación ante éste (AP Girona 22-3-00, EDJ 23535).

6) La gestión del agente de la propiedad inmobiliaria de **acompañar a las personas a visitar un piso** que posteriormente adquirieron le confiere el derecho a recibir su remuneración, sin que sea obstáculo para ello que con posterioridad se efectúe otra visita a la casa para cerrar el contrato de compraventa (AP Badajoz 20-6-03, EDJ 128279).

7) El mediador tiene derecho al **cobro de la comisión del corretaje** porque la compraventa, objeto del contrato, se celebró, pero no al precio de la gestión realizada, ya que la obtención de las autorizaciones necesarias para instalar una residencia de la tercera edad en el edificio adquirido mediante la citada compraventa no se consiguieron en el plazo señalado entre las partes (TS 11-2-09, EDJ 13346).

5852 **Distinción con otras figuras afines** El contrato de mediación o corretaje se distingue de otras figuras afines, como son la comisión mercantil, el arrendamiento de servicios o el contrato de obra, en que el mediador **no participa** personalmente en la determinación del contenido del contrato a que tiende la mediación, ni como representante de una de las partes ni como simple mandatario suyo (TS 3-3-86). Para más notas diferenciadoras con el contrato de **comisión mercantil**, ver nº 5598.

También se diferencia del **contrato de agencia** en la nota de estabilidad que caracteriza la relación entre el agente y empresario (TS 9-11-11, EDJ 270374), dado que el contrato de mediación o corretaje es de tracto único e instantáneo, sin perjuicio de que su objeto comprenda la ejecución de uno o más encargos (TS 10-1-11, EDJ 2399). Ver nº 5731 para más diferencias con la agencia.

3. Objeto del encargo

5855 Puede ser variado:
- actividades de compraventa de bienes, tanto muebles como inmuebles;
- búsqueda de oportunidades de inversión;
- permuta con otros bienes;
- adquisición de patentes o marcas;
- aportación de tecnología;
- compraventa de empresas o establecimientos mercantiles, etc. (Cano Rico).

Precisiones La finalidad del contrato de mediación es la de poner en relación entre sí a las partes que han de celebrar entre sí un **futuro contrato** cualquiera que éste sea (compraventa, transporte, préstamo, seguro, etc.) (TS 5-6-78, EDJ 187).

4. Formación del contrato

5860 El contrato de mediación tiene **carácter consensual**, perfeccionándose mediante el simple consentimiento, que puede expresarse en forma verbal, escrita o incluso tácita (nº 244).

Los **efectos** de la mediación no pueden proyectarse a posteriores secuencias contractuales derivadas de una concesión obtenida en exclusiva, ya que la esencia de este contrato es su consideración de definitivo.

Precisiones **1)** Una vez el **contrato** queda **perfeccionado**, como sucede con la obtención de exclusividad, que es, en el caso de referencia, la finalidad de la mediación de corretaje, las compraventas desarrolladas posteriormente no quedan afectadas por él (TS 19-12-85).

2) En el ámbito de los **agentes de la propiedad inmobiliaria**, bajo la vigencia del D 3248/1969, derogado -excepto su art.1, relativo a las funciones profesionales- por el RD 1294/2007, se establecían formalidades a la contratación (art.30), de manera que cuando el agente recibía el encargo de efectuar alguna de las operaciones previstas en su art.1, debía invitarle a suscribir la Nota Encargo, en impreso facilitado por la Junta directiva del Colegio o, en su caso, en el impreso de exclusiva que utilizase el profesional, con su membrete, el cual tenía que estar adaptado al modelo colegial.

5. Obligaciones del mediador

5865 **1. Aproximación entre comprador y vendedor**. El contrato de mediación se integra en los contratos de colaboración y gestión de intereses ajenos, cuya esencia reside en la prestación de servicios encaminados a la búsqueda, localización y aproximación de futuros contratantes, sin intervenir en el contrato ni actuar propiamente como mandatario (TS 30-3-07, EDJ 21898; 25-5-09, EDJ 120193). El núcleo de este contrato es, por tanto, facilitar la aproximación entre comprador y vendedor, poniéndole en relación y teniendo como finalidad el lograr la celebración del contrato final (TS 2-10-99, EDJ 27842).

Con la finalidad de que la gestión encomendada llegue a buen término, el corredor está obligado a desplegar la actividad y **diligencia** necesarias para tal consecución.

El resultado pretendido, la **conclusión del contrato**, no depende de su voluntad, salvo que así se haya pactado expresamente, sino del propio mandante y de los terceros implicados en la operación (TS 1-12-86, EDJ 7828; AP Málaga 14-1-08, EDJ 125850; AP Salamanca 27-5-16, EDJ 109560).

El resultado o no de su gestión, y, en consecuencia, la obtención o no de la **retribución** pactada, constituye una circunstancia que forma parte del riesgo inherente a la actividad de su empresa.

Por las mismas razones expuestas, se estima que el corredor puede **rehusar el encargo** propuesto de la misma forma, y sometido a las mismas reglas que para el comisionista, establece el nº 5636.
2. Confidencialidad. En el ámbito de los agentes colegiados (nº 5844), el agente está obligado a mantener en secreto el nombre de su cliente, exigiéndose, salvo que la Ley o la naturaleza de las operaciones disponga lo contrario, o los propios interesados autoricen a ello, guardar secreto tanto en lo relativo a las negociaciones que se lleven a efecto como en lo que concierne al nombre de las personas de las que proviene el encargo (CCom art.95.3).

Precisiones **1)** La **falta de información** del API al cliente de todos los detalles relevantes en el desarrollo del negocio, concretamente, la imposibilidad de venta con sobreprecio de una VPO por ser su precio tasado e inalterable, obliga a éste al resarcimiento de la diferencia entre el precio establecido para la venta y lo realmente percibido, así como al del pago de las correspondientes sanciones administrativas impuestas (TS 2-10-99, EDJ 27842). **5867**
2) La **actuación** del agente que resulta **contraria a lo ordenado por el contratante**, extralimitándose en las funciones encomendadas, resulta inapropiada y no devenga derecho alguno (AP Barcelona 5-4-05).
3) Se declara la responsabilidad contractual del corredor de seguros por la contratación de pólizas por su mediación con una **entidad no autorizada para operar en España** (TS 29-11-07, EDJ 233270).

6. Obligaciones del cliente

La obligación fundamental del cliente que formula el encargo consiste en la retribución del corretaje efectuada por el mediador. **5870**

Remuneración del corretaje A este respecto se deben analizar varias cuestiones: **5872**
1. La **cuantía** de la remuneración depende, en primer lugar, de lo convenido por las partes, y, en su defecto, del uso mercantil de la plaza (CCom art.277), o de lo dispuesto en las disposiciones administrativas que regulan la profesión del mediador (nº 5837). Los corredores colegiados suelen cobrar según aranceles profesionales.
2. El **obligado** a satisfacer la retribución es aquél que formula el encargo, salvo pacto en contrario (TS 25-10-06, EDJ 299584).
3. El **momento** a partir del cual el cliente debe satisfacer el corretaje, o el mediador está facultado para exigirlo, suele ser cuando se ha concluido el contrato (es decir, desde su perfección), sin que sea necesario esperar a la consumación del mismo, salvo que así se haya pactado expresamente (entre otras, TS 14-3-00, EDJ 2106). No obstante, a este respecto la jurisprudencia no es pacífica. Ver nº 5874.
4. El corretaje debe ser satisfecho aun después de **extinguido o revocado** el encargo hecho al corredor, siempre que la conclusión del contrato objeto del encargo haya sido posible gracias a la actividad que prestó el corredor durante su vigencia (TS 7-1-57).

Precisiones **1)** La **prescripción** del derecho al cobro de la comisión, al tratarse de una acción personal que no tiene término especial, es de 5 años (CC art.1964.2). No obstante, las acciones nacidas con anterioridad a la entrada en vigor de la L 42/2015 (esto es, antes del 7-10-2015) se rigen por el régimen que existía cuando dichas acciones nacieron, que es de 15 años conforme a la redacción precedente del citado artículo, con un régimen transitorio. Ver nº 1202.
Téngase en cuenta que, a consecuencia del estado de alarma declarado en España para gestionar la crisis sanitaria y económica causada por la pandemia de **COVID-19**, los **plazos** de caducidad y prescripción quedaron **suspendidos** entre el 14-3-2020 y el 3-6-2020 (ambos incluidos), levantándose la suspensión desde el 4-6-2020 (RD 463/2020 disp.adic.4ª; RD 537/2020 art.10).
2) Para que se establezca la obligación de pagar honorarios de mediación o corretaje, se requiere la **previa declaración de la existencia de un contrato** de esta naturaleza entre ambas partes, situación que no resulta acreditada en el caso de una reclamación de cantidad por la intervención de un API en la venta de un hotel (TS 16-3-96, EDJ 1731).
3) No procede la reclamación de comisiones derivadas del contrato de mediación inmobiliaria al haber colaborado el mediador con los compradores en la resolución de los contratos de compraventa en los que había intermediado. La conducta del mediador es manifiestamente **contraria a la buena fe**, porque el devengo de las comisiones por la sola perfección de los contratos de compraventa mediados, con independencia de su consumación, no excluye que sea consustancial o inherente al contrato de mediación, como consecuencia de la buena fe, que el mediador no **entorpezca la consumación de los contratos** de compraventa intermediados (TS 27-6-13, EDJ 136056).

Devengo de la retribución Según la doctrina jurisprudencial, el devengo de la retribución de la mediación se produce por la **perfección del contrato** objeto de la misma, siempre que dicha mediación haya llegado realmente a producirse y haya tenido influencia en la misma (TS 14-11-12, EDJ 263393; 19-11-12, EDJ 269933). Es decir, salvo pacto expreso en contrario, el contrato está supeditado, en cuanto al devengo de honorarios, a la **condición suspensiva** de la **5874**

celebración del contrato pretendido (TS 17-7-95, EDJ 4003; 30-4-98, EDJ 2306; 20-5-04, EDJ 51795; 12-6-07, EDJ 70082; 13-10-11, EDJ 242187; 25-11-11, EDJ 287666; 28-12-11, EDJ 328377; 14-11-12, EDJ 263393; 30-7-14, EDJ 165044), pues la actividad del mediador debe contribuir eficazmente a que las partes concluyan el negocio (TS 21-10-00, EDJ 35377).
Dicho a la inversa: el mediador **no tiene derecho a la remuneración**:
- si el contrato encargado no llega a celebrarse (no se produce la perfección del mismo);
- si se ha celebrado pero no por la actividad del mediador (falta el nexo causal); y
- si se celebra una vez transcurrido el plazo pactado (es causa de extinción del contrato) a no ser que se pruebe que el contrato se celebró después, pero por razón de la actividad mediadora, con cuyo retraso las partes contratantes han querido evitar el pago al mediador (TS 25-11-11, EDJ 287666; 20-11-12, EDJ 263394; 14-11-12, EDJ 263393).

Precisiones 1) El mediador tiene derecho a cobrar el premio siempre que el contrato que promovió llegue a celebrarse (TS 5-11-98, EDJ 25110; 30-4-98, EDJ 2306), por ser un **contrato de resultado** y no de medios o actividad, aunque es válido el pacto expreso de que el cobrador ha de cobrar sus honorarios cuando se consume o cumpla la compraventa (TS 22-12-92, EDJ 12740).
2) El derecho a la remuneración del mediador depende del cumplimiento del encargo que se le hace, de modo que no adquiere derecho a percibirla aunque exista alguna persona dispuesta a comprar si, a pesar de ello, surge en el transcurso de las negociaciones alguna **diferencia sustancial obstativa** de la celebración de la venta porque, en este supuesto, el contrato no llega a perfeccionarse (TS 10-3-92, EDJ 2317).
3) En un caso en el que el objeto del contrato de mediación era la compraventa de un inmueble, solo se celebró un **precontrato de opción de compra** sin llegar a perfeccionar la compraventa dentro del plazo establecido. El Tribunal Supremo ha determinado que el mediador no tiene derecho a la remuneración acordada, dado que el resultado previsto en el contrato de mediación no se produjo (TS 25-11-11, EDJ 287666).
4) El mediador deja de tener derecho a la comisión si la compra no llega a realizarse con las **condiciones pactadas** sino bajo otras distintas en cuya negociación no intervino (TS 20-11-12, EDJ 263394).
5) La mediación o corretaje solo da derecho a comisión si se ha producido como **resultado de la actividad mediadora**, y no por la mera coincidencia de que el mismo comprador adquiera dos propiedades (TS 14-11-12, EDJ 263393).

5876 Es importante matizar que la mediación, salvo pacto en contrario, no alcanza a la **consumación del contrato pretendido**, por lo que si posteriormente se resuelve, se anula o, por cualquier razón pierde su validez o eficacia, el contrato de mediación queda incólume. En otras palabras, desde el momento en que se perfecciona el contrato objeto de la mediación, el mediador ha cumplido y agotado su actividad intermediaria (TS 1-12-86, EDJ 7828; 30-3-07, EDJ 21898; 13-10-11, EDJ 242187; 25-11-11, EDJ 287666; AP La Rioja 22-1-13, EDJ 11772; auto 30-3-22, EDJ 536981; AP Cáceres 24-2-21, EDJ 560045; AP Sevilla 10-11-15, EDJ 267015); **perfección** que se entiende producida desde que el vendedor y el comprador, mediante el correspondiente contrato, se ponen de acuerdo sobre la cosa y el precio, aunque ni la una ni el otro se hubieran entregado, a no ser que en el respectivo contrato de corretaje se haya estipulado expresamente que el mediador solamente cobrará sus honorarios cuando la compraventa haya quedado consumada, o sea, cuando el vendedor haya cobrado íntegramente el precio de la venta.
La perfección del encargo o el éxito de la mediación se producen cuando la actividad del mediador determina la existencia de un marco o vinculo negocial que posibilita la finalidad adquisitiva del ofertante, con independencia de la propia ejecución o consumación del mismo (TS 8-3-13, EDJ 136063). Por tanto, el mediador tiene derecho a la retribución íntegra de la comisión pactada cuando su gestión resulte decisiva o determinante para el «buen fin» o «éxito» del encargo realizado, con **independencia** de que la venta se lleve a cabo por el oferente sin su **conocimiento y del precio final** que resulte de la misma (TS 21-5-14, EDJ 99465, que sienta doctrina jurisprudencial; aplicada por AP Zaragoza 8-3-16, EDJ 42843; AP Barcelona 24-5-23, EDJ 632983; AP Madrid 29-9-23, EDJ 732771).

Precisiones La remuneración pactada debe ser entregada, una vez **concluido el contrato**, aunque después **se incumpla**, salvo pacto especial en contrario que garantice el buen fin de la operación (TS 21-5-92, EDJ 5087). En todo caso, cuando lo que se solicita es el pago de honorarios como indemnización (ganancia dejada de obtener), éste ha de satisfacerse puesto que el devengo de los mismos se produce en el momento de la perfección del contrato y no a la consumación de la compraventa gestionada (TS 14-3-00, EDJ 2106).

7. Extinción

La terminación del contrato de mediación sigue análogo régimen que el de la **comisión** (nº 5700 s.), salvo que las partes dispongan otra cosa. **5880**
En la comisión, aun cuando se haya fijado un plazo de duración, cabe la **revocación unilateral** del contrato, siempre que ésta obedezca a justa causa.
De lo anterior se deduce que la revocación, entendida como declaración unilateral y recepticia de la voluntad dirigida a dar por válidamente extinguido entre las partes el vínculo contractual, es aplicable como causa de extinción al contrato de corretaje, siempre que concurra una verdadera voluntad revocatoria y de que la misma responda a una **justa causa** (TS 15-11-10, EDJ 253924).
En orden a la apreciación de una justa causa en la decisión revocatoria, ha de tenerse en cuenta que la razón de ser de la revocabilidad se encuentra en que los contratos de colaboración y gestión de intereses ajenos producen una relación jurídica basada en la **confianza mutua** de las partes. De ahí que su **pérdida** o disminución abra la posibilidad de extinguirla a instancia de cualquiera de ellas, y, en particular, en el caso del mandante o comitente, por medio de la revocación (TS 13-11-08, EDJ 217192; 25-5-09, EDJ 120193).
La revocación no es un hecho que por sí mismo, genere en la contraparte el **derecho a ser indemnizada**. Es doctrina constante del TS (por todas, TS 13-11-08, EDJ 217192) que la revocación, a la luz del CCom art.279, no conlleva más derechos que los devengados por los negocios en los que se haya mediado con anterioridad a que se pusiera en conocimiento del mediador dicha voluntad revocatoria, estando la indemnización reservada a casos en que la denuncia unilateral se torna en abusiva o contraria a la buena fe.
Así, no siempre que se extingue un contrato basado en la confianza mutua procede la **compensación económica** (TS 6-11-06, EDJ 306286). Sólo en los casos en que la resolución unilateral del contrato (i) haya vulnerado el plazo de preaviso pactado; (ii) se muestre contraria a las exigencias de la buena fe contractual; o (iii) sea abusiva, cabe admitir la procedencia del derecho a la indemnización; pero en tales casos su **fundamento** se ha de buscar:
- bien en el **incumplimiento** de lo acordado en punto al modo en que debía de realizarse la denuncia unilateral;
- bien en la **omisión de la buena fe** que modula el contenido de la relación negocial (CCom art.57; CC art.1258);
- bien en el **ejercicio abusivo o malicioso** de un derecho que da lugar a la indemnización de los daños y perjuicios de conformidad con lo dispuesto en el CC art.7.1 y 2.

Doctrina que no obsta a que, llegado el caso, el desistimiento se acompañe de una compensación para evitar un eventual **enriquecimiento injusto** del comitente (TS 15-11-10, EDJ 253924; AP Madrid 30-6-21, EDJ 739277).

Precisiones **1)** En un contrato de mediación o corretaje de duración indeterminada, la parte contratante puede desistir unilateralmente del contrato si **pierde la confianza** en la otra parte, sin que tal desistimiento sea considerado abusivo ni suponga la obligación de hacerse cargo de los gastos desembolsados por el corredor en cumplimiento del encargo recibido. La pérdida de confianza se produjo porque el corredor no consiguió vender las viviendas acordadas a pesar de haberle otorgado exclusividad durante un tiempo más que razonable, hasta el punto de que transcurrido sobradamente ese plazo fue finalmente la parte contratante la que tuvo que vender algunas de las viviendas de las que constaba la promoción (TS 25-5-09, EDJ 120193).

2) La **falta de señalamiento de** un **plazo** concreto de duración del contrato permite la resolución unilateral del contrato sin perjuicio de las consecuencias indemnizatorias cuando la resolución del vínculo se haya producido en forma abusiva, o en aquellos casos en que la denuncia unilateral del contrato vaya seguida de un disfrute por el empresario representado de la clientela del agente, que pueda calificarse de **enriquecimiento sin causa** (TS 27-5-93, EDJ 5046).

SECCIÓN 5

Concesión mercantil o distribución comercial

1. Consideraciones generales

5890 Es aquel contrato por el cual un empresario (el **concesionario**) pone su establecimiento al servicio de otro empresario (el **concedente**) y se obliga, por tiempo determinado o indefinido, a adquirir del concedente **productos**, normalmente de marca, para **revenderlos**, en régimen de exclusiva, en un espacio geográfico determinado, a facilitar asistencia técnica, en su caso, a los clientes tanto antes como después de la venta, a soportar el riesgo y ventura de los contratos de venta celebrados y a garantizar el saneamiento por vicios o defectos ocultos de los productos vendidos (TS 9-2-04, EDJ 4458, citada por AP Barcelona 9-10-06, EDJ 430395).
Según la doctrina jurisprudencial, lo que caracteriza a este tipo de contratos es (TS 17-5-99, EDJ 11214):
- que el concesionario actúa **en nombre y por cuenta propia**, lo que le diferencia del contrato de agencia (ver nº 5904), y adquiere por compraventa los productos del concedente;
- que, pese a actuar por cuenta propia, el concesionario está sujeto a las **directrices y supervisión** del concedente (AP Guipúzcoa 25-1-12, EDJ 377723; TS 21-1-09, EDJ 10464), por lo que no puede organizar su propia actividad empresarial de forma independiente conforme a sus propios criterios, ya que estos en buena medida vienen impuesto por el concedente (AP Barcelona 29-11-10, EDJ 334610) (ver nº 5912);
- que la relación jurídica se basa en la confianza entre las partes; esto es, tiene el carácter de "**intuitu personae**" (TS 28-2-89, EDJ 2189; 9-2-04, EDJ 4458; 16-12-05, EDJ 225553; 4-3-09, EDJ 19051);
- que, incluso, puede hacerse de forma **verbal** (TS 14-2-97, EDJ 696). Ver nº 5916; y
- que normalmente incluye un **pacto de exclusiva**, aunque esta no puede presumirse (TSJ Navarra 30-10-99, EDJ 50529).

Precisiones **Reventa** significa vender los bienes en el mismo estado en que se encontraban cuando fueron suministrados, es decir, sin transformación o alteración alguna por el distribuidor (Bertrán Mendizábal).

5892 El contrato de concesión o distribución comercial se encuadra en la familia de los **contratos de colaboración** entre empresarios (como el de agencia), con la particularidad de que el concesionario actúa en su nombre y por cuenta propia en la zona geográfica asignada, asumiendo para sí los riesgos de las operaciones comerciales que realiza con los clientes (TS 22-5-19, EDJ 592412).
Su **contenido** responde a diversas modalidades que se emplean en el tráfico mercantil, de forma que, para la determinación de las obligaciones de las partes, tienen especial importancia las condiciones pactadas entre ellas (TS 27-2-90, EDJ 2157).
En estos contratos es frecuente la **cláusula de exclusiva**. El contrato se pacta con exclusividad cuando una empresa se obliga a no entregar sus productos para su reventa en un territorio determinado más que a otra empresa (distribuidor oficial), o cuando una empresa se obligue a no comprar sus productos más que a otra empresa determinada con fines de reventa, o cuando ambas obligaciones sean recíprocas.
En otros casos, sin embargo, las **redes de distribución** pueden ser **abiertas**, en el sentido de que no prevean ninguna exclusividad ni reparto de mercados.
También es habitual que su **duración** sea indefinida, pudiendo ambas partes denunciar el contrato en cualquier momento, respetando siempre las normas de preaviso y buena fe (nº 5930).
Es un **contrato atípico**, de naturaleza mixta, que incorpora caracteres del contrato de suministro (nº 1610) con exclusiva de reventa y del de agencia (nº 5710), y que posee un gran auge en el tráfico actual ya que facilita a las grandes empresas para que fraccionen su mercado en pequeñas **zonas** asignadas a sus concesionarios o distribuidores (Broseta).

Precisiones 1) Las empresas productoras de **bienes de consumo duraderos** suelen utilizar como cauce de comercialización la figura de la concesión, con la que tratan de alcanzar los siguientes fines: 5894

- un modo de **incrementar la oferta** y la colocación de un producto;
- su **presencia continua** en un territorio y sector del mercado;
- permite la utilización de los establecimientos comerciales concesionarios, sin coste de inversión para la empresa concedente sin que ello impida algunas **ayudas económicas** a los concesionarios;
- simultáneamente, los concesionarios se someten a unos rigurosos **controles** y exigencias en su actuación (exclusivas) con el fin de mantener el buen nombre de los productos fabricados o comercializados por la empresa concedente (Cano Rico).

2) En el nº 13340 se adjunta un **modelo** de contrato de concesión.

Notas características Fundamentalmente, ha de tenerse en cuenta en el estudio de este contrato que (Broseta Pont): 5896

a) El concesionario es un **comerciante con clientela propia**, aunque ésta se conecte al prestigio de los productos fabricados por el concedente.

b) El concesionario compra para revender, y lo hace **por cuenta propia**, obteniendo como remuneración el **beneficio de la reventa**, y no una comisión. Se lucra, pues, con la diferencia entre el precio del suministro y el de la reventa, precio, este último que, en muchas ocasiones, viene determinado por la propia concedente.

c) Generalmente, entre concedente y concesionario media una **doble exclusiva**. En este sentido, la exclusiva a favor del concesionario se distingue de la mera autorización que se da a ciertos revendedores de marcas muy acreditadas que, sin embargo, no disfrutan de exclusiva. Se reconoce al exclusivista el derecho a percibir comisiones indirectas y la comisión pactada sobre las operaciones realizadas por el concedente contraviniendo la exclusiva (TS 28-2-70).

d) Se pactan condiciones rigurosas por el concedente, de modo que, junto a las cláusulas de **protección territorial**, se establecen otras de **control**, de política de precios y de rescisión del contrato.

e) Puede pactarse por tiempo determinado o indefinido. Si su **duración** se pacta por tiempo indefinido, cualquiera de las partes está autorizada para su resolución por voluntad unilateral en cualquier momento, siempre y cuando se cumplan ciertos requisitos. Ver nº 5932.

Normativa aplicable En España, este contrato, a **falta de regulación positiva**, se ha ido configurando por la doctrina y por la abundante jurisprudencia para tratar de dar solución a los problemas planteados especialmente en relación con su denuncia y el alcance del pacto de exclusiva. 5898

• Con relación al **pacto de exclusiva**, como puede afectar al **principio de libre competencia**, incidiendo en la LDC, las normas de desarrollo de la mencionada Ley se han preocupado de estos contratos, que consideran lícitos, siempre que cumplan determinadas condiciones fijadas por normas comunitarias (ver nº 5947).

El acuerdo de distribución exclusiva puede tener **efectos negativos** sobre la libre competencia ya que impide a las restantes empresas del mercado establecidas en el territorio del distribuidor adquirir los productos del fabricante. Los consumidores, por otra parte, sólo pueden aprovisionarse directamente acudiendo al distribuidor oficial en el territorio.

A sensu contrario, estos contratos presentan una serie de **ventajas** evidentes: regularización de la oferta adaptando ésta a las exigencias del mercado, servicio post-venta y una mejor atención al consumidor.

Un supuesto especial es el de los **contratos de distribución selectiva**. La selección de los distribuidores tiene lugar en función de criterios cualitativos y cuantitativos. Es el supuesto, por ejemplo, de una factoría automovilística que vende sus productos en el mercado a través de una red de distribuidores, que adquieren la exclusiva de ventas de los vehículos y sus repuestos así como la obligación de prestar servicios de reparación post-venta y otros complementarios.

• Por lo que se refiere a la denuncia y resolución de estos contratos, la doctrina del TS mantiene «la posible procedencia de **compensación por clientela** al extinguirse los contratos de concesión o distribución», en **aplicación analógica** de la LCA art.28, valorando como uno de los factores a favor de tal compensación la integración del concesionario «en una red comercial que aproxime significativamente su posición a la del agente» (TS 22-3-07, EDJ 25361; 22-6-07, EDJ 152396; 15-1-08, EDJ 25591; 6-11-12, EDJ 248609). 5900

Sin embargo, la aplicación analógica de la LCA art.28 en el contrato de concesión o distribución no puede obedecer a criterio miméticos o de mero **automatismo**, sino que han de concurrir los requisitos exigidos para su aplicación (TS 8-10-13, EDJ 197141; 19-12-18, EDJ 656622). Ver nº 5936.

Además, debe tenerse en cuenta que en todo caso la voluntad de las partes y lo **pactado en el contrato** prevalecen sobre la aplicación automática de normativas de otros tipos de contratos, como el de agencia (TS 9-7-08, EDJ 124041).

Precisiones 1) No faltan sentencias que resaltan las **diferencias** entre el **contrato de distribución y el de agencia** para rechazar que al primero le sea analógicamente aplicable, a modo de regla general, la indemnización o compensación por clientela expresamente prevista en el ordenamiento para el contrato de agencia (TS 10-7-06, EDJ 102956; 6-11-06, EDJ 306286).
2) La procedencia y razonabilidad de la concesión de indemnización por clientela no implican el traslado mecánico de la aplicación de los preceptos contenidos en la Ley de Contrato de Agencia al contrato de distribución en exclusiva. Se está en presencia de supuestos de hecho diferentes, que no permiten, por tanto, la traslación (que también sería mecánica) del **plazo de prescripción** previsto en la LCA art.31 (TS 22-7-08, EDJ 128000).
3) La aplicación analógica del art.28 LCA, sólo procede cuando el **contrato** en cuestión no contenga **previsión alguna sobre la liquidación** de las relaciones entre las partes al extinguirse el contrato (TS 15-1-00, EDJ 25591; 9-7-01, EDJ 124041; 15-10-08, EDJ 197186).

5902 **Modalidades** Cabe distinguir los siguientes supuestos (Cano Rico):
a) Por **vinculación de la concedente**:
- empresarios independientes; o
- el concedente participa en la empresa concesionaria.
En cualquiera de ambos supuestos se entra en el campo de la **integración de empresas**, pues la concesionaria se somete a normas de conducta establecidas por la concedente.
b) Por el **grado de la concesión**:
- simple concesionario: es un escaparate de venta del concedente;
- delegación: vende y presta servicios post-venta;
- habilitación: puede combinarse con los anteriores, en el supuesto de un concesionario mayorista que vende a minoristas sin obligación de éstos de actuación en exclusiva. Este sistema lleva consigo los servicios post-venta.

5904 **Figuras afines** Tanto la doctrina como la jurisprudencia se muestran incapaces de adoptar una postura unánime en la determinación de este contrato, que ha de estimarse, aun siendo de **colaboración**, *sui generis*.
En ocasiones se le califica como una **modalidad** de:
- compraventa con exclusiva;
- suministro con exclusiva;
- contrato mixto de venta y arrendamiento de servicios; o
- de venta y agencia (Sánchez Calero).
Sin embargo, las notas de estabilidad y duración lo aproximan al **contrato de agencia** (nº 5710). Si bien, se diferencia de este contrato en que el distribuidor compra y revende las mercancías del fabricante por cuenta y en nombre propios, asumiendo el riesgo de las operaciones que realiza, y con la ganancia que representa el llamado margen o beneficio comercial; mientras que el agente promueve y, en su caso, concluye la venta de los productos del empresario, por cuenta y en nombre del mismo, a cambio de una comisión (TS 6-11-06, EDJ 306286; 15-10-08, EDJ 190084; AP Barcelona 29-11-10, EDJ 334610).

Precisiones 1) Mientras el **contrato de agencia** tiene por objeto la promoción por parte del agente de actos u operaciones de comercio por cuenta ajena, en el contrato de concesión ese objeto se circunscribe a la reventa o distribución de los propios productos del concedente.
2) De la nota de la **dependencia** o no puede radicar la no inclusión de la concesión en el contrato de agencia pues, así como la independencia del agente es básica, el concesionario puede no organizar su actividad profesional conforme a sus propios criterios al venir impuestos por el concedente, por lo que la concesión no puede calificarse como agencia, sin que ello excluya la llamada **concesión independiente**, que suele primar en el sector del automóvil, por el efecto traslativo del vehículo a favor del concesionario y la ejecución del negocio por cuenta y riesgo de éste.
Cuando la concesión sea agencia -promoción de actos de comercio o reventa, relación estable e independencia- es de aplicación la L 12/1992, tanto en la **rescisión** como en la **indemnización**, y, en otro caso, y a falta de norma especial, rige el CC art.1101 y 1124 (TS 8-11-95, EDJ 6161; 20-1-00, EDJ 171).
3) Estamos ante un contrato de concesión por resultar probada la **concesión de venta** y **distribución de productos** del concedente, así como la autonomía negocial independiente del concesionario (TS 12-6-99, EDJ 11526).
4) Sobre la aplicación analógica de la Ley del Contrato de Agencia para reconocer al concesionario o distribuidor el derecho a la **indemnización por clientela**, ver nº 5936.

Caso particular: contrato de distribución de vehículos automóviles e industriales (LCA disp.adic.1ª; L 7/2011 disp.final 4ª) Conforme a la LCA disp.adic.1ª, introducido por la L 2/2011 disp.adic.16ª, hasta la aprobación de una Ley reguladora de los contratos de distribución, el **régimen jurídico del contrato de agencia** previsto en la LCA se aplica a los contratos de distribución de vehículos automóviles e industriales, por los que una persona natural o jurídica, denominada distribuidor, se obliga frente a otra, el proveedor, de manera continuada o estable y a cambio de una remuneración, a promover actos u operaciones de comercio de estos productos por cuenta y en nombre de su principal, como comerciante independiente, asumiendo el riesgo y ventura de tales operaciones. 5906

No obstante, la L 7/2011 disp.final 4ª deja **sin efectos y en suspenso** este régimen jurídico apenas un mes después de su entrada en vigor (ver AP Valencia 27-1-14, EDJ 46201).

Aunque se establece la aplicación analógica de la LCA a los contratos de distribución y el TS no ha negado dicha posibilidad, sí que ha rechazado su **aplicación** en todos sus términos y de forma **automática** por la necesidad de probar en cada caso la concurrencia de identidad de razón para esta aplicación analógica. En consecuencia, ante la ausencia de regulación legal concreta, corresponde a la jurisprudencia interpretar el contenido de los contratos de distribución suscritos por las partes en un eventual litigio, así como interpretar las lagunas que puedan surgir, en especial sobre cuestiones que afectan a la resolución contractual y sus consecuencias (TS 4-3-09, EDJ 19051).

2. Formalización

Son objeto de estudio en este apartado: 5910
- los sujetos que intervienen en su perfección (nº 5912);
- los productos objeto del contrato (nº 5914); y
- la ausencia de requisitos formales (nº 5916).

Intervinientes El contrato de concesión es un contrato de colaboración entre **empresarios**. 5912
El **concesionario** forma parte de una red de distribución de los productos del concedente, que éste organiza en el ámbito de un mercado nacional o más amplio.

El concesionario adquiere, en firme, la mercancía de la firma a la que representa. Es por ello por lo que todos los **riesgos** de viaje, recepción y almacenamiento de mercancía, cobro y saneamiento de la entrega al cliente suelen pesar sobre él.

Por su parte, el **concedente** se asegura que la distribución se hará en las condiciones que más prestigien a sus productos a través de una serie de imposiciones o directrices, referentes al precio, forma de cobro, volumen mínimo de comercialización, servicio post-venta, publicidad de marca, etc.

Precisiones En el contrato de distribución en exclusiva, el distribuidor actúa en nombre propio y como **dueño exclusivo** de la mercancía que revende (TS 4-10-99, EDJ 27844).

Objeto Lo característico de este contrato es la concesión de un territorio con carácter exclusivo o no para la **venta** de los productos objeto del contrato. 5914

La empresa distribuidora o concesionario presta numerosos **servicios**:
- venta del producto adquirido con carácter exclusivo del fabricante;
- reparaciones del producto;
- venta de repuestos;
- colaboración con la entidad de financiación de las ventas, si existiera.

Precisiones 1) La **compra** de los productos del concedente por el distribuidor para **revenderlos** por su cuenta y riesgo se considera un elemento característico del contrato de concesión o distribución, inserto en su estructura propia (TS 2-12-05, EDJ 225517).

2) Salvo **pacto de recompra** o características especiales del sector comercial al que perteneciera el contrato de distribución, no cabe indemnización a favor del distribuidor por las **existencias almacenadas** al tiempo de extinguirse el contrato (TS 11-11-08, EDJ 222276).

Forma El contrato no requiere formalidad alguna, por lo que nos remitimos a la parte general (nº 170 s.). De hecho, el pacto puede ser **verbal**, en cuyo caso, al carecer de forma escrita, tiene que acreditarse su contenido mediante pruebas distintas de un documento propiamente contractual (TS 15-1-08, EDJ 25591). 5916

Precisiones La exclusividad no se presume. Aunque pueda ser posible, por la libertad de forma en la celebración de este tipo de contrato, es infrecuente que se formalice a través de **pacto verbal**. Más aún, en el asunto de referencia no se acredita acto alguno, expreso o tácito de concesión de una distribución de los productos de los demandados en exclusiva, ni tal condición se deduce de actos o documentos posteriores relativos a la relación negocial entre las partes (TSJ Navarra 30-10-99, EDJ 50529).

3. Obligaciones del concesionario

5920 1. **Compra de productos para su reventa**. En ocasiones, se obliga a la compra de un determinado número de productos al concedente durante cierto tiempo pactando con éste el mantenimiento de unos *stocks* mínimos para su posible reventa.
2. **Servicio post-venta**. Con relación al servicio post-venta, suelen fijarse en el contrato determinadas condiciones a cumplir por el concesionario.
3. **Exclusividad**. En la práctica, suele asumirse por el concesionario el pacto de exclusiva a favor del concedente aunque la compra de productos similares a otros proveedores a precios o condiciones más beneficiosas no implica la violación del pacto.
En el supuesto de que el concedente no pueda suministrar los productos ofrecidos, puede pactarse que éstos se adquieran de un **tercero** por el propio concesionario.
4. **Precio**. Es contraria a la libre competencia la fijación de cláusula que imponga al concesionario precios de reventa, pero no los precios recomendados de venta o el establecimiento de un precio máximo de venta (TS 21-1-09, EDJ 10464).
5. **Objetivo mínimo de ventas**. Es característico del contrato de concesión la fijación de objetivos mínimos de venta (TS 2-3-01, EDJ 1260; 16-12-05, EDJ 225553), siempre que no contravengan lo previsto en los Reglamentos comunitarios al respecto -p.e., para venta de vehículos automóviles, el Rgto CEE/123/85 y Rgto CE/1475/95- (TS 15-10-08, EDJ 197186).
6. **Otras obligaciones**. Como otras obligaciones, han de mencionarse:
- empleo de personal cualificado para el encargo;
- instalaciones adecuadas para el desarrollo del negocio; y
- promoción de venta de los productos.

Precisiones **1)** La fijación de un **precio máximo de venta** no determina una variación de la calificación del contrato de concesión, al ser éste un dato no esencial y no modificativo del sistema normal de retribución del concesionario (TS 21-1-09, EDJ 10464).
2) La jurisprudencia ha excluido la **indemnización por clientela** a favor del concesionario cuando la resolución del contrato a instancia de la concedente ha estado justificada por la falta de consecución de esos objetivos mínimos (TS 15-10-08, EDJ 197186).

4. Obligaciones del concedente

5925 La principal es la venta o el **suministro de las mercancías** pactadas al concesionario.
Si existe **cláusula de exclusiva** a su cargo, queda privado de la venta o suministro de sus productos a otros revendedores que actúen en la zona de territorio del concesionario, si bien puede:
- designar a otros empresarios para que actúen conjuntamente en la zona designada a éste;
- hacer entrega de sus productos a clientes que no sean revendedores, previa indemnización al concesionario exclusivo.
Cuando el concedente es, a su vez, **fabricante**, está obligado a ofrecer una garantía de sus productos, si bien no puede determinar los precios de reventa que se han fijado libremente por el distribuidor.

Precisiones **1)** Se considera contraria a la libre competencia la cláusula que estipule la aplicación de la **garantía** únicamente a los productos que se adquieran en la zona de un concesionario autorizado (Sánchez Calero).
2) El **incumplimiento del pacto de exclusiva** puede dar lugar a la percepción de "comisiones indirectas" como indemnización, en los casos en que el cesionario, quebrantando lo estipulado, realiza directamente las ventas y priva al concesionario del correspondiente premio (TS 10-11-81, EDJ 1660).

5. Extinción

5930 El contrato queda extinguido por las **causas** que las partes hayan previsto en el mismo.
Una de las causas de extinción es la del **vencimiento del plazo**.
Si el contrato de concesión es por **tiempo indefinido**, ya sea porque así se haya pactado, ya se deba a que no se ha fijado plazo, las partes están facultadas para poner fin a la relación jurídica mediante una declaración unilateral de desistimiento (nº 304) (TS 21-11-05, EDJ 197577).
En la práctica, existen frecuentes litigios cuando se pone fin a la relación contractual, básicamente porque el concesionario estima que el **daño** se produce simplemente por la extinción del contrato, puesto que ha realizado determinadas inversiones para su ejecución. Además, considera que debe obtener un resarcimiento por la clientela aportada al concedente.

En los contratos de concesión suele pactarse que no existe otro derecho a la indemnización que el que consiste en la **recompra**, al precio de adquisición con un ligero descuento, de todos los productos que haya adquirido el concesionario (Sánchez Calero).

Precisiones 1) Cuando las **modificaciones del contrato** comporten la variación de elementos sustanciales y no sean aceptadas justificadamente por la contraparte provocando su desistimiento, singularmente en aquellos casos en los que las nuevas condiciones son inaceptables por rebasar los límites de la lógica comercial, dan lugar al **desistimiento** con causa y no permiten desplazar sobre quien desiste las consecuencias de la ruptura del contrato (TS 15-3-11, EDJ 16240).

2) Habida cuenta de que la pretensión del contrato es su cumplimiento, si en el mismo se pactó una **condición resolutoria** para el supuesto de que no se cumplieran los **objetivos de venta**, si éstos no se alcanzaron, la cláusula es efectiva produciendo la extinción del mismo sin posibilidad de indemnización por daños y perjuicios (TS 24-11-98, EDJ 26839).

3) Constituye un incumplimiento contractual del concedente **extinguir la relación contractual por la vía de los hechos** consumados, suspendiendo los suministros y desconectando a la demandante del sistema informático sin previa, simultáneamente o, cuando menos, en un plazo razonable, denunciar unilateralmente el contrato (TS 8-11-12, EDJ 269939).

Resolución unilateral Sin perjuicio de la resolución del contrato en caso de incumplimiento, cuando no se estipula un plazo concreto de duración del contrato de distribución, o cuando se pacta que su **duración sea indefinida**, cualquiera de las partes está autorizada para su resolución por voluntad unilateral en cualquier momento y sin necesidad de justa causa (TS 5-2-04, EDJ 3304). **5932**

Ahora bien, en aras al principio de buena fe, la resolución unilateral del contrato implica un cierto **plazo de preaviso** (TS 24-2-93, EDJ 1785; 25-1-96, EDJ 289; 28-1-02, EDJ 443; 15-3-11, EDJ 16240). Es inherente a los contratos de duración indefinida el deber de lealtad y buena fe, considerándose abuso de derecho o conducta desleal el ejercicio de la facultad resolutoria de una forma sorpresiva (TS 18-7-12, EDJ 154296; 8-11-12, EDJ 269939; 17-1-19, EDJ 500897).

Precisiones 1) El **pacto de exclusiva** no tiene carácter perpetuo, por lo que cabe la denuncia unilateral dando **preaviso** en el término pactado, o, en su defecto, en el determinado por los usos y, a falta de ambas circunstancias, concediendo un término prudencial atendida la naturaleza de la obligación (TS 19-12-85). La denuncia interpuesta en esta forma, no empece la necesidad de que los tribunales sancionen la procedencia de la resolución cuando es resistida (TS 27-2-89).

2) Como regla, las partes tienen la facultad de desvincularse unilateralmente de los contratos de **duración indefinida**, pese a lo cual, el deber de lealtad, cuya singular trascendencia en el tráfico mercantil destaca el CCom art.57, exige que la parte que pretende desistir unilateralmente sin causa preavise a la contraria, incluso cuando no está así expresamente previsto, de conformidad con lo establecido en el CC art.1258, salvo que concurra **causa razonable** para omitir tal comunicación (TS 18-7-12, EDJ 154296).

3) La extinción por desistimiento unilateral del contrato precisa del **reconocimiento judicial** cuando la otra parte la impugna. En tanto no conste la extinción del vínculo contractual, no pueden considerarse actos de **competencia desleal** la utilización de marcas y signos identificadores (TS 15-11-99, EDJ 36768).

4) Dado que el contrato de concesión o distribución se basa en la confianza mutua de las partes (nº 5890), su resolución inmediata fundada en la **pérdida de confianza** estaría plenamente justificada (TS 8-5-12, EDJ 89304).

En relación con un contrato de distribución en exclusiva, el juzgado de instancia estima que el impago de las facturas de las mercancías servidas para su distribución comercial constituye un incumplimiento suficiente como para considerar **quebrada la relación de confianza** propia de este contrato. Por tanto, la extinción unilateral por parte del concedente está plenamente justificada, no pudiéndose considerar abusiva ni contraria a la buena fe (AP Sta. Cruz de Tenerife 13-1-01, EDJ 2620).

Indemnización de daños y perjuicios Resuelto unilateralmente un contrato de concesión o distribución en exclusiva de duración indefinida, en principio el concesionario no tiene derecho a ninguna indemnización por el ejercicio correcto por el concedente de su facultad de resolución. Sin embargo, sí la tiene cuando la usa con **mala fe** o con **abuso de derecho** (TS 11-3-96, EDJ 899; 14-2-97, EDJ 696; 30-12-10; 15-3-11, EDJ 16240). **5934**

El **preaviso** para resolver los contratos de duración indefinida es, en principio, innecesario. Sin embargo, debe señalarse que, si bien ello es así, sucede que un ejercicio de la facultad resolutoria de una forma sorpresiva o inopinada, sin un margen de reacción en forma de un prudente preaviso, puede ser valorado como un ejercicio abusivo de derecho, o constitutiva de conducta desleal incursa en la mala fe en el ejercicio de los derechos, que si bien no obsta a la extinción del vínculo, sí debe dar lugar a una indemnización cuando ocasione daños y perjuicios (TS 16-12-05, EDJ 225553; y en términos similares, TS 30-6-87). Es decir, tal indemnización está subordinada a que se acredite que la falta de preaviso o el escaso margen temporal del mismo causó un daño específico o una agravación que no se habría producido con un plazo prudentemente superior (TS 29-9-06, EDJ 275336, en la que se citan TS 18-7-00, EDJ 21443; 22-4-02, EDJ 9748; 16-12-03, EDJ 174019; 9-2-04, EDJ 4458; 6-6-06, EDJ 83827).

Precisiones 1) Como regla, el **desistimiento unilateral** del contrato de distribución no da lugar a indemnización, si bien, en caso de mediar **mala fe o abuso** en la forma de ejercitar la facultad de desistir, la indemnización nada más comprende los eventuales daños y perjuicios provocados por ilícitud, pero no los derivados del desistimiento, ya que, a la postre, son los contratantes quienes definen la duración, exclusiva, territorio, cuantía de la comisión, plazo de preaviso en su caso, posible indemnización por clientela, etc. en función de las características del producto o servicio distribuido, tiempo necesario para rentabilizar la inversión y cuantos otros factores que influyen en las decisiones comerciales (TS 15-3-11, EDJ 16240).

2) En atención a la larga duración del contrato de distribución en exclusiva resuelto unilateralmente por la comitente, el **preaviso** debería haber sido de al menos **seis meses**, por analogía con lo regulado en el LCA art.25, que aunque no resulte directamente de aplicación, sirve de referencia para determinar la antelación del preaviso. Los perjuicios derivados del incumplimiento de este preaviso no quedan reducidos al daño emergente, sino que deben extenderse también al lucro cesante, al amparo del CC art.1106 (TS 8-10-13, EDJ 197141; 19-5-17, EDJ 72594).

3) Al resolverse el contrato por denuncia unilateral del concedente, sin que exista justa causa de resolución y, demostrado un **abuso de derecho** por el concedente, debe indemnizarse al concesionario por los daños y perjuicios causados al mismo (TS 15-11-97, EDJ 7841; 30-11-99, EDJ 36821; 17-5-99, EDJ 11214).

4) La jurisprudencia ha declarado la validez de las **cláusulas contractuales excluyentes de cualquier indemnización** a favor del concesionario en el caso de resolución del contrato por su incumplimiento, e incluso para el caso de extinción por denuncia unilateral del concedente (TS 18-3-04, EDJ 10561; 26-4-04, EDJ 17046; 30-12-10, EDJ 298180).

5936 **Indemnización por clientela** La extinción de los contratos de concesión o distribución, sean por tiempo indefinido o por tiempo determinado, da lugar, como **regla general**, a un derecho del distribuidor a una compensación económica a cargo del proveedor por la clientela ganada gracias al esfuerzo empresarial del primero, y de la que pueda aprovecharse el segundo tras la extinción del contrato. Tal derecho se funda en lo injustificado del **enriquecimiento** o ventaja adquirida por el concedente merced a la extinción del contrato. Enriquecimiento que no es correlativo al empobrecimiento del distribuidor, sino a la creación de un activo empresarial, gracias al esfuerzo de éste, que a partir de entonces va a aprovechar únicamente a aquél. Es decir, se trataría de la compensación por el aprovechamiento del esfuerzo ajeno, más que la indemnización a un empobrecimiento de la contraparte (TS Pleno 15-1-08, EDJ 25591; 16-3-16, EDJ 23779).

La jurisprudencia considera que la llamada indemnización por clientela **regulada** en la LCA no es exclusiva del contrato de agencia y, pese a las diferencias estructurales con otros instrumentos jurídicos utilizados por los empresarios para la distribución de productos, puede ser apreciada en otros contratos, entre los cuales está el de concesión o distribución, aun cuando este último se caracterice por una actuación del concesionario o distribuidor en nombre propio y por cuenta propia (TS 22-6-07, EDJ 152396; 20-7-07, EDJ 104523). Es decir, se acepta la **aplicación analógica** de la LCA art.28, que reconoce el derecho del concesionario a ser indemnizado por razón de la clientela en caso de extinción unilateral del contrato, siempre que (TS 22-7-08, EDJ 128000; 6-11-12, EDJ 248609):

- se pruebe la aportación de **nuevos clientes**; y
- su potencial **aprovechamiento** por el concedente.

No cabe **presumir** que la relación de distribución haya tenido que generar por sí una aportación de clientela a favor del comitente y que, con la resolución del contrato, esta clientela vaya a seguir siendo aprovechada por dicho comitente. De ahí que se imponga la acreditación de estos dos presupuestos fácticos necesarios para que pueda surgir el derecho del distribuidor a una indemnización por clientela (TS 27-5-15, EDJ 99075).

En conclusión, la compensación por clientela y la aplicación analógica del art.28 LCA no pueden obedecer a **criterios miméticos o de automatismo**. Lejos de ello, el demandante que pretenda aquella compensación habrá de **probar** la efectiva aportación de clientela y su potencial aprovechamiento por el concedente, del mismo modo que corresponderá a los tribunales ponderar todas las circunstancias del caso, como en especial sería la integración o no del concesionario en una red comercial que aproxime significativamente su posición a la del agente (TS 3-3-11, EDJ 13866; 22-7-16, EDJ 114246). En realidad, lo que puede justificar la compensación por clientela no es la semejanza entre el contrato de agencia y el de distribución (nº 5904), sino que el propio contrato obligue a considerar como «activo común» la clientela creada o acrecentada gracias al esfuerzo del distribuidor y no exista previsión contractual sobre su liquidación (TS 8-10-13, EDJ 197141).

Precisiones 1) El TS mantiene «la posible procedencia de compensación por clientela al extinguirse los contratos de concesión o distribución», en aplicación analógica de la LCA art.28, valorando como uno de los factores a favor de tal compensación la **integración del concesionario «en una red comercial** que aproxime significativamente su posición a la del agente» (TS 22-3-07, EDJ 25361; 22-6-07, EDJ 152396; 15-1-08, EDJ 25591; 6-11-12, EDJ 248609). 5938

2) No faltan sentencias que resaltan las **diferencias** entre el **contrato de distribución y el de agencia** para rechazar que al primero le sea analógicamente aplicable, a modo de regla general, la indemnización o compensación por clientela expresamente prevista en el ordenamiento para el contrato de agencia (TS 10-7-06, EDJ 102956; 6-11-06, EDJ 306286).

3) La procedencia y razonabilidad de la concesión de indemnización por clientela no implican el traslado mecánico de la aplicación de los preceptos contenidos en la Ley de Contrato de Agencia al contrato de distribución en exclusiva. Se está en presencia de supuestos de hecho diferentes, que no permiten, por tanto, la traslación (que también sería mecánica) del **plazo de prescripción** previsto en la LCA art.31 (TS 22-7-08, EDJ 128000).

4) No puede solicitarse indemnización por clientela, compensatoria de un enriquecimiento injusto, ante la resolución unilateral por la concedente exclusiva de marca de automóvil debido al **incumplimiento** del **volumen de ventas mínimo contractual** de la concesionaria. La captación de clientes es una prestación propia característica de la concesionaria, por aplicación analógica de la LCA art.28, solo en defecto de previsión contractual (TS 15-10-08, EDJ 197186).

5) El incumplimiento del **plazo de preaviso** no es relevante para la indemnización de la clientela, aunque en el caso de referencia se otorgó un plazo suficiente (TS 22-7-16, EDJ 114246).

6) En este caso no procede una indemnización adicional por clientela bajo la LCA art.28, dado que el contrato de concesión ya incluye disposiciones que compensan al concesionario por la labor realizada, que indirectamente cubre el incremento de clientela y ventas. Por tanto, las **disposiciones contractuales específicas** prevalecen sobre la aplicación analógica de la LCA (AP Barcelona 29-5-23, EDJ 632968).

6. Concesión comercial internacional

Por medio de este contrato, el concedente **exportador**, persona física o jurídica, atribuye a otra denominada distribuidor o concesionario la facultad de **distribución de sus mercaderías** para su reventa, en un área geográfica determinada con carácter exclusivo y por tiempo determinado o indeterminado. 5945

El distribuidor vende por su **propia cuenta y en nombre propio**, como comerciante independiente sin representar al concedente.

En principio, no puede crear vínculos entre su clientela y el concedente, lo cual exime al exportador de cualquier **responsabilidad** por los compromisos que el concesionario contrae con terceros quedando cubierto de las posibles deudas de un distribuidor insolvente (Medina de Lemus).

En el ámbito internacional, se recomienda comprobar que no se introduzcan en el contrato disposiciones que contravengan el derecho comunitario o las **legislaciones de otros países**. Es necesario para ello la consulta, en cada caso, de las normas de aplicación al contrato en áreas como la restricción territorial del distribuidor, las prohibiciones o limitaciones a la exportación o la cláusula de exclusividad.

Los exportadores deben tener presente la posibilidad de anulación de determinadas **cláusulas** que puedan **limitar los derechos de actuación** del concesionario o distribuidor, particularmente las que supongan restricciones a la libertad de contratación con terceros, fijación de precios de reventa o exportación de determinados productos (Modesto Bescós).

Acuerdos verticales y prácticas concertadas en la UE (Rgto (UE) 2022/720) El Tratado FUE art.101.1 prohíbe los acuerdos que puedan afectar al comercio entre los países de la UE y todo aquello que impida, restrinja o **falsee la competencia**. Los acuerdos que creen suficientes beneficios como para superar los efectos contrarios a la competencia están exentos de esta prohibición conforme al Tratado FUE art.101.3. 5947

Los **acuerdos verticales** son acuerdos para la compraventa de bienes o servicios suscritos entre empresas que operan en planos distintos de la cadena de producción o distribución. Los acuerdos de distribución entre fabricantes y mayoristas o minoristas son típicos ejemplos de acuerdos verticales. Los acuerdos verticales que simplemente determinan el precio y la cantidad de una transacción de compraventa específica normalmente no restringen la competencia. Sin embargo, puede haber una **restricción de competencia** si el acuerdo contiene restricciones sobre el proveedor o el comprador; por ejemplo, la obligación que prohíbe al comprador comprar a las marcas competidoras. Las restricciones verticales no tienen por qué tener solo efectos negativos, sino también pueden tenerlos positivos. Por ejemplo, pueden ayudar al fabricante a introducirse en un nuevo mercado, evitar la situación por la que un distribuidor se aprovecha gratuitamente de los esfuerzos promocionales de otro distribuidor o permitir a un proveedor que deprecie la inversión destinada a un cliente particular.

5949 El hecho de que un acuerdo vertical restrinja realmente la competencia y que, en ese caso, los **beneficios superen los efectos contrarios a la competencia** a menudo dependerá de la estructura del mercado. No obstante, el Rgto (UE) 2022/720 (que sustituye el anterior Rgto UE/330/2010 desde el 1-6-2022), hace, mediante la exención por categorías, que la prohibición del Tratado FUE art.101.1 no sea aplicable a los acuerdos verticales que cumplen los siguientes **requisitos**:

1º. Que el acuerdo no contenga ninguna de las **restricciones especialmente graves** contenidas en el Reglamento. Se consideran restricciones especialmente graves a las severas restricciones de competencia por el posible daño que pueden causar a los consumidores. El Reglamento contiene cinco restricciones especialmente graves:

a) Restricciones de la facultad de un comprador de determinar su precio de venta, aunque el proveedor puede imponer un precio de venta máximo o recomendar un precio de venta.

b) Restricciones del territorio en el que, o de los clientes a los que, el comprador pueda vender los bienes o servicios cubiertos por el acuerdo vertical, sujetas a determinadas exenciones que permiten que el proveedor gestione sistemas de distribución selectiva o exclusiva.

c) Restricciones de los suministros cruzados entre los miembros de un sistema de distribución selectiva.

d) Restricciones que impidan que el comprador haga un uso efectivo de internet para vender los bienes o servicios cubiertos por el acuerdo vertical.

e) Limitaciones a la capacidad de un proveedor de componentes de venderlos como recambios a los usuarios finales, a talleres de reparación, a mayoristas o a proveedores de otros servicios.

2º. Que el proveedor y el comprador de bienes o servicios no tengan una **cuota de mercado** superior al 30%. Para el proveedor, es su cuota de mercado en el mercado de suministros de referencia; es decir, el mercado donde se venden los bienes o servicios que determina la aplicación de la exención por categorías. Para el comprador, es su cuota de mercado en el mercado de compra de referencia; es decir, el mercado donde se compran los bienes o servicios que determina la aplicación de la exención por categorías.

5951 El Rgto (UE) 2022/720 **excluye las siguientes restricciones** de la exención por categorías:

• las cláusulas de no competencia de una duración indefinida o que exceda de cinco años;

• las obligaciones que prohíban al comprador fabricar, comprar o vender bienes o servicios tras la expiración del acuerdo;

• la prohibición a los miembros de un sistema de distribución selectiva vender marcas de competidores;

• las obligaciones que prohíban a los miembros de un sistema de distribución selectiva vender las marcas de determinados proveedores competidores;

• las obligaciones que impidan a los compradores de servicios de intermediación en línea ofrecer bienes o servicios a los usuarios finales en condiciones más favorables mediante servicios competidores de intermediación en línea.

A pesar de que estas restricciones están excluidas de la exención por categorías, el **resto del acuerdo vertical** puede seguir beneficiándose de esa exención, siempre que pueda operar sin las restricciones excluidas.

Precisiones El Rgto (UE) 2022/720 se adoptó tras el vencimiento del Rgto UE/330/2010, y está en vigor desde el 1-6-2022 **hasta el 31-5-2034**.

SECCIÓN 6

Delegación

5955 Por sus características, se asemeja al contrato de concesión (ver nº 5885 s.), si bien su particularidad es la de exigir la **prestación de servicios**, consistente, en este tipo de contrato, en **reparaciones**.

También reúne algunos caracteres del **contrato de suministro** (nº 1610) y, en alguna de sus manifestaciones, tiene un carácter representativo del suministrador puesto que, después de la venta, adquiere el compromiso de un servicio a realizar.

En la práctica, suele formar parte de un **contrato de concesión**.

Derechos y obligaciones de las partes Es similar al de concesión (nº 5920 s.), si bien surge del mismo la obligación de prestar unos **servicios a terceros** (se entiende como oferta de servicios remunerados). 5957

Para la **entidad delegada**, se establece la obligación del mantenimiento de los bienes de consumo duraderos: maquinaria, vehículos, electrodomésticos. Como contraprestación, posee la exclusividad de la venta de dichos bienes, repuestos y de reparación de averías.

El **delegado**, de acuerdo con la realización de su actividad, de carácter mercantil, contrae las obligaciones de exclusividad de ventas, y mantenimiento de un servicio adecuado post-venta.

SECCIÓN 7

Franquicia

5960

En términos generales, las vías a través de las cuales se accede a la condición de **empresario** son: 5962

- la creación de una empresa propia;
- la compra o adquisición hereditaria de una que se encuentre en funcionamiento;
- la adquisición del derecho a explotar fórmulas empresariales previamente experimentadas y prestigiadas en el mercado.

A esta última alternativa responde la técnica de la franquicia, cuyo estudio y análisis constituye el objeto de la presente sección.

Precisiones El nº 13330 (Anexos) incorpora un **modelo** de contrato de franquicia.

1. Consideraciones generales

Nacida en la práctica norteamericana, y tras el espectacular desarrollo experimentado en las últimas décadas, la franquicia es una **modalidad del contrato de distribución** que constituye una de las técnicas de contratación preferidas por los operadores económicos para la expansión empresarial, en particular en lo que se refiere al comercio minorista. 5965

La franquicia es un **método de colaboración** entre empresas jurídica y económicamente independientes, conforme al cual una de ellas (**franquiciadora**), titular de una determinada marca, patente, método o técnica de fabricación o actividad industrial y comercial, previamente prestigiados en el mercado, concede a la otra (**franquiciada**) el derecho a explotarla, por un tiempo y zona delimitados y bajo ciertas condiciones de control, a cambio de una prestación económica, que suele articularse mediante la fijación de un canon inicial, que se complementa con entregas sucesivas en relación a las ventas efectuadas (TS 30-4-98, EDJ 2951; AP Huesca 20-11-98, EDJ 33999).

Dicho vínculo se articula en uno o varios acuerdos que regulan el complejo marco jurídico obligacional de las partes, y se presenta hacia el exterior y cara al mercado como una unidad económica integrada (**red de franquicia**), caracterizada por un método homogéneo de comercialización, de prestación de servicios o de fabricación de determinados productos, mediante el seguimiento y control del franquiciador sobre la actividad de cada uno de los franquiciados que conforman la red.

Precisiones El contrato de franquicia se **diferencia** de los **contratos de suministro o de distribución de mercancías**, en que:

a) El franquiciador debe transmitir su *know how*, o asistencia o metodología de trabajo, aplicando sus métodos comerciales.

b) Que dicho franquiciador queda obligado a diseñar, dirigir y sufragar las campañas publicitarias, realizadas para difundir el rótulo y la marca del franquiciador (TJCE 28-1-86, -asunto Pronuptia-).

5967 **Normativa aplicable** El contrato de franquicia *-franchising-*, procedente del derecho norteamericano, donde se generó para eludir la prohibición antitrust, carece de una **regulación** completa y sistemática en el Derecho positivo español, lo que, a juicio de la doctrina (Hernando Giménez) y de la jurisprudencia (TS 27-9-96, EDJ 5560; 30-4-98, EDJ 2951; 21-10-05, EDJ 171684; 9-3-09, EDJ 25485), permite mantener su ubicación dentro de los denominados **contratos atípicos** en el ámbito del Derecho privado.
Al ser un contrato atípico, se rige, en primer lugar, por la **voluntad de las partes** plasmada en cláusulas y requisitos concretos que, fundados en relaciones de buena fe y mutua confianza, deben producir todos sus efectos; y para el caso de que hubiera lagunas, para interpretar su contenido, es preciso recurrir a figuras de contratos típicos afines a dicha relación consensual atípica (TJCE 28-1-86, -asunto Pronuptia-).
Ha sido la **jurisprudencia** la que, poco a poco, ha ido arrojando luz sobre el contrato de franquicia, definiéndolo (ver nº 5965) y describiendo su marco normativo (TS 21-10-05, EDJ 171684; 16-3-07, EDJ 16925; 4-6-20, EDJ 575447).

5969 Aunque el contrato de franquicia carece de regulación específica, diversas disposiciones se refieren al mismo. Se podría decir, en este sentido, que no es un contrato completamente **atípico**, pero sí **parcialmente**, al estar dotado de una regulación fragmentaria e incompleta, referida fundamentalmente a aspectos relativos a normas de competencia, registro de franquiciadores, información precontractual y contenido mínimo o esencial de las prestaciones de los contratantes, que lo caracteriza como una modalidad de los contratos de distribución (TS 4-6-20, EDJ 575447).
No hay que olvidar, además, que en la relación de la franquicia existen una gran variedad de prestaciones recíprocas que sí podrían incardinarse en otros tipos de contratos o **instituciones típicas**, como puede ser la propiedad intelectual, industrial, el suministro, etc.; de modo que en cada caso serán de aplicación también las normas o conjuntos de normas que regulen otros negocios jurídicos y contratos típicos que sean de aplicación.
Entre las **normas aplicables** figura la L 7/1996 de ordenación del comercio minorista (en adelante **LOCM**), que define la actividad comercial de franquicia en su art.62, así como la información precontractual que el franquiciador debe entregar al franquiciado.
Su **desarrollo** reglamentariamente se contiene en el RD 201/2010, que completa la definición con una enumeración de las prestaciones que deben constituir el contenido mínimo del contrato, y una delimitación negativa las relaciones jurídicas que, aun presentando algún punto de contacto común, no se incluyen en el concepto de contrato de franquicia.

Precisiones La franquicia es un contrato nominado porque está previsto en el ordenamiento, pero sigue siendo atípico, porque no goza de regulación legal, lo que ha generado que, al igual que en Francia, que la Asociación Española de Franquiciadores se haya dotado de un **Código deontológico**, que no tiene efectos imperativos (TS 9-3-09, EDJ 25485).

5971 Resumiendo, podemos señalar como normativa aplicable la siguiente:

Normativa específica	Mercado, competencia y consumidores	Normativa general conexa
- L 7/1996, de Ordenación del Comercio Minorista (Cap. VI). - RD 201/2010, por el que se regula el ejercicio de la actividad comercial en régimen de franquicia y la comunicación de datos al registro de franquiciadores.	- L 15/2007, de Defensa de la Competencia. - RDLeg 1/2007, por el que se aprueba el texto refundido de la Ley General para Defensa de Consumidores y Usuarios y otras leyes complementarias. - L 34/1988, General de Publicidad. - L 34/2002, de servicios de la sociedad de la información y comercio electrónico. - Rgto (UE) 2022/720 relativo a la aplicación del Tratado FUE art.101.3 a determinadas categorías de acuerdos verticales y prácticas concertadas.	- Código Civil (RD 24-7-1889), en especial su Libro IV dedicado a las obligaciones y contratos en general y a los diferentes contratos típicos.- Código de Comercio (RD 22-8-1885).- L 17/2001, de Marcas y su Reglamento de ejecución aprobado por RD 687/2002.- L 11/1986, de Patentes.- L 3/1991, de Competencia Desleal.- Toda la normativa societaria: LSC, LCon, etc.

Precisiones Tratándose de estructuras de carácter **internacional**, la **ley aplicable** será la elegida por las partes y, a falta de previsión expresa, aquélla con la que el contrato presente vínculos más estrechos, entendiéndose por tal la del país en que deba realizarse la prestación más característica al momento de la conclusión del contrato, o la residencia habitual, y si se trata de una sociedad, asociación o persona jurídica, donde tenga su sede central (Convenio de Roma art.4).

Clasificación Con carácter general, y en función de su **objeto**, se distinguen los siguientes tipos de franquicia: 5973
a) Franquicia de **distribución**. El franquiciado comercializa ciertos productos fabricados o seleccionados por el franquiciador en un establecimiento dotado de los signos distintivos de éste.
b) Franquicia de **servicios**. El franquiciado ofrece sus servicios utilizando el rótulo, el nombre comercial e incluso la marca del franquiciador, siguiendo además las directrices de éste último.
c) Franquicia de **producción o industrial**. El franquiciado fabrica él mismo, según las indicaciones y en muchos casos los materiales necesarios, así como el sistema de producción o patente del franquiciador, también fabricante, productos que vende bajo la misma marca.

Además de las tipologías anteriores, el desarrollo en la práctica de la fórmula de franquicia ha ido dando lugar a diversos **modelos** entre los que cabe citar, entre otros, los siguientes: 5975
- **asociativa**: caracterizada por el hecho de que el franquiciador tiene participación económica en la empresa franquiciada, e incluso el franquiciado participa minoritariamente en el capital del franquiciador;
- **financiera**: en la que el franquiciado se limita a aportar capital, no trabajo;
- **multifranquicia**: el franquiciador concede más de una franquicia al mismo franquiciado;
- **plurifranquicia**: en un mismo establecimiento existe más de una franquicia.

Desde otra perspectiva, se ha distinguido entre: 5977
- franquicia **de estilo empresarial**, en la que el concesionario adopta el modo o filosofía empresarial del concedente e identificado por el nombre del mismo, fabricando o distribuyendo servicios bajo esa marca con sujeción al control o asistencia del concedente; y
- franquicia **de distribución**, en la que el concedente fabrica los productos portadores de su marca, limitándose el concesionario a distribuirlos con sujeción al control o asistencia del concedente de la franquicia.

Particular desarrollo han alcanzado en los últimos tiempos las denominadas **franquicias «corner»** y **«shop in shop»**. En la franquicia corner el comerciante acepta la franquicia de una parte de su superficie o área comercial, ofreciendo los productos o servicios del franquiciador. La franquicia *shop in shop*, expresión inglesa que significa tienda en otra tienda, es típica de los grandes almacenes o superficies donde, junto a una amplísima gama de productos, se comercializan algunos específicos propios del franquiciador (Fernández Novoa).

Precisiones Las franquicias de distribución son las **más numerosas**, aplicándose en los sectores del «pret a porter», decoración, muebles, etc. La franquicia de servicios, por su parte, se utiliza frecuentemente en actividades hoteleras, restaurantes, alquiler de vehículos, imprenta rápida, fotografía, etc.

Aplicación práctica En la práctica, el desarrollo de la actividad comercial en régimen de franquicia ofrece los siguientes atractivos: 5979
a) Mejora normalmente la distribución de productos y la prestación de servicios, pues da a los **franquiciadores** la posibilidad de potenciar su propia capacidad de penetración y expansión empresarial dentro del mercado, mediante una técnica más simple, menos rígida y de menor coste que el de la constitución de filiales o sucursales.
b) Permite que los **comerciantes independientes** puedan establecer negocios más rápidamente y, en principio, con más posibilidades de éxito y menos riesgo que si tuvieran que hacerlo sin la experiencia y la ayuda del franquiciador, abriéndoles así la posibilidad de competir de forma más eficaz con otras empresas de distribución, eludiendo la presión monopolística de las grandes multinacionales.
c) Asimismo, los acuerdos de franquicia también pueden beneficiar a los **consumidores** y usuarios, puesto que facilitan la entrada de nuevos competidores en el mercado, aumentando así la competencia entre las marcas, y combinan las ventajas de una red de distribución uniforme con la existencia de comerciantes interesados en el funcionamiento eficaz de su negocio.

Contenido esencial del contrato (LOCM art.62.1; RD 201/2010 art.2.1 y 2) Es aquella que se realiza mediante un contrato por el cual una empresa, el franquiciador, cede a otra, el franquiciado, en un mercado determinado, a cambio de una contraprestación financiera, el **derecho a la explotación** de una franquicia sobre un **negocio** o actividad mercantil que haya venido desarrollando el primero con suficiente éxito y experiencia, para la comercialización de determinados productos o servicios y que comprende, por lo menos: 5981
a) El **uso** de una denominación o rótulo común u otros derechos de propiedad intelectual o industrial y una presentación uniforme de los locales o medios de transporte objeto del contrato.

b) La comunicación por el franquiciador al franquiciado de unos **conocimientos** técnicos o un saber hacer, que deberá ser propio, sustancial y singular.

c) La prestación continúa por el franquiciador al franquiciado de una **asistencia** comercial, técnica o ambas durante la vigencia del acuerdo; todo ello sin perjuicio de las facultades de supervisión que puedan establecerse contractualmente.

Precisiones 1) En ausencia de elementos esenciales que caractericen un contrato de franquicia, las relaciones entre las partes se regirán por las disposiciones de un **contrato de compraventa** (AP Almería 13-12-22, EDJ 830518).

2) Únicamente el **engaño** en cuanto a alguna de las prestaciones principales del contrato de franquicia (p.e., que el franquiciador no fuera el titular de la marca cuyo uso cede al franquiciado; o que careciera de un «saber hacer» propio u original) podría dar lugar a la **nulidad del contrato** por vicios del consentimiento. Por el contrario, no puede entenderse que posea la relevancia suficiente para provocar la nulidad del contrato, el incumplimiento por el franquiciador de prestaciones accesorias precontractuales, como es la información sobre previsión de inversiones y gastos en un negocio tipo, y lasprevisiones sobre cifras de ventas o resultados de explotación del negocio (AP Málaga 29-4-14, EDJ 175416).

5983 **Delimitación negativa** (RD 201/2010 art.2.3 y 4) No tiene necesariamente la consideración de franquicia el **contrato de concesión** mercantil o de distribución en exclusiva por el cual un empresario se compromete a adquirir, en determinadas condiciones, productos normalmente de marca, a otro que le otorga una cierta exclusividad en una zona, y a revenderlos.

Tampoco la tienen las siguientes relaciones jurídicas:

- la concesión de una **licencia** de fabricación;
- la cesión de una **marca** registrada para utilizarla en una determinada zona;
- la transferencia de **tecnología**;
- la cesión de la utilización de una enseña o **rótulo** comercial.

5985 **Imposición de precios** Se considera una conducta restrictiva de la competencia la imposición o fijación de precios al franquiciado, sin perjuicio de que el franquiciador sí pueda imponer precios de venta máximos o **recomendar** un precio de venta, con el fin de que el franquiciado tenga la posibilidad real de determinar el **precio de venta al público** (TS 28-7-21, EDJ 646204, con cita de la TS 30-7-09, EDJ 229902; TJCE 28-1-86, -caso Pronuptia-).

La imposición de precios fijos de venta por el franquiciador trae como consecuencia la **nulidad** radical del contrato, al tratarse de una conducta prohibida por el Tratado FUE art.101.1 y la LDC art.1.1.a (AP Badajoz 20-7-20, EDJ 652201; AP Cantabria 17-7-23, EDJ 693865).

Precisiones Se declara la nulidad de un contrato de franquicia por imposición de precios por parte del franquiciador, con infracción del derecho de la competencia, pero, en lugar de acordar únicamente la restitución de las prestaciones que recibió dicho franquiciador -conforme al CC art.1306.2 (nulidad de negocios con "causa torpe")-, se ordena la **restitución recíproca de prestaciones**, con la consiguiente devolución mutua de las cosas que fueron objeto del contrato con sus frutos, y el precio con los intereses desde su pago, en virtud del CC art.1303, y ello debido a que, en este caso, el franquiciado consintió, al suscribir el contrato y durante la vigencia de la relación contractual, la fijación de precios y nada opuso sobre dicha cuestión hasta que sus discrepancias económicas con el franquiciador dieron lugar a la ruptura de dicha relación. Ni la causa de nulidad apreciada tiene la condición de torpe, en su sentido estricto de inmoral, ni ha existido un propósito dañino o malicioso por parte del franquiciador (TS 28-7-21, EDJ 646204).

2. Formalización

5990 La constitución del contrato se estructura de la siguiente forma:

5992 **Sujetos intervinientes** En el esquema básico del contrato de franquicia se distinguen dos elementos subjetivos: el franquiciador, también denominado franquiciante, y el franquiciado o franquiciatario.

Cualquier persona, física o jurídica, puede ser parte en el contrato, siempre que cumpla los requisitos generales de **capacidad legal** para ejercer una actividad empresarial (nº 110).

El **franquiciador** es el titular jurídico y primer realizador de un prototipo de empresa sobre la que él ha contribuido decisivamente para su individualización, dotándola para ello de unas *señas de identidad* únicas y características que le permiten distinguirse de otras organizaciones empresariales que, resultando del mismo género de actividad, habrán de convivir con ella en el mercado.

El **franquiciado** es la persona que, en su propio nombre y por su propia cuenta, realiza la explotación de la empresa franquiciada, cuyo soporte patrimonial le ha sido previamente transmitido, según una técnicas comerciales uniformes y bajo el control del franquiciador, una vez haya satisfecho las contraprestaciones pecuniarias a las que queda obligado contractualmente (Hernando Giménez).

En el **ámbito internacional** se suele presentar una estructura contractual más compleja, conforme a la cual el franquiciador, denominado masterfranquiciador, estipula con el franquiciado -que pasa a ser denominado franquiciado principal o masterfranquiciado- un contrato de franquicia que comprende un territorio determinado, incluso un Estado, por el cual se concede a éste la facultad de establecer **subcontratación de franquicias** y, a tal fin, estipular dentro de dicho territorio acuerdos de afiliación con sucesivos subfranquiciados que se adhieren a la red en virtud de sus respectivos contratos.

Dichas empresas son unitarias tan sólo en apariencia; desde el punto de vista jurídico, cada uno de los franquiciados y el propio franquiciador son **empresarios autónomos e independientes** y, como tales, han de asumir cada uno en particular la responsabilidad frente a terceros derivada de las operaciones realizadas por ellos.

Precisiones 1) En la estructura de masterfranquicia las relaciones entre franquiciador y franquiciado principal se regulan por el derecho internacional privado o por las normas o **convenios internacionales;** y las del franquiciado principal y los subfranquiciados, por las normas del ordenamiento común a ambas partes.

2) El subfranquiciado se halla sometido al **control** del franquiciador principal y al del franquiciador.

3) El contrato de franquicia no crea una **relación fiduciaria** entre las partes ni tiene por intención que se constituya a cualquiera de las partes en agente, representante legal, filial o asociado en *joint venture*, socio o empleado o dependiente de la otra (TS 30-4-98, EDJ 2951).

4) Sobre **responsabilidad** exclusiva del franquiciado por la explotación de su negocio, ver nº 6037.

5) La doctrina jurisprudencial ha descartado que el **franquiciado** pueda ser considerado **consumidor**, por cuanto suscribe el contrato de franquicia para iniciar una actividad empresarial o para integrar la franquicia que ya estuviera iniciada, sin que la alegación de **posición dominante o abuso de derecho** sea admisible en este ámbito del contrato de franquicia, por cuanto no puede ser considerado como contrato de adhesión (AP Madrid 27-7-15, EDJ 176798; AP Barcelona 19-11-18, EDJ 644023; AP Valladolid 17-11-20, EDJ 779198).

Objeto del contrato Como elemento esencial del contrato de franquicia tratamos el **5994**
know-how o «saber hacer». También se considera elemento objetivo del contrato, el precio.

Know-how Se define como un conjunto de conocimientos prácticos no patentados, derivados **5996**
de la experiencia del franquiciador y verificados por éste, que es secreto, sustancial e identificado.

De la propia definición se desprenden las **características** que, a efectos del contrato de franquicia, han de concurrir en dicho conjunto de conocimientos para que puedan ser tenido por tal:

a) Práctico. En el sentido de que implica un método de organización y conocimientos producto de la experiencia del franquiciador, a cuyo efecto éste dispondrá de **centros pilotos** que prueben y acrediten el resultado satisfactorio del modelo de franquicia.

b) Secreto u original. No en el sentido estricto de que cada componente individual del *know-how* deba ser totalmente desconocido o inobtenible fuera de los negocios del franquiciador, sino en cuanto al hecho de que el *know-how* en su conjunto o en la configuración y ensamblaje de sus componentes no sea generalmente conocido o fácilmente accesible, lo que justifica las cláusulas de **confidencialidad** de las informaciones comunicadas y de no competencia durante el contrato y a su terminación (nº 6013).

c) Sustancial. Debe incluir una información relevante para la venta de productos o la prestación de servicios a los usuarios finales, y en particular para la presentación de productos a la venta, la transformación de productos en relación con la prestación de servicios, las relaciones con la clientela y la gestión administrativa y financiera. En definitiva, el *know-how* debe ser **útil para el franquiciado**, permitiendo mejorar su posición competitiva, en particular sus resultados, o ayudándole a introducirse en un mercado nuevo.

d) Evolutivo o dinámico. En el sentido de la necesidad de su permanente actualización mediante la incorporación de los perfeccionamientos y mejoras experimentadas, lo que justifica la prestación continua por el franquiciador al franquiciado de **asistencia comercial o técnica** durante la vigencia del contrato (nº 6026).

e) Identificado. Ha de estar descrito de una manera suficientemente completa para verificar que cumple las condiciones de secreto y substancialidad. Su **descripción** puede ser realizada en el propio acuerdo de franquicia, en un documento separado o en cualquier otra forma apropiada.

El *know-how* de la franquicia se contiene usualmente en un documento que, bajo la denomina- **5998**
ción de **manual operativo**, en el cual se detalla el modo de operar del negocio en todos sus puntos, así como la filosofía general del franquiciador para alcanzar el éxito. Es un manual eminentemente técnico que debe contener aquellos aspectos básicos que hagan del franquiciado la prolongación real del ideario comercial y técnico del franquiciador.

Precisamente por ello, el **contenido** del manual operativo es difícilmente estandarizable, y dependerá del tipo de franquicia de que se trate. Así, en el ámbito de la franquicia de distribución y de servicios, contendrá instrucciones para la instalación y apertura de un establecimiento (mobiliario y decoración) y su posterior puesta en marcha (métodos de venta, de presentación de los productos, de realización del transporte, formas de presentación de los servicios, precios indicativos, incluso los uniformes de los empleados, etc.). Así, tratándose, de franquicia de producción, incluirá directrices para la compra de materias primas y su posterior transformación, maquinaria y equipo industrial, etc.

Precisiones 1) La expectativa de rentabilidad del negocio franquiciado, aunque es el móvil subjetivo que guía a todo franquiciado, carece del carácter objetivo necesario para constituir la causa del contrato de franquicia.
Tratándose de un contrato que tiene por objeto la gestión empresarial de una clínica odontológica bajo el sistema de franquicia, la **causa contractual** para el franquiciado no es otra que la novedosa forma de explotación y gestión de la clínica, conforme a los métodos y técnicas comerciales establecidas por el franquiciador (*know how*), y mediante el derecho al uso de ciertos signos distintivos (marca) (AP Barcelona 23-12-03, EDJ 184855).
2) El *know-how* queda comprendido o resulta coincidente con el concepto de **secreto empresarial**. Esta identificación ha llevado a definir el *know-how* como «conocimiento o conjunto de conocimientos técnicos que no son de dominio público y que son necesarios para la fabricación o comercialización de un producto, para la prestación de un servicio o para la organización de una unidad o dependencia empresarial, por lo que procuran a quien los domina una ventaja sobre los competidores que se esfuerza en conservar evitando su divulgación» (TS 21-10-05, EDJ 171684).
3) El know-how es un conjunto de conocimientos prácticos no patentados, derivados de la experiencia del franquiciador y verificados por éste, que puede ser protegido como secreto empresarial, sustancial e identificado, y que tiene **valor patrimonial**, pudiendo ser considerado como un auténtico bien inmaterial susceptible de ser objeto de negocio jurídico (TS 4-10-20, EDJ 575447).

6000 **Contraprestación** Como contrapartida del derecho de explotación cedido, el franquiciado queda obligado al pago de la **contraprestación financiera** que las partes libremente hayan estipulado.
En la práctica, el precio se descompone en **dos conceptos**:
1º. **Canon inicial** o de entrada: un pago inicial, a tanto alzado, abonable al principio del contrato y de una sola vez. Este pago inicial se justifica como precio por la adhesión al sistema integrado que constituye la red, y supone una contribución del franquiciado a los costes de creación de dicho sistema. En su determinación suelen tenerse en cuenta dos factores: la cuantía de las inversiones que el franquiciado ha de soportar, de una parte, y el mayor o menor grado de implantación de la red, de manera que cuanto más consolidada se halle ésta en el mercado, mayor será el canon inicial que los nuevos franquiciados deban satisfacer.
2º. **Cánon periódico** (royalties): sucesivos pagos posteriores abonables por el franquiciado, conforme a la periodicidad, criterios y porcentajes determinados contractualmente (cánones periódicos). Los cánones periódicos pueden, a su vez, ser:
- **fijos**, articulándose normalmente mediante el pago de cuotas anuales, revisables por iguales períodos en función de diferentes parámetros; o
- **variables**, en función de diversos criterios: porcentaje sobre las ventas realizadas o los servicios facturados durante un determinado período de tiempo (franquicia de distribución y de servicios); o sobre los productos fabricados por el franquiciado (franquicia de producción); e incluso, de existir un pacto de aprovisionamiento exclusivo por parte del franquiciador, un porcentaje sobre las compras realizadas por el franquiciado.

Precisiones 1) El establecimiento de cánones periódicos posibilita y justifica el reconocimiento a favor del franquiciador de las facultades de permanente **control e información** sobre la actividad del franquiciado, y la correlativa obligación de éste de rendir cuentas de forma periódica (nº 6028).
2) Cabe apreciar una directa relación entre las distintas formas de retribución de la franquicia -canon único y cánones periódicos- y los distintos tipos de prestación que integran el entramado negocial de un contrato de franquicia (TS 4-6-20, EDJ 575447). De esta manera, existe una **correlación**:
- por una parte, entre la retribución a través de los royalties (**cánones periódicos**) y las prestaciones continuadas o de **tracto sucesivo** (ver nº 6060), que se traducen en pagos periódicos a lo largo de la vida del contrato; y
- por otra parte, entre la retribución consistente en el pago del **canon inicial** (pago único, no secuencial o periódico) y la prestación consistente en la "entrada en la franquicia" (prestación de **tracto único**), entendiendo por tal, además de la inicial autorización del uso de la marca, la dotación de aquellos bienes materiales (consumibles, mobiliario, etc) e inmateriales, especialmente la transferencia de conocimiento y experiencia -know how- del franquiciador, y correlativa formación, que es uno de los elementos de la franquicia más característicos y especificadores de esta categoría de contrato.

3) El **canon de entrada** que satisface el franquiciado no solo retribuye la concesión de la facultad de utilizar derechos de propiedad industrial de la actora, sino también otros elementos (v. gr., "know how", asesoramientos, ...), que exceden del contenido que sería propio de una **licencia** (AP Valencia 13-10-20, EDJ 721725).

Formalidades El contrato de franquicia es un contrato consensual y se perfecciona con el mero **consentimiento** de las partes, rigiendo con respecto al mismo el principio general de libertad de forma (nº 175). **6002**

Sin embargo, aunque la adopción de una determinada forma no constituye requisito esencial para la **validez del contrato**, la complejidad que, de ordinario, alcanza el contenido obligacional, así como que en el mismo se contengan con frecuencia condiciones generales de contratación, todo ello unido a los efectos probatorios inherentes a la forma escrita, son razones todas que aconsejan la plasmación del contrato por escrito y en documento debidamente formalizado.

De otra parte, la **forma escrita** puede venir impuesta en relación con la transmisión al franquiciado de ciertos elementos integrantes del patrimonio empresarial de la empresa franquiciadora, ya sea a efectos del contrato frente a terceros -como es el caso de la licencia de marcas (L 17/2001 art.47 s.)-, ya a efectos de la validez entre las partes de la propia transmisión -caso de la licencia de patentes (L 24/2015 art.82.2)-; todo ello, sin perjuicio del derecho que asiste a las partes para compelerse recíprocamente a formalizar por escrito el contrato, en aquellos supuestos para los que la ley exija escritura o forma escrita especial (CC art.1279).

Precisiones Los diferentes **códigos deontológicos** recomiendan, cuando no exigen, que los términos y condiciones del contrato consten por escrito, llegando incluso a considerar tal requisito como inherente a la franquicia (Código Deontológico de la Federación Europea de Franquicia).

3. Cuestiones preliminares a la ejecución del contrato

Generalizada en la práctica la sucesión de contactos y negociaciones preliminares a la celebración de la mayoría de los contratos (nº 224), las características propias del de franquicia hacen que dicha **fase preparatoria** adquiera en éste una particular trascendencia. **6005**

Así, tras un primer momento de **presentación en el mercado** de la empresa franquiciadora, normalmente a través de sociedades intermediarias o asesoras («brokers de franquicia»), lo normal es que a la publicidad de la empresa franquiciadora le suceda la correlativa solicitud de información de las personas interesadas, lo que puede culminar, en su caso, en el inicio de una auténtica fase formativa del contrato que, presidida por los principios de colaboración y mutua confianza, es generadora de ciertos **deberes precontractuales**, cuya vulneración puede dar lugar a eventuales responsabilidades para las partes. Así, es frecuente en la práctica la celebración de un **precontrato** o contrato de reserva, en virtud del cual las partes se obligan a buscar, en un marco de colaboración, las bases del futuro acuerdo.

De otra parte, y sin perjuicio del derecho de libre elección de los futuros franquiciados que asiste al titular de la red de franquicia, éste debe suministrar al franquiciado **información** sobre determinados extremos, que le permitan decidir, libremente y con conocimiento de causa, su incorporación a la red. Asimismo, el franquiciado queda sujeto al correlativo deber de **confidencialidad** en relación con la información recibida.

Información precontractual al potencial franquiciado (LOCM art.62.2; RD 201/2010 art.3) **6007**

Como ha señalado la jurisprudencia, en el contrato de franquicia aparece como elemento esencial la información previa que debe proporcionar el franquiciador (AP Barcelona 3-9-14, EDJ 185796; 21-4-15, EDJ 96590).

Parece lógico que quien se halla en disposición de integrarse en una red de franquicia invirtiendo un capital con riesgos limitados, disponga con cierta antelación de información **suficiente y fiable** sobre determinados particulares que le permita decidir libremente y asumir dicho compromiso con absoluto conocimiento de causa.

En tal sentido, el franquiciador o el franquiciado principal, en su caso, queda obligado a suministrar **por escrito** al franquiciado información, veraz y no engañosa, sobre la naturaleza y caracteres de su empresa y los términos del contrato; todo ello con una **antelación** mínima de 20 días a la firma de cualquier contrato o precontrato de franquicia, o a la entrega por parte del futuro franquiciado de cualquier pago.

El **contenido** de la información a suministrar por el franquiciador es el siguiente: **6009**

a) Datos de **identificación del franquiciador**: nombre o razón social, domicilio, así como, cuando se trate de una compañía mercantil, capital social recogido en el último balance, con expresión de si se halla totalmente desembolsado o en qué proporción, y datos de inscripción

en el Registro Mercantil, cuando proceda. Tratándose de franquiciado principal, se incluirán, además, las circunstancias anteriores respecto de su propio franquiciador.
b) Acreditación de tener concedido para España, y en vigor, el **título de propiedad o licencia** de uso de la marca y signos distintivos de la entidad franquiciadora y de los eventuales recursos contra aquéllos, si los hay, con expresión, en todo caso, de la duración de la licencia.
c) Descripción general del **sector de actividad objeto del negocio** de franquicia, que ha de abarcar los datos más importantes de aquél.
d) **Experiencia de la empresa franquiciadora**, que debe incluir, entre otros datos, la fecha de creación de la empresa, las principales etapas de su evolución y el desarrollo de la red franquiciada.
e) Contenido y características de la franquicia y de su explotación, que comprende una **explicación general del sistema del negocio** objeto de la franquicia, las características del «saber-hacer» y de la asistencia comercial o técnica permanente que el franquiciador suministra a sus franquiciados, así como una estimación de las inversiones y gastos necesarios para la puesta en marcha de un negocio tipo.
f) Estructura y extensión de la red en España, que incluye la **forma de organización de la red** de franquicia y el **número de establecimientos** implantados en territorio español, distinguiendo los explotados directamente por el franquiciador, de los que operen bajo el régimen de cesión de franquicia, con indicación de la población en que se encuentren ubicados y el número de franquiciados que hayan dejado de pertenecer a la red en España en los dos últimos años, con expresión de si el cese se produjo por expiración del término contractual o por otras causas de extinción;
g) **Elementos esenciales del acuerdo de franquicia**, que recoge los derechos y obligaciones de las respectivas partes, duración del contrato, condiciones de resolución y, en su caso, de renovación del mismo, contraprestaciones económicas, pactos de exclusivas, y limitaciones a la libre disponibilidad del franquiciado del negocio objeto de franquicia.
Sin perjuicio de cualesquiera otras consecuencias y eventuales responsabilidades, el **incumplimiento** del deber de información precontractual constituye infracción leve, susceptible de ser sancionado con apercibimiento o multa de hasta 6.000 euros (LOCM art.64.h) y 68.3).

6011 Precisiones **1)** En el caso de que el franquiciador haga entrega al potencial franquiciado individual de **previsiones de cifras de ventas o resultados** de explotación del negocio, éstas deben estar basadas en experiencias o estudios, que estén suficientemente fundamentados (RD 201/2010 art.3.e). Sin que desde luego exista la obligación contractual de que se obtenga la **rentabilidad** prevista como expresamente se recoge en el contrato (AP Madrid 19-9-23, EDJ 731230).
2) La información precontractual en un contrato de franquicia debe ser veraz y no engañosa, y debe estar fundamentada en datos reales y no en meras previsiones. La **falta de veracidad** en la información precontractual puede dar lugar a la nulidad del contrato por dolo en la prestación del consentimiento (AP Valencia 5-5-21, EDJ 664177, firme por TS 3-5-23, EDJ 596876).
La falta de veracidad de la información precontractual **no constituye dolo** si el franquiciador ha proporcionado una información suficiente y veraz con antelación a la firma del contrato, y el franquiciado ha aceptado dicha información sin realizar un estudio financiero diligente (AP Madrid 10-11-22, EDJ 759234).
3) Que los datos de identificación del franquiciador aparezcan en su **pagina web** (accesible al público), no es óbice para que se deban aportar conforme establece la LOCM art.62. El carácter público y universal de la página web nos lleva a considerar que nos encontramos ante instrumentos publicitarios y no ante el cumplimiento de las exigencias informativas que impone la ley (AP Córdoba 8-2-16, EDJ 40938).
4) La obligación de transparencia en los contratos de franquicia implica que las estimaciones previas ofrecidas por el franquiciador no constituyen compromisos vinculantes sobre los **costos de inversión**, siendo responsabilidad del franquiciado realizar una evaluación individualizada para determinar la **viabilidad** de la inversión (AP Madrid 18-11-22, EDJ 811666).

6013 **Deber de confidencialidad** (LCD art.13, 18 y 19; RD 201/2010 art.4) Correlativamente al deber de información a que queda obligado ante el potencial franquiciado el franquiciador, asiste a éste el derecho a exigir y a aquél el deber de cumplir con la obligación de no revelar a terceros los conocimientos y demás **información confidencial** recibida a raíz de las negociaciones y tratos preliminares, y que adquiere especial relevancia en relación con el *know-how* y demás conocimientos prácticos, patentados o no, derivados de la experiencia del franquiciador.
De hecho, la comunicación en mayor o menor grado de este tipo de informaciones, que resulta inevitable a partir de un determinado momento de las negociaciones, suele ir acompañada del establecimiento en el marco de un **precontrato** de una cláusula que, de forma expresa, imponen al franquiciado el deber de secreto, y que frecuentemente queda posteriormente incorporada al contrato definitivo.
Ante un eventual **incumplimiento** del deber de confidencialidad, el franquiciador puede invocar asimismo la normativa de **competencia desleal**, conforme a la cual se considera desleal la

divulgación o explotación sin autorización de su titular, de secretos industriales o de cualquier otra especie de secretos empresariales a los que haya tenido acceso legítimamente pero con el deber de reserva, quedando cualquier persona cuyos intereses económicos resulten directamente perjudicados o amenazados -por tanto, cualquiera de los miembros de la red- para ejercitar las correspondientes acciones. Ver nº 465.

Precisiones 1) A juicio de la doctrina, aunque no se exija expresamente en la norma, el deber de confidencialidad debe entenderse **recíproco**, debiendo ser asimismo respetado por el franquiciador; de suerte que, la parte que los divulgue, causando con ello un daño a la otra, quedará obligada a resarcirlo (Hernando Giménez).

2) La propia normativa del comercio minorista permite configurar como **infracción leve** el incumplimiento del deber de confidencialidad exigido, y, como tal, susceptible de ser sancionado con apercibimiento o multa de hasta 6.000 euros (LOCM art.64.h) y 68.3).

3) Para poder determinar si nos encontramos ante la conducta ilícita de **violación de secretos** (LCD art.13) es necesario determinar cuál es el conocimiento o conjunto de conocimientos técnicos o comerciales que se entienden explotados sin consentimiento de su titular. La mera referencia al *know-how* no basta para desprender de ello la comisión del ilícito sin que se concreten cuáles son los conocimientos técnicos, métodos de trabajo, sistemas de comercialización o explotación a los que se ha tenido acceso y que se utilizan ilícitamente (AP Madrid 19-12-16, EDJ 256095).

Registro de Franquiciadores Con efectos a partir del **8-12-2018**, se deroga, mediante RDL 20/2018 disp.derog.única 1.c, la regulación del Registro de Franquiciadores contenida en el RD 201/2010, por lo que, a partir de esta fecha, desaparece la obligación de los franquiciadores nacionales o extranjeros de inscribir y actualizar la información de la red de franquicias en dicho Registro, así como la obligación de comunicar anualmente los cierres y/o aperturas de los establecimientos propios o franquiciados producidos en la anualidad anterior. **6015**

Asímismo, se elimina la consideración como **infracción** grave de la falta de comunicación de datos al Registro de Franquiciadores, sancionada con multa de 6.000 a 30.000 (L 7/1996 art.65.1.r derog RDL 20/2018).

Precisiones 1) La **supresión** del Registro de Franquiciadores telemático puesto en marcha en 2016 se justifica por el legislador por las siguientes **razones**:

- Las aplicaciones informáticas en las que se sustentaba presentaban graves carencias.
- Su utilización resultaba complicada y poco intuitiva para los usuarios y suponía la introducción de trabas y exigencias que habían sido superadas.
- La única información que este Registro verificaba era que la empresa franquiciadora ostentaba la titularidad o el derecho de uso de la marca, cuestión que ya estaba cubierta por la Oficina Española de Patentes y Marcas. Ningún dato más de los comunicados por los franquiciadores era objeto de comprobación por el personal del Registro, no obstante lo cual, el incumplimiento de la obligación de comunicación de datos y alta en el mismo prevista en la L 7/1996 y en el RD 201/2010, constituía una infracción grave.

2) Mediante RD 553/2019 se modifica el RD 201/2010 para adaptarlo a la **supresión del registro de franquiciadores** efectuada por el RDL 20/2018 de medidas urgentes para el impulso de la competitividad económica en el sector de la industria y el comercio en España. Con esta modificación reglamentaria, se eliminan del RD 201/2010 las menciones que se hacían en él al registro de franquiciadores, si bien ya habían sido derogadas tácitamente por dicho RDL 20/2018 en virtud del principio de jerarquía normativa.

4. Obligaciones del franquiciador

El franquiciador está obligado a: **6020**

a) Entregar al franquiciado los elementos que le permitan iniciar la actividad objeto de franquicia, tales como:

- el uso de una denominación o rótulo común y una presentación uniforme de los locales o medios de transporte objeto del contrato (**signos distintivos**); y
- la comunicación al franquiciado del conjunto de conocimientos prácticos no patentados derivados de la experiencia del franquiciador (**know-how**).

b) Prestar **asistencia** técnica o comercial al franquiciado.

Precisiones De entre todos los elementos prestacionales a cargo del franquiciador, se debe tener en cuenta que:

• Son de **tracto sucesivo** o continuado y, por tanto, su duración debe extenderse a la propia de la vigencia completa del contrato: el uso de la denominación o rótulo, o de otros derechos de propiedad intelectual o industrial y la imagen uniforme de los locales o medios de transporte, así como la asistencia comercial y técnica.

• Por el contrario, la comunicación de los conocimientos técnicos o "saber hacer" -know how- es una prestación de **tracto único** que debe ejecutarse al comienzo de la vigencia del contrato, y una vez prestada no es preciso reiterarla pues su finalidad se satisface plenamente con su ejecución inicial, sin perjuicio de la referida asistencia técnica y comercial posterior, que aunque relacionada con la anterior es una prestación autónoma y diferente (TS 4-6-20, EDJ 575447, aplicada por AP Barcelona 26-7-23, EDJ 705687).

6022 **Entrega de elementos para el inicio de la actividad** La obligación principal del franquiciador consiste en entregar o poner a disposición del franquiciado los elementos esenciales que permitan a éste iniciar la actividad objeto de franquicia, procurar la **posesión legal y pacífica** de los elementos transmitidos, así como al saneamiento por vicios o defectos de que pueda adolecer el conjunto o cualquiera de sus elementos, durante toda la vigencia del contrato.

Con independencia de la naturaleza corporal o incorporal de los bienes objeto de transmisión, la obligación de entrega no es de un número de bienes inconexos o no relacionados entre sí, sino de una organización o unidad de tales bienes, propia, original del franquiciador y distintiva de la actividad empresarial por él creada. En definitiva de una **unidad patrimonial organizada**, que sea apta, como tal, para una explotación productiva inmediata o esté orientada para tal actividad (Hernando Giménez).

Aunque condicionado lógicamente por el tipo de franquicia de que se trate, el **contenido** de la obligación de entrega comprende, al menos:

- el uso de una denominación o rótulo común y una presentación uniforme de los locales o medios de transporte objeto del contrato (signos distintivos); y
- la comunicación al franquiciado del conjunto de conocimientos prácticos no patentados derivados de la experiencia del franquiciador (*know-how*).

Precisiones Existe una correlación entre el pago del **canon inicial** y la entrega de todos los elementos necesarios para que el franquiciado pueda iniciar su actividad (nº 6000).

6024 **a) Signos distintivos**. Es el uso de signos distintivos comunes lo que permite la **identificación la red franquiciada** en el mercado, a través de su consignación en los productos o mercancías (marcas), en los locales o instalaciones (rótulos), o en la correspondencia o documentación o instrumentos publicitarios y de propaganda (nombre comercial).

Esa identidad común de la red franquiciada implica únicamente una **dependencia funcional** de las empresas franquiciadas respecto del franquiciador, no jurídica.

En cuanto a la transmisión de cada uno de los elementos signos distintivos -nombre comercial, rótulo, marcas y patentes-, véase nº 2450 s.

b) «Know-how». La comunicación del «saber hacer» es lo que permite al franquiciado repetir los éxitos de la fórmula de explotación y los métodos puestos a punto por el franquiciador. Todo ello queda comprendido en el denominado **manual operativo** (nº 5998), cuyo contenido es distinto según la clase de *know-how* de que se trate, y en atención a los distintos tipos de contrato de franquicia.

Ante la falta de regulación expresa en nuestro ordenamiento jurídico, la **transmisión** del *know-how* se produce a través de una licencia, mediante la entrega material de la documentación o soportes físicos en que se recogen los conocimientos que lo integran (planos, diseños, fórmulas, instrucciones, etc.), junto con el apoyo explicativo que permitan su aplicación y puesta en práctica (nº 2820 s.).

Al igual que en la licencia de patente, la transmisión del *know-how* no implica la **pérdida de su titularidad** por el franquiciador ni la posibilidad de explotarlo, mientras que el franquiciado queda autorizado a su explotación durante un cierto tiempo y en las condiciones pactadas (Hernando Giménez).

El contrato de *know-how* es también objeto de análisis en el nº 2792.

6026 **Asistencia técnica o comercial** Como complemento y prolongación del deber de comunicación del *know-how*, el franquiciador ha de prestar al franquiciado, durante la vigencia del contrato, el asesoramiento y asistencia técnica o comercial que permitan la adecuada adaptación de las técnicas de explotación a las necesidades del mercado y de la clientela.

La prestación de asistencia y asesoramiento tiene un **carácter dinámico y continuado** y se desenvuelve desde la etapa preliminar (localización del establecimiento, lanzamiento de productos, etc.), y durante toda la vigencia del contrato mediante la actualización constante de las técnicas de explotación.

En cualquier caso, se trata de una obligación de muy difícil concreción por las **múltiples y variadas prestaciones** que la misma implica, razón por la cual han de ser las partes las que, en cada caso y en función del tipo de franquicia de que se trate, establezcan su contenido.

Existe una correlación entre estas prestaciones continuadas y los **cánones periódicos** que ha de pagar el franquiciado (nº 6000).

Precisiones En el ámbito de la **franquicia de distribución y de servicios**, y a título meramente enunciativo, se destacan, entre otros aspectos a los que se puede referir la asistencia y asesoramiento, los siguientes:
- métodos de comercialización de productos;
- técnicas de marketing y de merchandising, para incrementar la eficacia de los puntos de explotación comercial con el aprovechamiento más adecuado -temporal y espacial de los mismos-;
- planes, tipo de acondicionamiento y decoración del local, con detalles y especificaciones para su configuración interior y exterior, la distribución del mobiliario, los accesorios y los rótulos, etc.;
- definición de las acciones publicitarias o promocionales;
- formación profesional del franquiciado y de su personal, impartiendo instrucciones de funcionamiento (administración de stoks, reclamación de pedidos, control de la caja, condiciones de presentación de los productos, reglas de empaquetado, etc (Hernando Giménez).

Control de la actividad del franquiciado En estrecha relación con la obligación del franquiciado de ajustar la explotación objeto de la franquicia a las instrucciones y prescripciones impartidas por el franquiciador, y como mecanismo idóneo para la **verificación de su cumplimiento**, éste queda facultado para, dentro de ciertos límites, efectuar controles periódicos sobre la actividad desarrollada por el franquiciado (AP Barcelona 16-12-96, Rec 683/95). **6028**
De otra parte, la fijación en el contrato de **cánones periódicos** en función de un porcentaje de las ventas justifica, por sí solo, un derecho de información concreto a favor del franquiciador y la correlativa obligación del franquiciado de rendir cuentas de forma periódica.
El ejercicio del derecho de control activo implica para el franquiciador el reconocimiento, a su vez, de la facultad de realizar **inspecciones periódicas** de los locales del franquiciado y de los medios de transporte objeto del contrato, incluyendo los productos vendidos y los servicios prestados; así como la de acceso o disponibilidad a la **documentación contable** que guarden relación con la explotación de la empresa franquiciada (facturas, recibos, declaraciones fiscales, libros de comercio, etc.), para su examen por sí o por la persona por él designada.

Precisiones El franquiciado ha de realizar su actividad de explotación bajo determinadas condiciones de **control** (TS 4-3-97, EDJ 1264).

5. Obligaciones del franquiciado

Las principales consisten en: **6035**
- la explotación de la franquicia; y
- el pago al franquiciador del precio o renta según lo pactado.

Explotación de la empresa franquiciada La **obligación principal** del franquiciado consiste, lógicamente, en proceder a la explotación de la franquicia, bien comercializando los productos (franquicia de distribución), bien fabricándolos (franquicia de producción o industrial), o bien prestando los servicios que constituyen su objeto (franquicia de servicios), todo ello en las condiciones fijadas en el contrato y con la diligencia de un ordenado comerciante. **6037**
Esta obligación encuentra su **justificación** tanto en el detrimento que para la identidad y reputación de la red de franquicia, así como de los derechos de propiedad industrial transmitidos, supondría la inactividad del franquiciado; como en el hecho de que, si bien éste no está obligado a restituir todos los elementos que forman parte de la empresa franquiciada, sí lo está con respecto a una parte importante de los mismos, en particular los de naturaleza incorporal (marcas, nombre comercial, *know-how*, etc.).
Aunque el franquiciado goza, en principio, de libre iniciativa para llevar a cabo la explotación de la empresa franquiciada, el mantenimiento de la identidad común de la red de franquicia determina la imposición de ciertos **límites de carácter funcional**, que, sin atentar contra su autonomía jurídica, condicionan o restringen su libertad de acción.
En tal sentido, además de los límites genéricos derivados de la propia actividad y de la duración del contrato, el franquiciado ha de respetar y ajustar su conducta en lo que concierne a la explotación a las prescripciones o **instrucciones** del propio franquiciador, el cual tiene reconocido un derecho de legítimo control sobre la actividad del franquiciado (nº 6028). Dichas reglas de conducta quedan normalmente instrumentalizadas a través del «**manual operativo**», que se transfiere al franquiciado como anexo al contrato (nº 5998).
Los anteriores límites se completan, de ordinario, con **otros** relativos al respeto de la exclusividad territorial concedida y al eventual pacto de aprovisionamiento en exclusiva (nº 6054), así como el deber de confidencialidad (nº 6013) y la prohibición de competencia (nº 6093), cuya vigencia se mantiene aun después de finalizado el contrato.

Precisiones La explotación ha de ser realizada por el franquiciado de forma directa, lo que no excluye que pueda valerse de colaboradores y auxiliares, pero sí que pueda proceder a la **cesión del contrato** a favor de terceros, salvo consentimiento expreso del franquiciador (AP Huesca 20-11-98, EDJ 33999).

6039 **Responsabilidad frente a terceros** El contrato de franquicia establece una relación de **independencia** jurídica entre el franquiciador y el franquiciado. El franquiciado asume la responsabilidad de su propia gestión y las consecuencias de la misma, mientras que el franquiciador se enfoca en mantener la imagen uniforme de la red de franquicias. Aunque el franquiciado puede recibir instrucciones del franquiciador en cuanto al mantenimiento de la imagen uniforme de la red, esto no implica que el franquiciador sea responsable de los actos o incumplimientos del franquiciado frente a terceros (TSJ País Vasco 13-7-10, EDJ 263113; TSJ Madrid 28-5-12, EDJ 130025; TSJ Castilla-La Mancha 12-2-13, EDJ 27606; TSJ Castilla y León 9-3-23, EDJ 541067).

Así, el incumplimiento de las obligaciones del franquiciado frente a sus clientes no hace, sin más, **responsable solidario al franquiciador** de tal incumplimiento. Solo si concurren las siguientes circunstancias podría hacerse responsable también al franquiciador (TS 23-2-21, EDJ 507152):

- conste que el daño sufrido por el demandante sea consecuencia de las **directrices** e instrucciones impartidas por el franquiciador al franquiciado;
- derive de un defectuoso **know-how** transmitido en el contrato de franquicia o de una defectuosa **asistencia** técnica o formativa;
- sea consecuencia de la **elección como franquiciado** de quien no disponía de los medios personales o materiales adecuados para llevar a cabo la actividad franquiciada o de la imposición al franquiciado de determinados productos o determinados suministradores de los mismos.

Precisiones En este caso, el franquiciado era una consulta de odontología que, ante su estado de insolvencia, cesó en su actividad y no pudo prestar los servicios odontológicos ya contratados con los clientes, los cuales demandaron tanto a dicho franquiciado como a su franquiciador. El TS concluye que la no finalización de un **tratamiento odontológico** no es responsabilidad del franquiciador puesto que la conducta escapa de su ámbito de actuación (TS 23-2-21, EDJ 507152).
En aplicación de esta doctrina se pronuncia en términos similares AP Pontevedra 9-1-23, EDJ 506133.

6041 **Pago** Tratándose de un contrato oneroso y conmutativo, resulta esencial al mismo que cada una de las partes que en él intervienen tengan en cuenta la adquisición de un equivalente a su prestación, pecuniariamente apreciable y determinado en el momento mismo de **celebración del contrato**. Así, como contrapartida a las obligaciones asumidas por el franquiciador, el franquiciado asume, por su parte, la de satisfacer a aquél el precio o renta en la cuantía y términos convenidos entre ambas partes, que habitualmente se compone de un canon inicial y de cánones periódicos (ver nº 6000).

Precisiones 1) Es reiterada la recomendación de los diferentes **códigos deontológicos** en cuanto a que la obligación de pago deba quedar claramente determinada en el contenido contractual, no sólo en cuanto a su contenido o forma, sino también en lo que se refiere a su cuantía, lugar y momento de pago.
2) Sobre la **resolución del contrato** de franquicia por **incumplimiento** de las obligaciones del franquiciador, y su obligación de devolver o no el canon inicial, ver nº 6089.

6043 **Falta de pago** Determina su incursión en mora, con los efectos que a ésta institución le son propios, esto es, la **indemnización** de daños y perjuicios mediante el pago de intereses. Si dicha morosidad deviene en incumplimiento definitivo, el franquiciador podrá optar por la **resolución** del contrato o por el cumplimiento forzoso de la obligación, con resarcimiento de daños y perjuicios o, en su caso, a la pena convencional pactada.

6. Obligaciones comunes

6050 Se exige para ambas partes:
- la explotación de la franquicia dentro de una zona exclusiva; y
- la adquisición de mercancías y bienes necesarios para explotar la empresa franquiciada.

6052 **Exclusividad territorial** Sin que de ello parezca que deba desprenderse su carácter de elemento esencial y constante del contrato de franquicia, la concesión a los franquiciados del derecho a explotar la franquicia dentro de una determinada zona con carácter exclusivo, resulta en la generalidad de los casos un pacto indispensable para proteger los intereses del franquiciado, permitiéndole recuperar y **rentabilizar las inversiones** que ha debido realizar como consecuencia del contrato. Sin la introducción de un elemento que impusiera la

exclusividad territorial, el contrato carecería de eficacia económica para el franquiciado, el cual no asumiría el riesgo de integrarse en la red de franquicia, invirtiendo cierto capital, pagando una cuota de admisión relativamente elevada y comprometiéndose a pagar un canon anual importante, si, debido a determinada protección contra la competencia del cedente y de otros cesionarios, no pudiera esperar que su establecimiento fuera rentable.
Derivada de la exclusividad territorial, el franquiciador asume la obligación de no realizar actividades que puedan entrar en **competencia** con las propias del franquiciado (p.e., desviando la clientela que objetivamente pertenece a su ámbito de actuación), dentro de la zona geográfica de exclusividad o zona de responsabilidad, y durante el tiempo de vigencia del contrato.
De otra parte, la exclusividad territorial suele desplegar **efectos recíprocos** para las partes, en el sentido de que la misma se corresponde de ordinario con una cláusula de aprovisionamiento también en exclusiva.

Precisiones 1) Los pactos de exclusiva se incluyen dentro de la **información precontractual** que el franquiciador suministra por escrito al franquiciado (RD 201/2010 art.3) (nº 6007).
2) La **creación de otra sociedad** por el franquiciado que se dedica al mismo mercado que el del franquiciador, supone una infracción del pacto de no concurrencia (AP Navarra 11-11-99, EDJ 84353).
3) El franquiciador incumplió el pacto de exclusiva al realizar **acciones promocionales** en establecimientos de una cadena de distribución, en los territorios asignados a las franquiciadas. Este incumplimiento se considera esencial y suficiente para destruir la confianza en la contraparte, lo que llevó a la **resolución** de los contratos de franquicia y a la condena del franquiciador a la devolución de los cánones de franquicia (TS 30-7-12, EDJ 213115).

Aprovisionamiento de mercancías y otros bienes materiales En el ámbito de la **franquicia de distribución** suele ser frecuente que, junto con otros pactos y condiciones, se imponga a favor del franquiciador el de aprovisionamiento de las mercancías al franquiciado, quien, por tanto, queda obligado a adquirir, en mayor o menor grado, los bienes necesarios para la explotación de la empresa franquiciada de aquél o de los proveedores autorizados por el mismo. 6054
Nada impide, de otra parte, que tales cláusulas se hagan extensibles a la puesta a disposición en favor franquiciado de otros bienes materiales (maquinaria, mobiliario de decoración, locales, etc.), por el **título jurídico** (propiedad, arrendamiento, subarriendo) que, en cada caso concreto, estipulen las partes.
No siendo el pacto de aprovisionamiento consustancial al contrato, su inclusión suele venir condicionada a la existencia de la obligación recíproca asumida por el franquiciador de conceder una **exclusividad territorial.** Como consecuencia de la concesión de una zona de exclusividad destinada a la actividad del franquiciado, éste se obliga a la adquisición de ciertas cantidades de mercancía, si quiera mínimas (cupos mínimos o stock mínimo obligatorio).
El abastecimiento de las mercancías suele articularse a través de **contratos de suministro** (nº 1610) **o estimatorios** (nº 1630), concertados entre el franquiciado y el propio franquiciador, caso de ser éste fabricante o productor directo de las mercaderías, o con los proveedores autorizados por el mismo (fuentes de aprovisionamiento).

Protección de la libre competencia Las cláusulas imponiendo al franquiciado el abastecimiento de productos o distribuidos con carácter exclusivo por el franquiciador no se consideran, en principio, como prácticas restrictivas de aquélla, sino necesarias para la protección de los derechos de propiedad industrial. Ello no obstante, para garantizar que no se suprimirá la competencia, la normativa comunitaria, concretamente, el Rgto (UE) 2022/720, supedita su admisión a la observancia de las condiciones expuestas en el nº 5947, al cual nos remitimos a efectos de evitar duplicidades. 6056

Precisiones Se entiende que es contraria al Derecho de la competencia el acuerdo en que se estipula una restricción de las fuentes de aprovisionamiento del franquiciado al serle impuesta la obligación de **adquirir todas las mercancías** al franquiciador (TDC Resol 18-4-90).

7. Duración

La propia dinámica de la franquicia determina la necesidad de que el vínculo contractual tenga una cierta prolongación en el tiempo, que permita que las partes puedan satisfacer sus respectivos intereses. 6060
Aunque, en principio, nada impide que el contrato se pacte por tiempo **indefinido**, lo más frecuente en la práctica es que el mismo se estipule por **tiempo determinado** con el establecimiento de un término final, transcurrido el cual, y salvo la previsión de prórrogas sucesivas o renovación del contrato, se produce su extinción (nº 6065 s.).

Por otro lado, los acuerdos de franquicia pueden calificarse como contratos de tracto sucesivo, pero no en un sentido puro o estricto, sino como una modalidad mixta o híbrida, pues combina la existencia de prestaciones continuadas en el tiempo (tracto sucesivo), con otras prestaciones que no son continuas ni sucesivas, sino que únicamente deben ejecutarse al comienzo de la vida del contrato (tracto único). Dentro de cada tipo se integran las siguientes prestaciones (TS 4-6-20, EDJ 575447):

a) Prestaciones de **tracto sucesivo**: en este grupo se incluyen dos tipos de prestación:

- la cesión de un derecho de utilización temporal, y en su caso limitado a una zona geográfica, de ciertos elementos como marca, rótulo, patente, emblema, fórmula, método o técnica de fabricación o actividad industrial o comercial, u otros vinculados a derechos de propiedad intelectual o industrial (a tal fin, el franquiciador deberá incluir entre la información precontractual la "acreditación de tener concedido para España, y en vigor, el título de propiedad o licencia de uso de la marca y signos distintivos de la entidad franquiciadora", conforme al RD 201/2010 art.3.b); y
- la prestación continuada por el franquiciador al franquiciado de una asistencia comercial, técnica o ambas.

Estas prestaciones de tracto sucesivo deben mantenerse durante toda la vigencia del contrato.

b) Prestaciones de **tracto único**: en este grupo se integra la obligación del franquiciador de proporcionar al franquiciado el conjunto de conocimientos y experiencias del negocio o explotación comercial que integran el denominado "saber hacer" o know how; prestación que suele realizarse al inicio de la relación contractual, y se agota en ese momento.

Precisiones 1) Los **códigos deontológicos** suelen imponer que en el contrato se prevea expresamente una duración determinada del contrato, adecuada a la actividad a desarrollar.

2) De acuerdo con las **estadísticas** más recientes, la mayoría de los contratos de franquicia tienen una duración de cinco años, seguidos por los de diez años, siendo mínima -en torno a un 2%- los de carácter indefinido.

3) Sobre la **correlación** entre los tipos de prestación (de tracto único y de tracto sucesivo) y los distintos modos de **retribución** del franquiciador (canón único y cánones periódicos), ver nº 6000.

4) Si bien entre la prestación de tracto único (transferencia del know how y prestaciones complementarias -formación-) y la contraprestación (canon de entrada en la franquicia) hay reciprocidad, tal prestación de tracto único constituye un presupuesto necesario para posibilitar el ejercicio de las facultades de explotación comercial del franquiciado, y en tal sentido, aunque se trata de una prestación diferente y previa, no es autónoma sino **interdependiente** del resto de prestaciones del franquiciador (de tracto sucesivo). Por ello, aunque en el contrato de franquicia pueda distinguirse entre prestaciones de tracto sucesivo y otras de tracto único, todas ellas conjuntamente integran el entramado prestacional que el franquiciador se compromete a proporcionar al franquiciado (TS 4-6-20, EDJ 575447), lo cual tiene consecuencias en orden a la restitución de prestaciones en caso de incumplimiento de las obligaciones del franquiciador (ver nº 6072).

8. Extinción

6065

a. Causas

6070 Además de por el **mutuo disenso** de las partes, y con independencia de cualesquiera otras que hayan sido objeto de pacto expreso, la terminación del contrato de franquicia puede venir determinada por las siguientes causas:

6072 **Incumplimiento contractual o imposibilidad sobrevenida de explotar la empresa franquiciada** (CC art.1124) Con carácter general, el incumplimiento de los contratos generadores de obligaciones recíprocas, como es el de franquicia, por cualquiera de las partes faculta a la parte que sufre dicho incumplimiento a **instar la resolución** del contrato o su cumplimiento.

Según doctrina reiterada del TS, para que esta acción resolutoria pueda prosperar es preciso que quien la alegue acredite en el proceso correspondiente, entre otros, los siguientes requisitos (TS 13-5-04, EDJ 31353):
1º La existencia de un vínculo contractual **vigente** entre quienes la concertaron.
2º La **reciprocidad** de las prestaciones estipuladas en el mismo, así como su exigibilidad.
3º El **incumplimiento** por el demandado de las prestaciones que le incumben, estando encomendada la apreciación de este incumplimiento al libre arbitrio de los Tribunales de instancia.
4º La **gravedad** del incumplimiento, que debe ser considerado esencial dentro de la economía del contrato. Esto significa que el incumplimiento debe tener importancia y trascendencia para la finalidad del contrato, pudiendo incluso frustrar el fin para el cual fue establecido el contrato (TS 18-7-12, EDJ 154597). El TS se ha inclinado por exigir la frustración de la finalidad perseguida por los contratantes, prescindiendo de la "voluntad deliberadamente rebelde", exigida en etapas anteriores (TS 5-4-06, EDJ 48775; 30-7-12, EDJ 213115; 4-6-20, EDJ 545447).
5º Que quien **ejercite** esta acción **no haya incumplido** las obligaciones que le concernían; salvo si ello ocurriera como consecuencia del incumplimiento anterior del otro pues la conducta de éste, es la que motiva el derecho de resolución de su adversario y le libera de su compromiso (AP Madrid 4-6-07, EDJ 108736).

Precisiones **1)** La vulneración por el franquiciador del **pacto de exclusiva** constituye un incumplimiento esencial que faculta al franquiciado a resolver el contrato, sin que opere a modo de excusa absolutoria la escasa incidencia económica de la grave infracción, ya que la vulneración de tal deber básico comporta una deslealtad suficiente para destruir la confianza en la contraparte singularmente exigible en los contratos de colaboración de ejecución continuada en el tiempo (TS 30-7-12, EDJ 213115).
2) La ínfima **calidad de los servicios** prestados por el franquiciado a los clientes, y sin reunir los requisitos mínimos exigidos, constituye incumplimiento contractual que justifica la resolución unilateral del contrato del franquiciador (AP Barcelona 16-12-96, Rec 683/95).
3) Procede la resolución del contrato de franquicia por **incumplimientos graves del franquiciador**, tales como la demora en la entrega del manual del franquiciado, la falta de dedicación a la formación del personal, problemas informáticos, cambio de proveedores y falta de cartas de comidas. El TS le condena a indemnizar los perjuicios causados (AP Sevilla 8-9-22, EDJ 858593).
4) Procede la resolución del contrato de franquicia por el **incumplimiento** grave y reiterado del **franquiciado** consistente en el impago de royalties y canon de publicidad, la venta de productos no autorizados, y el incumplimiento de normas técnicas y comerciales. Se le condena al cese en la explotación y al pago de indemnización por incumplimiento y costas procesales (AP Barcelona 9-10-20, EDJ 708466).

Entre los supuestos de **imposibilidad sobrevenida**, merece especial consideración el relativo al **fallecimiento o liquidación**, según se trate de personas físicas o jurídicas respectivamente, de una de las partes, y, en particular del franquiciado. En tales supuestos, a los que podemos asimilar la declaración de incapacidad permanente o la inhabilitación tras la declaración de concurso de acreedores, se puede ejercitar la acción resolutoria cuando, no habiéndose pactado por las partes en el contrato, del contenido del mismo se deduzca que las condiciones personales del franquiciado constituyeron el motivo determinante de la conclusión del contrato. **6074**
Por idénticas razones, constituye causa rescisoria del contrato su **cesión** por el franquiciado a favor de tercero, sin el expreso consentimiento del franquiciador (AP Huesca 20-11-98, EDJ 33999).

Precisiones **1)** La tendencia actual del **Derecho comunitario** es anular las cláusulas que consideran que el fallecimiento de uno de los contratantes implican automáticamente el fin del contrato. En cualquier caso, es frecuente la previsión expresa como causa de resolución contractual de ciertas vicisitudes personales del franquiciado: muerte, jubilación, incapacidad, etc.

En los supuestos de incumplimiento, procede el oportuno juicio de responsabilidad al objeto de resarcir, mediante la oportuna **indemnización**, los daños y perjuicios que, en su caso, se le produzcan a la parte que haya sufrido el incumplimiento (nº 6095). Más discutible resulta, sin embargo, la procedencia de indemnización por daños y perjuicios en los supuestos de imposibilidad sobrevenida. **6076**

Cumplimiento del término pactado Siendo el contrato de franquicia un **contrato de duración**, lo más frecuente en la práctica es que las partes concreten un plazo para la extinción del contrato, de suerte que llegado dicho término se produce el fenómeno extintivo sin necesidad, en principio, de notificación o preaviso. **6078**
Ello no obstante, amparándose en el deber contractual de fidelidad, la doctrina se manifiesta mayoritariamente en el sentido de estimar conveniente, aunque no sea del todo necesario, que se lleve a cabo un **acto o declaración de voluntad** tendente a manifestar la intención de

dar por concluido el contrato, normalmente por parte del franquiciador y con una antelación suficiente al momento del vencimiento.

La conveniencia del **preaviso** resulta predicable incluso en el caso de que no se haya previsto en el contrato la necesidad de una notificación previa, por cuanto si, pese a que ha acaecido el término final, las partes continúan realizando sus obligaciones contractuales, podría entenderse producida tácitamente la prórroga del contrato.

De otra parte, cabe que, junto con la previsión de una duración determinada, las partes pacten la posibilidad de **renovar** el contrato, o que, en ausencia de notificación de una parte a la otra de su intención de renovar, el contrato quede **tácitamente prorrogado** por períodos de tiempo de igual o distinta duración al primero.

6080 Precisiones 1) Siendo normalmente el franquiciador a favor de quien se reconoce el ejercicio unilateral de renovar o prorrogar el contrato, a juicio de la doctrina mayoritaria, la decisión de aquél contraria a la prolongación del contrato, por cualquiera de ambas vías, encuentra como **límites** los principios de buena fe y de ejercicio no abusivo de los derechos, cuya inobservancia puede determinar además de otras consecuencias (ineficacia de la decisión), el deber de indemnización por los daños y perjuicios generados (Hernando Giménez).

2) Se infringen los parámetros que exige el **principio de buena fe** cuando no se respeta el preaviso correspondiente e incluso cuando existiendo éste, la decisión esté rodeada de circunstancias tales que permitan calificarla como contraria a dicho principio (p.e., dar fundadas esperanzas al franquiciado de que se producirá la prórroga o la renovación del contrato, hasta el punto de que éste haya realizado nuevas inversiones, adquisiciones de stoks, etc.).

3) En cuanto a los supuestos de **abuso del derecho**, se contempla el caso en que el franquiciador actúa con la intención de perjudicar o, cuando menos, con la de obtener una utilidad o ventaja propia (p.e., colocando en el lugar del franquiciado al que no se renueva o prorroga a un familiar o a otro franquiciado que pueda reportar mayores beneficios), produciéndose efectivamente un daño, carente de justificación, y, en todo caso, no previsible por el franquiciado.

4) La naturaleza recepticia del preaviso notificado de la voluntad de dar por resuelto el contrato de franquicia y de no proceder a una nueva prórroga del mismo, dicha notificación ha de reputarse válida y eficaz, si la no recepción de la misma es debida a causas exclusivamente imputables a la **conducta**, si no dolosa, cuando menos **negligente de su destinatario** (TS 21-10-96, EDJ 6734).

5) No se admite la doctrina del **enriquecimiento injusto** en el supuesto de extinción de un contrato respetando el plazo de preaviso pactado cuando el beneficio y correlativo perjuicio denunciados tengan su fuente en una causa contractual justa como es la duración dada por las partes al propio contrato (TS 18-3-04).

6082 **Desistimiento unilateral** En los contratos de **duración indeterminada**, las partes gozan de la facultad de denunciar unilateralmente el contrato poniendo, con ello, fin a la relación.

No obstante, el correcto ejercicio de dicha facultad exige que la parte que haga uso de la misma -normalmente el franquiciador- respete un plazo de preaviso, notificando oficialmente a la otra su decisión de **denunciar** el contrato, permitiéndola así readaptarse a la nueva situación y prevenir los perjuicios que derivados de la extinción se le puedan irrogar.

A pesar de no existir una normativa específica del contrato de franquicia en cuanto al **plazo de preaviso**, la doctrina, siguiendo en este punto la jurisprudencia dictada en relación con otros contratos de incuestionable proximidad (concesión mercantil en exclusiva), entiende que, en todo caso, el preaviso se ha de realizar en tiempo oportuno, esto es, en tiempo adecuado según las circunstancias de cada caso en particular, lo que, en último término, debe ser apreciado por los Tribunales (Hernando Giménez).

Precisiones 1) Son contrarias a la **buena fe**, por ejemplo, las denuncias realizadas en una época temprana al nacimiento del contrato a la vida jurídica, sin conceder al franquiciado un lapso de tiempo razonable para que pueda obtener los beneficios esperados al contratar o, cuando menos, ver amortizadas las inversiones que ha realizado inducido por el franquiciador (Hernando Giménez).

2) En relación con otros contratos de distribución, la jurisprudencia considera que el ejercicio de la denuncia sin respeto de lo expresamente pactado sobre el preaviso, únicamente tiene importancia a **efectos indemnizatorios**, sin que impida que la denuncia produzca efectos extintivos (TS 3-7-86, EDJ 4655; 30-6-87; 25-1-96, EDJ 289).

b. Efectos

6085 Producida la terminación del contrato, y con carácter previo a la definitiva extinción de los vínculos obligacionales, las partes quedan obligadas a realizar una serie de actuaciones tendentes a la **liquidación** de la relación obligatoria. Así, junto al cese de la actividad objeto de la franquicia, el franquiciado debe restituir los elementos que en su día le fueron transmitidos, procediéndose asimismo a la cancelación de las operaciones que se hallan en curso. A ello hay que unir cualesquiera otros compromisos de carácter accesorio -particularmente la prohibición de competencia- que las partes hayan previsto, así como la eventual indemnización de daños y perjuicios cuando, atendidas las particulares circunstancias concurrentes, así proceda.

Cese de la actividad y restitución de elementos El efecto inmediato de la extinción 6087
del vínculo contractual es el cese en la actividad de explotación de la empresa franquiciada, y la consiguiente retirada de la marca, etiquetas, enseñas y, en general, de cualquier **signo distintivo** que pueda ser asimilada a una tentativa de confusión con la red.
De otra parte, el franquiciado queda obligado a **entregar al franquiciador** los elementos patrimoniales, materiales e inmateriales, que en su día le fueron transmitidos y le han permitido explotar la actividad objeto de franquicia.
De entre los diferentes elementos que han de ser objeto de restitución, es la del «**know-how**» o *savoir faire* la que presenta, por sus propias características, una problemática más específica. Al respecto, cabe diferenciar entre el soporte material, portador físico de dicho *know-how* (planos, proyectos, especificaciones, etc.), y cuya devolución no plantea, en principio, dificultad alguna; y el elemento propiamente intelectual (secretos técnicos o comerciales), comunicado por el franquiciador, cuya única restitución verdaderamente efectiva consistiría en que el franquiciado olvidara tales conocimientos.
Ante la imposibilidad práctica de que ello ocurra, los efectos de la restitución del *know-how* se aseguran mediante la imposición al franquiciado de la obligación post-contractual de **no divulgarlo** a terceros, a no ser que el mismo haya devenido de general conocimiento o resulte fácilmente accesible por causas diferentes a una violación de sus obligaciones por parte del franquiciado (Decisión CE 17-12-86; 14-11-88).

Se ha cuestionado si, en caso de resolución judicial del contrato de franquicia por incumpli- 6089
miento del franquiciador, éste tiene que **restituir** al franquiciado el **canon inicial** (por la entrada en la franquicia, nº 6000), en la parte proporcional correspondiente a la duración efectiva del contrato, respecto de la duración pactada en el mismo.
Según el TS, en el contrato de franquicia, el canon inicial que se paga por la entrada del franquiciado no queda íntegramente satisfecho con la contraprestación del franquiciador consistente en la formación y know how que transmite al franquiciado al comienzo del contrato, pues dicha formación y "saber hacer" carecen de utilidad por sí solas una vez resuelto el contrato. No se trata, por ello, de una prestación susceptible de un aprovechamiento independiente y separado de las restantes prestaciones pasadas o futuras de ese mismo contrato, por lo que, resuelto el contrato por incumplimiento de las obligaciones del franquiciador, éste tiene que restituir el canon inicial abonado por el franquiciado, en la proporción indicada, pero sin tener que devolverle el IVA que le repercutió, pues el franquiciado, en su condición de empresario o profesional, tenía derecho a deducirse ese IVA con el que a su vez repercutía a sus clientes, por lo que para el franquiciado el pago de ese IVA no constituía un desembolso efectivo (TS 4-6-20, EDJ 575447).

Precisiones 1) La resolución del contrato de franquicia por incumplimiento del franquiciador obliga a éste a la devolución del **canon de entrada** al franquiciado en la cantidad correspondiente a los meses de no explotación de la marca, y al franquiciado al pago de **royalties** atendiendo a la cifra de ventas realizada (AP Madrid 19-1-17, EDJ 26203).
2) En este otro caso el franquiciador no está obligado a la devolución del canon de entrada. La **retención del canon de entrada** entregado debe considerarse indemnización por los daños derivados del incumplimiento contractual del franquiciado (AP Málaga 29-4-14, EDJ 175416).

Liquidación de operaciones Pese al hecho de haber desaparecido la relación contrac- 6091
tual entre las partes, es preciso proceder a la conclusión de las **operaciones en curso**, tales como el abono de las retribuciones pendientes de pago, anulación o reducción de los pedidos, y la liquidación del stock sobrante y todavía no vendido.
Para evitar posibles conflictos, lo más conveniente es que en el **clausulado contractual** se establezcan las condiciones y demás términos en que se ha de producir dichas operaciones de liquidación

Prohibición de competencia Estrechamente vinculada a la obligación del franquiciado 6093
de no divulgar los conocimientos y métodos técnicos y comerciales (*know-how*) que, en su día, le fueron trasmitidos por el franquiciador, se encuentra aquella otra, expresada en una **cláusula de no concurrencia**, en virtud de la cual se prohíbe al franquiciado, durante la vigencia del contrato y cierto tiempo después de su finalización, ejercer directa ni indirectamente, una actividad similar a la desarrollada en régimen de franquicia en un territorio donde pudiera competir con un miembro de la red de franquicia, incluido el franquiciador (AP Barcelona 16-12-96, Rec 683/95).

En todo caso, se trata de una obligación sujeta a ciertos **límites**:
- uno **temporal**, por cuanto debe mantenerse sólo durante un período razonable, entendiéndose por tal, el no superior a un año después de la expiración del contrato (TDC Resol 18-7-95); y
- otro **territorial**, ya que se ha de circunscribir a la zona territorial donde se haya explotado la franquicia.

Precisiones 1) Constituye un acto de competencia desleal el que, tras la resolución del contrato de franquicia, el franquiciado proceda a la **venta del stock** adquirido a través del franquiciador, utilizando el papel de envolver y etiquetar con la marca del franquiciador, manteniendo el color de la fachada del local y del rótulo de la franquicia, sustituyendo sólo el nombre por otro parecido (AP Madrid 17-12-96).
2) En virtud de la cláusula de no concurrencia se prohíbe al franquiciado, durante la vigencia del contrato y cierto tiempo después de su finalización, ejercer, directa ni indirectamente una **actividad similar a la desarrollada** en régimen de franquicia en un territorio donde pudiera competir con un miembro de la red de franquicia, incluido el franquiciador (AP Madrid 14-1-05, EDJ 6360).
3) Por mucho que se impute **incumplimiento a la franquiciadora**, el **deber de no concurrencia** y el deber de confidencialidad surge de la esencia misma de la franquicia, en la que la titular de la misma pone en manos del franquiciada los principales elementos inmateriales del negocio (la idea y el "saber hacer") y por ello, en justa reciprocidad, el franquiciada debe abstenerse de divulgarlo o de usarlo en su exclusivo provecho una vez finalizado el contrato, sea cual sea la causa de esa finalización (AP Madrid 19-1-17, EDJ 26203).
4) Cuando, dado por resuelto el contrato de franquicia, el franquiciado continúa ejerciendo su actividad en el local subarrendado, **explotando su negocio bajo otra marca** de productos, aunque elaborando tales productos sin respetar los ingredientes ni la lista de proveedores suministrados por el franquiciador, se entiende que tal conducta implica una clara vulneración de la posición de competencia desleal (AP Valencia 17-1-01, EDJ 103281).

6095 **Indemnización** (CC art.1106 y 1124) Resuelto el contrato, quien haya ejercitado la acción resolutoria tiene derecho al resarcimiento de los **daños y perjuicios** que le haya causado el incumplimiento, y que, en último término, se concreta en una cuestión de prueba a cargo de la parte que se considere perjudicada.
La indemnización de daños y perjuicios comprende no solo los "daños" o interés negativo, de tal forma que el efecto retroactivo y restitutorio coloque al cumplidor en la misma posición que tendría de no haberse celebrado el contrato, sino en la que tendría de haberse cumplido, y, en consecuencia, comprende el interés positivo o de cumplimiento, esto es, el **lucro cesante** (TS 26-12-06, EDJ 353231).

Precisiones 1) La **prueba de los daños y perjuicios** puede alcanzarse también por presunciones si el enlace es lógico (TS 5-6-85, EDJ 7401; 17-9-87, EDJ 6385; 17-7-00, EDJ 20649).
2) No cabe confundir las razonables **expectativas de ganancias** precontractuales con la prueba del **lucro cesante** (TS 30-7-12, EDJ 213115)

6097 Se ha planteado en la doctrina la procedencia, en el contrato de franquicia, de una indemnización **por clientela**. Es decir, si cabe o no reconocer a favor del franquiciado y con cargo al franquiciador, la obligación de compensar a aquél por la pérdida de la clientela que, como consecuencia de la extinción de la relación contractual, forzosamente va a sufrir.
Al margen de aquellos supuestos en los que las partes hayan contemplado expresamente dicha compensación en el clausulado contractual, lo cierto es que la cuestión es muy **controvertida**, siendo muy distantes entre sí las opiniones de los diversos autores.
Entre las diferentes posturas mantenidas, destaca aquella según la cual es preciso acudir al caso concreto y considerar la **mejora constatable** que va a experimentar el franquiciador tras la extinción del contrato, cuando inexorablemente revierte sobre su patrimonio la clientela generada por el ya ex franquiciado al cual, por su parte, se le puede reconocer un derecho a que se le retribuya por la actividad que ha desplegado para producir ese resultado tan positivo para el franquiciador; cuestión, que, en último término deberá ser determinada por las instancias judiciales o, en su caso, arbitrales (Hernando Giménez).

CAPÍTULO 10

Publicidad

6150

En el presente capítulo se tratan aquellos contratos que, de una u otra forma, giran en torno al **fenómeno publicitario**, principalmente el contrato de publicidad, los contratos de difusión y creación publicitaria y el contrato de patrocinio o «esponsorización». Con carácter preliminar al estudio de estos contratos, se analizan ciertas peculiaridades que presenta la contratación publicitaria. 6152

La contratación publicitaria encuentra su **regulación principal** en la L 34/1988 General de Publicidad (LGPu). Como **regulación subsidiaria** se establece la del Derecho común (LGPu art.7), constituida por las disposiciones generales del Código Civil sobre Derecho de obligaciones y contratos (CC art.1088 a 1314), sin perjuicio de las oportunas remisiones, en su caso, al Código de Comercio.

La regulación sobre la contratación publicitaria se completa además con **disposiciones normativas especiales** que imponen limitaciones al objeto del contrato. Es preciso tener en cuenta, principalmente:

- L 13/2022, **General de Comunicación Audiovisual** (deroga la L 7/2010).
- L 28/2005, de **medidas sanitarias frente al tabaquismo** y reguladora de la venta, el suministro, el consumo y la publicidad de los productos del tabaco, la cual incorpora a nuestro Ordenamiento la Dir 2003/33/CE (cuyas últimas modificaciones se han introducido por la L 3/2014 y L 15/2014, y por el RDL 17/2017, a fin de ampliar el concepto de «productos del tabaco», y comprender dentro de los usos prohibidos los que se producen a través del denominado «cigarrillo electrónico» o «tabaco de uso oral», prohibiendo su comercialización).
- L 13/2011, de regulación del juego.
- RDLeg 1/2015, por el que se aprueba el texto refundido de la Ley de garantías y uso racional de los medicamentos y productos sanitarios.
- Dir 2006/114/CE, sobre publicidad engañosa y publicidad comparativa (incorporada al derecho español por L 29/2009).

Precisiones 1) Los contratos publicitarios se configuran básicamente como **contratos de resultado**, en el sentido de ser esencial a los mismos la obtención de un resultado (campaña publicitaria, creación publicitaria, difusión, según los casos) deseado y buscado por el anunciante. En consecuencia, no es suficiente poner los medios adecuados para que el fin se consiga, sino que éste se configura como elemento estructural esencial al contrato. Dicho resultado, no obstante, no debe interpretarse como la consecución de un éxito comercial (ver nº 6244 s.). 6154

2) La **LGPu** fue **modificada** de manera importante por la L 29/2009, por la que se modifica el régimen legal de la competencia desleal y de la publicidad para la mejora de la protección de los consumidores y usuarios. La reforma modificó el concepto de publicidad ilícita, por un lado, y volvió a regular aspectos básicos de la publicidad relativa a determinados bienes y servicios. A su vez, la modificación operada por la L 3/2014, permitió acumular a la acción de cesación, la de nulidad, anulabilidad, incumplimiento de obligaciones, resolución, rescisión contractual y la de restitución de cantidades que correspondiera. Se trata de acciones frente a publicidad ilícita, que pueden ser ejercidas por consumidores respecto de los contratos que hayan suscrito con los anunciantes (a partir del 13-6-2014). También se ha modificado mínimamente por la L 12/2012, la LO 8/2021 y la LO 1/2023.

SECCIÓN 1

Consideraciones generales

6162 Con aplicación común a los contratos publicitarios que después se tratarán, exponemos a continuación, diversas consideraciones de carácter previo referidas al objeto de la contratación, a los sujetos que en ella intervienen y a lo que podría denominarse factores de «dinámica contractual», esto es, aspectos de regulación jurídica que influyen notoriamente en la forma de contratar y que, además, suponen de hecho un freno a las expectativas usuales que las partes tienen en la fase de contratación o negociación.

6164 **Objeto de la contratación publicitaria** (LGPu art.2) Se define publicidad como toda **forma de comunicación**, realizada por una persona física o jurídica, pública o privada, en el ejercicio de una actividad comercial, industrial, artesanal o profesional, con el fin de promover de forma directa o indirecta la contratación de bienes muebles o inmuebles, servicios, derechos y obligaciones.

De esta definición podemos extraer las **líneas básicas** de lo que debe entenderse por contratación publicitaria y los principales efectos de dicha configuración:

a) La publicidad tiene un componente intrínseco de **carácter comercial o de mercado**. Solo se concibe la contratación publicitaria, y el consiguiente ejercicio de la publicidad, en el marco de una actividad comercial, industrial, artesanal o profesional, lo que constituye, a su vez, una limitación objetiva en el ámbito de aplicación de la LGPu, en el sentido de que solo se puede reclamar la aplicación de esta normativa en el ámbito de una **actividad oferente de productos y servicios**. Otra cuestión es determinar y diferenciar cuándo se está ante una oferta contractual y cuándo, por el contrario, se está simplemente ante una **invitación a contratar**, ante un anuncio de productos o servicios, no vinculante contractualmente para quien lo hace, sino con una finalidad pura y llana de hacer conocidos dichos productos o servicios (ver nº 6180). Los contratos de publicidad tienen, por consiguiente, una dimensión de mercado inherente.

b) La publicidad tiene como **finalidad** la promoción, directa o indirecta, de la contratación de bienes muebles o inmuebles, servicios, derechos y obligaciones. Se reafirma de esta forma el carácter mercantil, puramente de mercado, que inspira la contratación publicitaria. En otras palabras, la publicidad tiene por objeto la consideración comercial de productos y/o servicios como valor de cambio frente al consumidor o, en general, frente al destinatario de la publicidad. Como consecuencia de ello, solo es posible la aplicación de la normativa sobre contratación publicitaria contenida en la LGPu cuando el objeto de la misma sea la **promoción de bienes o servicios**. Si, por el contrario, no se tiende a dicha promoción, directa o indirecta, de bienes y/o servicios, no estaremos en el ámbito de la contratación publicitaria, sino en el más reducido del ofrecimiento contractual limitado (ver nº 6180).

6166 Precisiones 1) La exigencia de que la contratación publicitaria tenga por objeto una actividad de promoción de bienes o servicios es importante, como luego veremos, a la hora de determinar si el **uso de un nombre de dominio** constituye, en todo caso, una actividad publicitaria o no (nº 6178).

2) La aplicabilidad de la legislación sobre contratación publicitaria está condicionada, en nuestra opinión, por un **factor extensivo**, en función de la dimensión subjetiva dada al mensaje publicitario (es decir, solo es publicidad si el destinatario del mensaje es un conjunto amplio y conformado de personas). Téngase en cuenta que la misma LGPu limita objetivamente la consideración de publicidad a que la misma tenga lugar en el ámbito de la promoción de una actividad comercial, industrial, artesanal o profesional. Una actividad de este tipo solo puede tener lugar cuando lo publicitado sea un bien o servicio susceptible de ser **comercializado de forma masiva**. Por definición, una actividad de las descritas no puede tener lugar si no es sobre la base de un ofrecimiento extensivo de bienes y servicios. Por consiguiente, estimamos que las normas de contratación publicitaria no son aplicables al mero acto de **ofrecimiento contractual limitado** (ofrecimiento individual), donde rigen otras normas de protección no menos importantes, como las que se refieren a la contratación civil (CC art.1088 s.). De hecho, tras la reforma de la LGPu de 2009, después de la cual se considera la publicidad ilícita como un acto de competencia desleal, es más claro que ese reproche de deslealtad, por definición, ha de tener lugar entre dos **competidores en el mercado**. Cuando la desavenencia surja entre un adquirente de un producto o el beneficiario de un servicio, y quien lo comercialice o

lo preste, lo más apropiado es resolver aquella sobre la base del Derecho de obligaciones, como un supuesto de incumplimiento contractual.

3) Existe una **invitación a comprar** desde el momento en que la información relativa al producto comercializado y a su precio es suficiente para que el consumidor pueda tomar una decisión sobre una transacción, sin que sea necesario que la comunicación comercial incluya también un medio concreto de adquisición del producto, o que aparezca en conexión con tal medio o con ocasión de él (TJUE 12-5-11, asunto C-122/10).

Nombres de dominio de internet Un supuesto particular dentro del ámbito del objeto de la contratación publicitaria es el relativo a los nombres de dominio y la publicidad por internet, ámbito que constituye un **modo de publicidad** (y de contratación) ampliamente utilizado para determinados tipos de productos o servicios (p.e. para reserva de billetes de transporte, de hoteles o, en general, para proceder a la venta a distancia o fuera del establecimiento mercantil). 6168

El nombre de dominio es definido como la dirección técnica de **ubicación de una página web** en el espacio virtual o cibernético de Internet. En realidad, no constituye más que un número asignado a un titular para proceder a su identificación dentro del esquema ilimitado de la red (Internet) en función de un **protocolo Internet** (IP). A ese conjunto identificador se le denomina **dirección IP**.

En consecuencia, la **función** de un nombre de dominio no es otra que la de localizar, dentro del conjunto amplísimo e ilimitado de recursos de Internet (cuando hablamos de recurso en este ámbito nos referimos a máquinas u ordenadores de acceso a Internet), uno de esos recursos concretos, es decir, una página o un sitio web específicos. Esa localización equivale a una identificación, en la medida en que queda identificada la máquina u ordenador desde el cual se efectúa la comunicación comercial.

Una de las cuestiones que suscitan mayor discusión en relación con los nombres de dominio ha sido la de saber si un dominio **coincidente con una marca** o signo distintivo denominativo constituye un uso a título de marca o no.

La anterior pregunta cobra plena importancia en los casos de «ocupación virtual» de dominios con mala fe, con la finalidad de revenderlos a los titulares de las marcas coincidentes con dichos dominios.

En este sentido, y partiendo de la base de que los nombres de dominio son **identificadores en línea** de las actividades y sujetos que los tienen en propiedad, es evidente que el sistema de nombres de dominio tiene como objetivo permitir a los usuarios de Internet la identificación y localización de los sujetos e informaciones conectadas a un nombre de dominio en cuestión.

En definitiva, es indudable que los nombres de dominio constituyen el **principal signo identificador y diferenciador** de las empresas, organizaciones y personas individuales que actúan en Internet. Los dominios de Internet constituyen un elemento fundamental en la estrategia corporativa, de imagen y, en su caso, comercial de esos titulares que utilizan la red para publicitar y comercializar sus bienes, productos, prestaciones y actividades, en general.

Por consiguiente, un nombre de dominio puede ser considerado como un **auténtico signo distintivo** de quien lo usa en una red y, en su caso, de las actividades allí desarrolladas. Nótese que utilizamos el término «distintivo» como identificador del titular del nombre de dominio, y no necesariamente como equivalente a «marca».

Ahora bien, esta función primordial como signo identificativo no debe empequeñecer **otras funciones** que la experiencia ha demostrado que también cumple el nombre de dominio. El nombre de dominio ha resultado ser mucho más que un mero signo, llegando a convertirse en un identificador de mayor extensión, que engloba a nombres de personas físicas, denominaciones de origen, funciones, profesiones, servicios, meros sustantivos, etc.

Precisiones Es muy frecuente que las empresas y particulares, soliciten como dominio uno que coincida bien con su **denominación social**, o bien con una **marca de su titularidad** o incluso de la que sean meros licenciatarios. Las empresas adquieren entonces la plena garantía y confianza de que serán fácilmente identificables y reconocibles en la red por medio del uso del nombre de dominio elegido y de que los usuarios van a poder acceder al respectivo sitio web con solo teclear el nombre comercial, la denominación social o la marca de un determinado operador o, en general, el identificador elegido por el titular. No obstante, recuérdese que esa coincidencia no es requisito necesario para la plena asignación del dominio en cuestión. 6170

Por este motivo, uno de los métodos más comúnmente utilizados por los usuarios de Internet para **acceder a un sitio o página web** es la utilización de los signos distintivos pertenecientes o asociados a una empresa, persona física u organización. Se establece, entonces, una relación entre tales signos y el nombre de dominio elegido. Por ello, y teniendo presente las circunstancias de búsqueda por los consumidores y demás usuarios de prestaciones y bienes ajenos, es absolutamente necesario impedir que un tercero cualquiera pueda utilizar, como nombre de dominio, el signo distintivo más característico perteneciente a una organización, a un individuo o el nombre personal correspondiente a una persona física. Todo ello, a fin de evitar confusión sobre las actividades y prestaciones propias.

6172 **Asignación de nombres de dominio** (OM ITC/1542/2005) La asignación de nombres de dominio «.es» se regula actualmente por medio de la OM ITC/1542/2005 por la que se aprueba el **Plan Nacional de Nombres de Dominio** de Internet bajo el código de país correspondiente a España (.es). Sus notas fundamentales son las siguientes:

• Se establece un modelo de asignación de nombres de dominio «.es» **totalmente liberalizado**, no sujeto a especiales condiciones o requisitos (como los que, en su momento, venían a exigir que el nombre solicitado coincidiese con una marca o nombre comercial del solicitante) y se amplían los supuestos de legitimación activa para solicitar este tipo de nombres de dominio.

• Se distingue entre **nombres de segundo y de tercer nivel**, con lo que se busca ofrecer una dimensión más internacional al fenómeno de los dominios «.es» sin perder la raíz nacional. Son nombres de dominio de tercer nivel los siguientes: «.com.es», «.nom.es», «.org.es», «.gob.es» y «.edu.es».

• Los nombres de dominio **pueden solicitarse** por cualquier persona física o jurídica y por las entidades sin personalidad domiciliadas, residentes o establecidas en España, que quieran dirigir total o parcialmente sus servicios al mercado español, y quieran ofrecer información, productos o servicios vinculados cultural, histórica o socialmente con España.

• El solicitante no precisa demostrar que es titular (o licenciatario) de un derecho de marca, nombre comercial o denominación social que coincida con el nombre de dominio solicitado. Las únicas limitaciones para conceder **nombres de segundo nivel** son las siguientes:

- no puede asignarse uno que coincida con algún dominio de primer nivel (tales como «.edu», «.com», «.uk», etc.) o con uno de los propuestos o que esté en trámite de estudio por la organización competentes para su creación, si bien, en este caso, la prohibición solo se aplica cuando, a juicio de la autoridad de asignación, el uso del nombre de dominio pueda generar confusión;

- no pueden asignarse dominios de segundo nivel que coincidan con nombres generalmente conocidos de términos de Internet cuyo uso pueda generar confusión.

Respetando estas limitaciones, la asignación de los nombres de segundo nivel se ha de efectuar sin comprobación previa, salvo en lo que se refiere a las normas de sintaxis y a términos que resulten contrarios a la Ley, la moral o el orden público, o aquellos cuyo tenor literal pueda vulnerar el derecho al nombre de las personas físicas o el derecho de propiedad industrial, atentar contra el derecho al honor, a la intimidad o al buen nombre, o cuando pudiera dar lugar a la comisión de un delito o falta tipificado como tal en el Código Penal.

- se ha de tener en cuenta, que por medio de resoluciones del Director General de la **entidad Red.es**, regularmente se actualiza la lista de nombres de segundo nivel bajo «.es» que se encuentran reservados y, por tanto, no pueden ser solicitados libremente (la última es de 27-12-2014).

6174 • Por lo que se refiere a los **nombres de tercer nivel** se han de asignar atendiendo a un criterio temporal de solicitud, no pudiendo ser objeto de solicitud nombres de dominio que ya hayan sido previamente asignados. La legitimación para la solicitud de este tipo de dominios es bastante amplia en función del tipo de nombre solicitado. Así, por ejemplo, los indicativos «.com.es» pueden solicitarlos las personas físicas o jurídicas y las entidades sin personalidad que tengan intereses o mantengan vínculos con España; los indicativos «.nom.es» pueden solicitarlos las personas físicas que tengan intereses o mantengan vínculos con España; los indicativos «edu.es» pueden solicitarlos las instituciones o colectivos con o sin personalidad judicial que gocen de reconocimiento oficial y realicen funciones o actividades relacionadas con las enseñanza o la investigación en España; finalmente, los indicativos «gob.es» pueden solicitarlos únicamente las Administraciones públicas españolas, entidades de Derecho público de ella dependientes, sus dependencias, órganos o unidades.

• Se establece la libre **transmisión** de los nombres de dominio «.es», siempre y cuando el adquirente cumpla con lo previsto en el Plan Nacional de Dominios (.es). Toda transmisión voluntaria debe contar con la aprobación del antiguo titular del nombre de dominio, y debe ser comunicada a la autoridad de asignación, con carácter previo a la correspondiente modificación de los datos de registro del nombre en cuestión. La aceptación ha de ser formalizada por el antiguo titular, de acuerdo con los procedimientos establecidos por la autoridad de asignación.

• El Plan Nacional incorpora y crea un procedimiento extrajudicial de **resolución de conflictos** de similares alcance y contenido a la Política ICANN existente ya desde mediados de 1999 y que viene aplicándose con éxito desde esa fecha en la resolución de conflictos entre dominios de primer nivel (entre otros) y marcas o incluso nombres de personas físicas. La Política ICANN tiene aplicación prácticamente en todo el mundo. Actualmente, este procedimiento se encuentra reflejado en el Reglamento del Procedimiento de Resolución Extrajudicial de Conflictos, aprobado el 7-11-05. Hay que destacar, igualmente, la Instrucción del Director General de Red.es de fecha 2-1-2010, por la que se desarrollan los procedimientos aplicables a la asignación y a las demás operaciones asociadas al **registro de nombres de dominio** bajo «.es».

Asimismo, hay que hacer referencia a la Instr 29-10-2012, del director general de dicha entidad pública, que establece el procedimiento de **reasignación para nombres de dominio** (.es) que hayan sido **declarados de interés general**. La competencia para dicha declaración la tendrá el presidente de Red.es a través de resolución motivada. Los nombres de dominio en cuestión serán cancelados y posteriormente reasignados a favor del sujeto que represente el interés general que motiva la reasignación. El antiguo titular del nombre de dominio solo tendrá derecho a la devolución de las cantidades satisfechas por la última modalidad de asignación o renovación del mismo.
La asignación de nombres de dominio bajo el código del país correspondiente a España (.es), así como la gestión del registro de los mismos, es competencia de la **entidad pública empresarial Red.es** (RD 164/2002).

Precisiones 1) Se parte de la premisa de que un nombre de dominio es una **forma de identificar**, fundamental, aunque no exclusivamente, la actividad comercial o empresarial de una empresa en el mercado representado por una red telemática. **6176**
2) La nueva regulación prevé que puedan solicitar nombres de dominio (.es) de **segundo nivel** las personas físicas o jurídicas y las entidades sin personalidad que tengan intereses o mantengan vínculos con España. El concepto de **intereses o vínculos con España** ha de entenderse en un sentido amplio y abarcaría, en principio, a las personas físicas o jurídicas y a las entidades sin personalidad domiciliadas, residentes o establecidas en España, a las que quieran dirigir total o parcialmente sus servicios al mercado español, así como a las que quieran ofrecer información, productos o servicios que estén vinculados cultural, histórica o socialmente con España (OM ITC/1542/2005 Exp.Motivos).
Para el supuesto de nombres de dominio de **tercer nivel**, los requisitos de legitimación activa son más precisos:
- en el caso de indicativo «**.com.es**», las personas físicas o jurídicas y las entidades sin personalidad que tengan intereses o mantengan vínculos con España;
- en el caso de indicativo «**.nom.es**», las personas físicas que tengan intereses o mantengan vínculos con España;
- en el caso de indicativo «**.org.es**», las entidades, instituciones o colectivos con o sin personalidad jurídica y sin ánimo de lucro que tengan intereses o mantengan vínculos con España;
- en el caso del indicativo «**.gob.es**», las Administraciones Públicas españolas y las entidades de Derecho Público de ellas dependientes, así como cualquiera de sus dependencias, órganos o unidades;
- finalmente, en el caso del indicativo «**.edu.es**», las entidades, instituciones o colectivos con o sin personalidad jurídica, que gocen de reconocimiento oficial y realicen funciones o actividades relacionadas con la enseñanza o la investigación en España.

Relación con la publicidad Al margen de la discusión sobre si los nombres de dominio constituyen una forma de identificación de su titular en el mercado, similar o idéntica a la de las marcas o signos distintivos tradicionales, otra cuestión importante que se plantea en relación con los nombres de dominio es la de si el mero uso de un dominio puede constituir un acto efectuado con **finalidad publicitaria**. **6178**
De acuerdo con la definición y la tesis antes expuesta, la **función principal** de un nombre de dominio es la de localización o identificación de determinadas actividades, sean o no comerciales. Esto significa que un dominio de Internet no es solamente un mero número de asignación de una dirección URL a un sujeto (de igual modo que el número de teléfono identifica al titular dentro del conjunto de usuarios de servicios de telefonía). Además, esa función que es básica puede generar una **función complementaria** y fundamental de identificación del titular en el mercado por referencia al nombre adoptado como dominio. En este sentido, es claro que, en la mayor parte de los supuestos, el nombre de dominio se identifica con una marca o con algún otro signo distintivo del titular (p.e. un nombre comercial o una denominación social), pero, como hemos señalado, no solamente.

Diferencia entre publicidad y oferta contractual Es importante saber, no solo en el ámbito de la publicidad, sino en general en el de toda contratación, dónde se halla el límite entre la mera publicidad, entendida como un anuncio dirigido a la generalidad de los consumidores (la invitación a contratar, no vinculante contractualmente), y la oferta contractual propiamente dicha. Aunque no sea ésta una cuestión atinente directamente a la contratación publicitaria, no es menos cierto que tiene su relevancia para el anunciante, sobre todo si pretende no quedar vinculado jurídicamente por el tipo de oferta en sentido lato o publicidad que efectúe. **6180**
Existe **oferta contractual** cuando en el cuerpo del mensaje con destino a la otra parte contractual (sea determinada o individual, sea general o indeterminada) se encuentren los elementos básicos del contrato proyectado (objeto y causa, fundamentalmente) y sea posible la conclusión del mismo sin más necesidad de ulteriores modificaciones del contrato proyectado. La

oferta contractual requiere que, una vez recibida la oferta por su destinatario, éste solo tenga que dar su consentimiento a la misma, quedando perfeccionado desde ese momento el contrato sin necesidad de cualquier otro acto.
La doctrina establece que, en consecuencia, no serán ofertas propiamente dichas aquellas en las que haya una **reserva** de algún tipo o una **condición** para la plena efectividad del contrato proyectado. En el ámbito publicitario, si en el anuncio se incorporan expresiones tales como «oferta limitada», «oferta vigente hasta el 15 de junio» u otras similares, queda patente la voluntad del oferente de no querer quedar vinculado jurídicamente por las condiciones o el producto o servicio, tal y como se ofrece publicitariamente, al público o a la contraparte.
Por el contrario, en la **invitación a contratar o mera publicidad**, quien la hace pública no queda vinculado obligacionalmente por su declaración, ya que, a diferencia de lo que ocurre con la oferta propiamente dicha, en este caso quien efectúa la publicidad no define ni especifica los elementos esenciales y mínimos para que el destinatario conozca las condiciones de la contratación proyectada. Ejemplos de este tipo de anuncio serían todos aquellos que incorporasen expresiones tales como «se vende», «muebles de ocasión», etc.

Precisiones 1) La jurisprudencia vincula estrechamente la oferta contractual o de contrato al **nacimiento de obligaciones**, aunque propiamente no llegue a producir ninguna (TS 28-11-13, EDJ 246699).
2) En el ámbito concreto de la oferta de un contrato de seguro (LCS art.6), debe calificarse como propuesta aquella solicitud que actúa como verdadera oferta de contrato por hallarse recogida en el **documento de condiciones esenciales del contrato de seguro**. Cuando existe una propuesta con estos requisitos, la declaración de voluntad del tomador del seguro dirigida al asegurador prestando su conformidad a la proposición, tiene como efecto la perfección del contrato siempre que coincida con la oferta, presuponga la voluntad de contratar definitivamente, se haga efectivo su carácter recepticio respecto del asegurador y se haga en tiempo oportuno (TS 14-2-08, EDJ 25584; AP Barcelona 4-5-17, EDJ 144874).
3) Existe una **invitación a comprar** desde el momento en que la información relativa al producto comercializado y a su precio es suficiente para que el consumidor pueda tomar una decisión sobre una transacción, sin que sea necesario que la **comunicación comercial** incluya también un medio concreto de adquisición del producto, o que aparezca en conexión con tal medio o con ocasión de él. Puede bastar para que haya invitación a comprar con que se indiquen **determinadas características del producto**, si el comerciante remite a su sitio en Internet, siempre que dicho sitio contenga las informaciones esenciales relativas a las características principales del producto, al precio y al resto de requisitos, con arreglo a la Dir 2005/29/CE art.7. Finalmente, interesa reseñar que una **presentación escrita o visual** del producto permite cumplir el requisito relativo a la indicación de las características del producto, incluso en el supuesto de que se utilice una misma presentación escrita o visual del producto para designar un producto ofrecido en varias variantes (TJUE 12-5-11, asunto C-122/10).
4) La Dir 2000/31/CE art.12.1, en relación con el art.2.a y con la Dir 98/34/CE art.1.2, debe interpretarse en el sentido de que una prestación realizada por el **operador de una red de comunicaciones**, que consiste en poner ésta gratuitamente a disposición del público, constituye un «servicio de la sociedad de la información», en el sentido de la primera disposición citada, cuando es llevada a cabo por el prestador de que se trate con fines publicitarios respecto a los bienes vendidos o los servicios realizados por dicho prestador (TJUE 15-9-16).
5) Sin perjuicio de la sujeción de la publicidad realizada en vías públicas, lugares abiertos al público y, en particular, en centros comerciales al cumplimiento de la normativa reguladora de la publicidad sobre **productos y servicios bancarios**, la entidad extremará la diligencia en el cumplimiento de la obligación de asistencia previa a la formalización del contrato cuando el crédito se promocione u ofrezca a la clientela en estos casos, facilitando en ese momento explicaciones adecuadas de forma individualizada para que el potencial cliente pueda evaluar si el contrato de crédito, y en especial la modalidad de pago propuesta, se ajusta a sus intereses, a sus necesidades y a su situación financiera (AP Alicante 17-11-23, EDJ 843867).

6182 La Ley de servicios de la sociedad de la información y de comercio electrónico (**LSSI**) prevé cuál es la **información general** que todo prestador de servicios está obligado a poner a disposición de los usuarios que accedan a sus servicios.
Téngase presente, en este sentido, que por **usuarios** ha de entenderse no solamente los destinatarios del servicio, sino también los órganos competentes de la supervisión de tales servicios (se está pensando lógicamente en la Administración, a la que se encomienda una labor de vigilancia y supervisión). Esa obligación deberá cumplirse de manera tal que tanto unos como otros puedan acceder de forma permanente, fácil, directa y gratuita a la siguiente información (LSSI art.10):
• Nombre o **denominación social** del prestador de servicios; residencia o **domicilio** o, en su defecto, dirección de uno de sus establecimientos permanentes en España; dirección de correo electrónico y cualquier otro dato que permita establecer con él una comunicación directa y efectiva.

• Los datos de su **inscripción en el Registro Mercantil** en el que, en su caso, se encuentre inscrito el prestador o de aquel otro registro público en el que lo estuvieran para la adquisición de la personalidad judicial o a los solos efectos de publicidad.
• Si la actividad del prestador de servicios está sujeta a un régimen de **autorización administrativa** previa, los datos relativos a dicha autorización y los identificativos del órgano competente encargado de su supervisión.
• Si el prestador de servicios ejerce una profesión regulada, deberá indicar los datos del **colegio profesional** al que, en su caso, pertenezca y número de colegiación; título académico oficial o profesional con el que cuente; Estado de la Unión Europea o del Espacio Económico Europeo en el que se expidió dicho título y, en su caso, la correspondiente homologación o reconocimiento; y las normas profesionales aplicables al ejercicio de su profesión y los medios a través de los cuales se puedan conocer, incluidos los electrónicos.
• El **número de identificación fiscal** que le corresponda.
• Cuando el servicio de la sociedad de la información haga referencia a precios, se proveerá también una información clara y exacta sobre el **precio del producto o servicio**, indicando si incluye o no los impuestos aplicables y, en su caso, los gastos de envío.
• Los **códigos de conducta** a los que, en su caso, esté adherido y la manera de consultarlos electrónicamente.
La obligación de facilitar esta información se dará por cumplida si el prestador la incluye en su página o **sitio de Internet** en las condiciones señaladas anteriormente.

Publicidad ilícita (LGPu art.3, 4, 6 y 7; L 7/2010 art.18) Se consideran ilícitos los siguientes tipos de publicidad: **6184**

Contra la dignidad de la persona La publicidad que vulnere los valores y derechos reconocidos constitucionalmente, especialmente en lo que se refiere a la igualdad, honor, intimidad y propia imagen, y la libertad de expresión, así como la protección de la juventud y la infancia. En este sentido, es importante destacar que la reforma operada por la L 29/2009 alude especialmente a los derechos previstos en la Const art.14, 18 y 20.4. Asimismo, se ha añadido un párrafo especial que califica de ilícita la publicidad o los anuncios que presenten a las **mujeres de forma vejatoria o discriminatoria**, bien utilizando particular y directamente su cuerpo o partes del mismo como mero objeto desvinculado del producto que se pretende promocionar, bien su imagen asociada a comportamientos estereotipados que vulneren los fundamentos de nuestro ordenamiento coadyuvando a generar la violencia a que se refiere la LO 1/2004, de medidas de protección integral contra la violencia de género. A nuestro juicio, esta fórmula es esencialmente muy abierta, acaso en exceso, dejando a los órganos encargados de aplicar esta LGPu **excesivo margen** a la hora de apreciar cuándo se cumple esta última condición legal. **6186**
Asimismo, se entiende incluida en la anterior definición cualquier forma de publicidad que coadyuve a generar **violencia o discriminación** en cualquiera de sus manifestaciones sobre las personas menores de edad, o que fomente estereotipos de carácter sexista, racista, estético o de carácter homofóbico o transfóbico o por razones de discapacidad, así como la que promueva la prostitución (LGPu art.3.a) redacc LO 10/2022).

Publicidad dirigida a menores La que les incite a la compra de un bien o de un servicio, explotando su inexperiencia o credulidad, o en la que aparezcan persuadiendo de la compra a padres o tutores. No se puede, sin un motivo justificado, presentar a los **niños en situaciones peligrosas**. No se debe **inducir a error** sobre las características de los productos, ni sobre su seguridad, ni tampoco sobre la capacidad y aptitudes necesarias en el niño para utilizarlos sin producir daño para sí o a terceros. **6188**

Publicidad subliminal Es la que mediante técnicas de producción de estímulos de intensidades fronterizas con los umbrales de los sentidos o análogas, pueda actuar sobre el público destinatario sin ser conscientemente percibida. **6190**

Publicidad La que infrinja lo dispuesto en la normativa que regule la de determinados productos, bienes, actividades o servicios. A la pregunta de a qué tipo de bienes o servicios se está refiriendo en este punto la Ley, se propone una interpretación sistemática en relación con el contenido del LGPu art.5, el cual, bajo el título «Publicidad sobre determinados bienes o servicios», alude a: **6192**
- materiales o productos sanitarios y otros sometidos a reglamentaciones técnico-sanitarias y productos, bienes, actividades y servicios susceptibles de generar riesgos para la salud o seguridad de las personas o su patrimonio;
- publicidad sobre juegos de suerte, envite o azar;
- productos estupefacientes, psicotrópicos y medicamentos, destinados al consumo de personas y animales;

- publicidad relativa a bebidas con graduación alcohólica superior a 20 grados por medio de la televisión, o en los lugares donde esté prohibida su venta o consumo (la regulación aplicable a bebidas superiores a 20 grados puede aplicarse asimismo a las bebidas con menor graduación alcohólica, mediante desarrollo reglamentario).

6194 **Publicidad engañosa, desleal y agresiva** La publicidad engañosa, la publicidad desleal y la publicidad agresiva, las cuales tendrán el carácter de **actos de competencia desleal**, de acuerdo con lo establecido en la Ley de Competencia Desleal. Téngase en cuenta que la L 29/2009 modifica también diversos preceptos de dicha Ley, trasladando a su ámbito comportamientos que antes eran regulados más bien en la LGPu.

A) Teniendo esto en cuenta, y en lo que atañe a la **publicidad engañosa**, la publicidad será así considerada cuando contenga información falsa o información que, aun siendo veraz, por su contenido o presentación induzca o pueda inducir a error a los destinatarios de la misma, siendo susceptible de alterar su comportamiento económico, siempre y cuando incida en alguno de los siguientes aspectos (LCD art.5):

• La existencia o la **naturaleza** del bien o servicio.

• Las **características** principales del bien o servicio, tales como su disponibilidad, sus beneficios, sus riesgos, su ejecución, su composición, sus accesorios, el procedimiento y la fecha de su fabricación o suministro, su entrega, su carácter apropiado, su utilización, su cantidad, sus especificaciones, su origen geográfico o comercial o los resultados que pueden esperarse de su utilización, o los resultados y características esenciales de las pruebas o controles efectuados al bien o servicio.

• La **asistencia posventa** al cliente y el tratamiento de las reclamaciones.

• El alcance de los **compromisos** del empresario o profesional, los motivos de la conducta comercial y la naturaleza de la operación comercial o el contrato, así como cualquier afirmación o **símbolo** que indique que el empresario o profesional o el bien o servicio son objeto de un patrocinio o una aprobación directa o indirecta.

• El **precio** o su modo de fijación, o la existencia de una ventaja específica con respecto al precio.

• La necesidad de un servicio o de una **pieza, sustitución o reparación**, y la modificación del precio inicialmente informado, salvo que exista un pacto posterior entre las partes aceptando tal modificación.

• La naturaleza, las características y los derechos del empresario o profesional o su agente, tales como su **identidad** y su **solvencia**, sus cualificaciones, su situación, su aprobación, su afiliación o sus conexiones y sus derechos de propiedad industrial, comercial o intelectual, o los premios y distinciones que haya recibido.

• Los **derechos legales o convencionales** del consumidor o los riesgos que éste pueda correr.

Puede considerarse engañosa (por desleal) también la publicidad que **omite u oculta información** necesaria para que el destinatario de la misma adopte o pueda adoptar una decisión relativa a su comportamiento económico con el debido conocimiento de causa (LCD art.7).

Se considera también desleal la publicidad si la **información** que se ofrece en ella es **poco clara, ininteligible, ambigua**, no se ofrece en el momento adecuado, o no se da a conocer el propósito comercial de esa práctica, cuando no resulte evidente por el contexto.

Para la **determinación del carácter engañoso** de los actos referidos se atenderá al contexto fáctico en que se producen, teniendo en cuenta todas sus características y circunstancias y las limitaciones del medio de comunicación utilizado. Cuando el **medio de comunicación utilizado** imponga limitaciones de espacio o de tiempo, para valorar la existencia de una omisión de información se tendrán en cuenta estas limitaciones y todas las medidas adoptadas por el empresario o profesional -de los medios de comunicación empleados en la difusión del mensaje publicitario- para transmitir la información necesaria por otros medios (LCD art.7.2).

6196 Precisiones **1)** La Dir 2005/29/CE art.7, apartados 1 y 3, ha de interpretarse en el sentido de que, a efectos de apreciar si una **práctica comercial** debe calificarse de **omisión engañosa**, es preciso tener en cuenta el contexto en que se inscribe dicha práctica, y, en particular:

- las limitaciones inherentes al medio de comunicación utilizado para esa práctica comercial;
- las limitaciones de espacio o de tiempo que ese medio de comunicación impone; y
- todas las medidas adoptadas por el comerciante para poner la información a disposición del consumidor por otros medios, aun cuando esta exigencia no se deduzca expresamente de la letra de la normativa nacional de que se trate (TJUE 26-10-16).

2) El alcance del art.7.1 y 3 de la Dir 2005/29/CE al que remite la Dir 2006/114/CE art.4. a y c, debe interpretarse en el sentido de que una publicidad que compara los precios de productos vendidos en **establecimientos de tamaños o formatos diferentes** que forman parte de grupos que poseen una gama de establecimientos, puede ser ilícita a menos que se informe a los consumidores, de manera clara y mediante el propio mensaje publicitario, de que la comparación se ha llevado a cabo entre los precios aplicados en los establecimientos de tamaños o formatos superiores del grupo del anunciante y los aplicados en establecimientos de tamaños o formatos inferiores de los grupos competidores. Para apreciar la licitud de esta publicidad, se ha de comprobar, por el tribunal, que incumple el requisito de objetividad de la comparación o es engañosa, por un lado, teniendo en cuenta la percepción del consumidor medio de los productos de que se trata, normalmente informado y razonablemente atento y perspicaz, y, por otro, teniendo en cuenta las indicaciones incluidas en la publicidad, concretamente la referida a los establecimientos del grupo del anunciante y a los de los grupos competidores cuyos precios han sido comparados, y, con carácter más general, todos los elementos de ésta (TJUE 8-2-17).

3) No resulta necesario, para calificar el supuesto de publicidad engañosa, que la **información** suministrada sea **inexacta o inveraz**, ya que partiendo de datos verídicos puede inducirse a error. La publicidad es también engañosa si silencian datos fundamentales de los bienes, actividades o servicios publicitados, cuando dicha omisión induzca a error a sus destinatarios, se habla, así, usualmente, de publicidad engañosa en forma positiva y de publicidad engañosa en forma negativa. En cualquier caso, la aptitud para inducir a error del mensaje publicitario cuestionado ha de ser apreciada en relación con el consumidor tipo, entendiendo por tal, según caracterización común, el consumidor medio, normalmente informado y razonablemente atento y perspicaz, por el que debe entenderse el consumidor medio al que afecte o se dirija la práctica y como miembro medio del grupo, si se trata de una práctica comercial dirigida a un grupo concreto de consumidores (AP Madrid 28-11-16, EDJ 286159).

B) Por su parte, se considera **desleal** la publicidad ilícita. Para conocer, pues, si una publicidad es desleal habrá primero que determinar si es ilícita (nº 6184 s.) (LCD art.18). Se aprecia en este punto una suerte de **confusión legal**, ya que, por un lado, se califica de desleal la publicidad ilícita, pero a su vez es ilícita la publicidad engañosa, desleal y agresiva (LGPu art.3). Es decir, lo que a priori parece que se quiere considerar como un supraconcepto (publicidad desleal) en realidad, acaba englobándose dentro de ese mismo concepto, lo cual puede dar lugar a dificultades interpretativas. **6198**

A nuestro juicio, considerando la publicidad desleal en sentido estricto, creemos que lo es:
- aquella que consista en actos de **engaño** (LCD art.5);
- actos de **confusión** (LCD art.6);
- la que **omita circunstancias relevantes** de forma engañosa, según lo señalado en el nº 6192;
- actos de **denigración** en el sentido previsto en la LCD art.9 (es decir, la realización o difusión de manifestaciones sobre la actividad, las prestaciones, el establecimiento o las relaciones mercantiles de un tercero que sean aptas para menoscabar su crédito en el mercado, a no ser que sean exactas, verdaderas y pertinentes, añadiéndose que, en particular, no se estiman pertinentes las manifestaciones que tengan por objeto la nacionalidad, las creencias o ideología, la vida privada o cualesquiera otras circunstancias estrictamente personales del afectado);
- actos de **comparación** (nº 6204), de acuerdo con lo dispuesto en la LCD art.10;
- actos de imitación (LCD art.11); y
- la explotación de la reputación ajena conforme a lo dispuesto en la LCD art.12.

Precisiones **1)** La mera **indicación de un precio de partida** en una invitación a comprar no puede considerarse *per se* constitutiva de una omisión engañosa en el sentido de la Dir 2005/29/CE art.7.4.c. No obstante, corresponderá al órgano jurisdiccional nacional determinar si la indicación de un precio de partida es suficiente para que los requisitos relativos a la mención de un precio, establecidos en dicha disposición, se consideren cumplidos. En particular, deberá comprobarse si la omisión de las modalidades de **cálculo del precio final** no impide al consumidor tomar una decisión sobre una transacción con conocimiento de causa y, en consecuencia, no le incita a tomar una decisión sobre una transacción que, de otro modo, no habría tomado. En suma, el Tribunal deja abierta la posibilidad de que, atendidas las circunstancias, la omisión de determinadas circunstancias en orden al cálculo del precio de un producto pueda ser considerado desleal (TJUE 12-5-11, asunto C-122/10). **6200**

2) Si bien el actual art.3.e de la LGPu se refiere a la publicidad engañosa dentro de la relación de modalidades de publicidad ilícita, la Ley General de Publicidad **no contiene una tipificación expresa** de la publicidad engañosa ni consiguientemente la define, sino que se remite a lo dispuesto en la Ley de Competencia Desleal. Esto es, a los actos de engaño (LCD art.5), las omisiones engañosas (LCD art.7) o las prácticas engañosas (LCD art.21 a 27).

3) Para calificar si una información difundida en una **nota de prensa**, de la que se hicieron eco algunos medios de comunicación, es desleal, es preciso que se cumplan dos requisitos: en primer lugar, que la información suministrada sea apta para inducir a error a sus destinatarios; y, en segundo lugar, que sea idónea para incidir en su comportamiento económico.

Para precisar qué debe entenderse por **«comportamiento económico del consumidor o usuario»**, ha de acudirse a la LCD art.4.1, donde se encuentra una descripción aplicable a toda la Ley y no solo a las conductas tipificadas en dicho precepto:

«toda decisión por la que éste -consumidor o usuario- opta por actuar o por abstenerse de hacerlo en relación con:

a) La selección de una oferta u oferente.

b) La contratación de un bien o servicio, así como, en su caso, de qué manera y en qué condiciones contratarlo.
c) El pago del precio, total o parcial, o cualquier otra forma de pago. d) La conservación del bien o servicio.
e) El ejercicio de los derechos contractuales en relación con los bienes y servicios».
Para juzgarlo hay que acudir al parámetro del destinatario medio -normalmente informado y razonablemente atento y perspicaz-, dentro del círculo de los destinarios de la información.
En cualquier caso, la distorsión del comportamiento debería ser significativa. Esta exigencia si bien no se encuentra en la dicción del art.5 LCD, es razonable y se extrae del párrafo segundo del art.4.1 LCD. La doctrina entiende, con buen criterio, que la relevancia de la conducta viene en parte dada por la propia tipificación en el art.5.1 LCD. En esos casos, hay que partir de qué es relevante, sin perjuicio de que pueda acreditarse o ponerse en evidencia lo contrario, a la vista del propio contenido de la noticia, de su escasa o nula difusión, y de las circunstancias concurrentes.
De este modo, en principio, la **información engañosa** sobre los premios de excelencia puede tener una relevancia a la hora de incidir en el comportamiento económico de los usuarios (TS 11-7-18, EDJ 522569).
4) La limitación del espacio publicitario de un **anuncio en el periódico**, lejos de amparar formulaciones con **ambigüedad calculada**, impone al anunciante un claro deber de precisión sobre el objeto del anuncio, aunque sea de modo esquemático. Las **expresiones utilizadas** sin ninguna referencia a la actividad de mera intermediación financiera del anunciante, induce a pensar que se trata de una entidad bancaria que presta sus servicios directamente «sin avales», «sin estar fijo», «rápidos» y «casi sin papeleo» (TS 19-6-18, EDJ 105223).
5) Constituye un acto de competencia desleal, por **confusión** (LCD art.6), el comportamiento de la empresa demandada en el mercado y su capacidad para inducir a confusión a quienes operan en el mismo al utilizar un **nombre de dominio similar** a otro registrado. En este caso, es incuestionable la similitud fonética y conceptual de los nombres de dominio en conflicto, es decir, www.brasilybelleza.com, registrado en favor de la actora, y www.bellezabrasil.com, registrado por la demandada. Esta similitud se ve reforzada por el hecho de que ambas se dedican al mismo sector comercial. Por otro lado, aunque el nombre de dominio es único, su titular no puede impedir a otros competidores que lo utilicen o que registren un nombre idéntico con una extensión diferente, que no es el caso (ambos .com) (AP Barcelona 5-7-23, EDJ 668990).

6202 **C)** Se considera también ilícita la **publicidad agresiva** (LCD art.8). De nuevo, la reforma impuesta por la L 29/2009 ha previsto un precepto especial para este tipo de publicidad perfectamente aplicable a nuestro ámbito de la publicidad.
Así se considera desleal, y por consiguiente, publicidad ilícita (o viceversa, en la extraña formulación reflejada en la Ley), aquella cuyas características y circunstancias sean susceptibles de mermar de manera significativa (mediante acoso, coacción, incluido el uso de la fuerza, o influencia indebida), la **libertad de elección** o conducta del destinatario en relación al bien o servicio y, por consiguiente, afecte o pueda afectar a su comportamiento económico.
A estos efectos, la Ley considera **influencia indebida** la utilización de una posición de poder en relación con el destinatario de la práctica para ejercer presión, incluso sin usar fuerza física ni amenazar con su uso.
Para determinar si una conducta hace uso del **acoso**, la **coacción** o la influencia indebida (aspecto éste más propiamente aplicable al ámbito publicitario) se tienen en cuenta:
- el **momento** y el **lugar** en que se produce, su naturaleza o su persistencia;
- el empleo de un **lenguaje** o un comportamiento amenazador o insultante;
- la explotación por parte del empresario o profesional de cualquier **infortunio** o circunstancia específicos lo suficientemente graves como para mermar la capacidad de discernimiento del destinatario, de los que aquél tenga conocimiento, para influir en su decisión con respecto al bien o servicio;
- cualesquiera **obstáculos no contractuales** onerosos o desproporcionados impuestos por el empresario o profesional cuando la otra parte desee ejercitar derechos legales o contractuales, incluida cualquier forma de poner fin al contrato o de cambiar de bien o servicio o de suministrador; y
- la **comunicación** de que se realizará cualquier acción que, legalmente, no pueda ejercerse.

6204 **Publicidad comparativa** También puede considerarse ilícita (por desleal) la publicidad comparativa si no se realiza de acuerdo con ciertas condiciones legales.
Se entiende que la comparación pública por medio de la publicidad comparativa, mediante la **alusión explícita o implícita** a un competidor estará permitida si:
• Los bienes o servicios comparados tienen la **misma finalidad** o satisfacen las mismas necesidades.
• La **comparación** se realiza de modo objetivo entre una o más características esenciales, pertinentes, verificables y representativas de los bienes o servicios, entre las cuales podrá incluirse el precio.

• La comparación, en el supuesto de productos amparados por una **denominación de origen** o indicación geográfica, denominación específica o especialidad tradicional garantizada, se efectúa en relación con otros productos de la misma denominación.
• No se presentan bienes o servicios como **imitaciones o réplicas** de otros a los que se aplique una marca o nombre comercial protegido.
• Si la comparación no contraviene lo establecido por la Ley de Competencia Desleal en materia de **actos de engaño, denigración y explotación** de la reputación ajena.

Precisiones 1) El Tribunal de Primera Instancia de las Comunidades Europeas (actualmente, Tribunal General) ya admitía la licitud de la publicidad comparativa siempre que se ejerciera en **condiciones leales** y conforme a **modalidades adecuadas**. El Tribunal ha entendido que la publicidad comparativa permite aumentar la información de los usuarios y que de esa manera se contribuye a la mejor elección del servicio o producto ofertado, en comparación con otros (TJCE 28-3-01, asunto T-144/99). **6206**

2) Asimismo, el Tribunal de Justicia de la Unión Europea ha señalado, en relación con la publicidad comparativa lo siguiente (TJUE 25-10-01, asunto C-112/99):
• En lo que se refiere a la publicidad comparativa, basta cualquier forma de comunicación que haga **referencia a un competidor** o a los bienes o servicios ofrecidos por éste, aunque solo sea implícitamente. No es necesario que exista una comparación entre los bienes y servicios ofrecidos por el anunciante y los bienes y servicios del competidor.
• El uso de un **competidor de la marca de un tercero** puede ser legítimo cuando resulta necesario para informar al público de la naturaleza de los productos o del destino de los servicios ofrecidos. Esto favorece la publicidad comparativa.
• Para evaluar si una marca posee un **elevado carácter distintivo**, es preciso apreciar globalmente la mayor o menor aptitud de la marca para identificar los productos o servicios para los cuales fue registrada atribuyéndoles una procedencia empresarial determinada y, por tanto, para distinguir dichos productos o servicios de los de otras empresas (TJUE 22-6-99, asunto C-342/97).
• Por otra parte, en el concreto caso objeto de enjuiciamiento no se demostró que los números de referencia de artículos, tomados aisladamente, sin referencia a una marca determinada, fuesen identificados por el público como referidos a productos fabricados por una empresa determinada. Para llegar a este resultado, el órgano jurisdiccional remitente, según el Tribunal de Justicia, debía tomar en consideración la percepción que se presume en un **consumidor medio**, normalmente informado y razonablemente atento y perspicaz. Debe tenerse en cuenta la clase de público a la que va dirigida la publicidad.
• Pero es preciso comprobar, además, si la referida indicación de números hubiera podido tener como efecto que el público al que la publicidad iba dirigida asociase al fabricante de máquinas, cuyos productos se identificaban, con el proveedor que compite con él, con el resultado de que el público **transfiriera la reputación** de los productos del referido fabricante a los productos del competidor.
Para ello ha de tomarse en cuenta el modo en que se presenta globalmente la publicidad controvertida. En el caso concreto, el Tribunal estimó que el demandado en el procedimiento de instancia difícilmente podía comparar sus productos con los del demandante sin referirse a los números de sus artículos. Por otra parte, parece deducirse de las listas de piezas de repuesto y materiales consumibles que las mismas **distinguen con claridad** entre la identidad del demandado y la del demandante, de manera que **no inducen a error** en cuanto al origen de los productos de demandado.

3) La publicidad comparativa contribuye a poner de manifiesto de manera objetiva las **ventajas** de los **distintos productos comparables** y, de este modo, a estimular la competencia entre los proveedores de bienes y servicios en beneficio de los consumidores. Por ello, los requisitos exigidos a esta publicidad deben interpretarse en el sentido más favorable, garantizando al mismo tiempo que la publicidad comparativa no se utilice de manera desleal y contraria a la competencia o de modo que perjudique a los intereses de los consumidores (TJUE 8-2-17).

4) En el marco de la Dir 2006/114/CE la **publicidad engañosa y** la publicidad **comparativa ilegal** constituyen dos infracciones independientes y no tienen por qué considerarse como un mismo tipo de publicidad (TJUE 13-3-14).

5) Una publicidad que **compara** los **precios** de productos vendidos en **establecimientos de tamaños** o formatos **diferentes** no se puede considerar lícita en el sentido del artículo 4 de la Directiva 2006/114 a menos que se cumplan todos los requisitos establecidos en dicho precepto. La comparación, pues, debe ser objetiva y no llevar a engaño. Si la publicidad, por acción u omisión, puede inducir a error a los consumidores a los que se dirige y afectar a su comportamiento económico, o perjudicar a un competidor, es engañosa (TJUE 8-2-17).

6) El acto de competencia desleal previsto en el art.18 LCD, sobre publicidad ilícita, se comete porque con las listas de equivalencia se infringen las normas sobre publicidad comparativa, entre las que se incluyen los actos que presentan productos como **imitaciones o réplicas** de otros a los que se aplique una marca protegida y porque infringen el art.12 LCD (AP Alicante 24-1-19, EDJ 534188).

7) En el caso de **publicidad engañosa en internet** debe tenerse en cuenta que aparece como prototipo de acto único con efectos persistentes en tanto se mantenga su contenido expuesto en la página web, y por ello el plazo de prescripción se renueva, sin solución de continuidad, mientras perdure la situación antijurídica generada por ese ilícito continuado (AP Asturias 28-1-20, EDJ 523459).

8) Se considera desleal la publicidad que da a entender que existe una relación entre el complemento alimenticio, a base de melatonina, y la salud, que no se corresponden con las autorizadas en la normativa para la **melatonina como alimento** y que tampoco pueden considerarse necesariamente comprendidas en ellas. Este hecho constatado no se excusa con la alegación de que se trata de meros eslóganes publicitarios (AP Madrid 3-11-23, EDJ 829548).

6208 **Ámbito televisivo** (L 13/2022 art.4 y 6) En este ámbito, la comunicación audiovisual será respetuosa con la **dignidad humana y los valores constitucionales**, y no incitará a la violencia, al odio o a la discriminación contra un grupo o miembros de un grupo por razón de edad, sexo, discapacidad, orientación sexual, identidad de género, expresión de género, raza, color, origen étnico o social, características sexuales o genéticas, lengua, religión o creencias, opiniones políticas o de cualquier otro tipo, nacionalidad, patrimonio o nacimiento.
No contendrá una **provocación pública** a la comisión de ningún delito y, especialmente, no provocará públicamente la comisión de un delito de terrorismo, de pornografía infantil o de incitación al odio, hostilidad, discriminación o violencia contra un grupo, una parte del mismo o contra una persona determinada por motivos racistas, xenófobos, por su sexo o por razones de género o discapacidad en los términos y sin perjuicio de lo previsto en el Código Penal.
Asimismo, la comunicación audiovisual transmitirá una **imagen igualitaria y no discriminatoria** de mujeres y hombres y no favorecerá, directa o indirectamente, situaciones de discriminación por razón de sexo, desigualdad de las mujeres o que inciten a la violencia sexual o de género.
Se promoverá la **autorregulación** para garantizar comunicaciones comerciales audiovisuales no sexistas, tanto en el lenguaje como en el contenido e imágenes, y libres de estereotipos de género.

6210 **Prohibiciones absolutas de determinadas comunicaciones comerciales audiovisuales** (L 13/2022 art.122 y 123) Se prohíben con **carácter general** las siguientes comunicaciones comerciales:
1ª. Toda comunicación que **vulnere** la dignidad humana, fomente la discriminación contra un grupo de personas o un miembro de un grupo por razón de edad, sexo, discapacidad, orientación sexual, identidad de género, expresión de género, raza, color, origen étnico o social, características sexuales o genéticas, lengua, religión o creencias, opiniones políticas o de cualquier otro tipo, nacionalidad, patrimonio o nacimiento, fomente comportamientos nocivos para la seguridad o fomente conductas gravemente nocivas para la protección del medio ambiente.
2ª. La que utilice la **imagen de las mujeres** con carácter vejatorio o discriminatorio.
3ª. La **encubierta** que, mediante la presentación verbal o visual, directa o indirecta, de bienes, servicios, nombres, marcas o actividades, tenga de manera intencionada un propósito publicitario y pueda inducir al público a error en cuanto a la naturaleza de dicha presentación.
4ª. La **subliminal** que, mediante técnicas de producción de estímulos de intensidades fronterizas con los umbrales de los sentidos o análogas, pueda actuar sobre el público destinatario sin ser conscientemente percibida.

6212 De forma específica, se prohíben también las comunicaciones comerciales audiovisuales que **fomenten comportamientos nocivos para la salud**, y en particular:
1. La de cigarrillos y demás productos de **tabaco**, incluidos los cigarrillos electrónicos y sus envases de recarga, y de los productos a base de hierbas para fumar, así como de las empresas que los producen. Ver nº 6218.
2. La de **medicamentos** y productos sanitarios que no respete los límites previstos en la normativa reguladora de la publicidad y actividades relacionadas con la salud y, en todo caso, la comunicación comercial audiovisual de productos, materiales, sustancias, energías o métodos con pretendida finalidad sanitaria que no respete lo previsto en el RD 1907/1996 sobre publicidad y promoción comercial de productos, actividades o servicios con pretendida finalidad sanitaria.
3. La de **bebidas alcohólicas** que cumpla alguno de los siguientes **requisitos**:
a) Se dirija específicamente a **menores**, o presenten a menores consumiendo dichas bebidas.
b) Asocie el consumo a la mejora del **rendimiento físico o** a la **conducción** de vehículos.
c) Dé la impresión de que su consumo contribuye al **éxito social o sexual**, o lo asocie, vincule o relacione con ideas o comportamientos que expresen éxito personal, familiar, social, deportivo o profesional.
d) Sugieran que las bebidas alcohólicas tienen **propiedades terapéuticas**, o un efecto estimulante o sedante, o que constituye un medio para resolver conflictos, o que tiene beneficios para la salud.
e) Fomente el **consumo inmoderado** o se ofrezca una imagen negativa de la abstinencia o la sobriedad.

f) Subraye como cualidad positiva de las bebidas su contenido alcohólico.
g) No incluya un mensaje de **consumo moderado** y de bajo riesgo.
4. La de **bebidas alcohólicas** con un nivel **superior a 20º**, excepto cuando sea emitida entre la 1:00 y las 5:00 horas.
5. La de **bebidas alcohólicas** con un nivel **igual o inferior a 20º**, excepto cuando sea emitida entre las 20:30 horas y las 5:00 horas y, fuera de ese horario, cuando dichas comunicaciones comerciales audiovisuales formen parte indivisible de la adquisición de derechos y de la producción de la señal a difundir.
6. La relacionada con el **esoterismo y** las **paraciencias** solo se podrá emitir entre la 1:00 horas y las 5:00 horas.
7. La relacionada con los **juegos de azar y apuestas** solo podrá emitirse entre la 1:00 y las 5:00 horas, sin perjuicio de lo previsto en la L 13/2022 art.123.8 y dentro del respeto a los principios de protección de menores, responsabilidad social y de juego responsable o seguro en los términos previstos en la normativa sectorial reguladora de las comunicaciones comerciales de ese tipo de juegos. Sólo podrá realizarse comunicación comercial audiovisual relacionada con juegos de azar y apuestas de aquellas entidades que cuenten con título habilitante para realizar esta clase de actividades en España. En cualquier caso, se prohíbe cuando sea emitida junto a programas dirigidos a un público potencialmente infantil.
8. La relacionada con los **juegos de azar y apuestas** se podrá emitir **excepcionalmente fuera del horario establecido** en el apartado anterior siempre que así se determine en la normativa sectorial reguladora de la publicidad sobre este tipo de juegos, en los siguientes supuestos:
a) Las comunicaciones comerciales relativas a juegos de **lotería**.
b) Las comunicaciones comerciales de aquellos tipos de juego que por sus características estructurales tengan un **menor nivel de afectación** frente a los riesgos de la actividad de juego.

Precisiones **1)** Sobre publicidad de **medicamentos y productos estupefacientes y psicotrópicos** puede consultarse la siguiente normativa: L 14/1986 General de Sanidad art.27; RD 1345/2007, por el que se regula el procedimiento de autorización, registro y condiciones de dispensación de los medicamentos de uso humano fabricados industrialmente; RD 1416/1994 por el que se regula la publicidad de los medicamentos de uso humano; OM 10-12-1985 por la que se regulan los mensajes publicitarios referidos a medicamentos y determinados productos sanitarios; RD 1907/1996 sobre publicidad y promoción comercial de productos, actividades o servicios con pretendida finalidad sanitaria. El TJCE ha permitido la **venta de medicamentos por Internet** siempre que se trate de medicamentos no sujetos a prescripción médica. No se puede prohibir por ley la venta por correspondencia de medicamentos cuya venta esté reservada exclusivamente a las farmacias en el Estado miembro, pues lo contrario sería una medida de efecto equivalente (TJUE 11-12-03, C-322/01). **6214**
2) El Tribunal de Justicia de la Unión Europea establece, en relación con la interpretación de diversos preceptos de la Dir 2001/83/CE, por la que se establece un **código comunitario sobre medicamentos para uso humano**, que el concepto de publicidad comprende también las citas extraídas de las **revistas médicas** o de las **obras científicas** que figuran en la publicidad de un medicamento dirigida a las personas facultadas para prescribir o dispensar medicamentos. Asimismo, señala que la Dir 2001/83/CE prohíbe difundir en la publicidad de un medicamento dirigida a personas facultadas para prescribirlo o dispensarlo, **afirmaciones** que sean **contrarias al resumen de las características del producto**, si bien no exige que todas las afirmaciones contenidas en dicha publicidad figuren en el referido resumen o puedan deducirse de él. Tal publicidad puede incluir afirmaciones que completen la información prevista en la Dir 2001/83/CE art.11, siempre que dichas afirmaciones confirmen o precisen, en un sentido compatible, la referida información sin desnaturalizarla, y sean conformes con lo exigido en Dir 2001/83/CE art.87.3 y 92.2 y 3 (TJUE 5-5-11, asunto C-249/10).
3) En otra sentencia de la misma fecha, y al hilo de cuestiones prejudiciales planteadas en relación con la interpretación de diversos preceptos de la Dir 2001/83/CE, arriba citada, el TJUE establece que dicha Directiva no prohíbe que una empresa farmacéutica difunda en una **página web** información relativa a **medicamentos sujetos a prescripción médica**, cuando tal información está disponible en esa página solo para quien desee obtenerla y dicha difusión consista únicamente en la **reproducción fiel del embalaje del medicamento** (Dir 2001/83/CE art.62), y en la reproducción literal e íntegra del prospecto o del resumen de las características del producto aprobados por las autoridades competentes en materia de medicamentos. Por el contrario, se **prohíbe** la difusión en tal página web de información relativa a un **medicamento** que ha sido **objeto de selección o retoque** por parte del fabricante que solo puedan explicarse por una finalidad publicitaria (TJUE 5-5-11, asunto C-316/11).
4) La publicidad realizada de un **medicamento** no está realizada fuera de la autorización administrativa de comercialización del producto de referencia, ni puede reputarse desleal. La publicidad tanto en folletos como en vídeos distribuidos en redes sociales se realiza dentro del marco legal de la autorización administrativa, en la medida en la que se hace referencia a aspectos, elementos o consideraciones que se incluyen dentro de la denominada ficha técnica del producto (AP Barcelona 22-3-18, EDJ 79653).

5) Se declara la **nulidad**, por falta de cobertura legal y proporcionalidad, de los siguientes preceptos del RD 958/2020 de **comunicaciones comerciales de las actividades de juego**: art.13.1 y 3 (actividades de promoción dirigidas a nuevos clientes); art.15 (aparición en la publicidad de personajes famosos); art.23.1 (prohibición generalizada para la difusión de comunicaciones comerciales a través de servicios de la sociedad de la información); art.25.3 (publicidad del juego en plataformas de intercambio de videos); y art.26.2 y 3 (que limitaba la posibilidad de llevar a cabo la publicidad a través de redes sociales) (TS cont-adm 2-4-24, EDJ 533416).

6216 **Protección de los menores frente a las comunicaciones comerciales audiovisuales** (L 13/2022 art.124) Las comunicaciones comerciales audiovisuales no deberán producir **perjuicio físico, mental o moral** a los menores ni incurrir en las siguientes conductas:
a) Incitar directamente a los menores a la **compra o arrendamiento** de productos o servicios aprovechando su inexperiencia o credulidad.
b) Animar directamente a los menores a que **persuadan a sus padres o terceros** para que compren bienes o servicios publicitados.
c) Explotar la especial **relación de confianza** que los menores depositan en sus padres, profesores, u otras personas, tales como profesionales de programas infantiles o personajes de ficción.
d) Mostrar, sin motivos justificados, a menores en **situaciones peligrosas**.
e) Incitar conductas que favorezcan la **discriminación** entre hombres y mujeres.
f) Incitar a la adopción de **conductas violentas** sobre los menores, así como de los menores hacia sí mismos o a los demás, o fomentar estereotipos por razón de sexo, raza u origen étnico, nacionalidad, religión o creencia, discapacidad, edad u orientación sexual.
g) Promover el **culto al cuerpo** y el rechazo a la autoimagen mediante comunicaciones comerciales audiovisuales de productos adelgazantes, intervenciones quirúrgicas o tratamientos de estética, que apelen al rechazo social por la condición física, o al éxito debido a factores de peso o estética.

6218 **Publicidad de productos del tabaco** Queda totalmente prohibido el patrocinio de los productos del tabaco, así como toda clase de publicidad y promoción de los citados productos en todos los medios y soportes, incluidas las máquinas expendedoras y los servicios de la sociedad de la información, con las siguientes **excepciones**:
• Las **publicaciones** destinadas exclusivamente a los profesionales que intervienen en el comercio del tabaco.
• Las presentaciones de productos del tabaco a profesionales del sector (L 13/1998), así como la **promoción** de dichos productos en las expendedurías de tabaco y timbre del Estado, siempre que no tenga como destinatarios a los menores de edad ni suponga la distribución gratuita de tabaco o de bienes y servicios relacionados exclusivamente con productos del tabaco o con el hábito de fumar o que lleven aparejados nombres, marcas, símbolos o cualesquiera otros signos distintivos que sean utilizados para los productos del tabaco. En todo caso, el valor o precio de los bienes o servicios citados no puede ser superior al 5% del precio de los productos del tabaco que se pretenda promocionar. Dichas actividades no pueden realizarse en los escaparates, ni extenderse fuera de dichos establecimientos, ni dirigirse al exterior.
• Las publicaciones que contengan publicidad de productos del tabaco, editadas o impresas en **países que no forman parte de la Unión Europea**, siempre que dichas publicaciones no estén destinadas principalmente al mercado comunitario, salvo que estén dirigidas principalmente a los menores de edad.
• Con carácter transitorio, se permitió hasta el 1-1-09 la publicidad y patrocinio que incorporasen los **equipos deportivos del motor** con efectos transfronterizos, en su vestuario, complementos, instrumentos, equipamientos, prototipos y/o vehículos.
Se prohíbe, fuera de la red de expendedurías de tabaco y timbre del Estado, la **distribución gratuita o promocional** de productos, bienes y servicios o cualquier otra actuación, cuyo objetivo o efecto directo o indirecto, principal o secundario, sea la promoción de un producto del tabaco.
Asimismo, queda prohibido el empleo de **nombres, marcas, símbolos** o cualesquiera otros signos distintivos que sean utilizados para identificar en el tráfico productos del tabaco y, simultáneamente, otros bienes o servicios y sean comercializados u ofrecidos por una misma empresa o grupo de empresas.
En el ámbito de la **comunicación audiovisual**, se prohíbe la comunicación comercial audiovisual de cigarrillos y demás productos de tabaco, incluidos los cigarrillos electrónicos y sus envases de recarga, y de los productos a base de hierbas para fumar, así como de las empresas que los producen (L 13/2022 art.123).

Precisiones 1) Se prohíbe en todos los **medios de comunicación**, incluidos los servicios de la sociedad de la información, la emisión de programas o de imágenes en los que los presentadores, colaboradores o invitados:
- aparezcan **fumando**;
- mencionen o muestren, directa o indirectamente, marcas, nombres comerciales, logotipos u otros signos identificativos o asociados a **productos del tabaco** (L 28/2005 art.9.3).
2) Téngase en cuenta que dentro del concepto de productos del tabaco se incluye ya el denominado **cigarrillo electrónico** o de uso oral.

Emplazamiento del producto en medios audiovisuales (L 13/2022 art.129) Se ha previsto expresamente el derecho de los prestadores del servicio de comunicación audiovisual al «emplazamiento del producto», que se **define** como «toda forma de comunicación comercial audiovisual que incluya, muestre o se refiera a un producto, servicio o marca comercial de manera que figure en un programa o en un vídeo generado por usuarios, a cambio de una remuneración o contraprestación similar». **6220**

Se podrá realizar el emplazamiento de producto con carácter general **en toda la programación salvo** en:
- los noticiarios y los programas de contenido informativo de actualidad;
- los programas relacionados con la protección del consumidor;
- los programas religiosos; y
- los programas infantiles.

El emplazamiento de producto cumplirá las **condiciones** siguientes:
a) No influir en el **contenido editorial** ni en la organización del horario de programación ni en la del catálogo de una manera que afecte a la responsabilidad e independencia editorial del prestador del servicio de comunicación audiovisual.
b) No incitar directamente a la **compra o arrendamiento** de bienes o servicios ni incluir referencias de promoción concretas a dichos bienes o servicios.
c) No conceder una **prominencia indebida** a los productos de que se trate.
d) **Identificar** que se trata de un emplazamiento de producto al principio, al inicio de cada reanudación posterior a una interrupción y al final del programa cuando dichos programas hayan sido producidos o encargados por el prestador del servicio de comunicación audiovisual o por una de sus filiales.

Respecto a la **diferencia entre publicidad y emplazamiento**, la AN 23-3-09, EDJ 56101; 20-5-13, EDJ 72649, entre otras sentencias, señala que la diferencia que la norma europea (Dir 2007/65/CE) establece entre publicidad (y en especial la publicidad encubierta) y la mera presentación («asentamiento» o «emplazamiento») del producto, reside en que en la publicidad existe una finalidad promocional para la compra del producto por parte del público, mientras que en el «emplazamiento» la aparición del producto o servicio de que se trate es sólo eso, una presentación carente de suplementaria carga promocional o apologética (TS 13-12-21, EDJ 780221).

Es **doctrina jurisprudencial** que el emplazamiento de productos en largometrajes, cortometrajes, documentales, películas y series de televisión, programas deportivos o en programas de entretenimiento, regulado en la L 7/2010 art.17 (derogada por la L 13/2022), aun en aquellos supuestos en que se cumplan los requisitos relativos a la advertencia al espectador o a la ausencia de condicionamiento a la independencia editorial del programa, puede ser considerado una conducta infractora consistente en el incumplimiento de la prohibición de realizar publicidad encubierta cuando, de la naturaleza o características de los mensajes publicitarios emitidos, pueda inferirse que no se trata de una mera presentación de los bienes o servicios, en la medida que resulte prominente la finalidad promocional dirigida a la adquisición del producto por parte del público al que le induce a error sobre la naturaleza de la presentación (TS 13-12-21, EDJ 780221).

Precisiones 1) La **regulación** del emplazamiento de producto fue **modificada** por la L 9/2014, con el objetivo fundamental de prever la posibilidad de que pueda tener lugar a cambio de contraprestación, mientras que antes solo podía tener lugar a cambio del suministro gratuito de bienes o servicios.
2) Se atribuye a la **Comisión Nacional de los Mercados y la Competencia** (CNMC) diversas funciones en relación con el mercado de comunicación audiovisual (L 3/2013 art.9), entre las que se destacan la de supervisar el cumplimiento de las obligaciones previstas en la Ley General de Comunicación Audiovisual (L 13/2022 art.153.2).

Supervisión administrativa La **Comisión Nacional de los Mercados y la Competencia** asume diversas funciones en relación con el mercado de comunicación audiovisual (L 3/2013 art.9), entre las que destacan la de supervisar el cumplimiento de las obligaciones previstas en la Ley General de Comunicación Audiovisual (L 13/2022 art.153.2). **6222**

6224 **Intervinientes en la contratación publicitaria** (LGPu art.2 y 8) Normalmente intervienen en la dinámica de la contratación publicitaria los siguientes sujetos:

a) Los **destinatarios** de la publicidad (prospectos). Son las personas a las que se dirige el mensaje publicitario o cualesquiera otras a las que este alcance. Así, pues, los destinatarios pueden ser limitados (conocidos) o no estarlo en absoluto, pero ser receptores indirectos de la publicidad.

b) El **anunciante**. Es la persona natural o jurídica en cuyo interés se realiza la publicidad. Es la parte que financia la publicidad, el acto de creación publicitaria, y cuyos bienes y/o servicios son objeto de publicidad. El anunciante ha de ser un comerciante o, en términos generales, un **actor económico** en el mercado, una persona en el ejercicio de una actividad comercial, industrial, artesanal o profesional (LGPu art.2). No se concibe que lo sea un particular o un oferente singular de bienes y servicios (p.e., no sería anunciante la persona que ofrece su piso mediante un cartel situado en el portal de la finca).

c) La **agencia de publicidad**. Son agencias de publicidad las personas naturales o jurídicas que se dediquen profesionalmente y de manera organizada a crear, preparar, programar o ejecutar publicidad por cuenta de un anunciante. La agencia de publicidad es, en suma, quien organiza, crea y prepara la actividad publicitaria. Esto es importante sobre todo en el caso del contrato de creación publicitaria (nº 6310), en el que los derechos sobre la creación pasan normalmente al anunciante.

d) Los **medios de publicidad** o de difusión. Son las personas naturales o jurídicas, públicas o privadas, que, de manera habitual y organizada, se dediquen a la difusión de publicidad a través de los soportes o medios de comunicación social cuya titularidad ostenten. La publicidad tiene una vocación masiva, ya que los medios de publicidad necesariamente han de ser **medios de comunicación social**, con independencia del soporte a través del cual la publicidad se proyecta sobre el público. Téngase en cuenta que justamente con los medios de publicidad han de celebrarse los oportunos contratos de difusión publicitaria (nº 6365).

6226 **Dinámica contractual** La **especificidad de la contratación publicitaria** requiere el planteamiento de una serie de premisas con las que satisfacer las exigencias propias de dicha contratación. Piénsese que, de hecho, la especialización de esta materia ha dado a luz una **regulación singular**, que particulariza las relaciones contractuales entre los sujetos, así como el objeto mismo de la contratación. Estos que denominamos factores de dinámica contractual son precisamente aquellos que arrojan el punto de especificidad en este tipo de contratación.

- Factor de medios (nº 6228).
- Factor de responsabilidad (nº 6240).
- Factor de rendimiento económico (nº 6244).

6228 **Factor de medios** (LGPu art.11; L 13/2022) La normativa publicitaria señala la necesidad de distinguir o **deslindar debidamente** el mensaje publicitario de las informaciones generales.

En concreto, se dispone que los medios de difusión, en general, deben deslindar perceptiblemente las afirmaciones efectuadas dentro de su función informativa de las que hagan como simples vehículos de publicidad. Los anunciantes deben asimismo desvelar inequívocamente el **carácter publicitario** de sus anuncios.

En el **ámbito televisivo** se establece también la obligación de que los mensajes publicitarios emitidos por televisión sean fácilmente identificables y se diferencien claramente de los programas, mediante medios ópticos o acústicos según los criterios generales establecidos por la autoridad audiovisual competente. Según la Ley, el **nivel sonoro de los mensajes** publicitarios no puede ser superior al nivel medio del programa anterior. Asimismo, se establece que, en la emisión de publirreportajes, telepromociones y, en general, de aquellas **formas de publicidad distintas de los anuncios televisivos** en las que, por las características de su emisión, el espectador podría confundirse sobre su carácter publicitario, debe superponerse, permanentemente y de forma claramente legible, una transparencia con la indicación «publicidad». Se trata, en definitiva, de hacer nítido al público cuándo se está vertiendo un contenido informativo y cuándo se está difundiendo un mensaje publicitario de promoción de bienes y/o servicios. Se observa un interés evidente del legislador en que el público consumidor esté en condiciones de saber cuándo el medio de difusión está realizando una oferta de contenido comercial o económico.

Precisiones 1) En el ámbito de la **publicidad interactiva** o realizada por prestadores de servicios de la sociedad de la información, la Ley de servicios de la sociedad de la información y de comercio electrónico (L 34/2002 o LSSI) establece cuál es la información que obligatoriamente ha de constar en toda oferta contractual, distinguiendo así entre contenido contractual propiamente dicho e información general sobre el oferente (nº 6180, precisiones).

2) Está prohibido el envío de **comunicaciones comerciales publicitarias** o comerciales por correo electrónico u otro medio de comunicación electrónica equivalente que previamente no hayan sido

solicitadas o expresamente autorizadas por los destinatarios de las mismas, salvo cuando exista una relación contractual previa, siempre que el prestador haya obtenido de forma lícita los datos de contacto del destinatario y los emplee para el envío de comunicaciones comerciales referentes a productos o servicios de su propia empresa que sean similares a los que inicialmente fueron objeto de contratación con el cliente. En todo caso, el prestador debe ofrecer al destinatario la posibilidad de oponerse al tratamiento de sus datos con fines promocionales mediante un procedimiento sencillo y gratuito, tanto en el momento de recogida de los datos como en cada una de las comunicaciones comerciales que le dirija. Cuando las comunicaciones hubieran sido remitidas por **correo electrónico**, dicho medio deberá consistir necesariamente en la inclusión de una dirección electrónica válida donde pueda ejercitarse este derecho, quedando prohibido el envío de comunicaciones que no incluyan dicha dirección (LSSI art.21).

3) En cualquier caso, las comunicaciones comerciales realizadas por vía electrónica deben ser **claramente identificables** como tales y han de indicar la persona física o jurídica en nombre de la cual se realizan (LSSI art.20.1).

4) En todo caso, queda **prohibido** el envío de **comunicaciones comerciales** en las que se disimule o se **oculte la identidad del remitente** por cuenta de quien se efectúa la comunicación o que contravengan lo dispuesto en este artículo, así como aquéllas en las que se incite a los destinatarios a visitar páginas de Internet que contravengan lo dispuesto en este artículo (LSSI art.20.4).

La L 13/2022 regula, por primera vez, la prestación del servicio de **intercambio de vídeos** a través de plataforma o **youtubers** (L 13/2022 art.86 s.). Las principales **obligaciones** a que se ven sometidos son las siguientes: **6230**

a) Deben inscribirse en un registro dependiente del Ministerio de Transformación Digital (tras la reorganización ministerial efectuada por RD 829/2023).

b) Deberán adoptar medidas para **proteger**:

- a los **menores** de los programas, de los vídeos generados por usuarios y de las comunicaciones comerciales audiovisuales que puedan perjudicar su desarrollo físico, mental o moral;
- al público en general de los programas, de los vídeos generados por usuarios y de las comunicaciones comerciales audiovisuales que incumplan la prohibición de incitar a la **violencia, al odio o a la discriminación** por razones de orientación sexual, expresión de género, y demás mencionadas en la L 13/2022 art.4.2.
- al público en general de los programas, de los vídeos generados por usuarios y de las comunicaciones comerciales audiovisuales que incumplan lo establecido en la L 13/2022 art.4.4 (provocación pública a la comisión de **delito**, entre otras).

c) Además, se prevén determinadas medidas de protección de los menores (L 13/2022 art.89), entre las que destacan la de establecer y operar sistemas de **verificación de edad** y de control parental.

Los prestadores del servicio de intercambio de vídeos a través de plataforma **informarán** claramente a los usuarios cuando los programas y vídeos generados por usuarios **contengan comunicaciones comerciales** audiovisuales, siempre que los usuarios que suban vídeos hayan declarado que, a su entender, o hasta donde cabe razonablemente esperar que llega su entendimiento, dichos vídeos contienen comunicaciones comerciales audiovisuales, o siempre que el prestador tenga conocimiento de ese hecho (L 13/2022 art.91.3).

De especial interés son los denominados «**usuarios de especial relevancia**» que empleen servicios de intercambio de vídeo a través de plataforma (L 13/2022 art.94, en vigor desde el 2-5-2024, según L 13/2022 disp.adic.9ª; RD 444/2024), los cuales se identifican con los **vloggers, influencers, youtubers** o, sencillamente, creadores de contenido. Estos usuarios de especial relevancia deben **inscribirse** en el Registro estatal de Prestadores de Servicios de Comunicación Audiovisual (L 13/2022 art.39; RD 444/2024 disp.adic.única). **6232**

Se consideran usuarios de especial relevancia aquellos que empleen los servicios de intercambio de vídeos a través de plataforma y cumplan de forma **simultánea** los siguientes **requisitos**:

a) El servicio prestado conlleve una actividad económica por la que su titular obtenga unos **ingresos significativos** derivados de su actividad en los servicios de intercambio de vídeos a través de plataforma. Son considerados ingresos de esta naturaleza los ingresos brutos devengados en el año natural anterior iguales o superiores a 300.000 euros, derivados exclusivamente de la actividad de los usuarios en el conjunto de servicios de intercambio de vídeos a través de la plataforma que empleen (RD 444/2024 art.3.1).

b) El usuario de especial relevancia sea el **responsable editorial** de los contenidos audiovisuales puestos a disposición del público en su servicio.

c) El servicio prestado esté destinado a una **parte significativa del público** en general y pueda tener un claro impacto sobre él. Se consideran cumplidos estos dos requisitos cuando cumulativamente (RD 444/2024 art.4):

- el servicio alcance, en algún momento del año natural anterior, un número de seguidores igual o superior a 1.000.000 en un único servicio de intercambio de vídeos a través de plataforma; o un número de seguidores igual o superior a 2.000.000, de orma agregada, considerando todos los servicios de intercambio de vídeos a través de plataforma en los que el usuario desarrolle su actividad; y

- en el conjunto de servicios de intercambio de vídeos a través de plataforma en los que el usuario desarrolle su actividad, se haya publicado o compartido un número de vídeos igual o superior a 24 en el año anterior, con independencia de su duración.

d) La función del servicio sea la de **informar, entretener o educar** y el principal objetivo del servicio sea la distribución de contenidos audiovisuales.

e) El servicio se ofrezca a través de **redes de comunicaciones electrónicas** y esté establecido en España.

Precisiones 1) Como **excepción**, en ningún caso se entenderán sometidos a las obligaciones antes señaladas las siguientes entidades y personas (L 13/2022 art.94.3):

a) Centros educativos o científicos cuando su actividad entre dentro de sus cometidos o esta sea de carácter divulgativo.

b) Museos, teatros o cualquier otra entidad cultural para presentar su programación o actividades.

c) Administraciones públicas o partidos políticos con fines de información y de presentación de las funciones que desempeñan.

d) Empresas y trabajadores por cuenta propia con el fin de promocionar los bienes y servicios producidos o distribuidos por ellas.

e) Asociaciones y organizaciones no gubernamentales con fines de autopromoción y de presentación de las actividades que realizan de acuerdo con su objeto.

2) Tampoco resultan aplicables las obligaciones previstas en el RD 444/2024 a los prestadores del servicio de comunicación audiovisual inscritos en la sección primera del Registro estatal de prestadores del servicio de comunicación audiovisual, de prestadores del servicio de intercambio de vídeos a través de plataforma y de prestadores del servicio de agregación de servicios de comunicación audiovisual, en relación con los programas, contenidos audiovisuales y/o extractos de los mismos que pongan a disposición del público en los servicios de intercambio de vídeos a través de plataforma (RD 444/2024 art.2.2).

6234 En relación con otros medios de comunicación, principalmente la **prensa escrita**, la cuestión es diversa. En estos casos, parece improcedente exigir al medio una sobreimpresión especial o una alusión directa al carácter publicitario de algunas de sus páginas, por lo que, a nuestro juicio, lo que exige verdaderamente la Ley es que el medio de difusión adopte las medidas oportunas para no confundir al público consumidor e incurrir de alguna manera en publicidad engañosa o subliminal (nº 6184 s.). No obstante, en la práctica suele incluirse alguna **mención expresa** al carácter esencialmente publicitario del mensaje: de ese modo, además, se consigue que el anuncio publicitario carezca de efectos obligacionales para quien lo emite o difunde.

Pesa sobre el **anunciante** la obligación de desvelar inequívocamente el carácter publicitario de sus anuncios; obligación independiente de la que existe sobre el medio de difusión. A efectos prácticos, el anunciante debe incluir en el contrato con la agencia de publicidad una cláusula por la que se garantice el cumplimiento de esta obligación. En suma, la obligación del anunciante se traslada al **creador del espacio publicitario**, con la particularidad de que esta obligación tiene una fuente convencional, mientras que en el caso del anunciante su origen es legal. Su exigibilidad, en todo caso, es clara en ambos supuestos.

6236 No obstante, el problema reside en determinar los **medios que ha de poner el anunciante** para demostrar inequívocamente el carácter publicitario de los anuncios. Esta obligación se dirige al mensaje publicitario en sí más que al medio de transmisión del mismo.

En la práctica, resulta habitual explicitar el carácter publicitario del mensaje mediante el término «publicidad» o «publi». Como **elementos identificativos** de dicho carácter pueden señalarse los siguientes:

• El propio **contenido** del mensaje, como oferta de bienes y servicios, que, en la mayoría de los casos, permite la distinción entre el mensaje publicitario y el resto de los mensajes mediáticos.

• Los **aspectos estructurales** del mensaje en sí, tales como su corta duración, el recurso a eslóganes para hacer más atractiva la oferta, el uso de marcas y la descripción comercial efectuada o la exageración adecuada de las bondades del producto o servicio ofrecido.

• En último extremo y para mayor seguridad del anunciante, puede éste, no obstante, recurrir a la sobreimpresión de la **advertencia «publicidad»** sobre la imagen del espacio publicitario o anuncio, o al comienzo del tiempo dedicado a la difusión publicitaria.

6238 Para el cumplimiento de esta obligación se concede al anunciante un **derecho de control** sobre la ejecución de la campaña publicitaria (LGPu art.10). Para garantizar este derecho, las **organizaciones sin fines lucrativos** constituidas legalmente en forma tripartita por anunciantes, agencias de publicidad y medios de difusión, pueden comprobar la difusión de los medios publicitarios.

Precisiones 1) Como organización no lucrativa en el sector funciona la **Asociación para la Autorregulación de la Comunicación Comercial** (antes denominada Asociación de Autocontrol de la Publicidad, más conocida como «Autocontrol»). Se trata de un organismo formado por empresas pertenecientes a los propios sectores interesados del mundo de la publicidad (anunciantes, agencias de publicidad, medios de comunicación, etc.) cuya finalidad es gestionar un sistema de autorregulación de las comunicaciones comerciales. Es frecuente el recurso a este organismo en aquellos casos en los que puede existir algún tipo de infracción de los códigos de conducta publicitaria, a fin de **resolver las controversias** del sector evitando el recurso directo a los órganos jurisdiccionales. Si se estima por algún interesado que la publicidad de un anunciante o medio incumple alguno de los códigos éticos en materia publicitaria, se puede plantear una denuncia ante la Asociación mencionada, que debe trasladarla al anunciante o al medio para que formule alegaciones. En caso de que el medio o el anunciante estimen que la publicidad es correcta, el asunto pasa al **Jurado de la Publicidad**, órgano que puede actuar como mediador o como árbitro, según los casos. La decisión final de una sección de ese órgano puede recurrirse al pleno del Jurado. Su decisión es vinculante para los asociados y las partes en el procedimiento. Las empresas no asociadas y quienes no se someten a este procedimiento, obviamente no están sujetos a la decisión del Jurado.
Existe un **Código de Conducta Publicitaria de Autocontrol**, pero, además, en la actualidad hay 20 códigos de conducta publicitaria sectoriales, que van desde el tratamiento de datos en la actividad publicitaria, hasta la publicidad de **influencers**, del vino, de bebidas envasadas o de perfumes y cosméticos, entre otros.
2) En el ámbito de **Internet** existe el denominado **Código ético** de comercio electrónico y publicidad interactiva, en vigor desde enero de 2003. Desde el 15-7-2005 el Instituto Nacional de Consumo ha otorgado el distintivo público de confianza al Código y al sistema de autorregulación «**Confianza on line**» (última versión de febrero de 2023). Los aspectos fundamentales del Código son los siguientes:
• Se establece que la publicidad debe ser honesta, decente y veraz.
• La publicidad en medios electrónicos de comunicación a distancia ha de ser fácilmente identificable como tal. Asimismo, el anunciante debe ser claramente identificable a través del nombre de la empresa o la marca anunciada, de forma tal que sus destinatarios puedan reconocerlo y ponerse en contacto con él sin dificultades.
• No se admite el envío de publicidad mediante mensajes de correo electrónico u otros medios de comunicación individual equivalentes por parte del anunciante, cuando no haya sido solicitada o autorizada expresamente por el destinatario.
• La publicidad en la red no puede impedir la navegación por parte del usuario en Internet.
• Se recogen fundamentalmente las previsiones legales en materia de venta a distancia, tales como la información previa a la contratación, o la posibilidad de desistimiento y devolución de los productos adquiridos.
• Respeto de los derechos e intereses de los menores.
• Respeto de los datos personales tratados y prohibición de elaboración de perfiles con fines publicitarios en el ámbito digital.
3) Se atribuye a la **Comisión Nacional de los Mercados y la Competencia** diversas funciones en relación con el mercado de comunicación audiovisual (L 3/2013 art.9), entre las que se destacan la de supervisar el cumplimiento de las obligaciones previstas en la Ley General de Comunicación Audiovisual (L 13/2022 art.153.2).

Factor de responsabilidad (LGPu art.11) Los contratos de publicidad pueden incluir una **cláusula de garantía**, en virtud de la cual se garantiza a la parte activa del contrato que la contraparte le mantendrá indemne frente a toda pretensión indemnizatoria de terceros como consecuencia de la lesión de sus derechos. De la misma manera, puede plantearse la inclusión de una **cláusula de limitación o exoneración** del anunciante, o de cualquiera de los intervinientes en la contratación, en cuanto a responsabilidades originadas como consecuencia de la lesión de derechos de terceros por la publicidad llevada a cabo. **6240**
La Ley establece al respecto que, en los contratos publicitarios no pueden incluirse cláusulas de exoneración, imputación o limitación de la **responsabilidad frente a terceros** en que puedan incurrir las partes como consecuencia de la publicidad. Esta disposición excluye la oponibilidad frente a tercero de cláusulas del tipo de las expuestas, estableciéndose una responsabilidad «cuasi legal», de manera que las partes no puedan escudarse en este tipo de cláusulas para evitar resarcir al perjudicado.

Sin embargo, no se impide, en nuestra opinión, la estipulación de una **cláusula penal**, con efectos meramente entre las partes, en la que se establezca que, en caso de infracción de derechos de terceros, el infractor-causante del daño resulta obligado a abonar a la contraparte una cantidad en concepto de indemnización (obligaciones con cláusula penal: CC art.1152 a 1155). Este tipo de estipulaciones no tienen por objeto dejar desamparado al tercero dañado, sino compensar entre las partes contratantes el perjuicio económico causado a una parte por la negligencia de la otra. De esta manera, se salvaguarda el interés del tercero lesionado, por un lado, y se resarce también el interés de la parte no infractora, por otro. **6242**

Evidentemente, en el supuesto de **responsabilidad de los dos contratantes**, por ser ambos co-causantes del daño, no procede la compensación entre ellos. El pacto por el que la responsabilidad se haga recaer solo en uno de los causantes ha de considerarse nulo, por ir contra el orden público (CC art.1255).

Otro tipo de cláusulas que estimamos admisibles son las referidas a los **usos del sector**, cláusulas por las que la agencia de publicidad o el medio de difusión se comprometen a llevar a cabo su prestación (creación, explotación o difusión publicitaria) conforme a los usos del sector y a evitar posibles **daños a bienes y derechos de terceros**. De esta forma, aun cuando el anunciante deje en manos del explotador (agencia de publicidad o medio de difusión) la creación y desarrollo del mensaje publicitario, quedaría **exonerado de responsabilidad** en supuestos de publicidad contraria a los usos del sector (p.e., que induzca a la violencia, que represente valores xenófobos o que utilice, sin los permisos correspondientes, obras o prestaciones de terceros).

Una **cláusula** de este tipo podría ser la siguiente:

«El explotador» se compromete a llevar a cabo su prestación conforme con los usos del sector y a evitar posibles daños a bienes y derechos de terceros, tales como derechos de imagen, derechos de propiedad intelectual o industrial o cualesquiera otros. «El explotador» se compromete a indemnizar y dejar indemne a «el anunciante» por las reclamaciones que un tercero interesado pudiera dirigirle como consecuencia del incumplimiento por «el explotador» de lo dispuesto en la presente cláusula.

Precisiones La responsabilidad frente a tercero en estos supuestos es de **carácter extracontractual**, por lo que se requiere la concurrencia de negligencia en el desarrollo y ejecución del contrato por parte del infractor (CC art.1902).

6244 **Factor de rendimiento económico** (LGPu art.12) Con relación a este factor, la Ley establece que se tiene por no puesta cualquier cláusula por la que, directa o indirectamente, se garantice el rendimiento económico o los **resultados comerciales de la publicidad**, o se provea la exigencia de responsabilidad por esta causa.

Son varias las cuestiones que plantea este precepto:

a) La esencia del contrato publicitario no se concibe como una mera prestación de servicios, sino más bien como un **contrato de obra** (al menos en lo que se refiere al contrato de creación publicitaria). No obstante, tampoco se configura enteramente como obligación de resultado, en la medida en que la rentabilidad económica de la campaña publicitaria queda fuera del objeto del contrato.

A pesar de ello, en nuestra opinión, puede mantenerse que se trata de una **obligación de resultado,** puesto que las partes, en cualquiera de los contratos posibles, se obligan a la obtención de un resultado u objetivo, aunque dicho resultado no deba medirse en términos de rentabilidad económica, sino de ejecución de la prestación pactada.

b) Ha de observarse que la inclusión de una cláusula que comprometa un rendimiento económico determinado **no** produce la **nulidad del contrato**, sino que, simplemente, se tiene por no puesta. De esta manera, se evita la aplicación de las normas sobre la nulidad de los contratos (CC art.1300 a 1314), lo que implicaría un mayor perjuicio para el desenvolvimiento usual del contrato.

6246 **c)** Según lo mantenido más arriba, puede decirse que los contratos publicitarios generan **obligaciones personalísimas** (se han tenido en cuenta para contratar las especiales características del medio de difusión y de la agencia de publicidad), lo que significa, por un lado, que el anunciante no está obligado a recibir la prestación o servicio de un tercero (CC art.1161) y, por otro, que, en caso de **incumplimiento**, el anunciante no puede exigir que la prestación se ejecute a costa del deudor, sino tan solo una **indemnización equivalente** (en ese sentido LEC art.709), para cuya determinación pueden tenerse en cuenta criterios tales como la difusión prevista del mensaje publicitario (espacios de tiempo contratados), la inversión realizada o incluso la importancia de la marca (producto o servicio) objeto de difusión publicitaria.

SECCIÓN 2

Contrato de publicidad

El contrato de publicidad es aquel por el que un anunciante encarga a una agencia de publicidad, mediante una contraprestación, la **ejecución** de publicidad y la **creación, preparación o programación** de la misma (LGPu art.13). 6252
Aunque no se trata de un contrato atípico, la regulación legal de este contrato se limita a perfilar sus rasgos principales, con especial atención a determinados aspectos de la contratación (terminación del contrato, no cumplimiento efectivo por parte de la agencia), pero dejando un amplio **margen de libertad** a las partes para regular otros aspectos de la relación contractual.
En líneas generales, el contrato de publicidad consiste en el desarrollo por parte de una agencia de publicidad de una **asistencia integral** en el proceso de creación y ejecución del mensaje publicitario contratado. En concreto, puede abarcar tres **tipos de prestaciones:**
a) La **creación del mensaje publicitario**. Aunque no necesariamente ha de crearse en todos los casos un mensaje publicitario en el sentido que el término creación tiene en el Derecho de autor, pues solo aquellas **innovaciones formales originales** reciben tal consideración. Por consiguiente, no toda aportación al conjunto de las formas preexistentes, esto es, no todo esfuerzo en «hacer algo nuevo» o distinto debe suponer necesariamente un esfuerzo intelectual de creación. No obstante, en este punto se establece que, si la agencia realiza creaciones intelectuales, se han de aplicar también las normas del **contrato de creación publicitaria** (LGPu art.13). El contrato de creación publicitaria se expone en el nº 6310.
b) La **programación o preparación del mensaje publicitario**. Se trata de una prestación de hacer que, sin duda, obliga a la obtención de un resultado determinado. Este resultado no puede consistir en la consecución de un beneficio económico o un rendimiento óptimo de la campaña publicitaria (nº 6244), pero sí en difundir el mensaje publicitario entre el público destinatario o en ocuparse de poner a disposición del anunciante toda la **infraestructura necesaria** para el desarrollo de la campaña en cuestión. Más adelante se estudian las cláusulas más habituales al respecto.
c) La **ejecución de la campaña publicitaria**. Por último, el contrato de publicidad implica para la agencia de publicidad la prestación de ejecutar el mensaje publicitario. En consecuencia, la agencia puede resultar obligada a contratar los espacios publicitarios en los **medios de difusión**, necesarios para la adecuada ejecución de la campaña publicitaria. En nuestra opinión, la obligación de la agencia de publicidad cesa con poner los medios para llevar a efecto la ejecución, sin que, en principio, deba responder de supuestos de fuerza mayor u otros que impidan la correcta difusión del mensaje publicitario.

Precisiones Según la jurisprudencia, el contrato de publicidad es **consensual** y **no** requiere **forma escrita**, perfeccionándose por el mero acuerdo entre las partes. Si existe un **contrato verbal**, su existencia y amplitud se corrobora con la conducta del anunciante que se aquieta ante la desplegada en su provecho (TS 24-5-80, EDJ 881; AP Cádiz 22-11-00, EDJ 61858; AP Araba 15-11-11, EDJ 330446; AP Pontevedra 16-4-03, EDJ 94308). 6254

Distinción de otros contratos publicitarios Como se puede comprobar, el objeto del contrato de publicidad es difuso, en la medida en que concurren en él dos **circunstancias**: 6256
- por un lado, el carácter múltiple de las prestaciones que se engloban dentro de su definición;
- por otro, la dificultad de deslindarlo del resto de contratos publicitarios.
A fin de separar lógicamente las fronteras jurídicas del contrato de publicidad de las del resto de contratos publicitarios, proponemos la aplicación de dos criterios:
a) De acuerdo con un **criterio organizativo-finalista**, podríamos decir que el contrato de publicidad tiene por objeto establecer los medios necesarios para que el mensaje publicitario sea

creado y difundido. Abarca prestaciones de desarrollo y de organización que hacen posible que la publicidad llegue efectivamente al público consumidor. Mediante este contrato se ponen las bases organizativas que garantizan el buen curso del proceso general.
El resto de contratos publicitarios tiene un alcance mucho más reducido y más específico, sin llegar a cubrir todos los ámbitos propios del contrato de publicidad.
b) Según un **criterio de especialidad**, el contrato de publicidad se distingue del resto de contratos publicitarios en la medida en que éstos tienen un contenido contractual mucho más limitado. Así, por ejemplo, si comparamos el objeto del contrato de publicidad con el de creación publicitaria, observamos que en este último, de lo que se trata realmente es de lograr una trascendencia de la realidad a través de una forma (esto es, la obra artística) que es en sí misma característica o peculiar. Puede decirse que la finalidad del resto de contratos publicitarios es mucho más limitada y que, por razón de la especialidad, deben aplicarse éstos con preferencia al contrato de publicidad.

6258 **Contratantes** Los sujetos en el contrato de publicidad son el **anunciante** y la **agencia de publicidad**. Esta última es quien se obliga a organizar, crear y preparar la publicidad por cuenta del anunciante, aunque, debido a la amplitud objetiva del contrato de publicidad, también es posible estipular que la agencia se ocupe de la difusión del mensaje publicitario.

6260 **Objeto del contrato** En términos generales consiste en la **preparación y programación** del mensaje publicitario y, en su caso, también en su **creación**. Se trata, por consiguiente, de un objeto muy amplio por razón de la materia a la que se dedica.
La amplitud del objeto define el **alcance de la obligación** que contrae la agencia de publicidad. En definitiva, serán las características del producto o servicio, así como las del público al que van dirigidos, las que marquen o definan el tipo de obligaciones que asume la agencia.
En cualquier caso, sí parece evidente que la agencia debe asumir una obligación de resultado que se concreta en lograr aunar todos los **recursos materiales y humanos** necesarios para que la campaña publicitaria pueda ser desarrollada y ejecutada.
Que el objeto del contrato de publicidad sea amplio por definición no impide que deba ser **determinado o determinable** (CC art.1273). Ello obliga a que las partes definan estructuralmente el tipo de prestaciones a que cada una de ellas se vincula.
El objeto del contrato, lógicamente, ha de ser lícito y estar en el comercio de los hombres (CC art.1271), por lo que han de considerarse nulas aquellas cláusulas que obliguen a la agencia a realizar un tipo de **publicidad prohibida o ilícita** (nº 6184 s.).
Evidentemente, tampoco puede tratarse de un **objeto imposible** (p.e., el encargo de una publicidad con unos medios técnicos desconocidos en el momento del encargo). Entendemos que esta posibilidad del objeto se refiere tanto a la publicidad en sí, como a los medios de los que la agencia se sirva para llevarla a efecto (p.e., sí sería posible una publicidad consistente en «pintar» en el cielo con una avioneta a chorro un mensaje publicitario determinado, o en el alquiler de un vehículo sobre el que fuera serigrafiada la publicidad en cuestión).

6262 El objeto del contrato tampoco puede consistir en un tipo de publicidad que atente contra las **buenas costumbres** (CC art.1271); concepto para cuya determinación pueden señalarse ciertas pautas de criterio:
1ª. Por un lado, los valores protegidos con la **sanción de ilicitud**, a los que se ha hecho mención en el nº 6184 s. (dignidad de la persona, derechos reconocidos en la Constitución, protección del medio ambiente, etc.).
2ª. Por otro lado, la normativa de **protección de los menores**, en la que se establece que las Administraciones públicas han de velar por que los medios de comunicación, en sus mensajes dirigidos a menores, promuevan los valores de igualdad, solidaridad y respeto a los demás, eviten las imágenes de violencia, explotación en las relaciones interpersonales o que reflejen un trato degradante o sexista, o un trato discriminatorio hacia las personas con discapacidad (LO 1/1996 art.5.3).
En el ámbito de la comunicación audiovisual **televisivo en abierto**, está prohibida la emisión de contenidos audiovisuales que puedan resultar perjudiciales para los **menores**, y en concreto (L 13/2022 art.99.2):
a) Se prohíbe la emisión de programas o contenidos audiovisuales que contengan escenas de **violencia** gratuita **o pornografía**.
b) La emisión de otro tipo de programas o contenidos audiovisuales que puedan resultar **perjudiciales** para los menores exigirá que el prestador forme parte del código de corregulación que se prevé en la L 13/2022 art.98.2, y disponga de mecanismos de control parental o sistemas de codificación digital.
c) Los programas cuya calificación por edad «**No recomendada para menores** de dieciocho años» solo podrán emitirse entre las 22:00 y las 6:00 horas.

El servicio de comunicación audiovisual **televisivo lineal de acceso condicional** tiene las siguientes obligaciones para la protección de los menores del contenido perjudicial (L 13/2022 art.99.3):
a) Formar parte del código de corregulación previsto en la L 13/2022 art.98.2.
b) Proporcionar mecanismos de control parental o sistemas de codificación digital.
El servicio de comunicación audiovisual **televisivo a petición** tiene las siguientes obligaciones para la protección de los menores del contenido perjudicial (L 13/2022 art.99.4):
a) Incluir programas y contenidos audiovisuales que puedan incluir escenas de pornografía o violencia gratuita en catálogos separados.
b) Formar parte del código de corregulación previsto en la L 13/2022 art.98.
c) Proporcionar mecanismos de control parental o sistemas de codificación digital.
Los prestadores del servicio de comunicación audiovisual televisivo lineal en abierto y de acceso condicional solo podrán emitir programas relacionados con el **esoterismo y las paraciencias**, basados en la participación activa de los usuarios, entre la 1:00 y las 5:00 horas, y tendrán responsabilidad subsidiaria sobre los delitos que puedan cometerse y los daños que puedan causarse a través de dichos programas (L 13/2022 art.99.5).
Los prestadores del servicio de comunicación audiovisual televisivo lineal en abierto y de acceso condicional solo podrán emitir programas de actividades de **juegos de azar y apuestas** entre la 1:00 y las 5:00 horas, salvo los sorteos de modalidades o productos de lotería cuya comercialización está reservada en exclusiva a los operadores designados al efecto por la L 13/2011 de Regulación del Juego, o por la correspondiente legislación autonómica, que podrán ser emitidos sin sujeción a la mencionada limitación horaria (L 13/2022 art.99.6, primer párrafo).

Precisiones Quedan igualmente excluidos de la limitación sobre franjas horarias establecida en el párrafo anterior los **juegos de concursos** emitidos por esos mismos prestadores, según la definición de esos juegos dada por la L 13/2011 o por la legislación autonómica correspondiente, siempre que esos juegos estén conexos o subordinados a la actividad ordinaria de esos prestadores y, además, no se utilice su difusión para promocionar, de forma directa o indirecta, ninguna otra actividad de juegos de azar o de apuestas (L 13/2022 art.99.6, segundo párrafo).

3ª. Finalmente, las recomendaciones y decisiones comunitarias en relación con los **contenidos ilícitos vertidos en Internet** (entre otras, Decisión 1999/276/CE) de las que puede deducirse la tendencia a prohibir campañas publicitarias que fomenten o induzcan al desarrollo de comportamientos violentos, xenófobos o atentatorios de la dignidad humana, en general, y de los menores, en particular. 6264
En resumen, puede concluirse que se debe considerar como **contrario a las buenas costumbres** todo aquel mensaje publicitario que, por su contenido o por la forma en que se manifiesta, induzca o promueva la violencia, el racismo o comportamientos contrarios a la dignidad y al respeto humanos, su opinión, nacionalidad, discapacidad o cualquier otra circunstancia personal o social, así como aquel que atente o pueda atentar contra la protección de la salud pública o de las personas físicas que tengan la condición de consumidores o usuarios, incluso cuando actúen como inversores, o contra la protección de la juventud y de la infancia (en este sentido, LSSI art.8.1).

Obligación de segmentación del mercado Según la definición del objeto del contrato expuesta, surgen para la agencia de publicidad diversas obligaciones. La primera de ellas es la obligación de segmentar el mercado. 6266
La publicidad exige **conocer exactamente el público** al que va dirigida, pues, tratándose de un ofrecimiento comercial de productos y servicios, el anunciante debe saber con seguridad y certeza cuáles son los gustos, aficiones, costumbres... del público al que pretende ofrecer su mensaje.
Los **estudios de segmentación del mercado** proporcionan al anunciante las coordenadas comerciales dentro de las cuales ha de dirigir la campaña publicitaria, con la seguridad de que dicha campaña llega a un público con un perfil diseñado previamente.
Esta obligación a cargo de la agencia de publicidad implica la **correlativa obligación del anunciante** de poner a disposición de aquélla los datos y toda la información que sean necesarios para conocer eficazmente el **círculo poblacional** sobre el que realizar los análisis y prospecciones. Asimismo, ha de informar a la agencia sobre las **características esenciales** del producto o servicio a publicitar.
En consecuencia, el resultado de los estudios se configura a partir de dos **parámetros** o variables:
- por un lado, la información sobre el público receptor o destinatario; y
- por otro, la información sobre el producto objeto de publicidad.
La resultante de la conjunción de estas dos variables constituye el **segmento del mercado**.

6268 **Protección de datos personales** (LO 3/2018 art.11, 12; Rgto (UE) 2016/679) Por su posible relación con la actividad de la agencia, es preciso tener en cuenta ciertas cuestiones relativas a la protección de la **intimidad de las personas**, y especialmente, en lo relativo al tratamiento de datos personales.
En efecto, puede ocurrir que el anunciante ponga a disposición de la agencia de publicidad bases de datos personales, a fin de que ésta pueda estudiar y segmentar el mercado y enviar, en su caso, las comunicaciones comerciales publicitarias objeto de la contratación. Más que un supuesto de comunicación o cesión de datos, estaríamos ante un tratamiento realizado por la agencia siguiendo instrucciones del anunciante, quien sería el **responsable** de dicho tratamiento.
Este tratamiento de datos personales llevado a cabo por la agencia de publicidad, si es el caso, es legítimo siempre y cuando exista un contrato de encargado del tratamiento entre el responsable (anunciante) y aquella, cuyo **contenido** viene establecido legalmente en el Rgto (UE) 2016/679 art.28. Entre otras cuestiones, dicho contrato habrá de incluir lo siguiente:
a) El encargado tratará los datos personales únicamente siguiendo instrucciones documentadas del responsable, inclusive con respecto a las transferencias de datos personales a un tercer país o una organización internacional, salvo que esté obligado a ello en virtud del Derecho de la Unión o de los Estados miembros que se aplique al encargado.
b) Garantizar que las personas autorizadas para tratar datos personales se hayan comprometido a respetar la confidencialidad o estén sujetas a una obligación de confidencialidad.
c) Tomar todas las medidas necesarias técnicas y organizativas para garantizar un nivel de seguridad adecuado al riesgo a que esté expuesto el tratamiento.
d) Solo se podrá subencargar el tratamiento con consentimiento del responsable y verificando que el subencargado cumple las medidas de seguridad establecidas.
e) Asistir al responsable, teniendo cuenta la naturaleza del tratamiento, a través de medidas técnicas y organizativas apropiadas, siempre que sea posible, para que este pueda cumplir con su obligación de responder a las solicitudes que tengan por objeto el ejercicio de los derechos de los interesados.
f) Ayudar al responsable a garantizar el cumplimiento de las obligaciones establecidas en los art.32 a 36 del Rgto (UE) 2016/679 (sobre notificación de brechas de seguridad), teniendo en cuenta la naturaleza del tratamiento y la información a disposición del encargado.
g) A elección del responsable, suprimirá o devolverá todos los datos personales una vez finalice la prestación de los servicios de tratamiento, y suprimirá las copias existentes a menos que se requiera la conservación de los datos personales en virtud del Derecho de la Unión o de los Estados miembros.
h) Poner a disposición del responsable toda la información necesaria para demostrar el cumplimiento de las obligaciones establecidas legalmente, así como para permitir y contribuir a la realización de auditorías, incluidas inspecciones, por parte del responsable o de otro auditor autorizado por este.

6270 Precisiones 1) Con efectos a partir de 7-12-2018 entra en vigor la nueva Ley Orgánica de Protección de Datos y Garantías de los Derechos Digitales (LOPD), con la que se adapta incorpora al Ordenamiento jurídico español el Reglamento General de Protección de Datos (RGPD o Rgto (UE) 2016/679), que entró en vigor en mayo de 2016, y es de aplicación directa en España desde el 25-5-2018.
En la nueva LOPD se han incluido algunas novedades no contempladas en el RGPD y se han actualizado, de manera más restrictiva, algunos de sus requisitos. Sin ánimo de ser exhaustivos, podemos destacar las siguientes **novedades**:
• Se da mucha más importancia a los principios de protección de los datos personales. Entre ellos cobra especial relevancia el de **proactividad** (*accountability*), en virtud del cual corresponde al responsable de un tratamiento de datos personales adoptar todas las medidas (no solo técnicas, sino también organizativas) oportunas para preservar la integridad y confidencialidad de dichos datos.
• La **edad mínima** para poder prestar consentimiento al tratamiento de los datos se establece en 14 años.
• Se regula el modo en que debe informarse a las personas acerca del tratamiento de sus datos optándose, en el ámbito de Internet, por un sistema de «**información por capas**», facilitando al afectado la información básica, si bien, indicándole una dirección electrónica u otro medio que permita acceder de forma sencilla e inmediata a la restante información.
• En cuanto a los **sistemas de información crediticia**, se reducen de 6 a 5 años el periodo máximo de inclusión de las deudas y se exige una cuantía mínima de 50 euros para la incorporación de las deudas a dichos sistemas.
• Se regulan sistemas de información de **denuncias internas** («whistleblowing»), cuya finalidad es poner en conocimiento de la empresa, incluso de forma anónima, la comisión de conductas contrarias a la normativa general o sectorial aplicable, por parte de empleados o terceros que contraten con ella. Véase, al respecto, la Dir UE/2019/1937, relativa a la protección de las personas que informen sobre infracciones del Derecho de la Unión. Téngase en cuenta, asimismo, la L

2/2023 reguladora de la protección de las personas que informen sobre infracciones normativas y de lucha contra la corrupción.
• Se regula qué sectores de actividad deberán nombrar obligatoriamente un delegado de protección de datos, quien debe acreditar conocimientos especializados en el Derecho y en materia de protección de datos.
• Se reconoce expresamente el derecho de acceso, rectificación y supresión a quienes estuvieron vinculados con **personas fallecidas** por razones familiares o de hecho, y a sus herederos, y se regula el modo de acceder a contenidos gestionados por prestadores de servicios de la sociedad de la información respecto de personas fallecidas, quienes podrán haber dispuesto su propio testamento digital.
• Se obliga al responsable del tratamiento a analizar desde el diseño y por defecto la idoneidad de las medidas técnicas y organizativas para asegurar la integridad y confidencialidad de los datos personales. Dependiendo de los casos puede llegar a ser obligatorio realizar una **evaluación del impacto** sobre los tratamientos que puede tener el posible suceso o materialización de una amenaza que afecte a la seguridad de tales tratamientos.
• Se incorpora un nuevo título sobre garantía de los **derechos digitales**. Se reconocen, entre otros, nuevos derechos como el de neutralidad de Internet, el de acceso universal a la Red, el derecho a la seguridad digital, el derecho a la educación digital y la protección de los menores en Internet, el derecho de rectificación en Internet y el de actualización de informaciones en medios de comunicación digitales, o el derecho al olvido.
En cualquier caso, es conveniente tener en cuenta el Reglamento, ya que en algunas cuestiones la regulación allí contenida es mucho más extensa que la prevista en la LOPD.
2) La Dir 2002/58/CE art.13.1 (**Directiva sobre la privacidad y las comunicaciones electrónicas**), en su versión modificada por la Dir 2009/136/CE, conforme al cual «sólo se podrá autorizar la utilización de sistemas de llamada automática sin intervención humana (aparatos de llamada automática), fax o correo electrónico con fines de venta directa respecto de aquellos abonados que hayan dado su consentimiento previo», debe interpretarse en el sentido de que constituye una «utilización de [...] **correo electrónico con fines de venta directa**», en el sentido de la referida disposición, la inserción en la bandeja de entrada del usuario de un servicio de mensajería electrónica de mensajes publicitarios en una forma semejante a la de los verdaderos correos electrónicos y en la misma ubicación que estos, sin que la determinación aleatoria de los destinatarios de dichos mensajes ni la determinación del grado de intensidad de la carga impuesta a ese usuario tengan incidencia al respecto, no estando autorizada esa utilización a menos que el citado usuario haya sido informado con claridad y precisión de las fórmulas de difusión de tal publicidad, en particular dentro de la lista de los correos electrónicos privados recibidos, y haya manifestado su consentimiento de forma específica y con pleno conocimiento de causa para recibir tales mensajes publicitarios (TJUE 25-11-21).

Propuesta publicitaria (LGPu art.13 s.) Desde un punto de vista de la buena fe contractual, la agencia de publicidad debe ofrecer al anunciante **diversos modelos o propuestas** publicitarias. **6272**
El anunciante puede haber establecido previamente las **directrices fundamentales de la campaña** publicitaria, en cuyo caso, la agencia debe respetarlas y elaborar su proyecto de acuerdo con ellas. Si no se han establecido dichas directrices, la agencia tiene absoluta libertad para la organización y ejecución de la campaña publicitaria.
La propuesta publicitaria debe ajustarse en sus elementos esenciales a los términos del contrato o a las instrucciones expresas del anunciante. En caso contrario, se considera que existe un **incumplimiento contractual** por parte de la agencia y el anunciante puede exigir una rebaja de la contraprestación o la repetición total o parcial de la publicidad, en los términos pactados, y la indemnización, en uno y otro caso, de los perjuicios que se le hayan causado (nº 6288).
En los números siguientes analizamos la **problemática** que plantean algunas de las circunstancias mencionadas:
- elementos esenciales de la campaña publicitaria (nº 6274);
- instrucciones expresas del anunciante (nº 6278).

Elementos esenciales La determinación de lo que debe entenderse por elementos esenciales de la campaña publicitaria para las dos partes del contrato es complicada. A nuestro juicio, teniendo en cuenta que se trata de un **contrato de encargo** y dado el evidente interés del anunciante en la creación y ejecución del mensaje publicitario, corresponde a éste establecer dichos elementos. Esto no supone que se deje a su arbitrio el cumplimiento del contrato (lo que sería contrario a CC art.1256), pues con dicha determinación lo que se logra es **delimitar el objeto del contrato** y no si se ha cumplido adecuadamente. **6274**

Para la **determinación** de los elementos esenciales pueden, no obstante, utilizarse los siguientes criterios: **6276**
• Desde un **punto de vista objetivo**, es elemento esencial aquel sin cuya concurrencia la campaña publicitaria no va a poder ser **materialmente desarrollada** y/o ejecutada (p.e., la

contratación de un equipo técnico determinado, el uso de unos determinados recursos o técnicas de convicción, o la contratación de un personaje famoso).

• Desde un punto de vista subjetivo, la esencialidad del elemento viene definida por la **finalidad** misma buscada por el anunciante. En este sentido es esencial todo elemento o aspecto que coadyuve en la consecución del objetivo publicitario marcado por el anunciante, desde su perspectiva negocial y teniendo en cuenta las características del producto o servicio ofertados (p.e., resaltar suficientemente las prestaciones de un coche o aprovechar convenientemente la imagen del producto publicitado).

• El Derecho común contiene un criterio según el cual el cumplimiento de una obligación no puede ser variado por el deudor a su sola voluntad, y ni siquiera aun cuando lo entregado como pago tenga un valor superior (CC art.1166). En virtud de este criterio, las partes han de valorar el efectivo cumplimiento del contrato en función del **valor económico** contenido en el mismo. Ese valor económico está representado, para el anunciante, en la promoción real y efectiva de su producto o servicio y, para la agencia, en la obtención de la remuneración pactada. Como, según se ha mantenido, corresponde fundamentalmente al anunciante la determinación del objeto contractual, parece lógico atribuir también preeminencia a su consideración del valor económico de la obligación, por lo que es la **promoción real y efectiva del producto o servicio** la que sirve de base para determinar los elementos esenciales del contrato.

• En cualquier caso, ante la duda, es fundamental tener en cuenta el **uso o costumbre en el sector** (CC art.1287). A falta de previsión expresa de las partes en el contrato, habrá, pues, que estar al análisis de diversos factores contractuales y volitivos de la intención de las partes (y más específicamente del anunciante).

• Por la similitud del contrato de publicidad con el contrato de obra, entendemos aplicable en este ámbito la **teoría de la recepción**, en la que se distingue entre una recepción provisional y otra definitiva, a expensas de que el comitente dé por buena la obra o desarrollo final encargado. Salvo que otra cosa se haya pactado, la **recepción provisional** no libera al contratista (la agencia de publicidad) de responsabilidad por los defectos en la obra, debiendo entenderse como tales la falta de adecuación de la publicidad a los términos esenciales de la contratación. Una vez admitida sin reservas el encargo publicitario pactado, la agencia de publicidad queda liberada de cualquier obligación ulterior.

6278 **Instrucciones expresas del anunciante** No ofrece dudas el hecho de que, si el anunciante ha expresado cómo debe ser y desarrollarse la publicidad, la agencia debe sujetar su actividad a las instrucciones recibidas.

En **ausencia de instrucciones expresas**, la agencia tiene, en principio, libertad para organizar y ejecutar la campaña publicitaria. No obstante, se plantea si, cuando el anunciante no ha expresado dichas instrucciones, la agencia de publicidad está obligada a conocer las restricciones legales establecidas en relación con determinado tipo de publicidad o con las condiciones en las que la publicidad puede desarrollarse (publicidad prohibida o ilícita, limitaciones de la publicidad televisiva, etc.).

En nuestra opinión, la validez de las **obligaciones implícitas** está fuera de toda duda, pues los contratos obligan no solo al cumplimiento de lo pactado, sino también a todas las consecuencias que, según la naturaleza del contrato, sean conformes a la buena fe, el uso y la Ley (CC art.1258). En este sentido, la agencia de publicidad debe tener en cuenta los **límites legales** en la creación, organización y ejecución de la campaña publicitaria. Además, por su condición de actor especializado y profesional debe conocer los límites impuestos por la **buena fe** y los **usos del sector**, factores que determinan el verdadero alcance del objeto contractual.

Así pues, también las exigencias implícitas deben ser consideradas como patrones inescindibles del objeto contractual y las obligaciones a cargo de la agencia de publicidad.

6280 **Utilización del material publicitario para fines distintos** (LGPu art.14) Aunque corresponde a la agencia la aportación creativa necesaria para idear y ejecutar la campaña publicitaria que pueda ser utilizada por el anunciante, nada impide que éste proporcione **información o ideas originales** para tales fines.

Por ello se establece que tanto el anunciante como la agencia publicitaria deben abstenerse de utilizar, para **fines distintos de los pactados**, cualquier idea, información o material publicitario suministrado por la otra parte. Se trata de una norma protectora de las invenciones o creaciones que cualquiera de las partes pueda desarrollar en el marco de la relación contractual.

La prohibición se refiere a fines distintos de los pactados en el contrato. Cuando en el contrato de publicidad no se especifican los objetivos o fines concretos que persigue el anunciante, habría que distinguir **varias hipótesis**:

a) Utilización de las ideas e información del anunciante **para varios productos de éste**, distintos del que integra el objeto del contrato. A nuestro juicio, si los productos pertenecen a una **misma gama o segmento de producción**, es posible la aplicación extensiva de la información facilitada por el anunciante. En otro caso, la respuesta sería negativa, ya que la imagen del anunciante podría verse deteriorada o distorsionada e incluso se podría dar lugar a casos de publicidad engañosa, por divulgación de unas características que no se corresponden realmente con las del producto o servicio ofrecidos (piénsese, p.e., en el automóvil que es anunciado con un determinado descuento, que no le corresponde, o en las viviendas que son promocionadas con unas calidades distintas de las reales). La responsabilidad, en este último caso, sería imputable a la agencia de publicidad, puesto que pesa sobre ella una obligación de actuar diligentemente y de informarse, en caso de duda, sobre la real intención del anunciante.

b) Utilización de las ideas e información del anunciante para **productos de otros anunciantes**. **6282**
Estaríamos claramente ante un caso de uso prohibido, en la medida en que la información recibida es un bien jurídico puesto a disposición de la agencia en virtud de la relación contractual que le une con el anunciante. Ese bien jurídico tiene la cualidad de estar particularizado, pues, en principio, ha sido ideado por el anunciante y proporcionado a la agencia de publicidad a fin de que solo ésta desarrolle la campaña publicitaria en cuestión.
El problema práctico consistiría en demostrar la **originalidad y peculiaridad de la información** o de las ideas suministradas por el anunciante. En este sentido, pueden darse diversas situaciones:
• Si la información ha sido calificada por las partes como **confidencial**, el anunciante puede dirigirse contra la agencia de publicidad y exigirle responsabilidad. El uso indebido de dicha información no solo supone la infracción de una obligación contractual, sino que, además, en la medida de que puede haber supuesto para la agencia de publicidad una fuente de inspiración desconocida hasta ese momento (p.e., escenarios con que ilustrar la campaña publicitaria, fotografías inéditas, formatos técnicos, textos, eslóganes), su aprovechamiento constituiría un comportamiento desleal.
• Aun cuando la información no pueda calificarse como confidencial, si resulta **objetivamente creativa** desde un punto de vista intelectual, puede recibir la protección que le otorga nuestra normativa (LGPu art.21; RDLeg 1/1996 -LPI- art.51).
• Si la información **no** tiene **carácter confidencial** ni supone en sí misma una **creación intelectual** (p.e., eslóganes extraídos de refranes populares, propuestas publicitarias usuales en el mercado, como aquellas que potencian los descuentos o tienden a exagerar las calidades reales de los productos o servicios ofertados) la responsabilidad de la agencia de publicidad se vería ciertamente disminuida e incluso reducida a la nada, ya que la información suministrada carece de interés jurídico relevante para el anunciante, lo que determina a su vez que el Ordenamiento le niegue protección alguna.

c) Cuando es el anunciante quien utiliza sin autorización la **información, material e ideas de la agencia**, resulta igualmente de aplicación lo expuesto en las letras anteriores. **6284**
d) Puede ocurrir también que las ideas, materiales o información objeto del contrato hayan surgido como consecuencia de la **participación entre las partes**. La consecuencia sería, en principio, la existencia de un derecho de **copropiedad** sobre tales elementos, con todas las consecuencias que de ello se derivan respecto del uso y disposición de la información en cuestión (CC art.392 a 406; LPI art.7).
Ahora bien, teniendo en cuenta que el contrato de publicidad es un **contrato de encargo**, según las reglas de este tipo de contratos, el comitente -anunciante- hace suya la obra en propiedad, naturalmente, sin perjuicio del derecho de remuneración a favor del contratista -agencia de publicidad- (en este sentido CC art.383, 1589 y 1593; LPI art.51; LGPu art.21).
Esta obligación de abstención se configura como una obligación de no hacer, por lo que el **incumplimiento** de la misma por cualquiera de las partes faculta a la otra parte a exigir de la autoridad judicial el comportamiento omisivo del obligado, o en su caso, a reclamarle la correspondiente cantidad en concepto de indemnización, pudiendo además el juez imponer multas al deudor por cada mes que transcurra sin que deshaga lo hecho (CC art.1099; LEC art.710).

Remuneración La remuneración pactada entre las partes es libre y la Ley nada limita respecto a su naturaleza, que bien puede ser **monetaria o en especie** (p.e., participaciones en beneficios o *stock options*). **6286**

Incumplimiento de la agencia de publicidad El incumplimiento contractual por parte de la agencia puede tener lugar por diversas **causas**: **6288**
• Cuando la propuesta publicitaria **no se ajusta en sus elementos esenciales** a los términos del contrato o a las instrucciones expresas del anunciante (nº 6290).

• Cuando la agencia **no realiza la prestación** comprometida, sin causa justificada, o lo hace **fuera del término establecido** (nº 6296).
Analizamos estas causas de incumplimiento en los números siguientes.

6290 **Contravención de las instrucciones del anunciante** (LGPu art.15) Si la propuesta publicitaria no se ajusta en sus elementos esenciales a los términos del contrato o a las instrucciones expresas del anunciante, puede éste exigir una rebaja de la contraprestación o la repetición total o parcial de la publicidad, en los términos pactados, así como la indemnización, en uno y otro caso, de los perjuicios que se le hayan causado.
Analizamos estos elementos de forma separada.
A) Para efectuar la rebaja o **reducción en la contraprestación** hay que atender a una multitud de factores, tales como:
- la **inversión** económica y humana realizada por el anunciante para delinear la campaña publicitaria;
- las **expectativas** fundadas que pueda mantener de venta del producto o prestación del servicio;
- los **contratos celebrados con terceros** con vistas a la promoción directa del producto o servicio o de la propia campaña publicitaria (p.e., contratación de banners, pensando ya en un diseño existente de la página web).
B) Por **repetición de la publicidad** hemos de entender la repetición formal de la estructura y organización, prevista para la campaña publicitaria. No se refiere a la repetición de los espacios publicitarios que, eventualmente hubiese contratado la agencia, pues el objeto del contrato de publicidad no consiste en la contratación de espacios de tiempo o de soportes físicos a los que incorporar la publicidad (esto es objeto más bien del contrato de difusión publicitaria), sino más bien en la creación, preparación y programación de la publicidad, esto es, en la forma prevista para promover y difundir la campaña publicitaria.

6292 **C)** En lo que se refiere al **cálculo de la indemnización** a cuyo pago la agencia resultaría obligada, en caso de incumplimiento, han de tenerse en cuenta dos **factores**:
1. Por un lado, la determinación de los **daños indemnizables**. En este punto, no debe haber dudas de que la indemnización engloba, no solo el valor de la pérdida que haya sufrido el anunciante, sino también el de la ganancia dejada de obtener (CC art.1106). Luego, la indemnización es integral y comprende no solo el **daño efectivamente causado,** sino también el lucro cesante derivado de la imposibilidad de realizar o conseguir el valor económico atribuido por las partes y, más concretamente, por el anunciante, a la realización de la prestación por parte de la agencia de publicidad.
Para el **cálculo del lucro cesante** han de tenerse en cuenta ciertas variables como son la audiencia, la inversión realizada, el tipo de producto o servicio ofrecido y la intensidad o extensión de la campaña publicitaria. Sin embargo, el cálculo exacto de estos daños no deja de ser una tarea difícil, lo que en la práctica se traduce frecuentemente en la imposibilidad de probarlos y la absolución de la agencia, salvo que en el propio contrato las partes hayan valorado esta circunstancia expresamente.
2. Por otro lado, los criterios en función de los cuales se ha de medir la **cuantía de la indemnización**. A este respecto, si la agencia ha incurrido en **responsabilidad por dolo**, debe responder de todos los daños y perjuicios que se deriven conocidamente de la falta de cumplimiento de la obligación. Si su responsabilidad fuese la de un **deudor de buena fe**, únicamente responde de los daños y perjuicios previstos o que se hayan podido prever al tiempo de la constitución de la obligación y que sean consecuencia necesaria de la falta de cumplimiento (CC art.1107).

6294 Precisiones **1)** La inclusión del **lucro cesante** dentro de los daños indemnizables no significa hacer responder a la agencia por el **rendimiento económico** de la campaña de publicidad, lo que estaría prohibido por la Ley (nº 6244), sino atraer al círculo de responsabilidad atribuible a la agencia, la representación económica que el anunciante atribuye al proceso organizativo y creativo de la publicidad. El valor económico dado por el anunciante en este supuesto es valorable, no como expectativa, sino de acuerdo con unos parámetros objetivos, como pueden ser la audiencia, la inversión realizada, el tipo de producto o servicio ofrecido o la intensidad o la extensión de la campaña publicitaria.
2) Evidentemente, la responsabilidad de la agencia de publicidad queda excluida, salvo pacto en contrario, en aquellos casos en los que la falta de correspondencia entre la publicidad y la actividad efectivamente realizada por la agencia se deba al **comportamiento de un tercero**.

6296 **Falta injustificada de prestación o cumplimiento tardío** (LGPu art.18) Si la agencia de publicidad no realiza la prestación comprometida, sin causa justificada, o lo hace fuera del término establecido, el anunciante puede resolver el contrato y exigir la devolución de lo pagado, así como la indemnización de daños y perjuicios.

Para determinar cuándo estamos ante un supuesto de **incumplimiento injustificado** hay que atender al propio comportamiento de la agencia y a la diligencia puesta en el ejercicio o cumplimiento usual de su prestación. Como criterio principal valdría el del cumplimiento diligente de acuerdo con los usos de este tipo de mercado y las circunstancias concretas que rodeen cada caso.
La mención al carácter justificado del actuar de la agencia permite pensar que se trata de un supuesto de **responsabilidad subjetiva** y no objetiva, basada en la culpa o negligencia en su actuar. La agencia no responde, por tanto, de forma objetiva, ni tampoco en casos de fuerza mayor, salvo cuando las partes así lo hayan pactado expresamente (CC art.1105).
Si se da un supuesto de **concurrencia de culpas** de anunciante y de agencia, podría atenuarse el grado de responsabilidad del causante directo del daño (es decir, de la agencia). Tanto la doctrina como la jurisprudencia estiman que la obligación del causante del daño, y por consecuencia, su nivel remuneratorio de resarcimiento para con el dañado deben verse disminuidos (CC art.1103).

Precisiones Aunque en el encargo de **inserción de una página publicitaria** en una revista no figure un **plazo**, es evidente que el momento de dicha inserción no puede quedar al arbitrio de la revista, pues transcurrido un largo tiempo desde el encargo, carece de interés para el anunciante (TS 18-11-04, EDJ 183463).

El incumplimiento por parte de la agencia puede producirse no solo por falta de realización o entrega de la prestación, sino también por llevarla a cabo **fuera de plazo**, cuando las partes hayan estipulado que la prestación debe entregarse en un momento determinado. 6298
Se habla en ese último caso de **término esencial**, pues, en la voluntad de las partes, o al menos en la de la parte que ha negociado la inclusión de una cláusula de este tenor, está el pensamiento de que solo se satisface su interés en un momento temporal cierto.
El cumplimiento por parte de la agencia después de dicho término esencial representa, por tanto, un auténtico incumplimiento contractual, generador de la correspondiente responsabilidad. En este caso, salvo cuando así se haya pactado, no resulta admisible para el acreedor una **prestación sustitutoria** o en momento posterior.
Las partes pueden establecer convencionalmente, para los casos de término esencial, o para aquellos otros en los que así se pacte, una **cláusula penal** que, en principio, sustituya la indemnización por daños y perjuicios (CC art.1152). Es posible asimismo determinar contractualmente el **nivel de responsabilidad** a que quieren verse sometidos. Puede suceder, sin embargo, que el nivel de responsabilidad pactado inicialmente no se corresponda con el daño realmente causado (p.e., porque las partes no tenían a la vista todas las variables o criterios potencialmente causantes del daño o porque el daño finalmente causado excede con mucho de las previsiones iniciales de las partes). En todos estos casos, no hay inconveniente en admitir una **revisión judicial** del acuerdo convencional.

Precisiones 1) Téngase en cuenta que, en el ámbito de la publicidad, la **entrega de la prestación en el momento pactado** es, en la mayor parte de los casos, de carácter esencial (piénsese, p.e., en la organización de la publicidad para un evento deportivo que tiene lugar en un período de tiempo determinado). 6300
2) Sobre la posibilidad de excluir o modificar contractualmente la aplicación del **nivel de responsabilidad establecido legalmente** (p.e., pactando que, aun estando justificado el incumplimiento, deba responder la agencia), en nuestra opinión, debe darse una respuesta negativa, pues una responsabilidad objetiva de la agencia por incumplimiento (a excepción del cumplimiento extemporáneo) no encajaría en el modelo de responsabilidad previsto por la Ley.
3) En lo que se refiere a los supuestos de **concurrencia de culpa**, se ha llegado incluso a mantener la exención de responsabilidad del causante del daño o del dañado cuando la magnitud de su propia responsabilidad embebe o comprende el nivel de responsabilidad de la otra parte (TS 18-3-82). Pensemos en el supuesto de que sea el anunciante quien proporcione a la agencia de publicidad los elementos creativos con los que diseñar la campaña publicitaria, los cuales resultan infractores de un derecho de propiedad industrial o intelectual de un tercero: ¿de quién es la culpa de la infracción: del anunciante que suministra el material infractor, o de la agencia de publicidad de no contrastar debidamente la ausencia de infracción? A nuestro juicio, la respuesta dependerá del grado de **diligencia exigible** a cada parte, y de las obligaciones de cuidado y garantías que se hayan asumido en el contrato.

Incumplimiento del anunciante (LGPu art.16) Si es el anunciante quien resuelve o incumple **injustificada y unilateralmente** el contrato con la agencia, sin que concurran causas de fuerza mayor, o lo cumple de forma parcial o defectuosa, la agencia puede exigir indemnización por daños y perjuicios. 6302
En relación con el **nivel de responsabilidad** del anunciante por su incumplimiento o su resolución injustificada y unilateral, deben hacerse iguales consideraciones que las expuestas respecto del incumplimiento por parte de la agencia (nº 6298).

Precisiones Adviértase que, con respecto al incumplimiento de la agencia (nº 6288 s.), no se alude a la **fuerza mayor** como causa de exclusión de la responsabilidad. No creemos que la fuerza mayor no desempeñe papel alguno en la determinación de dicha responsabilidad. Dicha solución sería verdaderamente injusta y carecería de fundamento de política legislativa y además colocaría a la agencia en franca desventaja en relación con el anunciante, puesto que su nivel de responsabilidad potencial sería mucho más alto que el que recaería sobre éste, sin que vea recompensada esa circunstancia por la obtención de un nivel remuneratorio necesariamente mayor.

6304 **Pago de derechos por publicidad realizada** (LGPu art.16) La extinción del contrato no afecta a los derechos de la agencia por la **publicidad realizada** antes de que se produjese la causa de incumplimiento.
De nuevo surge aquí la dificultad para determinar la **cuantía de la indemnización**. Lo más aconsejable es que las propias partes establezcan su cuantía, o al menos los criterios para su cálculo. En defecto de acuerdo o previsión expresa, hay que estar a **criterios lógicos** como las tarifas usuales de trabajo de la agencia o la inversión efectuada para la prestación de servicios por parte de terceros, salvo cuando, naturalmente, la prestación tenga un carácter personalísimo.

Precisiones En el contrato de publicidad rige el plazo general de **prescripción** de 5 años (CC art.1964 -ver nº 1202-) y no el de 3 años, previsto para prestación de servicios por profesionales (CC art.1967), aunque se haya pactado que el pago del precio sea mensual o dividido. Para llegar a esta conclusión prevalece la consideración de que el contrato de publicidad es una relación de carácter múltiple o complejo, entre compañías, continuada en el tiempo. El fraccionamiento del pago no altera la naturaleza de la obligación, ni divide la prestación a cargo del obligado, que sigue siendo única.

SECCIÓN 3

Contrato de creación publicitaria

6310

6312 El contrato de creación publicitaria debe considerarse como uno de los más importantes en este ámbito, en la medida en que regula las **obligaciones y derechos del anunciante** sobre el mensaje publicitario con especial incidencia en relación con los derechos de propiedad intelectual. Téngase en cuenta que el anunciante o, en su caso, la agencia de publicidad recurre al creador del spot publicitario a fin de que diseñe el mensaje publicitario y lo haga suficientemente atractivo como para que se logre en cierta medida el **resultado publicitario**.
El contrato de creación publicitaria es aquel por el que, a cambio de una contraprestación, una persona física o jurídica se obliga a favor de un anunciante o agencia a idear y elaborar un proyecto de **campaña publicitaria**, una parte de la misma o cualquier otro elemento publicitario (LGPu art.20).

Precisiones **1)** En este contrato, el creador se obliga a un resultado determinado. La creación debe hacer el mensaje publicitario suficientemente atractivo como para que se logre en cierta medida el **resultado publicitario** (AP Barcelona 11-5-05, EDJ 100509; AP Madrid 27-6-22, EDJ 673624).
2) La **naturaleza** de este contrato se corresponde básicamente con la del resto de contratos publicitarios. También en el contrato de creación publicitaria se obliga el creador a un **resultado determinado** y no meramente a poner los medios necesarios para lograr ese resultado. Ese resultado, como venimos defendiendo, consiste en desarrollar y culminar una creación intelectual que habrá de servir de soporte publicitario para un mensaje comercial.
3) El contrato de creación publicitaria se encuentra previsto en la LGPu, si bien su **regulación** en esta disposición legal resulta escasa. Por ello, a fin de completar el esquema legal aplicable se hace necesario recurrir a la ley reguladora de cada una de las creaciones publicitarias posibles, esto es, a la **normativa sobre propiedad intelectual e industrial** (derechos de autor, diseño

industrial, patentes y marcas). Los anuncios publicitarios son protegidos por la legislación en materia de propiedad intelectual siempre que sean originales y fruto de la creatividad humana (AP Madrid 2-3-12, EDJ 89592; AP Pontevedra 16-2-15, EDJ 20929).

4) El Tribunal Supremo no excluye que la obra publicitaria pueda tener la consideración de **obra colectiva** (TS 22-5-01, EDJ 5998).

5) La **obra creada por encargo** es aquella figura jurídica por medio de la cual una de las partes (contratista o encargado) se obliga a crear una obra, no por iniciativa propia, sino de un tercero (comitente o contratante), y a entregársela a éste a cambio del pago de un precio cierto por ella. El pago hecho por el comitente puede conllevar la transmisión, expresa o tácita, a su favor de los derechos patrimoniales sobre la obra creada por encargo cuando no existe contrato (solo había facturas y presupuestos), ni estipulación alguna sobre la materia en la relación jurídica que une a comitente y encargado. Sobre todo, habrá que estar a la intención de las partes. Este tipo de contratos se asimila al de arrendamiento de obra previsto en el CC -ver nº 5065 s.- (AP Barcelona 23-11-17, EDJ 273842; AP La Rioja 31-3-23, EDJ 624471).

6) En el contrato de creación publicitaria se pueden incluir **cláusulas delimitativas** del alcance de la **cesión de derechos** operada (AP Madrid 1-3-19, EDJ 738891).

Contratantes Las partes contractuales son, por un lado, bien el anunciante, o bien la agencia de publicidad; y por otro, el creador publicitario. 6314

Lo usual es que el **anunciante** se dirija a la **agencia de publicidad** a fin de que ésta, en el marco del contrato de publicidad, organice todo el proceso de creación del mensaje publicitario. De hecho, cuando, en el marco del contrato de publicidad, la agencia realice creaciones publicitarias, se han de aplicar también las normas del contrato de creación publicitaria (LGPu art.13). En esos casos, la agencia publicitaria será al mismo tiempo considerada como autor (supuesto de obra colectiva).

No obstante, también es posible que el **anunciante** contrate directamente los servicios del **creador publicitario**, debiendo la agencia únicamente coordinar la entrega de la obra y su posterior difusión.

El creador de la obra publicitaria puede ser una persona física o jurídica. En el primer caso será considerado indudablemente como autor, a todos los efectos. Si se trata de una **persona jurídica**, hay que tener en cuenta que la normativa sobre propiedad intelectual solo reconoce como autores a las personas naturales, aunque establece que las personas jurídicas se pueden beneficiar de la protección que se otorga al autor (LPI art.5). A nuestro juicio, esta distinción es importante en la medida en que solo las personas físicas pueden oponer la existencia de facultades integrantes del derecho moral de autor (en el mismo sentido, véase AP Barcelona 28-3-06, EDJ 267175).

Es importante a estos efectos prever el adecuado alcance de las cláusulas en virtud de las cuales el autor cede los derechos de propiedad intelectual a la persona jurídica acreedora.

Precisiones El principio por el cual solo las personas físicas pueden recibir la consideración de autores tiene como excepción los **programas de ordenador**, en los que, por la propia dinámica de este tipo de creaciones, se impone la lógica comercial de que sean las personas jurídicas, en cuya organización técnica y humana han sido creados, quienes asuman no solo la titularidad de los derechos de explotación, sino también la autoría misma (LPI art.97.1).

Lo anterior es aplicable asimismo, y con carácter general, a las **obras colectivas** (LPI art.8), consideradas como aquellas creadas por la iniciativa y bajo la coordinación de una persona natural o jurídica que la edita y divulga bajo su nombre y está constituida por la reunión de aportaciones de diferentes autores cuya contribución personal se funde en una creación única y autónoma, para la cual ha sido concebida, sin que sea posible atribuir separadamente a cualquiera de ellos un derecho sobre el conjunto de la obra realizada. Salvo pacto en contrario, los derechos sobre la obra colectiva corresponden a la persona que la edite y divulgue bajo su nombre.

Objeto del contrato El objeto del contrato de creación publicitaria consiste en idear y elaborar un **proyecto de campaña publicitaria**, una parte de la misma o cualquier otro elemento publicitario. Es la creación intelectual de la forma expresiva a través de la cual se explotará el mensaje publicitario. El creador de la obra publicitaria debe no solo idear, sino también elaborar, lograr la **expresión formal** de la que el anunciante se servirá para lograr el resultado publicitario. 6316

El contrato puede referirse, no solo a la creación de la totalidad de la campaña publicitaria, sino también a la de **una parte de la misma** (LGPu art.20). Puede crearse así una situación de titularidad compartida con otros creadores o, según los casos, supuestos de obras compuestas o de diversas obras independientes. Si fuera este el caso, estaríamos ante una **obra en colaboración** (nº 1722), por lo que, para la divulgación y modificación de la obra, sería necesario el consentimiento de todos los coautores. Por otra parte, si la obra en colaboración ha sido divulgada, ninguno de los coautores puede rehusar injustificadamente su consentimiento para la explotación pactada.

6318 Es posible que en el contrato se fijen ciertas **instrucciones o directrices del anunciante** (o de la agencia) sobre la obra a crear, de tal forma que la obligación no se entienda cumplida si la obra definitiva no se ajusta a las instrucciones expresadas (nº 6278). A este respecto son irrelevantes los aspectos más o menos estéticos que la obra publicitaria pueda incorporar. Lo relevante es que el resultado se adecue formalmente a lo exigido por el comitente.

En **ausencia de instrucciones expresas**, debe entenderse que la pretensión del comitente se verá satisfecha con la entrega de una obra publicitaria que pueda ser considerada como adecuada al fin o resultado publicitario propuesto, de acuerdo con los usos y prácticas en el sector y con independencia de su adecuación estética con los cánones sociales vigentes. En consecuencia, el objeto del contrato puede consistir, prácticamente, en **cualquier tipo de obra**, siempre que no incurra en alguna de las prohibiciones de difusión de publicidad previstas legalmente.

En numerosas ocasiones el contrato tiene por objeto lo que podrían considerarse **creaciones intelectuales o industriales**. Por ello, se establece que las creaciones publicitarias pueden gozar de los derechos de propiedad industrial o intelectual cuando reúnan los requisitos exigidos por las disposiciones vigentes (LGPu art.21). Ver al respecto los nº 6320 y nº 6326.

Precisiones 1) Sobre el uso del término «idear» en la definición expuesta, téngase presente que el Derecho de autor no protege las **ideas o conceptos**, sino la expresión formal de dichas ideas o conceptos y siempre que la misma pueda ser considerada original (LPI art.10.1).

2) Se entiende por **obra compuesta** la obra nueva que incorpora una obra preexistente sin la colaboración del autor de la última, sin perjuicio de los derechos que a éste correspondan y de su necesaria autorización. Es obra independiente la que constituya creación autónoma, aunque se publique conjuntamente con otras (LPI art.9). La **obra en colaboración** es el resultado unitario de la colaboración de varios autores, cuyas aportaciones son distinguibles y separables (LPI art.7). Los derechos de propiedad intelectual sobre una obra en colaboración pertenecen a todos los autores en la proporción que ellos determinen. En lo no previsto en la LPI se aplican a estas obras las reglas establecidas en el Código Civil para la comunidad de bienes.

6320 **Disposiciones sobre propiedad intelectual** La normativa sobre propiedad intelectual señala que son objeto de propiedad intelectual todas las **creaciones originales** literarias, artísticas o científicas expresadas por cualquier medio o soporte, tangible o intangible, actualmente conocido o que se invente en el futuro (LPI art.10.1). Como se expone en el capítulo referido a la propiedad intelectual (nº 1700), la característica que atribuye la condición de obra a cualquier aportación intelectual es la originalidad. Una obra solo se protege cuando es original (sobre el concepto de originalidad ver nº 1737).

En lo que se refiere a la **creación publicitaria**, podemos considerar que la aportación formal del creador de la obra publicitaria es original siempre y cuando pueda demostrarse que efectivamente supone un resultado singular, distinto y reconocible. Desde luego, a priori, una creación publicitaria puede ser objeto de propiedad intelectual (AP Madrid 2-3-12, EDJ 89592).

En este sentido, son obras originales y están protegidas, en principio, por el Derecho de autor, los textos, las fotografías y cualesquiera otros **elementos de la campaña publicitaria** (p.e., sonidos de la naturaleza, esculturas, dibujos animados, animaciones por ordenador, programas de ordenador, músicas, actuaciones o interpretaciones, maquetas, planos, etc.).

6322 Especial atención merecen dos tipos de obra publicitaria:

a) Los **eslóganes**, esto es, una o pocas frases que normalmente coinciden con expresiones de carácter popular o con formas necesarias de decir las cosas (p.e., «oferta exclusiva», «único en su serie», «venta hasta agotar existencias», etc.) que difícilmente pueden ser considerados como obra original. A este respecto, la jurisprudencia ha considerado que un eslogan es protegible mediante el Derecho de marca, puesto que la marca posee también una función publicitaria (AP Barcelona 7-6-05).

b) La contenida en una **proyección audiovisual**, que será considerada como obra audiovisual cuando sea una creación expresada mediante una serie de imágenes asociadas, con o sin sonorización incorporada y esté destinada esencialmente a ser mostrada a través de aparatos de proyección o cualquier otro medio de comunicación pública de la imagen y del sonido, con independencia de la naturaleza de su soporte material (LPI art.86). En este caso, los derechos de **producción audiovisual** pueden recaer sobre el anunciante, en la medida en que su iniciativa haya sido determinante en la fijación de las imágenes y los sonidos en que el anuncio consiste.

Por otra parte, también pueden existir derechos de **producción fonográfica**, que corresponderán al anunciante en la medida en que haya tenido la iniciativa y responsabilidad para realizar por primera vez la primera fijación de la obra o de otros sonidos.

Precisiones 1) Respecto de los **derechos de producción audiovisual y fonográfica**, puede resultar dudoso si pertenecen, en todo caso, al anunciante. En nuestra opinión, la responsabilidad última en que se desarrolle la campaña publicitaria recae sobre el anunciante, quien contrata con la agencia precisamente para que la organice y ejecute. Desde esta perspectiva, resulta indudable que la iniciativa y responsabilidad principal y directa sobre la creación publicitaria no corresponde a la agencia, a salvo, naturalmente, de que haya acuerdo en este sentido, o de que la propia agencia tenga intereses comerciales en la misma campaña. 6324

2) Cuando el autor autoriza la utilización de su obra musical en un determinado espacio publicitario (**derecho de sincronización**), debe entenderse que también ha autorizado la comunicación pública de la misma, la cual se considera como inherente e inseparable del uso del anuncio en cuestión. La razón es que la única finalidad de la publicidad es su emisión al público y sin la cesión del derecho de comunicación pública resultaría irrelevante la cesión del derecho de fijación (JPI Madrid núm 20, 26-4-01).

3) Los **derechos y contratos de propiedad intelectual** se exponen en los nº 1700 s.

4) En caso de infracción de derechos de propiedad intelectual sobre una obra musical sincronizada en un anuncio televisivo, resultan **infractores** el anunciante y la agencia de publicidad (AP Barcelona 17-11-05, EDJ 302261).

5) Quien contrata de buena fe con una entidad de gestión para obtener la autorización precisa para utilizar una obra musical sincronizándola en una anuncio televisivo, y en la que se introducen **modificaciones menores** para adaptar dicha obra al anuncio publicitario sobre la base de lo **permitido en el contrato-tipo** otorgado por dicha entidad, no responde ante el titular original (autor) de derechos de propiedad intelectual concernido, si no se perjudica la reputación del autor (TS 17-7-08, EDJ 173122).

6) Los **derechos de explotación** de propiedad intelectual **se presumen cedidos** al anunciante o agencia, salvo pacto en contrario, en virtud del contrato de creación publicitaria y para los fines previstos en el mismo (AP Barcelona 14-3-12, EDJ 68352).

Disposiciones sobre propiedad industrial En relación con los derechos de propiedad industrial, los requisitos para que exista protección jurídica varían dependiendo de que nos hallemos ante una patente, un diseño industrial o ante un derecho de marca. 6326

Para la **patente** se exige que haya una novedad en el estado de la técnica que no resulte de una manera evidente para un experto en la materia (LP art.4, 6 y 8) y que tenga una aplicación industrial.

El **diseño industrial** se protege en la medida en que el dibujo o modelo sea nuevo y tenga carácter singular (L 20/2003; RD 1937/2004; Reglamento CE/6/2002 art.4, sobre los dibujos y modelos comunitarios).

Básicamente, se considera que un dibujo o modelo es **nuevo** cuando no se haya hecho público ningún dibujo o modelo idéntico (Rgto CE/6/2002 art.5):

- si se trata de un dibujo o modelo comunitario **no registrado**, antes del día en que el dibujo o modelo cuya protección se solicita haya sido hecho público por primera vez;
- si se trata de un dibujo o modelo comunitario **registrado**, antes del día de presentación de la solicitud de registro del dibujo o modelo cuya protección se solicita, o, si se hubiere reivindicado prioridad, antes de la fecha de prioridad.

A su vez, se considerará que un dibujo o modelo posee **carácter singular** cuando la impresión general que produzca en los usuarios informados difiera de la impresión general producida por cualquier otro dibujo o modelo que haya sido hecho público:

- si se trata de un dibujo o modelo comunitario **no registrado**, antes del día en que el dibujo o modelo cuya protección se solicita haya sido hecho público por primera vez;
- si se trata de un dibujo o modelo comunitario **registrado**, antes del día de presentación de la solicitud de registro del dibujo o modelo cuya protección se solicita, o, si se hubiere reivindicado prioridad, antes de la fecha de prioridad.

Por otro lado, existe una **marca** cuando se trate de un signo o cualquier otro medio que distinga o sirva para distinguir en el mercado productos o servicios de una persona, de productos o servicios idénticos o similares de otra persona.

Precisiones Los **derechos y contratos de propiedad industrial** se exponen en los nº 2450 s.

Especificación contractual del objeto La especificación del objeto del contrato debe comprender: 6328

a) La **finalidad** a la que sirve el contrato, lo que implica la descripción del tipo de mensaje publicitario que se encarga y que el anunciante o la agencia esperan recibir.

b) Los **elementos** de los que el creador piensa servirse: músicas, textos, imágenes. Si de alguna manera están predeterminados, es aconsejable su mención exhaustiva; en caso negativo, es válida al menos una alusión al tipo de elementos o partes de la obra publicitaria que la conformarán. El anunciante normalmente deja en manos del creador la determinación de cuáles serán los elementos a utilizar; pero puede limitarse la capacidad de actuación de éste, a fin de evitar excesos de presupuesto, y precisar más exactamente lo que el anunciante desea.

c) Las elementos o **ideas que cada parte aporta**. La eventual utilización de ideas o información o material por alguna de las partes solo se justifica sobre la base de una **previa descripción** de lo que cada una puso como contribución. Si las partes acuerdan no describir sus aportaciones respectivas, debe regir una presunción de propiedad a favor del creador (LPI art.5 y 6). Esto no significa, empero, que los **derechos de explotación** no correspondan al anunciante o a la agencia (LGPu art.21). El anunciante debe abstenerse de utilizar para fines distintos de los pactados cualquier idea, información o material publicitario suministrado por la agencia (por analogía LGPu art.14).

6330 **Forma del contrato** Nada se establece sobre la forma que ha de revestir el contrato de creación publicitaria.

Sin embargo, la normativa sobre propiedad intelectual establece que la **cesión de derechos de explotación** debe formalizarse por escrito y que, cuando el cesionario incumpla este requisito, puede el autor, previo requerimiento fehaciente, optar por la resolución del contrato (LPI art.45).

Esta norma es, en principio, aplicable al contrato de creación publicitaria, pero teniendo en cuenta que, con respecto a dicho precepto, la doctrina entiende que dicha forma escrita es necesaria, no para que la transmisión sea válida, sino para que sea **oponible a terceros** (salvo en el caso del contrato de edición, cuya validez sí depende de la forma escrita -LPI art.60 y 61.1-).

En consecuencia, la **cesión realizada verbalmente** no es nula, aunque, como establece la Ley, el cedente puede, en determinadas circunstancias, promover su resolución.

Precisiones 1) Justamente, esta posibilidad de resolución presupone la existencia de un **contrato válido y eficaz** contra el que no cabe la sanción de la nulidad.

2) El contrato **verbal** es plenamente admisible en el ámbito de la contratación de creación publicitaria (AP Madrid 27-6-22, EDJ 673624).

6332 **Cesión de derechos de explotación sobre la obra publicitaria** Los derechos de explotación permiten al creador de la obra la obtención de una **remuneración económica** por autorizar que terceros puedan poner a disposición de los usuarios la obra en cuestión.

En virtud del contrato de creación publicitaria, y para los fines previstos en el mismo, los derechos de explotación de las creaciones publicitarias **se presumen cedidos** al anunciante o a la agencia, salvo pacto en contrario (LGPu art.21).

Estos derechos son principalmente los de **reproducción, distribución, comunicación pública y transformación**. Aun cuando estos derechos se encuentran definidos legalmente (nº 1780), es conveniente delimitar contractualmente su contenido y alcance.

6334 En este sentido, una posible **cláusula** sería la siguiente:

Por virtud del presente contrato, el creador cede al anunciante (o agencia), en exclusiva y con el alcance territorial y temporal definidos en la cláusula «...» anterior, los siguientes derechos de explotación sobre la prestación:

a. Derecho de fijación, entendiendo por tal el hecho de captar o registrar la prestación a un soporte físico o lógico por cualesquiera medios técnicos. Expresamente, creador y anunciante (o agencia) acuerdan que la grabación de la prestación en un soporte informático o en el disco duro de un ordenador son actos de fijación.

b. Derecho de reproducción, entendiendo por tal el hecho de obtener una o varias copias, en número limitado o ilimitado pero conocido, del soporte al que haya quedado incorporada la prestación, y así poder proceder a su explotación.

c. Derecho de distribución, entendiendo por tal la puesta a disposición del público del original o copias de la prestación mediante su venta, alquiler, préstamo o de cualquier otra forma.

d. Derecho de comunicación pública, entendiendo por tal todo acto por el cual una pluralidad de personas pueda tener acceso a la prestación sin previa distribución de ejemplares a cada una de ellas. Son actos de comunicación pública, a título meramente enunciativo, los de exhibición en salas de cine o en estudios profesionales, la emisión por radiodifusión o por cualquier otro medio que sirva para la difusión inalámbrica de signos, sonidos o imágenes (incluida la comunicación por ondas terrestres hertzianas), la comunicación al público vía satélite, la transmisión por hilo, cable, fibra óptica o cualesquiera otros procedimientos análogos, la retransmisión por cable o por radiodifusión y la emisión o transmisión en lugar accesible al público mediante cualquier instrumento idóneo. Expresamente, creador y anunciante (o agencia) acuerdan que es un acto de comunicación pública la explotación de la prestación a través de Internet o de cualquier otra red de similares características, con independencia del número de usuarios que puedan tener acceso a dichas redes telemáticas (acto de puesta a disposición).

e. Derecho de acceso a bases de datos, con independencia de que tal acceso se produzca a distancia por vías telemáticas o informáticas. Expresamente, creador y anunciante (o agencia) acuerdan que el acto de alojar la prestación en una base de datos constituye un acto de acceso a una base de datos.

f. Derecho de transformación, entendiendo por tal cualquier modificación de la prestación de la que derive una prestación diferente. Los derechos sobre la obra resultante de la transformación pertenecerán al anunciante (o agencia), sin perjuicio de los derechos correspondientes al creador.

Los derechos de explotación que es preciso adquirir varían en función del **tipo de publicidad** a realizar: 6336

- si se trata de una **publicidad estática**, es preciso adquirir el derecho de fijación, el de reproducción y el de distribución;
- si, por el contrario, se trata de una **publicidad dinámica** o basada en medios de comunicación, como la televisión o Internet, hay que adquirir los derechos de comunicación pública, puesta a disposición, así como el de transformación (en la medida en que se entienda que la digitalización de obras preexistentes implica una cierta transformación de las mismas; lo que es indudable es que en esos casos -digitalización de obras preexistentes- será necesario transmitir también los derechos de reproducción);
- en el caso de **músicas incorporadas a imágenes** también es necesario adquirir el derecho de reproducción sobre las obras musicales correspondientes, además de los derechos de comunicación pública.

Precisiones Téngase en cuenta que la Dir 2001/29/CE relativa a la armonización de determinados aspectos de los derechos de autor y derechos afines a los derechos de autor en la sociedad de la información, establece el denominado derecho de **puesta a disposición**, consistente en la posibilidad de que el usuario permita al público el acceso a obras o prestaciones en el momento y desde el lugar que elija el público al que se ofrecen. Ver nº 1788.

Cesión de facultades morales sobre la obra publicitaria Las facultades morales de autor son el instrumento a través del cual el autor puede perseguir actuaciones de terceros que lesionen o produzcan un **perjuicio a su reputación o fama artística**, o que permiten al autor que le sea reconocida su autoría sobre la obra. 6338

En el ámbito de la creación publicitaria, por las especiales características del objeto de este contrato, se produce, en nuestra opinión, una **limitación de las facultades morales** del autor. Así, resulta aconsejable introducir una previsión en el contrato que faculte al anunciante o a la agencia a **modificar la obra publicitaria** a fin de adaptarla a los modos necesarios de difusión publicitaria (p.e., permitiendo modificaciones de la obra para ajustarla al soporte publicitario elegido o permitiendo superposiciones de texto o música sobre la obra). Es más, aunque nada se estipule al respecto, debe presumirse, en nuestra opinión, que el anunciante o la agencia se encuentran facultados para proceder a cualesquiera modificaciones de la obra que resulten necesarias para lograr el resultado publicitario previsto o buscado por las partes y, en particular, por el anunciante (véase TS 17-7-08, EDJ 173122).

Luego, por la propia dinámica de este tipo de contratos, debe entenderse que el autor de la obra publicitaria se compromete, expresa o implícitamente, con la agencia o con el anunciante, a **no emprender reclamación** alguna contra ellos por violación de las facultades morales del derecho de autor.

En cualquier caso, la actividad de la agencia o del anunciante solo está justificada si se atiene a las **necesidades de explotación** de la obra publicitaria en función del tipo de publicidad encomendada, y dentro de los usos y prácticas habituales en el sector.

En lo que respecta a la paternidad o **reconocimiento** de que una obra es creación de una persona física determinada, también es comúnmente admitido que tal expresión del Derecho moral de propiedad intelectual no es absoluta y puede ser derogada en el caso concreto en atención al tipo concreto de obra (publicitaria) ante el que nos encontramos.

Precisiones No parece lógico permitir al autor que pueda alegar una eventual **infracción de sus facultades morales** (p.e. modificación de la obra, no reconocimiento de su autoría o cualquier otra lesión de sus facultades típicas), sin límite alguno, con la consecuencia de frenar la campaña publicitaria u obtener algún tipo de indemnización, más aún si tenemos en cuenta que el legislador ha querido **facilitar la explotación de la obra** publicitaria previendo una presunción de cesión en exclusiva (nº 6346). El creador es consciente del uso (publicitario) al que va a ser destinada la obra y el ejercicio pleno y riguroso de las facultades morales no haría sino impedir de hecho la explotación de la obra publicitaria. La explotación de una obra publicitaria no tiene como fin el reconocimiento de la persona del autor, sino primordialmente la **promoción de bienes y servicios** en el mercado. En este sentido, la explotación de la obra es secundaria respecto a aquel fin, y esa posición subordinada justifica igualmente la posibilidad de que el ejercicio de las facultades morales no sea pleno. 6340

Transmisión de la titularidad plena En cuanto obra de encargo, el anunciante o la agencia que contraten con el creador de la obra publicitaria adquieren, salvo pacto en contrario, la propiedad plena de los **derechos de propiedad intelectual** sobre la misma (por analogía LPI art.51 y 97; AP La Rioja 31-3-23, EDJ 624471). 6342

Evidentemente, esta atribución de derechos parte de la base de la **ejecución de la prestación** a cargo del creador (es decir, la ideación y elaboración de la campaña publicitaria) dentro del ámbito contractual fijado por las partes o siguiendo las instrucciones precisas del anunciante o de la agencia (LGPu art.15).

El contrato de creación publicitaria actuaría en estos supuestos como causa o **título transmisor** de derechos del creador al anunciante o a la agencia, según los casos.

6344 Un ejemplo de **cláusula** en este sentido, sería la siguiente:

1.1. De acuerdo con la legislación aplicable, corresponden al arrendatario cualesquiera derechos de propiedad intelectual sobre las obras que el arrendador cree o pueda crear en el futuro en el marco de este contrato. El arrendatario deviene, por tanto, en propietario absoluto de los derechos de propiedad intelectual sobre las obras y será considerado como autor a todos los efectos legales.

1.2. El arrendador cede en exclusiva al arrendatario todos los derechos de explotación sobre las obras por todo el tiempo de duración de la protección de la propiedad intelectual, el cual se contará a partir del momento de entrega de cada una de las obras en cuestión. Tales derechos comprenden, sin carácter exhaustivo, la fijación, la reproducción, la distribución, la comunicación pública, la transformación y la traducción o digitalización de las obras, así como su puesta a disposición del público mediante bases de datos.

1.3. El ámbito territorial de la cesión a la que se refiere esta cláusula es todo el mundo.

1.4. El arrendatario podrá introducir en las obras todas aquellas modificaciones que estime oportunas con el fin de poder adaptarlas a las necesidades comerciales o de servicio del arrendatario, sin que ello pueda entenderse como incumplimiento contractual por su parte o lesión del derecho moral del arrendador sobre las obras. En concreto, el arrendatario, aun después de finalizada la relación contractual nacida del presente contrato, podrá corregir los errores que presenten las obras y hacer versiones sucesivas de las obras.

1.5. El arrendatario podrá explotar en todo caso las obras a las que se refiere esta cláusula con el alcance necesario para que el arrendatario pueda desarrollar debida y eficazmente su habitual actividad empresarial o comercial.

1.6. El arrendador garantiza que:

- Es titular de todos los derechos de propiedad intelectual existentes sobre las obras.
- En su caso, ha obtenido todas las autorizaciones correspondientes de los titulares de derechos para la legítima explotación de sus obras.
- En su caso, ha cumplido con las obligaciones en favor de las respectivas entidades de gestión, sobre pago de remuneraciones a los titulares de derechos.

1.7. El arrendador indemnizará al arrendatario por la eventual responsabilidad que le sea imputable por infracción de los derechos de propiedad intelectual de terceros causada por la normal explotación por parte del arrendatario de las obras objeto del presente contrato.

Precisiones Si se trata de la **utilización de una obra independiente**, rige el régimen general de adquisición del derecho de uso sobre los derechos de explotación.

6346 **Exclusividad de la cesión** Como principio general, la LGPu establece una **presunción** de cesión en exclusiva de los derechos de explotación sobre la obra publicitaria (LGPu art.21).

Ahora bien, la normativa sobre propiedad intelectual dispone que para que la cesión se entienda en exclusiva es preciso el **pacto expreso** en tal sentido (LPI art.48), con lo que claramente excluye cualquier presunción al respecto.

Ante esta **contradicción**, debe prevalecer, a nuestro juicio, lo establecido en la LGPu, sobre la base de los siguientes argumentos:

• En primer lugar, porque la LGPu es **ley especial** frente a la Ley de Propiedad intelectual (LPI), y es tradicional el aforismo jurídico según el cual la ley especial desplaza a la general. En efecto, la LGPu se ocupa de un tipo de contrato muy específico, cuya finalidad no es primordialmente la explotación de la obra, sino la promoción de bienes y servicios. Dentro de este fin, resulta lógico que rija una presunción de cesión en exclusiva y que el valor limitativo de esta presunción se interprete restrictivamente y en relación únicamente con las obras publicitarias.

• En segundo lugar, la presunción favorece y estimula el **mercado de la creación publicitaria**. No parece justo que los promotores de ese mercado (anunciantes y agencias de publicidad) estén sujetos a reglas que puedan suponer una restricción a la difusión del mensaje publicitario.

• En tercer lugar, aunque la Ley de propiedad intelectual en vigor (texto refundido aprobado por RDLeg 1/1996) es posterior en el tiempo a la LGPu (L 34/1988), el precepto que recoge aquella norma ya estaba contenido en la L 22/1987 (refundida en la LPI actual), que sí resulta **anterior en el tiempo** a la LGPu.

6348 **Prestaciones complementarias** En ocasiones es preciso contratar otras obras o prestaciones de carácter complementario pero **necesarias** para llevar a cabo la campaña publicitaria (p.e., contratos con artistas, derechos de imagen, contratos con compositores de la música, productores de grabaciones audiovisuales o de fonogramas, etc.).

En principio, la contratación de obras o prestaciones de terceros para su integración en la obra publicitaria es **ajena al contrato** de creación publicitaria. Corresponde al creador o, en su caso, a la agencia de publicidad la contratación de dichas obras o prestaciones. Evidentemente, también puede recaer esta obligación sobre el anunciante, quien en la mayoría de las ocasiones será el más interesado en negociar directamente con los titulares de derechos la oportuna cesión.

Remuneración Corresponde al anunciante o a la agencia de publicidad, según quien sea parte en el contrato con el creador, satisfacer a éste la remuneración pactada por su creación. **6350**
La remuneración puede ser **económica o no**. Asimismo, puede ser **proporcional** o **a tanto alzado** (que será lo más común), pues se presentan las circunstancias que permiten la fijación de la remuneración de este modo (ver nº 1871).
En el caso de **artistas intérpretes o ejecutantes** que intervengan en el spot comercial, su remuneración debe corresponder al creador publicitario.

Precisiones No son de aplicación ciertas normas sobre remuneración, contenidas en la **normativa de propiedad intelectual**, como las relativas al alquiler o préstamo de obras audiovisuales, o a la participación proporcional en los beneficios obtenidos por la explotación de la obra audiovisual en salas de proyección (LPI art.90), así como tampoco la de las normas particulares sobre remuneración de artistas (LPI art.108). Los derechos de remuneración generados por la comunicación pública de obras audiovisuales proyectadas en lugares públicos mediante el pago de un precio de entrada, o por cualquier procedimiento sin exigir tal pago, no se aplican a los autores de obras audiovisuales de carácter publicitario (LPI art.90.6).

Supuestos de responsabilidad En principio, pesa sobre el creador de la obra publicitaria el deber de conocer la legislación y evitar hacer incurrir al anunciante en responsabilidad por el **contenido del mensaje publicitario**. **6352**
Es preciso, no obstante, distinguir según que la responsabilidad derive de la infracción de normas sobre **publicidad prohibida o ilícita** (nº 6354) o del **uso indebido de obras de terceros** (nº 6356).

Publicidad prohibida e ilícita Es una cuestión debatida la responsabilidad del creador de la obra publicitaria, cuando el contenido de ésta incurre en alguna de las circunstancias que determinan que la publicidad sea calificada como prohibida o ilícita (nº 6184). **6354**
La **responsabilidad de los intervinientes en el contrato** (anunciante, agencia, creador y, en su caso, difusor) por publicidad ilícita o prohibida es directamente proporcional a dos parámetros:
a) Por un lado, a su **participación en el proceso de creación** publicitaria. Si el anunciante ha impartido instrucciones expresas de cómo debe ser la publicidad, es lógico que responda en mayor medida que el creador de la obra publicitaria, que únicamente se ha limitado a ejecutar las órdenes recibidas o a actuar dentro de las coordenadas que el anunciante le ha impartido. El grado de responsabilidad, por tanto, aumenta o disminuye en función del grado de participación en el proceso de creación.
b) Por otro lado, al **deber de conocimiento** de la legislación aplicable que resulta exigible, de acuerdo con la actividad desarrollada en el sector. Es decir, a una agencia (y, en su caso, a un difusor) se le supone un mayor conocimiento de las prohibiciones legales que afectan a la difusión de la publicidad que el conocimiento exigible a un anunciante ajeno al sector, quien precisamente acude a la agencia en atención a sus conocimientos técnicos y específicos de lo relativo a la publicidad. No obstante, tampoco puede escudarse el anunciante en su desconocimiento y limitar su grado de responsabilidad en aquellos casos en que, por el ámbito de negocio al que se dedique, se le deba presuponer un conocimiento de las prohibiciones aplicables (p.e., un fabricante de tabaco o un laboratorio farmacéutico).
La determinación del **grado final de responsabilidad** depende de la conjunción casuística de todos esos factores. En cualquier caso, cada contratante ha de responder frente a su contraparte por infracción de la legislación sobre publicidad.

Uso indebido de obras de terceros En lo que se refiere a la responsabilidad por uso de obras de terceros (p.e., uso de una imagen o de una música sin permiso del titular de derechos o realización de un plagio de una obra preexistente), en principio, el **culpable de la infracción** es quien comete activa y directamente el hecho infractor. **6356**
Sin embargo, hay que tener en cuenta que, frecuentemente la **agencia de publicidad** lleva a cabo la campaña publicitaria, siguiendo las **indicaciones del anunciante**. Y en esas indicaciones puede ir el deseo por su parte de emplear determinada música o imágenes, aun a riesgo de incurrir en algún tipo de infracción. Si ése fuese el caso, evidentemente, estaríamos ante una responsabilidad conjunta.

La obligación de la agencia de publicidad es la ideación y diseño de una campaña que pueda ser ejecutada y si para ello es necesario la utilización de derechos de propiedad intelectual cuya titularidad corresponde a terceros, debe **advertir al anunciante** de esta circunstancia al objeto de que proceda a la adquisición de tales derechos o bien se prescinda de aquellos elementos de la campaña que pudieran infringir los derechos ajenos (AP Madrid 27-6-22, EDJ 673624).

En otro caso, esto es, cuando el culpable de la infracción es el **creador de la obra publicitaria**, la responsabilidad recaería sobre él, pero de forma indirecta, pues, en principio, la responsabilidad frente a terceros recae en el anunciante o en la agencia de publicidad, que, en un momento posterior pueden dirigirse contra el creador de la obra publicitaria y repetir contra él la cuantía económica de la responsabilidad imputada. Según la jurisprudencia, la **responsabilidad** es **solidaria** y, en la medida en que la acción ejercitable tiene naturaleza real (se trata de un derecho de propiedad real) alcanza a todo tercero con el límite previsto en la LPI art.139.4, es decir, se excluye la responsabilidad del adquirente de buena fe de ejemplares para uso personal -luego, cabría pensar que, si el uso de los ejemplares es comercial, la responsabilidad no quedaría excluida- (AP Barcelona 17-11-05, EDJ 302261).

En lo que se refiere a la responsabilidad del **medio de difusión**, hay que tener en cuenta que se trata, en principio, de un mero instrumento de ejecución del mensaje publicitario ya creado al margen de su voluntad y decisión. Su grado de responsabilidad en estos supuestos de mera ejecución parece nulo o al menos escaso.

No obstante, si el medio difusor recibe algún tipo de **notificación o reclamación** del titular de derechos con apariencia de cierta verosimilitud, debe comprobar la posible ilicitud que se esté cometiendo. El incumplimiento de este deber puede dar lugar a la correspondiente responsabilidad, en la medida en que el medio difusor es consciente en esos momentos del posible carácter ilícito de la campaña publicitaria.

6358 En el ámbito de **Internet** se establece lo siguiente (LSSI art.14 y 16):

a) Los operadores de redes de telecomunicaciones y proveedores de acceso a una red de telecomunicaciones, que presten un servicio de intermediación que consista en **transmitir por una red de telecomunicaciones** datos facilitados por el destinatario del servicio o en facilitar acceso a ésta, no son responsables por la información transmitida, salvo que ellos mismos hayan originado la transmisión, modificado los datos, seleccionado éstos o a los destinatarios de dichos datos.

b) Respecto de los servicios consistentes en **alojamiento o almacenamiento de datos**, los prestadores de este servicio no son responsables por la información almacenada a petición del destinatario, siempre que:

- no tengan conocimiento efectivo de que la actividad o la información almacenada es ilícita o de que lesiona bienes o derechos de un tercero susceptibles de indemnización;
- si tienen conocimiento, actúen con diligencia para retirar los datos o hacer imposible el acceso a ellos.

Se entiende que el prestador de servicios tiene el **conocimiento efectivo** cuando un órgano competente haya declarado la ilicitud de los datos, ordenado su retirada o que se imposibilite el acceso a los mismos, o se hubiera declarado la existencia de la lesión, y el prestador conociera la correspondiente resolución, sin perjuicio de los procedimientos de detección y retirada de contenidos que los prestadores apliquen en virtud de acuerdos voluntarios y de otros medios de conocimiento efectivo que puedan establecerse.

Precisiones Si la ilicitud del contenido resulta *ex re ipsa*, no hace falta una declaración institucional relativa a la infracción cometida, quedando satisfecho el requisito del «**conocimiento efectivo**» si el prestador del servicio de la sociedad de la información tiene conocimiento por cualquier medio de dicha infracción (TS 9-12-09, EDJ 282563; 18-5-10, EDJ 61583). En el mismo sentido, AP Barcelona 3-3-10, EDJ 73386.

SECCIÓN 4

Contrato de difusión publicitaria

 6365

El contrato de difusión es aquel por el que, a cambio de una contraprestación fijada en tarifas preestablecidas, un medio se obliga a favor de un anunciante o agencia a permitir la utilización publicitaria de **unidades de espacio o de tiempo** disponibles, y a desarrollar la actividad técnica necesaria para lograr el resultado publicitario (LGPu art.17). 6367

Es un contrato de contenido claramente diverso al de publicidad, puesto que, mediante este contrato, el acreedor busca estrictamente el alquiler de espacio y tiempo, esto es, la **adquisición de un derecho de uso** sobre determinados espacio y tiempo.

En este contrato, el deudor, esto es, el medio de difusión, cumple su prestación en un único sentido, sin que el objeto de su prestación sea tan variado y diverso como en el contrato de publicidad. Ello implica una más fácil **determinación del objeto** del contrato, así como de las consiguientes **prestaciones** a que cada parte se obliga.

Precisiones **1)** En lo que se refiere a su **regulación**, la legislación especial se dirige principalmente a regular las consecuencias indemnizatorias a favor del anunciante o de la agencia por la no difusión del mensaje publicitario (LGPu art.18 y 19), dejando al Derecho común y a la voluntad de las partes el diseño final del conjunto de obligaciones y derechos de las partes.

2) El contrato de difusión publicitaria puede calificarse como **contrato de resultado**. Lo esencial no es la creación del mensaje publicitario o la puesta en marcha de la organización necesaria para desarrollar la campaña publicitaria, sino la difusión del mensaje publicitario. Esta circunstancia implica que este contrato quede sometido, subsidiariamente a la regulación sobre el contrato de arrendamiento de obra (CC art.1544, 1588 a 1600: nº 5065 s.).

No obstante, desde un punto de vista estructural, el contrato de difusión es un **contrato mixto** cuyo objeto es, o bien un mero arrendamiento de soportes espaciales o temporales, o bien, la adquisición de un derecho de uso sobre los mismos. En ambos casos es común el elemento de obtención de un resultado, lo que en el contrato de difusión publicitaria se traduce en el desarrollo de la actividad técnica necesaria para lograr el resultado publicitario.

3) Los contratos de publicidad tienen una naturaleza distinta a la del **contrato de agencia** (nº 5710 s.). En los primeros, mediante contraprestación se encarga la elaboración, diseño e inserción de un anuncio. En el segundo, el agente se compromete, de forma estable o duradera, a cambio de una remuneración, a promover actos u operaciones de comercio por cuenta ajena, o a promoverlos y concluirlos por cuenta y en nombre ajenos, como intermediario independiente (AP Pontevedra 25-2-16, EDJ 25090).

4) El hecho de que el **medio de comunicación** no haya percibido remuneración o **retribución** por la publicación (contraprestación propia de un contrato de difusión publicitaria) no impide calificar el comportamiento como publicitario (AP Valencia 28-3-19, EDJ 573031).

5) El orden de cumplimientos de las prestaciones debidas como consecuencia de una relación de obligación sinalagmática y la mutua condicionalidad e interdependencia que existe entre ellas, como acontece en el contrato de difusión publicitaria de autos, justifica que al deudor incumplidor le pueda oponer el deudor requerido de pago la llamada «**exceptio non adimpleti contractus**» o la llamada «exceptio non rite adimpleti contractus», con el efecto de neutralizar la reclamación, dada la facultad que le asiste de posponer su cumplimiento hasta que el reclamante cumpla o esté dispuesto a cumplir lo que le incumbe (TS 27-12-11, EDJ 328376; AP Valencia 21-11-22, EDJ 859654).

Contratantes Son sujetos de este contrato, por un lado, el acreedor, que bien puede ser el **anunciante** o bien la **agencia de publicidad**; y por otro, el deudor que solo puede ser un medio de difusión (también denominado medio de publicidad). 6369

Por **medios de difusión** hemos de entender las personas jurídicas o físicas, públicas o privadas, que, de manera habitual y organizada, se dediquen a la difusión de publicidad a través de los soportes o medios de comunicación social cuya titularidad ostenten (LGPu art.8). Los medios de difusión son los encargados de asumir la responsabilidad en la difusión del mensaje publicitario, sea en un sentido específico, sea en el marco de una difusión más amplia.

En relación con ellos cabe hacer una distinción, en el estado actual de la tecnología, entre los **medios escritos** (o de distribución física), y los **medios audiovisuales** (o de comunicación intangible). Dentro de estos últimos, a su vez, puede distinguirse entre operadores (entidades) radiofónicos y televisivos.

En cualquier caso, el medio de difusión o publicidad debe ser **titular de la organización y de los medios técnicos** necesarios para el cumplimiento de su prestación, esto es, para el envío del mensaje publicitario al público consumidor, siempre que se consiga la posibilidad de su percepción por dicho público.

6371 Otro sujeto habitual en este tipo de contratos son las denominadas **centrales de compra**. Se trata de organizaciones, usualmente personas jurídicas, que compran a los medios de publicidad los eventuales derechos sobre sus soportes de espacio o de tiempo. Son meros tenedores de derechos, que negocian y facilitan las negociaciones entre anunciantes y medios de difusión. De hecho, son entes funcionalmente necesarios, al poner en contacto a oferentes de publicidad con oferentes de espacios, a través de los cuales exteriorizar dicha publicidad. Puede ocurrir también que sean las propias agencias de publicidad quienes asuman la condición de centrales de compra.

Precisiones 1) Téngase en cuenta que, para los **medios de origen no escrito**, como pueden ser las entidades radiofónicas o las televisivas, existe una regulación particular que limita los espacios de tiempo máximos de publicidad o incluso el mismo tipo de publicidad permitida (nº 6375 s.).

2) En el ámbito de la comunicación audiovisual, son **prestadores del servicio de comunicación audiovisual**, las personas físicas o jurídicas que tengan la responsabilidad editorial sobre la selección de los programas y contenidos audiovisuales del servicio de comunicación audiovisual y determina la manera en que se organiza dicho contenido (L 13/2022 art.2.4).

3) Las **centrales de compra** no entran en el concepto de medios de publicidad, en la medida en que no cumplen las dos condiciones que exige la Ley para ello.

4) Según el Tribunal de Justicia de la Unión Europea, la Dir 89/552/CEE art.22 bis (derogada por Dir 2010/13/UE) no se oponía a que un Estado miembro adoptase medidas con respecto a un organismo radiodifusor televisivo establecido en **otro Estado miembro**, siempre que dichas medidas no impidieran la retransmisión propiamente dicha en el territorio del Estado miembro de recepción de las emisiones de radiodifusión televisiva realizadas por dicho organismo desde otro Estado. En particular, se prohibían proyecciones del programa considerado que incitaba al **odio por motivos de raza, sexo, religión o nacionalidad**, en recintos públicos, y en particular en un estadio, así como las actividades de apoyo a las emisiones que tuvieran lugar en el territorio del Estado miembro receptor (Alemania) (TJUE 22-9-11, asuntos acumulados C-244/10 y C-245/10).

Actualmente, la prestación de servicios de comunicación audiovisual aparece regulada en la Dir 2010/13/UE. Sobre la posibilidad de que un Estado miembro pueda, provisionalmente, establecer excepciones al principio de libre recepción en su territorio de las emisiones procedentes de otros Estados miembro (Dir 2010/13/UE art.6). Se añade la circunstancia de que una emisión externa pueda perjudicar seriamente el desarrollo físico, mental o moral de los menores, en particular, que incluyan **escenas de pornografía o violencia gratuita**.

6373 **Objeto del contrato** El contrato de difusión tiene un doble objeto:

- por un lado, el alquiler de **espacios físicos o de tiempo**, o desde otra perspectiva, la compra de un derecho de uso temporal o espacialmente limitado sobre tales soportes;
- por otro, la disposición de todos los **medios técnicos y humanos** que sean necesarios para que el público tenga, al menos, la posibilidad de visualizar o percibir el mensaje publicitario (no es necesario que el público vea o perciba realmente la publicidad, bastando la mera posibilidad, técnica y física, de que ello tenga lugar).

La remuneración del medio de difusión por los espacios publicitarios se calcula conforme a **tarifas preestablecidas**. Es usual, por tanto, que cada medio realice el cálculo de la remuneración debida en función de los espacios o de los tiempos contratados.

Precisiones Se discute si el objeto principal del contrato consiste en un **arrendamiento** o en una **compraventa**. La solución es difícil y ciertamente existen argumentos para defender lógicamente tanto una como otra solución.

En nuestra opinión, hay que estar a la voluntad de las partes, si bien, en **ausencia de estipulación expresa**, entendemos que ha de calificarse como arrendamiento.

Ahora bien, la **naturaleza del contrato** de difusión publicitaria va más allá de la mera calificación como de arrendamiento. El medio de difusión no solo debe permitir la utilización de unidades de tiempo y/o espacio, sino que también debe poner a disposición del anunciante o de la agencia la organización técnica y humana necesaria para que el mensaje publicitario pueda llegar al público consumidor.

6375 **Condiciones de difusión por televisión del mensaje publicitario** La difusión del mensaje publicitario es la obligación más evidente del medio difusor y la que constituye el objeto mismo del contrato de publicidad. Esta difusión se pacta en función de determinados tiempos y/o espacios (p.e., en la franja horaria «...» o en la valla situada en la calle «...»).

Es obligación del medio asegurarse de que la difusión tiene lugar y de que cumple las **condiciones mínimas de difusión** que su organización técnica y humana es capaz de desarrollar. Corresponde al medio de difusión hacer lo posible para que el mensaje publicitario sea difundido en consonancia con sus características propias, circunstancias que normalmente justifican la contratación con dicho medio.

Cuando se trate de difusión por televisión del mensaje publicitario, es absolutamente esencial para el medio tener presentes ciertas **limitaciones**, tanto cualitativas como técnicas, referidas a: 6377
- avisos de publicidad (nº 6379);
- emisión agrupada e interrupción de los programas (nº 6381);
- otras formas de publicidad (nº 6385);
- eventos deportivos (nº 6387);
- anuncios de autopromoción (nº 6389);
- derecho de patrocinio (nº 6391);
- emplazamiento del producto (nº 6393);
- programas informativos, religiosos e infantiles (nº 6395);
- publicidad prohibida e ilícita (nº 6397).

Todas estas limitaciones representan verdaderas **obligaciones legales** para el medio de difusión televisivo, de necesario cumplimiento. A este respecto, han de ser tenidas en cuenta, no solo por el propio medio difusor, sino también por el anunciante o agencia que pretendan contratar con él.

Avisos de publicidad (L 13/2022 art.136) La comunicación comercial audiovisual cuyas características de emisión puedan confundir al espectador sobre su carácter publicitario incluirá una **sobreimpresión permanente** y legible con la indicación «publicidad». 6379

La comunicación comercial audiovisual emitida en un servicio de comunicación audiovisual **televisivo lineal**:
- observará la debida **diferenciación** del resto de la programación, sin perjuicio de que se puedan utilizar otras técnicas publicitarias distintas del anuncio publicitario dentro de un programa cumpliendo siempre con los otros preceptos del capítulo IV de la L 13/2022 (Comunicaciones comerciales audiovisuales);
- respetará la **integridad del programa** en el que se inserte y de las unidades que lo conforman.

Precisiones **1)** Por **programas televisivos** se entiende el conjunto de imágenes en movimiento, con o sin sonido, que constituye un elemento unitario con independencia de su duración, dentro del horario de programación de un servicio de comunicación audiovisual televisivo lineal o de un catálogo de programas elaborado por un prestador del servicio de comunicación audiovisual, incluidos los largometrajes, los vídeos cortos, las manifestaciones deportivas, las series, las comedias de situación, los documentales, los programas infantiles y las obras de teatro originales, así como las retransmisiones en directo de eventos, culturales o de cualquier otro tipo (L 13/2022 art.2.18).

2) Se define **televenta** como la comunicación comercial audiovisual de ofertas directas al público con miras al suministro de bienes o la prestación de servicios, incluidos los bienes inmuebles, los derechos y las obligaciones (L 13/2022 art.131).

Derecho a emitir comunicaciones comerciales audiovisuales e interrupción de los programas (L 13/2022 art.121 y 138) Los **prestadores del servicio** de comunicación audiovisual tienen derecho a difundir comunicaciones comerciales audiovisuales a través de sus servicios de conformidad con lo previsto en la Ley General de Comunicación Audiovisual (L 13/2022) y en la Ley General de Publicidad (L 34/1988), así como en la normativa específica para cada sector de actividad. 6381

Las comunicaciones comerciales audiovisuales deben estar **claramente diferenciadas** del contenido editorial mediante mecanismos ópticos y/o acústicos y/o espaciales. El nivel sonoro de las comunicaciones comerciales audiovisuales no puede ser superior al nivel medio del programa que le precede.

Los prestadores del servicio de comunicación audiovisual **televisivo lineal** podrán emitir comunicaciones comerciales audiovisuales con los siguientes **límites** cuantitativos:

a) Máximo de 144 minutos entre las 6:00 y las 18:00 horas.
b) Máximo de 72 minutos entre las 18:00 y las 24:00 horas.

Se **excluyen** expresamente del cómputo previsto en el apartado anterior los siguientes tipos de comunicaciones comerciales y contenidos audiovisuales:

a) Marcos neutrales presentes entre el contenido editorial y los anuncios publicitarios o de televenta, y entre los propios anuncios publicitarios.
b) Autopromoción.
c) Patrocinio.
d) Emplazamiento de producto.
e) Espacios de promoción de apoyo a la cultura europea.
f) Anuncios de servicio público o de carácter benéfico.
g) Espacios de televenta.
h) Publicidad híbrida, interactiva o prestada mediante televisión conectada.

i) Sobreimpresiones que formen parte indivisible de la retransmisión de acontecimientos deportivos y por las que el prestador del servicio de comunicación audiovisual televisivo lineal no perciba contraprestación alguna.
La emisión de comunicaciones comerciales audiovisuales debe respetar la **integridad del programa** en el que se inserta y de las unidades que lo conforman.

6383 En cuanto a la posibilidad de **interrumpir la retransmisión** de un programa para la emisión de comunicaciones comerciales:
1º. La transmisión de **películas** realizadas para televisión (con exclusión de las series, los seriales y los documentales), películas cinematográficas y **noticiarios** podrá ser interrumpida para emitir comunicaciones comerciales audiovisuales una vez por cada periodo previsto de 30 minutos como mínimo.
2º. La transmisión de **programas infantiles** podrá ser interrumpida para emitir comunicaciones comerciales audiovisuales una vez por cada periodo ininterrumpido previsto de 30 minutos como mínimo, si el programa dura más de treinta minutos.
Se **prohíbe** insertar comunicaciones comerciales audiovisuales durante la emisión de los **servicios religiosos**.

Precisiones 1) De acuerdo con lo establecido en la anterior regulación, la jurisprudencia del Tribunal de Justicia de las Comunidades Europeas ha precisado que, para el cálculo del período de 45 minutos, a efectos de determinar el **número de interrupciones publicitarias** autorizado durante la transmisión de obras audiovisuales, debe incluirse en dicho período la duración de la publicidad. No obstante, pueden los Estados miembros establecer, respecto de los organismos de radiodifusión televisiva que estén bajo su jurisdicción, que para calcular el período correspondiente se **excluya la duración de la publicidad**, siempre que dichas normas sean compatibles con otras disposiciones pertinentes del Derecho comunitario (TJUE 28-10-99, asunto C-6/98).
2) Asimismo, a los efectos del **cómputo temporal de publicidad televisiva entre programas**, que cualquier tipo de publicidad de esta naturaleza emitida entre programas o durante los intermedios constituye, en principio, un **anuncio publicitario** en el sentido de la Dir 89/552/CEE (derogada por la Dir 2010/13/UE), salvo que el tipo de publicidad de que se trate encaje en alguna de las otras formas de publicidad expresamente reguladas por dicha Directiva (p.e. la televenta), o requiera, por las modalidades de presentación, una **duración superior a la de los anuncios publicitarios**, cuando la aplicación de las limitaciones establecidas en tales anuncios implique un trato desfavorable para la forma de publicidad en cuestión en relación con los anuncios publicitarios sin justificación válida para ello. Por consiguiente, aunque un tipo de publicidad concreto tenga por su propia naturaleza, es decir, debido a su modalidad de presentación, una duración algo mayor que la que habitualmente tienen los anuncios publicitarios, tal circunstancia no basta por sí sola para calificar a ese tipo de publicidad como «**otra forma de publicidad**» en el sentido de la Dir 89/552/CEE art.18.1 (TJUE 24-11-11, asunto C-281/09).

6385 **Otras formas de publicidad** (L 13/2022 art.131 y 132) Se considera **televenta** la comunicación comercial audiovisual de ofertas directas al público con miras al suministro de bienes o la prestación de servicios, incluidos los bienes inmuebles, los derechos y las obligaciones.
Los espacios de televenta deberán ser fácilmente **identificables** como tales por medios ópticos y acústicos y tendrán una duración mínima ininterrumpida de 15 minutos.
Se prohíbe insertar televenta durante los **programas infantiles**.
Se considera servicio de comunicación comercial audiovisual la **programación dedicada en exclusiva** a emitir anuncios publicitarios y de televenta.
Se considera **catálogo** de comunicación comercial audiovisual el conjunto de programas que se ofrecen a petición y que incluyen exclusivamente anuncios publicitarios o televenta.
Los **prestadores del servicio** de comunicación audiovisual tienen derecho a crear servicios de comunicación comercial audiovisual y catálogos de comunicación comercial previstos según lo anterior sin ninguna limitación cuantitativa.

6387 **Eventos deportivos** (L 13/2022 art.139) Las retransmisiones de acontecimientos deportivos difundidas por prestadores del servicio de comunicación audiovisual **televisivo lineal** únicamente podrán ser **interrumpidas** para emitir comunicaciones comerciales audiovisuales aisladas cuando el acontecimiento se encuentre detenido y siempre y cuando permitan seguir el desarrollo del acontecimiento.
Los prestadores del servicio de comunicación audiovisual televisivo lineal podrán difundir comunicaciones comerciales audiovisuales simultánea o paralelamente a los programas a través del uso de la misma pantalla, siempre y cuando su **tamaño no dificulte el visionado** del acontecimiento deportivo y de conformidad con el desarrollo reglamentario.

Anuncios de autopromoción Se considera autopromoción la comunicación comercial audiovisual que **informa** sobre el servicio de comunicación audiovisual, la programación, el contenido del catálogo del prestador del servicio de comunicación audiovisual, o las prestaciones del servicio de intercambio de vídeos a través de plataforma, sobre programas, o paquetes de programación determinados, funcionalidades del propio servicio de comunicación audiovisual o sobre productos accesorios derivados directamente de ellos o de los programas y servicios de comunicación audiovisual procedentes de otras entidades pertenecientes al mismo grupo empresarial audiovisual. **6389**

Los **mensajes** audiovisuales o locuciones verbales ajenos a la programación o a los productos accesorios directamente derivados de programas incluidos en las autopromociones se considerarán anuncios publicitarios a todos los efectos.

Derecho de patrocinio (L 13/2022 art.128) Se considera patrocinio cualquier contribución que una persona física o jurídica, pública o privada, no vinculada a la prestación del servicio de comunicación audiovisual o del servicio de intercambio de vídeos a través de plataforma, ni a la producción de obras audiovisuales, haga a la **financiación del servicio** de comunicación audiovisual, del servicio de intercambio de vídeos a través de plataforma o de vídeos generados por usuarios o de programas, con la finalidad de **promocionar su nombre**, marca, imagen, actividad o producto. **6391**

En cuanto al **ámbito** del patrocinio y las **condiciones** que ha de respetar, ver nº 6422.

Emplazamiento de producto (L 13/2022 art.129) Se regula específicamente la modalidad publicitaria del «emplazamiento de producto» o *product placement*. **6393**

Se considera emplazamiento de producto **toda forma de comunicación comercial** audiovisual que incluya, muestre o se refiera a un producto, servicio o marca comercial de manera que figure en un programa o en un vídeo generado por usuarios, a cambio de una remuneración o contraprestación similar.

Se podrá realizar el emplazamiento de producto con carácter general en **toda la programación salvo** en:

- los noticiarios y los programas de contenido informativo de actualidad;
- los programas relacionados con la protección del consumidor;
- los programas religiosos; y
- los programas infantiles.

El emplazamiento de producto cumplirá las **condiciones** siguientes:

a) No influir en el contenido editorial ni en la organización del horario de programación ni en la del catálogo de una manera que afecte a la responsabilidad e independencia editorial del prestador del servicio de comunicación audiovisual.

b) No incitar directamente a la compra o arrendamiento de bienes o servicios ni incluir referencias de promoción concretas a dichos bienes o servicios.

c) No conceder una prominencia indebida a los productos de que se trate.

d) Identificar que se trata de un emplazamiento de producto al principio, al inicio de cada reanudación posterior a una interrupción y al final del programa cuando dichos programas hayan sido producidos o encargados por el prestador del servicio de comunicación audiovisual o por una de sus filiales.

Limitaciones publicitarias en programas de contenido informativo, religiosos e infantiles **6395**
(L 13/2022 art.131 y 138) No puede insertarse **publicidad**, ni televenta, en la emisión de servicios religiosos, ni en la de programas infantiles.

Queda prohibido el **emplazamiento de producto** en la programación infantil, en los noticiarios y programas de contenido informativo de actualidad, los programas relacionados con la protección del consumidor y los programas religiosos.

Los noticiarios y los programas de contenido informativo de actualidad no pueden ser objeto de **patrocinio**.

Publicidad prohibida e ilícita Los medios de difusión publicitaria han de respetar las disposiciones sobre publicidad prohibida e ilícita contenidas en la L 13/2022 (ver al respecto nº 6184 s.). **6397**

Precisiones En relación con la regulación establecida en la derogada Dir 89/552/CEE, la jurisprudencia comunitaria, en interpretación de la Dir 89/552/CEE, entendió que la **duración de la publicidad** debe incluirse en el período que sirve de base para el cálculo del número de interrupciones autorizadas.

La aplicación de este criterio, denominado **principio bruto**, permitía un mayor número de interrupciones publicitarias que el principio neto, según el cual, para calcular el período correspondiente, debe excluirse la duración de la publicidad. No obstante, los Estados miembros quedaban autorizados a establecer dicho **principio neto**, respecto de los organismos de radiodifusión televisiva que estuviesen bajo su jurisdicción (TJUE 28-10-99, asunto C-6/98).

En el ámbito comunitario, la anterior Dir 89/552/CEE ha quedado **derogada** y sustituida por la Dir 2010/13/UE.

6399 **Supuestos de incumplimiento** Se señalan dos motivos de incumplimiento:
- difusión alterada del mensaje publicitario (nº 6401); y
- falta de difusión de la publicidad (nº 6405).

6401 **Difusión alterada del mensaje publicitario** (LGPu art.18) Si el medio difusor, por causas imputables al mismo, difunde la publicidad con alteración, defecto o menoscabo de algunos de sus elementos esenciales, resulta obligado a **ejecutar de nuevo la publicidad** en los términos pactados. Si la repetición no es posible, el anunciante o la agencia pueden exigir la **reducción del precio** y la **indemnización** de los perjuicios causados.

La **alteración de los elementos esenciales** puede entenderse de dos formas distintas:

• Como la modificación o supresión extensiva del **tiempo o espacio contratados**. Es decir, si en la difusión del mensaje publicitario el medio acorta o suprime, voluntaria o involuntariamente, los tiempos de emisión o los espacios de difusión. Cuando sea sustancial tal modificación es algo sumamente casuístico.

• Como la alteración, menoscabo o defecto de la publicidad en cuanto al **modo de difusión**, que deben ser de tal entidad como para hacer irreconocible el mensaje publicitario o como para que objetivamente dicho mensaje no sea susceptible de ser percibido por el público consumidor. La alteración debe ser suficiente como para que no se logre el resultado publicitario.

En definitiva, son supuestos de incumplimiento causados porque el medio de difusión no ha desarrollado efectivamente la **actividad técnica necesaria** para lograr el resultado o efecto publicitario.

6403 La **repetición o ejecución de la publicidad** en los términos pactados lleva a que el difusor deba realizar de nuevo su prestación en las mismas unidades de tiempo y/o espacio contratadas por el anunciante o la agencia. La difusión en otras unidades distintas no supondría cumplimiento de la prestación a cargo del medio de difusión, salvo que medie consentimiento expreso del anunciante o de la agencia, en su caso.

Aun cuando nada se establece, en nuestra opinión, la **reducción del precio** y la **indemnización** deben ser proporcionales al daño o perjuicio causado. Las partes pueden, no obstante, pactar una cantidad en concepto de daños y perjuicios, cantidad sobre la que cabe revisión judicial en aquellos casos en los que la previsión convencional no refleje la realidad de los daños y perjuicios ocasionados.

Para el **cálculo de los daños y perjuicios**, a falta de pacto entre las partes, ha de recurrirse a criterios tales como la inversión realizada por el anunciante o la agencia, la difusión programada y el índice de penetración de un mensaje publicitario cualquiera durante las unidades de tiempo o espacio contratadas.

6405 **Falta de difusión de la publicidad** (LGPu art.19) Cuando la difusión del mensaje publicitario no tiene lugar en absoluto, el anunciante o la agencia pueden optar entre:
- exigir una **difusión posterior** en las mismas condiciones pactadas; o
- la **resolución** del contrato con devolución de lo pagado por la publicidad no difundida. En ambos casos, el medio debe indemnizar los **daños y perjuicios** ocasionados.

Como **excepciones**, no se produce incumplimiento del medio cuando la falta de difusión se debe a fuerza mayor o a causas imputables al anunciante o a la agencia:

a) Por **fuerza mayor** ha de entenderse la concurrencia de un elemento externo a la voluntad de las partes, incontrolable e imprevisible. Referido al medio publicitario, puede tratarse de la supresión inesperada de mensajes publicitarios, derivada de **hechos que causen alarma social**, tales como un atentado, un golpe de estado o un accidente grave (que motiven el cambio de programación para informar sobre la materia), o bien de acontecimientos de especial significado social, económico o político; o finalmente, puede deberse a **otros factores**, tales como la falta de suministro eléctrico a la estación difusora, una huelga inesperada de los trabajadores del medio de difusión, un incendio u otras catástrofes naturales.

6407 **b)** Cuando la causa de la falta de difusión es **imputable al anunciante o a la agencia**, el responsable queda obligado a indemnizar al medio de difusión y a satisfacerle íntegramente el precio, salvo que el medio haya ocupado total o parcialmente las unidades de tiempo o espacio contratadas con otra publicidad.

La falta de difusión en este caso puede deberse a multitud de **factores**; entre otros: falta de terminación de la campaña publicitaria, quiebra del anunciante o de la agencia, o no haber proporcionado los soportes en los que se contiene la campaña publicitaria en cuestión.

La **medida compensatoria** a favor del medio de difusión es amplia: no solo se deben indemnizar los daños y perjuicios causados, sino que, además, se ha de pagar el precio comprometido, salvo que el propio medio de difusión haya logrado un «contrato de reemplazo», en cuyo caso, la cuantía de la indemnización debe ser proporcional al tiempo realmente ocupado en su sustitución.

Precisiones 1) Entendemos que no es causa de fuerza mayor la falta de difusión por causas técnicas, cuando sea posible la **repetición inmediata del mensaje** publicitario interrumpido o suprimido.
2) Pensamos que nada se opone a que sea el propio anunciante o, en su caso, la agencia quienes propongan una **indemnización en especie** consistente en la contratación de otras unidades de espacio o tiempo con la misma o con diferente publicidad.
3) Aunque no se contempla expresamente la exoneración de la responsabilidad del anunciante o de la agencia en casos de **fuerza mayor,** hemos de entender que ésta es, efectivamente, aplicable (CC art.1105 y 1255).

SECCIÓN 5

Contrato de patrocinio

6410

El contrato de patrocinio o **esponsorización** es aquel por el que el patrocinado, a cambio de una ayuda económica para la realización de su actividad deportiva, benéfica, cultural, científica o de otra índole, se compromete a colaborar en la publicidad del patrocinador (LGPu art.22). 6412
Se trata, pues, de un contrato caracterizado por dos **notas fundamentales**:
• Por un lado, la finalidad de colaboración en la realización de una actividad, fundamentalmente no lucrativa.
• Por otro, el compromiso y voluntad del patrocinado de colaborar en la publicidad del patrocinador.
Es un contrato oneroso que tiene como **finalidad** la promoción de una publicidad «de otro», ya que no se publicitan directamente los productos o servicios del patrocinado. El patrocinio no se utiliza como medio directo para lograr la difusión de productos y/o servicios, sino como forma de activar o potenciar eventos deportivos, culturales o de otra índole sin que el público obtenga un acercamiento o promoción directa de los productos y servicios del patrocinador.

Ejemplo En el ámbito deportivo, es contrato de patrocinio aquel en virtud del cual una marca determinada aparece en las camisetas o accesorios de los deportistas, o bien cuando se contrata la utilización de determinados productos como «oficiales» (coche oficial, bebida oficial, alimento oficial) en el marco de un acontecimiento, normalmente deportivo, de gran dimensión.

Precisiones 1) El contrato de patrocinio publicitario es aquel por el que el patrocinado, a cambio de una ayuda económica para la realización de su actividad deportiva, benéfica, cultural, científica o de otra índole, se compromete a **colaborar en la publicidad** del patrocinador. se rige por las normas del contrato de difusión publicitaria (LGPu art.17 s.), en cuanto sean aplicables (AP Madrid 19-11-13, EDJ 257059; AP Granada 11-11-16, EDJ 253454).
2) En el contrato de patrocinio es esencial el **tracto sucesivo**: se trata de conductas continuadas de suministro de fondos para la financiación del equipo durante un determinado período de tiempo que entroncan con la finalidad publicitaria perseguida (AP Madrid 8-2-19, EDJ 520241).
3) La inclusión de una **cláusula penal** no excluye la petición de indemnización adicional, si así se pacta expresamente; tampoco atenta a lo dispuesto en el art.12 LGPu (AP Granada 1-7-21, EDJ 735476).
4) Puede ser **causa de incumplimiento** de un contrato de patrocinio el hecho de cambiar a los integrantes de un equipo de **motociclistas** experimentado, el cual fue tenido en cuenta por el patrocinador a la hora de concluir el contrato de patrocinio, por otros pilotos más jóvenes con menor proyección social (AP Barcelona 20-1-23, EDJ 625602).

Objeto del contrato (LGPu art.22; L 13/2022 art.128; L 28/2005 art.9 y 10) Aun cuando, en principio, el contrato de patrocinio tiene por objeto la promoción o realización de **actividades no lucrativas** (tales como las deportivas, benéficas, culturales o científicas), la propia norma prevé su aplicación a **actividades de otra índole**, cualesquiera que sean, sin exigir que se trate de actividades de índole similar. 6414
En el ámbito de la **comunicación audiovisual** tampoco se limita el objeto del contrato al fomento de una actividad particular.
Los únicos límites que se establecen se refieren al patrocinio de actividades cuya publicidad se encuentra prohibida (p.e., tabaco, medicamentos, etc.) (L 13/2022art.122 s.).

En consecuencia, el contrato de patrocinio debe poder extenderse, en principio, a la promoción o realización de **todo tipo de actividades**, sean o no lucrativas.
Hay que llamar la atención sobre las importantes limitaciones vigentes en materia de patrocinio de los **productos del tabaco**. Importa ahora señalar que queda prohibido el patrocinio de los productos del tabaco, así como toda clase de publicidad y promoción de los citados productos en todos los medios y soportes, salvo determinadas excepciones que afectan a la publicidad de cara a profesionales (nº 6218). Igualmente, se prohíbe con carácter general el empleo de nombres, marcas, símbolos o cualesquiera otros signos distintivos que sean utilizados para identificar en el tráfico productos del tabaco y, simultáneamente, otros bienes o servicios y sean comercializados u ofrecidos por una misma empresa o grupo de empresas.

Precisiones Téngase en cuenta que la L 28/2005 disp.trans.5ª, estableció un **régimen transitorio** de tres años contado desde el 1-1-2006, durante el cual la prohibición de publicidad o patrocinio de los productos del **tabaco** en todos los medios no tenía plena vigencia (en concreto, no se aplicaba dicha prohibición a la publicidad y patrocinio que incorporasen los equipos deportivos del motor con efectos transfronterizos, en su vestuario, complementos, instrumentos, equipamientos, prototipos y/o vehículos). Dicha regulación, **se derogó** por el RDLeg 1/2007.

6416 **Aspectos generales** (LGPu art.22) Al contrato de patrocinio resultan de aplicación las normas de la LGPu sobre el **contrato de difusión publicitaria** (nº 6365 s.), en la medida en que le sean aplicables.
En consecuencia, teniendo en cuenta las **circunstancias particulares** del contrato de patrocinio, resulta lo siguiente:
a) El patrocinado debe cumplir con la **difusión del patrocinador**, sin que pueda haber alteración, defecto o menoscabo en los elementos esenciales del patrocinio (p.e., falta de utilización del coche oficial o falta de colocación de las placas de patrocinio en el lugar pactado).
b) En caso de **incumplimiento**, si la repetición del patrocinio no fuera posible, el patrocinado está obligado al pago de una indemnización por daños y perjuicios. En todo caso, el patrocinador puede:
• Exigir una **nueva difusión del patrocinio**, aunque esto en algunas ocasiones puede no ser posible (pensemos, p.e. en el uso de coches oficiales en una prueba deportiva que se celebra en una fecha determinada), en cuyo caso la pretensión de repetición del patrocinador se convierte en una pretensión de indemnización de los daños y perjuicios ocasionados.
• **Denunciar el contrato** con devolución de lo pagado por la publicidad no difundida.

Precisiones La **identidad de razón** existente entre la difusión publicitaria y el patrocinio justifica plenamente la aplicación analógica de las normas de uno a otro.

6418 **Contenido del contrato** Es conveniente que el contrato de patrocinio contenga especificaciones o **cláusulas** referidas, principalmente, a las siguientes cuestiones:
• El **tipo de soporte** al que irá incorporado el nombre, logotipo, marca u otro signo distintivo del patrocinador. Ese signo puede ser diverso: camisetas, helicópteros, carpas de degustación, exposición de productos, espacios de tiempo en televisión, entrevistas, motocicletas, tablones estáticos, velas de barco, etc.
• La **duración** de la campaña.
• Los **tiempos y espacios** a los que irá incorporado el patrocinio. La definición cuidadosa de los mismos es importante, pues su alteración o modificación puede determinar el incumplimiento del patrocinado.
• Los supuestos en que debe tener lugar la **repetición del acto** de patrocinio.
• La **remuneración** que el patrocinado debe percibir. Recuérdese que no se puede supeditar el cumplimiento del contrato al éxito de la campaña de patrocinio (nº 6244).
• Las condiciones de la **devolución de los soportes** publicitarios.
• El **cuidado de los soportes** y, en su caso, la obligación del patrocinador de **reposición de soportes** en supuestos de deterioro.
• La determinación de la **responsabilidad frente a terceros** (p.e., por daños que puedan causar los soportes publicitarios).
• Los supuestos de **exención de responsabilidad**, en caso de daños a terceros no imputables directamente al patrocinado (p.e., lesión de propiedad intelectual o industrial).

6420 **Patrocinio de comunicaciones audiovisuales** (L 13/2022 art.128) Se considera patrocinio cualquier contribución que una persona física o jurídica, pública o privada, no vinculada a la prestación del servicio de comunicación audiovisual o del servicio de intercambio de vídeos a través de plataforma, ni a la producción de obras audiovisuales, haga a la **financiación** del servicio de comunicación audiovisual, del servicio de intercambio de vídeos a través de plataforma o de vídeos generados por usuarios o de programas, con la **finalidad** de promocionar su nombre, marca, imagen, actividad o producto.

Se podrá patrocinar **toda la programación, salvo** los noticiarios y los programas de contenido informativo de actualidad. 6422

El patrocinio respetará las siguientes **condiciones**:

a) Incluir el nombre, el logotipo, o cualquier otro símbolo, producto o servicio del patrocinador al principio, al inicio de cada reanudación posterior a una interrupción y al final del programa.

b) No afectar al contenido del programa o comunicación audiovisual patrocinados ni a su horario de emisión o presencia en el catálogo de manera que se vea afectada la responsabilidad editorial del prestador del servicio de comunicación audiovisual.

c) No incitar directamente a la compra o arrendamiento de bienes o servicios, en particular, mediante referencias de promoción concretas a éstos.

CAPÍTULO 11

Transporte

6450

SECCIÓN 1

Contrato de transporte por carretera

6455

Dentro de esta sección, dedicada genéricamente al contrato de transporte por carretera, analizamos por separado el transporte de **mercancías** y el de **viajeros**, distinguiendo además entre transporte de ámbito interior (o nacional) y de ámbito internacional. 6457
El transporte ha de entenderse de **ámbito interior** o nacional cuando tiene origen y destino en dos lugares situados en territorio nacional. Es **internacional** cuando, al menos, su origen o destino tiene lugar en un punto situado fuera del territorio nacional.

Precisiones Se modifica la **competencia** de los órganos judiciales (LOPJ art.86 bis redacc LO 7/2022), de modo que los **juzgados de lo mercantil** conocerán de cuantas cuestiones sean de la competencia del orden jurisdiccional civil en materia de propiedad intelectual e industrial; competencia desleal y publicidad; sociedades mercantiles, sociedades cooperativas, agrupaciones de interés económico; **transporte terrestre**, nacional o internacional; **derecho marítimo, y derecho aéreo**.
Por excepción, **no serán competentes** para conocer de las siguientes cuestiones:
a) en materia de daños derivadas de la destrucción, pérdida o avería del **equipaje** facturado previstas en el Convenio para la unificación de ciertas reglas para el **transporte aéreo internacional** hecho en Montreal el 28-5-1999;
b) las previstas en los siguientes reglamentos europeos sobre los diversos **medios de transporte**:
- el Rgto (CE) 261/2004 por el que se establecen normas comunes sobre compensación y asistencia a los **pasajeros aéreos** en caso de denegación de embarque y de cancelación o gran retraso de los vuelos;
- el Rgto (CE) 1371/2007, sobre los derechos y las obligaciones de los viajeros de **ferrocarril**;
- el Rgto (UE) 181/2011 sobre los derechos de los viajeros de **autobús y autocar**; y
- el Rgto (UE) 1177/2010 sobre los derechos de los pasajeros que viajan **por mar** y por vías navegables.
Por tanto, se descarga de competencias a los juzgados mercantiles -y a las correspondientes secciones especializadas de las audiencias provinciales-, de modo que ciertas reclamaciones en materia de transportes (denegaciones de embarque, cancelaciones, retrasos, pérdidas de equipaje, etc.) pasan a los **juzgados de primera instancia**.

I. Transporte interior de mercancías por carretera

6462 El contrato de transporte de mercancías es aquél por el que el **porteador** o transportista se obliga frente al **cargador**, a cambio de un precio, a trasladar mercancías de un lugar a otro y ponerlas a disposición de la persona designada en el contrato (L 15/2009 art.2).
Se trata de un contrato consensual, oneroso por el que el porteador se obliga a **poner las mercancías a disposición**. No se refiere expresamente a la obligación de entregar las mercancías. Si bien en otras partes la ley habla de la obligación de entrega por parte del porteador, parece que debe interpretarse que la obligación del porteador es la de poner las mercancías a disposición del destinatario, no tanto la de entregarla.
En la práctica es frecuente la intermediación de un operador de transporte de mercancías (agencia de transporte, transitario, operador logístico o almacenista-distribuidor). En estos supuestos, los términos del contrato celebrado entre el **cargador** y el **operador de transporte** no predeterminan los del celebrado como consecuencia entre dicho operador y el **transportista** que efectivamente vaya a realizar el transporte. Se aplicarán, por tanto, a cada uno de los mencionados contratos las condiciones que correspondan, sin que a ello afecten las que resulten de aplicación al otro. Otro tanto sucede cuando el transportista que haya contratado con el cargador efectivo, encomiende, a continuación, la realización, total o parcial, del transporte a **otro transportista** (OM FOM/1882/2012 art.6). Sobre los contratos de transporte celebrados con operadores logísticos ver nº 7730 s.

6464 El contrato de transporte interior de mercancías por carretera encuentra su **marco legal y régimen jurídico**, principalmente, en las siguientes disposiciones:
• L 15/2009, del **contrato de transporte terrestre** de mercancías.
• L 16/1987 de ordenación de los transportes terrestres (**LOTT**), modificada por la L 13/2021.
• RD 1211/1990 por el que se aprueba el Reglamento de la Ley de ordenación de los transportes terrestres (**ROTT**).
• OM FOM/1882/2012, por la que se aprueban las **condiciones generales de contratación** de los transportes de mercancías por carretera (CGC).
• OM FOM/2861/2012, por la que se regula el **documento de control** administrativo exigible para la realización de transporte público de mercancías por carretera.

Precisiones La L 15/2009 deroga la regulación del transporte terrestre de mercancías en el **Código de Comercio** (CCom art.349 a 379 y, en cuanto afecten al transporte terrestre de mercancías, CCom art.951 y 952) y establece el régimen jurídico del contrato de transporte terrestre de mercancías tanto por lo que se refiere al transporte por carretera como por ferrocarril. Es aplicable solo al transporte de mercancías y se dicta al amparo de las competencias exclusivas del Estado en materia de legislación mercantil.
Para el **desarrollo reglamentario** de la L 15/2009 debemos estar a lo que se dispone en la citada OM FOM/1882/2012, en todo aquello que no se oponga a dicha Ley.

6466 **Ámbito de aplicación** La L 15/2009 es de aplicación al **transporte interior** de mercancías por vía terrestre (es decir, por carretera y por ferrocarril).
En lo que se refiere al **transporte internacional** es aplicable el convenio CMR, para el transporte por carretera (nº 6862) o el COTIF-CIM para el transporte por ferrocarril (nº 7057), sin perjuicio de la aplicación eventual de la L 15/2009 a estos transportes internacionales, en los supuestos previstos en estos convenios.
La L 15/2009 tiene **naturaleza dispositiva**, salvo expresa estipulación contraria de esta Ley o de la legislación especial aplicable, por lo que las partes pueden excluir, mediante pacto, determinados contenidos de la Ley. También podrá ser así, respecto de las condiciones generales de los contratos de transportes cuando sus obligaciones resulten más beneficiosas para el adherente (L 15/2009 art.3).
Con respecto a la **aplicación de las condiciones de contratación**, se establece que, en ausencia de pacto expreso en el correspondiente contrato singular, las partes podrán exigirse mutuamente su cumplimiento con arreglo a las condiciones generales incluidas como anexo de la OM FOM/1882/2012, las cuales tendrán, en todo caso, carácter supletorio de aquél (OM FOM/1882/2012 art.2).

No obstante, lo previsto en los puntos anteriores, las condiciones generales 5.2, 7.1, 7.2, 7.4, 7.5, 7.6, 7.7, 7.8, 7.9, 7.10, 7.11, 7.12, 7.13, 7.14, 7.15 y 7.16 tienen en todo caso **carácter imperativo**, así como cualquier otra que igualmente reproduzca el contenido de normas legales de carácter imperativo.
Carecen de eficacia los pactos de las partes que sean **contrarios a las leyes** (CC art.1255 y 1275; CCom art.53).

A. Elementos

 6470

Sujetos (L 15/2009 art.4) Son los siguientes: 6472
• El **cargador** es quien contrata en nombre propio la realización de un transporte y frente al cual el porteador se obliga a efectuarlo.
• El **porteador** es quien asume la obligación de realizar el transporte en nombre propio con independencia de que lo ejecute por sus propios medios o contrate su realización con otros sujetos.
Se ha optado por la denominación de porteador en lugar de la más usual de **transportista**.
• El **destinatario** es la persona a quien el porteador ha de entregar las mercancías en el lugar de destino.
• El **expedidor** es el tercero que por cuenta del cargador haga entrega de las mercancías al transportista en el lugar de recepción de la mercancía.

Código de buenas prácticas mercantiles Si bien no tiene carácter normativo, traemos a colación un acuerdo firmado por la Administración de transporte (Dirección General de Transporte Terrestre), representantes de cargadores y transportistas. Se trata del denominado «Código de buenas prácticas mercantiles en la contratación de transportes de mercancías por carretera». 6474
Este Código pretende ser un instrumento que facilite las **relaciones contractuales** y fomente la observancia de las mejores prácticas en las transacciones comerciales entre transportistas, usuarios del transporte de mercancías y operadores del transporte.
Pretende asimismo garantizar que las empresas adheridas al mismo se rijan, en sus relaciones, por los principios y reglas de este Código. La adhesión al mismo implica, por tanto, el compromiso de respetar los **principios y reglas** que en él se contienen, en la práctica cotidiana de la empresa adherida.
Sus **principios básicos** son los siguientes:
- reconocimiento de los componentes de partida;
- eficiencia en el servicio y distribución de ventajas entre las partes;
- de documentación y cumplimiento de lo pactado entre las partes;
- reciprocidad;
- no discriminación;
- transparencia;
- infracción;
- calidad en la realización de los servicios de transporte y eliminación del intrusismo;
- arbitraje;
- legalidad.

Contiene además **reglas sobre acuerdos contractuales** referidas, entre otras, a las siguientes cuestiones: 6476
• estandarización de acuerdos;
• plazo de vigencia del acuerdo contractual;
• precio de los servicios de transporte y otros complementarios;
• plazo de preaviso para cualquier cambio de precio;
• descuentos aplicables y pago de los servicios efectuados;
• presentación de la factura;
• tasa de interés de demora;
• aplicación de descuento por pronto pago;
• condiciones de realización de los servicios;
• plazo de realización del transporte;

- condiciones sobre los elementos de transporte reutilizables;
- lugar y condiciones de entrega de las mercancías;
- penalización por demoras en la entrega, carga y descarga de las mercancías;
- devoluciones de la mercancía;
- transparencia de los estados financieros de los contratantes.

Precisiones 1) El **texto completo** de este Código de buenas prácticas se recoge como anexo en el nº 13210 y se publica en la web del Ministerio de Transporte y Movilidad Sostenible -RD 829/2023- (antiguo MITMA).

2) El RDL 3/2022 de medidas para la mejora de la sostenibilidad del transporte de mercancías por carreteras, establece que El Ministerio de Transportes, Movilidad y Agenda Urbana deberá acordar un **Código de Buenas Prácticas Mercantiles en la contratación del transporte de mercancías por carretera**. La adhesión al Código de buenas prácticas mercantiles será voluntaria, si bien desde su adhesión los operadores estarán obligados a que sus relaciones comerciales se ajusten a los compromisos que en el mismo se contengan (RDL 3/2022 disp.adic.1ª).

Asimismo, se crea el **Registro Estatal de Buenas Prácticas Mercantiles en la Contratación de Servicios de Transporte Terrestre**, como instrumento público que agrupará a todas aquellas entidades que se adhieran voluntariamente al Código de buenas Prácticas. Los operadores que cumplan con lo previsto en la disp.adic.1ª del RDL 3/2022, deben comunicarlo a la Dirección General de Transporte Terrestre, para proceder a su inscripción en el Registro. Una vez inscritos, podrán utilizar la mención de «Acogido al Código de Buenas Prácticas Mercantiles en la Contratación de Servicios de Transporte Terrestre» (RDL 3/2022 disp.adic.2ª).

6478 **Objeto del transporte** (L 15/2009 art.28.2) El contrato de transporte es un **contrato de obra** que exige resultado. No obstante, hemos visto al exponer la definición del contrato que el porteador cumple con la puesta en disposición de la mercancía al destinatario (nº 6462).

El objeto del contrato es la **realización del servicio de transporte**, pero la ley sigue asimilando el contrato de transporte terrestre al contrato por viaje, y ello a pesar de que se admite el contrato continuado (nº 6645 s.).

Por lo demás, siguiendo la anterior norma administrativa, se define bulto y envío o remesa:

- Se entiende por **bulto** cada unidad material de carga diferenciada que forman las mercancías objeto de transporte, con independencia de su volumen, dimensiones y contenido.
- Se considera un **envío o remesa** la mercancía que el cargador entregue simultáneamente al porteador para su transporte y entrega a un único destinatario, desde un único lugar de carga a un único lugar de destino.

El contrato de transporte puede tener por **objeto** un solo envío o una serie de ellos.

6480 **Precio del transporte** (L 15/2009 art.39.4; OM FOM/1882/2012 condición 3) En **defecto de pacto** entre las partes sobre la fijación del precio del transporte, el precio será el que resulte usual para el tipo de servicio de que se trate en el momento y lugar en el que el porteador haya de recibir las mercancías.

El precio de los servicios de transporte y, en su caso, el de otros complementarios incluidos en el contrato se determinará en éste **de forma diferenciada**, teniendo en cuenta las circunstancias y características particulares de explotación de cada uno de dichos servicios.

En ningún caso se presumirá la **gratuidad** del transporte incluido en el contrato. Tampoco se presumirá la gratuidad de aquellas actuaciones preparatorias o complementarias del transporte cuya ejecución se incluya en el correspondiente contrato.

Salvo prueba en contrario, se presumirá que el referido precio usual coincide con los **costes medios** que atribuya al tipo de transporte de que se trate el Observatorio de Costes que, en su caso, haya hecho público el Ministerio de Fomento (actual Ministerio de Transportes y Movilidad Sostenible).

Precisiones En todas las **facturas** referidas a **contratos de transporte** que tengan por objeto un solo envío, cuyos transportes se hayan realizado entre el 1 de julio y el 31-12-2022, deberá reflejarse de manera desglosada el **coste del combustible** necesario para la realización del transporte. Para determinar el coste del combustible se tomará como referencia el precio medio semanal del gasóleo de automoción con impuestos que se recoja en el «Oil Bulletin» de la UE para España (ver nº 6490) (L 15/2009 disp.adic.8ª redacc RDL 11/2022).

6482 **Carta de porte** (L 15/2009 art.10 a 16; OM FOM/1882/2012 condición 2) La carta de porte es el **elemento formal** del contrato de transporte. Es un documento que acredita la propia existencia del contrato, el título legal del contrato entre el cargador y el porteador.

No obstante, el contrato de transporte tiene naturaleza consensual, por lo que la **ausencia o irregularidad** de la carta de porte no producirá la inexistencia o la nulidad del contrato (L 15/2009 art.13).

El legislador pretende que se instaure en la práctica la existencia y firma de la carta de porte. Por ello, la ley favorece la existencia de la carta de porte. En este sentido, le otorga una

presunción en relación a la conclusión y al contenido del contrato, así como a la recepción de las mercancías por el porteador.
Es evidente su **fuerza probatoria** ante tribunales o ante las juntas arbitrales del transporte. Además, cualquiera de las partes puede exigirla.
La carta de porte se complementa, por otra parte, con otros documentos como los **albaranes de entrega**, o con documentación de índole administrativa, como el documento de control recogido en la legislación de los transportes terrestres (OM FOM/2861/2012). En todo caso, el documento que, desde el punto de vista mercantil, tiene reconocido la fuerza probatoria es la carta de porte.

Precisiones En lo que respecta a la **documentación** del transporte en el **ámbito de la UE**, se ha aprobado el Rgto (UE) 2020/1056, con el objetivo de promover la digitalización del transporte de mercancías y la logística y sustituir el uso de documentos en formato papel entre las empresas, y entre estas y las autoridades competentes.

Derecho a exigir la carta de porte (L 15/2009 art.10) Cualquiera de las partes del contrato podrá exigir a la otra que se extienda una carta de porte. Cuando la parte contratante requerida a formalizar la carta de porte se negase a ello, la otra podrá considerarla desistida del contrato, con los efectos que, en su caso, correspondan. **6484**

Contenido (L 15/2009 art.10) La carta de porte **debe incluir** las siguientes menciones: **6486**
• Lugar y fecha de la emisión.
• Nombre y dirección del cargador y, en su caso, del expedidor.
• Nombre y dirección del porteador y, en su caso, del tercero que reciba las mercancías para su transporte.
• Lugar y fecha de la recepción de la mercancía por el porteador.
• Lugar y, en su caso, fecha prevista de entrega de la mercancía en destino.
• Nombre y dirección del destinatario, así como eventualmente un domicilio para recibir notificaciones.
• Naturaleza de las mercancías, número de bultos y signos y señales de identificación.
• Identificación del carácter peligroso de la mercancía enviada, así como de la denominación prevista en la legislación sobre transporte de mercancías peligrosas.
• Cantidad de mercancías enviadas, determinada por su peso o expresada de otra manera.
• Clase de embalaje utilizado para acondicionar los envíos.
• Precio convenido del transporte, así como el importe de los gastos previsibles relacionados con el transporte.
• Indicación de si el precio del transporte se paga por el cargador o por el destinatario.
• En su caso, declaración de valor de las mercancías o de interés especial en la entrega.
• Instrucciones para el cumplimiento de formalidades y trámites administrativos preceptivos en relación con la mercancía.
La **omisión de alguna** de las menciones previstas no priva de eficacia a la carta de porte en cuanto a las incluidas.

Precisiones Constituye **infracción grave** la no inclusión de las menciones obligatorias que como mínimo debe contener la carta de porte. Se presume que el cargador contractual es el responsable del cumplimiento de esta infracción, salvo que pruebe lo contrario (L 16/1987 art.140.30 redacc RDL 14/2022).

Por otro lado, la carta de porte **puede contener** cualquier otra mención que sea convenida por las partes en el contrato, tales como: **6488**
- la referencia expresa de prohibición de transbordo;
- los gastos que el remitente toma a su cargo;
- la suma del reembolso a percibir en el momento de la entrega de la mercancía;
- el valor declarado de la mercancía y la suma que representa el interés especial en la entrega;
- instrucciones del remitente al transportista concernientes al seguro de las mercancías;
- el plazo convenido en el que el transporte ha de ser efectuado;
- la lista de documentos entregados al transportista.

Obligatoriedad de la carta de porte en los contratos con el porteador efectivo (L 15/2009 art.10 bis redacc RDL 14/2022) En los contratos celebrados con el porteador efectivo deberá formalizarse una carta de porte, con efectos probatorios, por **cada envío**, siempre que el precio del transporte sea superior a 150 euros. **6490**
Los contratos celebrados con el porteador efectivo incluirán las siguientes **menciones obligatorias**:
a) Nombre o denominación social, NIF y dirección del **cargador** y, en su caso, del expedidor.
b) Nombre o denominación social y NIF del **transportista** efectivo.

c) Lugar, fecha y, en su caso, hora de la **recepción de la mercancía por el porteador** efectivo.
d) Lugar, fecha y, en su caso, hora prevista de **entrega de la mercancía en destino**.
e) Nombre y dirección del **destinatario**.
f) Naturaleza y masa de las **mercancías**. En los supuestos en que, por razón de las circunstancias en que se produzca la carga del vehículo, resulte de difícil determinación la masa exacta de la mercancía que se va a transportar, se buscará otro tipo de magnitud para determinarla.
g) **Precio** convenido **del transporte**, así como el importe de los gastos relacionados con el transporte previstos en la L 15/2009 art.20, salvo que consten en otro documento contractual por escrito. El precio y los gastos relacionados con el transporte deberán cubrir el total de costes efectivos individuales incurridos o asumidos por el porteador para su prestación.
La determinación del coste efectivo podrá realizarse tomando la referencia temporal que mejor se ajuste a las previsiones y estrategia empresarial del porteador.

Precisiones 1) Ver **preguntas frecuentes** sobre la nueva regulación de la participación del conductor en la carga y descarga y de la cadena del transporte: L 16/1987, de ordenación de los transportes terrestres (LOTT), y L 15/2009, del contrato de transporte terrestre de mercancías (LCTTM). Ver nº 13215.
2) En los casos de contratos con el porteador efectivo, es obligatorio indicar en la carta de porte el **precio** del transporte y el hecho de que deberán cubrir el total de **costes efectivos** del porteador. A efectos del cálculo del coste efectivo individual de prestación del transporte recogido en la L 15/2009 art.10 bis.1.g), será válida la estructura de partidas de costes del observatorio de costes del transporte de mercancías por carretera elaborado por el Ministerio de Transportes, Movilidad y Agenda Urbana -actual Ministerio de Transportes y Movilidad Sostenible; RD 829/2023- (L 15/2009 disp.adic.9ª redacc RDL 14/2022).
3) Constituye **infracción muy grave**, en los contratos referidos a un único envío, el pago al transportista efectivo de un **precio inferior** al total de costes efectivos individuales incurridos o asumidos por él, de conformidad con lo dispuesto en la L 15/2009, del contrato de transporte terrestre de mercancías, siempre que exista una asimetría entre las partes en el contrato de transporte. Se considerará, en todo caso, que existe la indicada asimetría cuando el cargador contractual sea titular de una autorización de operador de transporte y no lo sea el transportista efectivo, en el supuesto en que el cargador contractual no tenga la condición de pyme y la tenga el transportista efectivo o cuando el cargador contractual no tenga la condición de pequeña empresa o microempresa y el transportista efectivo sea una microempresa. El responsable de esta infracción será el cargador contractual, pero el transportista efectivo deberá probar que el precio pagado es inferior a sus costes efectivos individuales de prestación del servicio (L 16/1987 art.140.42 redacc RDL 14/2022).
4) Constituye **infracción grave**, la **no inclusión del precio** en la carta de porte u otros documentos contractuales en los supuestos en los que fuera obligatorio, de conformidad con lo dispuesto en la L 15/2009. Se presume que el cargador contractual y el transportista efectivo son los responsables de esta infracción, salvo que prueben lo contrario (L 16/1987 art.141.29 redacc RDL 14/2022).
5) La L 15/2009 art.10 bis, sobre la carta de porte en los contratos celebrados con el porteador efectivo, **no será de aplicación** en el supuesto de los transportes por carretera en los que **no** sea **exigible el documento de control administrativo** regulado en la normativa de transporte, que se regirán por lo dispuesto en la L 15/2009 art.10.
6) Cuando la parte contratante requerida a **formalizar la carta de porte** conforme a la L 15/2009 art.10 bis se **negase** a ello, la otra podrá considerarla desistida del contrato, con los efectos que en su caso correspondan, de conformidad con lo dispuesto en la L 15/2009 art.18.2 y 19.1, y en la L 16/1987, de Ordenación de los Transportes Terrestres.
7) El **incumplimiento** de la **obligación de indicar el precio** conforme a la L 15/2009 art.10 bis 1 g), no afectará a la validez del contrato, sino que sólo producirá los efectos que, en su caso, establezca expresamente la L 16/1987 de Ordenación de los Transportes Terrestres.
8) El cargador contractual y el porteador efectivo responderán de los gastos y perjuicios que se deriven de la **inexactitud o insuficiencia de los datos** que les corresponda incluir en la carta de porte, que deberán conservar durante el plazo de un año (L 15/2009 art.10 bis.6).
9) Contra la aprobación de la L 15/2009 art.10 bis se ha interpuesto **recurso de inconstitucionalidad** (recurso nº 7079/2022).

6492 **Forma** No se prevé ningún modelo de carta de porte. En consecuencia, el formato es **libre**, por lo que las empresas podrán editar su propio modelo de carta de porte.
En cada modelo deben constar las **menciones** legalmente **obligatorias** (nº 6486).

Precisiones Habrá que determinar en cada caso cuándo un documento de transporte tiene la **consideración de carta de porte** y cuándo no, en función de su contenido, lo que es importante dada la eficacia probatoria que la ley atribuye a la carta de porte (nº 6500).

6494 **Número de cartas de porte** (L 15/2009 art.10.3 y 4) Será necesario emitir una carta de porte para cada envío. Cuando el envío se distribuya en varios vehículos, el porteador o el cargador podrá exigir la emisión de una carta de porte por cada vehículo.

Número de ejemplares (L 15/2009 art.11) La carta de porte se emitirá en tres ejemplares originales, que firmarán el cargador y el porteador. 6496

Será válida la **firma** de la carta de porte por medios mecánicos, mediante estampación de un sello, o por cualquier otro medio que resulte adecuado, siempre que quede acreditada la identidad del firmante. El primer ejemplar de la carta de porte será entregado al cargador, el segundo viajará con las mercancías transportadas y el tercero quedará en poder del porteador.

Documentación de la entrega en destino (L 15/2009 art.12) El destinatario podrá exigir que la mercancía le sea entregada junto con el **segundo ejemplar** de la carta de porte. El porteador podrá exigir al destinatario que le extienda en su ejemplar de la carta de porte, o en documento separado firmado por ambos, un recibo sobre las mercancías entregadas. 6498

Se admite la carta de porte como **medio de prueba** de entrega de la mercancía, pero también en «documento separado firmado por ambos».

Precisiones Se admite una fórmula alternativa a la hora de documentar tanto la entrega y recepción de la mercancía por el destinatario como su propia posición contractual. Dicha fórmula se basa en la utilización de un **documento probatorio distinto** de la carta de porte, acreditativo del recibo de las mercancías por el destinatario, dando así carta de naturaleza a una práctica que ha llegado a ser habitual en la operatoria de muchos empresarios del sector (anteproyecto de la L 15/2009).

Fuerza probatoria (L 15/2009 art.14) La carta de porte firmada por ambas partes hará fe de la **conclusión** y del **contenido** del contrato, así como de la recepción de las mercancías por el porteador, salvo prueba en contrario. 6500

El efecto probatorio constituye una **presunción** *iuris tantum* y puede destruirse mediante la prueba en contrario.

Precisiones En la memoria justificativa del Anteproyecto de la L 15/2009 ya se dice que «el texto proyectado no dota a la carta de porte de **calidad representativa** de las mercancías. La sección redactora ha estimado que el interés a la posible circulación de las mercancías durante el contrato quede satisfecho con el derecho de disposición del cargador».

Documento de control (OM FOM/2861/2012) El documento administrativo de control es exigible en los transportes públicos de mercancías por carretera, y se deberá formalizar **en relación con cada envío** en que se materialicen los correspondientes contratos de transporte. 6502

El documento de control es un documento de **naturaleza administrativa**, que deberá llevarse a bordo del vehículo acompañando a las mercancías en su desplazamiento.

En los contratos de **transporte continuado**, han de existirán tantos documentos de control como envíos se realicen que sean fruto de aquél (OM FOM/2861/2012 art.3).

Están **obligados** a la formalización del documento de control (OM FOM/2861/2012 art.4):

- el transportista efectivo, que es la persona, física o jurídica, titular de la autorización a cuyo amparo se realiza materialmente el transporte; y
- el cargador contractual, que es la persona, física o jurídica, que contrata directamente con el transportista efectivo el transporte del envío, ya sea el cargador efectivo o bien otro transportista, una cooperativa o sociedad de comercialización, una agencia de transporte, un transitario, un almacenista-distribuidor, un operador logístico o cualquier otro que contrate habitualmente transporte o intermedie habitualmente en su contratación.

Precisiones Quien debe formalizar el documento de control es el **cargador contractual**, no el cargador efectivo. En consecuencia, en una operación de transporte en la que intervenga cargador (cargador efectivo), operador de transporte (cargador contractual) y el transportista, quienes deben formalizar el documento de control es el cargador contractual (el operador) y el transportista.

Contenido del documento de control (OM FOM/2861/2012 art.6) El documento de control deberá contener, al menos, los siguientes **datos de carácter esencial**: 6504

a) Nombre o denominación social, NIF y domicilio del **cargador contractual**.

b) Nombre o denominación social y NIF del **transportista efectivo**.

c) Lugar de origen y destino del **envío** objeto del transporte.

d) Naturaleza y peso de la **mercancía** transportada. En los supuestos en que, por razón de las circunstancias en que se produzca la carga del vehículo, resulte de difícil determinación el peso exacto de la mercancía que se va a transportar, se buscará otro tipo de magnitud para determinar su peso.

e) Identificación de la **autorización especial de circulación** expedida por el órgano competente en materia de tráfico, circulación y seguridad vial, cuando el vehículo haya de circular amparado por una de estas autorizaciones.

f) **Fecha** de realización del **transporte** del envío de que se trate.

g) **Matrícula** del vehículo utilizado en la realización del transporte. Cuando se trate de un conjunto articulado deberá hacerse constar tanto la matrícula del vehículo tractor como la del semirremolque o remolque arrastrado por este.
Si iniciada la operación de transporte se produjera un cambio de vehículo, esta circunstancia deberá hacerse constar en la documentación de control por la empresa de transportes.
h) Siempre que así lo soliciten los sujetos intervinientes se hará constar las **observaciones**, reservas, o cualquier otra indicación, que consideren útil.

6506 **Responsabilidad del documento de control** (OM FOM/2861/2012 art.7) El cargador contractual y el transportista efectivo serán responsables de no formalizar el correspondiente documento de control. Idéntica responsabilidad se les atribuirá en los supuestos en los que no se lleve éste a bordo del vehículo, salvo que el cargador contractual pruebe que el documento fue emitido, en cuyo caso éste será eximido de responsabilidad.
Respecto de la **inexactitud o falta de datos**:
• El **cargador contractual** responderá de la inexactitud o falta de datos previstos en la OM FOM/2861/2012 art.6, apartados a), b), c) y d), así como aquellos otros que incluya en relación con el apartado g) del mismo precepto.
• El **transportista efectivo** responderá de la inexactitud o falta de datos previstos en la OM FOM/2861/2012 art.6, apartados e) y f), así como aquellos otros que incluya en relación con el apartado g) del mismo precepto.

Precisiones 1) Quien debe formalizar el documento de control es el cargador contractual, no el cargador efectivo. En consecuencia, en una operación de transporte en la que intervenga cargador (cargador efectivo), **operador de transporte** (cargador contractual) y el transportista, quienes deben formalizar el documento de control es el cargador contractual (el operador) y el transportista.
2) Constituye **infracción grave** la carencia, falta de diligenciado o falta de datos esenciales de la documentación de control, estadística o contable cuya cumplimentación resulte obligatoria (L 16/1987 art.141.17 redacc RDL 14/2022).

6508 **Emisión del documento de control** (OM FOM/2861/2012 art.8) Será obligatorio emitir **dos ejemplares** del documento de control:
- uno quedará en poder del cargador contractual; y
- otro en poder del transportista efectivo, debiendo este último llevarlo a bordo del vehículo durante el transporte del envío de que se trate.

6510 **Obligación de conservación** (OM FOM/2861/2012 art.9) Los sujetos obligados a documentar los envíos deberán conservar un ejemplar o copia del documento de control, a disposición de la Inspección de Transporte Terrestre, durante al menos **un año**.
La conservación de la documentación original o, en su caso, la de la copia, podrá realizarse en cualquier **soporte** siempre y cuando se mantenga íntegramente toda la información exigida y los datos sean legibles.

6512 **Carta de porte** En aquellos supuestos en los que el transporte se documente en una carta de porte (nº 6420) u otra documentación acreditativa ajustada a la legislación nacional, de la Unión Europea o internacional vigente en la materia, ésta **servirá como documento de control** administrativo siempre que contenga todos los datos recogidos en la OM FOM/2861/2012 art.6).

Precisiones 1) Ello implica que el **documento CMR** solo será válido si recoge todos los datos de OM FOM/2861/2012 art.6. En consecuencia, el CMR solo será válido como documento de control en el supuesto de que conste el operador de transporte que contrató al transportista efectivo.
2) Se considera infracción grave la carencia, falta de diligenciado o falta de datos esenciales de la **documentación de control,** estadística o contable cuya cumplimentación resulte obligatoria (LOTT art.141.17 redacc RDL 3/2022).
3) En el **proyecto de Ley de Movilidad Sostenible** se recoge que el documento de control administrativo exigible para la realización de transporte público de mercancías por carretera de la OM FOM/2861/2012, habrá de ser necesariamente **digital**.

B. Derechos y obligaciones

 6515

1. Obligaciones del porteador

Las **obligaciones principales** del porteador son la de traslado de la mercancía (nº 6522), la de custodia (nº 6530) y la de entregar la mercancía (nº 6526). 6520

Realización del servicio de transporte (L 15/2009 art.2, 28.2 y 31; OM FOM/1882/2012 condición 5) El porteador asume la obligación de conducir a destino las mercancías objeto de transporte para su **entrega** al destinatario y además debe hacerlo en las condiciones que fija el contrato. No obstante, el porteador cumple con la puesta de la mercancía **a disposición** del destinatario (nº 6462). 6522
Salvo que se hubiese pactado un itinerario concreto, el porteador habrá de conducir las mercancías por la **ruta** más adecuada atendiendo a las circunstancias de la operación y a las características de las mercancías.
Si el transporte **no puede llevarse a cabo** en las condiciones que fija el contrato por causas debidamente justificadas, el porteador lo debe comunicar al cargador, solicitándole instrucciones al respecto.

Obligación de realizar el transporte con los propios medios. Subcontratación 6524
(L16/1987 art.54; RDL 3/2022 disp.adic.1ª) En principio, desde el punto de vista de derecho administrativo, el transportista tiene la obligación de realizar el servicio con sus propios medios. A tal fin, quienes contraten una operación de transporte como porteadores deberán llevarla a cabo a través de su **propia organización empresarial**. Quedan exceptuados de ello quienes intervengan en la contratación del transporte de que se trate en funciones de pura intermediación de conformidad con lo dispuesto en la ley o utilicen la colaboración de otros transportistas.
No obstante, se admite que el transportista pueda **subcontratar el porte** (L 16/1987 art.98), en cuyo caso la autorización de transporte público de mercancías habilita para:
• realizar transportes de esta clase (en las condiciones señaladas en la L 16/1987 art.54);
• **intermediar** en la contratación de esta clase de transportes cuando se den las circunstancias previstas en los apartados a) y b) de la L 16/1987 art.119.1.
A tal efecto, quienes pretendan intermediar en la contratación de transportes de mercancías por carretera, ya sea en concepto de **agencia de transporte, transitario, almacenista-distribuidor, operador logístico** o cualquier otro, deberán obtener una autorización de operador de transporte (L 16/1987 art.119.1).
No obstante, **no estarán obligados** a obtener dicha autorización para intermediar en la contratación de transporte de mercancías:
a) Los titulares de autorizaciones de transporte público de mercancías que hubiesen acreditado para su obtención requisitos que, considerados en conjunto conforme a lo que reglamentariamente se determine, resulten iguales o superiores a los exigidos para la obtención de la autorización de operador de transporte.
b) Los titulares de autorizaciones de transporte público de mercancías que se limiten a utilizar la colaboración de otros transportistas para atender demandas de porte que excedan coyunturalmente de su propia capacidad de transporte, en los términos que reglamentariamente se determinen.
c) Las cooperativas de transportistas y sociedades de comercialización, en tanto que su intermediación se limite a la comercialización de los transportes prestados por aquellos de sus socios que sean titulares de autorización de transporte de mercancías.

Precisiones El **Código de Buenas Prácticas Mercantiles** en la contratación del transporte terrestre de mercancías establecerá unos compromisos sobre los que han de fundamentarse las relaciones comerciales entre los diferentes operadores que intervienen en la **cadena de contratación**, con objeto de facilitar el desarrollo de sus relaciones contractuales, así como la observancia de las mejores prácticas en dichas relaciones. Dichos compromisos incluirán, en todo caso, el establecimiento de **niveles máximos de subcontratación**, así como el establecimiento de compromisos aplicables a la contratación de transporte a través de intermediarios que presten servicios a través de la sociedad de la información (RDL 3/2022 disp.adic.1ª redacc RDL 14/2022).

6526 **Entrega de la mercancía** (L 15/2009 art.33.1 y 4; OM FOM/1882/2012 condición 6) El porteador debe entregar el envío al destinatario en el **lugar y plazo** pactados en el contrato. En defecto de plazo pactado, el envío debe ser entregado al destinatario dentro del término que razonablemente emplearía un porteador diligente en realizar el transporte, atendiendo a las circunstancias del caso. En este supuesto, se tendrá en cuenta una **velocidad media de desplazamiento** del vehículo de 20 Km/h, debiendo añadirse al plazo resultante los períodos de descanso obligatorio del conductor que correspondan, el tiempo necesario para el cumplimiento de las formalidades administrativas que en su caso resulten obligatorias y de las operaciones complementarias solicitadas por el remitente.
El plazo de entrega empieza a correr con la **recepción del envío para su transporte**. Se prorroga por el tiempo que el envío esté detenido por causa no imputable al porteador y su cómputo se suspende los **días festivos e inhábiles** para circular. Cuando no conste la hora en que el porteador recibió el envío, dicho plazo comenzará a contarse desde las cero horas del día siguiente a la recepción del envío por el porteador.
Cuando el plazo total del transporte expire **después de las 18 h** de un día, el envío debe ser puesto a disposición del destinatario no más tarde de las 9 h, o del momento de apertura del correspondiente establecimiento cuando éste se lleve a cabo después de dicha hora, del primer día laborable que siga a la expiración del plazo.

6528 **Impedimentos a la entrega** Cuando no se realice la entrega por no hallarse el destinatario en el domicilio indicado en la carta de porte, por **no hacerse cargo de la mercancía** en las condiciones establecidas en el contrato, por no realizar la descarga correspondiéndole hacerlo o por negarse a firmar el documento de entrega, el porteador lo hará saber al cargador en el plazo más breve posible y aguardará sus instrucciones. Si el impedimento cesa antes de que el porteador haya recibido instrucciones, entregará las mercancías al destinatario, notificándolo inmediatamente al cargador (L 15/2009 art.36).
Puede ocurrir que el impedimento sea la **falta de pago del porte**. Si llegadas las mercancías a destino, el obligado no pagase el precio u otros gastos ocasionados por el transporte, el porteador podrá negarse a entregar las mercancías a no ser que se le garantice el pago mediante caución suficiente. Cuando el porteador retenga las mercancías, deberá solicitar al órgano judicial o a la junta arbitral del transporte competente el depósito de aquéllas y la enajenación de las necesarias para cubrir el precio del transporte y los gastos causados, en el plazo máximo de 10 días desde que se produjo el impago (L 15/2009 art.40).

6530 **Obligación de custodia** (L 15/2009 art.28, 32 y 34) El porteador está obligado a **guardar y conservar** las mercancías objeto del transporte. El porteador debe de adoptar las medidas adecuadas para entregar las mercancías en el mismo estado que se le entregaron.
No obstante, si, a pesar de las medidas que hayan podido adoptarse, las mercancías transportadas corrieran el **riesgo de perderse o de sufrir daños graves**, el porteador lo ha de comunicar de inmediato al titular del derecho de disposición solicitándole instrucciones.
El porteador puede solicitar ante el órgano judicial o la junta arbitral del transporte competente la **venta de la mercancía** sin esperar instrucciones, cuando así lo justifique la naturaleza o el estado de la mercancía.

6532 **Obligaciones accesorias** Junto con las obligaciones principales destacamos las siguientes obligaciones accesorias:
• Obligación de **prestaciones complementarias** o accesorias. El porteador está obligado a cumplir las prestaciones complementarias o accesorias que haya asumido con motivo u ocasión del transporte (L 15/2009 art.28).
• **Idoneidad** del vehículo. Utilizar un vehículo que sea adecuado para el tipo y circunstancias del transporte (L 15/2009 art.17).
• **Puesta a disposición** del vehículo. El porteador deberá poner el vehículo a disposición del cargador en el lugar y tiempo pactados (L 15/2009 art.18).

2. Obligaciones del cargador

6535 La **obligación principal** del cargador es la de pagar el precio del porte.

6537 **Obligado al pago** (L 15/2009 art.37) Cuando nada se haya pactado expresamente, se entenderá que la obligación del pago del precio del transporte y demás gastos corresponde al **cargador**. Cuando se haya pactado el pago del precio del transporte y los gastos por el **destinatario**, éste asumirá dicha obligación al aceptar las mercancías. No obstante, el cargador responderá subsidiariamente en caso de que el destinatario no pague.

Se establece así la **responsabilidad subsidiaria** del cargador en el caso de contratar el transporte a **portes debidos**. Esta es una de las novedades de la L 15/2009.

Precisiones Ver nº 6490 sobre el **pago** del precio.

Modificación del precio por la variación del precio del combustible (L 15/2009 art.38 redacc RDL 3/2022; OM FOM/1882/2012 condición 3.4) Cuando el precio del combustible hubiese variado entre el día de celebración del contrato y el momento de realizarse el transporte, el porteador, así como el obligado al pago incrementarán o reducirán, en su caso, el precio inicialmente pactado. Dicha variación del precio se ha de **reflejar de manera desglosada en la factura**, excepto si se hubiera recogido en el contrato otra forma de reflejar este ajuste. 6539

Todo ello, está condicionado a que el precio del combustible hubiera experimentado una **variación** igual o superior al 5%, salvo que, expresamente y por escrito, se hubiera pactado un umbral menor.

Precisiones 1) Estas medidas se **aplican** a partir del 2-3-2022, fecha de entrada en vigor del RDL 3/2022.

2) Respecto de la revisión del precio del transporte en función de la variación del precio del combustible, en los **contratos de transporte continuado**, ver nº 6649.

Exigibilidad del pago (L 15/2009 art.39) Cuando no se haya pactado otra cosa, el precio del transporte y los gastos exigibles en virtud de una operación de transporte deberán ser abonados una vez cumplida la obligación de transportar y puestas las mercancías a disposición del destinatario. 6541

Depósito y enajenación de las mercancías por impago del precio (L 15/2009 art.40) 6543

Si llegadas las mercancías a destino, el obligado no pagase el precio u otros gastos ocasionados por el transporte, el porteador podrá **negarse a entregar** las mercancías a no ser que se le garantice el pago mediante caución suficiente.

Cuando el porteador retenga las mercancías, deberá solicitar al órgano judicial o a la junta arbitral del transporte competente el **depósito** de aquéllas y la **enajenación** de las necesarias para cubrir el precio del transporte y los gastos causados, en el plazo máximo de 10 días desde que se produjo el impago.

Precisiones Entendemos que se debiera acreditar ante la junta arbitral de transporte la **necesidad del depósito** y, con ello, las causas del impago alegadas por el destinatario, obrando en consecuencia la junta. En el mismo sentido se tendrá que acreditar la necesidad de retención de la mercancía durante estos 10 días, de forma que el transportista es responsable de los daños que se causen por la retención indebida.

Demora en el pago del precio (L 15/2009 art.41) El obligado al pago del transporte incurrirá en mora en el **plazo** de 30 días, en los términos previstos en la L 3/2004, por la que se establecen medidas de lucha contra la morosidad en las operaciones comerciales. 6545

Incumplimiento del plazo de pago del porte (LOTT art.140.40 y 141.26 redacc L 13/2021) El incumplimiento del límite máximo legal de pago no dispositivo previsto en la L 3/2004 art.4, cuando el obligado al pago no sea un consumidor y el precio del transporte sea **superior** a 3.000 euros, se considera infracción muy grave. 6547

En el caso del que el precio del transporte sea **inferior** a 3.000 euros, la infracción es grave.

Precisiones La L 3/2004 art.4 dispone que el **plazo de pago** que debe cumplir el deudor, si no hubiera fijado fecha o plazo de pago en el contrato, será de treinta días naturales después de la fecha de recepción de las mercancías o prestación de los servicios. Los plazos de pago indicados podrán ser ampliados mediante pacto de las partes sin que, en ningún caso, se pueda acordar un plazo superior a 60 días naturales.

Sanciones (LOTT art.143.1 redacc L 13/2021) Las sanciones por incumplir el plazo de pago de los portes son las que se detallan a continuación: 6549

- multa **de 401 a 600 euros** las infracciones previstas en la LOTT art.141.17, 18, 19, 20, 21, 22, 23, 24 y 26 cuando el precio del transporte, para esta última infracción sea inferior a 1.000 euros.
- multa **de 601 a 800 euros** las infracciones previstas en la LOTT art.141.8, 9, 10, 11 12, 13, 14, 15, 16 y 26, cuando el precio del transporte, para esta última infracción esté comprendido entre 1.000 y 1.500 euros.
- multa **de 801 a 1.000 euros** las infracciones previstas en la LOTT art.141.1, 2, 3, 4, 5, 6, 7 y 27 y, cuando el precio del transporte esté comprendido entre 1.501 a 3.000 euros, la infracción prevista en la LOTT art.141.26.

- multa **de 1.001 a 2.000 euros** las infracciones previstas en la LOTT art.140.24, 25, 26, 27, 28, 29, 30, 31, 32, 33, 34, 35, 36, 37.3 a 37.9, 38 y 39 y, cuando el precio del transporte esté comprendido entre 3.001 a 4.000 euros, la infracción prevista en la LOTT art.140.40.
- multa **de 2.001 a 4.000 euros** las infracciones previstas en la LOTT art.140.16, 17, 18, 19, 20, 21, 22, 23, 37.10 y 37.11 y, cuando el precio del transporte esté comprendido entre 4.001 a 6.000 euros, la infracción prevista en la LOTT art.140.40.
- multa **de 4.001 a 6.000 euros** las infracciones previstas en la LOTT art.140.1, 2, 3, 4, 5, 6, 7, 8, 9, 10, 11, 12, 13, 14, 15, 37.1, 37.2 y 41 y, cuando el precio del transporte sea superior a 6.000 euros, la infracción prevista en la LOTT art.140.40.
- multa **de 6.001 a 18.000 euros** las infracciones de la LOTT art.149.39.i) y con multa de 2.001 a 6.000 euros las infracciones del apartado g) del mismo artículo, cuando el responsable de las mismas ya hubiera sido sancionado, mediante resolución que ponga fin a la vía administrativa, por la comisión de cualquier otra infracción muy grave de las previstas en la LOTT en los 12 meses anteriores, pudiendo ascender a 30.000 euros el importe de la multa cuando se trate de infracciones contenidas en LOTT art.140.40 y se considere que la conducta afecta significativamente a la capacidad y a la solvencia económica del acreedor o se haya superado en más de 120 días el plazo máximo legal de pago previsto en dicho precepto.

Precisiones La Administración pública competente para la imposición de las sanciones ha de dar, de forma periódica, **publicidad a las resoluciones sancionadoras** impuestas por infracciones previstas en la LOTT art.140.40, que hayan adquirido firmeza en vía administrativa o, en caso de haberse interpuesto recurso contencioso-administrativo, en vía judicial. En el caso de las sanciones que imponga la Administración General del Estado, esta publicidad se dará por medio de la página web del Ministerio de Transportes y Movilidad Sostenible -RD 829/2023- (LOTT art.144 redacc L 13/2021).

6551 **Carga, descarga, estiba y desestiba** (L 15/2009 art.20 redacc RDL 3/2022) Las operaciones de carga de las mercancías a bordo de los vehículos, así como las de descarga de éstos, serán por cuenta, respectivamente, del **cargador** y del **destinatario**, salvo que antes de la efectiva presentación del vehículo para su carga se haya pactado por escrito que corresponden al porteador contra el pago de un suplemento respecto del precio del transporte. En ausencia de formalización por escrito de dicho pacto, se presumirá no acordado.
Cuando se realicen por el porteador las operaciones de carga y descarga, la contraprestación pactada deberá reflejarse en la factura de manera diferenciada respecto del precio del transporte.
Las operaciones de estiba y desestiba de las mercancías a bordo de los vehículos serán por cuenta, respectivamente del cargador y del destinatario, salvo que expresamente se asuman por el porteador.

6553 **Prohibición de realizar la carga y descarga por los conductores** (LOTT disp.adic.13ª redacc RDL 3/2022) Con **efectos** a partir del 2-9-2022, los conductores de vehículos de transporte de mercancías de más de 7,5 toneladas de masa máxima autorizada no podrán participar en las operaciones de carga o descarga de las mercancías ni de sus soportes, envases, contenedores o jaulas, que se efectúen en territorio español.
Se establecen las siguientes **excepciones**:
a) Transporte de mudanzas y guardamuebles.
b) Transporte en vehículos cisterna.
c) Transporte de áridos o el efectuado en vehículos basculantes o provistos de grúa u otros dispositivos inherentes al vehículo destinados a realizar las operaciones de carga y descarga.
d) Transporte en portavehículos y grúas de auxilio en carretera.
e) Transporte de carga fraccionada entre el centro de distribución y el punto de venta, servicios de paquetería y cualesquiera otros similares que impliquen la recogida o reparto de envíos de mercancías consistentes en un reducido número de bultos que puedan ser fácilmente manipulados por una persona.
A efectos de esta letra, se entenderá por transporte de carga fraccionada aquél en el que resulten necesarias operaciones previas de manipulación, grupaje, clasificación, u otras similares.
Un conductor podrá participar en la descarga de los transportes de carga fraccionada entre un centro de distribución y el punto de venta siempre que dicha actividad no afecte a su periodo de descanso diario o, en su caso, siempre que se lleve a cabo dentro de su jornada laboral diaria y siempre que ello le permita regresar al centro operativo habitual de trabajo o a su lugar de residencia.
No obstante, podrá participar en la carga y descarga de los transportes de carga fraccionada entre un centro de distribución y el punto de venta, o entre el punto de venta y un centro de distribución siempre que, además de la condición anterior, dicha actividad se efectúe en el marco de un contrato de duración igual o superior a un año entre el cargador y el porteador.

f) Transporte de animales vivos, en los puestos de control aprobados de conformidad con la normativa comunitaria, sin perjuicio de las responsabilidades establecidas en la normativa sobre la protección de los animales durante su transporte.
g) Supuestos en los que la normativa reguladora de determinados tipos de transporte establezca específicamente otra cosa en relación con la participación del conductor.
h) Los supuestos que reglamentariamente se establezcan, siempre que se garantice la seguridad del conductor.

Precisiones **1)** El Ministerio de Transporte, Movilidad y Agenda Urbana elaborará un estándar para la **certificación de las zonas de carga y descarga** en relación con las instalaciones y los servicios disponibles, tanto físicos como digitales, que ha de fijar tanto los aspectos relativos al tratamiento de la mercancía como la calidad de los servicios disponibles para el personal de la instalación y los transportistas de mercancías por carretera. Los titulares y/o explotadores de las zonas de carga y descarga podrán voluntariamente certificar el cumplimiento de dicho estándar en relación con sus instalaciones y servicios disponibles, dentro del sistema de gestión de calidad que tuvieran implantado (RDL 3/2022 disp.adic.3ª).
2) Las zonas de carga y descarga con un tráfico medio de más de cuarenta vehículos pesados al día deberán implantar un **sistema de asignación de puerta** o de reserva de terminal que permita la reserva previa o la asignación de ventanas de tiempo específicas para la carga o descarga de las mercancías.

Obligaciones accesorias En relación con el transporte, las obligaciones accesorias del cargador son: **6555**
a) Obligación de **entrega de las mercancías** al porteador. El cargador deberá entregar las mercancías al porteador en el lugar y en el tiempo pactado (L 15/2009 art.19).
b) Obligación de **acondicionamiento e identificación** de las mercancías. Salvo que se haya pactado otra cosa, el cargador deberá acondicionar las mercancías para su transporte. Los bultos que componen cada envío deberán estar claramente identificados y señalizados mediante los correspondientes signos, coincidiendo con la descripción de los mismos contenida en la carta de porte.
c) Obligación de entregar la **documentación de la mercancía**. El cargador deberá adjuntar a la carta de porte o poner a disposición del porteador la documentación relativa a la mercancía que sea necesaria para la realización del transporte y de todos aquellos trámites que el porteador haya de efectuar antes de proceder a la entrega en el punto de destino. A estos efectos, deberá suministrarle la información necesaria sobre la mercancía y los indicados trámites.

Precisiones **1)** Sobre la resolución del contrato de transporte, en el caso de contrato estable o continuado, la jurisprudencia ya establece que hay que acreditar esa **relación estable y continuada** para exigir la indemnización por resolución unilateral del contrato conforme a la L 15/2009 art.43 (AP Madrid 13-2-13, EDJ 32917).
2) En un supuesto en el que se desparramó en la vía pública el cargamento (palés con botellas) de un camión, la AP Barcelona 15-12-16, EDJ 247177, declaró la **responsabilidad** del transportista y del cargador por existir **concurrencia de culpas** (L 15/2009 art.48). En concreto, el camión circulaba por encima de la velocidad máxima permitida, lo que es imputable al transportista (L 15/2009 art.7 y 49), y la carga había sido deficientemente amarrada (defecto de embalaje) y cargada en el camión (defecto de estiba), lo que es imputable al cargador (L 15/2009 art.20). La Audiencia distribuyó el importe de los daños en tres partes (una por cada defecto apreciado), y condenó al transportista a abonar un tercio de los daños, asumiendo el cargador los dos tercios restantes.

3. Derechos del porteador

Son los siguientes: **6560**
1. Cobro del **porte** (ver nº 6537).
2. Realizar el **viaje** encargado. El cargador entregará la mercancía al porteador. En caso de incumplimiento por el cargador, este indemnizará al porteador en cuantía equivalente al precio del transporte previsto, o bien le ofrecerá la realización de un transporte de similares características que se encuentre inmediatamente disponible (L 15/2009 art.19).
3. Cobrar las **paralizaciones**. Cuando el vehículo haya de esperar un plazo superior a una hora hasta que se concluya su carga o descarga, el porteador podrá exigir al cargador una indemnización en concepto de paralización. Dicho plazo se contará desde la puesta a disposición del vehículo para su carga o descarga en los términos requeridos por el contrato. Salvo que se haya pactado expresamente una indemnización superior para este supuesto, la paralización del vehículo por causas no imputables al porteador, incluidas las operaciones de carga y descarga, dará lugar a una indemnización en cuantía equivalente al IPREM/día multiplicado por 2 por cada hora o fracción de paralización, sin que se tenga en cuenta la primera hora ni se computen más de diez horas diarias por este concepto. Cuando la paralización del vehículo

fuese superior a un día el segundo día será indemnizado en cuantía equivalente a la señalada para el primer día incrementada en un 25%. Cuando la paralización del vehículo fuese superior a dos días, el tercer día y siguientes serán indemnizados en cuantía equivalente a la señalada para el primer día incrementada en un 50% (L 15/2009 art.22 redacc RDL 3/2022).
Cuando fuese necesario **valorar el perjuicio** que ocasiona a un porteador tener paralizado el vehículo con el que se dedica a la realización profesional de transportes por carretera, como consecuencia de cualquier circunstancia que no le sea imputable, se utilizará como un criterio de referencia el establecido en la L 15/2009 art.22.3 (L 15/2009 disp.adic.7ª redacc RDL 3/2022).
Se establece una **indemnización por paralización del vehículo durante el viaje**, cuando fuese necesario valorar el perjuicio que ocasiona a un porteador tener paralizado el vehículo con el que se dedica a la realización profesional de transportes por carretera, como consecuencia de cualquier circunstancia que no le sea imputable, utilizando como criterio de referencia el de la L 15/2009 art.22.3 (L 15/2009 disp.adic.7ª redacc RDL 3/2022).
4. El **examen de las mercancías** (L 15/2009 art.26), la formulación de reservas (L 15/2009 art.25) y el rechazo de bultos (L 15/2009 art.27).
5. La **enajenación** de las mercancías por impago del precio del transporte (L 15/2009 art.40).

6562 **Acción directa en el transporte de mercancías por carretera** (L 9/2013 disp.adic.sexta)
En el ámbito del **transporte interno** de mercancías por carretera, desde 2013 (tras la entrada en vigor de la L 9/2013) existe en España la denominada «acción directa» contra el cargador (esto es, quien encarga a alguien que transporte la mercancía) y contra los intervinientes en la cadena de transporte en los supuestos de **intermediación**: es decir, cuando entre el cargador y el destinatario de la mercancía se interpone, no uno, sino varios intervinientes en el transporte.
En tales casos, y dejando a salvo el supuesto previsto en la LCSP art.215 s. (L 9/2017), el **transportista** que **efectivamente** ha realizado el transporte, en caso de que no cobre sus servicios, tiene acción directa, respecto de la parte que se le adeude, contra todos los que, en su caso, le hayan precedido en la cadena de subcontratación del transporte, hasta llegar al cargador principal.

6564 **Alcance** Esta acción directa, que tiene carácter **imperativo** (es un derecho irrenunciable), constituye una **garantía** de quien ha realizado en último término el transporte, poniendo sus propios medios humanos y materiales, pero el alcance de la misma es una cuestión controvertida.
Hay **dos tesis** al respecto:
a) Por un lado, están aquellos que sostienen que el cargador y los intermediarios en el transporte responden únicamente **hasta la cantidad** que cada uno de ellos adeuda a «su» transportista inmediato en la cadena, esto es, a aquél con quien directamente han contratado (tesis de la **limitación de la responsabilidad**); y
b) Por otro lado, están quienes consideran que el cargador e intermediarios en el transporte responden de **todo lo que se adeude** al transportista efectivo, aun cuando ellos no adeuden nada a «su» inmediato transportista. Es decir, son **responsables solidarios** frente a quien ha transportado de manera efectiva la mercancía, sin perjuicio de su derecho a repetir contra el responsable del impago.
Los efectos prácticos de seguir una u otra tesis quedan patentes en el siguiente ejemplo:

Ejemplo Un productor de frutas (el cargador) contrata a una empresa (sociedad B) para que transporte un cargamento de manzanas a un lugar determinado. Pero, en lugar de transportar directamente el cargamento, la sociedad B a su vez subcontrata a otra (C) para que lo haga. El cargador paga el servicio de transporte contratado a la sociedad B, pero ésta no paga el servicio subcontratado con C:
- siguiendo la tesis expuesta en la letra a) anterior, el transportista efectivo (C) no tendría acción contra el productor de frutas que ha encargado el transporte (cargador), pues tal cargador habría cumplido con su obligación de pago al primer intermediario en la cadena de transporte;
- por el contrario, siguiendo la tesis de la letra b) anterior, el transportista efectivo (C) tendría acción directa contra el cargador para reclamarle lo que le adeuda B, sin perjuicio de la acción del cargador para repetir contra B.

Precisiones Las dos posiciones doctrinales expuestas se fundamentan en lo siguiente:
1) **Limitación de responsabilidad**: Quienes entienden que la responsabilidad del cargador e intermediarios en el transporte se limita a lo que cada uno de ellos adeude, en su caso, a «su» directo porteador, aplican analógicamente a la acción directa en el transporte por carretera, la regulación de la acción directa prevista en el CC art.1597 en materia de arrendamiento de obra. Este precepto limita la responsabilidad del dueño de la obra (en este caso, el cargador) a la **parte que adeudara al contratista** (en este caso, el intermediario en el transporte); y en similar sentido se regula la acción directa contemplada en la L 20/2007 del Estatuto del Trabajo Autónomo art.10. La acción directa es

una excepción al principio general de la relatividad de los contratos (CC art.1257, que establece que «los contratos solo producen efectos entre las partes que lo otorgan»), y, en el sentido del CC art.1597, es una acción en favor de un acreedor contra el deudor de su deudor («el deudor de mi deudor es también mi deudor»).

Según esta interpretación, una vez que el cargador ha pagado el porte a la empresa con la que directamente ha contratado el transporte, ya no responde frente al transportista efectivo; y lo mismo sucede con los intermediarios que han cumplido con sus obligaciones de pago. Es decir, ni el cargador ni los intermediarios en el transporte se erigen en responsables solidarios frente a todo riesgo, sino que su responsabilidad queda limitada a su propio incumplimiento.

Para los que defienden esta posición, la **finalidad** de esta acción es **proteger al cargador**, evitando que, una vez que ha pagado a la empresa con la cual ha contratado el transporte, tenga que pagar otra vez al transportista final (evitar un doble pago).

2) **Responsabilidad solidaria**: Quienes consideran que la acción directa de la L 9/2013 establece una responsabilidad solidaria a favor del transportista efectivo, se fundan en la literalidad de la norma y su tramitación parlamentaria, durante la cual desapareció la limitación de responsabilidad en los términos del CC art.1597, inicialmente propuesta. Para este sector, la **finalidad** de la acción directa es **proteger al transportista efectivo**, como parte más débil en la cadena de contratación en el ámbito del transporte terrestre, y porque es quien ha llevado a cabo el transporte poniendo sus medios personales y materiales en favor del cargador (en este sentido, TS 6-5-19, EDJ 56719).

Las distintas posiciones se reflejan en la **disparidad de pronunciamientos judiciales**: **6566**

a) En la línea de **limitar la responsabilidad** del cargador en los términos del CC art.1597 se pronuncian las siguientes resoluciones: JM Madrid núm 1, 30-12-14, EDJ 305340; JM Gijón núm 3, 27-4-15, EDJ 204555.

b) En la línea de atribuir una **responsabilidad solidaria** al cargador e intermediarios en el transporte frente al transportista efectivo se pronuncian las siguientes: AP Zaragoza 20-9-16, EDJ 181237; AP Valencia 6-10-16, EDJ 246774; AP Asturias 23-12-16, EDJ 246545, que declaran que el transportista que realiza los portes tiene acción directa, por la parte impagada, frente a todos aquellos que conforman la cadena de contratación hasta llegar al cargador principal, a modo de garantía de cobro del porteador efectivo, y por tanto con independencia de que el garante ya hubiera pagado a los intermediarios de la cadena de contratación del transporte (sistema de «doble pago», con derecho a la pertinente repetición). En el mismo sentido se pronuncia el JM Barcelona núm 10, 28-7-15, autos 451/15; JM Bilbao núm 2, 13-10-15, EDJ 241344; JPI Vitoria-Gasteiz núm 7, 9-12-15, autos 480/15; JM Barcelona núm 2, 17-3-16, EDJ 56454; JM Zaragoza núm 2, 26-4-16, EDJ 146946.

Precisiones 1) Con el fin de tratar de unificar posiciones, en aras a la seguridad jurídica, en la **reunión** que tuvieron en noviembre de 2015 en Pamplona los **magistrados especialistas en mercantil** concluyeron, por mayoría, que la acción directa en materia de transporte se ha de limitar en los términos del CC art.1597, y, por consiguiente, el cargador principal solo queda obligado frente al transportista efectivo en la medida en que él mismo adeude a «su» porteador, sin que en ningún caso pueda venir obligado a pagar dos veces.

Sin embargo, los tribunales de justicia, en su condición de órganos independientes, no siguen este criterio, como se deduce de las sentencias antes citadas.

2) En esta misma reunión, los magistrados de lo mercantil concluyeron por mayoría:

- que esta acción directa **no es aplicable** en el marco de un contrato de transporte sujeto al **CMR** (Convenio relativo al transporte internacional por carretera), dado que este Convenio no contempla este tipo de acción; y
- que la norma que la establece es de carácter **imperativo**, no excluible por voluntad de las partes.

Finalmente, el **Tribunal Supremo**, en una primera sentencia, se decanta por la segunda tesis y admite el "doble pago", señalando que la Ley ha pretendido responder a una reivindicación secular de los transportistas para la adopción de mecanismos que aseguren el cobro del transporte, en un sector de gran importancia económica caracterizado por la presencia de empresas de pequeño tamaño, en las que el impago de sus servicios puede comprometer su propia viabilidad. Entre tales reivindicaciones, la más sostenida ha sido la imposición de alguna garantía en favor de los transportistas finales, como parte más débil de la cadena de transporte. En consecuencia, puede ocurrir, que el porteador efectivo reclame al cargador el precio del transporte que, sin embargo, éste ya haya pagado al porteador contractual. Aquí es donde esta acción se aparta de manera más significativa del régimen general previsto en el CC art.1597, al establecer, en **garantía del porteador efectivo**, un régimen que posibilita el doble pago, sin perjuicio de un ulterior derecho de repetición contra el porteador contractual para la devolución de lo abonado al porteador efectivo. De manera que la única forma que tiene el cargador para evitar que pueda ser objeto de este tipo de acciones es **prohibir en el contrato de transporte su subcontratación** (TS 24-11-17, EDJ 243398; en el mismo sentido TS 6-5-19, EDJ 567179). **6568**

6570 **Plazo de prescripción** Se plantea si el plazo de prescripción de la acción directa es el plazo de un año (L 15/2009 art.79), o si es un plazo superior al entenderse que se trata de una reclamación extracontractual.
A este respecto, los tribunales se han pronunciado entendiendo que es aplicable el plazo de **un año** (AP Barcelona 5-3-19, EDJ 518404).

6572 **Concurso de acreedores del operador** En relación el ejercicio de la acción directa por el transportista efectivo contra el cargador, cuando el operador se ha declarado en concurso, se entiende que la L 38/2011 vino a vaciar de contenido o dejar **sin efecto** la acción directa del CC art.1597, una vez que el contratista ha sido declarado en concurso, por más que el subcontratista haya reclamado judicial o extrajudicialmente al promotor de la obra antes de la declaración de concurso del contratista, persiguiendo con ello evitar la salida de bienes de la masa activa del concurso para pagar a determinados acreedores concursales -los que ponen su trabajo y materiales en una obra ajustada alzadamente por el contratista- con afectación del principio de igualdad entre los acreedores (*par condicio creditorum*) (AP Barcelona 5-3-19, EDJ 518404).

Precisiones La declaración de concurso del **porteador intermedio** no impide el ejercicio de la acción directa del porteador efectivo frente al cargador principal (TS 29-12-20, EDJ 763785). En el mismo sentido, se reitera la jurisprudencia sobre la acción directa del transportista efectivo contra el cargador y los intervinientes en la cadena de subcontratación (TS 3-3-21, EDJ 511678).

6574 **Juntas Arbitrales de Transporte** Los tribunales no se cuestionan la competencia de la JAT en relación a la acción directa (TSJ Burgos 16-1-19, EDJ 533076).

4. Derechos del cargador

6580 El cargador tiene reconocidos los siguientes derechos:
1. **Desistir de la expedición**. Si el porteador no cumple con la obligación de puesta a disposición del vehículo, el cargador podrá desistir de la expedición de que se trate y buscar inmediatamente otro porteador y si ha sufrido perjuicios como consecuencia de la demora, y ésta fuere imputable al porteador, podrá además exigir la indemnización que proceda (L 15/2009 art.18).
2. **Derecho de disposición**. El cargador tiene derecho a disponer de la mercancía, ordenando al porteador que detenga el transporte, que devuelva la mercancía a su origen o que la entregue en un lugar o a un destinatario diferente de los indicados en la carta de porte. Este derecho de disposición corresponderá al destinatario cuando así se hubiese pactado expresamente (L 15/2009 art.29).

5. Derechos del destinatario

(L 15/2009 art.35)

6585 El destinatario podrá ejercitar frente al porteador los derechos derivados del contrato de transporte desde el momento en que, **habiendo llegado las mercancías** a destino o transcurrido el plazo en que deberían haber llegado, solicite su entrega.
En tal caso, el destinatario estará obligado a hacer efectivo el **precio** del transporte y los **gastos** causados o, en caso de disputa sobre estos conceptos, a prestar la caución suficiente.

C. Responsabilidad del porteador

6590

6592 En el contrato de transporte terrestre de mercancías por carretera (tanto el nacional, regulado en la L 15/2009; como el internacional, regulado por el Convenio de 19-5-56, hecho en Ginebra, relativo al Contrato de Transporte Internacional de Mercancías por Carretera CMR), la **obligación** que incumbe al transportista es **de resultado**, cual es entregar la mercancía sin daño alguno en el lugar de destino y en el plazo pactado, de modo que, si esto no se produce, se presume la culpa del transportista. De manera que el transportista responde en caso de pérdida, avería o retraso, salvo que medie causa legal para que opere una exoneración de responsabilidad. Como regla general, la **carga de la prueba** de la existencia de una causa de exoneración incumbe al transportista, por lo que si no la demuestra no podrá eludir su responsabilidad.

El sistema de responsabilidad del transporte terrestre (L 15/2009 art.46 s.) parte de una idea central: la **responsabilidad por culpa**, o subjetiva, con inversión de la carga de la prueba, consecuencia de lo cual el porteador es responsable a no ser que demuestre la concurrencia de una causa exoneratoria (AP Pontevedra 29-12-16, EDJ 253795; AP La Rioja 1-3-19, EDJ 553008).

El régimen de responsabilidad será aplicable a toda acción que persiga una **indemnización por daños y perjuicios** derivados del transporte, con independencia de cuál sea el procedimiento a través del que se ejercite o su fundamento contractual o extracontractual, tanto si se hace valer frente al porteador como si se dirige contra sus auxiliares (L 15/2009 art.63; OM FOM/1882/2012 art.7).

Las disposiciones sobre responsabilidad tienen **carácter imperativo** (L 15/2009 art.46.1).

Precisiones En cuanto a la **competencia judicial** para el conocimiento de estas acciones, cuando se trate de un contrato de prestación de servicios precedido de **oferta pública**, será competente el tribunal del domicilio del prestatario (LEC art.52.2). Si no está precedido de oferta pública, no le será de aplicación el art.52.2 LEC que establece los fueros imperativos.

En este caso estamos ante un contrato de prestación de servicios de transporte postal (no precedido de oferta pública), en el que consta una cláusula de sumisión expresa a los Juzgados y Tribunales de Madrid, estando además el domicilio de la prestataria en Madrid. La demanda, no obstante, se interpuso ante el Juzgado de Primera Instancia de Barcelona y no se solicitó declinatoria. Fuera de los casos en que la competencia territorial viene fijada por la ley en virtud de reglas imperativas, la falta de competencia territorial sólo puede apreciarse en virtud de **declinatoria** propuesta en tiempo y forma por parte legítima (LEC art.59), lo cual no ha acaecido en el presente caso en el que el Juzgado ha apreciado de oficio su falta de competencia. Por tanto, se ha actuado tal y como predica la LEC art.58, el cual sin embargo únicamente hubiese podido entrar en juego si la competencia territorial estuviese fijada por reglas imperativas. En consecuencia, la competencia para conocer del asunto corresponde al Juzgado de Primera Instancia de Barcelona, cuya falta de competencia territorial fue indebidamente apreciada (TS auto 5-2-13, EDJ 7002).

Supuestos de responsabilidad (L 15/2009 art.47) Se analizan a continuación los principales supuestos de responsabilidad. 6594

Responsabilidad por pérdida, averías y retraso A efectos de este supuesto de responsabilidad han de hacerse las siguientes observaciones: 6596

1. Medios de **agrupación de mercancías**. Se considerarán mercancías los contenedores, bandejas de carga u otros medios similares de agrupación de mercancías utilizados en el transporte cuando hubiesen sido aportados por el cargador.

2. Actos de los **auxiliares**. El porteador responderá de los actos y omisiones de los auxiliares, dependientes o independientes, a cuyos servicios recurra para el cumplimiento de sus obligaciones.

Precisiones El **comisionista**, en el transporte de mercancías, en un *alter ego* del comitente (TS 14-12-99, EDJ 40325), está obligado a atenerse, en el desempeño de la comisión, a las instrucciones recibidas del comitente y responde por incumplimiento de esta obligación siempre que el mismo le sea jurídicamente imputable -tan solo no lo será por caso fortuito o fuerza mayor-, en cuyo caso debe indemnizar al comitente el perjuicio que se le haya ocasionado (CCom art.254 y 256 párr.1º; en relación con CC art.1101, 1105 y 1106). Pero además la responsabilidad del porteador por la pérdida de la cosa transportada (CCom art.361, 362 y 363) se extiende al comisionista (CCom art.379), quien responderá, frente al comitente, solidariamente con el porteador, por el incumplimiento obligacional de este (pérdida de las mercancías). Si el comisionista, en base a su responsabilidad, indemniza al comitente, tendrá acción de repetición para recuperar lo que ha indemnizado contra el porteador -TS 19-4-01, EDJ 6385- (AP Madrid 5-2-13, EDJ 23593).

3. Supuestos de **equiparación a pérdida total** (L 15/2009 art.54). El destinatario podrá rehusar hacerse cargo de las mercancías: 6598

- cuando le sea entregada tan sólo una parte de las que componen el envío y pruebe que no puede usarlas sin las no entregadas;
- en los casos de averías, cuando las mismas hagan que las mercancías resulten inútiles para su venta o consumo, atendiendo a la naturaleza y uso corriente de los objetos de que se trate; y

- cuando hayan transcurrido 20 días desde la fecha convenida para la entrega sin que ésta se haya efectuado o, a falta de plazo, cuando hubiesen transcurrido 30 días desde que el porteador se hizo cargo de las mercancías.
Esta equiparación de supuestos a la pérdida total, tendrá repercusión en orden a la indemnización de las compañías de seguros.
4. Estado de las mercancías en el momento de entrega al destinatario. La mercancía transportada deberá ser entregada al destinatario en el mismo estado en que se hallaba al ser recibida por el porteador, sin pérdida ni menoscabo alguno, atendiendo a las condiciones y a la descripción de la misma que resultan de la carta de porte. Si el porteador y el destinatario no consiguen ponerse de acuerdo en torno al estado de las mercancías entregadas o a las causas que hayan motivado los daños, podrán disponer su reconocimiento por un perito designado a tal efecto por ellos mismos o por el órgano judicial o la junta arbitral del transporte que corresponda (L 15/2009 art.34).

6600 **Responsabilidad por incumplimiento de otras obligaciones** El incumplimiento por el porteador de otras obligaciones derivadas del contrato de transporte se rige por las normas generales de la responsabilidad contractual. La ley solo se refiere a estos supuestos de pérdida, avería o retraso, por lo que los demás incumplimientos del contrato de transporte quedan sometidos al régimen general del Código Civil.
Sin embargo, de forma dispersa, la Ley se refiere a otros supuestos particulares de responsabilidad:
a) Inexactitud o insuficiencia de los datos en la **carta de porte**. El cargador y el porteador responderán de los gastos y perjuicios que se deriven de la inexactitud o insuficiencia de los datos que les corresponda incluir en la carta de porte (L 15/2009 art.10).
b) Daños que tienen lugar en la **carga y descarga, estiba y desestiba**. En lo relativo a la **responsabilidad administrativa**, la normativa reguladora las inspecciones técnicas en carretera de vehículos comerciales que circulan en territorio español (RD 563/2017 art.14), establece que la carga transportada en un vehículo, así como los accesorios que se utilicen para su acondicionamiento o protección, deben estar dispuestos y, si fuera necesario, sujetos de tal forma que no puedan:
- arrastrar, caer total o parcialmente o desplazarse de manera peligrosa;
- comprometer la estabilidad del vehículo;
- producir ruido, polvo u otras molestias que puedan ser evitadas; u
- ocultar los dispositivos de alumbrado o de señalización luminosa, las placas o distintivos obligatorios y las advertencias manuales de sus conductores.

El titular de la autorización administrativa para circular -el **transportista**- es el responsable de mantener el vehículo en condiciones aptas para la circulación.

6602 El régimen de responsabilidad administrativa no modifica el sistema de **responsabilidad mercantil**, conforme a la cual, la responsabilidad por la carga y estiba de la mercancía es del **cargador**, salvo pacto en contrario. En este sentido, en relación con el **contrato de transporte terrestre de mercancías** (nº 6555), se establece que las operaciones de carga de las mercancías a bordo de los vehículos, así como las de descarga de éstos son, con carácter general, por cuenta respectivamente, del cargador y del destinatario. Sin embargo, se puede establecer que dichas operaciones de carga y descarga correspondan al porteador, antes de la efectiva presentación del vehículo para su carga y siempre que se haya formalizado por escrito y contra el pago de un suplemento respecto del precio del transporte. En **ausencia de formalización por escrito** de dicho pacto, se presumirá no acordado. Asimismo, cuando las operaciones de carga y descarga se realicen por el porteador, la contraprestación pactada se ha de reflejar en la factura de manera diferenciada respecto del precio del transporte. Respecto de las operaciones de **estiba y desestiba de las mercancías** a bordo de los vehículos serán, con carácter general, por cuenta del cargador y del destinatario, salvo que expresamente se asuman por el porteador (L 15/2009 art.20.1 redacc RDL 3/2022).
Sin embargo, el **porteador** responde de los daños sufridos por las mercancías debidos a una estiba inadecuada cuando tal operación se haya llevado a cabo por el cargador siguiendo las instrucciones del porteador.
Sobre las **presunciones de exoneración** (nº 6608) el porteador queda exonerado de responsabilidad cuando prueba que, atendidas las circunstancias del caso concreto, la pérdida o avería han podido resultar verosímilmente de la manipulación, carga, estiba, desestiba o descarga realizadas, respectivamente, por el cargador o por el destinatario, o personas que actúen por cuenta de uno u otro.
La **empresa de transporte** debe probar que la carga, estiba y sujeción de la carga la realiza el remitente o cargador y ahora deberá hacerlo con una sanción que le imputa la responsabilidad solo a la empresa de transporte.

Precisiones 1) Se considera **infracción muy grave** la realización de las operaciones de carga o descarga por el propio conductor del vehículo contraviniendo las limitaciones que resulten de aplicación de conformidad con lo dispuesto en la LOTT. Se presume que la responsabilidad por dicha infracción corresponde tanto a la empresa bajo cuya dirección actúe el conductor del vehículo, como al cargador, expedidor, intermediario y destinatario que hubieran intervenido en el transporte (LOTT art.140.41 redacc RDL 3/2022).

2) Sobre el régimen de responsabilidad en la **sujeción de la carga** en el transporte público de mercancías, la DGT Instr 19-6-18, establece al respecto que el responsable por la inadecuada sujeción de la carga en el transporte público de mercancías es, con carácter general, el cargador, salvo que expresamente se pacte que sea el porteador- en cuyo caso se debe acreditar documentalmente tal circunstancia -o el porteador cuando se trata de un reducido número de bultos de paquetería o similares.

c) Defectos en el **embalaje** de las mercancías. El cargador responderá ante el porteador de los daños a personas, al material de transporte o a otras mercancías, así como de los gastos ocasionados por defectos en el embalaje de las mercancías, a menos que tales defectos sean manifiestos o ya conocidos por el porteador en el momento de hacerse cargo de las mercancías y no haya hecho las oportunas reservas (L 15/2009 art.21). **6604**

d) Documentación de la mercancía. El cargador es responsable ante el porteador de todos los daños que pudieran resultar de la ausencia, insuficiencia o irregularidad de la documentación e informaciones de la mercancía, salvo en caso de culpa por parte del porteador. El porteador no está obligado a verificar si estos documentos o informaciones son exactos o suficientes. El porteador responderá de las consecuencias derivadas de la pérdida o mala utilización de los citados documentos. En todo caso, la indemnización a su cargo no excederá de la que correspondería en caso de pérdida de la mercancía (L 15/2009 art.23).

e) Derecho de **disposición**. El porteador que no ejecute las instrucciones del derecho de disposición que se le hayan dado en las condiciones señaladas en la ley, o que las haya ejecutado sin haber exigido la presentación del primer ejemplar de la carta de porte, responderá de los perjuicios causados por este hecho (L 15/2009 art.29).

Causas de exoneración (L 15/2009 art.48) El porteador no responderá si prueba que la pérdida, la avería o el retraso han sido ocasionados: **6606**

- por culpa del **cargador** o del **destinatario**;
- por una **instrucción** de estos, no motivada por una acción negligente del porteador;
- por vicio propio de las **mercancías**; o
- por **circunstancias** que el porteador no pudo evitar y cuyas consecuencias no pudo impedir.

En ningún caso puede alegar como causa de exoneración los defectos de los **vehículos** empleados para el transporte.

Precisiones No cabe el **pacto de exoneración** de la responsabilidad del porteador. Se trata de un régimen de responsabilidad de carácter imperativo -L 15/2009 art.46- (AP Madrid 10-12-12, EDJ 309415).

Es admisible el pacto de que la **compañía de seguros** no pueda repetir contra el transportista efectivo. Debe rechazarse que la aseguradora no quede afectada por lo pactado en el contrato de transporte entre su asegurada, pues el seguro no es un contrato abstracto, sino conectado causalmente, en este caso, con un contrato de transporte, cuyo contenido conoció la aseguradora (TS 10-5-12, EDJ 88251).

Presunciones de exoneración (L 15/2009 art.49) El porteador quedará exonerado de responsabilidad cuando pruebe que, atendidas las circunstancias del caso concreto, la pérdida o avería han podido resultar verosímilmente de alguno de los siguientes riesgos: **6608**

a) Empleo de **vehículos** abiertos y no entoldados, cuando tal empleo haya sido convenido o acorde con la costumbre.

b) Ausencia o deficiencia en el **embalaje** de mercancías, a causa de las cuales éstas quedan expuestas, por su naturaleza, a pérdidas o daños.

c) Manipulación, carga, estiba, desestiba o descarga realizadas, respectivamente, por el cargador o por el destinatario, o personas que actúen por cuenta de uno u otro.

d) Naturaleza de ciertas **mercancías** expuestas por causas inherentes a la misma a pérdida total o parcial o averías, debidas especialmente a rotura, moho, herrumbre, deterioro interno y espontáneo, merma, derrame, desecación, o acción de la polilla y roedores.

e) Deficiente **identificación o señalización** de los bultos.

No obstante, el **legitimado para reclamar** podrá probar que el daño no fue causado, en todo o en parte, por ninguno de tales riesgos. Cuando resulte probado que el daño fue parcialmente causado por una circunstancia imputable al porteador, éste sólo responderá en la medida en que la misma haya contribuido a la producción del daño. **6610**

Precisiones La prueba de esas circunstancias no libera al porteador definitivamente, sino que simplemente genera la presunción de que ese riesgo fue la causa del daño. De ahí que no se exija la prueba de esas circunstancias sino la prueba de que, atendidas las circunstancias del caso concreto, la pérdida o avería han podido resultar verosímilmente. Por lo tanto, el acreedor del transporte siempre podrá **desvirtuar la presunción** probando que no existe la relación de causalidad entre los riesgos que la norma enumera y la pérdida o avería de las mercancías.

6612 **Transporte de animales vivos** (L 15/2009 art.50) En los transportes de animales vivos el porteador tan sólo podrá invocar a su favor la presunción de exoneración de responsabilidad cuando pruebe que, teniendo en cuenta las circunstancias del transporte, ha adoptado las medidas que normalmente le incumben y ha seguido las instrucciones especiales que le pudieran haber sido impartidas.

6614 **Transporte con vehículos especialmente acondicionados** (L 15/2009 art.51) Cuando el transporte haya sido contratado para realizarse por medio de vehículos especialmente acondicionados para controlar la temperatura, la humedad del aire u otras condiciones ambientales, el porteador tan sólo podrá invocar en su favor la presunción de que la causa de la pérdida o avería fue la **naturaleza de las mercancías** cuando pruebe que ha tomado las medidas que le incumbían en relación con la elección, mantenimiento y empleo de las instalaciones del vehículo, y que se ha sometido a las instrucciones especiales que, en su caso, le hayan sido impartidas.

6616 **Cuantía de la indemnización** Se prevén diversos supuestos:

a) Indemnización por **pérdidas** (L 15/2009 art.52). En caso de pérdida total o parcial de las mercancías, la cuantía de la indemnización vendrá determinada por el valor de las no entregadas, tomando como base el valor que tuvieran en el momento y lugar en que el porteador las recibió para su transporte.

b) Indemnización por **averías** (L 15/2009 art.53). En caso de averías, el porteador estará obligado a indemnizar la pérdida de valor que experimenten las mercancías. La indemnización equivaldrá a la diferencia entre el valor de las mercancías en el momento y lugar en que el porteador las recibió para su transporte y el valor que esas mismas mercancías habrían tenido con las averías en idéntico tiempo y lugar.

Cuando las averías afecten a la totalidad de las mercancías transportadas, la indemnización no podrá exceder de la debida en caso de pérdida total. Cuando las averías ocasionen la depreciación de tan sólo una parte de las mercancías transportadas, la indemnización no podrá exceder de la cantidad que correspondería en caso de pérdida de la parte depreciada.

c) Indemnización por **retraso** (L 15/2009 art.56). En caso de retraso, se indemnizará el perjuicio que se pruebe que ha ocasionado dicho retraso.

6618 **Valor de las mercancías** (L 15/2009 art.55) El valor de las mercancías se determinará atendiendo al **precio de mercado** o, en su defecto, al valor de mercancías de su misma naturaleza y calidad.

En caso de que las mercancías hayan sido vendidas inmediatamente antes del transporte, se presumirá, salvo pacto en contrario, que su valor de mercado es el precio que aparece en la **factura** de venta, deducidos el precio y los demás costes del transporte que, en su caso, figuren en dicha factura.

Precisiones Con independencia de que la pérdida comercial de la mercancía pueda ser considerada ya como un **daño efectivo** ya como un supuesto de **lucro cesante**, es lo cierto que ambos deben ser **acreditados** tanto en cuanto a su existencia como a su cuantía (AP Pontevedra 29-12-16, EDJ 253795).

6620 **Reembolso de otros gastos** (L 15/2009 art.58) En caso de pérdida o avería **total**, además de la indemnización a que haya lugar, serán reintegrados en su totalidad el precio del transporte y los demás gastos devengados con ocasión del mismo.

Si la pérdida o avería es **parcial**, se reintegrarán a prorrata.

En ambos casos, los **gastos de salvamento** en que haya incurrido el cargador o destinatario se reintegrarán también, siempre que hayan sido razonables y proporcionados. No se resarcirá ningún otro daño o perjuicio.

6622 **Declaración de valor y de interés especial en la entrega** (L 15/2009 art.61) El cargador puede declarar en la carta de porte, contra el pago de un suplemento del precio del transporte a convenir con el porteador, el **valor de las mercancías**, que sustituirá al límite de indemnización previsto, siempre que sea superior a él.

Igualmente, el cargador puede declarar en la carta de porte, contra el pago de un suplemento del precio del transporte a convenir con el porteador, el montante de un **interés especial** en la entrega de las mercancías, para los casos de pérdida, avería o retraso en la entrega. La

declaración permitirá reclamar, con independencia de la indemnización ordinaria, el resarcimiento de los perjuicios que pruebe el titular de las mercancías hasta el importe del interés especial declarado.
Las partes del contrato de transporte podrán acordar el **aumento del límite** de indemnización previsto en la Ley. El acuerdo dará derecho al porteador a reclamar un suplemento del porte, a convenir entre las partes.

Límites de la indemnización (L 15/2009 art.57) La indemnización por **pérdida o avería** no podrá exceder de un tercio del indicador público de renta de efectos múltiples (IPREM)/día por cada kilogramo de peso bruto de mercancía perdida o averiada. 6624
La indemnización por los perjuicios derivados de **retraso** no excederá del precio del transporte.
En caso de **concurrencia de indemnizaciones** por varios de estos conceptos, el importe total a satisfacer por el porteador no superará la suma debida en caso de pérdida total de las mercancías.

Pérdida del beneficio de limitación (L 15/2009 art.62) No se aplicarán las normas que excluyen o limitan la responsabilidad del porteador, o que invierten la carga de la prueba, cuando el daño o perjuicio ha sido causado por él o por sus auxiliares, dependientes o independientes: 6626
- con actuación **dolosa**; o
- con una **infracción** consciente y voluntaria del **deber** jurídico asumido que produzca daños que, sin ser directamente queridos, sean consecuencia necesaria de la acción realizada por el porteador.

Precisiones 1) Una de las **novedades** de la reforma es esta referencia a la expresión «infracción consciente y voluntaria».
2) El sistema de responsabilidad en el transporte terrestre establece unos límites al importe de la indemnización a cargo del porteador -transportista- (L 15/2009 art.57). Pero este **beneficio de limitación de responsabilidad** se pierde cuando el daño producido sea causado con dolo o con infracción consciente y voluntaria del deber jurídico asumido que produzca daños que, sin ser directamente queridos, sean consecuencia necesaria de la acción (L 15/2009 art.62). La formulación alternativa del dolo que hace la L 15/2009 art.62 («con **infracción consciente y voluntaria**...»), similar a la que establece el Convenio de 19-5-1956 relativo al contrato de transporte internacional de mercancías por carretera (CMR), responde a una finalidad de **objetivar el dolo**, siendo el daño ocasionado consecuencia de la infracción de un deber jurídico cometido de forma consciente, sin necesidad de que concurra una intención de perjudicar. En un caso de robo donde concurrían determinadas circunstancias (estacionamiento en lugar peligroso, accesible y no vigilado, débil protección de la mercancía en un remolque cubierto por una lona y ausencia de vigilancia por el conductor), se calificó la conducta del conductor como incumplimiento de los deberes elementales de la obligación de custodia, justificando la no aplicación de los **límites cuantitativos** de la indemnización (TS 9-7-15, EDJ 153872; 10-7-15, EDJ 184157).

Reservas del porteador (L 15/2009 art.60) En el momento de **hacerse cargo de las mercancías**, el porteador deberá comprobar su estado aparente y el de su embalaje, así como la exactitud de las menciones de la carta de porte relativas al número y señales de los bultos. 6628
Los **defectos apreciados** se anotarán por el porteador en la carta de porte, mediante la formulación singularizada de reservas suficientemente motivadas. El porteador que carezca de medios adecuados para verificar la coincidencia del número y las señales de los bultos lo hará constar justificadamente en la carta de porte (L 15/2009 art.25).
Cuando existan fundadas **sospechas de falsedad** en torno a la declaración del cargador, el porteador podrá verificar el peso y las medidas de las mercancías, así como proceder al registro de los bultos. El resultado del reconocimiento se hará constar en la carta de porte o mediante acta levantada al efecto (L 15/2009 art.26).

El destinatario debe **manifestar por escrito** sus reservas al porteador o a sus auxiliares, describiendo de forma general la pérdida o avería en el momento de la entrega. En caso de **averías y pérdidas no manifiestas**, las reservas deberán formularse dentro de los siguientes 7 días naturales a la entrega. 6630
Cuando **no se formulen reservas** se presumirá, salvo prueba en contrario, que las mercancías se entregaron en el estado descrito en la carta de porte.
La reserva no es necesaria cuando el porteador y el destinatario hayan **examinado la mercancía conjuntamente** y estuvieran de acuerdo sobre su estado y las causas que lo motivan.
El **retraso** tan sólo dará lugar a indemnización cuando se hayan dirigido reservas escritas al porteador en el plazo de 21 días desde el siguiente al de la entrega de las mercancías al destinatario.
Las reservas por pérdidas, averías o retraso que deban dirigirse al porteador, podrán realizarse tanto ante éste como ante el **porteador efectivo** y surtirán efecto frente a ambos. Si las

reservas se dirigen exclusivamente a uno de los porteadores, éste estará obligado a comunicárselo al otro. En caso contrario, aquél responderá frente a éste de los daños y perjuicios que le cause tal falta de comunicación.

6632 Precisiones 1) Esta materia es una de las principales modificaciones de la L 15/2009. Anteriormente, las acciones por daños o faltas no podían ser ejercidas si no se habían formalizado las correspondientes reservas o protestas. Las reservas tenían un **carácter constitutivo** para la presentación de acciones (CCom art.366 derog L 15/2009, en relación con CCom art.952.2). Con la nueva ley, las reservas no tienen tal carácter constitutivo. Se podrán presentar las acciones a pesar de no haberse formulado las reservas. La formulación o no de reservas tendrá transcendencia en orden a la presunción del estado en el que se encuentran las mercancías en el momento de la entrega, pero no impide presentar la demanda.

También se ha modificado la **forma de presentar** las reservas. Anteriormente nada se establecía sobre la forma de presentar las reservas. Fueron los tribunales los que se encargaron de señalar que la reserva no tiene que contener los daños y las faltas apreciadas, que no es relevante a quien se dirija, sino que lo relevante es que se realice, y que, en definitiva, debe constituir una mera protesta en la que se advierta que la mercancía no se ha entregado en el estado en el que figura en el documento de transporte.

En la nueva ley ya se especifica la forma de hacer las reservas y a quien hacerlas.

La nueva ley otorga a la **falta de reservas** un efecto probatorio, pero no impide presentar demanda. Así se establece que cuando no se formulen reservas se presumirá, salvo prueba en contrario, que las mercancías se entregaron en el estado descrito en la carta de porte.

2) La ausencia de reservas no impide el ejercicio de la acción de responsabilidad por perdida o avería de las mercancías transportadas, sino que tan solo provoca que «se presumirá, salvo prueba en contrario, que las mercancías se entregaron en el estado descrito en la carta de porte». En todo caso, el **rechazo del destinatario** a recibir la mercancía evidencia la disconformidad con la misma, por lo que, aun en el caso de que se presuma que la mercancía estaba en buen estado al ser entregada al porteador, su rechazo por el destinatario en el momento en que iba a ser entregada es prueba de su estado defectuoso -en este caso por la posible rotura de la cadena de frío de los alimentos- (AP Pontevedra 29-12-16, EDJ 253795).

D. Prescripción de acciones

6635 **Plazo de las acciones** (L 15/2009 art.79.1) Como **regla general**, las acciones que se deriven de la ley prescribirán en el plazo de un año.

Sin embargo, en el caso de que tales acciones se deriven de una **actuación dolosa** o con una infracción consciente y voluntaria del deber jurídico asumido que produzca daños que, sin ser directamente queridos, sean consecuencia necesaria de la acción, el plazo de prescripción será de dos años.

Precisiones 1) Es otra de las novedades de la ley de contrato de transporte terrestre. **Anteriormente** el plazo de reclamación del pago de los portes por parte del porteador prescribía en el plazo de 6 meses (derogado CCom art.951).

2) El plazo de prescripción que debe aplicarse a la acción de reclamación de portes es el de un año sancionado en la vigente Ley de contrato de transporte terrestre. No resulta de aplicación el plazo establecido en el CC art.1964, pues previniéndose normativamente un plazo específico, como es el caso, no procede la aplicación de la referida **norma general** que opera supletoriamente (AP Barcelona 8-2-13, EDJ 33510).

3) En cuanto a la **prescripción extintiva** de la acción ejercitada con fundamento en la L 15/2009 art.79.1 -Ley reguladora del contrato de transporte terrestre de mercancías-, que establece que «las acciones a las que pueda dar lugar el transporte regulado en esta ley prescribirán en el plazo de un año», es claro que este término se aplica con carácter general a todas las acciones nacidas del contrato de transporte regido por la Ley especial. Se aplica, por tanto, el **plazo especial de un año**, en lugar del plazo general de cinco años, establecido en el CC art.1964.2 (AP A Coruña 2-5-23, EDJ 623838).

6637 **Cómputo del plazo** (L 15/2009 art.79.2) El plazo de prescripción comenzará a contarse:

a) En las acciones de indemnización por **pérdida parcial o avería** en las mercancías o por retraso: desde su entrega al destinatario.

b) En las acciones de indemnización por **pérdida total** de las mercancías: a partir de los 20 días de la expiración del plazo de entrega convenido o, si no se ha pactado plazo de entrega, a partir de los 30 días del momento en que el porteador se hizo cargo de la mercancía.

c) En todos los **demás casos**, incluida la reclamación del precio del transporte, de la indemnización por paralizaciones o derivada de la entrega contra reembolso y de otros gastos del transporte: transcurridos 3 meses a partir de la celebración del contrato de transporte o desde el día en que la acción pudiera ejercitarse, si fuera posterior.

Entre porteadores, la prescripción de las **acciones de regreso** comenzará a contarse a partir del día en que se haya dictado una sentencia o laudo arbitral firme que fije la indemnización a pagar según lo dispuesto en esta ley, y si no existe tal fallo, a partir del día en que el porteador reclamante efectuó el pago.

Interrupción de la prescripción (L 15/2009 art.79.3) La prescripción de las acciones surgidas del contrato de transporte se interrumpe por las **causas** señaladas con carácter general para los contratos mercantiles. **6639**

La **reclamación por escrito** suspende la prescripción, reanudándose su cómputo sólo a partir del momento en que el reclamado rechace la reclamación por escrito y devuelva los documentos que, en su caso, acompañaron a la reclamación.

Precisiones 1) Se reconocen efectos interruptivos de la prescripción a la reclamación hecha por **correo electrónico** (AP Madrid 10-12-12, EDJ 309415).

2) Se declara prescrita la acción por haber dejado transcurrir un plazo de más de 6 meses (antiguo plazo de prescripción, CCom art.951 -derogado-) desde el auto de archivo del procedimiento monitorio hasta la interposición de la demanda, sin haber formulado ninguna reclamación extrajudicial -CCom art.951- (AP Barcelona 8-2-13, EDJ 33510).

3) La **reclamación extrajudicial por escrito** suspende la prescripción de las acciones surgidas del contrato de transporte, reanudándose el cómputo a partir del momento en que el reclamado rechace la reclamación por escrito y devuelva los documentos que, en su caso, acompañaron a la reclamación. De la correlación existente entre los art.32.2 CMR y L 15/2009 art.79.3, así como de las sentencias de esta Sala (entre otras, TS 13-5-08, EDJ 82743), se desprende que la normativa española ha incidido en la distinta regulación y alcance que presentan la interrupción y la suspensión de la prescripción de la acción. Así, mientras que la **interrupción** determina que el plazo comience a contarse nuevamente desde el principio, la **suspensión**, por el contrario, no resta eficacia al tiempo ya transcurrido, de forma que el cómputo del plazo simplemente se reanuda. En el presente caso, la suspensión de la prescripción de la acción se desprende de los correos electrónicos enviados, que reflejan con claridad la reclamación por escrito de la demandante (TS 25-11-16, EDJ 215401).

E. Contrato de transporte continuado

(L 15/2009 art.8; OM FOM/1882/2012 condición 8)

Por el contrato de transporte continuado, el porteador se obliga frente a un mismo cargador a realizar una **pluralidad de envíos** de forma sucesiva en el tiempo. El número, frecuencia, características y destino de los envíos podrán determinarse en el momento de contratar o antes de su inicio (L 15/2009 art.8). **6645**

Precisiones 1) En torno al 75% de los transportes se realizan mediante un contrato continuado. Sin embargo, parece que la interpretación que se hace de este tipo de contrato es la de un **contrato marco**, del que se derivarán los distintos contratos por viaje, contratos que estarán sometidos a lo que se dispone en la ley con carácter general. No se interpreta el contrato continuado como alternativa al contrato por viaje, de forma que el contrato por viaje pudiera ser considerado como contrato por tiempo o contrato de disposición.

2) La regulación de esta figura es una de las principales **novedades** de la nueva Ley de contrato de transporte de mercancías (L 15/2009), aunque su trascendencia dependerá de la extensión que den los tribunales y las juntas arbitrales de transporte al contrato continuado, y del alcance que de esta forma de contratación se haga en el desarrollo reglamentario.

Formalización (L 15/2009 art.16 redacc RDL 14/2022) El contrato de transporte continuado se formalizará por **escrito**, con efectos probatorios, y deberá reflejar el precio como mención obligatoria. La ausencia de formalización por escrito o la no inclusión del precio no producirá la inexistencia o la nulidad del contrato. **6647**

Este contrato servirá de marco a las **cartas de porte** (nº 6482) que hayan de emitirse para concretar los términos y condiciones de cada uno de los envíos a que diera lugar.

Cuando la parte contratante requerida a formalizar por escrito el contrato se negase a ello, la otra podrá considerarla desistida de este, con los efectos que, en su caso, correspondan de conformidad con lo dispuesto en la L 15/2009 art.18.2 y 19.1, y con lo dispuesto en la L 16/1987 de Ordenación de los Transportes Terrestres.

Precisiones 1) A los efectos de lo dispuesto en la normativa reguladora del trabajo autónomo, el contrato de transporte continuado celebrado con un trabajador **autónomo económicamente dependiente** deberá celebrarse por escrito y de conformidad con dicha normativa (L 15/2009 art.16.4).

2) Constituye **infracción grave** la no formalización de la carta de porte o del contrato de transporte continuado por escrito, en los supuestos en los que fuera obligatorio, de conformidad con lo dispuesto en la L 15/2009. Se presume que el cargador contractual y el transportista efectivo son los responsables de esta infracción, salvo que prueben lo contrario (L 16/1987 art.141.28).

6649 **Variación del precio** (L 15/2009 art.38.3 redacc RDL 3/2022) Se aplican de forma automática los incrementos o reducciones determinados por la aplicación de los criterios o fórmulas que, en cada momento, tenga establecidos la Administración en las correspondientes condiciones generales de contratación del transporte de mercancías por carretera, con **carácter trimestral** en relación con el precio inicialmente pactado, salvo que se pacte otra periodicidad menor (ver nº 6539).
Respecto de los contratos de transporte continuado **vigentes** a fecha 2-3-2022 (RDL 3/2022 disp.trans.1ª):
1. Si incluyen criterios o fórmulas de revisión del precio del transporte por variación del precio del gasóleo distintos de los establecidos por la Administración o una periodicidad superior a trimestral en la revisión del precio, se les aplicará lo indicado en la L 15/2009 art.38 en la redacción dada por el RDL 3/2022, en un plazo máximo de 6 meses (fecha límite 2-9-2022).
2. Si no tuvieran prevista una cláusula de revisión del precio por variación del precio del gasóleo, será obligatoria la revisión del precio del transporte por este motivo en los transportes realizados con posterioridad a la entrada en vigor del RDL 3/2022 -a fecha 2-3-2022- (L 15/2099 art.38 redacc RDL 3/2022).
3. En los contratos de transporte que utilicen vehículos propulsados por **combustibles distintos del gasóleo**, se les aplicará lo dispuesto en la L 15/2009 art.38 redacc RDL 3/2022, desde el momento en el que entren en vigor para estos supuestos los criterios o fórmulas de la Administración aplicables para su cálculo.

6651 **Exigibilidad del precio** (L 15/2009 art.39.3) En los contratos de transporte continuado, si las partes hubiesen acordado el pago periódico del precio del transporte y de los gastos relativos a los sucesivos envíos, dicho pago no será exigible hasta el vencimiento del plazo convenido.

6653 **Extinción** (L 15/2009 art.43) Los contratos de transporte continuado que tengan un **plazo de duración determinado** se extinguirán por el transcurso del mismo, salvo prórroga o renovación.
Si no se hubiera determinado plazo se entenderá que han sido pactados por **tiempo indefinido**. Los contratos pactados por tiempo indefinido se extinguirán mediante la denuncia hecha de buena fe por cualquiera de las partes, que se notificará a la otra por escrito, o por cualquier otro medio que permita acreditar la constancia de su recepción, con un plazo de antelación razonable, que en ningún caso podrá ser inferior a 30 días naturales.

F. Transportes especiales

6660 La L 15/2009 regula ciertos tipos especiales de transporte terrestre (principalmente mudanza), estableciendo con respecto a otras modalidades el carácter supletorio de la Ley.
Por otro lado, se establecen condiciones generales de contratación aplicables específicamente al transporte de paquetería y al transporte de mercancías peligrosas.

6662 **Contrato de mudanza** (L 15/2009 art.71 a 77) El contrato de mudanza es aquel por el que el porteador se obliga a transportar **mobiliario, ajuar doméstico, enseres y sus complementos** procedentes o con destino a viviendas, locales de negocios o centros de trabajo, además de realizar las operaciones de carga, descarga y traslado de los objetos a transportar desde donde se encuentren hasta situarlos en la vivienda, local o centro de trabajo de destino.
El **resto de las operaciones**, como la preparación, armado o desarmado, embalaje, desembalaje y otras complementarias, quedarán a la voluntad contractual de las partes contratantes.
Este contrato está sometido a las normas aplicables al modo de transporte que se utilice en cuanto no se opongan a lo establecido en la L 15/2009 art.71 a 77.

6664 **Encargos en el transporte de viajeros** (L 15/2009 disp.adic.2ª) En el transporte de viajeros, cuando el porteador, a cambio de una remuneración, se obligue a transportar a bordo del vehículo cualquier objeto que no guarde relación directa con ninguno de los viajeros que ocupan plaza en el vehículo, dicho transporte se regirá por las normas de la L 15/2009.

6666 **Transporte fluvial** (L 15/2009 disp.adic.1ª) El contrato de transporte fluvial de mercancías queda sometido a la L 15/2009 mientras no se regule por ley especial.

6668 **Transporte realizado con bicicleta** (L 15/2009 disp.adic.5ª) En tanto no se dicten disposiciones reguladoras del contrato de transporte realizado mediante la utilización de bicicleta, éste quedará sujeto a las normas contenidas en la L 15/2009 que le resulten de aplicación.

Transportes postales (L 15/2009 disp.adic.3ª) La contratación de los servicios de recogida, transporte y distribución de envíos postales en el marco del servicio postal universal se regirá por las normas reguladoras del sector postal y, en lo no previsto por éstas, por la L 15/2009. **6670**

Transporte de paquetería (L 15/2009 art.20.3 y 44.3; OM FOM/1882/2012 condición 9) En lo que respecta a los servicios de paquetería y otros similares, se establecen **reglas especiales** relativas a: **6672**
- la carga y descarga;
- el plazo de entrega de la mercancía al destinatario:
- el depósito y enajenación de los envíos.

Carga y descarga (L 15/2009 art.20.3; OM FOM/1882/2012 condición 9.1) En los servicios de paquetería y cualesquiera otros similares que impliquen la recogida o reparto de envíos de mercancías consistentes en un **reducido número de bultos** que puedan ser fácilmente manipulados por una persona sin otra ayuda que las máquinas o herramientas que lleve a bordo el vehículo utilizado, las operaciones de carga y descarga, salvo que se pacte otra cosa, serán **por cuenta del porteador**. **6674**
En esta clase de servicios, la **estiba y desestiba** de las mercancías corresponden, en todo caso, al porteador.
El porteador debe soportar las consecuencias de los **daños causados** en las operaciones que le corresponda realizar.

Entrega de la mercancía al destinatario (OM FOM/1882/2012 condición 9.2 y 3) En los servicios de paquetería y similares en los que sea necesario acumular varios envíos para completar la carga de un vehículo, el **plazo** de entrega de cada envío a su destinatario, cuando no se hubiese establecido expresamente, se determinará sumando 24 horas al resultado de aplicar las reglas generales señaladas para el transporte de mercancía por carretera (OM FOM/1882/2012 condición 6.1: nº 6526). **6676**
Se regula también el depósito y enajenación de las mercancías por **incidencias en la entrega** (OM FOM/1882/2012 condición 9.3).

Transporte de mercancías peligrosas (L 15/2009 art.24; OM FOM/1882/2012 condición 10) Para la aplicación de las condiciones generales de contratación a los contratos de transporte de mercancías peligrosas, en lo relativo a los **sujetos**, debe entenderse que: **6678**
- todas las referencias al **expedidor** contenidas en el Acuerdo Europeo sobre Transporte Internacional de Mercancías Peligrosas y el resto de la legislación especial en la materia, están hechas al cargador, según está definido en las mencionadas condiciones generales (quien contrata en nombre propio la realización de un transporte y frente al cual el porteador se obliga a efectuarlo);
- las que dicha legislación contiene en relación con el **cargador** deben entenderse hechas al expedidor, según está definido en las condiciones generales (el tercero que, por cuenta del cargador, hace entrega de las mercancías al transportista en el lugar de recepción de la mercancía).

Precisiones Sobre **transporte internacional** de mercancías peligrosas, ver nº 6908.

En lo que respecta a la **documentación** del transporte, se establece que, si el cargador entrega al porteador mercancías peligrosas, ha de especificar la naturaleza exacta del peligro que representan, indicándole las precauciones a tomar. En caso de que este aviso no haya sido consignado en la **carta de porte**, recae sobre el cargador o destinatario la carga de la prueba de que el porteador tuvo conocimiento de la naturaleza exacta del peligro que presentaba el transporte de dichas mercancías. **6680**
El porteador que **no haya sido informado** de la peligrosidad de las mercancías no está obligado a continuar el transporte y puede descargarlas, depositarlas, neutralizar su peligro, devolverlas a su origen o adoptar cualquier otra medida que resulte razonable en atención a las circunstancias del caso. El porteador debe comunicarlo inmediatamente al cargador, el cual ha de asumir los **gastos y daños** derivados de tales operaciones.

Precisiones Desde el **19-3-2014**, las operaciones de transporte de mercancías peligrosas por carretera en territorio español, se regulan en el RD 97/2014.

II. Transporte interior de viajeros por carretera

6687 El régimen legal en el **ordenamiento español** del transporte interior de viajeros por carretera está contenido en la L 16/1987 de Ordenación de Transportes Terrestres (LOTT), desarrollada por:
- RD 1211/1990 (ROTT);
- OM 25-10-90, sobre Documentos de Control en relación con el Transporte de Viajeros y las actividades auxiliares y complementarios del mismo;
- OM FOM/1230/2013, por la que se establecen normas de control en relación con los transportes públicos de viajeros por carretera.

En **materia contractual**, al tratarse generalmente de **contratos de adhesión**, ha de estarse a lo dispuesto en cada caso por la empresa que presta el servicio, en tanto se aprueban las condiciones generales de contratación para este tipo de transporte.

Precisiones Debe tenerse en cuenta lo siguiente:
• Resultan de aplicación subsidiaria las normas generales sobre el **arrendamiento de obra** (nº 5065).
• No es posible la aplicación por analogía de los preceptos que regulan el **transporte de mercancías** (nº 6460).
• De los **elementos personales** propios del transporte de mercancías, en el de viajeros no están presentes las figuras de remitente y consignatario.

6689 En el **ámbito europeo** se ha aprobado el Rgto UE/181/2011, sobre los derechos de los viajeros de autobús y autocar (nº 6733), el cual se aplica a los viajeros que utilicen (art.2):

a) Servicios regulares para viajeros de categoría indeterminada en los que concurran las dos siguientes circunstancias:
- que su punto de embarque o desembarque esté situado en el territorio de un Estado miembro; y
- que la distancia programada del trayecto sea igual o **superior a 250 Km** (nº 6733).

No obstante, cuando la distancia programada del viaje sea **inferior** a 250 Km, se aplican los siguientes preceptos del citado Rgto UE/181/2011.
- art.4.2: Las condiciones de transporte se deben ofrecer al público en general sin discriminación directa ni indirecta por razones de nacionalidad del cliente final o del lugar de establecimiento de los transportistas o de los proveedores de billetes en la Unión (no discriminación).
- art.9 y 10.1: Los transportistas, las agencias de viajes y los operadores turísticos no podrán negarse a aceptar una reserva de una persona, a emitir o a proporcionarle de otro modo un billete, o a embarcarla, por su discapacidad o movilidad reducida, salvo en caso de que concurra alguna de las excepciones legalmente previstas. Las reservas y los billetes se ofrecerán a estas personas sin coste adicional alguno.
- art.16.1.b y 2: Sobre la formación del personal (del transportista o de las estaciones) en materia de asistencia a discapacitados o personas con movilidad reducida.
- art.17.1 y 2: Sobre la responsabilidad íntegra del transportista por las pérdidas o daños en sillas de ruedas u otros equipos de ayuda a la movilidad o dispositivos de asistencia.
- art.24 y 25: Sobre la información a viajeros sobre el viaje y sus derechos.
- art.26 a 27: Establecimiento, por parte del transportista, de un mecanismo de reclamaciones relativas a los derechos y obligaciones de los viajeros.

b) Servicios discrecionales (nº 6699), cuando el punto de embarque inicial o el punto de desembarque final del viajero esté situado en el territorio de un Estado miembro, pero únicamente en lo relativo a los siguientes derechos:
- condiciones no discriminatorias de acceso al transporte (Rgto UE/181/2011 art.4 a 6);
- indemnización y asistencia en caso de accidente (Rgto UE/181/2011 art.7 y 8);
- indemnizaciones relacionadas con la pérdida o daños causados a las sillas de ruedas y otros equipos de ayuda a la movilidad (salvo la obligación de puesta a disposición temporal de dispositivos sustitutivos -Rgto UE/181/2011 art.17.3-).

No se aplican a los servicios discrecionales de viajeros las previsiones del Rgto que se refieren a los derechos de las personas con discapacidad o movilidad reducida (salvo lo dispuesto sobre la indemnización en caso de pérdida o daños de las sillas de ruedas y demás equipos de movilidad), a los derechos de los viajeros en caso de cancelación o retraso del viaje, las normas sobre información a viajeros y mecanismos de reclamación, ni las relativas a los organismos de aplicación nacionales.

En el ámbito autonómico, las **comunidades autónomas** tienen atribuidas competencias en materia de transportes. Dicha delegación de competencias en relación con los transportes por carretera y por cable se concreta en la LO 5/1987. El contenido de la delegación, en lo que afecta a transporte de viajeros, hace referencia a los siguientes temas: **6691**
• Servicios parciales, comprendidos en **líneas regulares interiores de viajeros**, cuyo itinerario discurra por el territorio de más de una comunidad autónoma.
• Servicios de **transporte interior público regular de viajeros** de uso general, cuyo itinerario discurra por el ámbito de más de una comunidad autónoma.
• Servicios de **transporte público discrecional** de viajeros, mercancías o mixtos, prestados al amparo de autorizaciones cuyo ámbito territorial exceda del de una comunidad autónoma.
• Transportes **privados** que discurran por el territorio de varias comunidades autónomas.
• Transportes realizados en **teleféricos**.
• **Inspección** de los servicios y demás actividades de transporte.
• Competencias administrativas relativas a la adquisición, acreditación y control de la **capacitación profesional** para la realización del transporte.
En el ejercicio de esta delegación, las comunidades autónomas han aprobado normas puntuales que afectan principalmente a las **tarifas** aplicables a las distintas modalidades de transporte de viajeros.

A. Consideraciones generales

Se exponen en este apartado, aparte de la descripción de las diferentes clases de transporte de viajeros por carretera, ciertas normas de común aplicación a todas esas clases, referidas principalmente a los elementos del contrato, a las obligaciones principales de las partes y al sistema de responsabilidad. **6697**

Clases (LOTT art.64, 67) Los transportes públicos de viajeros por carretera se clasifican en regulares y discrecionales: **6699**
- Son transportes **regulares** los que se efectúan dentro de itinerarios preestablecidos, y con sujeción a calendarios y horarios prefijados (nº 6792). En este tipo de transporte, la contratación se hace por asientos (un billete por plaza).
- Son transportes **discrecionales** los que se llevan a cabo sin sujeción a itinerario, calendario ni horario preestablecido (nº 6830). En los transportes discrecionales la contratación se hace por vehículo.

A su vez, los transportes públicos **regulares** de viajeros pueden ser, por su utilización, de uso general o de uso especial: **6701**
• Son transportes públicos regulares de **uso general** los que van dirigidos a satisfacer una demanda general, siendo utilizables por cualquier interesado.
• Son transportes públicos regulares de **uso especial** los que están destinados a servir, exclusivamente, a un grupo específico de usuarios tales como escolares, trabajadores, militares, o grupos homogéneos similares.
Cada tipo de contrato de viajeros puede dar lugar a un **modelo de contrato**, cada uno de ellos con sus características singulares (nº 6703 s.).

Precisiones La distinción entre transportes públicos regulares «**permanentes**» y «**temporales**» fue eliminada por la L 9/2013 de reforma de la L 16/1987 de Ordenación del Transporte Terrestre, cuya disp.adic.2ª dispone que «las calificaciones de los transportes regulares de viajeros como permanentes o temporales se tendrán por no hechas».

6703 **Contrato-tipo y condiciones generales** (LOTT art.40, 41; ROTT art.13) Los contratos de transporte tienen naturaleza **mercantil** y en consecuencia son competencia de la Administración central.
La Administración está obligada a:
- **informar a los usuarios** de las prestaciones del sistema de transportes que en cada momento se encuentren a disposición de los mismos, así como de sus modificaciones;
- elaborar el **catálogo de los derechos y deberes** de los usuarios del transporte, cuya difusión y cumplimiento se tutelará por ella. Los citados deberes vendrán fundamentalmente determinados por el establecimiento de las **condiciones generales** de utilización del servicio y de las obligaciones de los usuarios;
- fijar las **condiciones generales** que habrán de cumplir los usuarios, así como las **obligaciones** de los mismos en la utilización de los transportes terrestres.
Asimismo, la Administración, oídos los organismos y las asociaciones sectoriales, puede establecer contratos-tipo o condiciones generales de contratación para las distintas **clases de transporte terrestre** y de actividades auxiliares y complementarias del transporte por carretera, en los que se determinarán los derechos y obligaciones recíprocas de las partes y las demás reglas concretas de cumplimiento de los contratos singulares.
En lo que se refiere al contrato-tipo, hemos de distinguir dos supuestos, según se trate de transporte regular (nº 6705) o discrecional (nº 6707). También puede aprobarse para las estaciones de autobuses.

Precisiones La Administración **no ha aprobado** el contrato-tipo de transporte de viajeros por carretera.

6705 **Transporte regular** Los contratos de transporte de viajeros, de carácter individual o por asiento, se regulan conforme a las **cláusulas** de los contratos-tipo que en cada caso apruebe la Administración y se deben formalizar a través de la expedición del correspondiente **billete**.
En los transportes de viajeros por carretera en vehículos de turismo o en autobús, con **contratación por asiento**, y en los transportes de viajeros por ferrocarril o por cable (p.e., teleférico), asimismo con contratación por asiento, se han de aplicar con carácter **imperativo** los contratos-tipo o condiciones generales de contratación aprobados en su caso por la Administración.
Es posible, sin embargo, la inclusión de **cláusulas anexas** a dichos contratos-tipo que se apliquen únicamente con carácter subsidiario o supletorio a las que pacten las partes.
En todo caso, las empresas de transporte pueden ofrecer a los usuarios **condiciones más favorables** a las establecidas en los contratos-tipo, teniendo en este caso, estas últimas, el carácter de condiciones mínimas.

Precisiones Las **obligaciones de los transportistas u otros agentes** respecto de los viajeros no podrán ser objeto de limitación o exención mediante, en particular, la introducción de excepciones o cláusulas restrictivas en el contrato de transporte. Los transportistas podrán ofrecer condiciones contractuales más favorables para los viajeros que las establecidas en el Rgto UE/181/2011, de conformidad con su art.6.

6707 **Transporte discrecional** La Administración puede también aprobar contratos-tipo en relación con los transportes de viajeros **contratados por vehículo**. Las reglas de los contratos-tipo o condiciones generales, cuando se refieran a contratos de transportes de viajeros en ferrocarril o autobús, contratados **por coche completo** son aplicables **en forma subsidiaria** o supletoria a las que libremente pacten las partes, de forma escrita, en los correspondientes contratos singulares.
Dentro de los **transportes en autobús** contratados a coche completo han de entenderse incluidos los regulares de uso especial (nº 6701) y el arrendamiento de vehículos, con o sin conductor.

6709 **Condiciones generales** Las empresas de transporte de viajeros suelen aprobar y publicar condiciones generales que regulan la contratación y realización del transporte, y en particular referidas a las siguientes materias:
- la **responsabilidad** que se pretende derivar a la empresa que realiza efectivamente el servicio (p.e., indicando que la empresa no se hace responsable de la pérdida de enlaces);
- los **equipajes**, mediante la aplicación del límite legal de responsabilidad o con condiciones especiales para el transporte de bicicletas, tablas de surf o skis, o para el transporte de mascotas;
- el transporte de **menores** sin acompañante;
- la **antelación** con la que el viajero debe presentarse antes de la salida;
- la anulación y cambio de **billetes**, venta de billetes a través de internet y billetes de ida y vuelta, descuentos y medios de pago;
- la calidad de los servicios de refuerzo;
- el sistema de **reclamaciones** y sometimiento o no a las juntas arbitrales de transporte.

Publicidad Los contratos-tipo o condiciones generales de contratación, o un extracto autorizado de los mismos, deben estar **expuestos al público** en los locales en los que las empresas de transporte, o de actividades auxiliares y complementarias del mismo, realicen la contratación del transporte o expidan los correspondientes billetes. 6711

Hoja de ruta (OM FOM/1230/2013 art.1) Todos los autobuses destinados a la prestación de servicios de transporte público de viajeros deben circular provistos de la correspondiente hoja de ruta. 6713

Únicamente quedan **exentos** del cumplimiento de dicha obligación los siguientes supuestos:

a) Vehículos expresamente adscritos a la prestación de un servicio público de transporte regular de viajeros de uso general, mientras se encuentren realizando una de las expediciones de dicho servicio.

b) Vehículos de los que dispongan en nombre propio las empresas titulares de una autorización de transporte regular de viajeros de uso especial, mientras se encuentren realizando una de las expediciones contempladas en dicha autorización.

La **empresa transportista** está obligada a conservar, a disposición de los Servicios de Inspección del Transporte Terrestre, las hojas de ruta relativas a cada uno de los servicios que realice, durante el plazo de un año contado desde la fecha en que fueron realizados.

Precisiones El proyecto de Ley de Movilidad Sostenible y Financiación del Transporte establece que la **hoja de ruta** regulada OM FOM/1230/2013, será necesariamente **digital**.

Contenido y características de la hoja de ruta (OM FOM/1230/2013 art.2) El **Ministro de Fomento** ha de determinar las características y contenido de la hoja de ruta, así como los criterios relativos a su cumplimentación y uso. 6715

En todo caso, deben reflejarse en la hoja de ruta los siguientes **datos** relativos al servicio de transporte a que se encuentre referida:

a) Nombre y NIF de la **empresa transportista**.

b) Nombre y NIF de la persona, empresa o **entidad contratante** del servicio.

c) **Origen, destino y fecha** de realización del servicio. En los servicios correspondientes a las clases identificadas en la OM FOM/1230/2013 art.2.f.1º y 4º deben consignarse además las paradas intermedias que, en su caso, se han realizado durante el viaje.

d) **Matrícula** del autobús que presta el servicio.

e) Nombre y NIF del **conductor** que presta el servicio.

f) Naturaleza del servicio, conforme a la siguiente **clasificación**:

- servicio discrecional;
- servicio discrecional prestado como refuerzo de un servicio público de transporte regular de uso general, en cuyo caso ha de identificarse el servicio que se refuerza;
- servicio discrecional prestado como colaboración en la prestación de un transporte regular de uso especial, en cuyo caso ha de identificarse el transporte en cuya prestación se colabora;
- servicio turístico.

Precisiones La hoja de ruta puede consistir en un **registro electrónico** de datos que puedan ser transformados en signos de escritura legibles, debiendo en ese caso cumplirse las condiciones previstas en ROTT art.222.2.

Billete (Rgto UE/181/2011 art.4; OM 25-10-90 art.7 s.) En todos los servicios interurbanos de transporte de viajeros por carretera contratados por **plaza con pago individual**, la empresa deberá proveer al usuario del correspondiente título de transporte o billete que deberá ser conservado por éste hasta la finalización del viaje. Los niños menores de cuatro años que no ocupen plaza no necesitan billete. 6717

El transportista debe emitir un billete al viajero, a menos que otros documentos concedan el derecho al transporte. Los billetes pueden emitirse en formato electrónico.

En el billete figurarán claramente legibles, sin enmiendas ni tachaduras, al menos las siguientes inscripciones o **indicaciones**:

a) Nombre de la empresa titular de la concesión o autorización.

b) Origen y destino del viaje.

c) Fecha de emisión del billete.

d) Precio del billete, incluida aquella parte del mismo que corresponda a la aplicación del Impuesto sobre el Valor Añadido, seguida de la indicación «IVA incluido».

e) Fecha de realización del servicio.

No será preciso determinar en los billetes la fecha de realización del servicio en los siguientes supuestos:

- en los **servicios de cercanías** con venta de billetes en ruta;
- en los billetes adquiridos anticipadamente con **fecha abierta**;

- en los de **ida y vuelta o conjuntos** cuando haya quedado abierta la fecha de regreso (caso de billetes de ida y vuelta) o de continuación de viaje (caso de billetes conjuntos), que habrán de ser formalizados con posterioridad una vez que se haya determinado su fecha de utilización.
El billete equivale a la **carta de porte** en el transporte de mercancías. Por tanto, su valor probatorio es el mismo, es decir, aunque no son elementos constitutivos del contrato, prueban la existencia del mismo (nº 6482).

Precisiones 1) El CCom art.352, derogado por L 15/2009, establecía que las cartas de porte o billetes en los casos de transporte de viajeros, podrán ser diferentes, unos para las personas y otros para los equipajes, pero todos contendrán la indicación del porteador, la fecha de la expedición, los puntos de salida y llegada, el precio, y, en lo tocante a los **equipajes**, el número y peso de los bultos, con las demás indicaciones que se crean necesarias para su fácil identificación. El conocido como «talón de equipajes» tiene la consideración de **documento al portador** (TS 7-5-86).
2) El borrador de anteproyecto de Ley de Código Mercantil (versión mayo de 2014) art.561-82 se refería al **talón de equipaje** en los siguientes términos: «1. Siempre que se transporte equipaje, el porteador deberá expedir al pasajero un talón de equipaje con las menciones necesarias para su correcta identificación o bien incluir esas menciones en el documento de transporte. En el transporte por carretera esta norma solo será aplicable cuando se trate de servicios regulares de uso general. 2. El documento que se expida hará fe, salvo prueba en contrario, de la veracidad de sus menciones, así como de la recepción del equipaje por el porteador en buen estado aparente».

6719 En cuanto a los **puntos de venta**, los billetes podrán ser despachados en los siguientes lugares (OM 25-10-90 art.8 a 11):
a) En los **locales** a tal efecto establecidos por las empresas titulares de los servicios regulares de transporte de viajeros de uso general; y en todo caso en las estaciones de viajeros.
b) En las **agencias de viaje** y, en su caso, en los locales u oficinas de aquellas personas que estén autorizadas por los titulares de servicios regulares de transporte de viajeros de uso general para hacerlo en su nombre.
c) En **ruta**, por el conductor del vehículo u otro empleado a tal efecto designado por la empresa.
El **despacho de billetes** para su utilización inmediata se abrirá al menos treinta minutos antes de la salida de cada servicio y no podrá cerrarse hasta diez minutos antes de la misma. Se reservará, en todo caso, para esta modalidad de venta al menos el 20 por 100 del total de plazas útiles del vehículo o de los vehículos que realicen simultáneamente el servicio.
En cualquiera de los puntos de venta previstos en los apartados a) y b) podrá procederse a la **venta anticipada** de billetes, ya sea con reserva de plaza para un servicio concreto o con fecha de utilización abierta en un servicio futuro. En los billetes despachados con **reserva de plaza** se hará constar la fecha de realización del servicio, referida a la fecha en que los mismos van a ser utilizados, quedando ese día reservada plaza al portador del billete. La reserva de plaza no dará lugar en ningún caso a percepción complementaria o recargo alguno sobre el precio del billete.
En cualquiera de los puntos de venta podrán despacharse billetes de **ida y vuelta** que, por cuanto se refiere al viaje de vuelta, seguirán idéntico régimen al previsto para los de venta anticipada.

Precisiones Previa autorización del órgano competente, los billetes podrán ser sustituidos por **tarjetas de abono** o documentos similares valederos, en un mismo o distintos trayectos, para un número limitado de viajes o para un determinado período de tiempo con o sin límite en cuanto al número de viajes (OM 25-10-90 art.14).

6721 Por lo que se refiere a los **billetes conjuntos** (OM 25-10-90 art.12), cuando los horarios de distintos servicios de transporte de viajeros por carretera, o de éstos y el ferrocarril u otro modo de transportarse, se hallen establecidos en forma que permita facilitar la continuidad de los viajes o transportes a través de los respectivos itinerarios, las empresas titulares de los mismos podrán, en cualquiera de los puntos de venta, proceder a la expedición conjunta de billetes sin alteración de sus respectivas tarifas.
Los billetes conjuntos no autorizan modificación alguna en las **condiciones de explotación** de los servicios afectados; por tanto, cuando se trate de distintos servicios por carretera, cada uno de los mismos deberá ser realizado con los vehículos de que disponga la empresa titular del mismo y deberá efectuarse transbordo en el punto de contacto, salvo que, expresamente, la prestación de aquéllos sin solución de continuidad con un mismo vehículo hubiera sido autorizada por el órgano competente conforme al procedimiento reglamentariamente previsto.
En los billetes conjuntos deberán figurar por separado los **precios** correspondientes a cada uno de los trayectos de las distintas concesiones afectadas.

Equipajes, encargos y bultos de mano (LOTT art.23; L 15/2009 disp.adic.2ª) Se entenderá por **equipaje** cualquier objeto o conjunto de objetos que, a petición del viajero, acompañen a éste durante el viaje a bordo de la bodega, la baca o remolque del mismo vehículo. 6723

Se entenderá por **encargo** cualquier objeto que la empresa transportista se obliga a transportar por cuenta ajena a bordo del vehículo que realice el servicio de que se trate, cuando dicho objeto no guarde relación directa con ninguno de los viajeros que ocupan plaza en el mismo vehículo. Por lo que se refiere a los **encargos**, la L 15/2009 establece que, en el transporte de viajeros, cuando el porteador, a cambio de una remuneración, se obligue a transportar a bordo del vehículo cualquier objeto que no guarde relación directa con ninguno de los viajeros que ocupan plaza en el vehículo, dicho transporte se regirá por las normas de la L 15/2009 del contrato de transporte terrestre de mercancías.

En cuanto a los **bultos de mano**, se trata de bultos que el viajero porta y custodia personalmente. La vigilancia de los bultos de mano corresponde al viajero al que acompañan y, en consecuencia, son de su cuenta los daños que éstos puedan sufrir mientras se encuentren a bordo del vehículo, salvo que pruebe la responsabilidad de la empresa transportista (ver nº 6765).

Precisiones Se entiende por **equipaje** las prendas y efectos destinados al abrigo, adorno y aseo de viajeros, los libros y herramientas de su arte y oficio, contenidos en baúles, cofres, maletas, o bajo otra cubierta cualquiera, o bien a la vista, sin embalaje alguno (TS 4-3-84).

Tarifas (Rgto UE/181/2011 art.4) Sin perjuicio de las tarifas sociales, las condiciones contractuales y las tarifas aplicadas por los transportistas se deben **ofrecer al público en general** sin discriminación directa ni indirecta por razones de nacionalidad del cliente final del lugar de establecimiento de los transportistas o de los proveedores de billetes. 6725

Obligación principal del transportista El transportista está obligado al traslado incólume de los viajeros y sus equipajes, hasta el punto de destino. Esto conlleva, en consecuencia, una **doble obligación**, por una parte el traslado del viajero y por otra la obligación de seguridad en lo que se refiere a los equipajes. 6727

En consonancia con la obligación de **seguridad**, la normativa autonómica suele establecer, para el transporte interurbano, la prohibición de transportar viajeros de pie o la admisión de esta práctica, pero limitada a determinados supuestos, así como la obligación de concertar las debidas pólizas de seguro como cobertura de los posibles siniestros.

Precisiones 1) Puede entenderse que la obligación de **seguridad** es accesoria con respecto a la de **transporte**, contenido esencial del contrato y actividad para la que, específica y profesionalmente, está preparado el transportista.

2) Sobre el régimen de **responsabilidad** del transportista ver nº 6745 s.

Plazo e itinerario del transporte El transporte debe realizarse en el **plazo** pactado y, en su defecto, en el tiempo que resulte razonable. 6729

El **itinerario** del viaje debe ser también el pactado y, en su defecto, el aprobado por la Administración como itinerario del viaje.

En aplicación analógica de las normas del transporte de mercancías, si **existe pacto** entre el viajero (cargador) y el transportista sobre el camino por donde deba hacerse el transporte, no puede el porteador variar de ruta, a no ser por causa de fuerza mayor. En caso de hacerlo sin que concurra dicha circunstancia, responde de todos los daños que, por cualquier otra causa, sobrevengan a los géneros que transporta y debe además pagar la suma que se haya estipulado para tal evento.

Obligación principal del viajero Se destaca como obligación principal del viajero la del **pago del billete**. 6731

Debe asimismo adoptar las medidas necesarias tendentes a **evitar accidentes**. Se le exige, en consecuencia, que actúe conforme a las instrucciones del transportista y a las disposiciones específicas en la materia (en general, las establecidas en el Código de la Circulación).

Derechos del viajero (Rgto UE/181/2011) El Rgto UE/181/2011 establece una completa regulación sobre los derechos de los viajeros por carretera, aplicable a partir del 1-1-13. De esta regulación destacan los derechos reconocidos para los supuestos de **accidente** (nº 6755), y de **cancelación o retraso** del viaje (nº 6759). 6733

Los transportistas y los gestores de las estaciones deben velar por que los viajeros reciban **información adecuada y exhaustiva** sobre los derechos que les otorga el Reglamento, a más tardar en el momento de la salida. Dicha información se debe suministrar en las estaciones y, cuando sea posible, en internet (Rgto UE/181/2011 art.25).

Las obligaciones respecto de los viajeros derivadas del Rgto UE/181/2011 no pueden ser objeto de **limitación o exención** mediante, en particular, la introducción de excepciones o cláusulas restrictivas en el contrato de transporte. Los transportistas pueden ofrecer **condiciones**

contractuales más favorables para los viajeros que las establecidas en el citado Reglamento (Rgto UE/181/2011 art.6).

Precisiones Resulta de interés en esta materia la Comunicación COM/2011/0898, de la Comisión al Parlamento Europeo y al Consejo, sobre los **derechos de los pasajeros** en todos los modos de transporte. Según esta comunicación, los derechos de los pasajeros se basan en tres pilares: la no discriminación, una información exacta, oportuna y accesible, y una asistencia inmediata y proporcionada.

Los siguientes derechos, que se derivan de estos principios, constituyen el núcleo de los **derechos de los pasajeros** de la Unión Europea:

1. Derecho a la no discriminación en el acceso al transporte. En el momento de adquirir los billetes de servicios de transporte de viajeros de autobús y autocar, las condiciones y tarifas se ofrecerán a todos los viajeros sin discriminación directa ni indirecta por razones de nacionalidad del cliente final o del lugar de establecimiento de los transportistas o de los proveedores de billetes en la Unión.

2. Derecho a la movilidad: accesibilidad y asistencia sin ningún coste adicional para los pasajeros con discapacidad o con movilidad reducida.

3. Derecho a la información antes de la compra y en las distintas etapas del viaje, especialmente en caso de perturbación.

4. Derecho a renunciar al desplazamiento (reembolso del coste íntegro del billete) si el viaje no se lleva a cabo como se había planeado.

5. Derecho al cumplimiento del contrato de transporte en caso de perturbación (transporte alternativo y cambio de reserva).

6. Derecho a obtener asistencia en caso de gran retraso en la salida o en los puntos de conexión.

7. Derecho a compensación en determinadas circunstancias.

8. Derecho a exigir la responsabilidad de los transportistas con respecto a los daños causados a los pasajeros y a sus equipajes.

9. Derecho a un sistema rápido y accesible de tramitación de reclamaciones.

10. Derecho a la plena aplicación y al cumplimiento efectivo de la legislación de la UE.

6735 En lo que se refiere al **derecho de información**, cabe distinguir varios ámbitos:

a) Información sobre el **viaje**: en todos los servicios regulares, los transportistas y los gestores de las estaciones, dentro de sus respectivos ámbitos de competencia, suministrarán a los viajeros información adecuada a lo largo de su viaje.

b) Información sobre los **derechos** de los viajeros: en todos los transportes regulares, los transportistas y los gestores de las estaciones, dentro de sus respectivos ámbitos de competencia, velarán por que los viajeros reciban información adecuada y exhaustiva sobre los derechos que les otorga el Reglamento europeo, a más tardar en el momento de la salida. La información se suministrará en las estaciones y, cuando sea posible, en internet, y se facilitará, siempre que sea posible, en formato accesible cuando así lo soliciten las personas con discapacidad o movilidad reducida. La información incluirá los datos de contacto necesarios para dirigirse al organismo u organismos de aplicación nacionales.

6737 **c)** Información sobre **seguridad** (OM FOM/1230/2013 art.4 redacc RD 70/2019).

Las empresas transportistas de viajeros en autobús deben arbitrar los medios necesarios para garantizar que los **viajeros** han tenido acceso a una información mínima suficiente sobre las disposiciones de viaje más relevantes y los elementos con que cuenta el vehículo destinados a garantizar su seguridad, desde el momento en que acceden al vehículo o inmediatamente antes.

A tal efecto, el **contenido** de dicha información, que puede ser comunicada oralmente o a través de cualquier medio gráfico o audiovisual, ha de hacer referencia como **mínimo** a los siguientes extremos:

- Localización de puertas, accesos y salidas de socorro, así como la forma más adecuada de utilizarlas.
- Ubicación de extintores.
- Uso de cinturones de seguridad, cuando el vehículo cuente con ellos, así como acerca de la obligatoriedad de su utilización y de los riesgos y la responsabilidad que podría derivarse del incumplimiento de aquella.
- Existencia de botiquín de primeros auxilios.
- Disposiciones sobre colocación de equipajes y bultos de mano.
- Obligatoriedad de seguir las indicaciones del conductor y demás personal acreditado de la empresa relativas a higiene, seguridad y cumplimiento de las normas que les afectan por parte de los viajeros.
- Principales recomendaciones a seguir en caso de emergencia.
- Condiciones de accesibilidad con que cuentan los vehículos y, en su caso, las estaciones de transporte de viajeros por carretera en las que se vaya a efectuar parada durante el viaje.

Personas con discapacidad o movilidad reducida (Rgto UE/181/2011 art.1.c, 9 s.) Los servicios de autobús y autocar deben estar disponibles para los ciudadanos en general. Por consiguiente, las personas con discapacidad y las personas con movilidad reducida por razones de discapacidad o por cualquier otro motivo (como la edad) tienen los siguientes **derechos**: 6739

a) Deben disponer, al viajar en autobús o autocar, de **oportunidades equivalentes** a las de los demás ciudadanos (**derecho de no discriminación**). A tal efecto, los transportistas, las agencias de viajes y los operadores turísticos no podrán negarse a aceptar una reserva de una persona, a emitir o a proporcionarle de otro modo un billete, o a embarcarla, por su discapacidad o movilidad reducida. Las reservas y los billetes se ofrecerán a estas personas sin coste adicional alguno.

b) Deben poder **acceder** al medio de transporte sin ser rechazadas por razón de su discapacidad o de su movilidad reducida, salvo cuando existan motivos justificados por razones de seguridad o del diseño de los vehículos o de la infraestructura, y en concreto pueden ser rechazadas:

- para dar cumplimiento a los requisitos de seguridad establecidos por el Derecho internacional, de la Unión o nacional, o para dar cumplimiento a los requisitos de salud y seguridad establecidos por las autoridades competentes; o
- cuando el diseño del vehículo o la infraestructura, incluidas las paradas y las estaciones de autobús, haga físicamente imposible el embarque, el desembarque o el traslado de la persona con discapacidad o movilidad reducida de manera segura y operativamente viable.

En tales casos, los transportistas, las agencias de viajes y los operadores turísticos deberán informar a la persona en cuestión sobre todo **servicio alternativo** aceptable operado por el transportista. Si las razones por las cuales el pasajero en cuestión vio rechazada la reserva o el embarque pueden eliminarse por la presencia de una persona que pueda proporcionar la asistencia necesaria, este viajero podrá ir **acompañado** de una persona de su elección de forma gratuita.

c) Tienen derecho a la **asistencia gratuita** en las estaciones y a bordo de los vehículos; y, en todo caso, las entidades gestoras de las estaciones deben establecer **puntos de asistencia** donde dichas personas puedan notificar su llegada y sus necesidades. Para responder a tales necesidades, el personal debe recibir la formación adecuada. La asistencia debe comprender al menos lo siguiente:

- Desplazarse desde el punto designado al mostrador de facturación, la sala de espera y la zona de embarque.
- Subir al vehículo mediante la utilización de ascensores, sillas de ruedas o asistencia de otro tipo en caso necesario.
- Cargar su equipaje.
- Recuperar su equipaje.
- Apearse del vehículo.
- Llevar un perro de asistencia en los autobuses o autocares.
- Acceder a los asientos.
- Embarcar/desembarcar durante los descansos del viaje si, aparte del conductor, hay personal a bordo.

Las personas con discapacidad o con movilidad reducida deben informar al transportista sobre sus necesidades específicas a más tardar 36 horas antes del momento en que se precise la asistencia y tienen que presentarse en el punto designado de las terminales en el momento acordado antes de la salida (no más de 60 minutos respecto de la hora de salida publicada, o de 30 minutos respecto de la hora de salida publicada en el caso de que no se haya fijado hora alguna para presentarse en el punto designado). Si una persona con discapacidad o con movilidad reducida posee un billete o una reserva e informó debidamente al transportista sobre sus necesidades específicas y, a pesar de ello, se le **deniega el embarque** en razón de su discapacidad o de su movilidad reducida, se le permitirá **elegir entre** el reembolso y el recorrido alternativo, si bien esta segunda opción está sujeta a la disponibilidad de servicios de viajes adecuados. 6741

d) Toda la **información** esencial proporcionada a los viajeros de autobús o autocar debe también proporcionarse, cuando estos lo soliciten, en formatos alternativos, accesibles a las personas con discapacidad o con movilidad reducida, por ejemplo, en grandes caracteres, lenguaje sencillo, braille, comunicaciones electrónicas accesibles mediante tecnología adaptativa, y cintas de audio.

e) Al **diseñar nuevas estaciones**, o en caso de renovaciones importantes, las entidades gestoras de las estaciones deben tratar de tener en cuenta las necesidades de las personas con discapacidad o con movilidad reducida, de conformidad con los requisitos del «**diseño para todos**»; y de manera similar, y sin perjuicio de lo dispuesto en la legislación vigente o futura sobre requisitos técnicos para autobuses y autocares, los transportistas, en la medida de lo

posible, deben tomar en consideración dichas necesidades a la hora de equipar los vehículos nuevos y nuevamente acondicionados.
f) Cuando un transportista o un gestor de la estación haya perdido o **dañado el equipo de movilidad** (silla de ruedas y otros dispositivos de asistencia), tendrá que pagar una indemnización equivalente al coste de sustitución o reparación del equipo (siempre que sea posible repararlo). En caso necesario, hará todo lo posible para sustituir temporalmente el equipo de movilidad perdido o dañado.

Precisiones 1) Son personas con «discapacidad» o «con movilidad reducida» aquéllas cuya movilidad al utilizar el transporte se vea reducida debido a una **discapacidad física** (sensorial o locomotriz, permanente o temporal), a una discapacidad o deficiencia **intelectual**, o a cualquier otra causa de discapacidad, o debido a la **edad**, y cuya situación requiera una atención adecuada y una adaptación a sus necesidades particulares de los servicios ofrecidos a todos los viajeros (Rgto UE/181/2011 art.3.j).
2) El RD 1544/2007 regula las **condiciones básicas de accesibilidad** para personas con discapacidad. En el anexo IV relativo a las condiciones básicas de accesibilidad al transporte por carretera se especifica las condiciones que deben cumplir las infraestructuras e instalaciones fijas de acceso público. En particular, en las grandes estaciones (1.000.000 viajeros/año y las de capital de provincia) serán obligatorias todas las especificaciones que se incluyen en el mismo. También se regulan las condiciones básicas de accesibilidad en las líneas regulares de transporte interurbano en autobús, indicando que todos los servicios de transporte público regular permanente de viajeros de uso general interurbanos deberán reunir, en todas sus expediciones, unas condiciones de accesibilidad. Por ejemplo, la posibilidad de adquisición electrónica de billetes por internet en las líneas que tengan 10 ó más vehículos adscritos, la reserva de plazas para personas con discapacidad cercanas a los accesos al vehículo, el piso del vehículo no podrá ser deslizante, habrá barras, asideros u otros elementos destinados a facilitar desde el exterior las operaciones de acceso y abandono del vehículo o que las prótesis y los dispositivos que pueda precisar un viajero con discapacidad se transportarán gratuitamente en bodega. En los servicios cuyo itinerario exceda de una comunidad autónoma deberán permitir la accesibilidad para personas que viajen en su propia silla de ruedas, así como los medios necesarios para el acceso al vehículo del viajero en la silla, la información sonora y en texto en el interior de los vehículos cuando sea necesario informar a los viajeros.
El anexo V establece las condiciones básicas de accesibilidad en el transporte urbano y suburbano en autobús, y se regulan las condiciones de las paradas, las marquesinas y el material móvil.

6743 **Vehículos adaptados. Transporte en taxi adaptado** (RD 1544/2007 art.8 y 8 bis redacc RD 193/2023) En todos los municipios, los ayuntamientos promoverán que al menos un 5%, o fracción, de las **licencias** de taxi correspondan a vehículos adaptados, conforme al anexo VII.
Las **plataformas y los intermediarios** en la contratación del taxi deberán contar con un medio accesible de comunicación vía web y con un número de atención telefónica accesible a través de texto.
Igualmente, en relación con el transporte en vehículo adaptado de **arrendamiento con conductor**, las Administraciones competentes en la materia promoverán que, en todos los municipios, al menos un 5%, o fracción, de los vehículos de arrendamiento con conductor utilizados en el transporte urbano correspondan a vehículos adaptados.

Precisiones A partir del 1-1-2025, los nuevos vehículos que adquieran los titulares de **diez o más autorizaciones** de arrendamiento de vehículos con conductor deberán ser adaptados. Los intermediarios en la contratación de servicios de arrendamiento de vehículos con conductor deberán contar con un medio accesible de comunicación vía web y con un número de atención telefónica accesible a través de texto.

6745 **Régimen de responsabilidad** En lo que se refiere a la responsabilidad contractual, se establece un sistema de **responsabilidad presunta** del transportista. Según este sistema, es el transportista quien debe probar que el siniestro se ha producido por caso fortuito, fuerza mayor o por culpa del viajero.
Teniendo en cuenta las obligaciones del porteador, su responsabilidad puede derivar del incumplimiento de las siguientes obligaciones:
- de **seguridad** (nº 6747); y
- de **traslado** (nº 6751).
Han de tenerse en cuenta además las responsabilidades previstas por el Rgto UE/181/2011 para los casos de **accidente** (nº 6755) y de **cancelación o retraso** (nº 6759). Sobre el ámbito de aplicación de este Rgto, ver nº 6689.

Precisiones 1) Si el cumplimiento de las obligaciones ha sido confiado a un transportista ejecutor, proveedor de billetes o a cualquier otra persona, el transportista, la agencia de viajes, el operador turístico o el gestor de la estación que haya **delegado tales obligaciones** serán, no obstante, responsables de las acciones y omisiones de dicha parte ejecutante (Rgto UE/181/2011 art.5).

2) También cabe la **responsabilidad extracontractual**, cuya norma general es la responsabilidad por culpa (CC art.1902). En este caso la prueba de que el daño no se ha producido por caso fortuito, fuerza mayor o culpa del perjudicado, no corresponde al transportista sino al viajero.

Responsabilidad derivada de la obligación de seguridad (LOTT art.21) El transportista es presuntamente responsable de los **daños corporales** (muerte o lesiones) causados a los viajeros (ver nº 6755). **6747**
En los transportes en **autobús y autocar**, el transportista responderá de las obligaciones establecidas frente a los viajeros en los términos previstos en el Rgto UE/181/2011 en la medida en que éstas no estén cubiertas íntegramente por el seguro obligatorio de viajeros (nº 6749), por el seguro de responsabilidad civil de suscripción obligatoria previsto en el texto refundido de la Ley sobre responsabilidad civil y seguro en la circulación de vehículos a motor, aprobado por el RDLeg 8/2004, o por cualquier otro seguro (LOTT art.21).

Precisiones 1) Los **importes del baremo** están actualizados según Resol Dir Gral Seguros y Fondos de Pensiones 5-3-14.
2) En caso de **frenazo**, el transportista debe indemnizar las lesiones sufridas por los pasajeros con independencia de la culpa o responsabilidad del conductor (TS 8-10-10, EDJ 213583).

Seguro obligatorio de viajeros En todo transporte público de viajeros, los daños que sufran éstos estarán cubiertos por el seguro obligatorio de viajeros -SOV- (regulado por RD 1575/1989), exigible además de los seguros obligatorios en relación a la circulación de vehículos. **6749**
Los viajeros que se desplacen en transportes públicos por carretera, por ferrocarril o por cable deben estar cubiertos por el seguro obligatorio de viajeros. El **coste** de este seguro tiene la consideración de gasto de explotación y es, por tanto, repercutible en las correspondientes tarifas.
Se trata de un seguro de accidente, en el que el **tomador** del seguro es el transportista y el **beneficiario** el viajero, si bien es el viajero quien lo paga como parte del precio del billete.
El SOV es aplicable al transporte por carretera en vehículos de más de nueve plazas (salvo trolebús, teleférico, funicular, telesquí, telesilla, telecabina o cualquier otro medio en el que la tracción se haga por cable, sin camino de rodadura fijo), tanto de ámbito urbano nacional o internacional, así como al transporte marítimo. No es aplicable, en cambio, al transporte aéreo.
Cubre los **daños** al viajero por los accidentes que se produzcan en el momento de la subida y la bajada al vehículo y durante el transporte, pero no en la estación.
La **cobertura** de este seguro obligatorio solo lo será en la medida en que dichos daños no estén indemnizados por el seguro de responsabilidad civil de suscripción obligatoria previsto en la Ley de responsabilidad y seguro en la circulación de vehículos a motor (RDLeg 8/2004).

Responsabilidad derivada de la obligación de traslado En este punto hemos de distinguir los siguientes supuestos: **6751**
a) **Suspensión del viaje**. Se trata de un supuesto de **incumplimiento total** de la obligación de transportista, por lo que el viajero puede optar entre exigir el cumplimiento o la resolución del contrato de transporte (CC art.1124), con la devolución del precio del billete.
En cuanto a si tiene derecho a la **indemnización** de daños y perjuicios, hay que distinguir si la resolución se debe a un supuesto de caso fortuito o fuerza mayor, o si concurre culpa del porteador. El viajero tiene, en principio, derecho a la indemnización de daños y perjuicios, pero ésta no procede si concurre caso fortuito o fuerza mayor (CC art.1101, 1105 y 1184). Ver nº 6759.
b) **Interrupción del viaje**. Si, una vez comenzado, el viaje se suspende definitivamente, el viajero tiene los mismos derechos señalados para la suspensión del viaje. No obstante, surge la duda sobre la cuantía del **precio a devolver** al viajero: la totalidad o únicamente la parte del precio correspondiente al trayecto que queda por recorrer (como sucede en el transporte marítimo -L 14/2014 art.292- y en el transporte aéreo -L 48/1960 art.94.2-).

c) **No admisión del viajero**. En caso de no admisión, el viajero tiene derecho a exigir el cumplimiento del contrato, viajando en el primer transporte que salga con el mismo destino, o la resolución, con la devolución del precio del billete y la **indemnización** de daños y perjuicios. Sobre la indemnización hay que tener en cuenta lo indicado anteriormente para los supuestos de caso fortuito y fuerza mayor. **6753**
d) **Retraso en la salida**. En este caso, el viajero tiene derecho a exigir el cumplimiento, con la manutención correspondiente, o la resolución del contrato (en este sentido L 14/2014 art.292 para el transporte marítimo). Ver nº 6759.
e) **Retraso en la llegada**. Se trata de un supuesto de incumplimiento de las obligaciones, por lo que puede dar lugar a reclamar los daños y perjuicios, salvo que concurran caso fortuito, fuerza mayor o responsabilidad del perjudicado (CC art.1101, 1105, 1124 y 1184). El retraso afecta tanto a la obligación de traslado del viajero como del equipaje.

6755 **Responsabilidad en caso de accidente** (Rgto UE/181/2011 art.7 y 8) En caso de accidente resultante del uso del autobús o autocar, el transportista debe proporcionar una **asistencia** adecuada y proporcionada a los viajeros para sus necesidades prácticas inmediatas tras el accidente. Esta asistencia incluirá, cuando resulte necesario, alojamiento, comida, ropa, transporte y prestación de primeros auxilios.
La asistencia prestada no constituye reconocimiento de responsabilidad.
El transportista puede limitar el coste total del **alojamiento** a 80 euros por noche y por viajero, por un máximo de 2 noches.

6757 Salvo en los servicios regulares cuya distancia programada sea inferior a 250 kms (a los cuales no se aplica, con carácter general, el Rgto UE/181/2011 -nº 6689-), en los transportes de distancia igual o superior a la mencionada los viajeros tienen derecho a una indemnización de conformidad con el Derecho nacional vigente en caso de **fallecimiento o lesiones** personales y pérdida o daño del **equipaje**, debidos a accidentes resultantes del uso del autobús o autocar.
La **indemnización** por fallecimiento debe comprender unos gastos funerarios razonables, y en este caso el derecho lo tienen, como mínimo, las personas con las que la víctima tuviera o hubiera tenido en el futuro una obligación de alimentos.
El **límite máximo** establecido por el Derecho nacional a la indemnización por fallecimiento o lesiones personales para cada ocasión no será inferior a 220.000 euros por viajero, o 1.200 euros por cada pieza de equipaje (Rgto UE/181/2011 art.7).

Precisiones En caso de daños a una **silla de ruedas**, demás equipo de movilidad o dispositivos de asistencia, el importe de la indemnización equivaldrá siempre al coste de la sustitución o reparación del equipo perdido o dañado.

6759 **Supuestos de cancelación o retraso** (Rgto UE/181/2011 art.19 a 23) Se reconocen los siguientes derechos de los viajeros para los supuestos de cancelación o retraso en la salida de un **servicio regular** de transporte cuya distancia programada sea igual o superior a 250 km:
a) Derecho a la **continuación, recorrido alternativo y reembolso** (Rgto UE/181/2011 art.19).
Cuando un transportista tenga razones para suponer que un servicio regular va a cancelarse o a tener un retraso de más de 120 minutos en su salida desde una estación, así como en caso de sobrereserva («overbooking»), le debe ofrecer de inmediato al viajero elegir entre:
- la **continuación o recorrido alternativo** hasta el destino final sin coste adicional y en la primera ocasión posible, en condiciones comparables a las estipuladas en el contrato de transporte;
- el **reembolso** del precio del billete y, si procede, un servicio de vuelta gratuito en autobús o autocar en la primera ocasión posible, al primer punto de partida mencionado en el contrato de transporte.
En caso de que el transportista no ofrezca al viajero la posibilidad de elegir, éste tendrá derecho a percibir una **indemnización** del 50% del precio del billete, además del reembolso del precio del billete, que debe abonarse en el plazo de un mes a partir de la presentación de la solicitud de indemnización.
Este derecho a elegir es aplicable si el servicio se cancela o se retrasa en más de 120 minutos en su salida desde una parada de autobús. Pero no se reconoce a viajeros con billetes abiertos mientras no se especifique la hora de salida, salvo pasajeros en posesión de un pase de viaje o abono de temporada, en cuyo caso el pago será equivalente a la parte proporcional del coste completo del pase o abono.
En caso de **cancelación** de un servicio regular o retraso de más de 120 minutos en su salida desde una parada de autobús, el viajero tiene derecho a que el transportista se haga cargo de la continuación, el recorrido alternativo o el reembolso.
El pago del **reembolso** se debe efectuar en los 14 días siguientes al ofrecimiento o a la recepción de la solicitud y debe cubrir el coste total del billete, al precio que se haya pagado, de la parte o partes del viaje que no se hayan hecho y de la parte o partes ya hechas si el viaje no sirve ya a los fines del plan de viaje original del viajero. Para los viajeros que estén en posesión de **pases de viaje o de abonos de temporada**, el pago será equivalente a la parte proporcional del coste completo del pase o abono. El reembolso se pagará en dinero, a no ser que el viajero acepte otra forma de reembolso.
En caso de **avería** del autobús o autocar durante el viaje, el transportista debe facilitar:
- la continuación del servicio con otro vehículo desde el punto en que se encuentre el vehículo averiado; o
- el transporte desde el punto en que se encuentre el vehículo averiado hasta un punto de espera o una estación adecuados desde donde sea posible la continuación del viaje.

b) Derecho de **información** (Rgto UE/181/2011 art.20). En caso de cancelación o retraso en la salida de un servicio regular, el transportista o, según proceda, el gestor de la estación, deben informar de la situación a los viajeros que salgan de las estaciones; información que debe facilitarse lo antes posible y, en cualquier caso, como máximo 30 minutos después de la hora de salida programada. Asimismo, debe informar de la hora estimada de salida en cuanto se disponga de esa información. **6761**

En caso de que los viajeros **pierdan una conexión**, prevista en el horario, debido a una cancelación o retraso, el transportista o, según proceda, el gestor de la estación, harán esfuerzos razonables para informarles sobre las conexiones alternativas.

El transportista o el gestor de la estación deben velar por que las **personas con discapacidad** o con movilidad reducida reciban en formato accesible la información señalada (nº 6737).

Cuando sea posible, dicha información debe ser facilitada por **medios electrónicos** a todos los viajeros, incluidos los que no partan de las estaciones, dentro de los plazos señalados, si el viajero así lo solicita y ha facilitado al transportista los datos de contacto necesarios.

c) Derecho a **asistencia** en caso de cancelación o retraso en la salida (Rgto UE/181/2011 art.21). Para un viaje de una duración prevista de más de 3 horas, el transportista, en caso de cancelación o retraso en la salida de la estación de más de 90 minutos, debe ofrecer al viajero gratuitamente: **6763**

- **aperitivos, comidas o refrigerios** en proporción razonable al tiempo de espera o retraso, siempre que se disponga de ellos en el autobús o la estación o puedan razonablemente proveerse;
- una habitación de **hotel** u otro tipo de **alojamiento**, así como asistencia para organizar el traslado entre la estación y el lugar de alojamiento cuando sea necesaria una estancia de una o más noches.

El transportista puede establecer la **limitación** de 80 euros por noche y por viajero, con un máximo de dos noches. Esta limitación no incluirá el transporte de ida y vuelta entre la estación y el lugar de alojamiento.

Precisiones El derecho a recibir alojamiento no es aplicable cuando el transportista demuestre que la cancelación o el retraso se debe a **condiciones meteorológicas** extremas o a grandes catástrofes naturales que hacen peligrosa la seguridad del servicio de autobús o autocar (Rgto UE/181/2011 art.23.2).

Límite de responsabilidad del transportista (LOTT art.23) En el transporte de viajeros por carretera, el transportista es responsable de cuantos perjuicios a los viajeros puedan derivarse de su incumplimiento de las obligaciones y formalidades prescritas por las leyes y reglamentos de las Administraciones Públicas, así como de las actuaciones que como consecuencia de dicho incumplimiento pueda adoptar la Administración, en todo el curso del viaje y a su llegada al punto de destino, salvo que pruebe que dicho incumplimiento ha sido consecuencia de una actuación llevada a cabo sin su consentimiento por alguno de los usuarios o viajeros. **6765**

Únicamente se establece un límite de la responsabilidad del transportista en lo relativo a los daños, pérdida o avería de:
- los equipajes (nº 6767);
- los encargos (nº 6769); y
- los bultos de mano (nº 6771).

Se entiende por **equipaje** cualquier objeto o conjunto de objetos que, a petición del viajero, acompañen a éste durante el viaje a bordo de la bodega, la baca o remolque del mismo vehículo. **6767**

Salvo que expresamente se pacten unas cuantías o condiciones más favorables para el viajero, la responsabilidad de los transportistas por los daños o pérdidas que sufran los **equipajes** como consecuencia de accidentes está limitada a:
- 1.200 euros por pieza de equipaje, en el caso de transportes incluidos en el ámbito de aplicación del Rgto UE/181/2011 sobre los derechos de los viajeros de autobús y autocar (nº 6689); o
- 450 euros por pieza, en cualquier otro supuesto.

Precisiones **1)** El Rgto UE/181/2011 establece que el **límite máximo** establecido por el Derecho nacional a la indemnización por fallecimiento o lesiones personales o por la pérdida o daño del equipaje para cada ocasión **no** puede ser **inferior a**:
- 220.000 euros por viajero;
- 1.200 euros por pieza de equipaje; salvo en caso de daños a una silla de ruedas y demás equipo de movilidad o dispositivos de asistencia, en cuyo caso el importe de la indemnización equivaldrá siempre al coste de la sustitución o reparación del equipo perdido o dañado (Rgto UE/181/2011 art.7.2).

2) Se entiende que la empresa transportista es responsable de la custodia y vigilancia de los equipajes que los viajeros colocan en los lugares especialmente acondicionados para ello y provistos de cerraduras o elementos de seguridad que solo el conductor del vehículo puede manipular, y ello con total independencia de que el transporte haya sido directamente contratado por el viajero, en el caso de un **servicio regular**, o que lo haya sido globalmente por un tercero, como ocurre en el caso de un **servicio discrecional** (JAT Andalucía 18/98).

3) En general las **juntas arbitrales de transporte** (JAT) aplican el límite de responsabilidad (por ejemplo, la JAT Barcelona, laudo 14-1-14). En ocasiones reconocen **daños morales**, como el laudo de la misma JAT de 10-12-13 (reclamación por hurto de una maleta: 776 euros por límite de responsabilidad y 300 euros por daños morales).

6769 Se entiende por **encargo** cualquier objeto que la empresa transportista se obliga a transportar por cuenta ajena a bordo del vehículo que realice el servicio de que se trate, cuando dicho objeto no guarde relación directa con ninguno de los viajeros que ocupan plaza en el mismo vehículo.

La responsabilidad del transportista por las pérdidas o averías que sufran los **encargos** que transporten se rige por la normativa del **transporte de mercancías**. En este sentido, la L 15/2009 disp.adic.2ª, relativa a los encargos en el transporte de viajeros, establece que cuando el porteador, a cambio de una remuneración, se obligue a transportar a bordo del vehículo cualquier objeto que no guarde relación directa con ninguno de los viajeros que ocupan plaza en el vehículo, dicho transporte se regirá por las normas de esta ley.

La indemnización por pérdida o avería no podrá exceder de un tercio del IPREM/día por cada kilogramo de peso bruto de mercancía perdida o averiada (L 15/2009 art.57.1).

6771 Se entiende por **bulto de mano** todo pequeño objeto destinado al abrigo, adorno o uso personal que un viajero lleve consigo durante el viaje a bordo del habitáculo del vehículo. La vigilancia de los **bultos de mano** corresponde al viajero al que acompañan y, en consecuencia, son de su cuenta los daños que éstos puedan sufrir mientras se encuentren a bordo del vehículo, salvo que se pruebe la responsabilidad de la empresa transportista, en cuyo caso son de aplicación las limitaciones previstas en relación con los equipajes (nº 6767).

En todo caso, se considerará responsable a la empresa transportista de la posible pérdida o deterioro de los bultos de mano ocurrida en algún momento en que, con ocasión de una **parada**, todos los ocupantes hayan abandonado el vehículo sin que, inmediatamente después, el conductor haya cerrado las puertas de acceso al mismo.

6773 **Presentación de reclamaciones** (Rgto UE/181/2011 art.26 y 27) Todo Estado miembro podrá decidir que el viajero, como primera medida, presente al transportista una reclamación. A tal efecto, los transportistas deben disponer de un mecanismo de tramitación de las reclamaciones relativas a los derechos y obligaciones establecidos en el Rgto UE/181/2011.

Si el viajero desea presentar una reclamación contra el transportista, el **procedimiento** es el siguiente:

- la debe presentar en el **plazo** de los 3 meses siguientes a la fecha en que se haya prestado o se hubiera debido prestar un servicio regular;
- en el mes siguiente a la recepción de la reclamación, el transportista debe **notificar al viajero** que su reclamación se ha admitido, se ha desestimado o todavía se está examinando; y
- el plazo para proporcionar la **respuesta definitiva** no puede ser superior a 3 meses a partir de la fecha de recepción de la reclamación.

Todo ello sin perjuicio de, en caso de **accidente** derivado del uso del autobús o autocar, la posibilidad de presentar una **demanda de indemnización** por fallecimiento, lesiones o pérdida o daño al equipaje, conforme al Derecho nacional que en su caso corresponda aplicar (Rgto UE/181/2011 art.7).

Precisiones Sobre el **libro de reclamaciones**, ver nº 6798.

6775 Cada Estado miembro deberá designar uno o varios organismos, nuevos o existentes, responsables de la aplicación del Rgto (UE) 181/2011, por lo que se refiere a los servicios regulares desde puntos situados en su territorio y los servicios regulares desde un tercer país a esos puntos (Rgto UE/181/1011 art.28). En caso de infracción de este Reglamento, todo viajero podrá presentar una reclamación, de conformidad con el Derecho nacional, ante el organismo correspondiente designado por el Estado miembro en cuestión. Este organismo actuará como organismo de apelación en relación con las reclamaciones no resueltas en primera instancia por el propio transportista (nº 6773).

En España se ha designado, como organismo de aplicación nacional, el Ministerio de Fomento y los Departamentos de Transporte de las Comunidades Autónomas. Asimismo, se han creado en todas las CCAA y en Ceuta y Melilla **Juntas Arbitrales de Transporte** cuya finalidad principal es resolver reclamaciones de carácter mercantil relacionadas con el cumplimiento de los contratos de transporte terrestre y de actividades auxiliares y complementarias del transporte (nº 7750).

Precisiones Sin perjuicio de la cuantía de la reclamación, la Ley de Ordenación de los Transportes Terrestres prevé que en las nuevas concesiones de transporte regular de viajeros que se otorguen a partir de la entrada en vigor de la reforma de la ley en el año 2013, los usuarios puedan plantear las controversias en las **Juntas Arbitrales de Transporte**. En este sentido, la LOTT art.73.2 establece que en el **pliego de condiciones** que haya de regir el contrato en todo caso se incluirán los siguientes extremos: «El compromiso del contratista de someterse al arbitraje de las Juntas Arbitrales del Transporte en relación con cualquier controversia con los usuarios acerca de la prestación del servicio». Por ejemplo, en su resolución de 30-10-14, esta Junta condenó al transportista de autocar a devolver parte del precio del billete por deficiente calidad del servicio (anclaje deficiente de silla de ruedas, rampa de acceso que no funcionaba, cortinillas parasol mal colocadas).

Responsabilidad derivada (Rgto UE/181/2011 art.5) En el ámbito de la normativa europea se establece que, si el cumplimiento de las obligaciones que se derivan del Reglamento ha sido confiado a un **transportista ejecutor**, **proveedor de billetes** o a cualquier otra persona, el transportista, la agencia de viajes, el operador turístico o el gestor de la estación que haya delegado tales obligaciones serán, no obstante, responsables de las acciones y omisiones de dicha parte ejecutante. **6777**

Además, la parte a la que el transportista, la agencia de viajes, el operador turístico o el gestor de la estación hayan encomendado el cumplimiento de una obligación está sujeta a lo dispuesto en el Reglamento en lo que se refiere a la obligación encomendada.

B. Transporte regular de uso general

6780

El transporte público regular de uso general es aquel que va dirigido a satisfacer una **demanda general**, siendo utilizable por cualquier interesado. **6782**

Este tipo de transporte se presta en régimen de **concesión administrativa**.

Si bien, como antes hemos indicado, no se ha aprobado el contrato-tipo para el transporte de viajeros por carretera, los **condicionantes o requisitos** que, desde un punto de vista administrativo, se le imponen a la empresa de transporte para la realización del servicio, inciden directa o indirectamente en las obligaciones de la empresa de transporte para con el viajero.

Condiciones de prestación del servicio (ROTT art.68) El servicio debe prestarse en las condiciones fijadas en el **título concesional**, el cual debe recoger las establecidas en el pliego de condiciones, con las precisiones o modificaciones ofrecidas por el adjudicatario, siempre que hayan sido aceptadas por la Administración. En concreto, el **pliego de condiciones** ha de contener las siguientes condiciones: **6784**

a) Los tráficos que definen el servicio (nº 6792).

b) El **itinerario** o las infraestructuras por los que concretamente haya de discurrir el servicio, cuando resulte pertinente.

c) La modalidad de contratación de la gestión del servicio, atendiendo a lo dispuesto en el ROTT art.66.

d) El procedimiento que se seguirá para la **adjudicación** del contrato, atendiendo a lo dispuesto en la LOTT art.73.1 y, cuando esta haya de llevarse a cabo mediante procedimiento abierto, el régimen de ponderación de bajas temerarias o desproporcionadas, en concordancia con las prescripciones de la LOTT art.74.4.

e) Las condiciones mínimas de **solvencia técnica, profesional y económica** que, en su caso, debe cumplir el contratista a fin de que resulte garantizada la adecuada prestación del servicio de que se trate de forma continuada.

f) El derecho del contratista a hacer propia, en su caso, la totalidad o una parte de los **ingresos** derivados de la explotación del servicio.

g) Los criterios o fórmulas de aplicación para la revisión de las **tarifas** que han de abonar los usuarios.

6786 h) Otras **compensaciones** a las que, en su caso, tenga derecho el contratista por la prestación del servicio, indicando los parámetros sobre cuya base habrán de calcularse.

i) El **canon** o participación que, en su caso, haya de satisfacer el contratista a la Administración y los parámetros sobre cuya base ha de calcularse, conforme a criterios de proporcionalidad, sin que afecte significativamente a la estructura de costes del servicio.

j) Las **instalaciones** fijas que haya de aportar el contratista para la prestación del servicio, únicamente cuando así se hubiese previsto expresamente en el proyecto aprobado por el Consejo de Ministros y resulte acreditado que persisten las circunstancias que, en su momento, justificaron dicha previsión.

k) Las **máquinas o herramientas** o, en su caso, los medios electrónicos, informáticos o telemáticos de que ha de proveerse el contratista para facilitar a la Administración el adecuado control de los datos de explotación del servicio y de los ingresos generados por su prestación.

l) El compromiso del contratista de someterse al **arbitraje** de las Juntas Arbitrales del Transporte en relación con cualquier controversia con los usuarios acerca de la prestación del servicio.

m) El **plazo** de duración del contrato.

n) Cualesquiera **otros pactos** o condiciones que estime pertinentes la Dirección General de Transporte Terrestre para definir correctamente los derechos y obligaciones de la Administración titular del servicio y del contratista.

6788 El pliego contendrá las siguientes **prescripciones técnicas**:

a) La clase y el número mínimo de **vehículos** que el contratista debe adscribir a la prestación del servicio (nº 6794).

b) Las condiciones mínimas de **seguridad, accesibilidad y medioambientales** que deben reunir los vehículos destinados a la prestación del servicio.

c) Las condiciones mínimas de **confort y habitabilidad** u otras características técnicas que, en su caso, la Dirección General de Transporte Terrestre estime necesario que cumplan los vehículos destinados a la prestación del servicio.

d) La **antigüedad** máxima de los vehículos adscritos a la prestación del servicio, cuando resulte pertinente.

e) La dotación mínima de **personal** que el contratista debe adscribir a la prestación del servicio.

f) Cuando se trate de un servicio que ya venía prestándose, los **empleados** del anterior contratista en cuya relación laboral debe subrogarse el adjudicatario.

g) Las **rutas** de transporte que integran el servicio y el número de expediciones de transporte que, como mínimo, debe realizar el contratista en cada una de ellas.

h) Las **prestaciones** que, como mínimo, deben recibir los viajeros además de su transporte y el de sus equipajes.

i) El **régimen tarifario** de aplicación a los viajeros (nº 6796).

j) El valor anual medio estimado del contrato.

k) Cualesquiera otras prescripciones relativas a las condiciones de prestación del servicio que estime pertinentes la Dirección General de Transporte Terrestre.

6790 **Admisión de viajeros** (ROTT art.89.3) El contratista únicamente puede **impedir la utilización del servicio** por un viajero que estuviese en posesión del correspondiente título de viaje cuando concurra alguna de las siguientes circunstancias:

a) Que la persona o su equipaje no reúnan las condiciones mínimas de **sanidad, salubridad e higiene** necesarias para evitar cualquier riesgo o incomodidad para los restantes usuarios.

b) Que la persona porte objetos que, por su volumen, composición u otras causas supongan **peligro o incomodidad** para los otros viajeros o el vehículo.

c) Que la persona altere las normas elementales de **educación y convivencia**.

d) Las demás que, en su caso, se determinen en las condiciones generales de contratación de los servicios de transporte público regular de viajeros de uso general aprobadas por el Ministro de Fomento (actual Ministro de Transportes).

6792 **Tráficos, calendario, expediciones y horarios** (ROTT art.85, 92, 94) El contratista de un servicio público de transporte regular de viajeros de uso general está obligado a atender la totalidad de los tráficos que lo integran de conformidad con lo señalado en el contrato.

El contratista debe prestar el servicio con arreglo al calendario y horarios que hubiese manifestado a la Administración.

El contrato se ha de acompañar de sendos **anexos** en los que se deben recoger, respectivamente:

- la relación de los vehículos adscritos por el adjudicatario a la prestación del servicio;
- la ubicación de los puntos de parada de las distintas expediciones; y

- el calendario y número de expediciones que integren cada ruta de transporte y los cuadros de horarios y precios del servicio en el momento de adjudicación del contrato, los cuales deberán ser actualizados por la Dirección General de Transporte Terrestre del Ministerio de Fomento cada vez que alguno de estos extremos sea modificado.

Características de los vehículos (ROTT art.85.3) El contrato se ha de acompañar de sendos **anexos** en los que se recojan, respectivamente, la relación de los vehículos adscritos por el adjudicatario a la prestación del servicio. **6794**

Precisiones Téngase en cuenta a este respecto lo dispuesto por la OM 25-10-1990 por la que se regulan los **distintivos de los vehículos** que realizan transporte.

Tarifas (ROTT art.28, 74) Los transportes públicos regulares permanentes de viajeros de uso general están sujetos a tarifas **máximas obligatorias** que se determinan en el correspondiente título concesional o autorización especial. **6796**

Dichas tarifas obligatorias deben estar **expuestas al público** de conformidad con lo previsto en el ROTT y con lo que el Ministro de Fomento determine.

La tarifa puede establecerse mediante:

a) Una **única** tarifa viajero-kilómetro para todas las expediciones que integran el servicio.

b) Tarifas viajero-kilómetro **diferenciadas** para cada una de las expediciones o rutas que integran el servicio.

c) Tarifas **zonales** por viajero para cada zona por las que discurra el servicio, independientemente del número de kilómetros realizados.

d) Un **precio único** por viajero para todas las expediciones que integran el servicio, independientemente de los kilómetros realizados.

Libro y hojas de reclamaciones (OM FOM/1230/2013 art.3) Las empresas contratistas de los servicios de transporte público regular de viajeros de uso general y las empresas que gestionan las estaciones de transporte de viajeros deben disponer de un libro u hojas de reclamaciones en que los usuarios puedan formular sus quejas, de tal forma que éstas puedan ser **conocidas por la Administración**. **6798**

Un ejemplar del libro o un número suficiente de hojas de reclamaciones deben encontrarse **a disposición de los usuarios** en los siguientes lugares:

a) En las instalaciones fijas autorizadas para expender billetes.

b) En todos los vehículos que realicen servicios que tengan paradas en lugares en que no haya instalaciones fijas, autorizadas para expender billetes.

c) En todas las estaciones de transporte de viajeros.

En los locales y vehículos donde sea obligatorio disponer de un libro de reclamaciones debe existir un **rótulo** que especifique: «Existe un libro de reclamaciones a disposición del público usuario».

El **modelo** y características del libro u hojas de reclamaciones es el que figura en la OM FOM/1230/2013 anexo II.

Utilización La utilización del libro de reclamaciones debe ajustarse a las siguientes reglas: **6800**

a) Las empresas deben presentar el libro de reclamaciones ante el órgano competente para el otorgamiento de la autorización en que se ampara el vehículo o, cuando se trate de libros que deban ser adscritos a locales, ante el órgano competente en materia de transportes en el lugar en que se ubiquen los mismos, para su **diligenciado**, a cuyo fin ha de cumplimentar los datos precisos que figuran en él.

b) Cada una de las **reclamaciones** se ha de formular por escrito en una hoja del libro, consignando los hechos objeto de la reclamación (nombre, apellidos, número del documento nacional de identidad, domicilio y firma del reclamante), así como el lugar y fecha de la reclamación.

Asimismo, pueden consignarse por el reclamante cualesquiera otros datos que considere de interés para un mejor conocimiento de la reclamación.

Las empresas están obligadas a facilitar el libro de reclamaciones a los usuarios que así lo soliciten, a los efectos señalados.

c) Formulada la reclamación por el usuario, la empresa entregará el ejemplar de la hoja correspondiente destinado al reclamante y, en el plazo de 30 días, debe **remitir al órgano que ostente la competencia** sobre el servicio o actividad, el ejemplar de dicha hoja a él destinado, en unión del informe o las alegaciones que estime conveniente realizar sobre los hechos relatados por el reclamante, concluyendo con la indicación de si acepta o rechaza la reclamación.

d) El **diligenciado del segundo y sucesivos libros** de reclamaciones para un mismo vehículo, servicio o actividad requerirá la devolución del libro anteriormente diligenciado, salvo que se acredite suficientemente la imposibilidad de hacerlo así.

C. Transporte regular de uso especial

6807 Es transporte público regular de uso especial el que está destinado a servir, exclusivamente, a un **grupo específico de usuarios**, tales como escolares, trabajadores, militares, o a cualquier otro grupo homogéneo de similares características.

Este tipo de transporte sólo puede prestarse cuando se cuente con una **autorización** especial que habilite para ello, otorgada por la Administración. El otorgamiento de dichas autorizaciones está supeditado a que la empresa transportista haya convenido previamente con los usuarios o sus representantes la realización del transporte a través del oportuno contrato o precontrato (LOTT art.89).

Estos transportes pueden realizarse, cuando resulten insuficientes los vehículos propios, utilizando los de **otros transportistas** que cuenten con la autorización de transporte público de viajeros.

Precisiones Ciertas cuestiones que afectan al transporte regular de uso especial se exponen en el apartado correspondiente al transporte regular de uso general: **libro de reclamaciones** (nº 6798).

6809 **Contrato con los representantes de los usuarios** (LOTT art.89.1; ROTT art.106) Para el otorgamiento de la **autorización administrativa especial** para la realización de transportes regulares de uso especial es preciso que, con carácter previo, las empresas hayan convenido con los representantes de los usuarios la realización del transporte a través del correspondiente contrato o precontrato.

A estos efectos, se consideran **representantes de los usuarios** las personas que, en base a su específica posición respecto a éstos, asuman la relación con el transportista, tales como órganos administrativos competentes sobre centros escolares, propietarios o directores de colegios o centros de producción, representantes de asociaciones de padres de alumnos o de trabajadores, u otros similares.

Precisiones Cuando el transporte sea contratado por alguno de los entes, organismos y entidades que forman parte del **sector público**, el contrato debe atenerse, en cuanto no se encuentre expresamente previsto en la LOTT y el ROTT y otras normas dictadas para su desarrollo, a las reglas contenidas en la legislación sobre contratos del sector público.

6811 **Autorización** (LOTT art.89.1) La autorización de transporte regular de uso especial sólo puede ser otorgada a una persona, física o jurídica, que previamente sea titular de la autorización de transporte público de viajeros (LOTT art.42).

La autorización de transporte regular de uso especial determina las **condiciones de prestación del servicio**, según lo previsto en el correspondiente contrato. Debe establecer, en especial:

- la **ruta** o rutas a seguir, con expresión de los tráficos a realizar;
- los puntos de **origen y destino**, así como las **paradas**;
- los **vehículos** amparados por autorizaciones de transporte discrecional, a nombre de la misma persona, titular de la autorización de transporte especial, con los que vaya a prestarse el servicio.

Estas autorizaciones se otorgan por el **plazo** a que se refiera el contrato con los usuarios, sin perjuicio de que la Administración pueda exigir su visado con una determina periodicidad a fin de constatar el mantenimiento de las condiciones que justificaron su otorgamiento.

6813 **Transporte escolar y de menores** (RD 443/2001) Se diferencia según se realice el transporte escolar en uno u otro medio de transporte de viajeros por carretera. Se entiende por transporte escolar el que se realice en alguno de los siguientes:

• Transporte público **regular de uso especial**: los transportes públicos regulares de uso especial de escolares por carretera, cuando al menos la tercera parte, o más, de los alumnos transportados tenga una edad inferior a 16 años en el momento en que comenzó el correspondiente curso escolar.

• Transporte público **regular de uso general**: las expediciones de transportes públicos regulares de viajeros de uso general por carretera en que la mitad, o más, de las plazas del vehículo hayan sido previamente reservadas para viajeros menores de 16 años.

• Transporte público **discrecional**: los transportes públicos discrecionales de viajeros en autobús, cuando tres cuartas partes, o más, de los viajeros sean menores de 16 años.

• Transporte **privado complementario**: los transportes privados complementarios de viajeros por carretera, cuando la tercera parte, o más, de los viajeros sean menores de 16 años.

Requisitos adicionales (RD 443/2001 art.2 y 3) Para la realización de transporte escolar se exigen una serie de requisitos adicionales que, con carácter general, tienen por **objetivo** garantizar la seguridad de los escolares. Así, los transportes escolares sólo pueden ser realizados por aquellas empresas que cuenten con la correspondiente **concesión o autorización administrativa** que, conforme a lo dispuesto en las normas de ordenación de los transportes terrestres, habilite para llevar a cabo el transporte regular o discrecional de que en cada caso se trate. **6815**

Junto con el requisito de la autorización administrativa, se imponen ciertos requisitos relativos a la **antigüedad de los vehículos**:

• Para la realización de **transporte escolar público regular de uso especial** es preciso además que los vehículos no superen, al inicio del curso escolar, la antigüedad de 10 años, contados desde su primera matriculación, salvo que el vehículo no rebase la antigüedad de 16 años, contados desde su primera matriculación y que el solicitante acredite que el vehículo se venía dedicando con anterioridad a la realización de esta misma clase de transporte, o bien presente el certificado de desguace de otro vehículo que en el corriente curso escolar o en el anterior hubiese estado adscrito a una autorización de transporte regular de uso especial de escolares. A los efectos del cómputo de antigüedad se considera el día 1 de septiembre como fecha de inicio del curso escolar.

• En el **resto de los casos** (transportes públicos regulares de viajeros de uso general, transportes públicos discrecionales de viajeros, transportes privados complementarios de viajeros), los transportes no pueden ser realizados por vehículos cuya antigüedad al comienzo del curso escolar, contada desde su primera matriculación o puesta en servicio, sea superior a dieciséis años.

Las **entidades que contraten la realización de transporte** escolar, además de acreditar, en su caso, al acompañante y configurar las rutas de manera que no excedan del tiempo máximo permitido (nº 6825), deben exigir al transportista que acredite ser titular de la correspondiente autorización o concesión de transporte, estar en posesión de la correspondiente tarjeta ITV en vigor, y haber suscrito el contrato de seguro de responsabilidad civil que se exige al efecto (nº 6825).

Vehículos (RD 443/2001 art.4) En cuanto a los vehículos, se exigen las siguientes **características técnicas**: **6817**

• Deben estar **homologados** como correspondientes a la categoría M.
• El **asiento del conductor** debe estar protegido por una pantalla transparente.
• Las **puertas de servicio** deben ser del tipo operado por el conductor.
• Los dispositivos de accionamiento de **apertura de emergencia** han de estar debidamente protegidos para evitar una utilización no adecuada por parte de los menores. Todas las puertas de emergencia deben abrirse fácilmente desde el interior y desde el exterior.
• Las **trampillas de evacuación** deben cumplir las prescripciones establecidas en el Reglamento CEPE.
• En las **salidas de emergencia** debe figurar la inscripción «SALIDA DE EMERGENCIA» o «SALIDA DE SOCORRO» de manera visible.
• La abertura practicable de las **ventanas** puede ser, como máximo, del tercio superior de las mismas.
• Los **asientos** enfrentados a **pozos de escalera**, así como los que no estén protegidos por el respaldo de otro anterior situado a una distancia máxima horizontal de 80 cm entre la cara delantera del respaldo de un asiento y la cara posterior del asiento que le precede deben contar con un elemento fijo de protección que proporcione a sus ocupantes un nivel suficiente de seguridad.
• Los **asientos** enfrentados a **pasillos**, cuando hayan de ser ocupados por menores de 16 años, deben disponer de cinturones de seguridad debidamente homologados, así como sus anclajes.

• Los vehículos de un solo piso con más de 22 plazas y pertenecientes a las clases II y III, estarán homologados para **resistencia de la superestructura** de vehículos de gran capacidad. **6819**
• Todos los vehículos han de estar dotados de dispositivo luminoso con **señal de emergencia**, que deberá ponerse en funcionamiento en los puntos de parada, tanto de día como de noche, mientras los viajeros entren o salgan del vehículo.
• Deben estar dotados de **martillos rompecristales**.
• No pueden utilizarse autobuses de **dos pisos**.
• En su caso, deben reservarse las plazas que sean necesarias para **personas con movilidad reducida**, cercanas a las puertas de servicio.

• El piso del vehículo no puede ser deslizante. Junto a las puertas de servicio deben de colocarse **barras y asideros** fácilmente accesibles desde el exterior para facilitar las operaciones de acceso/abandono.
• Los **bordes de los escalones** serán de colores vivos.
• Cada menor debe disponer de su **propia plaza** o asiento.
• Han de estar provistos de **tacógrafo**.
• Deben estar dotados de **limitador de velocidad**.
• Deben estar dotados de **dispositivos de frenado y antibloqueo**.
• Se establecen las dimensiones, características de la superficie reflectante, número, emplazamiento y regulación de los **retrovisores**.
• Si la visibilidad directa no es suficiente, deben instalarse **dispositivos ópticos** que permitan al conductor detectar desde su asiento la presencia de un viajero en los alrededores inmediatos, tanto exteriores como interiores de las puertas de servicio.
• Los **vidrios** deben cumplir las prescripciones de la legislación europea.

6821 • Las **ventanas de emergencia** que no sean de bisagras han de ser de vidrio de fácil rotura.
• En el compartimento del **motor** se han de cumplir las condiciones en lo referente al empleo de materiales impermeables o susceptibles de impregnarse de combustible, evitar acumulaciones y la utilización de aislantes térmicos.
• Los **depósitos de carburante** deben estar separados más de 60 cm de la parte delantera.
• Los **sistemas de alimentación** deberán estar dotados de la suficiente protección.
• Se ha de disponer de un **mando central de seguridad** colocado cerca del conductor, con el objeto de restringir el riesgo de incendio después de la parada.
• Los **aparatos y circuitos eléctricos** deben cumplir las normas establecidas en la legislación europea.
• Las **baterías** han de disponer de un anclaje sólido, deben estar colocadas en un lugar fácilmente accesible y separadas del compartimento de viajeros.
• Han de estar provistos de **extintores**, así como de un **botiquín** de primeros auxilios.
• Los materiales empleados en el interior del habitáculo de pasajeros deben cumplir las directrices de la legislación europea sobre prevención del **riesgo de incendio**.
• Durante la realización de los servicios han de exhibir el **distintivo indicativo** de transporte de menores.

6823 **Conductores** (RD 443/2001 art.7) Para la conducción de vehículos que realicen transporte escolar o de menores se exige, además del correspondiente permiso, una **autorización especial** que habilite para ello, que el conductor debe poseer y llevar consigo, junto con el permiso de conducción ordinario, cuando conduzca los mencionados vehículos.

Para obtener la autorización especial es necesaria la concurrencia de las siguientes **condiciones**:

a) Estar en posesión del **permiso de conducción ordinario** en vigor, de la clase que en cada caso corresponda.

b) Carecer de **antecedentes en el Registro de Conductores e Infractores** (o cuando los antecedentes deban considerarse cancelados).

La autorización especial tiene una **vigencia** coincidente con la del permiso de conducción de superior clase que posea su titular y puede ser prorrogada por los mismos períodos que dicho permiso, previa solicitud del interesado a la jefatura provincial de tráfico y justificación de que reúne los requisitos exigidos para su obtención.

6825 **Realización del transporte** (RD 443/2001 art.8 a 12) Se establecen algunas disposiciones relativas a la realización del transporte: son las que afectan a la necesidad de contar con un acompañante, al itinerario, paradas, acceso y abandono de los vehículos, velocidad y duración máxima del viaje.

En cuanto al **acompañante**, es obligatoria la presencia a bordo del vehículo durante la realización del transporte de, al menos, una persona mayor de edad idónea, distinta del conductor. Dicho acompañante debe ocupar plaza en las inmediaciones de la puerta de servicio central o trasera.

Se ha de encargar del **cuidado de los menores** durante su transporte y durante las operaciones de acceso y abandono del vehículo, así como, en su caso, de la recogida y acompañamiento de los alumnos desde y hasta el interior del recinto escolar, en los siguientes supuestos:

- en los **transportes regulares de uso especial**, cuando así se especifique en la correspondiente autorización de transporte regular de uso especial y, en todo caso, siempre que se transporten alumnos de centros de educación especial, debiendo, en este supuesto, contar el acompañante con la cualificación laboral necesaria para la adecuada atención a este alumnado de necesidades educativas especiales;
- en los **transportes públicos discrecionales** de viajeros, siempre;

- en los **transportes privados complementarios** de viajeros, cuando se transporten alumnos de centros de educación especial o se trate de transportes cuyo origen o destino sean distintos del domicilio de los menores o del centro docente en que cursan estudios;
- en **cualquiera de los transportes** realizados en autobús, cuando, al menos, el 50% de los viajeros sean menores de 12 años.

El acompañante debe conocer el funcionamiento de los **mecanismos de seguridad** del vehículo.

En los casos en que resulte obligatoria la presencia de un acompañante, no puede realizarse el transporte sin que éste se encuentre **a bordo del vehículo**, salvo que la no realización del transporte implicase un riesgo mayor para los menores.

Por lo que respecta al **itinerario y paradas**: 6827

• En los transportes escolares regulares de **uso especial**, se han de determinar en la correspondiente autorización de transporte. La ubicación de dichas paradas debe ser comunicada, previamente, por el órgano que haya de otorgar la autorización.

• En los transportes escolares regulares de **uso general** serán los que tenga fijados en la concesión o autorización en que se ampara, si bien, el órgano otorgante de ésta puede, a petición de la empresa transportista o de la entidad que reserva las plazas destinadas a menores, autorizar aquellas modificaciones en las paradas de las expediciones en que se transporte a dichos menores que resulten precisas para garantizar las condiciones de seguridad.

El **acceso y abandono** de los menores a los vehículos que realicen cualquiera de los transportes escolares debe realizarse por la puerta más cercana al conductor o, en su caso, al acompañante.

La **velocidad máxima** a la que podrán circular los vehículos que realicen los transportes escolares y de menores es de 10 km/hora menos que la establecida con carácter general, en función del tipo de vehículo y de la vía por la que circula (RD 1428/2003 art.48.1.4º).

La **duración máxima del viaje**, debe ser tal que, en circunstancias normales, el tiempo máximo que los alumnos permanezcan en el vehículo no alcance una hora por cada sentido del viaje.

Sin perjuicio del cumplimiento de la legislación vigente en materia de **seguros** obligatorios, las empresas que realicen transporte escolar deben tener cubierta de forma ilimitada su responsabilidad civil por los daños que puedan sufrir los ocupantes de los vehículos en que aquéllos se realicen.

D. Transporte discrecional

Los transportes discrecionales son aquellos en los que la **contratación** se hace por vehículo y no por asiento, y sin sujeción a itinerario, calendario ni horario preestablecido. 6830

En cuanto al **precio**, hay que distinguir según se trate de transporte público discrecional de viajeros en autobús, para el caso de servicios prestados con autobuses de 9 o más metros de longitud, o de los servicios interurbanos de transporte público discrecional de viajeros en vehículos de turismo con vehículos de menos de 10 plazas.

Exponemos aquí normas aplicables al transporte discrecional de viajeros en autobús.

En otros apartados se exponen ciertas normas que también resultan aplicables al transporte discrecional. Son relativas al **libro de reclamaciones** (nº 6798).

> Precisiones La reforma operada en la LOTT por la L 9/2013 modifica algunos preceptos con la finalidad de incidir en la **liberalización de la prestación** de este tipo de transporte. Así se establece que la actuación de los titulares de licencias o autorizaciones de transporte público en relación con la prestación de servicios de carácter discrecional se regirá por el principio de libertad de contratación (LOTT art.94.1). En consecuencia, se suprimen LOTT art.90, 92, 93, 96, 97, que regulaban distintos aspectos de las autorizaciones administrativas en este tipo de transporte.
> Los términos «**autorización habilitante para el transporte discrecional**», «autorización de transporte público discrecional» y «autorización de transporte discrecional», deben considerarse sustituidos por el término «autorización de transporte público» (L 9/2013 disp.adic.2ª).

Arrendamiento de vehículos con conductor de menos de nueve plazas. VTC (L 16/1987 art.94 s.) Se encuadra definitivamente la actividad de arrendamiento de vehículos con conductor como una modalidad concreta de **transporte discrecional de viajeros** en vehículos de turismo, a la que, en consecuencia, le son de aplicación todas las reglas referidas a la actividad de transporte y no las señaladas para las actividades meramente auxiliares y complementarias del transporte, como sería el caso del arrendamiento de vehículos sin conductor (L 16/1987 art.99.4). 6832

Fuera de los supuestos de colaboración previstos en esta ley, únicamente podrán arrendarse con conductor los **vehículos de turismo**.

6834 El arrendamiento de vehículos de turismo con conductor constituye una modalidad de transporte de viajeros y su ejercicio estará condicionado a la obtención de la correspondiente **autorización**.
A tal fin, las empresas dedicadas a la actividad de arrendamiento con conductor habrán de disponer en todo momento de un vehículo **matriculado en España** adscrito a la autorización en propiedad, arrendamiento financiero o arrendamiento a largo plazo de conformidad con lo dispuesto en la normativa de tráfico y circulación de vehículos a motor.

6836 El **otorgamiento de las autorizaciones** de arrendamiento de vehículos con conductor está condicionado al cumplimiento de **criterios medioambientales** sobre mejora de la calidad del aire y reducción de emisiones de CO_2, así como de gestión del transporte, del tráfico y del espacio público de la comunidad autónoma en que pretenda domiciliarse la autorización, de conformidad con las siguientes **especificaciones**:
a) La autorización será denegada si, en el momento del otorgamiento, se **supera el valor límite anual** de NO_2 o $PM_{2,5}$ o el valor objetivo o valor objetivo a largo plazo del O_3, regulados en la normativa de mejora de la calidad del aire, en alguna zona o aglomeración incluida en la comunidad autónoma en la que pretenda domiciliarse la autorización, de conformidad con el último informe publicado por el Ministerio de Transición Ecológica y el Reto Demográfico.
No obstante, las comunidades autónomas podrán establecer, para las autorizaciones que se domicilien en su territorio, otros criterios de mejora de la calidad del aire en el marco de lo previsto en el Derecho comunitario o en las directrices de la Organización Mundial de la Salud.
Estos requisitos no se aplicarán en los supuestos en los que el vehículo sea eléctrico cero emisiones de batería (BEV), de célula de combustible (FCEV) o de combustión de hidrógeno (HICEV), en cuyo caso la autorización únicamente habilitará a efectuar servicios de arrendamiento con conductor si el vehículo adscrito a la misma está incluido en alguna de estas categorías.
b) Asimismo, la autorización podrá ser **denegada por aplicación de criterios objetivos** relativos a la reducción de emisiones CO_2, gestión del transporte, del tráfico y del espacio público, establecidos para su ámbito territorial por las comunidades autónomas en que pretenda domiciliarse la autorización.
En relación con la gestión del tráfico, deberá utilizarse un criterio objetivo de congestión viaria que podrá estar basado en un indicador que refleje la diferencia entre la velocidad media en condiciones de flujo libre y la velocidad registrada en distintos momentos del día u otros criterios que se puedan establecer por la comunidad autónoma.

6838 Precisiones Las comunidades autónomas competentes para el otorgamiento de la autorización podrán, previa motivación y, de forma proporcionada y justificada, limitar cada solicitud a un **número máximo de autorizaciones** de arrendamiento con conductor. Reglamentariamente podrán establecerse otros criterios objetivos, amparados en razones imperiosas de interés general, determinantes del otorgamiento de la autorización.

6840 **Observatorio de costes** La Administración de Transportes publica periódicamente el denominado «observatorio de costes», que, con respecto a este tipo de transporte, tiene por objetivo orientar sobre la cuantía y la evolución de los costes de explotación de cuatro tipos de autocares dedicados al transporte discrecional de viajeros.
Su **finalidad** es proporcionar elementos de juicio fiables a partir de los cuales las partes contratantes puedan acordar libremente el precio que estimen más conveniente, con la certeza de estarlo haciendo sobre bases razonablemente contrastadas.

Precisiones Puede seguirse la evolución de estos costes de explotación en la **página web** del Ministerio de Transportes y Movilidad Sostenible: www.transportes.gob.es

6842 **Cláusula de actualización automática de precios** (OM FOM/2180/2008) Considerando la relevancia que el **precio del gasóleo** tiene en la determinación de los costes de realización del transporte y, habida cuenta de las continuas variaciones que dicho precio experimenta, se establece una regla destinada a suplir la posible imprevisión de las partes al determinar el precio del transporte en relación con la variación de los costes que efectivamente haya de soportar el porteador en el momento de realizar el servicio contratado, causada por el incremento o reducción del precio del combustible.
Así, cuando no se haya pactado expresamente una cosa distinta, el porteador puede **incrementar el precio** inicialmente pactado en cuantía equivalente a la diferencia existente entre el precio que tenía el litro de gasóleo el día de celebración del contrato y el que tenía en el momento de realizarse el transporte, multiplicada por el número de litros de gasóleo utilizados en su realización.
De la misma manera, el obligado al pago del precio del transporte puede exigir una **reducción equivalente** del precio inicialmente pactado cuando el precio del gasóleo se haya reducido entre la fecha de celebración del contrato y la de realización efectiva del transporte.

En todos los supuestos se debe tomar como referencia el **precio medio** que el gasóleo tenía en los días de que se trate, según los datos publicados por el Ministerio de Industria, Comercio y Turismo, y se considerará un **consumo de gasóleo** equivalente al que, en relación con el tipo de vehículo de que se trate, se haya tomado en consideración para determinar la evolución del coste del transporte de viajeros en el observatorio que, en su caso, haya elaborado al efecto el Ministerio de Transportes, Movilidad y Agenda Urbana.

E. Agencias de viaje

Las agencias de viaje realizan la actividad de **mediación** en los transportes de viajeros, tanto nacionales como internacionales. 6845
La intervención de agencias de viajes y otros intermediarios en la contratación de cualesquiera modalidades de transporte de viajeros se rige por la **legislación** específica de turismo. Sin perjuicio de ello, las cooperativas de transportistas y sociedades de comercialización pueden intermediar, en todo caso, en la contratación de transportes discrecionales de viajeros que vayan a ser prestados por aquellos de sus socios que sean titulares de autorización de transporte de viajeros (LOTT art.22.2).

Contratación en nombre propio El ejercicio de la actividad de las agencias de viaje en relación con los transportes turísticos y, en general, con todo tipo de transportes discrecionales, incluidos los que se realicen con contratación individual o por asiento, debe de llevarse a cabo contratando en nombre propio el correspondiente transporte, tanto con los transportistas como con los usuarios. 6847

Transporte regular La actividad de las agencias de viaje en relación con los transportes regulares de viajeros, de cualquier tipo que éstos sean, se debe circunscribir, salvo que la Administración autorice otro régimen, a las actividades de **información, reserva de plazas y venta de billetes**, actuando como comisionista por cuenta ajena y contratando en nombre del transportista. 6849

Transporte turístico (LOTT art.110) Tienen la consideración de transportes turísticos los que se realicen en el marco de la ejecución de un **viaje combinado** ofertado y contratado de conformidad con lo que se encuentre establecido en la legislación sobre defensa de los consumidores y usuarios en relación con esta clase de viajes. 6851
Asimismo, tienen la consideración de transporte turístico aquellos otros que, sin tener una duración superior a las 24 horas y sin incluir una pernoctación, se oferten a través de agencias de viajes, u otros intermediarios reconocidos por la legislación específica de turismo, y se presten conjuntamente con **otros servicios complementarios** de naturaleza turística, tales como los de manutención, guía turístico o similar.

Precisiones **1)** La regulación de los transportes turísticos se desarrolla en el ROTT art.128 a 132.
2) Se ha declarado la **incompetencia de la junta arbitral de transporte** para conocer de controversias que puedan suscitarse sobre los servicios complementarios de un transporte turístico. Las juntas arbitrales carecen de competencia para entender de las controversias que no deriven de la ejecución de contratos de transportes, tales como los de arrendamiento de servicios de grúa, restauración o visita de centros de interés turístico (JAT Baleares 13-3-00, 08/00).

Viajes combinados y viajes vinculados (RDL 23/2018) El RDL 23/2018 modifica el texto refundido de la Ley General para la Defensa de los Consumidores y Usuarios y otras leyes complementarias, y establece una nueva regulación de los viajes combinados, incorporando al Derecho español la Dir UE/2015/2302 Conforme a esta normativa: 6853
a) Se exige la combinación de determinados servicios de viaje para que se puedan configurar como viaje combinado o viaje vinculado. Así, los servicios de viaje que formen parte integrante de otros, como por ejemplo el **transporte de equipaje** realizado como parte del transporte de viajeros o los traslados entre un **hotel y** un **aeropuerto o estación de ferrocarril**, no deben considerarse servicios de viaje en sí mismos.
b) El sujeto protegido por la norma pasa a ser el viajero, concepto más amplio que el de consumidor.
c) Se amplía el alcance del concepto de viaje combinado, dando cabida a muchos productos de viaje que se encontraban en una indefinición jurídica o no estaban claramente cubiertos por la regulación anterior.
d) Se introduce el concepto de servicios de viaje vinculados.
e) Se refuerza la **información precontractual** al viajero y su carácter vinculante.
f) Los organizadores y minoristas tienen que constituir una garantía.

III. Transporte internacional de mercancías por carretera

6860

6862 El transporte internacional de mercancías por carretera es aquel en el que la carga de la mercancía y la entrega se efectúan en lugares situados en **dos países diferentes**.
Este contrato se rige por la siguiente **normativa**:
• Convenio de 19-5-1956 relativo al contrato de Transporte Internacional de Mercancías por Carretera -**CMR**- (instrumento de adhesión 12-9-1973; BOE 7-5-74).
• Protocolo de 5-7-1978 de modificación del Convenio 19-5-1956 (instrumento de adhesión 23-9-1982; BOE 18-12-82).

1. Ámbito de aplicación

(CMR art.1 y 2)

6865 El Convenio 19-5-1956 (CMR) es aplicable a los siguientes transportes:
a) Transporte con **origen o destino en un Estado firmante**. Esto es, al contrato de transporte de mercancías por carretera, realizado a título oneroso por medio de vehículos, siempre que el **lugar de la toma de carga** de la mercancía y el **lugar previsto para la entrega**, indicados en el contrato, estén situados en dos países diferentes, uno de los cuales al menos sea un país contratante, independientemente del domicilio y nacionalidad de las partes del contrato. El CMR se aplica, por tanto, a todos los transportes que tengan su origen o su destino en España.
b) Transporte combinado. Esto es, al conjunto del transporte, en el caso de que el vehículo que contiene la mercancía sea transportado por mar, ferrocarril, vía navegable interior o aire en una parte de su recorrido, sin ruptura de carga.
No obstante, no se aplica el CMR en supuestos de transporte combinado cuando tenga lugar la **pérdida, avería o demora** en la entrega de la mercancía y se pruebe que tal circunstancia ha sobrevenido durante el transporte no realizado por carretera, siempre que no haya sido causada por algún acto u omisión del transportista por carretera.
En dicho supuesto, la **responsabilidad del transportista** por carretera no se determina según las normas del CMR, sino según las disposiciones de responsabilidad aplicables al transportista que no efectúa el transporte por carretera. Así, si se trata de un mismo transportista, su responsabilidad se debe determinar, como si ambas funciones hubiesen sido efectuadas por personas distintas. Sin embargo, si tales disposiciones no existen, la responsabilidad del transportista por carretera sí debe determinarse según las normas del CMR.

Precisiones **1)** El **transporte combinado** se expone en el nº 7670.
2) Si el contrato de transporte se inició en Francia y el destino de la mercancía era en España, haciéndose constar en la carta de porte que el transporte quedaba sometido al convenio sobre el contrato de transporte internacional de mercancías (CMR), se estima indiferente que parte del transporte se hiciera por otro porteador desde España hasta su destino final, pues el transporte se efectuó **bajo el amparo de la misma carta de porte** (AP Girona 23-10-12, EDJ 272544).
3) Aun cuando las partes contratantes tengan ambas su domicilio social en España procede la aplicación del CMR porque las **facturas** cuyo pago se reclama correspondan a transportes internacionales (AP Murcia 22-11-12, EDJ 286975).
4) Se suscita un **conflicto de leyes** toda vez que el actor es de nacionalidad belga, la mercancía se carga en Bélgica, el transportista tiene su domicilio en la localidad de Rafal (Alicante) y el lugar de entrega es Benijófar, por lo que se aplica el Rgto (CE) 593/2008 sobre la ley aplicable a las obligaciones contractuales (Roma I) con el fin de determinar la **legislación nacional aplicable**. El artículo 5 del citado Reglamento dispone: «En defecto de elección de la ley aplicable al contrato para el transporte de mercancías de conformidad con el artículo 3, la ley aplicable será la ley del país donde el transportista tenga su residencia habitual, siempre y cuando el lugar de recepción o el lugar de entrega, o la residencia habitual del remitente, también estén situados en ese país. Si no se cumplen estos requisitos, se aplicará la ley del país donde esté situado el lugar de entrega convenido por las partes». Por ello, en la medida que en este caso el transportista (PORTEX) tiene su residencia habitual en España (Rafal) y el lugar de entrega convenido es España (Benijófar), la legislación nacional aplicable es la española (AP Alicante 17-11-23, EDJ 789347).

Exclusiones (CMR art.1) El CMR no se aplica a: 6867
- Los transportes efectuados bajo la regulación de **convenios postales internacionales**.
- Los transportes **funerarios**.
- Los transportes de **mudanzas**.

Cláusulas contrarias al CMR Toda cláusula que, directa o indirectamente, derogue el CMR debe considerarse nula y no tiene ningún efecto. 6869
En particular son nulas de pleno derecho todas las estipulaciones por las que el transportista se coloque como **beneficiario del seguro** de la mercancía y las análogas, así como las cláusulas que inviertan la carga de la prueba.
La nulidad de tales cláusulas no lleva aparejada la nulidad de las **demás cláusulas del contrato**.

2. Carta de porte

6875

La carta de porte da fe, salvo prueba en contrario, de las **condiciones del contrato** y de la **recepción de la mercancía** por el transportista (CMR art.9.1). 6877
Es un documento fehaciente de la existencia del contrato de transporte. La **ausencia, irregularidad o pérdida** de dicho documento no afecta ni a la existencia ni a la validez del contrato de transporte, que sigue estando sometido a las disposiciones del Convenio (CMR art.4).

Ejemplares (CMR art.5) La carta de porte se debe expedir en tres ejemplares originales, firmados por el remitente y el transportista. Dichas **firmas** pueden ir impresas o ser sustituidas por los **sellos** del remitente y del transportista, en el caso de que ello esté permitido por la legislación del Estado en que se haya expedido la carta de porte. 6879
El primer ejemplar debe ser enviado al remitente; el segundo ha de acompañar a la mercancía y el tercero debe ser retenido por el transportista.
Cuando la mercancía a transportar deba ser cargada en **vehículos diferentes** o cuando se trate de **diferentes clases de mercancías** o de lotes distintos, el remitente o el transportista tienen derecho a exigir la expedición de tantas cartas de porte como vehículos, clases o lotes de mercancías hayan de ser utilizados.

Contenido (CMR art.6) La carta de porte debe contener las circunstancias siguientes: 6881
- el **lugar y fecha** de su redacción;
- el nombre y domicilio del **remitente**;
- el nombre y domicilio del **transportista**;
- el lugar y fecha en que se hace **cargo** de la mercancía y lugar previsto para la **entrega**;
- el nombre y domicilio del **destinatario**;
- la denominación de la **naturaleza de la mercancía** y del modo de **embalaje**, así como la denominación normal de la mercancía, si ésta es peligrosa;
- el número de **paquetes**, sus marcas particulares y sus números;
- la **cantidad** de mercancía, expresada en peso bruto o de otra manera;
- los **gastos** de transporte: precio del mismo, gastos accesorios, derechos de aduana y otros gastos que sobrevengan desde la conclusión del contrato hasta el momento de entrega;
- las instrucciones exigidas por las **formalidades de aduana** y otras;
- la indicación de que el transporte está sometido, aunque se haya estipulado lo contrario, al **régimen** establecido por el CMR.

En su caso, la carta de porte debe contener además las indicaciones siguientes: 6883
- mención expresa de prohibición de **trasbordo**;
- los **gastos** que el remitente toma a su cargo;
- la suma del **reembolso** a percibir en el momento de la entrega de la mercancía;
- el **valor declarado** de la mercancía y la suma que representa el interés especial en la entrega (nº 6885);
- las instrucciones del remitente al transportista concernientes al **seguro** de las mercancías;
- el **plazo** convenido en el que el transporte ha de ser efectuado;
- la lista de **documentos** entregados al transportista.

Las partes del contrato pueden añadir en la carta de porte **cualquier otra indicación** que juzguen conveniente.

6885 **Declaración de valor o de interés especial** (CMR art.24) El remitente puede declarar en la carta de porte, contra el pago de una sobreprima a convenir entre las partes, un **valor de la mercancía** superior al límite establecido. En este caso, la suma declarada sustituirá aquel límite.
También es posible fijar en la carta de porte, previo pago de una sobrestima como suplemento del precio de transporte, la suma de un **interés especial en la entrega** de la mercancía, para sus efectos oportunos, en caso de pérdida, avería o demora en la entrega después del plazo convenido.
Si ha habido declaración de interés especial en la entrega de la mercancía, el remitente puede reclamar una indemnización igual al **daño suplementario**, del cual debe aportar prueba, sin perjuicio de las indemnizaciones que le corresponden.

6887 **Responsabilidad** (CMR art.7) El remitente responde de todos los gastos y perjuicios que sufra el transportista por causa de **inexactitud e insuficiencia** de cualquier indicación o instrucción dada por él, en relación con la expedición de la carta de porte o para su inclusión en ésta.
Por otro lado, si la carta de porte no contiene la mención de que el transporte está sometido al **régimen establecido por el CMR**, el transportista resulta responsable, por causa de tal omisión, de todos los gastos y daños sufridos por quien tenga derecho a la mercancía.

6889 **Revisión de la carta de porte y establecimiento de reservas** (CMR art.8) En el momento de hacerse cargo de la mercancía, el transportista está obligado a revisar:
- la exactitud de los datos de la carta de porte, relativos al **número de paquetes**, así como la exactitud de sus marcas y números;
- el **estado aparente** de la mercancía y de su embalaje.

Si el transportista no tiene medios razonables para verificar la exactitud de los datos, debe anotar en la carta de porte sus **reservas**, que deben ser motivadas. Asimismo debe expresar los motivos de las reservas que haga respecto al estado aparente de la mercancía y de su embalaje.
En **ausencia de anotación** en la carta de porte de las reservas motivadas del transportista, se presume que la mercancía y su embalaje estaban en buen estado aparente en el momento en que el transportista se hizo cargo de la mercancía, y que el número de los paquetes, así como sus marcas y números, eran conformes a los mencionados en la carta de porte.
Por otro lado, estas reservas no comprometen al remitente si éste no las ha aceptado expresamente en la carta de porte.

6891 **Verificación del peso bruto** (CMR art.8.3) El remitente tiene derecho a exigir la verificación por el transportista del peso bruto, o de la cantidad expresada de otra manera, de la mercancía. Puede también exigir la verificación del contenido de los paquetes.
El transportista puede, a su vez, reclamar el pago de los **gastos de verificación**.
El **resultado de las verificaciones** se debe consignar en la carta de porte.

6893 **Carta de porte electrónica** (Protocolo adicional CMR, hecho en Ginebra el 20-2-08) Se trata de una carta de porte emitida mediante **comunicación electrónica** por un transportista, un remitente o cualquier otra parte interesada en la ejecución de un contrato de transporte al que le sea de aplicación el CMR (Convenio relativo a contrato de transporte internacional de mercancías por carretera), incluyendo las indicaciones digitales relativas a la comunicación electrónica en forma de datos adjuntos o unidas de otra forma a dicha comunicación electrónica, en el momento de su expedición o posteriormente, de manera a ser parte integrante de la misma.
Las partes en el contrato de transporte certificarán la carta de porte electrónica mediante una **firma electrónica** fiable que garantice su vínculo con la carta de porte electrónica.
La carta de porte electrónica contendrá las **mismas menciones** que la carta de porte a que se refiere el Convenio. El transportista entregará al remitente, a solicitud de este último, un recibo de las mercancías, así como cualquier indicación necesaria para la identificación del envío y el acceso a la carta de porte electrónica a que se refiere el Protocolo.
Toda carta de porte electrónica, emitida conforme al Protocolo del CMR, será considerada como equivalente a la carta de porte a que se refiere el Convenio, y, por ello, tendrá la **misma fuerza probatoria y** producirá los **mismos efectos** que esta última.

3. Derechos y obligaciones

En los números siguientes se exponen ciertas cuestiones en relación con los derechos y obligaciones de las partes en el contrato de transporte internacional de mercancías. 6902

Embalaje de la mercancía (CMR art.10) El remitente es responsable ante el transportista de los **daños** a personas, al material o a otras mercancías, así como de los gastos causados por **defectos en el embalaje** de la mercancía, a menos que tales defectos fuesen manifiestos o ya conocidos por el transportista en el momento en que se hizo cargo de la mercancía y que éste no haya hecho las oportunas reservas (nº 6889). 6904

Documentos aduaneros (CMR art.11) Con miras al cumplimiento de las **formalidades de aduana** y de aquellas otras precisas, antes del momento de la entrega de la mercancía, el remitente debe adjuntar a la carta de porte o poner a disposición del transportista los documentos necesarios y suministrarle todas las informaciones necesarias. 6906

El transportista no está obligado a examinar si estos documentos e informaciones son exactos o suficientes. El remitente es responsable ante el transportista de todos los daños que puedan resultar de la **ausencia, insuficiencia o irregularidad** de estos documentos e informaciones, salvo en el caso de culpa por parte del transportista.

El transportista es responsable, como agente, de las consecuencias de la **pérdida o mala utilización** de los documentos mencionados en la carta de porte, tanto si se han adjuntado a ésta, como si se han depositado en su mano. No obstante, la indemnización a su cargo no puede exceder de la que sería debida en caso de pérdida de la mercancía.

Mercancías peligrosas (CMR art.22) Si el remitente entrega al transportista mercancías peligrosas, debe especificar la **naturaleza exacta del peligro** que ellas representan e indicarle, en su caso, las precauciones a tomar. 6908

Si **no se realiza dicho aviso**, las mercancías cuya peligrosidad no fuera conocida por el transportista pueden, en cualquier momento y lugar, ser descargadas, destruidas o convertidas en inofensivas por el transportista y ello sin indemnización alguna. El remitente es, además, responsable de todos los gastos y daños que resulten de su entrega para transporte o con ocasión de su transporte.

Si el aviso mencionado **no ha sido consignado en la carta de porte**, corre a cargo del remitente o del destinatario la carga de la prueba de que el transportista tuvo conocimiento de la naturaleza exacta del peligro que presentaba el transporte de dichas mercancías.

Derecho de disposición (CMR art.12) El **remitente** tiene derecho a disponer de la mercancía, solicitando al transportista que detenga el transporte, a modificar el lugar previsto para la entrega o a entregar la mercancía a un destinatario diferente del indicado en la carta de porte. 6910

Este derecho corresponde al **destinatario** desde el momento en que se remite a éste el segundo ejemplar de la carta de porte, así como desde el mismo momento de redacción de la carta de porte, cuando así se haya hecho constar en dicha carta de porte por el remitente.

Asimismo, cuando se declare la **pérdida de la mercancía** o cuando ésta no sea entregada al término del plazo de transporte, el destinatario está autorizado a hacer valer, en nombre propio frente al transportista, los derechos que resulten del contrato de transporte y entre ellos este derecho de disposición (CMR art.13).

Si, ejerciendo su derecho de disposición, el destinatario ordena **entregar la mercancía a una tercera persona**, ésta, a su vez, no puede designar un nuevo destinatario.

Condiciones de ejercicio El ejercicio del derecho de disposición está subordinado a las condiciones siguientes: 6912

a) **Entrega de las instrucciones**. El remitente o el destinatario, en su caso, deben presentar al transportista el primer ejemplar de la carta de porte, en el que deben figurar inscritas las nuevas instrucciones.

b) **Resarcimiento de gastos**. El remitente o el destinatario deben resarcir al transportista de los gastos y daños que se ocasionen por la ejecución de tales instrucciones.

c) **Posibilidad de su realización**. La ejecución de estas nuevas instrucciones debe ser posible en el momento en que se comunican al que debe realizarlas, y no puede dificultar la explotación normal de la empresa del transportista ni perjudicar a remitentes o destinatarios de otras consignaciones. Las instrucciones tampoco pueden tener como efecto la división de consignación.
Cuando el transportista no pueda llevar a cabo las instrucciones recibidas, debe comunicarlo inmediatamente a la persona que se las dio.

Precisiones No es exigible al porteador, en un servicio internacional, que tenga inmovilizado el vehículo **durante dos días** en destino para recoger una carga de retorno al lugar de origen, ya que la ejecución de las nuevas instrucciones al transportista no puede dificultar la explotación normal de la empresa transportista, ni perjudica a remitentes o destinatarios. Ello permite al transportista no atender el requerimiento de espera de dos días para la carga sin incurrir en responsabilidad (JAT Baleares 5-2-01, 50/00).

6914 **Efectos de su incumplimiento** El transportista que no ejecute las nuevas instrucciones recibidas, o el que las haya ejecutado sin haber exigido la presentación del primer ejemplar de la carta de porte, es responsable, ante quien tenga derecho, de los **perjuicios** causados por este hecho.

6916 **Imposibilidad de realizar el transporte** (CMR art.14) Si antes de la llegada de la mercancía al lugar de entrega, la ejecución del contrato resulta irrealizable en las condiciones previstas en la carta de porte, el transportista debe solicitar **instrucciones** a la persona que tenga el derecho de disponer de la mercancía.
En todo caso, si las circunstancias permiten la ejecución del transporte en unas **condiciones diferentes** a las previstas en la carta de porte y el transportista no ha podido recibir en tiempo las instrucciones de la persona que tiene el derecho de disponer de la mercancía, el transportista puede tomar las medidas que juzgue más convenientes en interés de la persona que tiene el poder de disposición sobre la mercancía.

6918 **Venta de la mercancía** (CMR art.16) El transportista puede proceder a la venta de la mercancía, sin esperar instrucciones de quien tiene derecho sobre la misma, si así lo justifican la **naturaleza perecedera** o el estado de la mercancía y si los **gastos de custodia** son excesivos en relación al valor de la mercancía.
En los demás casos, puede proceder a la venta sólo si, en un plazo razonable, no ha recibido **instrucciones contrarias** de quien tiene poder de disposición sobre la mercancía, instrucciones cuya ejecución pueda ser exigida equitativamente. El modo de proceder en este caso de venta debe ser el determinado por la Ley o la costumbre del lugar donde se encuentre la mercancía.
Si la mercancía ha sido vendida, el **producto de la venta** debe ser puesto a disposición de quien tiene derecho de disposición sobre la misma, con deducción de los gastos que gravan la mercancía. Si estos gastos son superiores al producto de la venta, el transportista tiene derecho a la diferencia.

Precisiones Habiéndose firmado un contrato de transporte de mercancías para llevar **patatas** desde una localidad italiana a otra en Alemania, el transportista es multado por exceso de peso. De la prueba practicada resulta que el camión frigorífico llegó a su destino, negándose la destinataria a recibir la mercancía. Ante la falta de recepción de la mercancía, la empresa transportista se hizo cargo del depósito de la mercancía, poniendo la misma a disposición de la destinataria en las instalaciones de Alcantarilla (Murcia), quien no fue a retirarla, por lo que finalmente la mercancía fue destruida. La transportista reclama los **perjuicios** derivados de la ausencia de recepción de la mercancía, gastos a consecuencia del traslado y depósito, sanción impuesta por la policía por exceso de peso y precio del transporte de la mercancía desde el lugar de destino hasta Alcantarilla.
El Tribunal considera que la empresa transportista debió, a falta de instrucciones del remitente, proceder a descargar o confiar a un tercero la mercancía, o venderla si era perecedera o su estado lo justificaba. En definitiva, debió de haber actuado de conformidad con lo dispuesto en el CMR art.16.3, en vez de **trasladar la mercancía** a un lugar muy alejado del de la entrega y del domicilio de la remitente. De ahí que no procedan los gastos de transporte hasta Alcantarilla, ni los gastos de depósito, ni los gastos de destrucción, al ser consecuencia de una decisión no ajustada al Convenio CMR. No se puede aceptar que se cargue sobre la destinataria unos gastos inútiles, como el transporte de las patatas a Alcantarilla, el depósito de las mismas y su destrucción, cuando se pudo proceder a la **venta de la mercancía** en Alemania, si en un plazo razonable el transportista no hubiera recibido instrucciones en contra (AP Murcia 14-2-13, EDJ 44537).

6920 **Entrega de la mercancía** (CMR art.13) Después de la llegada de la mercancía al lugar establecido para la entrega, el **destinatario** tiene derecho a pedir que le sea remitido el segundo ejemplar de la carta de porte y que se le entregue la mercancía contra recibo.

Si se declara la **pérdida de la mercancía** o si ésta no es entregada al término del plazo de transporte, el destinatario está autorizado a hacer valer, en nombre propio frente al transportista, los derechos que resulten del contrato de transporte (CMR art.13).
En este último caso, el destinatario resulta obligado a hacer efectivos los **derechos que resulten de la carta de porte**. En caso de impugnación, el transportista no está obligado a efectuar la entrega de la mercancía, a no ser que se preste caución por el destinatario.

Imposibilidad de entregar la mercancía (CMR art.15) Cuando, después de la llegada de la mercancía al lugar de destino, se presenten **impedimentos para la entrega**, el transportista debe solicitar instrucciones al remitente. 6922
Si **el destinatario rehúsa la mercancía**, el remitente tiene derecho a disponer de ésta sin necesidad de utilizar el primer ejemplar de la carta de porte. No obstante, el destinatario que haya rehusado la mercancía puede requerir posteriormente la entrega de la misma, siempre que el transportista no haya recibido todavía instrucciones contrarias del remitente.
El transportista tiene derecho a exigir el pago de los **gastos** que le ocasione su petición de instrucciones o los que impliquen la ejecución de las instrucciones recibidas, a menos que estos gastos sean causados por su culpa.

4. Sistema de responsabilidad

6925

El transportista es responsable de la **pérdida** total o parcial o de las **averías** que se produzcan entre el momento de recepción de la mercancía y el de la entrega (CMR art.17). 6927
El transportista también es responsable del **retraso** en la entrega. Hay demora o retraso en la entrega cuando la mercancía no ha sido entregada en el **plazo convenido**. En ausencia de un plazo convenido, hay demora cuando la duración efectiva del transporte sobrepasa el tiempo que razonablemente se permitiría a un transportista diligente en el caso de carga parcial, siempre que el tiempo de duración se repute como el requerido para una carga completa, en condiciones normales (CMR art.19).
Al respecto se establece que quien tiene el poder de disposición sobre la mercancía puede, sin necesidad de prueba, **considerar la mercancía perdida** cuando:
- transcurrido el plazo convenido para la entrega, hayan transcurrido 30 días más sin efectuarse la entrega;
- no habiéndose convenido un plazo, hayan transcurrido 60 días desde de que el transportista se hizo cargo de la mercancía.

Por otro lado, si el transportista tiene la obligación de cobrar el precio de la mercancía que transporta, y ésta es entregada al destinatario sin percibirse dicho **cobro debido**, el transportista queda obligado a indemnizar al remitente, según las cláusulas del contrato, hasta la suma total, sin perjuicio de su derecho de repetir contra el destinatario (CMR art.21).

Exoneración de responsabilidad (CMR art.17) No obstante, el transportista está exonerado de responsabilidad si la pérdida, avería o retraso han sido ocasionados: 6929
- por **culpa de quien tiene derecho sobre la mercancía** o por una instrucción de éste, no derivada de una acción culposa del transportista;
- por **vicio propio de la mercancía**; o
- por **circunstancias que el transportista no pudo evitar** y cuyas consecuencias no pudo impedir.

Incumbe al transportista la **prueba** de que la pérdida, la avería o el retraso han tenido lugar por causa de uno de los hechos anteriores.
El transportista no puede aducir, para exonerarse de responsabilidad, ni **defectos en los vehículos** de que se sirve para realizar el transporte, ni culpa de las personas a las que haya alquilado el vehículo o de empleados de éstas. A este respecto, el transportista responde tanto de sus propios actos y omisiones como de los **actos y omisiones de sus empleados** y de todas las otras personas a cuyo servicio él recurra para la ejecución del transporte, siempre que tales empleados o personas realicen dichos actos y omisiones en el ejercicio de sus funciones.

6931 **Presunciones a favor del transportista** (CMR art.17.4) Se presume que el transportista está exonerado de responsabilidad cuando la pérdida o la avería resulte de los riesgos particulares inherentes a uno de los hechos siguientes o a varios:
• Empleo de **vehículos abiertos** y no provistos de toldo, cuando tal empleo ha sido expresamente pactado en la carta de porte.
• Ausencia o deficiencia en el **embalaje** de las mercancías, expuestas por su naturaleza a deterioros o averías.
• **Manipulación, carga o descarga** de la mercancía y operaciones complementarias realizadas por el remitente o el destinatario o personas que obren por cuenta de uno u otro.
• **Naturaleza de ciertas mercancías**, expuestas por causas inherentes a esta misma naturaleza, a pérdida total o parcial o a averías debidas a rupturas, moho, deterioro interno o espontáneo, desecación, derrames, pérdida normal o acción de las plagas o roedores.
• Insuficiencia o imperfección de las **marcas** o números de los paquetes.
• Transporte de **animales vivos**.
Cuando el transportista pruebe que, habida la relación con las circunstancias de hecho, la pérdida o la avería han podido resultar de uno o varios riesgos particulares anteriores, se presume que aquéllas fueron consecuencia de éstas, salvo en el supuesto de que haya una falta anormal o pérdida de paquetes.

6933 No juega esta presunción a favor de transportista cuando:
• Quien tiene derecho sobre la mercancía pruebe que el daño no ha tenido lugar por **causa total o parcial** de algunos de dichos riesgos.
• El transporte es efectuado por medio de un **vehículo preparado** para sustraer la mercancía a la influencia del calor, el frío, las variaciones de temperatura o de la humedad del aire, a no ser que el transportista pueda probar que, teniendo en cuenta las circunstancias, ha tomado las medidas que le incumbían en relación con la elección, mantenimiento y empleo de las instalaciones del vehículo y que se ha sometido a las instrucciones especiales que se le hayan podido dar.
• El transportista no pueda probar que, habida cuenta de las circunstancias, ha tomado todas las **medidas que le incumben** normalmente y que ha seguido las **instrucciones especiales** que le hayan podido ser dadas.

6935 **Cálculo de la indemnización** (CMR art.23) La indemnización que debe pagar el transportista debe calcularse según el **valor de la mercancía** en el tiempo y lugar en que el transportista se hizo cargo de ella.
El valor de la mercancía se debe determinar de acuerdo con su **cotización en bolsa** o, en su defecto, de acuerdo con su **precio corriente** en el mercado. En defecto de ambos métodos, debe determinarse de acuerdo con el valor corriente que tengan mercancías de su misma naturaleza y calidad.
Para casos de **avería** se dispone que, si el conjunto total de lo expedido se deprecia por causa de avería, la indemnización no puede sobrepasar la suma que corresponda para el caso de pérdida total. Si se deprecia sólo una parte de lo expedido, la indemnización no puede sobrepasar la cantidad que corresponda para el caso de pérdida de la parte depreciada.
En caso de pérdida o avería, además deben ser reembolsados **otros gastos**, como son el precio del transporte, los derechos de la aduana y demás gastos ocurridos con ocasión del transporte de la mercancía, en su totalidad en caso de pérdida total y a prorrata en caso de pérdida parcial. No así los daños y perjuicios.
El que tiene derecho de disposición sobre la mercancía puede además reclamar los **intereses** de la indemnización.

Precisiones La aseguradora no puede reclamar los intereses moratorios en el ejercicio de la **acción de subrogación** cuando no han sido abonados a su asegurado. El límite de la cuantía que puede percibir quien se subroga en la posición de su asegurado es el importe que abonó en concepto de indemnización (TS 4-7-16, EDJ 104600).

6937 **Límite de responsabilidad** (CMR art.23) Se establecen los siguientes límites de la responsabilidad del transportista:
a) En caso de **pérdida o avería**, la indemnización no puede sobrepasar de 8,33 unidades de cuenta o derechos especiales de giro (DEG) por kilogramo de peso bruto que falte. En consecuencia, si el valor de la mercancía es inferior al límite de responsabilidad fijado para el transportista, se debe abonar el valor efectivo.
b) En caso de **retraso**, la indemnización no puede exceder, en ningún caso, del precio del transporte.
En ambos casos, no pueden ser reclamadas **indemnizaciones de sumas superiores**, a menos que exista declaración de valor de la mercancía o de interés especial en la entrega (nº 6885).

Precisiones El **derecho especial de giro** (DEG) o unidad de cuenta es una moneda creada por el Fondo Monetario Internacional (FMI), cuyo valor se obtiene mediante la combinación de la moneda de varios países miembros. En consecuencia, su valor fluctúa diariamente, dado que depende de la cotización de estas monedas. Se puede consultar su equivalencia en euros en la página web del Banco de España: www.bde.es.

Responsabilidad extracontractual (CMR art.28) En el supuesto que, según la ley aplicable, la pérdida, avería o retrasos causados en el transporte puedan dar lugar a una reclamación extracontractual, el **transportista** puede prevalerse de las disposiciones del CMR que determinen o limiten las indemnizaciones debidas o incluso de las que excluyan su responsabilidad. 6939
Cuando por pérdida, avería o retraso se demande en juicio por responsabilidad extracontractual a **personas de las que responde el transportista**, estas personas pueden también prevalerse de las mismas disposiciones.

Dolo o culpa equiparada a dolo del transportista (CMR art.29) El **transportista** no puede prevalerse de las disposiciones del CMR que excluyen o limitan su responsabilidad o que invierten la carga de la prueba, si el daño ha sido causado por dolo que le sea imputable o bien por falta que sea equiparada al dolo por la legislación del lugar (ver nº 6626). 6941
Esto mismo se debe aplicar al dolo o culpa de los **empleados del transportista** o al de cualesquiera otras personas a las que el transportista haya recurrido para la realización del transporte, siempre que éstos actúen en el desempeño de sus funciones.

Precisiones En relación con la culpa grave equiparable a dolo, y conforme a la doctrina del Tribunal Supremo (TS 9-3-92), se entiende que el dolo, como componente subjetivo de la responsabilidad del deudor a consecuencia del incumplimiento de las obligaciones contractuales, no exige la concurrencia de un ánimo de perjudicar o dañar al acreedor, ni mucho menos la comisión de un delito, sino tan sólo que la infracción del deber jurídico sea voluntaria y consciente, de forma que han de entenderse dolosamente queridos los resultados que, sin ser intencionadamente perseguidos, aparezcan como **consecuencia necesaria** de la acción.
Así, en un supuesto en el que no consta que el cargador diera instrucciones precisas al transportista sobre la forma o las condiciones en que debía realizarse el transporte, ni que impusiera que el descanso de los conductores se efectuara en zonas vigiladas o con especiales medidas de seguridad, ni que tampoco se efectuó una especial declaración de valor, se considera que el transportista hizo dejación consciente del **deber de custodia**, por lo que debe responder de la totalidad del daño. En efecto - señala la sentencia -, no consta que el camión o su remolque contara con alguna medida de protección, más allá de una cerradura, que fue violentada, y una lona. La zona de estacionamiento escogida por el conductor para su descanso no reunía las condiciones necesarias, dado que no contaba con ningún sistema de seguridad y era de libre acceso. Sólo así se explica que personas desconocidas llegaran a sustraer más de 3.800 kilos de prendas, sin que el conductor del camión, que pernoctaba en la cabina, u otros transportistas se percataran de ello. El conductor debió planificar el transporte de tal manera que pudiera descansar las horas precisas en un lugar adecuado y seguro, sin exponer a la carga a mayores riesgos de los necesarios. En este sentido, el informe del comisario de averías señala que los policías de la comisaría francesa en la que se efectuó la denuncia manifestaron que se trataba de un lugar especialmente conflictivo en cuanto a robos de vehículos de transporte (AP Barcelona 4-3-19, EDJ 516997).

Reaparición de la mercancía (CMR art.20.2) Quien tiene derecho sobre la mercancía puede, al tiempo de recibir la indemnización por la pérdida de la misma, **solicitar por escrito** que se le avise en caso de que la mercancía reaparezca en el período de un año desde que recibió la indemnización. El transportista debe dar **recibo**, por escrito, de dicha petición. 6943
Si la mercancía reaparece, el transportista debe cursar el **aviso** mencionado. Desde la recepción de dicho aviso, quien tiene poder de disposición sobre la mercancía dispone de un **plazo** de 30 días para exigir la entrega, previo pago de los gastos inherentes a la carta de porte y restitución de la indemnización recibida, con deducción, en su caso, de los gastos comprendidos en la indemnización y bajo reserva, en todo caso, del derecho a indemnización por mora en la entrega.
El transportista puede **disponer de la mercancía**, de conformidad con la Ley del lugar donde ésta se encuentre, en las siguientes situaciones:
- ausencia de la petición de aviso por parte de quien tiene derecho sobre la mercancía;
- no recepción por el transportista de instrucciones, en el plazo de 30 días concedido a quien tiene derecho sobre las mercancías;
- aparición de la mercancía después del año siguiente al pago de la indemnización.

Protestas y reservas previas (CMR art.30) En el caso de **pérdida o averías manifiestas**, si el destinatario recibe la mercancía sin verificar contradictoriamente su estado, sin manifestar su protesta y sin expresar sus reservas al transportista, indicando la naturaleza general de la pérdida o avería, se presume, salvo prueba en contrario, que ha recibido las mercancías en el estado descrito en la carta de porte. 6945

En el caso de tratarse de **pérdida o averías no manifiestas**, las reservas deben ser hechas por escrito.

6947 **Plazos** Para expresar las referidas protestas o reservas, el destinatario dispone de los siguientes plazos:

• En los casos de **pérdida o averías manifiestas**, debe efectuarlas en el mismo momento de la entrega.

• En los casos de **pérdida o averías no manifiestas**, dispone de un plazo de 7 días, computables desde la fecha de la entrega y descontando domingos y festivos.

• En los casos de **retraso**, debe dirigirse reserva por escrito en el plazo de 21 días, a partir de la puesta de la mercancía a disposición del destinatario.

6949 **Verificación contradictoria** Cuando el estado de la mercancía ha sido verificado contradictoriamente por el destinatario y el transportista, la **prueba contraria** al resultado de esta verificación no puede ser realizada más que si se trata de pérdidas o averías no claras y siempre que el destinatario haya dirigido reservas escritas al transportista en el plazo de 7 días, descontados domingos y festivos, a partir de esta constatación.

6951 **Acciones** (CMR art.31) Para todos los litigios a que pueda dar lugar el contrato, el demandante puede escoger, además de la **jurisdicción** de cualquiera de los países contratantes, designada de común acuerdo por las partes del contrato, la jurisdicción del país en el territorio del cual:

- el demandado tiene su **residencia habitual** o su **domicilio** principal;
- está situada la **sucursal de la agencia** por intermedio de la cual ha sido concluido el contrato de transporte; o
- está situado el lugar en que el transportista se hizo **cargo de la mercancía** o el lugar designado para la **entrega** de la misma.

6953 **Plazo de prescripción** (CMR art.32) Las acciones prescriben al año. Sin embargo, en el caso de **dolo** o de falta equivalente a dolo, según la ley de la jurisdicción escogida, el plazo de prescripción es de tres años.

Dichos plazos han de computarse:

• En caso de **pérdida parcial, avería o mora**, a partir del día en que se entregó la mercancía.

• En caso de **pérdida total**, a partir de 30 días después de la expiración del plazo convenido o, si no existe éste, a partir de 60 días desde que el transportista se hizo cargo de la mercancía.

• En los **demás casos**, a partir de la expiración de un plazo de 3 meses desde la conclusión del contrato de transporte.

El día indicado como punto de partida de la prescripción no está comprendido en el plazo.

6955 **Interrupción de la prescripción** La **reclamación escrita** interrumpe la prescripción hasta el día en que el transportista rechace la reclamación por escrito y devuelva los documentos que acompañan a la misma (nº 6639).

En caso de **aceptación parcial** a la reclamación, la prescripción no vuelve a tomar su curso más que por la parte reclamada que continúa en litigio.

La **prueba de la recepción** de la reclamación o de la respuesta y de la devolución de documentos corren a cargo de quien invoque este hecho.

Las **reclamaciones ulteriores** que tengan el mismo objeto no interrumpen la prescripción.

Precisiones **1)** El artículo 32 del Convenio CMR establece que la **prescripción se reanuda** con la respuesta por escrito a la reclamación y la devolución de documentos. En este caso, se rechazó la reclamación y se devolvieron los documentos, por lo que el plazo de prescripción no se reanudó (AP Bizkaia 13-12-23, EDJ 814413).

2) La traducción oficial del texto del CMR a nuestro idioma expresa que la prescripción de interrumpe hasta el día en que el transportista responda. Sin embargo, no es la simple respuesta lo que reanuda el plazo de prescripción, sino el **rechazo a la reclamación**. En este sentido, el Tribunal Supremo ha declarado que la respuesta a la reclamación total que permite el cese de la interrupción prescriptiva es la que no acepta la reclamación, o, en otras palabras, la que rechaza tal reclamación. Cuando no se puede establecer con claridad este rechazo, la contestación no sirve para que la prescripción vuelva a tomar su curso (TS 29-6-98, EDJ 11367).

6957 **Sometimiento a juntas arbitrales** El contrato de transporte puede contener una cláusula atribuyendo competencia a un tribunal arbitral, a condición de que esta cláusula prevea que dicho tribunal arbitral debe **aplicar las normas del CMR**.

Dado que la normativa sobre **juntas arbitrales del transporte** no limita su competencia en virtud del ámbito territorial del transporte, consideramos que estas juntas pueden entender de los casos de transporte internacional.

Las **juntas arbitrales del transporte** se estudian en el nº 7750.

IV. Transporte internacional de viajeros por carretera

 6960

El **régimen legal** del contrato de transporte internacional de viajeros por carretera viene recogido en la Convención 1-3-1973 (**CVR**) y el Protocolo 5-7-1978, normativa internacional de la que España es país firmante, aun cuando todavía no ha sido ratificada. Pese a ello, en la práctica, la citada Convención resulta de general aplicación, por lo que, en los números siguientes exponemos las normas principales de dicha regulación. 6962

En lo que se refiere al transporte internacional en la Unión Europea ha de tenerse en cuenta el Rgto UE/181/2011, sobre los **derechos de los viajeros** de autobús y autocar, aplicable a los viajeros que utilicen servicios regulares para viajeros de categoría indeterminada cuyo punto de embarque o desembarque esté situado en el territorio de un Estado miembro y cuya distancia programada sea igual o superior a 250 Km. Su tratamiento se expone en el apartado dedicado al transporte interior (nº 6733, nº 6755 s.).

Billete y talón de equipajes (CVR art.5, 6 y 10) En el transporte de viajeros, el transportista debe entregar un billete, individual o colectivo. La **ausencia, irregularidad o pérdida** del billete no afectan ni a la existencia ni a la validez del contrato de transporte, que sigue estando sometido a las disposiciones de la CVR. 6964

El billete da fe, salvo prueba en contrario, de la **veracidad de las menciones** que contiene.

El billete puede ser **cedido a otra persona** hasta el momento de comenzar el viaje, salvo que el propio billete contenga expresión contraria, y siempre que no sea nominativo.

Respecto de los equipajes, el transportista puede emitir un talón en que conste el **número y naturaleza de los equipajes** que le son entregados. Este talón debe ser entregado obligatoriamente al viajero si éste lo requiere.

Cuando proceda, el transportista debe **entregar los equipajes** al poseedor del talón.

Sistema de responsabilidad (CVR art.11, 14 y 15) El transportista es responsable de los perjuicios que resulten de la **muerte**, de las **lesiones** y de cualquier otro detrimento a la **integridad física o mental**, causados al viajero por un accidente relacionado con el transporte y sobrevenido: 6966

- mientras que dicho viajero se encuentre en el vehículo;
- en los momentos en que el viajero entra o sale del vehículo;
- a consecuencia de la carga o descarga de los equipajes.

El transportista es también responsable del perjuicio consistente en la **pérdida total o parcial de los equipajes**, así como de su **avería**. La responsabilidad en este punto se establece en los siguientes términos:

• De los **equipajes facturados** (entregados al transportista), el transportista responde desde el momento de su toma en carga hasta el momento de su entrega o depósito.

• De los **demás equipajes**, el transportista responde durante la presencia de éstos en el vehículo. En caso de robo o desaparición que no haya tenido lugar con ocasión de un accidente, sólo responde si tales equipajes estaban bajo su vigilancia.

• El mismo régimen de responsabilidad se aplicará a los **bultos de mano**, esto es, a los equipajes y demás objetos que el viajero lleve sobre sí o consigo.

• La **pérdida de equipajes** se presume cuando éstos no hayan sido entregados en los 14 días siguientes a la fecha en que el viajero haya reclamado su entrega.

Exoneración de responsabilidad (CVR art.11.2, 14.2 y 17) Con carácter general, el transportista queda exonerado, en todo o en parte, de responsabilidad, en la medida en que el perjuicio tenga lugar por **culpa del viajero** o por un comportamiento de éste no adecuado a la conducta normal de un viajero. 6968

Así, **con respecto a los viajeros**, el transportista queda exonerado de responsabilidad si el accidente fue debido a circunstancias que, pese a haber adoptado la diligencia que las peculiaridades del caso exigieron, **el transportista no pudo evitar** y cuyas consecuencias no pudo impedir. El transportista no puede aducir al respecto:

- defectos físicos o mentales del **conductor**;
- defectos o mal funcionamiento del **vehículo**;

- culpa del **arrendatario** del vehículo o de quienes el arrendatario habría debido responder si hubiese sido él mismo el transportista.

Con **respecto a los equipajes**, el transportista queda exonerado de responsabilidad si la pérdida o avería fueron causadas por:

- **vicio propio** de los equipajes;
- riesgo especial derivado de su **naturaleza perecedera o peligrosa**; o
- circunstancias que, pese a haber adoptado la diligencia exigida por las peculiaridades del caso, el **transportista no pudo evitar** y cuyas consecuencias no pudo impedir.

6970 **Límite de responsabilidad** (CVR art.13 y 16) Se establecen los siguientes límites de responsabilidad:

a) Respecto del viajero. El montante total de los perjuicios a indemnizar por el transportista, en un mismo evento, no puede superar el límite de 83.333 unidades de cuenta por víctima. No obstante, todo Estado miembro de la Convención puede fijar límites superiores al señalado. Las partes del contrato de transporte pueden también estipular un límite superior al citado.

b) Respecto de los equipajes. El límite de responsabilidad es de 166,67 unidades de cuenta por bulto. Además, puede ser reclamado el montante de los perjuicios resultantes de pérdida total o parcial o de avería de los objetos que el viajero llevase sobre sí o consigo, sin que tal montante pueda exceder de 333,33 unidades de cuenta por viajero. Las partes del contrato de transporte pueden estipular límites más elevados.

Precisiones 1) El **derecho especial de giro** (DEG) o unidad de cuenta es una moneda creada por el Fondo Monetario Internacional (FMI), cuyo valor se obtiene mediante la combinación de la moneda de varios países miembros. En consecuencia, su valor fluctúa diariamente, dado que depende de la cotización de estas monedas. Se puede consultar su equivalencia en euros en la página web del Banco de España: www.bde.es.

2) En el caso de reclamación por avería en los equipajes ha de tenerse en cuenta el laudo de la JAT País Vasco 28-6-91, que fija la indemnización a pagar por perjuicios ocasionados por la **mojadura de una maleta**, en un servicio regular de viajeros de carácter internacional, en 30.000 pts. a razón de 1.500 pts./kg, por los 20 que se calculan pesaba el equipaje (CCom art.363 derog L 15/2099; ROTT art.31.2). Se analiza la tarifa de equipajes de este transporte internacional que permite llevar dos maletas de forma gratuita y sujeta al pago de 1.500 pts./kg por la tercera y siguientes, en concepto de tarifa por facturación de exceso.

6972 **Reclamaciones y acciones** (CVR art.20 y 22) La recepción de los equipajes por el viajero **sin formular protesta** hace presumir, salvo prueba en contra, que han sido recibidos íntegros y en buen estado.

La protesta debe ser **dirigida al transportista**, bien verbalmente, bien por escrito, dentro del plazo de 7 días consecutivos (naturales) siguientes a la recepción efectiva de los equipajes por el reclamante.

Respecto a los **equipajes no facturados** (no entregados al transportista), el plazo indicado corre desde el momento en que la pérdida o avería haya sido constatada y, a más tardar, desde la llegada del vehículo al lugar de destino del viajero.

Las **acciones** a que puedan dar lugar la muerte, las lesiones o cualquier otro detrimento a la integridad física o mental del viajero tienen un plazo de prescripción de 3 años.

La **prescripción** se computa desde el día en que la persona que haya sufrido el perjuicio haya tenido, o debiera haber tenido, conocimiento del mismo. En ningún caso el plazo de prescripción puede exceder de 5 años desde la fecha del accidente.

El resto de acciones prescriben en el plazo de un año, computable desde el día en que el vehículo llegó al lugar de destino del viajero o, en caso de no llegada, desde el día en que debería haber llegado.

SECCIÓN 2

Contrato de transporte por ferrocarril

Dentro de esta sección, dedicada genéricamente al contrato de transporte por ferrocarril, analizamos por separado el transporte de mercancías y el de viajeros, distinguiendo además entre transporte de ámbito interior (o nacional) y de ámbito internacional. **6977**

Precisiones Sobre la competencia de los **juzgados mercantiles**, ver nº 6457.

I. Transporte interior de mercancías por ferrocarril

La L 15/2009, del contrato de transporte terrestre de mercancías, opta por regular unitariamente el contrato de **transporte terrestre de mercancías** en sus dos variantes, por carretera y por ferrocarril. En principio, esta regulación (ya expuesta en los nº 6460 s.) es común a ambos modos, sin perjuicio de ofrecer soluciones específicas para el transporte ferroviario de mercancías en los lugares oportunos, cuando ello resulta necesario o conveniente. **6980**

Precisiones El Ministro de Transportes y Movilidad Sostenible -RD 829/2023- puede establecer **contratos-tipo** o condiciones generales de contratación para las distintas clases de transporte terrestre, en los que se determinen los derechos y obligaciones recíprocas de las partes y las demás reglas concretas de cumplimiento de los contratos singulares. Las reglas de los contratos-tipo o condiciones generales, cuando se refieran a contratos de transporte de mercancías por carretera o por ferrocarril, o transporte de viajeros en ferrocarril o autobús contratados por coche completo, incluyéndose, a tal efecto, los regulares de uso especial, son aplicables en forma subsidiaria o supletoria a las que libremente pacten las partes en los correspondientes contratos singulares (L 15/2009 disp.final 3ª).

Plazos de transporte (L 15/2009 art.33) Se prevé legalmente una norma específica sobre el plazo del transporte, estableciendo que el porteador debe entregar la mercancía transportada al destinatario en el lugar y plazo pactados en el contrato. En defecto de plazo pactado, los plazos de transporte no pueden superar los siguientes **límites**: **6982**
a) Para **vagones completos**:
- plazo de expedición: 12 horas;
- plazo de transporte: por cada fracción indivisible de 400 Km: 24 horas.
b) Para envíos en régimen de **paquetería**:
- plazo de expedición: 24 horas;
- plazo de transporte: por cada fracción indivisible de 200 Km: 24 horas.
En el transporte ferroviario, el porteador podrá **ampliar el plazo de duración** del transporte en lo estrictamente necesario cuando:
• Los envíos se transporten por líneas con diferente ancho de vía, por mar o por carretera cuando no exista conexión ferroviaria.
• Circunstancias extraordinarias entrañen un aumento anormal del tráfico o dificultades anormales de explotación.

Otras reglas generales La Ley del sector ferroviario (L 38/2015 art.62), al tratar sobe los **derechos de los usuarios**, establece con carácter general una remisión a la reglamentación de la UE y demás normas de aplicación en la materia y, en su caso, en los contratos que celebren con las empresas ferroviarias. **6984**
La L 38/2015 establece otras reglas de carácter general referidas a:
a) **Precio**. El precio exigible por las empresas ferroviarias a sus clientes en concepto de retribución por los servicios ferroviarios prestados está sujeto al Derecho privado, sin perjuicio de que puedan imponerse tarifas máximas obligatorias para los servicios de transporte ferroviario sometidos a obligaciones de servicio público.
b) **Libro de reclamaciones**. Las empresas ferroviarias deben tener, a disposición de los usuarios de los servicios, un libro de reclamaciones, editado con arreglo al modelo que se determine reglamentariamente.

c) **Reclamaciones por la prestación del servicio**. Los usuarios, sin perjuicio de poder instar la defensa de sus pretensiones en los términos previstos en la legislación vigente, ante las juntas arbitrales de transporte y, en todo caso, ante la jurisdicción ordinaria, están facultados para dirigir las reclamaciones relacionadas con la prestación del servicio a la empresa ferroviaria que lo lleve a cabo.

6986 **Materias desarrolladas reglamentariamente** Teniendo en cuenta lo indicado en la L 15/2009, y en tanto no se oponga a la misma y a la L 38/2015, debemos tener en cuenta el RD 2387/2004, por el que se aprueba el Reglamento del Sector Ferroviario.

Precisiones La L 38/2015 no deroga expresamente el Reglamento del sector ferroviario, aprobado por el RD 2387/2004, por lo que, conforme a su disposición derogatoria, se ha de considerar vigente el mismo en todo lo que no se oponga expresamente a ella (TCo 124/2016).

6988 **Acceso a los servicios de transporte de mercancías** (RD 2387/2004 art.91) Los cargadores y los destinatarios de las mercancías que se ocupan de efectuar la entrega o la recogida de las mismas en una terminal ferroviaria, deben ser autorizados a entrar en dicha terminal con los vehículos apropiados siempre que esté cubierta, por el correspondiente **seguro**, la responsabilidad civil en la que puedan incurrir por los daños y perjuicios que pudieran causar.

6990 **Título de transporte** (RD 2387/2004 art.92) El título de transporte o carta de porte es el documento que formaliza el contrato de transporte entre la empresa ferroviaria que realiza el servicio de transporte de mercancías u otro candidato y el cliente, sirve de resguardo para retirar la mercancía en destino.

Su **contenido** ha de incluir necesariamente la siguiente información:

a) Empresa o empresas ferroviarias a través de las que se realiza el transporte.

b) Cargador o agente de transporte.

c) Lugar y condiciones de entrega de la mercancía a la empresa ferroviaria o sus representantes con indicación de la fecha y hora previstas para ésta.

d) Destinatario de la mercancía.

e) Lugar y condiciones de entrega de la mercancía al destinatario con indicación de la fecha y hora previstas para ésta.

f) Características de la mercancía y peso y volumen de la misma.

g) Precio del transporte, especificando que incluye todos los impuestos y tasas.

h) Seguros u otros afianzamientos mercantiles que cubren los daños o la pérdida de la mercancía y eventual limitación de la responsabilidad de la empresa ferroviaria.

6992 **Responsabilidad de la empresa ferroviaria** (RD 2387/2004 art.93 y 94) La empresa ferroviaria que ofrezca servicios de transporte ferroviario de mercancías está obligada a efectuar el transporte contratado en el tiempo previsto y conforme a las condiciones pactadas en el contrato.

La empresa ferroviaria es responsable del transporte de las mercancías de conformidad con lo establecido en el Código de Comercio y, en su caso, en los convenios internacionales de aplicación.

En caso de **cancelación o interrupción** de un servicio por causas a ella imputables, la empresa ferroviaria está obligada a proporcionar el transporte de la mercancía en otro tren, mediante de otro modo de transporte, o a devolver el importe pagado por el cliente, a elección de éste, sin perjuicio de las indemnizaciones a las que haya lugar.

Salvo que expresamente se pacte lo contrario, la responsabilidad de los transportistas de mercancías por los daños, pérdidas o averías que sufran aquéllas, está **limitada** como máximo a la **cantidad** de cuatro euros con cincuenta céntimos por kilogramo bruto que falte o se dañe. Esta cantidad ha de ser actualizada, anualmente, con arreglo al Índice de Precios al Consumo (IPC).

Cuando se pacten límites superiores o condiciones de responsabilidad diferentes a las reglamentariamente previstas, la empresa ferroviaria puede solicitar, como contraprestación, una cantidad adicional sobre el **precio del transporte**.

La cuantía de dicha percepción adicional ha de ser libremente pactada por las partes.

II. Transporte interior de viajeros por ferrocarril

6995 Es de aplicación el **Reglamento europeo** sobre los derechos y las obligaciones de los viajeros de ferrocarril (Rgto (UE) 2021/782), en vigor desde el 7-6-2023, a los viajes y servicios de ferrocarril nacionales y en toda la UE prestados por una o varias empresas ferroviarias que dispongan de una licencia de conformidad con la Dir 2012/34/UE.

Con este Reglamento se ha procedido a la refundición del Rgto CE/1371/2007, el cual quedó **derogado a partir del 7-6-2023**. Por tanto, las referencias al Rgto CE/1371/2007 se entenderán realizadas al Rgto (UE) 2021/782, con arreglo a la tabla de correspondencias que figura en su anexo IV.
El Reglamento se aplica a los servicios de transporte de viajeros por ferrocarril, **realizados dentro de la Unión Europea**. Es aplicable, así pues, tanto al transporte interior como al internacional, dentro de los límites de la UE.

Precisiones 1) El Acuerdo de Consejo de Ministros de 5-3-2010 **adaptó** el Rgto CE/1371/2007 a la situación del transporte ferroviario español (DG Transporte Terrestre Resol 22-3-10, BOE 1-5-10).
2) Ha de tenerse en cuenta también el RD 1544/2007, por el que se regulan las condiciones básicas de **accesibilidad y no discriminación** para el acceso y utilización de los modos de transporte para personas con discapacidad. Esta norma determina las condiciones básicas de accesibilidad y no discriminación de las personas con discapacidad para la utilización de los modos de transporte ferroviario, marítimo, aéreo, por carretera, en autobús urbano y suburbano, ferrocarril metropolitano, taxi y servicios de transporte especial.
3) Desde el 31-7-2013, se presta en régimen de libre competencia el servicio de transporte ferroviario de viajeros con **finalidad** prioritariamente **turística** (L 39/2003 disp.trans.tercera.3 derog L 38/2015).

Materias reguladas en el Reglamento del sector ferroviario Debemos tener en cuenta el Reglamento del Sector Ferroviario (RD 2387/2004), en lo que regula el servicio de transporte de viajeros. **6997**

Precisiones La L 38/2015 no deroga expresamente el Reglamento del sector ferroviario, aprobado por el RD 2387/2004, por lo que, conforme a su disposición derogatoria, se ha de considerar vigente el mismo en todo lo que no se oponga expresamente a ella (TCo 124/2016).

Acceso a los servicios de transporte de viajeros (RD 2387/2004 art.86) Las personas que cuentan con un título de transporte que les habilite para viajar pueden utilizar el servicio de transporte ferroviario que se presta con arreglo a la Ley del Sector Ferroviario (L 38/2015). **6999**
Los niños **menores de cuatro años**, que no ocupan plaza, no precisan título de transporte.

Título de transporte (RD 2387/2004 art.87) El título de transporte o billete es el documento que formaliza el contrato de transporte entre la empresa ferroviaria y el viajero. **7001**
El título de transporte ha de incluir, como mínimo, el siguiente **contenido**:
a) La determinación de la empresa o empresas ferroviarias que realizarán el transporte.
b) El origen del viaje y hora de salida.
c) El destino y hora de llegada.
d) Los transbordos que pudieran producirse con cambio de tren especificando lugar y hora.
e) El coche, la clase y el número de plaza.
f) El peso y volumen del equipaje admitido.
g) El precio del transporte, especificando que incluye todas las tasas.
h) El precio de facturación, en su caso, del equipaje.
i) La información sobre los seguros u otros afianzamientos mercantiles que el servicio tiene cubiertos.
j) La hora límite para facturar, si la hubiere, o de presentación en los controles de seguridad para el acceso a los vehículos de transporte, si el administrador de infraestructuras ferroviarias lo estableciera.

Precisiones En los **servicios de cercanías** se pueden omitir las expresiones referidas a la hora de salida y de llegada de las letras b) y c), respectivamente, y las contenidas en las letras d), e), f), h), i) y j).

Responsabilidad de la empresa ferroviaria (RD 2387/2004 art.88) La empresa ferroviaria que ofrece servicios de transporte ferroviario de viajeros viene obligada a efectuar el transporte contratado con la duración prevista. Salvo por causa de **fuerza mayor**, la empresa ferroviaria es responsable frente al viajero en los casos de: **7003**
a) Cancelación del viaje.
b) Interrupción del viaje.
c) **Retraso**.
d) Pérdida, sustracción o deterioro del **equipaje** que se le haya entregado para su custodia.
Se entiende por **cancelación** del viaje la imposibilidad de iniciar el mismo en las condiciones recogidas en el título de transporte.
Asimismo, se entiende por **interrupción** del viaje la paralización del mismo mientras éste se está produciendo.

7005 **Indemnización a los viajeros** (RD 2387/2004 art.89) La empresa ferroviaria está obligada a indemnizar al viajero en los siguientes términos:

a) En caso de **cancelación** del viaje, el viajero tiene derecho a que se le devuelva el precio pagado por el servicio. Si la cancelación se produce en las 48 horas previas a la fijada para el inicio del viaje, la empresa ferroviaria está obligada, a elección del viajero, a proporcionarle transporte en otro tren u otro modo de transporte, en condiciones equivalentes a las pactadas o a devolverle el precio pagado por el servicio.

Cuando el viajero sea informado de la cancelación del viaje en las 4 horas previas a la fijada para su inicio, tiene derecho, además, a una indemnización a cargo de la empresa ferroviaria consistente en el doble del importe del título de transporte.

b) En caso de **interrupción** del viaje, la empresa ferroviaria está obligada a proporcionar al viajero, con la mayor brevedad posible, transporte en otro tren u otro modo de transporte, en condiciones equivalentes a las pactadas. Además, en el caso de que el tiempo de interrupción sea superior a una hora de duración, la empresa ferroviaria está obligada, en su caso, a sufragar los gastos de manutención y hospedaje del viajero durante el tiempo que dure la interrupción.

7007 **c)** En caso de **retraso en la llegada** a destino por tiempo superior a una hora, el viajero tiene derecho a una indemnización pecuniaria equivalente al 50% del precio del título de transporte utilizado. Cuando el retraso supera la hora y treinta minutos, la indemnización pecuniaria ha de ser equivalente al total de dicho precio.

d) La responsabilidad de la empresa ferroviaria por los **daños, pérdidas o averías** que sufran los **equipajes** facturados, es de catorce euros con cincuenta céntimos por kilogramo bruto que falte o se dañe, hasta la cantidad máxima de 600 euros por viajero. Esta cantidad ha de ser actualizada, anualmente, con arreglo al Índice de Precios al Consumo (IPC).

En todo caso, cualquier viajero puede reclamar por vía judicial o, eventualmente, arbitral, los daños y perjuicios que la cancelación del viaje o el retraso en su llegada al destino previsto le ocasione.

Precisiones Acreditado el gasto -daño emergente- y las circunstancias que le llevaron a incurrir en el mismo para evitar daños mayores -la pérdida del tren AVE a Sevilla y la pérdida de un día de estancia en dicha ciudad-, es obvio que la demanda debe ser estimada. La **re-colocación del viajero** en el siguiente tren con destino a Madrid, no constituye solución que impida la pérdida del AVE y habida cuenta de que para ese mismo día todos los demás trenes AVE Madrid-Sevilla estaban completos, habría supuesto también la pérdida de la estancia de ese mismo día en Sevilla. En nada afecta, como circunstancia exonerante para la demandada, el escaso tiempo entre la llegada del ALVIA a Madrid y la salida del AVE, aún contando con un traslado de estación (JPI Vitoria-Gasteiz núm 7, 24-10-17, EDJ 294203).

7009 **Exclusión de viajeros** (RD 2387/2004 art.90) La empresa ferroviaria está facultada para excluir de sus vehículos de transporte a los viajeros que, con su conducta, alteran el **orden** dentro de ellos o ponen en peligro la **seguridad** del transporte.

Puede denegarse también el acceso a los vehículos de transporte y a las salas de embarque o de espera a aquellas personas que no se someten a los **controles de seguridad** establecidos para el acceso de los viajeros a los vehículos.

Sin perjuicio de las sanciones que pueden corresponder por las infracciones que han cometido, los pasajeros excluidos no tienen derecho al **reembolso** del precio pagado por el título de transporte.

7011 **Viaje sin billete** En el supuesto de que el personal de la empresa ferroviaria compruebe que un determinado viajero viaja sin el billete que le habilita para ello, le ha de exigir que le abone el **pago** de su precio y, en caso de no hacerlo, que **abandone** el tren en la estación en que se encuentre estacionado o, si se halla en tránsito entre dos estaciones, en la primera en que se detenga.

Precisiones Se declara la nulidad del precepto legal autonómico que atribuye la condición de agente de la autoridad a los **interventores ferroviarios** y anuda la exigencia de responsabilidad penal a quienes ofrezcan resistencia o cometan delito de atentado o desacato (TCo 50/2018).

7013 **Sistema de reclamaciones** (RD 2387/2004 art.98 a 104 redacc RD 448/2022, anexos I y II) Los **administradores de infraestructuras ferroviarias y las empresas ferroviarias** deben disponer, a efectos de facilitar las reclamaciones por parte de los usuarios, de los siguientes medios:

1°. De **aplicaciones informáticas** que permitan a los usuarios acceder a un **formulario electrónico** mediante el cual realizar las reclamaciones que estimen pertinentes por medios telemáticos, a cuyo efecto todas las páginas web donde puedan adquirirse o reservarse títulos de viaje deberán incluir un enlace directo a la aplicación informática en la que los usuarios puedan realizar sus reclamaciones.

2º. De un **libro de reclamaciones**, que se ajustará al modelo legalmente previsto, que se ha de poner a disposición de los usuarios en todas las instalaciones donde se presten servicios al público en general y, en concreto:
- en las instalaciones fijas de su titularidad en las que se expendan títulos de transporte;
- en todos los trenes que realicen servicio de transporte de viajeros y que cuenten con personal de la empresa ferroviaria además del de conducción;
- en todas las estaciones de viajeros y terminales de mercancías en las que la empresa cuente con personal a su servicio;
- en todos los puntos de facturación y entrega de equipajes.

Los **usuarios podrán optar** por cualquiera de estas dos vías para interponer sus reclamaciones (esto es, a través del formulario electrónico o del libro de reclamaciones).

Precisiones 1) El RD 448/2022 adapta el Reglamento del Sector Ferroviario aprobado por RD 2387/2004 a la generalización en el uso de medios electrónicos en el ámbito público. Señala al efecto su Exposición de Motivos: «Considerando las modificaciones que se han llevado a cabo en las normas que regulan otros modos de transporte, resulta necesario introducir también en el ámbito ferroviario un **sistema de reclamaciones que utilice medios electrónicos** y que **complemente** el modelo vigente, basado en el **libro de reclamaciones**. Con ello, se pretende adaptar este sistema de reclamaciones a la realidad actual, en la que muchos usuarios del transporte ferroviario cuentan ya con **dispositivos móviles con acceso a Internet** y en la que tanto los administradores de infraestructuras, como las empresas ferroviarias, han desarrollado aplicaciones informáticas para la gestión de las reclamaciones que se presentan ante ellos. Este avance permite también contar con sistemas más ágiles y rápidos que el basado en el libro de reclamaciones, así como superar determinados problemas derivados del mismo, como la imposibilidad de acceder a las hojas de reclamaciones en aquellas estaciones pequeñas y medianas en las que no hubiese personal a determinadas horas del día.»

2) Los **anexos I y II** del RD 2387/2004 establecen, respectivamente, el **Modelo oficial** de reclamación electrónica y el Modelo oficial de Libro de Reclamaciones.

Requisitos Según la vía de reclamación que utilice el viajero, los requisitos son distintos: **7015**

1. Mediante **formulario electrónico**: las aplicaciones informáticas a través de las que los usuarios puedan formular sus reclamaciones, así como los formularios diseñados al efecto, deberán cumplir las condiciones que se establezcan por la Dirección General de Transporte Terrestre a efectos de garantizar la disponibilidad, integridad, inalterabilidad e inviolabilidad de su contenido. En concreto, deberán permitir:

a) al **reclamante**, conservar un justificante que acredite la realización de la reclamación y el contenido de la misma, así como la fecha y la hora de su presentación;

b) al **órgano de control** e inspección, su acceso a las mismas.

2. Mediante el **libro de reclamaciones**:

a) las entidades obligadas a llevarlo lo presentarán ante la Dirección General de Transporte Terrestre para su **diligenciado** y cumplimentarán debidamente sus datos;

b) será de libre edición y constará de varios ejemplares de hojas de reclamaciones correlativamente numeradas; y cada hoja de reclamaciones se confeccionará en **triplicado** ejemplar de igual numeración y tendrá el siguiente destino:
- la primera y la segunda copia se entregarán al reclamante, que podrá remitir esta última al órgano que en cada caso corresponda, si así lo estima conveniente;
- la tercera será conservada por la entidad y se unirá al libro de reclamaciones, para su constancia.

Precisiones Las entidades que han de disponer del **libro de reclamaciones** están obligadas a:
- facilitar el libro de reclamaciones u hojas del mismo a los usuarios cuando lo soliciten;
- informar sobre la posibilidad de efectuar la **reclamación por vía electrónica**.

Formalidades Los formularios de reclamaciones electrónicas o el libro de reclamaciones deberán permitir que el **usuario haga constar**: **7017**
- su nombre, apellidos y número de DNI o documento equivalente;
- la dirección postal o electrónica donde desea que se le comunique cualquier información o resolución adoptada en relación con su reclamación;
- los hechos objeto de la reclamación;
- lugar o trayecto, indicando origen y destino;
- fecha y, en su caso, la hora en que se produjeron los hechos objeto de la reclamación.

Precisiones El personal de los administradores de infraestructuras o las empresas ferroviarias encargados de facilitar el libro de reclamaciones u hojas del mismo deberán **asistir** a toda persona que tenga **dificultades para cumplimentarlos**, especialmente cuando se trate de personas mayores o con discapacidad. Asimismo, también deberán asistir a cualquier usuario que solicite su ayuda para presentar la reclamación por vía electrónica.

7019 **Procedimiento** Tanto los usuarios como las entidades ferroviarias disponen de un **plazo** para formular la reclamación y para dar respuesta a la misma. En concreto:
- Los **usuarios** podrán presentar sus reclamaciones dentro del plazo de los **tres meses** siguientes a los hechos que dieron lugar a la misma.
- Formulada una reclamación, los administradores de infraestructuras o las **empresas ferroviarias** deberán contestar de manera motivada en el plazo de **un mes** desde su recepción, informando al reclamante, en su caso, de las medidas adoptadas al respecto. No obstante, excepcionalmente, cuando el caso lo justifique, informarán al usuario de la fecha para la cual cabe esperar respuesta, sin que pueda superar los tres meses desde la fecha de recepción de la reclamación.
El interesado tendrá derecho a **acceder** a los documentos que forman parte del expediente al que dé lugar su reclamación.
La **información** detallada acerca del **procedimiento** de tramitación de la reclamación será accesible al público, incluidas las personas con discapacidad o movilidad reducida, previa solicitud.
Las entidades obligadas a disponer de **libro de reclamaciones** deberán registrar la contestación a las reclamaciones presentadas mediante esta modalidad en las aplicaciones informáticas.
En todos los lugares en los que sea obligatorio disponer de libro de reclamaciones u hojas del mismo, existirá un **rótulo**, perfectamente visible, que especifique dicha circunstancia, así como la posibilidad de interponer reclamaciones por medios electrónicos. Este rótulo también incluirá un **código** (p.e., código QR) que pueda ser leído y descifrado mediante un lector óptico y que remita a la correspondiente aplicación de reclamaciones.

7021 **Sistema de reclamaciones en el ámbito europeo** (Rgto (UE) 2021/182 art.28) El Reglamento europeo sobre los derechos y las obligaciones de los viajeros de ferrocarril dispone, respecto de las reclamaciones, que cada empresa ferroviaria y administrador de estación con un promedio anual de al menos 10.000 viajeros por día establecerán un **mecanismo de tramitación** de reclamaciones relativo a los derechos y obligaciones contemplados en el Reglamento en su ámbito de competencia respectivo. Comunicarán de manera generalizada sus datos de contacto y lenguas de trabajo.
Los **viajeros** podrán presentar a cualquier empresa ferroviaria o administrador de estaciones una reclamación. Dicha reclamación se presentará en los 3 meses siguientes al incidente que corresponda.
En un plazo de un mes a partir de la recepción de la reclamación, el destinatario de la misma dará una **respuesta motivada** o, cuando el caso lo justifique, informará al viajero de que recibirá una respuesta en un plazo de menos de tres meses desde la fecha de recepción de la reclamación.
Las empresas ferroviarias y los administradores de estaciones **conservarán** durante todo el procedimiento de tramitación de la reclamación, incluidos los procedimientos contemplados en el Rgto (UE) 2021/782 art.33 y 34, la información necesaria para evaluar la reclamación y la pondrán a disposición de los organismos nacionales de ejecución cuando la pidan.

Precisiones **1)** Resulta de interés en este punto la Comunicación COM/2011/0898, de la Comisión al Parlamento Europeo y al Consejo, sobre los **derechos de los pasajeros** en todos los modos de transporte (nº 6733).
2) Las empresas ferroviarias, los operadores turísticos y los proveedores de billetes que ofrezcan contratos de transporte por cuenta de una o varias empresas ferroviarias facilitarán al viajero que lo solicite, como mínimo, la **información** indicada en el anexo II, parte I del Rgto (UE) 2021/782, relativa a los viajes para los cuales la empresa ferroviaria de que se trate ofrece un contrato de transporte. Las empresas ferroviarias y, cuando sea posible, los proveedores de billetes y los operadores turísticos facilitarán a los viajeros durante el viaje, como **mínimo**, la información que se indica en el anexo II, parte II. Si un administrador de estación posee esta información, también la proporcionará al viajero (Rgto (UE) 2021/782 art.9).
3) Las empresas ferroviarias o, en su caso, las autoridades competentes encargadas de los contratos ferroviarios de servicio público, harán pública por los medios apropiados, lo que incluye en formatos accesibles acordes con las disposiciones de la Dir (UE) 2019/882 y de los Rgto (UE) 454/2011 y Rgto (UE) 1300/2014, toda **decisión de interrumpir un servicio**, tanto de forma temporal como permanente, antes de llevarla a cabo (Rgto (UE) 2021/782 art.8).
4) Las empresas ferroviarias, los proveedores de billetes y los operadores turísticos ofrecerán **billetes** y, si están disponibles, billetes combinados y **reservas**. Las empresas ferroviarias venderán billetes a los viajeros, bien directamente bien a través de proveedores de billetes o de operadores turísticos, a través de al menos uno de los siguientes medios de venta: a) taquillas, otros puntos de venta o taquillas automáticas; b) teléfono, internet o cualquier otra tecnología de la información de uso generalizado; c) a bordo de los trenes.

En relación a los **billetes combinados** se dispone que cuando los servicios ferroviarios regionales o de larga distancia sean explotados por una única empresa ferroviaria, esta ofrecerá un billete combinado para dichos servicios. Para otros servicios de transporte ferroviario de viajeros, las empresas ferroviarias harán todos los esfuerzos razonables para ofrecer billetes combinados y cooperarán entre ellas a tal fin (Rgto (UE) 2021/782 art.11 y 12).

Competencia de los tribunales Dada la condición de **Renfe** como empresa perteneciente al **sector público**, se plantea la cuestión de qué jurisdicción es la competente para atender las reclamaciones por incumplimiento del contrato de transporte: **7023**
- si la jurisdicción **contencioso-administrativa**, vía responsabilidad patrimonial; o
- la jurisdicción **civil**, y, dentro de ella, si son competentes los juzgados de primera instancia o los mercantiles.

Según la AP de Madrid, lo determinante para decidir la competencia objetiva para conocer una demanda no es tanto contra quien se dirige la demanda, sino si la misma se promueve al amparo de la normativa en materia de transportes, nacional o internacional, que es en definitiva el criterio rector para determinar la competencia (AP Madrid, Sec 28ª, 6-11-09). Cuando la normativa al amparo de la cual se ejercita la pretensión de resarcimiento de daños y perjuicios por responsabilidad contractual de la transportista Renfe Operadora es, exclusivamente, la relativa al contrato de transporte terrestre por ferrocarril, el conocimiento del asunto corresponde, conforme a la LOPJ art.86 ter 2.b, a los Juzgados de lo Mercantil (AP Madrid auto 27-3-12, EDJ 84811).

Precisiones Un determinado laudo arbitral condenó a RENFE OPERADORA a pagar una **indemnización por las lesiones** causadas en la prestación del servicio a una **persona con movilidad reducida**, y RENFE interpuso demanda de anulación del referido laudo argumentando, entre otras cuestiones, que la materia no era susceptible de arbitraje, y por tanto la junta arbitral que dictó el laudo carecía de competencia, dado que se trata de un tema de responsabilidad extracontactual, y no una controversia mercantil de contrato de transporte, por lo que no es susceptible del arbitraje previsto en la LOTT art.38, o, desde la perspectiva de Renfe como integrante del sector público, sería un tema de responsabilidad patrimonial de una Administración Pública (institucional), y por tanto tampoco arbitrable, sino que sería competencia de la jurisdicción contencioso-administrativa, improrrogable (es decir, no elegible). A juicio de RENFE, el fondo de la cuestión tampoco se referiría al contrato de transporte sino a una **actividad complementaria** de ayuda a acceder al tren a personas con movilidad reducida y por ello no entraría dentro el ámbito de aplicación de la LOTT, a diferencia de los transportes por carretera.

Al respecto, el tribunal que conoció en grado de apelación el recurso de anulación del laudo declaró que, si bien la LOPJ art.9.4 y la LJCA art.2.e, atribuyen a la jurisdicción contencioso-administrativa la competencia jurisdiccional en casos de responsabilidad patrimonial de las Administraciones Públicas cualquiera que sea la naturaleza de la actividad o el tipo de relación de que derive, pública o privada, no existe obstáculo al **arbitraje legal institucional** previsto en la LOTT art.38 cuando, como es el caso, se trata de controversias con los consumidores o usuarios en materia de cumplimiento del contrato de transporte (AP A Coruña 4-7-11, EDJ 154736).

Responsabilidad en el Rgto (UE) 2021/782 El nuevo reglamento por el que se refunde y se deroga el Rgto CE/1371/2007, con **efectos** a partir del 7-6-2023, establece que la responsabilidad de las empresas ferroviarias respecto de los viajeros y de sus equipajes se regirá por lo dispuesto en su capítulo I, III y IV del título IV y en los títulos VI y VII del anexo I. **7025**

Responsabilidad por retraso, pérdida de enlaces y cancelaciones (Rgto (UE) 2021/782 art.17, 18, 19, 20 y anexo I) El transportista será responsable frente al viajero del daño resultante del hecho de que, a causa de la supresión, del retraso o de un enlace perdido, el viaje no pueda continuar el mismo día, o que su continuación no sea razonablemente exigible el mismo día a causa de las circunstancias. Los daños y perjuicios comprenderán los gastos razonables de alojamiento, así como los gastos razonables en que pueda incurrirse para avisar a las personas que esperan al viajero. **7027**

El transportista **queda exento de responsabilidad**, cuando la supresión, el retraso o el enlace perdido sean imputables a una de las siguientes causas:

a) circunstancias ajenas a la explotación ferroviaria que el transportista, a pesar de la diligencia requerida por las particularidades del caso, no haya podido evitar y cuyas consecuencias no haya podido obviar;

b) culpa del viajero; o

c) el comportamiento de terceros que el transportista, a pesar de la diligencia requerida por las particularidades del caso, no haya podido evitar y cuyas consecuencias no haya podido obviar; otra empresa que utilice la misma infraestructura ferroviaria no será considerada como tercero; el derecho a repetir no se verá afectado.

En caso de que sea razonable prever, bien a la salida o a causa de la pérdida de un enlace o una cancelación, un **retraso en la llegada al destino** final de 60 minutos como mínimo, la

empresa ferroviaria que efectúa el servicio retrasado o cancelado ofrecerá de inmediato al viajero la opción entre una de las siguientes posibilidades:
- reintegro del importe total del billete;
- la continuación del viaje o la conducción por una vía alternativa al punto de destino final, en condiciones de transporte comparables y lo antes posible;
- la continuación del viaje o la conducción por una vía alternativa al punto de destino final, en condiciones de transporte comparables, en la fecha posterior que convenga al viajero.
Cuando no se hayan comunicado al viajero las posibilidades de conducción por vía alternativa dentro de los 100 minutos siguientes a la salida prevista del servicio retrasado o cancelado o del enlace perdido, el viajero tendrá derecho a celebrar dicho contrato con otros proveedores de servicios de transporte público por ferrocarril, autocar o autobús. La empresa ferroviaria reembolsará al pasajero los costes derivados necesarios, adecuados y razonables.

7029 El viajero que vaya a sufrir un retraso entre los lugares de partida y de destino final especificados en el billete o billete combinado por el cual no se le haya reintegrado el importe del billete con arreglo a lo dispuesto en el art.18, tendrá **derecho a indemnización** de la empresa ferroviaria por retraso sin por ello renunciar a su derecho al transporte. La indemnización mínima por causa de retraso será la siguiente (Rgto (UE) 2021/782 art.19):
- 25% del precio del billete en caso de retraso de entre 60 y 119 minutos;
- 50% del precio del billete en caso de retraso igual o superior a 120 minutos.

La empresa ferroviaria **no está obligada a indemnizar** si puede demostrar que el retraso, la pérdida del enlace o la cancelación se debió directamente a, o a causas vinculadas inherentemente con:
a) Circunstancias extraordinarias ajenas a la explotación ferroviaria, como los fenómenos meteorológicos extremos, las catástrofes naturales graves o las crisis graves de salud pública que la empresa ferroviaria, a pesar de la diligencia requerida por las particularidades del caso, no haya podido evitar y cuyas consecuencias no haya podido obviar.
b) Culpa del viajero.
c) El comportamiento de terceros que la empresa ferroviaria, a pesar de la diligencia requerida por las particularidades del caso, no haya podido evitar y cuyas consecuencias no haya podido obviar, como personas en la vía, robo de cables, emergencias a bordo, actuaciones policiales, sabotaje o terrorismo.
Las **huelgas** del personal de la empresa ferroviaria, las acciones u omisiones de otra empresa que utilice la misma infraestructura ferroviaria y las acciones u omisiones de administradores de infraestructuras y de estaciones no quedan cubiertas por la exención a que se refiere la letra c).

7031 En caso de retraso de la salida o de la llegada, o de cancelación de un servicio, la empresa ferroviaria o el administrador de estaciones han de **mantener informados a los viajeros de la situación y de la hora estimada de salida y de llegada** del servicio o del servicio sustitutivo en cuanto esa información esté disponible. Si los proveedores de billetes y los operadores turísticos disponen de dicha información, también se la facilitarán al viajero.
En caso de que el retraso sea como mínimo de 60 minutos, o de cancelación de un servicio, la empresa ferroviaria que efectúa el servicio retrasado o cancelado ha de o**frecer gratuitamente a los viajeros**:
a) **Comidas y refrigerios**, en una medida adecuada al tiempo de espera, si están disponibles en el tren o en la estación o si pueden razonablemente suministrarse teniendo en cuenta factores tales como la distancia del suministrador, el tiempo necesario para el suministro y el coste;
b) **Alojamiento** en un hotel u otro lugar, y transporte entre la estación de ferrocarril y el lugar de alojamiento, en los casos que requieran una estancia de una o más noches o una estancia adicional, siempre y cuando sea físicamente posible. En los casos en que dicha estancia resulte necesaria debido a las circunstancias mencionadas en el art.19 punto 10, la empresa ferroviaria podrá limitar la duración del alojamiento a un máximo de tres noches. Siempre que sea posible, se tendrán en cuenta los requisitos de acceso de las personas con discapacidad y de las personas con movilidad reducida, así como las necesidades de los perros de asistencia;
c) Si el tren se encuentra bloqueado en la vía, **transporte** del tren a la estación de ferrocarril, al lugar de partida alternativo o al destino final del servicio, siempre y cuando sea físicamente posible.

Precisiones El TJUE ha declarado, en interpretación del Rgto CE/1371/2007 art.17, que una empresa *ferroviaria no tiene* derecho a incluir en sus condiciones generales de transporte una **cláusula** según la cual quedará **exenta de su obligación de indemnización** por el precio del billete por causa de retraso, cuando el retraso se deba a un supuesto de fuerza mayor o a una de las causas enumeradas en el art.32.2 de las Reglas uniformes relativas al contrato de transporte internacional de viajeros y equipajes por ferrocarril del Convenio Berna 9-5-1980 relativo a los transportes internacionales por ferrocarril (COTIF) (TJUE 26-9-13 -C-509/11-).

Responsabilidad en caso de muerte y lesiones de los viajeros (Rgto (UE) 2021/782 anexo I art.26) El transportista será responsable del daño resultante de la muerte, de las lesiones o de cualquier otro daño a la integridad física o mental del viajero, causado por un accidente en relación con la explotación ferroviaria ocurrido durante la estancia del viajero en los coches ferroviarios, su entrada o salida de ellos, cualquiera que fuere la infraestructura ferroviaria utilizada. 7033

Quedará **exento de responsabilidad** en los siguientes casos:

a) Si el accidente hubiera sido causado por circunstancias ajenas a la explotación ferroviaria que el transportista, a pesar de la diligencia requerida por las particularidades del caso, no haya podido evitar y cuyas consecuencias no haya podido obviar.

b) En la medida en que el accidente haya sido debido a culpa del viajero.

c) Si el accidente se hubiera producido a causa del comportamiento de terceros que el transportista, a pesar de la diligencia requerida por las particularidades del caso, no haya podido evitar y cuyas consecuencias no haya podido obviar; otra empresa que utilice la misma infraestructura ferroviaria no será considerada como tercero; el derecho a repetir no se verá afectado.

Si el accidente se hubiera producido a causa del **comportamiento de terceros** y, a pesar de ello, el transportista no estuviera totalmente exento de responsabilidad conforme al apartado 2, letra c), el transportista responderá por la totalidad de los daños dentro de los límites establecidos en las presentes Reglas Uniformes y sin perjuicio de su eventual derecho a recurrir contra terceros.

Las reglas uniformes expuestas no afectarán a la responsabilidad que pueda incumbir al transportista en los **casos no previstos**.

Cuando un **transporte**, objeto de un contrato de transporte único, sea **efectuado por transportistas subsiguientes**, será responsable, en caso de muerte y lesiones de los viajeros, el transportista a quien incumbiera, según el contrato de transporte, la prestación del servicio de transporte en cuyo transcurso el accidente se hubiera producido. Cuando esta prestación no hubiere sido efectuada por el transportista, sino por un transportista sustituto, ambos transportistas serán responsables solidariamente, conforme a las presentes reglas uniformes.

Precisiones 1) En cuanto a la responsabilidad del transportista por incumplimiento del servicio en un caso de **huelga**, se ha declarado la falta de responsabilidad por considerar probado que la compañía ferroviaria facilitó a todos los usuarios la **información necesaria con antelación suficiente** (JAT Navarra 15-6-95).

2) Se ha declarado la responsabilidad de una compañía ferroviaria metropolitana por la **muerte de un usuario** a consecuencia de una **agresión** sufrida en las instalaciones de la compañía. La agresión se produjo en la órbita del contrato de transporte, no tanto porque la víctima hubiese adquirido con anterioridad el billete, sino porque los hechos tuvieron lugar dentro de las instalaciones de la compañía ferroviaria. La indemnidad que el usuario tiene derecho a obtener durante el desarrollo del transporte no se limita a la fase en que se halle ocupando el vehículo correspondiente, sino que se amplía a los momentos en que, tras abandonar la vía pública, deba recorrer determinado trayecto, dentro del recinto privado de la compañía ferroviaria, así como al recorrido que precise efectuar desde el punto en que abandona el tren hasta alcanzar la salida exterior de las instalaciones (TS 20-12-04, EDJ 219274).

Daños y perjuicios (Rgto (UE) 2021/782 anexo I art.27, 28) El Reglamento distingue entre: 7035

A) En caso de **muerte del viajero**, comprenderán:

- los gastos necesarios a consecuencia del fallecimiento, especialmente los de transporte del cadáver y los de las exequias;
- si la muerte no hubiere sido instantánea, los daños y perjuicios previstos en el art.28.

Si, por muerte del viajero, personas con las que este tuviera o hubiera tenido en el futuro una **obligación de alimentos** en virtud de la ley, se vieran privadas de su sustento, también habrá lugar a indemnizarlas de dicha pérdida. La acción por daños y perjuicios de las personas cuyo mantenimiento corra a cargo del viajero sin estar obligado a ello por ley quedará sometida al Derecho nacional.

B) En caso de **lesiones** o de cualquier otro daño a la integridad física o mental del viajero, los daños y perjuicios comprenderán:

- los gastos necesarios, especialmente los de tratamiento y los de transporte;
- la reparación del perjuicio económico causado, bien por la incapacidad total o parcial para el trabajo, bien por el aumento de las necesidades.

C) Reparación de **otros daños personales**, el Derecho nacional determinará cuándo y en qué medida el transportista deberá abonar daños y perjuicios por daños corporales distintos de los previstos en los art.27 y 28 (Rgto (UE) 2021/782 anexo I art.29).

Precisiones Los daños y perjuicios previstos por muerte del viajero cuando este tuviera o hubiera tenido en el futuro una obligación de alimentos (Rgto (UE) 2021/782 anexo I art.27.2), o en caso de lesiones cuando origine un perjuicio económico bien por la incapacidad total o parcial para el trabajo, bien por el aumento de las necesidades (Rgto (UE) 2021/782 anexo I art.28.b), habrán de satisfacerse **en forma de capital**. No obstante, si el Derecho nacional permite la asignación de una renta, se satisfarán de esta forma cuando el viajero perjudicado o los derechohabientes lo soliciten.
Dicho **importe** se determinará con arreglo al Derecho nacional. No obstante, para la aplicación de las presentes reglas uniformes, se fijará un **límite máximo** de 175 000 unidades de cuenta en capital o en renta anual correspondiente a dicho capital por cada viajero, cuando el Derecho nacional prevea un límite máximo por un importe inferior (Rgto (UE) 2021/782 anexo I art.30).

7037 **Responsabilidad por bultos de mano y animales** (Rgto (UE) 2021/7820 anexo I art.33) Tanto en el caso de muerte, como de lesiones de los viajeros el transportista será responsable, además, del daño resultante de la pérdida total o parcial, o de la avería, de los objetos que el viajero llevara sobre sí o consigo como bultos de mano; lo mismo sucederá con respecto a los animales que el viajero lleve consigo.
El transportista solo será responsable del daño resultante de la pérdida total o parcial o de la avería o daños que pudieran sufrir los objetos, bultos de mano o animales **cuya vigilancia incumba al viajero**, cuando dicho daño haya sido causado por culpa del transportista.

Precisiones Cuando el transportista sea responsable, deberá reparar el daño hasta un límite de 1 400 unidades de cuenta por cada viajero (Rgto (UE) 2021/7820 anexo I art.34).

7039 **Responsabilidad por equipaje facturado** (Rgto (UE) 2021/782 anexo I art.36 a 43) El transportista será responsable del daño resultante de la pérdida total o parcial y de la avería de los equipajes facturados que se produzcan desde el momento en que el transportista se hace cargo de los mismos hasta su entrega, así como del retraso en la entrega.
No obstante, quedará **exento de responsabilidad** cuando la pérdida, la avería o el retraso en la entrega hubiera tenido como causa una falta del viajero, una orden dada por este que no sea resultado de una falta del transportista, un vicio propio de los equipajes facturados o circunstancias que el transportista no haya podido evitar y cuyas consecuencias no haya podido obviar.
El transportista quedará exento de esta responsabilidad en la medida en que la pérdida o la avería resulten de riesgos particulares inherentes a uno o varios de los siguientes **hechos**:
- falta o defecto de embalaje;
- naturaleza especial de los equipajes;
- expedición como equipajes de objetos excluidos del transporte.

Precisiones La **prueba** de que la pérdida, la avería o el retraso en la entrega hubieren sido motivados por uno de los hechos expuestos, incumbe al transportista.

7041 **Presunción de pérdida** El derechohabiente podrá considerar perdido un bulto, sin tener que presentar otras pruebas, cuando no haya sido entregado o puesto a su disposición dentro de los catorce días siguientes a su petición de entrega.
Si un bulto perdido se hallase dentro del año siguiente a la petición de entrega, el transportista estará obligado a **notificar al derechohabiente** esta circunstancia, cuando su domicilio sea conocido o pueda averiguarse.
Dentro de los 30 días siguientes a la recepción de la notificación, el derechohabiente podrá exigir la **entrega del bulto**. En este caso, deberá pagar los gastos relacionados con el transporte del bulto desde el lugar de expedición hasta aquel en que deba tener lugar la entrega y restituir la indemnización recibida, una vez deducidos los gastos que, en su caso, hubieran sido comprendidos en dicha indemnización. No obstante, conservará sus derechos a la indemnización por retraso en la entrega.
Si el bulto **no se reclama en plazo**, o si el bulto ha sido hallado transcurrido más de un año desde la petición de entrega, el transportista dispondrá del mismo conforme a las leyes y reglamentos vigentes en el lugar donde se encuentre el bulto.

7043 **Indemnización en caso de pérdida** Por pérdida total o parcial de los equipajes facturados, el transportista deberá **pagar**, con exclusión de los demás daños y perjuicios:
- si se ha probado el importe del daño, una indemnización igual a dicho importe, sin que exceda, no obstante, de 80 unidades de cuenta por kilogramo de peso bruto que falte o de 1 200 unidades de cuenta por bulto;
- si no se ha probado el importe del daño, una indemnización calculada a tanto alzado de 20 unidades de cuenta por kilogramo de peso bruto que falte o de 300 unidades de cuenta por bulto.
La **modalidad** de la indemnización, por kilogramo que falte o por bulto, quedará determinada por las condiciones generales de transporte.

El transportista deberá reembolsar, además, el precio pagado por el **transporte de los equipajes** y las restantes cantidades desembolsadas con ocasión del transporte del bulto perdido, así como los derechos de aduana e impuestos sobre consumos específicos que ya se hubieran abonado.

Indemnización en caso de avería En caso de avería del equipaje facturado, el transportista deberá pagar, con exclusión de los demás daños y perjuicios, una indemnización equivalente a la depreciación sufrida por el equipaje. 7045
La indemnización **no podrá exceder** de:
- la cantidad a que habría ascendido en caso de pérdida total si la totalidad de los equipajes resultase depreciada por la avería;
- la cantidad a que habría ascendido en caso de pérdida de la parte depreciada si solamente una parte de los equipajes resultase depreciada por la avería.

Indemnización por retraso en la entrega En caso de retraso en la entrega de los equipajes facturados, el transportista deberá **pagar**, por cada período indivisible de 24 horas a partir de la petición de entrega y hasta un máximo de 14 días: 7047
a) si el derechohabiente **prueba que se ha producido un perjuicio**, comprendida una avería, una indemnización igual al importe del perjuicio hasta un máximo de 0,80 unidades de cuenta por kilogramo de peso bruto de los equipajes o de 14 unidades de cuenta por bulto, entregados con retraso;
b) si el derechohabiente **no prueba** que por ello se ha producido un perjuicio, una indemnización a tanto alzado de 0,14 unidades de cuenta por kilogramo de peso bruto de los equipajes o de 2,80 unidades de cuenta por bulto, entregados con retraso.

Responsabilidad en el caso de vehículos (Rgto (UE) 2021/782 anexo I art.44 y 45) En caso de **retraso en la carga o en la entrega** de un vehículo por causa imputable al transportista, el transportista deberá pagar, cuando el derechohabiente pruebe que de ello ha resultado un perjuicio, una indemnización cuyo importe no podrá exceder del precio del transporte. 7049
En caso de **pérdida total o parcial** de un vehículo, la indemnización que deberá pagarse al derechohabiente por el daño probado será calculada de acuerdo con el valor usual del vehículo y no podrá exceder de 8 000 unidades de cuenta. Un remolque, con o sin carga, será considerado como un vehículo independiente.

III. Transporte internacional de mercancías por ferrocarril

7055

El transporte internacional de mercancías por ferrocarril se rige por las Reglas Uniformes relativas al Contrato de Transporte Internacional de Mercancías por Ferrocarril (**CIM**), contenidas en el **Convenio de Berna** de 9-5-1980 relativo a los Transportes Internacionales por Ferrocarril (instrumento de ratificación 16-12-1981; BOE 18-1-86), según redacción dada por el Protocolo de Berna de 20-12-1990 (instrumento de ratificación 1-9-1992; BOE 23-9-96), que ha sido modificado a su vez por el Protocolo de Vilnius de 3-6-1999 (en fase de ratificación por los Estados contratantes). 7057
En cuanto al transporte de **mercancías peligrosas**, debemos tener en cuenta el Reglamento relativo al transporte internacional de mercancías peligrosas por ferrocarril (RID), anejo al Convenio de Berna (BOE 20 a 26-8-86), y las modificaciones adoptadas por la comisión de expertos del RID en Praga el 23-11-2001 (BOE 18-2-03).

Precisiones El Convenio 9-5-1980 integró el contenido del anterior **Convenio de 7-2-1970** sobre Transporte de Mercancías por Ferrocarril (instrumento de ratificación 19-11-1974; BOE 6-8-75).
A pesar de dicha modificación normativa, es usual la referencia a los preceptos del Convenio 7-2-1970. Por esa razón, aunque la referencia normativa de los números siguientes se realiza a las Reglas Uniformes del Convenio 9-5-1980 (CIM), en precisiones incluimos la referencia correspondiente del Convenio 7-2-1970.

1. Ámbito de aplicación

(CIM art.1 y 4)

7060 El Convenio es **aplicable** a todos los transportes de mercancías por ferrocarril con una carta de porte directa, establecida para recorridos que afecten a los territorios de, al menos, dos de los Estados contratantes.

No es **aplicable** a:

- los objetos cuyo transporte está reservado a la **Administración de correos**, aunque sólo sea en uno de los territorios del recorrido;
- los objetos que, por sus **dimensiones, peso o acondicionamiento** no se presten al transporte solicitado por razón de las instalaciones o del material, aunque sólo sea en uno de los ferrocarriles que intervengan en el transporte;
- los objetos cuyo **transporte** esté **prohibido**, aunque sólo sea en uno de los territorios del recorrido.

Precisiones Los preceptos citados tienen su correspondencia en Convenio 7-2-1970 art.1 y 3.

2. Carta de porte CIM

(CIM art.11 y 12)

7065 Para toda expedición internacional sujeta al Convenio, el expedidor debe presentar una carta de porte debidamente rellenada.

El contrato de transporte queda formalizado desde el momento en que el ferrocarril expedidor haya **aceptado la mercancía** para el transporte, acompañada de la carta de porte. La aceptación se hace constar estampando en la carta de porte el **sello de la estación** de salida con la fecha de la aceptación.

Después de que haya sido sellada, la carta de porte sirve como **prueba del contrato** de transporte.

7067 **Contenido** (CIM art.13) La carta de porte debe contener obligatoriamente las siguientes menciones:

a) La designación de la **estación de destino**, con las indicaciones precisas para evitar toda confusión entre distintas estaciones que comuniquen una misma localidad, o entre poblaciones de igual nombre o de nombre análogo.

b) El nombre y dirección del **destinatario**. Debe indicarse como destinatario una sola persona física u otro sujeto de derecho. La indicación de la estación de destino o de un agente de la misma como destinatario sólo se acepta si la tarifa aplicable lo autoriza expresamente. No se admiten las direcciones que no indiquen el nombre del destinatario, tales como «a la orden de...» o «al portador del duplicado de la carta de porte».

c) La denominación de la **mercancía**. Deben distinguirse diversos supuestos:

• Mercancías admitidas al transporte bajo determinadas condiciones: el expedidor debe designarlas con el nombre prescrito para ellas.

• Mercancías para las que el expedidor solicita la aplicación de una tarifa determinada: con el nombre que tenga en dicha tarifa.

• En todos los demás casos: con la denominación correspondiente a su naturaleza y que se utilice por el comercio en el Estado de salida.

7069 **d)** El **peso** o, en su defecto, una indicación análoga de acuerdo con las prescripciones del ferrocarril expedidor. Cuando la normativa del país de salida autorice al expedidor a entregar sus remesas sin la indicación del peso o de una que lo reemplace, dicho peso o indicación debe inscribirse por el ferrocarril expedidor.

e) Para las **remesas de detalle**, debe especificarse el número de bultos y la descripción del embalaje. Idénticas menciones deben figurar en la carta de porte relativa a los vagones completos que contengan uno o más elementos de carga, facturados en tráfico combinado de ferrocarril y mar, y que hayan de ser transbordados.

f) Para las **remesas cuya carga incumba al remitente**, debe especificarse el número del vagón, y, además, para los vagones de particulares, la tara.

g) La enumeración detallada de los **documentos** exigidos por las aduanas y demás autoridades administrativas y que acompañen a la carta de porte o que se mencione que están a disposición del ferrocarril en una estación determinada o en una oficina de aduanas o de cualquier otra autoridad.

h) El nombre y la dirección del **expedidor**, completadas, si se juzga conveniente, con su dirección telegráfica o telefónica.

Responsabilidad (CIM art.11 y 18) El remitente es responsable de la **exactitud de las indicaciones y declaraciones** inscritas por él en la carta de porte. En consecuencia, debe soportar todas las consecuencias que resulten del hecho de que estas declaraciones o indicaciones sean irregulares, inexactas, incompletas o inscritas en lugar distinto del reservado a cada una de ellas. 7071
La compañía de ferrocarril tiene siempre derecho a comprobar si la remesa responde a los **enunciados de la carta de porte** y si han sido respetadas las prescripciones relativas al transporte de **mercancías admitidas bajo ciertas condiciones**.

3. Derechos y obligaciones

La obligación principal del transportista, la compañía de ferrocarril, es la de **transportar las mercancías** (nº 7085). El expedidor o, en su caso, el destinatario, están obligados principalmente al **pago de la tarifa** establecida (nº 7103). 7075
Estas obligaciones generan además una serie de **obligaciones complementarias** o accesorias. Estas y aquellas pueden clasificarse del siguiente modo:
- antes del transporte (nº 7077 a nº 7083);
- durante el transporte (nº 7085 a nº 7099);
- después del transporte (nº 7101 a nº 7107).

Comprobación del contenido de la remesa El ferrocarril tiene siempre derecho a comprobar si la remesa responde a los **enunciados de la carta de porte** y si han sido respetadas las prescripciones relativas al transporte de **mercancías admitidas bajo ciertas condiciones**. 7077
El **resultado de la verificación** de los enunciados de la carta de porte se debe hacer constar en ésta.
En lo que se refiere a las condiciones en que el ferrocarril está obligado a comprobar el **peso de la mercancía** o el **número de bultos**, así como la tara real de los vagones, ha de estarse a lo que determine la normativa de cada Estado. No obstante, el ferrocarril está obligado a indicar en la carta de porte el resultado de las comprobaciones relativas al peso, al número de bultos, así como a la tara real de los vagones.
Para las **remesas cuya carga incumba al expedidor**, debe éste respetar el límite de carga.

Estado, embalaje y marcado de la mercancía (CIM art.19) Cuando el ferrocarril acepte transportar una mercancía que presente **señales manifiestas de avería**, puede exigir que se haga una mención especial en la carta de porte sobre el estado de dicha mercancía. 7079
Cuando, por su naturaleza, la mercancía exija un **embalaje**, el expedidor debe embalarla de tal forma que:
- la preserve de pérdida total o parcial y de avería, durante el transporte;
- no corra el riesgo de que dicha mercancía pueda irrogar perjuicio a las personas, el material o las demás mercancías.
El expedidor es responsable de todas las **consecuencias de la falta de embalaje** o de su estado defectuoso. En especial, está obligado a reparar el perjuicio que se irrogue al ferrocarril por dicha causa.
El expedidor está obligado a indicar la **dirección del destinatario**, en el propio bulto o en una etiqueta aprobada por el ferrocarril. El marcado ha de realizarse de manera clara e indeleble, de forma que no dé lugar a confusión alguna y en perfecta concordancia con las indicaciones que figuren en la carta de porte.

Precisiones Ver Convenio 7-2-1970 art.12.

Formalidades aduaneras o administrativas antes de la carga (CIM art.25) Es obligación del remitente unir a la carta de porte los **documentos necesarios** para que puedan cumplirse, antes de la entrega de la mercancía al destinatario, las formalidades exigidas por las aduanas u otras autoridades administrativas. 7081
Cuando dichos documentos no vayan unidos a la carta de porte, o si han de **facilitarse por el destinatario**, el remitente está obligado a indicar en la carta de porte la estación, la oficina aduanera o cualquier otra autoridad en que los documentos respectivos estarán a disposición del ferrocarril y donde deberán cumplirse las formalidades.
Si **el remitente asiste en persona** a las operaciones exigidas por las aduanas o por cualquier otra autoridad administrativa o se hace representar por un mandatario, basta que los documentos se presenten en el momento de dichas operaciones.

El remitente es responsable ante el ferrocarril de todos los **perjuicios** que puedan resultar de la falta, insuficiencia e irregularidad de dichos documentos, salvo en el caso de falta por parte del ferrocarril.
Por otro lado, el ferrocarril no está obligado a **examinar si son suficientes y exactos** los documentos presentados.

Precisiones Ver Convenio 7-2-1970 art.15.

7083 **Entrega al transporte y carga de las mercancías** (CIM art.20) Las operaciones de **entrega al transporte** de la mercancía se rigen por las leyes y reglamentos vigentes en la estación de procedencia.
La **carga de las mercancías** incumbe al ferrocarril o al remitente, según las disposiciones vigentes en la estación de procedencia, a menos que el CIM contenga otras distintas o que la carta de porte haga mención de algún acuerdo especial estipulado entre el remitente y el ferrocarril.

Precisiones Ver Convenio 7-2-1970 art.14.

7085 **Transporte de la mercancía** (CIM art.3, 14 y 33) Constituye la **obligación principal del transportista**, la compañía de ferrocarril, que está obligada a efectuar cualquier transporte de mercancías, siempre que:
• El expedidor se atenga a las prescripciones del Convenio.
• El transporte sea posible con los medios normales de transporte que permitan satisfacer las necesidades regulares del tráfico.
• El transporte no se vea impedido por circunstancias que el ferrocarril no pueda evitar y que no dependa de él remediar.
El expedidor puede prescribir, en la carta de porte, el **itinerario** que debe seguirse, jalonándolo por puntos fronterizos o estaciones fronterizas y, en su caso, por estaciones de tránsito entre ferrocarriles. En la relación de que se trate, no puede indicar sino puntos fronterizos y estaciones fronterizas abiertos al tráfico.
En el caso de **impedimentos para el transporte**, corresponde al ferrocarril decidir si es preferible transportar de oficio la mercancía, modificando el itinerario, o si conviene, en interés del remitente, pedirle instrucciones, facilitándole las informaciones útiles de que disponga el ferrocarril.

Precisiones Ver Convenio 7-2-1970 art.5 y 24.

7087 **Plazo de entrega** (CIM art.27) Los plazos de entrega se han de determinar según los **acuerdos vigentes** entre los ferrocarriles participantes en el transporte o las tarifas internacionales aplicables desde la estación de salida hasta la de llegada.
A **falta de indicación** de plazos de entrega, se han de aplicar los siguientes:

	Plazo de	Vagones completos	Envíos de detalle
Gran velocidad	Expedición	12 h.	12 h.
	Transporte	24 h. por cada fracción indivisible de 400 Km.	24 h. por cada fracción indivisible de 300 Km.
Pequeña velocidad	Transporte	24 h. por cada fracción indivisible de 300 Km.	24 h. por cada fracción indivisible de 200 Km.
	Expedición	24 h.	24 h.

7089 Procede la **prórroga** del plazo de entrega para todas las remesas, salvo por falta imputable al ferrocarril, por la duración del tiempo que requieran:
- la comprobación que haga aparecer diferencias en relación con las **inscripciones en la carta de porte**;
- el cumplimiento de las **formalidades** exigidas por las aduanas o por otras autoridades administrativas;
- la **modificación del contrato** de transporte;
- los **cuidados especiales** que se hayan de prestar a la remesa (cuidado de los animales, reposición de hielo, etc.);
- el **trasbordo** o la **rectificación de un cargamento** defectuoso efectuado por el remitente;
- cualquier ***interrupción de tráfico*** que impida temporalmente comenzar a continuar el transporte.

Se produce la **suspensión** del plazo de entrega en los siguientes días: 7091
• En trenes de **pequeña velocidad**: los domingos y días festivos legales.
• En trenes de **gran velocidad**: los domingos y ciertos días festivos legales, cuando en un Estado se prevea para ellos una suspensión del plazo de entrega en el tráfico ferroviario interior.
• En **ambos**, los sábados, cuando en un Estado se prevea para éstos una suspensión del plazo de entrega en el tráfico ferroviario interior.

Formalidades aduaneras o administrativas en ruta (CIM art.26) En ruta, se han de cumplir por el ferrocarril las formalidades exigidas por las aduanas o por otras autoridades administrativas. 7093

Derecho del remitente a modificar el contrato de transporte (CIM art.30) El remitente tiene derecho a modificar el contrato de transporte, ordenando: 7095
- que la mercancía sea retirada en la **estación de salida**;
- que la mercancía sea **detenida en ruta**;
- que se aplique la **entrega** de la mercancía;
- que la mercancía se entregue a **persona distinta del destinatario** consignado en la carta de porte;
- que la mercancía se entregue en una **estación distinta de la de destino** indicado en la carta de porte o que se devuelva a la de procedencia;
- el establecimiento de un **reembolso,** así como su aumento, disminución o anulación;
- la asunción de los **gastos** de una remesa no franqueada o el aumento de los gastos asumidos.

Precisiones Ver Convenio 7-2-1970 art.21.

Derecho del destinatario a modificar el contrato de transporte (CIM art.31) El destinatario tiene derecho a modificar el contrato de transporte cuando el remitente no haya tomado a su cargo los gastos correspondientes al transporte en el país de destino y tampoco haya consignado en la carta de porte la mención «destinatario no facultado para dar órdenes ulteriores». 7097
El destinatario puede ordenar:
- que la mercancía sea **detenida en ruta**;
- que se aplace la **entrega** de la mercancía;
- que la mercancía se entregue en el país de destino, a **persona distinta del destinatario,** consignado en la carta de porte, o en una **estación distinta** de la de destino, indicada en la carta de porte;
- que las **formalidades** exigidas por las aduanas y demás autoridades administrativas se efectúen según uno de los modos previstos en el Convenio.
El derecho del destinatario a modificar el contrato de transporte **se extingue** en uno de los casos siguientes:
• Cuando haya retirado la carta de porte.
• Cuando haya aceptado la mercancía.
• Cuando haya hecho valer los derechos dimanantes para él del contrato de transporte.
• Cuando la persona designada por él, haya retirado la carta de porte o cuando haya hecho valer sus derechos.
Si el destinatario ha ordenado la **entrega de la mercancía a otra persona,** no está ésta autorizada para modificar el contrato de transporte.

Precisiones Ver Convenio 7-2-1970 art.22.

Ejecución de órdenes ulteriores (CIM art.32) El ferrocarril **no puede negarse** a ejecutar las órdenes que le sean dadas y tampoco puede retrasar su ejecución. No obstante, como excepción se establece que **no hay obligación** por parte del ferrocarril de cumplir las instrucciones cuando: 7099
- su ejecución **sea imposible** en el momento de llegar las órdenes a la estación que haya de ejecutarlas;
- su ejecución pueda perturbar el **servicio regular de la explotación**;
- su ejecución se oponga, cuando se trate del cambio de la estación de destino, a las **leyes y reglamentos vigentes** en alguno de los territorios del recorrido;
- tratándose del **cambio de la estación de destino,** el valor de la mercancía no cubra, según todas las previsiones, la totalidad de los gastos que graven dicha mercancía al llegar a la nueva estación destinataria, a menos que se pague o garantice inmediatamente el importe de tales gastos.

Los **gastos** originados por la ejecución de una orden del remitente o del destinatario, con excepción de los que resulten de una falta del ferrocarril, deben gravar la mercancía.

Precisiones Ver Convenio 7-2-1970 art.23.

7101 **Entrega de la mercancía** (CIM art.28 y 34) Después de la llegada de la mercancía a la estación de destino, tiene el **consignatario** derecho a solicitar del ferrocarril la entrega de la carta de porte y de la mercancía.

El **ferrocarril** está obligado a entregar al consignatario, en la estación de destino, la mencionada carta de porte y la mercancía, contra recibo y contra pago de los créditos del ferrocarril a cargo del consignatario.

Son **hechos asimilados a la entrega** de la mercancía al destinatario:

• La entrega de la mercancía a las **autoridades de aduanas o de consumo** en sus locales de expedición o en sus almacenes, cuando éstos no se hallen bajo la custodia del ferrocarril.

• El **almacenaje** por el ferrocarril o el **depósito** en poder de un comisionista de transportes o en un almacén público, realizados de conformidad con la normativa vigente.

En el caso de **impedimento para la entrega** de la mercancía, la estación de destino, por conducto de la estación expedidora, debe comunicárselo sin demora al remitente y pedirle instrucciones.

Se puede **rehusar la aceptación de la mercancía,** aun después de recibida la carta de porte y de pagar los gastos, hasta tanto no se proceda a las comprobaciones que se hayan solicitado para comprobar un daño alegado.

Si se comprueba la **pérdida de la mercancía,** o si ésta no ha llegado al expirar el plazo previsto, el consignatario queda autorizado a hacer valer en su propio nombre, contra el ferrocarril, los derechos que en su favor resulten del contrato de transporte.

Por lo demás, la entrega de la mercancía se debe verificar conforme a las leyes y reglamentos del **país de destino**.

Precisiones Ver Convenio 7-2-1970 art.16 y 25.

7103 **Pago de la tarifa** (CIM art.14 y 15) Los gastos (precio de transporte, gastos accesorios, derechos de aduana y demás gastos que se originen a partir de la aceptación al transporte hasta la entrega) se han de pagar por el remitente o por el destinatario, de conformidad con lo que éstos hayan estipulado y según las siguientes **normas**:

• El **remitente** que tome a su cargo la totalidad o una parte de los gastos debe indicarlo en la carta de porte.

• Los gastos que el expedidor no haya tomado a su cargo son considerados como a cargo del **destinatario**. Sin embargo, los gastos siempre corren a cargo del expedidor cuando el consignatario no haya retirado la carta de porte ni ejercitado sus derechos, ni modificado el contrato de transporte.

• La **aceptación de la carta de porte** obliga al destinatario a pagar al ferrocarril el importe de los créditos a su cargo.

• Los **gastos accesorios**, tales como derechos de estacionamiento, de almacenaje, de peso, cuya percepción resulte de un hecho imputable al destinatario o de una petición formulada por éste, deben ser siempre pagados por él.

7105 El precio del transporte y los gastos accesorios se han de calcular de acuerdo con las **tarifas legalmente vigentes** y debidamente publicadas en cada Estado.

Las compañías de ferrocarril pueden concertar acuerdos particulares que concedan **reducciones de precio** y otras ventajas, con sujeción a la conformidad de sus respectivos gobiernos, siempre que se otorguen condiciones equiparables a los usuarios que se hallen en situaciones semejantes.

Precisiones Ver Convenio 7-2-1970 art.9.

7107 **Reembolsos y desembolsos** (CIM art.17) El remitente puede gravar su remesa con reembolso hasta la cuantía del **valor de la mercancía**.

En este caso, el ferrocarril no está obligado a pagar el reembolso mientras su importe no haya sido **abonado por el destinatario**.

Si la mercancía, en su totalidad o en parte, ha sido **entregada al destinatario** sin haber percibido previamente el reembolso, el ferrocarril está obligado a pagar el importe del perjuicio al remitente, hasta cubrir el importe del reembolso, sin perjuicio de recurrir contra el destinatario.

Precisiones Ver Convenio 7-2-1970 art.19.

4. Sistema de responsabilidad

(CIM art.35 y 36)

La compañía de ferrocarril que haya aceptado al transporte la mercancía, con la carta de porte, es responsable de la ejecución del transporte por el recorrido total, hasta la entrega. 7110
En concreto, la compañía de ferrocarril es responsable:
- de la **pérdida total o parcial** de la mercancía;
- de las **averías** de las mercancías;
- del **retraso** en la entrega.

Precisiones La responsabilidad estaba regulada **anteriormente** en Convenio 7-2-1970 art.26 a 47.

Exoneración de responsabilidad (CIM art.36) El ferrocarril no es responsable si el retraso, la pérdida o la avería han tenido por causa: 7112
- una **orden del remitente** que no derive de una falta del ferrocarril;
- un **vicio propio** de las mercancías (deterioro interno, merma, etc.); o
- circunstancias que **el ferrocarril no haya podido evitar** y cuyas consecuencias no haya podido obviar.

Prueba y presunciones (CIM art.37 a 39) Ahora bien, la **prueba** de que el retraso, la pérdida o la avería se han producido por tales circunstancias, incumbe al ferrocarril. 7114
No obstante, cuando el ferrocarril establezca que, habida cuenta de las circunstancias de hecho, la pérdida o avería han podido resultar de uno o de varios de los **riesgos especiales** que se indican a continuación, se debe presumir que han resultado de ellos:
• Transporte efectuado en **vagón descubierto** en virtud de las disposiciones aplicables o de acuerdos concertados con el remitente o indicados en la carta de porte.
• Ausencia o defecto del **embalaje** de mercancías que, por su naturaleza, están expuestas a mermas o averías si no van embaladas o lo están defectuosamente.
• Operaciones de **carga por el remitente** o de **descarga por el destinatario** en virtud de las disposiciones aplicables o de acuerdos concertados con el remitente e indicados en la carta de porte, o de acuerdos celebrados con el destinatario.
• Carga en un vagón que presente un **vicio aparente** para el remitente o carga defectuosa, cuando dicha carga la haya realizado el remitente en virtud de disposiciones aplicables o de acuerdos celebrados con el remitente e indicados en la carta de porte.
• Cumplimiento por el remitente, por el destinatario o por un mandatario de uno de ellos, de las **formalidades** exigidas por las aduanas y demás autoridades administrativas.
• Naturaleza de ciertas **mercancías** que, por causas inherentes a esta misma naturaleza, están expuestas, ya a la pérdida total o parcial, ya a la avería, especialmente por rotura, oxidación, deterioro interno y espontáneo, desecación, pérdida.
• Expedición bajo una **denominación irregular, inexacta o incompleta** de objetos excluidos del transporte; expedición bajo una denominación irregular inexacta o incompleta o inobservancia por el remitente de las medidas de precaución prescritas para los objetos admitidos condicionalmente.
• Transporte de **animales vivos**.
• Transporte de remesas que, en virtud del Convenio, de otras disposiciones aplicables o de acuerdos estipulados con el remitente y mencionados en la carta de porte, deben efectuarse **con acompañamiento,** siempre que la pérdida o la avería resulte de un riesgo que el acompañamiento tenía por objeto evitar.

Sin embargo, el **derechohabiente** conserva el derecho a probar que el perjuicio no ha sido motivado, total o parcialmente por uno de dichos riesgos. 7116
Esta presunción no se aplica en el caso de transporte efectuado en **vagón descubierto,** en virtud de las disposiciones aplicables o de acuerdos concertados con el remitente o indicados en la carta de porte, si existe merma de importancia anormal o pérdida de bultos.
Por otro lado, cuando **la mercancía no haya sido entregada** al destinatario o no haya sido puesta a su disposición dentro de los 30 días siguientes a la expiración de los plazos de entrega, el derechohabiente puede, sin tener que aducir otras pruebas, considerarla perdida.

Recuperación de la mercancía (CIM art.39) El derechohabiente puede **solicitar por escrito,** al recibir el pago de la indemnización por la mercancía perdida, que se le avise inmediatamente si la mercancía se encuentra en el transcurso del año que siga al pago de la indemnización. Debe entregársele **certificación escrita** de esta petición. 7118
Dentro de los 30 días siguientes a la recepción de tal **aviso,** el derechohabiente puede exigir que se le entregue la mercancía en una de las estaciones del recorrido, contra el pago de los **gastos** correspondientes al transporte desde la estación de procedencia hasta aquella en que

tenga lugar la entrega, y contra la restitución de la indemnización que haya percibido, previa deducción, en su caso, de los gastos comprendidos en dicha indemnización y sin perjuicio de los derechos a la indemnización por haberse rebasado el plazo de entrega.
En **defecto de la petición** prevista, o incluso en el caso de no haberse hallado la mercancía sino transcurrido más de un año desde el abono de la indemnización, el ferrocarril puede disponer de la mercancía de conformidad con las leyes y reglamentos del Estado a que éste pertenezca.

7120 **Cálculo de la indemnización** (CIM art.40 a 43) Hemos de distinguir según se trate de responsabilidad por pérdida total o parcial, o por averías.
a) En caso de **pérdida total o parcial,** la indemnización se debe calcular según la cotización en Bolsa. A falta de cotización, según el precio corriente en el mercado y, a falta de ambos, según el valor usual de la mercancía.
Estos elementos de cálculo se refieren a las mercancías de igual naturaleza y calidad, en el lugar y en la época en que la mercancía haya sido admitida al transporte.
b) En caso de **avería,** el ferrocarril está obligado a pagar, con exclusión de otros daños y perjuicios, el importe representativo de la minusvalía de la mercancía. Dicho importe se debe calcular aplicando al valor de la mercancía (determinado según las reglas expuestas para el caso de pérdida), el porcentaje de depreciación comprobado en el lugar de destino.
Se deben restituir, además en la misma proporción, los **derechos de aduana** y las **restantes sumas** desembolsadas con ocasión del transporte de la mercancía perdida, sin otros daños y perjuicios.

7122 **Límite de la indemnización** (CIM art.40 a 45) Han de distinguirse diversos supuestos:
a) En caso de **pérdida y averías,** la indemnización no puede exceder de 17 DEG por kilogramo de peso bruto que falte, sin perjuicio de las limitaciones previstas para tarifas especiales.
b) Por lo que se refiere a las mercancías que, por razón de su naturaleza, sufren generalmente una **merma en ruta** por el mero hecho del transporte, sólo responde el ferrocarril de la merma en ruta que exceda de ciertos porcentajes de tolerancia establecidos en el Convenio (1% ó 2% de su peso, según el tipo de mercancías), cualquiera que sea el recorrido efectuado.
El importe resultante no puede exceder:
- del importe a que habría ascendido en caso de **pérdida total,** si la totalidad de la expedición estuviera depreciada por la avería;
- del importe a que habría ascendido en caso de **pérdida de la parte depreciada,** si una parte solamente de la expedición estuviera depreciada por la avería.

> Precisiones El **derecho especial de giro** (DEG) es una moneda creada por el Fondo Monetario Internacional (FMI), cuyo valor se obtiene mediante la combinación de la moneda de varios países miembros. En consecuencia, su valor fluctúa diariamente, dado que depende de la cotización de estas monedas. Se puede consultar su equivalencia en euros en la página web del Banco de España: www.bde.es.

7124 **c)** En caso de **retraso** en más de 48 horas en el plazo de entrega y si el derechohabiente no prueba que de ello ha resultado un daño, el ferrocarril está obligado a restituir una décima parte del precio de transporte.
Cuando se haya presentado prueba de que ha resultado daño por haberse rebasado el plazo de entrega, se debe pagar por ese daño una indemnización que no puede exceder del cuádruplo del precio de transporte.
d) Acumulación de indemnizaciones. Las indemnizaciones por retraso no pueden acumularse a las que se adeuden por **pérdida total** de la mercancía.
En caso de **pérdida parcial**, se debe pagar la indemnización por retraso, si procede, pero sólo respecto de aquella parte de la expedición que no se haya perdido.
En caso de **avería**, se acumula la indemnización, si procede, a la indemnización por retraso.
En **todos los casos**, la acumulación de las indemnizaciones no puede dar lugar al pago de una indemnización total superior a la que se adeudaría en caso de pérdida total de la mercancía.
e) Tarifas especiales. Cuando el ferrocarril conceda condiciones particulares de transporte (tarifas especiales o excepcionales) que lleven consigo una reducción del precio de transporte calculado de acuerdo con las condiciones ordinarias (tarifas generales), puede limitarse la indemnización debida al derechohabiente en el caso de retraso, de pérdida o de avería, siempre que tal limitación esté consignada en la tarifa.
Cuando el límite fijado resulte de una tarifa aplicada únicamente a una **fracción del recorrido**, sólo puede invocarse cuando el hecho que dio origen a la indemnización se haya producido en esa parte del recorrido.

Reclamaciones (CIM art.53) La **aceptación de la mercancía** por el derechohabiente extingue, en principio, toda acción contra el ferrocarril nacida del contrato de transporte por exceder del plazo de entrega, por pérdida parcial o por avería. 7126
Sin embargo, la acción no se extingue en los siguientes supuestos:
• Si el derechohabiente prueba que el daño fue causado por **dolo o falta grave** imputable al ferrocarril.
• En caso de **retraso,** cuando la reclamación se hace en el plazo de 60 días, sin contar el de la aceptación de la mercancía.
• En el caso de reclamación por **pérdida parcial o avería,** si la pérdida o la avería se hubieran comprobado antes de la aceptación de la mercancía por el derechohabiente o si la comprobación que hubiera debido se hubiera omitido por falta del ferrocarril.
• En el caso de reclamación por **daños no aparentes,** cuya existencia se ha comprobado después de la aceptación de la mercancía por el derechohabiente, siempre que:
- inmediatamente después de descubrirse el daño, y a lo sumo dentro de los 7 días siguientes a la aceptación de la mercancía, se formule por el derechohabiente la petición de comprobación; y
- el derechohabiente pruebe que el daño se ha producido en el intervalo entre la aceptación al transporte y la entrega.

Acciones (CIM art.58) En general, la acción nacida del contrato de transporte prescribe al año. 7128
Sin embargo, prescribe a los dos años si se trata:
- de una acción en pago de un **reembolso** cobrado por el ferrocarril al destinatario;
- de una acción en pago del **saldo de una venta** efectuada por el ferrocarril;
- de una acción fundada en un **daño causado por dolo**;
- de una acción fundada en un caso de **fraude**;
- de una acción fundada en uno de los **contratos de transporte anteriores** a la reexpedición.

IV. Transporte internacional de viajeros por ferrocarril

 7135

El transporte internacional de viajeros por ferrocarril se rige por las Reglas Uniformes relativas al Contrato de Transporte Internacional de Viajeros y Equipajes por Ferrocarril (**CIV**), contenidas en el **Convenio de Berna** de 9-5-1980 relativo a los Transportes Internacionales por Ferrocarril (COTIF) (instrumento de ratificación 16-12-1981; BOE 18-1-86), según redacción dada por el Protocolo de Berna de 20-12-1990 (instrumento de ratificación 1-9-1992; BOE 23-9-96). 7137
En los números siguientes se expone, a grandes rasgos, la regulación de los derechos y las obligaciones de las partes y el sistema de responsabilidad contemplado en el Convenio citado.

Precisiones **1)** El Convenio 9-5-1980 integró el contenido del anterior **Convenio de 7-2-1970** sobre Transporte de Viajeros y Equipajes por Ferrocarril (instrumento de ratificación 13-7-1974; BOE 24-1-75).
A pesar de dicha integración normativa, es usual la referencia a los preceptos del Convenio 7-2-1970. Por esa razón, en los números siguientes, aunque la referencia normativa se hace a las Reglas Uniformes del Convenio 9-5-1980 (CIV), en precisiones incluimos la referencia correspondiente del Convenio 7-2-1970.
2) Ha de tenerse en cuenta también el Rgto (UE) 2021/782, que deroga el Rgto CE/1371/2007 con **efectos** a partir de 7-6-2023 (ver nº 6995).

1. Derechos y obligaciones

La obligación principal de la compañía ferroviaria es, como ocurre en el transporte interior, la de realizar el **transporte de viajeros y equipajes**. 7140
En contrapartida, el viajero está principalmente obligado al **pago del precio** del transporte, que habitualmente tiene lugar mediante la adquisición de un billete válido.
En los números siguientes se exponen estas obligaciones principales y otras accesorias, así como los derechos de los que gozan ambas partes.

Precisiones Resulta de interés en este punto la Comunicación COM/2011/0898, de la Comisión al Parlamento Europeo y al Consejo, sobre los **derechos de los pasajeros** en todos los modos de transporte (nº 6733).

7142 **Realización del transporte** (CIV art.4) El ferrocarril está obligado a efectuar cualquier transporte de viajeros o equipajes, siempre que:
- el viajero se atenga a las prescripciones del Convenio y de las tarifas internacionales;
- el transporte sea posible con los medios ordinarios de transporte; y
- el transporte no se vea impedido por circunstancias que el ferrocarril no pueda evitar y cuyo remedio no dependa de él.

Precisiones Ver Convenio 7-2-1970 art.3.

7144 **Billetes** (CIV art.11 a 13) El viajero, desde el comienzo de su viaje, y salvo las excepciones previstas en las tarifas, debe ir provisto de un **título válido de transporte**.
Salvo excepciones previstas en las tarifas internacionales, los billetes deben contener unas **menciones mínimas**:
- las estaciones de partida y de destino;
- el itinerario;
- la categoría de tren y la clase de coche;
- el precio del transporte;
- el primer día de validez;
- la duración de la validez.
Salvo excepción prevista por las tarifas internacionales, el billete sólo es **transferible** cuando no sea nominativo y no haya dado comienzo el viaje.

Precisiones A propósito del **transporte sin título válido**, se ha planteado, vía cuestión prejudicial, una cuestión de interpretación del Convenio relativo a los Transportes Internacionales por Ferrocarril (COTIF) de 9-5-80, modificado por Protocolo de 3-6-99, en lo que se refiere al art.6.2, última frase, del apéndice A, el cual figura en el anexo I del Rgto CE/1371/2007 sobre los derechos y las obligaciones de los viajeros de ferrocarril. Esta cuestión se ha planteado en el marco de un litigio acerca del pago de una **indemnización a tanto alzado** reclamada a raíz de la infracción cometida por un pasajero que viajaba sin título de transporte y sin haber regularizado su situación en los plazos establecidos por la ley. El TJUE declara que tal precepto debe interpretarse en el sentido de que permite a la legislación nacional de cada país establecer que las personas que viajan en tren sin un título de transporte y no regularizan su situación en los plazos legalmente previstos, no están vinculadas contractualmente con la empresa ferroviaria (TJUE 21-9-16).

7146 El viajero que no pueda presentar un billete válido está obligado a pagar un **recargo,** además del precio del viaje.
Los niños con edad de **hasta cinco años** cumplidos han de ser transportados gratuitamente sin billete, siempre que no se reclame para ellos un asiento determinado. Los niños con edad de **entre cinco y diez años** cumplidos, y los niños menores de dicha edad para los cuales se haya reclamado un asiento determinado, deben ser transportados a precios reducidos. Las tarifas internacionales pueden prever, sin embargo, límites de edad diferentes.

Precisiones Ver Convenio 7-2-1970 art.4, 6 y 9.

7148 **Tarifas** (CIV art.5) Las tarifas internacionales que establezcan los ferrocarriles deben comprender todas las condiciones especiales. La **publicación** de las tarifas internacionales sólo es obligatoria en aquellos Estados cuyos ferrocarriles participen en estas tarifas.
Los **aumentos de tarifas** y otras disposiciones que tengan por efecto hacer más rigurosas las condiciones de transporte previstas por estas tarifas no entran en vigor hasta seis días después, como mínimo, de su publicación.
Los ferrocarriles pueden concertar acuerdos particulares que impliquen **reducciones de precio** u otras ventajas, sin perjuicio de la aprobación de sus Gobiernos, en tanto que se concedan condiciones análogas a los viajeros que se encuentren en situaciones semejantes.

Precisiones Ver Convenio 7-2-1970 art.21.

7150 **Exclusiones y restricciones** (CIV art.9 y 10) No deben ser admitidas en el tren o pueden ser excluidas del mismo en ruta, las personas en **estado de embriaguez** y aquellas que, por razón de enfermedad o por otras causas, puedan aparentemente incomodar a sus vecinos. El transporte de las personas afectadas de **enfermedades contagiosas** se rige por la normativa internacional o nacional al respecto vigente en cada Estado.
Por otro lado, es posible establecer restricciones para la utilización de determinados trenes o de **trenes de determinada clase**. Dichas restricciones deben estar indicadas en los horarios o las tarifas.

Precisiones Ver Convenio 7-2-1970 art.10 y 12.

Equipajes (CIV art.17 a 21) Deben admitirse al transpone como equipajes los objetos contenidos en **baúles, cestas, maletas**, sacos de viaje, sombrereras y otros embalajes de este género, así como los mismos embalajes. 7152

El ferrocarril tiene derecho a no admitir o a limitar el transporte de equipajes en ciertos trenes o **categorías de trenes**.

Quedan excluidos del transporte como equipajes los objetos cuyo transporte esté reservado a la **Administración de correos**, así como los objetos cuyo transporte esté prohibido, y las materias y objetos peligrosos.

Sobre **embalaje, acondicionamiento y rotulación** de los equipajes se establece que los equipajes cuyo estado o acondicionamiento sea defectuoso o el embalaje insuficiente, o los que presentan señales manifiestas de avería, pueden ser rechazados por el ferrocarril. El viajero está obligado a rotular cada bulto.

La **facturación** de equipajes sólo tendrá lugar, previa presentación de billetes válidos, al menos hasta el destino de los equipajes por el itinerario indicado en los billetes. Al hacerse la facturación de los equipajes se debe expedir un talón al viajero. La **entrega de los equipajes** se debe efectuar mediante devolución del talón correspondiente. La entrega queda sometida a las leyes y reglamentos vigentes en el Estado del ferrocarril encargado de la misma.

Precisiones Ver Convenio 7-2-1970 art.14 a 20.

Bultos de mano y animales (CIV art.15) Los viajeros están autorizados para llevar consigo, gratuitamente, en los coches, **objetos portátiles** (bultos de mano). 7154

Se establecen ciertos requisitos para llevar **armas de fuego y animales vivos**. Las tarifas han de indicar si debe pagarse un precio por los animales.

Los empleados del ferrocarril tienen derecho a cerciorarse, en presencia del viajero, de la **naturaleza de los objetos** introducidos en los coches, cuando existan motivos serios para presumir una contravención a las leyes.

Precisiones Ver Convenio 7-2-1970 art.11.

Cambio de clase o de tren (CIV art.14) El viajero puede ocupar un asiento de clase superior o pasar a un tren de categoría más elevada a la que se halle indicada en el billete, o hacer modificar el itinerario, en las condiciones fijadas por las tarifas internacionales. 7156

Enlaces perdidos y supresiones de trenes (CIV art.16) Cuando, a consecuencia del retraso de un tren, el viajero pierde el enlace con otro tren, o cuando se suprime un tren en todo o en parte de su recorrido y el viajero quiere continuar su viaje, el ferrocarril está **obligado a conducirle,** con sus equipajes, en la medida de lo posible y sin recargo alguno, en un tren que se dirija hacia el mismo destino, por la misma línea o por otra ruta perteneciente a las administraciones que participen en el itinerario del transporte primitivo, de manera que le permita llegar a su destino con menos retraso. 7158

Precisiones **1)** Ver Convenio 7-2-1970 art.13.

2) En relación con la **información de enlaces**, el TJUE (Sala Primera) declara (TJUE 22-11-12, C-136/2011):

- El Rgto CE/1371/2007 art.8.2 en relación con el anexo II, parte II, deben interpretarse en el sentido de que las informaciones relativas a los principales enlaces deben comprender, además de las horas de salida normales, también los **retrasos o** las **cancelaciones** de esos enlaces, con independencia de la empresa ferroviaria que los efectúa.
- El Rgto CE/1371/2007 art.8.2 en relación con el anexo II, parte II, así como la Dir 2001/14/CE art.5 en relación con el anexo II, en su versión modificada por la Dir 2004/49/CE, deben interpretarse en el sentido de que el **administrador de infraestructuras** está obligado a poner a disposición de las empresas ferroviarias de forma no discriminatoria los datos en tiempo real de los trenes explotados por otras empresas ferroviarias, cuando esos trenes sean los principales servicios de enlace en el sentido del Rgto CE/1371/2007 anexo II, parte II.

3) El Rgto (UE) 2021/782 deroga el Rgto CE/1371/2007 con **efectos** a partir de 7-6-2023.

Formalidades aduaneras o administrativas (CIV art.24) El viajero está obligado a atenerse a las prescripciones dictadas por las aduanas o por otras autoridades administrativas. 7160

Precisiones Ver Convenio 7-2-1970 art.22.

Restituciones y pagos suplementarios (CIV art.25) Los precios de transporte deben ser reembolsados, en su totalidad o en parte, cuando concurra alguna de las siguientes **circunstancias**: 7162

- cuando el billete no haya sido utilizado o cuando lo haya sido parcialmente, a consecuencia de la **falta de asiento**;

- cuando se haya utilizado el billete en una clase o en una **categoría de tren inferior** a aquella para la que se expidió;
- cuando hayan sido **retirados los equipajes,** bien sea en la estación de facturación o bien en una intermedia.

Precisiones Ver Convenio 7-2-1970 art.23.

2. Sistema de responsabilidad

(CIV art.26 y 34)

7165 La responsabilidad del ferrocarril por la muerte, heridas y cualquier otro daño contra la **integridad corporal de un viajero,** así como por los perjuicios causados por el **retraso** o la supresión de un tren o por falta de enlace, queda sometida a las leyes y reglamentos del Estado en que se produzca el hecho.

Con respecto a los **equipajes,** se establece un sistema de responsabilidad colectiva de las compañías de ferrocarril. El ferrocarril que haya aceptado el equipaje es responsable de la ejecución del transporte en el recorrido total hasta la entrega. Cada ferrocarril subsiguiente participa en el contrato de transporte y asume las obligaciones que de él se deriven.

El ferrocarril es responsable del **retraso** en la entrega, del daño resultante, de la **pérdida total o parcial** de los equipajes y de las **averías** que estos sufran.

Precisiones **1)** La responsabilidad del ferrocarril se establecía **anteriormente** en Convenio 7-2-1970 art.25 a 43.

2) Los viajeros tienen derecho al reembolso parcial del precio del billete de tren en caso de **retraso significativo**, incluso cuando el retraso se deba a un supuesto de fuerza mayor. El transportista no puede invocar, para eludir su obligación de reembolso, las normas de Derecho internacional que le exoneran, en caso de fuerza mayor, de la reparación del daño causado por un retraso (TJUE 26-9-13 asunto C-509/11).

7167 **Exoneración de responsabilidad** (CIV art.35) No obstante, el ferrocarril queda exonerado de responsabilidad si el retraso en la entrega, la pérdida o la avería han sido motivados por:
- una **falta del viajero** o una orden suya que no derive de una falta del ferrocarril;
- un vicio propio de los **equipajes**; riesgos particulares inherentes a la naturaleza especial del equipaje o a la ausencia o defectos del embalaje;
- el hecho de que **objetos excluidos** del transporte hayan sido, no obstante, facturados como equipajes;
- otras circunstancias que **el ferrocarril no podía evitar** y cuyas consecuencias no pudo obviar.

7169 **Prueba y presunciones** (CIV art.36 y 37) Incumbe al ferrocarril la **prueba** de que el retraso en la entrega, la pérdida o la avería tuvo por causa uno de los hechos que le exoneran de responsabilidad (nº 7167).

Cuando un bulto **no haya sido entregado** o puesto a disposición del derechohabiente dentro de los 14 días siguientes a la petición de entrega, éste puede considerarlo perdido, sin tener que presentar otras pruebas.

Si un bulto que se haya considerado perdido es **hallado dentro del año siguiente** a la petición de entrega, el ferrocarril está obligado a dar cuenta de ello al derechohabiente, cuando su domicilio sea conocido o pueda averiguarse, pudiendo exigir el derechohabiente que el equipaje le sea entregado en una de las estaciones del recorrido.

7171 **Importe y límite de la indemnización** (CIV art.30, 38 a 42) En lo que se refiere a la cuantía de la indemnización, hemos de distinguir diversos supuestos:

a) En caso de **muerte o lesiones** se prevé un límite de responsabilidad de 70.000 unidades de cuenta de capital o de renta anual correspondiente a dicho capital, por víctima.

b) En caso de **pérdida de los equipajes**, si se ha probado el importe del daño, se puede reclamar una cantidad igual a dicho importe. La indemnización no puede, sin embargo, exceder de 34 unidades de cuenta por kilogramo de peso bruto que falte o de 500 unidades de cuenta por bulto.

Si **no se ha probado el importe** del daño, se puede reclamar una cantidad calculada a tanto alzado a razón de 10 unidades de cuenta por kilogramo de peso bruto que falte o de 150 unidades de cuenta por bulto.

c) En caso de **avería de los equipajes**, debe pagar el ferrocarril el importe de la depreciación sufrida por los equipajes, sin otros daños ni perjuicios. Sin embargo, la indemnización no puede exceder de las siguientes cantidades:

• Si la **totalidad de los equipajes** resulta depreciada por la avería: de la cantidad a que habría ascendido la indemnización en caso de pérdida total.

• Si sólo **una parte de los equipajes** resulta depreciada por la avería: de la cantidad a que habría ascendido la indemnización en caso de pérdida de la parte depreciada.

d) En caso de **retraso en la entrega** de los equipajes, el ferrocarril debe pagar, por cada periodo indivisible de 24 horas a partir de la petición de entrega y hasta un máximo de 14 días, las indemnizaciones siguientes: **7173**
• Si el derechohabiente **no prueba** que de ello ha resultado **perjuicio**: una indemnización fijada en 0,07 unidades de cuenta por kilogramo de peso bruto de los equipajes o 1,40 unidades de cuenta por bulto, entregados con retraso.
• Si se presentan pruebas de haber resultado **perjuicio** del retraso, se debe pagar por este daño una indemnización que no puede exceder de 0,40 unidades de cuenta por kilogramo de peso bruto de los equipajes o de 7 unidades de cuenta por bulto, entregados con retraso.
En el caso de retraso en la entrega de **automóviles, remolques y motocicletas** con sidecar, transportadas como equipajes, no está obligado el ferrocarril a pagar una indemnización, sino cuando se haya probado un daño. El precio de transporte constituye la indemnización máxima.
e) En todos los casos en que el retraso en la entrega, la pérdida total o parcial o la avería de los equipajes tengan por causa **dolo o falta grave imputable al ferrocarril,** debe éste indemnizar completamente al derechohabiente por el perjuicio probado. En caso de falta grave, la responsabilidad queda, sin embargo, limitada al doble de los máximos señalados anteriormente.

Precisiones El **derecho especial de giro** (DEG) o unidad de cuenta es una moneda creada por el Fondo Monetario Internacional (FMI), cuyo valor se obtiene mediante la combinación de la moneda de varios países miembros. En consecuencia, su valor fluctúa diariamente, dado que depende de la cotización de estas monedas. Se puede consultar su equivalencia en euros en la página web del Banco de España: www.bde.es.

Reclamaciones (CIV art.48) Cuando el ferrocarril descubra o presuma una pérdida parcial o una avería, o cuando el derechohabiente alegue su existencia, está obligado el ferrocarril a levantar, sin demora y, a ser posible, en presencia del indicado derechohabiente, un **acta**. **7175**
Si el derechohabiente no acepta las comprobaciones del acta, puede pedir la **comprobación judicial** del estado y del peso de los equipajes, así como de las causas e importe del daño.

Acciones (CIV art.53 a 55) La **recepción de los equipajes** por el derechohabiente extingue toda acción nacida del contrato de transporte contra el ferrocarril por retraso en la entrega, pérdida parcial o avería. **7177**
Sin embargo, la acción no se extingue en los siguientes supuestos:
• Cuando se pruebe que el daño ha sido causado por **dolo o falta grave del ferrocarril**.
• En caso de **reclamación por retraso,** si el derechohabiente hace valer sus derechos en el plazo máximo de 21 días, sin contar el día de recepción de los equipajes.
• En caso de reclamación por **pérdida parcial o avería,** si la pérdida o avería se ha comprobado antes de la recepción de los equipajes por el derechohabiente; o si la comprobación que hubiera procedido realizar se ha omitido por culpa del ferrocarril.
• En caso de **daño no aparente** cuya existencia se compruebe tras la recepción de los equipajes por el derechohabiente, si éste:
- solicita la comprobación inmediatamente después del descubrimiento del daño y, como máximo, en los 3 días siguientes a la recepción de los equipajes;
- prueba, además, que el daño se ha producido entre la aceptación al transporte y la entrega.

En general, la acción nacida del contrato de transporte tiene un **plazo de prescripción** de un año. No obstante, prescribe a los dos años si se trata: **7179**
- de la acción fundada en un daño que tenga por causa el dolo; o
- de la acción fundada en un caso de fraude.
El plazo de prescripción **comienza a computarse**:
• Para las acciones de indemnización por **retraso** en la entrega, **pérdida parcial o avería**: desde el día en que haya tenido lugar la entrega.
• Para las acciones de indemnización por **pérdida total**: desde el 14º día siguiente al de expiración del plazo previsto para la entrega de equipajes.
• Para las acciones de **pago** o de **restitución del precio** de transporte, de los gastos accesorios o de los reclamos, o para las acciones de rectificación en el caso de aplicación irregular de la tarifa o de error de cálculo: desde el día del pago o, si no medio pago, desde el día en que éste debió efectuarse.
• Para las acciones en pago de un **suplemento de derechos** reclamado por la aduana u otras autoridades administrativas: desde el día de la reclamación por dichas autoridades.
• Para las **demás acciones** relativas a transporte de viajeros: desde el día de la expiración de la validez del billete.

7181 El día indicado como **punto de partida** de la prescripción no está comprendido en el plazo. En el caso de reclamación administrativa dirigida al ferrocarril, se produce la **suspensión del plazo de prescripción** hasta el día en que el ferrocarril rechace por escrito la reclamación y restituya los documentos a ella unidos. En el caso de aceptación parcial de la reclamación, la prescripción no reanuda su curso sino para aquella parte de la reclamación que siga en litigio. Las reclamaciones ulteriores que tengan el mismo objeto no suspenden la prescripción.

SECCIÓN 3

Contrato de transporte aéreo

7185

7187 Como en secciones anteriores, distinguimos diversas clases contratos de transporte aéreo, según tengan lugar en un ámbito territorial nacional o internacional y dentro de cada supuesto, según se trate de transporte de pasajeros o de mercancías.

Precisiones Sobre la competencia de los **juzgados mercantiles**, ver nº 6457.

I. Transporte aéreo interior

7190

7192 Se considera **transporte interior por vía aérea** el que tiene su origen y destino en dos aeropuertos situados en territorio nacional.
El **régimen jurídico** aplicable al transporte nacional o interior, tanto de viajeros como de mercancías, está recogido, básicamente, en la L 48/1960 sobre navegación aérea (**LNA**).
En lo que se refiere a los **intervinientes** en los contratos de transporte aéreo, son:
- el **cargador** de las mercancías;
- el porteador, que será una **compañía aérea**; y
- en su caso, el **destinatario** o consignatario de las mercancías.

El cargador puede tratar directamente con las compañías aéreas y así suele ser en el caso de los grandes cargadores, pero en la mayoría de las situaciones, la entrega de las mercancías a la compañía y la confección de la carta de porte o conocimiento aéreo son operaciones realizadas por **agentes de carga,** como los habilitados por la International Air Transport Association (IATA) en el ámbito del transporte internacional (Sanjuán Pitarch).
Por **aeronave** se entiende toda construcción apta para el transporte de personas o cosas capaz de moverse en la atmósfera merced a las reacciones del aire, sea o no más ligera que éste y tenga o no órganos motopropulsores; y cualquier máquina pilotada por control remoto que pueda sustentarse en la atmósfera por reacciones del aire que no sean las reacciones del mismo contra la superficie de la tierra (LNA art.11).
Cualquier máquina no tripulada que pueda sustentarse en la atmósfera por reacciones del aire que no sean las reacciones de la misma contra la superficie de la tierra y opere o esté diseñada para operar de forma autónoma o para ser pilotada a distancia sin un piloto a bordo (LNA art.11 redacc RDL 26/2020).

A. Transporte aéreo interior de mercancías

7195

7197 En los números siguientes se exponen las normas principales de la LNA sobre el transporte interior de mercancías por vía aérea, relativas a la formalización del contrato, los derechos y obligaciones de las partes y el sistema de responsabilidad.

Perfección del contrato. Talón de transporte (LNA art.102 y 103) El contrato de transporte de cosas se perfecciona con la **entrega** de las que sean objeto del mismo al transportista. 7199

Este, sobre la base de la declaración suscrita por el expedidor, debe extender el **talón de transporte**, elemento formal del contrato (carta de porte o **conocimiento de embarque aéreo**), que constituye el documento probatorio del contrato y sirve como título representativo de los objetos transportados.

En dicho talón han de figurar, obligatoriamente, los **requisitos** que reglamentariamente se determinen.

El talón constituye **prueba** plena sobre la existencia del contrato, según los términos contenidos en aquél y, a su presentación por cualquier persona, el transportista debe entregar la mercancía.

Derechos y obligaciones (LNA art.105, 107 a 109, 112 y 113) La obligación fundamental del porteador es la **realización del transporte** en el lugar, tiempo y forma convenidos. 7201

Por su parte, el expedidor resulta obligado a **pagar el precio** del transporte y otros gastos que le correspondan. Si el transporte se realiza «a porte debido», ese pago corresponde al destinatario.

El destinatario tiene, en todo caso, obligación de **recibir las mercancías**.

Obligaciones accesorias Pueden citarse además otras obligaciones de carácter accesorio: 7203

• **Expedir la carta de porte.** El porteador se obliga a la expedición de la carta de porte.

• **Entregar las cosas para su carga**. El remitente se obliga a entregar al porteador las mercancías que han de ser transportadas, en el lugar y tiempo convenidos, a fin de que pueda realizarse su carga.

• **Exclusión de mercancías.** El porteador tiene derecho a excluir del contrato de transporte aquellas mercancías que, por su mal estado o acondicionamiento o por otras circunstancias graves que los reglamentos señalen, puedan constituir un peligro evidente para la navegación.

• **Derecho de disposición del cargador**. El expedidor o cargador tiene derecho de disposición sobre las cosas objeto del transporte, pudiendo, después de haber suscrito el contrato, de acuerdo con el transportista, retirarlas del aeropuerto de salida o destino, detenerlas en el curso del viaje a un aeropuerto, cambiar el lugar de destino o la persona del destinatario o pedir el retorno al aeropuerto de salida. Los gastos que genere el ejercicio de este derecho son de cuenta del propio expedidor.

Precisiones La **carta de porte** es objeto de un estudio más detallado con referencia al transporte de mercancías por carretera (nº 6482).

• **Custodiar las mercancías**. El porteador está obligado a la custodia de la mercancía. 7205

• **Imposibilidad de realizar el transporte**. En caso de fuerza mayor que impida seguir el itinerario previsto, el porteador debe entregar por su cuenta las mercancías a otra empresa de transportes para su más rápida conducción, de acuerdo con las instrucciones dadas o que se pidan al expedidor o destinatario.

• **Entrega de la mercancía al destinatario**. El transportista está obligado a entregar la cosa transportada inmediatamente después de la llegada de ésta a su destino. Se debe considerar perdida la mercancía cuando transcurran los plazos que reglamentariamente se fijen sin efectuar la entrega.

Privilegio del porteador El porteador dispone de ciertos derechos como garantía del cobro de los portes. El ejercicio de estos derechos procede cuando se produzca alguna de las siguientes situaciones: 7207

- cuando no pueda efectuarse la **entrega** de los objetos transportados porque no se encuentre al destinatario;
- cuando éste se niegue a **recibir las mercancías** sin consignar protesta por el deterioro que puedan tener;
- cuando el destinatario no quiera pagar los **gastos de reembolso**, transporte u otros que le correspondan.

En estos casos, el transportista, tras comunicar lo ocurrido al expedidor, puede constituirse en **depositario remunerado** de las mercancías durante el período de un mes.

Transcurrido dicho plazo, si el expedidor no ha dispuesto de las mercancías, el porteador puede proceder a su **enajenación en pública subasta,** resarciéndose de los gastos y quedando el resto a disposición de los que resulten con derecho a él.

Si el objeto del transporte es de **naturaleza perecedera,** el plazo señalado puede ser reducido en beneficio del valor en venta de la cosa transportada.

7209 **Sistema de responsabilidad** (LNA art.106, 108, 120) Se establece un sistema de **responsabilidad objetiva** del transportista, en caso de accidente.

Así, la indemnización procede en cualquier supuesto, incluso en el de **accidente fortuito** y aun cuando el transportista, el operador o sus empleados justifiquen que obraron con la debida diligencia.

El transportista responde tanto de la **pérdida o avería** de la mercancía, como del **retraso** en la entrega, siempre que no sean consecuencia exclusiva de la naturaleza o vicio propio de la misma.

No obstante, en los supuestos de **suspensión o retraso del porte**, el transportista no responde si el transporte no se efectúa en la fecha y hora previstas, cuando la suspensión o retraso obedezcan a fuerza mayor o a razones meteorológicas que afecten a la seguridad de vuelo. Tampoco está obligado a indemnizar respecto de la carga comercial que haya de reducir por alguna de esas circunstancias.

Se estimará como daño el que experimenten las mercancías desde su **entrega a la empresa** hasta que por ésta sean puestos a **disposición del destinatario**, excepto el tiempo durante el cual permanezcan en poder de los servicios aduaneros.

Precisiones En un supuesto en que median instrucciones para el cobro del destinatario de la mercancía que éste recibe pero no paga el precio del porte, se reconoce al transportista el derecho a reclamar contra el **remitente** que es quien contrató el transporte (AP Madrid 9-2-18, EDJ 62516).

7211 **Límite de responsabilidad** (LNA art.118, 121 y 122; RD 37/2001) Los supuestos legales de responsabilidad del porteador por daños causados durante el transporte a las mercancías, así como las cuantías de las indemnizaciones, son las siguientes:

a) Por **retraso de la entrega** de la carga o del equipaje facturado: hasta el límite de una cantidad equivalente del precio de transporte.

b) Por **pérdida o deterioro del equipaje** facturado o de mano: hasta el límite de 500 DEG por unidad.

c) Por **pérdida o avería de la carga**: hasta el límite de 17 DEG por kilogramo de peso bruto.

Si la carga o equipaje facturado o de mano se realiza bajo manifestación de **valor declarado**, aceptado por el transportista, el límite de responsabilidad corresponde a ese valor.

Se establece la obligación de **proporcionar información** a las personas interesadas y a los usuarios sobre la cuantía de las indemnizaciones aplicables en cada caso, expresando necesariamente su equivalencia en euros.

El beneficio de tales limitaciones no procede cuando se pruebe que el daño es el resultado de una **acción u omisión del porteador** o de sus dependientes, viciada por dolo o culpa grave, o cuando la persona que utiliza la aeronave lo hace sin consentimiento del transportista o propietario. En este último caso también responde el propietario de forma subsidiaria, aunque limitadamente, salvo que pruebe la imposibilidad de impedir el uso ilícito.

En cuanto a las indemnizaciones relativas a **daños en la superficie,** es decir, los que se causen a las personas o a las cosas que se encuentren en la superficie terrestre por la acción de la aeronave, en vuelo o en tierra, o por cuanto de ella se desprenda o arroje, se establecen los siguientes límites:

- Para aeronaves de **hasta 500 kg** de peso bruto: 220.000 DEG.
- Para aeronaves de **500 a 1.000 kg** de peso bruto: 660.000 DEG.
- Para aeronaves de **1.000 a 6.000 kg** de peso bruto: 660.000 DEG, más 520 DEG por kilogramo que exceda de los 1.000.
- Para aeronaves de **6.000 a 20.000 kg** de peso bruto: 3.260.000 DEG, más 330 DEG por kilogramo que exceda de los 6.000.
- Para aeronaves de **20.000 a 50.000 kg** de peso bruto: 7.880.000 DEG, más 190 DEG por kilogramo que exceda de los 20.000.
- Para aeronaves de **más de 50.000 kg** de peso bruto: 13.580.000 DEG, más 130 DEG por kilogramo que exceda de los 50.000.

Precisiones **1)** El **derecho especial de giro** (DEG) o unidad de cuenta es una moneda creada por el Fondo Monetario Internacional (FMI), cuyo valor se obtiene mediante la combinación de la moneda de varios países miembros. En consecuencia, su valor fluctúa diariamente, dado que depende de la cotización de estas monedas. Se puede consultar su equivalencia en euros en la página web del Banco de España: www.bde.es.

2) Se entiende como **peso de la aeronave** el máximo autorizado para el despegue, en el certificado de aeronavegabilidad de la aeronave de que se trate.

7213 **Reclamaciones y acciones** (LNA art.111 y 124) Ante cualquier supuesto de responsabilidad se debe hacer **protesta** (reserva) en el talón de porte y formular reclamación escrita al transportista. Se dispone para ello de los **plazos** siguientes:

- En los supuestos de **pérdida o avería**: 8 días siguientes a la entrega.

• En los supuestos de **accidente o retraso**: 10 días siguientes a la entrega o fecha en que debió entregarse.
Si la reclamación no se verifica en los términos expuestos, la responsabilidad del porteador se ha de entender extinguida.
La **recepción de las mercancías** transportadas sin protesta por el destinatario constituye presunción de que las mercancías han sido entregadas en buen estado, de acuerdo con el contrato de transporte.
La **acción** para exigir el pago de las indemnizaciones prescribe a los 6 meses, a contar desde la fecha en que se produjo el daño.

B. Transporte aéreo interior de viajeros

7220

Exponemos a continuación los rasgos principales de la regulación del contrato de transporte aéreo interior de pasajeros o viajeros, en lo relativo a la formalización del contrato, los derechos y obligaciones de las partes y el sistema de responsabilidad establecido en la LNA (nº 7225 s.) y en los distintos **Reglamentos europeos** sobre la materia, especialmente el Rgto CE/261/2004, por el que se establecen normas comunes sobre compensación y asistencia a los pasajeros aéreos en caso de denegación de embarque y de cancelación o gran retraso de los vuelos (nº 7275 s.), al que cabe añadir: 7222

- el Rgto CE/2027/97, sobre la responsabilidad de las compañías aéreas en caso de accidente;
- el Rgto CE/1107/2006, sobre los derechos de las personas con discapacidad o movilidad reducida en el transporte aéreo; y
- el Rgto CE/1008/2008, sobre normas comunes para la explotación de servicios aéreos en la Comunidad.
- la OM TMA/201/2022, por la que se regula el procedimiento de resolución alternativa de litigios de los usuarios de transporte aéreo sobre los derechos reconocidos en el ámbito de la Unión Europea en materia de compensación y asistencia en caso de denegación de embarque, cancelación o gran retraso, así como en relación con los derechos de las personas con discapacidad o movilidad reducida.

Han de tenerse en cuenta, además, los compromisos relativos al **nivel de servicios a los pasajeros,** que han sido suscritos (2-7-2001) por las compañías aéreas y las de gestión de infraestructuras aéreas (aeropuertos), cada una en su ámbito de competencia. No se trata de obligaciones, en sentido estricto, sino de compromisos, no exigibles legalmente, que tienen por objeto ofrecer un determinado nivel de servicio a los pasajeros (nº 7255 s.).

Precisiones Ha de tenerse en cuenta el RD 1544/2007, por el que se regulan las condiciones básicas de **accesibilidad y no discriminación** para el acceso y utilización de los modos de transporte para personas con discapacidad. Esta norma determina las condiciones básicas de accesibilidad y no discriminación de las personas con discapacidad para la utilización de los modos de transporte ferroviario, marítimo, aéreo, por carretera, en autobús urbano y suburbano, ferrocarril metropolitano, taxi y servicios de transporte especial.

1. Billete de pasaje

(LNA art.93)

El billete de pasaje es el elemento formal del contrato. Es un **documento nominativo e intransferible** y sólo puede utilizarse en el viaje para el que fue expedido. 7225

Precisiones 1) El servicio contratado se enmarca en un transporte aéreo de personas en el que, a diferencia de otros medios de transporte, es determinante el elemento nominativo y personalizado del **título de viaje**, o lo que es igual, el billete constituye el documento que confiere al titular el derecho a ser transportado al punto de destino y la relación jurídica de contrato se crea entre el transportista y el pasajero titular del billete, en razón de las condiciones establecidas en el mismo, de tal forma que el **pago hecho por un tercero** no le confiere la condición de contratante en la relación obligacional existente entre la compañía y el pasajero de la que dimana el abono llevado a cabo, lo que tampoco altera la relación existente entre quien paga y el beneficiario del pago, en orden al posible reembolso de lo pagado (TS 15-6-12, EDJ 119453).

2) **Billetes no utilizados**. La Dir 77/388/CEE art.2.1 y 10.2 (Sexta Directiva en materia de armonización de las legislaciones de los Estados miembros relativas a los impuestos sobre el volumen de negocios - Sistema común del IVA) debe interpretarse en el sentido de que la emisión de billetes por una compañía aérea está sujeta a **IVA** aun en caso de que los pasajeros no hayan utilizado los billetes emitidos y no puedan reclamar su reembolso (TJUE 23-12-15).

2. Derechos y obligaciones

(LNA art.92 y 101)

7230 La obligación principal del porteador es **trasladar incólume al pasajero** de un lugar a otro.
Para su cumplimiento está obligado a:
- proporcionar al pasajero la **plaza** que le corresponda;
- realizar el vuelo en las condiciones de **tiempo, itinerario y escala** previstos en el billete de pasaje.

El pasajero tiene como obligación principal la del **pago del precio** del pasaje.
Las **tarifas** del transporte de viajeros y sus equipajes son aprobadas por el Ministerio de Fomento.
En los números siguientes se exponen ciertos derechos y obligaciones de **carácter accesorio**.

Precisiones Téngase en cuenta el Rgto CE/261/2004, por el que se establecen normas comunes sobre **compensación y asistencia a los pasajeros** aéreos en caso de denegación de embarque y de cancelación o gran retraso de los vuelos (nº 7275 s.).

7232 **Derechos de admisión** (LNA art.96) El transportista está facultado para excluir del transporte a los pasajeros que, por razones de enfermedad u otras causas, puedan constituir un **peligro o perturbación** para el buen régimen de la aeronave.
Por otro lado, el transportista también puede negar el embarque al pasajero por falta de asientos disponibles («**overbooking**»), aún cuando dicho pasajero tenga el vuelo contratado. En tal caso, el pasajero afectado puede, con arreglo a la legislación general, recurrir a la **vía jurisdiccional** para hacer valer su derecho a una indemnización por daños y perjuicios, causados por el incumplimiento de las obligaciones pactadas en virtud del contrato de transporte.
Dejando a salvo dicha posibilidad legal, se permite al pasajero optar, con carácter voluntario, por una **compensación inmediata**. Deben para ello concurrir las siguientes circunstancias:

• Haber comprado un billete para un vuelo a la compañía aérea o a un agente de la misma y haber sido la **plaza confirmada** mediante la correspondiente anotación en el billete por la propia compañía o agencia; disponiendo, por lo tanto, el viajero de una reserva válida para el vuelo en cuestión.

• Haberse presentado el pasajero a facturar y a recoger la **tarjeta de embarque** para el vuelo de que se trate, en el lugar y hora especificados por la compañía aérea, negándole dicha compañía o sus representantes el embarque en tal vuelo y efectuándose éste sin transportar al mismo.

• Que la compañía aérea o sus representantes no hayan ofrecido al viajero un transporte aéreo regular u otra clase de **transporte sustitutivo** del vuelo reservado, con llegada prevista al punto de destino dentro de un plazo de dos horas subsiguientes a la del vuelo reservado cuando se trate de transporte doméstico, cuatro horas hacia destinos situados en Europa y seis horas en el caso de otros destinos.

7234 **Suspensión o retraso del transporte** (LNA art.94) El porteador es responsable de la **suspensión o retraso** del transporte. Incluso si el transporte no tiene lugar por causa de fuerza mayor o por razones meteorológicas que afecten a la seguridad del viaje, el porteador está obligado a devolver el precio del billete.
Si, una vez comenzado el viaje, se produce su **interrupción** por causa de fuerza mayor o por razones meteorológicas que afecten a la seguridad del viaje, el porteador está obligado a verificar el transporte por el medio más rápido posible o a indemnizar al viajero de forma proporcional, a elección de éste.

Precisiones 1) El **cumplimiento de los horarios** previstos es una obligación esencial del contrato que el transportista no puede eludir, salvo casos de fuerza mayor, puesto que el viajero contrata con la compañía confiado en dicho cumplimiento. En consecuencia, se ha declarado la nulidad de una cláusula del contrato de transporte aéreo de viajeros que exonera de responsabilidad a la compañía por incumplimiento del horario indicado en el billete y, en especial, por no garantizar los enlaces (AP Baleares 16-5-03, EDJ 157314). En sentido contrario, se ha entendido que no resulta abusiva la cláusula en la que se establece que las **horas indicadas** en los horarios o en cualquier otra parte no se garantizan ni forman parte del contrato, que los horarios están sujetos a modificación sin previo aviso y que el transportista no asume la responsabilidad de garantizar los enlaces. Una cláusula de este tipo se justifica por los evidentes riesgos que conlleva el tráfico aéreo, lo que exige que se extremen las **medidas de seguridad y vigilancia**, que se encomiendan a personas ajenas a las compañías aéreas, que en cada aeropuerto ordenan los turnos correspondientes para despegar o tomar tierra, influyendo factores como la intensidad del tráfico y otras condiciones externas, como las climáticas, sin que unilateralmente puedan vulnerarse tales órdenes por las compañías aéreas (Juzgado 1ª instancia Madrid núm 45 24-11-03, EDJ 225199).

2) La **indemnización** debe cubrir tanto el daño material como el daño moral, consistente este último en la aflicción o perturbación ocasionada a los viajeros que, tras más de cuatro horas de espera, no pudieron enlazar con el vuelo que debía conducirles a su destino y que ya tenían contratado (TS 11-11-97, EDJ 9811).

Transporte de equipajes (LNA art.97 y 99) Se establece la obligación del porteador de transportar el equipaje, juntamente con el viajero, en los límites de **peso** y **volumen** que se fijen. 7236

El transportista responde únicamente de la **pérdida, sustracción o deterioro** del equipaje que se le haya entregado para su custodia.

El equipaje admitido debe anotarse en el **billete** o registrarse en **talón anexo,** verificándose su entrega contra presentación de uno de ambos documentos, cualquiera que sea su tenedor. A falta de dicha presentación, el porteador debe cerciorarse suficientemente de la personalidad de quien reclame el equipaje.

Equipajes abandonados El **equipaje de mano no facturado** y los objetos personales de los viajeros no retirados por éstos y encontrados a bordo de las aeronaves, así como los objetos que fuesen encontrados en los medios de transporte terrestre utilizados por las compañías aéreas, cuyo propietario no haya sido identificado, quedan **depositados en poder de las compañías** aéreas. Transcurrido un mes y justificado por aquéllas que no ha sido recogido ni reclamado, se debe proceder a su **subasta,** con los trámites establecidos al respecto (OM 7-8-1974). 7238

Renuncia a efectuar el viaje (LNA art.95) El pasajero tiene la facultad de renunciar, dentro del plazo reglamentario, a efectuar el viaje y obtener, en consecuencia, la **devolución del precio** del pasaje. 7240

3. Sistema de responsabilidad

(LNA art.115, 116 y 120)

Se establece un sistema de **responsabilidad objetiva** del transportista, en caso de accidente o de daño. 7245

La indemnización procede en cualquier supuesto, incluso en el de **accidente fortuito** y aun cuando el transportista, operador o sus empleados justifiquen que obraron con la debida diligencia.

El transportista es responsable del daño o perjuicio causado durante el transporte:

- por muerte, lesiones o cualquier otro **daño corporal** sufrido por el viajero;
- por **destrucción, pérdida, avería o retraso** de las mercancías y de los equipajes, facturados o de mano.

Debe entenderse por daño el que sufran los viajeros **a bordo de la aeronave** y por acción de la misma, o como consecuencia de las operaciones de **embarque y desembarque**.

El daño acaecido con motivo del empleo de **otro medio de transporte** para el servicio de los viajeros de la aeronave fuera del aeropuerto, aunque dicho medio sea de la misma empresa, queda excluido.

Precisiones Téngase en cuenta el Rgto CE/261/2004, por el que se establecen normas comunes sobre **compensación y asistencia a los pasajeros** aéreos en caso de denegación de embarque y de cancelación o gran retraso de los vuelos (nº 7275 s.).

Límite de responsabilidad (LNA art.117, 121 y 122; RD 37/2001) La responsabilidad del porteador está legalmente limitada. No obstante, la limitación **no procede** en los siguientes supuestos: 7247

- cuando el daño es el resultado de una **acción u omisión del porteador** o de sus dependientes viciada por dolo o culpa grave;
- cuando la **persona que utiliza la aeronave** lo hace sin consentimiento del transportista o propietario.

En este último caso, también responde el **propietario** de forma subsidiaria, aunque limitadamente, salvo que pruebe la imposibilidad de impedir el uso ilícito.

Las **indemnizaciones** a favor del viajero que deben abonar las compañías aéreas no sujetas a la aplicación del Rgto CE/2027/97 son, en su equivalencia en euros, las siguientes:

- Por **muerte o incapacidad total permanente**: 100.000 DEG.

• Por **incapacidad parcial permanente**: hasta el límite de 58.000 DEG.
• Por **incapacidad parcial temporal**: hasta el límite de 29.000 DEG.
• Por **pérdida o deterioro del equipaje** facturado o de mano: hasta el límite de 500 DEG por unidad (712,45 €).
• Si el equipaje facturado o de mano se realiza bajo manifestación de **valor declarado**, aceptado por el transportista, el límite de responsabilidad corresponde a ese valor.
Por otra parte, también son indemnizables los daños que se causen a las **personas que se encuentren en la superficie terrestre**, por la acción de la aeronave, en vuelo o en tierra, o por cuanto de ella se desprenda o arroje. En estos casos, las indemnizaciones por muerte o lesiones de personas se ajustarán a los límites indicados anteriormente, incrementadas en un 20%. Si son varios los perjudicados y la suma global de los daños causados excede de los límites antes citados, se debe reducir proporcionalmente la cantidad que haya de percibir cada uno.
Las indemnizaciones debidas por daños a las personas gozan de **preferencia para el cobro** con respecto a cualquier otra exigible por el siniestro, si el responsable no alcanza a cubrirlas todas.
Se establece la **obligación de proporcionar información** a las personas interesadas y a los usuarios sobre la cuantía de las indemnizaciones aplicables en cada caso, expresando necesariamente su equivalencia en euros.

7249 Precisiones 1) El Rgto CE/2027/97 establece las obligaciones de las **compañías aéreas comunitarias** en relación con la responsabilidad hacia los pasajeros, en caso de accidente, por daños sufridos en caso de muerte, herida o cualquier otra lesión corporal, cuando el accidente que haya causado el perjuicio haya ocurrido **a bordo de una aeronave** o en el curso de cualquiera de las operaciones de **embarque o desembarque**.
La responsabilidad de una compañía aérea comunitaria por la muerte, herida o cualquier otra lesión corporal de un pasajero, en caso de accidente, no está sujeta a ningún **límite financiero**, ya sea legal, convencional o contractual.
Hasta un importe equivalente a 100.000 DEG, las compañías aéreas comunitarias no podrán **excluir o limitar** su responsabilidad demostrando que ellas y sus agentes adoptaron todas las medidas necesarias para evitar el perjuicio o que les resultó imposible adoptar dichas medidas. No obstante, si la compañía aérea comunitaria prueba que el perjuicio fue causado por la **negligencia del pasajero** lesionado o fallecido o bien que ésta contribuyó a aquel, la compañía puede ser total o parcialmente eximida de su responsabilidad, de conformidad con el derecho aplicable.
Sin demora y, en cualquier caso, a más tardar en un plazo de 15 días siguientes a la determinación de la identidad de la persona física con derecho a indemnización, la compañía aérea comunitaria debe abonar los **anticipos necesarios** para cubrir las necesidades económicas inmediatas, de forma proporcional a los perjuicios sufridos. Tales anticipos no serán inferiores a un importe equivalente a 15.000 DEG por pasajero, en caso de muerte.
2) El **derecho especial de giro** (DEG) o unidad de cuenta es una moneda creada por el Fondo Monetario Internacional (FMI), cuyo valor se obtiene mediante la combinación de la moneda de varios países miembros. En consecuencia, su valor fluctúa diariamente, dado que depende de la cotización de estas monedas. Se puede consultar su equivalencia en euros en la página web del Banco de España: www.bde.es.
3) Se ha considerado abusiva una cláusula de sometimiento a determinada jurisdicción para el ejercicio de las acciones derivadas del contrato de transporte, por aplicación de la normativa de defensa del consumidor, que considera **abusiva** la previsión de pactos de sumisión expresa a juez o tribunal distinto del que corresponda al domicilio del consumidor o al lugar de cumplimiento de la obligación -LGDCU disp.adic.1ª.27- (Juzgado 1ª instancia Madrid núm 45 24-11-03, EDJ 225199).

7251 **Reclamaciones y acciones** (LNA art.124) Las reclamaciones por avería o retraso del equipaje facturado deben formalizarse por escrito ante el transportista obligado dentro del **plazo** de 10 días siguientes al de la entrega o a la fecha en que debió entregarse.
La **falta de esta reclamación previa** impide el ejercicio de las acciones correspondientes.
La **acción** para exigir el pago de las indemnizaciones prescribe a los 6 meses, a contar desde la fecha en que se produjo el daño.

4. Compromiso de servicios de las compañías aéreas

7255 El documento firmado el 2-7-2001 por las compañías aéreas contiene compromisos, no exigibles legalmente, con objeto de ofrecer un determinado nivel de servicio a los pasajeros.
Básicamente, las compañías aéreas firmantes asumen compromisos relativos a:
- tarifas y billetes;
- retrasos, cancelaciones y desvíos;
- equipaje, facturación y embarque;
- condiciones comerciales y operativas; y
- personas con movilidad reducida.

Tarifas y billetes Las compañías aéreas firmantes se comprometen a: 7257
a) Ofrecer la **tarifa más barata** disponible en cada uno de sus medios directos de distribución. Cada compañía aérea debe ofrecer al pasajero la tarifa más barata disponible, bien en su propio sistema de reservas por teléfono, bien en su propio sitio web o bien en sus propias oficinas de venta, para la fecha, vuelo y clase de servicio solicitado.
Además, cada compañía aérea debe informar que otras tarifas distintas pueden estar disponibles a través de otros medios directos de distribución.
b) Respetar la **tarifa acordada** después del pago. Después de haber efectuado el pago del billete, la tarifa no puede sufrir ningún aumento para la fecha, vuelo y clase del servicio adquirido. Sin embargo, cualquier cambio en exacciones, tasas e impuestos ha de ser objeto de pago adicional o de reembolso.
c) Permitir que las **reservas por teléfono** se mantengan o cancelen sin ningún compromiso o recargo dentro del período de 24 horas.
d) Agilizar el pago de los **reembolsos**. Cuando el pasajero que reclame tenga derecho a que se le reembolse por un billete adquirido directamente a una compañía aérea, cada compañía aérea debe remitir dicha cantidad en el plazo de 7 días hábiles, en el caso de compras con tarjeta de crédito, y de 20 días hábiles, en el caso de pago al contado o con cheque.
Cuando el billete no sea utilizado, deben reembolsarse todas las exacciones, tasas e impuestos cobrados con la tarifa e indicados en el billete. Esto será de aplicación a billetes no reembolsables, y dicho reembolso se remitirá en los mismos plazos arriba indicados.

Retrasos, cancelaciones y desvíos Se asume el compromiso de notificar a los pasajeros sobre los retrasos, cancelaciones y desvíos, así como asistir a los pasajeros que sufran retrasos: 7259
- Cada compañía aérea debe dar una **asistencia adecuada** (p.e. refrescos, comidas o alojamiento) a los pasajeros que sufran retrasos superiores a dos horas, siempre que las condiciones locales permitan tal asistencia. Dicha asistencia no se proporcionará en situaciones de disturbios políticos o en el caso de huelgas de larga duración en servicios esenciales, o en otras circunstancias excepcionales fuera del control de la compañía aérea. Tampoco se ofrecerá dicha asistencia si de esta forma se retrasara aún más la salida.
- La asistencia se debe adecuar a las condiciones especificadas en cada caso para las rutas en las que se hayan declarado «**obligaciones de servicio público**». Asimismo, la asistencia puede verse limitada total o parcialmente cuando las condiciones meteorológicas provoquen una interrupción en rutas en las que se vea afectada la regularidad de las operaciones debido a dichas condiciones meteorológicas, o en rutas inferiores a 300 km que sirvan aeropuertos situados en áreas de difícil acceso con aeronaves de menos de 80 asientos.
- Atender las necesidades esenciales de los pasajeros durante **retrasos largos a bordo** de la aeronave.

Equipaje, facturación y embarque Se han asumido los siguientes compromisos en estas materias: 7261
a) Agilizar la entrega del **equipaje**. En el caso de demora en la entrega del equipaje facturado, cada compañía aérea se ha de esforzar para entregar de forma gratuita dicho equipaje al pasajero, en el plazo de 24 horas a partir de su llegada al destino final. Asimismo, la compañía aérea debe ofrecer asistencia inmediata, suficiente para cubrir las necesidades del pasajero a corto plazo.
b) Tomar medidas para agilizar el proceso de **facturación**.
c) Reducir el número de pasajeros a los que se deniega el **embarque**.

Condiciones comerciales y operativas Las compañías firmantes se comprometen a proporcionar a los pasajeros **información** sobre las condiciones comerciales y operativas: 7263
- hora programada de salida y llegada de los vuelos;
- aeropuerto y/o terminal de salida y llegada;
- número de escalas en ruta;
- cambios de aeronave, terminal o aeropuerto;
- condiciones correspondientes a la tarifa que se abonará;
- nombre de la compañía operadora y número de vuelo;
- posibilidad de fumar a bordo;
- franquicia de equipaje y límites de responsabilidad; y
- limitación de equipaje de mano.

Si, con posterioridad a la compra del billete, la compañía aérea realiza un **cambio significativo en la hora de vuelo** programada que no sea aceptable para el pasajero y la compañía aérea no puede incluir al pasajero en un vuelo alternativo que sea aceptable para el pasajero, éste tiene derecho a reembolso.

A **petición de los interesados** se ha de facilitar información sobre:
- el tipo de avión programado para operar en la ruta y la distancia entre asientos;
- los servicios normalmente ofrecidos a bordo;
- facilidades para pasajeros con necesidades especiales y cualquier cargo a pagar por utilizarlas;
- si pueden asignarse o reservarse previamente asientos determinados;
- pagos por exceso de equipaje;
- condiciones de transporte;
- programas para pasajeros frecuentes, en su caso;
- programas de asistencia en caso de pérdida, deterioro o retraso de equipaje.

En el caso de vuelos operados en régimen de **código compartido, franquicia o arrendamiento** a largo plazo planificado, las compañías aéreas lo comunicarán a los pasajeros.

Las compañías han de atender con interés las **reclamaciones de los pasajeros**. En circunstancias normales, cada compañía aérea debe dar respuesta concreta a las reclamaciones por escrito, en un **plazo** de 28 días, contados a partir de su recepción. Cuando dicho plazo no conceda tiempo suficiente para que la reclamación sea adecuadamente investigada, se ha de enviar una **respuesta provisional** explicando los motivos de la demora.

Cada compañía aérea ha de designar un punto de contacto conveniente al que puedan dirigirse los pasajeros para todas las reclamaciones. La dirección y/o el número de teléfono y el nombre de la oficina de este **servicio de atención al cliente** debe figurar en los horarios, en los sitios web y en cualquier otra fuente de información al público. Estos datos deben estar, asimismo, disponibles en las agencias de viajes autorizadas.

7265 **Personas con movilidad reducida** Es responsabilidad de las compañías aéreas, los aeropuertos y los agentes de servicios relacionados con ambos atender las necesidades y dar asistencia a las personas con movilidad reducida o con necesidades especiales. Asimismo, es responsabilidad de estas personas especificar sus necesidades por los canales adecuados en el momento adecuado.

Los **costes** derivados de la atención de las personas con movilidad reducida no deben repercutirse directamente en ellas.

Ninguna compañía transportista puede **rechazar** a una persona con movilidad reducida excepto cuando no se le pueda transportar sin peligro o no se le pueda acomodar físicamente.

Los **perros lazarillo** han de ser transportados en la cabina, de conformidad con las normas de la compañía aérea y de importación nacionales. Cuando sean transportados, no se cobrará precio alguno. No se cobrará a las personas con movilidad reducida por el transporte de los objetos básicos que faciliten su movilidad ni de otros elementos esenciales auxiliares en caso de discapacidad.

Precisiones En este punto ha de tenerse en cuenta el RD 1544/2007, por el que se regulan las condiciones básicas de **accesibilidad y no discriminación** para el acceso y utilización de los modos de transporte para personas con discapacidad (ver nº 7222).

5. Compromiso de servicios de los aeropuertos

7270 Los aeropuertos europeos han elaborado un compromiso de servicio de los aeropuertos con los pasajeros. Aunque, al igual que en el caso anterior, se trata de deberes que no son legalmente obligatorios, la entidad pública empresarial AENA se ha comprometido a poner en práctica todos los capítulos de este Compromiso para el 1-1-2002.

Se asumen, básicamente, **compromisos** con respecto a:
- Publicidad de forma visible en los aeropuertos de los servicios que prestan a los pasajeros con movilidad reducida.
- Información a los pasajeros sobre sus derechos.
- Asistencia durante periodos de retrasos significativos o perturbaciones.
- Accesos y transporte terrestre.
- Provisión de infraestructura para facturación, equipaje y seguridad.
- Mantenimiento.
- Gestión de los carritos portaequipajes.
- Orientación y mostradores de información.
- Limpieza.
- Gestión de las observaciones de los usuarios.
- Informes regulares.

Los aeropuertos se han de asegurar de que existen procedimientos claros y precisos para la tramitación de **quejas o reclamaciones**. Dichas observaciones han de ser archivadas de manera que sea fácil su acceso y gestión.

Los aeropuertos deben establecer un método fiable para el **análisis, seguimiento y evaluación** de las observaciones, quejas y reclamaciones de los usuarios. En circunstancias normales, los aeropuertos han de responder a las reclamaciones en un plazo no superior a 28 días después de la fecha de recepción. Cuando este período no sea suficiente para completar el análisis de la reclamación, se debe emitir una respuesta provisional indicando la razón del retraso.

6. Derechos de compensación y asistencia a los pasajeros

(Rgto CE/261/2004)

Se exponen a continuación ciertas reglas de Derecho europeo sobre compensación y asistencia a los pasajeros aéreos en caso de denegación de embarque y de cancelación o gran retraso de los vuelos. Estas reglas son de **aplicación** (Rgto CE/261/2004 art.3): **7275**

a. A los pasajeros que partan de un aeropuerto situado en el territorio de un **Estado miembro**.
b. A los pasajeros que partan de un aeropuerto situado en un **tercer país** con destino a otro situado en el territorio de un Estado miembro sujeto a las disposiciones del Tratado, a menos que disfruten de beneficios o compensación y de asistencia en ese tercer país, cuando el transportista aéreo encargado de efectuar el vuelo en cuestión sea un transportista comunitario.

No obstante, para la aplicación de esta norma, se exige además que los pasajeros:
- dispongan de una **reserva** confirmada en el vuelo de que se trate y -excepto en el caso de la cancelación (nº 7281)-, se presenten a facturación, en las condiciones requeridas y a la hora indicada previamente y por escrito -inclusive por medios electrónicos- por el transportista aéreo, el operador turístico o un agente de viajes autorizado, o bien, de no indicarse hora alguna, con una antelación mínima de 45 minutos respecto de la hora de salida anunciada; o
- hayan sido **transbordados** por un transportista aéreo u operador turístico del vuelo para el que disponían de una reserva a otro vuelo, independientemente de los motivos que haya dado lugar al transbordo.

El Reglamento no se aplica cuando un **viaje combinado** se cancele por motivos que no sean la cancelación del vuelo.

Precisiones 1) Las obligaciones para con los pasajeros establecidas en el Rgto CE/261/2004 no pueden limitarse ni derogarse, especialmente por medio de la inclusión de una **cláusula de inaplicación** o una cláusula restrictiva en el contrato de transporte (Rgto CE/261/2004 art.15).
2) Cada Estado miembro debe designar un **organismo responsable** del cumplimiento del Reglamento en lo que concierne a los vuelos procedentes de aeropuertos situados en su territorio y a los vuelos procedentes de un país tercero y con destino a dichos aeropuertos (Rgto CE/261/2004 art.16). Se deben proporcionar al pasajero, por escrito, los **datos de contacto** de este organismo (Rgto CE/261/2004 art.14).

Obligación de información (Rgto CE/261/2004 art.14) El transportista aéreo encargado de efectuar el vuelo debe velar por que en el **mostrador de facturación** se exponga, de forma claramente visible para los pasajeros, un anuncio con el siguiente texto: «En caso de denegación de embarque, cancelación o retraso de su vuelo superior a dos horas, solicite en el mostrador de facturación o en la puerta de embarque el texto en el que figuran sus derechos, especialmente en materia de compensación y asistencia». **7277**

Cuando se produzca la **denegación del embarque** o la **cancelación de un vuelo**, el transportista debe proporcionar a cada uno de los pasajeros afectados un impreso en el que se indiquen las normas en materia de compensación y asistencia que se exponen en los números siguientes. También debe proporcionar un impreso equivalente a cada uno de los pasajeros afectados por un retraso de, al menos, dos horas.

Precisiones Con respecto a las **personas invidentes** o con problemas de vista, las disposiciones de este artículo deberán aplicarse utilizando los medios alternativos adecuados.

Denegación de embarque (Rgto CE/261/2004 art.4) La denegación de embarque es la **negativa a transportar** pasajeros en un vuelo, pese a haberse presentado al embarque en las condiciones legalmente establecidas, salvo que haya motivos razonables para denegar su embarque, tales como razones de salud o de seguridad o la presentación de documentos de viaje inadecuados. **7279**

Cuando un transportista aéreo encargado de efectuar un vuelo prevea que tendrá que denegar el embarque en un vuelo, debe, en primer lugar, pedir que se presenten **voluntarios que renuncien a sus reservas** a cambio de determinados beneficios, en las condiciones que acuerden el pasajero interesado y el transportista aéreo encargado de efectuar el vuelo.

En caso de que el número de voluntarios **no sea suficiente** para que los restantes pasajeros con reservas puedan ser embarcados en dicho vuelo, el transportista aéreo encargado de efectuar el vuelo puede denegar el embarque a los pasajeros contra la voluntad de éstos. En ese caso, el transportista aéreo encargado de efectuar el vuelo debe compensarles inmediatamente (Rgto CE/261/2004 art.7) y prestarles asistencia (Rgto CE/261/2004 art.8 y 9).

7281 **Cancelación de vuelos** (Rgto CE/261/2004 art.5) Consiste en la no realización de un vuelo programado y en el que había reservada al menos una plaza. En este caso, se aplican las siguientes reglas:

a) El transportista aéreo encargado de efectuar el vuelo debe ofrecer a los pasajeros afectados el **reembolso** o un **transporte alternativo** (en los términos del Rgto CE/261/2004 art.8), así como **comida y refrescos** suficientes, y la posibilidad de realizar gratuitamente, dos **llamadas** telefónicas, télex o mensajes de fax, o correos electrónicos (Rgto CE/261/2004 art.9.1.a y 2).

b) Se les debe ofrecer **alojamiento y transporte** entre el aeropuerto y el lugar de alojamiento (Rgto CE/261/2004 art.9.1.b y c) en caso de que se les ofrezca un transporte alternativo y la salida prevista del nuevo vuelo sea como mínimo al día siguiente de la salida programada del vuelo cancelado.

c) Los pasajeros afectados tienen derecho a una **compensación** por parte del transportista aéreo encargado de efectuar el vuelo, a menos que:

- se les informe de la cancelación al menos con 2 semanas de antelación con respecto a la hora de salida prevista; o
- se les informe de la cancelación con una antelación de entre 2 semanas y 7 días con respecto a la hora de salida prevista y se les ofrezca un transporte alternativo que les permita salir con no más de 2 horas de antelación con respecto a la hora de salida prevista y llegar a su destino final con menos de cuatro horas de retraso con respecto a la hora de llegada prevista; o
- se les informe de la cancelación con menos de 7 días de antelación con respecto a la hora de salida prevista y se les ofrezca tomar otro vuelo que les permita salir con no más de una hora de antelación con respecto a la hora de salida prevista y llegar a su destino final con menos de 2 horas de retraso con respecto a la hora de llegada prevista.

Siempre que se informe a los pasajeros de la cancelación, debe darse una explicación relativa a los posibles **transportes alternativos**.

Un transportista aéreo encargado de efectuar un vuelo no está obligado a pagar la mencionada compensación si puede probar que la cancelación se debe a **circunstancias extraordinarias** que no podrían haberse evitado incluso si se hubieran tomado todas las medidas razonables. No todas las circunstancias extraordinarias tienen **carácter exoneratorio**, e incumbe al transportista aéreo que pretenda invocarlas demostrar que en cualquier caso habría sido imposible evitarlas con medidas adaptadas a la situación, es decir, con medidas que respondan, en particular, a unas condiciones técnica y económicamente soportables para el transportista aéreo de que se trate, en el momento de producirse las circunstancias extraordinarias (TJUE 12-5-11, C 294/10). Por tratarse de una excepción al principio de compensación a los pasajeros, esta previsión debe ser objeto de interpretación estricta (TJUE 22-12-08, C 549/07).

La carga de la **prueba** de haber informado al pasajero de la cancelación del vuelo, así como del momento en que se le ha informado, corresponde al transportista aéreo encargado de efectuar el vuelo.

7283 Precisiones **1)** El Rgto CE/261/2004 art.5.3 debe interpretarse en el sentido de que la ausencia espontánea de una parte importante del personal de navegación (**«huelga salvaje»**), que tuvo su origen en el anuncio sorpresivo por un transportista aéreo encargado de efectuar un vuelo de una reestructuración de la empresa, a raíz de una iniciativa promovida no por los representantes de los trabajadores de la empresa sino espontáneamente por los mismos trabajadores, que pasaron a situación de baja por enfermedad, no está comprendida en el concepto de circunstancias extraordinarias en el sentido de dicha disposición (TJUE 17-4-18).

2) Las **circunstancias extraordinarias** que exime al transportista de su obligación de pagar una indemnización en el caso de cancelación de vuelos o gran retraso se debe **interpretar restrictivamente** por tratarse de una excepción al principio de compensación al pasajero. El transportista aéreo debe probar que habría sido imposible evitarlas.

3) Por lo que se refiere a los **problemas técnicos** que pueden afectar a un avión, el Tribunal de Justicia ha precisado que, si bien es cierto que dichos problemas técnicos pueden considerase circunstancias extraordinarias, no es menos cierto que las circunstancias que acompañan a dicho acontecimiento sólo podrán calificarse de «extraordinarias», cuando correspondan a un acontecimiento que no sea inherente al ejercicio normal de la actividad del transportista aéreo de que se trate y escape al control efectivo de dicho transportista a causa de su naturaleza o de su origen. Los transportistas aéreos se ven confrontados ordinariamente en el ejercicio de su actividad a diversos problemas técnicos que son consecuencia ineluctable del funcionamiento de estos aparatos. Así pues, la resolución de los problemas técnicos provocados por **fallos de mantenimiento** de los aparatos debe considerarse inherente al ejercicio normal de la actividad del transportista aéreo y, por consiguiente, no constituyen «circunstancias extraordinarias». Sin embargo, no cabe excluir la posibilidad de que ciertos problemas técnicos constituyan «circunstancias extraordinarias», en la medida en que se deriven de acontecimientos que no sean inherentes al ejercicio normal de la actividad del transportista aéreo de que se trate y escapen al control efectivo de dicho transportista. Tal sería el caso, por ejemplo, en el supuesto de que el fabricante de los aparatos que integran la flota del transportista aéreo de que se trate o una autoridad competente informase de que dichos aparatos, pese a estar ya en servicio, presentan un defecto de fabricación oculto que afecta a la seguridad de los vuelos (TJUE 22-12-08, C 549/07).

3) La cancelación de un vuelo por la **huelga de controladores** constituye un supuesto extraordinario e imprevisible de fuerza mayor, que exonera a la compañía de la compensación a los pasajeros si se acredita que no pudo optar por trayectos alternativos y que la cancelación vino impuesta inexorablemente por la huelga. En este caso no consta que las restricciones del tráfico aéreo, lógicas en una situación de huelga, provocara una cancelación masiva de vuelos, por lo que es procedente la compensación establecida en el Rgto CE/261/2004 art.7 (AP Barcelona 11-2-13, EDJ 33512).

Retraso (Rgto CE/261/2004 art.6) Se establece la obligación de **asistencia** a los pasajeros, a cargo del transportista, cuando se prevean los siguientes retrasos: 7285
- 2 horas o más en el caso de todos los vuelos de 1.500 Km o menos;
- 3 horas o más en el caso de todos los vuelos intracomunitarios de más de 1.500 Km y de todos los demás vuelos de entre 1.500 y 3.500 Km;
- 4 horas o más en el caso de todos los vuelos no comprendidos en los apartados anteriores.

En esos casos, el transportista aéreo encargado de efectuar el vuelo debe ofrecer a los pasajeros la siguiente **asistencia**:

1. La **comida y refrescos** suficientes, así como la posibilidad de realizar gratuitamente, dos **llamadas** telefónicas, télex o mensajes de fax, o correos electrónicos (Rgto CE/261/2004 art.9.1.a y 2).

2. Cuando la hora de salida prevista sea como mínimo al día siguiente a la hora previamente anunciada: el **alojamiento y transporte** entre el aeropuerto y el lugar de alojamiento (Rgto CE/261/2004 art.9.1.b y c).

3. Cuando el retraso sea de 5 horas como mínimo: el **reembolso** en 7 días del coste íntegro del billete en el precio al que se compró, junto con, cuando proceda, un vuelo de vuelta al primer punto de partida lo más rápidamente posible (Rgto CE/261/2004 art.8.1.a).

Derecho a compensación (Rgto CE/261/2004 art.7) Cuando se haga referencia a la compensación prevista en este precepto, los pasajeros han de recibir una compensación por **valor** de: 7287
- 250 euros para vuelos de hasta 1.500 Km;
- 400 euros para todos los vuelos intracomunitarios de más de 1.500 Km y para todos los demás vuelos de entre 1.500 y 3.500 Km;
- 600 euros para todos los vuelos no comprendidos en los apartados anteriores.

La **distancia** se determina tomando como base el último destino al que el pasajero llegará con retraso en relación con la hora prevista debido a la denegación de embarque o a la cancelación.

El transportista aéreo encargado de efectuar el vuelo puede reducir en un 50% la compensación en caso de que se ofrezca a los pasajeros la posibilidad de ser conducidos hasta el destino final en un **transporte alternativo** con una diferencia en la hora de llegada respecto a la prevista para el vuelo inicialmente reservado:
- que no sea superior a 2 horas, para todos los vuelos de 1.500 Km o menos;
- que no sea superior a 3 horas, para todos los vuelos intracomunitarios de más de 1.500 Km y para todos los demás vuelos de entre 1.500 y 3.500 Km; o
- que no sea superior a 4 horas, para todos los vuelos no comprendidos en los apartados anteriores.

Estas normas se aplican sin perjuicio de los derechos del pasajero a obtener una **compensación suplementaria**, de la cual puede deducirse la expuesta en este apartado (Rgto CE/261/2004 art.12).

Precisiones **1)** En caso de **cancelación de vuelo**, si concurre la circunstancia extraordinaria de la huelga incapacitante de efectuar las operaciones de vuelo, ésta únicamente conlleva vedar el acceso a la compensación, pero no el derecho a la indemnización, que requiere que concurran los presupuestos propios de la responsabilidad contractual y que reconoce también el Rgto CE/261/2004 art.12, ni tampoco el derecho asistencial reconocido en el Rgto CE/261/2004. En este sentido, debe recordarse que la **compensación suplementaria** del Rgto CE/261/2004 art.12 comprende tanto el daño moral como el daño material (JM Badajoz núm 1, 30-10-18, EDJ 692004). 7289

2) El TJUE ha declarado que los pasajeros que sufren un **retraso importante**, considerando como -tal el de una duración igual o superior a tres horas, se encuentran en una situación comparable a los pasajeros cuyos vuelos han sido cancelados a efectos de la compensación prevista en el Rgto CE/261/2004 art.7. La razón de tal juicio radica en que se sufre un «perjuicio análogo que se

materializa en una pérdida de tiempo», «una pérdida de tiempo irreversible y, por tanto, un inconveniente análogo» o, simplemente, «una pérdida de tiempo irreversible».
Ahora bien, lo que no dice el TJUE es que el retraso por 3 horas o más de lugar a un daño moral indemnizable o, utilizando los términos del recurso, a un «retraso indemnizable» (JM Badajoz núm 1, 14-12-18, EDJ 723227).
3) A propósito del derecho de compensación y asistencia a pasajeros por denegación de embarque, cancelación o retraso del vuelo, un viajero solicitó una **compensación** de 600 euros por **retraso**, que se debió a la sustitución de piezas de la aeronave. La compañía aérea se opuso alegando «**circunstancias extraordinarias** que no podrían haberse evitado incluso si se hubieran tomado todas las medidas razonables» (Rgto CE/261/2004 art.5.3), basadas en el hecho de que las piezas defectuosas no habían superado su tiempo de vida útil. El TJUE declaró que dicho precepto debe interpretarse en el sentido de que un problema técnico, como el acaecido, que sobrevino imprevistamente, que no es imputable a un mantenimiento deficiente y que tampoco fue descubierto con ocasión de un mantenimiento regular, no encaja, a pesar de todo ello, en el concepto de «circunstancias extraordinarias», en el sentido de ese Reglamento (TJUE 17-9-15).
4) Un avión **aterrizó con más de 24 horas de retraso** sobre la hora de llegada prevista inicialmente, y los viajeros solicitaron una compensación, para cada uno de ellos, de 600 euros, con fundamento en el Rgto CE/261/2004 art.5.1.c y 7. La compañía aérea alegó que, puesto que el vuelo se llevó a cabo, no puede tratarse de una cancelación, sino de un retraso para el que el Rgto no prevé derecho a compensación. El TJUE declara que dichos preceptos deben interpretarse en el sentido de que los pasajeros de los vuelos retrasados tienen derecho a ser compensados cuando llegan a su destino tres horas o más después de la hora de llegada inicialmente prevista por el transportista aéreo. Sin embargo, tal retraso no da derecho a una compensación de los pasajeros si el transportista aéreo puede acreditar que el retraso se debe a «circunstancias extraordinarias que no podrían haberse evitado incluso si se hubieran tomado todas las medidas razonables», es decir, a circunstancias que escapan al control efectivo del transportista aéreo (TJUE 23-10-12).
5) El Rgto CE/2027/97 art.2.1.a y c, relativo a la responsabilidad de las compañías aéreas respecto al transporte aéreo de los pasajeros y su equipaje, en su versión modificada por el Rgto CE/889/2002, así como el Convenio para la unificación de ciertas reglas para el transporte aéreo internacional celebrado en Montreal el 28-5-99, art.1.1, y aprobado por la Unión Europea mediante la Decisión 2001/539/CE, deben interpretarse en el sentido de que se oponen a que se examine a la luz del artículo 17 de dicho Convenio la acción de indemnización ejercitada por una persona que era ocupante de una aeronave que debía despegar y aterrizar en un mismo lugar situado en un Estado miembro, y a quien se **transportaba gratuitamente para un vuelo** de observación aérea de una finca sobre la que se pretendía celebrar una transacción inmobiliaria con el piloto de dicha aeronave, y que sufrió **lesiones corporales al estrellarse** la citada aeronave. Asimismo, el Rgto CE/864/2007 art.18, relativo a la ley aplicable a las obligaciones extracontractuales («Roma II»), debe interpretarse en el sentido de que permite, en una situación como la descrita, que el perjudicado ejercite una **acción directa contra el asegurador** de la persona responsable para reclamarle resarcimiento, cuanto tal acción está prevista por la ley aplicable a la obligación extracontractual, con independencia de lo que establezca la ley aplicable al contrato de seguro elegido por las partes de dicho contrato (TJUE 9-9-15).

7291 **Derecho al reembolso o a un transporte alternativo** (Rgto CE/261/2004 art.8) Cuando se haga referencia a este derecho, se han de ofrecer a los pasajeros las opciones siguientes:
a) El **reembolso** en 7 días del coste íntegro del billete en el precio al que se compró, correspondiente a la parte o partes del viaje no efectuadas y a la parte o partes del viaje efectuadas, si el vuelo ya no tiene razón de ser en relación con el plan de viaje inicial del pasajero, junto con, cuando proceda, un vuelo de vuelta al primer punto de partida lo más rápidamente posible.
b) La **conducción hasta el destino final** en condiciones de transporte comparables, lo más rápidamente posible.
c) La conducción hasta el destino final, en condiciones de transporte comparables, en una **fecha posterior** que convenga al pasajero, en función de los asientos disponibles.
En el caso de las ciudades o regiones en las que existan **varios aeropuertos**, el transportista aéreo encargado de efectuar el vuelo que ofrezca al pasajero un vuelo a otro aeropuerto distinto de aquel para el que se efectuó la reserva debe correr con los gastos de transporte del pasajero desde ese segundo aeropuerto, bien hasta el aeropuerto para el que efectuó la reserva, bien hasta otro lugar cercano convenido con el pasajero.

7293 **Derecho a atención** (Rgto CE/261/2004 art.9) Se prevén ciertos deberes de **asistencia** consistentes en el ofrecimiento a los pasajeros, sin coste por su parte, de:
a. Comida y refrescos suficientes, en función del tiempo que sea necesario esperar.
b. Alojamiento en un hotel en los siguientes casos:
- cuando sea necesario pernoctar una o varias noches; o
- cuando sea necesaria una estancia adicional a la prevista por el pasajero.
c. Transporte entre el aeropuerto y el lugar de alojamiento (hotel u otros).

Además, se deben ofrecer a los pasajeros gratuitamente dos **llamadas telefónicas**, télex o mensajes de fax, o correos electrónicos.
El transportista aéreo encargado de efectuar el vuelo debe prestar atención especial a las necesidades de las **personas con movilidad reducida** y de sus acompañantes, así como a las necesidades de los **menores no acompañados** (nº 7297).

Cambio de clase (Rgto CE/261/2004 art.10) Se prevén varios supuestos de cambio de clase: **7295**
a) Si un transportista aéreo encargado de efectuar un vuelo acomoda a un pasajero en una plaza de **clase superior** a aquella por la que se pagó el billete, no puede solicitar pago suplementario alguno.
b) Si el transportista aéreo acomoda a un pasajero en una plaza de **clase inferior** a aquella por la que se pagó el billete, debe reembolsar, en el plazo de 7 días:
- el 30% del precio del billete del pasajero para todos los vuelos de 1.500 Km o menos;
- el 50% del precio del billete para todos los vuelos intracomunitarios de más de 1.500 Km, excepto los vuelos entre el territorio europeo de los Estados miembros y los territorios franceses de ultramar, y para todos los demás vuelos de entre 1.500 y 3.500 Km; o
- el 75% del precio del billete para todos los vuelos no comprendidos en los guiones anteriores, incluidos los vuelos entre el territorio europeo de los Estados miembros y los territorios franceses de ultramar.

Personas con movilidad reducida o necesidades especiales (Rgto CE/261/2004 art.11) **7297**
Los transportistas aéreos encargados de efectuar vuelos deben dar **prioridad** al transporte de las personas con movilidad reducida y sus acompañantes o perros de acompañamiento certificados, así como de los menores no acompañados.
En caso de **denegación de embarque, cancelación y retrasos** de cualquier duración, las personas con movilidad reducida y sus acompañantes, así como los menores no acompañados, tienen derecho a recibir atención conforme al Rgto CE/261/2004 art.9 (nº 7293) lo antes posible.
Los **derechos** de las personas con discapacidad o movilidad reducida en el transporte aéreo son objeto de una **regulación más completa** en el Rgto CE/1107/2006, que contempla, entre otras normas, la prohibición de denegar el embarque, el derecho a asistencia en los aeropuertos, las indemnizaciones por pérdida o daños a sillas de ruedas, otros equipos de movilidad y dispositivos de asistencia y el procedimiento de reclamación.

7. Procedimiento de resolución alternativa de litigios

El procedimiento de resolución alternativa de litigios de los usuarios de transporte aéreo sobre los derechos reconocidos en el **ámbito de la Unión Europea** en materia de compensación y asistencia en caso de denegación de embarque, cancelación o gran retraso, así como en relación con los derechos de las personas con discapacidad o movilidad reducida, se recoge en la OM TMA/201/2022. **7300**

Ámbito de aplicación (OM TMA/201/2022 art.2) El procedimiento que la Agencia Estatal de Seguridad Aérea, como entidad de resolución alternativa de litigios en el sector del transporte aéreo, proporciona a los usuarios del transporte aéreo para resolver sus conflictos sobre la aplicación del Rgto (CE) nº 261/2004, por el que se establecen normas comunes sobre compensación y asistencia a los pasajeros aéreos en caso de denegación de embarque y de cancelación o gran retraso de los vuelos. **7302**
Se aplica a los **conflictos** de todos los usuarios del transporte aéreo, aunque no tengan la condición de consumidores, con las compañías aéreas que los transporten, estén establecidas o no en la Unión Europea, por aplicación del:
a) Rgto (CE) 261/2004, cuando:
- los pasajeros partan de un aeropuerto situado en territorio español; o
- los pasajeros partan de un aeropuerto situado en un país que no sea miembro de la Unión Europea, con destino a otro situado en territorio español, a menos que disfruten de beneficios o compensación y de asistencia en ese país no perteneciente a la Unión Europea, cuando la compañía aérea operadora sea una compañía aérea comunitaria.
b) Rgto (CE) 1107/2006, cuando:
- las personas con discapacidad o movilidad reducida que utilicen o pretendan utilizar vuelos comerciales de pasajeros que salgan de los aeropuertos situados en territorio español, lleguen a estos aeropuertos o transiten por ellos; o
- en los casos previstos en los art.3, 4 y 10 del citado Rgto, los pasajeros que salgan de un aeropuerto situado en país no perteneciente a la Unión Europea lo hagan con destino a otro aeropuerto situado en territorio español, si la compañía aérea operadora es comunitaria.

Quedan **excluidos** del ámbito de aplicación, cualquier litigio distinto de los previstos en el art.2 de la OM TMA/201/2022, y en particular:

a) Los daños y perjuicios causados por el incumplimiento o cumplimiento defectuoso del contrato de transporte no comprendidos en el ámbito de aplicación de esta orden de acuerdo con lo previsto en art.2.

b) Las cláusulas y prácticas abusivas en el contrato de transporte aéreo u otra documentación atinente al transporte.

c) Las prácticas comerciales, entendiendo por tal las definidas en la LGDCU art.19.2.

d) La información precontractual o el contrato.

e) La protección de datos de carácter personal.

f) Las reclamaciones de los pasajeros en base al Rgto (CE) 2027/97, relativo a la responsabilidad de las compañías aéreas respecto al transporte aéreo de los pasajeros y su equipaje, o las reclamaciones por la destrucción, pérdida, avería o retraso de los equipajes facturados en base a cualquier otra norma o convención.

g) Los demás previstos en la L 7/2017 art.3.2.

7304 **Reclamación previa ante la compañía aérea o gestor aeroportuario** (OM TMA/201/2022 art.6) Previo a la iniciación del procedimiento, el pasajero deberá presentar una reclamación previa ante el responsable del incumplimiento que origina la reclamación, según se trate de la compañía aérea o del gestor aeroportuario.

El **plazo** para presentar la reclamación previa es de cinco años a contar desde el día en que se produjo el incidente que pudiera dar lugar a dicha reclamación.

La compañía aérea o el gestor aeroportuario frente al que se dirija la reclamación previa, estarán obligados a acusar recibo de su presentación y darán **respuesta a la reclamación previa** en el plazo más breve posible y, en todo caso, en el plazo máximo de un mes desde su presentación, de conformidad con lo previsto en la LGDCU art.21.3.

Cuando la resolución de la reclamación previa no sea totalmente satisfactoria para el pasajero, o no hubiera sido contestada la reclamación previa en plazo, las compañías aéreas y gestores aeroportuarios deberán informar al pasajero de la **posibilidad de recurrir**, para la resolución del conflicto, ante la Agencia, como entidad acreditada para la resolución alternativa de litigios en materia de transporte aéreo, en aplicación de lo previsto en la L 7/2017 art.40.3.

Al mismo tiempo, han de **informar** al pasajero que es **causa de inadmisión** de la reclamación ante la Agencia su presentación una vez haya transcurrido el plazo de un año desde la presentación de la reclamación previa; así como, del carácter vinculante para la compañía aérea de la decisión que adopte la Agencia. La información incluirá la dirección de la página web de la Agencia.

Asimismo, en el caso de que la compañía aérea o gestor aeroportuario estén adheridos al **sistema arbitral** de consumo o al sistema arbitral para la resolución de quejas y reclamaciones en materia de igualdad de oportunidades, no discriminación y accesibilidad por razón de discapacidad, según corresponda, informarán de tal circunstancia al pasajero, así como de la posibilidad de éste de recurrir a dicho sistema para resolver el conflicto y de la dirección de la página web de la institución.

7306 **Procedimiento** (OM TMA/201/2022 art.7) El procedimiento extrajudicial de resolución de conflictos es:

a) **Gratuito** para las partes, sin perjuicio de la asunción de los costes de las pruebas por la parte que las haya propuesto.

b) Para los **pasajeros**, de aceptación voluntaria y resultado no vinculante.

c) Para las **compañías aéreas**, de aceptación obligatoria y resultado vinculante, sin perjuicio de su derecho a impugnar la decisión de la Agencia ante el juzgado competente.

d) Para los **gestores aeroportuarios** adheridos previamente, de aceptación obligatoria y resultado no vinculante, y para el resto de los gestores, de aceptación voluntaria y resultado no vinculante.

7308 **Presentación de la reclamación** (OM TMA/201/2022 art.8) Los pasajeros podrán presentar sus reclamaciones ante la Agencia, en línea o no, a través del formulario que al efecto adopte la Agencia que tendrá el siguiente **contenido mínimo**:

a) Nombre y apellidos del pasajero y, en su caso, de la persona que lo represente.

b) Identificación del medio electrónico, o en su defecto, domicilio postal en el que desea que se practique la notificación. Adicionalmente, los pasajeros podrán aportar su dirección de correo electrónico o identificar un dispositivo electrónico, con el fin de que la Agencia les avise del envío o puesta a disposición de la notificación.

c) Hechos, razones y petición en que se concrete, con toda claridad, la reclamación, incluyendo la fecha y número del vuelo.

d) Lugar y fecha.

e) Firma del solicitante o acreditación de la autenticidad de su voluntad, en ambos casos, por cualquiera de los sistemas de firma reconocidos por la normativa vigente.
f) Cláusula sobre el consentimiento del pasajero a la consulta a las plataformas de intermediación de datos o sistemas habilitados al efecto, solicitando su aceptación.
g) Cláusula sobre el consentimiento del pasajero del traslado de su reclamación al órgano que corresponda, ya sea la entidad de resolución alternativa de litigios notificada o al organismo responsable del cumplimiento de los reglamentos a que se refiere el art.2.1, o a ambos, según proceda, para el supuesto de que la competencia para conocer de la reclamación correspondiera a otro Estado miembro.

Junto a la reclamación, **pasajero ha de acompañar**: **7310**
a) En el caso de **solicitudes presentadas en papel**, y salvo los pasajeros con DNI o NIE español que consientan la consulta a las plataformas de intermediación de datos o sistemas habilitados al efecto, copia de alguno de los siguientes documentos acreditativos de su identidad:
- DNI;
- Documento de identidad válido de un Estado miembro de la Unión Europea o Estado integrado en espacio Schengen;
- Tarjeta de identidad de extranjero (NIE);
- Permiso de residencia en algunos de los Estados integrados en el espacio Schengen;
- Carné de conducir expedido en España; o
- Pasaporte del pasajero o documento de viaje válido en vigor.

b) Acreditación de la **fecha de presentación y contenido de la reclamación previa** ante la compañía aérea o gestor aeroportuario, así como, en su caso, de la respuesta a la misma.
c) Acreditación de la **contratación del servicio** sobre cuya ejecución se reclama, entre otros, mediante presentación de copia del contrato de transporte, billete o tarjeta de embarque.
d) Poder de **representación** o autorización, en su caso.
e) Cualquier **otra documentación** que el pasajero considere pertinente.
Subsanación. Si la reclamación no reúne los requisitos, se requerirá al pasajero para que, en el plazo de diez días, subsane la falta o acompañe los documentos preceptivos. El pasajero, en el plazo de un mes desde la fecha de recepción de la notificación de esta decisión podrá solicitar su revisión. La Agencia dispondrá de un plazo de un mes para resolver sobre la revisión solicitada, transcurrido el cual sin haber adoptado una decisión expresa sobre ella, deberá entenderse desestimada.
Acumulación. Podrá acordarse, de oficio o a instancia de parte, la acumulación de los procedimientos que guarden identidad sustancial o íntima conexión.

Precisiones 1) La presentación de la reclamación ante la Agencia suspenderá o interrumpirá los **plazos de caducidad y de prescripción** de acciones que resulten de aplicación.
2) No es necesario que las partes comparezcan asistidas por **abogado** o asesor jurídico.

Audiencia de las partes (OM TMA/201/2022 art.15) Se ha de dar audiencia a la **compañía aérea o gestor aeroportuario** reclamado, según corresponda, trasladándole la reclamación y documentación presentada por el pasajero y dándole un plazo de 20 días hábiles para que formule las alegaciones y proponga o presente las pruebas que considere pertinentes para hacer valer su derecho. **7312**
En el supuesto de que la compañía aérea o, en su caso el gestor, formulen alegaciones, se dará **audiencia al pasajero** por un plazo de diez días hábiles, poniendo a su disposición las pruebas o documentos que hubieran sido aportados, salvaguardada, en su caso, la información confidencial o protegida por el secreto profesional o empresarial, al objeto de que formule las alegaciones o presente los documentos que estime pertinentes, y proponga otros medios de prueba de los que intente valerse, teniéndole por decaído en el trámite si no lo hiciere en el plazo indicado.

Fin del procedimiento mediante decisión motivada (OM TMA/201/2022 art.17) El Director de la Agencia resolverá mediante decisión motivada, lo que proceda sobre el cumplimiento de los reglamentos de la Unión Europea que resulten aplicables y determinará las medidas que, conforme a dichos reglamentos, deben aplicarse en el asunto enjuiciado. El **plazo** para adoptar esta decisión motivada y notificarla, es de 90 días naturales contados desde la fecha en que se comunicó la recepción de la reclamación. **7314**
Transcurrido el plazo previsto sin que se haya notificado la decisión, se entenderá que la reclamación formulada por el pasajero ha sido **desestimada**.
La **decisión** del Director de la Agencia es **vinculante** para la compañía aérea que está obligada, en caso de estimación total o parcial de la reclamación, a darle cumplimiento y a remitir a la Agencia el justificante que lo acredite tan pronto como se produzca, indicando si ha impugnado la decisión ante el juzgado competente.

Si en el plazo de un mes desde la fecha de notificación de esta decisión, la compañía aérea no la hubiera atendido, y con independencia de que ésta se haya impugnado, el pasajero podrá instar su **ejecución** mediante la presentación de una demanda ejecutiva ante el juzgado competente, a cuyo efecto podrá recabar de la Agencia la certificación de la decisión que, además del resto de los documentos previstos en la LEC art.550, deberá acompañar a la demanda como título ejecutivo en que ésta se funda.
La decisión del Director de la Agencia no es vinculante para el pasajero que, en todo caso, podrá ejercer las **acciones civiles** que tenga frente a la compañía aérea.

II. Transporte aéreo internacional

7320

7322 El transporte internacional por vía aérea es aquel que tiene origen o destino en un aeropuerto situado fuera del territorio nacional.
Tiene su **régimen normativo** en el **Convenio de Varsovia** de 12-10-1929 para la unificación de ciertas reglas relativas al transporte aéreo internacional (instrumento de ratificación de 31-1-1930; Gaceta de Madrid 21-8-31). Dicho convenio ha sido modificado por:
- el Protocolo de La Haya de 28-9-1955 (instrumento de ratificación de 6-12-1955; BOE 4-6-73);
- los Protocolos Adicionales de Montreal de 25-9-1975 (instrumentos de ratificación de 20-12-1984; BOE 20-6-97).

El 28-6-2004 entró en vigor para España el **Convenio de Montreal** de 28-5-1999, que unifica ciertas reglas para el transporte aéreo internacional (Instr. de ratificación en BOE 20-5-04). Este convenio fue firmado por España el 14-1-2000 y ha sido suscrito por la Unión Europea y sus Estados Miembros, así como por Estados Unidos, Canadá y más de cincuenta países en todo el mundo.
El **ámbito de aplicación** de este convenio incluye las operaciones de transporte aéreo internacional de pasajeros y mercancías, en las que los puntos de partida y de destino, con o sin interrupción en el transporte, estén situados:
- en el territorio de dos Estados partes; o
- en el territorio de un solo Estado parte, si se ha previsto una escala en cualquier otro Estado (parte o no en el convenio).

El convenio se aplica también al transporte efectuado por el Estado y demás personas jurídicas de Derecho público, pero no se aplica al efectuado con fines no comerciales, respecto a sus funciones y obligaciones como Estado soberano, al transporte en aviones militares, ni al transporte de envíos postales.

A. Transporte aéreo internacional de mercancías

7325

7327 Exponemos a continuación los rasgos principales de la regulación del contrato de transporte internacional de mercancías por vía aérea, en lo que se refiere a la formalización del contrato, los derechos y obligaciones de las partes y el sistema de responsabilidad establecido en la normativa citada.

7329 **Carta de porte aéreo** (Convenio 12-10-1929 art.5) Todo **transportista** de mercancías tiene derecho a pedir al expedidor la relación y entrega de un documento titulado «carta de porte aéreo». Por otro lado, todo **expedidor** tiene el derecho de pedir al transportista la aceptación de dicho documento. Sin embargo, la **falta, irregularidad o pérdida** de dicho título no afecta a la existencia ni a la validez del contrato de transporte.
La carta de porte aéreo hace fe, salvo prueba en contrario, de la **ultimación del contrato,** del recibo de la mercancía y de las condiciones del transporte.

Derecho de disposición del expedidor (Convenio 12-10-1929 art.12) El expedidor tiene derecho a disponer de la mercancía. Dicho derecho de disposición le permite: 7331
- **retirar** la mercancía en el aeródromo de salida o de destino;
- **detener** la mercancía en curso de ruta, en caso de aterrizaje;
- ordenar la **entrega** de la mercancía en el lugar del destino o en curso de ruta, a persona distinta del destinatario indicado en la carta de porte aéreo;
- pedir la **vuelta** de la mercancía al aeródromo de partida.

Para el ejercicio de este derecho es preciso que el expedidor cumpla todas las **obligaciones resultantes** del contrato de transportes, así como que no cause **perjuicio** al transportista ni a los otros expedidores. El expedidor debe también reembolsar los **gastos** que del ejercicio del derecho resulten.

Derecho de disposición del destinatario El destinatario tiene derecho, desde la llegada de la mercancía al punto de destino, a solicitar del transportista que le remita la **carta de porte** aéreo y le haga **entrega** de la mercancía, contra el pago del importe de los créditos y el cumplimiento de las condiciones de transporte indicadas en la carta de porte aéreo. 7333

Sistema de responsabilidad (Convenio 28-5-1999 art.18 y 19) Rige un sistema de **responsabilidad por culpa** del transportista con inversión de la carga de la prueba. 7335

Concretamente, el transportista es responsable en caso de **destrucción, pérdida o avería** de la carga que se haya producido estando bajo su custodia, salvo que pruebe que el siniestro se debe a uno o varios de los siguientes hechos:
- la naturaleza de la carga o un defecto de la misma;
- su embalaje defectuoso, realizado por un tercero;
- un acto de guerra o conflicto armado;
- un acto de la autoridad pública relacionado con la entrada, salida o tránsito de la carga.

El transportista también es responsable del **retraso** en el transporte, salvo que pruebe que él y sus dependientes y agentes adoptaron todas las medidas razonablemente necesarias para evitar el daño o que les fue imposible adoptar esas medidas.

Precisiones Cuando la mercancía es transportada en avión, una vez depositada en tierra el contrato de transporte aéreo no se convierte automáticamente, salvo pacto en contrario, en un contrato de depósito mercantil, de forma que presenta un **régimen especial** de deber de custodia, en virtud del cual la **responsabilidad del porteador** por pérdida de la mercancía se produce cuando el hecho generador del daño sucede durante el transporte aéreo y durante el tiempo que la mercancía está bajo la custodia del porteador o sus dependientes (Convenio de Varsovia art.18). Esto es lo que sucede cuando se extravía la mercancía en el almacén de la empresa que actúa como **agente de handling** del transportista aéreo. En tal caso, se aplica al porteador la **limitación de responsabilidad** prevista en el Convenio de Varsovia 28-5-99 art.22, al haberse contratado el transporte sin declaración especial de valor ni abono de tasa suplementaria a la establecida en dicha regulación y no haberse acreditado dolo o falta equivalente del transportista o sus dependientes -Convenio de Varsovia art.25- (TS 25-11-16, EDJ 218736, con cita de TS 10-6-87, EDJ 4620 y 15-7-10, EDJ 145101).

Exoneración de responsabilidad (Convenio 28-5-1999 art.20) El transportista queda exonerado de responsabilidad, total o parcialmente, cuando pruebe que el daño se causó o se contribuyó a él por la negligencia u otra acción u omisión indebida de la persona que pide indemnización o de la persona de la que proviene su derecho. 7337

Límite de responsabilidad (Convenio 12-10-1929 art.22 a 25; Convenio 28-5-1999 art.20) En 2019 se ha efectuado una nueva **revisión de los límites** de responsabilidad fijados en los art.21 y 22 del Convenio, modificando la cuantía de las indemnizaciones establecidas en los mismos (en vigor desde el 28-12-2009): 7339

En el transporte de carga, la responsabilidad del transportista en caso de **destrucción, pérdida, avería o retraso** se limita a una suma de 22 derechos especiales de giro por kilogramo, a menos que el expedidor haya hecho al transportista, al entregarle el bulto, una declaración especial del valor de la entrega de éste en el lugar de destino, y haya pagado una suma suplementaria, si hay lugar a ello. En este caso, el transportista estará obligado a pagar una suma que no excederá del importe de la suma declarada, a menos que pruebe que este importe es superior al valor real de la entrega en el lugar de destino para el expedidor.

Precisiones El **derecho especial de giro** (DEG) es una moneda creada por el Fondo Monetario Internacional (FMI), cuyo valor se obtiene mediante la combinación de la moneda de varios países miembros. En consecuencia, su valor fluctúa diariamente, dado que depende de la cotización de estas monedas. Se puede consultar su equivalencia en euros en la página web del Banco de España: www.bde.es.

7341 **Reclamaciones y acciones** (Convenio 12-10-1929 art.26 a 29) En caso de **pérdida o avería,** el destinatario debe presentar una protesta, inmediatamente después de haber sido notada dicha avería y, a más tardar, dentro de 14 días, a contar desde la fecha de su recibo.
En caso de **retraso,** la protesta debe hacerse, a más tardar, dentro de 21 días, a contar desde el día en que el equipaje o la mercancía hayan sido puestos a disposición del destinatario.
La protesta o reclamación debe hacerse por **reserva** consignada en el documento de transporte o mediante otro escrito expedido dentro del plazo previsto para dicha protesta.

7343 A **falta de protesta** dentro de los plazos establecidos, todas las acciones contra el transportista son inadmisibles, salvo en el caso de fraude de éste. El recibo de las mercancías sin protesta por parte del destinatario constituye presunción, salvo prueba en contrario, de que las mercancías han sido entregadas en buen estado y conforme al contrato de transporte.
La **acción de indemnización** de daños debe intentarse, bajo pena de caducidad, dentro del plazo de 2 años, a partir de la llegada a su destino o del día en que la aeronave hubiere debido llegar o de la detención del transporte.
En lo que se refiere al **lugar donde ejercitar la acción**, se establece que debe iniciarse, a elección del demandante, en el territorio de uno de los Estados partes, ante el tribunal:
- del domicilio del transportista o de su oficina principal;
- del lugar en el que tiene una oficina por cuyo conducto se ha celebrado el contrato;
- del lugar de destino.

B. Transporte aéreo internacional de viajeros

7350 Se expone en los números siguientes el régimen de responsabilidad establecido para el contrato de **transporte aéreo internacional de viajeros** o pasajeros.

Precisiones Téngase en cuenta lo dispuesto por el Rgto CE/261/2004, por el que se establecen normas comunes sobre **compensación y asistencia a los pasajeros** aéreos en caso de denegación de embarque y de cancelación o gran retraso de los vuelos, aplicable en la medida en que el transporte tenga lugar entre dos Estados miembros de la Unión Europea (nº 7275 s.).

7352 **Sistema de responsabilidad** (Convenio 28-5-1999 art.17) En el transporte de viajeros también rige la **responsabilidad por culpa** con inversión de la carga de la prueba. El transportista es responsable del daño ocasionado en caso de:
- muerte o lesión corporal de un pasajero;
- destrucción, pérdida o avería del equipaje facturado.

Se exige únicamente que el daño se haya producido **a bordo** de la aeronave o en cualquiera de las operaciones de **embarque o desembarque**, o durante cualquier periodo en que el equipaje facturado se halle bajo la custodia del transportista.
El transportista es igualmente responsable del **retraso** en el transporte, salvo que pruebe que él y sus dependientes y agentes adoptaron todas las medidas razonablemente necesarias para evitar el daño o que les fue imposible adoptar esas medidas. No surge responsabilidad cuando el daño en el equipaje se deba a su naturaleza o a un defecto propio del mismo.
Con respecto al **equipaje no facturado**, el transportista sólo es responsable si el daño se debe a su culpa o a la de sus dependientes o agentes.

Precisiones **1)** Teniendo en cuenta que el TJUE declara que el término «daño, subyacente al artículo 22, apartado 2, del Convenio Montreal, que fija el límite de responsabilidad del transportista aéreo por el daño resultante, en particular, de la pérdida de **equipaje**, debe interpretarse en el sentido de que incluye tanto el daño material como el moral. Pero se trata de límites máximos que no cabe aplicar automáticamente, sin un mínimo esfuerzo probatorio. Es decir, dado que el límite es común para la perdida y para el **retraso** es obvio que el retraso merece una indemnización más leve que la perdida, a graduar en función de las circunstancias del caso, en particular, la duración de dicho retraso (JM núm 1, 21-11-18, EDJ 723113).
2) La compensación no puede ir más allá de los 400 euros por pasajero contemplados en el Rgto CE/261/2004, dado que los demandantes no han acreditado un **daño adicional** (daño moral) o alguna situación añadida que agravara las molestias propias de la cancelación y que justificara un plus indemnizatorio por daño moral (AP Barcelona 11-2-13, EDJ 33512).
No hay duda de la indemnizabilidad del **daño moral**. Así se declara en un caso de denegación de embarque (AP Baleares 14-6-10, EDJ 145996).

7354 **Exoneración de responsabilidad** (Convenio 28-5-1999 art.20) El transportista queda exonerado de responsabilidad, total o parcialmente, cuando pruebe que el daño se causó o se contribuyó a él por la **negligencia** u otra acción u omisión indebida de la persona que pide indemnización, de la persona de la que proviene su derecho o del pasajero fallecido o lesionado.

Límite de responsabilidad (Convenio 28-5-1999 art.21 y 22) Los límites de responsabilidad (en vigor desde el 28-12-2009 -BOE 16-7-20-) se fijan en: 7356
- 128.821DEG en caso de **muerte o lesión** corporal del pasajero;
- 5.346 DEG por pasajero en caso de **retraso**;
- 1.288 DEG por pasajero en caso de destrucción, pérdida, avería o retraso del **equipaje**, salvo declaración especial de valor, en cuyo caso el límite es el valor declarado de la mercancía.

El transportista **no es responsable** del daño por muerte o lesión corporal del pasajero en la medida que exceda de 128.821 DEG si prueba que:
- el daño no se debió a su negligencia o a otra acción u omisión indebida suya o de sus dependientes o agentes;
- el daño se debió únicamente a la negligencia o a otra acción u omisión indebida de un tercero.

En el transporte de carga, la responsabilidad del transportista en caso de **destrucción, pérdida, avería o retraso** se limita a una suma de 22 derechos especiales de giro por kilogramo, a menos que el expedidor haya hecho al transportista, al entregarle el bulto, una declaración especial del valor de la entrega de éste en el lugar de destino, y haya pagado una suma suplementaria, si hay lugar a ello.

Precisiones El **derecho especial de giro** (DEG) o unidad de cuenta es una moneda creada por el Fondo Monetario Internacional (FMI), cuyo valor se obtiene mediante la combinación de la moneda de varios países miembros. En consecuencia, su valor fluctúa diariamente, dado que depende de la cotización de estas monedas. Se puede consultar su equivalencia en euros en la página web del Banco de España: www.bde.es.

Reclamaciones y acciones (Convenio 12-10-1929 art.26 y 29; Convenio 28-5-1999 art.31 y 35) En caso de **avería** del equipaje facturado, el destinatario debe presentar al transportista una protesta inmediatamente después de haber sido advertida dicha avería y, como máximo, dentro de un plazo de 7 días a partir de la fecha de su recibo. 7358

En caso de **retraso**, la protesta debe hacerse en el plazo máximo de 21 días desde que haya sido puesto a su disposición.

La **acción de indemnización** de daños puede iniciarse ante alguno de los tribunales señalados con respecto al transporte de mercancías (nº 7343) y además, en caso de muerte o lesiones de un pasajero, ante el tribunal del territorio de un Estado parte donde el pasajero tenga su residencia principal y permanente en el momento del accidente y hacia y desde el cual el transportista explote servicios de transporte aéreo de pasajeros.

La acción de responsabilidad debe intentarse, bajo pena de caducidad, dentro del **plazo** de 2 años, a partir de:
- la llegada de la aeronave a su destino;
- el día en que la aeronave debió haber llegado; o
- la detención del transporte.

Precisiones Es criterio consolidado el que considera que se trata de un plazo de **caducidad**, o no susceptible de suspensión. Precisamente el inicio del plazo, al ser de extinción del derecho, no se fija en función de cuándo pudo ser ejercitada la acción, sino a partir de la llegada a destino -o del día en que debería haber llegado o de la detención del transporte- (AP Madrid 8-2-13, EDJ 26261).

SECCIÓN 4

Contrato de transporte marítimo

7365

La L 14/2014, de Navegación Marítima (en adelante **LNM**), vigente **desde el 25-9-2014**, lleva a cabo una reforma amplia del Derecho marítimo español contemplando todos sus aspectos. Esta Ley debe interpretarse de conformidad con los convenios internacionales vigentes en España (LNM art.2). 7367

Precisiones Sobre la competencia de los **juzgados mercantiles**, ver nº 6457.

7369 **Elementos subjetivos** (LNM art.145, 156, 160 y 171) Es **armador** quien, siendo o no su propietario, tiene la posesión de un buque o embarcación, directamente o a través de sus dependientes, y lo dedica a la navegación en su propio nombre y bajo su responsabilidad.
Se entiende por **naviero** o empresa naviera la persona física o jurídica que, utilizando buques mercantes propios o ajenos, se dedique a la explotación de los mismos, aun cuando ello no constituya su actividad principal, bajo cualquier modalidad admitida por los usos internacionales.
La **dotación** comprende el conjunto de personas empleadas a bordo de un buque en cualquiera de sus departamentos o servicios, ya sea contratada directamente por el armador o por terceros.
En cuanto al **personal de a bordo**, sin perjuicio de lo que dispongan las ordenanzas laborales o los laudos que las sustituyan, las categorías básicas del personal marítimo son las siguientes:
- capitán;
- oficiales;
- subalternos.
El **capitán** ostenta el mando y la dirección del buque, así como la jefatura de su dotación y representa a bordo la autoridad pública.

I. Transporte marítimo interior de mercancías

7375

7377 **Régimen jurídico** Uno de los principales objetivos de la L 14/2014 (**LNM**), es la coordinación de nuestra normativa con el Derecho Marítimo Internacional. Dicha coordinación supone la aplicación de lo establecido en los tratados internacionales y en el Derecho de la Unión Europea. Si bien en la LNM disp.final novena habilita al Gobierno para que en el plazo de tres años proceda a refundir en un único texto, y bajo el título «**Código de la Navegación Marítima**», las leyes reguladoras de las instituciones marítimas, regularizando, aclarando y armonizando la ley con el Texto Refundido de la Ley de Puertos del Estado y de la Marina Mercante, aprobado por el RDLeg 2/2011, y con todos aquellos convenios o tratados internacionales sobre materias de Derecho del mar que pudieran entrar en vigor en España antes de culminarse la refundición.
El **objeto** de la ley es la regulación de las situaciones y relaciones jurídicas nacidas con ocasión de la **navegación marítima**. Además de la que se realiza por las aguas del mar, también se considera navegación marítima la que se lleva a cabo por las aguas de los ríos, canales, lagos, o embalses naturales o artificiales, cuando sean accesibles para los buques desde el mar, pero sólo hasta donde se haga sensible el efecto de las mareas, así como en los tramos navegables de los ríos hasta donde existan puertos de interés general.

Precisiones Debemos tener en cuenta la aplicación de la LNM bien por **aplicación supletoria** o por **remisión de los Convenios**. En tal sentido, a título de ejemplo en el Rgto CE/864/2007 del Parlamento Europeo y del Consejo, relativo a la ley aplicable a las obligaciones extracontractuales, Rgto CE/593/2008 del Parlamento Europeo y del Consejo, sobre la ley aplicable a las obligaciones contractuales.

7379 **Transporte marítimo de mercancías**. En esta materia hay que distinguir entre:
a) Transporte marítimo de mercancías de «**líneas regulares**» (en régimen de conocimiento de embarque): en general, junto a la LNM, se mantiene la aplicación de las Reglas de La Haya-Wisby, y se aplicará al transporte marítimo internacional como hasta ahora, sino también al transporte nacional.
b) Transporte marítimo de mercancías en **régimen de fletamento**: le es de aplicación la LNM, y prima el principio de autonomía de voluntad de las partes, por lo que lo pactado será lo que regule el contrato de transporte.
Transporte marítimo de pasajeros. En materia de transporte marítimo de pasajeros y sus equipajes, se aplica la LNM y el Convenio relativo al transporte de pasajeros y sus equipajes por mar de Atenas de 1974 con sus Protocolos, aplicable igualmente al transporte interior e internacional.
La **Ley de Navegación Marítima** (LNM), regula el marco en el que se inscriben las actividades propias del tráfico marítimo, garantizando la necesaria coherencia del Derecho español con

los distintos convenios internacionales en materia de Derecho marítimo. Esta amplitud conlleva que esta Ley incluya prácticamente todos los aspectos de la navegación, tanto de Derecho público como privado.
La regulación de la **responsabilidad del porteador** por **daños y averías** de las cosas transportadas mantiene el régimen vigente, contenido en las Reglas de La Haya-Wisby. Se han unificado los regímenes de responsabilidad del porteador, aplicables al transporte marítimo en régimen de conocimiento de embarque -nacional o internacional-, y al fletamento en sus distintas modalidades.

Derogación de la legislación anterior La LNM deroga el CCom Libro III y art.19.3, 951 a 954, y cuantas disposiciones de igual o inferior rango se opongan a la misma y, en todo, las siguientes: 7381
- La LEC/1881 art.2131 a 2161 y 2168 a 2174.
- La LEC disp.final vigésima sexta.
- La LECr art.561 párrafo primero.
- La L 22-12-1949, sobre unificación de reglas para los conocimientos de embarque en los buques mercantes.
- La Ley de Hipoteca Naval (LHN), de 21-8-1893.
- La L 60/1962, sobre auxilios, salvamentos, remolques, hallazgos y extracciones marítimas, excepto las disposiciones del título II, que continuarán en vigor en calidad de normas reglamentarias.
- El RDLeg 2/2011 art.261 y 262 y 263.f, por el que se aprueba el Texto Refundido de la Ley de Puertos del Estado y de la Marina Mercante.
- La L 27/1992 disp.trans.décima, de Puertos del Estado y de la Marina Mercante.

A. Contrato de fletamento

7385

Concepto y clases (LNM art.203, 204 y 205) Por el contrato de transporte marítimo de mercancías, también denominado fletamento, se obliga el porteador, a cambio del pago de un flete, a transportar por mar mercancías y entregarlas al destinatario en el puerto o lugar de destino. 7387
Se pueden distinguir dos tipos de fletamento:
a) Fletamento para el transporte de mercancías determinadas en **régimen de conocimiento de embarque**. El fletamento puede referirse al transporte de mercancías determinadas por su peso, medida o clase. En este caso, las condiciones del contrato pueden figurar en el conocimiento de embarque u otro documento similar.
b) Fletamento **por tiempo y por viaje**. Cuando el fletamento se refiera a toda o parte de la cabida del buque podrá concertarse por tiempo o por viaje. En el fletamento por tiempo el porteador se compromete a realizar todos los viajes que el fletador vaya ordenando durante el periodo pactado, dentro de los límites acordados. En el fletamento por viaje, el porteador se compromete a realizar uno o varios viajes determinados.
El fletador por tiempo asume la **gestión comercial del buque** y, salvo pacto en otro sentido, serán de su cuenta todos los gastos variables de explotación. En el fletamento por viaje dichos gastos serán por cuenta del porteador, a no ser que se pacte de otra forma.
En el fletamento por tiempo o por viaje, las partes pueden compelerse mutuamente a la suscripción de una **póliza de fletamento**.

Subfletamento y contratación del transporte por el fletador (LNM art.206 y 207) El fletador por tiempo o viaje del buque puede, salvo disposición expresa de la póliza en contrario, **subrogar a un tercero** en los derechos y obligaciones derivados de ella, sin perjuicio de seguir siendo responsable de su cumplimiento ante el porteador. 7389
El fletador por tiempo o viaje puede también celebrar en su propio nombre contratos de **fletamento** para el transporte de **mercancías determinadas** en régimen de conocimiento de embarque con terceros. En este caso, el porteador y el fletador serán responsables

solidariamente frente a los terceros de los daños y averías de las mercancías transportadas, sin perjuicio del derecho de regreso entre ellos que corresponda de acuerdo con la póliza de fletamento.

7391 **Documento de transporte: conocimiento de embarque** (LNM art.246.1, 250.1, 251, 252, 253 y 254) El porteador, el capitán o el agente del porteador deben entregar al cargador un conocimiento de embarque, que documente el **derecho a la restitución** de esas **mercancías** en el puerto de destino.

Los conocimientos de embarque pueden ser **al portador, a la orden o nominativos**.

La **transmisión del conocimiento** de embarque produce los mismos efectos que la entrega de las mercancías representadas. El adquirente del conocimiento de embarque adquiere todos los derechos y acciones del transmitente sobre las mercancías, excepción hecha de los acuerdos en materia de jurisdicción y arbitraje, que requieren el consentimiento del adquirente.

El porteador entregará las mercancías al tenedor legítimo del **conocimiento original**, rescatando el documento como prueba del hecho de la entrega. En caso de entrega de las mercancías a **persona no legitimada**, el porteador responderá frente al tenedor legítimo del conocimiento del valor de las mercancías en el puerto de destino, sin que pueda limitar la cuantía de la responsabilidad. Si a petición del cargador se hubiera emitido más de un original del conocimiento con constancia en cada uno de ellos del número de ejemplares originales, el porteador quedará liberado realizando la entrega contra la presentación y rescate de cualquiera de los ejemplares originales, considerándose amortizados los demás respecto del porteador.

El conocimiento de embarque tiene carácter de **título ejecutivo**. Es decir, el conocimiento tiene aparejada ejecución de la obligación de entrega de las mercancías entregadas al porteador para su transporte.

Quedan a salvo los derechos y acciones del legítimo titular contra los responsables de los actos de **desposesión ilegítima**.

7393 **Contenido y formalidades** (LNM art.248, 249, 262.1 y 264) El conocimiento de embarque debe tener las siguientes **menciones obligatorias**:

1º El nombre y apellidos o la denominación social y el domicilio o el establecimiento principal del porteador.

2º El nombre y apellidos o la denominación social y el domicilio o el establecimiento principal del cargador y, si el conocimiento fuera nominativo, los del destinatario.

3º La descripción de las mercancías realizada por el cargador.

4º Los puertos de carga y descarga de las mercancías y, en caso de transporte multimodal, los lugares de inicio y terminación del transporte.

5º La fecha de entrega de las mercancías al porteador para su transporte y, si se hubiera pactado, la fecha o el plazo de entrega de las mercancías en el lugar que corresponda.

6º El lugar de emisión del conocimiento y, si se hubiera entregado más de uno, el número de ejemplares originales.

Además, puede contener todas aquellas menciones o estipulaciones válidamente **pactadas** por el cargador y el porteador.

El conocimiento de embarque debe estar **firmado** por el porteador o por un agente del porteador que actúe en su nombre con poder suficiente. Si estuviera firmado por el capitán del buque, se presume que lo hace en nombre del porteador mencionado en el conocimiento. Si el conocimiento de embarque no identifica suficientemente a la persona que actúa como porteador, se entiende firmado por cuenta del armador.

El conocimiento puede emitirse en **soporte papel**, así como en **soporte electrónico** cuando el cargador y el porteador lo hayan acordado por escrito antes de la carga de las mercancías a bordo. El conocimiento en soporte electrónico está sometido al mismo régimen y produce los mismos efectos que el emitido en soporte papel, sin más especialidades que las contenidas en el contrato de emisión.

7395 **Fuerza probatoria y reservas** (LNM art.256, 257, 258, 259, 260 y 261) Salvo prueba en contrario, el conocimiento de embarque hace fe de la entrega de las mercancías por el cargador al porteador para su transporte y para su entrega en destino con las **características y** en el **estado** que figuren en el propio documento. La **prueba en contrario** no será admisible frente a persona distinta del cargador, incluido el destinatario, que haya adquirido el conocimiento de embarque de buena fe y sin culpa grave, salvo que el porteador haya hecho constar en el conocimiento de embarque las correspondientes reservas sobre la inexactitud de las declaraciones contenidas en el documento, relativas a las mercancías recibidas para su transporte o al estado de las mismas.

La inserción de una o varias reservas en un conocimiento de embarque priva al documento de fuerza probatoria en los términos de la reserva.

a) **Reservas por comprobación**. Si el porteador hubiera comprobado que la descripción de las mercancías, la naturaleza, las marcas de identificación, el número de bultos y, según los casos, la cantidad o el peso declarados por el cargador no coinciden con la realidad de las recibidas, debe incluir en el conocimiento una reserva en la que haga constar las inexactitudes comprobadas. Si el porteador hubiera comprobado que el estado aparente de las mercancías recibidas no se corresponde con el descrito por el cargador, debe incluir en el conocimiento una reserva en la que haga constar el estado real de aquellas. En defecto de reserva, se presume que el porteador ha recibido las mercancías en buen estado.
b) **Reservas sin comprobación**. Si el porteador no hubiera tenido medios adecuados para comprobar la exactitud de las declaraciones del cargador sobre la naturaleza de las mercancías, las marcas de identificación, el número de bultos y, según los casos, la cantidad o el peso, puede incluir en el conocimiento la correspondiente reserva en la que haga constar su imposibilidad de comprobación o lo que razonablemente considere información exacta.

El porteador tiene acción contra el cargador para exigir la **indemnización** de los daños y perjuicios causados por la **inexactitud de las declaraciones** relativas a las mercancías entregadas para su transporte o al estado de las mismas. **7397**
El pacto entre cargador y porteador o la declaración unilateral del primero comprometiéndose a indemnizar al porteador por los daños y perjuicios que pudiera causar la **falta de constancia** en el conocimiento de embarque de **reservas** en cuanto a los datos suministrados por el cargador o en cuanto al estado aparente de las mercancías o de los contenedores, son plenamente válidos y eficaces entre cargador y porteador, salvo mala fe en la omisión de las reservas con intención de perjudicar a un tercero, pero no producen efecto frente a los terceros a quienes se hubiera transmitido el conocimiento. A estos pactos se les denomina **«cartas de garantía»**.

Obligaciones del porteador (LNM art.211 a 228) Son las siguientes: **7399**
a) **Puesta a disposición del buque**. El porteador debe poner el buque a disposición del fletador o cargador en el puerto y fecha convenidos. Si el contrato se refiere a un buque determinado, éste no puede ser sustituido por otro, salvo pacto expreso que lo autorice (LNM art.211). El fletador puede resolver el contrato si el buque no se encuentra a su disposición en la fecha convenida. Puede además reclamar indemnización por los perjuicios sufridos si el incumplimiento se debe a culpa del porteador (LNM art.214).
b) **Navegabilidad y características del buque**. El porteador debe cuidar de que el buque se encuentre en el estado de navegabilidad adecuado para recibir el cargamento a bordo y transportarlo con seguridad a destino, teniendo en cuenta las circunstancias previsibles del viaje. El buque debe poseer las condiciones fijadas en el contrato en cuanto a nacionalidad, clasificación, velocidad, consumo, capacidad y demás características. Si el buque no cumple alguna de ellas, el fletador puede exigir la indemnización por los perjuicios que se le irroguen, salvo que el incumplimiento frustre la finalidad perseguida al contratar, en cuyo caso puede, además, resolver el contrato (LNM art.212 y 213).
c) **Puerto pactado**. El buque debe ser puesto a disposición del fletador o cargador en el puerto convenido en el contrato (LNM art.215).
d) **Muelle o lugar de carga**. Salvo pacto en contrario, el fletador puede designar el muelle o lugar de carga al que debe dirigirse el buque dentro del puerto de puesta a disposición, siempre que sea seguro y accesible para el buque antes, durante, y después de cargar. En el fletamento para el transporte de mercancías en régimen de conocimiento de embarque, la facultad de elección del punto de carga corresponde al porteador (LNM art.217.1 y 2).
e) **Operaciones de carga y estiba**. Salvo pacto en contrario, el fletador o cargador debe colocar las mercancías al costado del buque y realizar la carga y estiba de las mismas a su costa y riesgo, con la adecuada diligencia que exija la naturaleza de las mercancías y el viaje a realizar. Aun cuando se pacte que la carga y la estiba sean efectuadas a costa y riesgo del fletador o cargador, el porteador será responsable de las consecuencias derivadas de una estiba defectuosa que comprometa la seguridad del viaje (LNM art.218.1 y 3).

Precisiones **1)** En el fletamento para el transporte de mercancías determinadas en **régimen de conocimiento de embarque**, es el porteador el que asume, salvo pacto en contrario, la realización a su costa y riesgo de las operaciones de carga y estiba (LNM art.218.2).
2) El porteador puede embarcar mercancía **sobre cubierta** siempre que el fletador lo acepte expresamente, o sea conforme con los usos o reglamentaciones en vigor (LNM art.219).

f) **Realización del viaje**. El porteador debe emprender el viaje y realizarlo hasta el punto de destino sin demora innecesaria y por la ruta pactada, o en su defecto por la más apropiada según las circunstancias (LNM art.220). En caso de **retraso** injustificado en el inicio del viaje, el porteador será responsable de los daños y perjuicios que se ocasionen (LNM art.221). También **7401** será responsable de los daños y perjuicios que se ocasionen por la **desviación** del buque de la ruta pactada o, en su defecto, de la más apropiada según las circunstancias, a no ser que tal desviación se realice para salvar vidas humanas o por cualquier otra causa razonable y justificada que no derive del estado de innavegabilidad inicial del buque (LNM art.222).

g) **Deber de custodia**. El porteador debe custodiar las mercancías transportadas durante todas las fases del viaje en forma adecuada a su naturaleza y circunstancias, y entregarlas al destinatario en el punto de destino final. Será responsable por la pérdida o daños que sufran las mercancías como consecuencia de la infracción de ese deber de custodia (LNM art.220 y 223).

h) **Arribada por inhabilitación del buque**. Salvo en el fletamento por tiempo, si por avería del buque u otra causa que lo inhabilite para navegar el viaje queda interrumpido en un puerto distinto del de destino, el porteador debe custodiar las mercancías mientras se subsanan las causas que provocaron la arribada. Si el buque queda inhabilitado definitivamente o el retraso puede perjudicar gravemente al cargamento, el porteador debe proveer a su costa al transporte hasta el destino pactado. Si el porteador no lo hace, las mercancías no devengarán flete alguno (LNM art.224.1 y 3).

i) **Seguridad del puerto y del muelle**. Si el puerto de destino designado en el contrato no es accesible en condiciones de seguridad para el buque, el porteador puede dirigirlo al puerto conveniente más próximo y exigir que se acepte allí la entrega de las mercancías. No puede hacer uso de esta facultad si el obstáculo para el acceso es sólo temporal, en cuyo caso debe esperar a su subsanación en un tiempo razonable. Si la causa de la inseguridad existía en el momento de contratar y el puerto de destino figura en el contrato, el porteador debe soportar los gastos que ocasione la descarga en un puerto distinto del pactado, salvo que las circunstancias permitan suponer que no conoció los factores de inseguridad del puerto en el momento de contratar (LNM art.225).

j) **Operaciones de desestiba y descarga**. El fletador o receptor debe desestibar y descargar sin demora las mercancías a su costa y riesgo, así como retirarlas del costado del buque. Las partes pueden establecer pactos expresos diversos sobre estas operaciones. No obstante, en el fletamento para el transporte de mercancías determinadas en régimen de conocimiento de embarque, es el porteador el que asume, salvo pacto en contrario, la realización a su costa y riesgo de las operaciones de desestiba y descarga (LNM art.227).

k) **Obligación de entrega**. El porteador debe entregar sin demora y conforme a lo pactado las mercancías transportadas al destinatario legitimado para recibirlas. Si éste no se presentase o rechazase la entrega, el porteador puede, a costa del destinatario, almacenar las mercancías hasta su entrega o recurrir a su depósito judicial (LNM art.228).

El porteador puede **rechazar la entrega** de las mercancías al destinatario mientras no le pague el flete y las demoras causadas en el puerto de carga, cuando:
- así lo establezca específicamente el conocimiento de embarque; o
- el destinatario sea el mismo fletador, aunque nada mencione el conocimiento (LNM art.255).

7403 **Deberes del fletador** (LNM art.229, 231 y 232) Son deberes del fletador, además del pago del flete conforme a lo establecido en el nº 7405, los siguientes:

a) **Presentación de las mercancías para su embarque**. El fletador debe poner las mercancías al costado del buque para su embarque, salvo que se haya pactado otra forma de entregar las mercancías para el transporte. Si no lo hace así, el porteador puede resolver el contrato una vez transcurrido el plazo de plancha, y reclamar además la indemnización por los perjuicios sufridos. En el fletamento de mercancías determinadas en régimen de conocimiento de embarque, el porteador puede tener por resuelto el contrato si la mercancía no le es entregada en plazo que permita su embarque durante la estancia usual del buque en puerto, siempre que haya avisado previamente al cargador. Puede además, en tal caso, reclamar la indemnización por los perjuicios derivados del incumplimiento del plazo.

b) **Embarque clandestino**. No pueden embarcarse mercancías de **clase distinta** de la contratada, salvo que sea posible hacerlo sin perjuicio ninguno para el porteador y demás cargadores. En este último caso, puede el porteador exigir el flete que corresponda usualmente a la mercancía embarcada. Si se embarcan mercancías distintas sin notificarlo al porteador, será el fletador responsable de todos los daños y perjuicios que de ello se sigan para el porteador o demás cargadores, sin perjuicio de la obligación de abonar el flete que corresponda. El porteador puede desembarcar las mercancías si resulta conveniente para evitar perjuicios graves al buque o al cargamento.

c) **Embarque de mercancías peligrosas**. No pueden embarcarse mercancías peligrosas sin previa declaración de su naturaleza al porteador, y sin el consentimiento de éste para su transporte, debiendo en cualquier caso ser marcadas y etiquetadas por el cargador conforme a las normas vigentes para cada clase de estas mercancías. Si el fletador embarca mercancías peligrosas con violación de lo dispuesto, será responsable ante el porteador y ante los demás cargadores de todos los daños y perjuicios causados; además, dichas mercancías podrán en todo momento ser desembarcadas, destruidas o transformadas en inofensivas según lo exijan las circunstancias, sin derecho a indemnización.

Pago del flete (LNM art.230, 233, 234, 235, 236 y 237) El **fletador** está obligado a pagar el flete en las condiciones pactadas. No obstante, puede pactarse que el flete sea pagadero por el **destinatario** de las mercancías haciéndolo constar así en el conocimiento de embarque o en la carta de porte. En este caso, el destinatario está obligado a pagar el flete si acepta o retira aquéllas en destino. Si el destinatario rehúsa o no retira las mercancías debe abonar el flete el **contratante del transporte**. 7405

El **cálculo** del flete se realiza en la forma pactada en el contrato y, en su defecto, conforme a las **reglas** siguientes:

a) Si el flete se calculara por el peso o volumen de las mercancías, se fija según el peso o volumen declarado en el conocimiento de embarque, salvo fraude o error.

b) En el fletamento por tiempo el flete se devenga día a día durante todo el tiempo que el buque se encuentre a disposición del fletador en condiciones que permitan su efectiva utilización por éste.

c) Si el flete se paga parcialmente por impedimentos sobrevenidos durante el viaje (ver nº 7409), para su cálculo se deben tener en cuenta, además de la distancia, el coste, el tiempo y los riesgos de la parte recorrida en proporción al viaje total (LNM art.274 *in fine*).

Si el fletador no carga la totalidad de las mercancías contratadas debe pagar el flete de la **cantidad que deje de embarcar**, salvo que el porteador haya tomado otra carga para completar la capacidad del buque.

Salvo pacto en contrario, no devengan flete las **mercancías perdidas** durante el viaje a no ser que la pérdida se debiera a su naturaleza, vicio propio o defecto de embalaje.

Las **mercancías averiadas** devengan el flete pactado, sin que puedan válidamente abandonarse al porteador como forma de pago.

Las mercancías transportadas están **afectas** preferentemente al pago del flete, demoras y otros gastos ocasionados por su transporte hasta su entrega y durante los 15 días posteriores, salvo que en este último plazo se hayan transmitido por título oneroso a un tercero de buena fe.

El porteador puede retener en su poder las mercancías transportadas en caso de **impago del flete**, las demoras y demás gastos ocasionados por su transporte. No puede ejercitarse este derecho en contra del destinatario que no sea el fletador, salvo que en el conocimiento o carta de porte conste la mención de que el flete es pagadero en destino.

Precisiones En el **fletamento por tiempo**, el porteador puede retener o depositar las mercancías por impago de fletes cuando pertenezcan al fletador. En caso de que sean propiedad de terceros que hubieran contratado el transporte con el fletador, el porteador sólo puede retener o depositar las mercancías por el importe de los fletes que aquéllos adeuden todavía al fletador (LNM art.238).

Extinción anticipada del contrato (LNM art.272 a 273) El contrato se extingue en los siguientes casos: 7407

1. Supuestos generales de extinción:

a) **Pérdida o inhabilitación del buque**. Si antes de hacerse a la mar el buque se pierde o queda definitivamente inhabilitado para navegar sin culpa de ninguna de las partes. En los fletamentos por tiempo la extinción se produce en cualquier momento en que el buque se pierde o queda inhabilitado definitivamente.

b) **Pérdida de las mercancías**. Si el fletamento es por viaje o se refiere al transporte de mercancías en régimen de conocimiento de embarque y éstas se pierden antes del embarque sin culpa del fletador o del cargador. En el fletamento por tiempo esta causa de extinción no es aplicable.

c) **Imposibilidad del transporte**. Si antes de hacerse a la mar el buque, el transporte contratado se hace imposible por acaecimientos naturales, por disposiciones de las autoridades o por causas ajenas a la voluntad de las partes.

d) **Conflicto armado**. Si antes de hacerse a la mar el buque, se produce un conflicto armado en el que estén comprometidos el país del puerto de carga o el de descarga.

En los supuestos anteriores, el porteador debe proceder, en su caso, a la **descarga y devolución** de las mercancías cargadas. El coste de esta operación será soportado por el fletador.

2. Otras causas de extinción anticipada del contrato son: 7409

a) **Impedimento temporal**. Si, antes de comenzar el viaje, sobreviene algún impedimento, independiente de la voluntad de alguna de ellas, que provoca un retraso tan prolongado que no sea exigible a las partes esperar a su desaparición.

b) **Impedimentos sobrevenidos durante el viaje**. Si durante el viaje sobrevienen circunstancias fortuitas que hagan imposible, ilegal o prohibida su continuación, o un conflicto armado que someta al buque o cargamento a riesgos no contemplados al contratar, el

porteador puede arribar al puerto más conveniente al interés común y descargar allí las mercancías, exigiendo al fletador que se haga cargo de ellas en ese lugar. En tal caso, el porteador tiene derecho al flete en proporción a la distancia recorrida.
c) **Modificación del destino por el fletador**. En los fletamentos del buque completo por viaje, el fletador puede ordenar la descarga en puerto distinto del convenido, siempre que ello no exponga al buque a riesgos superiores de los previstos al contratar, pagando el flete total contratado y los mayores gastos que se originen.
d) **Venta del buque**. En caso de venta del buque antes de comenzar la carga de las mercancías, el comprador no está obligado a respetar los contratos realizados por el vendedor, quedando extinguido el contrato de fletamento si este hacía referencia al buque vendido, sin perjuicio del derecho del fletador a ser indemnizado por el vendedor. Si la venta sobreviniese una vez comenzada la carga o hallándose el buque en viaje, el comprador debe cumplir los contratos referentes a las mercancías a bordo, subrogándose en los derechos y obligaciones del porteador.

7411 **Responsabilidad del porteador por pérdida, daños o retraso** (LNM art.277, 278, 279, 280 y 284) El porteador es responsable de todo **daño o pérdida** de las mercancías, así como del retraso en su entrega, causados mientras se encontraban bajo su custodia. Existe **retraso** en la entrega cuando las mercancías no son entregadas en destino en el plazo convenido, o en defecto de este, en el plazo razonable exigible según las circunstancias de hecho.
La responsabilidad del porteador abarca el **período** desde que se hace cargo de las mismas en el puerto de origen, hasta que las pone a disposición del destinatario o persona designada por este en el puerto de destino.
El sistema legal de responsabilidad tiene **carácter imperativo**. Los pactos en la póliza de fletamento tienen valor exclusivamente en las relaciones entre el porteador y el fletador, sin que puedan oponerse, en ningún caso, al destinatario que sea persona distinta del fletador.

Precisiones **1)** La remisión que, al regular el régimen de **responsabilidad del porteador marítimo** en régimen de conocimiento de embarque, hace el apartado 2 de la LNM art.277 al Convenio de Bruselas de 1924, es trascendente, porque frente al régimen más severo de responsabilidad que plantea el apartado primero del mismo precepto, el **Convenio de Bruselas** (en su redacción procedente de las Reglas de La Haya-Visby) incluye un completo elenco de **excepciones** a la responsabilidad del porteador, hasta el punto de excluirla si la causa del daño tiene cabida en alguna de ellas. Como hemos declarado en la sentencia TS 1052/2023, de 28 de junio, esto quiere decir que la responsabilidad del porteador marítimo enjuiciada en este procedimiento está sujeta a lo previsto en el Convenio Internacional para la unificación de las reglas de conocimiento de embarque firmado en Bruselas el 25-8-1924 (TS 4-7-23, EDJ 616655).
2) Al cargador no se le puede atribuir responsabilidad alguna por el abordaje, sin embargo, al **transitario** sí debe considerarse responsable del abordaje por cuanto asume la responsabilidad que correspondería al transportista o cargador efectivo. Esa responsabilidad se acredita no sólo porque las autoridades portuarias egipcias retuvieran el buque, sino porque el armador satisfizo las indemnizaciones reclamadas, pago que solo se entiende si hay una previa asunción de responsabilidad (AP Barcelona 14-2-19, EDJ 509106).

7413 Se distingue entre el **porteador contractual** y **porteador efectivo**. La responsabilidad alcanza solidariamente tanto a quien se compromete a realizar el transporte como a quien lo realiza efectivamente con sus propios medios. En el primer caso están comprendidos los comisionistas de transportes. En el segundo está incluido, en todo caso, el armador del buque porteador.
El porteador contractual tiene derecho a repetir contra el porteador efectivo las indemnizaciones satisfechas. La **acción de repetición** del porteador contractual contra el porteador efectivo está sujeta a un plazo de prescripción de un año a contar desde el momento de abono de la indemnización.
En caso de transporte realizado por **porteadores sucesivos** bajo un único título, estos son solidariamente responsables en caso de pérdida, daño o retraso, a no ser que en el conocimiento se pacte expresamente que cada porteador no responderá de los daños producidos en los trayectos realizados por alguno de los otros porteadores. En este caso, solo será responsable el porteador que asumió el trayecto en que se produjo el daño, la pérdida o el retraso.
El porteador que indemnice el daño, la pérdida o el retraso como consecuencia de la solidaridad en la responsabilidad, tiene **acción de regreso** contra el porteador en cuyo trayecto se produjo el daño, la pérdida o el retraso. Si no se puede determinar el trayecto en que se produjo el daño, la pérdida o el retraso, la indemnización se reparte entre los diversos porteadores en proporción al flete.

7415 **Limitación de la responsabilidad** (LNM art.282 y 283) La responsabilidad del porteador por **pérdida o daño** de las mercancías transportadas está limitada, salvo que en el conocimiento de embarque se haya declarado el valor real de tales mercancías, a las cifras establecidas en el

Convenio Internacional para la Unificación de Ciertas Reglas en Materia de Conocimientos de Embarque y los Protocolos que lo modifican de los que España sea Estado parte.

La responsabilidad por **retraso** queda limitada a una cifra equivalente a dos veces y media el flete pagadero por las mercancías afectadas por el retraso, pero no puede exceder de la cuantía total del flete que deba pagarse en virtud del contrato de fletamento. En caso de concurrencia de indemnización por **avería** y por retraso, el cúmulo de ambas queda limitado a las cifras establecidas para limitar la responsabilidad por pérdida o daño.

El porteador no puede prevalerse del derecho a limitar su responsabilidad cuando se pruebe que el daño, la pérdida o el retraso han sido **causados por él mismo**, intencionadamente o actuando en forma temeraria y con conciencia de su probabilidad.

Protestas (LNM art.285) El destinatario debe dar al porteador o a su agente **aviso escrito** de la pérdida o daño sufridos por las mercancías o del retraso en la entrega de las mercancías. 7417

a) En caso de **pérdida o daño** de las mercancías, el aviso debe describir en términos generales su naturaleza, y entregarse al porteador o su agente durante el siguiente día laborable al de su entrega. Si la pérdida o daño no son aparentes, el aviso puede darse en los 3 días laborables siguientes al de la entrega. El aviso no es necesario cuando el porteador y el destinatario hayan realizado una inspección conjunta del estado de las mercancías.

b) En caso de **retraso** en la entrega de las mercancías, el aviso debe describir en términos generales los daños sufridos, y entregarse al porteador o a su agente en los 10 días laborables siguientes al de la entrega.

En caso de **falta de aviso** o si se hubiera dado fuera de plazo, se presumirá, salvo prueba en contrario, que las mercancías han sido entregadas tal y como aparecían descritas en el conocimiento de embarque.

Prescripción de las acciones (LNM art.286) Las acciones nacidas del contrato de fletamento prescriben en el **plazo** de un año. 7419

En las acciones de indemnización de **pérdidas, averías o retrasos** sufridos por las mercancías el plazo se cuenta desde su entrega al destinatario o desde el día en que hubieran debido entregarse.

En el **fletamento por tiempo** el plazo se cuenta desde el día en que el flete u otros gastos fueran exigibles conforme a la póliza.

Precisiones En un caso de transporte aéreo realizado antes de la entrada en vigor de la actual Ley de Navegación Marítima (L 14/2014) -la cual unifica la regulación del transporte marítimo y deroga, entre otras normas, el CCom art.952.2-, el ejercicio de acciones por daños se rige por el **derogado CCom art.952.2** que exigía la previa **protesta** («Las acciones por daños o faltas no podrán ser ejercitadas si al tiempo de la entrega de las respectivas expediciones, o dentro de las veinticuatro horas siguientes, cuando se trate de daños que no apareciesen al exterior de los bultos recibidos, no se hubiesen formalizado las correspondientes protestas o reservas»). La exigencia de tal protesta ha sido reinterpretada por el TS a raíz de la **evolución legislativa posterior** (aprobación de la L 14/2014), lo que ha dado a un cambio de doctrina para adaptarla a la nueva realidad social, de tal forma que la ausencia o realización fuera de plazo de la protesta no impide el ejercicio de la acción mientras no se cumpla el **plazo** de prescripción de 1 año (TS 20-7-15, EDJ 136050).

B. Otros contratos

7425

Contrato de remolque (LNM art.301 y 304) Por el contrato de remolque el **armador** de un buque se obliga, a cambio de un precio, a realizar con él la maniobra necesaria para el desplazamiento de otro buque, embarcación o artefacto naval, o bien a prestar su colaboración para las maniobras del buque remolcado o, en su caso, el acompañamiento o puesta a disposición del buque. 7427

Los armadores de cada uno de los buques son **responsables de los daños** causados al otro como consecuencia de la negligencia en el cumplimiento de las prestaciones que le incumben.
Ambos armadores son **solidariamente** responsables ante terceros por los daños causados por el tren de remolque, salvo en la medida en que alguno de ellos pruebe que tales daños no derivan de causas imputables a su elemento en el tren de remolque. En todo caso procede el derecho de repetición entre armadores en atención al grado de culpa respectivo.

7429 **Contrato de arrendamiento náutico** (LNM art.307, 312 y 464) Por el contrato de arrendamiento náutico el arrendador cede o pone a disposición del arrendatario, a cambio de precio, un buque o embarcación por un período de tiempo y con una **finalidad** exclusivamente **deportiva** o recreativa.
El arrendador está obligado a contratar y mantener vigente, durante toda la duración del contrato, el **seguro** obligatorio de responsabilidad civil.

7431 **Contrato de arrendamiento de buque** (LNM art.188 y 318) Por el contrato de arrendamiento de buque el arrendador se obliga, a cambio de un precio cierto, a entregar un buque determinado al arrendatario para que éste lo use temporalmente conforme a lo pactado o, en su defecto, según su naturaleza y características.

7433 **Contrato de gestión naval** (LNM art.314) Por el contrato de gestión naval una persona se compromete, a cambio de una remuneración, a gestionar, por cuenta y en nombre del armador, todos o alguno de los aspectos implicados en la **explotación del buque**. Dichos aspectos pueden hacer referencia a la gestión comercial, náutica, laboral o aseguradora del buque.
El gestor responde solidariamente con el armador de los **daños y perjuicios** que se causen extracontractualmente a terceros como consecuencia de los actos de aquel o de los de sus dependientes, sin perjuicio del derecho de uno y otro a limitar la responsabilidad en los términos establecidos en la LNM titulo VII.

7435 **Contrato de consignación de buques** (LNM art.10.2, 319 y 320; RDLeg 2/2011 art.259 y 310.1.b; RD 131/2019 art.2) Se entiende por **consignatario** de buques la persona natural o jurídica que se ocupa, por cuenta del armador o del naviero, en cuyo nombre y representación actúa, de las gestiones materiales y jurídicas necesarias para el despacho y demás atenciones al buque en puerto.
Las **obligaciones** del consignatario de buques tienen un doble ámbito:
a) **Administrativo**. Por una parte, la Ley de Puertos del Estado y de la Marina Mercante (RDLeg 2/2011) establece sus obligaciones frente a las Autoridades Portuarias y Marítimas en relación con el pago de las liquidaciones por **tasas** u otros conceptos originados por la estancia del buque en puerto, así como la constitución de **garantías económicas**, y su responsabilidad solidaria con el naviero por las infracciones administrativas relacionadas con la estancia del buque en el puerto.
b) **Privado**. Por otra parte, la LNM se refiere a las relaciones del consignatario y el armador o naviero y dispone que se rigen, si tienen un carácter ocasional, por el régimen jurídico del contrato de comisión mercantil, mientras que se aplica el régimen jurídico del contrato de agencia cuando se trata de consignaciones continuadas o estables, supuesto en el que se permite pactar la exclusividad en la consignación.
Asimismo, la LNM establece la obligación para los **buques extranjeros** de contar con un consignatario en los puertos españoles, con la excepción de las embarcaciones de recreo. Esta obligación de consignación se impone reglamentariamente para los buques abanderados en España solo en aquellos puertos en los que su armador o naviero no cuenta con medios propios en tierra que le asista en las funciones que normalmente lleva a cabo el consignatario.

7437 **Contrato de practicaje** (LNM art.325) Por el contrato de practicaje una persona denominada práctico se obliga, a cambio de un precio, a asesorar al capitán en la realización de las diversas operaciones y maniobras para la segura navegación de buques por aguas portuarias o adyacentes.

7439 **Contrato de manipulación portuaria** (LNM art.329) Por el contrato de manipulación portuaria un operador se compromete, a cambio de un precio, a realizar todas o alguna de las operaciones de manipulación de las mercancías en puerto previstas en esta ley u otras de similar naturaleza.

Contrato de seguro marítimo (LNM art.406 a 467) Están sujetos a la L 14/2014 los contratos de seguro que tienen por objeto indemnizar los daños producidos por los riesgos propios de la navegación marítima. En lo no previsto en dicha ley, es de aplicación la Ley de Contrato de Seguro. 7441

Salvo que expresamente se disponga de otra forma, las partes del contrato pueden pactar libremente las **condiciones de cobertura** que juzguen apropiadas (LNM art.407.1).

Pueden ser **objeto del seguro** marítimo los intereses en (LNM art.409):

a) Los buques, embarcaciones y artefactos navales, incluso en construcción o desguace.

b) El flete.

c) El cargamento.

d) La responsabilidad civil derivada del ejercicio de la navegación.

e) Cualesquiera otros intereses patrimoniales legítimos expuestos a los riesgos de la navegación marítima.

El tomador del seguro está obligado al pago de la **prima** en las condiciones estipuladas en la póliza o en el certificado. La falta de pago de la prima o de alguna de las fracciones de prima o de las primas periódicas permite al asegurador resolver el contrato o suspender sus efectos hasta que se abone. La resolución o suspensión se producirá un mes después de que el tomador haya sido requerido al pago de la prima. Sin embargo, tratándose de la falta de pago de la prima única, de la primera fracción de prima o de la primera de las primas periódicas, el asegurador no responde de los siniestros acaecidos antes del pago, aunque todavía no haya mediado requerimiento de pago (LNM art.425). 7443

El asegurado o el tomador del seguro deben comunicar al asegurador o al comisario de averías designado en la póliza el acaecimiento del **siniestro** en el plazo de 7 días, contados a partir del momento en que lo conozcan (LNM art.426).

En caso de siniestro cubierto por el contrato de seguro, el asegurador está obligado a indemnizar al asegurado en las condiciones estipuladas en la póliza. La **cuantía de la indemnización** comprende el valor de los daños materiales que sufra el objeto asegurado hasta el límite de la suma asegurada y el importe de la contribución a la avería gruesa la remuneración por salvamento, y los gastos razonables efectuados por el tomador del seguro, el asegurado y sus dependientes para aminorar el daño. No se indemnizan los perjuicios derivados del siniestro, tales como retrasos, demoras, paralizaciones, pérdidas de mercado, diferencias de cambio, lucro cesante y, en general, cualquier daño indirecto, salvo los expresamente incluidos en la ley (LNM art.429 y 430).

En cuanto a la **transmisión del interés asegurado**, en los seguros de buques, la enajenación del buque provoca la extinción del contrato de seguro, a no ser que el asegurador haya aceptado expresamente por escrito su continuación. En el seguro de mercancías, la transmisión de la propiedad de las mismas no ha de ser comunicada al asegurador, subrogándose el adquirente en el contrato de seguro (LNM art.428).

El **seguro de buques** cubre la responsabilidad civil del armador por los daños y perjuicios causados a otro buque, embarcación o artefacto naval, y a sus cargamentos en caso de **abordaje**. Esta cobertura es complementaria de la de los propios daños del buque. La póliza puede extender la cobertura del asegurador a la responsabilidad civil del armador por los daños y perjuicios producidos por choque con plataformas fijas u otras obras o instalaciones (LNM art.443). 7445

Los derechos derivados del contrato de seguro prescriben en el plazo de 2 años a partir del momento en que pudieron ejercitarse (LNM art.438).

Las normas reguladoras del **seguro de mercancías** se aplican tanto al transporte marítimo como a aquellas fases del transporte realizado por otros modos, siempre que sean accesorias del viaje marítimo. El valor asegurable de las mercancías se fija teniendo en cuenta su valor en origen incrementado con el de los gastos de su transporte y aduana. La cobertura de las mercancías se inicia en el momento de dejar tierra para su embarque, y finaliza cuando estén en tierra en el puerto de destino. Cuando el contrato de seguro contenga la cláusula de «almacén a almacén» o similar, la cobertura se extiende desde el momento en que las mercancías abandonan el almacén de origen en el lugar fijado en la póliza hasta que llegan al de destino en el lugar determinado en la póliza (LNM art.453, 454, 455 y 456).

Con el **seguro de responsabilidad civil**, el perjudicado tiene acción directa contra el asegurador. El asegurador puede oponer al perjudicado las mismas excepciones que corresponderían a su asegurado, y especialmente las limitaciones cuantitativas de responsabilidad de que este último gozase de acuerdo con la ley aplicable o el contrato del que derivase la responsabilidad (LNM art.465 y 467).

7447 **Contrato de construcción naval** (LNM art.108 y 109) Por el contrato de construcción naval una parte encarga a otra la construcción de un **buque**, a cambio de un precio.
Los **materiales** pueden ser aportados, en todo o en parte, por cualquiera de los contratantes.
El contrato de construcción naval debe constar por escrito y para su inscripción en el Registro de Bienes Muebles ha de elevarse a **escritura pública**.
En el nº 5150 s. se expone en detalle la regulación de este tipo de contratos.

7449 **Contrato de compraventa de buque** (LNM art.117.1 y 118.1, 2 y 3) Salvo pacto en contrario, la venta del buque comprender sus partes integrantes y pertenencias, se encuentren o no a bordo.
El contrato de compraventa de buque debe constar por escrito. Para que produzca efecto frente a terceros, debe inscribirse en el Registro de Bienes Muebles, formalizándose en **escritura pública**.
El comprador adquiere la propiedad del buque mediante su **entrega**.
Para el estudio en profundidad de este contrato nos remitimos a los expuesto en el nº 1415 s.

C. Limitación de responsabilidad

7455 El derecho a limitar la responsabilidad ante las **reclamaciones** nacidas de un **mismo accidente** se rige por lo dispuesto en el Protocolo de 1996 que enmienda el Convenio Internacional sobre la Limitación de Responsabilidad por Reclamaciones de Derecho Marítimo, hecho en Londres el 19-11-1976, con las reservas hechas por España en el Instrumento de Adhesión, y en la LNM art.392 a 405.
La aplicación de este régimen de limitación de responsabilidad se entiende sin perjuicio de los **derechos de limitación específicos** para el porteador marítimo de mercancías o de pasajeros en el marco de las reclamaciones por incumplimientos de los correspondientes contratos de transporte (ver nº 7415 y nº 7505). El armador porteador o el fletador porteador puede en cada caso optar por la aplicación del régimen de limitación específico o bien por el de carácter global establecido en este apartado (LNM art.392).

7457 **Ámbito de aplicación** (LNM art.393 y 394.1) Este régimen de limitación de responsabilidad se aplica con independencia de que la responsabilidad se exija en un **procedimiento judicial** de naturaleza civil, social o penal, o bien en **vía administrativa**.
Se aplica siempre que cualquiera de los titulares del derecho a limitar invoque dicho derecho ante los órganos judiciales o administrativos españoles que resulten competentes, siendo irrelevante la **nacionalidad o domicilio** de los acreedores o deudores, así como el **pabellón** del buque respecto al cual se invoque el derecho de limitación.

7459 **Condición del derecho a limitar** (LNM art.403, 404.2 y 405.2) Para la válida alegación del derecho a limitar ante los órganos jurisdiccionales españoles, el titular debe constituir el correspondiente **fondo de limitación**.
El fondo puede ser constituido depositando la suma correspondiente o aportando garantía suficiente a juicio del órgano judicial.
Una vez constituido el fondo de limitación, los **titulares de créditos limitables** carecerán de acción para perseguir cualesquiera otros bienes del deudor, así como frente a otros deudores del mismo crédito.
El derecho a la constitución del fondo de limitación **caduca** en el plazo de 2 años, contados desde el día en que se presentó la primera reclamación judicial nacida del accidente a que da lugar la invocación del derecho a limitar.

7461 **Reclamaciones sujetas a limitación** (LNM art.396) Están sujetas a limitación las reclamaciones enumeradas a continuación:
a) Reclamaciones por **muerte o lesiones** corporales, o por **pérdidas o daños** sufridos en las cosas.
b) Reclamaciones relacionadas con los perjuicios derivados del **retraso** en el transporte de la carga, los pasajeros y sus equipajes.
c) Reclamaciones relacionadas con perjuicios derivados de la **lesión de derechos** que no sean contractuales, irrogados directamente con ocasión de la explotación del buque o con operaciones de salvamento.
d) Reclamaciones promovidas por una **persona distinta** de la que sea **responsable**, relacionadas con las medidas tomadas a fin de evitar o aminorar los perjuicios respecto de los cuales la persona responsable pueda limitar su responsabilidad y los ocasionados ulteriormente por tales medidas, salvo cuando las mismas hayan sido adoptadas en virtud de un contrato concertado con la persona responsable.

Límites de indemnización (LNM art.399 y 400.1) Respecto a las reclamaciones relacionadas con **muerte o lesiones corporales** de los pasajeros de un buque surgidas en un mismo accidente y con independencia de cuál sea su arqueo bruto, el límite de responsabilidad es la cantidad prevista en los convenios internacionales y las normas de la Unión Europea multiplicada por el número de pasajeros que el buque esté autorizado a transportar, de conformidad con su certificado. 7463

Los límites de responsabilidad aplicables para los **buques y embarcaciones** con **arqueo inferior a 300 toneladas** son:

a) Un millón de derechos especiales de giro para las reclamaciones relacionadas con muerte o lesiones corporales.

b) 500.000 derechos especiales de giro para las demás reclamaciones limitables.

Las sumas obtenidas integrarán el correspondiente fondo, que será distribuido entre los **acreedores** que traigan causa del mismo accidente en proporción a la cuantía de sus reclamaciones reconocidas.

Precisiones El **Protocolo de 1996** relativo al Convenio de Limitación de la Responsabilidad 1976 art.3 se **enmienda** tal como sigue:

Respecto de las reclamaciones relacionadas con muerte o lesiones corporales, donde dice:
- «2 millones de unidades de cuenta», dirá «3,02 millones de unidades de cuenta».
- «800 unidades de cuenta», dirá «1.208 unidades de cuenta».
- «600 unidades de cuenta», dirá «906 unidades de cuenta».
- «400 unidades de cuenta», dirá «604 unidades de cuenta».

Respecto de toda otra reclamación, donde dice:
- «1 millón de unidades de cuenta», dirá «1,51 millones de unidades de cuenta».
- «400 unidades de cuenta», dirá «604 unidades de cuenta».
- «300 unidades de cuenta», dirá «453 unidades de cuenta».
- «200 unidades de cuenta», dirá «302 unidades de cuenta».

D. Especialidades procesales

7470

Jurisdicción y competencia (LNM art.468 y 469.1 y 2) Sin perjuicio de lo previsto en los convenios internacionales vigentes en España y en las normas de la Unión Europea, son nulas y se tienen por no puestas las **cláusulas de sumisión** a una **jurisdicción extranjera** o arbitraje en el extranjero, contenidas en los contratos de utilización del buque o en los contratos auxiliares de la navegación, cuando no hayan sido negociadas individual y separadamente. 7472

La inserción de una cláusula de jurisdicción o arbitraje en el **condicionado** impreso de cualquiera de los contratos a los que se refiere el párrafo anterior no evidenciará, por sí sola, el cumplimiento de los requisitos exigidos en el mismo.

Salvo que las partes hayan introducido válidamente una cláusula de jurisdicción exclusiva o una cláusula de arbitraje, se aplican los siguientes **criterios de atribución de competencia**:

En los **contratos de utilización del buque**, son competentes, a elección del demandante, los tribunales del:

a) Domicilio del demandado.

b) Lugar de celebración del contrato.

c) Puerto de carga o descarga.

En los **contratos auxiliares de la navegación**, son competentes, a elección del demandante, los tribunales del:

a) Domicilio del demandado.

b) Lugar de celebración del contrato.

c) Lugar de prestación de los servicios.

Precisiones **1)** Sobre la competencia de los **juzgados mercantiles**, ver nº 6457.

2) Téngase en cuenta el Rgto UE/1215/2012 relativo a la **competencia judicial**, el **reconocimiento y** la **ejecución** de resoluciones judiciales en materia civil y mercantil, aplicable desde el 10-1-2015 (Rgto UE/1215/2012 art.81).

Embargo preventivo de buques (LNM art.470.1, 471.1, 472 y 477.1) La **medida cautelar** de embargo preventivo de buques, tanto nacionales como extranjeros, se regula por el Convenio Internacional sobre el Embargo Preventivo de Buques, hecho en Ginebra el 12-3-1999, por lo dispuesto en la L 14/2014 y, supletoriamente, por lo establecido en la LEC. 7474

Dicha medida conlleva necesariamente la **inmovilización del buque** en el puerto donde se encuentre.
La **competencia** para decretar el embargo preventivo de un buque corresponde, a elección del actor:
- al tribunal que tenga competencia objetiva para conocer de la pretensión principal; o
- el del puerto o lugar en que se encuentre el buque; o
- aquel al que se espera que el buque arribe.

Precisiones 1) Procede el embargo preventivo de un buque aunque, en virtud de la existencia en el contrato u otro documento de una cláusula de arbitraje o de una cláusula de jurisdicción, el crédito marítimo por el que se solicita el embargo deba someterse al conocimiento de una **jurisdicción extranjera** o de un tribunal arbitral (LNM art.474).
2) En aquellos casos en que los tribunales españoles no resulten competentes para conocer sobre el **fondo del asunto** relativo a un buque embargado en España, el tribunal que practicó el embargo debe de oficio o a instancia de parte, fijar un plazo no menor de 30 días ni mayor de 90 para que el titular del crédito marítimo acredite el inicio de un procedimiento ante el tribunal judicial o arbitral competente. Si no se inicia el procedimiento dentro del plazo fijado, el juez acordará, a instancia de parte, la liberación del buque embargado o la cancelación de la garantía prestada (LNM art.479).

7476 Para decretar el embargo basta que se alegue el derecho o **créditos** reclamados, la causa que los motive y la embargabilidad del buque.
El juez exige en todo caso **garantía** en cantidad suficiente para responder de los daños, perjuicios y costas que puedan ocasionarse. La garantía es del 15% del importe del crédito marítimo alegado.
Acordado el embargo, el tribunal da traslado de la resolución por el medio más rápido al **capitán marítimo del puerto** en que se encuentre el buque o al que se espera que arribe, quien debe adoptar las medidas necesarias para la detención y prohibición de salida del buque.

7478 **Venta forzosa de buques** (LNM art.480) La venta forzosa del buque se debe ajusta a lo prevenido en la LEC o en la normativa administrativa que resulte de aplicación para la **subasta** de los bienes muebles sujetos a publicidad registral en todo lo no previsto en el Convenio Internacional sobre los privilegios marítimos y la hipoteca naval, hecho en Ginebra el 6-5-1993, y en la L 14/2014.

II. Transporte marítimo interior de viajeros

7485

7487 Por el **contrato de pasaje marítimo** el porteador se obliga, a cambio del pago de un precio, a transportar por mar a una persona (LNM art.287.1).
El **régimen jurídico** aplicable a los contratos de transporte interior de viajeros por vía marítima o contrato de pasaje es el contenido en:
- la L 14/2014, de Navegación Marítima, Capítulo III (LNM art.287 a 300);
- el Rgto CE/392/2009, sobre la responsabilidad de los transportistas de pasajeros por mar en caso de accidente; y
- el Rgto UE/1177/2010, sobre los derechos de los pasajeros que viajan por mar y por vías navegables.

7489 **Billete de pasaje** (LNM art.288.1 y 289) El porteador debe extender inexcusablemente el billete de pasaje, que contenga, al menos, las siguientes **menciones**:
a) Lugar y fecha de emisión.
b) Nombre y dirección del porteador.
c) Nombre del buque.
d) Clase y número de cabina o de la acomodación.
e) Precio del transporte o carácter gratuito del mismo.
f) Punto de salida y destino.
g) Fecha y hora de embarque, así como la de llegada o la duración estimada del viaje.
h) Indicación sumaria de la ruta a seguir, así como de las escalas previstas.
i) Las restantes condiciones en que haya de realizarse el transporte.
El billete de pasaje puede emitirse **al portador** o a favor de **persona determinada**.

Obligaciones del porteador (LNM art.209, 291, 292 y 294) En virtud del contrato de pasaje, el porteador queda obligado a: 7491

a) Poner y conservar el buque en **estado de navegabilidad** y convenientemente armado, equipado y aprovisionado para realizar el transporte convenido y para garantizar la seguridad y la comodidad de los pasajeros a bordo.

b) Poner a disposición de los pasajeros, en el lugar y tiempo convenidos, el **buque**.

c) Emprender el **viaje** y realizarlo hasta el punto de destino sin demora injustificada y por la ruta pactada o, a falta de pacto, por la más apropiada.

d) Prestar los **servicios** complementarios y la asistencia médica en la forma establecida reglamentariamente o por los usos.

e) Si por averías del buque se produce la **interrupción del viaje** antes de llegar al puerto de destino, el porteador debe correr con los gastos de manutención y alojamiento de los pasajeros mientras el buque se repara. Si el buque queda inhabilitado definitivamente o el retraso puede perjudicar gravemente a los pasajeros, el porteador debe proveer a su costa el transporte hasta el destino pactado, sin perjuicio de las responsabilidades exigibles.

f) Respecto al **equipaje**, el porteador queda obligado a transportar, juntamente con los viajeros e incluido en el precio del billete, el equipaje, con los límites de peso y volumen fijados por el porteador o por los usos. Lo que exceda de los límites indicados ha de ser objeto de estipulación especial, con obligación de informar previamente al pasajero de estas limitaciones de equipaje y su coste.

Precisiones Se consideran equipaje los bultos o vehículos de turismo transportados por el porteador en virtud de un contrato de pasaje. Se considera **equipaje de camarote** exclusivamente aquel que el pasajero tenga en su camarote, o en el vehículo transportado, o sobre este, o el que conserve bajo su posesión, custodia o control. Se consideran **equipaje de bodega** los vehículos de turismo y bultos entregados al porteador. Cuando el equipaje sea admitido, el porteador registrará en el billete o en un talón complementario (LNM art.295).

Derechos y obligaciones de los pasajeros (LNM art.293; Rgto UE/1177/2010) El pasajero está obligado a pagar el **precio del pasaje**, presentarse oportunamente para su embarque y observar las disposiciones establecidas para mantener el buen orden y la seguridad a bordo. 7493

A cambio, tiene derecho a exigir del porteador el cumplimiento de las obligaciones que le incumben de acuerdo con las normas de la Unión Europea.

El Rgto UE/1177/2010 establece las normas aplicables al transporte por mar y por vías navegables, principalmente en lo que respecta a la **información** mínima que debe facilitarse a los pasajeros (Rgto UE/1177/2010 art.22 y 23), la no discriminación y prestación de asistencia a las **personas con discapacidad** y movilidad reducida (Rgto UE/1177/2010 art.7 a 15) y los derechos de los pasajeros en caso de **cancelación o retraso**.

El Reglamento es de **aplicación** (Rgto UE/1177/2010 art.2.1) a los pasajeros que utilicen:

a) Servicios de pasaje cuyo **puerto de embarque** esté situado en el territorio de un Estado miembro.

b) Servicios de pasaje cuyo puerto de embarque esté situado fuera del territorio de un Estado miembro y cuyo **puerto de desembarque** esté situado en el territorio de un Estado miembro, siempre que el operador del servicio sea un transportista de la Unión.

c) Un **crucero** cuyo puerto de embarque esté situado en el territorio de un Estado miembro (aunque no se aplican a estos pasajeros ciertos preceptos: Rgto UE/1177/2010 art.16.2, 18, 19 y 20.1 y 4).

Precisiones El Reglamento **no es de aplicación** (Rgto UE/1177/2010 art.2.2) a los pasajeros que viajen:
- en buques autorizados a transportar hasta 12 pasajeros;
- en buques en los que la tripulación responsable del funcionamiento del buque esté compuesta por 3 personas, como máximo, o cuyo servicio de pasaje en su totalidad cubra una distancia inferior a 500 m, en un solo sentido;
- en circuitos de excursión y turísticos, excepto los cruceros; o
- en buques no propulsados por medios mecánicos, en buques originales y reproducciones singulares de buques de pasaje históricos proyectados antes de 1965 y construidos predominantemente con los materiales de origen, autorizados a transportar hasta 36 pasajeros.

Cancelación o retraso de salida (Rgto UE/1177/2010 art.16 a 18) En los supuestos de cancelación o de retraso de la salida de un servicio de pasaje o de un crucero, se establecen los siguientes derechos del pasajero: 7495

a) Derecho de **información** (Rgto UE/1177/2010 art.16). El transportista o, en su caso, el operador de terminal, deben informar de la situación lo antes posible, a más tardar, 30 minutos después de la hora de salida programada, a los pasajeros que partan de las terminales portuarias o, si es posible, a los pasajeros que partan de los puertos. Les deben informar también de la hora estimada de salida y de llegada, tan pronto como dispongan de esta información.

b) Derecho de **asistencia** (Rgto UE/1177/2010 art.17). Cuando se prevea la cancelación o retraso de salida de **más de 90 minutos** con respecto a su hora de salida programada, el transportista debe ofrecer a los pasajeros que partan de las terminales portuarias aperitivos, comida y refrescos gratuitos suficientes en función del tiempo que sea necesario esperar, siempre que estén disponibles o si pueden suministrarse razonablemente.
En el supuesto de cancelación o retraso en la salida que requiera una estancia de **una o varias noches** o una estancia suplementaria a la prevista por el pasajero, el transportista, cuando sea materialmente posible, debe ofrecer gratuitamente un alojamiento adecuado, a bordo o en tierra, a los pasajeros que partan de las terminales portuarias, así como el transporte de ida y vuelta entre la terminal portuaria y el lugar de alojamiento, además de los aperitivos, las comidas o los refrigerios.
El transportista puede limitar a 80 euros por noche y por pasajero, para un máximo de 3 noches, el coste total del alojamiento en tierra, sin incluir el transporte de ida y vuelta entre la terminal portuaria y el lugar de alojamiento.
c) Derecho **transporte alternativo y reembolso** (Rgto UE/1177/2010 art.18). Cuando se prevea la cancelación o retraso de salida de **más de 90 minutos** con respecto a su hora de salida programada a partir de una terminal portuaria, se debe ofrecer inmediatamente a los pasajeros la posibilidad de escoger entre:
- la conducción hasta el destino final, en **condiciones de transporte comparables**, con arreglo al contrato de transporte, en la primera ocasión que se presente y sin coste adicional;
- el **reembolso del precio** del billete y, si procede, un servicio de vuelta gratuita al primer punto de partida, con arreglo al contrato de transporte, en la primera ocasión que se presente.
Cuando un servicio de pasaje sea cancelado o sufra un retraso superior a 90 minutos en su **salida de un puerto**, los pasajeros tienen derecho a dicha conducción o al reembolso por el transportista del precio del billete.
El **pago del reembolso** se ha de efectuar en un plazo de 7 días, en metálico, por transferencia bancaria electrónica, transferencia bancaria o cheque por el valor del coste íntegro del billete -al precio al que se compró- correspondiente a la parte o partes del viaje no efectuadas y a la parte o partes del viaje efectuadas, si el viaje ha perdido razón de ser en relación con el plan de viaje inicial del pasajero. Con el acuerdo del pasajero, el reembolso total del billete puede efectuarse mediante vales u otros servicios por un importe equivalente a la tarifa a la que se compró, siempre que las condiciones sean flexibles, en particular con respecto al período de validez y al destino.

Precisiones 1) Se establecen **excepciones** a lo expuesto en este apartado (ver nº 7499).
2) El sistema previsto en el Rgto UE/1177/2010 contempla, además de la obligación de prestar asistencia, transporte alternativo y /o reembolso en los supuestos de producirse una cancelación o un retraso en la salida prevista y pactada, la posibilidad de exigir otras responsabilidades, las que pudieran corresponder con arreglo a la normativa nacional, por los **perjuicios y daños** que pudieran derivarse de la cancelación o retraso de servicios de transporte (Rgto UE/1177/2010 art.21). Pero para esta reclamación se necesita de **prueba** del daño o perjuicio causado al pasajero por la cancelación del transporte, y que supone un suplemento o complemento de la indemnización, sin que se trate de conceptos equivalentes ni excluyentes (JM núm 3, 4-12-18, EDJ 722741).

7497 **Retraso en la llegada** (Rgto UE/1177/2010 art.19) Sin renunciar a su derecho al transporte, los pasajeros pueden solicitar al transportista una **indemnización** cuando la llegada a su destino, con arreglo al contrato de transporte, pueda verse demorada.
El nivel mínimo de la indemnización es el **25% del precio** del billete para los retrasos de como mínimo:
- **1 hora**, en el caso de viajes programados de duración igual o inferior a 4 horas;
- **2 horas** en el caso de viajes programados de duración superior a 4 horas, pero igual o inferior a 8 horas;
- **3 horas** en el caso de viajes programados de duración superior a 8 horas, pero igual o inferior a 24 horas; o
- **6 horas** en el caso de viajes programados de duración superior a 24 horas.
Si el retraso es superior al doble del tiempo indicado en los puntos anteriores, la indemnización ha de ser del **50% del precio** del billete.
La indemnización se calcula en relación con el precio que el viajero abonó realmente por el servicio de pasaje que ha sufrido el retraso.
Si el contrato de transporte se refiere a un viaje de **ida y vuelta**, la indemnización por retraso a la llegada, ya sea en el trayecto de ida o en el de vuelta, se calcula en relación con el 50% del precio abonado por el transporte en dicho servicio de pasaje.
La indemnización se debe abonar en el **plazo** de un mes a partir de la presentación de la solicitud correspondiente. Puede abonarse en forma de vales u otros servicios, siempre y cuando las condiciones del contrato sean flexibles, especialmente en lo que se refiere al período de validez y al destino. Se debe abonar en efectivo a petición del pasajero.

No se pueden deducir de la indemnización por el precio del billete **costes de transacción** como tasas, gastos telefónicos o sellos.
Los transportistas pueden establecer un umbral mínimo por debajo del cual no se abonará indemnización alguna. Ese umbral no puede ser superior a 6 euros.

Precisiones Se establecen las siguientes excepciones a lo expuesto en este apartado (Rgto UE/1177/2010 art.20): lo dispuesto en Rgto UE/1177/2010 art.17, 18 y 19 no es aplicable a los pasajeros con **billetes abiertos** mientras no se especifique la hora de salida, salvo si se trata de pasajeros titulares de un pase de transporte o abono de temporada. Lo dispuesto en Rgto UE/1177/2010 art.17 y 19 no es aplicable a aquellos pasajeros que hayan sido **informados de la cancelación o del retraso** antes de efectuar la compra del billete o cuando la cancelación o el retraso se deban a causas imputables al pasajero. Lo dispuesto en el Rgto UE/1177/2010 art.17.2 no es aplicable cuando el transportista demuestre que la cancelación o el retraso se deben a **condiciones meteorológicas** que hacen peligrosa la navegación. Lo dispuesto en el Rgto UE/1177/2010 art.19 no es aplicable cuando el transportista demuestre que la cancelación o el retraso se debe a condiciones meteorológicas que hacen peligrosa la navegación del buque, o a **circunstancias extraordinarias** que entorpecen la ejecución del servicio de pasaje y que no hubieran podido evitarse incluso tras la adopción de todas las medidas oportunas. 7499

Extinción del contrato (LNM art.297) Queda extinguido el contrato en los casos siguientes: 7501
a) Cuando el **pasajero no embarque** en la fecha fijada. El porteador hará suyo el precio del pasaje, salvo que la causa de la falta de embarque sea la muerte o enfermedad del pasajero o de los familiares que le acompañasen y se haya notificado sin demora o se haya podido sustituir al pasajero por otro.
b) Cuando por causas fortuitas el **viaje** se haga **imposible o se demore**. El porteador devolverá el precio del pasaje y quedará exento de responsabilidad.
c) **Modificación importante** en horarios, escalas previstas, desviación del buque de la ruta pactada, las plazas de acomodación adquiridas por el pasajero y las condiciones de comodidad convenidas. Si el pasajero opta por la resolución, tendrá derecho a la devolución del precio total del pasaje o de la parte proporcional del mismo correspondiente al trayecto que falte por realizar y a la indemnización de daños y perjuicios, si la modificación no se debe a causas justificadas.
d) Si antes de comenzar el viaje o durante su ejecución surgen **eventos bélicos** que expongan al buque o al pasajero a riesgos imprevistos. Ambas partes podrán solicitar la resolución sin indemnización.
e) Si una vez comenzado el viaje el **pasajero no puede continuarlo** por causas fortuitas El porteador tendrá derecho a la parte proporcional del precio según el trayecto realizado.

Régimen de responsabilidad (LNM art.298) La responsabilidad del porteador se rige, en todo caso, por el Convenio Internacional relativo al Transporte de Pasajeros y sus Equipajes por Mar, hecho en Atenas el 13-12-1974 (Convenio de Atenas 13-12-1974), los protocolos que lo modifican de los que España sea Estado parte, las normas de la Unión Europea y la LNM. 7503
Las disposiciones sobre responsabilidad son de **carácter imperativo** y se aplican a todo contrato de pasaje marítimo.

Precisiones Es pacífica la jurisprudencia del TS relativa a que constituye requisito indispensable la determinación del **nexo causa** entre la conducta del agente y la producción del daño, para la imputación de la responsabilidad, cualquiera que sea el criterio que se utilice (subjetivo u objetivo); y así el daño ha de basarse en una certeza probatoria que no puede quedar desvirtuada por una posible aplicación de la teoría del riesgo, la objetivación de la responsabilidad o la inversión de la carga de la prueba (TS 17-12-88, EDJ 9919; 2-4-98). Es precisa la existencia de una prueba terminante (TS 3-11-93, EDJ 9842; 31-7-99, EDJ 19940), sin que sean suficientes meras conjeturas, deducciones o probabilidades (TS 4-7-98; 6-2-99, EDJ 942). El «cómo y por qué» del accidente constituyen elementos indispensables en el examen de la causa eficiente del evento dañoso (TS 17-12-88, EDJ 9919; 3-11-93, EDJ 9842). La prueba del nexo causal, requisito al que no alcanza la presunción ínsita en la doctrina denominada de la inversión de a carga de la prueba, incumbe al actor, el cual debe acreditar la realidad del hecho imputable al demandado del que se hace surgir la obligación de reparar el daño causado (TS 14-2-94, EDJ 1211; AP Pontevedra 31-1-13, EDJ 20739).

Limitación de responsabilidad (LNM art.299) La responsabilidad del porteador queda limitada a las cantidades establecidas en el Convenio Internacional relativo al Transporte de Pasajeros y sus Equipajes por Mar y Protocolos que lo modifican vigentes en España (Convenio de Atenas 13-12-1974). Ver nº 7610. 7505
Si el **equipaje** se transporta con valor declarado, aceptado por el porteador, el límite de su responsabilidad se corresponde con ese valor.

Precisiones 1) Con estas ideas de aproximación, se entiende perfectamente el hecho que, en relación con el contrato de pasaje (definido en la LNM art.287 como aquel contrato por el que el porteador se obliga, a cambio del pago de un precio, a transportar por mar a una persona y, en su caso, su equipaje), el régimen de responsabilidad (LNM art.298) se remita al Convenio Internacional relativo al Transporte de Pasajeros y sus Equipajes por Mar, hecho en Atenas el 13-12-1974 (PYE/PAL), los protocolos que lo modifican de los que España sea Estado parte, las normas de la Unión Europea y esta ley. Destacando la norma, que toda esa regulación es de **aplicación imperativa**, resultando inaplicables las cláusulas que pretendan atenuar o anular la responsabilidad en perjuicio del titular del derecho a exigir las indemnizaciones (JM núm 3, 5-11-18, EDJ 687675).

2) Ha sido declarada la **compatibilidad** de la **reclamación por lesión** y la **indemnización por el seguro** obligatorio de viajeros (TS 8-10-10, EDJ 213583). Constituye requisito indispensable la determinación del nexo causal entre la conducta del agente y la producción del daño, para la imputación de la responsabilidad, cualquiera que sea el criterio que se utilice -subjetivo u objetivo- (TS 30-6-00, EDJ 15196).

3) Incumbe a la parte actora acreditar en debida forma la **causa** del accidente, y partir de ahí es cuando corresponde a la demandada justificar que había actuado en todo momento conforme a la diligencia precisa, pues no resulta aplicable sin más en todo siniestro la teoría de la responsabilidad por riesgo (AP Pontevedra 31-1-13, EDJ 20739).

7507 **Seguro obligatorio** (LNM art.300; Rgto CE/392/2009) El porteador efectivo que ejecute el transporte en un **buque** que transporte **más de 12 pasajeros** está obligado a suscribir un seguro obligatorio de responsabilidad por la muerte y lesiones corporales de los pasajeros que transporte, con un límite por cada pasajero y cada accidente no inferior a lo que establezcan los convenios y las normas de la Unión Europea.

El perjudicado tiene **acción directa** contra el asegurador hasta el límite de la suma asegurada. El asegurador puede oponer las mismas excepciones que correspondieran al porteador. Puede además oponer en todo caso el límite de responsabilidad establecido en el Convenio de Atenas 13-12-1974 art.7 (ver nº 7610), incluso en el caso de que su asegurado lo hubiera perdido de acuerdo (Convenio de Atenas 13-12-1974 art.13).

7509 El Rgto CE/392/2009, sobre la responsabilidad de los transportistas de pasajeros por mar en caso de accidente, establece el **régimen comunitario de responsabilidad y seguro** aplicable al transporte de pasajeros por mar según se recoge en las disposiciones del Convenio de Atenas de 13-12-1974.

Este Reglamento europeo establece la obligatoriedad de los transportistas de tener suscrito un **seguro** o una garantía financiera que cubra la responsabilidad en caso de muerte o lesiones de los pasajeros derivadas de un accidente. La vigencia de dicho seguro se debe acreditar mediante la **expedición de un certificado** por las autoridades competentes de cada Estado miembro.

El Reglamento es de **aplicación** (Rgto CE/392/2009 art.2) a todo transporte internacional y al transporte marítimo dentro de un mismo Estado miembro a bordo de buques de las clases A y B (Dir 98/18/CE art.4), si:

- el buque enarbola el pabellón de un Estado miembro o está matriculado en un Estado miembro;
- el contrato de transporte se ha concertado en un Estado miembro; o
- el lugar de partida o destino, de acuerdo con el contrato de transporte, están situados en un Estado miembro.

Además, los Estados miembros pueden aplicar el Reglamento a todos los transportes por mar en el **interior de un Estado miembro**.

No obstante, se establece como **norma transitoria** (Rgto CE/392/2009 art.11) que:

1. En el caso de que se haga dentro de un Estado miembro transporte por mar a bordo de **buques de la clase A**, los Estados miembros pueden optar por aplazar la aplicación del Reglamento hasta 4 años después de su fecha de aplicación.

2. En lo que respecta al transporte por mar dentro de un Estado miembro a bordo de **buques de la clase B**, los Estados miembros pueden optar por aplazar la aplicación del Reglamento hasta el 31-12-2018.

III. Transporte marítimo internacional de mercancías

El **régimen aplicable** al transporte internacional de mercancías por vía marítima es esencialmente el recogido en el Convenio Bruselas 25-8-1924 para la unificación de ciertas reglas en materia de conocimientos de embarque (instr. ratificación 2-6-1930; Gaceta de Madrid 31-7-30), conocido como «**Reglas de La Haya**», modificado por los Protocolos de Bruselas de 23-2-1968, que incluye las llamadas «**Reglas Wisby**», y de 21-12-1979 (instr. ratificación 16-11-1981; BOE 11-2-84). 7517

Además, pueden citarse las siguientes normas europeas e internacionales:
• Convenio Hamburgo 31-3-1978 sobre transporte de mercancías («Reglas de Hamburgo»), no ratificado por España.
• Convenio de Rotterdam 11-12-2008, Convenio de las Naciones Unidas sobre el Contrato de Transporte Internacional de Mercancías Total o Parcialmente Marítimo, más conocido por las «Reglas de Rotterdam». Este Tratado Internacional tiene como objeto fundamental regular el transporte internacional por mar de Líneas Regulares y está llamado a sustituir a las conocidas «Reglas de la Haya-Wisby», que son la normativa actualmente en vigor en la gran mayoría de los Estados.

Precisiones No son pocos los Convenios aprobados y que regulan los distintos áreas del transporte marítimo internacional. De hecho, ante cualquier contrato o conflicto entre las partes, la primera tarea es la de definir la **legislación aplicable** y el del tribunal competente.

El transporte internacional de mercancías puede llevarse a cabo también mediante **contrato de fletamento**. Este carece de una regulación específica en el ámbito internacional, por lo que nos remitimos a lo expuesto en el nº 7385 s. para el contrato de fletamento en el ámbito interior. En el contrato de fletamento juega el principio de libertad de contratación de las partes, si bien suelen referirse a modelos de pólizas. 7519

Además de las disposiciones señaladas, es preciso tener en cuenta diversas **pólizas** que se han generalizado en el comercio marítimo. En este sentido la póliza mayormente utilizada es la denominada póliza GENCON (Contrato General Uniforme de Fletamento). Junto a esta póliza se suelen utilizar otras, dependiendo del tipo de mercancías transportadas, como la póliza MEDCON, para el transporte de carbón; la póliza CETROCON, para el transporte de cereales; la póliza SPANFRUCON, para el transporte de frutas; la póliza BINACON, para el transporte de maderas; la póliza PYRITES HUELVA, para transporte de minerales, y la póliza GASTIME para transporte de gases licuados.

1. Convenio de Bruselas 1924 y Reglas de la Haya-Wisby

Para los transportes en régimen de **conocimiento de embarque**, es de aplicación el Convenio sobre la Unificación de ciertas Reglas en materia de Conocimientos de Embarque, firmado en Bruselas el 25-8-1924, complementado por los Protocolos de 1968 y 1979, conocido como las «Reglas de La Haya-Wisby» (TS 30-12-05, EDJ 244414; JM Madrid núm 6, 16-9-14, núm 735/09). 7525

A los efectos de lo establecido en el Convenio:
• «**Porteador**» comprende el propietario del buque o el fletador en un contrato de transporte con un cargador.
• «**Contrato de transporte**» se aplica únicamente al contrato de porte formalizado en un conocimiento o en cualquier documento similar que sirva como título para el transporte de mercancías por mar; se aplica igualmente al conocimiento o documento similar emitido en virtud de una póliza de fletamento, a contar desde el momento en que este documento regula las relaciones del porteador y del tenedor del conocimiento.
• «**Mercancías**» comprende bienes, objetos, mercancías y artículos de cualquier clase, con excepción de los animales vivos y del cargamento que, según el contrato de transporte, se declara colocado sobre cubierta, y es en cierto modo transportado así.
• «**Buque**» significa cualquier embarcación empleada para el transporte de mercancías por mar.
• «**Transporte de mercancías**» comprende el tiempo transcurrido desde la carga de las mercancías a bordo del buque hasta su descarga del buque (Convenio Bruselas 25-8-1924 art.1).

a. Aplicación

(Convenio Bruselas 25-8-1924 art.10)

7530 El Convenio se aplica a cualquier **conocimiento de embarque** relativo a un transporte de mercancías entre puertos pertenecientes a dos Estados diferentes, siempre y cuando:
a) El conocimiento de embarque se **libre** en un Estado contratante.
b) El transporte se efectúe desde un **puerto** de un Estado contratante.
c) El conocimiento de embarque prevea que el **contrato** se regirá por las disposiciones del Convenio o de la legislación de cualquier Estado que las aplique o les dé efecto, sea cual sea la nacionalidad del buque, del porteador, del cargador, del destinatario o de cualquier otra persona interesada.
Ninguna de las disposiciones del Convenio se aplica a las **pólizas de fletamento**; pero si expiden conocimientos en el caso de un buque sujeto a una póliza de fletamento, quedan sometidos a los términos del Convenio.

b. Carácter dispositivo

(Convenio Bruselas 25-8-1924 art.6 y 7)

7535 El porteador, capitán o agente del porteador y el cargador están en libertad, tratándose de **mercancías determinadas**, cualesquiera que sean, otorgar contratos, estableciendo las condiciones que crean convenientes relativas a la responsabilidad y a las obligaciones del porteador para esas mercancías, así como los derechos y las exenciones del porteador respecto de estas mismas mercancías o concernientes a sus obligaciones en cuanto al estado del buque para navegar, siempre que esta estipulación no sea contraria al orden público o concerniente a los cuidados o diligencia de sus comisionados o agentes en cuanto a la carga, conservación, estiba, transporte, custodia, cuidados y descarga de las mercancías transportadas por mar, y con tal que en este caso no haya sido expedido ni se expida **ningún conocimiento**, y que las condiciones del acuerdo recaído se inserten en un **recibo**, que será un documento no negociable y llevará la indicación de este carácter.
Sin embargo ello no se aplica a los **cargamentos comerciales ordinarios** hechos en el curso de operaciones comerciales corrientes, sino solamente a otros cargamentos, en los cuales el carácter y la condición de las cosas que hayan de transportarse y las circunstancias, término y condiciones en que el transporte deba hacerse son de tal naturaleza que justifican un Convenio especial.
El porteador o el cargador puede insertar en un conocimiento estipulaciones, condiciones, reservas o exenciones relativas a las obligaciones y responsabilidades del porteador o del buque para la **pérdida o los daños** que sobrevengan a las mercancías o concernientes a su custodia, cuidado y conservación antes de la carga y después de la descarga del buque en el que las mercancías se transportan por mar.

c. Obligaciones del porteador

(Convenio Bruselas 25-8-1924 art.3)

7540 El porteador, **antes de comenzar el viaje**, debe cuidar diligentemente:
a) De que el buque esté en estado de navegar.
b) De armar, equipar y aprovisionar el buque convenientemente.
c) De limpiar y poner en buen estado las bodegas, cámaras frías y frigoríficas, y los demás lugares del buque, cuando se carguen las mercancías para su recepción, transporte y conservación.
También debe proceder de manera apropiada y cuidadosa a la carga, conservación y descarga de las **mercancías** transportadas.
Después de haber recibido y tomado como carga las mercancías, el porteador y el capitán, o agente del porteador, deben, a petición del cargador, entregar a éste un **conocimiento de embarque**.
Finalmente, el porteador debe **entregar las mercancías** en la forma consignada en el conocimiento.

7542 **Conocimiento de embarque** (Convenio Bruselas 25-8-1924 art.3.3º) El **contenido** del conocimiento debe expresar, entre otras cosas:
a) Las marcas principales necesarias para la identificación de las mercancías, tal como las haya dado por escrito el cargador antes de comenzar el cargamento de dichas mercancías, con tal que las expresadas marcas estén impresas o puestas claramente en cualquier otra

forma sobre las mercancías no embaladas o en las cajas o embalajes que contengan las mercancías, de manera que permanezcan normalmente legibles hasta el término del viaje.
b) O el número de bultos o de piezas, o la cantidad o el peso, según los casos, tal como los haya consignado por escrito el cargador.
c) El estado y la condición aparentes de las mercancías.
El conocimiento de embarque establece la **presunción**, salvo prueba en contrario, de la recepción por el porteador de las mercancías en la forma en que aparezcan descritas. Sin embargo, no se admitirá la prueba en contrario cuando el conocimiento de embarque se haya transferido a un tercero que actúe de buena fe.

Anotaciones en el conocimiento de embarque (Convenio Bruselas 25-8-1924 art.3.7º) Cuando las mercancías hayan sido cargadas, se debe poner en el conocimiento que entreguen al cargador, el porteador, el capitán o el agente del porteador, si el cargador lo solicita, una **estampilla** que diga «Embarcado», con la condición de que si el cargador ha recibido antes algún documento que dé derecho a dichas mercancías, restituya este documento contra la entrega del conocimiento provisto de la estampilla «Embarcado». 7544
El porteador, el capitán o el agente tienen igualmente la facultad de anotar en el puerto de embarque, sobre el documento entregado en primer lugar, el nombre o los **nombres del buque** o los buques en los que las mercancías han sido embarcadas y la fecha o las fechas de embarque.

d. Sistema de responsabilidad

Nulidad de pacto de exoneración de responsabilidad (Convenio Bruselas 25-8-1924 art.3.8º y 5) Toda cláusula, convenio o acuerdo en un contrato de transporte que exonere al porteador o al buque de responsabilidad por pérdida o daño referente a las mercancías, que provengan de **negligencia, falta o incumplimiento** de los deberes y obligaciones del porteador, o atenuando dicha responsabilidad en otra forma que no sea la determinada en el Convenio, se consideran nulos y sin efecto y se tienen por no puestos. La cláusula de excepción del beneficio del seguro al porteador y cualquiera otra cláusula semejante exoneran al porteador de su responsabilidad. 7550
Sin embargo, el porteador puede libremente **abandonar** todos o parte de los **derechos y excepciones** o **aumentar** las **responsabilidades y obligaciones** que le correspondan con arreglo al presente Convenio, siempre que dicho abandono o aumento se inserten en el conocimiento entregado al cargador.

Precisiones Se afirma la responsabilidad del recurrente, no en base al conocimiento de embarque, sino en otros medios de prueba que llevan a demostrar que el transportista se había obligado contractualmente frente al cargador, en su propio nombre, a realizar, por sí o por otro, entre otras **actividades conexas con el transporte marítimo**, la preparación de la máquina previa a su carga y el traslado intraportuario de la misma (TS 17-2-10, EDJ 11507).

Principio de responsabilidad por culpa del porteador. Exoneraciones (Convenio Bruselas 25-8-1924 art.4) El sistema de responsabilidad del Convenio es el de culpa del porteador, quien solo puede **exonerarse** de su responsabilidad si prueba la **ausencia de culpa**. En tal sentido: 7552
1. Ni el **porteador** ni el **buque** serán responsables de las pérdidas o daños que provengan o resulten de la **falta de condiciones del buque** para navegar, a menos que sea imputable a falta de la debida diligencia por parte del porteador para poner el buque en buen estado para navegar o para asegurar al buque el armamento, equipo o aprovisionamiento convenientes, o para limpiar o poner en buen estado las bodegas, cámaras frías y frigoríficas, y todos los otros lugares del buque donde las mercancías se cargan, de manera que sean apropiadas a la recepción, transporte y conservación de las mercancías. Siempre que resulte una pérdida o daño del mal estado del buque para navegar, las costas de la prueba, en lo que concierne a haber empleado la razonable diligencia, serán de cuenta del porteador o de cualquier otra persona a quien beneficie la exoneración prevista en el presente artículo.

2. Ni el **porteador** ni el **buque** serán responsables por pérdida o daño que resulten o provengan: 7554
a) De actos, negligencia o falta del capitán, marinero, piloto o del personal destinado por el porteador a la navegación o a la administración del buque.
b) De incendio, a menos que haya sido ocasionado por hecho o falta del porteador.
c) De peligros, daños o accidentes de mar o de otras aguas navegables.
d) De fuerza mayor.
e) De hechos de guerra.
f) Del hecho de enemigos públicos.

g) De detención o embargo por soberanos, autoridades o pueblos, o de un embargo judicial.
h) De restricción de cuarentena.
i) De un acto u omisión del cargador o propietario de las mercancías o de su agente o representante.
j) De huelgas o *lock-outs*, o de paros o de trabas impuestos total o parcialmente al trabajo por cualquier causa que sea.
k) De motines o perturbaciones civiles.
l) De salvamento o tentativa de salvamento de vidas o bienes en el mar.
m) De disminución en volumen o peso, o de cualquiera otra pérdida o daño resultantes de vicio oculto, naturaleza especial o vicio propio de la mercancía.
n) De embalaje insuficiente.
o) De insuficiencia o imperfección de las marcas.
p) De los vicios ocultos que escapan a una diligencia razonable.
q) De cualquier otra causa que no proceda de hecho o falta del porteador, o de hecho o falta de los agentes o encargados del porteador.
Las costas de la prueba incumbirán a la persona que reclame el beneficio de esta excepción, y a ella corresponderá demostrar que la pérdida o daño no han sido producidos por falta personal, hecho del porteador, ni por falta o hechos de los agentes o encargados del porteador.

Precisiones **1)** Ver TS 4-7-23, EDJ 616655 (nº 7411).
2) Aunque consideremos que la desconexión del sistema de frenado no es tampoco exactamente un vicio propio, en todo caso sería una **actuación negligente del cargador**, por lo que operaría la causa de exclusión del art.4.2 i) de las Reglas. El fundamento de esta exclusión es que el porteador no debe responder de los daños que son ocasionados por causa extraña a él, en el sentido de que el incumplimiento no se debe a su conducta, sino a la del cargador. Y existe consenso en la doctrina sobre que no es preciso que se trate de un acto culposo, sino que basta que provenga de un acto u omisión del cargador, del propietario de la mercancía o de sus representantes. Lo que, en todo caso, excluiría la responsabilidad del porteador marítimo (TS 28-6-23, EDJ 611911).

7556 **3.** Ni el **porteador** ni el **buque** responderán en caso alguno de pérdidas o daños causados a las mercancías, o que las conciernan, si en el **conocimiento de embarque** el cargador hubiese hecho a sabiendas declaración falsa en cuanto a la naturaleza o valor de las mismas.

Precisiones Las **mercancías** de naturaleza **inflamable, explosiva o peligrosa**, cuyo embarque no habría consentido el porteador, el capitán o el agente del porteador, si conociesen su naturaleza o carácter, podrán, en todo momento, antes de su descarga, ser desembarcadas en cualquier lugar, destruidas o transformadas en inofensivas por el porteador sin indemnización, y el cargador de dichas mercancías será responsable de los daños y gastos producidos u ocasionados directa o indirectamente por su embarque. Si alguna de dichas mercancías embarcadas con el conocimiento y con el consentimiento del porteador, llegasen a constituir un peligro para el buque o para el cargamento, podrá de la misma manera ser desembarcada, destruida o transformada en inofensiva por el porteador, sin responsabilidad para éste, si no se trata de averías gruesas en el caso en que proceda declararlas (Convenio 25-5-1924 art.3.6º).

7558 **4.** El **cargador** no será responsable de las pérdidas o daños sufridos por el porteador o el buque, y que procedan o resulten de cualquier causa, sin que exista acta, falta o negligencia del cargador, de sus agentes o de sus encargados.
5. Ningún **cambio de ruta** para salvar o intentar el salvamento de vidas o bienes en el mar, ni ningún cambio de ruta razonable, será considerado como una infracción del presente Convenio o del contrato de transporte, y el porteador no será responsable de ninguna pérdida o daño que de ello resulte.

Precisiones En un caso en el que los conocimientos de embarque, extendidos por el capitán del buque, fueron emitidos «limpios a bordo» («clean on board»), sin ningún tipo de reserva en cuanto a estado, calidad, condición y cantidad, al momento de la descarga se comprobó que **faltaba parte de la mercancía** (117.545 kilos). La sentencia de primera instancia desestimó la demanda porque, a su juicio, la prueba de la desaparición de la mercancía correspondía a la actora, y no se había acreditado. La Audiencia Provincial revocó la sentencia porque, a su entender, había un error en el planteamiento por el juzgado, pues la compradora no había contratado el transporte marítimo en cuestión, sino que lo hizo la vendedora. El TS desestima el recurso de casación porque «ningún supuesto de los descritos tienen que ver con el de los presentes autos, en tanto que la **aseguradora**, subrogada en un tercero de buena fe, el destinatario de las mercancías, tiene **acción por subrogación contra el porteador**, sin perjuicio de las relaciones internas que puedan surgir entre porteador y consignatario, así como con otros colaboradores del naviero» (TS 3-12-13, EDJ 239141).

7560 **Límite de responsabilidad** (Convenio Bruselas 25-8-1924 art.4.5) A menos que la naturaleza y el valor de las mercancías se hayan declarado por el cargador antes de su embarque, y que dicha declaración se haya incluido en el conocimiento, ni el porteador ni el buque serán, en ningún caso, responsables de las **pérdidas o daños de las mercancías** o en relación con las mismas en

una **cuantía** superior a 666,67 unidades de cuenta por bulto o unidad, o dos unidades de cuenta por kilogramo de peso bruto de las mercancías perdidas o dañadas, aplicándose de ambos límites el más elevado. Esta cuantía se convertirá en moneda nacional con arreglo al valor de dicha moneda en una fecha que se determine por la Ley de la jurisdicción a que se someta el caso.
Puede fijarse, mediante convenio entre el porteador, el capitán o el agente del porteador y el cargador, **cuantías máximas distintas** de las mencionadas, con tal de que ningún importe máximo convencional así fijado sea inferior al importe máximo mencionado.

Precisiones 1) Si con el fin de agrupar las mercancías se utilizan **contenedores**, bandejas de carga y otros medios de transporte similares, cualquier bulto unidad que se hubiera enumerado en el conocimiento de embarque como incluido dentro de dicho medio de transporte se considerará como un bulto o una unidad. Fuera del caso citado, será el contenedor, bandeja o medio similar de transporte lo que se considerará como bulto o una unidad.
2) La **unidad de cuenta** mencionada es el Derecho de Giro Especial definido por el Fondo Monetario Internacional.
3) El valor en **Derechos de Giros Especiales** de una moneda nacional de un Estado que sea miembro del Fondo Monetario Internacional se calcula siguiendo el método de evaluación aplicado por el Fondo Monetario Internacional, en la fecha en cuestión, para sus propias operaciones y transacciones. El valor en Derechos de Giros Especiales de una moneda nacional de un Estado no miembro del Fondo Monetario Internacional se calcula de la forma fijada por dicho Estado. Sin embargo, un Estado que no sea miembro del Fondo Monetario Internacional y cuya legislación no permita la aplicación de las disposiciones previstas en las frases precedentes puede, en el momento de la ratificación del Protocolo de 1979 o de la adhesión al mismo o incluso en cualquier otro momento ulterior, declarar que los límites de la responsabilidad previstos en el presente Convenio y aplicables en su territorio se fijarán de la forma siguiente: (i) 10.000 unidades monetarias en lo que respecta a la cuantía de 666,67 unidades de cuenta; (ii) 30 unidades monetarias en lo que respecta a la cuantía de dos unidades de cuenta mencionada.

La **cantidad total adeudada** se calcula por referencia al valor de las mercancías en el lugar y fecha en que se descarguen conforme a contrato, o en la fecha y lugar en que hubieran debido descargarse. El **valor de la mercancía** se determina con arreglo a la cotización bursátil correspondiente o, a falta de ésta, según el precio corriente en el mercado y, a falta de ambas referencias, ateniéndose al valor usual de las mercancías de la misma naturaleza y calidad. 7562
Ni el porteador ni el buque tendrán derecho a beneficiarse de la limitación de responsabilidad si se prueba que el **daño** es resultado de un **acto u omisión del porteador**, que se produjo o con intención de provocar un daño o temerariamente y con conocimiento de que probablemente de ello se deduciría un daño.

Precisiones **Responsabilidad del transitario frente a su comitente.**
1) El transitario no es responsable de los **errores cometidos en la documentación inicial**, única y exclusivamente imputables a la parte que facilitó la factura de compraventa subyacente, que es la aportada por la demandada (AP Valencia 13-11-18, EDJ 691858)
2) El TS ha señalado que el comisionista, en el transporte de mercancías, es un alter ego del comitente (TS 14-12-99, EDJ 40325). En base al contrato de comisión mercantil, el comisionista queda obligado a atenerse, en el desempeño de la comisión, a las instrucciones recibidas del comitente y responde por incumplimiento de esta obligación siempre que tal incumplimiento le sea jurídicamente imputable (tan solo no lo será por caso fortuito o fuerza mayor) en cuyo caso deberá indemnizar al comitente el perjuicio que se le hubiere ocasionado. Pero es que además la responsabilidad del porteador por la **pérdida de la cosa** transportada se extiende, por mor de lo dispuesto en el CCom art.379 (consagra una cláusula legal de garantía), al comisionista, quien, frente al comitente-importador, responderá solidariamente con el porteador, por el incumplimiento obligacional del porteador (pérdida de las mercancías), y si el comisionista, en base a su responsabilidad, indemniza al comitente-importador tendrá acción de repetición para recuperar lo que ha indemnizado al comitente-importador contra el porteador (AP Madrid 5-2-13, EDJ 23593, en la que se citan TS 11-10-86; 7-6-91; 19-4-01, núm 381/01).

Aplicación de las exoneraciones y limitaciones de responsabilidad (Convenio Bruselas 25-8-1924 art.4 bis) Las exoneraciones y limitaciones previstas en el Convenio pueden aplicarse a cualquier acción contra el porteador, relativas a pérdidas o daños de mercancías objeto de un contrato de transporte, tanto si la acción se funda en la **responsabilidad contractual** como si se basa en una responsabilidad **extracontractual**. 7564
Si la acción se entabla contra un **encargado del porteador** -que no fuere contratista por su cuenta-, dicho encargado puede acogerse a las exoneraciones y limitaciones de responsabilidad que el porteador pueda invocar en virtud del Convenio. El encargado no puede, sin embargo acogerse a lo dispuesto si se prueba que el daño es resultado de un acto o de una omisión del susodicho encargado, tanto si éstos se producen con intención de provocar un daño como si se llevan a cabo temerariamente y con conocimiento de que de ello se derivaría, probablemente, un daño. El conjunto de los importes que puedan cobrarse a cargo del porteador y de sus encargados no excederá, en dicho caso, de los límites previstos por el Convenio.

e. Acciones y plazos

7570 **Protestas** (Convenio Bruselas 25-8-1924 art.3.6º) El hecho de **retirar las mercancías** constituye, salvo prueba en contrario, una presunción de que han sido entregadas por el porteador en la forma consignada en el conocimiento, a menos que antes o en el momento de retirar las mercancías y de ponerlas bajo custodia de la persona que tenga derecho a su recepción, con arreglo al contrato de transporte, se dé **aviso por escrito** al porteador o a su agente en el puerto de descarga de las pérdidas o daños sufridos y de la naturaleza general de estas pérdidas o daños.
Si las pérdidas o **daños no son aparentes**, el aviso debe darse en los 3 días siguientes a la entrega.
Las reservas por escrito son inútiles si el estado de las mercancías ha sido **comprobado contradictoriamente** en el momento de la recepción.

Precisiones 1) La **ausencia de protesta** no conlleva la pérdida automática del derecho a reclamar los daños y perjuicios sufridos por la mercancía objeto de transporte, siempre que se haga dentro del plazo establecido legalmente. En un caso de reclamación de daños ocasionados en el transporte marítimo, el JM desestimó la demanda al entender que la acción había prescrito, dado que, a juicio del juzgador de instancia, el transporte se había realizado al amparo de un contrato de fletamento, sin que fueran de aplicación las Reglas de la Haya-Visby sino el CCom; y, dado que el destinatario de la mercancía no hizo protesta dentro del plazo legal (esto es, el mismo día de la entrega o en las 24 horas siguientes a la entrega, conforme a CCom art.952.2), la acción habría prescrito.
La Audiencia estimó el recurso razonando que el CCom art.952.2 debía interpretarse de conformidad con la normativa internacional, en concreto con las Reglas de La Haya-Visby, que no exigen la protesta previa para ejercitar la acción. Además, entiende que en este caso el contrato de transporte se concertó en régimen de «Conocimiento de Embarque» y sujeto a las Reglas de La Haya-Visby, por lo que, conforme al Convenio de Bruselas de 25-8-1924 art.3.6 y el Protocolo de 1979, la **acción de reclamación por pérdida o daños en la mercancía** debía ejercitarse en el **plazo** de un año desde su entrega o, en su caso, desde que debiera haber sido entregada, sin que se prevea, como requisito previo, la exigencia de previa denuncia.
El TS desestima el recurso de casación, declarando que «aunque se admitiera que se trataba de una **póliza de fletamento** en la que se había otorgado un conocimiento de embarque que no se regía por las reglas de La Haya-Visby porque no había sido transmitido a un tercero ajeno al negocio jurídico principal, y fuera por ello de aplicación el CCom art.952.2, la ausencia de protesta o su realización fuera del plazo legal de 24 horas no habría impedido el ejercicio de la acción de responsabilidad por daños en la mercancía objeto de transporte» (TS 20-7-15, EDJ 136050).
2) Las protestas han de efectuarse por escrito en el momento de la entrega, si los daños son aparentes, y en el plazo de 3 días, en el caso contrario, sin que dichas protestas constituyan un presupuesto para el ejercicio de la acción de indemnización (Convenio Bruselas 25-8-1924 art.3.6), quedando, pues, su valor reducido al de una mera **manifestación de disconformidad** con el estado de las mercancías recibidas que impediría el juego de la presunción a favor del porteador en el sentido de que las mercancías se hallaban en el mismo estado en que fueron cargadas (AP Baleares 22-1-13, EDJ 12396).
3) En caso de pérdida o daños ciertos o presuntos, el porteador y el receptor de las mercancías se darán recíprocamente todas las facilidades razonables para la **inspección de las mercancías** y la comprobación del número de bultos.
4) El **Convenio de Bruselas** art.3.6º y el (hoy derogado) LTM art.22 ya en su redacción originaria, vino a disponer que las protestas habrían de efectuarse por escrito en el momento de la entrega, si los daños eran aparentes, y en el plazo de tres días, en el caso contrario, sin que dichas protestas constituyeran un **presupuesto** para el ejercicio de la **acción de indemnización**, quedando, pues, su valor reducido al de una mera manifestación de disconformidad con el estado de las mercancías recibidas que impediría el juego de la presunción a favor del porteador en el sentido de que las mercancías se hallaban en el mismo estado en que fueron cargadas. A su vez, las **Reglas de Hamburgo**, siguiendo una línea similar a la descrita, establecen un plazo de un día laborable para la formulación de protestas en relación con los daños aparentes y de quince días en relación con aquellos que no lo fueran; dichas protestas no serán, sin embargo, necesarias cuando en el momento de la puesta de las mercancías en poder del destinatario se haya efectuado una inspección conjunta de las mismas. No existiendo inspección conjunta la falta de protestas, en estos casos, sólo constituye una presunción a favor del porteador; sin embargo, en el supuesto de retraso, la ausencia de aquéllas en el plazo de sesenta días contados desde la fecha de entrega de las mercancías impedirá el ejercicio de la acción de indemnización (art.19) (AP Baleares 22-1-13, EDJ 12396).

7572 **Prescripción** (Convenio Bruselas 25-8-1924 art.3.6º) El porteador y el buque quedan en todo caso descargados de cualquier responsabilidad relacionada con las mercancías a menos que se entable la acción correspondiente dentro de un año, a contar desde la entrega de las mismas, o desde la fecha en que hubieren debido entregarse.
Dicho plazo puede **prorrogarse**, sin embargo, mediante acuerdo concertado entre las partes con posterioridad al hecho que dio lugar a la acción.

Precisiones 1) De acuerdo con las **Reglas de Hamburgo**, el plazo para el ejercicio de la acción de indemnización, que expresamente es calificado de prescripción, se ve ampliado a dos años, al tiempo que consiente la prórroga establecida por escrito por la persona contra la cual se dirija una reclamación y se fija el plazo para el ejercicio de las acciones de repetición (art.20) en términos análogos a los empleados por las Reglas de La Haya-Wisby (AP Baleares 22-1-13, EDJ 12396).
2) Se plantea la duda de la normativa aplicable al plazo de prescripción de una acción por daños causados con motivo del transporte marítimo internacional. El caso es el siguiente: una empresa dedicada a la importación y comercialización de pescado y marisco congelado contrata el transporte de un contenedor de pescado congelado, el cual no fue descargado en la zona de carga frigorífica, sino en la zona de secos de exportación, por lo que no fue conectado a la red eléctrica y la **carga se perdió**. Para el TS, el hecho determinante de los daños (el **error en la elección del muelle** de arribada del buque para la descarga del contenedor) corresponde a la **fase marítima** del transporte, pues se produjo en «el tiempo transcurrido desde la carga de las mercancías hasta su descarga», aunque tales daños se produjeran estando ya descargado el contenedor. Por tal razón, la acción de responsabilidad al porteador está sometida a las previsiones de la Ley de Transporte Marítimo de 1949 y del Convenio Internacional de Bruselas de 25-8-1924 (TS 29-6-16, EDJ 104625).

Repetición contra terceros (Convenio Bruselas 25-8-1924 art.3.6 bis) Pueden ejercitarse acciones de repetición contra terceros, incluso después de expirado el plazo de un año previsto para el ejercicio de la acción de indemnización, siempre y cuando ello se haga dentro del plazo fijado por la ley del Tribunal que entiende el asunto. Sin embargo, dicho **plazo** no puede ser inferior a tres meses, a contar desde el día en que la persona que ejercite la acción de repetición haya liquidado la reclamación, o haya recibido notificación de la citación correspondiente, en una acción contra ella. 7574

Precisiones El TJUE ha declarado, a propósito de contratos de transporte marítimo, que una **cláusula atributiva de competencia** incluida en un **conocimiento de embarque** puede ser invocada frente a un tercero a ese contrato siempre que haya sido reconocida su validez por el cargador y el porteador y que, en virtud del Derecho nacional aplicable, el tenedor del conocimiento, al adquirirlo, se haya **subrogado en los derechos y obligaciones del cargador**. Con arreglo a esa relación de subrogación entre el cargador y el tenedor del conocimiento, éste, en virtud de la adquisición del conocimiento, está vinculado por dicha cláusula. En caso de que tal relación exista con arreglo al Derecho nacional, no es necesario que el órgano jurisdiccional compruebe si ese tercero prestó su consentimiento a dicha cláusula. A este respecto, el TJUE puso de relieve la naturaleza particular del conocimiento, que es un instrumento del comercio internacional destinado a regir una relación que implica al menos a tres personas: así, el conocimiento constituye un título negociable que permite a su titular ceder dichas mercancías, mientras están en camino, a un adquirente que se convierte en titular de todos los derechos y obligaciones del cargador con respecto al transportista (TJUE 20-4-16).

2. Convenio de Rotterdam 2008

Ha de hacerse mención también al Convenio Rotterdam 11-12-2008, de las Naciones Unidas sobre el contrato de transporte internacional de mercancías total o parcialmente marítimo, conocido como «**Reglas de Rotterdam**». Este convenio ha sido firmado por España (y por otros 22 países) con fecha 23-9-2010. 7580
Su **entrada en vigor** se prevé para el primer día del mes siguiente a la expiración del plazo de un año después de su ratificación, aceptación, aprobación o adhesión por 20 de los países firmantes (Convenio Rotterdam 11-12-2008 art.94).
El **objetivo** del Convenio es crear una normativa uniforme que prevea el transporte de mercancías «puerta a puerta» entre dos Estados diferentes y en el cual, una parte de dicho transporte debe ser realizado a través del modo marítimo. Así, se define el contrato de transporte como todo contrato en virtud del cual un porteador se comprometa, a cambio del pago de un flete, a transportar mercancías de un lugar a otro. Dicho contrato deberá prever el transporte marítimo de las mercancías y podrá prever, además, su transporte por otros modos.
Las «Reglas de Rotterdam» ofrecen un marco jurídico en el que se tienen en cuenta las **novedades tecnológicas y comerciales** que se han producido en los transportes marítimos en los últimos tiempos, concretamente el aumento del transporte en contenedores, el deseo de englobar en un único contrato el transporte de puerta a puerta y la aparición de los documentos electrónicos de transporte.

Aplicación (Convenio Rotterdam 11-12-2008 art.5 y 6) El Convenio se aplica a los **contratos de transporte de línea regular** en los cuales el lugar de la recepción y el lugar de entrega de la carga estén situados en Estados diferentes y en el que el puerto de carga de un transporte marítimo y el puerto de descarga de ese mismo transporte estén situados en Estados 7582

diferentes, siempre y cuando, de acuerdo con el contrato de transporte, alguno de los siguientes lugares esté situado en un Estado contratante:
- el lugar de recepción;
- el puerto de carga;
- el lugar de la entrega;
- el puerto de descarga.

El Convenio es aplicable cualquiera que sea la **nacionalidad** del buque, del porteador, de las partes ejecutantes, del cargador, del destinatario o de cualquier otra parte interesada.

El Convenio **no se aplica** a los contratos de fletamento ni a otros contratos para la utilización de un buque o cualquier espacio a bordo de un buque. Igualmente, el Convenio no se aplica a contratos de transporte no regular.

Se prevé la **nulidad** de cualquier cláusula en un contrato de transporte en la medida en que:
• excluya o limite, directa o indirectamente, las obligaciones del porteador o de una parte ejecutante marítima con arreglo al Convenio;
• excluya o limite, directa o indirectamente, la responsabilidad del porteador o de una parte ejecutante marítima por el incumplimiento de alguna de sus obligaciones con arreglo al Convenio; o
• disponga la cesión al porteador, del beneficio del seguro de las mercancías.

Una vez que entre en vigor, el Convenio derogará todos aquellos **convenios internacionales** que en materia marítima haya suscrito y ratificado tal Estado con anterioridad. Así todo Estado que ratifique, acepte o apruebe el Convenio o se adhiera a él y que sea parte de las «Reglas de La Haya-Wisby» y las «Reglas de Hamburgo» deberá denunciar dichos convenios y sus protocolos.

7584 **Documento electrónico de transporte** (Convenio Rotterdam 11-12-2008 art.8 a 10) Todo lo que deba figurar en un documento de transporte puede ser consignado en un documento electrónico de transporte.

Es necesario que la emisión y el subsiguiente empleo del documento electrónico de transporte se hagan con el **consentimiento** del porteador y del cargador.

El empleo de un documento electrónico de transporte negociable debe observar ciertos **procedimientos** que prevean:
- el método para la emisión y la transferencia del documento al tenedor previsto;
- las medidas para asegurar que el documento electrónico de transporte negociable emitido conserve su integridad;
- la forma en que el tenedor podrá probar su condición de tal; y
- la forma en que se dará confirmación de que se ha realizado la entrega al tenedor o de que el documento electrónico de transporte ha perdido su eficacia o validez.

La emisión, el control exclusivo o la transferencia del documento electrónico de transporte surte los mismos **efectos** que la emisión, la posesión o la transferencia de un documento de transporte.

7586 **Sistema de responsabilidad** (Convenio Rotterdam 11-12-2008 art.17 a 23) La responsabilidad del porteador comienza desde el momento en que reciba las mercancías para su transporte y termina en el momento de su entrega -«puerta a puerta»-.

El porteador es responsable de la **pérdida o daño** de las mercancías, así como del **retraso** en su entrega, si el reclamante prueba que la pérdida, el daño o el retraso, o el hecho o circunstancia que lo causó o contribuyó a causarlo, se produjo durante el período de responsabilidad del porteador.

El porteador también es responsable de todo incumplimiento de sus obligaciones que sea imputable a **actos u omisiones de otras personas**:
- cualquier parte ejecutante;
- el capitán o algún miembro de la tripulación del buque;
- los empleados del porteador o de una parte ejecutante; o
- cualquier otra persona que ejecute o se comprometa a ejecutar alguna de las obligaciones del porteador con arreglo al contrato de transporte, en la medida en que dicha persona actúe, directa o indirectamente, a instancia del porteador o bajo su supervisión o control.

En su caso, se establece la **responsabilidad solidaria** del porteador y de una o más partes ejecutantes marítimas, hasta los límites de responsabilidad establecidos en el Convenio.

Cuando la pérdida o el daño de las mercancías, o el hecho o circunstancia que haya ocasionado el retraso en su entrega, se haya producido durante el período de responsabilidad del porteador, pero exclusivamente antes de ser cargadas las mercancías a bordo del buque, o exclusivamente después de ser descargadas las mercancías del buque, el régimen de este Convenio no impide la aplicación de las disposiciones de **otro instrumento internacional**.

Sobre el **plazo** para el ejercicio de **acciones** se establece que no se podrá entablar procedimiento judicial o arbitral alguno respecto de reclamaciones o controversias derivadas del incumplimiento de obligaciones establecidas en el Convenio una vez transcurrido el plazo de 2 años.

Exoneración de responsabilidad (Convenio Rotterdam 11-12-2008 art.17) El porteador queda total o parcialmente exonerado de la responsabilidad si prueba que la causa o una de las causas de la pérdida, el daño o el retraso **no es imputable a su culpa** ni a la culpa de ninguna de las personas por las que deba responder. **7588**
El porteador también queda exonerado, total o parcialmente, de responsabilidad cuando pruebe que uno o más de los siguientes hechos o **circunstancias** causó o contribuyó a **causar la pérdida, el daño o el retraso**:
- fuerza mayor;
- riesgos, peligros y accidentes del mar o de otras aguas navegables;
- guerra, hostilidades, conflicto armado, piratería, terrorismo, motines y tumultos;
- restricciones por cuarentena;
- injerencia o impedimentos imputables a autoridades públicas o gubernamentales, a dirigentes o a pueblos, incluida toda medida de detención, embargo o incautación no imputable al porteador ni a ninguna de las personas por las que responde;
- huelgas, cierre patronal, interrupción del trabajo o reducción intencional del ritmo laboral;
- vicios ocultos que no puedan descubrirse obrando con la debida diligencia;
- acto u omisión del cargador, del cargador documentario, de la parte controladora o de cualquier otra persona por cuyos actos sea responsable el cargador o el cargador documentario;
- carga, manipulación, estiba o descarga de las mercancías efectuadas por el cargador, el cargador documentario o el destinatario, de acuerdo con lo pactado, salvo que sea el porteador o una parte ejecutante quien ejecute dicha tarea en nombre de aquellos;
- pérdida de volumen o de peso, o cualquier otra pérdida o daño que sea imputable a la naturaleza o a un defecto, cualidad o vicio propio de las mercancías;
- insuficiencia o deficiencias del embalaje o del marcado de las mercancías, siempre y cuando no hayan sido efectuados por el porteador o en su nombre;
- medidas razonables para evitar o tratar de evitar daños al medio ambiente;
- actos del porteador en el ejercicio de las facultades conferidas por los art.15 y 16 (mercancías que puedan constituir un peligro);
- incendio a bordo del buque;
- salvamento o tentativa de salvamento de vidas en el mar;
- medidas razonables para salvar o intentar salvar bienes en el mar.

No obstante, el porteador será **responsable** de la totalidad o de parte de la pérdida, el daño o el retraso si: **7590**
• El reclamante prueba que la culpa del porteador o de alguna de las personas por las que deba responder causó o contribuyó a causar el hecho o la circunstancia que el porteador alega en su descargo.
• El reclamante prueba que un hecho o circunstancia no enumerada en los párrafos anteriores contribuyó a causar la pérdida, el daño o el retraso y el porteador no puede probar que ese hecho o circunstancia no es imputable a su culpa ni a la culpa de ninguna de las personas por las que deba responder.
• El reclamante prueba que la pérdida, el daño o el retraso fue o es probable que haya sido total o parcialmente causado por:
- el estado de innavegabilidad del buque;
- las deficiencias en el armamento, el avituallamiento o la tripulación del buque; o
- el hecho de que las bodegas u otras partes del buque en donde se transporten las mercancías, o de que algún contenedor suministrado por el porteador y sobre el cual o en cuyo interior se transportaron las mercancías, no estuviesen en las condiciones debidas para recibirlas, transportarlas y conservarlas.
• El porteador no puede probar:
- que ninguno de los hechos o circunstancias mencionados en el punto anterior causó la pérdida, el daño o el retraso; o
- que cumplió con su obligación de obrar con la debida diligencia.

Precisiones Las Reglas de La Haya-Visby (ex art.2 y 3) consagran un principio general de responsabilidad por **culpa** del porteador por incumplimiento de sus obligaciones contractuales y las de su personal auxiliar (AP Barcelona 25-2-19, EDJ 514164).

7592 **Indemnización y limitación de responsabilidad** (Convenio Rotterdam 11-12-2008 art.22) Para el **cálculo** de la indemnización por pérdida o daño de las mercancías se ha de tomar como referencia el valor que tengan esas mercancías en el lugar y en el momento de la entrega. El **valor de las mercancías** se determina en función de su cotización en la bolsa de dichos productos o bienes o, en su defecto, de su precio de mercado o, en defecto de ambos, por referencia al valor usual de mercancías de esa misma clase y calidad en el lugar de la entrega.

El Convenio aumenta los **límites** de responsabilidad del porteador por los perjuicios resultantes de la pérdida o daño de la mercancía (Convenio Rotterdam 11-12-2008 art.59 a 61):

a) Con carácter general, la responsabilidad del porteador por el incumplimiento de sus obligaciones está **limitada** a 875 unidades de cuenta por bulto u otra unidad de carga, o a 3 unidades de cuenta por kilogramo de peso bruto de las mercancías que sean objeto de reclamación o litigio, si esta última cantidad es mayor, salvo cuando el cargador haya declarado el valor de las mercancías y esa declaración se haya incluido en los datos del contrato, o cuando el porteador y el cargador hayan acordado un límite superior.

b) Cuando las mercancías sean transportadas en o sobre un **contenedor**, paleta u otro elemento de transporte análogo empleado para agruparlas, o en o sobre un vehículo, los bultos o unidades de carga enumerados en los datos del contrato como colocados en o sobre dicho elemento de transporte o vehículo serán considerados como tales. Si no figuran así enumeradas, las mercancías que vayan en o sobre dicho elemento de transporte o vehículo serán consideradas como una sola unidad de carga.

c) Cuando la pérdida o daño de las mercancías sea **imputable a retraso**, la indemnización está limitada a una cantidad equivalente a dos veces y media el flete que se deba por el transporte de las mercancías retrasadas.

7594 **Reclamaciones y acciones** (Convenio Rotterdam 11-12-2008 art.62 a 68) El Convenio de Rotterdam establece las siguientes reglas al respecto:

a. **Plazo** para el ejercicio de acciones. No se puede entablar procedimiento judicial o arbitral alguno respecto de reclamaciones o controversias derivadas del incumplimiento de obligaciones establecidas en el Convenio una vez transcurrido el plazo de 2 años. El plazo empieza a correr el día en que el porteador ha entregado las mercancías o, en el caso de que las mercancías no se hayan entregado o de que se entregue sólo una parte de las mismas, el último día en el que debiera haberse efectuado su entrega.

b. **Prórroga** del plazo para el ejercicio de acciones. El plazo establecido no es susceptible de interrupción ni suspensión, pero la persona contra la que se dirija una reclamación puede, en cualquier momento durante el curso de dicho plazo, prorrogarlo mediante una declaración dirigida al reclamante. Dicho plazo puede volver a ser prorrogado mediante una o más declaraciones equivalentes.

c. Acción de **repetición**. Toda persona declarada responsable puede ejercitar una acción de repetición después de expirado el plazo, siempre y cuando lo haga dentro del más largo de los plazos siguientes:

- el plazo otorgado por la ley del foro en el que se entable el procedimiento; o
- un plazo de 90 días contados desde la fecha en que la persona que ejercite la acción de repetición haya satisfecho la reclamación o haya sido emplazada respecto de la acción ejercitada contra ella, según lo que suceda primero.

d. **Jurisdicción**. El demandante tendrá derecho a entablar un procedimiento judicial contra el porteador:

• Ante un tribunal competente en cuya jurisdicción esté situado uno de los siguientes lugares:

- el domicilio del porteador;
- el lugar de la recepción de las mercancías acordado en el contrato de transporte;
- el lugar de la entrega de las mercancías acordado en el contrato de transporte; o
- el puerto donde las mercancías sean inicialmente cargadas en un buque, o el puerto donde las mercancías sean finalmente descargadas del buque.

• Ante el tribunal competente o uno de los tribunales competentes que el cargador y el porteador hayan designado de común acuerdo para decidir sobre las reclamaciones que puedan surgir contra el porteador en el marco del Convenio.

7596 Precisiones 1) Es válida la **cláusula de sumisión**, en el conocimiento de embarque, a la competencia de los tribunales de otros países. La competencia judicial internacional, cuando está en juego un litigio con elemento extranjero domiciliado en otro Estado miembro de la Unión Europea, está regulada, con carácter general, por el Rgto CE/44/2001, relativo a la competencia judicial, el reconocimiento y la ejecución de resoluciones judiciales en materia civil y mercantil (AP Madrid auto 21-12-12, EDJ 318272).

2) La materia de transporte está atribuida, en general, a conocimiento de los **juzgados de mercantil** (LOPJ art.86 ter.2.b), aunque sólo se discuta el contenido concreto de las facturas emitidas y el concreto obligado a satisfacer su importe (AP Valencia 23-7-12, EDJ 254382).
3) La **legitimación pasiva** corresponde al transportista marítimo, aunque el siniestro tenga lugar en las operaciones intraportuarias, cuando se realizaba el transporte por carretera (TS 17-2-10, EDJ 11507).

IV. Transporte marítimo internacional de viajeros

En lo que se refiere al transporte internacional de pasajeros por vía marítima, resulta de aplicación el **Convenio de Atenas** de 13-12-1974 relativo al transporte de pasajeros y sus equipajes (instr. ratificación 22-9-1981; BOE 6-5-87), modificado por el Protocolo de 19-11-1976 (instr. ratificación 22-9-1981; BOE 9-10-90) y por el Protocolo de 1-11-2002, aunque tanto la UE como sus Estados miembros están en fase de decidir acerca de la adhesión a dicho Protocolo, o de su ratificación. En todo caso, las disposiciones del Convenio, según el Protocolo de 2002 han sido incorporadas al Rgto CE/392/2009, sobre la responsabilidad de los transportistas de pasajeros por mar en caso de accidente, y deben ser aplicables a más tardar el 31-12-2012 (DOUE 20-3-08). **7600**
En los números que siguen exponemos los rasgos principales del **sistema de responsabilidad** establecido en el Convenio citado.

Precisiones En el **ámbito europeo** hay que tener en cuenta:
- el Rgto CE/392/2009, sobre la responsabilidad de los transportistas de pasajeros por mar en caso de accidente; y
- el Rgto UE/1177/2010, sobre los derechos de los pasajeros que viajan por mar y por vías navegables (aplicable desde el 18-12-12).
Las reglas más destacadas de estos Reglamentos comunitarios se exponen al tratar el **transporte marítimo interior** de pasajeros (nº 7487 s.)

Sistema de responsabilidad (Convenio 13-12-1974 art.3) La responsabilidad del transportista se extiende solamente a las pérdidas originadas por **sucesos acaecidos durante el transporte.** **7602**
La **carga de la prueba** de que el suceso causante de las pérdidas ocurrió durante el transporte, y de la magnitud de las pérdidas, recae en el demandante.

Precisiones Resulta **nula y sin efecto** toda estipulación contractual que, convenida antes de ocurrir el hecho causante de la muerte o lesión de un pasajero o de la pérdida o daños sufridos por el equipaje del pasajero, tenga por objeto eximir a cualquier persona responsable de su responsabilidad con respecto al pasajero o establecer un límite de responsabilidad inferior al fijado por el Convenio, y cualquier estipulación cuyo objeto sea desplazar la carga de la prueba que recae en el transportista o en el transportista ejecutor, o limitar la posibilidad de elección de jurisdicción (Convenio Atenas 13-12-1974 art.17.1 y 2). No obstante, la nulidad de tales estipulaciones no deja sin efecto el propio contrato de transporte, que seguirá sujeto a las disposiciones del Convenio (Convenio Atenas 13-12-1974 art.18).

Responsabilidad por muerte o lesiones de un pasajero (Convenio 13-12-1974 art.3.1 y 2) **7604**
El transportista es responsable de las pérdidas originadas por la muerte o las lesiones de un pasajero causadas por un **suceso relacionado con la navegación**, en la medida en que tales pérdidas no excedan de 250.000 unidades de cuenta por dicho pasajero en cada caso concreto.
No obstante, **no es responsable**, cuando demuestre que el suceso:
- resultó de un acto de guerra, hostilidades, guerra civil, insurrección o un fenómeno natural de carácter excepcional, inevitable e irresistible; o
- fue totalmente causado por una acción u omisión intencionada de un tercero para causarlo.
Si tales pérdidas exceden de ese límite, y en la medida en que lo hagan, el transportista es también responsable, a menos que demuestre que el suceso que originó las pérdidas no es imputable a su culpa o negligencia.
El transportista es responsable de las pérdidas originadas por la muerte o las lesiones de un pasajero causadas por un **suceso no relacionado con la navegación**, solo si el suceso que originó la pérdida es imputable a la culpa o negligencia del transportista.
La **carga de la prueba** de tal culpa o negligencia recae en el demandante.

Precisiones A efectos de este precepto, se entiende por «**suceso relacionado con la navegación**» el naufragio, zozobra, abordaje, varada, explosión, incendio o deficiencia del buque (Convenio 13-12-1974 art.3.5).

7606 **Responsabilidad por pérdida o daños sufridos por el equipaje** (Convenio 13-12-1974 art.3.3 y 4, 15) El transportista es responsable de las pérdidas originadas por la pérdida o daños sufridos por el **equipaje que no sea de camarote**, a menos que demuestre que el suceso que originó las pérdidas no es imputable a su culpa o negligencia.
En cambio, con respecto a las pérdidas originadas por la pérdida o daños sufridos por el **equipaje de camarote**, el transportista solo es responsable si el suceso que originó las pérdidas es imputable a su culpa o negligencia.
Se presume la culpa o negligencia del transportista cuando las pérdidas hayan sido resultado de un **suceso relacionado con la navegación**.
Para poder exigir responsabilidad al transportista, el pasajero está **obligado a notificar** por escrito al transportista o a su agente:
• El **daño visible** sufrido por el equipaje, debiendo dar tal notificación en los siguientes plazos:
- respecto del equipaje de camarote, antes de desembarcar o cuando esté desembarcando el pasajero;
- respecto de otro equipaje, antes de que este sea devuelto o al tiempo de que esto ocurra.
• El **daño no visible** o pérdida sufridos por el equipaje, debiendo dar la notificación dentro de los 15 días siguientes a la fecha de desembarco o de devolución, o a la fecha en que la devolución debería haber sido efectuada.
Si el pasajero **no notifica la pérdida o el daño** se entenderá, salvo prueba en contrario, que ha recibido su equipaje en buen estado.
La notificación por escrito **no es necesaria** si en el momento de ser recibido el equipaje este fue examinado conjuntamente por las dos partes interesadas para determinar su estado.

7608 **Exoneración de responsabilidad** (Convenio 13-12-1974 art.5 y 6) El transportista no incurre en responsabilidad respecto de la pérdida o daños sufridos por dinero, efectos negociables, oro, plata, joyería, ornamentos, obras de arte u otros **objetos de valor**, a menos que tales objetos hayan sido entregados al transportista y este los haya aceptado para custodiarlos. En tal caso es responsable hasta el límite de 3.375 unidades de cuenta por pasajero y transporte (Convenio 13-12-1974 art.8.3).
Si el transportista demuestra que la culpa o **negligencia del pasajero** han sido la causa de la muerte de este o de sus lesiones, o de la pérdida o daños sufridos por su equipaje, o que dicha culpa o negligencia han contribuido a ello, el tribunal que entienda en el asunto puede, conforme a las disposiciones de sus propias leyes, eximir al transportista o atenuar su responsabilidad.

7610 **Límite de responsabilidad** (Convenio 13-12-1974 art.7, 8, 10, 12, 13 y 18) La responsabilidad del transportista por la **muerte o lesiones de un pasajero** no puede exceder en ningún caso de 400.000 unidades de cuenta por pasajero en cada caso concreto.
Si, conforme a la ley del tribunal que entienda en el asunto, se adjudica una **indemnización en forma de renta**, el importe del capital constitutivo de la renta no puede exceder de dicho límite.
Los Estados partes pueden fijar el límite de responsabilidad mediante disposiciones específicas de su legislación nacional, siempre que el límite nacional de responsabilidad, de haberlo, no sea inferior al prescrito.

7612 En el caso de **pérdida o daños sufridos por el equipaje**, se establecen los siguientes límites:
• La responsabilidad del transportista por la pérdida o daños sufridos por el **equipaje de camarote** no puede exceder en ningún caso de 2.250 unidades de cuenta por pasajero y transporte.
• La responsabilidad del transportista por la pérdida o daños sufridos por **vehículos**, incluidos los equipajes transportados en el interior de estos o sobre ellos, no puede exceder en ningún caso de 12.700 unidades de cuenta por vehículo y transporte.
• La responsabilidad del transportista por la pérdida o daños sufridos por **otros equipajes** que no sean los mencionados no puede exceder en ningún caso de 3.375 unidades de cuenta por pasajero y transporte.
El transportista y el pasajero pueden acordar que la responsabilidad del transportista esté sujeta a una **franquicia** deducible no superior a 330 unidades de cuenta en caso de daños sufridos por un vehículo, y no superior a 149 unidades de cuenta por pasajero en caso de pérdida o daños sufridos por otros artículos de equipaje. Esta suma será deducida del importe a que asciendan la pérdida o daños sufridos.

El transportista no puede acogerse al beneficio de los límites de responsabilidad, si se demuestra que los daños fueron consecuencia de un acto o de una omisión del transportista, obrando este con la **intención de causar esos daños** o temerariamente y a sabiendas de que probablemente causaría tales daños. 7614
Cuando proceda aplicar los límites de responsabilidad, dichos límites rigen para el **total de las sumas exigibles** respecto de todas las reclamaciones originadas por la muerte o las lesiones de un pasajero o por la pérdida o daños sufridos por su equipaje.
Ha de tenerse en cuenta además que el transportista y el pasajero pueden acordar, de forma expresa y por escrito, **límites de responsabilidad más elevados** que los señalados.

Reclamaciones (Convenio 13-12-1974 art.15) Si se trata de **daños o pérdidas visibles,** el pasajero debe notificar por escrito al transportista o a su agente en los siguientes plazos: 7616
- respecto del **equipaje de camarote,** antes de desembarcar o cuando esté desembarcado el pasajero;
- respecto a **otro tipo de equipaje,** antes de que éste sea devuelto o al tiempo de que esto ocurra.

Cuando se trate de **daños o pérdidas no visibles,** la notificación debe realizarse dentro de los 15 días siguientes a la fecha de desembarco o de devolución, o a la fecha en que la devolución debería haber sido efectuada.
La **notificación** se debe realizar por escrito, salvo, si en el momento de ser recibido el equipaje, éste fue examinado por las dos partes para determinar su estado
Si el pasajero **no cumple las reglas** señaladas, se entiende, salvo prueba en contrario, que ha recibido su equipaje en buen estado.

Acciones (Convenio 13-12-1974 art.16) La acción de resarcimiento de daños y perjuicios debidos a la muerte o a lesiones personales de un pasajero o a la pérdida o daños sufridos por el equipaje, prescribe transcurrido un **plazo** de 2 años 7618
Este plazo empieza a contar:
- en caso de **lesión**, desde la fecha de desembarco del pasajero;
- en caso de **muerte** ocurrida durante el transporte, desde la fecha en que el pasajero debiera haber desembarcado.
- en caso de lesión sufrida durante el transporte, con **resultado de fallecimiento,** después de su desembarco, desde que tenga lugar éste, siempre que dicho fallecimiento haya tenido lugar antes de transcurrir 3 años de la fecha de desembarco;
- en caso de **pérdida o daños sufridos por el equipaje,** desde la fecha del desembarco o desde la fecha en que debería haberse efectuado el desembarco, si ésta es posterior.

El plazo de prescripción puede ser objeto de **prórroga,** previa declaración del transportista o por acuerdo concertado entre las partes, después de surgida la causa que haya motivado la acción. La declaración o el acuerdo han de hacerse por escrito.

Seguro obligatorio (Convenio 13-12-1974 art.4 bis) Cuando los pasajeros viajen a bordo de un buque matriculado en un Estado parte que esté autorizado a transportar **más de 12 pasajeros**, cualquier transportista que efectúe de hecho la totalidad o parte del transporte ha de mantener un seguro u otra garantía financiera, tal como una garantía bancaria o de entidad financiera similar, que cubra su responsabilidad en virtud del Convenio con respecto a la muerte y lesiones de los pasajeros. 7620
El **límite** del seguro obligatorio u otra garantía financiera no puede ser inferior a 250.000 unidades de cuenta por pasajero en cada caso concreto.

Precisiones La obligación de cobertura de la responsabilidad mediante un seguro y otra garantía financiera se incorpora al **Derecho europeo** en los mismos términos que en el Convenio mediante Rgto CE/392/2009 (ver nº 7507).

SECCIÓN 5

Contrato de transporte sucesivo, combinado y multimodal

7627 El **transporte combinado** es aquel que, configurándose en un solo contrato con el cargador, se realiza materialmente, de forma sucesiva por varios porteadores que pertenecen además a distintos modos de transporte -carretera, ferrocarril, aéreo, marítimo...- (nº 7670).
Cuando, aun existiendo un único contrato con el cargador, el transporte se realiza por porteadores que pertenecen al mismo modo de transporte, no se trata de transporte combinado, sino de **transporte sucesivo** (nº 7635).
Dentro del transporte combinado cabe hacer una subclasificación, según las operaciones de trasbordo de la mercancía entre los distintos modos se realicen o no con ruptura de carga. En el supuesto de que el trasbordo se realice sin ruptura de la carga (p.e. mediante la utilización de un contenedor) nos encontramos ante el denominado **transporte multimodal** (nº 7680).

7629 En los números siguientes se exponen las **normas, nacionales e internacionales,** que se refieren expresamente a estos tipos de transportes.
Ha de tenerse en cuenta que, además de los supuestos que exponemos, es posible la existencia de **otros supuestos no tipificados,** como son el transporte sucesivo marítimo internacional, el transporte sucesivo por ferrocarril, el transporte multimodal interior... Ante tales casos, será el tribunal que conozca del conflicto el encargado de delimitar la ley aplicable y, ante todo, de distinguir si se trata de un supuesto de transporte sucesivo, combinado o multimodal, o bien si se trata de una **pluralidad de contratos de transporte,** debiendo aplicar entonces a cada contrato su normativa propia.

A. Transporte sucesivo

7637 Ya hemos comentado que el transporte sucesivo es aquel que, estando documentado en un único contrato con el cargador, se realiza por porteadores distintos pero que pertenecen al **mismo modo de transporte**. Es por ello que estructuramos nuestra exposición según el modo de transporte empleado y el ámbito territorial del transporte.

7639 **Transporte interior por carretera** (L 15/2009 art.64 a 66) El transporte sucesivo por carretera es el que, estando documentado en un solo contrato, se realiza materialmente por **diversos porteadores**, pero todos ellos pertenecientes al modo de transporte por carretera. Es interior cuando el punto de origen y el de destino están dentro del territorio nacional.
Salvo pacto expreso en contra, se considera que hay contrato de transporte sucesivo cuando el cargador contrate con un porteador y en la ejecución del transporte intervengan otros porteadores identificados por el mismo nombre comercial en virtud de una **relación de franquicia**, ya se trate del franquiciador o de otras empresas franquiciadas (OM FOM/1882/2012 condición 11.1).
Cuando diversos porteadores se obliguen simultáneamente, en virtud de un único contrato documentado en una sola carta de porte, a ejecutar sucesivos trayectos parciales de un mismo transporte, todos ellos responderán de la **ejecución íntegra** de éste, de acuerdo con las disposiciones de la carta de porte.
El segundo y los subsiguientes porteadores quedarán obligados en tales términos a partir del momento en que el porteador precedente les haga entrega material de las mercancías y de la carta de porte, en la que deberá haberse hecho constar su nombre y domicilio, y hayan

entregado a aquél un recibo firmado y fechado en el que conste su aceptación de ambas. Cuando el porteador que reciba las mercancías de otro precedente considere necesario formular alguna **reserva**, deberá hacerla constar en el segundo ejemplar de la carta de porte, así como en el recibo en que conste su aceptación.

Precisiones La OM FOM/1882/2012, por la que se aprueban las **condiciones generales de contratación** de los transportes de mercancías por carretera regula en algunos de sus artículos el contrato de transporte con porteadores sucesivos (OM FOM/1882/2012 condición 11).

Ejercicio de reclamaciones (L 15/2009 art.65 y 66) Las acciones derivadas del contrato únicamente podrán dirigirse contra el primer porteador, contra el último o contra el que haya ejecutado la parte del transporte en cuyo curso se ha producido el hecho en que se fundamenta la acción. Este **derecho de opción** se extinguirá desde el momento en que el demandante ejercite su acción contra uno de ellos. **7641**

La acción puede interponerse **contra varios porteadores** a la vez.

El porteador que se haya visto obligado a pagar una indemnización tiene **derecho a repetir** por el principal, intereses y gastos contra el resto de los porteadores que hayan participado en la ejecución del contrato.

La **acción de repetición** entre porteadores sucesivos se realiza conforme a las siguientes reglas (OM FOM/1882/2012 condición 11.3): **7643**

a) Cuando el hecho causante del daño sea **imputable a un único porteador**, éste ha de soportar el coste total de la indemnización.

b) Cuando el hecho causante del daño sea **imputable a varios porteadores**, cada uno de ellos debe soportar una parte del coste de la indemnización proporcional a su cuota de responsabilidad; si no cabe valorar dicha responsabilidad, el coste se repartirá en proporción al precio que a cada uno corresponda por el transporte.

c) Si **no se puede determinar** quiénes son los porteadores responsables, el coste de la indemnización se ha de repartir entre todos los que hayan intervenido en el transporte de forma proporcional al precio que corresponda por éste.

d) Si uno de los porteadores, obligado a asumir total o parcialmente el coste de la indemnización, es **insolvente**, la parte que le corresponda y que no haya sido pagada se reparte entre los demás obligados, en proporción a su participación en el precio del transporte.

El porteador contra el que se ejercite el derecho de repetición no puede formular **protesta** o promover discusión por el hecho de que el porteador contra el que se presentó la reclamación haya pagado la indemnización cuando ésta hubiera sido fijada por decisión judicial o arbitral y se le hubiera informado debidamente del proceso y de su derecho a intervenir en el mismo.

Hay que distinguir el transporte sucesivo del **transporte unitario con subtransporte**, por el que un solo transportista asume contractualmente la obligación de transporte -porteador contractual-, si bien no será él ni sus auxiliares quien lo realice en su integridad, sino que subcontrata con distintos transportistas independientes que se encargarán del traslado de todos o algunos de los diferentes tramos -porteador efectivo-. En este caso, el porteador contractual responderá frente al cargador de la realización íntegra del transporte, aun cuando no la lleve a cabo por sí mismo en todo o en parte. Por otro lado, el porteador contractual queda obligado frente al porteador efectivo como cargador (L 15/2009 art.6). **7645**

Transporte internacional por carretera

El transporte sucesivo por carretera es de ámbito internacional cuando el punto de origen y el de destino están en dos países distintos. El régimen normativo aplicable a este contrato es el derivado del Convenio de 19-5-1956 relativo al contrato de Transporte Internacional de Mercancías por Carretera -**CMR**-, modificado por Protocolo de 5-7-1978 (ver nº 6860 s.). **7647**

En dicha normativa se regulan las siguientes cuestiones en relación con este tipo de transporte.

Recibo de la mercancía y reservas (CMR art.34 y 35) El segundo transportista y cada uno de los siguientes se obligan por la mera **aceptación de la mercancía** y de la carta de porte. **7649**

El transportista que acepte la mercancía de otro transportista precedente, debe entregar a éste un **recibo** firmado y fechado. Su nombre y domicilio deben constar en la carta de porte.

Las **reservas** se rigen por las reglas del Convenio aplicables al transporte internacional por carretera (nº 6889). Cuando proceda realizar reservas, éstas se deben hacer constar en el segundo ejemplar de la carta de porte, así como en el recibo.

En lo que se refiere a las **relaciones entre los transportistas** sucesivos son también aplicables las disposiciones del Convenio relativas a las reservas (nº 6889).

7651 **Sistema de responsabilidad** (CMR art.34) En el transporte que, estando sometido a un solo contrato, sea ejecutado por sucesivos transportistas por carretera, cada uno de éstos asume la responsabilidad por la ejecución del **transporte total** (a menos de que se trate de una demanda reconvencional o de una excepción formulada en una instancia relativa a una demanda basada en el mismo contrato de transporte).
No obstante, la acción de responsabilidad por **pérdida, avería o retraso** sólo puede ser dirigida, alternativa o conjuntamente contra alguno de los siguientes:
- el primer transportista;
- el último; o
- aquel que ejecutó la parte del transporte en cuyo curso se produjo el hecho que dio lugar a la pérdida, mora o avería.

Precisiones El art.37 CMR, dentro del Capítulo VI (Disposiciones relativas al transporte efectuado por transportistas sucesivos) reconoce al transportista que haya pagado una indemnización en virtud de las disposiciones del Convenio el derecho a repetir el principal, intereses y gastos de los transportistas que hayan participado en la ejecución del contrato de transporte y aunque esta norma se refiere al supuesto de «transporte sucesivo», la doctrina comparte su aplicación también al **subtransporte**, dada la ratio de la norma, que no es otra que permitir al porteador que paga sin haber causado el daño exigir la responsabilidad al subporteador, causante material de la conducta dolosa o negligente que ha dado lugar a la indemnización que ha soportado previamente el porteador. Debe admitirse por tanto, que el asegurador del porteador puede subrogarse en esta acción del porteador contra el subporteador (AP Barcelona 13-4-18, EDJ 48862, con cita de TS 19-11-13 y 17-12-14).
2) Responde cada **transportista codemandado**, en cuanto trae causa del anterior (TS 29-6-98, EDJ 11367).

7653 **Derecho de repetición** (CMR art.37 a 39) El transportista que haya pagado una indemnización, en virtud de las disposiciones del Convenio, tiene el derecho a repetir por el **principal, intereses y gastos** contra los transportistas que hayan participado en la ejecución del contrato de transporte, de acuerdo con las disposiciones siguientes:
- El **transportista a quien sea imputable el daño** ha de soportar él solo la indemnización, ya la haya pagado él, ya la haya pagado otro transportista.
- Cuando el hecho causante del daño sea **imputable a dos o varios transportistas,** cada uno debe pagar una suma proporcional a su parte de responsabilidad. Si no cabe la posibilidad de valorar dicha proporción, cada uno debe pagar una suma proporcional al precio que cobró por el transporte.
- Si **no se puede determinar** quiénes son los responsables, la carga de indemnizar se debe repartir entre todos los transportistas en proporción al precio que cobró cada uno.
- Si **uno de los transportistas es insolvente,** la parte que le corresponde y que no haya sido pagada se reparte entre los demás transportistas en proporción al precio que cobró cada uno.
- El transportista contra el que se utilice el derecho de repetición no puede promover discusión sobre la **validez del pago** efectuado por el transportista que ejerce el derecho de repetición contra él, siempre que:
- la indemnización haya sido fijada por decisión judicial;
- dicho transportista haya sido debidamente informado del proceso;
- dicho transportista haya podido intervenir en el mismo.

7655 **Acciones** (CMR art.32) Las acciones a las que pueda dar lugar el transporte prescriben en el **plazo** de un año. Sin embargo, en caso de dolo o de falta equivalente a dolo, según la Ley de la jurisdicción escogida, la prescripción es de tres años.
La prescripción comienza a contarse a partir del día en que se haya dictado una **sentencia definitiva** que fije la indemnización a pagar, en virtud de las disposiciones del presente Convenio, o bien, si no existe tal fallo, a partir del día en que se efectuó el pago.

7657 **Transporte aéreo interior** (LNA art.111) El transporte aéreo sucesivo es aquel en el que, utilizándose un solo contrato e interviniendo diversos porteadores, el modo de transporte utilizado es solamente aéreo. Es de ámbito interior o nacional cuando tiene origen y destino en dos puntos situados en territorio nacional.
Se rige por la LNA, que al respecto únicamente establece que el transporte combinado entre varias empresas de navegación aérea las constituye en **responsables solidarias**. En consecuencia, el expedidor o destinatario puede elegir, para la reclamación correspondiente, a cualquiera de las que han tomado parte en el transporte.

Transporte aéreo internacional El transporte aéreo sucesivo es de ámbito internacional cuando sus puntos de origen y de destino estén situados en territorios de países diferentes. 7659

Este contrato se rige por las disposiciones del **Convenio de Varsovia** de 12-10-1929 para la Unificación de ciertas Reglas relativas al Transporte Aéreo Internacional y sus Protocolos modificadores (ver nº 7320 s.).

Para la aplicación de este Convenio, el transporte que haya de ejecutarse por varios porteadores por vía aérea, de forma sucesiva, se considera como **transporte único** cuando haya sido considerado por las partes como una sola operación, tanto si ha sido ultimado por medio de un solo contrato como por una serie de contratos. No pierde su **carácter internacional** por el hecho de que un solo contrato o una serie de ellos deban ejecutarse íntegramente dentro de un territorio reducido a la soberanía, jurisdicción, mandato o autoridad de un solo Estado (Convenio 12-10-1929 art.1.3).

Cada porteador que acepte viajeros, equipajes o mercancías ha de someterse a las reglas establecidas por este Convenio y se considerará como una de las **partes contratantes** del contrato de transporte, con tal de que dicho contrato haga referencia a la parte del transporte efectuado bajo su control (Convenio 12-10-1929 art.30).

Sistema de responsabilidad (Convenio 12-10-1929 art.30) Hemos de distinguir según se trate de transporte de mercancías o de equipajes o bien de transporte de viajeros. 7661

a) En el caso de transporte de **mercancías o equipajes,** el expedidor puede dirigirse contra el primer porteador y el destinatario, que tenga derecho a la entrega, contra el último. Uno y otro pueden además proceder contra el porteador que hubiese efectuado el transporte en el curso del cual se hayan producido la destrucción, pérdida, avería o retraso. Dichos porteadores son solidariamente responsables ante el expedidor y el destinatario.

b) En el caso de transporte de **viajeros,** el viajero o sus causahabientes pueden dirigirse únicamente contra el porteador que haya efectuado el transporte en el curso del cual se haya producido el accidente o el retraso, salvo en el caso en que, por estipulación expresa, el primer porteador haya asegurado la responsabilidad para todo el viaje.

Transporte marítimo interior El transporte sucesivo por vía marítima es aquel en el que toman parte diversos porteadores de forma sucesiva, pero siempre dentro del modo de transporte marítimo. Es de ámbito interior o nacional cuando sus puntos de origen y destino están situados dentro de territorio nacional. 7663

Baste decir al respecto que resulta de aplicación a este tipo de transporte el **principio de solidaridad** de los porteadores; si bien hay que interpretar si la relación contractual lo es como contrato autónomo o como parte de un contrato combinado (ver TS 3-4-98, EDJ 2118).

B. Transporte combinado

Como el transporte sucesivo, el transporte combinado, propiamente dicho, se documenta en un solo contrato con el cargador y se realiza materialmente de forma sucesiva por varios porteadores. A diferencia de aquel, en el transporte combinado el transporte se articula mediante la combinación de **diversos modos de transporte** (carretera, ferrocarril, aéreo, marítimo...). 7670

Ya hemos comentado que se distingue según que las operaciones de trasbordo de la mercancía entre los distintos modos se realicen o no con **ruptura de carga,** hablando en el segundo caso de transporte multimodal, que es objeto de estudio en el siguiente apartado (nº 7680).

Precisiones **1)** No siempre que exista una **concatenación de contratos** de transporte determina la modalidad de transporte combinado, sino la existencia de varios contratos distintos (TS 3-4-98, EDJ 2118).

2) De la interpretación del contrato de transporte **combinado** litigioso la sentencia de la Audiencia concluye que «los daños producidos en la máquina transportada, cuyo valor es objeto de reclamación, se produjeron en la fase de **transporte terrestre**, como consecuencia de un accidente ocurrido en la carretera, accidente que bien por impericia del conductor bien por interferencia de un tercero se incluye dentro del ámbito propio del contrato de transporte suscrito, y en modo alguno en el ámbito de la responsabilidad extracontractual». Partiendo de este hecho acreditado, y de la interpretación del contrato, como contrato de transporte **multimodal**, la consecuencia es la aplicación al mismo de la normativa que lo regula, esto es, de un lado el CCom, y de otro lado, la Ley de Ordenación del Transporte Terrestre que complementa al anterior (TS 16-2-10, EDJ 11727).

3) En caso de que no se pueda individualizar el grado de contribución en los daños causados en el transporte (en este caso pérdida de la mercancía transportada), todos los intervinientes en el transporte **responden** de forma **solidaria** (TS 31-7-96, EDJ 6975).

7672 En lo que se refiere al **transporte interior,** es aplicable la regulación del transporte terrestre de mercancías a la parte o partes del transporte que se realicen por carretera o ferrocarril, en los términos previstos para el transporte sucesivo (nº 7639).

Precisiones En relación con un transporte entre Sevilla y Canarias, con tres **tramos**, carretera entre Sevilla y Madrid, aéreo entre Madrid y Tenerife y carretera entre el aeropuerto de Tenerife y el destino final, se demanda a la empresa que se encarga de la realización del transporte por carretera final (aeropuerto de Tenerife y destino final) y a su compañía de seguros. La demanda pretende que la indemnización comprenda los gastos de transporte de los otros dos tramos, el primero por carretera y el aéreo. La sentencia declara que no ha lugar la pretensión porque no nos encontramos por lo tanto ni ante un transporte sucesivo ni ante un transporte multimodal, que requerirían un solo contrato (AP Madrid 23-11-18, EDJ 716587).

7674 En cuanto al **transporte internacional,** pueden destacarse las siguientes normas:
a) Cuando, realizándose el **transporte por carretera,** el vehículo que contiene la mercancía sea transportado por mar, ferrocarril, vía navegable interior o aire en una parte de su recorrido, sin ruptura de carga, se aplica el CMR al conjunto del transporte (CMR art.2). Sin embargo, la **responsabilidad** del transportista por carretera no se determina según el CMR cuando se pruebe que la pérdida, avería o demora en la entrega de la mercancía:
- ha sobrevenido durante el transporte no realizado por carretera;
- no ha sido causada por algún acto u omisión del transportista por carretera;
- ha sido causada por un hecho que no ha podido producirse más que durante y por razón del transporte no realizado por carretera.

En ese caso, la responsabilidad se determina según las disposiciones que determinen la responsabilidad del transportista que no efectúa el transporte por carretera, en el contrato de transporte concluido entre el remitente y dicho transportista. No obstante, si tales disposiciones no existen, la responsabilidad del transportista por carretera se determina por el CMR (CMR art.2).

7676 **b)** La normativa sobre **transporte aéreo** internacional establece que, en el caso de transportes combinados efectuados en parte por vía aérea y en parte por cualquier otro medio de transporte, las estipulaciones del Convenio de Varsovia de 12-10-1929 se aplican únicamente al transporte aéreo y siempre que éste responda a las condiciones de dicho Convenio (Convenio 12-10-1929 art.31).
c) En materia de **verificación de la masa bruta de los contenedores** en el ámbito del **transporte marítimo** se ha dictado la Res 15-6-16 de la Dirección General de la Marina Mercante, que se aplica a todos los contenedores que se rigen por el Convenio Internacional sobre la Seguridad de los Contenedores de 1972 (Convenio CSC) y que hayan de **estibarse a bordo de un buque** sujeto al Convenio Internacional para la Seguridad de la Vida Humana en el Mar de 1974 (Convenio SOLAS), Cap.VI sobre Transporte de cargas y combustible líquido. Las prescripciones de esta Resolución no se aplican a los contenedores que hayan de estibarse a bordo de un buque para efectuar un viaje que discurra enteramente entre puertos nacionales.

La responsabilidad de obtener, documentar y transmitir la masa bruta verificada de un contenedor lleno, sujeto al ámbito de aplicación de la presente resolución corresponde al **expedidor**, entendiéndose por tal la persona física o jurídica mencionada en el conocimiento de embarque o en la carta de porte marítimo o documento de **transporte multimodal** equivalente (por ejemplo, un conocimiento de embarque «directo») como expedidor y/o la persona que haya concertado (o en cuyo nombre o por cuenta de la cual se haya concertado) un contrato de transporte de mercancías con una compañía naviera.

El **procedimiento** de verificación es el siguiente:
- Los contenedores llenos de bultos y elementos de la carga **no se embarcarán en un buque** que se rija por las reglas del Convenio SOLAS a menos que el Capitán o su representante y el representante de la terminal hayan obtenido, antes de su embarque en el buque, la masa bruta real verificada del contenedor.
- El expedidor deberá **verificar**, preferentemente antes de que el contenedor se entregue en la instalación de una terminal marítima de mercancías, **la masa bruta** de un contenedor lleno, de conformidad con alguno de los métodos previstos en la Resolución.
- En los supuestos en que el contenedor llegue a la terminal sin que el expedidor haya proporcionado la masa bruta verificada, el contenedor podrá ser admitido en la terminal marítima de mercancías, pero en ningún caso dicha terminal procederá a su embarque en el buque hasta que se haya obtenido su masa bruta verificada.
- El expedidor deberá **documentar** su masa bruta verificada. Este documento podrá incluirse entre las instrucciones de transporte dadas a la compañía naviera, en la documentación de transporte multimodal o constituir un documento aparte. Cualquiera que sea su forma, el documento en el que se declare la masa bruta verificada del contenedor lleno deberá estar firmado por la persona física o jurídica que haya sido debidamente autorizada por el expedidor. La firma de dicho documento podrá ser electrónica o podrá sustituirse por el nombre, en letras mayúsculas, de la persona autorizada a firmarlo.

C. Transporte multimodal

 7680

El transporte multimodal es el que se efectúa, al menos, por dos modos diversos de transporte, en virtud de un contrato de transporte multimodal, desde un lugar situado en un país en que el operador de transporte multimodal toma las mercancías bajo su custodia hasta otro lugar designado para la entrega situado en un país diferente. Como ya hemos comentado, este tipo de transporte se caracteriza además porque las operaciones de trasbordo de la mercancía entre los distintos modos se realizan **sin ruptura de carga**. 7682

1. Transporte interior

(L 15/2009 art.67 a 70)

Se denomina multimodal el contrato de transporte celebrado por el cargador y el porteador para trasladar mercancías por **más de un modo de transporte**, siendo uno de ellos terrestre, con independencia del número de porteadores que intervengan en su ejecución. 7685
El contrato de transporte multimodal se rige por la normativa propia de cada modo, como si el porteador y el cargador hubieran celebrado un contrato de transporte diferente para cada fase del trayecto.

Sistema de responsabilidad (L 15/2009 art.68 y 69) La protesta por **pérdidas, averías o retraso**, se regirá por las normas aplicables al modo de transporte en que se realice o deba realizarse la entrega. Cuando no pueda determinarse la fase del trayecto en que sobrevinieron los daños, la responsabilidad del porteador se decidirá con arreglo a lo establecido en la Ley. 7687
Se establecen, no obstante, algunas **reglas especiales** sobre responsabilidad. Así, se aplica el régimen de responsabilidad del porteador correspondiente a aquel modo de transporte de entre los contratados que resulte más beneficioso para el perjudicado cuando:
• Se haya pactado la realización del transporte por dos o más modos determinados y se utilice en la operación sólo uno de ellos o bien otro u otros **diferentes a los acordados**.
• Se haya contratado un transporte terrestre y se realice por otro u otros modos diferentes.
En los casos en que el contrato no especifique el modo de transporte y éste se ejecute por vía terrestre, se aplicarán las normas correspondientes a dicho modo. Cuando en idéntico supuesto el transporte se realice por diversos modos, siendo uno de ellos terrestre, se aplicarán las normas establecidas en la L 15/2009.

Contrato de transporte con superposición de modos (L 15/2009 art.70) Las normas sobre responsabilidad se aplicarán al conjunto del transporte, aunque durante su ejecución el vehículo de transporte por carretera, el remolque o el semirremolque sean **transportados por un modo distinto**, siempre que las mercancías no hayan sido transbordadas. 7689
No obstante, cuando la pérdida, la avería o el retraso se produzcan durante una **fase del transporte distinta de la carretera**, por hechos que sólo han podido darse con ocasión del transporte a través de ese otro modo, y que no han sido debidas a un acto u omisión del porteador por carretera, la responsabilidad de este último se regirá por las reglas imperativas aplicables al modo de transporte en que se haya producido el daño.

2. Transporte internacional

En el ámbito internacional, el transporte multimodal se regula por el **Convenio de Ginebra** de 24-5-1980 sobre Transporte Multimodal Internacional de Mercancías, que no ha sido ratificado por nuestro país, pero cuya aplicación es generalizada, habida cuenta de que se trata de la única norma relativa a este tipo de transporte. 7695
El Convenio 24-5-1980 es **compatible** con cualquier otro convenio internacional o ley nacional sobre la materia.
Son **requisitos para la aplicación** del Convenio los siguientes:
- que se utilicen diversos medios de transporte;
- que se realice en virtud de un contrato de transporte multimodal;
- que intervenga un operador de transporte multimodal; y
- que los puntos de origen y destino radiquen en países distintos.

7697 **Intervinientes** En el contrato de transporte multimodal es precisa la intervención de las siguientes personas:

• **Operador de transporte multimodal**. Es quien, sin actuar como agente ni por cuenta del expedidor o de los porteadores, celebra el contrato de transporte multimodal internacional de mercancías, se compromete a ejecutar o hacer ejecutar dicho transporte y contrae la responsabilidad del cumplimiento del contrato.

• **Expedidor**. Es quien contrata con el operador y también quien efectivamente hace entrega de las mercancías al operador para el transporte. El expedidor puede actuar por sí o por medio de otra persona que lo haga en su nombre o por su cuenta.

• **Consignatario**. Es la persona autorizada para recibir las mercancías;

7699 **Documento de transporte multimodal** (Convenio 24-5-1980 art.5 a 13) El documento de transporte multimodal hace **prueba del contrato** de transporte multimodal, y acredita que el operador de transporte multimodal ha tomado las mercancías bajo su custodia y se ha comprometido a entregarlas de conformidad con las cláusulas de ese contrato.

Debe ser **librado y suscrito** por el operador (o persona autorizada al efecto) cuando tome las mercancías bajo su custodia. La **firma** del mismo puede ser manuscrita, impresa en facsímil, perforada, estampada, en símbolos o registrada por cualquier otro medio mecánico o electrónico, siempre que ello no sea incompatible con las leyes del país en que se emita el documento.

7701 Puede ser negociable o no negociable, a elección del expedidor:

• El documento de transporte multimodal **negociable** (del que pueden librarse varios originales y copias no negociables) puede ser emitido a la orden (en cuyo caso es transferible por endoso) o al portador. Su devolución es presupuesto necesario para obtener del operador la entrega de las mercancías.

• El documento de transporte multimodal **no negociable** debe ser nominativo y expedirse a favor del consignatario.

Se prevé la posibilidad de que, conviniendo en ello el expedidor, se emita un documento no negociable utilizando un **medio mecánico o de otra índole,** que se limite a dejar constancia de los datos exigidos. En tal caso, es precisa la entrega, por el operador al expedidor, de un documento legible complementario en el que figuren los datos así registrados, el cual debe ser considerado documento de transporte multimodal.

7703 **Reservas** El operador de transporte multimodal (o la persona que actúe por cuenta de éste), si sabe o tiene motivos razonables para sospechar que determinados datos, consignados en el documento de transporte multimodal, **no representan con exactitud** las mercancías que efectivamente ha tomado bajo su custodia, o carece de medios razonables para verificar esos datos, debe incluir en el documento una reserva en la que especifique las inexactitudes, los motivos de sospecha o la falta de medios.

La **no indicación** por el operador del estado aparente de las mercancías, en el documento de transporte multimodal, equivale a la declaración de que aquéllas se encontraban «en aparente buen estado».

7705 Sin perjuicio de las reservas, el documento de transporte multimodal entraña una **presunción,** salvo prueba en contrario, de que el operador ha tomado bajo su custodia las mercancías tal como aparecen descritas en el mismo. No obstante, si el documento emitido en forma negociable es transmitido a un tercero (noción que incluye al consignatario) y éste ha procedido de buena fe, en base a la descripción documental de las mercancías, dicha presunción no admite prueba en contrario.

El operador que incurra dolosamente en **falsedades u omisiones** al consignar determinados extremos relativos a las mercancías o al formular reservas en el documento de transporte multimodal, es responsable de cualquier pérdida, daño o gasto que sufra un tercero, incluido el consignatario, por haber actuado en base a la descripción documental de las mercancías. Si se trata de una **culpabilidad dolosa,** el operador no puede acogerse a las limitaciones de responsabilidad establecidas en el Convenio (nº 7715).

7707 **Responsabilidad por la exactitud de las menciones** Se considera que el expedidor garantiza al operador la exactitud de las menciones genéricas relativas a las mercancías (naturaleza, marcas, número, peso, cantidad), de tal modo que el **expedidor** debe resarcir al operador, sin perjuicio de la responsabilidad de éste respecto de cualquier otra persona, por los daños resultantes de la inexactitud o insuficiencia de aquellas menciones.

Otros documentos Al amparo de otros convenios internacionales o de leyes nacionales, pueden emitirse otros documentos referentes al transporte multimodal o a servicios prestados en el mismo. La eventual emisión de estos documentos no afecta a la **naturaleza jurídica** del documento de transporte multimodal en que se haya formalizado el contrato. 7709

Sistema de responsabilidad (Convenio 24-5-1980 art.14 a 21) La responsabilidad se fundamenta en el principio de la **presunción de culpa o negligencia del operador** (o de sus empleados, agentes o personas a su servicio). 7711

La responsabilidad se extiende temporalmente desde el momento en que operador toma las mercancías bajo su custodia hasta el momento en que las entrega.

Desde un punto de vista objetivo, se extiende a los daños y perjuicios resultantes de **pérdida o avería** en la mercancía, así como del **retraso** en la entrega.

El operador es responsable no sólo de su propia conducta, sino también de las acciones y omisiones de sus **empleados o agentes,** en el ejercicio de sus funciones, y de cualquier persona a cuyos servicios recurra para el cumplimiento del contrato de transporte multimodal.

Precisiones Aunque el transporte fue multimodal, los **daños** en la mercancía se produjeron en la **fase marítima**, por lo que son aplicables las reglas de responsabilidad del porteador de la LNM (TS 26-5-11, EDJ 99505; 28-9-20, EDJ 670455; 4-7-23, EDJ 616655).

Exoneración de responsabilidad El operador de transporte multimodal sólo es responsable en la medida en que el resultado lesivo pueda atribuirse a su culpa o negligencia. Ahora bien, la responsabilidad desaparece si el operador demuestra que, por él mismo o, en su caso, por sus empleados, agentes o personas a su servicio, se **adoptaron todas las medidas** que razonablemente podían exigirse para evitar el hecho causal y sus consecuencias; medidas que pueden identificarse como las que sería razonable exigir de un operador de transporte multimodal diligente. 7713

Limitación de responsabilidad Se establecen límites de responsabilidad para los supuestos de pérdida o avería de las mercancías, así como para los de retraso. 7715

a) En caso de **pérdida o avería,** la responsabilidad está limitada a una suma que no exceda de:

• 920 unidades de cuenta por bulto u otra unidad de carga transportada; ó

• 2,75 unidades de cuenta por kilogramo de peso bruto de las mercancías perdidas o averiadas.

En los mismos supuestos de pérdida o avería, si la operación no incluye el transporte de las mercancías por mar o por vías de navegación interior, el límite objetivo de la responsabilidad del operador se aumenta a una suma que no exceda de 8,33 unidades de cuenta por kilogramo de peso bruto de las mercancías perdidas o averiadas.

b) En caso de **retraso** en la entrega, la responsabilidad está limitada a una suma equivalente a dos veces y media el flete que deba pagarse por las mercancías que hayan sufrido retraso, pero no puede exceder de la cuantía total del flete que deba pagarse en virtud del contrato de transporte multimodal.

c) En el caso de concurrencia de **pérdida o avería y retraso,** la responsabilidad acumulada del operador no puede sobrepasar el límite correspondiente al de pérdida total de las mercancías.

Cuando en el documento de transporte multimodal se hayan pactado **límites de responsabilidad más elevados** o cuando la pérdida o la avería se han producido en una fase determinada del transporte multimodal respecto de la cual un convenio internacional o una ley nacional imponen límites superiores, se han de aplicar estos límites. 7717

Si se prueba que la pérdida, la avería o el retraso provienen de una **acción u omisión del operador,** sea con intención de causar tal pérdida, avería o retraso, sea temerariamente y a sabiendas de que probablemente sobrevendrían, los límites de responsabilidad son inoperantes y el operador de transporte multimodal no puede acogerse a ellos.

Aun cuando la pérdida, la avería o el retraso en la entrega se generen en el ámbito de la **responsabilidad extracontractual** o se deban a cualquier otra causa, los límites de la responsabilidad del operador son aplicables como si se tratara de responsabilidad contractual.

Precisiones **1)** La aplicabilidad del Convenio de Montreal depende de si el daño se produjo durante el transporte aéreo, esto es, si el daño bajo la custodia del **operador de handling** puede considerarse daño bajo la custodia del transportista aéreo. La respuesta es afirmativa a aéreo. En el caso enjuiciado, opera el límite del artículo 22.3 del Convenio de Montreal porque (i) no se realizó una declaración especial de valor de las mercancías y pagado una suma suplementaria, si hubiera lugar a ello (según prevé el propio artículo) y (ii) no se estipularon otros límites o se eliminaron en el contrato de transporte (art.25 CM), esto es, en la carta de porte aéreo (Eli Lilly & Co v Air Exp. Intern. USA 615 F3d 1305 (11th Cir 2010)).

2) La unidad de cuenta o **derecho especial de giro** (DEG) es una moneda creada por el Fondo Monetario Internacional (FMI), cuyo valor se obtiene mediante la combinación de la moneda de varios países miembros. En consecuencia, su valor fluctúa diariamente, dado que depende de la cotización de estas monedas. Se puede consultar su equivalencia en euros en la página web del Banco de España: www.bde.es.

7719 **Responsabilidad del expedidor** (Convenio 24-5-1980 art.22 y 23) El expedidor es responsable del daño o perjuicio sufrido por el operador a causa de **culpa o negligencia** del propio expedidor o de sus empleados o agentes en el ejercicio de sus funciones. De igual modo, los empleados o agentes del expedidor son responsables si el daño o perjuicio se debe a su culpa o negligencia.

7721 **Reclamaciones** (Convenio 24-5-1980 art.24 y 25) Deben distinguirse las reclamaciones del consignatario al operador y las que realice el operador al expedidor.

a) Reclamaciones **del consignatario al operador**. En caso de pérdida o avería, el consignatario dispone de los siguientes **plazos** para realizar la reclamación:

• Si la pérdida o la avería son **aparentes**, el consignatario debe dar aviso escrito al operador, a más tardar, el primer día laborable siguiente al de la fecha en que las mercancías hayan sido puestas en su poder.

• Si se trata de pérdida o avería **no aparentes**, el consignatario debe dar aviso escrito al operador dentro de los 6 días consecutivos siguientes al de la indicada fecha.

• En caso de **retraso** en la entrega, debe darse aviso por escrito al operador dentro de los 60 días consecutivos siguientes al de la fecha en que se haya efectuado la entrega (o la notificación de entrega) al consignatario, en legal forma.

Este aviso no es necesario cuando la pérdida o la avería han sido comprobadas, en **examen practicado conjuntamente** por las partes en el momento de la entrega. En otro caso, cuando falte este aviso, la puesta de las mercancías en poder del consignatario establece la presunción, salvo prueba en contrario, de que el operador ha entregado las mercancías tal como aparecen descritas en el documento de transporte multimodal.

7723 b) Reclamaciones **del operador al expedidor**. El operador debe dar aviso escrito al expedidor dentro del **plazo** de los 90 días consecutivos siguientes a la fecha en que se produjo la pérdida o la avería (o a la fecha de la entrega en legal forma).

Faltando este aviso, se presume, salvo prueba en contrario, que el operador nada tiene que reclamar en razón de pérdida o avería de las mercancías, causadas por culpa o negligencia del expedidor o de sus empleados o agentes.

Precisiones **Reclamación al transitario**. El caso es el siguiente: la transitaria se había obligado ante la cargadora, por virtud de un **único contrato**, a transportar las mercancías desde la fábrica de la cargadora hasta un punto de Inglaterra, siendo la carga entregada en el lugar de origen a la transitaria y transportada por ella al almacén de un tercero, en el que se hallaba depositada a la espera de ser trasladada a través de una empresa contratada por la transitaria a su destino final en Inglaterra. La mercancía fue sustraida de dicho depósito. La transitaria se negó a indemnizar la sustracción de la carga almacenada, alegando que su cobertura comienza a operar una vez entregada aquella al porteador, lo cual, a su entender, aún no había tenido lugar cuando la sustracción se llevó a cabo. El tribunal, por el contrario, consideró que dicha transitaria había quedado obligada, como organizadora de un transporte internacional (ya **multimodal**, ya **combinado**), a transportar la mercancía hasta Inglaterra desde la fábrica de la cargadora y, por lo tanto, ocupó frente a ésta la posición de **porteadora** (LOTT art.126.1.a -derogado por L 9/2013-).

7725 **Acciones** (Convenio 24-5-1980 art.26 y 27) En principio, toda acción relativa al transporte multimodal internacional de mercancías tiene un **plazo** de prescripción de dos años. Este plazo comienza a computarse:

- el día siguiente a la fecha en que el operador haya entregado las mercancías o parte de ellas; o
- en su defecto, el último día en que debieran haberse entregado.

No obstante, prescribe en término de seis meses si, dentro de dicho plazo, no se da **notificación escrita** a la persona contra la que se ha de dirigir la reclamación, en la que consten los datos esenciales de dicha reclamación.

El tiempo de la prescripción se interrumpe (y se prorroga) mediante **declaración escrita** del interpelado.

Salvo disposición en contrario de otro convenio internacional aplicable, la **acción de repetición** no prescribe en los plazos indicados, siempre que se ejercite dentro del término establecido por la legislación del Estado en que se incoe el procedimiento.

7727 En lo que se refiere a la **jurisdicción competente,** el demandante puede, a su elección, ejercitar la acción ante un tribunal que sea competente conforme a la ley del Estado en que radique, siempre que dentro de su territorio jurisdiccional esté ubicado uno de los lugares que se relacionan en el propio Convenio (Convenio 24-5-1980 art.26.1).

Se admite la **sumisión expresa** a la jurisdicción de un lugar geográfico determinado, mediante acuerdo celebrado entre las partes, después de presentada la reclamación.

Las partes pueden pactar por escrito que toda controversia relativa al transporte multimodal internacional de mercancías sea sometida a **arbitraje**. Si el compromiso de arbitraje se celebra después de presentada la reclamación, ninguna de las disposiciones del Convenio afecta a su validez.

Precisiones 1) En cuanto a la **normativa aplicable**, se plantea la duda cuando en el **transporte combinado o multimodal** uno de los modos (marítimo, terrestre) se lleva a cabo dentro de un único territorio. El caso litigioso es el siguiente: se trata de un transporte combinado marítimo-terrestre en el que el transporte terrestre se realiza por carretera desde el puerto de Norfolk, donde se carga la mercancía en un vehículo automóvil, hasta su destino en Ghent, discurriendo, por tanto, todo el transporte terrestre por territorio del mismo país. Para que el **Convenio de Ginebra** sea aplicable es preciso (art.1) que «los puntos de origen o toma de la mercancía y el lugar de destino estén situados en dos países diferentes», lo que excluye de su ámbito de aplicación aquellos contratos, como el descrito, en que la parte terrestre discurre por territorio del mismo país aunque la mercancía haya sido trasladada a éste desde otro país por medio de transporte distinto del terrestre, como el marítimo. En estos casos de **transporte realizado por distintos medios**, sin que resulte acreditado que se trate de un transporte en que el porteador en el contrato de transporte marítimo inicial haya contrato en su propio nombre con los porteadores sucesivos que habían de realizar el transporte por vía terrestre, cada tramo del mismo ha de regirse por la **normativa aplicable al modo** o segmento de transporte en que se produjo el hecho que da lugar a la reclamación; y la circunstancia de que la totalidad del transporte se haya desarrollado entre distintos países no permite afirmar que la fase terrestre, desarrollada toda ella en el territorio del mismo país, quede sometida a la normativa del Convenio de Ginebra (TS 16-6-01, EDJ 30982).

2) Se plantea el siguiente caso de **competencia**: en un transporte encargado a una compañía francesa, domiciliada en Marsella, actuando otra entidad domiciliada en Barcelona -lugar donde debía entregarse la mercancía- como consignataria del buque, se demandó ante los tribunales españoles a estas compañías, y una de ellas opuso la falta de jurisdicción por sumisión expresa a los tribunales de Marsella, acogiéndose tal excepción por los tribunales de instancia. El TS desestimó la **incompetencia de jurisdicción** porque, planteada una reclamación por transporte marítimo de mercancías a entregar en Barcelona contra dos compañías, que son legitimadas pasivas en virtud de los contratos de transporte, de ellos no se desprende la sumisión de la demandante a tribunales de otros países. El actor, por el hecho de acudir a los tribunales españoles, muestra su sumisión tácita a éstos, que coincide además con la norma general aplicable a los contratos para los que es competente el **juez del lugar** donde se haya de cumplir la obligación, en este caso Barcelona (TS 10-11-93, EDJ 10090).

SECCIÓN 6

Contrato de servicios logísticos

Es un contrato por el que una de las partes, el **operador logístico**, se compromete a realizar el transporte de unas mercancías, así como un conjunto de actividades relacionadas con dicho transporte, a cambio de un precio. **7730**

Es un contrato de carácter **mercantil**, normalmente concertado entre empresas, aunque, en ocasiones, se puede pactar el contrato entre el operador logístico y los particulares o usuarios finales, caso en que podría resultar aplicable la normativa de protección del consumidor.

Precisiones 1) Se trata de un contrato **oneroso**, dado que el operador logístico lleva a cabo los servicios a cambio de un precio; **bilateral**, porque impone a las dos partes obligaciones recíprocas; y de **tracto sucesivo y complejo**, puesto que la ejecución no se suele circunscribir a un solo acto, sino que se realiza a lo largo de tiempo de duración del contrato y comprende diversas actividades a las que se compromete el operador logístico.

2) Es un **contrato complejo** en el que el transporte y entrega al destinatario es la etapa final o la última de las prestaciones a que se compromete el operador, y que comprende todas las de manipulación y clasificación de las mercancías, y las propias del contrato de depósito y almacenaje, como la custodia de las mercancías depositadas hasta entrega al destinatario final (AP Madrid 22-11-05, EDJ 220527).

Régimen jurídico Una de las novedades de la L 15/2009, del contrato de transporte terrestre de mercancías, ha sido la regulación del **transporte contratado en el marco de una operación logística**, si bien únicamente establece que, cuando se asuma la obligación de transportar mercancías en el marco de una operación logística de contenido más amplio, los derechos, obligaciones y responsabilidades relativos a dicho transporte se regirán por lo dispuesto en la Ley (L 15/2009 art.9). **7732**

La OM FOM/1882/2012, por la que se aprueban las **condiciones generales de contratación** de los transportes de mercancías por carretera, regula en algunos de sus artículos el contrato de transporte de los operadores logísticos. Estas condiciones son aplicables al contrato en ausencia de pacto expreso (OM FOM/1882/2012 art.2).

No se regula legalmente la actividad de los **operadores logísticos**. Aunque la LOTT contempla las actividades auxiliares de la actividad del transporte, entre ellas no se cita la de los operadores logísticos, a pesar de que las actividades que regula, como las de agencias de transportes, transitarios o almacenistas distribuidores, se autodenominan en muchos casos operadores logísticos.

7734 A pesar de la ausencia de una regulación específica, tanto la LOTT como su Reglamento contienen normas referidas a las actividades auxiliares del transporte, que serían aplicables a los operadores logísticos. Se trata, entre otras, de las siguientes:

• Se atribuye a las **juntas arbitrales del transporte** la función de resolver las controversias de carácter mercantil surgidas en relación con el cumplimiento de los contratos de transporte terrestre y de aquellos otros que tengan por objeto la prestación de las actividades auxiliares y complementarias del transporte reguladas en la LOTT, quedan, en todo caso, excluidas de la competencia de las Juntas las controversias de carácter laboral, penal o tributario (ROTT art.6).

• **Centros de transporte**. Tienen la consideración de centros de transporte de mercancías aquéllas estaciones de transporte que dispongan de una superficie mínima de 150.000 metros cuadrados, de los cuales al menos 25.000 deben estar ocupados por naves y almacenes destinados a actividades relacionadas con el transporte y la logística, siempre que sean gestionadas por una autoridad única, pública, privada o mixta, que garantice el desarrollo y la permanencia en el tiempo de los servicios y actividades para los que la instalación fue concebida (ROTT art.186).

• Sanción muy grave para el operador logístico que contrate un **transportista no autorizado**. En todo caso, incurre en esta infracción la persona jurídica profesionalmente dedicada al transporte que contrata a alguna de las personas que la integran para que realice un servicio de transporte, o abone las facturas que estas le expidan por tal concepto, cuando dichas personas no sean, a su vez, titulares de una autorización de transporte o de operador de transporte de mercancías (ROTT art.197.18).

Precisiones 1) La ausencia de regulación tanto jurídico pública como jurídico privada de la actividad de los operadores logísticos, puede solventarse con la aprobación de una disposición por la que se aprueben unas **condiciones generales de contratación**. Estas condiciones generales de contratación serían aplicables en forma subsidiaria o supletoria a las que libremente pacten las partes de forma escrita en los correspondientes contratos singulares.

2) Se plantea la duda sobre el **régimen jurídico aplicable** cuando en un contrato de transporte se pactan otros servicios propios de la actividad logística, y en concreto el almacenamiento, la manipulación y la distribución de las mercancías. Los tribunales calificaron tal relación como contrato de transporte, en cuanto prestación principal, aplicando en consecuencia el plazo de prescripción previsto en el CCom art.951, y no el plazo de prescripción del CC art.1964 (TS 30-10-13, EDJ 206250).

7736 **Contratación del transporte en nombre propio** (L 15/2009 art.5) Los operadores y agencias de transporte, los transitarios, los almacenistas-distribuidores, los operadores logísticos, así como cualesquiera otros que contraten habitualmente transportes o intermedien habitualmente en su contratación, sólo pueden contratarlos en nombre propio.

Precisiones 1) Un **transitario** o empresa transitaria coordina y organiza la totalidad de operaciones de expedición de mercancías con arreglo a las necesidades de su cliente -desde el punto de recogida que éste haya fijado, hasta el punto de destino en el país donde éste se encuentre-, contratando directamente con su cliente todo el transporte, extendiéndose su control sobre las mercancías a todas las fases de su transporte ya sea terrestre, marítimo o aéreo, hasta hacerlas llegar a su destino final (AN cont adm 7-4-14, EDJ 72015).

2) La función del transitario es la de organizar «... los transportes internacionales y en todo caso de aquellos que se efectúen en régimen de tránsito aduanero, caracterizándose por «contratar en nombre propio» tanto con el **transportista** como con el **usuario o cargador**, ocupando por tanto la posición de estos últimos frente al transportista y la de éste frente a aquéllos, de manera que según dicho precepto frente al cargador efectivo ocupa la posición de transportista...» (AP Sta. Cruz de Tenerife 14-1-02, EDJ 8839).

3) La presunción contenida en la L 15/2009 art.5 (contratación en nombre propio) exige, para destruirla, que se acredite la constancia expresa de la **contratación por cuenta ajena**, su identidad y el carácter gratuito de la intermediación. El hecho de tener una cuenta de correo con la denominación de otra empresa, ocupación de un almacén, utilización de camiones para el transporte con otro logo, no resultan suficientes para destruir la presunción legalmente establecida, ni constituyen actos propios que supongan comportamientos concluyentes para suscitar una confianza razonable de contratar en nombre ajeno (TS 1-4-15, EDJ 116774).

4) Se aplica una **sanción muy grave** a la contratación de servicios de transporte terrestre de mercancías por parte de transportistas, agencias de transporte, transitarios, almacenistas distribuidores, operadores logísticos o cualquier otro profesional del transporte incumpliendo la obligación de hacerlo en nombre propio, así como la contratación de servicios públicos de transporte regular de viajeros de uso general en concepto de porteador por quien no se encuentre habilitado para ello (LOTT art.140.31; ROTT art.197).

Recomendaciones para la redacción del contrato Son distintos los aspectos que entendemos deben recoger o ser tenidos en cuenta para la redacción de un contrato de servicios logísticos. De la revisión de algunos contratos destacamos el siguiente esquema de contrato, si bien cada operación logística dará lugar a un contrato singular, en el que se han de tener en cuenta diversas circunstancias, como la naturaleza de la mercancía, el territorio de reparto, la red logística, los recursos necesarios, etc. 7738

1. **Identificación de las partes**. Indicaciones registrales y poderes.
2. **Ámbito del contrato**. Delimitar el ámbito territorial de ejecución del contrato y de los servicios que se requieren de operador logístico.
3. **Plan logístico y recursos necesarios**. Exponer la red logística necesaria para la adecuada prestación del servicio así como los procedimientos, remitiéndose al detalle que se desarrolla en los anexos del contrato. Exponer los recursos necesarios para realizar esos servicios y la propiedad y control de los recursos. Indicar, en su caso, los traspasos y subrogaciones del cliente al operador con la relación de activos y valoración, la responsabilidad del valor residual, las condiciones contractuales de los locales de alquiler si los alquila el cliente, la relación del personal subrogado y condiciones y los acuerdos sobre tratamiento a la terminación del contrato.

4. **Obligaciones del operador logístico**. De los distintos servicios que prestará el operador, intentar objetivizar la realización de los mismos planteándose objetivos y utilizando indicadores que permitan medir la consecución de los objetivos. 7740

5. **Obligaciones del cliente**. Básicamente es la de pagar el precio de los servicios contratados, así como definir las consecuencias de incumplimiento de este pago, si bien puede pactarse un volumen mínimo de contratación, de forma que si no se alcanza este mínimo se debe abonar el precio hasta alcanzar el mínimo pactado.

6. **Sistema de remuneración**. Es un tema esencial para el buen fin de la vida del contrato, se trata de definir con la mayor precisión posible el sistema de remuneración. Se suele elegir entre varias opciones:

• Un sistema fijo de remuneración, con el modelo de precio unitario o el modelo de coste basado en actividad.

• Un sistema variable de remuneración, o sistema de «libros abiertos» (*open book*) en los que el cliente tiene mayor participación en la ejecución del contrato, lo que se tiene en cuenta para la remuneración.

Otras cláusulas son las relativas a la revisión del sistema de remuneración o tarifación, las cláusulas de sistema de renegociación de precios, o las relativas a los objetivos de mejora de productividad.

7. **Sistema de responsabilidad y otros compromisos**. En este punto se deben tratar los temas relativos al sistema de responsabilidad, distinguiéndose las distintas actividades según el modelo de relación contractual en cada caso, así se debe determinar el régimen de responsabilidad aplicable en el contrato de depósito, el contrato de transporte y en general en el convenio del resto servicios logísticos. Se trata sobre la extensión de la responsabilidad, la delimitación de la responsabilidad por causas genéricas o contractuales como la valoración de las mercancías, franquicias por pérdidas o faltas de stock. Junto con el tema de la responsabilidad se pueden tratar cláusulas como las relativas a la confidencialidad, penalizaciones o incentivos, propiedad de las mercancías. 7742

8. **Sistema de control**. Se deben tratar los temas relativos a la resolución de conflictos, la jurisdicción y ley aplicable, al protocolo de renegociación del precio, al protocolo de renegociación del contrato, y al sistema de inspección y control. Se hará especial mención a los inventarios, indicando quién llevará la contaduría, los conteos físicos incluidos en las tarifas, los niveles de tolerancia sobre pérdidas, el método de resolución de discrepancias y la valoración y saldo de las discrepancias.

9. **Seguros**. Singular interés tiene el tema de los seguros, tanto de daños como de responsabilidad. En tal sentido conviene definir quién debe contratar el seguro, con que póliza, tipo de compañía, franquicia, etc. de los seguros relativos a los daños a mercancías durante transporte, daños a mercancías en almacén, responsabilidad civil, responsabilidad derivada de daños por productos defectuosos.

7744 **10. Duración del contrato**. Se debe pactar el tiempo de duración del contrato, las prórrogas, tanto expresas como tácitas, las causas de rescisión y resolución del contrato, así como indicar las consecuencias de la ruptura de la relación contractual en relación a las mercancías en poder del operador, los activos e inversiones acometidas por el operador, la subrogación del cliente a los contratos del operador, las cesiones de licencia, las obligaciones fiscales, administrativas, civiles, etc., la plataforma logística y el personal adscrito a la ejecución del contrato. En este último sentido cabe destacar la protección del cliente frente a reclamaciones de los trabajadores del operador (propios o subcontratados). Finalmente se puede valorar la cuantía de las indemnizaciones por los hechos anteriores. Es conveniente indicar la fecha de comienzo de las obligaciones y los servicios previos a realizar antes del inicio de las obligaciones.

11. Exclusividad. Indicar si se trata de una logística dedicada o multicliente. En el caso de exclusividad decir si ésta es parcial o total, por zonas y por servicios.

12. Cesión y subcontratación. Posibilidad o no de subcontratar por parte del operador de todas o algunas de las actividades que integran el objeto del contrato y, en tal caso, las condiciones que se imponen a la subcontratación.

13. Anexos. Pueden tratarse, entre otros, los siguientes aspectos:

• Especificación técnica de la red logística y de cada una de las actividades, en particular la relativa a la compatibilidad de los sistemas de información.

• El manual operativo o de procedimiento.

• El plan de arranque, indicando el equipo conjunto operador-cliente, los plazos aceptables, los períodos de formación, las fases y pruebas piloto. Se debe determinar qué evento indica la finalización del proceso transitorio de arranque, y se debe hacer constar el reparto de los gastos de arranque.

Precisiones En el nº 13355 se incluye un **modelo de contrato** de servicios logísticos.

SECCIÓN 7

Juntas arbitrales del transporte

7750

7752 La legislación de **transporte terrestre** prevé un sistema arbitral para dirimir las controversias de carácter mercantil, surgidas en relación con el cumplimiento de los contratos de transporte. Se trata de las juntas arbitrales del transporte, de las que exponemos, en los números siguientes los rasgos fundamentales de su competencia, composición y funcionamiento.

Su **régimen jurídico** se establece en las siguientes disposiciones:

- LOTT art.37 y 38;
- ROTT art.6 a 12.

Ha de tenerse en cuenta que algunas **comunidades autónomas** han dictado normas que regulan las juntas arbitrales, dentro de sus competencias.

Precisiones El **arbitraje** se expone, con carácter general en el nº 10800 s.

7754 **Sometimiento a las juntas arbitrales del transporte** (LOTT art.38) Corresponde a las juntas arbitrales del transporte resolver, con los efectos previstos en la legislación general de arbitraje, las controversias de carácter mercantil surgidas en relación con el cumplimiento de los **contratos de transporte terrestre** cuando, de común acuerdo, sean sometidas a su conocimiento por las partes intervinientes u otras personas que tengan un interés legítimo en su cumplimiento.

Asimismo, les corresponde resolver, en idénticos términos a los anteriormente previstos, las controversias surgidas en relación con los **demás contratos** celebrados por empresas transportistas y de actividades auxiliares y complementarias del transporte cuyo objeto esté directamente relacionado con la prestación por cuenta ajena de los servicios que se encuentran comprendidos en el ámbito de su actuación empresarial.

Se presume que existe el referido **acuerdo de sometimiento** al arbitraje de las juntas siempre que la cuantía de la controversia no exceda de 15.000 euros y ninguna de las partes intervinientes en el contrato hubiera manifestado expresamente a la otra su voluntad en contra antes del momento en que se inicie o debiera haberse iniciado la realización del transporte o actividad contratado.

Las juntas arbitrales desarrollan sus funciones en relación con los transportes terrestres y, asimismo, con los que se desarrollen en virtud de un único contrato por más de un modo de transporte (**transporte combinado**), siempre que uno de éstos sea terrestre.

Precisiones **1)** Quedan, en todo caso, **excluidas** de la competencia de las Juntas las controversias de carácter laboral, penal o tributario.

2) La **reforma de la LOTT de 2013**, operada por la L 9/2013, eleva la cuantía a partir de la cual se presumen sometidas a arbitraje las controversias, de 6.000 euros a 15.000 euros.

3) Para que el pacto de sometimiento a la junta arbitral de transporte **vincule al operador**, éste deberá figurar en la carta de porte en la que conste el pacto. En el caso litigioso, la carta de porte está suscrito por la empresa de transporte y por la entidad cargadora, sin que el operador de transporte figure en la misma, por lo que no puede producir el efecto de atribuir el conocimiento de la controversia a la junta arbitral (AP Girona 24-4-12, EDJ 102275).

Sin perjuicio de la cuantía de la reclamación, la LOTT prevé que las en las **nuevas concesiones** de transporte regular de viajeros que se otorguen **a partir del 25-7-2013** (entrada en vigor de la reforma de la Ley), los usuarios puedan plantear las controversias en las juntas arbitrales de transporte. **7756**

En este sentido, en el **pliego de condiciones** que haya de regir el contrato en todo caso, se deben incluir los siguientes extremos: «El compromiso del contratista de someterse al arbitraje de las Juntas Arbitrales del Transporte en relación con cualquier controversia con los usuarios acerca de la prestación del servicio» (LOTT art.73.2).

Composición (ROTT art.8) Las juntas arbitrales del transporte están compuestas por un **presidente** y por un mínimo de dos y un máximo de cuatro **vocales,** designados todos ellos por la autoridad competente de las comunidades autónomas o, en su caso, por la Dirección General de Transportes por Carretera. **7758**

En caso de estimarlo procedente, dos vocales como máximo, deben ser designados entre **personal de la Administración** con conocimiento de las materias de competencia de la junta.

En principio, los dos vocales obligatorios deben ser:
- uno representante de los **cargadores** o de los **usuarios**; y
- otro representante de las **empresas del sector** del transporte.

Presidente El presidente debe ser licenciado en Derecho y ha de ser designado entre personal de la Administración con conocimiento de las materias de competencia de la junta. **7760**

Vocal representante de los cargadores o usuarios Como hemos dicho, una de las dos vocalías obligatorias ha de ser ocupada por un representante de los cargadores o de los usuarios. **7762**

A tal efecto se han de designar dos personas, que actuarán en las controversias, respectivamente, según las mismas se refieran a **transportes de viajeros o de mercancías**.

• La primera de ellas debe ser nombrada a propuesta de las asociaciones representativas de los **usuarios**.

• La segunda, a propuesta de las asociaciones representativas de los **cargadores** o de la cámara oficial de comercio, industria y navegación correspondiente, según determine el órgano competente para realizar la designación.

Este vocal no actúa cuando el conflicto se suscite entre **dos empresas transportistas** o de actividades auxiliares y complementarias del transporte.

Vocal representante de los transportistas La vocalía obligatoria restante debe ser ocupada por el representante de las empresas de transporte o de actividades auxiliares y complementarias de éste. **7764**

A tal efecto pueden designarse varias personas en representación de los **diversos sectores del transporte,** en número no superior de los que constituyan sección independiente en el Comité Nacional del Transporte por Carretera.

Debe existir, como mínimo, un representante del sector de las empresas de transporte de **viajeros** y otro del de **mercancías**. Se ha de designar asimismo, al menos, un representante de las empresas de transporte por ferrocarril y puede designarse otro de las empresas de transporte por cable. Las distintas personas designadas han de actuar según el sector del transporte al que se refiera la controversia.

Cuando el conflicto se suscite entre **dos empresas transportistas** o de actividades auxiliares y complementarias del transporte, no actuará el vocal representante de los cargadores o usuarios (nº 7762), siendo las dos vocalías obligatorias ocupadas por los representantes de los dos sectores a que correspondan las empresas en conflicto, cuando éstos fueren diferentes y estuvieran designados representantes distintos para ambas, o actuando solamente el único vocal competente, cuando no se den estas últimas circunstancias.

7766 **Secretario y suplentes** El órgano competente sobre cada junta arbitral debe designar asimismo el **secretario** de ésta, cargo que puede recaer en uno de los vocales miembros de la Administración. Se debe adscribir a la secretaría de la junta el **personal auxiliar** que resulte preciso para el funcionamiento de la misma.
Pueden designarse miembros **suplentes,** tanto del presidente como de los vocales y secretario de las juntas.

7768 **Controversias con los usuarios** En las controversias que puedan surgir entre los empresarios del sector y los usuarios, las juntas arbitrales han de estar compuestas por un presidente y dos vocalías:
- el presidente y un vocal representante de las **empresas de transporte** o de actividades auxiliares o complementarias, designados según lo expuesto anteriormente (nº 7760 a nº 7764);
- la otra vocalía ha de ser ocupada por un representante de las asociaciones de **consumidores y usuarios,** designado a propuesta del Consejo de Consumidores.

7770 **Funciones** (ROTT art.6) Son funciones de las juntas arbitrales del transporte las siguientes:
a) Resolver las **controversias de carácter mercantil** surgidas en relación con el cumplimiento de los contratos de transporte terrestre y de aquellos otros que tengan por objeto la prestación de las actividades auxiliares y complementarias del transporte reguladas en la LOTT.
b) El **depósito y enajenación de las mercancías**. Acordar el depósito de mercancías transportadas y, en su caso, enajenarlas, en los supuestos en que así se encuentra previsto en la L 15/2009.

Precisiones 1) En la OM FOM/3386/2010 se establecen normas para la realización por las juntas arbitrales del transporte de funciones de **depósito y enajenación** de mercancías.
2) En el Anexo nº 13360 se incluye un modelo de **solicitud de arbitraje** y en el Anexo nº 13365 uno de **solicitud de depósito y venta** de las mercancías.

7772 **Competencia** (ROTT art.6.1 y 7) La competencia de las juntas arbitrales del transporte se determina conforme a los siguientes criterios:
a) En materia de **controversias por el cumplimiento del contrato de transporte**. Salvo que las partes hayan pactado previamente y por escrito la sumisión a una Junta concreta, la competencia territorial de las Juntas Arbitrales, viene determinada, a elección del demandante, por el origen o destino del transporte o por el domicilio de la empresa prestadora del servicio.
Cuando el demandante es un consumidor o usuario de los definidos en la legislación para la defensa de los consumidores y usuarios, puede optar además por la Junta competente en el lugar en que tiene su residencia habitual.
Cuando una controversia se plantea ante más de una Junta, es competente aquella ante la que se ha suscitado con anterioridad, debiendo abstenerse en su favor las restantes.
b) Las funciones de **depósito, enajenación y peritación** se realizan por la Junta competente en el territorio en el que estén situadas las mercancías.

7774 Precisiones Las **cuestiones más habituales** que se plantean ante las juntas arbitrales son las siguientes:
• En los **transportes de mercancías**: impago del precio del transporte, averías o extravíos de la mercancía, daños y perjuicios causados por retrasos en la entrega, incumplimiento de la tarifa contratada o cálculo incorrecto del peso o volumen del género transportado.
• En los **transportes de viajeros**: extravío de equipajes, inaplicación de descuentos legalmente previstos (familia numerosa...), modificación unilateral de alguna de las condiciones del transporte (categoría del vehículo, lugar de llegada, hora de salida...), producción de accidentes amparados por el Seguro Obligatorio de Viajeros, incumplimientos de alguna de las cláusulas de los contratos de arrendamiento de vehículos con o sin conductor.

7776 **Procedimiento general** (LOTT art.38.2; ROTT art.9) El Gobierno debe **determinar reglamentariamente** el procedimiento conforme al cual debe sustanciarse el arbitraje, debiendo caracterizarse por la simplificación de trámites y por la no exigencia de formalidades especiales.
Se exponen a continuación las reglas generales sobre procedimiento contenidas en la normativa reguladora de las juntas arbitrales. En lo **no previsto por ellas** y por las normas de organización que, con el fin de homogeneizar y procurar la eficacia de su actuación, puede determinar el Ministerio de Fomento, han de aplicarse las reglas establecidas en la legislación general de arbitraje (nº 10800 s.).

Prescripción de la acción La posibilidad de acción ante las juntas arbitrales prescribe en los mismos plazos establecidos para la prescripción de la acción judicial que se puede plantear ante los tribunales de justicia. 7778

Forma de las actuaciones Las actuaciones arbitrales de las juntas han de instarse mediante **escrito,** firmado por el actor o sus representantes, en el que se deben hacer constar: 7780
- el nombre y domicilio del **reclamante**;
- el nombre y domicilio de la **persona contra la que se reclama**;
- la exposición de los **fundamentos de hecho y de derecho** en los que se justifique la reclamación, especificando el contenido de la misma y proponiendo las pruebas que se estimen pertinentes.

La secretaría de la junta debe remitir **copia de la reclamación** a la parte contra la que se reclame, señalándose en ese mismo escrito fecha para la vista, que será comunicada también al demandante.

Precisiones En relación con las **notificaciones a las partes,** que han de realizarse por la secretaría de las juntas, es de aplicación lo previsto en la legislación de procedimiento administrativo.

Vista El Presidente puede acordar que se prescinda de la vista oral cuando la cuantía de la controversia no exceda de **100 euros**. En este supuesto, la secretaría de la Junta ha de comunicar este acuerdo al reclamante y notificarlo a la parte contra la que se reclama, indicando a esta última que dispone de un plazo de diez días para formular las alegaciones que estime convenientes (ROTT art.9.3). 7782

En la vista, que es oral, las partes pueden hacer las **alegaciones** que a su derecho convengan, así como aportar o proponer las **pruebas** que estimen pertinentes.

En el caso de que el reclamante o su representante no asista a la vista, se le tiene por desasistido en su reclamación, a menos que el demandado se oponga a ello y la Junta le reconozca un interés legítimo en obtener una solución definitiva del litigio.

La **inasistencia** de la parte reclamada no impedirá la celebración de la vista y el dictado del laudo.

Para la comparecencia ante la junta de arbitraje no es necesaria la asistencia de **abogado o procurador**. Las partes pueden conferir su representación mediante escrito dirigido a la junta de que se trate.

Laudo La junta arbitral debe dictar su laudo en esa misma sesión, una vez oídas las partes y practicadas o recibidas las pruebas que resulten pertinentes, salvo que la **naturaleza de las pruebas** impida su realización en ese mismo acto, en cuyo caso el laudo se debe dictar una vez que se hayan practicado las mismas. 7784

El laudo se debe acordar por **mayoría simple** de los miembros de la junta, dirimiendo los empates el voto de calidad del presidente. La **inasistencia** de cualquiera de los miembros de la junta, con excepción del presidente, no impide que se dicte el laudo.

Los laudos tienen los **efectos** previstos en la legislación general de arbitraje, cabiendo únicamente contra ellos los **recursos** de anulación y de revisión, por las causas específicas previstas.

Transcurridos 20 días desde que se dicte el laudo, puede obtenerse su **ejecución forzosa** ante el juez de primera instancia del lugar en donde se haya dictado, siendo en tal caso aplicables, asimismo, las previsiones de la legislación general de arbitraje.

Precisiones Recuérdese que el **arbitraje** se expone, con carácter general, en el nº 10800 s.

Gastos Los arbitrajes son gratuitos, sin perjuicio de la obligatoriedad de satisfacer los gastos generados por la práctica de pruebas. 7786

El **pago** de las costas se rige por lo dispuesto en la legislación general de arbitraje (nº 10989).

Ejecución e impugnación del laudo En cuanto a la **ejecución** del laudo, con carácter general se aplican los artículos sobre ejecución de sentencias firmes de la LEC, con las especialidades previstas en la L 60/2003 Tít.VIII. El laudo es ejecutable aun cuando contra él se haya ejercitado acción de anulación. No obstante, en ese caso el ejecutado podrá solicitar al tribunal competente la suspensión de la ejecución, siempre que ofrezca caución por el valor de la condena más los daños y perjuicios que pudieren derivarse de la demora en la ejecución del laudo. La caución podrá constituirse en cualquiera de las formas previstas en la LEC art.529.3. 7788

El laudo produce efectos de cosa juzgada y frente a él solo cabe ejercitar:

a) la acción de **anulación**; y, en su caso,

b) la **revisión** de las sentencias firmes conforme a los motivos y procedimiento establecidos en la LEC (L 60/2003 art.43).

Si una parte, conociendo la infracción de alguna norma dispositiva de la L 9/2003, o de algún requisito del convenio arbitral, no la **denunciare** dentro del plazo previsto para ello o, en su

defecto, tan pronto como le sea posible, se considerará que renuncia a las facultades de impugnación previstas en esta ley.
Dentro de los diez días siguientes a la notificación del laudo, las partes podrán solicitar las **aclaraciones**, correcciones, complemento o rectificación que resulten oportunas.

7790 En cuanto a los **motivos de anulación**, el laudo solo puede ser anulado cuando la parte que solicita la anulación alegue y pruebe alguna de las siguientes circunstancias (L 60/2003 art.41):
- Que el convenio arbitral no existe o no es válido.
- Que no ha sido debidamente notificada de la designación de un árbitro o de las actuaciones arbitrales o no ha podido, por cualquier otra razón, hacer valer sus derechos.
- Que los árbitros han resuelto sobre cuestiones no sometidas a su decisión.
- Que la designación de los árbitros o el procedimiento arbitral no se han ajustado al acuerdo entre las partes, salvo que dicho acuerdo fuera contrario a una norma imperativa de esta Ley, o, a falta de dicho acuerdo, que no se han ajustado a esta ley.
- Que los árbitros han resuelto sobre cuestiones no susceptibles de arbitraje; y
- Que el laudo es contrario al orden público.

La acción de anulación del laudo habrá de ejercitarse dentro del **plazo** de los dos meses siguientes a su notificación o, en caso de que se haya solicitado corrección, aclaración o complemento del laudo, desde la notificación de la resolución sobre esta solicitud, o desde la expiración del plazo para adoptarla.
La acción de anulación se sustanciará por los cauces del **juicio verbal**, sin perjuicio de las siguientes **especialidades**:
a) La **demanda** deberá presentarse conforme a lo establecido en la LEC art.399, acompañada de los documentos justificativos de su pretensión, del convenio arbitral y del laudo, y, en su caso, contendrá la proposición de los medios de prueba cuya práctica interese el actor.
b) El letrado de la Administración de Justicia (antiguo secretario judicial) dará traslado de la demanda al demandado, para que **conteste** en el plazo de veinte días. En la contestación, acompañada de los documentos justificativos de su oposición, deberá proponer todos los medios de prueba de que intente valerse.
c) De la contestación, y de los documentos que lo acompañan, se dará traslado al actor para que pueda presentar **documentos adicionales** o proponer la práctica de prueba.
c) Contestada la demanda o transcurrido el correspondiente plazo, el letrado de la Administración de Justicia citará a la **vista** si así lo solicitan las partes en sus escritos de demanda y contestación. Si en sus escritos no hubieren solicitado la celebración de vista, o cuando la única prueba propuesta sea la de documentos, y éstos ya se hubieran aportado al proceso sin resultar impugnados, o en el caso de los informes periciales no sea necesaria la ratificación, el tribunal dictará **sentencia**, sin más trámite.
d) Frente a la sentencia que se dicte **no** cabrá **recurso** alguno.

Precisiones 1) Se anula el laudo arbitral por manifiesta incongruencia omisiva, al no hacer referencia alguna a la alegación de prescripción de la acción ejercitada dejando además de valorar uno de los documentos aportados como prueba por la parte reclamada. Se entiende que dicho vicio del que adolece supone la conculcación del derecho a la **tutela judicial efectiva** (TSJ Castilla y León 16-1-19, EDJ 533076).
2) En el caso litigioso se discutía la **competencia de la junta arbitral de transporte**. El tribunal consideró que existía tal competencia en base a un acuerdo comercial para la prestación de servicio de transporte entre la demandante y la demandada, firmado por ambas, del que resulta la competencia de dicha junta conforme a la L 16/1987 art.38 (LOTT), modificado por la L 9/2013, en relación con el RD 1211/1990 art.7.2, y supletoriamente la L 15/2009 art.37 -Ley del contrato de transporte terrestre de mercancías- (TSJ Madrid 17-1-17, EDJ 17506).

7792 Los motivos de **revisión** de una sentencia o laudo firme son:
• Si después de pronunciada, se recobraren u obtuvieren documentos decisivos, de los que no se hubiere podido disponer por fuerza mayor o por obra de la parte en cuyo favor se hubiere dictado.
• Si hubiere recaído en virtud de documentos que al tiempo de dictarse ignoraba una de las partes haber sido declarados falsos en un proceso penal, o cuya falsedad declarare después penalmente.
• Si hubiere recaído en virtud de prueba testifical o pericial, y los testigos o los peritos hubieren sido condenados por falso testimonio dado en las declaraciones que sirvieron de fundamento a la sentencia.
• Si se hubiere ganado injustamente en virtud de cohecho, violencia o maquinación fraudulenta.

El proceso de revisión tiene carácter **extraordinario** por cuanto vulnera el principio riguroso y casi absoluto de la irrevocabilidad de los fallos que hayan ganado firmeza (TS 3-9-13, EDJ 179899).

Precisiones La demandante reclama por el accidente que sufrió cuando viajaba como pasajera en un autobús y sufrió una caída en el interior del vehículo al realizar el conductor un frenazo brusco por circunstancias de la circulación. La demandante interpone recurso de revisión por la obtención posterior de un **documento del que no se pudo disponer durante el proceso** por fuerza mayor, cual es el documento médico justificativo de la intervención quirúrgica practicada a la demandante. Ha de ponerse de manifiesto la prevalencia del derecho constitucional a la tutela judicial efectiva (Const art.24) mediante la obtención de una resolución fundada en derecho que tenga en cuenta todos los elementos conocidos, o que pudieran serlo, por el órgano que resuelve; y en el presente caso la demandante puso de manifiesto en todo momento ante la junta arbitral la futura obtención del documento en que ahora fundamenta su solicitud de revisión, por lo que la misma, de acuerdo con el informe del Ministerio Fiscal, ha de ser estimada (TS 30-12-13, EDJ 267546).

Procedimiento en caso de impago del porte o no recepción de la mercancía 7794

(ROTT art.10 a 12; OM FOM/3386/2010 art.2) Cuando concurran ciertas circunstancias, que se señalan más adelante, las juntas arbitrales del transporte, a instancia de los interesados, y una vez escuchadas ambas partes de forma sumaria, si ello fuera posible, han de proceder, en su caso, al **depósito provisional, peritación y subasta pública** de las mercancías, en cantidad suficiente para el pago de los portes y gastos, a los que deben añadirse los consecuentes a estas actuaciones de las juntas.

Depósito de las mercancías Las juntas arbitrales del transporte **pueden actuar como depositarias** de las mercancías transportadas en los siguientes **supuestos**: 7796

a) Cuando el porteador **retenga las mercancías** por impago del precio u otros gastos en los que haya incurrido con ocasión del transporte. En este caso, la solicitud de depósito y enajenación deberá presentarse ante la Junta en el plazo máximo de diez días naturales, contados de conformidad con lo dispuesto en la L 15/2009 art.40.2.

b) Cuando surjan **impedimentos al transporte** y no puedan solicitarse instrucciones al cargador o éste no las facilite.

c) Cuando no pueda **realizarse la entrega**, bien porque el destinatario no se halle en el domicilio indicado en la carta de porte, bien porque no se haga cargo de las mercancías en las condiciones establecidas en el contrato o se niegue a descargarlas correspondiéndole hacerlo o bien porque se niegue a firmar el documento de entrega, sin que en tales supuestos puedan solicitarse instrucciones al cargador o este no las facilite habiéndosele solicitado.

d) Cuando las mercancías transportadas corran **riesgo de perderse** o de sufrir daños graves, sin que hubiera tiempo para realizar la entrega ni para que sus dueños dispusieran de ellas o dieran instrucciones al respecto.

Enajenación de las mercancías Por otro lado, se precisan los supuestos en los que procede la **enajenación de las mercancías** por las juntas arbitrales del transporte: 7798

a) En el supuesto de retención de las mercancías por **impago del precio** del transporte (letra a) del nº 7794), siempre que la solicitud de enajenación se formalice en un plazo de diez días naturales, contados de conformidad con lo dispuesto en la L 15/2009 art.40.2.

b) En los supuestos de **impedimentos al transporte o a la entrega** (letras b) y c) del nº 7794), cuando los gastos de custodia sean excesivos en relación con el valor de la mercancía o cuando en un plazo razonable el porteador no haya recibido de quien tiene el poder de disposición sobre las mercancías instrucciones en otro sentido, cuya ejecución resulte proporcionada a las circunstancias del caso.

c) En el supuesto de **riesgo de pérdida o daño** de la mercancía (letra d) del nº 7794).

Precisiones Los supuestos de **falta de pago** y de **negativa a recibir la mercancía** transportada se exponen en nº 6543 y nº 6528.

Responsabilidades (OM FOM/3386/2010 art.4) El que promueva la actuación de la junta debe responder de todos los **gastos** causados por el depósito y, en su caso, la enajenación o el arrojo de las mercancías, sin perjuicio de su derecho al reintegro. 7800

Las actuaciones de las juntas arbitrales dirigidas al depósito y enajenación de mercancías, no prejuzgan la **resolución** de los posibles conflictos jurídicos que en relación con el cumplimiento del contrato de transporte o de cualquier otra naturaleza puedan suscitarse.

La reparación de los posibles **daños indebidos** que tales actuaciones puedan causar ha de realizarse por cuenta de quien haya promovido la actuación de la junta.

7802 **Iniciación del procedimiento** (ROTT art.11; OM FOM/3386/2010 art.5) Las Juntas Arbitrales del Transporte únicamente pueden acordar el depósito o enajenación de mercancías a instancia de los **interesados** y, siempre que ello resulte posible, ha de oir previamente, de forma sumaria, a ambas partes.

La actuación de la Junta ha de instarse por **escrito** en el que debe indicarse la naturaleza y descripción de las mercancías, las razones por las que se solicita su depósito y, en su caso, su enajenación. El escrito ha de acompañarse de cuantos documentos justifiquen la solicitud.

La **solicitud** de depósito y, en su caso, enajenación de las mercancías debe formularse por persona legitimada, mediante **escrito** dirigido a la junta, en el que se contengan, al menos, los siguientes datos:

a) Identificación del **solicitante** (nombre o razón social y domicilio).

b) Identificación y domicilio del **destinatario**.

c) Descripción del **envío** de la forma más completa y detallada posible; así como, en su caso, indicación de su valor según factura comercial o albarán.

d) Identificación del cargador u **operador del transporte** con quien se hubiera contratado.

e) Características principales del **contrato de transporte** concertado, fundamentalmente lo convenido sobre lugar de entrega, pago, plazo del transporte y pacto sobre la descarga.

f) El **motivo** por el que se solicita el depósito y, en su caso, la enajenación de las mercancías.

La solicitud se debe acompañar de los siguientes **documentos o pruebas**:

• En su caso, la **carta de porte** u otro documento que sirva de prueba de las condiciones contractuales.

• Acreditación de los **impedimentos** al transporte o a la entrega, o del impago del precio o gastos del transporte, o del estado de las mercancías, según el motivo por el que se solicite la actuación de la junta.

• Cualquier **otro documento** de que disponga el solicitante para justificar su pretensión.

7804 **Comprobación previa de las mercancías** (OM FOM/3386/2010 art.7) El presidente de la junta, previa o simultáneamente a la constitución del depósito, debe comprobar las mercancías, mediante **examen** de las mismas en el lugar en que se encuentren almacenadas o bien disponiendo que sean trasladadas, para este trámite, al lugar donde vaya a constituirse el depósito o próximo a él.

La comprobación tiene por **objeto** verificar el tipo y las características de las mercancías cuyo depósito se solicita, su estado de conservación y la concordancia de estos extremos con los que, en su caso, consten en la carta de porte u otro documento que se hubiera aportado.

Si la clase, el estado o las características de las mercancías **desaconsejan o impiden llevar a cabo el depósito**, puede desecharse éste, notificándoselo al solicitante.

Si se trata de mercancías que se encuentren en **mal estado para el uso o consumo**, se debe proceder a su arrojo o destrucción, levantándose la correspondiente acta.

7806 El presidente de la junta, si considera necesaria su intervención, ha de designar un **perito** procurando que la designación recaiga en alguno de los técnicos que presten servicios en la Administración a la que se encuentra adscrita o a alguna otra entidad que esté cualificada para ello. En otro caso, puede acudir a las listas de peritos elaboradas por los órganos judiciales. El perito también puede ser **propuesto por las partes** de mutuo acuerdo.

El perito, en su **informe**, deberá detallar los siguientes extremos:

a) Las **características de las mercancías**, incluyendo todos los detalles que fueran necesarios o relevantes sobre su estado de conservación y su futura enajenación.

b) Si los bienes son **enajenables por partes**, sin menoscabo de su valor, o deben venderse en su conjunto.

c) Cuando no sea necesaria la venta de toda la mercancía, la parte de la misma que es **más fácilmente enajenable** para alcanzar el importe que se desea obtener.

d) El **valor en venta** o de mercado de dichos bienes.

e) Otros aspectos que sea necesario conocer y así se le indique.

7808 **Estimación del depósito** (ROTT art.11; OM FOM/3386/2010 art.10) Las Juntas pueden disponer de **locales** u otros medios auxiliares adecuados o bien utilizar, a través de cualquier procedimiento admitido en derecho, espacios o medios ajenos, incluida la colaboración material de empresas o entidades públicas o privadas. Las Juntas pueden **denegar** el depósito de las mercancías cuando no sea posible disponer de locales adecuados para ello.

Admitido el depósito se levanta un acta, que debe ser suscrita por el presidente de la junta.

El **acta de depósito** debe expresar:

a) El **lugar, fecha y hora** en que se extiende, así como la relación de las personas que concurren al acto y el carácter o condición con que intervienen.

b) La descripción de las **mercancías depositadas**, con el máximo detalle posible respecto de su número, clase, especies, tipo de embalajes, peso u otra unidad de medida, así como la concordancia o no de todos estos extremos con los que constan en la carta de porte o, en su caso, en el documento que se hubiera aportado.
c) El **estado general de conservación** de las mercancías y de su embalaje y, en caso de estimarse necesario, las conclusiones del informe pericial encargado al efecto sobre el estado, la calidad o cantidad de las mercancías.
d) El **precio de las mercancías** que, en su caso, figure en el albarán de entrega, factura comercial o en la carta de porte.
e) Cualquier **otra observación** que indiquen las personas que concurren al acto y que sea procedente a juicio del representante de la junta arbitral.
f) La **firma** de las personas que intervienen en el acto.

Lugar para efectuar el depósito (OM FOM/3386/2010 art.8) El depósito se realiza, en su caso, en los **locales** de los que disponga la junta. Cuando la junta no disponga de locales y existan razones que lo justifiquen, el presidente de la junta, con la conformidad del solicitante, puede decidir que el depósito se lleve a cabo en el **propio establecimiento** o locales de los que éste disponga, responsabilizándole de su custodia y conservación, sin perjuicio de su derecho a percibir por esta labor de custodia y depósito el importe de los gastos ocasionados. **7810**
La empresa o entidad que se haga cargo de las mercancías en depósito, debe manifestarle las **tarifas**, que han de ser conformes con los usos comerciales y aceptadas por el presidente de la junta, así como el coste diario del **seguro** que cubra los distintos riesgos de pérdida o deterioro de las mercancías depositadas.
El depósito puede denegarse cuando **no exista disponibilidad de locales** adecuados para realizarlo.

Notificación de la solicitud (OM FOM/3386/2010 art.9) El presidente de la junta, **previamente a la constitución** del depósito, siempre que las circunstancias del caso lo permitan, se ha de dirigir simultáneamente al cargador y al destinatario, notificándoles la solicitud, así como, en su caso, la cantidad reclamada, remitiéndoles el escrito de solicitud de iniciación de las actuaciones. **7812**
En dicha notificación se ha de concretar el plazo para que manifiesten ante la junta lo que a su derecho convenga, plazo que no puede exceder de 10 días. En su caso, al destinatario se le indicará que, en dicho plazo puede **satisfacer el precio y los gastos** del transporte de las mercancías recibidas o cuya entrega se pretende. Igualmente, puede manifestar que acepta y recibe las mercancías contra la constitución de un **aval o garantía** del precio y los gastos del transporte.

Oposición al depósito (OM FOM/3386/2010 art.9) En el señalado plazo de 10 días desde la notificación, el consignatario y el cargador pueden oponerse al depósito y, en su caso, a la enajenación de las mercancías cuando ésta tenga por objeto el pago del precio y los gastos del transporte, alegando alguno de los siguientes **motivos**: **7814**
a) Que el precio y los gastos del transporte han sido pagados con anterioridad.
b) Que se pactó el pago aplazado del precio del transporte.
c) Que la carta de porte o el documento en el que consten los datos contractuales son falsos.
d) Que el destinatario ha ejercitado su derecho a rehusar las mercancías porque el porteador sólo le ha entregado una parte de las que componen el envío y no puede usarlas sin las no entregadas, o cuando resulten inútiles para su venta o consumo como consecuencia de las averías.
e) Cualquier otro que legalmente pueda resultar admisible.
La alegación de cualquiera de estas causas debe ser **acreditada documentalmente** o mediante cualquier otro medio de prueba admitido en derecho.
La junta debe **valorar la documentación y pruebas** aportadas y, en su caso, puede acordar la realización de cuantas otras estime pertinentes para resolver la petición.
Si la junta estima que concurre alguna de las circunstancias, puede acordar el **levantamiento o no constitución** del depósito y el archivo de las actuaciones, notificándoselo a los afectados.
Cuando el destinatario o el interesado en la entrega presente **aval o garantía** que cubra suficientemente el precio y los gastos del transporte, se debe levantar el depósito y, en su caso, continúa la tramitación de la controversia sobre el precio y los gastos del transporte como procedimiento arbitral o el que resulte procedente.

Precisiones La operatividad de la L 15/2009 art.44 y la consecuencia jurídica de que el **depósito** produzca los **efectos de la entrega**, dándose por concluido el transporte, está condicionada a la concurrencia de los supuestos de hecho del art.31 (impedimento al transporte por causas justificadas y falta de instrucciones del cargador) o art.36 (impedimentos de entrega por no hallarse el destinatario en el domicilio indicado en la carta de porte, por no hacerse cargo de la mercancía en las condiciones establecidas en el contrato, por no realizar la descarga correspondiéndole hacerlo o por negarse a firmar el documento de entrega); mas ninguno de estos casos concurre en el supuesto que nos ocupa, pues lejos de ello el laudo arbitral es el que imputa al **transportista** el **incumplimiento** de su obligación principal de entrega de la mercancía en los términos pactados por las partes, lo que liberaba a la demandante del pretendido pago previo e inmediato del precio (AP A Coruña 22-4-15, EDJ 71766).

7816 **Venta mediante subasta** (ROTT art.12; OM FOM/3386/2010 art.13) Como regla general, la enajenación de mercancías por parte de las Juntas Arbitrales se realiza mediante subasta, conforme a las reglas señaladas al efecto por el Ministro de Fomento, a la que dan la mayor **publicidad** posible.

Cuando el género o características de la mercancía que ha de enajenarse así lo aconsejen, la Junta puede acordar, a petición del solicitante de la enajenación o del propietario de las mercancías con el consentimiento de aquél, que la enajenación se realice por medio de **persona o entidad especializada**, pública o privada.

Cuando la causa de la enajenación es la satisfacción del **precio del transporte**, únicamente se enajena la cantidad de mercancía necesaria para satisfacer dicho precio, los gastos del transporte y los gastos ocasionados por el depósito y la enajenación de las mercancías.

Si, como consecuencia de la naturaleza o características de la mercancía que ha de ser enajenada, es necesario vender una cantidad superior, el excedente de la venta ha de ser entregado a quien justifique su derecho.

La **procedencia** de la subasta de las mercancías debe ser acordada por la Junta.

El **procedimiento** a seguir y su **publicidad** también son los que se estimen convenientes por la misma, atendiendo, primordialmente, al valor de los bienes a subastar.

La subasta se realizará normalmente por el sistema de **puja abierta**, si bien puede realizarse por el sistema de **plica cerrada** cuando así lo acuerde expresamente la junta.

Cuando así lo determine el presidente de la junta, los licitadores deben depositar, al inicio de la subasta, una **fianza** que no podrá exceder del 10% del valor de licitación, siéndoles devuelta a la conclusión de la misma si no resultan adjudicatarios de los bienes.

7818 **Venta directa** (ROTT art.12; OM FOM/3386/2010 art.14 y 15) Las Juntas solo pueden proceder a la venta directa de las mercancías en los siguientes **supuestos**:

a) Cuando por su naturaleza o estado de conservación o por la concurrencia de un accidente u otra causa técnica sobrevenida, **no es posible** promover **la subasta** sin riesgo de que las mercancías se pierdan.

b) Cuando ha resultado **desierta la subasta** o el postor ha renunciado a la adjudicación.

c) Cuando el **escaso valor de las mercancías** que hayan de ser enajenadas resulta desproporcionado en relación con los gastos que previsiblemente generaría su venta mediante un procedimiento de concurrencia y licitación públicas.

7820 El presidente de la junta, una vez liquidados los gastos, debe **pagar las cantidades obtenidas** a las personas que tengan acreditado su derecho, según el procedimiento que se haya instado, acordando la consignación del resto.

Si el importe obtenido en la venta directa no alcanzase para pagar todos los gastos y derechos se guardará la siguiente **prelación en los pagos**:

1. Los gastos soportados por la junta arbitral como consecuencia de estas actuaciones.
2. Los derechos y gastos de peritación.
3. Los gastos de almacenaje y actividades complementarias a éste.
4. El precio y gastos del transporte.
5. Las paralizaciones ocasionadas al porteador.
6. Otras clases de gastos y derechos.

7822 **Venta por persona o entidad especializada** (OM FOM/3386/2010 art.16) A petición del solicitante de la enajenación o del propietario de las mercancías, con el consentimiento del solicitante y cuando las características de éstas así lo aconsejen, la junta puede acordar que la enajenación se realice por medio de persona o entidad especializada, pública o privada.

7824 **Terminación del procedimiento** La junta arbitral debe levantar **acta** de la terminación de las actuaciones haciendo constar las cantidades entregadas por los diferentes conceptos.

El **levantamiento del depósito** debe realizarse con la autorización expresa del presidente de la junta y previo pago de los gastos devengados.

El levantamiento, a instancia de la persona que lo interesó o de quien tuviera interés legítimo y satisfaga la totalidad de gastos, derechos y honorarios que se hayan devengado se ha de reflejar bien en un **acta** extendida a estos efectos, o bien como diligencia expresa en el acta de depósito, incluyendo en uno u otro caso la oportuna liquidación de gastos, derechos u honorarios.

Las **resoluciones adoptadas** por las juntas arbitrales en el ejercicio de sus competencias ponen fin a la vía administrativa, pudiendo interponerse contra las mismas recurso contencioso-administrativo.

Recursos contra el laudo arbitral (L 60/2003 art.40 y 41) Contra un laudo definitivo podrá ejercitarse la **acción de anulación** en los términos previstos en la Ley de Arbitraje. **7826**

En cuanto a los **motivos** de la anulación, el laudo sólo podrá ser anulado cuando la parte que solicita la anulación alegue y pruebe:

a) Que el convenio arbitral no existe o no es válido.

b) Que no ha sido debidamente notificada de la designación de un árbitro o de las actuaciones arbitrales o no ha podido, por cualquier otra razón, hacer valer sus derechos.

c) Que los árbitros han resuelto sobre cuestiones no sometidas a su decisión.

d) Que la designación de los árbitros o el procedimiento arbitral no se han ajustado al acuerdo entre las partes, salvo que dicho acuerdo fuera contrario a una norma imperativa de esta Ley, o, a falta de dicho acuerdo, que no se han ajustado a esta ley.

e) Que los árbitros han resuelto sobre cuestiones no susceptibles de arbitraje.

f) Que el laudo es contrario al orden público.

Precisiones La doctrina defiende dos **visiones** del **orden público** como motivo de anulación del laudo:

- la **restrictiva**, basada en la doctrina constitucional que estableció la TCo 43/1986, para la cual el orden público adquiere un contenido inspirado en la vulneración de los derechos fundamentales reconocidos en la Constitución; y

- la más **amplia** (a tono con la línea imperante en el derecho extranjero) que identifica el concepto, desde el punto de vista del derecho material, con los principios jurídicos públicos o privados, políticos, sociales y económicos obligatorios para la conservación de la sociedad en un pueblo y en una época determinada (TS 5-4-66 y 31-12-79) y, desde el punto de vista procesal, con las formalidades y principios esenciales de nuestro ordenamiento jurídico procesal, y aún del internacional (TS auto 9-6-98 y 1-12-98), tesis, esta última, que merece el apoyo de la mejor doctrina y que resulta más acorde con los principios que inspiran la propia Ley de Arbitraje. El Tribunal Supremo, corrigiendo su propia doctrina, sostiene en sus recientes sentencias 46/2020, de 15 de junio, 17/2021, de 15 de febrero y 65/2021 de 15 de marzo que «por orden público material se entiende el conjunto de principios jurídicos públicos, privados, políticos, morales y económicos, que son absolutamente obligatorios para la conservación de la sociedad en un pueblo y en una época determinada... y, desde el punto de vista procesal, el orden público se configura como el conjunto de formalidades y principios necesarios de nuestro ordenamiento jurídico procesal». Lo que quiere poner de manifiesto en la última de esas resoluciones es que el concepto de orden público no puede ser un «cajón de sastre» en el que quepa cualquier motivo que sirva para revisar el fondo del asunto (TSJ Burgos, 22-1-24, EDJ 510634).

CAPÍTULO 12

Contratos bancarios

7850

SECCIÓN 1

Cuestiones generales

7855

No existe un **concepto** unitario de contrato bancario. No todos tienen la misma esencia jurídica y, por ello, no es posible encontrar una unidad normativa aglutinadora de su pluralidad. 7857
Con carácter previo hay que **distinguir** entre las nociones de operación bancaria (nº 7860) y contrato bancario (nº 7880).

1. Operación bancaria

Las operaciones bancarias son aquellos **negocios jurídicos** realizados por una entidad de crédito, en el desarrollo de su actividad profesional y para la consecución de sus propios fines económicos. 7860
Tienen un doble aspecto en la medida en que crean un **vínculo contractual** y originan al mismo tiempo un **mecanismo contable.** No hay operación bancaria que no quede sujeta a las normas del debe y del haber.
La **técnica contable** auxilia a la técnica bancaria en tres planos:
- pone orden en el escenario de las múltiples partidas y contrapartidas de dinero derivadas del normal funcionamiento de la operación bancaria;
- informa a todo interesado debidamente legitimado (dentro de los límites del secreto bancario);
- muestra y organiza las vicisitudes de la relación bancaria, pudiéndose utilizar como medio de prueba.

7862 **Normativa aplicable** El **Derecho bancario** es el conjunto de normas, principios e instituciones que regulan la actividad de las entidades de crédito. Este Derecho incorpora dos parcelas normativas: una jurídico-pública y otra jurídico-privada (nº 7888).

La parcela jurídico-pública, constituye lo que se denomina el Derecho de la **ordenación bancaria** y regula las relaciones jurídicas entre las entidades de crédito y la Administración Pública. A estos efectos hay que distinguir entre:

1) Normativa comunitaria:

- Dir 2002/87/CE relativa a la supervisión adicional de las entidades de crédito, empresas de seguros y empresas de inversión de un conglomerado financiero, posteriormente modificada por la Dir (UE) 2019/2034 del Parlamento Europeo y del Consejo, relativa a la supervisión prudencial de las empresas de servicios de inversión y por la Dir (UE) 2023/2864 del Parlamento Europeo y del Consejo, por la que se modifican determinadas Directivas en lo que respecta al establecimiento y el funcionamiento del punto de acceso único europeo;
- Dir 2008/48/CE, relativa a los contratos de crédito al consumo, que quedará derogada a partir del 20-11-2026 por la Dir (UE) 2023/2225 del Parlamento Europeo y del Consejo, relativa a los contratos de crédito al consumo. No obstante, se seguirá aplicando a los contratos de crédito vigentes a esa fecha, hasta su terminación;
- Dir 2009/110/CE, sobre el acceso a la actividad de las entidades de dinero electrónico y su ejercicio, así como sobre la supervisión prudencial de dichas entidades, modificada por la Dir 2015/2366/UE;
- Rgto UE/1093/2010, por el que se crea una Autoridad Europea de Supervisión (Autoridad Bancaria Europea). La versión en vigor es la modificada por el Rgto (UE) 2019/2175 y por el Rgto (UE) 2023/1114;
- Dir 2011/89/UE, por la que se modifican las Dir 98/78/CE, Dir 2002/87/CE, Dir 2006/48/CE y Dir 2009/138/CE en lo relativo a la supervisión adicional de las entidades financieras que formen parte de un conglomerado financiero;
- Dir 2013/36/UE, relativa al acceso a la actividad de las entidades de crédito y las empresas de inversión y a la supervisión prudencial de las entidades de crédito y las empresas de inversión, modificada en reiteradas ocasiones (entre otras, por Dir (UE) 2019/878; Dir (UE) 2019/2034; Dir (UE) 2021/338; Dir (UE) 2022/2556 y Dir (UE) 2023/2864) y completada entre otros por el Rgto (UE) 2021/923; Rgto Delegado UE/1151/2014; Rgto (UE) 2022/2580; Rgto (UE) 2022/2579 y Rgto (UE) 2023/1114;
- Rgto UE/575/2013, sobre los requisitos prudenciales de las entidades de crédito y las empresas de inversión, modificado en múltiples ocasiones, entre las más recientes, por Rgto (UE) 2019/630; Rgto (UE) 2019/876; Rgto (UE) 2019/2033; Rgto (UE) 2019/2160; Rgto (UE) 2020/873; Rgto (UE) 2021/424 y Rgto (UE) 2021/558; Rgto Ejecución (UE) 2021/1043; Rgto (UE) 2021/598; Rgto (UE) 2021/931; Rgto (UE) 2021/930; Rgto (UE) 2022/1622; Rgto (UE) 2022/1011; Rgto (UE) 2022/676; Rgto (UE) 2022/439; Rgto (UE) 2022/2257; Rgto (UE) 2022/2060; Rgto (UE) 2022/2058; Rgto (UE) 2023/511; Rgto (UE) 2023/206; Rgto (UE) 2779/2023; Rgto (UE) 2023/1578 y Rgto (UE) 2023/1577;
- Dir 2014/17/UE, sobre los contratos de crédito celebrados con los consumidores para bienes inmuebles de uso residencial, cuya versión en vigor es la modificada por el Rgto (UE) 2016/1011 y la Dir (UE) 2021/2167;
- Dir 2014/65/UE, relativa a los mercados de instrumentos financieros, cuya versión en vigor es la introducida por la Dir (UE) 2021/338; la Dir (UE) 2022/2556 y la Dir (UE) 2023/2864;
- Rgto UE/910/2014, relativo a la identificación electrónica y los servicios de confianza para las transacciones electrónicas en el mercado interior, modificado por la Dir (UE) 2022/2555;
- Dir (UE) 2015/2366, sobre servicios de pago en el mercado interior, modificada por la Dir (UE) 2022/2556;
- Dir (UE) 2015/849, relativa a la prevención de la utilización del sistema financiero para el blanqueo de capitales o la financiación del terrorismo, modificada por Dir (UE) 2018/843, Dir (UE) 2019/2177; y Rgto (UE) 2023/1113;
- Dir (UE) 2022/2556 del Parlamento Europeo y del Consejo por la que se modifican varias Directivas en lo relativo a la resiliencia operativa digital del sector financiero;
- Dir (UE) 2022/2555 del Parlamento Europeo y del Consejo relativa a las medidas destinadas a garantizar un elevado nivel común de ciberseguridad en toda la Unión;
- Dir (UE) 2023/2864 del Parlamento Europeo y del Consejo, por la que se modifican determinadas Directivas en lo que respecta al establecimiento y el funcionamiento del punto de acceso único europeo;
- Dir (UE) 2023/2225 del Parlamento Europeo y del Consejo, relativa a los contratos de crédito al consumo y que deroga la Directiva 2008/48/CE con efectos a partir del 20-11-2026;
- Rgto (UE) 2023/1113 del Parlamento Europeo y del Consejo, relativo a la información que acompaña a las transferencias de fondos y de determinados criptoactivos.

2) Normativa estatal. Hay que destacar las siguientes normas: 7864
- L 13/1989 de cooperativas de crédito.
- L 13/1992 de recursos propios y supervisión en base consolidada de las entidades financieras.
- RD 84/1993 que aprueba el Reglamento de cooperativas de crédito.
- L 13/1994 de autonomía del Banco de España. Hay que tener en cuenta también las Resoluciones del Consejo de Gobierno del Banco de España 28-3-00; 21-10-13; 27-6-14; 29-1-16; 24-4-18, que aprueban sucesivas modificaciones del Reglamento Interno del Banco de España.
- L 46/1998 de introducción del euro.

- L 34/2002 de servicios de la sociedad de la información y de comercio electrónico (redacc L 11/2023). 7866
- L 22/2007 sobre comercialización a distancia de servicios financieros destinados a los consumidores.
- L 10/2010 de prevención del blanqueo de capitales y de la financiación del terrorismo.
- L 2/2011 de Economía Sostenible.
- L 16/2011 de contratos de crédito al consumo (LCCo).
- RDL 20/2011 de medidas urgentes en materia presupuestaria, tributaria y financiera para la corrección del déficit público.
- RDL 2/2011 para el reforzamiento del sistema financiero.
- L 21/2011 de dinero electrónico.
- RD 778/2012 de régimen jurídico de las entidades de dinero electrónico.
- RDL 2/2012 de saneamiento del sector financiero.
- RDL 6/2012 de medidas urgentes de protección de deudores hipotecarios sin recursos.
- L 9/2012 de reestructuración y resolución de entidades de crédito (derogada en su práctica totalidad por la L 11/2015.

- L 1/2013 de medidas para reforzar la protección a los deudores hipotecarios, reestructuración de deuda y alquiler social. 7868
- RDL 6/2013, de protección a los titulares de determinados productos de ahorro e inversión y otras medidas de carácter financiero.
- L 10/2014 de ordenación, supervisión y solvencia de entidades de crédito.
- RD 304/2014 que aprueba el Reglamento de la L 10/2010, de prevención del blanqueo de capitales y de la financiación del terrorismo.
- L 5/2015, de fomento de la financiación empresarial.
- L 11/2015, de recuperación y resolución de entidades de crédito y empresas de servicios de inversión.
- RD 84/2015 que desarrolla la L 10/2014, de ordenación, supervisión y solvencia de entidades de crédito.
- RDL 4/2016, de medidas urgentes en materia financiera.
- RD 1012/2015, por el que se desarrolla la L 11/2015, de recuperación y resolución de entidades de crédito y empresas de servicios de inversión, y por el que se modifica el RD 2606/1996, sobre fondos de garantía de depósitos de entidades de crédito.
- LO 3/2018, de protección de datos personales y garantía de los derechos digitales.
- RDL 19/2018, de servicios de pago y otras medidas urgentes en materia financiera (redacc RDL 8/2023 y L 11/2023)
- L 5/2019, reguladora de los contratos de crédito inmobiliario.
- RD 309/2019, por el que se desarrolla parcialmente la L 5/2019 reguladora de los contratos de crédito inmobiliario.
- RD 736/2019, de régimen jurídico de los servicios de pago y de las entidades de pago.
- RD 309/2020, sobre el régimen jurídico de los establecimientos financieros de crédito.
- L 6/2020, reguladora de determinados aspectos de los servicios electrónicos de confianza, y que deroga la L 59/2003 de firma electrónica.
- RDL 6/2020, por el que se adoptan determinadas medidas urgentes en el ámbito económico y para la protección de la salud pública.
- RDL 19/2022, por el que se establece un Código de Buenas Prácticas para aliviar la subida de los tipos de interés en préstamos hipotecarios sobre vivienda habitual, se modifica el RDL 6/2012, de 9 de marzo, de medidas urgentes de protección de deudores hipotecarios sin recursos, y se adoptan otras medidas estructurales para la mejora del mercado de préstamos hipotecarios.
- RD 609/2023, por el que se crea el Registro Central de Titularidades Reales y se aprueba su Reglamento.
- L 2/2023, reguladora de la protección de las personas que informen sobre infracciones normativas y de lucha contra la corrupción.

- L 11/2023, de trasposición de Directivas de la Unión Europea en materia de accesibilidad de determinados productos y servicios, migración de personas altamente cualificadas, tributaria y digitalización de actuaciones notariales y registrales.
- RD 813/2023 sobre el régimen jurídico de las empresas de servicios de inversión y de las demás entidades que prestan servicios de inversión.

7870 **Normas de transparencia bancaria** Han de tenerse en cuenta, principalmente, las siguientes disposiciones:
- L 10/2014, de ordenación, supervisión y solvencia de entidades de crédito;
- OM EHA/2899/2011, de transparencia y protección del cliente de servicios bancarios (modificado por OM ECE/482/2019 y OM ETD/699/2020);
- BE Circ 8/1990 -en la parte vigente, principalmente de forma destacable la norma octava-;
- BE Circ 5/2012, a entidades de crédito y proveedores de servicios de pago, sobre transparencia de los servicios bancarios y responsabilidad en la concesión de préstamos, que deroga casi en su totalidad la BE Circ 8/1990.
- BE Circ 1/2021, por la que se modifican la Circ BE 1/2013, sobre la Central de Información de Riesgos, y la Circ BE 5/2012, a entidades de crédito y proveedores de servicios de pago, sobre transparencia de los servicios bancarios y responsabilidad en la concesión de préstamos.
- BE Circ 3/2021, por la que se modifica, en lo que respecta a la definición del tipo de interés de referencia basado en el Euro short-term rate (€STR) la Circ BE 5/2012, a entidades de crédito y proveedores de servicios de pago, sobre transparencia de los servicios bancarios y responsabilidad en la concesión de préstamos (modificada por RDL 2/2002).
- BE Circ 3/2022, por la que se modifica, en lo que respecta al desarrollo de las obligaciones de transparencia informativa exigibles en materia de crédito revolvente o *revolving*, la BE Circ 5/2012, a entidades de crédito y proveedores de servicios de pago, sobre transparencia de los servicios bancarios y responsabilidad en la concesión de préstamos.

Son un **conjunto normativo** que regula ciertas obligaciones jurídico-públicas -en ocasiones con efectos jurídico privados- inspiradas en la necesidad de disciplinar y hacer más transparentes los contratos bancarios. Estas normas no persiguen proteger directamente al cliente bancario, sino únicamente **disciplinar** una de las partes del contrato: la entidad de crédito.

7872 Asimismo, son de aplicación las siguientes normas:
- L 2/1994, de subrogación y modificación de préstamos hipotecarios (redacc RDL 19/2022);
- L 7/1998, sobre condiciones generales de la contratación (LCGC);
- RD 2660/1998, sobre cambio de moneda extranjera en establecimientos abiertos al público distintos de las entidades de crédito;
- RDL 6/2000, de medidas urgentes de intensificación de la competencia en mercados de bienes y servicios;
- BE Circ 6/2001, a titulares de establecimientos de cambio de moneda;
- BE Circ 4/2002, a entidades de crédito sobre estadísticas de los tipos de interés que se aplican a los depósitos y a los créditos frente a los hogares y las sociedades no financieras, derogada parcialmente (excepto la norma adicional) por BE Circ 1/2010;
- L 44/2002, de medidas de reforma del sistema financiero;
- OM ECO/734/2004, sobre los departamentos y servicios de atención al cliente y el defensor del cliente de las entidades financieras;
- BE Circ 4/2014, que crea y modifica ficheros con datos de carácter personal;
- L 22/2007, sobre comercialización a distancia de servicios financieros destinados a los consumidores;
- RDLeg 1/2007, por el que se aprueba el Texto refundido de la Ley General para la Defensa de los Consumidores y Usuarios y otras leyes complementarias;
- L 41/2007, por la que se modifica la L 2/1981, de regulación del mercado hipotecario y otras normas del sistema hipotecario y financiero, de regulación de las hipotecas inversas y el seguro de dependencia y por la que se establece determinada norma tributaria;
- L 2/2009, por la que se regula la contratación con los consumidores de préstamos o créditos hipotecarios y de servicios de intermediación para la celebración de contratos de préstamo o crédito;

7874 - BE Circ 1/2010, a entidades de crédito, sobre estadísticas de los tipos de interés que se aplican a los depósitos y a los créditos frente a los hogares y las sociedades no financieras;
- OM EHA/1718/2010, de regulación y control de la publicidad de los servicios y productos bancarios (modificada por OM ECE/482/2019 y OM ETD/699/2020);
- L 2/2011, de economía sostenible;
- L 16/2011, de contratos de crédito al consumo;
- BE Circ 1/2013, sobre Central de Información de Riesgos (redac BE Circ 2/2023);

- OM ECC/159/2013, por la que se modifica la parte II del anexo I de la L 16/2011, de contratos de crédito al consumo;
- OM ECC/2502/2012, por la que se regula el procedimiento de presentación de reclamaciones ante los servicios de reclamaciones del Banco de España, la Comisión Nacional del Mercado de Valores y la Dirección General de Seguros y Fondos de Pensiones;
- RDL 19/2018, de servicios de pago y otras medidas urgentes en materia financiera (redacc RDL 8/2023 y L 11/2023);
- L 5/2019, reguladora de los contratos de crédito inmobiliario (cuyo art.23.6 ha sido modificado por RDL 8/2023);
- RD 309/2019, por el que se desarrolla parcialmente la L 5/2019 reguladora de los contratos de crédito inmobiliario;
- RD 736/2019, de régimen jurídico de los servicios de pago y de las entidades de pago;
- OM ECE/1263/2019, sobre transparencia de las condiciones y requisitos de información aplicables a los servicios de pago y por la que se modifica la OM ECO/734/2004;
- BE Circ 4/2020, sobre publicidad de los productos y servicios bancarios;
- L 4/2022, de protección de los consumidores y usuarios frente a situaciones de vulnerabilidad social y económica;
- RDL 19/2022, por el que se establece un Código de Buenas Prácticas para aliviar la subida de los tipos de interés en préstamos hipotecarios sobre vivienda habitual.

Precisiones 1) Aunque las normas de transparencia bancaria no persiguen directamente proteger al cliente de las entidades de crédito, de tales normas deriva una importante **protección indirecta o mediata**. Así, el Tribunal Supremo calificó como incumplimiento grave la utilización por una entidad de crédito de un modelo de contrato sin autorizar. La exigencia de que los contratos de las entidades de crédito con sus clientes se formalicen por escrito y cumpliendo unos estrictos requisitos se fundamenta en la necesidad de proteger los legítimos intereses de la clientela (TS 11-11-98, EDJ 30867). **7876**

2) El TSJ Madrid declaró la inadmisión del recurso contencioso-administrativo interpuesto por la Unión de Consumidores de España contra BE Circ 8/1990 y contra la OM 12-12-1989 por entender que no está permitida la impugnación indirecta de una **disposición de carácter general**, como es la circular, a través de la impugnación directa de reglamentos, sino que solo es admisible la impugnación a través de actos administrativos de aplicación, en este caso de la orden citada. El TSJ considera que por ley se ha concedido al Banco de España **facultades normativas de desarrollo**, por lo que dichas circulares pueden tener un contenido que afecte a las entidades de crédito y a las relaciones entre éstas y sus clientes siempre que se limiten al desarrollo de normas de rango superior que les confieren validez (TSJ Madrid 25-11-97, EDJ 17424).

2. Consideraciones generales sobre los contratos bancarios

El contrato bancario puede definirse como un **acuerdo de voluntades**, en relación con una operación bancaria, generador de obligaciones. **7880**

Existe contrato bancario cuando concurren **consentimiento, objeto y causa**, quedando a la libertad de los contratantes el establecimiento de los pactos, cláusulas y condiciones que estimen convenientes siempre que no sean contrarios a las leyes, a la moral o al orden público (CC art.1255 y 1261).

Todos los contratos que se suelen incluir doctrinal y jurisprudencialmente bajo la denominación de contratos bancarios tienen dos **aspectos comunes**:
- un aspecto subjetivo: una de las partes, forzosamente, es un banco o una entidad de crédito;
- un aspecto objetivo: la actividad bancaria es aquélla que se centra en el negocio del dinero y de los títulos-valores (Garrigues).

Precisiones 1) La mayoría de la **doctrina** mantiene la tesis de la **mercantilidad genérica** de los contratos bancarios (Garrigues, Uría, Sánchez-Calero). **7882**

Además, en un número elevado de las operaciones y contratos bancarios las entidades de crédito actúan como **comisionistas** y el contrato de comisión es mercantil, es un mandato mercantil (Ramos Herranz).

Sin embargo, existe una **opinión minoritaria** que afirma que, en la legislación bancaria vigente, no existe una calificación de mercantiles o civiles de los contratos bancarios y es difícil calificar genéricamente como mercantiles a todos los contratos bancarios (Vicent Chuliá).

2) La concepción doctrinal de la mercantilidad general del contrato bancario se confirma por la siguiente **normativa**:
• Las operaciones de cualquier entidad o establecimiento financiero de crédito son hecho imponible del impuesto indirecto que grava el tráfico mercantil (y no el civil): el IVA.
• Las reglas concurrenciales del Derecho español (LGPu, LDC y LCD) son aplicables a todos los empresarios que forman la oferta en el mercado de los productos bancarios.

3) Por su parte, el **Tribunal Supremo** ha llegado también a la conclusión de que los contratos bancarios son genéricamente **mercantiles**. Así, siempre que los contratos estipulados revistan el carácter de operaciones bancarias, pueden ser conceptuados como mercantiles (TS 9-5-44; 27-12-85; 7-11-90; 5-12-91, EDJ 11577). La naturaleza mercantil de la operación no se desvirtúa por el hecho de que la misma venga garantizada mediante hipoteca sobre determinados bienes de la prestataria (TS 21-7-03, EDJ 50807).

Por otro lado, de manera reiterada ha establecido que el **contrato de cuenta corriente** se caracteriza por ser un subtipo del contrato de comisión mercantil (TS 19-12-95, EDJ 6686; 15-7-88, EDJ 16795; 14-12-84, EDJ 7557; auto 19-9-06, EDJ 267820).

4) Desde un punto de vista subjetivo, hay que afirmar que todas las entidades de crédito son, por definición, comerciantes o **empresarios de la banca** y es indiferente si su personificación institucional reviste la forma de sociedad anónima bancaria, caja de ahorros o cooperativa de crédito. Por tanto, si son empresarios, se aplica la norma propia de los mismos: el Derecho mercantil. Lo mismo ocurre para los establecimientos financieros de crédito, que necesariamente han de ser **sociedades anónimas**, siendo indiscutible su carácter mercantil por la forma, ya que todas las sociedades de capital son mercantiles por el mero hecho de ser tales, con independencia de su objeto (LSC art.2; RD 309/2020 art.10.a).

7884 **Características** Los rasgos comunes de los contratos bancarios son los siguientes:

1. Son usualmente **consensuales**, en la medida en que se perfeccionan por el mero consentimiento de las partes y, desde ese momento, obligan no solo al cumplimiento de lo expresamente pactado, sino también a todas las consecuencias que, según su naturaleza, sean conformes a la buena fe, al uso y a la ley (CC art.1258).

Como **excepción**, en nuestro Derecho positivo son contratos reales:
- el depósito bancario de dinero (CCom art.303 s.);
- el préstamo bancario de dinero (CCom art.311 s.; CC art.1740). Téngase en cuenta, en todo caso, que existen dos tesis en cuanto a la perfección de los contratos de préstamo mercantil (ver nº 4472).

2. Son **onerosos, bilaterales** (excepto el préstamo, que es unilateral conforme a la tesis mayoritaria) y **conmutativos**.

3. Son de **tracto sucesivo** y de **adhesión**, casi en su totalidad.

4. No tienen una **regulación específica**, aunque son nominados (CCom art.175, 177, 199 y 212), con **excepción** de las normas dedicadas al depósito (CCom art.303 a 310), al préstamo (CCom art.311 a 324) y a la fianza (CCom art.439 a 442). No existe, por tanto, un régimen jurídico completo y específicamente aplicable a la contratación bancaria como categoría genérica.

5. Se rigen por la **mutua confianza**. El cliente revelará al banco confidencias familiares o empresariales y por su parte, la entidad confiará en él para tomar el riesgo que supone la inversión financiera.

6. Las obligaciones de pago que nacen a cargo del cliente bancario son, habitualmente, aseguradas mediante alguno de los siguientes **sistemas de garantía**:
- real;
- personal.

7886 **7.** Están sometidos al principio de **especialización operativa**. Existe una reserva de actividad o denominación, de forma que queda reservada a las entidades de crédito que hayan obtenido la preceptiva autorización y se hallen inscritas en el correspondiente registro, la captación de fondos reembolsables del público, cualquiera que sea su destino, en forma de depósito, préstamo, cesión temporal de activos financieros u otras análogas. Las entidades de crédito utilizarán denominaciones genéricas propias, que serán distintas para cada tipo de entidad de crédito, de conformidad con lo que se prevea reglamentariamente o en una ley específica. Se prohíbe a toda persona, física o jurídica, no autorizada ni registrada como entidad de crédito el ejercicio de las actividades legalmente reservadas a las entidades de crédito y la utilización de las denominaciones propias de las mismas o cualesquiera otras que puedan inducir a confusión con ellas (L 10/2014 art.3).

Precisiones El **uso de la denominación «banco»** está reservado a determinadas entidades de crédito que, habiendo cumplido todos los requisitos exigidos por la Ley para el desarrollo de la actividad de intermediación financiera bajo la forma de sociedad anónima bancaria, reciban la autorización administrativa a tal efecto, no pudiendo ser utilizada tal denominación «banco» -u otras como «videobanco» o similares- por otras empresas con objeto social distinto, que no hayan cumplido aquellos requisitos ni posean la correspondiente autorización administrativa (TS 21-7-00, EDJ 23525).

7888 **Normativa aplicable** El Derecho contractual bancario regula las relaciones entre la entidad de crédito y los clientes. Este se encuentra constituido, fundamentalmente, por las normas siguientes:

1) Normas comunitarias:
- Dir 93/13/CEE, sobre cláusulas abusivas en los contratos celebrados con consumidores.

- Dir 2008/48/CE, relativa a los contratos de crédito al consumo, que quedará derogada a partir del 20 -11-2026 por la Dir (UE) 2023/2225 del Parlamento Europeo y del Consejo, relativa a los contratos de crédito al consumo. No obstante, se seguirá aplicando a los contratos de crédito vigentes a esa fecha, hasta su terminación.
- Dir 2005/29/CE, relativa a las prácticas comerciales desleales de las empresas en sus relaciones con los consumidores en el mercado interior (redacc Dir (UE) 2019/2161).
- Dir 2011/7/UE, por la que se establecen medidas de lucha contra la morosidad en las operaciones comerciales.
- Dir 2011/83/UE, sobre los derechos de los consumidores (redacc Dir (UE) 2023/2673).
- Dir 2014/17/UE, sobre los contratos de crédito celebrados con los consumidores para bienes inmuebles de uso residencial, complementada por el Rgto Delegado UE/1125/2014, en lo relativo a las normas técnicas de regulación del importe mínimo del seguro de responsabilidad civil profesional u otra garantía comparable de que deben disponer los intermediarios de crédito y modificada por la Dir (UE) 2021/2167.
- Dir 2014/57/UE, sobre las sanciones penales aplicables al abuso de mercado.
- Rgto UE/596/2014, sobre el abuso de mercado (en la versión introducida por Rgto (UE) 2019/2115 y con la modificación operada por Rgto (UE) 2023/2869).
- Dir 2014/92/UE, sobre la comparabilidad de las comisiones conexas a las cuentas de pago, el traslado de cuentas de pago y el acceso a cuentas de pago básicas.
- Dir 2015/2366/UE, sobre servicios de pago en el mercado interior (redacc Dir 2022/2556).
- Dir (UE) 2020/1828, relativa a las acciones de representación para la protección de los intereses colectivos de los consumidores, y por la que se deroga la Dir (UE) 2009/22/CE con efectos desde el 25-6-2023.
- Rgto (UE) 2021/1230, relativo a los pagos transfronterizos en la Unión.
- Rgto (UE) 2022/2065 del Parlamento Europeo y del Consejo de 19-10-2022 relativo a un mercado único de servicios digitales.
- Rgto (UE) 2022/1925 de Mercados Digitales.
- Rgto (UE) 2023/2854 del Parlamento Europeo y del Consejo, de 13-12-2023, sobre normas armonizadas para un acceso justo a los datos y su utilización.
- Rgto (UE) 2023/988 del Parlamento Europeo y del Consejo de 10 de mayo de 2023 relativo a la seguridad general de los productos.

2) Normas estatales: **7890**

• **Código de Comercio**. Éste regula solamente algunos de los contratos mercantiles más significativos. Es el caso del depósito, el préstamo o la fianza.

Al no existir un régimen jurídico completo y específicamente aplicable a la contratación bancaria como categoría genérica es necesario recurrir en el caso concreto, de un lado, a las normas generales de la contratación mercantil (CCom art.50 a 63) y, de otro, a las normas generales de contratación del Código Civil (CC art.1254 a 1314).

• **Leyes mercantiles especiales**. Podemos destacar las siguientes:
- L 23-7-1908 de préstamos usurarios «Ley Azcárate», parcialmente derogada por la L 1/2000 de enjuiciamiento civil (LEC).
- L 19/1985 cambiaria y del cheque (LCC);
- L 2/1994 sobre subrogación y modificación de préstamos hipotecarios;
- L 7/1998 sobre condiciones generales de la contratación (LCGC);
- L 28/1998 de venta a plazos de bienes muebles (LVPBM);
- L 41/2007, por la que se modifica la L 2/1981, de regulación del mercado hipotecario y otras normas del sistema hipotecario y financiero, de regulación de las hipotecas inversas y el seguro de dependencia y por la que se establece determinada norma tributaria;
- RDLeg 1/2007, por el que se aprueba el Texto refundido de la Ley general para la defensa de los consumidores y usuarios y otras leyes complementarias (LGDCU);
- L 16/2011, de contratos de crédito al consumo;
- RDL 19/2018, de servicios de pago y otras medidas urgentes en materia financiera (redacc RDL 8/2023 y L 11/2023;
- L 5/2019, reguladora de los contratos de crédito inmobiliario;
- RD 309/2019, por el que se desarrolla parcialmente la L 5/2019 reguladora de los contratos de crédito inmobiliario.
- L 4/2022, de protección de los consumidores y usuarios frente a situaciones de vulnerabilidad social y económica.
- RDL 19/2022, por el que se establece un Código de Buenas Prácticas para aliviar la subida de los tipos de interés en préstamos hipotecarios sobre vivienda habitual.

7892 • Reglas generales del **Derecho común y usos mercantiles**. Los usos tienen, en el ámbito del Derecho contractual bancario una gran relevancia.
Además de las normas expuestas han de tenerse en cuenta las siguientes consideraciones:
a. La primera fuente normativa es siempre la **voluntad de las partes**, sin la cual no nace el contrato a la vida jurídica (CC art.1091, 1255 y 1261).
No obstante, generalmente, los contratos están estipulados con **condiciones generales** redactadas aisladamente por cada entidad de crédito, aunque con enormes coincidencias entre ellas, y aplicables en tanto sean aceptadas por ambas partes contratantes (Vicent Chuliá).
b. Cabe deducir que los **estatutos de las entidades de crédito** son fuente de Derecho objetivo, al menos en cuanto al contrato de depósito bancario de dinero (CCom art.310). Sin embargo, para la doctrina actual, el precepto citado está hoy vacío de contenido y es inaplicable (García Villaverde y García Amigo).
c. Al Derecho contractual bancario le afectan, de forma indirecta, las normas de **Derecho de la competencia**: L 15/2007, de defensa de la competencia (LDC) y L 3/1991, de competencia desleal (LCD).

7894 **Parabancariedad** Con este concepto se hace referencia a operaciones alejadas de la tradicional práctica bancaria. Se trata de **negocios jurídicos** que vienen siendo desarrollados por las entidades de crédito como consecuencia de las necesidades de presentar una **oferta más amplia** de productos con la que competir con el resto de los operadores del mercado.
Las muestras más significativas son:
• La intermediación en los **mercados de valores**. Las entidades de crédito, aunque no sean empresas de servicios de inversión pueden realizar habitualmente todos los servicios y actividades de inversión y servicios auxiliares siempre que su régimen jurídico, sus estatutos y su autorización específica les habiliten para ello (LMV art.128).
• La intermediación en el **mercado de seguros**. Esta actividad, en la que las entidades de crédito son denominadas operadores de banca-seguros, está permitida y sometida a límites de mediación de contratos de seguros (RDL 3/2020 art.150 s.).
• La intermediación en el **mercado de bienes**. Esto es, las ofertas consistentes en remunerar el pasivo no mediante el tradicional abono de dinero (intereses), sino mediante entrega de bienes muebles con efecto solutorio.

7896 **Plataforma de financiación participativa («Crowdfunding»)** (L 5/2015 art.49 a 52) La financiación participativa se ha consolidado como alternativa para la financiación de **empresas emergentes y PYMEs** en la que lo habitual es recibir pequeñas inversiones. Representa un tipo cada vez más importante de intermediación en la que un proveedor de servicios de financiación participativa opera, sin asumir ningún riesgo propio, a través de una plataforma digital abierta al público, con objeto de poner en contacto o facilitar el contacto a inversores o prestamistas potenciales con empresas que busquen financiación.

7898 **A) A nivel nacional** en esta materia destaca la L 5/2015, de fomento de la financiación empresarial. Uno de los objetivos de esta ley consiste en avanzar en el desarrollo de medios alternativos de financiación, sentando las bases regulatorias necesarias para fortalecer las fuentes de financiación corporativa directa o financiación no bancaria en España. Se trata de evitar que, en el futuro, las tensiones en los mercados interbancarios repercutan de manera tan intensa en la capacidad de financiación de las empresas españolas. En última instancia, se pretende reducir la vulnerabilidad de la economía española a las crisis crediticias. Para ello, se establece por primera vez un **régimen jurídico** para las plataformas de financiación participativa, dando cobertura a las actividades comúnmente denominadas como *crowdfunding* (L 5/2015 título V).
• Las plataformas de financiación participativa constituyen un novedoso mecanismo de **desintermediación financiera** desarrollado sobre la base de las nuevas tecnologías.
• Únicamente se regulan las figuras de *crowdfunding* en las cuales prima el **componente financiero** de la actividad, esto es, aquellas en las que el inversor espera recibir una remuneración dineraria. Solo se regulan, por lo tanto, las operaciones de *crowdlending* (en esta modalidad, la aportación realizada por el *crowdfunder* se realiza en forma de préstamo y es reembolsada por el promotor del proyecto en los plazos previamente fijados y según el tipo de interés pactado) y las de *equity-crowdfunding* (en este caso, a cambio de la contribución colaborativa, el *crowdfunder* recibe una participación en el capital social de la sociedad promotora del proyecto). Quedan fuera del ámbito de aplicación de la L 5/2015 las operaciones de *crowdfunding* instrumentadas mediante compraventas o donaciones.

• Las plataformas de financiación participativa ponen en contacto a promotores de proyectos que demandan fondos con inversores u ofertantes de fondos que buscan en la inversión un rendimiento financiero. Se trata, por lo tanto, de una **estructura** triangular.
• Las **características** principales de las plataformas de financiación participativa son:
- La participación masiva de inversores que financian con cantidades reducidas pequeños proyectos de alto potencial.
- El carácter arriesgado de la inversión.

A **nivel europeo**, desde el 10-11-2022 es aplicable el Rgto (UE) 2020/1503, que establece **7900**
requisitos uniformes para los proveedores europeos de servicios de financiación participativa, su organización, autorización y supervisión. El Rgto (UE) 2020/1503 establece un **régimen jurídico completo y exhaustivo** de las plataformas de financiación participativa, su aprobación responde a que la financiación participativa representa un tipo cada vez más importante de intermediación en la Unión Europea y a que varios Estados miembros de la Unión Europea han adoptado diferentes regímenes jurídicos domésticos en los últimos años (entre ellos España).
Se busca **unificar** la regulación a nivel europeo, de manera que las plataformas de financiación participativa autorizadas y supervisadas conforme al Rgto (UE) 2020/1503 pueden prestar sus servicios **libremente en todo el territorio de la UE**, sin necesidad de obtener una autorización distinta en cada Estado miembro en el que quieran prestar sus servicios.
Quedan excluidos de su **ámbito de aplicación** los servicios de financiación participativa que se presten a promotores de proyectos que sean consumidores según la definición de la Dir 2008/48/CE art.3.a; otros servicios que se presten de conformidad con el Derecho nacional; y las ofertas de financiación participativa cuyo importe sea superior a 5.000.000 euros, calculado a lo largo de un período de 12 meses.

El Reglamento da una **definición** al servicio de financiación participativa: «la conexión de los **7902**
intereses de los inversores y de los promotores de proyectos en materia de financiación empresarial mediante el uso de plataformas de financiación participativa, que consista en cualquiera de las actividades siguientes»:
a) **Concesión de préstamos**. Deben ser préstamos que conlleven la obligación de reembolsar al inversor una cantidad de dinero acordada, para los que las plataformas de financiación participativa de crédito simplemente faciliten a los inversores y a los promotores de proyectos la celebración de contratos de crédito sin que los proveedores de servicios de financiación participativa actúen en ningún momento como acreedores del promotor del proyecto.
b) **Colocación**, sin base en un compromiso firme, de valores negociables y de instrumentos admitidos para la financiación participativa, emitidos por los promotores de proyectos o por una entidad instrumental, y recepción y transmisión de órdenes de clientes, en relación con esos valores e instrumentos.
c) **Servicio de gestión individualizada de carteras de préstamos**. Consiste en la asignación de una cantidad predeterminada de fondos de un inversor a uno o varios proyectos de financiación participativa en su plataforma, de conformidad con un mandato individual otorgado por el inversor y de manera individualizada. no es necesario que el inversor tome una decisión expresa respecto de cada oferta de inversión.
d) Posibilidad de proponer a cada inversor **proyectos de financiación participativa específicos**. Si el inversor desee realizar una inversión en los proyectos propuestos, tendrá que estudiar todas las ofertas y tomar de forma expresa una decisión de inversión respecto de cada una de ellas.
Los proveedores de servicios de financiación participativa no pagarán ni aceptarán ningún tipo de remuneración, descuento o rendimiento no pecuniario por orientar las órdenes de los inversores hacia una determinada oferta en sus plataformas o en una plataforma de tercero.
Los servicios que presten los proveedores de servicios de financiación participativa están sujetos a **autorización y supervisión** de las autoridades competentes en cada Estado miembro (en España ya están sometidos a autorización por la CNMV).
La normativa europea distingue entre **inversores experimentados y no experimentados** e introduce diferentes niveles de protección para cada una de esas categorías.
Para la protección de los inversores no experimentados, se establece una prueba inicial de **conocimientos** y simulación de la **capacidad para soportar pérdidas** para evaluar si los servicios ofrecidos son adecuados. Además, gozan de un periodo de reflexión, pues durante 4 días naturales pueden revocar una oferta de inversión o una manifestación de interés en una oferta concreta de financiación participativa sin dar una justificación y sin que se le aplique una penalización.
De forma **transitoria**, se podrán seguir prestando los servicios de financiación participativa incluidos en el ámbito de aplicación de esta nueva normativa (conforma a la normativa nacional aplicable), **hasta el 10-11-2022** o hasta que se les conceda la autorización conforme al reglamento, si esta fecha fuera anterior. Durante este periodo, los Estados miembros podrán disponer procedimientos de autorización simplificados.

7904 Entre las **principales novedades** de la regulación europea frente a la regulación nacional preexistente cabe destacar las siguientes:
1. Se incluye una nueva categoría para permitir que el proveedor de servicios de financiación participativa invierta fondos en nombre del inversor, denominada **gestión de carteras**.
2. Se establece un **límite único de inversión individual por proyecto** para inversores **minoristas**, que se fija como el más alto entre una cantidad de 000 euros o el 5% de la riqueza (sin incluir propiedades inmobiliarias y fondos de pensiones). A los inversores minoristas no se les impide invertir por encima del límite, pero de querer hacerlo, recibirán una advertencia de riesgo y tendrán que dar su consentimiento expreso al proveedor de servicios de financiación participativa.
3. Fijación de un **límite de inversión por proyecto** de 5 millones de euros, superable hasta el límite previsto en la legislación de cada Estado miembro, a partir del cual se exige la emisión de un folleto (pero en este caso sin poder contar con pasaporte europeo sino solo dentro de ese Estado miembro).
4. El Rgto (UE) 2020/1503 **no se aplica a determinadas plataformas**, como las que solo intermedian ofertas de financiación participativa cuyo importe sea superior a 5.000.000 euros, a pesar de que este tipo de plataformas sí estaban incluidas en el ámbito de aplicación de la L 5/2015. Es por este motivo que el art.14 de la L 18/2022 regula la figura de las **plataformas no armonizadas** (L 5/2015 art.55 redacc L 18/2022), con el fin de que estas plataformas no se enfrenten a una situación de falta de seguridad jurídica y claridad.
5. Las participaciones en **sociedades de responsabilidad limitada** se consideran como valores aptos para el desarrollo de las actividades de las plataformas de financiación participativa y de las empresas de servicios de inversión previstas en el **Rgto (UE) 2020/1503**.
6. Se permite que las plataformas de financiación participativa puedan **crear y agrupar a los inversores** en una sociedad de responsabilidad limitada, cuyo objeto social y única actividad consista en ser tenedora de las participaciones de la empresa en que se invierte, en una entidad sujeta a la supervisión de la CNMV. Aunque la normativa vigente hasta este momento en España no prohibía esta posibilidad, no se ha dado en la práctica, por lo que se considera conveniente incluirla expresamente en la legislación, asimilando el ordenamiento jurídico español al de otros países de nuestro entorno.
7. Nada impide que dentro de un **grupo empresarial** puedan coexistir sociedades con autorización para operar como plataformas de financiación participativa y sociedades con autorización para operar como empresas de capital riesgo, actuando siempre con autorizaciones separadas y contando siempre con las salvaguardias necesarias para la eliminación de cualquier conflicto de interés.
8. El Rgto Delegado (UE) 2024/358 completa el Rgto (UE) 2020/1503 en lo que respecta a las normas técnicas de regulación que especifican los requisitos sobre la puntuación crediticia de los proyectos de financiación participativa, la fijación del precio de las ofertas de financiación participativa y las políticas y procedimientos de gestión del riesgo.

7906 La L 18/2022, de creación y crecimiento de empresas, **adapta** la legislación española de las plataformas de financiación al régimen jurídico europeo (Rgto (UE) 2020/1503) mediante la introducción en la L 5/2015, de fomento de la financiación empresarial de un nuevo título V que acomoda la legislación española a la normativa europea con la finalidad de que las plataformas autorizadas en España puedan **prestar sus servicios libremente en todo el territorio de la Unión Europea**.

Para permitir que las plataformas de financiación participativa sujetas hasta ahora a su régimen jurídico nacional se adapten al Rgto (UE) 2020/1503, el propio Rgto prevé un **periodo transitorio de 24 meses** para que dichas plataformas dispongan de tiempo suficiente para adaptar su actividad empresarial. Durante ese período transitorio, los Estados miembros pueden establecer **procedimientos simplificados** que permitan que las personas jurídicas que han sido autorizadas con arreglo a la legislación nacional presten servicios de financiación participativa incluidos en el ámbito de aplicación del Reglamento, a condición de que los proveedores de servicios de financiación participativa cumplan los requisitos que se establecen en el propio Reglamento. Este procedimiento especial se recoge en la L 18/2022 disp.trans.4ª.

7908 Por otra parte, **desde el 28-11-2022** están en vigor una serie de Reglamentos Delegados que desarrollan **normas técnicas** relacionadas con los servicios de financiación participativa. Dichas normas técnicas se refieren a:
Los requisitos relativos a los **conflictos de interés** de los proveedores de servicios de financiación participativa (Rgto Delegado (UE) 2022/2111).
• Los requisitos relativos a los **conflictos de interés** de los proveedores de servicios de financiación participativa (Rgto Delegado (UE) 2022/2111).

• Los requisitos y modalidades de la **solicitud de autorización** como proveedor de servicios de financiación participativa, y que incluye un modelo de formulario en su anexo (Rgto Delegado (UE) 2022/2112).
• El **intercambio de información** entre las autoridades competentes en relación con las actividades de investigación, supervisión y control del cumplimiento con respecto a los proveedores europeos de servicios de financiación participativa para empresas (Rgto Delegado (UE) 2022/2113).
• La **prueba inicial de conocimientos** y la simulación de la capacidad de soportar pérdidas para inversores potenciales no experimentados en proyectos de financiación participativa, que deben realizar los proveedores de servicios de financiación participativa (Rgto Delegado (UE) 2022/2114).
• La metodología para calcular las **tasas de impago de los préstamos** ofrecidos en una plataforma de financiación participativa (Rgto Delegado (UE) 2022/2115).
• Las medidas y los procedimientos del **plan de continuidad de las actividades** de los proveedores de servicios de financiación participativa a que se refiere el Rgto (UE) 2020/1503 art.12.2.j (Rgto Delegado (UE) 2022/2116).
• Los requisitos, modelos de formatos y procedimientos para la tramitación de **reclamaciones** (Rgto Delegado (UE) 2022/2117).

• La **gestión individualizada de carteras de préstamos** por parte de los proveedores de servicios de financiación participativa, que especifican los elementos del método utilizado para evaluar el riesgo de crédito, la información sobre cada cartera de préstamos que debe comunicarse a los inversores, y las políticas y procedimientos que deben adoptarse en lo que respecta a los fondos de contingencia (Rgto Delegado (UE) 2022/2118). **7910**
• La **ficha de datos** fundamentales de la inversión a que se refiere el Rgto (UE) 2020/1503 art.23, que incorpora un modelo en su anexo (Rgto Delegado (UE) 2022/2119).
• Las normas y los formatos de datos, plantillas y procedimientos para la comunicación de **información sobre los proyectos financiados** a través de plataformas de financiación participativa (Rgto Ejecución (UE) 2022/2120).
• Los modelos de formularios, plantillas y procedimientos para la cooperación e **intercambio de información entre las autoridades competentes y la AEVM** en relación con los proveedores europeos de servicios de financiación participativa para empresas (Rgto Ejecución (UE) 2022/2121).
• Los modelos de formularios, plantillas y procedimientos para la cooperación y el **intercambio de información entre las autoridades competentes** en relación con los proveedores europeos de servicios de financiación participativa para empresas (Rgto Ejecución (UE) 2022/2122).
• Los modelos de formularios, plantillas y procedimientos para la notificación de los requisitos nacionales de **comercialización** aplicables a los proveedores de servicios de financiación participativa por parte de las autoridades competentes a la AEVM (Rgto Ejecución (UE) 2022/2123).

3. Elementos del contrato bancario

En todo **contrato bancario** se pueden diferenciar los siguientes elementos: **7915**
- partes contratantes (nº 7917);
- objeto del contrato (nº 7925);
- forma (nº 7929).

Contratantes Éstos son: **7917**
- la entidad de crédito o establecimiento financiero de crédito;
- su cliente.

Entidad de crédito (L 10/2014 art.1 y 6 redacc L 11/2023) Son entidades de crédito: **7919**
a) Las empresas autorizadas cuya actividad consiste en recibir del público **depósitos** u otros fondos reembolsables **y** en conceder **créditos** por cuenta propia, concretamente:
- los bancos;
- las cajas de ahorros;
- las cooperativas de crédito; y
- el Instituto de Crédito Oficial.
b) Las **empresas autorizadas** referidas en el art.4.1.1.b) del Reglamento (UE) n.º 575/2013 del Parlamento Europeo y del Consejo sobre los requisitos prudenciales de las entidades de crédito. Estas empresas, siempre que hayan obtenido una autorización con arreglo a la LMV Título V, capítulo II, han de presentar una **solicitud** de autorización de acuerdo a lo establecido en la L 10/2014 art.6.

La competencia para la **autorización** de las entidades de crédito corresponde al Banco de España.

Precisiones Con efectos a partir del 7-4-2023, se establece que el **Banco de España** ha de disponer de un órgano de **control interno** cuya dependencia funcional y capacidad de informe se regirá por los principios de imparcialidad, objetividad y por evitar la producción de conflictos de intereses. Asimismo, se establece la elaboración anual, por parte del Banco de España, de una memoria sobre su **función supervisora** en relación con sus actuaciones y procedimientos llevados a cabo en esta materia y de la que pueda deducirse información sobre la eficacia y eficiencia de tales procedimientos y actuaciones (L 10/2014 art.55 bis redacc L 6/2023).

7921 **Establecimiento financiero de crédito** (L 5/2015 art.6 s.) Los establecimientos financieros de crédito (EFC) han perdido la condición de entidades de crédito, pero mantienen intacta su inclusión dentro del perímetro de supervisión y estricta regulación financieras.

Para su **constitución** es necesaria autorización del Ministro de Economía y Competitividad (previo informe del Banco de España).

Pueden constituirse como establecimientos financieros de crédito las empresas que se dediquen con carácter profesional a ejercer una o varias de las siguientes **actividades**:

a) La concesión de **préstamos y créditos**, incluyendo crédito al consumo, crédito hipotecario y financiación de transacciones comerciales.

b) El «**factoring**», con o sin recurso, y las actividades complementarias de esta actividad, tales como las de investigación y clasificación de la clientela, contabilización de deudores, y en general, cualquier otra actividad que tienda a favorecer la administración, evaluación, seguridad y financiación de los créditos que les sean cedidos.

c) El **arrendamiento financiero**, con inclusión de las siguientes actividades complementarias:

- Actividades de mantenimiento y conservación de los bienes cedidos.
- Concesión de financiación conectada a una operación de arrendamiento financiero, actual o futura.
- Intermediación y gestión de operaciones de arrendamiento financiero.
- Actividades de arrendamiento no financiero que podrán complementar o no con una opción de compra.
- Asesoramiento e informes comerciales.

d) Las de concesión de **avales y garantías**, y suscripción de compromisos similares.

e) La concesión de **hipotecas inversas**.

Asimismo, los establecimientos financieros de crédito pueden desarrollar las demás **actividades accesorias** que resulten necesarias para el desempeño de las actividades anteriores, en los términos que se prevean en sus estatutos sociales.

También caben los establecimientos financieros de crédito que presten servicios de pago y/o que emitan **dinero electrónico**.

En materia de **supervisión y solvencia** de los establecimientos financieros de crédito, es aplicable la L 10/2014 (en los términos de la L 5/2015 art.12).

7923 **Cliente de la entidad de crédito** Al cliente bancario se le aplican las reglas generales de **capacidad** para contratar y las ordinarias de la **representación**, sea ésta orgánica -por ser persona jurídica- u ordinaria.

El cliente bancario puede estar, en relación con la entidad de crédito, en **dos posibles estadios** desde el punto de vista económico:

1) En **igualdad** económico-patrimonial. Éste es el caso de grandes multinacionales, empresas de electricidad y similares. Pueden negociar con las entidades de crédito en plano de igualdad o, cuanto menos, de relativa proximidad.

2) En **desigualdad** económico-patrimonial. Es el caso de la mayoría de los clientes bancarios, que no pueden negociar en plano de perfecta igualdad.

El cliente bancario normalmente es la parte débil del contrato, de ahí que exista poco margen de negociación sobre el contenido contractual.

El cliente bancario, desde este punto de vista, puede ser:

- consumidor-usuario de servicios bancarios;
- no consumidor.

a) El **cliente bancario consumidor** es aquella persona física que actúa con un propósito ajeno a su actividad comercial, empresarial, oficio o profesión, así como aquella persona jurídica o entidad sin personalidad jurídica que actúa con un propósito ajeno a su actividad comercial, empresarial, oficio o profesión (LGDCU art.3.1, primer inciso). Son también consumidores las personas jurídicas y las entidades sin personalidad jurídica que actúen sin ánimo de lucro en un ámbito ajeno a una actividad comercial o empresarial (LGDCU art.3.1, segundo inciso).

- Una categoría específica dentro del consumidor bancario la representa el **consumidor de crédito**.

A estos efectos se entiende por consumidor a la persona física que, en las relaciones contractuales que en ella se regulan, actúa con un propósito ajeno a su actividad empresarial o profesional (LCCo art.2.1).
- Otra categoría específica es la de **consumidor vulnerable**. En este sentido, a los efectos de la LGDCU y sin perjuicio de la normativa sectorial que en cada caso resulte de aplicación, tienen la consideración de personas consumidoras vulnerables respecto de relaciones concretas de consumo, aquellas personas físicas que, de forma individual o colectiva, por sus características, necesidades o circunstancias personales, económicas, educativas o sociales, se encuentran, aunque sea territorial, sectorial o temporalmente, en una especial situación de subordinación, indefensión o desprotección que les impide el ejercicio de sus derechos como personas consumidoras en condiciones de igualdad (LGDCU art.3.2).
b) El **cliente bancario no consumidor** (o empresario) es aquella persona física o jurídica, ya sea privada o pública, que actúa directamente o a través de otra persona en su nombre o siguiendo sus instrucciones, con un propósito relacionado con su actividad comercial, empresarial, oficio o profesión (LGDCU art.4).

Precisiones 1) El problema surge a la hora de determinar la protección a recibir por el cliente bancario que no es consumidor -**pequeñas o grandes empresas**-. Este problema aún no ha sido resuelto unidireccionalmente por los tribunales, que, sin embargo, se suelen decantar hacia la **no aplicabilidad** de la LGDCU (salvo sus criterios interpretativos siempre favorables al adherente, nunca al predisponente). La protección de este tipo de cliente bancario ha de fundamentarse en las normas generales de nuestro **Derecho privado** (CCom art.53, 57 y 59; CC art.1256 y 1288).
2) Toda **SRL** es siempre mercantil y, como tal, tiene la consideración de empresario y no de consumidor (TS 20-1-20, EDJ 504541).

Objeto del contrato Con carácter general, el objeto del contrato son la cosa (dinero) y el precio. En la práctica bancaria los contratos suelen tener por objeto **prestaciones** conectadas, directa o indirectamente, con el dinero. Lo contrario es la **excepción**, como es el caso del contrato de alquiler de cajas de seguridad. 7925
El **dinero** es una medida de la riqueza patrimonial de los operadores económico-jurídicos y un instrumento de cambio, en tanto que permite la viabilidad de las transmisiones de elementos patrimoniales mediante su facultad solutoria de deudas. Por eso, se admite que el dinero es **poder patrimonial abstracto**: permite cuantificar y adquirir todo lo patrimonializable (Bonet Correa, Paz-Ares).
Cabe resaltar dos aspectos del dinero como objeto de los contratos bancarios (Garrigues):
- su fungibilidad;
- la aplicación del principio nominalista.
a) El dinero, además de ser cosa mueble, **fungible** y esencialmente consumible (CC art.335, 337, 1740 y 1753), se caracteriza por su curso fiduciario.
b) El **principio nominalista**, constituye una solución normativa en virtud de la cual el deudor de dinero no soporta el riesgo de **depreciación** del mismo. En consecuencia, cumple y extingue su obligación pagando la suma debida, aunque dicha suma valga menos (como consecuencia de la inflación) en el momento final del vencimiento del contrato que en el momento inicial del mismo. Ello sin perjuicio del pacto en contra (CC art.1255).
Por último, también es propio del dinero su **carácter imperecedero**, de modo que la deuda de dinero no se puede extinguir por pérdida o por imposibilidad, sino únicamente por pago o sustitutos del mismo (condonación, confusión, compensación, novación...) (Bonet Correa).

El **precio** de la financiación no se determina, al contrario de lo que ocurre con la generalidad de los contratos, mediante el señalamiento de una cifra pre-liquidada y aceptada. 7927
En los **contratos con causa financiera**, la cantidad de dinero que extingue la obligación accesoria de remunerar requiere, para su cuantificación final, la presencia de tres factores que se multiplican:
a. Capital prestado.
b. Tipo de interés nominal.
c. Tiempo (número de días). Este último, a su vez, se desglosa en dos:
- tiempo de financiación transcurrido;
- base del año (que divide entre 360 o entre 365, según lo pactado).

Precisiones El **tiempo** es consustancial al cálculo de la remuneración del crédito. Éste es un dato diferencial de la contratación bancaria crediticia.

Forma (CCom art.51; LEC art.299) Los contratos bancarios, en tanto que **mercantiles**, son válidos y producen obligación y acción en juicio, cualesquiera que sean la forma y el idioma en que se celebren, la clase a que correspondan y la cantidad que tengan por objeto, siempre que conste su existencia por alguno de los medios establecidos por el Derecho. 7929

Ahora bien, no basta la declaración de testigos para **probar la existencia** de un contrato cuya cuantía exceda de 9,02 euros, a no concurrir alguna otra prueba, y es innegable que los contratos bancarios exceden en su casi totalidad de dicha cuantía (CCom art.51).

Como **excepción**, no producen obligación ni acción en juicio los contratos que no cumplan las circunstancias respectivamente requeridas en los siguientes casos (CCom art.52):

- los contratos que deban constar en escritura o requieran formas o solemnidades determinadas para su eficacia;
- los contratos celebrados en país extranjero en que la Ley exija escrituras, formas o solemnidades determinadas para su validez, aunque no las exija la Ley española.

7931 En **conclusión**, se puede decir que:

1) No hay en nuestro ordenamiento jurídico-privado norma alguna que permita afirmar que los contratos bancarios son formales. En consecuencia, la regla general es la **libertad de forma**, con la **particularidad** de que la prueba testifical única es ineficaz si la cuantía es superior a 9,02 euros.

Así pues, deben hacerse constar por escrito, aunque sean privados, los demás contratos en que la cuantía exceda de 9,02 euros (CC art.1280). Esto no supone una excepción a la regla general de la libertad de forma, porque cuando la ley exige el otorgamiento de escritura u otra forma especial para hacer efectivas las obligaciones propias de un contrato, los contratantes pueden compelerse recíprocamente a llenar tal forma desde que concurren el consentimiento y demás requisitos necesarios para su validez (CC art.1279).

Se pueden señalar las siguientes **excepciones** a la regla general de libertad de forma:

a. La **hipoteca bancaria**, que no se constituye sin la inscripción registral (CC art.1875; LH art.145).

b. La **fianza bancaria**, que, de no constar por escrito, no tiene valor ni efecto (CCom art.440).

c. Los **préstamos bancarios**, que no devengan interés si no se pactan por escrito (CCom art.314).

d. Los contratos de **crédito al consumo**, que deben constar por escrito en papel o en otro soporte duradero y redactarse «con una letra que resulte legible y con un contraste de impresión adecuado» (LCCo art.16.1).

2) En la práctica, todos los contratos bancarios se celebran **por escrito**, dado que la entidad de crédito, en cuanto organización, obliga a sus apoderados a que siempre exista constancia escrita de las operaciones realizadas a efectos de control interno.

3) Es habitual, en el plano de las **operaciones bancarias activas**, que la entidad de crédito requiera la actuación de fedatario público generadora de un documento público con mayor fuerza probatoria que el privado (CC art.1218; LEC art.319 s.), con fuerza ejecutiva (LEC art.517) y con eficacia prelativa (CC art.1924.3.a).

4. Clases de contratos bancarios

7935 Se diferencian tres categorías de operaciones o contratos bancarios: pasivas, activas y neutras.

7937 **Contrato bancario pasivo** En este contrato, la entidad de crédito recibe **fondos ajenos** para aplicarlos en su propio nombre a fines diversos. El **cliente** obtiene mediante estas operaciones un derecho de crédito contra la entidad bancaria por las cantidades entregadas y un derecho a percibir intereses.

Los contratos de este tipo más usuales son:

- depósito dinerario (nº 8325);
- redescuento (nº 9000);
- cuentas de ahorro (nº 8389);
- libretas de ahorro (nº 8387);
- imposiciones a plazo fijo (nº 8395);
- pagarés bancarios (nº 8416).

7939 **Contrato bancario activo** A la inversa, en todo contrato bancario activo las obligaciones de pago dinerario nacen a cargo del cliente, convirtiéndose la entidad de crédito en acreedor pecuniario, pues es ella la que ahora financia y su cliente quien resulta financiado.

La entidad bancaria concede dinero (**préstamo**) o la posibilidad de disponerlo (**crédito**), teniendo el cliente la obligación de devolver las cantidades obtenidas más el interés correspondiente.

Los supuestos más usuales son:

- préstamo bancario de dinero (nº 8530);
- apertura de crédito (nº 8830);

- descuento (nº 8905);
- arrendamiento financiero (leasing) (nº 4575);
- renting empresarial (nº 4695);
- forfaiting (nº 4820);
- confirming (nº 4800);
- factoring (nº 4740).

Contrato bancario neutro En este tipo de contrato, también denominado **contrato de servicios**, la entidad de crédito queda obligada a realizar un servicio a favor de su cliente, quien paga por ello una **comisión**. 7941

Los más usuales son:
- alquiler de cajas de seguridad (nº 8290);
- cuenta corriente bancaria (nº 8195);
- transferencia bancaria (nº 8240);
- depósito y administración de valores y activos financieros (nº 10210);
- mediación y emisión de valores mobiliarios (nº 9359).

En la práctica muchos contratos bancarios son **fuente simultánea** tanto de obligaciones de dar (dinero) como de hacer. En todo caso, cualesquiera que sean las obligaciones nacidas, tienen fuerza de ley entre los contratantes y deben cumplirse al tenor de los contratos correspondientes (CC art.1091).

Precisiones 1) Los **depósitos irregulares interbancarios**, constituidos por los saldos que los bancos mantienen eventualmente entre sí con la finalidad de cubrir los coeficientes de caja, de inversiones o de cualquier otra finalidad a que resulten obligados por las normas correspondientes, de modo que los excesos o remanentes de una entidad financiera se sitúan en otra para conseguir la antedicha cobertura, son operaciones internas entre banqueros que no están destinadas a la clientela ni constituyen las actividades típicas del tráfico para las que han nacido las entidades bancarias como productoras de bienes y servicios en régimen de libre competencia y en los sectores públicos de la economía. 7943

2) El **descuento cambiario** constituye al banco descontante en tenedor de las letras de cambio o pagarés cambiarios descontados y en legítimo acreedor de su importe, excluyendo como tal al librador descontatario. En consecuencia, no procede el ejercicio de la correspondiente acción cambiaria por la entidad libradora que descontó los efectos sin haber reintegrado su importe al banco descontante, que es el legitimado para reclamar (TS 26-9-98, EDJ 20136).

3) No existe incumplimiento indemnizable por la entidad bancaria, puesto que, aun cuando ésta realizó gestiones de cobro de una subvención a favor de una sociedad anónima, lo pactado entre las partes no constituye un compromiso formal de concesión de un préstamo, sino una mera solicitud de **domiciliación bancaria** en un documento que no es título-valor (TS 18-12-98, EDJ 30777).

4) En el contrato de **gestión discrecional de carteras de inversión** se aplican al gestor las normas reguladoras del mandato o de la comisión mercantil en lo no previsto por las partes (TS 11-7-98, EDJ 17993).

5. Prevención del blanqueo de capitales y la financiación del terrorismo

(L 10/2010; RD 304/2014)

La **regulación** de las medidas que se exponen en esta sección tiene por **objetivo** prevenir, dificultar e impedir la utilización del sistema financiero y de otros sectores de la actividad económica para el blanqueo de capitales provenientes de actividades ilícitas y la financiación del terrorismo. La L 10/2010 traspone la Dir 2005/60/CE -«Tercera Directiva» de prevención de blanqueo y la financiación del terrorismo-, desarrollada a su vez por la Dir 2006/70/CE. Ambas directivas han quedado derogadas a partir del 26-6-2017 por la Dir (UE) 2015/849, que a su vez ha sido transpuesta al Ordenamiento jurídico español por medio del RDL 11/2018. 7950

La L 10/2010 ha sido **modificada** por:
- la L 21/2011, de dinero electrónico;
- la L 19/2013, de transparencia, acceso a la información pública y buen gobierno;
- el RDL 11/2018, de transposición de directivas en materia de protección de los compromisos por pensiones con los trabajadores, prevención del blanqueo de capitales y requisitos de entrada y residencia de nacionales de países terceros y por el que se modifica la LPAC; y
- el RDL 7/2021, de transposición de directivas de la UE en las materias de competencia, prevención del blanqueo de capitales, entidades de crédito, telecomunicaciones, medidas tributarias, prevención y reparación de daños medioambientales, desplazamiento de trabajadores en la prestación de servicios transnacionales y defensa de los consumidores.
- la L 18/2022, de creación y crecimiento de empresas.

- la LO 9/2022, por la que se establecen normas que faciliten el uso de información financiera y de otro tipo para la prevención, detección, investigación o enjuiciamiento de infracciones penales.
- el RDL 5/2023, por el que se adoptan y prorrogan determinadas medidas de respuesta a las consecuencias económicas y sociales de la Guerra de Ucrania, de apoyo a la reconstrucción de la isla de La Palma y a otras situaciones de vulnerabilidad; de transposición de Directivas de la Unión Europea en materia de modificaciones estructurales de sociedades mercantiles y conciliación de la vida familiar y la vida profesional de los progenitores y los cuidadores; y de ejecución y cumplimiento del Derecho de la Unión Europea.
- la L 2/2023, reguladora de la protección de las personas que informen sobre infracciones normativas y de lucha contra la corrupción.

El Reglamento de la L 10/2010 se promulgó mediante el RD 304/2014 (modificado por RDL 7/2021 y por RD 609/2023).

Esta normativa tiene por **objeto** la protección del sistema financiero y de otros sectores de actividad económica mediante el establecimiento de obligaciones de prevención del blanqueo de capitales y de la financiación del terrorismo. Sin perjuicio de mantener vigente la L 12/2003 en lo relativo al **bloqueo de la financiación del terrorismo**, la L 10/2010 procede a la unificación en un solo texto legal de los regímenes de prevención del blanqueo de capitales y de la financiación del terrorismo, regulados hasta ahora en diferentes textos legales (L 19/1993 y L 12/2003, respectivamente), poniéndose fin a la dispersión actual.

7952 La L 10/2010 amplía el concepto de **blanqueo de capitales**, entendiéndose por tal, a efectos de la misma:

a) La **conversión** o la transferencia de bienes, a sabiendas de que proceden de una actividad delictiva o de la participación en una actividad delictiva, con el propósito de ocultar o encubrir el origen ilícito de los bienes o de ayudar a personas que estén implicadas a eludir las consecuencias jurídicas de sus actos.

b) La **ocultación** o el encubrimiento de la naturaleza, el origen, la localización, la disposición, el movimiento o la propiedad real de bienes o derechos sobre bienes, a sabiendas de que dichos bienes proceden de una actividad delictiva o de la participación en una actividad delictiva.

c) La **adquisición**, posesión o utilización de bienes, a sabiendas, en el momento de la recepción de los mismos, de que proceden de una actividad delictiva o de la participación en una actividad delictiva.

d) La **participación** en alguna de las actividades mencionadas en las letras anteriores, la asociación para cometer este tipo de actos, las tentativas de perpetrarlas y el hecho de ayudar, instigar o aconsejar a alguien para realizarlas o facilitar su ejecución.

La ley precisa que existe blanqueo de capitales aun cuando las conductas anteriores sean realizadas por la persona o personas que cometieron la actividad delictiva que haya generado los bienes. Se considera que existe blanqueo de capitales aun cuando las actividades que hayan generado los bienes se hubieran desarrollado en el territorio de otro Estado. A los efectos anteriores se entiende por **bienes procedentes de una actividad delictiva** todo tipo de activos cuya adquisición o posesión tenga su origen en un delito, tanto materiales como inmateriales, muebles o inmuebles, tangibles o intangibles, así como los documentos o instrumentos jurídicos con independencia de su forma, incluidas la electrónica o la digital, que acrediten la propiedad de dichos activos o un derecho sobre los mismos, con inclusión de la cuota defraudada en el caso de los delitos contra la Hacienda Pública (L 10/2010 art.1.2).

Se entiende por **financiación del terrorismo** el suministro, el depósito, la distribución o la recogida de fondos o bienes, por cualquier medio, de forma directa o indirecta, con la intención de utilizarlos o con el conocimiento de que serán utilizados, íntegramente o en parte, para la comisión de cualquiera de los delitos de terrorismo tipificados en el CP. Existe financiación del terrorismo incluso cuando el suministro o la recogida de fondos o bienes se hayan desarrollado en el territorio de otro Estado (L 10/2010 art.1.3).

7954 Precisiones La L 10/2010, que derogó la L 19/1993, establece el enfoque basado en riesgo -«**risk-based approach**»-, consistente en exigir distintas medidas y controles respecto de actividades o clientes que comporten un riesgo distinto, e incorpora la obligación de los sujetos obligados de aplicar medidas reforzadas de diligencia debida a aquellos clientes que tengan la condición de personas con responsabilidad pública, la obligación de aplicar a los clientes ya existentes las medidas de diligencia debida, y la posibilidad de recurrir a terceros sujetos a la normativa de blanqueo para la aplicación de determinadas medidas de diligencia debida.

a. Sujetos obligados

La L 10/2010 amplía el abanico de sujetos obligados por la normativa de prevención del blanqueo de capitales y la financiación del terrorismo, especialmente a aquellos que no desarrollan una actividad propiamente financiera, tales como las personas que comercien profesionalmente con bienes, asociaciones o fundaciones. Las medidas de prevención del blanqueo de capitales y la financiación del terrorismo van dirigidas, en primer término, a las personas y entidades que integran el **sistema financiero**, pero también a otras **actividades profesionales y empresariales** susceptibles, a juicio de la Ley, de ser utilizadas para dichos fines. 7960
Deben cumplir las obligaciones que se establecen para la prevención del blanqueo de capitales y la financiación del terrorismo las siguientes personas:

Entidades financieras (L 10/2010 art.2.1.a, b, c, d, e, f, g, h, i, z) Que comprenden: 7962
- las entidades de **crédito**;
- las entidades **aseguradoras** autorizadas para operar en el ramo de vida y corredores de seguros cuando actúen en relación con seguros de vida u otros servicios relacionados con inversiones;
- las empresas de **servicios de inversión** (sociedades de valores, agencias de valores, sociedades gestoras de carteras y empresas de asesoramiento financiero, estas últimas también conocidas como EAFI);
- las sociedades gestoras de **instituciones de inversión colectiva** (SGIIC) y las sociedades de inversión (se exceptúan aquellas cuya gestión, administración y representación estén encomendadas a una SGIIC);
- las entidades gestoras de **fondos de pensiones**;
- las sociedades gestoras de entidades de **capital-riesgo** y las sociedades de capital-riesgo cuya gestión no está encomendada a una sociedad gestora;
- las sociedades de **garantía recíproca**;
- las **entidades de pago** y las **entidades de dinero electrónico**;
- las personas que ejerzan profesionalmente actividades de **cambio de moneda**; y
- los proveedores de servicios de cambio de **moneda virtual** por moneda fiduciaria y de custodia de monederos electrónicos.

Otros sujetos obligados (L 10/2010 art.2.1.j, k, l, m, n, ñ, o, p, q, r, s, t, u, v, w, x, y) Están asimismo sujetas a las obligaciones de la L 10/2010, las personas físicas y jurídicas que ejercen las **actividades profesionales o empresariales** siguientes: 7964
• Los **casinos** de juego.
• Los **promotores inmobiliarios** y quienes ejerzan profesionalmente actividades de agencia, comisión o intermediación en la compraventa de bienes inmuebles o en arrendamientos de bienes inmuebles que impliquen una transacción por una renta total anual igual o superior a 120.000 euros o una renta mensual igual o superior a 10.000 euros.
• Los **auditores** de cuentas, **contables** externos, **asesores** fiscales y cualquier otra persona que se comprometa a prestar de manera directa o a través de otras personas relacionadas, ayuda material, asistencia o asesoramiento en cuestiones fiscales como actividad empresarial o profesional principal.
• Los **notarios y registradores** de la propiedad, mercantiles y de bienes muebles.
• Los **abogados, procuradores** u otros profesionales independientes cuando participen en:
- la concepción, realización o asesoramiento de operaciones por cuenta de clientes relativas a la compraventa de bienes inmuebles o entidades comerciales;
- la gestión de fondos, valores u otros activos;
- la apertura o gestión de cuentas corrientes, cuentas de ahorros o cuentas de valores;
- la organización de las aportaciones necesarias para la creación, el funcionamiento o la gestión de empresas o la creación, el funcionamiento o la gestión de fideicomisos (*trusts*), sociedades o estructuras análogas; o
- actúen en nombre y por cuenta de clientes, en cualquier operación financiera o inmobiliaria.
• Las personas que con **carácter profesional** y con arreglo a la normativa específica aplicable presten los siguientes servicios por cuenta de terceros:
- **constituir** sociedades u otras personas jurídicas;
- ejercer funciones de **dirección o de secretarios** no consejeros de consejo de administración o de asesoría externa de una sociedad, socio de una asociación o funciones similares en relación con otras personas jurídicas o disponer que otra persona ejerza dichas funciones;
- facilitar un **domicilio social** o una dirección comercial, postal, administrativa y otros servicios afines a una sociedad, una asociación o cualquier otro instrumento o persona jurídicos;
- ejercer funciones de **fiduciario** en un fideicomiso (*trust*) expreso o instrumento jurídico similar o disponer que otra persona ejerza dichas funciones; o

- ejercer funciones de **accionista por cuenta de otra persona**, exceptuando las sociedades que coticen en un mercado regulado de la Unión Europea y estén sujetas a requisitos de información acordes con el Derecho de la Unión o a normas internacionales equivalentes que garanticen la adecuada transparencia de la información sobre la propiedad, o disponer que otra persona ejerza dichas funciones.

7966 • Los servicios postales, respecto de las actividades de **giro o transferencia**.
• Las personas dedicadas profesionalmente a la **intermediación** en la **concesión de préstamos o créditos**, así como aquellas que, sin haber obtenido la autorización como establecimientos financieros de crédito (EFC), desarrollen profesionalmente alguna actividad prevista en la L 5/2015 art.6, o desarrollen actividades de concesión de préstamos previstas en la L 5/2019.
• Las personas que comercien profesionalmente con **joyas, piedras o metales preciosos**.
• Las personas que comercien profesionalmente con comercio de objetos de **arte o antigüedades**.
• Las personas que ejerzan profesionalmente las actividades a las que se refiere la L 43/2007 art.1 de protección a los consumidores en la **contratación de bienes con oferta de restitución del precio**.
• Las personas que ejerzan actividades de depósito, custodia o transporte profesional de **fondos o medios de pago**.
• Las personas responsables de la gestión, explotación y comercialización de **loterías** u otros **juegos de azar** presenciales o por medios electrónicos, informáticos, telemáticos e interactivos. En el caso de loterías, apuestas mutuas deportivo-benéficas, concursos, bingos y máquinas recreativas tipo «B» únicamente respecto de las operaciones de pago de premios.
• Las personas físicas que realicen **movimientos de medios de pago**, con entrada o salida en territorio nacional por importe igual o superior a 10.000 euros, o por territorio nacional por importe igual o superior a 100.000 euros (L 10/2010 art.34). Ver nº 7972.
• Las personas que **comercien profesionalmente con bienes**, respecto de las transacciones por importe superior a 10.000 euros (L 10/2010 art.38).
• Las **fundaciones y asociaciones** (L 10/2010 art.39).
• Los **gestores** de **sistemas de pago** y de **compensación y liquidación** de valores y productos financieros derivados, así como los gestores de **tarjetas** de crédito o débito emitidas por otras entidades.

7968 Precisiones **1)** Se entienden **incluidas** entre las entidades y personas citadas:
- las personas y entidades extranjeras que, a través de sucursales o agentes o mediante prestación de servicios sin establecimiento permanente, desarrollan en España actividades de igual naturaleza a las de las entidades citadas.
- los establecimientos de cambio de moneda autorizados para la gestión de transferencias con el exterior, en tanto que no se hayan transformado en entidad de crédito o en entidad de pago (L 10/2010 disp.trans.4ª).
2) Los sujetos obligados quedan sometidos a las obligaciones respecto de las operaciones realizadas a través de agentes y otras personas físicas o jurídicas que actúen como **mediadores o intermediarios** (L 10/2010 art.2.2).

7970 **Sujetos y actividades excluidas** (L 10/2010 art.2.3 redacc L 18/2022; RD 304/2014 art.3) Algunas personas pueden quedar excluidas de la relación de sujetos obligados por existir **escaso riesgo** de blanqueo de capitales o financiación del terrorismo en la actividad que realizan. Es el caso, por ejemplo, de:
• Las personas que realicen **actividades financieras con carácter ocasional** o de manera muy limitada, cuando exista escaso riesgo de blanqueo de capitales o de financiación del terrorismo.
• Los **juegos de azar** que presenten un bajo riesgo de blanqueo de capitales y de financiación del terrorismo.
• La actividad de **cambio de moneda extranjera** realizada con carácter accesorio a la actividad principal del titular, cuando concurran todas las circunstancias siguientes:
- que la actividad de cambio de moneda extranjera se verifique, exclusivamente, como servicio proporcionado a los clientes de la actividad principal;
- que la cantidad cambiada por cliente no exceda de 1.000 euros en cada trimestre natural;
- que la actividad de cambio de moneda extranjera sea limitada en términos absolutos, sin que pueda exceder la cifra de 100.000 euros anuales; y
- que la actividad de cambio de moneda extranjera sea accesoria a la actividad principal, considerándose como tal aquella que no exceda del 5 por ciento de la facturación anual del negocio.

• Los **actos notariales y registrales** que carezcan de contenido económico o patrimonial o no sean relevantes a efectos de prevención del blanqueo de capitales y de la financiación del terrorismo. A tal efecto, mediante Orden del Ministro de Economía y Competitividad, previo informe del Ministerio de Justicia, se establecerá la relación de tales actos.
• Las **entidades de dinero electrónico**; **entidades de pago**; y **personas físicas y jurídicas** a las que se refieren el RDL 19/2018 art.14 y 15 que presenten un bajo riesgo de blanqueo de capitales y de financiación del terrorismo.

Régimen especial (L 10/2010 art.7.5 y 6, 22, 34, 38, 39, 40 y 43; RD 304/2014 art.41 a 44) Se puede afirmar que los siguientes sujetos están encuadrados en un régimen especial, bien porque no se les exige que cumplan el catálogo completo de obligaciones generales, bien porque dicho régimen presenta algunas particularidades: **7972**

a) Medios de pagos (L 10/2010 art.34): están sujetas a la obligación de presentar **declaración previa** sobre el origen, destino y tenencia de los fondos las personas físicas que, actuando por cuenta propia o de tercero, realicen los siguientes movimientos:
• **Salida o entrada** en territorio nacional de medios de pago por importe igual o superior a 10.000 euros o su contravalor en moneda extranjera.
• **Movimientos** por territorio nacional de medios de pago por importe igual o superior a 100.000 euros o su contravalor en moneda extranjera. A estos efectos, se entiende por movimiento cualquier cambio de lugar o posición que se verifique en el exterior del domicilio del portador de los medios de pago.
Se **exceptúan** de esta obligación de declaración las personas físicas que actúen por cuenta de empresas que, debidamente autorizadas e inscritas por el Ministerio del Interior, ejerzan actividades de transporte profesional de fondos o medios de pago, excepto cuando se trate de movimientos de entrada y salida de la Unión Europea.
Cuando se produzca la entrada o salida del territorio nacional de medios de pago **no acompañados por persona física** que formen parte de un envío sin portador (envíos postales, envíos por mensajería, equipaje no acompañado o carga en contenedores) por importe igual o superior a 10.000 euros o su contravalor en moneda extranjera, deberá presentarse declaración dentro del plazo de 30 días anteriores al movimiento no acompañado. La obligación de declaración del movimiento será responsabilidad del remitente o su representante legal en el caso de movimientos de salida de medios de pago. En los casos de entrada de medios de pago procedentes de un tercer país, será responsable de la declaración el destinatario del efectivo, o su representante legal.
La OM ETD/1217/2022 establece los **modelos, criterios y forma de declaración** aplicables a quienes, actuando por cuenta propia o de tercero, realicen los movimientos de medios de pago previstos en la L 10/2010 art.34.

Precisiones **1)** A los efectos de esta ley se entiende por **medios de pago**:
a) El **papel moneda** y la **moneda metálica**, nacionales o extranjeros.
b) Los **efectos negociables** o medios de pago **al portador**. Son aquellos instrumentos que, previa presentación, dan a sus titulares el derecho a reclamar un importe financiero sin necesidad de acreditar su identidad o su derecho a ese importe. Se incluyen aquí los cheques de viaje, los cheques, pagarés u órdenes de pago, ya sean extendidos al portador, firmados pero con omisión del nombre del beneficiario, endosados sin restricción, extendidos a la orden de un beneficiario ficticio o en otra forma en virtud de la cual su titularidad se transmita a la entrega y los instrumentos incompletos.
c) Las **tarjetas prepago**, entendiendo por tales aquellas tarjetas no nominativas que almacenen o brinden acceso a valores monetarios o fondos que puedan utilizarse para efectuar pagos, adquirir bienes o servicios, o para la obtención de dinero en metálico, cuando dichas tarjetas no estén vinculadas a una cuenta bancaria.
d) Las **materias primas** utilizadas como depósitos de valor de gran liquidez, como el **oro**.
2) Todos los **modelos de declaración** establecidos en la OM ETD/1217/2022 se pueden obtener en las oficinas de los órganos con competencias en materia de Aduanas e Impuestos Especiales de la Agencia Estatal de Administración Tributaria y en las Delegaciones de Economía y Hacienda. Los referidos modelos estarán también disponibles a través de las páginas Web del Servicio Ejecutivo de la Comisión de Prevención del Blanqueo de Capitales e Infracciones Monetarias, de la Agencia Tributaria y del Tesoro Público.

b) Comercio de bienes (L 10/2010 art.38): las personas físicas o jurídicas que comercien profesionalmente con bienes quedan sujetas a las obligaciones establecidas en la L 10/2010 art.3, 17, 18, 19, 21, 24 y 25 respecto de las transacciones en que los cobros o pagos se efectúen por personas físicas no residentes con los medios de pago a que se refiere la L 10/2010 art.34.2 (moneda metálica, cheques bancarios al portador, otros medios de pago al portador, ...) y por **importe** superior a 10.000 euros, ya se realicen en una o en varias operaciones entre las que parezca existir algún tipo de relación. **7974**

c) **Fundaciones y asociaciones** (L 10/2010 art.39): el protectorado y el patronato están obligados a velar para que las fundaciones no sean utilizadas para el blanqueo de capitales o la financiación del terrorismo. Las fundaciones deben conservar durante el plazo mínimo de diez años **registros** con la identificación de todas las personas que aporten o reciban a título gratuito fondos o recursos de la fundación -en términos de obligación de identificación formal y del titular real-, y mantenerlos a disposición de las autoridades.
Dichas obligaciones son aplicables asimismo a las asociaciones. Corresponde al órgano de gobierno o asamblea general, a los miembros del órgano de representación que gestione los intereses de la asociación y al organismo encargado de verificar su constitución cumplir con las mismas.
En relación con esta cuestión, puede consultarse también el RD 304/2014 art.42.

7976 d) **Entidades gestoras colaboradoras** (L 10/2010 art.40): los gestores de sistemas de pago y de compensación y liquidación de valores y productos financieros derivados, así como los gestores de tarjetas de crédito o débito emitidas por otras entidades, están obligados a colaborar con la Comisión de Prevención del Blanqueo de Capitales e Infracciones Monetarias y con sus órganos de apoyo, proporcionando la información de que dispongan relativa a las operaciones efectuadas.
e) **Entidades de crédito** (L 10/2010 art.43 redacc LO 9/2022): con la finalidad de prevenir e impedir el blanqueo de capitales y la financiación del terrorismo (así como para fines de prevención, detección, investigación o enjuiciamiento de delitos graves), las entidades de crédito, las entidades de dinero electrónico y las entidades de pago deben **declarar periódicamente** al SEPBLAC la apertura o cancelación de cuentas corrientes, cuentas de ahorro, depósitos y de cualquier otro tipo de cuentas de pago, así como los contratos de alquiler de cajas de seguridad y su periodo de arrendamiento, con independencia de su denominación comercial. Las declaraciones no incluirán las cajas de seguridad, cuentas y depósitos de las sucursales o filiales de las entidades declarantes españolas en el extranjero.
La **declaración contendrá**, en todo caso, los datos identificativos de los titulares y de sus titulares reales y los datos identificativos de los representantes o autorizados y cualesquiera otras personas con poderes de disposición. La información de los productos a declarar incluirá en todo caso la numeración que lo identifique, el tipo de producto declarado y las fechas de apertura y de cancelación. En el caso de las cajas de seguridad se incluirá la duración del periodo de arrendamiento.
Los datos declarados serán incluidos en un fichero de titularidad pública, denominado **Fichero de Titularidades Financieras**, del cual será responsable la Secretaría de Estado de Economía y Apoyo a la Empresa. Con ocasión de la investigación de delitos relacionados con el blanqueo de capitales o la financiación del terrorismo, pueden acceder al Fichero de Titularidades Financieras los órganos jurisdiccionales con competencias en la investigación de estos delitos y el Ministerio Fiscal. Previa autorización judicial o del Ministerio Fiscal, también pueden acceder a los datos declarados en el Fichero de Titularidades Financieras las Fuerzas y Cuerpos de Seguridad del Estado, la Oficina de Recuperación y Gestión de Activos, la Secretaría de la Comisión de Vigilancia de Actividades de Financiación del Terrorismo, el Centro Nacional de Inteligencia y la AEAT (en los términos previstos en la L 58/2003). No obstante, solo puede requerirse acceso al fichero con la finalidad de la prevención o represión del blanqueo de capitales o de la financiación del terrorismo.

Precisiones La LO 9/2022 ha modificado diversos aspectos relativos al **acceso** al Fichero de Titularidades Financieras. Con efectos desde el **29-8-2022** se otorga acceso al Fichero de Titularidades Financieras a nuevas autoridades: a) la Fiscalía Europea; b) la Oficina de Recuperación y Gestión de Activos; c) al Centro Nacional de Inteligencia; y d) las Haciendas Forales (L 10/2010 art.43.1, 2 y 3).

7978 f) Los **casinos de juego** (L 10/2010 art.7.5): han de identificar mediante documentos fehacientes la identidad de cuantas personas pretendan acceder al establecimiento. Asimismo, los casinos de juego deben identificar a los clientes en cualquiera de las siguientes operaciones:
- la entrega a los clientes de cheques como consecuencia de operaciones de cambio de fichas;
- la transferencia de fondos realizada por los casinos a petición de los clientes;
- la expedición por los casinos de certificaciones acreditativas de ganancias obtenidas por los jugadores.

Cuando efectúen **transacciones por un valor** igual o superior a 2.000 euros en una operación o en varias operaciones entre las que parezca existir algún tipo de relación, ya sea en el momento del cobro de ganancias, de compra o venta de fichas de juego, los casinos deben aplicar el resto de las medidas normales de diligencia debida respecto del cliente (L 10/2010 art.3 a 8).

g) Los **operadores de juego** a través de **medios electrónicos**, informáticos, telemáticos e interactivos deben identificar y comprobar la identidad de cuantas personas pretendan participar en estos juegos o apuestas, en los términos previstos reglamentariamente (L 10/2010 art.7.6). Cuando efectúen transacciones por un valor igual o superior a 2.000 euros en una operación o en varias operaciones entre las que parezca existir algún tipo de relación, ya sea en el momento del cobro de ganancias y/o de la realización de apuestas, estos operadores de juego deberán aplicar el resto de las medidas normales de diligencia debida respecto del cliente (L 10/2010 art.3 a 8).
Los operadores de juego a través de **medios presenciales** deben aplicar las medidas de diligencia debida cuando efectúen transacciones por un valor igual o superior a 2.000 euros en una operación o en varias operaciones entre las que parezca existir algún tipo de relación.
h) Los **abogados, procuradores** u otros profesionales independientes están obligados a seguir la normativa antiblanqueo cuando participen en la concepción, realización o asesoramiento de operaciones por cuenta de clientes relativas a la compraventa de bienes inmuebles o entidades comerciales, la gestión de fondos, valores u otros activos, la apertura o gestión de cuentas corrientes, cuentas de ahorros o cuentas de valores, la organización de las aportaciones necesarias para la creación, el funcionamiento o la gestión de empresas o la creación, el funcionamiento o la gestión de fideicomisos («trusts»), sociedades o estructuras análogas, o cuando actúen por cuenta de clientes en cualquier operación financiera o inmobiliaria. Sin embargo, los abogados **no están sometidos** a las obligaciones de abstenerse de establecer relaciones de negocio o ejecutar operaciones con respecto a la información que reciban de uno de sus clientes u obtengan sobre él al determinar la posición jurídica en favor de su cliente o desempeñar su misión de defender a dicho cliente en procesos judiciales o en relación con ellos, incluido el asesoramiento sobre la incoación o la forma de evitar un proceso, independientemente de si han recibido u obtenido dicha información antes, durante o después de tales procesos (L 10/2010 art.22).

b. Obligaciones

Las resumimos agrupándolas en varios epígrafes, debiendo tener en cuenta además que los sujetos obligados no pueden revelar al cliente ni a terceros las actuaciones que estén realizando en relación con estas obligaciones (véase la **prohibición de revelación**, L 10/2010 art.24.1). **7985**
Los sujetos obligados están sometidos al cumplimiento de, entre otras, las siguientes obligaciones:
- aplicar medidas de **diligencia** debida (nº 7987 s.);
- realizar un **examen especial** a determinadas operaciones (ver nº 8019);
- suministrar la **información** pertinente al órgano supervisor competente, comunicación por indicio, comunicación sistemática y abstención de ejecución (nº 8025);
- conservar los **documentos** y registros correspondientes (nº 8023);
- adoptar medidas de **control interno** (nº 8031); y
- no revelar **información reservada** (nº 8035);
- instruir a su **personal** en la materia (nº 8037); y
- protección e idoneidad de **empleados**, directivos y agentes (nº 8039).

Medidas de diligencia debida (L 10/2010 art.3 a 16; RD 304/2014 art.4 a 22) Bajo esta denominación se recogen las clásicas obligaciones de identificación del cliente y averiguación de la naturaleza de sus actividades profesionales o empresariales, junto con medidas de seguimiento de la relación de negocio. **7987**
Las obligaciones se pueden agrupar bajo las **categorías** de:
- medidas «**normales**» de diligencia debida (nº 7989);
- medidas «**simplificadas**» -aplicables a clientes, productos u operaciones que presentan un riesgo menor- (nº 8001); y
- medidas «**reforzadas**» -aplicables a los clientes y productos y operaciones que presentan un mayor riesgo de blanqueo de capitales o financiación del terrorismo- (nº 8009).

Precisiones **1)** Las medidas de diligencia debida deben aplicarse también a los **fideicomisos** («**trusts**») u otros instrumentos jurídicos o masas patrimoniales que puedan actuar en el tráfico jurídico pese a carecer de personalidad jurídica.
2) Cuando se aprecie la **imposibilidad de aplicar las medidas** de diligencia debida debe ponerse fin a la relación de negocios y procederse a realizar el examen especial (nº 8021).
3) Para apreciar el **carácter justificado** de las medidas de diligencia debida adoptadas por una entidad de crédito respecto de un cliente que sea entidad de pago, uno de los elementos a considerar es la afectación que esas medidas puedan causar al **principio de libre competencia** entre personas que operan en el mismo mercado, puesto que la normativa que prevé la adopción de estas medidas

ha de interpretarse a la luz de los principios generales del Derecho de la Unión Europea. No basta con la existencia de un riesgo genérico, es necesario que se aprecien hechos concretos que informen sobre la existencia de un riesgo de blanqueo de capitales o financiación del terrorismo (TJUE 10-3-16, C-235/14 asunto Safe Interenvíos contra Liberbank, Banco Sabadell y BBVA).

Es preciso determinar la **proporcionalidad de las medidas** de diligencia debida, para lo cual procede examinar si existen medios menos restrictivos para lograr el mismo nivel de protección. En este caso se constataron numerosas irregularidades en el envío de fondos por la entidad de pago demandante, que constituían indicios de actividad de blanqueo de capitales. No se trata, pues, de un riesgo genérico, sino de irregularidades que proporcionaban a los bancos una información suficiente sobre la existencia de ese riesgo de blanqueo de capitales, sin que esta hubiera probado la ausencia de ese riesgo, de modo que las medidas de diligencia debida a adoptar cumplían el requisito de presentar un vínculo concreto con el riesgo de blanqueo de capitales TS 7-10-16, EDJ 171356.

7989 **Medidas normales de diligencia debida** Comprenden las actuaciones que a continuación se detallan.

7991 **1. Identificación formal** (L 10/2010 art.3; RD 304/2014 art.3 a 7):

Con carácter previo al establecimiento de relaciones de negocio o a la intervención en cualesquiera operaciones ocasionales cuyo importe sea igual o superior a 1.000 euros, los sujetos obligados deben exigir la presentación de los **documentos fehacientes** de la identidad de sus clientes. Los documentos válidos para acreditar la identidad son:

• Si se trata de **persona física**: documento nacional de identidad para las personas de nacionalidad española. Si son de nacionalidad extranjera, permiso de residencia expedido por el Ministerio del Interior, pasaporte o documento de identificación válido en el país de procedencia que incorpore fotografía de su titular.

• En caso de **persona jurídica**: documento fehaciente acreditativo de su existencia y que contenga su denominación, forma jurídica, domicilio, identidad de sus administradores, estatutos y número de identificación fiscal. En caso de personas jurídicas de nacionalidad española, es admisible la certificación del RM.

Precisiones **1)** Para el **pago de premios de loterías** y otros juegos de azar, procederá la identificación y comprobación de la identidad del premiado cuando el premio sea igual o superior a 2.500 euros, sin perjuicio de lo dispuesto en la L 13/2011, de regulación del juego (modificada por L 23/2022).

2) En las operaciones de **envío de dinero** y gestión de transferencias debe procederse a la identificación y comprobación de la identidad en todo caso.

3) No es preceptiva la comprobación de la identidad en la ejecución de operaciones cuando no concurran dudas respecto de la identidad del interviniente, quede acreditada su participación en la operación mediante su firma manuscrita o electrónica y dicha comprobación se hubiera practicado previamente en el establecimiento de la relación de negocios.

7993 **2. Identificación del titular real** (L 10/2010 art.4; RD 304/2014 art.8 y 9):

Con **carácter previo** al establecimiento de relaciones de negocio, la ejecución de transferencias electrónicas por importe superior a 1.000 euros o a la ejecución de otras operaciones ocasionales por importe superior a 15.000 euros, los sujetos obligados deben:

1º Identificar al titular real.

2º Adoptar medidas adecuadas en función del riesgo, a fin de comprobar su identidad.

Se **entiende por titular real**:

- La persona o personas físicas por cuya cuenta se pretenda establecer una relación de negocios o intervenir en cualesquiera operaciones.
- La persona o personas físicas que en último término posean o controlen, directa o indirectamente, un porcentaje superior al 25% del capital o de los derechos de voto de una persona jurídica, o que por otros medios ejerzan el control, directo o indirecto, de una persona jurídica. Cuando no exista una persona física que posea o controle, directa o indirectamente, un porcentaje superior al 25% del capital o de los derechos de voto de la persona jurídica, o que por otros medios ejerza el control, directo o indirecto, de la persona jurídica, se considerará que ejerce dicho control el administrador o administradores. Cuando el administrador designado sea una persona jurídica, se entenderá que el control es ejercido por la persona física nombrada por el administrador persona jurídica.
- En el caso de los fideicomisos, como el trust anglosajón, tendrán la consideración de titulares reales todas las personas siguientes: el fideicomitente, el fiduciario o fiduciarios, el protector (si lo hubiera), los beneficiarios (o, cuando aún estén por designar, la categoría de personas en beneficio de la cual se ha creado o actúa la estructura jurídica); y cualquier otra persona física que ejerza en último término el control del fideicomiso a través de la propiedad directa o indirecta o a través de otros medios.
- En el supuesto de instrumentos jurídicos análogos al *trust*, como las fiducias o el *treuhand* de la legislación alemana, los sujetos obligados identificarán y adoptarán medidas adecuadas a

fin de comprobar la identidad de las personas que ocupen posiciones equivalentes o similares a las relacionadas anteriormente.
La identificación y comprobación de la identidad del titular real puede realizarse, con carácter general, mediante una **declaración responsable** del cliente o de la persona que tenga atribuida la representación de la persona jurídica. A estos efectos, los administradores de las sociedades u otras personas jurídicas deben obtener y mantener información adecuada, precisa y actualizada sobre la titularidad real de las mismas. Sin embargo, es preceptiva la obtención por el sujeto obligado de **documentación adicional** o de información de fuentes fiables independientes cuando el cliente, el titular real, la relación de negocios o la operación presenten riesgos superiores al promedio.
Procede en todo caso la acreditación de la titularidad real mediante la obtención de **información documental** o de **fuentes fiables independientes** en los siguientes supuestos:
a) Cuando existen indicios de que la identidad del titular real declarada por el cliente no es exacta o veraz.
b) Cuando concurren circunstancias que determinan el examen especial de conformidad con la L 10/2010 art.17, o la comunicación por indicio de conformidad con la L 10/2010 art.18.

Precisiones 1) Los sujetos obligados deben **recabar información** de los clientes para determinar si éstos **actúan por cuenta propia o de terceros**. Cuando existan indicios o certeza de que los clientes no actúan por cuenta propia, los sujetos obligados han de recabar la información precisa a fin de conocer la identidad de las personas por cuenta de las cuales actúan aquéllos. **7995**
2) Los sujetos obligados deben adoptar medidas adecuadas al efecto de determinar la **estructura** de propiedad y de control de las **personas jurídicas**, estructuras jurídicas sin personalidad, fideicomisos y cualquier otra estructura análoga. Y **se prohíbe** que establezcan o mantengan relaciones de negocio con personas jurídicas, o estructuras jurídicas sin personalidad, cuya estructura de propiedad y de control no haya podido determinarse.
3) No es preceptiva la identificación de los **accionistas** o titulares reales de **sociedades que coticen** en un mercado regulado y que estén sujetas a requisitos de información acordes con el Derecho de la Unión o a normas internacionales equivalentes que garanticen la adecuada transparencia de la información sobre la propiedad.
4) Para el cumplimiento de la obligación de identificación y comprobación de la identidad del titular real, los sujetos obligados pueden acceder a la **base de datos** de titularidad real del **Consejo General del Notariado** previa celebración del correspondiente acuerdo de formalización, en los términos previstos en la L 10/2010 art.8.
5) Las sociedades mercantiles, fundaciones, asociaciones y cuantas personas jurídicas estén sujetas a la obligación de declarar su titularidad real, constituidas conforme a la legislación española o con domicilio social o sucursal en España, están obligadas a obtener, **conservar** durante 10 años y actualizar la **información** del titular o los titulares reales de esa persona jurídica (L 10/2010 art.4 bis).
6) Existen normas especiales relativas a la información de titularidad real de **fideicomisos** como el *trust* y otros instrumentos jurídicos análogos (L 10/2010 art.4 ter).

3. Averiguación del propósito e índole de la relación de negocios (L 10/2010 art.5; RD 304/2014 art.10): **7997**
Los sujetos obligados deben recabar de sus clientes información para conocer la naturaleza de su actividad profesional o empresarial, así como adoptar medidas dirigidas a «comprobar razonablemente» la **veracidad** de dicha información, consistentes en establecer y aplicar procedimientos de verificación de las actividades declaradas por los clientes. Dichos procedimientos deben tener en cuenta el diferente nivel de **riesgo** y basarse en obtener de los clientes documentos que guarden relación con la **actividad declarada**, o en obtener información sobre la misma ajena al cliente.

Precisiones Los sujetos obligados han de **comprobar** las **actividades declaradas** por los clientes en los siguientes supuestos:
- cuando el cliente o la relación de negocios presenten riesgos superiores al promedio, por disposición normativa o porque así se desprenda del análisis de riesgo del sujeto obligado;
- cuando del seguimiento de la relación de negocios resulte que las operaciones activas o pasivas del cliente no se corresponden con su actividad declarada o con sus antecedentes operativos.

4. Seguimiento continuo de la relación de negocios (L 10/2010 art.6; RD 304/2014 art.11 a 14): **7999**
Los sujetos obligados deben aplicar medidas de seguimiento continuo a la relación de negocios, incluyendo el **escrutinio de las operaciones** efectuadas. La finalidad de dicha obligación es garantizar que la relación de negocios y las operaciones coinciden con el conocimiento que tienen del cliente y su **perfil empresarial y de riesgo**, incluido el origen de los fondos, así como garantizar que están **actualizados** los documentos, datos e información de que disponen.

Precisiones 1) Existe la obligación de aplicar a los clientes todas las «medidas normales de diligencia debida». No obstante, se puede determinar el **grado de aplicación** de las medidas relativas a la identificación del titular real, la averiguación del propósito e índole de la relación de negocios y el seguimiento continuo de la relación de negocios. Dicho grado de aplicación depende del riesgo y tipo de cliente, relación de negocios, producto u operación, extremos de los que se debe dejar constancia en la política expresa de admisión de clientes.
2) Las «medidas normales de diligencia debida» -exceptuando el seguimiento continuo de la relación de negocios- pueden ser **aplicadas por terceros** distintos al sujeto obligado, si bien el sujeto obligado seguirá siendo plenamente responsable. La posibilidad de recurrir a terceros para cumplir dicha obligación exige la previa conclusión de un **contrato escrito**, con cierto contenido mínimo, incluyendo la obligación del tercero de poner a inmediata disposición del sujeto obligado la información obtenida de la aplicación de las medidas de diligencia debida. Dichos terceros pueden estar domiciliados en la UE o en países terceros equivalentes. Asimismo, los sujetos obligados pueden aceptar las medidas de diligencia practicadas por sus **filiales o sucursales** domiciliadas en terceros países.

8001 **Medidas simplificadas de diligencia debida** (L 10/2010 art.9 y 10; RD 304/2014 art.15 a 18) Es posible aplicar medidas simplificadas de diligencia debida respecto de aquellos clientes, productos u operaciones que comporten un riesgo reducido de blanqueo de capitales o de financiación del terrorismo.
La aplicación de medidas simplificadas de diligencia debida se gradúa en función del riesgo, con arreglo a los siguientes **criterios**:
• Con carácter previo a la aplicación de medidas simplificadas de diligencia debida respecto de un determinado cliente, producto u operación de los previstos reglamentariamente, los sujetos obligados deben comprobar que comporta efectivamente un **riesgo reducido** de blanqueo de capitales o de financiación del terrorismo.
• La aplicación de las medidas simplificadas de diligencia debida ha de ser, en todo caso, congruente con el riesgo. Los sujetos obligados no deben aplicar o cesar de aplicar medidas simplificadas de diligencia debida tan pronto como aprecien que un cliente, producto u operación no comporta riesgos reducidos de blanqueo de capitales o de financiación del terrorismo.
• Los sujetos obligados han de mantener, en todo caso, un **seguimiento** continuo suficiente para detectar operaciones susceptibles de examen especial (nº 8025).

8003 Las medidas simplificadas de diligencia debida pueden aplicarse respecto de los siguientes **clientes**:
a) Las **entidades de Derecho público** de los Estados miembros de la UE o de países terceros equivalentes.
b) Las sociedades u otras personas jurídicas **controladas o participadas mayoritariamente por entidades de derecho público** de los Estados miembros de la UE o de países terceros equivalentes.
c) Las **entidades financieras**, exceptuadas las entidades de pago, domiciliadas en la UE o en países terceros equivalentes que sean objeto de supervisión para garantizar el cumplimiento de las obligaciones de prevención del blanqueo de capitales y de la financiación del terrorismo.
d) Las **sucursales o filiales de entidades financieras**, exceptuadas las entidades de pago, domiciliadas en la UE o en países terceros equivalentes, cuando estén sometidas por la matriz a procedimientos de prevención del blanqueo de capitales y de la financiación del terrorismo.
e) Las **sociedades cotizadas** cuyos valores se admitan a negociación en un mercado regulado de la UE o de países terceros equivalentes, así como sus sucursales y filiales participadas mayoritariamente.

Precisiones La Comisión de Prevención del Blanqueo de Capitales e Infracciones Monetarias establece los **países terceros equivalentes** en DGTPF Resol 10-9-2008.

8005 Las medidas simplificadas de diligencia debida pueden aplicarse respecto de los siguientes **productos u operaciones**:
• Las **pólizas de seguro de vida** cuya prima anual no exceda de 1.000 euros o cuya prima única no exceda de 2.500 euros.
• Los **instrumentos de previsión social complementaria** enumerados en la LIRPF art.51, cuando la liquidez se encuentre limitada a los supuestos contemplados en la normativa de planes y fondos de pensiones y no puedan servir de garantía para un préstamo.
• Los **seguros colectivos** que instrumenten compromisos por pensiones a que se refiere el RDLeg 1/2002 disp.adic.primera, cuando cumplan los siguientes **requisitos**:
- que instrumenten compromisos por pensiones que tengan su origen en un convenio colectivo o en un expediente de regulación de empleo, entendido como la extinción de las relaciones

laborales en virtud de un despido colectivo del ET art.51 o de resolución judicial adoptada en el seno de un procedimiento concursal;
- que no admitan el pago de primas por parte del trabajador asegurado que, sumadas a las abonadas por el empresario tomador del seguro, supongan un importe superior a los límites establecidos por la LIRPF art.52.1.b, para los instrumentos de previsión social complementaria enumerados en su art.51;
- que no puedan servir de garantía para un préstamo y no contemplen otros supuestos de rescate distintos a los excepcionales de liquidez recogidos en la normativa de planes de pensiones o a los recogidos en el RD 1588/1999 art.29.

• Las **pólizas del ramo de vida** que garanticen exclusivamente el riesgo de fallecimiento, incluidas las que contemplen además garantías complementarias de indemnización pecuniaria por invalidez permanente o parcial, total o absoluta o incapacidad temporal, enfermedad grave y dependencia.

• El **dinero electrónico** cuando no pueda recargarse y el importe almacenado no exceda de 250 euros o cuando, en caso de que pueda recargarse, el importe total disponible en un año natural esté limitado a 2.500 euros, salvo cuando el titular del dinero electrónico solicite el reembolso de una cantidad igual o superior a 1.000 euros en el curso de ese mismo año natural. Se excluye el dinero electrónico emitido contra entrega de los medios de pago a que se refiere la L 10/2010 art.34.

• Los **giros postales** de las Administraciones Públicas o de sus organismos dependientes y los giros postales oficiales para pagos del Servicio Postal con origen y destino en el propio Servicio de Correos.

• Los **cobros o pagos derivados de comisiones** generadas por reservas en el sector turístico que no superen los 1.000 euros.

• Los **contratos de crédito al consumo** por importe inferior a 2.500 euros siempre que el reembolso se realice exclusivamente mediante cargo en una cuenta corriente abierta a nombre del deudor en una entidad de crédito domiciliada en la Unión Europea o en países terceros equivalentes.

• Los **préstamos sindicados** en los que el banco agente sea una entidad de crédito domiciliada en la Unión Europea o en países terceros equivalentes, respecto de las entidades participantes que no tengan la condición de banco agente.

• Los **contratos de tarjeta de crédito** cuyo límite no supere los 5.000 euros, cuando el reembolso del importe dispuesto únicamente pueda realizase desde una cuenta abierta a nombre del cliente en una entidad de crédito domiciliada en la UE o país tercero equivalente.

En los supuestos anteriores, es posible aplicar, en función del riesgo y en sustitución de las medidas normales de diligencia debida, una o varias de las siguientes **medidas**: **8007**
a) Comprobar la **identidad** del cliente o del titular real únicamente cuando **se supere un umbral** cuantitativo con posterioridad al establecimiento de la relación de negocios.
b) **Reducir la periodicidad** del proceso de revisión documental.
c) **Reducir el seguimiento** de la relación de negocios y el escrutinio de las operaciones que no superen un umbral cuantitativo.
d) **No** recabar **información** sobre la **actividad** profesional o empresarial del cliente, infiriendo el propósito y naturaleza por el tipo de operaciones o relación de negocios establecida.

Precisiones 1) Las medidas simplificadas de diligencia debida deben ser congruentes con el riesgo. No puede aplicarse medidas simplificadas de diligencia debida o, en su caso, cesar la aplicación de las mismas, cuando concurran o surjan **indicios o certeza** de blanqueo de capitales o de financiación del terrorismo o riesgos superiores al promedio.
2) Existen especialidades en relación con las operaciones de **compraventa minorista** (RD 304/2014 art.18).

Medidas reforzadas de diligencia debida (L 10/2010 art.11 a 16; RD 304/2014 art.19 a 22) Como complemento a las medidas normales de diligencia debida, existe la obligación de aplicar medidas reforzadas de diligencia debida en los siguientes **supuestos**: **8009**
1. En relación con los **países** que presenten **deficiencias estratégicas** en sus sistemas de lucha contra el blanqueo de capitales y la financiación del terrorismo y figuren en la decisión de la Comisión Europea adoptada de conformidad con lo dispuesto en la Dir (UE) 2015/849 art.9.
2. En las relaciones de negocio y **operaciones no presenciales** (nº 8013).
3. En la **corresponsalía bancaria** transfronteriza (nº 8013).
4. En las relaciones de negocio u operaciones de **personas con responsabilidad pública**.
5. En los servicios de **banca privada**.
6. En operaciones de **envío de dinero** cuyo importe, bien singular, bien acumulado por trimestre natural supere los 3.000 euros.

7. En las operaciones de **cambio de moneda** extranjera cuyo importe, bien singular, bien acumulado por trimestre natural supere los 6.000 euros.
8. En las relaciones de negocios y operaciones con **sociedades con acciones al portador**, que estén permitidas conforme a lo dispuesto en la L 10/2010 art.4.4.
9. En las relaciones de negocio y operaciones con clientes de **países, territorios o jurisdicciones de riesgo**, o que supongan transferencia de fondos de o hacia tales países, territorios o jurisdicciones, incluyendo en todo caso, aquellos países para los que el Grupo de Acción Financiera (GAFI) exija la aplicación de medidas de diligencia reforzada. El RD 304/2014 art.22 establece cuáles son los países, territorios o jurisdicciones que deben ser considerados de riesgo.
10. En la transmisión de acciones o participaciones de **sociedades preconstituidas**. A estos efectos, se entenderá por sociedades preconstituidas aquellas constituidas sin actividad económica real para su posterior transmisión a terceros.
11. En las áreas de negocio, actividades, productos, servicios, canales de distribución o comercialización, relaciones de negocio y operaciones que presenten un **riesgo más elevado** de blanqueo de capitales o de financiación del terrorismo. Para determinar la existencia de ese riesgo superior, deben tenerse en cuenta los siguientes **factores**:
• Características del **cliente**:
- clientes no residentes en España;
- sociedades cuya estructura accionarial y de control no sea transparente o resulte inusual o excesivamente compleja;
- sociedades de mera tenencia de activos.
• Características de la **operación, relación de negocios o canal de distribución**:
- relaciones de negocio y operaciones en circunstancias inusuales;
- relaciones de negocio y operaciones con clientes que empleen habitualmente medios de pago al portador;
- relaciones de negocio y operaciones ejecutadas a través de intermediarios.

8011 Las **medidas** reforzadas de diligencia debida consisten en lo siguiente (RD 304/2014 art.20):
a) Deben **comprobarse** en todo caso las **actividades** declaradas por el cliente y la **identidad** del titular real (nº 7993).
b) **Adicionalmente** se aplicarán, en función del riesgo, una o varias de las siguientes **medidas**:
- actualizar los datos obtenidos en el proceso de aceptación del cliente;
- obtener documentación o información adicional sobre el propósito e índole de la relación de negocios, sobre el origen de los fondos, sobre el origen del patrimonio del cliente o sobre el propósito de las operaciones;
- obtener autorización directiva para establecer o mantener la relación de negocios o ejecutar la operación;
- realizar un seguimiento reforzado de la relación de negocio, incrementando el número y frecuencia de los controles aplicados y seleccionando patrones de operaciones para examen;
- examinar y documentar la congruencia de la relación de negocios o de las operaciones con la documentación e información disponible sobre el cliente.
- examinar y documentar la lógica económica de las operaciones;
- exigir que los pagos o ingresos se realicen en una cuenta a nombre del cliente, abierta en una entidad de crédito domiciliada en la Unión Europea o en países terceros equivalentes;
- limitar la naturaleza o cuantía de las operaciones o los medios de pago empleados.

En las relaciones de negocios o transacciones que impliquen a **terceros países de alto riesgo** identificados con arreglo a lo dispuesto en la Dir (UE) 2015/849 art.9.2, los sujetos obligados deberán obtener información adicional del cliente, el titular real y el propósito é índole de la relación de negocios, así como información sobre la procedencia de los fondos, la fuente de ingresos del cliente y titular real y sobre los motivos de las transacciones. Estas relaciones de negocios requerirán la aprobación de los órganos de dirección y una vigilancia reforzada en cuanto al número y frecuencia de los controles aplicados y la selección de patrones transaccionales.

Además, en aquellos casos de terceros países de alto riesgo que expresamente se determinen por la normativa de la UE, los sujetos obligados deberán aplicar, cuando proceda, una o varias de las **medidas** previstas en la L 10/2010 art.42.2 letras e), f) e i); esto es:
- Requerir la aplicación de medidas reforzadas de diligencia debida en las relaciones de negocio u operaciones de nacionales o residentes del país tercero.
- Establecer la comunicación sistemática de las operaciones de nacionales o residentes del país tercero o que supongan movimientos financieros de o hacia el país tercero.
- Prohibir, limitar o condicionar las relaciones de negocio o las operaciones financieras con el país tercero o con nacionales o residentes del mismo.

Se contemplan asimismo **medidas específicas** de diligencia debida reforzada en los siguientes supuestos: 8013

1. Relaciones de negocio y operaciones no presenciales (L 10/2010 art.12; RD 304/2014 art.21). Es posible establecer relaciones de negocio o ejecutar operaciones a través de medios telefónicos, electrónicos o telemáticos con clientes que no se encuentren físicamente presentes, siempre que concurra alguna de las siguientes **circunstancias**:

• La identidad del cliente quede acreditada mediante la firma electrónica cualificada regulada en el Rgto CE/910/2014. En este caso no será necesaria la obtención de la copia del documento, si bien será preceptiva la conservación de los datos de identificación que justifiquen la validez del procedimiento. En el resto de casos, cuando la firma electrónica utilizada no reuniese los requisitos de la firma electrónica cualificada seguirá siendo preceptiva la obtención en un mes de una copia del documento de identificación (L 10/2010 art.2.3 redacc L 18/2022).

• La identidad del cliente quede acreditada mediante copia del documento de identidad, de los establecidos en el nº 7991, que corresponda, siempre que dicha copia esté expedida por un fedatario público.

• El primer ingreso proceda de una cuenta a nombre del mismo cliente abierta en una entidad domiciliada en España, en la UE o en países terceros equivalentes.

• La identidad del cliente quede acreditada mediante el empleo de otros procedimientos seguros de identificación de clientes en operaciones no presenciales, siempre que tales procedimientos hayan sido previamente autorizados por el SEPBLAC.

En el **plazo** de un mes desde el establecimiento de la relación de negocio no presencial, los sujetos obligados deben obtener copia de los documentos necesarios para practicar la diligencia debida.

2. Corresponsalía bancaria transfronteriza (L 10/2010 art.13). Se entiende por relación de corresponsalía la prestación de servicios bancarios de un banco en calidad de corresponsal a otro banco como cliente, incluidas, entre otras, la prestación de cuentas corrientes u otras cuentas de pasivo y servicios conexos, como gestión de efectivo, transferencias internacionales de fondos, compensación de cheques, y servicios de cambio de divisas. El concepto de relaciones de corresponsalía incluye cualquier relación entre entidades de crédito y/o entidades financieras, con inclusión de las entidades de pago, que presten servicios similares a los de un corresponsal a un cliente, incluidas, entre otras, las relaciones establecidas para operaciones con valores o transferencias de fondos. 8015

Con respecto a las relaciones de corresponsalía transfronteriza con entidades clientes de terceros países, las entidades financieras deben aplicar las siguientes **medidas**:

• Reunir sobre la entidad cliente **información suficiente** para comprender la naturaleza de sus actividades y determinar, a partir de información de dominio público, su reputación y la calidad de su supervisión.

• Evaluar los **controles** contra el blanqueo de capitales y la financiación del terrorismo de que disponga la entidad cliente.

• Obtener **autorización de la dirección** antes de establecer nuevas relaciones de corresponsalía bancaria. En los procedimientos internos de la entidad se determinará el nivel directivo mínimo necesario para la autorización de establecer o mantener relaciones de negocios, que podrá adecuarse en función del riesgo. Solamente podrán tener asignada esta función las personas que tengan conocimiento suficiente del nivel de exposición del sujeto obligado al riesgo de blanqueo de capitales y de la financiación del terrorismo y que cuenten con la jerarquía suficiente para tomar decisiones que afecten a esta exposición.

• Documentar las **responsabilidades** respectivas de cada entidad.

• Realizar un **seguimiento** reforzado y permanente de las operaciones efectuadas en el marco de la relación de negocios, tomando en consideración los riesgos geográficos, del cliente, o derivados del tipo de servicio prestado.

Precisiones **1)** Se permite que las entidades financieras modulen el grado e **intensidad de aplicación** de las medidas de diligencia reforzada, conforme a un criterio de riesgo.

2) Se prohíbe que las entidades de crédito establezcan o mantengan relaciones de corresponsalía con **bancos pantalla**. Y se impone a las entidades de crédito la obligación de adoptar medidas adecuadas para asegurar que no entablan o mantienen relaciones de corresponsalía con un banco del que se conoce que permite el uso de sus cuentas por bancos pantalla. Se entiende por banco pantalla la entidad de crédito, o entidad que desarrolle una actividad similar, constituida en un país en el que no tenga una presencia física que permita ejercer una verdadera gestión y dirección y que no sea filial de un grupo financiero regulado.

3) Se prohíbe igualmente que las entidades de crédito establezcan o mantengan relaciones de corresponsalía que, directamente o través de una subcuenta, permitan **ejecutar operaciones** a los clientes de la entidad de crédito representada.

8017 3. **Personas con responsabilidad pública** (L 10/2010 art.14). Es necesario aplicar medidas reforzadas de diligencia debida a las relaciones de negocio u operaciones de personas con responsabilidad pública. Son personas con responsabilidad pública aquellas que desempeñen o hayan desempeñado alguna de las funciones descritas en la L 10/2010 art.14.2 y 14.3. En tales casos, además de las medidas normales de diligencia debida, los sujetos obligados deben, en todo caso:

• Aplicar procedimientos adecuados de gestión del riesgo a fin de determinar si el cliente o el titular real es una persona con responsabilidad pública.

• Obtener la autorización del inmediato nivel directivo, como mínimo, para establecer o mantener relaciones de negocios.

• Adoptar medidas adecuadas a fin de determinar el origen del patrimonio y de los fondos.

• Realizar un seguimiento reforzado y permanente de la relación de negocios.

Las medidas anteriores también se aplican a los familiares y allegados de las personas con responsabilidad pública (L 10/2010 art.14.6).

Una vez que una persona haya dejado de desempeñar funciones de responsabilidad pública, se le continuará aplicando el régimen anterior durante un periodo de dos años (L 10/2010 art.14.9).

Para dar cumplimiento a las medidas anteriores, los sujetos obligados (o terceros con los que colaboren) pueden crear **ficheros** con los datos identificativos de las personas con responsabilidad pública (L 10/2010 art.15).

4. **Productos u operaciones propicias al anonimato y nuevos desarrollos tecnológicos** (L 10/2010 art.16). En este caso, existe la obligación de efectuar un análisis específico de los posibles riesgos relativos al blanqueo de capitales o la financiación del terrorismo, que debe documentarse y estar a disposición de las autoridades.

8019 Examen especial y obligaciones de comunicación (L 10/2010 art.17; RD 304/2014 art.23 a 27)

Los sujetos obligados han de examinar con cuidadosa atención, siguiendo el procedimiento interno que establezcan, cualquier hecho u operación, con independencia de su cuantía, que por su naturaleza pueda estar aparentemente vinculado al blanqueo de capitales o la financiación del terrorismo. En particular, deben **examinar** con especial atención toda **operación o pauta de comportamiento** compleja, inusual, o que no tenga un propósito económico o lícito aparente o que presente indicios de simulación o fraude.

El examen especial requiere que entre las **medidas de control interno** (nº 8031) se incluya la elaboración y difusión entre sus directivos, empleados y agentes de una **relación de operaciones susceptibles** de estar relacionadas con blanqueo de capitales o la financiación del terrorismo, que ha revisarse periódicamente, utilizando aplicaciones informáticas apropiadas, teniendo en cuenta el tipo de operación, sector de negocio, ámbito geográfico y volumen de información.

En todo caso, se debe realizar el examen especial, aun cuando la operación se hubiera intentado y no ejecutado, en los siguientes **supuestos**:

• Cuando la naturaleza o el volumen de las operaciones activas o pasivas de los clientes no se corresponda con su actividad o antecedentes operativos.

• Cuando una misma cuenta, sin causa que lo justifique, venga siendo abonada mediante ingresos en efectivo por un número elevado de personas o reciba múltiples ingresos en efectivo de la misma persona.

• Pluralidad de transferencias realizadas por varios ordenantes a un mismo beneficiario en el exterior o por un único ordenante en el exterior a varios beneficiarios en España, sin que se aprecie relación de negocio entre los intervinientes.

• Movimientos con origen o destino en territorios o países de riesgo.

• Transferencias en las que no se contenga la identidad del ordenante o el número de la cuenta origen de la transferencia.

• Operativa con agentes que, por su naturaleza, volumen, cuantía, zona geográfica u otras características de las operaciones, difieran significativamente de las usuales u ordinarias del sector o de las propias del sujeto obligado.

• Los tipos de operaciones que establezca la Comisión. Estas operaciones serán objeto de publicación o comunicación a los sujetos obligados, directamente o por medio de sus asociaciones profesionales.

8021 El **proceso de examen especial** se realiza de modo estructurado, documentándose las fases de análisis, las gestiones realizadas y las fuentes de información consultadas.

Concluido el análisis técnico, el representante ante el SEPBLAC debe adoptar, motivadamente y sin demora, la **decisión** sobre si procede o no la **comunicación al SEPBLAC**, en función de la concurrencia en la operativa de indicios o certeza de relación con el blanqueo de capitales o la financiación del terrorismo. Esta decisión puede someterse previamente a la consideración

del órgano de control interno, si así se establece en el procedimiento de control interno del sujeto obligado.
Los sujetos obligados deben mantener un **registro** en el que, por orden cronológico, se recojan para cada expediente de examen especial realizado, entre otros datos, sus fechas de apertura y cierre, el motivo que generó su realización, una descripción de la operativa analizada, la conclusión alcanzada tras el examen y las razones en que se basa. Asimismo, se debe hacer constar la decisión sobre su comunicación o no al SEPBLAC y su fecha, así como la fecha en que, en su caso, se realizó la comunicación.

Conservación documental (L 10/2010 art.25; RD 304/2014 art.28 a 30) Los sujetos obligados deben conservar la documentación en que se formalice el cumplimiento de las obligaciones establecidas en la L 10/2010 durante un **plazo** de diez años, transcurridos los cuales deben proceder a su **eliminación**. **8023**
En particular, el deber de **conservación** documental se refiere a:
a) Copia de los documentos exigibles en aplicación de las medidas de diligencia debida (nº 7987 s.).
b) Original o copia con fuerza probatoria de los documentos o registros que acrediten adecuadamente las operaciones, los intervinientes en las mismas y las relaciones de negocio.
El **cómputo** del plazo indicado se inicia, para ambos tipos de documentación, el día en que finalizan la relación de negocios o la ejecución de la operación.
Destaca la obligación introducida por la L 10/2010 de **almacenar** copias de los documentos de identificación en **soportes ópticos, magnéticos o electrónicos** que garanticen su integridad, la correcta lectura de los datos, la imposibilidad de manipulación y su adecuada conservación y localización. Asimismo, el sistema de archivo debe asegurar la correcta gestión y disponibilidad de la información.
Esta documentación puede ser **requerida** por la Comisión de Prevención del Blanqueo de Capitales e Infracciones Monetarias, por sus órganos de apoyo o por cualquier otra autoridad pública o agente de la Policía Judicial de los Cuerpos y Fuerzas de Seguridad del Estado legalmente habilitado.

Precisiones **1)** Transcurridos **cinco años** desde la **terminación de la relación** de negocios o la ejecución de la operación ocasional, la documentación conservada únicamente será accesible por los órganos de control interno del sujeto obligado, con inclusión de las unidades técnicas de prevención, y, en su caso, aquellos encargados de su defensa legal.
2) En el caso de la **identificación** realizada **electrónicamente**, la obligación de conservación se extiende a los datos e información que acrediten la identificación por ese medio.

Comunicaciones generales (L 10/2010 art.18, 19 y 20; RD 304/2014 art.26 y 27) Los sujetos obligados han de comunicar inmediatamente y sin dilación al SEPBLAC cualquier hecho u operación, incluso la propia tentativa, respecto del cual, una vez realizado el proceso estructurado de examen especial, exista **indicio o certeza** de estar relacionado con el blanqueo de capitales o la financiación del terrorismo, así como cualquier circunstancia relacionada con dichos hechos u operaciones que se produzca con posterioridad. Esta obligación se denomina «**comunicación por indicio**». **8025**
En particular, se consideran operaciones por indicio aquellos en las que el sujeto obligado conozca, sospeche o tenga motivos razonables para sospechar que tengan relación con el blanqueo de capitales, incluyendo aquellos casos que muestren una **falta de correspondencia** ostensible con la naturaleza, volumen de actividad o antecedentes operativos de los clientes, siempre que en el examen especial (nº 8019) no se aprecie justificación económica, profesional o de negocio para la realización de las operaciones.
Adicionalmente, se establece la obligación complementaria de **abstenerse de ejecutar** cualquier operación respecto de la cual existan indicios de que pueda estar relacionada con el blanqueo de capitales, salvo que dicha abstención **no sea posible** o pueda dificultar la investigación, debiéndose exponer los motivos que justificaron la ejecución de la operación (L 10/2010 art.19).
Por otro lado, los sujetos obligados están sujetos a la obligación de «**comunicación sistemática**», debiendo comunicar **mensualmente** al SEPBLAC:
• Las operaciones que llevan aparejado movimiento físico de moneda metálica, papel moneda, cheques de viaje, cheques u otros documentos al portador librados por entidades de crédito, con excepción de las que sean objeto de abono o cargo en la cuenta de un cliente, por importe superior a 30.000 euros o su contravalor en moneda extranjera.
• Los sujetos obligados que realicen envíos de dinero, comunicarán al SEPBLAC las operaciones que lleven aparejado movimiento físico de moneda metálica, papel moneda, cheques de viaje, cheques u otros documentos al portador, por importe superior a 1.500 euros o su contravalor en moneda extranjera.
• Las operaciones realizadas por o con personas físicas o jurídicas que sean residentes, o actúen por cuenta de estas, en territorios o países que al efecto se designen por Orden del

Ministro de Economía y Competitividad, así como las operaciones que impliquen transferencias de fondos a o desde dichos territorios o países, cualquiera que sea la residencia de las personas intervinientes, siempre que el importe de las referidas operaciones sea superior a 30.000 euros o su contravalor en moneda extranjera.
• Las operaciones que supongan movimientos de medios de pago sujetos a declaración obligatoria de conformidad con la L 10/2010 art.34.
• La información agregada sobre la actividad de envíos de dinero, desglosada por países de origen o destino y por agente o centro de actividad.
• La información agregada sobre la actividad de transferencias con o al exterior de las entidades de crédito, desglosada por países de origen o destino.
• Las operaciones que se determinen mediante Orden del Ministerio de Asuntos Económicos y Transformación Digital.
En todo caso, de **no existir operaciones** susceptibles de comunicación, los sujetos obligados deben comunicar **semestralmente** esta circunstancia al SEPBLAC.
Es posible que varias operaciones deban agregarse por considerarse fraccionamientos de una misma operación.

8027 Precisiones **1)** Si bien con carácter general los sujetos obligados deben realizar por escrito la «**comunicación por indicio**» de operaciones sospechosas, los bancos, cajas de ahorros, cooperativas de crédito y sucursales de entidades de crédito extranjeras deben hacerlo por medio de un procedimiento técnico de comunicación telemática establecido por el SEPBLAC, denominado «**aplicación informática CTL**».
2) La «**comunicación sistemática**» debe realizarse de forma telemática, por medio de la aplicación informática denominada «**aplicación DMO 2.0**» establecida por el SEPBLAC.
3) Se **sanciona** a una caja de ahorros con **multa** de 500.000 euros por el incumplimiento de la obligación de comunicar y abstenerse de ejecutar operaciones con indicios de estar relacionadas con el blanqueo de capitales, como responsable de una infracción grave y otra muy grave en relación con la L 10/2010 art.18 y 19, respectivamente.
A juicio de la AN existían **indicios suficientes** para comunicar esas operaciones, tales como:
• En el informe de operaciones se indica que se realizaron visitas a las **instalaciones**, se observó que el volumen de la mercancía era muy grande, se dice que «tienen un almacén en un polígono industrial y clientes en toda España y países vecinos», pero no constan comprobaciones de pago en efectivo de mercancía y su importe.
• En el formulario de conocimiento de cliente se dice que la **operativa estimada de la sociedad** es de 150.000 euros en efectivo, por lo que resulta un indicio de blanqueo que el importe sea notablemente superior.
• La **actividad profesional** de la persona que realizaba todos los ingresos, era la de cocinero y camarero, siendo inusual que tenga ingresos en efectivo tan altos; y si los ingresos en su cuenta no respondían al desarrollo de su actividad empresarial, podía intuirse que alguna irregularidad podía existir en las otras.
• Los **ingresos en efectivo** se realizaban en una sucursal de un pueblo muy distante de la localidad donde supuestamente se realizaba la actividad. No hay explicación de este hecho, ni tampoco consta que el cliente que realizaba los ingresos tuviera ninguna relación con los titulares de las otras cuentas.
• El hecho de que los clientes dejaran de operar sin haber remitido la **documentación** requerida, es un indicio de falta de justificación de ingresos (AN 24-9-19, EDJ 702822).
4) Se **sanciona** con **multa** de 1.056.000 euros a una entidad financiera por la comisión de una infracción muy grave consistente en el incumplimiento del deber de comunicación por indicios, cuando algún directivo o empleado del sujeto obligado hubiera puesto de manifiesto internamente la existencia de indicios o la certeza de que un hecho u operación estaba relacionado con el blanqueo de capitales y la financiación del terrorismo (Secretaría de la Comisión de Prevención del Blanqueo de Capitales e Infracciones Monetarias Resol 17-1-22, BOE 31-1-22).

8029 **Comunicaciones singulares** (L 10/2010 art.21) Los sujetos obligados han de colaborar con el SEPBLAC facilitando la información que éste requiera en el ejercicio de sus competencias. Dicha información puede versar sobre **cualquier dato o conocimiento** obtenido por los sujetos obligados respecto de las operaciones que realicen y las personas que en ellas intervengan.
Transcurrido el plazo indicado en el **requerimiento** para la remisión de la documentación o información requerida, sin que ésta haya sido aportada o cuando se aporte de forma incompleta, se entenderá incumplida la obligación.
Los sujetos obligados deben establecer **sistemas** que les permitan responder de forma completa y diligente a las solicitudes de información.

Precisiones Los **abogados** no están sujetos a la obligación de realizar comunicaciones singulares, comunicaciones por indicio, ni tampoco deben abstenerse de realizar relaciones de negocio cuando no sea posible aplicar las medidas de diligencia debida (L 10/2010 art.22).

Procedimientos de control interno (L 10/2010 art.26 a 33; RD 304/2014 art.31 a 44) Los sujetos obligados deben aplicar **políticas y procedimientos** adecuados en materia de diligencia debida, información, conservación de documentos, control interno, evaluación y gestión de riesgos, garantía del cumplimiento de las disposiciones pertinentes y comunicación, con objeto de prevenir e impedir operaciones relacionadas con el blanqueo de capitales o la financiación del terrorismo. Estas políticas y procedimientos deben aprobarse por escrito. 8031

Asimismo, los sujetos obligados deben aplicar una **política expresa de admisión de clientes**. Dicha política, que debe aprobarse por escrito, debe incluir una descripción de aquellos tipos de clientes que podrían presentar un riesgo superior al riesgo promedio. La política de admisión de clientes será gradual, adoptándose precauciones reforzadas respecto de aquellos clientes que presenten un riesgo superior al promedio.

Los sujetos obligados deben aprobar un **manual** adecuado de prevención del blanqueo de capitales y de la financiación del terrorismo, que se mantenga actualizado, con información completa sobre las medidas de control interno que se hayan adoptado. Para el ejercicio de su función de supervisión e inspección, el manual debe estar a disposición del SEPBLAC y, en caso de convenio, de los órganos supervisores de las entidades financieras.

Asimismo, en relación con las medidas de control interno aplicables, se imponen como **obligaciones adicionales** para los sujetos obligados las de:

a) Establecer **procedimientos internos** para que sus empleados, directivos o agentes puedan **comunicar**, incluso anónimamente, información relevante sobre **posibles incumplimientos** de la L 10/2010, su normativa de desarrollo o las políticas y procedimientos implantados para darles cumplimiento, cometidos en el seno del sujeto obligado. En este sentido, Los sujetos obligados deben adoptar medidas para garantizar que los empleados, directivos o agentes que informen de las infracciones cometidas en la entidad sean protegidos frente a represalias, discriminaciones y cualquier otro tipo de trato injusto.

b) Designar un **representante ante el SEPBLAC**, que será responsable del cumplimiento de las obligaciones de información, para lo que tendrá acceso sin limitación alguna a cualquier información obrante en el sujeto obligado. El representante deberá ser una persona residente en España que ejerza cargo de administración o dirección de la sociedad. En los grupos que integren varios sujetos obligados, el representante será único y deberá ejercer cargo de administración o dirección de la sociedad dominante del grupo. En el caso de empresarios o profesionales individuales será representante el titular de la actividad.

c) Establecer un **órgano de control interno** responsable de la aplicación de las políticas y procedimientos anteriores. El órgano de control interno debe contar con representación de las distintas áreas de negocio del sujeto obligado, y ha de reunirse con la periodicidad que se determine en el procedimiento de control interno, levantando acta de las reuniones.

d) Someter los procedimientos y órganos de control interno y de comunicación al examen anual de un **experto externo**, que se consignará en un informe escrito que describirá detalladamente las medidas de control interno existentes, valorará su eficacia operativa y propondrá, en su caso, eventuales rectificaciones o mejoras. Dicho **informe** debe elevarse en el plazo máximo de tres meses al órgano de administración del sujeto obligado, que adoptará las medidas necesarias para solventar las deficiencias identificadas. El experto externo debe reunir las condiciones académicas y de experiencia profesional que le hagan idóneo para el desempeño de la función. No pueden ser expertos externos quienes hayan prestado o presten al sujeto obligado cualquier otra clase de servicios retribuidos durante los tres años anteriores o posteriores a la emisión del informe. Esta obligación no resulta exigible a los empresarios o profesionales individuales.

Cuando concurran **riesgos extraordinarios** identificados mediante los análisis de riesgos en materia de blanqueo de capitales y financiación del terrorismo llevados a cabo por los sujetos obligados, o a través de la actividad de análisis e inteligencia financieros del Servicio Ejecutivo de la Comisión, o del análisis de riesgo nacional en materia de blanqueo de capitales y de la financiación del terrorismo, la Comisión de Prevención del Blanqueo de Capitales e Infracciones Monetarias, previo dictamen conforme de la AEPD, podrá acordar el **intercambio de información** referida a determinado tipo de operaciones distintas de las previstas en la L 10/2010 art.18 y 19, o a clientes sujetos a determinadas circunstancias siempre que el mismo se produzca **entre sujetos obligados** que se encuentren en una o varias de las categorías previstas en la L 10/2010 art.2. Concretamente, los sujetos obligados podrán intercambiar información relativa a las operaciones a las que se refiere el art.18 de la L 10/2010, con la única finalidad de **prevenir o impedir operaciones** relacionadas con el blanqueo de capitales o la financiación del terrorismo cuando de las características u operativa del supuesto concreto se desprenda la posibilidad de que, una vez rechazada, pueda **intentarse ante otros sujetos obligados** el desarrollo de una operativa total o parcialmente similar a aquélla (L 10/2010 art.33 redacc L 18/2022). 8033

Precisiones 1) Las políticas y procedimientos son de aplicación a las **sucursales y filiales** del grupo situadas en terceros países, sin perjuicio de las adaptaciones necesarias para el cumplimiento de las normas específicas del país de acogida. En el caso de sucursales y filiales del grupo en otros Estados miembros de la Unión Europea, los sujetos obligados darán cumplimiento a las obligaciones contenidas en el país de acogida. A efectos de la definición de grupo se estará a lo dispuesto en el CCom art.42.

2) Las entidades españolas que operen en un país de la Unión Europea mediante **agentes** u otras formas de **establecimiento permanente** distintas a una sucursal, deben cumplir con lo dispuesto en la normativa de prevención del blanqueo de capitales y de la financiación del terrorismo del país en el que operan.

3) Tanto el órgano de control interno como el representante designado ante el SEPBLAC deben contar con los **recursos** materiales, humanos y técnicos necesarios.

4) Determinados sujetos obligados están **exentos** del establecimiento de procedimientos de control interno (RD 304/2014 art.31).

8035 **Prohibición de revelación** (L 10/2010 art.24) La ley prohíbe a los sujetos obligados revelar a sus clientes o a terceros:

- que se ha **comunicado información** al SEPBLAC;
- que se está **examinando** o puede examinarse alguna **operación** por si pudiera estar relacionada con el blanqueo de capitales o con la financiación del terrorismo.

Existen algunas **excepciones** a esta prohibición (L 10/2010 art.24.1 párrafo 2º y 24.2).

8037 **Formación de empleados** (L 10/2010 art.29) La ley impone a los sujetos obligados que adopten las medidas necesarias para que sus empleados tengan conocimiento de las exigencias derivadas de la **normativa antiblanqueo**.

En particular, se exige la participación debidamente acreditada de los empleados en **cursos** específicos de formación permanente orientados a detectar las operaciones que puedan estar relacionadas con el blanqueo de capitales o la financiación del terrorismo e instruirles sobre la forma de proceder en tales casos.

En este sentido, los sujetos obligados deben aprobar un **plan anual de formación** en la materia, en los términos previstos en el RD 304/2014 art.39.

8039 **Protección e idoneidad de empleados, directivos y agentes** (L 10/2010 art.30) Los sujetos obligados deben adoptar medidas adecuadas para mantener la **confidencialidad** sobre la **identidad** de los empleados, directivos o agentes que hayan realizado una comunicación de operativa que presente indicios o certeza de estar relacionado con el blanqueo de capitales o la financiación del terrorismo a los órganos de control interno.

Además, resulta necesario el establecimiento por escrito y la aplicación de políticas y procedimientos adecuados para asegurar **altos estándares éticos** en la **contratación** de empleados, directivos y agentes. El concepto de «altos estándares éticos» se desarrolla en el RD 304/2014 art.40.

Finalmente, los empleados, directivos o agentes de los sujetos obligados que lleven a cabo estas comunicaciones gozan de una determinada **protección** (L 10/2010 art.30.3 y 65.1 -redacc L 2/2023-).

c. Deber de información de notarios y registradores

(DGRN Instr 10-12-99)

8045 Los notarios y los registradores de la propiedad y mercantiles está obligados a:

• **Informar** por escrito al SEPBLAC, dependiente de la Secretaría de Estado de Economía, acerca de los contratos y actos de que tengan conocimiento, en el ejercicio de su función, que puedan constituir indicio o prueba de blanqueo de capitales o financiación del terrorismo.

• **No puede revelar** a clientes ni a terceros que se ha transmitido la mencionada información.

El **plazo** para la comunicación de operación sospechosa es, como máximo, de cinco días hábiles desde la autorización o inscripción del acto o contrato.

La comunicación puede efectuarse por cualquier medio indeleble, sea por escrito, en disquete o telemáticamente. Actualmente ha de cumplimentarse el **formulario** recogido en el Anexo a DGRN Resol 30-11-04.

El **contenido** de la comunicación debe incluir:

- La operación realizada.
- Las circunstancias de toda índole de las que infiera el indicio de su vinculación al blanqueo de capitales o la financiación del terrorismo. El notario o el registrador que efectúe la comunicación debe formarse opinión sobre si existe o puede existir algún indicio o sospecha y debe expresarla en el escrito de comunicación.

- Si el SEPBLAC lo requiere, se debe remitir además testimonio de la escritura o nota simple de la inscripción practicada.
El **incumplimiento** de esta obligación de comunicación tiene la consideración de infracción muy grave.

Precisiones 1) En concreto, la **labor de vigilancia de los notarios** ha de extenderse a las siguientes actividades (OM EHA/114/2008):
• Constitución, transmisión o extinción de toda clase de derechos reales sobre bienes inmuebles o entidades comerciales.
• Creación de sociedades, asociaciones, fundaciones, entidades comerciales u otros tipos de estructuras análogas.
• Compraventa de acciones, participaciones o de cualesquiera otros valores negociables e instrumentos financieros.
• Actos o negocios jurídicos relativos al funcionamiento o a la gestión de sociedades, asociaciones, fundaciones, entidades comerciales u otros tipos de estructuras análogas.
Están sometidos a dicha Orden en todas sus actuaciones relativas a la intervención o autorización de los actos o negocios jurídicos.
2) La DGRN Instr 10-12-99 debe entenderse superada en algunos puntos por la L 10/2010, que incorpora a los registradores dentro del **catálogo de sujetos obligados**.

Operaciones susceptibles de estar vinculadas con el blanqueo de capitales 8047

Al ser objetivamente difícil discernir para notarios y registradores cuándo existen indicios o pruebas de blanqueo, ya que la procedencia del dinero y la forma concreta de pago quedan muchas veces fuera de su control y conocimiento, se incluye una **relación de actos y contratos** que se consideran susceptibles de estar particularmente vinculados con el blanqueo de capitales, debiendo examinar los mismos con cuidadosa atención.

A) Constitución de sociedades:
1. La constitución de **tres o más sociedades** en el mismo día, o de más de tres sociedades en el período de un mes, cuando al menos uno de los socios de aquéllas sea la misma persona física o jurídica, y concurran alguna de las siguientes circunstancias:
- que alguno de los socios o administradores no sea residente en España;
- que se trate de socios o administradores no conocidos y residentes en plaza distinta;
- que concurran otros factores que hagan llamativa la operación.
2. La constitución de sociedades con capital en efectivo en el que figuren como socios **menores de edad, incapacitados o fiduciarios**. Se exceptúan en el primer caso, las sociedades de carácter familiar.

B) Administradores:
3. El nombramiento de administradores en los que se aprecie que no concurre aparentemente la idoneidad y profesionalidad necesaria para el desempeño del cargo (empleadas o empleados sin cualificación específica, desempleados o personas sin ingresos, inmigrantes recién llegados, personas sin domicilio conocido o con domicilio de mera correspondencia, o en las que concurra alguna circunstancia que las haga no idóneas).
4. El nombramiento del mismo administrador único o solidario con carácter simultáneo en tres o más sociedades.
5. El nombramiento de administrador único o solidario a personas residentes o domiciliadas en paraísos fiscales.

C) Desembolso de capital:
6. Los desembolsos de capital en efectivo por importe superior a 300.506 euros, cuando tal cantidad supere el 25% del capital inicial.
7. Los desembolsos en constitución de sociedades y ampliaciones de capital superiores a 30.050 euros, llevadas a cabo por personas físicas o jurídicas residentes o domiciliadas en paraísos fiscales.

D) Venta de acciones y participaciones: 8049
8. La venta de acciones o participaciones sociales a personas sin ninguna relación razonable con los anteriores socios, dentro del período de los 10 días hábiles siguientes a la inscripción de la sociedad en el Registro Mercantil.

E) Poder:
9. Los apoderamientos de residentes en favor de un no residente.

F) Hombre de paja:
10. Las operaciones en las que existan indicios de que los clientes no actúan por cuenta propia, intentando ocultar la identidad real.

G) Depósitos:
11. Las cantidades recibidas en depósito por los notarios, bien en efectivo, bien en títulos de crédito, para darles una aplicación prevista por el depositante con fines aparentemente insólitos o inusuales.

H) Operaciones inmobiliarias:

12. La compraventa de inmuebles con pago en efectivo o confesado recibido por importe superior al 25% del precio declarado en la escritura, siempre que tal importe sea superior a 300.506 euros.

13. Las transmisiones sucesivas del mismo bien inmueble en el mismo día con diferencias en el precio declarado superiores a 30.050 euros, siempre que tales diferencias superen el 25% de aquél.

14. La compraventa de inmuebles por importe superior a 30.050 euros, o su contravalor en moneda extranjera, procedente de paraísos fiscales.

I) Paraísos fiscales (además de los números 5, 7 y 14):

15. Cualquier otra operación con personas físicas o jurídicas residentes en territorios o países que tengan la consideración de paraísos fiscales, cuando sean de importe superior a 30.050 euros, o su contravalor en moneda extranjera.

J) Otros:

16. Los demás contratos y actos de que tengan conocimiento en el ejercicio de su función que puedan constituir indicio o prueba de blanqueo de capitales procedentes de actividades delictivas.

d. Órgano centralizado de prevención

(L 10/2010 art.27; RD 304/2014 art.44)

8055 Cuando los sujetos obligados sean **profesiones colegiadas**, pueden crearse, mediante Orden del Ministro de Economía y Empresa, los órganos centralizados de prevención de las profesiones colegiadas sujetas a la L 10/2010.

La **función** de estos órganos centralizados es la intensificación y canalización de la colaboración de las profesiones colegiadas con las autoridades judiciales, policiales y administrativas responsables de la prevención y represión del blanqueo de capitales y de la financiación del terrorismo, sin perjuicio de la responsabilidad directa de los profesionales incorporados como sujetos obligados.

El **representante** del órgano centralizado de prevención tendrá la condición de representante de los profesionales incorporados ante el SEPBLAC.

8057 **Órgano centralizado del notariado** (OM EHA/2963/2005) Con entrada en vigor el 24-12-2005, se crea el Órgano Centralizado de Prevención (OCP) de Blanqueo de Capitales en el Consejo General del Notariado. La creación de dicho órgano tiene como **finalidad**:

- coordinar la actuación de los notarios en este ámbito, como sujetos obligados en materia de prevención del blanqueo de capitales y financiación del terrorismo;
- reforzar, intensificar y canalizar la colaboración del notario con las autoridades judiciales, policiales y administrativas responsables de la lucha contra el blanqueo y la financiación del terrorismo.

En cuanto a su **funcionamiento**, el OCP se compone de dos unidades que realizan sus funciones bajo las orientaciones y directrices de su director:

a) A la **Unidad de Análisis y Comunicación** le corresponden las siguientes funciones:

• El examen de operaciones en las que intervenga o participe un notario relativas a la compra y venta de bienes inmuebles o entidades comerciales u otras que puedan estar particularmente vinculadas al blanqueo y la financiación del terrorismo.

• El examen de operaciones que, con carácter previo a su autorización o intervención, le sean remitidas para su análisis por los notarios.

• El requerimiento a los notarios de la información necesaria para el ejercicio de su función de examen.

• La comunicación al SEPBLAC, en nombre y por cuenta del notario interviniente o autorizante, con carácter previo a su autorización o intervención, de las operaciones examinadas en las que aprecien indicios o certeza de blanqueo de capitales o financiación del terrorismo.

• Facilitar al SEPBLAC la información que éste le requiera.

• Atender los requerimientos de información o colaboración que le formulen las autoridades judiciales, policiales o administrativas responsables de la lucha contra el blanqueo de capitales o financiación del terrorismo.

b) La **Unidad de Procedimientos, Cumplimiento y Formación**, por su parte, tiene como funciones:

• Elaborar y mantener actualizado un manual de procedimiento de prevención del blanqueo de capitales y financiación del terrorismo para los notarios.

• Velar para que los notarios apliquen en su actividad profesional dicho manual.

• Organizar acciones formativas presenciales o a distancia, dirigidas a los notarios y a su personal.

Órgano centralizado de los registradores (OM ECC/2402/2015) Con entrada en vigor el 16-3-2016, se crea el Órgano Centralizado de Prevención del blanqueo de capitales y de la financiación del terrorismo del Colegio de Registradores de la Propiedad, Mercantiles y de Bienes Muebles. Todos los registradores se incorporan automáticamente a este órgano, sin que tengan que hacer ningún trámite especial. 8059

La junta de gobierno del Colegio de Registradores debe designar un **director** del órgano centralizado de prevención, que ostentará con carácter nato la condición de representante ante el SEPBLAC. Ese director debe contar con determinadas condiciones de formación y experiencia en materia de prevención del blanqueo de capitales.

Las **funciones** de este órgano son:

a) Realizar el **examen especial** de las operaciones remitidas para su análisis por los registradores o bien detectadas de manera directa por el mismo, mediante el tratamiento de la información contenida en las bases de datos registrales.

b) La **comunicación por indicios** al SEPBLAC, de forma telemática, sin perjuicio de la utilización de otros soportes cuando sea preciso. La comunicación la realiza el director del órgano centralizado de prevención, en nombre y por cuenta, en su caso, del registrador que la hubiera remitido para su análisis.

c) Realizar el **análisis de los riesgos** que enfrenta la actividad desarrollada por los funcionarios colegiados, y comprende la identificación y evaluación de los riesgos existentes en función de las características de los intervinientes, las áreas geográficas afectadas y los tipos de actos u operaciones concernidos.

d) Elaborar y mantener actualizado el **manual de procedimientos** dirigido a garantizar el cumplimiento por los registradores de sus obligaciones en esta materia. Este manual debe ser aprobado por la Junta de Gobierno del Colegio de Registradores.

e) Organizar **acciones formativas**, presenciales o telemáticas, dirigidas a los registradores y a su personal, y enfocadas al conocimiento de las obligaciones legales vigentes, así como de los procedimientos internos puestos en marcha para cumplir con aquéllas.

f) Llevar a cabo **acciones de inspección** respecto de los funcionarios incorporados. A estos efectos, la Junta de Gobierno del Colegio de Registradores aprobará anualmente el plan de supervisión, que deberá estructurarse conforme a criterios de riesgo.

6. Condiciones generales de los contratos bancarios

Hoy en día prolifera la **contratación en masa** en el ámbito empresarial y se pone de manifiesto que las cláusulas contractuales se imponen por los empresarios o profesionales a sus clientes, quienes no pueden negociarlas individualmente, sino simplemente adherirse a ellas en bloque o rechazarlas. 8065

Se trata de **contratos de adhesión** en los que una de las partes establece un contenido prefijado, de tal modo que la conclusión del contrato no va precedida por una discusión del posible contenido del mismo por los contratantes. Las cláusulas no pueden ser más que pura y simplemente aceptadas, y si los interesados desean contratar, han de hacerlo aceptando el contenido que con carácter inmodificable se da al contrato (TS 21-3-03, EDJ 6484).

No hay vicio de consentimiento, ni deja de existir voluntad libre del adherente, pero no existe en estos contratos una efectiva **capacidad de discusión negocial**. Por ello, es necesario intervenir en la regulación de estos contratos, limitando la autonomía de la voluntad en favor o interés de la parte débil del contrato.

La vigente LGDCU se aplica solamente a **contratos con condiciones generales** entre un profesional o predisponente y una persona física o jurídica consumidora o usuaria, denominada adherente, pero no entre dos profesionales-empresarios.

La LCGC, a diferencia de la LGDCU, se aplica a las relaciones entre empresarios-profesionales, de un lado, y consumidores y usuarios, de otro, pero también a las relaciones entre empresarios-profesionales. La LCGC distingue entre contratos con condiciones generales y **contratos con cláusulas abusivas** por lo que respecta a su ámbito subjetivo, atendiendo a que el concepto de cláusula abusiva cuenta con un régimen propio en el caso de los consumidores y usuarios (en este sentido, la L 5/2019 añade al art.83 LGDCU la precisión de que las condiciones incorporadas de modo no transparente en los contratos en perjuicio de los consumidores son nulas de pleno derecho). Una condición general no es necesariamente una condición abusiva.

Precisiones Pare el concepto de **consumidores o usuarios** a efectos de la LGDCU, ver nº 64.

8067 Las condiciones generales son **cláusulas predispuestas** cuya incorporación al contrato es impuesta por una de las partes, con independencia de la autoría material de las mismas, de su apariencia externa, de su extensión y de cualquier otra circunstancia, habiendo sido redactadas con la finalidad de ser incorporadas a una pluralidad de contratos (LGCC art.1).
Los contratos con condiciones generales son contratos que han sido redactados previa y unilateralmente por una de las partes: el empresario o profesional (predisponente).
Frente a ellas, se encuentran las **condiciones particulares**. Éstas son objeto de negociación separada, esto es, cabe que hayan sido debatidas en cuanto a su contenido, alcance y redacción concreta. En los contratos bancarios son minoritarias y se suelen limitar a la parcela meramente técnica de los datos económicos del negocio jurídico (comisiones, tipos de interés, plazos...). Por tanto, el cliente se adhiere a la redacción clausular, si bien, teóricamente, puede negociar los términos económicos y temporales del contrato.
Existe un **Registro de Condiciones Generales de Contratación** en el que pueden inscribirse las condiciones generales de los contratos (LCGC art.11 y 22; RD 1828/1999).
Contra las condiciones generales **contrarias a la ley** se articulan determinadas acciones, como las de cesación, retractación y declaración (LCGC art.12).

Precisiones 1) El Tribunal Supremo ha anulado diversos artículos del **Reglamento del Registro de Condiciones Generales de Contratación**. En concreto, los siguientes: RD 1828/1999 art.2.1.b), 2.1.c), 2.2.c); 5; 9.3., 9.5; 15.2, 17.1; 18, 19.2, 20.1, 20.3; 21, 22.2, 22.3, 22.4, 23 y 24 (TS 12-2-02, EDJ 5877).
2) El **silencio** no puede valer como declaración de voluntad, pero tiene la asignación jurídica de asentimiento o conformidad cuando el que calla tenga la obligación de contestar o cuando sea normal que se manifieste el disentimiento si no se quiere aprobar el hecho de que se tiene conocimiento (TS 21-3-03, EDJ 6484).

8069 **Naturaleza jurídica** La naturaleza jurídica de las condiciones generales ha sido ampliamente discutida por la doctrina. Existen **dos posiciones** contrapuestas:
- la **concepción normativista**, que estima que éstas son una verdadera fuente de Derecho objetivo;
- la **concepción contractual** (predominante), que entiende que las condiciones generales solo son el fruto de la voluntad de las partes, pero que no tienen carácter de fuente del Derecho, existiendo múltiples teorías intermedias o eclécticas (Sánchez-Calero).
Lo determinante de los contratos con condiciones generales es que suelen ser **contratos de adhesión**. Doctrinalmente, se discute el **tratamiento jurídico** de la adhesión:
• Para un sector, la adhesión no tiene la misma naturaleza que el **consentimiento** como elemento esencial del contrato. La adhesión sería una figura jurídica distinta que impediría calificar la relación negocial adhesiva como contrato (Alfaro).
• La **doctrina mayoritaria** y la **jurisprudencia** del TS entienden que la adhesión es un tipo especial de consentimiento y que existe un verdadero contrato adhesivo (TS 31-5-88; 11-12-85; 14-11-84).

8071 **Contratantes** En el ámbito bancario se observa la existencia de dos partes contratantes:
- el **predisponente**, que es la entidad de crédito;
- el **adherente**, que es su cliente, con independencia de si es o no consumidor o usuario de los servicios bancarios (nº 7923).

8073 **Control de las condiciones generales** El **régimen jurídico** de las condiciones generales se construye sobre dos pilares:
- un control de inclusión;
- un control de contenido.
1) Control de inclusión. La condición general ha de formar parte del contrato, de modo que pueda ser conocida y aceptada por el otro contratante. La necesidad de aceptación lleva aparejada la exigencia legal de concreción, claridad y sencillez, así como la obligación de entrega del documento contractual.
2) Control de contenido. Se refiere al control de la **legalidad** de las condiciones generales incluidas en el contrato. Éste se desdobla en dos aspectos:
a. El **sistema de interpretación** de las condiciones generales: En materia de interpretación de contratos con condiciones generales, hay que señalar tres **criterios** aplicables a la contratación bancaria (LCGC art.6):
- si hay **contradicción** entre las condiciones generales y las condiciones particulares del contrato, prevalecen éstas sobre aquéllas, salvo que las condiciones generales sean más beneficiosas para el adherente;
- las **dudas** en la interpretación de las condiciones generales oscuras se resuelven a favor del adherente;

- como **criterio supletorio**, se aplican las normas del CC (no las del CCom).
b. El **sistema de enervación** de las cláusulas abusivas (LCGC art.8).

Precisiones Al estudiar la eficacia de las condiciones generales, Orduña Moreno también distingue entre un control de inclusión y un **control de fondo**.

Condiciones generales más usuales Las condiciones generales de la contratación habitualmente utilizadas en la **práctica bancaria**, son las siguientes (Nieto Carol): **8075**
1. Cláusula de **vencimiento anticipado** del contrato. Deben destacarse las particularidades en el **ámbito bancario-hipotecario**:
a) **No son admisibles** los pactos de vencimiento anticipado en los siguientes casos (TS 27-3-99 y Arija Autullo):
- concurso o ejecuciones al deudor (DGRN 27-1-86; 5-6-87; 15-7-98);
- muerte del deudor;
- incumplimiento genérico por parte del deudor de obligaciones derivadas del préstamo (Resol 23-10-87; 5-6-87; 4-4-92; 22-7-96; 15-7-98);
- enajenación por el deudor del bien hipotecado;
- infracción de normas;
- mero arbitrio del acreedor.
b) **Sí son admisibles** los siguientes supuestos como casos de vencimiento anticipado:
- impago de tributos y de cuotas de gastos de una comunidad en régimen de propiedad horizontal;
- incumplimiento de la obligación de asegurar la cosa hipotecada;
- aparición de cargas no consignadas en la escritura;
- deterioro de la finca;
- impago de plazos de capital o de intereses, salvo que pueda considerarse abusivo.

Precisiones **1)** El TJUE ha establecido los **criterios interpretativos** para la **apreciación del carácter abusivo** de las cláusulas de vencimiento anticipado (TJUE 26-1-17, asunto C-421/14). El tribunal debe examinar: **8077**
- si la facultad que se concede al profesional de declarar el vencimiento anticipado de la totalidad del préstamo está supeditada al incumplimiento por parte del consumidor de una obligación que revista carácter esencial en el marco de la relación contractual de que se trate;
- si esa facultad está prevista para los casos en los que tal incumplimiento tiene carácter suficientemente grave en relación con la duración y la cuantía del préstamo
- si dicha facultad constituye una excepción con respecto a las normas generales aplicables en la materia en ausencia de estipulaciones contractuales específicas; y
- si el Derecho nacional prevé medios adecuados y eficaces que permitan al consumidor sujeto a la aplicación de esa cláusula poner remedio a los efectos del vencimiento anticipado del préstamo.
2) Destaca también la sentencia TJUE 26-3-19, asuntos acumulados C-70/17 y C-179/17, donde se da respuesta a las preguntas formuladas por el TS auto 8-2-17, EDJ 4965 y por el JPI Barcelona auto 30-3-17, EDJ 161070. El tribunal afirma lo siguiente:
- Los art.6 y 7 Dir 93/13/CEE del Consejo, sobre las cláusulas abusivas en los contratos celebrados con consumidores, deben interpretarse en el sentido de que, por una parte, **se oponen** a que una cláusula de vencimiento anticipado de un contrato de préstamo hipotecario declarada abusiva sea conservada parcialmente mediante la **supresión de los elementos que la hacen abusiva**, cuando tal supresión equivalga a modificar el contenido de dicha cláusula afectando a su esencia.
- Por otra parte, esos mismos artículos no se oponen a que el juez nacional ponga remedio a la nulidad de tal cláusula abusiva **sustituyéndola por** la nueva redacción de la **disposición legal** que inspiró dicha cláusula, aplicable en caso de convenio entre las partes del contrato, siempre que el contrato de préstamo hipotecario en cuestión no pueda subsistir en caso de supresión de la citada cláusula abusiva y la anulación del contrato en su conjunto exponga al consumidor a consecuencias especialmente perjudiciales.
3) El Tribunal Constitucional se ha pronunciado en varias ocasiones sobre la relación que existe entre el **derecho a la tutela judicial efectiva** y el **deber de controlar el carácter abusivo** de las cláusulas contractuales en los procesos de ejecución (TCo 31/2019; 26/2023; 172/2023). Concretamente, afirma el Tribunal Constitucional que no existe cosa juzgada en un procedimiento declarativo posterior en el que se suscita la abusividad de una determinada cláusula contractual contenida en un contrato de préstamo hipotecario, si en el procedimiento de ejecución hipotecaria tramitado previamente ninguna resolución judicial llevó a cabo el examen de abusividad de dicha cláusula contractual. Y ello aun cuando el interesado pudo haber promovido dicho control de abusividad en el procedimiento de ejecución hipotecaria, dado que el efecto de cosa juzgada solo se predica de las resoluciones judiciales firmes que se pronuncian sobre el carácter abusivo o no de una cláusula contractual.

8079 2. Cláusulas de **exoneración de responsabilidad** (LGDCU art.86.2).
3. Cláusula de **compensación** con cualesquiera saldos de las cuentas abiertas a nombre del acreditado o de los fiadores. Se duda doctrinalmente acerca de su licitud y el TS ha declarado en situaciones extremas su inadmisibilidad por ser abusiva (TS 14-6-91).
4. La **emisión de un pagaré en blanco** como forma de garantía. Práctica bancaria severamente criticada (AP Murcia 5-2-95, EDJ 9131; AP Bizkaia 26-1-11, EDJ 179256) (ver nº 8589).
Es interesante la citada sentencia AP Bizkaia 26-1-11, EDJ 179256, que establece que, en el caso analizado, la firma de un pagaré en blanco implica determinación unilateral adhesiva, sin intervención ninguna del demandado.
Cabe considerar la **validez** del pagaré con la cifra o cuantía en blanco cuando éste venga adicionado a una póliza de simple préstamo, y ello siempre que el pagaré aparezca extendido a nombre de la entidad prestamista y con la cláusula, «no a la orden», para evitar así que, como consecuencia del endoso, aquél llegue a poder de tercera persona que no pueda esgrimir motivo alguno de oposición contra la entidad bancaria que concedió el préstamo. Y es que, cuando con una **simple y sencilla operación aritmética** sea posible cuantificar el importe de la deuda, no cabe hablar de **indefensión para el prestatario**, simplicidad como, por otra parte, parece inferirse de la propia naturaleza real del contrato de préstamo, que se perfecciona con la entrega de la cosa, lo que supone que como contrapartida surja en el prestatario la obligación de devolver la misma cosa, sin que nada obste que esa inicial liquidez haya de concretarse con esa simple operación aritmética realizada con el importe de las amortizaciones insatisfechas, las satisfechas, el monto total del capital, el plazo y el tipo de interés.
La validez de un cheque expedido en los términos indicados es sostenible en la medida en que el pacto entre las partes para que la entidad bancaria pueda completar el pagaré en blanco opere como un **pacto liquidatorio** que no releva a la acreedora de su deber de acreditar -desde las normas del *onus probandi* -el importe exacto de la cantidad reclamada, como hecho constitutivo de su pretensión -al ejecutarse el pagaré en blanco y no el préstamo en sí-, así como que el efecto cambiario se ha rellenado o completado conforme a lo dispuesto previamente entre las partes, en el caso de que tales extremos sean negados por el prestatario o firmante del pagaré (TCo 10-2-92; TS 6-6-95, EDJ 2713).

8081 5. La condición económica de **utilización del año comercial** como divisor para el cálculo de interés. El Servicio de Reclamaciones del Banco de España (hoy sustituido por el Comisionado para la Defensa del Cliente de Servicios Bancarios) ha afirmado que este sistema de cálculo no se ajusta a las buenas prácticas bancarias. Sin embargo, en este punto hay que estar al caso concreto, pues, si el sistema de cálculo se aplica tanto a las operaciones activas como a las pasivas, la entidad no vulnera el justo equilibrio prestacional.
6. En los préstamos a interés variable, para limitar las oscilaciones que pueden darse en el interés de referencia, que puede fluctuar en el tiempo, pueden estipularse limitaciones al alza (las denominadas «**cláusulas techo**») y limitaciones a la baja (las denominadas «**cláusulas suelo**»), que operan respectivamente como topes máximo y mínimo de los intereses a pagar por el prestatario.

8083 **Cláusulas suelo abusivas** En relación con el posible carácter abusivo de las cláusulas suelo por **falta de transparencia**, la jurisprudencia más reciente ha dictaminado que el deber de transparencia comporta que el consumidor disponga «antes de la celebración del contrato» de información comprensible acerca de las condiciones contratadas y las consecuencias de dicha celebración. De forma que el control de transparencia tiene por objeto que el adherente pueda conocer con sencillez tanto la **carga económica** que realmente le supone el contrato celebrado, esto es, el sacrificio patrimonial realizado a cambio de la prestación económica que quiere obtener, como la **carga jurídica** del mismo, es decir, la definición clara de su posición jurídica tanto en los elementos típicos que configuran el contrato celebrado, como en la asignación de los riesgos del desarrollo del mismo.
Respecto de las condiciones generales que versan sobre **elementos esenciales del contrato** se exige una información suficiente que pueda permitir al consumidor adoptar su decisión de contratar con pleno conocimiento de la carga económica y jurídica que le supondrá concertar el contrato, sin necesidad de realizar un análisis minucioso y pormenorizado del contrato. Esto excluye que pueda agravarse la carga económica que el contrato supone para el consumidor, tal y como este la había percibido, mediante la inclusión de una condición general que supere los requisitos de incorporación, pero cuya trascendencia jurídica o económica pase inadvertida al consumidor porque se les da un **inapropiado tratamiento secundario** y no se facilita al consumidor la información clara y adecuada sobre las consecuencias jurídicas y económicas de dicha cláusula en la caracterización y ejecución del contrato.

La **información precontractual** es la que permite realmente comparar ofertas y adoptar la decisión de contratar. No se puede realizar una comparación fundada entre las distintas ofertas si al tiempo de realizar la comparación el consumidor no puede tener un conocimiento real de la trascendencia económica y jurídica de alguno de los contratos objeto de comparación porque no ha podido llegar a comprender lo que significa en él una concreta cláusula, que afecta a un elemento esencial del contrato, en relación con las demás, y las repercusiones que tal cláusula puede conllevar en el desarrollo del contrato (entre otras, TS 9-5-13, EDJ 53424; 8-9-14, EDJ 180029; 23-12-15, EDJ 253610; 7-11-17, EDJ 232868; 4-3-19, EDJ 514872; así como TJUE 30-4-14, asunto C-26/2013 caso Kásler; 21-12-16 asuntos acumulados C-308/2015, C-154/2015, C-307/2015, caso Gutiérrez Naranjo; 20-9-17, asunto C-186/2016 caso Ruxandra Paula Andricius y otros).

Precisiones 1) El mero hecho de que la cláusula suelo **no haya sido objeto de aplicación** durante un periodo de tiempo no la convierte, sin más, en transparente, ya que el control de transparencia se proyecta sobre el cumplimiento de estos especiales deberes de información y comprensibilidad material que incumben al predisponente en la formación y perfección del contrato sujeto a condiciones generales de la contratación (TS 1-12-17, EDJ 249273). **8085**

2) Solo pueden ser abusivas las cláusulas que no han sido objeto de **negociación individual**. El hecho de ser una cláusula negociada la excluye de la aplicación de Dir 93/13/CEE, pues no se trata de una cláusula predispuesta por el empresario, sino el fruto del acuerdo entre las partes (TS 13-9-18, EDJ 563098).

3) La inclusión de una cláusula suelo en un apartado individualizado del contrato, cuyo **texto** se encuentra resaltado en **negrita y subrayado**, pueden servir para considerar superado el control de incorporación de la cláusula suelo, pero no el control de transparencia. En el caso enjuiciado, la cláusula suelo constituía un simple inciso dentro de un extenso y farragoso apartado referido a los intereses del préstamo, ocupando varias páginas. Ese simple inciso de apenas unas líneas modificaba completamente la economía del contrato. Sin embargo, se le dio un tratamiento marginal, puesto que no constaba que se advirtiera claramente al prestatario de esa circunstancia cuando se le ofertó el préstamo (TS 1-2-18, EDJ 3698).

4) Una cláusula suelo supera el control de transparencia cuando el prestatario tuvo información precontractual adecuada y suficiente, tanto en la página web de la entidad bancaria, como en los documentos que esta le remite mediante correos electrónicos, sobre la existencia y las consecuencias jurídicas y económicas de dicha cláusula. En el caso enjuiciado, la cláusula tenía una **redacción clara y comprensible** para el consumidor, a pesar de la inadecuada ubicación de la cláusula en la escritura (alejada de aquellos elementos que permiten calcular el interés aplicable). Asimismo, la entidad proporcionó información suficiente por escrito en las negociaciones previas a la firma del contrato. Así, antes de la firma de la escritura pública, el banco remite por distintos correos electrónicos las condiciones de la operación, que incluye también la cláusula suelo inmediatamente después de la referencia (Euribor) y el diferencial. Por su situación en el documento y la forma en la que se expresa el tipo mínimo resulta casi imposible que pudiera pasar desapercibida para el consumidor. La entidad demandada remitió la minuta de la escritura y la oferta vinculante. Dicha **información precontractual escrita**, en la que aparece la cláusula suelo inmediatamente después de la referencia (Euribor) y el diferencial, permite considerar que la entidad de crédito proporcionó información suficiente para que la parte demandante pudiera comprender y valorar las **consecuencias económicas y jurídicas** que se derivaban de la aplicación de la cláusula impugnada (TS 21-7-23, EDJ 636105).

5) El control de transparencia debe entenderse superado, por innecesario, cuando el consumidor contrata a un **asesor financiero** con conocimientos especializados que se encarga de buscar la mejor oferta para su cliente, tratando de forma directa y en su representación con el banco. En este caso resulta innecesario y redundante explicaciones o informaciones del banco acerca del significado económico de la cláusula suelo, pues los conocimientos del asesor suplen aquellos de los que carece su cliente (TS 2-2-22, EDJ 504504).

Carácter (ir)retroactivo de la nulidad de las cláusulas suelo El Tribunal Supremo (en sentencia TS 9-5-13, EDJ 53424) analizó, en el marco de una acción colectiva ejercitada por una asociación de consumidores contra varias entidades bancarias, el carácter abusivo de las cláusulas suelo, declarando su **nulidad**. El Tribunal Supremo consideró que las cláusulas examinadas, si bien superaban el control de transparencia formal a efectos de su inclusión como condición general de los contratos, no superaban en cambio el **control de transparencia material** exigible en las cláusulas de los contratos suscritos con consumidores, y declaró la nulidad de las cláusulas, pero no de los contratos en los que se insertaban, cuya subsistencia mantuvo pese a aquella declaración de nulidad parcial. **8087**

Sin embargo, el TS estimó que la declaración de nulidad no afectaría ni a las situaciones definitivamente decididas por resoluciones judiciales con fuerza de cosa juzgada ni a las cantidades satisfechas antes del 9-5-2013. En otras palabras, se estableció el carácter irretroactivo de la nulidad de las cláusulas suelo consideradas abusivas. La **limitación temporal de la retroactividad** de la nulidad de las cláusulas suelo se fundó en tres **motivos**:
- en primer lugar, las cláusulas suelo no se consideran abusivas en sí mismas, sino que su abusividad deriva de la falta de transparencia material o sustantiva sobre el concreto contenido en su incorporación al contrato;
- en segundo lugar, aboga a favor de la irretroactividad la buena fe del círculo de los interesados (toda vez que las entidades de crédito habían cumplido con la normativa sectorial sobre transparencia); y
- en tercer lugar, el TS calificó como un hecho notorio que dicha retroactividad causaría grave trastorno al orden público económico.

Precisiones 1) La **limitación de la eficacia retroactiva** fue confirmada por el TS 25-3-15, EDJ 44468, en el seno de una acción individual interpuesta frente a una de las entidades parte en el proceso judicial resuelto por la sentencia TS 9-5-13, EDJ 53424. Fijó como doctrina que, cuando en aplicación de la **doctrina** fijada en la sentencia de 2013 se declare abusiva una cláusula suelo, la devolución al prestatario se efectuará a partir de la fecha de publicación de la sentencia de 2013.
2) Debe tenerse en cuenta el TS ha apreciado la incorporación transparente y falló la consiguiente **validez de una cláusula suelo** (TS 9-3-17, EDJ 12759). En este caso, la cláusula estaba ubicada dentro del contrato sin aparecer enmascarada entre otras cláusulas. Además, la cláusula suelo había sido negociada individualmente entre los prestatarios y la entidad de crédito.
3) El TS declara que la cláusula suelo en un **contrato on line** supera el control de transparencia cuando el prestatario tuvo información precontractual adecuada y suficiente, tanto en la página web de la entidad bancaria, como en los documentos que esta le remite mediante correos electrónicos, sobre la existencia y las consecuencias jurídicas y económicas de dicha cláusula (TS 21-7-23, EDJ 636105).

8089 No obstante, diversos tribunales españoles cuestionaron ante el **TJUE** la jurisprudencia del TS sobre la base del Derecho de la Unión Europea mediante diversos reenvíos prejudiciales. El TJUE, dando respuesta a esas cuestiones prejudiciales, ha fallado que la Dir 93/13/CEE art.6.1, sobre cláusulas abusivas en los contratos celebrados con los consumidores, debe interpretarse en el sentido de que **se opone** a una **jurisprudencia nacional** que limita en el tiempo los efectos restitutorios vinculados a la declaración del carácter abusivo, circunscribiendo tales efectos restitutorios exclusivamente a las cantidades pagadas indebidamente en aplicación de tal cláusula con posterioridad al pronunciamiento de la resolución judicial mediante la que se declaró el carácter abusivo de la cláusula en cuestión (TJUE 21-12-16, asuntos acumulados C-154/15, C-307/15 y C-308/15).
El TJUE reconoce **efectos restitutorios plenos** a la declaración de nulidad de las cláusulas suelo, fundamentado el fallo en dos **razonamientos** esenciales:
1) En primer lugar, la sentencia considera que la apreciación de la abusividad por falta de transparencia material que realizó el TS tiene por fundamento el art.4.2 Dir 93/13/CEE en relación con el art.3, y que no cabe apreciar que el TS hubiera ido más allá del ámbito definido por la propia directiva.
2) Y, en segundo lugar, afirma que la cláusula contractual declarada abusiva nunca ha existido, de modo que ha de restaurarse la situación de hecho y de Derecho en que se encontraría el consumidor en esta situación.

Precisiones A la vista de lo anterior, el **TS ha adaptado su doctrina** a los pronunciamientos del TJUE en materia de devolución de las cantidades cobradas en aplicación de la cláusula suelo. Véanse, en este sentido, TS 24-2-17, EDJ 9042, cuya doctrina se ha reiterado en TS 20-4-17, EDJ 44933; 25-5-17, EDJ 77541 y 6-6-17, EDJ 96178.

8091 **Reclamación extrajudicial por cláusula suelo** (RDL 1/2017) Como consecuencia del incremento de las demandas de consumidores afectados solicitando la **restitución** de las **cantidades pagadas** en aplicación de las cláusulas suelo, el Gobierno aprobó el RDL 1/2017, de medidas urgentes de protección de consumidores en materia de cláusulas suelo, para arbitrar un cauce extrajudicial sencillo y ordenado, de carácter voluntario para el consumidor, que facilite la devolución de las cantidades indebidamente satisfechas por el consumidor a las entidades de crédito, y, al mismo tiempo, evite que se produzca un aumento de los litigios.
Las **características** del procedimiento son:
a) Es un **procedimiento extrajudicial previo** a la interposición de la demanda judicial.
b) No tiene **coste** adicional para el consumidor.
c) Es **imperativo** de atender para las entidades de crédito.

d) El procedimiento solo resulta de **aplicación** a los contratos de préstamo o crédito garantizados con hipoteca inmobiliaria que incluyan una cláusula suelo cuyo prestatario sea un consumidor.
e) Las entidades de crédito tienen la obligación de **implementar un sistema de reclamación** previa. Deben asimismo garantizar que ese sistema de reclamación es conocido por todos los consumidores que tuvieran incluidas cláusula suelo en su préstamo hipotecario.
f) Recibida la reclamación, la entidad de crédito debe efectuar un **cálculo** de la **cantidad a devolver** y remitirle una comunicación al consumidor desglosando dicho cálculo (incluidos los intereses).
g) El procedimiento puede acabar **con acuerdo** y sin acuerdo. El **plazo máximo** para que el consumidor y la entidad lleguen a un acuerdo y se ponga a disposición del primero la cantidad a devolver será de 3 meses a contar desde la presentación de la reclamación.
A efectos de que el consumidor pueda adoptar las medidas que estime oportunas, se entiende que el procedimiento extrajudicial **ha concluido sin acuerdo** (RDL 1/2017 art.3.4):
• Si la entidad de crédito rechaza expresamente la solicitud del consumidor.
• Si finaliza el plazo de 3 meses sin comunicación alguna por parte de la entidad de crédito al consumidor reclamante.
• Si el consumidor no está de acuerdo con el cálculo de la cantidad a devolver efectuado por la entidad de crédito o rechaza la cantidad ofrecida.
• Si transcurrido el plazo de 3 meses no se ha puesto a disposición del consumidor de modo efectivo la cantidad ofrecida.

Precisiones El TCo 156/2021 ha declarado la **inconstitucionalidad** del **inciso «persona física»** del RDL 1/2017 art.2.2, por constituir una vulneración directa al principio de igualdad (Const art.14), pues que el consumidor incluido en el ámbito de aplicación de la norma deba ser «persona física», excluyendo por tanto al resto de consumidores a que se refiere la LGDCU art.3, no obedece a ninguna razón objetivamente justificada. **8093**

Renegociación o novación de cláusulas suelo y renuncia de acciones A raíz de la sentencia TS 9-5-13, EDJ 53424, que declaraba la nulidad de las cláusulas suelo incluidas en los contratos de préstamo hipotecario por no cumplir los requisitos de claridad y transparencia (ver nº 8083), ciertas entidades de crédito comenzaron procesos de renegociación o novación de dichas cláusulas en los contratos de préstamo hipotecario celebrados con anterioridad. En esas novaciones solía incluirse una **reducción del tipo** pactado en la cláusula suelo, así como la **renuncia** por parte de los consumidores a ejercitar cualquier acción judicial futura contra la entidad bancaria. **8095**
En relación con lo anterior, y a resultas de la formulación de las correspondientes cuestiones prejudiciales, el **TJUE ha declarado** (TJUE auto 3-3-21, asunto C-13/19):
- La Dir 93/13/CEE art.6.1 debe interpretarse en el sentido de que «no se opone a que una cláusula de un contrato celebrado entre un profesional y un consumidor, cuyo carácter abusivo puede ser declarado judicialmente, pueda ser objeto de un contrato de novación entre ese profesional y ese consumidor, mediante el cual este último renuncia a los efectos que pudieran derivarse de la declaración del carácter abusivo de esa cláusula, siempre que la renuncia proceda de un **consentimiento libre e informado** por parte del consumidor, extremo este que corresponde comprobar al juez nacional». No obstante, la cláusula mediante la cual el consumidor renuncia, en lo referente a controversias futuras, a las acciones judiciales basadas en los derechos que le reconoce la reiterada Directiva comunitaria «**no vincula al consumidor**».
- La Dir 93/13/CEE art.3 debe ser interpretada en el sentido de que «cabe considerar que **no ha sido negociada individualmente** la propia cláusula de un contrato de préstamo hipotecario celebrado entre un profesional y un consumidor con la cual se pretende modificar una cláusula potencialmente abusiva de un contrato anterior celebrado entre ambos o establecer que ese consumidor renuncie a ejercer cualquier acción judicial contra ese profesional cuando dicho consumidor no haya podido influir en el contenido de la nueva cláusula, extremo este que corresponde comprobar al órgano jurisdiccional remitente».
Por tanto, si la novación no ha sido negociada individualmente, sino que la cláusula ha sido predispuesta por el empresario, deberá cumplir, entre otras exigencias, con las de **transparencia** (TS 28-9-21, EDJ 697184).
- Por último, concluye el Alto Tribunal Europeo que los art.3, 4 y 5 Dir 93/13/CEE deben interpretarse en el sentido de que «la exigencia de **transparencia** que tales disposiciones imponen a un profesional implica que, cuando se celebra un contrato de novación que, por una parte, tiene por objeto modificar una cláusula potencialmente abusiva de un contrato anterior y, por otra parte, establece que el consumidor renuncia a ejercer cualquier acción judicial contra el profesional, deba situarse al consumidor en condiciones de **comprender las consecuencias jurídicas y económicas** determinantes que para él se derivan de la celebración de ese contrato de novación».

De este modo, la **cláusula** estipulada en un contrato celebrado entre un profesional y un consumidor para la solución de una controversia existente, mediante la que el consumidor renuncia a hacer valer ante el juez nacional las pretensiones que hubiera podido hacer valer en ausencia de esta cláusula, puede ser calificada como **abusiva** cuando, en particular, el consumidor no haya podido disponer de la información pertinente que le hubiera permitido comprender las consecuencias jurídicas que se derivaban (TJUE 9-7-20, asunto C-452/18; a la que se remite TS 5-11-20, EDJ 705110).

8097 **Costas en litigación bancaria relativa a cláusulas suelo** En la práctica, ha suscitado debate la imposición de costas en caso de **estimación parcial** de la demanda de nulidad de cláusulas suelo.

- Por un lado, la LEC art.394.2º dispone, en relación a la **condena en costas** de la primera instancia, que si «fuere parcial la estimación o desestimación de las pretensiones, cada parte abonará las costas causadas a su instancia y las comunes por mitad, a no ser que hubiere méritos para imponerlas a una de ellas por haber litigado con temeridad». De ahí que, tradicionalmente, las entidades bancarias demandadas no hayan sido condenadas en costas en casos de estimación parcial de la demanda (este criterio vino confirmado por la TS 23-1-19, EDJ 501277).
- Sin embargo, el TJUE 16-7-20 (asuntos acumulados C-224/19 y C-259/19) ha obligado a revisar el anterior criterio. Dicha sentencia ha declarado que la Dir 93/13/CEE art.6.1 y 7.1, así como el principio de efectividad «deben interpretarse en el sentido de que se oponen a un régimen que permite que el consumidor cargue con una parte de las costas procesales en función del importe de las cantidades indebidamente pagadas que le son restituidas a raíz de la declaración de la nulidad de una cláusula contractual por tener carácter abusivo, dado que tal régimen crea un **obstáculo significativo** que puede **disuadir a los consumidores** de ejercer el derecho, conferido por la Directiva 93/13, a un control judicial efectivo del carácter potencialmente abusivo de cláusulas contractuales».
- En conclusión, la LEC art.394.2º debe **reinterpretarse** conforme a la Dir 93/13/CEE y el principio de efectividad, de tal forma que los gastos del proceso no constituyan una circunstancia que disuada al consumidor de recurrir al juez para que declare abusiva la nulidad de una cláusula. Por lo tanto, las entidades de crédito demandadas únicamente podrían eludir la condena en costas cuando se **desestime íntegramente** la pretensión restitutoria. En esta línea, el TS cont-adm 27-1-20, EDJ 505446, en un supuesto de nulidad de la cláusula gastos en el que no se acoge en su integridad la pretensión restitutoria (se rechaza el impuesto AJD y la mitad de los gastos notariales), impone las costas de primera instancia al banco demandado de acuerdo con la citada sentencia TJUE 16-7-20.

8099 Cuando el consumidor acude con carácter previo a un **procedimiento extrajudicial** para obtener la devolución de las cantidades indebidamente satisfechas, conforme al RDL 1/2017 (ver nº 8091), la condena en costas se impondrá a la entidad de crédito si el consumidor rechaza el cálculo de la cantidad a devolver o declina, por cualquier motivo, la devolución del efectivo e interpone posteriormente demanda judicial en la que obtiene una **sentencia más favorable** que la oferta recibida de dicha entidad (RDL 1/2017 art.4.1). No hay condena en costas de la entidad de crédito si la sentencia mantiene la cantidad.

Precisiones En su **versión original**, el RDL 1/2017 art.4.2 establecía lo siguiente:

«2. Si el consumidor interpusiere una demanda frente a una entidad de crédito sin haber acudido al procedimiento extrajudicial del artículo 3, regirán las siguientes reglas:

a) En caso de allanamiento de la entidad de crédito antes de la contestación a la demanda, se considerará que no concurre mala fe procesal, a efectos de lo previsto en el artículo 395.1 segundo párrafo, de la Ley 1/2000, de 7 de enero, de Enjuiciamiento Civil.

b) En el caso de allanamiento parcial de la entidad de crédito antes de la contestación a la demanda, siempre que consigne la cantidad a cuyo abono se comprometa, solo se le podrá imponer la condena en costas si el consumidor obtuviera una sentencia cuyo resultado económico fuera más favorable que la cantidad consignada.»

Dicho precepto ha sido declarado **inconstitucional** porque, a juicio del TCo, existe una diferencia de trato entre los casos en los que haya mediado la reclamación previa (RDL 1/2017 art.3) y los que no se haya presentado dicha reclamación, aunque se hayan utilizado otros mecanismos de evitación del proceso expresamente previstos en la legislación procesal.

En los **primeros** (los que opten por la reclamación previa), si se produce el allanamiento, se aplicará el régimen general de la LEC art.395, lo que supone que el tribunal puede apreciar la existencia de mala fe por parte de la entidad financiera en orden a la imposición de las costas; mientras que en los **segundos** no podrá apreciar en ningún caso el órgano judicial la mala fe en la entidad financiera en el supuesto de allanamiento (por así disponerlo el RDL 1/2017 art.4.2), ni, por tanto, imponerle las costas.

Esa diferencia de trato no es razonable para el Tribunal Constitucional, máxime cuando el propio RDL en su art.3.1 declara que el procedimiento de reclamación previa es de uso **voluntario**,

mientras que la regulación del art.4.2 lo que conduce es a desvirtuar la naturaleza voluntaria de la reclamación previa, convirtiendo su utilización en una **obligación**.
Asimismo, el precepto declarado inconstitucional, suponía de facto, la imposición de una **mayor carga económica** para quien no haya acudido a la reclamación previa ante la entidad financiera, como consecuencia de eliminar la aplicación de las normas que rigen de manera general la imposición de costas en los supuestos de allanamiento, estableciendo un régimen ad hoc que permite a las entidades financieras eludir la condena en costas a través del allanamiento, por lo que se ven beneficiadas por esa regla especial, en detrimento de los consumidores (TCo 156/2021).

7. Protección al usuario de los servicios bancarios

Son **derechos básicos** de los **consumidores y usuarios**, entre otros, los siguientes: 8105
- protección de sus legítimos intereses económicos y sociales;
- información correcta sobre los diferentes productos y servicios;
- protección jurídica, administrativa y técnica en las situaciones de inferioridad, subordinación o indefensión.

Todos estos derechos básicos son predicables respecto del consumidor o **usuario** de los servicios bancarios (nº 7923).
La protección del **usuario de los servicios bancarios** se construye sobre dos bloques normativos:
a) La **protección directa** (nº 8107).
b) La **protección indirecta**, en la que pueden distinguirse:
- la derivada de las normas sectoriales de transparencia bancaria (nº 8115);
- la relativa a la publicidad bancaria externa (nº 8127);
- la derivada de la fe pública (nº 8137).

Tratamos, por último, dentro de este apartado, las figuras del servicio de atención al cliente y del defensor del cliente (nº 8139).

Protección directa La **contratación en masa** es el instrumento de la actividad bancaria 8107
para extender el crédito y el consumo (Rivero Alemán).
Como consecuencia de ello, proliferan en el ámbito bancario:
- ciertos **abusos** nacidos del desnivel económico-patrimonial existente entre la posición de la entidad de crédito y la de su cliente (contratante débil);
- el uso de las **condiciones generales** en los contratos.

Para que no sean consideradas abusivas, las cláusulas, condiciones o estipulaciones generales deben reunir tres **requisitos:**
- Transparencia, concreción, claridad y sencillez en la redacción.
- Accesibilidad y legitimidad.
- Buena fe y justo equilibrio de las contraprestaciones.

Son **nulas de pleno Derecho** y se tienen por no puestas las cláusulas, condiciones y estipulaciones en las que se aprecie el carácter abusivo. A estos efectos son **cláusulas abusivas** las estipulaciones no negociadas individualmente y las prácticas no consentidas expresamente que, en contra de las exigencias de la buena fe, provoquen, en perjuicio del consumidor y usuario, un desequilibrio importante de los derechos y obligaciones de las partes que sean consecuencia del contrato (LGDCU art.82.1). Además, existe una lista de cláusulas que, en todo caso, tienen en el carácter de abusivas.
En los últimos años han proliferado las sentencias condenatorias a entidades de crédito principalmente por **malas prácticas en la contratación bancaria** e incumplimiento de las obligaciones de información clara, correcta, suficiente y oportuna al cliente o inversor.

Precisiones **1)** La protección del usuario de los servicios bancarios se manifiesta también en las 8109
siguientes **normas**: L 2/1994; LCCo y L 28/1998, ello sin olvidar que también en el seno de la contratación bancaria es aplicable, en su caso, el CP Libro II Título XII Cap.XI Secc.3ª, referida a los delitos relativos al **mercado** y a los **consumidores** (CP art.278 s.).
2) En un contrato de tarjeta de crédito se establece que los **documentos constituidos por la propia entidad** bancaria tienen un valor probatorio privilegiado, en el sentido que, para los supuestos de resolución del contrato se pacta expresamente que es prueba suficiente de la cantidad reclamada la certificación expedida por la propia entidad crediticia y que dicho saldo tiene la consideración de cantidad líquida y exigible a los efectos de su pago y plena eficacia en juicio. Desde una perspectiva general de las disposiciones legales, la doctrina y la jurisprudencia mantienen que las cláusulas en virtud de las cuales se establece que los documentos constituidos por la propia entidad bancaria tienen un valor probatorio privilegiado, son contrarias a los preceptos legales que regulan la actividad probatoria en el proceso, toda vez que las normas sobre la **carga de la prueba** desde el punto de vista formal son de orden público e indisponibles para las partes (CC art.1228; CCom art.31).

Estas cláusulas han de considerarse claramente nulas, ya que colocan a una de las partes en **situación procesal** de superioridad respecto de la otra, al permitirle preconstituir pruebas con valor probatorio decisivo e incontestable, y dejando a su libre arbitrio el desarrollo de la relación contractual, pues puede por su sola voluntad determinar si el cliente es o no deudor y por qué cantidad.

Desde la perspectiva de la **defensa de los consumidores y usuarios** dichas cláusulas son igualmente nulas, ya que la LGDCU excluye como contrario a la buena fe y al equilibrio de las prestaciones la inversión de la carga de la prueba en perjuicio del consumidor o usuario (AP Madrid 18-10-01, EDJ 71440).

La vigente regulación de las **cláusulas abusivas sobre garantías**, establece que tienen tal carácter las que impongan la carga de la prueba en perjuicio del consumidor y usuario, pero solo si dicha carga es de la contraparte (LGDCU art.88.2).

3) En el marco de un contrato de gestión discrecional de carteras, el juzgado de primera instancia núm 53 de Barcelona declara que la parte demandada ha **incumplido** la obligación contractual de **información, diligencia y lealtad** asumida en su día frente a la parte actora con ocasión del contrato formalizado entre ambas. Asimismo, condena a la parte demandada a resarcir los daños y perjuicios causados a la demandante (JPI Barcelona núm 53, 13-9-08, EDJ 190903).

4) Los actores ejercitan acción de indemnización contra la entidad de crédito por el incumplimiento de sus obligaciones bajo el **contrato de asesoramiento** suscrito. Se estima parcialmente la demanda y se declara que la entidad de crédito ha incumplido su obligación de información clara, correcta, suficiente y oportuna, así como su obligación de asesoramiento diligente (JPI Madrid núm 1, 2-9-09, EDJ 210038).

5) En la **adquisición de instrumentos financieros** (bonos) queda acreditado que los adquirentes no tenían conocimiento de los riesgos y complejidades del mercado, emisor o liquidez de los instrumentos, pudiendo caer en la confusión de que estaban adquiriendo productos de renta fija, inocuos y asimilables a títulos valores más o menos tradicionales. La entidad bancaria es condenada a indemnizar a la parte actora por la diferencia del precio de adquisición de las mismas al tiempo de su compra inicial, menos la rentabilidad que les hubiera abonado, a la fecha de declaración de insolvencia del grupo emisor (JPI Madrid núm 87, 2-3-10, EDJ 18064).

6) La condición general de los contratos de préstamo concertados por los consumidores, en la que se prevea la firma por el prestatario (y en su caso por el fiador), de un **pagaré en garantía** de aquel, en el que el importe por la que se presentará la demanda de juicio cambiario es complementado por el prestamista con base en la liquidación realizada unilateralmente por él, es abusiva y, por tanto, nula, no pudiendo ser tenida por incorporada al contrato de préstamo, y, por ende, conlleva la ineficacia de la declaración cambiaria (TS 12-9-14, EDJ 178814).

8111 **Accesibilidad y no discriminación de las personas con discapacidad para el acceso a servicios financieros** (RD 193/2023) La regulación de las condiciones básicas de accesibilidad y no discriminación de las personas con discapacidad recogida en el RD 193/2023, establece ciertas **reglas** que resultan de aplicación **a las entidades financieras, bancarias y de crédito**:

• Por un lado, es necesario proporcionar a las personas usuarias y clientes con discapacidad información sobre sus servicios en **soportes y formatos accesibles** y adecuados a sus necesidades, independientemente del canal que se utilice. Deberán incorporarse las medidas necesarias, que resulten razonables y proporcionadas, en atención al tipo de servicio de que se trate, de modo que las personas con discapacidad puedan acceder efectivamente a su contenido en **igualdad de condiciones** que cualquier otra persona cliente o usuaria, de forma que se asegure su **adecuada comprensión** (RD 193/2023 art.14).

• Por otro lado, se establece que las empresas que presten servicios al público en general de especial trascendencia económica (entre las cuales se encuentran las empresas que prestan servicios financieros destinados a consumidores, incluidos los servicios bancarios, de crédito o de pago, L 56/2007 art.2.2), que dispongan de **páginas o sitios de Internet abiertos al público en general** deberán garantizar su **accesibilidad universal** y consignar en ellos el grado de accesibilidad de sus bienes y servicios, así como de sus dependencias, instalaciones y procedimientos. Asimismo, deberán indicar si llevan a cabo alguna línea de acción o atención dirigida específicamente a personas con discapacidad (RD 193/2023 art.14).

8113 • Finalmente, se contemplan una serie de **reglas específicas** para bienes y servicios de carácter financiero, bancario y de seguros (RD 193/2023 art.18):

- El personal de atención al público debe prestar **orientación y apoyo** a las personas usuarias y clientes con discapacidad, a requerimiento de estos, en la realización de gestiones propias de su actividad, tales como **cumplimentación de formularios**, **lectura de documentos**, **comprensibilidad** de los contenidos, **acompañamiento** en el interior de las sedes y oficinas, interposición de **reclamaciones** y otras de análoga significación.
- Los **cajeros automáticos** y los demás terminales de servicio pertenecientes a entidades financieras, bancarias o de créditos deben cumplir con los requisitos de accesibilidad que establezca la norma de transposición de la L 11/2023.

- La **atención telefónica y electrónica** a disposición del público perteneciente a entidades financieras, bancarias o de crédito, a las entidades aseguradoras y mediadores de seguros deben ser accesibles para las personas con discapacidad, de acuerdo con las condiciones y requisitos establecidos en la norma técnica que resulte de aplicación.

Protección derivada de las normas de transparencia bancaria (L 10/2014; OM EHA/2899/2011 redacc OM ETD/699/2020; BE Circ 8/1990 norma 8ª; BE Circ 5/2012 redacc BE Circ 1/2021, 3/2021, 3/2022; BE Circ 5/2017) Las normas jurídico-públicas de contenido contractual bancario protegen directa o indirectamente al cliente bancario. **8115**
Su **ámbito subjetivo** alcanza a cualquier operación bancaria, con independencia de si el cliente bancario tiene o no naturaleza jurídica de usuario de los servicios bancarios (nº 7923).
La BE Circ 8/1990 ha sido el núcleo regulador de las **obligaciones de las entidades de crédito con los clientes** bancarios, consumidores o no, sobre todo cuando no existían normas con rango de Ley que disciplinaran los múltiples aspectos, principalmente contractuales, que afectaban a diario tanto a la diligencia exigible a las entidades de crédito como a los derechos que asistían a sus clientes más allá o por encima de sus contratos bancarios suscritos.
El legislador español, por mandato comunitario europeo o no, la modificó y completó en varias ocasiones, quedando ahora sustituida, casi en su totalidad, por la BE Circ 5/2012, a entidades de crédito y proveedores de servicios de pago, sobre transparencia de los servicios bancarios y responsabilidad en la concesión de préstamos, que actualiza y refunde la anterior.
Se añade un aspecto específico novedoso -derivado de la L 2/2011- como es la **responsabilidad en la concesión de préstamos a los consumidores** por las entidades de crédito, por mandato comunitario europeo e internacional y como resultado de las perniciosas consecuencias derivadas de las concesiones de préstamos sin una adecuada supervisión previa de la solvencia del futuro prestatario.

A continuación, se analizan los aspectos más relevantes de la BE Circ 5/2012 (recientemente modificada por BE Circ 1/2021 y BE Circ 3/2021, para adaptarse a los cambios introducidos en los tipos oficiales de referencia por la OM ETD/699/2020, de regulación del crédito revolvente, y por BE Circ 3/2022, para desarrollar las obligaciones de transparencia informativa del crédito revolvente de la OM EHA/2899/2011): **8117**
1) El **ámbito de aplicación** se reduce. Los destinatarios de la protección otorgada en la BE Circ 5/2012 son los clientes bancarios **personas físicas**, por tanto, consumidores y usuarios o no. Cuando los clientes actúen dentro de su actividad **profesional** o empresarial pueden acordar las partes que no se aplique total o parcialmente la protección contenida en la BE Circ 5/2012 -salvo las normas relativas a la tasa anual equivalente y coste o rendimiento efectivo remanente y al índice o tipos de referencia aplicables para el cálculo del valor de mercado de la compensación por riesgo de tipo de interés de los préstamos hipotecarios-. Esta norma también es aplicable a las **comunidades de bienes** que actúen dentro de su actividad profesional o empresarial.
Realmente, la **posibilidad de pacto** cuando el cliente bancario sea de pequeña envergadura la tendrán las entidades de crédito y no los clientes bancarios.
2) Se impone mayor **transparencia** en la información suministrada por las entidades de crédito, concretando su nivel de diligencia y aumentando también la capacidad de los clientes bancarios de comparar entre entidades de crédito antes de contratar. Se permite que el cliente esté **mejor y más informado** y de una forma más accesible. Desaparece la referencia a un «**tablón de anuncios**», pero sigue exigiéndose que se informe en los establecimientos comerciales -se entiende que físicos, aunque no aluda a ello correctamente esta Circular- de las entidades de crédito, al menos, a través de información concreta y exclusiva en un lugar que llame la atención al público de que están disponibles -debidamente actualizados y siguiendo el formato impuesto- tanto el Anejo 1 de tal Circular -sobre la información trimestral relativa a comisiones y tipos practicados u ofertados de manera más habitual en las operaciones más frecuentes con los perfiles de clientes más comunes que sean persona físicas- como el Anejo 2 de la misma -tipos de interés y comisiones publicados para descubiertos tácitos en cuentas corrientes y excedidos tácitos en cuenta de crédito a que se refiere BE Circ 5/2012 norma tercera.2-.

3) Se aborda y desarrolla el concepto de «**préstamo responsable**». La parte relativa a la exigencia a los prestamistas de un mayor control sobre los potenciales prestatarios tiene gran relevancia con el fin de que los riesgos asumidos sean los menores -para el sistema financiero y para los clientes bancarios-. Las entidades prestamistas deben operar de forma honesta, imparcial y profesionalmente, teniendo en cuenta la situación personal y financiera y estudiando las preferencias y objetivos de sus clientes. **8119**

Para posibilitar esta labor, se determina que los **clientes** tienen que facilitar una información completa y veraz acerca de su situación financiera, sus deseos y necesidades respecto de la finalidad perseguida, el importe y las demás condiciones del préstamo o crédito. Las **entidades de crédito**, por su parte, informarán al cliente de las características de los productos que se ajusten a lo que han solicitado para que puedan reflexionar, comparar y tomar una decisión fundada, racional y prudente. Todo ello sin perjuicio de la libertad de contratación, de la plena validez y eficacia de los contratos, al igual que de la responsabilidad de los clientes ante el incumplimiento de sus obligaciones contractuales (BE Circ 5/2012 norma duodécima).
Se refuerza la **protección precontractual**, al disponer la obligación de las entidades de crédito de suministrar la información precontractual de forma gratuita a todos los clientes bancarios con la finalidad de permitir que los clientes realmente puedan comparar entre entidades de crédito. La información ha de ser clara, oportuna y suficiente, además de objetiva y no engañosa. También es preciso que exista antelación en la entrega de la misma, se exige que se entregue «con la debida antelación» dependiendo del tipo de contrato u oferta y establece una regla general en cuando al plazo para entregar dicha información precontractual: siempre antes de que el cliente se vincule por tal contrato u oferta (OM EHA/2899/2011 art.6).

Precisiones 1) La BE Circ 5/2012 considera **personas físicas**, a los señalados efectos, a las comunidades de bienes, aludiendo específicamente a las comunidades de propietarios, a las comunidades de herederos, a las herencias yacentes y similares, si están constituidas mayoritariamente por personas físicas.
2) Existen normas específicas de transparencia y de conducta para los prestamistas e intermediarios de crédito en relación con los **préstamos inmobiliarios**, actualmente regulados en la L 5/2019 (ver nº 8765).
3) La BE Circ 5/2012 ha sido recientemente modificada por la BE Circ 3/2022 en relación con la **transparencia** exigible a los **créditos al consumo con carácter revolvente** (conocidos como créditos *revolving* -nº 8650-). Los cambios más relevantes son los siguientes:
• En materia de **información precontractual** en créditos al consumo, se amplía la información que debe proporcionarse y resaltarse ante los clientes (norma sexta y anejo 3).
• En materia de **información contractual e información posterior al contrato**, se establecen los criterios y elementos que deberán tenerse en cuenta en la formulación de ejemplos de posibles escenarios de ahorro (norma undécima).

8121 **Contenido de los documentos contractuales** (BE Circ 5/2012 redacc BE Circ 1/2021, BE Circ 3/2021 y BE Circ 3/2022) Las entidades de crédito están obligadas en todos los contratos bancarios a entregar una **copia** de los mismos gratuitamente, lo solicite o no el cliente.
El documento contractual tendrá el **formato** que estipulen las partes. Puede ser un **soporte** electrónico duradero -que además permita su lectura, impresión, conservación y reproducción sin cambios- o soporte papel -que se facilitará en el acto de contratación o será enviado postalmente más tarde, sin especificar el plazo-.
Es obligatorio notificar al cliente bancario -siguiendo el modelo de BE Circ 5/2012 Anejo 5-, el **documento-resumen anual de comisiones, intereses y gastos** en el mes de enero de cada año, donde se precise de forma completa y detallada toda la información exigida en la OM EHA/2899/2011 (redacc OM ETD/699/2020). En él ha de especificarse que no se incluye ningún interés, comisión o gasto relacionado con operaciones o servicios de valores prestados por la entidad de crédito remitente.

8123 Se mejora en algunos aspectos la regulación anterior en cuanto a la información que debe figurar en la página de **Internet** de la entidad de crédito. Las entidades de crédito tienen que incluir un enlace, de forma destacada y legible, en la **pantalla inicial de la primera página**, desde el que se pueda acceder directamente a las condiciones de cualquiera de los servicios bancarios a los que se refieran los Anejos 1 y 2 de BE Circ 5/2012. Por tanto, no estarán todos los servicios bancarios ofrecidos por las entidades de crédito. Es esencial la referencia a que el *link* ha de figurar en la pantalla inicial de la primera página y de manera destacada, atendiendo a que en caso contrario el cliente potencial o real no localizará la información que desea tener -situación que se producía, a veces frecuentemente, antes de tal Circular-.

8125 Es destacable la regulación expresa del **deber de diligencia** de las entidades de crédito y las explicaciones adecuadas que tienen que dar a los clientes bancarios en la BE Circ 5/2012 norma quinta. Los conflictos planteados en los Tribunales de Justicia, y fuera de ellos, en los que la alegación contra la entidad de crédito ha sido la falta de información suficiente, completa y comprensible, entre otros aspectos, de forma principal, con productos complejos para algunos clientes bancarios -se encontrarían dentro de estos supuestos los *swaps* asociados a contratos de préstamo-, viene teniendo éxito y ha llevado al legislador español a disciplinar concretamente la diligencia debida para productos o servicios bancarios que supongan riesgos especiales -como sería una remuneración nula en los depósitos estructurados o híbridos con

garantía del principal, o aumento potencial significativo del coste del préstamo a causa de sus específicas características- o que para su recta comprensión por el cliente bancario se precisa la evaluación de múltiples aspectos, como la evolución -pasada y futura- de índices de referencia o del precio de productos vinculados cuando la contratación sea necesaria o que impliquen obligaciones para el cliente bancario que pudieran resultar onerosas -por la cuantía y duración-; o, finalmente, que la remuneración vaya acompañada de una remuneración personalizada, particularmente si existen campañas de difusión masiva de productos o servicios referenciados en los supuestos contemplados anteriormente.
Se impone a las entidades de crédito que extremen su diligencia en los supuestos señalados, en concreto en sus explicaciones a los clientes para que puedan comprender las características del producto y sean capaces de tomar una decisión informada además de evaluar, teniendo en cuenta sus conocimientos y experiencia, la adecuación del producto ofrecido a sus intereses.

Protección respecto de la publicidad bancaria externa (LGPU) Hay que mencionar los siguientes **supuestos**: 8127
- información contractual obligadamente pública;
- publicidad externa de productos y servicios financieros;
- ordenación del comercio minorista.

Información contractual obligadamente pública (OM EHA/2899/2011 redacc OM ECE/1263/2019 y OM ETD/699/2020; LCCo; BE Circ 5/2012 redacc BE Circ 1/2021, BE Circ 3/2021 y BE Circ 3/2022) Todas las entidades han de disponer, en todas y cada una de las **oficinas físicas** abiertas al público, de la información requerida por la BE Circ 5/2012, en forma de tablón de anuncios o en otro **formato**. En concreto: 8129
- Debe figurar en un lugar destacado y que llame la atención al público.
- La información tiene que estar actualizada.

En el caso particular de las entidades de crédito con páginas de **Internet**:
- Es preciso que haya un enlace, destacado y legible, en la pantalla inicial de la primera página.
- La información ha de estar actualizada.
- El vínculo ha de permitir el acceso directo a la información.
- El formato será el establecido, con las especificaciones técnicas que se determinen.

En ambos casos, la **información** es la relativa a:
- información trimestral sobre **comisiones y tipos** practicados u ofertados más habitualmente en las operaciones más frecuentes con los perfiles de clientes más comunes que sean personas físicas;
- tipos de interés y comisiones publicados para **descubiertos tácitos** en cuentas de depósito y **excedidos** en cuentas de crédito.

Publicidad externa de productos y servicios financieros (OM EHA/1718/2010 redacc OM ECE/1263/2019 y OM ETC/699/2020; BE Circ 4/2020) La publicidad hecha por las entidades de crédito de sus servicios o productos, con la entrada en vigor de la OM EHA/1718/2010, ha dejado de estar sometida a **autorización administrativa** por parte del Banco de España. 8131
No obstante, la **publicidad financiera** está basada en dos elementos:
- uno preventivo, a través de la elaboración de criterios específicos que guíen su claridad y honestidad y de la exigencia de unos procedimientos y controles internos que tiendan a favorecer tal exigencia; y
- otro que permita la corrección de eventuales conductas inadecuadas, para lo cual el Banco de España puede exigir el cese o la rectificación de la publicidad que no cumpla las previsiones de dicha OM EHA/1718/2010, y ello sin menoscabo de las acciones a las que alude la L 34/1988, General de Publicidad (LGPu), para la rectificación o cese de la publicidad ilícita.
En todo caso la publicidad ha de ser **clara, objetiva y no engañosa** (OM EHA/2899/2011 art.5).

Desde el 15-10-2020 -con algunas excepciones- ha entrado en vigor la BE Circ 4/2020, que **deroga** la anterior BE Circ 6/2010, y cuyas principales **novedades** son las siguientes: 8133
- Se aclara la **tipología de entidades** cuya actividad publicitaria está sujeta a esta normativa.
- La aplicación de las reglas de publicidad de la actividad bancaria se extiende a los prestamistas y a los intermediarios de **crédito inmobiliario**, con la finalidad de asegurar que la misma actividad se rige por las mismas normas, independientemente de quién la realice.
- El ámbito de aplicación subjetivo incluye tanto a las entidades financieras **españolas** como **extranjeras** que realicen actividad publicitaria sobre productos y servicios bancarios en territorio español mediante sucursal, agente o en régimen de libre prestación de servicios.
- Se determinan con mayor precisión los principios y criterios generales sobre el **contenido y formato del mensaje publicitario**.

• Se regula el procedimiento mediante el cual el Banco de España, en ejercicio de su función supervisora y de la potestad administrativa, podrá requerir el **cese o la rectificación de la publicidad** bancaria que no se ajuste a lo previsto en la norma.
• Se introduce una **obligación de notificación de inicio de actividad publicitaria** para aquellas entidades que realicen por primera vez publicidad sobre productos y servicios bancarios en territorio español (en vigor desde el 16-7-2020).

Precisiones 1) Existen requisitos específicos cuando la publicidad va referida a **préstamos inmobiliarios** (L 5/2019 art.6, ver nº 8775).
2) El TS declara que existe publicidad engañosa cuando el mensaje de una campaña publicitaria desarrollada por dos entidades dedicadas a la intermediación financiera tiene una ambigüedad calculada, pues la limitación del espacio publicitario, lejos de amparar formulaciones ambiguas o genéricas, impone a la empresa anunciante un claro deber de concreción o precisión sobre lo que es objeto de anuncio, aunque sea de modo esquemático (TS 19-6-18, EDJ 105223).

8135 **Ordenación del comercio minorista** (LOCM art.8.2) Queda **prohibida** la exposición y venta de mercancías al comprador, cuando éstas procedan de personas cuya actividad sea distinta a la comercial y, como consecuencia de la actividad que le es propia tengan como finalidad principal la realización de préstamos, depósitos u operaciones de análoga naturaleza, adheridas a la oferta comercial, de tal forma que no se pueda hacer efectiva sin la otra.
Se **presume** la existencia de estas actuaciones en el supuesto de que el comprador pueda realizar pedido o adquirir mercancías en los establecimientos de entidades de crédito.
En consecuencia, en las **actividades de colaboración** que puedan realizar tales entidades en ofertas comerciales, éstas no pueden vender los productos a través de sus establecimientos, sino que su colaboración se circunscribe a la oferta de financiación y/o intermediación en el pago (Safont Sánchez).
En los **documentos** que soporten la publicidad de este tipo de campañas debe constar:
- que es una oferta de simple colaboración (no necesariamente vinculada);
- cómo se puede realizar la adquisición de los productos;
- identificación del proveedor;
- características especiales del producto;
- precio del mismo;
- plazo de ejecución del pedido;
- plazo de validez de la oferta.

8137 **Protección derivada de la fe pública** La dación de fe pública sobre las operaciones bancarias ha de ser un instrumento añadido de protección de los intereses de los usuarios bancarios. Esta protección se produce (Ortiz Navacerrada):
- en el momento de la **perfección y consumación** del contrato, a través del asesoramiento exigido a los fedatarios públicos por su reglamentación profesional;
- en el momento de la **resolución contractual** derivada de reclamación ejecutiva, por la vía del examen y control del saldo líquido.
Los notarios y los registradores de la propiedad y mercantiles, en el ejercicio profesional de sus respectivas funciones públicas, deben informar a los consumidores en los asuntos propios de su competencia (LGDCU art.81.2).

8139 **Servicio de atención al cliente y defensor del cliente** (L 44/2002 art.29; OM ECO/734/2004 redacc OM ECE/1263/2019) Las entidades de crédito, los establecimientos financieros de crédito, las entidades de pago, las entidades de dinero electrónico, las entidades aseguradoras y las empresas de servicios de inversión, entre otras, están obligadas a atender y resolver las **quejas y reclamaciones** que los usuarios de servicios financieros puedan presentar, relacionados con sus intereses y derechos legalmente reconocidos.
A estos efectos, las entidades deben contar con un departamento o **servicio de atención al cliente** encargado de atender y resolver las quejas y reclamaciones.
Dichas entidades pueden, bien individualmente, bien agrupadas por ramas de actividad, proximidad geográfica, volumen de negocio o cualquier otro criterio, designar un **defensor del cliente**, que ha de ser una entidad o experto independiente de reconocido prestigio, y a quien corresponde atender y resolver los tipos de reclamaciones que se sometan a su decisión en el marco de lo que disponga su reglamento de funcionamiento, así como promover el cumplimiento de la normativa de transparencia y protección de la clientela y de las buenas prácticas y usos financieros.
El defensor del cliente, al igual que el servicio de atención al cliente, no produce resoluciones con efectos reconocidos legalmente (no son laudos, autos o sentencias). Los arreglos propuestos por él carecen de toda **eficacia** si no van seguidos de un verdadero acuerdo transaccional de las partes en conflicto.

Para la admisión y tramitación de quejas o reclamaciones ante los **servicios de reclamaciones del BE, CNMV y DGSFP** (nº 8145) es imprescindible acreditar haberlas formulado previamente al departamento o servicio de atención al cliente o, en su caso, al defensor del cliente de la correspondiente entidad.

Precisiones Con efectos desde el 1-7-2020, se amplió la **lista de entidades obligadas** a disponer de estos servicios de atención al cliente y defensor del cliente (OM ECO/734/2004 art.2 redacc OM ECE/1263/2019): **8141**
- entidades de crédito;
- establecimientos financieros de crédito;
- entidades de pago y entidades acogidas a lo establecido en el RDL 19/2018 art.14 y 15 de servicios de pago;
- entidades de dinero electrónico;
- empresas de servicios de inversión;
- sociedades gestoras de instituciones de inversión colectiva;
- entidades aseguradoras;
- entidades gestoras de fondos de pensiones, con las precisiones establecidas en la disposición adicional primera;
- sociedades de correduría de seguros;
- sucursales en España de las entidades enumeradas en los párrafos anteriores con domicilio social en otro Estado.

Además, se habilita al **Banco de España** para **modular las obligaciones** recogidas en la OM ECO/734/2004, atendiendo al tamaño y estructura de las entidades indicadas, así como a su naturaleza, dimensión y complejidad de las actividades que desarrollan (OM ECO/734/2004 disp.adic.3ª redacc OM ECE/1263/2019).

8. Quejas, reclamaciones y consultas

(L 44/2002 art.30; OM ECC/2502/2012)

Los **servicios de reclamaciones** en el sector financiero son un adecuado instrumento que permite solventar las controversias entre entidades financieras y sus clientes, evitando acudir a otros procedimientos extrajudiciales de resolución de controversias y, en muchos casos, a los tribunales -aspecto elogiable sobre todo teniendo en cuenta el elevado coste de litigar ante los tribunales derivado de la aplicación de las tasas judiciales-. También incentivan la aplicación de la normativa de protección de los clientes de servicios financieros por parte de las entidades financieras. **8145**

La reclamación o queja ante estos servicios no paraliza la resolución y tramitación de los procedimientos correspondientes, pero se suspenden o interrumpen los **plazos** fijados para el ejercicio de acciones o derechos que pudieran ejercitar los interesados; del mismo modo, los reclamantes pueden hacer uso de los sistemas de protección permitidos por las normas arbitrales y de consumo.

Se consideran **quejas** las que sean presentadas por los usuarios de los servicios financieros por las demoras, desatenciones o cualquier otro tipo de actuación deficiente en el funcionamiento de las entidades financieras contra las que se realizan dichas quejas.

Las **reclamaciones** serán las que presenten los usuarios de servicios financieros que pretendan la restitución de su interés o derecho, mostrando hechos concretos relativos a acciones u omisiones de las entidades financieras reclamadas cuando suponga para quien reclama un perjuicio a sus intereses o derechos y que traigan causa de un presunto incumplimiento por las entidades reclamadas de la normativa de transparencia y protección a la clientela o de las buenas prácticas y usos financieros.

Las **consultas** se refieren a solicitudes de asesoramiento e información acerca de aspectos de interés general sobre los derechos de los usuarios de servicios financieros relativos a la transparencia y protección de la clientela o sobre las vías legales para el ejercicio de sus derechos.

Legitimación Los legitimados para la presentación de quejas, reclamaciones o consultas son: **8147**

1) Todas las **personas físicas o jurídicas**, ya sean españolas o extranjeras, que se identifiquen debidamente como usuarios de servicios bancarios prestados por cualesquiera de las entidades supervisadas por el Banco de España. Han de aludir a sus intereses y derechos legalmente reconocidos -o consultas acerca de sus derechos en materia de transparencia y protección de la clientela, junto con los cauces legales para ejercerlos-. Pueden presentar las quejas, reclamaciones o consultas personalmente o mediante representante.

2) Las **personas o entidades que actúen en defensa de los intereses particulares de sus clientes, partícipes o inversores**, los tomadores de seguros, asegurados, beneficiarios, terceros perjudicados o derechohabientes de cualquiera de ellos, al igual que los partícipes y beneficiarios de planes de pensiones.

3) Se da entrada también a las **asociaciones y organizaciones** que representen los intereses colectivos de los usuarios de servicios financieros, exigiendo además que dichos intereses sean afectados y que estén legalmente habilitadas para defenderlos y reúnan los requisitos fijados en la LGDCU y las leyes que lo complementan o en la legislación autonómica de defensa de los consumidores.
4) Pueden realizar consultas la **oficinas y servicios de información y atención al cliente** contempladas en la LGDCU.

8149 **Presentación** Se permite que la reclamación o queja se presente indistintamente ante el **Servicio de Reclamaciones** el Banco de España, de la Comisión Nacional del Mercado de Valores o de la Dirección General de Seguros y Fondos de Pensiones, de manera que, si no es competente, las remitirá al servicio de reclamaciones que competente.
Es preciso efectuar **reclamación previa**, y acreditarlo, ante el departamento o servicio de atención al cliente -o el defensor del cliente de la entidad de crédito contra la que se reclame- para que se admita y tramite la queja o reclamación ante el Servicio de Reclamaciones el Banco de España
Una vez que se emita un **informe desfavorable** para la entidad financiera reclamada en el expediente de reclamación ante el Servicio de Reclamaciones del Banco de España, tal entidad financiera tiene que comunicar expresamente la aceptación o no de los presupuestos y criterios contemplados en aquél al igual que aportar la justificación documental de la **rectificación** de la situación con el reclamante, en su caso. Cuenta para hacerlo con un plazo de un mes desde la notificación del informe.

Precisiones Los informes del servicio de reclamaciones tienen especial relevancia como **prueba pericial** en los procedimientos judiciales que puedan iniciarse por los clientes que no ven atendidas sus reclamaciones, pese al informe favorable del servicio, al existir una presunción de sus conocimientos técnicos de la normativa y de los usos y prácticas bancarias (AP Almería 9-7-02, EDJ 49016).

9. Secreto bancario

(L 13/1994 art.6; L 10/2014 art.83)

8155 Cualquiera que sea el concepto que se adopte acerca de la naturaleza, alcance y límites del llamado secreto bancario, lo cierto es que constituye un **cimiento esencial** de la Banca y como tal está universalmente reconocido (TS 3-1-75; 14-11-98, EDJ 26810).
Una de las características de los contratos bancarios es la **mutua confianza** que preside las relaciones entre las partes: a través del contrato bancario el cliente revela a la entidad de crédito secretos de empresa e incluso a veces familiares (nº 7884).
Están **sujetas al deber de secreto** las entidades y demás personas sujetas a la ordenación y disciplina de las entidades de crédito. Dichas personas y entidades están obligadas a guardar reserva de las informaciones relativas a los saldos, posiciones, transacciones y demás operaciones de sus clientes, sin que las mismas puedan ser comunicadas a terceros u objeto de divulgación.
Quedan **exceptuadas** del deber de secreto, las informaciones respecto de las cuales el cliente o las leyes permitan su comunicación o divulgación a terceros o que, en su caso, les sean requeridas o hayan de remitir a las autoridades de supervisión (nº 8169) o en el marco del cumplimiento de las obligaciones establecidas en la L 10/2010, de prevención del blanqueo de capitales y la financiación del terrorismo. Quedan asimismo exceptuadas del deber de confidencialidad los intercambios de información entre entidades de crédito pertenecientes a un mismo grupo consolidable.
Adicionalmente, los miembros de los **órganos rectores** y el **personal del Banco de España** tienen obligación de guardar secreto respecto de aquellas informaciones confidenciales de las que tengan conocimiento como consecuencia del ejercicio de sus cargos (no aplicable, por tanto, a las entidades de crédito).
El secreto bancario está limitado por los **deberes de colaboración** con la Justicia y con la Administración pública.

8157 Precisiones **1)** El Tribunal Supremo y algún sector doctrinal incluyen dentro de este conjunto normativo los **usos bancarios** (TS 3-1-75; Garrigues y Fajardo).
2) El secreto bancario se introduce por vez primera en sede de regulación bancaria por la L 44/2002 disp.adic.17ª, que introdujo una nueva disposición adicional primera en la L 26/1988 (hoy derogada por la L 10/2014).
Antes de la entrada en vigor **de la L 44/2002**, la doctrina especializada ya afirmaba unánimemente la aplicabilidad del deber de secreto bancario.

Su **fundamento** lo encontraba en normas tanto de rango constitucional (Const art.18 y 20) como de rango legal ordinario (Fajardo García). De entre estas últimas se diferencian las que son de Derecho público (CP art.197 a 200), de aquellas otras de naturaleza privada, como las normas en que se recoge el principio de buena fe (CCom art.57; CC art.1258). Incluso se ha pretendido detectar el fundamento del deber de secreto bancario en preceptos soportadores de la responsabilidad extracontractual (CC art.1902).

3) En materia de **protección de los datos bancarios**, debe tenerse en cuenta la LO 3/2018, de protección de datos y garantías de los derechos digitales (modificada por L 11/2023 y L 2/2023), que adapta el ordenamiento jurídico español al Reglamento general de protección de datos (RGPD). Entre otras medidas, y en cuanto a los **sistemas de información crediticia**, se reducen de 6 a 5 años el periodo máximo de inclusión de las deudas y se exige una cuantía mínima de 50 euros para la incorporación de las deudas a dichos sistemas.

Colaboración con la Justicia (Const art.118; LOPJ art.17; L 50/1981; LO 10/1995) El **Ministerio Fiscal** tiene competencia y legitimación para practicar u ordenar la práctica de las diligencias de investigación que estime convenientes. En particular, la Fiscalía especial antidroga puede requerir información a las Administraciones Públicas, entidades, sociedades y particulares en el ejercicio de sus competencias. Otro tanto cabe predicar de la Fiscalía anticorrupción. 8159

Colaboración con la Administración Uno de los límites del secreto bancario es la obligación de colaboración con la Administración. Dentro de este límite se distinguen los siguientes campos (Albella Amigo): 8161

- Administración tributaria (nº 8163);
- comisiones parlamentarias de investigación (nº 8167);
- autoridades de supervisión financiera (nº 8169);
- auditoría de cuentas (nº 8173);
- órganos de defensa de la competencia (nº 8175).

Administración tributaria (LGT art.93; AEAT Resol 16-12-2008) Toda persona natural o jurídica, pública o privada (con reglas singulares para los intermediarios financieros) está obligada a proporcionar a la Administración tributaria, toda clase de **datos, informes o antecedentes** con trascendencia tributaria deducidos de sus relaciones económicas profesionales o financieras con otras personas. 8163

En particular:

• Los **retenedores** y los obligados a realizar ingresos a cuenta deben presentar relaciones de los pagos dinerarios o en especie realizados a otras personas o entidades.

• Las sociedades, asociaciones, colegios profesionales u otras entidades que, entre sus funciones, realicen la de **cobro de honorarios** profesionales o de derechos derivados de la propiedad intelectual, industrial, de autor u otros por cuenta de sus socios, asociados o colegiados, deben comunicar estos datos a la Administración tributaria.

A la misma obligación están sujetas las personas o entidades, incluidas las bancarias, crediticias o de mediación financiera, en general, que, legal, estatutaria o habitualmente, realicen la gestión o intervención en el cobro de honorarios profesionales o en el de comisiones, por las actividades de captación, colocación, cesión o mediación en el mercado de capitales.

• Las personas o **entidades depositarias de dinero** en efectivo o en cuentas, valores u otros bienes de deudores a la Administración tributaria en período ejecutivo estarán obligadas a informar a los órganos de recaudación y a cumplir los requerimientos efectuados por los mismos en el ejercicio de sus funciones.

• Las personas y entidades que, por aplicación de la normativa vigente, conocieran o estuvieran en disposición de conocer la identificación de los **beneficiarios últimos de las acciones** deberán cumplir ante la Administración tributaria con los requerimientos u obligaciones de información que reglamentariamente se establezcan respecto a dicha identificación.

El incumplimiento de estas obligaciones no puede ampararse en el **secreto bancario**.

Una herramienta útil para el cumplimiento de este deber de colaboración con la Hacienda es la obligación de consignar en toda transacción bancaria el **número de identificación fiscal** (RD 1065/2007).

Los **requerimientos individualizados** relativos a los movimientos de cuentas corrientes, depósitos de ahorro y a plazo, cuentas de préstamos y créditos y demás operaciones activas y pasivas, incluidas las que se reflejen en cuentas transitorias o se materialicen en la emisión de cheques u otras órdenes de pago, de los bancos, cajas de ahorro, cooperativas de crédito y cuantas entidades se dediquen al tráfico bancario o crediticio, pueden efectuarse en el ejercicio de las funciones de inspección o recaudación, previa autorización del órgano de la Administración tributaria que reglamentariamente se determine. 8165

Los requerimientos individualizados deben **precisar los datos identificativos** del cheque u orden de pago de que se trate, o bien las operaciones objeto de investigación, los obligados tributarios afectados, titulares o autorizados, y el período de tiempo al que se refieren.

Precisiones 1) El secreto bancario es una **exigencia constitucional**, que solo implica la prohibición, en su caso, de intromisiones arbitrarias e ilimitadas, teniendo presente que es igualmente de rango constitucional el deber de colaboración al sostenimiento de las cargas públicas (TCo 110/1984).

2) Es posible investigar todas las cuentas corrientes, a plazo y depósitos de titularidad de un contribuyente en ejecución de la **actividad inspectora**. Las entidades de crédito están obligadas a facilitar los movimientos de operaciones activas y pasivas a requerimiento de la Administración tributaria, siempre que la autorización precise las operaciones objeto de investigación, los sujetos pasivos afectados por la comprobación e investigación tributaria y el alcance de la misma en cuanto al período de tiempo a que se refiera (TS 30-10-96, EDJ 7789).

8167 **Comisiones parlamentarias de investigación** (LO 5/1984 art.1; LO 1/1982 art.7; RDL 5/1994 art.único) En general, se considera **intromisión ilegítima** la revelación de datos privados de la persona o familia conocidos a través de la actividad profesional u oficial.

No obstante, para las entidades financieras se establece el deber de proporcionar cuantos datos, informes, antecedentes o documentos les sean requeridos por las comisiones parlamentarias de investigación cuando se refieran a **investigaciones relacionadas con altos cargos** por hechos relacionados con sus funciones y siempre que los datos sean necesarios para el logro de los objetivos de la comisión.

Ante las comisiones de investigación se han de salvaguardar el respeto a la intimidad y el honor de las personas, el **secreto profesional**, la cláusula de conciencia y los demás derechos constitucionales.

8169 **Autoridades de supervisión financiera** (L 10/2014 art.83; L 13/1994 art.7; RDL 10/2012) En el marco de la UE, actualmente destacan las funciones de supervisión y control otorgadas a la **Autoridad Bancaria Europea** (ABE) (RDL 10/2012).

Se deduce el principio de sometimiento pleno de las entidades de crédito a la supervisión prudencial por el **Banco de España**. Dicho principio queda expresamente consagrado en la vigente L 10/2014 art.83, que incluye entre los supuestos exceptuados del deber de secreto, tanto las informaciones que sean requeridas por las autoridades de supervisión, como las que los sujetos obligados hayan de remitir a las mismas -sin que haya mediado requerimiento-.

Así pues, el Banco de España, en el ejercicio de esa competencia, puede necesitar información, y, para obtenerla, cursar solicitud a determinada entidad de crédito. La no atención de estos requerimientos de información se considera infracción.

La **CNMV** tiene competencia y legitimación para recabar de las entidades de crédito cuantas informaciones estime necesarias sobre los extremos que interesen relacionados con las materias objeto de esta Ley (LMV art.232.1).

Cuando la CNMV ejerza determinadas medidas sobre entidades sujetas a la supervisión del Banco de España, deberán ser notificadas con carácter previo al citado organismo.

Precisiones El Banco de España ejercerá funciones de supervisión, inspección y sanción en relación con el incumplimiento de las obligaciones del Rgto (UE) relativo a los mercados de **criptoactivos** respecto de los emisores de fichas de dinero electrónico y de fichas referenciadas a activos (L 10/2014 disp.adic.23ª redacc L 6/2023).

8171 Los sujetos obligados (entre ellos, las entidades de crédito), deben facilitar al Servicio Ejecutivo de la Comisión de Prevención del Blanqueo de Capitales e Infracciones Monetarias (**SEPBLAC**, adscrito al Banco de España) cuanta información se requiera en el ejercicio de sus competencias, configurándose como infracción muy grave el incumplimiento de la obligación de colaboración y la resistencia u obstrucción a la labor inspectora (L 10/2010 art.51.1.b y d).

Las entidades de crédito están obligadas a **declarar periódicamente** al SEPBLAC la **apertura o cancelación** de:

- cuentas corrientes, cuentas de ahorro, depósitos y de cualquier otro tipo de **cuentas de pago**; así como
- los contratos de alquiler de **cajas de seguridad** y su periodo de arrendamiento, con independencia de su denominación comercial.

La declaración debe incluir los datos identificativos de los titulares y de sus titulares reales y los datos identificativos de los representantes o autorizados y cualesquiera otras personas con poderes de disposición. La información de los productos a declarar debe incluir la numeración que los identifique, el tipo de producto declarado y las fechas de apertura y de cancelación. En el caso de las cajas de seguridad se ha de incluir la duración del periodo de arrendamiento.

En la **investigación** de delitos relacionados con el blanqueo de capitales o la financiación del terrorismo, los jueces de instrucción, el Ministerio Fiscal y, previa autorización judicial o del

Ministerio Fiscal, las Fuerzas y Cuerpos de Seguridad, podrán obtener los datos declarados en el **Fichero de Titularidades Financieras**. La AEAT puede obtener los datos referidos en los términos previstos en la LGT. No obstante, solo puede requerirse acceso al Fichero con la finalidad de la prevención o represión del blanqueo de capitales o de la financiación del terrorismo (L 10/2010 art.43 redacc LO 9/2022).

Auditoría de cuentas Se deben diferenciar dos **supuestos**: 8173
a) Cuando la empresa auditada sea una entidad de crédito, de quien el auditor solicite información, cabe levantar el deber general de secreto (L 22/2015 art.31).
b) Cuando la empresa auditada es la que solicita a la entidad de crédito información bancaria sobre alguno de sus propios clientes o proveedores. Este supuesto no permite derogar el deber profesional de secreto (Guillén Ferrer).

Órganos de defensa de la competencia (LDC art.39 y 67) Toda persona natural o jurídica -así como los órganos y organismos de cualquier Administración pública- están sujetos al **deber de colaboración** con la Comisión Nacional de los Mercados y la Competencia, estando obligados a proporcionar a requerimiento de ésta toda clase de datos e informaciones que se consideren necesarias, en un plazo de diez días. Los requerimientos de información serán **proporcionados** y no obligarán a los destinatarios de los mismos a admitir la comisión de una infracción de la normativa de competencia. Por otra parte, la obligación de facilitar toda la información necesaria se refiere a aquella que sea **accesible** para los sujetos obligados, con independencia del soporte en que se almacene la información (ordenadores portátiles, teléfonos móviles, otros dispositivos móviles o almacenamiento en la nube). La colaboración, a instancia propia o a instancias de la Comisión Nacional de los Mercados y la Competencia, no implica la condición de interesado en el correspondiente procedimiento. 8175
El **incumplimiento** de estas obligaciones constituye una infracción administrativa. Independientemente de las multas sancionadoras que puedan corresponder, la Comisión Nacional de los Mercados y la Competencia puede imponer **multas coercitivas** de hasta un 5% del volumen de negocios total mundial medio diario durante el ejercicio social anterior por cada día de retraso contado a partir de la fecha fijada en el previo requerimiento, con el fin de obligar a los destinatarios a cumplir con el deber de colaboración antes referido.

Precisiones La **defensa de la competencia** se trata más extensamente en el nº 325 s.

10. Contratación bancaria telefónica y electrónica

El aspecto jurídico más relevante en relación con la banca electrónica es el de la determinación de la **validez** de los contratos concertados entre la entidad de crédito electrónica y sus clientes mediante esta vía. 8180
Los **medios informáticos** son instrumentos idóneos para la generación de actos y negocios jurídicos en masa, facilitando el intercambio de documentos mediante sistemas de comunicación electrónica. Es necesario acreditar, entre otros aspectos, la validez y autenticidad de un documento elaborado electrónicamente.
La contratación a través de la banca electrónica es una modalidad de la **contratación entre ausentes**. Se entienden perfeccionados estos contratos cuando la **aceptación** de la oferta haya sido recibida por el sistema de información designado, incluso aunque todavía no haya sido conocida por el destinatario (CCom art.54).
Es preciso aclarar el contenido del texto del CCom art.54 (idéntico al sistema consagrado en el CC art.1262), ya que regula **dos regímenes jurídicos** diferentes:
a) De un lado, el aplicable a la **contratación a distancia en general** -sin presencia física simultánea de las partes-, aplicable tanto para la banca telefónica como para la electrónica. De acuerdo con el mismo, la perfección se producirá desde que el oferente recibe la aceptación; y, en dicha recepción, desde que no pueda ignorarla sin contravenir la buena fe -ignorar la recepción de la aceptación podría llevar a impedir ilícitamente la citada perfección, p.e., desconectando la conexión a Internet o la del teléfono-.
b) En segundo lugar, la norma alude a los contratos que se celebren **a través de dispositivos automáticos**. Puede interpretarse que se trata de casos en los que se contrata, por ejemplo, mediante un click en un icono dentro de una página web o, si se lleva a cabo la contratación por correo electrónico, haciendo click en botones incluidos en este. En tales casos, la perfección tendría lugar aplicando la teoría de la emisión -esto es, perfeccionamiento desde que se emite la aceptación-.
La norma vigente no exige ya para la perfección del contrato, como en la redacción originaria del Código civil, el **conocimiento de la aceptación**, pero sí la expedición de la misma en tiempo y forma que permitan inferir su recepción en el círculo del oferente y la posibilidad de su conocimiento por él con el empleo de una normal diligencia (AP Córdoba 9-10-15, EDJ 247538).

8182 Precisiones 1) La contratación de un **swap por vía telefónica** se perfecciona en el momento en que la empresa contratante manifiesta su aceptación por vía telefónica. En virtud del principio de libertad de forma (CC art.1278), no existe norma que impida la contratación telefónica de estos productos. La exigencia de registro documental, registro de las grabaciones y de **confirmación escrita** (RD 217/2008 art.33, actualmente derogado y sustituido por el RD 813/2023 art.90.2), no son requisitos *ad solemnitatem*, sino *ad probationem*, sirven para permitir la acreditación del consentimiento y su ausencia no determina la inexistencia o nulidad del contrato. Si se exigiera la confirmación escrita para el perfeccionamiento o como requisito de validez, se estaría concediendo al cliente la facultad de ratificar o denegar la contratación de un producto financiero respecto del que ya prestó su consentimiento, al aceptar la oferta, que es cuando comienza a producir efectos el contrato. Esto sería equivalente a una facultad de desistimiento, que no cabe en estos casos por la naturaleza del producto objeto de contratación (TS 3-12-15, EDJ 237510).
2) Para que sea válida la celebración de contratos por vía electrónica, en este caso un **préstamo bancario**, no será necesario el previo acuerdo de las partes sobre la utilización de medios electrónicos (L 34/2002 art.23). La **firma electrónica avanzada** debe permitir identificar al firmante y detectar cualquier cambio ulterior de los datos firmados, está vinculada al firmante de manera única y a los datos a que se refiere y ha de ser creada por medios que el firmante puede utilizar, con un alto nivel de confianza, bajo su exclusivo control (L 59/2003 art.3). El soporte en que se hallen los datos firmados electrónicamente será admisible como prueba documental en juicio. Si se impugna la autenticidad de la firma electrónica con la que se hayan firmado los datos incorporados al documento electrónico, se procederá a comprobar que se trata de una firma electrónica avanzada basada en un certificado reconocido, que cumple todos los requisitos y condiciones establecidos para este tipo de certificados, así como que dicha firma se ha generado mediante un dispositivo seguro de creación de firma electrónica (L 59/2003 art.3). La **carga de realizar las citadas comprobaciones** corresponderá a quien haya presentado el documento electrónico firmado con firma electrónica reconocida, como establece la LEC art.326 (AP Badajoz 26-6-23, EDJ 666673).

8184 **Régimen jurídico** En el ámbito bancario, además del CCom art.54, se aplican las siguientes **normas reguladoras** de la contratación electrónica y del consentimiento prestado electrónicamente:
• L 34/2002, de **servicios de la sociedad de la información y comercio electrónico -LSSI-** (modificada por L 6/2020, L 15/2022 y L 11/2023). Constituye la norma de base reguladora de la contratación por medios electrónicos y, como tal, contiene los principios rectores aplicables a dichas actividades, sin perjuicio de que esta Ley haya sido complementada por **normativa sectorial** -como es el caso de la L 22/2007, de comercialización a distancia de servicios financieros destinados a los consumidores, aplicable solo en la relación con consumidores y usuarios de tales servicios-. Además, en materia de consumidores, la LGDCU -en especial el Título III de su Libro Segundo, sobre contratación a distancia-, complementa lo dispuesto por la LSSI. La LSSI ha sido recientemente modificada por la L 6/2020, reguladora de determinados aspectos de los servicios electrónicos de confianza.
Los aspectos fundamentales regulados por la LSSI en materia de **contratación electrónica** se resumen como sigue:
- puesta a disposición del destinatario de determinada información clara, comprensible e inequívoca relativa a la contratación de forma permanente, fácil y gratuita antes del inicio de la contratación;
- confirmación de la recepción de la aceptación durante las 24 horas siguientes a la recepción de la misma;
- prohibición de envío de comunicaciones comerciales por vía electrónica no solicitadas o autorizadas, salvo cuando exista una relación contractual previa y se den una serie de condiciones;
- respeto de las normas relativas a las denominadas «cookies» -sistemas que rastrean nuestros accesos a contenidos a través de Internet-.
Para más información sobre el **contrato electrónico**, nos remitimos a lo expuesto en el nº 11590 s.

8186 • L 22/2007, de **comercialización a distancia de servicios financieros** destinados a los consumidores. Regulación particular que se centra en la protección de los **consumidores** atendiendo a las particularidades de los servicios financieros. A los efectos de la L 22/2007 se entienden por servicios financieros los servicios bancarios, de crédito o de pago, los servicios de inversión, las operaciones de seguros privados, los planes de pensiones y la actividad de mediación de seguros (L 22/2007 art.4.2). En cuanto a su **ámbito material**, la L 22/2007 resulta de aplicación a los contratos de servicios financieros prestados a distancia por:
- entidades de crédito;
- empresas de servicios de inversión;
- entidades aseguradoras;
- sociedades gestoras de instituciones de inversión colectiva;

- entidades gestoras de fondos de pensiones;
- mediadores de seguros;
- sociedades gestoras de entidades de capital riesgo;
- cualesquiera otras entidades que presten servicios financieros;
- sucursales en España de entidades extranjeras de la misma naturaleza, que figuren inscritas en alguno de los registros administrativos de entidades a cargo del Banco de España, la CNMV y la DGSFP;
- en caso de servicios financieros prestados por sujetos distintos de los mencionados, la L 22/2007 se aplica a los proveedores de los mismos establecidos en España y a los que se ofrezcan a través de un establecimiento permanente situado en España.

Sus **características más destacables** son las siguientes:
- régimen riguroso en cuanto a la información que deben recibir los consumidores antes de la celebración del contrato;
- derecho de desistimiento con duración general de 14 días naturales sin indicación de motivos y sin penalización;
- régimen específico aplicable a servicios y comunicaciones no solicitadas.

La L 22/2007 fue modificada por L 7/2011, para su adaptación a la evolución de los mercados financieros en relación con las **conexiones entre sistemas de pagos y liquidación de valores**, fijando normas comunes sobre el momento de consignación de las órdenes y mejorando la coordinación entre sus participantes.

• L 6/2020, reguladora de determinados aspectos de los **servicios electrónicos de confianza**, (modificada por L 11/2023) relevante como medio de identificación del titular de un certificado electrónico. Ver nº 11680 s. **8188**

Desde el 1-7-2016 es de aplicación el Rgto (UE) 910/2014 relativo a la **identificación electrónica** y los servicios de confianza para las transacciones electrónicas en el mercado interior. La L 6/2020 pretende adaptar nuestro ordenamiento jurídico al marco regulatorio de la UE.

La L 6/2020 no realiza una regulación sistemática de los servicios electrónicos de confianza, que ya han sido legislados por el Rgto (UE) 910/2014. La función de la L 6/2020, en vigor desde el 13-11-2020, es complementarlo en aquellos aspectos concretos que el Reglamento no ha armonizado; a saber:
- el régimen de previsión de riesgo de los prestadores cualificados;
- el régimen sancionador;
- la comprobación de la identidad y atributos de los solicitantes de un certificado cualificado;
- la inclusión de requisitos adicionales a nivel nacional para certificados cualificados tales como identificadores nacionales, o su tiempo máximo de vigencia (5 años);
- las condiciones para la suspensión de los certificados.

La L 6/2020 **derogó** la L 59/2003, de **firma electrónica**, y con ella aquellos preceptos incompatibles con el Rgto (UE) 910/2014 (p.e. los antiguos certificados de firma de personas jurídicas). El nuevo paradigma instaurado por el mencionado reglamento implica que **únicamente las personas físicas** están capacitadas para firmar electrónicamente, por lo que no prevé la emisión de certificados de firma electrónica a favor de personas jurídicas o entidades sin personalidad jurídica.

A las **personas jurídicas** y las entidades sin personalidad jurídica se reservan los **sellos electrónicos**, que garantizan la autenticidad e integridad de ciertos documentos (facturas electrónicas, etc.). Sin perjuicio de lo anterior, las personas jurídicas pueden actuar por medio de los certificados de firma de aquellas personas físicas que legalmente les representen.

Sistema Nacional de Compensación Electrónica (RD 1369/1987) La transformación de los métodos operativos parece igualmente irreversible en el ámbito de la **compensación bancaria**, o, realmente, **interbancaria**. Las comunicaciones entre las entidades asociadas y el Servicio de Liquidación del Banco de España se efectúan, como sistema ordinario, a través de un proceso automatizado que permite el diálogo directo entre el Centro de Proceso de Datos del Banco de España y los centros de las entidades en el Sistema Nacional de Compensación Electrónica -SNCE-. **8190**

El **SNCE** se creó por RD 1369/1987.

Pueden ser **miembros** del SNCE cualquier entidad de crédito (no los establecimientos financieros de crédito), siendo el foro generalmente utilizado por nuestras entidades de crédito para proceder a liquidar entre sí las posiciones activas o pasivas derivadas de sus sucesivas y recíprocas transferencias bancarias (Ramos Herranz).

De esta forma, la constatación de las **liquidaciones interbancarias** se incorpora totalmente a sistemas informatizados. La **prueba** del incumplimiento de una obligación derivada de una relación jurídica mercantil concertada por los medios tradicionales se condiciona a la existencia de un diálogo electrónico entre una entidad bancaria asociada y el centro de proceso de

datos del Banco de España, en donde, con plena eficacia solutoria, quedan anotadas informáticamente miles de operaciones cada día.
El SNCE se dirige por el **Banco de España** con el auxilio de una comisión asesora y está gestionado por la **Sociedad Española de Sistemas de Pago**, SA (IBERPAY), empresa privada cuyos accionistas son las entidades participantes en el SNCE. El Banco de España es el responsable de aprobar las normas del sistema y de llevar a cabo su vigilancia (BE Resol 30-6-05; L 41/1999 art.17).

8192 Precisiones **1)** El Tribunal Constitucional ha considerado que las competencias de autorización en materia de **cámaras de compensación** que en el RD 1369/1987 se atribuyeron al Banco de España tenían carácter básico y eran indispensables para garantizar la transparencia, solvencia, estabilidad y eficaz funcionamiento del sistema de pagos nacional (TCo 37/1997).
2) Con efectos de 1-1-2005 y vigencia indefinida se introducen modificaciones en la normativa relativa a sistemas de pagos. Por un lado, se modifica la L 41/1999 sobre sistemas de pagos y de liquidación de valores, a fin de determinar cuáles son éstos y regular la **Sociedad Española de Sistemas de Pago**, SA. Por otro lado, se habilita al Banco de España para regular mediante circular los **sistemas de compensación y liquidación** de pagos y se le atribuye la función de vigilancia de su funcionamiento, así como su gestión, en su caso. Igualmente, se atribuye al Banco de España la facultad de desarrollar o completar los actos jurídicos del Banco Central Europeo, en el marco del Sistema Europeo de Bancos Centrales, y la de incorporar las recomendaciones de los organismos internacionales que constituyan principios aplicables a la seguridad y eficiencia de los sistemas e instrumentos de pago (L 41/1999 art.1, 17, 18, disp.adic.8ª, disp.trans.2ª y disp.trans.3ª; L 13/1994 art.16).
3) El 7-2-2007 entró en vigor la BE Circ 1/2007 sobre **información que debe rendir la Sociedad Española de Sistemas de Pago, SA**, y aprobación de su normativa.
4) Tras la reciente reforma del sistema de compensación, liquidación y registro de valores y la integración de la comunidad española en la plataforma paneuropea de liquidación TARGET2-Securities, se consideran y reconocen como **sistemas españoles de pagos y de compensación y liquidación de valores** y productos financieros derivados los siguientes (L 41/1999 art.8 redacc L 6/2023):
• El Sistema Nacional de Compensación Electrónica, gestionado por la Sociedad Española de Sistemas de pago, S.A.
• El sistema de liquidación de valores ARCO, gestionado por la Sociedad de Gestión de los Sistemas de Registro, Compensación y Liquidación de Valores, S.A. Unipersonal.
• TARGET Banco de España (abreviado TARGET BE), sistemas de pagos gestionado por el Banco de España y componente español del sistema de grandes pagos denominados en euros «TARGET», gestionado por el Sistema Europeo de Bancos Centrales, incluidas sus conexiones con los demás componentes nacionales de TARGET.

SECCIÓN 2

Cuenta corriente bancaria

8195

8197 El contrato de cuenta corriente se define como un **contrato de gestión**, en virtud del cual la entidad de crédito se compromete a realizar por cuenta de su cliente cuantas operaciones son inherentes al servicio de caja, realizando las correspondientes anotaciones contables (Garrigues).
El contrato de cuenta corriente bancaria es el más importante de las **operaciones bancarias neutras**: no hay en él crédito, ni de la entidad al cliente ni viceversa. Hay, simplemente, una obligación contractual de prestar un **servicio de caja contra precio**.
Hay que matizar que ésta sería la **regla general**, que tiene su **excepción** en la apertura de crédito en cuenta corriente, en la que estaríamos ante una operación bancaria activa.

Como en todo contrato bancario hay que diferenciar dos **planos normativos**: 8199
1) **Ordenación crediticia**. Se aplican a esta figura contractual las normas sectoriales de transparencia bancaria (nº 7870).
2) **Contratación bancaria**. Al tratarse de un contrato de gestión de negocios ajenos, su régimen es el de la comisión mercantil (CCom art.244 a 280; ver nº 5580 s.) y, supletoriamente, el del mandato civil (CC art.1709 s.).
Son también aplicables las siguientes normas:
- RDLeg 1/2007, por el que se aprueba el Texto refundido de la Ley General para la Defensa de los Consumidores y Usuarios y otras normas complementarias (LGDCU);
- L 7/1998, sobre condiciones generales de la contratación (LCGC);
- L 34/1988, general de publicidad (LGPu);
- L 46/1998, sobre introducción del euro;
- BE Circ 8/1990, sobre transparencia de las operaciones y protección de la clientela -en la parte vigente, principalmente, la norma octava-; y
- BE Circ 5/2012, a entidades de crédito y proveedores de servicios de pago, sobre transparencia de los servicios bancarios y responsabilidad en la concesión de préstamos -que deroga casi totalmente la BE Circ 8/1990-.

Distinción con figuras afines Su naturaleza es muy discutida por la doctrina. No obstante, existe acuerdo en que: 8201
1) Se trata de un **verdadero contrato** y no de un simple acto contable.
2) Existe **autonomía** del contrato de cuenta corriente respecto del origen de los fondos sobre los que recae el servicio de caja. Una cosa es el conjunto de prestaciones incorporadas al concepto jurídico gestión (servicio de caja) y otra distinta que esa gestión se aplique a sumas de dinero procedentes de un **depósito** bancario de numerario (depósito en cuenta corriente) o de una **disponibilidad financiada** (crédito en cuenta corriente o cuenta corriente asociada a determinado préstamo de dinero).

Hay que diferenciar claramente los siguientes **conceptos**: 8203
a) La **cuenta corriente de depósito** no es un contrato de cuenta corriente bancaria. Esta operación se caracteriza por la presencia de:
- un contrato de depósito (operación bancaria pasiva);
- una mera herramienta contable de cargo y abono (cuenta corriente), imprescindible para conocer el estado de crédito/deuda en que en cada momento se sitúan cada una de las partes.
Cosa distinta es que, además del contrato de depósito, y en conexión con él, se celebre también un **contrato de gestión** (contrato de cuenta corriente). De ocurrir esto, la misma herramienta contable sería utilizada para la finalidad de **custodia** (causa del contrato de depósito) y para la finalidad de **encargo** (causa del contrato de cuenta corriente bancaria).
b) La **cuenta corriente de crédito** tampoco es un contrato de cuenta corriente bancaria. Esta segunda operación consta de dos piezas:
- un contrato de apertura de límite de crédito (operación bancaria activa);
- una mera herramienta contable de cargo y abono (cuenta corriente), también imprescindible para conocer el estado de crédito/deuda en que en cada momento se sitúan cada una de las partes.
Diferente es que, además de la **operación activa**, se celebre entre las mismas partes contratantes un contrato neutro o de gestión. Si esto ocurre, lo normal es que la misma cuenta contable se utilice para recibir los cargos/abonos procedentes de la ejecución del pacto de financiación y para los procedentes de la ejecución del pacto de gestión (domiciliaciones, recibos...).

No está resuelta pacíficamente en la doctrina la cuestión de si la cuenta corriente bancaria participa o no de la naturaleza jurídica de la **cuenta corriente mercantil**. Se pueden resumir dos posturas doctrinales: 8205
a) La **concepción dual** afirma que no hay tal conexión: son contratos distintos, pues en la cuenta corriente mercantil el elemento esencial es la mutua concesión de crédito entre los dos comerciantes convenidos, lo cual no existe en el servicio bancario de caja, en el que únicamente aparece la gestión de cobros/pagos. Esta es la **postura mayoritaria** (Garrigues, Sánchez-Calero Guilarte y Embid Irujo).
b) La **concepción unitaria** considera que existe una definición común en el seno del concepto de negocio jurídico de cuenta corriente (Moll de Miguel, García-Pita y Eizaguirre).
En **conclusión**, siguiendo la postura mayoritaria, puede afirmarse que la cuenta corriente bancaria es un **contrato atípico y mixto** en cuya esencia contractual se combinan, por su causa compleja, notas propias de la naturaleza jurídica tanto del contrato de comisión mercantil como del contrato de cuenta corriente mercantil, que, a su vez, es también atípico en nuestros Códigos.

8207 **Características** Además de las características propias de todo **contrato bancario** (nº 7884), cabe señalar que el contrato de cuenta corriente:

1) Se trata de un **contrato bilateral y consensual** (TS 11-6-99, EDJ 16796; 15-6-89, EDJ 6076).

2) Al ser un **contrato de adhesión**, se formaliza en pólizas pre-impresas que incorporan condiciones generales redactadas previa y unilateralmente por la entidad de crédito. A tales clausulados el cliente solo se adhiere o no, pero con escasas posibilidades de modificación si quiere tener acceso a ese bien o servicio. Son aplicables, por tanto, las normas de protección del usuario de servicios bancarios y las normas de transparencia bancaria (nº 7870).

3) Es un **contrato autónomo**, ya que lo que subyace en el negocio, la causa de contratar, es la gestión encargada.

4) Partiendo de su caracterización como contrato de **gestión de negocios ajenos**, dentro del marco de la comisión, la doctrina sistematiza los **presupuestos esenciales** del contrato y los resume en tres elementos básicos (Sánchez-Calero, Guilarte y Embid Irujo):

a) La existencia de fondos en la cuenta corriente y la posibilidad de disposición sobre los mismos a favor del titular.

b) El contrato es remunerador, ya que el banco cobra al cliente una comisión específica por cada una de las prestaciones que realiza, referida exclusivamente al contrato de cuenta corriente y al servicio de caja que éste conlleva.

c) La responsabilidad del banco es la propia de un comisionista, modulada, eso sí, por el clausulado específico del contrato.

Precisiones **1)** El contrato de cuenta corriente es de **carácter autónomo**, *sui generis* y distinto del de depósito y del de apertura de crédito, de los que participa al igual que el de mandato (TS 15-7-93, EDJ 20376).

2) Estamos ante un contrato autónomo, bilateral, oneroso, atípico y mixto -al tener las características de otros contratos, particularmente del mandato y de la comisión mercantil-, que en la práctica, y con independencia de los usos bancarios de cada momento, tiene como obligación principal la **disponibilidad de fondos** en poder del banco y a favor del cliente, con un elemento clave diferenciador, cual es el llamado **servicio de caja** y en cuya virtud el banco se obliga a realizar pagos y cobros a terceros en ejecución de las órdenes recibidas de su cliente, siempre y cuando esta disponibilidad de fondos exista (AP Madrid 13-10-00, EDJ 68393).

3) El TS ha determinado reiteradamente que el contrato de cuenta corriente se caracteriza por ser un subtipo del contrato de **comisión mercantil** (TS 19-12-95, EDJ 6686; 15-7-88, EDJ 16795; 14-12-84, EDJ 7557; auto 19-9-06, EDJ 267820).

8209 **Contratantes** De una parte está la **entidad de crédito** (L 10/2014), o bien los **establecimientos financieros de crédito** (L 5/2015 art.6; RD 309/2020). En relación con estos últimos, debe tenerse en cuenta que, como tienen prohibido recibir depósitos dinerarios del público, las únicas cuentas corrientes que pueden abrir son las que se aparejen a sus operaciones activas.

La otra parte contratante es el **cliente bancario** (cuentacorrentista), que puede ser consumidor o no-consumidor (nº 7923). La incidencia de las normas protectoras de los intereses de los consumidores o usuarios de los servicios bancarios es de especial relevancia para este contrato (nº 8217).

Precisiones **1)** La circunstancia de que en una cuenta corriente exista cotitularidad atribuye únicamente la **disponibilidad del saldo** por cualquiera de los titulares, no la propiedad del mismo, ya que la propiedad del saldo ha de determinarse en función de la procedencia del dinero ingresado y de las relaciones internas entre los cotitulares (TS 29-5-00, EDJ 11386; 7-2-03, EDJ 1560).

2) Ante la inexistencia de prueba de que los fondos ingresados en cuenta corriente de **titularidad compartida** por dos cuentacorrentistas pertenecen exclusivamente a uno de ellos, se ha de aplicar la presunción de que el capital corresponde a ambos, los cuales ostentan frente al banco facultades de disposición (TS 31-10-96, EDJ 7076).

3) El mero hecho de la apertura de una cuenta corriente bancaria, **en forma indistinta**, a nombre de varias personas, significa únicamente que cualquiera de los titulares tiene frente al banco depositario, facultades dispositivas del saldo que presente la cuenta, pero no determina por sí solo la existencia de un condominio, que solo debe determinarse por las relaciones internas y, más concretamente, por la propiedad originaria de los fondos de los que se nutre la cuenta corriente (TS 7-11-00, EDJ 35388).

4) La **autorización para disponer** en una cuenta corriente bancaria o a la vista no implica la titularidad dominical de dinero (TS 28-5-04, EDJ 51815).

8211 **Objeto del contrato** La cosa objeto del contrato es el **servicio de caja.**

El **precio** es el conjunto de comisiones pactadas, en función del concreto servicio de caja convenido: comisión por cada apunte (cargo/abono), comisión por transferencia, comisión por adeudo de determinado recibo, comisión periódica por mero mantenimiento, etc.

Las **comisiones**, en tanto que precio contractual, son libres (CC art.1255; L 3/1991 art.17; OM EHA/2899/2011 art.3).

Todas las entidades de crédito están obligadas a confeccionar un **folleto** que recoja las tarifas de comisiones, condiciones y gastos repercutibles a la clientela por las operaciones o los servicios realizados o iniciados en España.

Fases del contrato El funcionamiento del contrato de cuenta corriente presenta **tres momentos**: 8213

a) Inicio. Pudiendo ser la cuenta corriente de crédito o de depósito, nos vamos a centrar en la de **depósito**, cuyo inicio se produce como consecuencia del primer apunte, que es el abono en cuenta correspondiente a la entrega del numerario.

b) Desarrollo. A lo largo de la existencia de la cuenta corriente se van a producir sucesivas **entregas o disposiciones** de capital, lo que va a provocar los correspondientes cargos/abonos en cuenta. El sistema de llevanza contable admite **tres variantes**, con idénticos resultados liquidativos:

- sistema directo;
- sistema indirecto, y
- sistema hamburgués.

c) Liquidación. Se produce por compensación automática y día a día. **Al final de cada día** la cuenta se salda por compensación del saldo inicial con los cargos y abonos del día, generándose un saldo final que será la base de los intereses, en su caso, convenidos.

Es éste un **rasgo diferencial** con respecto del contrato ordinario de cuenta corriente mercantil, en el que la operación de saldar únicamente se produce al finalizar el período (normalmente trimestral) pactado.

d) Extinción. Nos remitimos a lo expuesto en nº 8229.

Precisiones 1) No forman parte del contenido contractual del servicio de caja por medio de **cajero automático** las obligaciones de «garantía de clausura» y «garantía de conservación» a cargo de la entidad de crédito, relativas al mantenimiento de las condiciones de seguridad de los cajeros automáticos (TS 1-4-97, EDJ 2378).

2) Los **asientos contables** de una entidad de crédito pueden servir como medio probatorio para acreditar el saldo a su favor que arroja una cuenta corriente abierta en sus oficinas (TS 13-5-97, EDJ 3478).

Forma Se ha discutido mucho acerca de si se trata de un contrato formal o consensual. Un **sector minoritario** de la doctrina afirma que el contrato es formal, pues su carácter de tracto sucesivo impide la mera existencia del negocio jurídico a no ser que su formalización conste en un documento contractual que contenga los pactos aceptados por las partes para disciplinar sus relaciones en el devenir de la vida contractual (Vázquez Iruzubieta y Eizaguirre). 8215

Sin embargo, la **generalidad de la doctrina** afirma su carácter consensual (CC art.1258) al amparo de la aplicación directa del principio de libertad de forma (CCom art.51; CC art.1278 s.).

No obstante, actualmente, la práctica totalidad de los contratos bancarios y, por tanto, el de cuenta corriente también, se celebran **por escrito** para dar cumplimiento a las normas de transparencia bancaria, evitando la infracción administrativa.

Contenido del documento contractual Las **condiciones generales** de los contratos de cuenta corriente bancaria han de quedar sometidas a los siguientes controles (LGDCU art.80): 8217

- **concreción, claridad y sencillez** en la redacción, con posibilidad de comprensión directa, sin reenvíos a textos o documentos que no se faciliten previa o simultáneamente a la conclusión del contrato, y a los que, en todo caso, deberá hacerse referencia expresa en el documento contractual;
- **accesibilidad y legibilidad**, de forma que permita al consumidor y usuario el conocimiento previo a la celebración del contrato sobre su existencia y contenido; en ningún caso se entenderá cumplido este requisito si el tamaño de la letra del contrato fuese inferior a los 2.5 milímetros, el espacio entre líneas fuese inferior a los 1.15 milímetros o el insuficiente contraste con el fondo hiciese dificultosa la lectura (LGDCU art.80.1.b redacc L 4/2022, en vigor desde el 1-6-2022);
- **buena fe**; y
- **justo equilibrio** entre los derechos y obligaciones de las partes, lo que en todo caso excluye la utilización de cláusulas abusivas.

Son **cláusulas abusivas** las estipulaciones no negociadas individualmente que contravengan las exigencias de la buena fe y causen, en perjuicio del consumidor y usuario, un desequilibrio importante de los derechos y obligaciones de las partes que se deriven del contrato (LGDCU art.82).

El contrato de cuenta corriente bancaria queda redactado en unos **formularios predispuestos** en los que se incluyen, pre-impresas, ciertas estipulaciones de carácter general (nº 8065 s.).

Precisiones La **cláusula de sumisión expresa** de un contrato de cuenta corriente a juzgados de una ciudad donde no radica el domicilio del demandado ni de la sucursal donde se va a movilizar dicha cuenta, incorporada únicamente en conveniencia de la entidad de crédito y en perjuicio del demandado, debe considerarse inexistente conforme a LGDCU art.90, por no guardar un justo equilibrio de las posiciones contractuales de las partes (TS 20-1-98, EDJ 64).

8219 **Obligaciones de la entidad de crédito** La entidad de crédito tiene las siguientes obligaciones con respecto a su cliente:

a) Seguir diligentemente las **instrucciones del cliente** (CCom art.256; CC art.1719), salvo que supongan atentar contra alguna norma (p.e., normativa sobre el blanqueo de capitales) o que la cuenta carezca de saldo disponible.

b) Comunicar con periodicidad los **movimientos** de la cuenta.

c) La **gestión y custodia** de los fondos depositados en cumplimiento de las **órdenes de pago** efectuadas por el titular de la cuenta. A estos efectos, debe cerciorarse o comprobar la veracidad de la firma del ordenante, cuyo incumplimiento da lugar a la indemnización de daños y perjuicios (TS 12-5-16, EDJ 67151).

d) Devolver el **saldo** (si es que existe y es a favor del cliente) a la extinción del contrato.

La entidad bancaria tiene además la obligación de **rendir cuentas** de su gestión, de justificar los cargos y abonos hechos al cliente demandado, sin que pueda confundirse esta rendición de cuentas con la relación de apuntes bancarios o con la certificación de saldos y movimientos contables emitida por la entidad demandante. La rendición de cuentas exige la justificación de las distintas partidas.

El **pago de intereses** que, sobre los saldos acreedores, se hayan devengado conforme al tipo pactado es, en realidad, una obligación nacida del contrato de depósito bancario de dinero, y no del contrato de cuenta corriente bancaria. Este último es de pura gestión.

Sobre los **deberes de colaboración** de las entidades de crédito con la Justicia y con la Administración, ver nº 8159 s.

8221 Precisiones **1)** Se ha establecido la responsabilidad de una entidad de crédito por los daños y perjuicios causados al titular de una cuenta corriente en la que la entidad adeudó el importe de una **letra de cambio** sin remitirle a continuación la propia cambial, ejecutándose posteriormente el título (TS 3-5-00, EDJ 9280).

2) En cuanto a las actuaciones realizadas por una entidad bancaria con el **consentimiento tácito** del cliente, se ha considerado que, aun cuando la actuación del Banco no se ajustase escrupulosamente a sus estrictos deberes contractuales, constituye una actuación contraria a la teoría de los actos propios reclamar después de haber transcurrido tres años desde la operación realizada (TS 20-6-03).

3) Existe extralimitación por parte de la entidad de crédito mandataria al suscribir un pagaré en nombre del cuentacorrentista sin esperar a la confirmación por escrito de la orden que verbalmente había emitido con anterioridad, operación que posteriormente resultó fallida. La **responsabilidad de la entidad de crédito** no puede eludirse por el hecho de que la cliente pudiera tener tras la suscripción del pagaré conocimiento de la operación por medio del extracto de la cuenta bancaria (TS 9-10-97, EDJ 7653).

4) Se reconoce valor probatorio a las **certificaciones emitidas por sucursales de entidades bancarias** para acreditar el pago de partidas, no obstante, su carácter de documento privado no reconocido. Dicho valor probatorio sería apreciado en función del grado de credibilidad de las certificaciones que se desprendiese de su consideración conjunta con el resto de la prueba aportada en el proceso (TS 27-7-98, EDJ 14224).

5) El TS concluye que la entidad bancaria no ha cumplido con su obligación de cerciorarse o comprobar la veracidad de la firma en un supuesto en el que la **orden de transferencia** se realizó por un medio no habitual (**fax**) y presentaba claras irregularidades en el nombre del beneficiario y en su número de cuenta, sin aportar los datos de identificación del ordenante (número de pasaporte o número de documento nacional de identidad) (TS 12-5-16, EDJ 67151).

6) La entidad de crédito no ha vulnerado su **obligación de custodia** de los fondos depositados, cuando procede a realizar la disposición de fondos ordenada por uno solo de los administradores de la sociedad demandante (sin requerir la firma del otro administrador mancomunado), en tanto sigue la misma forma en que se venía haciendo respecto de dicha cuenta, sin que en momento alguno hubiera sido advertido de la necesidad de dos firmas para realizar actos de disposición (TS 4-5-16, EDJ 58089).

8223 **Obligaciones del cliente** Se distinguen las siguientes:

1. Informar puntualmente a la entidad acerca de los extremos que interesen al desenvolvimiento contractual según lo pactado.

2. Utilizar diligentemente los mecanismos de disponibilidad que se hayan convenido.

3. Pagar las comisiones concertadas como contraprestación por la gestión del servicio de caja.

Para que pueda prestarse el servicio de caja es imprescindible la **existencia de fondos** de numerario disponibles por el ordenante del servicio.

Para el caso más habitual, en que esos fondos traen por causa una **operación de activo** conviene distinguir claramente cuatro conceptos:

a) **Titularidad de los fondos depositados**. Pertenece a la entidad depositaria por la fuerza traslativa del depósito irregular.

b) **Titularidad del derecho de crédito a la devolución**. Pertenece al cliente/es depositante/es, que lo adquiere/n a cambio del derecho real de propiedad perdido sobre el dinero depositado.
c) **Posesión del derecho de crédito a la devolución**. Esa posesión se denomina disposición de la cuenta. Se ejercita el derecho (se posee) por la persona designada por el titular(es), pudiendo ser esta posesión individual o plural, y ésta última, solidaria o mancomunada.
d) **Mecanismos de disposición**. Son los mecanismos jurídico-formales que permiten al poseedor del derecho de crédito solicitar al deudor (la entidad) el cumplimiento de la prestación convenida. Los más habituales son la domiciliación de pagos, el pacto de cheque, la transferencia bancaria y la utilización de tarjetas bancarias.

Descubiertos en cuenta El descubierto en cuenta corriente es una situación jurídica que se produce cuando se carga sobre la cuenta corriente una **cantidad superior al saldo** existente en ese momento. 8225

La **situación jurídica** es, por tanto, el tránsito de una cuenta corriente de depósito (de pasivo) a una cuenta corriente de crédito (de activo), con el añadido de que esta nueva operación activa carece de la documentación que suele exigir la entidad de crédito, ahora acreedora y antes deudora (esto es, póliza intervenida por notario).

Tiene el carácter de **cláusula abusiva** la imposición de condiciones de crédito que para los descubiertos en cuenta corriente superen los límites establecidos en L 16/2011 art.20.4, es decir, que superen un tipo de interés que dé lugar a una tasa anual equivalente superior a 2,5 veces el interés legal del dinero (LGDCU art.89.7).

Precisiones 1) Puede exigirse responsabilidad a la entidad bancaria cuando quede probado que el descubierto fue generado por una **actuación irregular y unilateral** de la misma, sin justificación alguna (AP Navarra 25-1-01, EDJ 103178).

2) Incumbe a la entidad bancaria demandante **acreditar la realidad del saldo deudor** que afirma existir fruto de la relación de cuenta corriente con su cliente demandado. Ello implica demostrar la realidad de las sucesivas operaciones de ingresos y disposiciones o cargos, sin que pueda considerarse suficiente a tales efectos la aportación de documentos unilateralmente confeccionados por el demandante, sin dar razón bastante de la procedencia de la deuda o de los cargos a los que obedece. No basta para probar de manera suficiente el derecho de crédito del que sería titular frente al cliente demandado, la certificación de los propios asientos contables practicados por la entidad bancaria.

En cuanto a su naturaleza jurídica, se discute en la doctrina si: 8227
- se trata de un simple **acto de tolerancia** de la entidad que permite el descubierto;
- su naturaleza es verdaderamente **contractual** (García-Pita).

La **discusión** es trascendente en la práctica, porque si se acepta la tesis contractualista, no tiene sentido aplicar al descubierto una tasa de interés penalizante, sino remuneratoria. Solo afirmando la naturaleza de acto de tolerancia podría aceptarse el devengo (como es práctica bancaria habitual) de intereses superiores a los ordinarios de mercado.

La solución apunta hacia la **tesis contractualista**, al menos en el caso de descubiertos derivados de financiación al consumo. En tales supuestos, en ningún caso se puede aplicar un tipo de interés que dé lugar a una tasa anual equivalente superior a 2,5 veces el interés legal del dinero (L 16/2011 art.20.4).

Pago de cheques inherente al servicio de caja La cuenta corriente bancaria lleva aparejado el servicio de caja, viabilizado de forma destacable a través de la emisión de cheques, contra la entidad de crédito librada. De hecho, este contrato se diferencia de otro tipo de operaciones similares, porque la entidad de crédito entrega un **talonario de cheques** al cuentacorrentista para que disponga de los fondos depositados -salvo que haya apertura de crédito en cuenta corriente- mediante el libramiento de cheques (Ramos Herranz). 8229

Otras formas alternativas y compatibles de canalizar el servicio de caja son las **domiciliaciones** o las **transferencias bancarias** (nº 8240 s.).

Esto implica que haya que tener en cuenta de forma principal la diligencia debida y la responsabilidad ante el incumplimiento -tanto de la entidad de crédito librada como de los cuentacorrentistas-libradores de cheques- reguladas en la LCC, que limita la autonomía de la voluntad de las partes.

Son varias las **verificaciones** que debe llevar a cabo la entidad de crédito librada y que se abordan a continuación:

1) **Verificaciones anteriores a la emisión de cheques**: Ha de recoger todos los datos identificativos del cuentacorrestista, particularmente, la firma autógrafa del mismo -digitalizarla para la posible transmisión de la misma ante incidencias relativas al cheque, como podría ser su falsedad o falsificación-. 8231

No hay que olvidar la posibilidad de emitir **cheques electrónicos**. No se exige que la firma sea autógrafa (LCC art.106.6), como sucede con la letra de cambio y el pagaré cambiario. Por ello, siempre que los cheques en formato electrónico cumplan con los requisitos de validez consagrados en LCC art.106, han de ser son admisibles, como ocurre en ordenamientos jurídicos avanzados en materia de cheques, como al norteamericano. Es preciso que la firma sea electrónica, no bastando cualquier tipo, ya que ha de tratarse de una **firma electrónica reconocida** -no bastando con una firma electrónica avanzada-, y por ello la entidad de crédito librada tiene que recoger los datos de dicha firma electrónica válida que, entre otras cosas, garantizarán la identidad del cuentacorrentista-librador y la autenticidad del documento -del cheque- en el que se incorpora la misma.

En el caso de cuentas con **titularidad plural y/o con personas autorizadas**, el cuidado ha de extremarse, para evitar las consecuencias derivadas de la utilización indebida de los fondos depositados.

8233 2) **Verificaciones tras la emisión del cheque**: En primer lugar, se debe comprobar si existe pacto de disponibilidad -pacto de cheque- con el librador; comprobación que se ve facilitada al extender el cheque en un impreso del talonario de cheques entregado por la entidad de crédito librada (LCC art.108.1). En segundo lugar, han de darse comprobaciones respecto de las menciones obligatorias que tienen que figurar en el cheque (LCC art.106 en relación con LCC art.107).

8235 **Extinción del contrato** Son de aplicación las **normas generales** de extinción contractual (CCom art.50).

Toda extinción apareja la **liquidación de la cuenta**, pero no al contrario, pues la liquidación de la cuenta corriente bancaria es permanente y diaria y es un acto de ejecución del contrato, no una consecuencia de la extinción del mismo.

Cabe la posibilidad de extinción por **abandono del saldo** (tras 20 años pasa a ser de titularidad estatal) (L 33/2003 art.18).

Con la extinción del contrato concluye la prestación del **servicio de caja**. La entidad de crédito debe proceder a cerrar la cuenta y a poner a disposición del cliente el saldo acreedor que en su caso persista (o a exigir el saldo deudor).

Extinguido el contrato, el cliente ya no puede realizar nuevos actos de disposición del crédito disponible, como emitir **cheques** u ordenar **transferencias.** La entidad de crédito queda facultada para reclamar los cheques todavía no utilizados. Los **cheques emitidos** con anterioridad a la fecha de cierre de la cuenta deben ser pagados si existe provisión. En consecuencia, el cierre final de la cuenta debe esperar al término de los quince días de emisión del cheque (LCC art.135) (Zunzunegui).

SECCIÓN 3

Transferencia bancaria

8240

1. Consideraciones generales

8245 La transferencia bancaria es una **operación económica** en virtud de la cual el titular de una cuenta corriente en una entidad bancaria ordena a ésta que le cargue una cantidad que ha de ser abonada a su vez en otra cuenta diferente.

El **régimen jurídico** de la transferencia bancaria, a falta de regulación positiva explícita, se encuentra en las normas relativas a la comisión mercantil (CCom art.244 a 280; ver nº 5580 s.) y, supletoriamente (CCom art.50), en la disciplina del mandato civil (CC art.1709 s.).

Asimismo, hay que tener en cuenta las siguientes normas:

a) Las normas de **transparencia** (nº 7870).

b) RDL 19/2018, de **servicios de pago** y otras medidas urgentes en materia financiera, que transpuso al ordenamiento español la Dir (UE) 2015/2366 (Segunda Directiva de Servicios de Pago -PSD2-).

c) RD 736/2019, de **régimen jurídico** de los **servicios de pago** y de las entidades de pago, que continúa con la adaptación de la normativa nacional al nuevo entorno de pagos electrónicos.

d) RD 1369/1987, por el que se crea el **Sistema Nacional de Compensación Electrónica** (ver nº 8190).

e) Las normas reguladoras de las **transacciones exteriores** (por la importancia que tienen las transferencias en materia de transacciones entre residentes y no residentes):
• OM ECE/1263/2019 sobre transparencia de las condiciones y requisitos de información aplicables a los servicios de pago;
• OM ECO/755/2003 sobre presentación por vía telemática de las declaraciones posteriores a través de intermediarios financieros relativas a operaciones de inversión en valores negociables;
• Dirección General de Comercio e Inversiones Resol 26-3-03, por la que se especifican los modelos normalizados y las instrucciones que deben utilizar los intermediarios financieros para la presentación por vía telemática de las declaraciones de inversiones extranjeras en valores negociables cotizados en mercados españoles y de inversiones españolas en valores negociables cotizados en mercados extranjeros;
• BE Circ 1/2012, a los proveedores de servicios de pago, sobre normas para la comunicación de las transacciones económicas con el exterior;
• BE Circ 4/2012, sobre normas para la comunicación por los residentes en España de las transacciones económicas y los saldos de activos y pasivos financieros con el exterior;
• BE Circ 3/2013, sobre declaración de operaciones y saldos en valores negociables;
• Dirección General de Comercio Internacional e Inversiones Resol 27-7-16, por la que se aprueban los modelos de declaración de inversiones exteriores cuando el obligado a declarar es inversor o empresa con participación extranjera y que sustituye a las anteriores Resoluciones en esta materia.

Elementos esenciales Destacan dos elementos esenciales del negocio: **8247**
a) Su naturaleza de **encargo** (comisión mercantil/bancaria).
b) El dato de la **simultaneidad** del cargo y del abono contables.
Se puede definir como el encargo emitido por el cuentacorrentista y remitido a la entidad de crédito con él vinculada por contrato de cuenta corriente, en virtud del cual la entidad de crédito queda obligada, contra precio, a producir un **débito-cargo** en el saldo disponible (por causa de depósito o de crédito) existente en la cuenta corriente señalada, por importe de una suma-fracción de su previa disponibilidad, y, simultáneamente, a producir un **crédito-abono** por ese mismo importe en otra cuenta corriente también señalada.

Esta definición permite alcanzar las siguientes **conclusiones**: **8249**
1) La transferencia bancaria es una operación contable que constituye un acto de **ejecución de un contrato previo**, como es el de cuenta corriente. Como la **cuenta corriente** es el reflejo contable del contrato, y éste no es sino un pacto de gestión de un servicio de caja operado sobre una disponibilidad variable, resulta que, en virtud de la relación contractual, el cuentacorrentista queda legitimado, y la entidad de crédito obligada, para poseer dicha disponibilidad mediante, entre otros (cheque, tarjeta, entrega física de moneda o billetes), el mecanismo de la transferencia. Con este mecanismo se evita el traslado físico de numerario.
2) La **remuneración** de la entidad es la pactada previamente en el marco del contrato de cuenta corriente, que no se extingue por la ejecución de la transferencia, sino que continúa viviendo con arreglo a los mismos pactos de continua ejecución (tracto sucesivo) con los que inicialmente fue perfeccionado.
3) La entidad de crédito se limita a ser un **«nuntius» del ordenante**, pues no emite declaración de voluntad propia, sino transmite la ajena (la del ordenante).

Contenido La noción de transferencia bancaria se apoya en los conceptos de disponibilidad y anotación contable. La **disponibilidad** es la situación jurídica en que se encuentra el cliente bancario que resulta titular del dinero. **8251**
La **anotación contable** es la operación técnica consistente en cargar determinada suma de disponibilidad en el debe de una cuenta y abonar esa misma suma en el haber de otra cuenta.
En toda transferencia bancaria se concretan **dos piezas contables** necesariamente simultáneas: el cargo y el abono:
1) Cargo o reducción de disponibilidad. Se han de resaltar las siguientes cuestiones:
• **Falta de autonomía**. La transferencia bancaria es una operación autónoma, pero la obligación pretendidamente extinguida con el pago, o la generación del posible derecho de crédito, sí que ha de considerarse vinculada al negocio a cuya atención se encamina, que, puede ser de todo tipo (doctrina disgregadora).
• **Conexión con la figura de la comisión mercantil**. La entidad de crédito -comisionista- queda obligada a ejecutar el encargo conforme a lo pactado, incluyendo el seguimiento de las **instrucciones** de su cliente -comitente- (CCom art.254 a 256). En los **aspectos no pactados**, no previstos en el contrato, la entidad de crédito ha de consultar al cliente, siempre que la naturaleza del negocio posibilite dicha consulta (CCom art.255).

8253 **2) Abono o simultáneo incremento de disponibilidad.** Se plantean las siguientes cuestiones:
• Para un sector de la doctrina el aumento de disponibilidad a favor del beneficiario nace desde el momento en que la entidad de crédito envía a dicho beneficiario el **aviso del abono**. Sin embargo, la nota de la **simultaneidad** obliga a discrepar ya que, de un lado, eso sería tanto como dejar la ejecución del contrato al arbitrio de una sola de las partes (la entidad de crédito). Cabe admitir cierta **dilación** en las fechas de valoración si las cuentas remitente y destinataria están abiertas en entidades distintas y/o en plazas diferentes, pero nada más, hecho el cargo, la entidad de crédito debe salir responsable del abono.
• Los **errores** debidos a dolo o negligencia de la entidad de crédito han de resolverse con base en la doctrina ordinaria del incumplimiento del contrato mercantil, agravada por el también ordinario plus de diligencia y responsabilidad exigible a las entidades de crédito.
• La transferencia bancaria es un encargo o comisión, por lo que resulta esencialmente **revocable** (CCom art.279; CC art.1732). Sin embargo, la transferencia resulta **irrevocable** a partir del momento en que el beneficiario ha hecho ejercicio de su nueva disponibilidad, ello sin perjuicio del posible tratamiento del cobro de lo indebido.

Precisiones En el supuesto en que ordenante y beneficiario sean **clientes de la misma entidad de crédito**, el derecho de crédito a favor del beneficiario de la transferencia contra la entidad de crédito nace en el momento en que es ejecutada la transferencia mediante abono en cuenta.
Cuando sean **clientes de entidades de crédito distintas**, este derecho, contra su entidad de crédito y no contra la entidad de crédito ordenante, surge cuando se ha hecho el abono en cuenta o, a falta de cuenta abierta en la entidad destinataria, cuando se le ha notificado la recepción de la cantidad transferida (TS 19-11-01, EDJ 43279).
En tanto no se da una de las anteriores circunstancias, el beneficiario carece de **legitimación** para reclamar a la entidad de crédito ordenante la ejecución de la transferencia.

8255 **Estructura de la operación** La transferencia es una **operación compleja** compuesta de las siguientes operaciones o relaciones simples (Garrigues):
1) Relación **ordenante-entidad cargadora**. Es una orden de pago producida en el seno de la relación negocial de la cuenta corriente y fundada en un crédito de ese ordenante contra la entidad de crédito: el crédito que soporta la disponibilidad.
2) Relación **entidad cargadora-entidad abonadora**. Si ambas coinciden no se trata más que de un apunte contable. Si son diferentes, la relación que les vincula es la de la delegación de comisión (CCom art.261 y 262).
3) Relación **entre la entidad abonadora y el beneficiario**. Se trata de un simple acto (pago) derivado de la ejecución de la orden inicial (si hay una sola entidad), o bien de la ejecución de la delegación (si hay dos).
4) Relación **ordenante-beneficiario**. La transferencia produce efectos solutorios. Se puede decir que con la transferencia nace un crédito del beneficiario contra la entidad abonadora, y se extinguen, al propio tiempo, dos créditos: el del ordenante contra la entidad cargadora y el del beneficiario contra el ordenante.

Precisiones Distinto de la transferencia, aunque con alguna similitud, es el **pacto bancario de giro**. En el giro bancario el escenario lo ocupa un particular que no es cuentacorrentista y que se dirige a una entidad de crédito donde un segundo particular tiene abierta cuenta. Entonces, entrega a la entidad de crédito una suma de dinero (o un medio equivalente aceptado por ésta) para que contra entrega de recibo-justificante al primero, abone la suma en la cuenta del segundo-beneficiario. La entidad se lucra con la comisión cobrada al ordenante, de suerte que la gestión se agota al producirse el abono, quedando entonces extinguida una relación jurídica que no es, pues, de tracto sucesivo.

8257 **Clases de transferencias bancarias** Desde un **punto de vista objetivo** diferenciamos entre transferencias bancarias:
- de euros;
- de divisas.
Asimismo, cabe diferenciar entre transferencias:
- onerosas;
- gratuitas -cada vez más frecuentes en la práctica bancaria dentro de la banca electrónica y en la no electrónica como beneficio derivado de la domiciliación de nóminas en la entidad del ordenante-.
Funcionalmente, podemos diferenciar entre **transferencia única** y **transferencia plural**, pudiendo ser esta última, en un solo momento o con reiteración periódica.

8259 Desde un **punto de vista subjetivo** podemos diferenciar las siguientes categorías de transferencias bancarias:
1) De cuenta a cuenta del mismo titular, abiertas ambas en la misma entidad de crédito. La técnica bancaria frecuentemente se refiere a esta modalidad como **traspaso**.

Cabe la posibilidad de que las cuentas estén abiertas en la misma sucursal o en diversas sucursales y, en esta segunda hipótesis, que esas sucursales estén emplazadas en la misma localidad o en distinta.

2) De cuenta a cuenta del mismo titular, abierta una cuenta en una entidad de crédito y la otra en entidad de crédito distinta.

Puede que las sucursales donde las cuentas estén abiertas se localicen en la misma plaza o en distinta.

3) De una cuenta de un determinado particular-ordenante a la cuenta de otro particular-beneficiario distinto del anterior, ambas cuentas abiertas en la misma entidad de crédito.

En este caso también es posible que las cuentas estén abiertas en la misma sucursal o en diversas sucursales y, en esta segunda hipótesis, que esas sucursales estén emplazadas en la misma localidad o en distinta.

4) De una cuenta de un determinado particular-ordenante a la cuenta de otro particular beneficiario, abiertas cada una en entidades de crédito distintas, y en sucursales emplazadas en la misma localidad o no.

Si las entidades receptora y destinataria se encuentran vinculadas por alguna clase de pacto previo previsor de este tipo de operaciones se habla de **transferencia directa**. Ésta se caracteriza por la existencia en ambas entidades de unas cuentas de corresponsalía recíprocas en las que se verifican los correspondientes cargos y abonos para proceder a su periódica liquidación en el plazo convenido.

Pero es posible, y aún frecuente, que no haya tal relación bilateral. En esta hipótesis, hablamos de **transferencia indirecta**. Para la correcta ejecución de la misma se hace necesaria la presencia de un intermediario, que puede ser otra entidad de crédito o bien algún sistema o cámara de compensación preconcebido y al que pertenezcan las dos entidades de crédito.

5) Transferencia **internacional**. En el orden privado no presentan una discusión jurídica diversa de las nacionales. Sin embargo, la dificultad de encontrar métodos internacionalmente comunes a la hora de la remisión, del recibo y de las correspondientes liquidaciones interbancarias, ha originado la necesidad de normas de ámbito supranacional.

2. Ley de servicios de pago y aplicación especial en relación con las transferencias

(RDL 19/2018; RD 736/2019; OM ECE/1263/2019)

Ámbito de aplicación: proveedores de servicios de pago, ordenante y beneficiario 8265 Son «**proveedores de servicios de pago**» los organismos públicos, entidades y empresas autorizadas para prestar servicios de pago en España o en cualquier otro Estado miembro de la Unión Europea, o de terceros países, que se dediquen profesionalmente a la prestación de servicios de pago.

Existe una **reserva de actividad**, de modo que, sin perjuicio de las disposiciones establecidas para la prestación de servicios transfronterizos por otros proveedores de servicios de pago de la Unión Europea (RDL 19/2018 art.22 redacc L 11/2023), solo podrán prestar, con carácter profesional, los servicios de pago las siguientes **entidades** (RDL 19/2018 art.5):

a) Entidades de crédito a que se refiere la L 10/2014 art.1 en la redacción dada por la L 11/2023 (bancos, cajas de ahorros, cooperativas de crédito y el Instituto de Crédito Oficial, así como las empresas autorizadas en el Reglamento europeo sobre los requisitos prudenciales de las entidades de crédito (Rgto (UE) 575/2013 art.4.1.1.b).

b) Las entidades de dinero electrónico que regula la L 21/2011.

c) Las entidades de pago.

d) La Sociedad Estatal de Correos y Telégrafos, S.A., respecto de los servicios de pago para cuya prestación se encuentra facultada en virtud de su normativa específica.

e) El Banco Central Europeo, el Banco de España y los demás bancos centrales nacionales, así como la Administración General del Estado, las comunidades autónomas y las entidades locales, en cuanto no actúen en su condición de autoridades públicas.

f) Las personas físicas y jurídicas que se acojan a las exenciones previstas en el RDL 19/2018 art.14 y 15.

Precisiones En relación con los **establecimientos abiertos al público para el cambio de moneda extranjera**, hay que tener en cuenta lo dispuesto en el RD 2660/1998, sobre el cambio de moneda extranjera en establecimientos abiertos al público distintos de las entidades de crédito (modificado por RD 970/2021); en la OM 16-11-2000, de regulación de determinados aspectos del régimen jurídico de los establecimientos de cambio de moneda y sus agentes; y en la BE Circ 6/2001, sobre titulares de establecimientos de cambio de moneda (modificada por la BE Circ 5/2020 a entidades de pago y a entidades de dinero electrónico, sobre normas de información financiera pública y reservada, y modelos de estados financieros).

8267 Tiene la consideración de **ordenante** toda persona física o jurídica titular de una cuenta de pago que autoriza una orden de pago mediante transferencia a partir de dicha cuenta o, en el caso de que no exista una cuenta de pago, la persona física o jurídica que dicta una orden de pago mediante transferencia.
Tiene la condición de **beneficiario** toda persona física o jurídica que sea el destinatario previsto de los fondos que hayan sido objeto de una operación de pago mediante transferencia. Ordenante y beneficiario pueden ser la misma persona.

8269 **Obligaciones de los proveedores de servicios de pago** Se han establecido sobre la base de dos principios:
• Exigencia de un **nivel mínimo de calidad**. Éste se alcanza en función del deber de realizar la transferencia ajustándose a las instrucciones del cliente y que supone cumplir lo acordado tanto en materia de plazos como de la cantidad total a transferir.
• **Relevación de responsabilidad** en los casos de fuerza mayor.
Así pues, se distinguen las siguientes obligaciones:
- transparencia (nº 8271);
- diligencia respecto de los plazos (nº 8273);
- diligencia respecto de las instrucciones del ordenante (nº 8287).

8271 **Obligación de transparencia** (RDL 19/2018 art.28; OM ECE/1263/2019) El proveedor de los servicios de pago -entidad ordenante- está obligado a facilitar, a su costa, al usuario de servicios de pago, de manera fácilmente accesible para él, toda la **información y condiciones** relativas a la prestación de los servicios de pago. El proveedor y el usuario de servicios de pago podrán acordar que se cobren **gastos** por la comunicación de información adicional o más frecuente, o por la transmisión de ésta por medios de comunicación distintos de los especificados en el contrato marco, siempre y cuando la información se facilite a petición del usuario del servicio de pago.

8273 **Obligación de diligencia respecto de los plazos** (RDL 19/2018 art.55) El proveedor de servicios del ordenante, tras el momento de recepción de la orden de pago, se asegurará de que el importe de la operación de pago es abonado en la cuenta del proveedor de servicios de pago del beneficiario, como máximo, al **final del día hábil siguiente**. Se contempla una **excepción** para los supuestos en los que no se inicie la transacción por vía electrónica -que es la alternativa más frecuente al soporte papel-, al determinar que, no obstante, el plazo señalado podrá prolongarse en un día hábil para las **operaciones de pago iniciadas en papel**.

8275 **Momento de recepción** (RDL 19/2018 art.50) El momento de recepción de una orden de pago será aquel en que la misma es recibida por el proveedor de servicios de pago del ordenante, con independencia de que haya sido transmitida directamente por el ordenante o indirectamente a través del beneficiario. Si **no fuera día hábil** para el proveedor de servicios de pago del ordenante, se considerará recibida el siguiente día hábil.
El usuario y su proveedor podrán acordar que la **ejecución** de la orden de pago comience en una fecha específica o al final de un periodo determinado, o bien el día en que el ordenante haya puesto fondos a disposición de su proveedor. En este caso, se considerará que el momento de recepción de la orden es el **día acordado** o, si éste no fuera hábil, el siguiente día hábil.

8277 **Fecha valor** (RDL 19/2018 art.58) El proveedor de servicios de pago del beneficiario establecerá la fecha de valor y de **disponibilidad** de la cantidad de la operación de pago en la cuenta de pago del beneficiario tras haber recibido los fondos.
La fecha de valor del **abono en la cuenta** de pago del beneficiario no será posterior al día hábil en que el importe de la operación de pago se abonó en la cuenta del proveedor de servicios de pago del beneficiario.
El proveedor de servicios de pago del beneficiario debe asegurarse de que el importe de la operación de pago está **a disposición del beneficiario inmediatamente** después de que dicho importe haya sido abonado en la cuenta del proveedor de servicios de pago del beneficiario, en los siguientes casos:
a) Si por parte del proveedor de servicios de pago del beneficiario no hay conversión de moneda.
b) Si hay conversión de moneda entre el euro y la divisa de un Estado miembro o entre las divisas de dos Estados miembros.
La fecha de valor del **cargo en la cuenta** de pago del ordenante no será anterior al momento en que el importe de la operación de pago se cargue en dicha cuenta.

8279 **Falta de ejecución o ejecución defectuosa** (RDL 19/2018 art.60) Ha de distinguirse entre:
a) Órdenes de pago iniciadas directamente por el ordenante: el proveedor de servicios de pago del ordenante será responsable frente al ordenante de la correcta ejecución de la operación de pago, a menos que el proveedor de servicios de pago del ordenante pueda demostrar

al ordenante (y, en su caso, al proveedor de servicios de pago del beneficiario), que este último proveedor recibió el importe de la operación de pago. En tal caso, el proveedor de servicios de pago del beneficiario será responsable frente al beneficiario de la correcta ejecución de la operación de pago.
Cuando sea responsable el **proveedor de servicios de pago del ordenante**, devolverá sin demora injustificada al ordenante la cantidad correspondiente a la operación de pago no ejecutada o ejecutada de forma defectuosa y, en su caso, restablecerá el saldo de la cuenta de pago a la situación en que hubiera estado si no hubiera tenido lugar la operación de pago defectuosa.
Cuando sea responsable el **proveedor de servicios de pago del beneficiario**, pondrá inmediatamente a disposición del beneficiario el importe correspondiente a la operación de pago y, en su caso, abonará el importe correspondiente en la cuenta de pago del beneficiario.
Cuando una operación de pago se ejecute con **retraso**, el proveedor de servicios de pago del beneficiario asegurará que la fecha de valor del abono en la cuenta de pago del beneficiario no sea posterior a la fecha que se habría atribuido al importe en caso de ejecución correcta de la operación.
En el caso de una operación de pago no ejecutada o ejecutada de manera defectuosa en la que el ordenante haya iniciado la orden de pago, el proveedor de servicios de pago del ordenante, previa petición y con independencia de la responsabilidad que pueda determinarse, debe tratar inmediatamente de **rastrear** la operación de pago, así como notificar al ordenante los resultados. No se cobrará por ello ningún gasto al ordenante.

b) Órdenes de pago iniciadas por el beneficiario o a través de él: el proveedor de servicios de pago del beneficiario será responsable frente al beneficiario de la correcta transmisión de la orden de pago al proveedor de servicios de pago del ordenante. Cuando el proveedor de servicios de pago del beneficiario sea responsable con arreglo a lo dispuesto en el presente párrafo, devolverá inmediatamente el importe de la orden de pago al proveedor del servicio de pago del ordenante. 8281
Cuando la transmisión de la orden de pago se efectúe con **retraso**, la fecha de valor correspondiente al abono del importe en la cuenta de pago del beneficiario no será posterior a la fecha de valor que hubiera tenido en caso de ejecución correcta de la operación.
Además, el proveedor de servicios de pago del beneficiario será **responsable** frente al beneficiario de la tramitación de la operación de pago. Cuando el proveedor de servicios de pago del beneficiario sea responsable, velará por que el importe de la operación de pago esté a disposición del beneficiario inmediatamente después de que dicho importe sea abonado en su propia cuenta. La fecha de valor correspondiente al abono del importe en la cuenta de pago del beneficiario no será posterior a la fecha de valor que habría tenido en caso de ejecución correcta de la operación.
En caso de una operación de pago no ejecutada o ejecutada de forma defectuosa con respecto a la cual el proveedor de servicios de pago del beneficiario **no sea responsable**, el proveedor de servicios de pago del ordenante será responsable frente al ordenante. Cuando el proveedor de servicios de pago del ordenante incurra así en responsabilidad, devolverá al ordenante, según proceda y sin demora injustificada, el importe de la operación de pago no ejecutada o ejecutada de forma defectuosa y restituirá la cuenta de pago en la cual se haya efectuado el adeudo al estado en el que se habría encontrado de no haberse efectuado la operación de pago defectuosa. La fecha de valor del abono en la cuenta de pago del ordenante no será posterior a la fecha en que se haya efectuado el adeudo del importe.
En el caso de una operación de pago no ejecutada o ejecutada de manera defectuosa en la que la orden de pago haya sido iniciada por el beneficiario o a través de él, el proveedor de servicios de pago del beneficiario, previa petición y con independencia de la responsabilidad que se determine, tratará inmediatamente de **rastrear** la operación de pago y notificará al beneficiario los resultados. No se cobrará por ello ningún gasto al beneficiario.

Indemnización adicional (RDL 19/2018 art.62) Sin perjuicio de las indemnizaciones adicionales que resulten de aplicación conforme a la normativa vigente, cada proveedor de servicios de pago será responsable frente a su respectivo usuario de todos los **gastos** que ocasionen y sean de su responsabilidad, así como de los **intereses** que hubieran podido aplicarse al usuario como consecuencia de la falta de ejecución o ejecución defectuosa de operaciones. 8283

Ausencia de responsabilidad (RDL 19/2018 art.64) No existirá responsabilidad en caso de **circunstancias excepcionales e imprevisibles** fuera del control de la parte que invoca acogerse a estas circunstancias, cuyas consecuencias hubieran sido inevitables a pesar de todos los esfuerzos en sentido contrario o, en caso de que resulten de aplicación a un proveedor de servicios de pago otras obligaciones legales. 8285

8287 **Obligación de diligencia respecto de las instrucciones del ordenante** (RDL 19/2018 art.53) En cuanto a los importes transferidos y los importes recibidos, la regla general es que los proveedores de servicios de pago del ordenante y del beneficiario y todos los posibles intermediarios que intervengan en la operación de pago deberán **transferir** la **totalidad del importe** de la operación de pago, absteniéndose de deducir gasto alguno del importe transferido, a menos que el beneficiario y su proveedor de servicios de pago acuerden que éste deduzca sus propios gastos del importe transferido.

Precisiones En un supuesto de estafa denominada «**SIM swapping**» consistente en duplicar de forma fraudulenta la tarjeta SIM del teléfono móvil de una persona suplantando su identidad, para posteriormente, una vez que la víctima se queda sin servicio telefónico, acceder a su información personal y tomar el control de su banca digital utilizando los SMS de verificación que llegan al número de teléfono, se demostró que se trataba de **operaciones no autorizadas por el cliente**, siendo la entidad bancaria la responsable de devolver el importe de la operación no autorizada de inmediato (RDL 19/2018 art.45). Asimismo, el Tribunal sentenciador hace un llamamiento a la lógica de que, si ha sido la banca la que principalmente se ha beneficiado de las nuevas tecnologías, abaratando costes con el sistema de convertir a los clientes en una especie de empleados suyos sin sueldo, lo que le permite cerrar sucursales y despedir empleados, justo es que se haga cargo de ese margen de riesgo que ha introducido el uso de las nuevas tecnologías y que antes, cuando las operaciones se hacían presencialmente, era inexistente (AP Zaragoza 17-11-22, EDJ 811906).

SECCIÓN 4

Alquiler de cajas de seguridad

8290

8292 El contrato de alquiler de cajas de seguridad procura al cliente de una entidad de crédito, a cambio de un canon o precio, el uso de un espacio cerrado dentro de una cámara acorazada, permitiéndole introducir en tal espacio -caja de seguridad- dinero u otras cosas de valor (Vara de Paz).

Se trata de una **operación o servicio bancario** en el que la entidad de crédito ni financia ni es financiada por su cliente, sino que se limita a satisfacer la necesidad de custodia física requerida por el mismo. De ahí que comience a ser frecuente la prestación del mismo servicio por compañías de carácter **no bancario** (compañías de seguridad).

La **característica funcional** del contrato consiste en que la entidad de crédito no recibe materialmente los objetos que el cliente desea confiarle, sino que es el propio cliente quien los introduce en la caja y los retira de ella por sí mismo o por persona autorizada (Garrigues).

La **función económica** del contrato es clara:

a) Para el **cliente bancario** el contrato proporciona una utilidad suficientemente satisfactoria de la necesidad sentida.

b) Para la **entidad de crédito** implica obtención de beneficios directamente, pudiendo llegar a convertirse en un reclamo favorecedor de la captación de clientela.

8294 **Naturaleza y régimen jurídico** La entidad en la que se abre la caja no queda **obligada a custodiar** el contenido de la misma, que en la mayoría de los casos desconoce, sino el continente; esto es, la caja misma. Por eso se discute doctrinal y jurisprudencialmente si el contrato es un **depósito** (la entidad debe velar por la seguridad de la caja, si bien la propiedad de ésta nunca pasa al cliente), o bien es un **arrendamiento** (la entidad cede el uso de la caja por precio y tiempo determinados).

Las diversas **posiciones doctrinales** se pueden resumir en tres grupos:

1) Calificación como **depósito**. Lo que prima para estos autores es la causa de la custodia.

2) Calificación como **cesión de uso** (arrendamiento). Admite dos sub-teorías:
a. **Arrendamiento de cosa**. Es decir, cesión contra precio del uso físico de la caja de seguridad instalada dentro de una cámara acorazada. Sería, por tanto, un arrendamiento de cosa inmueble (Valenzuela Garach, Broseta).
b. **Arrendamiento de servicios**. Es decir, cesión contra precio del uso del servicio habitualmente prestado por la entidad (De Arrillaga).
3) Calificación como **contrato mixto**, dado que la causa también es mixta (Garrigues y Uría). Para estos autores en la causa contractual conviven elementos de las causas de contratar tanto del depósito como del arrendamiento de cosa. Ésta parece, con ciertos matices, la **tendencia actual** de la doctrina.
Estos autores consideran que, en definitiva, se trata de un **contrato innominado, atípico o sui generis** que tiene una causa única, diversa y distinta a los contratos de arrendamiento y depósito (Vara de paz).
La **jurisprudencia**, hasta TS 4-11-08, EDJ 209698, era contradictoria. Existían dos posturas:
- que se trata de un **arrendamiento de cosa** y no de un depósito (TS 14-12-1928);
- que, teniendo el contrato como fin principal y decisivo la custodia, debía prevalecer el carácter de **depósito** sobre el de arrendamiento (TS 21-4-33).
Sin embargo, la sentencia TS 4-11-08, EDJ 209698) incide en la **naturaleza atípica** de este contrato cuando establece que es un contrato atípico, surgido de la conjunción de prestaciones del arriendo de cosas y de depósito, en el que la finalidad pretendida por el cliente no es el mero goce de la cosa arrendada, sino el de la custodia y seguridad de lo que se guarda en la caja, que se consigue de una forma indirecta, a través del cumplimiento por el banco de una prestación consistente en la vigilancia de la misma y de su integridad a cambio de una remuneración. La entidad bancaria no asume la custodia de ese contenido, sino del daño que la ruptura, sustracción o pérdida de la caja pueda ocasionar al cliente. Es claro que la situación más análoga a la descrita es la determinada por la existencia de un depósito cerrado y sellado, contemplada en CC art.1769. El contrato litigioso, en suma, tiene una causa mixta.

En cuanto a su **régimen jurídico** debe ser el de la aplicación ante todo de las reglas imperativas de la normativa sobre obligaciones y contratos en general; subsidiariamente, el de las estipulaciones de las partes en lo que no traspasen los límites de la autonomía de la voluntad; y, finalmente, se han de aplicar las normas del contrato típico que forma parte del contenido del atípico en cuestión, siempre que no pugne con la finalidad perseguida mediante la celebración de este último contrato. **8296**
En el que examinamos, existe un **deber de vigilancia y conservación** de lo que se entrega por el cliente, a cargo de la entidad de crédito, a través de la caja que la entidad de crédito pone a su disposición, que no es propio de las obligaciones del arrendador. El **incumplimiento** imputable a la entidad de crédito de su prestación es evidente que desencadena la obligación de reparar el daño si desaparece el contenido de la caja total o parcialmente. No hay inconveniente en aplicar a la situación creada las normas del depósito, en este caso del cerrado, por su analogía clara. En realidad, en el llamado alquiler de la caja de seguridad, se entrega a la entidad de crédito para su custodia, con todo lo que contiene. Ciertamente que no existe depósito de cosas, porque a la entidad de crédito no se le entregan las mismas para su depósito, pero ha de conservar y custodiar la caja que usa y entrega el cliente, lo mismo en que, por imperativo del CC art.1769, ha de conservar el depositario el sobre cerrado y sellado en que se contienen las cosas, no estas mismas. Su custodia y conservación se efectúa, tanto en un caso, como en otro, de una forma indirecta, a través de la de la caja de seguridad o del sobre cerrado y sellado (TS 4-11-08, EDJ 209698).

Normativa aplicable Aceptando la teoría mixta encontramos las siguientes **fuentes contractuales**: **8298**
- la voluntad privada, como en todo contrato;
- Las normas del Código Civil y el Código de Comercio (CCom art.50) sobre el contrato de depósito;
- las normas del Código Civil sobre el arrendamiento (de cosa o servicio, según la opción doctrinal escogida);
- las normas generales de la contratación de ambos cuerpos legales;
- como normas especiales, tanto el RDLeg 1/2007, por el que se aprueba el Texto refundido de la Ley General para la Defensa de los Consumidores y Usuarios y otras leyes complementarias (LGDCU), como la L 7/1998, sobre condiciones generales de la contratación (LCGC).
Ha de tenerse en cuenta que sobre la entidad prestadora del servicio recaen todas las obligaciones nacidas de las normas de **transparencia bancaria** (nº 7870), así como las generales relativas a la ordenación, supervisión y **solvencia** de las entidades de crédito (L 10/2014 y RD 84/2015). También debe tenerse en cuenta la normativa sobre **prevención del blanqueo** de capitales (L 10/2010 art.43 redacc LO 9/2022). Ver nº 7976.

8300 **Sujetos intervinientes** Son la entidad de crédito y su cliente.
La **entidad de crédito** no se somete, en este punto, a norma especial alguna. Es dudoso que los **establecimientos financieros de crédito** puedan perfeccionar este tipo de contrato.
El **cliente bancario** se somete a las normas generales de capacidad y representación para contratar. Al tratarse de un negocio de mera administración, no se exige especial capacidad para disponer.

8302 **Objeto del contrato** Es necesario referirse aquí a:
- la caja;
- el servicio de cesión de su uso;
- el precio.
El uso dado a la caja ha de ser lícito. Ahora bien, la entidad de crédito desconoce el mismo, pues en ningún caso manipula los bienes depositados. Esto significa que, en caso de **utilización ilícita** (civil o incluso penal) de la caja, tiene que demostrarse que la entidad conocía su contenido para reclamar indemnizaciones, lo que resulta muy difícil.
De hecho, en el clausulado contractual se suele insertar una estipulación que obliga al usuario de la caja a verificar su uso correcto.

8304 **Forma** No hay especialidades. El contrato es **consensual y no formal**, aunque suele documentarse en una **póliza de abono** que especifica los derechos y obligaciones de las partes.
En principio, tampoco es un **contrato real**. Esto es, no se exige que el cliente bancario entregue cosa alguna a la entidad para que se pueda entender perfeccionado el contrato.
Ahora bien, la entidad entrega a su cliente una de las dos llaves necesarias para la apertura de la caja. Sin esa entrega de llaves el cliente no puede ejercitar los derechos nacidos del contrato, por lo que tampoco queda obligado a contraprestación alguna (ni siquiera el pago del canon arrendaticio).
En la práctica, siendo simultáneos los dos actos (entrega de llaves y cargo de la comisión bancaria), el contrato puede calificarse como materialmente real.
Un aspecto formal de ejecución de las prestaciones contractuales es el **libro de visitas**. Éste es un registro en que la entidad anota cada una de las aperturas realizadas en las cajas por sus clientes, a los que previamente se identifica por el mecanismo que contractualmente se haya pactado y a quienes se les exige (por pacto) la firma previa a cada apertura, con constancia de la fecha de la misma.

8306 **Obligaciones de la entidad de crédito** Se pueden distinguir las siguientes (Fernández-Merino):
1) **Obligaciones previas**. No es posible el contrato si la entidad de crédito no dispone de unas **instalaciones adecuadas**. Consecuentemente, más que una obligación contractual es una carga autoimpuesta por la entidad para captar clientela.
Las **medidas de seguridad** exigibles para la cámara acorazada, instalaciones conexas y medidas de vigilancia se regulan en el RD 2364/1994 (en lo que no se oponga a la L 5/2014).
La jurisprudencia ha afirmado que la garantía de mantenimiento de cámara, instalaciones y medidas en condiciones razonablemente seguras entran dentro de la categoría del deber de diligencia de la entidad de crédito (TS 10-6-87; cont-adm 1-6-90, EDJ 5775).
2) **Obligaciones a la perfección del contrato.** La entidad debe entregar al cliente una de las dos **llaves** que mecánicamente resultan imprescindibles para la apertura de la caja. Ello sin perjuicio de que se puede sostener que la entrega de la llave, más que una obligación en ejecución del contrato, es un requisito de perfección contractual.

8308 3) **Obligaciones durante la ejecución.** A través de ellas se manifiesta el deber general de todo arrendador de mantener al arrendatario en el goce pacífico y exclusivo de la caja. A tal efecto la entidad debe:
- comprobar que quien accede a la caja es el **verdadero titular** o persona por él autorizada;
- permitirle el **libre acceso** a la cámara en el horario fijado con anterioridad y previas las formalidades necesarias;
- facilitar la **apertura**, puesto que es necesario el concurso de la otra llave en poder de la entidad de crédito;
- permitir el uso en secreto de la caja, pudiendo el cliente introducir o extraer los objetos a su voluntad, o simplemente comprobar su contenido;
- impedir el acceso a la caja a toda **persona** que **no** esté **autorizada** por el titular para acceder a ella;
- prestar durante toda la vigencia del contrato las **medidas de seguridad y vigilancia** necesarias, que se limitan a la vigilancia y custodia del exterior de la caja;

- mantener en **buen uso** las instalaciones y la caja en particular para que pueda cumplir su finalidad y uso;
- asumir su responsabilidad y obligación de **indemnización** por deterioro.

Junto a estas **obligaciones jurídico-privadas** nacidas del contrato (CC art.1091) existen obligaciones **jurídico-públicas** nacidas de la Ley (CC art.1090) que se basan en el especial estatus en que se encuentran las entidades de crédito. Son deberes que tienen que ver con los **límites al secreto bancario**, pues si la entidad tiene conocimiento del depósito de cosas robadas, o de cosas peligrosas o de ilícito comercio ha de colaborar con la Administración Pública e incluso con la autoridad judicial.

Responsabilidad de la entidad de crédito Se trata de una discusión íntimamente ligada con la de la naturaleza jurídica del contrato. 8310

Así, si el contrato se califica como **contrato de resultado** (arrendamiento de obra), la responsabilidad de la entidad se agrava porque, de producirse el suceso indeseado del robo, no se habrá cumplido la obligación pactada de seguridad en la custodia.

Sin embargo, si la calificación es de **contrato de esfuerzo** (arrendamiento de servicio), la entidad cumple con ser objetivamente diligente poniendo los medios razonablemente exigibles en circunstancias similares.

Cuando la obligación es de resultado, la **carga de la prueba** corresponde al deudor, el cual no puede liberarse si no es demostrando la intervención de fuerza mayor o de caso fortuito. El acreedor no tiene nada que probar aquí para exigir la responsabilidad en caso de incumplimiento. Por el contrario, cuando la obligación es de pura diligencia, es el acreedor quien tiene que demostrar la falta de diligencia del deudor para poder alegar incumplimiento y derivar las consecuencias jurídicas propias de ese incumplimiento (Garrigues).

La **obligación de conservación** íntegra de la caja se desdobla en dos: 8312
- la integridad interna (garantía de clausura);
- la integridad externa (garantía de conservación).

Para que la entidad de crédito quede liberada de responsabilidad por incumplimiento de esta obligación ha de probar la intervención de fuerza mayor o de caso fortuito (Garrigues).

Precisiones Doctrinalmente se añade el dato de que estamos ante un supuesto de **obligación de resultado**, de manera que la entidad de crédito ha de responder del resultado de su guarda o custodia en los términos legalmente previstos.

Hay que diferenciar dos **órdenes probatorios** en el posible litigio: 8314
- el de la diligencia bancaria;
- el de la cuantía del daño.

1) Prueba de la diligencia/negligencia bancarias. En la actualidad existe un alto grado de objetivación en la responsabilidad de la entidad bancaria (Fernández Merino).

La jurisprudencia también parece admitir este concepto de **responsabilidad objetiva** (TS penal 26-2-93, EDJ 1849; TSJ Barcelona 3-3-89).

Ello es así porque las entidades de crédito forman parte de los establecimientos obligados a instaurar **medidas de seguridad específicas** (LO 4/2015 art.26). La principal finalidad, en estos casos, consiste en prevenir la comisión de actos delictivos u otras infracciones. En este sentido, es obligatoria la existencia de un departamento de seguridad y de una central de alarmas, así como la instalación de equipos o sistemas de captación y registro. Se imponen igualmente una serie de requisitos a las cámaras acorazadas y a las cajas de alquiler, que deberán garantizar un determinado nivel de resistencia (RD 2364/1994 art.119 a 126). El incumplimiento de estas obligaciones lleva aparejado un régimen de sanciones (LO 4/2015 art.30 s.).

Es obligatoria la instalación de **dispositivos apropiados** para la prevención de asaltos fuera de las horas de oficina, capaces de detectar inmediatamente un ataque contra las zonas donde se custodien los fondos o valores (RD 2364/1994 art.14.2 y 15).

Se exige **protección especial** (con materiales resistentes o acorazados, acristalamientos y detección electrónica adecuada) de aquellos lugares dentro de cada oficina que sean de especial riesgo (cámaras acorazadas, cámaras y cajas de alquiler, etc.).

2) Prueba de la cuantía del daño. Como la entidad de crédito desconoce el contenido real de la caja, no se sabe tampoco de qué ha de responder en su caso. 8316

Para la efectividad de una eventual indemnización de los daños, recae sobre el cliente perjudicado la difícil **carga de la prueba**, tanto de la existencia de los objetos contenidos en la caja de seguridad, como de su correspondiente valor.

El TS ha admitido la aplicación analógica del CC art.1769.3 respecto de la prueba del **valor de los objetos depositados** tras el robo de los mismos (TS 4-11-08, EDJ 209698; 15-2-13, EDJ 127296; 26-2-18, EDJ 9570). Dicho precepto establece que, en el depósito cerrado y sellado: «En cuanto al valor de lo depositado, cuando la fuerza sea imputable al depositario, se estará a la declaración del depositante, a no resultar prueba en contrario». Esto es, el depositante será creído en cuanto al valor de los objetos depositados, salvo prueba en contrario. Por tanto, no se trata más que de una norma probatoria favorable al depositante como presunción *iuris tantum*. El TS señala que se debe tener en cuenta en primer lugar, que el contrato de depósito tiene naturaleza mercantil (CCom art.310). De acuerdo con el art.310 CCom, los **depósitos** verificados por entidades bancarias **se han de regir por**:
1º Los estatutos de la entidad depositaria, esto es, la normativa administrativa que regula la contratación bancaria. En el presente caso el RD 2364/1994.
2º Los riesgos de dichos depósitos correrán a cargo del depositario, siendo de cuenta del mismo los daños que sufrieren, a no ser que ocurrieran por fuerza mayor o caso fortuito insuperable (CCom art.307.2).
Sin embargo, el CCom no ofrece respuesta al problema de la prueba o acreditación de la preexistencia y valor de los objetos depositados, por lo que habrá que estar a lo dispuesto a lo que establecen las reglas del Derecho común, en el CC art.1769.

8318 De esta jurisprudencia, con relación a la tipicidad del contrato de arrendamiento de caja de seguridad, se infieren dos criterios que vertebran su régimen de aplicación:
1. El contrato queda configurado de acuerdo a un «especial» deber de custodia del depositario consistente en la **vigilancia y seguridad de la caja**, de su clausura o cierre, a cambio de una remuneración. Dicho deber comporta, a su vez, un específico régimen de responsabilidad agravado (conforme al CC art.1769 párr.2º). El depositario responde, de forma objetivada, ante el incumplimiento mismo de la prestación, esto es, del quebrantamiento de la clausura o cierre de la caja, salvo caso fortuito o fuerza mayor.
2. El **carácter secreto** que justifica esta modalidad de depósito incide en la determinación de los daños indemnizables, pues otorga preferencia a la declaración del depositante, salvo prueba en contrario (de acuerdo al CC art.1769 párr.3º). Esta presunción no queda desvirtuada por el hecho de que la entidad de crédito se reserve la facultad de comprobación del contenido de la caja, a los solos efectos de su licitud con arreglo a la normativa aplicable.
Las dificultades para recibir una eventual indemnización se pueden corregir mediante la oportuna estipulación de **contratos de seguro anejos** al uso y disfrute de cajas de seguridad.
Sin perjuicio de su posible **suscripción directa** por el cliente bancario, es frecuente que (sobre todo en previsión de siniestros y de robos, no siempre fácilmente demostrables como supuestos de fuerza mayor o de caso fortuito) sean las propias entidades de crédito las que actúen como tomadores de esos contratos de seguro; ahora bien, el desconocimiento del contenido de la caja, junto a una habitual persistencia del cliente asegurado en no declararlo, conducen a eventuales indemnizaciones desproporcionadas con el daño o perjuicio efectivamente sufrido, o bien a situaciones de infraseguro manifiesto (Valenzuela Garach).

8320 **Obligaciones del cliente bancario** Se pueden distinguir las siguientes:
1) Al momento de la perfección: Abonar el **canon** arrendaticio pactado, que suele ser pagadero por anticipado.
2) Durante su ejecución. Se distinguen las siguientes obligaciones:
a. Someterse al horario y a las formalidades establecidas por la entidad de crédito para el uso de la caja.
b. Acreditar su identidad, si no es conocido, ante los empleados de la entidad para que le faciliten el acceso.
c. Firmar en el libro de visitas, bien para cotejar la identidad, bien para dejar una simple constancia del acceso.
d. Hacer un correcto y buen uso de la caja, observando lo dispuesto por la entidad en las condiciones generales, fundamentalmente, en cuanto a la prohibición de introducir determinados objetos peligrosos o prohibidos.
e. Consentir que la entidad de crédito ejerza su derecho a comprobar, en presencia del titular, y cuando lo considere conveniente, los objetos introducidos en la caja y verificar que no son cosas distintas a las autorizadas en el contrato. Se puede efectuar en presencia del cliente o sin su autorización forzando la caja si se albergan graves sospechas.
f. Conservar la llave recibida y en caso de robo, hurto o extravío comunicarlo inmediatamente a la entidad de crédito para que proceda a cambiar la cerradura, siendo de cuenta del cliente los gastos ocasionados.
g. Avisar del cambio de domicilio.

Es frecuente que la entidad ofrezca a su cliente la posibilidad de contratar una **póliza de seguro** de cosas para cubrir el riesgo de incendio, robo o similares. De ocurrir esto, el contrato de seguro concertado será una **figura autónoma**, aunque con causa en el previo negocio bancario. Como el cliente bancario actuaría de tomador de la póliza, quedaría obligado al pago de la prima, obligación que, obviamente, no nace del contrato de alquiler de la caja, sino del seguro.

3) A la finalización del contrato:

a. Restituir la llave recibida y dejar la caja en el mismo estado en que se le entregó.

b. Soportar que se fuerce la caja, así como hacer frente a sus gastos, si incumple y no colabora devolviendo la llave o si tuvo que forzarse por otro motivo.

Extinción del contrato La **muerte, ausencia o incapacidad** del cliente titular de la caja provocan la extinción de sus obligaciones, pero no de la obligación principal de la entidad, que es permitir la apertura de la caja a los causahabientes. 8322

La extinción del contrato se produce, además, por las siguientes **causas** (Valenzuela Garach):

1) Expiración del plazo convenido. No obstante, en esta relación es habitual la prórroga tácita.

2) Desistimiento unilateral antes del término del contrato, con respeto en su caso del plazo de preaviso estipulado.

3) Destrucción o apertura violenta de la caja.

4) Negativa de la entidad de crédito a la renovación del contrato. No se precisa la concurrencia de justa causa.

5) Resolución del contrato por incumplimiento de las obligaciones contractuales recíprocas (CC art.1124).

SECCIÓN 5

Depósito bancario

8325

1. Aspectos generales

El **depósito** se constituye desde que uno recibe la cosa ajena con la obligación de guardarla y restituirla (CC art.1758). 8330

Para que el depósito sea **mercantil** se requiere que concurran las siguientes características (CCom art.303):

- el depositario, al menos, sea empresario;
- las cosas depositadas sean objeto de comercio;
- el depósito constituya por sí una operación mercantil, o se haga como causa o a consecuencia de operaciones mercantiles.

El depósito mercantil es **depósito bancario** cuando la parte depositaria tiene naturaleza de entidad de crédito.

Este depósito bancario puede tener por **objeto** cualquiera de los posibles en todo depósito mercantil; esto es, dinero, títulos, mercancías, joyas, etc. Sin embargo, en esta sección nos centraremos únicamente en el estudio del depósito bancario de dinero.
Son **depósitos bancarios de dinero** aquellos contratos por los que el cliente entrega una cantidad de dinero a la entidad de crédito, la cual se obliga a devolverla, bien en cualquier momento a petición del cliente (depósito a la vista), bien en un plazo prefijado (depósito a plazo).
Hay que destacar como **notas propias** de todo depósito bancario de dinero:
• Que el dinero objeto del depósito pasa a ser **propiedad** de la entidad de crédito depositaria.
• Que la entidad depositaria aplica ese dinero a sus **operaciones activas y de inversión**.
Normalmente, las entidades de crédito retribuyen estos depósitos con un **interés** cuya cuantía depende de variables muy diversas (Valpuesta Gastaminza).
Los **establecimientos financieros de crédito** tienen vetada la posibilidad de celebrar este contrato, pues no pueden captar fondos reembolsables del público (L 5/2015 art.6 y RD 309/2020 art.6.1).

8332 **Naturaleza jurídica** En el contrato de **depósito ordinario** (mercantil o civil):
- el depositante conserva la propiedad de la cosa depositada;
- el depositario no puede usar ni servirse de la cosa depositada (ni mucho menos disponer de ella).
Si se cumplen estas dos características el depósito es **regular**. Faltando las mismas el depósito se convierte en **irregular**.
Para la mayoría de la **doctrina** no existe duda en cuanto al carácter irregular del contrato de depósito bancario dinerario debido a que el depositante autoriza, aunque sea tácitamente, al depositario (entidad de crédito) para disponer del dinero con la obligación de devolver otro tanto de la misma especie y calidad.
El debate sobre la naturaleza jurídica del contrato de depósito bancario de dinero se ha planteado, a su vez, en las distintas **modalidades** del mismo, esto es:
- depósito a la vista (nº 8334);
- imposiciones a plazo (nº 8338).

8334 **Depósito a la vista** En relación con su **naturaleza jurídica** existen dos teorías:
a. La tesis de la **doctrina tradicional** afirma que el depósito de ahorro a la vista es un verdadero depósito (Garrigues, Broseta, Sánchez-Calero).
b. La **doctrina moderna** niega a esta figura la naturaleza del depósito y le atribuye la del préstamo (Vicent Chuliá, Fernández-Armesto y De Carlos).
c. A medio camino entre una concepción y otra aparece la tesis según la cual estamos en presencia de un **depósito «sui generis»** (Valenzuela Garach).

8336 Hay que destacar un punto concreto en la **aplicación práctica** de estas opiniones doctrinales (Valpuesta Gastaminza): La **compensación** no procede cuando alguna de las deudas proviene de depósito o de las obligaciones del depositario o del comodatario (CC art.1200). Así pues:
- si calificamos el contrato como **depósito**, estamos cerrando la entrada a la posibilidad de compensar las deudas de él nacidas con los créditos originados en otra fuente contractual;
- si el contrato es **préstamo o mutuo de dinero** no es de aplicación el CC art.1200.
En conclusión, la compensación sí procede cuando las deudas a compensar provienen de las obligaciones del mutuatario.

Precisiones 1) La **jurisprudencia** es vacilante en relación con la calificación de este contrato como depósito propiamente o como préstamo o mutuo, así:
a. El TS entendió que el depósito bancario a la vista era, verdaderamente, **depósito irregular**, pero, a pesar de ello, y aun siendo irregular, entendió que primaba el concepto de depósito sobre el de préstamo, y por tanto se impedía la compensación por aplicación directa del CC art.1200 (TS 21-4-88).
b. Partiendo de que hay **mutuo**, pero no depósito, es decir, afirmando la compensabilidad de deudas destaca TS 19-9-87 y, en sentido contrario, partiendo de que hay **depósito** pero no mutuo e impidiendo la compensación de deudas la TS 26-3-90.
c. Por último, vuelve a variar el criterio, reafirmándose en la doctrina de la compensabilidad por calificar el contrato como **préstamo** (TS 10-1-91).
2) Desde un punto de vista práctico, si aceptamos que estamos, verdaderamente, ante un **depósito mercantil**, entonces su régimen jurídico es el del CCom art.303 a 310 y del CC art.1758 a 1778, con la salvedad de la inaplicación de CCom art.310, pues, para algún sector de la doctrina, roza la inconstitucionalidad (García Villaverde y Aragón Reyes).
Si la tesis de partida es la opuesta y, en consecuencia, aceptamos inicialmente que la verdadera naturaleza jurídica del depósito bancario de dinero es la de un contrato de **mutuo de dinero**, entonces las fuentes normativas han de buscarse en el CCom art.311 a 319 y, supletoriamente, en el CC art.1748 y 1753 a 1757.

Imposiciones a plazo Se distinguen igualmente, en relación con su **naturaleza jurídica**, dos posiciones doctrinales: 8338
a. Para la **doctrina tradicional** existen serias dificultades para considerar a esta figura como un verdadero depósito. Sin embargo, entiende que tampoco es posible naturalizar el contrato como de préstamo bancario de dinero porque no hay en la **intención del impositor** la finalidad de financiar a la entidad. Y sin causa de financiación no es dable la figura del préstamo (Garrigues).
Por todo ello, concibe la imposición a plazo fijo como un **contrato «sui generis»** (en el mismo sentido, TS 28-5-90, EDJ 19547).
b. La **doctrina moderna** y mayoritaria entiende, sin embargo, que la verdadera naturaleza contractual de la imposición a plazo fijo es la del **préstamo o mutuo** de dinero (Valpuesta, Broseta, Vicent Chuliá, Gastaminza y Valenzuela Garach).

Distinción con figuras afines

El contrato de depósito bancario de dinero y el contrato de cuenta corriente bancaria son especies contractuales diferentes. La distinción entre ambos contratos se basa en los siguientes argumentos: 8340
1) La **cuenta corriente bancaria** se caracteriza por el servicio de caja. El cliente bancario, al contratar una cuenta corriente con su entidad de crédito, busca las prestaciones que, propias de dicho servicio, han de ser realizadas por su encargo (domiciliaciones, pagos de cheques...). La causa de contratar es el interés en obtener dicho servicio.
En el contrato de **depósito bancario** la causa es distinta, pues, se acepte que es la custodia (depósito) o que es la financiación (mutuo dinerario), el interés de las partes no es un servicio de pagos y su remuneración, sino la seguridad (teoría de la custodia) o el crédito (teoría de la financiación).
2) El servicio de caja que la entidad de crédito presta es imposible sin la existencia de una **provisión de fondos**, pues solamente con dinero se extinguen las obligaciones dinerarias. Como esa provisión de fondos hecha por el cliente bancario a favor de su gestor de caja (la entidad) normalmente tiene su origen en un depósito dinerario previo, por ello se mantuvo durante largo tiempo la unificación de ambos contratos. Sin embargo, tal provisión de fondos puede hoy día provenir no de un depósito sino de un crédito (en forma de préstamo o de apertura de crédito en cuenta corriente).

Precisiones Se ha declarado la nulidad de un contrato denominado de **apertura de depósito financiero**, por error esencial e inexcusable provocado en el cliente, cuando realmente se trata de un contrato financiero atípico de alto riesgo, en el que no constaba la advertencia de que se trataba de un producto de alto riesgo, ni de que podía incluso perderse toda la inversión. Las características del contrato en cuestión y la advertencia de que se trataba de un producto financiero de riesgo elevado sí constaban en el folleto informativo reducido de la entidad bancaria, que no fue facilitado a su cliente, pese a ser obligatorio para la entidad (AP Soria 12-2-04, EDJ 3204).

Clases de depósitos bancarios

Se pueden diferenciar los siguientes tipos de depósitos bancarios, atendiendo a distintos **criterios clasificatorios**: 8342
1) Desde el punto de vista de la **disponibilidad**, se distingue entre depósitos:
- a la vista: disponibles inmediatamente;
- con preaviso: disponibles inmediatamente, pero preavisando con determinada antelación;
- a plazo: indisponibles hasta la fecha señalada.

Esta es la clasificación más trascendente desde el punto de vista práctico.
2) Tomando la óptica de la **titularidad**, puede ser:
- individual;
- colectivo.

3) Cualquiera que sea la titularidad, se admiten, como sistemas de disponibilidad:
- la **disposición conjunta**: es necesario que dos o más personas, titulares o no, consientan la disposición;
- la **disposición indistinta**: basta con que una sola persona consienta, sin necesidad tampoco de que sea titular -también vale aquí la firma autorizada-, pues, los depósitos indistintos no presuponen comunidad de dominio sobre lo depositado (TS 24-3-71, EDJ 138).

4) Atendiendo a la **residencia del depositario**, se distingue entre depósitos de residentes y de no residentes, clasificación ésta de indudable trascendencia en el orden del control de cambios.
5) También está la subdivisión entre depósitos en **moneda nacional** y depósitos en **moneda extranjera**.
6) Finalmente, otras categorías de depósitos bancarios de dinero son:
- el **depósito de alta remuneración**, que no presenta otra singularidad que la derivada de sus tipos de interés más altos;

- el **depósito de ahorro-vivienda**, por virtud del cual el cliente se compromete a destinar las cantidades depositadas a financiar la adquisición de vivienda habitual, recibiendo como compensación, por parte de la Hacienda Pública, trato fiscal de inversión en vivienda habitual a los pertinentes efectos desgravatorios;
- el **depósito interbancario**.

8344 7) Fuera del ámbito del depósito bancario puramente dinerario, la técnica bancaria permite también la formalización de **depósitos en especie**, categoría dentro de la cual se hace necesario diferenciar entre depósito cerrados y depósitos abiertos:

a) **Depósito cerrado**: El depósito se concibe como un depósito regular con finalidad exclusiva de **custodia** de dinero, metales preciosos, alhajas, documentos, títulos y, en general, cualquier objeto de valor que se entregue a la entidad de crédito (depositaria) en cajas o pliegos cerrados y sellados. Ha perdido importancia con la aparición y desarrollo del contrato de alquiler de cajas de seguridad (nº 8290).

Este contrato se formaliza en una **factura** suscrita por el depositante expresiva del valor que éste asigna al contenido, de la cual la entidad depositaria emite resguardo que entrega al depositante.

En lo que se refiere al **contenido del contrato**, la entidad de crédito viene obligada a garantizar la conservación de la caja o pliego e, igualmente, a restituirlos (con los precintos intactos) contra la entrega del resguardo (Garrigues).

El **depositante** únicamente viene obligado a satisfacer la comisión pactada.

b) **Depósito abierto**: Es un depósito regular de títulos, valores mobiliarios, **efectos y documentos devengadores de intereses**. Es precisamente esta característica de la cosa depositada la que explica que se amplíen las obligaciones de la entidad de crédito, respecto de las ordinarias de todo depositario (custodia y restitución).

Los **depositarios** de títulos, valores, efectos o documentos que devenguen intereses quedan obligados a realizar el cobro de éstos en las épocas de su vencimiento, así como también a practicar cuantos actos sean necesarios para que los efectos depositados conserven su valor y los derechos que les correspondan con arreglo a las disposiciones legales (CCom art.308).

Por su parte, el **depositante** está obligado a satisfacer la comisión.

Precisiones 1) La existencia de una **imposición a plazo fijo con varios titulares indistintos** no determina por sí un condominio sobre los saldos, que viene precisado por las relaciones internas que medien entre los titulares bancarios y, más concretamente, por la originaria pertenencia de los fondos. A tales relaciones internas habrá que estar al fallecimiento de uno de los titulares indistintos, sin que pueda apreciarse la existencia de una donación remuneratoria de la mitad del saldo (TS 5-7-99, EDJ 19936).

2) Los llamados **depósitos irregulares interbancarios** constituyen operaciones internas entre entidades de crédito, de colaboración recíproca y eventual entre los mismos y que no están destinadas a la clientela. Tales depósitos se constituyen por los saldos que las entidades de crédito mantienen eventualmente entre sí con la finalidad de cubrir los coeficientes de caja o de cualesquiera otra finalidad a que resulten obligados por las normas correspondientes (TS 26-9-98, EDJ 23385).

8346 **Obligatoria constancia de la TAE** (OMEHA/2899/2011 art.7; BE Circ 8/1990 norma octava) En el contrato de depósito bancario la TAE (tasa anual equivalente) es de obligatoria constancia.

8348 **Información sobre el rendimiento efectivo de las operaciones pasivas** (BE Circ 8/1990 norma octava apartado 5) Se aplican las siguientes **reglas**:

1) El **cálculo** del tipo de rendimiento efectivo se refiere a los importes brutos liquidados, sin tener en cuenta, en su caso, las deducciones por impuestos a cargo del perceptor, ni las ventajas fiscales por desgravaciones que puedan beneficiarle. La **entidad** puede añadir, si lo considera conveniente, los tipos netos que puedan resultar para el cliente, teniendo en cuenta estas circunstancias fiscales.

2) Si durante el período de liquidación se hubiesen producido **descubiertos**, se ha de proceder a efectuar la correspondiente separación de saldos medios de signos contrarios por los días que a cada uno correspondan, aplicándose a aquéllos las normas sobre créditos en cuenta corriente.

3) En la documentación contractual y en las liquidaciones relativas a las **cuentas corrientes a la vista o cuentas de ahorro**, el cálculo de su rendimiento efectivo no incluye los eventuales cargos que por comisiones o gastos puedan derivarse del servicio de caja vinculado a tales contratos. Hay que recordar lo dicho respecto de la distinción contrato de depósito-contrato de cuenta corriente (nº 8340).

4) En las cuentas corrientes y de ahorro con **tipo de interés nominal igual o inferior al 2,5%**, las entidades pueden tomar como tipo de interés anual efectivo el propio nominal, expresándolo así en los documentos contractuales y de liquidación.

Por último, si el **interés es variable**, no puede quedar su variación al arbitrio de la propia entidad o de su grupo.

Extinción del contrato Hay que diferenciar entre las dos figuras analizadas (Fernández Armesto y De Carlos): 8350

a) En el **depósito a la vista** (contrato de duración normalmente indefinida), el depositante puede extinguir la relación en cualquier momento, retirando los fondos y manifestando su intención de dar por extinguido el contrato que le une a la entidad. La entidad, por el contrario, queda sometida, en materia de resolución contractual, a los límites derivados de la aplicación de la LCGC.

b) En el **depósito a plazo fijo**, en cambio, el señalamiento de una fecha fija de extinción contractual impide al cliente (salvo la penalización vista) que pueda cancelar anticipadamente. A salvo de estas dos reflexiones, y de la nacida de la imposibilidad de compensar las deudas nacidas del depósito (CC art.1200), resulta aplicable la teoría general de la extinción contractual.

2. Depósito a la vista

El depósito a la vista es el **depósito bancario de dinero** propiamente dicho. A continuación analizaremos los elementos que lo integran y el contenido del contrato. 8355

a. Elementos

Se distinguen los siguientes: 8360
- partes contratantes;
- objeto del contrato;
- forma.

Partes contratantes Son el cliente bancario y la entidad de crédito. 8362

Al tratarse de un depósito dinerario (cuando menos irregular), se discute doctrinalmente si es necesaria **capacidad de disposición** en el depositante. Éste es uno de los inconvenientes prácticos de la calificación del contrato como **préstamo**; de ser así, y considerando que dar dinero en préstamo se considera como acto de disposición (CC art.166, 272 o 323), sería precisa, en su caso, autorización judicial para los padres ejercientes de la patria potestad, para el tutor o para el complemento de capacidad del menor emancipado.

En cuanto a la **entidad de crédito**, no hay normas especiales, con la salvedad de la prohibición que recae sobre los establecimientos financieros de crédito (nº 8330).

Precisiones **1)** No corresponde a los **herederos** la titularidad de una serie de cuentas y depósitos que el causante había transmitido a un tercero poco antes de su muerte, conservando aquél únicamente la condición de autorizado para disponer de los fondos (TS 5-12-96, EDJ 9130).

2) Hay **apropiación indebida** por parte del hijo cotitular de una cuenta que dispone del dinero de la misma. Hay que distinguir entre la disposición o gestión de un fondo o numerado y la propiedad del mismo: los «titulares bancarios» ostentan facultades de disposición frente a la entidad de crédito, bien individualmente o conjuntamente, pero ello no determina la existencia de un **condominio**, ya que esto habrá de venir determinado por las relaciones internas entre ambos titulares y, más concretamente, en razón a la originaria procedencia de los fondos depositados (TS 27-6-77).

3) La actividad del director y de un apoderado de una entidad de crédito que falsificaron documentos bancarios para desviar el numerario depositado por los clientes de la entidad a sus fines particulares era constitutiva de los delitos de **apropiación indebida y falsedad en documento mercantil** (TS 22-2-99, EDJ 979).

Objeto del contrato Son la suma depositada y el precio. 8364

La **suma** es dinero, de donde se deriva la transmisión de su propiedad.

El **precio** lo paga el depositario -la entidad de crédito-, al contrario de lo que ocurre en cualquier depósito.

Como en el depósito a la vista no hay plazo pactado de devolución, de aceptar la tesis que califica este contrato como préstamo de dinero o mutuo, se produciría la consecuencia de que el cliente bancario no podría obtener su restitución sino pasados treinta días, a contar desde la fecha del requerimiento notarial hecho a la entidad de crédito, que ocuparía la posición jurídica de prestatario (CCom art.313).

Forma Estamos ante un contrato **no formal**, ya sea considerado como verdadero depósito o como préstamo. Además, en ambos casos, es de carácter **real**, pues se perfecciona con la entrega. Rige, por tanto, el principio de libertad de forma (CCom art.51). 8366

Ahora bien, partiendo de tal principio, debe indicarse que es uso bancario la **formalización por escrito** de este tipo de contrato.

La forma contractual habitualmente utilizada se compone de **dos piezas**:
• Un **documento contractual** tradicional, con identificación de partes, expositivos, estipulaciones-condiciones generales y otorgamiento.
• Una **libreta** en la que se plasman los movimientos contables de entradas y salidas de dinero. Constituye un **anexo documental** al documento contractual principal, debido a la reiteración de un uso bancario muy habitual en la práctica diaria. La libreta tiene carácter de documento legitimador, pues su presentación permite la retirada de todo o parte del numerario depositado.

8368 La entidad de crédito tiene la **obligación de entregar gratuitamente** al cliente bancario un ejemplar original del documento contractual en la forma que pacten, entre otros supuestos, en el contrato de apertura de cuenta corriente a la vista o cuentas de ahorro.
La entrega por la entidad de crédito puede llevarse a cabo en **soporte electrónico** duradero que posibilite su lectura, impresión y conservación, al igual que su reproducción sin cambios, o a través de copia en **soporte papel** que se facilite al cliente en el mismo acto de contratación o, posteriormente, mediante envío postal.
El documento contractual toma cuerpo en un **formulario pre-impreso** en el que la entidad de crédito (predisponente) impone a su cliente (depositante-adherente) unas **cláusulas predispuestas** (con independencia de su autoría material, apariencia externa, extensión y cualesquiera otras circunstancias) redactadas con la finalidad de ser incorporadas a la pluralidad de contratos de depósito que la misma entidad formaliza con otros clientes. Se trata de **contratos con condiciones generales** (nº 8065 s.).
Se excluye, en todo caso la utilización de **cláusulas abusivas**.

b. Contenido del contrato

8375 Se distingue entre:
- depósitos en cuenta corriente;
- libretas de ahorro (nº 8387);
- cuentas financieras (nº 8389);
- cuentas especializadas (nº 8391).

8377 **Depósitos en cuenta corriente** Se caracteriza por ser un contrato complejo, en el que conviven, en realidad, **dos relaciones negociales**:
- el depósito bancario de dinero;
- la cuenta corriente bancaria.
Se distinguen las siguientes **obligaciones**:
- del cliente;
- de la entidad.

8379 **Obligaciones del cliente** La entrega de la **cantidad depositada** no es obligación contractual, sino requisito de perfección del contrato, que tiene carácter real. Hay que destacar que, siendo un contrato real y unilateral, no hay obligaciones contractuales a cargo del cliente **depositante** (Vicent Chuliá).
Ahora bien, sí surgen las siguientes obligaciones para el **cuentacorrentista**:
- informar puntualmente a la entidad acerca de los extremos que interesen al desenvolvimiento contractual según lo pactado;
- utilizar diligentemente los mecanismos de disponibilidad que se hayan convenido;
- pagar las comisiones concertadas como contraprestación por la gestión del servicio de caja, siempre que no sean abusivas o vayan en contra de las normas de transparencia bancaria.

Precisiones Según establece la Ley General Presupuestaria, los depósitos de dinero o de valores constituidos en una caja de ahorros respecto de los cuales exista **inactividad de sus titulares** durante un plazo de veinte años se consideran abandonados y su propiedad corresponde al Estado por ministerio de la ley (TS 21-3-00, EDJ 3412).
Es importante delimitar cuándo el cliente -cuentacorrentista- ha de manifestarse respecto de las comunicaciones o actuaciones que, en cumplimiento de sus obligaciones, realiza la entidad. Se ha determinado al dilucidar sobre la **doctrina de los actos propios** y el **valor del silencio** aplicados a la posición del cliente en una cuenta, que, cuando no existe un **acto precedente claro y definitivo** que vincule al demandante, dando su conformidad con lo realizado por la entidad de crédito o dando relevancia al silencio, si no hay deber de hablar de acuerdo con las circunstancias -en el caso, disposición indebida de un empleado de una entidad de crédito de los fondos del cliente-, no debe exigirse. En este caso, en el momento en que se percató el cliente de la conducta del empleado de la entidad de crédito, examinó los movimientos de sus cuentas y comprobó lo sucedido. En este caso, tampoco se atacó al principio de buena fe, que debe presidir el ejercicio de los derechos (CC art.7).
En esta sentencia hubiera sido deseable que se aludiera también al CCom art.57, ya que se trata de

un **acto de comercio mixto** -de una parte, un consumidor o usuario, y, de otra, un empresario (entidad de crédito)-, por lo que es de plena aplicación dicho cuerpo legal y puede ser alegado por y tenido en cuenta respecto de un consumidor o usuario. Se olvida quizás en demasiadas ocasiones que el CC art.7 tiene su paralelo en el citado precepto mercantil -para los contratos mercantiles, como son en principio los estipulados por entidades de crédito-.

Obligaciones de la entidad Éstas pueden tener su origen en: **8381**
- el pacto de depósito;
- el pacto de gestión.

a) Obligaciones derivadas del **pacto de depósito**:
• Obligación contractual de **custodia** (CCom art.306; CC art.1758). Queda sustituida por el mantenimiento de un coeficiente de caja.
• Obligación de **devolver la cantidad entregada** (CCom art.306). Para garantizar el correcto cumplimiento de esta obligación, aun en situaciones críticas de la entidad de crédito depositaria, se han creado los Fondos de Garantía de Depósitos (nº 8425).
• Obligación de **pago de los intereses pactados**. Es aplicable el principio de libertad de tipos y comisiones, pero teniendo en cuenta que la capacidad de imposición por parte de la entidad de crédito tiene sus límites tanto en el Derecho general de obligaciones y contratos y en las normas específicas para las obligaciones y contratos mercantiles contenidas en el Código de Comercio, como en normas específicas, ya sean las relativas a condiciones generales de la contratación o las de transparencia bancaria (CC art.1255; LCGC; BE Circ 5/2012).
• Obligación de **entrega del documento contractual** y de constancia en el documento contractual de la **TAE** (BE Circ 5/2012 normas octava y decimotercera) (nº 1507).
• Obligación de satisfacer y cubrir el **coeficiente de caja**.

Finalmente, la entidad queda obligada por las normas fiscales a practicar **retenciones** sobre los intereses satisfechos, en tanto que rendimientos del capital mobiliario, y a hacer constar el **NIF**, en toda operación bancaria.
También nacen de la actividad general de depósito desplegada por la entidad de crédito una serie de **obligaciones de naturaleza jurídico-pública o jurídico privada**, dependiendo de la teoría que manejemos acerca de la naturaleza jurídica y los destinatarios, respectivamente, de las normas de transparencia bancaria. Éstas nacen, no del contrato de depósito (cuyas obligaciones tienen, como toda obligación nacida de contrato, fuerza de ley entre los contratantes), sino de la Ley (CC art.1090 y CC art.1255 -para los límites de la autonomía de la voluntad y la ilicitud de los pactos contrarios a las normas imperativas contenidas en la Ley, las derivadas de la moral y del orden público-).

Precisiones **1)** El Tribunal Supremo declaró la **responsabilidad civil subsidiaria de una entidad de crédito** por un delito de estafa cometido mediante cheques falsificados, al considerar que el hecho de la similitud entre la firma falsificada y la original no exoneraba de responsabilidad a la entidad de crédito toda vez que concurrían circunstancias tales como el incremento sustancial del número de cheques que de la cuenta venían cobrándose por el acusado por mandato del titular de la misma. **8383**
De otro lado, señaló que por el contrato de depósito en cuenta corriente se constituye un depósito irregular con la consecuencia prevista en CCom art.307 párr 3º, por la cual, al quedar el dinero depositado confundido con el patrimonio del depositario, éste ha de soportar los riesgos derivados de su deber de conservar la cosa depositada. Si un tercero actúa ilícitamente y se apodera del dinero depositado o de parte del mismo, de esa pérdida ha de responder el depositario (en el caso analizado la entidad de crédito) (TS 3-11-99, EDJ 28824).
2) Concurre engaño bastante para apreciar la existencia de un delito de estafa (CP art.248) en la actividad de un sujeto que simuló la identidad de su hermano presentando su DNI para retirar los fondos depositados por el mismo en una entidad de crédito. El **deber de diligencia** que corresponde a un empleado bancario no alcanza a la realización de un examen fisonómico exhaustivo del portador de un DNI (TS 26-6-00, EDJ 15368).
3) Constituye delito de **apropiación indebida** la actividad del empleado de la entidad depositaria que, si bien no tenía ánimo de apropiarse de los fondos depositados, constituyó el depósito de manera tal que privó a sus legítimos titulares del derecho de disponer de los fondos depositados (TS 24-11-00, EDJ 66942).

b) Obligaciones derivadas del **pacto de gestión** (cuenta corriente): **8385**
• Seguir diligentemente las **instrucciones** del cliente.
• Comunicar con periodicidad los **movimientos** de la cuenta.

A estas obligaciones puramente contractuales hay que añadir las **obligaciones de colaboración** con la Justicia y con la Administración que se exponen en el nº 8159.

Libretas de ahorro Tradicionalmente, se distinguía del depósito en cuenta corriente en que la **disponibilidad** en favor del cliente bancario no era absoluta sino relativa: éste no podía solicitar devolución de fondos sino con ciertos requisitos de plazo y forma (preaviso escrito con mínima antelación de cinco días...). Por eso la necesidad del servicio de cobros y pagos **8387**

característico de la cuenta corriente no se manifestaba en esta modalidad contractual. No habiendo servicio bancario de **gestión de caja**, no aparece la necesidad de remunerarlo. En consecuencia, la **remuneración del depósito** era superior al del depósito a la vista.
Actualmente, esta separación tan tradicionalmente clara entre ambos depósitos ha ido oscureciéndose en la práctica bancaria de nuestros días porque la competencia existente en el mercado crediticio ha originado **productos financieros de pasivo** en los que, normalmente, se mezclan elementos de las dos figuras contractuales. Así, no es extraño encontrar contratos en los que, junto a una remuneración propia de la tradicional libreta de ahorro, se acepta por las partes que la entidad de crédito preste servicio de caja (normalmente contra las correspondientes comisiones remuneratorias). En definitiva, tiende a ser cada vez más difícil diferenciar entre depósito a la vista y depósito de ahorro.
Como el contrato es real, no hay **obligaciones** contractuales a cargo del **cliente** depositante. Respecto de las **obligaciones de la entidad**, únicamente surgen las propias del depósito dinerario antes expuestas (nº 8381).

Precisiones **1)** La actividad de quien, haciéndose pasar por el legítimo titular, extrae cantidades de dinero de un depósito documentado en libreta de ahorros, merece la calificación de delito de **estafa** (CP art.248) en concurso ideal con un delito de falsedad de documento privado (CP art.395 y 396). En caso de que no se verifique el elemento de engaño bastante para los fines perseguidos necesario para poder calificar la conducta como delito de estafa, únicamente se considerará que la conducta descrita dará lugar a un delito de **falsedad documental**, de acuerdo con la jurisprudencia (TS 29-10-98, EDJ 20390).
2) La transposición a nuestro ordenamiento jurídico de la Dir (UE) 2019/713, sobre la lucha contra el fraude y la falsificación de medios de pago distintos del efectivo, a través de la LO 14/2022, ha introducido n**uevas conductas** típicas del delito de estafa y de falsedades (CP art.248, 249, 399 bis, 399 ter y 400 redac LO 14/2022).

8389 **Cuentas financieras** Son las llamadas, coloquialmente, **supercuentas**. Lo característico de estas cuentas es su **alta rentabilidad**.
Este tipo de operación bancaria de pasivo fue impulsada por las necesidades de captación de cuota de mercado por parte de las entidades de crédito extranjeras que intentaron implantarse en España tras la liberalización de nuestro sistema bancario.
Se entiende por **cuenta financiera** cualquier contrato por el cual la entidad de crédito recibe fondos del público para su inversión, por cuenta de sus clientes, en activos financieros, comprometiéndose frente a éstos a efectuar, con carácter regular, en las fechas o circunstancias estipuladas en el contrato, y al precio o rentabilidad convenidos, la venta e inmediata recompra de todo o parte de la inversión.
Es decir, en esta opción contractual se combinan **tres negocios jurídicos**:
- el depósito bancario de dinero;
- la gestión bancaria de la cuenta corriente (depósito a la vista, con disponibilidad para cobros y pagos);
- el contrato de gestión de cartera de valores.

A diferencia del puro **contrato de gestión de carteras**, aquí la entidad de crédito se compromete a remunerar a un tipo de interés previamente concertado, de suerte que el excedente del resultado de la gestión es en su beneficio y de haber disminución patrimonial lo es en su perjuicio. Esto hace absurdo el intento de cobrar comisiones por gestión diligente de la cartera.

8391 **Cuentas especializadas** Las cuentas especializadas o **cuentas vinculadas** son depósitos adscritos a una determinada finalidad, lo cual ocasiona que tengan unas características diferenciales respecto de los depósitos ordinarios y, en muchos casos, un **tratamiento fiscal** determinado.
El **dinero entregado** solo puede ser dedicado por el cliente a unas finalidades precisas, si bien la entidad de crédito no se ocupa de controlar que el destino sea el correcto.
En cuanto a las **obligaciones del cliente**, no hay más especialidad que la de destinar el ahorro a la finalidad estipulada.
Tampoco hay especialidades respecto de las **obligaciones de la entidad**, pues la entidad no es responsable de la conculcación por el cliente de ese destino pactado.

Precisiones El caso paradigmático son las **cuentas de ahorro-vivienda**.

3. Imposición bancaria a plazo fijo (IPF)

8395 En la IPF bancaria la nota característica es que el cliente **renuncia al derecho** de disponer del saldo hasta el plazo concertado. Tampoco existe, por tanto, servicio de caja. En el plazo pactado le ha de ser restituida la suma depositada y se le han de abonar los intereses convenidos.
El **largo plazo** permite una remuneración superior a la inversión realizada por el impositor.

Hay que destacar **dos pactos**, de entre los corrientemente utilizados por las entidades de crédito en sus formularios contractuales de IPF (Valpuesta Gastaminza):

a) El convenio que obliga al cliente a manifestar expresa y anticipadamente el deseo de **considerar extinguida la relación** para cuando llegue la fecha de vencimiento preconvenida. Si hay **silencio** la entidad de crédito considera automática e inmediatamente prorrogado el contrato con un plazo de duración idéntico al primero.

b) El acuerdo por el cual los **intereses**, normalmente abonados con periodicidad trimestral, no se abonan en la misma cuenta en que se ha producido el depósito inicial. Así lo impone la entidad depositaria para evitar que, por la vía de la acumulación de esos intereses abonados al principal, resulten los mismos remunerados al alto tipo de interés propio de la IPF. Al abonarse en una cuenta aparejada a un depósito a la vista, resulta que la remuneración de los **intereses liquidados** (la remuneración de la remuneración) es muy inferior.

Junto con estos dos pactos destaca en la **práctica bancaria** la estipulación en virtud de la cual se admite la posibilidad de que el cliente impositor, en situaciones de liquidez comprometida, pueda reclamar la íntegra devolución de la IPF. Ahora bien, en tales casos, se advierte primero y se concierta después, que el impositor viene obligado a satisfacer una fuerte **penalización** que hace disminuir el rendimiento proyectado. **8397**

a. Elementos

Se distinguen los siguientes: **8400**

a) Partes contratantes. Son las mismas que en el depósito a la vista (nº 8362):
- el cliente bancario;
- la entidad de crédito.

b) Objeto del contrato. Destaca como **especialidad** el plazo, que es fijo, con la excepción de la cancelación penalizada.

c) Forma. Del mismo modo que en el depósito de ahorro se distingue (nº 8366 s.):
- el documento contractual;
- la libreta.

Precisiones **1)** La **libreta** de una IPF no es un título-valor, con los importantes efectos que esto puede tener de cara a las tercerías de mejor derecho (TS 27-12-85). Esta es la línea adecuada de entendimiento de dichos documentos, que pueden ser títulos de legitimación, pero no títulos-valores, al no reunir las características de estos últimos.

2) La **cotitularidad indistinta** de una IPF del recurrente junto con sus padres supone únicamente que el cotitular indistinto tiene la facultad de disponer de los fondos depositados, pero no determina, por sí sola, la propiedad de una tercera parte del saldo, sino que para determinar la propiedad de los fondos depositados habrá que atender a la procedencia de los mismos (TS 25-5-01, EDJ 7142).

b. Contenido del contrato

Se distinguen las siguientes **obligaciones**: **8405**

1) De la **entidad**. Son las ordinarias del depósito bancario de dinero:

a) Obligación de **custodia** (CCom art.306; CC art.1758). Queda sustituida por el mantenimiento del coeficiente de caja.

b) Obligación de **devolver la cantidad** entregada (CCom art.306).

c) Obligación de **pago de los intereses** pactados.

2) Del **impositor**. No hay más especialidades que las derivadas del compromiso del plazo.

c. Instrumentación del depósito en títulos-valores

Para evitar los inconvenientes derivados de la **penalización por ruptura del plazo** bancario, surge en la práctica bancaria la figura de la cosificación del derecho a la devolución, de modo que el depositante obtiene la deseada restitución anticipada: **8410**

a. Sin penalización económica.

b. Solamente cuando el mercado le ofrezca contrapartida, esto es, cuando exista alguien interesado en adquirir el título.

A este respecto hay que hacer referencia a **dos figuras**:
- certificados de depósito (nº 8412);
- pagarés bancarios (nº 8416).

8412 **Certificados de depósito** Son títulos-valores a los que se incorporan los derechos de crédito (devolución del principal y pago de intereses) derivados de un depósito dinerario previo que se perfecciona con la entidad de crédito emisora. Los certificados de depósito permiten **compatibilizar dos necesidades financieras**:
- la estabilidad de recursos ajenos, necesaria para la entidad de crédito;
- la posibilidad de que el inversor-depositante pueda en el futuro convertir inmediatamente en líquido su derecho de crédito sin esperar al vencimiento, mediante la transmisión a un tercero del certificado.

a) Emisión. Son **títulos nominativos**, pero no directos, sino endosables; es decir, cuando se transmiten no es necesario crear un nuevo certificado de depósito. Su emisión es libre por aplicación del principio de libertad contractual (CC art.1255). Se trata de una emisión en forma aislada (uno a uno, sin agrupación en emisiones), por lo que no se aplica la LMV ni el RD 814/2023, ni tampoco las normas sobre la emisión de obligaciones (LSC art.401 s.), si bien esta afirmación no es pacífica en la doctrina.

8414 **b) Transmisión**. Se realiza **por endoso**, salvo que el documento-certificado lleve incorporada la mención «**no a la orden**», en cuyo caso habrá que estar a la cesión ordinaria de créditos (CCom art.347 y 348).

De otra parte, no cabe la aplicación analógica de la LCC art.18, de modo que el endosante de certificados de depósito no garantiza el pago como ocurre con el endosante de letra de cambio.

La intervención de **fedatario público** es voluntaria y ocurre únicamente a petición de parte, pero no como requisito formal del endoso (Vicent Chuliá).

c) Ejercicio del derecho. Caben dos posibilidades:

1º Si el certificado es **cupón cero** o se emite **al tirón** (el valor nominal es mayor que el valor de emisión), va a coincidir en una sola fecha (la del vencimiento pactado) el pago de principal y el abono de intereses, que son implícitos.

2º Si el certificado lleva aparejado el **pago periódico de intereses** (con periodicidad trimestral, habitualmente), éstos han de ser abonados en las fechas convenidas y, además, al vencimiento del certificado se produce el pago del principal o rescate. En cualquiera de los casos, el certificado alcanza la naturaleza procesal del **título ejecutivo**.

8416 **Pagarés bancarios** Son **activos financieros** (pasivos bancarios) con rendimiento implícito, agrupados en emisiones y a los que se incorpora el derecho de crédito a la devolución de un importe nominal constante en el propio pagaré.

Este pagaré trae por causa inmediata una operación bancaria previa por cuya virtud el adquirente del pagaré (tomador/inversor) entrega a la entidad emisora (librador/financiado) una suma de dinero inferior a dicho importe nominal.

Precisiones A pesar de la práctica general de programas de emisiones homogéneos, se pueden admitir, aunque sea inhabitual, la emisión de **pagarés bancarios individuales** (Sacristán Represa).

8418 **Régimen jurídico** El régimen jurídico del pagaré no es pacífico en la doctrina. Podemos decir que:

a) Los pagarés con plazo de vencimiento inferior a 365 días tienen carácter de **valores negociables** (RD 814/2023), por tanto, es aplicable la LMV.

b) Respecto de la **aplicabilidad de la** LCC, la doctrina entiende que lo es en la medida en que los pagarés bancarios cumplan todos los requisitos formales de validez del pagaré cambiario establecidos en la misma (Broseta y Martínez Sanz). También suele afirmar la doctrina que si están representados en soporte papel serían pagarés cambiarios -y podría aplicarse en consecuencia la LCC-, mientras que la conclusión sería la contraria si la representación se realiza mediante anotaciones en cuenta (Díaz Moreno).

c) Es ciertamente polémica la **aplicabilidad de la** LSC, en cuanto a exigir o no a las emisiones de pagarés las normas de las sociedades anónimas, respecto de las emisiones de obligaciones.

d) No hay duda en cuanto a la consideración del pagaré bancario como activo financiero a **efectos fiscales**.

4. Fondo de Garantía de Depósitos de Entidades de Crédito

(L 11/2015; RDL 16/2011)

8425 La importancia económica de las entidades de crédito ha hecho necesaria la adopción de ciertos mecanismos especiales aplicables en **situaciones críticas**. Así, junto al procedimiento ordinario del concurso de acreedores, común a cualquier empresario individual y social -y a cualquier tipo de deudor, también para profesionales y consumidores y usuarios-, aparecen otras medidas. Las **medidas especiales** han sido objeto de modificación para que el Derecho español se adecúe al comunitario europeo; primeramente, mediante la L 9/2012 sobre acción temprana, reestructuración y resolución de las entidades de crédito, que posteriormente ha sido derogada casi en la totalidad por la L 11/2015, de recuperación y resolución de entidades de crédito y empresas de servicios de inversión. Se contemplan las siguientes medidas:

• La **actuación temprana** es el procedimiento aplicable a una entidad cuando la misma incumpla o existan elementos objetivos conforme a los que resulte razonablemente previsible que no pueda cumplir con la normativa de solvencia, ordenación y disciplina, pero se encuentre en disposición de retornar al cumplimiento por sus propios medios (L 11/2015 capítulo II).

• La **fase preventiva de la resolución** consiste en un conjunto de procedimientos y medidas encaminados a garantizar la resolubilidad y facilitar la eventual resolución de una entidad (L 11/2015 capítulo III).

• La **resolución, reestructuración o liquidación ordenada** de una entidad procederá cuando la misma sea inviable o sea previsible que vaya a serlo en un futuro próximo, no existan perspectivas razonables de que medidas procedentes del sector privado puedan corregir esta situación, y por razones de interés público y estabilidad financiera resulte necesario evitar su liquidación concursal (L 11/2015 capítulo IV).

• La **fase ejecutiva de la resolución** está formada por el conjunto de procedimientos y medidas encaminados a gestionar la resolución de una entidad (L 11/2015 capítulos IV a VI).

Los **objetivos** de los **procesos de resolución** de entidades de crédito son los siguientes (ponderados de forma equivalente y según las circunstancias presentes en cada caso): **8427**

• Asegurar la continuidad de aquellas actividades, servicios y operaciones cuya interrupción podría perturbar la prestación de servicios esenciales para la economía real o la estabilidad financiera, y, en particular, los servicios financieros de importancia sistémica y los sistemas de pago, compensación y liquidación, teniendo en cuenta el tamaño, cuota de mercado, conexiones internas o externas, complejidad o carácter transfronterizo de la entidad o su grupo.

• Evitar efectos perjudiciales para la estabilidad del sistema financiero, previniendo el contagio de las dificultades de una entidad al conjunto del sistema y manteniendo la disciplina de mercado.

• Asegurar la utilización más eficiente de los recursos públicos, minimizando los apoyos financieros públicos que, con carácter extraordinario, pueda ser necesario conceder.

• Proteger a los depositantes cuyos fondos están garantizados por el Fondo de Garantía de Depósitos de Entidades de Crédito y a los inversores cubiertos por el Fondo de Garantía de Inversiones.

• Proteger los fondos reembolsables y demás activos de los clientes de las entidades.

La consecución de estos objetivos debe procurar, en todo caso, **minimizar el coste** de la resolución y **evitar** toda **destrucción de valor**, excepto cuando sea imprescindible para alcanzar los objetivos de la resolución.

Los **procesos de resolución** están basados en los siguientes **principios**: **8429**

a) Los primeros en soportar las pérdidas deben ser los accionistas o socios de las entidades de crédito.

b) Después de los accionistas o socios, soportarán las pérdidas derivadas de la resolución los acreedores de las entidades (de acuerdo con el orden de prelación establecido en la LCon, con las salvedades establecidas en la L 11/2015 disp.adic.decimocuarta y decimoquinta).

c) Los acreedores del mismo rango serán tratados de manera equivalente.

d) Ningún accionista ni acreedor soportará pérdidas superiores a las que habría soportado si la entidad fuera liquidada en el marco de un procedimiento concursal.

e) Los administradores y los directores generales o asimilados de la entidad serán sustituidos, salvo que, con carácter excepcional, se considere su mantenimiento estrictamente necesario para alcanzar los objetivos de la resolución.

f) Los administradores y los directores generales o asimilados de la entidad deberán prestar toda la asistencia necesaria para lograr los objetivos de la resolución.

g) En aplicación de lo dispuesto en la legislación concursal, mercantil y penal, los administradores de las entidades y cualquier otra persona física o jurídica responderán de los daños y perjuicios causados en proporción a su participación y la gravedad de aquellos.

h) Los depósitos garantizados estarán plenamente protegidos.

i) Las medidas de resolución que se adopten, estarán acompañadas por las correspondientes garantías y salvaguardas.

El Fondo de Garantía de Depósitos (FGD) puede tomar **medidas de apoyo a la resolución** de las entidades de crédito, en los siguientes términos (RDL 16/2011 art.11): **8431**

a) Cuando una entidad de crédito se encuentre en un proceso de resolución conforme a lo dispuesto en la L 11/2015, el FGD, dentro del marco del plan de resolución aprobado, participa en

la **financiación de la resolución** de entidades de crédito (L 11/2015 art.53.7). En particular, asume los siguientes costes (con los límites previstos en RDL 16/2011 art.11):
- Cuando se aplique el instrumento de **recapitalización interna**, el importe en el que se tendrían que haber amortizado los depósitos garantizados para absorber las pérdidas de la entidad, en caso de que los depósitos garantizados se hubieran incluido en el ámbito de aplicación del instrumento de recapitalización interna y se hubieran amortizado en el mismo grado que los créditos de los acreedores con el mismo rango en la jerarquía de acreedores de acuerdo con la legislación concursal.
- Cuando se apliquen uno o varios **instrumentos de resolución distintos de los de recapitalización interna**, el importe de las pérdidas que hubieran sufrido los depositantes garantizados, en caso de que hubieran sufrido pérdidas en proporción a las sufridas por los acreedores con el mismo rango en la jerarquía de acreedores de acuerdo con la legislación concursal.
b) El FGD puede solicitar a la Comisión Rectora del FROB la **información** relativa al proceso de resolución necesaria para facilitar su participación. Con el traslado de esta información, el Fondo queda sometido al régimen de deber de secreto (L 11/2015 art.59).
c) El FROB determina, previa consulta con el Fondo, el importe del que este sea responsable. En cualquier caso, el FGD no puede asumir un **coste financiero** superior a la menor de las siguientes cuantías:
- La cuantía del desembolso que hubiese tenido que realizar de optar, en el momento de apertura del proceso de resolución, por realizar el pago de los importes garantizados en caso de liquidación de la entidad.
- El 50% del nivel objetivo fijado para el compartimento de garantía de depósitos.
d) Cuando el Fondo realice pagos en el contexto de un procedimiento de resolución bancaria, tiene derecho a **reclamar a la entidad de crédito** de que se trate un importe igual a sus desembolsos.
e) Excepcionalmente, siempre y cuando no se haya iniciado un proceso de resolución, el FGD puede utilizar sus recursos para **impedir la liquidación de una entidad de crédito** cuando:
- el coste de esta intervención fuese inferior al pago de los importes garantizados en caso de materializarse la liquidación;
- se impongan a la entidad de crédito medidas específicas de retorno al cumplimiento de la normativa de solvencia, ordenación y disciplina;
- se condicione la intervención al compromiso de la entidad de garantizar el acceso a los depósitos garantizados;
- el fondo estime asumible el coste con cargo a las contribuciones ordinarias o extraordinarias de las entidades adheridas.

8433 El FGD de Entidades de Crédito está dotado de **personalidad jurídica**, contando con plena capacidad para el desarrollo de sus fines, actuando en régimen de Derecho privado y sin someterse a las normas reguladoras de los organismos públicos y las sociedades mercantiles estatales.
Dentro del marco general tendente a equiparar la operativa de las **cajas de ahorro** y de los bancos, se creó el FGD de aquéllas, con naturaleza, estructura y actuación muy similar a las del de los bancos.
Hoy existe un **FGD unificado**. Se han disuelto los señalados de las cajas de ahorro y cooperativas de crédito, al igual que los de los establecimientos bancarios. Sus patrimonios han pasado a formar parte del FGD de las Entidades de Crédito, y se ha subrogado en los derechos y obligaciones de aquéllos (RDL 16/2011 art.2.2).
Las **aportaciones** anuales de las entidades de crédito al FGD deben ser proporcionales a sus perfiles de riesgo, teniendo en cuenta su participación en sistemas institucionales de protección. Con el RDL 11/2017 se han adaptado las aportaciones al FGD a la constitución de un sistema institucional de protección, ya sea éste de mutualización plena (L 10/2014 disp.adic.5ª) o normativo (Rgto UE/575/2013 art.113.7), teniendo en cuenta su influencia en el perfil de riesgo de las entidades:
a) Las entidades de crédito que pertenezcan a un **sistema institucional de protección normativo**, que haya constituido un fondo ex ante que garantice que el sistema institucional de protección tiene fondos directamente a su disposición para medidas de apoyo a la liquidez y solvencia y que contribuyan a la prevención de la resolución, podrán realizar aportaciones de menor cuantía al FGD.
b) Las entidades centrales y las entidades de crédito integrantes en un **sistema institucional de protección de mutualización plena**, estarán sujetas globalmente a la ponderación por riesgo determinada a efectos del cálculo de las contribuciones al FGD, para la entidad central y las integrantes de forma consolidada.

No existe FGD para los **establecimientos financieros de crédito**, porque a éstos les está vedada la financiación mediante los mecanismos del pasivo tradicionalmente bancario, esto es, depósitos abiertos al público (L 5/2015 art.6 y RD 309/2020 art.6.1). 8435
Tampoco el **Instituto de Crédito Oficial** (ICO) tiene obligación de formar parte del FGD de Entidades de Crédito.
La **pertenencia al FGD** es obligatoria, con la anterior excepción, para todas las entidades de crédito que, por otra parte, son las encargadas, junto con el Banco de España, de aportar las cantidades necesarias para que el correspondiente FGD de Entidades de Crédito reúna la garantía patrimonial exigida por su normativa.

Precisiones Las **sucursales de entidades de crédito extranjeras** que realicen actividades en España formarán parte del FGD de Entidades de Crédito, sometiéndose a las normas aludidas en el RDL 16/2011 art.5.2.

Supuestos de intervención (RD 2606/1996 art.8) En primer lugar, el FGD de Entidades de Crédito tiene que satisfacer a sus titulares el importe de los **depósitos garantizados**, cuando se produzca alguno de los siguientes hechos: 8437

a) Que la entidad sea declarada o se tenga judicialmente por solicitada la declaración de **concurso** de acreedores.

b) Que, no habiéndose declarado el concurso de la entidad y habiéndose producido impago de depósitos vencidos y exigibles, el Banco de España determine que, en su opinión y por razones directamente derivadas de la situación financiera de la entidad de que se trate, ésta se encuentra en la **imposibilidad de restituirlos** y no parece tener perspectivas de poder hacerlo en un futuro inmediato. El Banco de España, oída la comisión gestora del Fondo, deberá resolver a la mayor brevedad y, a más tardar, dentro de los cinco días hábiles siguientes a haber comprobado por primera vez que la entidad no ha logrado restituir depósitos vencidos y exigibles, tras haber dado audiencia a la entidad interesada, sin que ésta suponga interrupción del plazo señalado.

En segundo lugar, de igual manera, el FGD de Entidades de Crédito ha de satisfacer a los **titulares de valores o de otros instrumentos financieros** que fueran confiados a la entidad de crédito los importes garantizados, en los casos en los que tenga lugar alguno de los siguientes supuestos: 8439

a) Que se haya dictado auto declarando el **concurso** de la entidad de crédito y esa situación conlleve la **suspensión de la restitución** de los valores o instrumentos financieros. Si, dentro del plazo previsto para iniciar su desembolso, se levantase la suspensión mencionada, no procederá el pago de esos importes.

b) Que el **Banco de España** declare que la entidad de crédito no puede cumplir las obligaciones contraídas con los inversores.

Para que el Banco de España pueda realizar esta declaración es necesario que se produzcan las siguientes **circunstancias**:

1. Que el inversor hubiera solicitado a la entidad de crédito la devolución de los valores e instrumentos financieros que le hubiera confiado y no hubiera obtenido satisfacción en un plazo máximo de veintiún días hábiles por parte de aquélla.
2. Que la entidad de crédito no haya sido declarada en concurso (o se tenga judicialmente por solicitada tal declaración).
3. Que se dé previa audiencia a la entidad de crédito.

Al realizar estos pagos, el FGD se subroga por ministerio de la Ley en todos los derechos de los depositantes o inversores correspondientes respecto del importe pagado, considerándose suficiente título el documento en el que figure el pago.

Depósitos garantizados (RDL 16/2011 art.10) El importe garantizado es el siguiente: 8441

1. En los **depósitos** tendrá como **límite máximo** la cuantía de 100.000 euros. En el caso de depósitos nominados en otra divisa, el FGD ha de satisfacer el equivalente de acuerdo con los tipos de cambio que correspondan, atendiendo a las normas reglamentarias.

Adicionalmente, quedan garantizados los siguientes depósitos **con independencia de su importe** durante tres meses a contar a partir del momento en que el importe haya sido abonado o a partir del momento en que dichos depósitos hayan pasado a ser legalmente transferibles:

a) Los procedentes de transacciones con bienes inmuebles de naturaleza residencial y carácter privado.

b) Los que se deriven de pagos recibidos por el depositante con carácter puntual y estén ligados al matrimonio, el divorcio, la jubilación, el despido, la invalidez o el fallecimiento.

c) Los que estén basados en el pago de prestaciones de seguros o en la indemnización por perjuicios que sean consecuencia de un delito o de un error judicial.

2. Respecto de los **inversores** que hubieran confiado a la entidad de crédito afectada valores o instrumentos financieros, el importe garantizado será independiente del de los depósitos que figura anteriormente y la cuantía máxima es de 100.000 euros; sometiéndose también a las normas reglamentarias.

8443 **Sistemas de indemnización de los inversores** (RD 948/2001 redacc RD 1180/2023) Este concepto comprende tanto el **Fondo de Garantía de Inversiones (FOGAIN)**, como el **Fondo de Garantía de Depósitos**, este último siguiendo el régimen jurídico antes expuesto (en particular, ver nº 8437 y nº 8439 en relación con los supuestos de intervención para los depósitos garantizados y para los titulares de valores o de otros instrumentos financieros, respectivamente).

La **finalidad** común de estos sistemas, en el ámbito de los servicios de inversión, es servir de cobertura a los inversores cuando éstos no puedan obtener de una empresa de inversión o de una entidad de crédito, el reembolso de las cantidades de dinero o la restitución de los valores o instrumentos financieros que les pertenezcan y que aquellas tengan en depósito, con motivo de la realización de servicios de inversión (RD 948/2001 art.1).

8445 **Fondo de Garantía de Inversiones (FOGAIN)** Todas las sociedades de valores, agencias de valores, sociedades gestoras de carteras españolas y las empresas de asesoramiento financiero, salvo que gestionen sistemas organizados de negociación, han de crear y **formar parte** de un FOGAIN. Hay que matizar que alcanza también a los clientes de sociedades gestoras de instituciones de inversión colectiva que confíen en las precitadas entidades valores y efectivo con el fin de que gestionen carteras cuando concurran las mismas circunstancias de insolvencia que se exigen para aquéllas y que se indican seguidamente.

8447 El FOGAIN cubre los siguientes **servicios o actividades**:

a) Los servicios contemplados en LMV art.125, que sean prestados en la UE por la empresa de servicios de inversión afectada, si dieran lugar a que la misma cuente con depósito de dinero o valores e instrumentos financieros de sus clientes.

b) La actividad complementaria que figura en LMV art.126.a), siempre que el depósito y registro de los valores o instrumentos de los clientes se lleve a cabo por la empresa de servicios de inversión **dentro de la UE**.

c) Los servicios y actividades complementarias recogidas en los apartados a) y b) previos que se realicen **fuera del territorio de la UE**, salvo que se desarrollen en territorios considerados como paraísos fiscales por la legislación vigente o en un país o territorio que no cuente con órgano supervisor de los mercados de valores, o si, pese a existir, no colabora con la CNMV al no intercambiar información.

Dicho fondo de garantía atenderá a los supuestos en los que no se produzca la restitución por sus entidades adheridas por las situaciones de insolvencia que se indican más adelante, ya sea del dinero o de los valores o instrumentos financieros de sus clientes que estén vinculados con las actividades y servicios previamente señaladas. Es importante aclarar que el FOGAIN **no cubre** las pérdidas del valor de la inversión o cualquier riesgo de crédito. Asimismo, las inversiones en bienes tangibles (sellos, árboles, obras de arte, animales exóticos, etc.) tampoco se benefician de la cobertura del FOGAIN, ya que no se trata de inversiones financieras.

8449 Las **circunstancias de insolvencia** que determinan que opere la cobertura del FOGAIN son las siguientes:

1) **Concurso** de acreedores de la entidad afectada, bien porque haya sido declarado judicialmente, bien por tenerse por solicitada la declaración de concurso.

2) Declaración administrativa de la CNMV indicando que, de acuerdo con los hechos conocidos por la misma y debido a motivos relacionados directamente con su **situación financiera**, la empresa de servicios de inversión no puede cumplir las obligaciones respecto de los inversores. Para ello, es necesario que hayan transcurrido 21 días desde que el inversor hubiera solicitado sin éxito la restitución de sus bienes (efectivo o valores).

El fondo de garantía de inversiones se ha de constituir como un **patrimonio separado**, sin personalidad jurídica -a diferencia del FGD de Entidades de Crédito-.

La representación y gestión del fondo se encomienda a una **sociedad gestora**, que ya ha sido constituida y sus estatutos aprobados por la CNMV.

El **límite máximo cubierto** por el FOGAIN es de 100.000 euros por inversor. Dicha cantidad se refiere al valor monetario de la posición acreedora global de los inversores frente a la empresa de servicios de inversión afectada.

SECCIÓN 6

Tarjeta bancaria

La tarjeta es un soporte plástico de carácter electrónico, al que, además de la firma del titular, se le incorporan **datos físicamente representados** en el mismo (identificación del emisor; identificación, en su caso, de la entidad gestora; identificación del titular; fechas de emisión y caducidad, etc.) y también **datos electromagnéticos** soportados en la correspondiente banda magnética (número de identificación personal o PIN -que responde a su significado en lengua inglesa: *personal identification number*- y/o en el chip. 8457
En el tráfico bancario, la tarjeta cumple la función de mecanismo de realización de numerosas **transacciones financieras**:
- bien mediante su presentación física, la introducción en el sistema de información y la firma de un recibo acreditativo o la introducción del código PIN;
- bien mediante la introducción física de la misma en un dispositivo de operación bancaria electrónica debidamente informatizado.

Precisiones En el caso de que sea utilizada en **operaciones de comercio electrónico**, y, particularmente, en **Internet** o **telefónicas**, nos encontramos con operaciones peligrosas en la mayoría de las ocasiones, debido a que no es infrecuente que se lleven a cabo sin que el titular se identifique electrónicamente. Basta con informar del número de la tarjeta, de la fecha de caducidad y del número de identificación del reverso para que la transacción se lleve a cabo.
En estos casos, lo deseable sería la implantación del **sistema SET** (*Secure Electronic Transaction*). Un camino previo es el uso actual, aunque no frecuente, del **sistema SSL** (*Secure Sockets Layer*). Es necesaria la implantación y generalización de una pasarela de pagos auténticamente segura.

Respecto a su **naturaleza jurídica**, si bien se ha llegado a plantear, erróneamente, que estamos en presencia de un título valor (Gete-Alonso), la generalidad de la doctrina (Uría, Broseta), así como la jurisprudencia del TS (TS 22-11-76) afirman que las tarjetas no son un título-valor, sino títulos de legitimación o impropios. 8459

Precisiones **1)** Se ha considerado a la tarjeta bancaria la **tercera generación de los medios de pago bancarios**. Hoy día, además de la incidencia en las técnicas de operativa bancaria, las tarjetas (al menos las de crédito) son objeto de reflexión por parte de la doctrina especializada, que tiene ante sí el reto de resolver los problemas planteados en torno al crédito al consumo y a la protección al usuario (Gómez Mendoza).
2) No siempre se utiliza de forma adecuada la **terminología**, puesto que se alude a tarjetas de crédito cuando no todas lo son en sentido estricto, en casos en los que el propósito es referirse a las **tarjetas electrónicas** o simplemente tarjetas, que serían los términos más correctos (Ramos Herranz). Pueden clasificarse principalmente en tarjetas de crédito -en sentido estricto-, de débito o de cargo diferido.

1. Clases

Las tarjetas no constituyen una figura uniforme, sino que presentan diversas modalidades. Se pueden clasificar en tarjetas: 8465
- no bancarias;
- bancarias.

8467 **Tarjetas no bancarias** Las tarjetas no bancarias (p.e. tarjetas de grandes almacenes, llamadas tarjetas comerciales) adoptan en su forma más sencilla una **estructura bilateral**: son documentos emitidos por un **comerciante** para entregar a sus clientes, que incorporan el nombre y la firma del titular, y que permiten a éste el cargo diferido de la transacción realizada en el establecimiento del emisor -proveedor de bienes y servicios-, debiendo saldarse la cuenta periódicamente (en general, cada mes) mediante un cargo practicado en la **cuenta corriente bancaria asociada** al negocio jurídico y debidamente identificada.

Al tratarse de supuestos en los que se produce el **cargo diferido** podría estimarse que el establecimiento emisor concede crédito al titular de la tarjeta. En puridad no son tarjetas de crédito.

8469 **Tarjetas bancarias** Admiten, también, la fragmentación en dos subespecies:
- tarjetas indirectamente bancarias;
- tarjetas puramente bancarias.

8471 **Tarjetas indirectamente bancarias** Suelen ser tarjetas **de crédito** en sentido estricto, aunque también pueden ser de cargo diferido. Su estructura es la siguiente:

a) Existe un **emisor** (American Express, VISA...) que se obliga con los empresarios asociados a abonar, con el descuento concertado, cuantas facturas de gasto sean firmadas por titulares de la tarjeta que aquél emite.

b) Existe un **empresario minorista** que se asocia al sistema y que, al vender a sus clientes, no cobra al contado, sino que cobra (al emisor de la tarjeta, que le aplica un porcentaje pactado de descuento) al término del período pactado (normalmente, a fin del mes siguiente) y acumulando en una sola remesa todas las facturas producidas durante dicho período.

c) Existe un **usuario de la tarjeta** que contrata con el emisor de ésta (directamente o con la mediación de alguna entidad de crédito). En virtud de este contrato, el emisor concede un **límite de solvencia** al cliente, comprometiéndose dicho **emisor** a satisfacer todas las facturas que el titular firme con empresas asociadas, hasta dicho límite, y el **cliente** a reembolsar al emisor las cantidades por éste anticipadas. Este **reembolso** se produce, ordinariamente, mediante cargo en una cuenta corriente debidamente identificada y con disponibilidad a favor del usuario en alguna entidad de crédito.

8473 Incluso cuando la **entidad de crédito** no sea emisora de esta clase de tarjetas, tiene una misión fundamental como auxilio operativo de la misma. Por eso se las denomina indirectamente bancarias.

Las entidades que tienen por objeto la emisión y gestión de tarjetas de crédito pueden revestir la forma de **establecimientos financieros de crédito (EFC)** (RDL 19/2018, por remisión de la L 5/2015).

Las actividades de emisión y adquisición de instrumentos de pago -incluidas las tarjetas de débito y crédito- constituyen una **actividad reservada**, de tal manera que solo pueden prestarlas, con carácter profesional, los **proveedores** de servicios de pago (ver nº 8265).

8475 **Tarjetas puramente bancarias** Se distinguen dos tipos:
- de débito (o pago);
- de crédito.

1) La estructura de las tarjetas puramente bancarias **de crédito** en sentido estricto es idéntica a la vista para las indirectamente bancarias, con la salvedad de que la entidad emisora es la misma entidad de crédito (banco, caja de ahorros, cooperativa de crédito...) en la que previamente ha sido abierta cuenta por el cliente, y que bajo la nueva regulación de servicios de pago también puede ser una entidad de pago -si bien estas últimas no tienen el carácter de entidad de crédito-. En relación con ellas nos remitimos al estudio realizado en nº 8515 de esta obra.

2) Las tarjetas puramente bancarias **de débito** (nº 8505), son aquellas que se conciben como un simple instrumento de disponibilidad de un dinero previamente depositado en la cuenta abierta en la entidad de crédito emisora. Los establecimientos financieros de crédito, al no poder admitir depósitos en efectivo del público, no pueden emitir estas tarjetas.

Así pues, cualquier **disposición de efectivo** (cajero) realizada con el auxilio electrónico de la tarjeta origina el correspondiente cargo en la cuenta, lo mismo que ocurre si la disposición no es en efectivo sino mediante la **adquisición**, pagando con la tarjeta, de un determinado bien (alimentos, etc.) o servicio (cine, etc.), bien presentándola físicamente en un comercio dotado de los denominados **TPV** (terminal de punto de venta), o en **operaciones a distancia** -electrónicas o no-.

Desarrollo de las tarjetas de débito son los **monederos electrónicos**: tarjetas de débito de cuantía limitada y recargables automáticamente hasta el límite pactado mediante la debida instrucción electrónica. Su implantación no ha sido la esperada. 8477
Un tipo especial de monedero electrónico lo constituye el **dinero electrónico** (L 21/2011; RD 778/2012), que se define como valor monetario representado por un crédito exigible a su emisor:
- almacenado en un soporte electrónico;
- emitido al recibir fondos de un importe cuyo valor no será inferior al valor monetario emitido;
- aceptado como medio de pago por empresas distintas del emisor.

Son frecuentes los contratos entre el proveedor de servicios de pago (entidad de crédito o entidad de pago) y la sociedad emisora de tarjetas, con la finalidad de que el primero emita tarjetas de crédito bajo el auspicio de la segunda, lo que permite aprovechar la estructura organizativa de ambas empresas. A estas se les suele denominar **tarjetas trilaterales** (Gómez Mendoza).

Precisiones Ver también la OM ECE/1263/2019, sobre **transparencia** de las condiciones y requisitos de información aplicables a los servicios de pago, y la OM EHA/2899/2011 de transparencia y protección del cliente de servicios bancarios (modificada por OM ECE/482/2019; OM ECE/1263/2019 y OM ETD/699/2020).

2. Relaciones negociales conexas

La tarjeta bancaria es un **mecanismo de disposición** de dinero contra una provisión de fondos preexistente. Con ella se pretenden **extinguir deudas** nacidas de relaciones comerciales normalmente realizadas en el ámbito del comercio minorista. 8480
Existen dos **negocios jurídicos previos** e imprescindibles sin los cuales carece de sentido la emisión de la tarjeta:
a) El negocio entre el titular de la tarjeta y la entidad emisora: normalmente vinculado a un contrato de depósito a la vista.
b) El negocio entre el titular de la tarjeta y el prestador de bienes o servicios. La deuda nacida del contrato queda extinguida con la utilización de la tarjeta.
c) El negocio entre el prestador de bienes o servicios y la entidad emisora y/o gestora de la tarjeta. De no existir un acuerdo previo entre ambos, el titular de la tarjeta ni siquiera podría intentar su utilización.

Precisiones 1) El RDL 19/2018 art.28 a 33 y la OM ECE/1263/2019 establecen determinados **requisitos de transparencia y de información** aplicables a los servicios de pago, resolución y modificación del contrato marco, así como derechos y obligaciones en relación con la prestación y utilización de servicios de pago, que deben reflejarse en el contrato que documente el servicio de pago. No obstante, cuando el usuario del servicio de pago no sea un consumidor, las partes pueden acordar que determinadas previsiones no se apliquen.
2) En la medida que articulan un servicio de pago, tanto el **contrato de emisión de la tarjeta** (entre el emisor de la tarjeta y el titular de la misma) como el contrato en virtud del cual el comerciante acepta dicha tarjeta (entre el establecimiento adherido al sistema y el emisor de la tarjeta) deben cumplir con las exigencias de la regulación española de servicios de pagos (RDL 19/2018; RD 736/2019; OM ECE/1263/2019).

Contrato entre el titular y la entidad emisora Se trata del estipulado entre, de un lado, el titular de la tarjeta y, de otro, la entidad bancaria o la entidad que emite directamente la tarjeta, por el que esta última presta principalmente **servicios de pago** -y por el que permite la disposición en cajeros automáticos, entre otros servicios- y concesión de **crédito** -si se trata de una tarjeta de crédito en sentido estricto y también en cierta medida en las de cargo diferido-. 8482

Obligaciones de la entidad emisora Son las siguientes: 8484
a) La entidad emisora se obliga al **suministro de la tarjeta** -teniendo el cliente la obligación de pago de una comisión de renovación-, a ejecutar las **órdenes de pago** dadas por el cliente, cuando este último utiliza la tarjeta -en el establecimiento, ya sea físico o virtual, o en un cajero-, al igual que a **bloquear el uso** de la tarjeta a petición del cliente. Si la tarjeta es de crédito en sentido estricto, la entidad emisora tendrá también que entregar el importe del crédito o poner a disposición del titular de la tarjeta los importes pactados.
b) Cerciorarse de que los elementos de **seguridad** únicamente son accesibles para el titular de la tarjeta, asumiendo los riesgos derivados del envío de la tarjeta y del número de identificación personal (NIP). Esta segunda obligación tiene importancia, porque impone vía legislativa las reiteradas recomendaciones dadas a las entidades de crédito por el Banco de España -particularmente para que siguieran las buenas prácticas y usos bancarios delimitados por el

Servicio de Reclamaciones del Banco de España-, obligando a que se abstengan de enviar **tarjetas no solicitadas** -salvo que el envío sea para sustituir a una tarjeta anterior, p.e. ante la caducidad de la misma o el robo o sustracción de ésta, y, en todo caso, la sustitución ha de ser gratuita-. Esta última obligación sigue en sentido casi idéntico la Dir 2015/2366/UE art.70.1.b.
De igual modo, ha de poner a disposición del titular de la tarjeta medios adecuados y gratuitos para que comunique la **pérdida, sustracción o utilización fraudulenta** de dicha tarjeta, al igual que impedir su utilización tras comunicar las circunstancias anteriormente señaladas.

8486 **Obligaciones del titular de la tarjeta** Le corresponde custodiar y utilizar con la **diligencia** debida la tarjeta, mantener en **secreto** el número de identificación de la misma, pagar la **comisión** de renovación y comunicar su **pérdida o robo**.
Se impone al titular de la tarjeta un uso de ella, adecuándose a las condiciones -normalmente condiciones generales de la contratación- que disciplinan la emisión y utilización. Se establece, en concreto, la obligación de tomar las medidas razonables para proteger sus **credenciales de seguridad personalizadas** facilitadas por la entidad emisora (RDL 19/2018 art.41.a); la referencia a la razonabilidad es una pauta de comportamiento, de diligencia, usada en el Derecho anglosajón, cada vez más presente en nuestro ordenamiento jurídico.
De igual manera, por imposición legal ahora, tiene que notificar «sin demoras indebidas» en cuanto tenga conocimiento de ello el **extravío, sustracción o utilización no autorizada** a la entidad que señale la entidad emisora de la tarjeta (RDL 19/2018 art.41.b).
Si la tarjeta es de **crédito** en sentido estricto, el titular de la tarjeta ha de pagar la cantidad entregada, más los intereses correspondientes. El uso de una tarjeta de crédito en sentido estricto como tarjeta de pago (p.e. en un cajero automático) implica el pago de la correspondiente comisión.

8488 **Responsabilidad del emisor y del titular de la tarjeta** El nivel de responsabilidad del **emisor** es alto. El emisor ha de devolver de inmediato el importe de la operación a la cuenta del titular de la tarjeta ante la realización de una operación de pago no autorizada. La responsabilidad es absoluta, eso sí con las **limitaciones** que veremos más adelante.
La responsabilidad del **titular de la tarjeta** de pago se articula del modo que sigue:
1) Primera limitación: el titular de la tarjeta podrá quedar obligado a soportar, hasta un **máximo** de 50 euros, las pérdidas derivadas de operaciones de pago no autorizadas resultantes de la utilización de un instrumento de pago extraviado, sustraído o apropiado indebidamente por un tercero, salvo que:
a) Al titular no le resultara posible detectar la pérdida, la sustracción o la apropiación indebida de la tarjeta antes de un pago, salvo cuando el propio ordenante haya actuado fraudulentamente.
b) La pérdida se debiera a la acción o inacción de empleados o de cualquier agente, sucursal o entidad de un proveedor de servicios de pago al que se hayan externalizado actividades.
2) Segunda limitación: el titular de la tarjeta soportará el **total de las pérdidas** derivadas de operaciones de pago no autorizadas si ha actuado fraudulentamente o ha incumplido, deliberadamente o por negligencia grave, una o varias de las obligaciones a su cargo (RDL 19/2018 art.41 y 46).

8490 **3)** Tercera limitación: el titular de la tarjeta quedará **exento** de toda responsabilidad en caso de sustracción, extravío o apropiación indebida de un instrumento de pago cuando las operaciones se hayan efectuado de forma no presencial utilizando únicamente los datos de pago impresos en el propio instrumento, siempre que no se haya producido fraude o negligencia grave por su parte en el cumplimiento de sus obligaciones de custodia del instrumento de pago y las credenciales de seguridad y haya notificado dicha circunstancia sin demora.
4) Cuarta limitación: si el proveedor de servicios de pago del ordenante no exige **autenticación reforzada** de cliente, el ordenante solo soportará las posibles consecuencias económicas en caso de haber actuado de forma fraudulenta.
5) Quinta limitación: tras la **comunicación del extravío o sustracción** de la tarjeta, el titular de la tarjeta no soportará consecuencia económica alguna por la utilización de un instrumento de pago extraviado o sustraído, salvo actuación fraudulenta por su parte.
6) Sexta limitación: si la entidad emisora **no tiene disponibles medios** adecuados para que pueda notificarse en todo momento el extravío o la sustracción de una tarjeta, el titular de la misma no será responsable de las consecuencias económicas que se deriven de la utilización de dicho instrumento de pago, salvo en caso de que haya actuado de manera fraudulenta.

La **carga de la prueba** de que el titular de la tarjeta se ha autenticado y de que la operación de pago ha sido ejecutada correctamente recae sobre el proveedor de servicio de pago -la entidad emisora de la tarjeta- (RDL 19/2018 art.44). No basta, necesariamente, con el **registro de las operaciones** del emisor de la tarjeta como prueba en contra de su titular. **8492**

En las **medidas de seguridad**, existen dos etapas -al igual que ha venido sucediendo a lo largo de los años con otras operaciones, como son las llevadas a cabo en cuenta corriente bancaria y, particularmente, la autorización y emisión de cheques, hay dos **fases de verificación** (Ramos Herranz)-:

1) Las verificaciones **anteriores a la apertura de la cuenta corriente** bancaria -o depósito en cuenta corriente- a la que va asociada el contrato de tarjeta:
- es esencial la identidad del/de los contratante/s;
- específicamente en esta etapa ha de recabarse la firma autógrafa -digitalizando la misma-;
- junto con la firma han de constar otros datos para que la entidad de crédito -emisora de la tarjeta- pueda hacer comprobaciones posteriores ante una incidencia -que puede consistir, por ejemplo, en el olvido de la clave de acceso por parte del titular de la tarjeta-.

2) La entidad emisora una vez que ha sido **emitida la tarjeta** debe colaborar para que no se produzcan usos fraudulentos o no autorizados: tanto en el envío de la tarjeta y la activación de la misma, como atendiendo inmediatamente todas las comunicaciones ante pérdidas, sustracciones o falsificaciones de tarjetas, bloqueando el uso de las mismas para evitar que se produzcan usos por titulares ilegítimos.

Precisiones En un supuesto de estafa denominada «**SIM swapping**» consistente en duplicar de forma fraudulenta la tarjeta SIM del teléfono móvil de una persona suplantando su identidad, para posteriormente, una vez que la víctima se queda sin servicio telefónico, acceder a su información personal y tomar el control de su banca digital utilizando los SMS de verificación que llegan al número de teléfono, se demostró que se trataba de **operaciones no autorizadas por el cliente**, siendo la entidad bancaria la responsable de devolver el importe de la operación no autorizada de inmediato (RDL 19/2018 art.45). Asimismo, el Tribunal sentenciador hace un llamamiento a la lógica de que, si ha sido la banca la que principalmente se ha beneficiado de las nuevas tecnologías, abaratando costes con el sistema de convertir a los clientes en una especie de empleados suyos sin sueldo, lo que le permite cerrar sucursales y despedir empleados, justo es que se haga cargo de ese margen de riesgo que ha introducido el uso de las nuevas tecnologías y que antes, cuando las operaciones se hacían presencialmente, era inexistente (AP Zaragoza 17-11-22, EDJ 811906).

Contrato entre el titular y el proveedor de bienes o servicios Es el contrato realizado entre el titular de la tarjeta y el proveedor de bienes o servicios adherido al sistema por virtud del cual: **8494**
- el proveedor de bienes o servicios adherido realiza una prestación a favor del titular de la tarjeta;
- éste queda obligado a pagar el precio de esa prestación;
- el pago queda verificado (salvo buen fin) mediante la utilización del mecanismo técnico de la tarjeta.

Se plantean dos **cuestiones relevantes** en esta relación negocial (Gómez Mendoza): **8496**

1) En primer lugar, si la utilización de la tarjeta produce los **efectos del pago**.

El establecimiento no recibe moneda de curso legal. Entonces, para argumentar la **eficacia solutoria** (pago) de la tarjeta habría que argumentar que ésta puede llegar a considerarse como un documento de los explicitados en el CC art.1170 (pagarés a la orden, letras de cambio u otros documentos mercantiles). Sin embargo, no parece posible esta calificación jurídica porque la tarjeta **no** es un **título-valor**.

Para algún sector la doctrina, a partir de la realización del pago mediante la tarjeta, el establecimiento adherido se convierte en acreedor del único deudor que ya queda: la entidad emisora y/o gestora de la tarjeta (Gete-Alonso). Se ha producido, pues, una **novación** por cambio de deudor en la obligación dineraria (CC art.1205).

2) La segunda cuestión es si el titular de la tarjeta tiene **derecho a usarla**, aún contra la negativa de los responsables del proveedor de bienes o servicios adherido.

Es frecuente que la entidad emisora deje claramente predispuesta la **exoneración de su responsabilidad** para el caso de que el proveedor de bienes o servicios se negase a aceptar la utilización por el titular de la tarjeta como medio de pago.

Ahora bien, parece justo afirmar que, si el establecimiento adherido, **exhibe públicamente el logotipo** característico de la tarjeta, está manifestando una declaración unilateral de su voluntad de aceptar tal utilización. Consecuentemente, la negativa a aceptar la tarjeta cuando determinado cliente la presente genera **responsabilidad**.

Precisiones A pesar de lo señalado previamente, puede defenderse la **inexistencia de relación contractual** alguna entre el titular de la tarjeta y el proveedor de bienes o servicios establecimiento. Se ha reconocido la **responsabilidad extracontractual del establecimiento** -proveedor de bienes o servicios- frente al titular legítimo de la tarjeta.
Cuando la transacción, el pago con tarjeta, tiene lugar presentando físicamente la misma, se facilita la comprobación de determinados datos del titular de dicha tarjeta, por lo que se evitarían -o podrían evitarse- en mayor medida los usos no autorizados. En el caso analizado se estima que el establecimiento comercial incumple sus obligaciones en el marco del contrato de tarjeta con la entidad emisora, al no verificar la firma ni comprobar la identidad del portador de la tarjeta a través de la exhibición de un documento de identificación -DNI o similar-. Si se hubiera llevado a cabo la citada comprobación, es posible que el uso fraudulento no hubiese tenido lugar (AP Barcelona 5-6-09, EDJ 212867).

8498 **Contrato entre la entidad emisora y el proveedor de bienes y servicios** Es el que tiene lugar entre la entidad emisora y/o gestora de la tarjeta y el empresario titular del establecimiento físico mercantil -proveedor de bienes y servicios- en que se coloca el aparato (TPV) o que es titular de la página web que permite la utilización de la tarjeta.
El **proveedor de bienes y servicios** queda obligado a admitir la tarjeta como medio de pago de las transacciones comerciales descritas en el contrato.
La **entidad emisora y/o gestora** se obliga a pagar, en el plazo pactado, el conjunto de facturas presentadas por el proveedor de bienes y servicios justificadoras de transacciones pagadas mediante la utilización de la tarjeta. Es habitual que se pacte un **descuento** en el pago realizado por la sociedad.
Queda igualmente obligado a facilitar el **soporte técnico** necesario para el correcto funcionamiento de la tarjeta.

Precisiones 1) El riesgo derivado del **uso fraudulento** de la tarjeta, a falta de acuerdo expreso, ha de ser asumido por quien se beneficia del mismo, esto es, la entidad emisora de la tarjeta, respecto a la cual, el proveedor de bienes y servicios tiene la condición de usuario, y no de socio, por lo que no le corresponde compartir ese riesgo. Por lógica y buena práctica comercial, la entidad emisora debería tener asegurado ese riesgo. En cualquier caso, resulta injustificado el cargo realizado sobre el comerciante -proveedor de bienes y servicios- de la mitad del importe defraudado, por lo que procede su devolución (AP Málaga 7-5-01, EDJ 103163).
2) Aunque con la creación y utilización de las tarjetas de crédito se benefician las entidades financieras, ello no es motivo para hacerles cargar con las consecuencias del fraude cuando existe una **actuación negligente del proveedor de bienes y servicios** adherido al sistema de tarjeta (AP Sevilla 21-1-04, EDJ 307034).

3. Tarjeta de débito

8505 En el contrato de tarjeta de débito la **entidad emisora y gestora** de aquélla (que es una entidad de crédito) se obliga, frente al titular, a facilitar la realización de operaciones bancarias en su cuenta a través de la red de **cajeros automáticos** y/o pagar, con cargo a la cuenta bancaria que éste tiene abierta en ella, las **facturas** que le presenten al cobro los establecimientos adheridos, por las adquisiciones efectuadas en ellos mediante la utilización de la tarjeta (Gete-Alonso).
Su **naturaleza jurídica** viene delimitada por tres notas:
- es un **medio de pago**, con eficacia solutoria;
- es una **cesión contra precio** de un servicio bancario habitualmente prestado por la entidad emisora y/o gestora;
- es, como documento, un **título de legitimación**, y no un título-valor.

Las **fuentes reguladoras** de la tarjeta de débito son las propias de los contratos bancarios de adhesión y atípicos:
- declaraciones de voluntad contenidas en el formulario documental consentido;
- disposiciones generales de los contratos ubicadas en el Código de Comercio y en el Código Civil;
- leyes especiales que persiguen proteger al usuario de los servicios bancarios (LGDCU) e impedir los abusos en la utilización de condiciones generales (LCGC);
- leyes especiales reguladoras de los servicios de pago (RDL 19/2018; OM ECE/1263/2019).

Este contrato presenta **dos partes contratantes**:
- la entidad emisora y/o gestora, que ha de ser una entidad de crédito;
- su cliente, respecto del que no existen normas especiales.

Obligaciones de la entidad de crédito Se establecen las siguientes: 8507
- entregar la tarjeta;
- pagar las facturas presentadas en tiempo y forma por el establecimiento adherido;
- cumplir los encargos bancarios que el titular de la tarjeta le ordene a través de uno de los cajeros automáticos integrantes de la red.

Precisiones 1) La entidad de crédito debe responder por los **fallos del sistema** que vayan en perjuicio del usuario de la tarjeta, así como de la actuación negligente propia y la de los establecimientos adheridos. En el uso de la tarjeta, tanto una como otros deben cerciorarse de la **identidad** de los usuarios, comprobar la autenticidad de la **firma** y, en su caso, solicitar la exhibición de la oportuna **documentación** acreditativa.

No cabe exigir una diligencia extraordinaria a uno de los contratantes (titular de la tarjeta) y exonerar de la misma a los demás (profesionales), en una relación contractual en la que además de ventajas para el titular, se producen beneficios económicos a la entidad emisora y al comerciante (AP Baleares 28-5-04, EDJ 52283).

2) El **catálogo de obligaciones** de la entidad de crédito debe completarse con el que recoge la regulación de servicios de pago para el proveedor de servicios de pago (RDL 19/2018; OM ECE/1263/2019).

3) Se podría defender que las **entidades de pago** pueden emitir tarjetas de débito. Si bien las entidades de pago tienen prohibida la captación de depósitos u otros fondos reembolsables, los fondos recibidos por dichas entidades de los usuarios de servicios de pago para la prestación de servicios de pago no tienen dicha consideración (RDL 19/2018 art.10).

Obligaciones del titular Éstas son: 8509
- Pago de las comisiones pactadas.
- Utilización diligente de la tarjeta.
- Mantenimiento de provisión de fondos suficiente.

En ocasiones, en **ausencia de provisión de fondos**, es posible que la entidad de crédito financie a su cliente mediante la apertura del oportuno descubierto en cuenta corriente. En tal caso, la tarjeta de débito habría pasado a convertirse, materialmente, en verdadera tarjeta de crédito. Pero ésta es una situación excepcional que no permite afirmar una mutación general de la naturaleza jurídica.

Precisiones 1) Se ha entendido que existe **negligencia en la custodia de la tarjeta** cuando se tarda en comprobar que se había extraviado y en anularla. En el caso concreto, el titular de la tarjeta procedió a su anulación en el mes de noviembre, cuando recibió el extracto con los cargos realizados fraudulentamente en los meses de septiembre y octubre (AP Barcelona 21-3-05, EDJ 41223).

2) Se exime de responsabilidad a la entidad en un supuesto de uso fraudulento de la tarjeta por un tercero, cuando resulta probado que existía, por parte del titular, una clara **falta de cuidado en la custodia** de la tarjeta y del número secreto, además del hecho de que realizó la comunicación de la pérdida con un retraso de 42 días (AP Castellón 5-11-03, Rec 204/03).

3) La regulación de servicios de pago prevé que el titular de la tarjeta podrá **soportar, hasta un máximo** de 50 euros, las pérdidas derivadas de operaciones no autorizadas resultantes de la utilización de la **tarjeta extraviada, sustraída** o apropiada indebidamente por un tercero, salvo que:
- al titular no le resultara posible detectar la pérdida, la sustracción o la apropiación indebida de la tarjeta antes de un pago, salvo cuando el propio ordenante haya actuado fraudulentamente; o
- la pérdida se debiera a la acción o inacción de empleados o de cualquier agente, sucursal o entidad de un proveedor de servicios de pago al que se hayan externalizado actividades.

El titular soportará **todas las pérdidas** derivadas de operaciones de pago no autorizadas si las mismas se deben a una actuación fraudulenta por su parte, o si derivasen del incumplimiento, deliberado o por negligencia grave, una o varias de las obligaciones a su cargo (RDL 19/2018 art.41 y 46). En esos casos, no será de aplicación el importe máximo.

4) Cuando las tarjetas son utilizadas en **operaciones de comercio electrónico** -incluyendo **Internet** o por **teléfono**-, se dificulta la comprobación de la identidad del titular de la tarjeta, debido a que normalmente solo se solicita por el prestador de bienes o servicios el número de la tarjeta, la fecha de caducidad y el código del reverso; de manera que cualquier portador ilegítimo podrá pasar fácilmente tales filtros y realizar operaciones fraudulentas. Las **pasarelas seguras de pago** en Internet permitirían evitar y rastrear tales operaciones. En todo caso, el titular de la tarjeta quedará **exento de toda responsabilidad** en caso de sustracción, extravío o apropiación indebida de la misma cuando las operaciones se hayan efectuado de forma no presencial utilizando únicamente los datos de pago impresos en el propio instrumento, siempre que no se haya producido fraude o negligencia grave por su parte en el cumplimiento de sus obligaciones de custodia del instrumento de pago y las credenciales de seguridad y haya notificado dicha circunstancia sin demora.

4. Tarjeta de crédito

8515 Es aquel contrato mediante el que la **entidad emisora y/o gestora** de la tarjeta -que es una entidad de crédito o una entidad de pago- se obliga frente al titular de la misma a poner a su disposición una cierta cantidad de dinero que ha de pagar a determinadas personas (los establecimientos adheridos) durante un plazo o plazos preestablecidos, previa utilización de un documento que la entidad facilita, y a la prestación, en su caso, de otros servicios (Gete-Alonso). Por su parte, el **titular** de la tarjeta debe cumplir con las obligaciones que se exponen en nº 8525.

Su **naturaleza jurídica** viene delimitada por tres notas:

- es un instrumento de crédito, que, como cualquier otro, permite el acceso a la propiedad a través del mecanismo de la financiación;
- es una cesión contra precio de un servicio bancario habitualmente prestado por la entidad emisora y/o gestora;
- como documento, es un título de legitimación, y no un título-valor.

Las **fuentes reguladoras** de la tarjeta de crédito son:

a. Las declaraciones de voluntad contenidas en el formulario documental consentido.

b. Las disposiciones generales de los contratos ubicadas en el Código de Comercio y en el Código Civil.

c. Las leyes especiales que persiguen proteger al usuario de los servicios bancarios (LGDCU) e impedir los abusos en la utilización de condiciones generales (LCGC).

d. Las leyes especiales reguladoras de los servicios de pago (RDL 19/2018; OM ECE/1263/2019).

e. L 16/2011, de contratos de crédito al consumo (LCCo).

También hay que tener en cuenta que existe **crédito** de la entidad emisora y/o gestora a favor del titular de la cuenta, por lo que respecto de esa relación jurídica de financiación son de aplicación las normas reguladoras del préstamo bancario de dinero (CCom art.311 a 324).

Este contrato presenta dos **partes contratantes**:

- la entidad emisora y/o gestora, que ha de ser una entidad de crédito;
- su cliente, respecto del que no existen normas especiales.

8517 **Clasificación** Dentro de las tarjetas de crédito, según el crédito que conceden, pueden clasificarse en:

a) **Corto**: el importe de los bienes o servicios obtenidos deberá reintegrarse en un máximo de 30 días.

b) **Diferido**: en más de 30 días, ya sea pagando un porcentaje o una cantidad mensual.

c) **Crédito «revolving», revolvente o rotativo**: existe una cantidad límite de disposición por el titular de la tarjeta, que se puede volver a disponer conforme se vayan cancelando las deudas anteriores.

Precisiones En relación con el **carácter usurario** o no de los intereses pactados en relación con una tarjeta de crédito «revolving», ver nº 4484. Sobre las especiales **obligaciones de información** en caso de crédito revolving, ver nº 8650.

8519 **Forma** El contrato entre la entidad emisora y el titular de la tarjeta es un **contrato de adhesión**. Aunque teóricamente es un contrato no formal, en la práctica requiere **forma escrita**, ya que:

- las **entidades de crédito** están obligadas a entregar a los clientes un ejemplar del documento contractual (OM EHA/2899/2011 art.7.1); y
- el **proveedor de servicios de pago** (el emisor) debe entregar al usuario, en papel u otro soporte duradero, un folleto con la información y las condiciones generales que vayan a incluirse en el contrato (OM ECE/1263/2019 art.13.1).

8521 **Obligaciones del proveedor de servicios de pago** Se establecen las siguientes:

a) Concesión de crédito. Normalmente suele quedar limitado a una cierta suma. Sin embargo, es habitual que la entidad admita que su cliente (titular de la tarjeta) exceda el límite de crédito pactado. Para tal circunstancia, que nunca se permite que sea persistente ni cuantitativamente desproporcionada, se pactan condiciones de tipo de interés penalizadoras.

b) Entrega de la tarjeta. El carácter personalísimo de la entrega exige un particular deber de diligencia profesional a observar por la entidad emisora. Es frecuente la utilización de códigos secretos de acceso a los servicios de la tarjeta (PIN). Adicionalmente, el emisor soporta los **riesgos** que puedan derivarse del envío de la misma a su titular, tanto de la tarjeta como de cualquier elemento de seguridad personalizado de la misma (RDL 19/2018 art.42.2).

c) **Asunción de deuda**. Se produce en el supuesto en que la tarjeta de crédito es utilizada con la misma función que la de débito, esto es, para adquirir bienes, derechos o servicios contra el pago mediante la tarjeta.
De producirse tal hipótesis, la única diferencia sustantiva entre una tarjeta y otra sería la de existencia de previa provisión de fondos de propia titularidad (tarjeta de débito) o inexistencia de la misma, como ocurre en el caso de la tarjeta de crédito, en que los fondos, existiendo, pertenecen al financiador, que los presta.
d) Implantación de una **red comercial suficiente**. En otro caso carecería de justificación el cobro de las comisiones.

Deberes adicionales y cargas Junto a las obligaciones señaladas, la entidad asume otras que se corresponden con el concepto de deberes adicionales y cargas: **8523**
1) **Deberes adicionales**. Éstos son:
a. Informar al titular de la tarjeta de las diversas operaciones llevadas a cabo con la tarjeta en el momento pactado.
b. Comunicar las diversas vicisitudes que puedan originarse en relación a su cuenta (irregularidades, descubiertos, cancelación de la tarjeta, renovación de la misma, etc.).
c. Mantener los dispositivos y medios técnicos a través de los que opera la tarjeta en el estado adecuado para permitir que ésta pueda utilizarse (deber de colaboración).
d. Poner a disposición del titular los medios a través de los cuales éste pueda ponerse en contacto con la entidad a fin de comunicar el extravío, sustracción o falsificación de la tarjeta.
2) **Cargas**. Se establecen las siguientes:
a. Comprobar que la factura que se le presenta es idónea.
b. Efectuar el bloqueo de los dispositivos de los medios técnicos a través de los que opera a partir de la comunicación de extravío o sustracción de la tarjeta.
c. Conservar y llevar los registros en los que queden anotadas las operaciones efectuadas con la tarjeta.

Precisiones 1) El **catálogo de obligaciones** de la entidad debe completarse con el que recoge la regulación de servicios de pago para el proveedor de servicios de pago (RDL 19/2018; OM ECE/1263/2019). A título de ejemplo, la obligación de impedir cualquier utilización del instrumento de pago una vez que el titular haya comunicado su extravío, sustracción o utilización no autorizada (RDL 19/2018 art.42.1.e).
2) No hay que olvidarse de las «**clonaciones**» de tarjetas; modalidad que consiste en sustraer la tarjeta del lugar donde la custodia el titular para clonarla y devolverla a dicho lugar, de manera que es difícil que el titular de la tarjeta lo detecte inmediatamente, facilitando con ello la oscura finalidad de los sustractores en estas operaciones.

Obligaciones del titular

Se establecen las siguientes: **8525**
a. Pagar la cuota por utilización de la tarjeta.
b. Amortización del principal dispuesto en los plazos pactados.
c. Pago de los intereses debidos, según los tipos pactados.
d. Utilizar diligentemente la tarjeta.

Precisiones 1) La firma del recibo de la transacción electrónica realizada con tarjeta de crédito por quien no era titular de la tarjeta constituye un delito de **falsedad en documento mercantil** (TS 25-6-98, EDJ 7143).
Los **resguardos** de las compras efectuadas en establecimientos mercantiles con tarjeta de crédito tienen carácter de documentos mercantiles a los efectos penales (TS 27-5-00, EDJ 13852).
2) Sobre la responsabilidad por **robo o extravío** de la tarjeta, ver nº 8509.

SECCIÓN 7

Préstamo bancario

8530

I. Cuestiones generales

8535 El **concepto** del préstamo bancario no es diferente del concepto de préstamo mercantil ordinario (nº 4455 s.). La distinción no radica en la sustantividad del negocio, sino en la especialidad de una de sus partes: la entidad de crédito.
El préstamo bancario es aquel mutuo (o préstamo de dinero) en el que una de las partes es necesariamente una **entidad de crédito**, que entrega a la otra parte (cualquier persona física o jurídica) dinero u otra cosa fungible con la condición de devolver otro tanto de la misma especie y calidad.
La **remuneración** (tipo de interés) es un elemento no esencial del contrato, sino solamente natural. Por eso es posible el pacto de intereses sin desnaturalizar el contrato (CCom art.314 y 315). En el préstamo bancario la remuneración está siempre presente.
El préstamo bancario puede ser de dos **tipos**:
1) Préstamo **dinerario**. El préstamo bancario de dinero es el caso general (en adelante, préstamo bancario), que examinamos a continuación.
2) Préstamo **de especie**. El más importante en el tráfico bancario es el préstamo de valores (nº 4549).

8537 Por lo que se refiere a la **naturaleza jurídica** del préstamo bancario, la práctica totalidad de la doctrina (Garrigues, Uría, Sánchez Calero y García Villaverde) y la jurisprudencia (TS 9-5-44) consideran que, siempre que un contrato revista el carácter de operación bancaria, puede ser calificado como **mercantil**. La mercantilidad es irrefutable cuando se trata de préstamos bancarios con garantía de valores hechos en escritura pública o póliza notarial (CCom art.320 a 324).

8539 En cuanto a la **normativa aplicable** a los préstamos bancarios, hay que diferenciar dos ámbitos:
• Normas **jurídico-privadas**. Éstas son:
- la voluntad privada de las partes (CC art.1091), sin perjuicio del control sobre las condiciones generales (nº 8065 s.);
- Código de Comercio;
- Código Civil (CCom art.50);
- normas generales de la contratación, en cuanto sean compatibles con la naturaleza del contrato;
- RDLeg 1/2007, por el que se aprueba el Texto refundido de la Ley general para la defensa de los consumidores y usuarios (LGDCU);
- las normas generales sobre publicidad -L 34/1988 (LGPu)-;
- las normas reguladoras de la libre competencia -L 15/2007 (LDC)- y de la competencia leal -L 3/1991 (LCD)-;
- L 7/1998 sobre condiciones generales de contratación (LCGC);

- L 5/2019, reguladora de los contratos de crédito inmobiliario;
- RD 309/2019, por el que se desarrolla parcialmente la L 5/2019 reguladora de los contratos de crédito inmobiliario.
• Normas **jurídico-públicas**. Como son las normas sobre transparencia bancaria (nº 7870).

A. Características del préstamo bancario de dinero

El préstamo bancario, en tanto que préstamo de dinero, se caracteriza por las siguientes notas: 8545
a. Es un contrato **típico** al calificarse como préstamo mercantil, pero solamente nominado en cuanto préstamo meramente bancario.
b. Es un contrato **real** (se perfecciona con la entrega), en principio, partiendo de su configuración en los códigos -CCom y CC- (nº 8572).
c. No requiere **forma** especial, salvo las excepciones establecidas en el nº 8561.
d. Es **oneroso** naturalmente, no esencialmente. El devengo de intereses en los préstamos mercantiles ha de pactarse por escrito (CCom art.314).
e. Es un contrato **unilateral**, en principio (nº 8572).
f. Es **traslativo del dominio** de las sumas prestadas, por su condición de mutuo (préstamo de dinero).
g. Es **conmutativo**.
h. Es un contrato de **tracto sucesivo**.
i. Generalmente, es un contrato de **adhesión**: el prestamista-predisponente presenta al prestatario un formulario contractual pre-impreso con escasas posibilidades de modificación (nº 8065 s.).

Precisiones 1) Es admisible la interposición de una **tercería de mejor derecho** hasta el momento inmediatamente anterior al pago al acreedor ejecutante, entendido como acto físico de entrega de numerario. La interposición de la demanda de tercería produce, por otra parte, el efecto procesal de impedir la entrega del dinero, ya que desde ese momento no es legítimo el pago. El banco tercerista es de mejor derecho y así lo reconoce el Tribunal Supremo, al estimar no haber lugar al recurso, por disponer de una póliza intervenida por fedatario público, que se asimila a la escritura pública, determinándose la deuda del prestatario desde el otorgamiento del préstamo, mientras que la recurrente ostentaba un crédito incorporado a letras de cambio de vencimiento posterior (TS 22-11-04, EDJ 183460).
2) Aunque la doctrina mayoritaria y la jurisprudencia entienden que el préstamo es un **contrato real** (y, por lo tanto, unilateral), una corriente minoritaria defiende que se trata de un **contrato consensual** (y bilateral) (ver nº 4472).

El préstamo bancario reúne también algunos de los rasgos comunes a todo **contrato bancario** (nº 7884): 8547
• La mutua confianza debe presidir las relaciones entre los contratantes.
• Las obligaciones de pago que nacen a cargo del prestatario son, con habitualidad, aseguradas mediante alguno de los sistemas de garantía ordinarios en el Derecho español (garantía real, personal o de tipo procesal, como es la intervención de un fedatario público, ver nº 9045 s.).
• Son contratos sometidos al principio de especialización operativa (L 10/2014 art.3).

B. Clases

Por lo que se refiere a los **préstamos bancarios de dinero**, éstos pueden clasificarse conforme a los siguientes criterios: 8550
1) Por el **destino**, pueden ser:
- de inversión;
- de consumo.
2) Por la **garantía**, pueden ser con garantía:
- real: hipoteca o prenda;
- personal: fianza;
- procesal: intervención de un fedatario público, con la finalidad de dotar al documento contractual de la fuerza del documento público, de título ejecutivo y de soporte prelativo (nº 9140).
Mención especial requiere el **préstamo con garantía de valores** (CCom art.320 a 324), pues proporciona al acreedor los privilegios de preferencia, enajenación e irreivindicabilidad (nº 4561).
3) Por la **designación de los intereses**, pueden ser:
- a tipo fijo;
- a tipo variable.

4) Por el **número de prestamistas**, puede ser:
- ordinario;
- sindicado.

5) Por la **moneda**, pueden ser en moneda:
- nacional;
- extranjera.

Los principales tipos de préstamos bancarios se exponen en los nº 8605 s.

Precisiones El denominado usualmente **préstamo de firma**, no es un préstamo en sentido estricto, sino una garantía personal dada por la entidad de crédito a favor del acreedor de su cliente para asegurar el cumplimiento de las obligaciones que este último tiene con dicho acreedor.
Se rige por las reglas de la **fianza** (CCom art.439 a 442; CC art.1822 a 1856) o bien, si toma forma cambiaria, por las de la LCC art.37.

C. Elementos

8555 Se pueden diferenciar los siguientes elementos:
- partes contratantes (nº 8557);
- elementos objetivos del contrato (nº 8559);
- forma (nº 8561).

8557 **Partes contratantes** Éstas son:

1) El **prestamista**, que suele ser una entidad de crédito.

2) El **prestatario**, que puede ser:
- consumidor o usuario de los servicios bancarios (nº 7923), lo que convierte la operación en crédito al consumo (nº 8610);
- empresario -no consumidor, que actúa fuera de su ámbito profesional o empresarial- que destina la suma financiada a necesidades de su explotación mercantil.

Precisiones No cabe imputar las obligaciones propias del prestatario a una **sociedad mercantil** que no participó en el contrato de préstamo, dado que ninguno de los firmantes actuó en representación de aquélla, ni se aportó acuerdo alguno de su consejo de administración asumiendo la deuda, ni se demostró que el dinero obtenido ingresara en su patrimonio (TS 3-11-04, EDJ 159610).

8559 **Elementos objetivos** Se distinguen los siguientes:

a) La **cosa** (el dinero prestado). En cuanto al mismo no hay especialidades, salvo las establecidas para el préstamo en moneda extranjera (nº 8690).

b) El **precio** (el tipo de interés -precio-tasa- y las comisiones cobradas). Los intereses remuneratorios, en tanto que frutos civiles, se perciben día por día (CC art.474). Ese nacimiento diario es lo que se denomina **devengo** (CC art.1109; CCom art.314 y 317).

Por tanto, en el contrato de préstamo bancario de dinero, como en cualquier contrato con causa de financiación, el interés producido por la cantidad acreditada queda determinado en una concreta cifra (interés total o precio-suma). El **cálculo** de la misma se realiza utilizando la siguiente fórmula de quebrado:
- En el **numerador**: el capital dispuesto o saldo diario multiplicado por el tipo de interés pactado (precio-tasa) y por el tiempo transcurrido.
- En el **denominador**: el módulo-año elegido. La elección puede recaer en el módulo de año natural (365 días) o de año comercial (360 días). El primero genera un precio-suma inferior, pues el denominador es superior. El segundo, a la inversa.

Las especialidades en materia de **tipos de interés** se estudian en el nº 8578.

c) El **tiempo**, que es elemento esencial de cálculo del precio-suma en los contratos financieros. El contrato de préstamo siempre está sometido a un plazo. Si éste no aparece predeterminado ha de entenderse que abarca desde el momento de la perfección del contrato hasta el de la reclamación del acreedor (TS 15-10-04, EDJ 147760).

Precisiones Se aplica al contrato de préstamo el CCom art.317, regulador de esta figura en nuestro Derecho, por lo que los **intereses vencidos y no pagados** no devengarán nuevos intereses (AP Murcia 30-9-11, EDJ 238140).

8561 **Forma** No existe ningún precepto que exija forma escrita para el contrato de préstamo, por lo que en principio hay que afirmar que nos encontramos ante un **contrato no formal**.

Solamente puede decirse que es formal (con forma constitutiva) la **garantía hipotecaria** de un préstamo bancario (CC art.1875; LH art.145).

Sin embargo, es posible afirmar que, **en la práctica**, el contrato de préstamo bancario siempre se formaliza por escrito, ya que:

1. Los préstamos no devengan **interés** si no se pactan por escrito (CCom art.314).

2. La declaración de testigos no es por sí sola bastante para **probar la existencia** de un contrato cuya cuantía excede de 9 euros, si no concurre con alguna otra prueba (CCom art.51).
Por otro lado, es obligatoria la **entrega del documento contractual**.
Hay que aceptar, por tanto, que los préstamos bancarios siempre se formalizan por escrito en un documento contractual con características peculiares.

Rasgos comunes del documento contractual Los rasgos comunes a los múltiples **formularios** utilizados por las entidades de crédito pueden resumirse de la siguiente manera: **8563**
1) Es habitual que el prestamista-entidad de crédito requiera la intervención del negocio por parte de **fedatario público**.
2) En la práctica totalidad de los casos, el documento contractual pertenece a la categoría del **contrato de adhesión** con condiciones generales pre-redactadas por la entidad de crédito (predisponente) y aceptadas por su cliente (adherente).
La estructura del clausulado muestra dos apartados:
- las **condiciones económicas particulares**, fijadas tras la negociación entre la entidad-predisponente y el cliente-adherente;
- las **condiciones generales** respecto de las cuales el cliente bancario tiene escasas posibilidades de negociación: se adhiere o no se adhiere.
3) En aquellos supuestos en los que el cliente bancario tiene la consideración de **consumidor o usuario de servicios bancarios**, tiene entrada inmediata el bloque de normas protectoras de los intereses del mismo (nº 7923 y nº 8320). Todas las condiciones generales predispuestas en un contrato celebrado con consumidores deben reunir tres requisitos (LGDCU art.80 redacc L 4/2022).
- concreción, claridad y sencillez;
- accesibilidad y legibilidad;
- buena fe y justo equilibrio entre las prestaciones.
En relación con su **interpretación** nos remitimos a lo expuesto en nº 8065 s.

Precisiones **1)** Se establece la preferencia de una **póliza de préstamo intervenida** por fedatario público frente al derecho que se reconoce en una sentencia posterior que resuelve un juicio ejecutivo cambiario. A los efectos de determinar la prelación de créditos, resulta irrelevante la relación material subyacente, causa del libramiento de la letra de cambio ejecutada en la sentencia, y que no fue objeto de la litis (TS 13-6-00, EDJ 13847).
2) El **impreso de solicitud de un crédito** a una entidad de crédito, en el que se contienen datos para justificar la solicitud, no constituye documento mercantil a los efectos del delito de falsificación (TS 23-2-01, EDJ 2748).
3) No resultan preferentes los créditos instrumentados en póliza mercantil frente a los **garantizados mediante hipoteca** inscrita en el Registro de la Propiedad, aun cuando aquellos sean de fecha anterior (TS 13-6-03, EDJ 49249).
4) La preferencia entre dos títulos iguales la debe marcar la **fecha de las pólizas**, sin que sea relevante el hecho de que uno de los préstamos era a interés variable y se pactara que, para fijar la liquidez de la deuda, era exigible la previa liquidación del crédito total por el banco (TS 7-5-03, EDJ 9915).

Condiciones generales más usuales Las condiciones generales más usuales son las relativas a: **8565**
a. La **naturaleza mercantil** del contrato.
b. El sistema de **amortización** del principal y de liquidación de los intereses.
c. Los supuestos en que la entidad queda legitimada para declarar el **vencimiento anticipado** de la operación y las consecuencias de éste. Ver nº 8075.
d. Los derechos y obligaciones -particularmente, sobre los gastos que ha de satisfacer- del cliente en materia de **amortización anticipada o cancelación**.
e. La repercusión de los **gastos judiciales y extrajudiciales** e impuestos a cargo del cliente.
f. El **carácter solidario de los fiadores** con renuncia expresa de los beneficios de excusión, división y orden (CC art.1830 y 1837).

Precisiones No es válida la **sumisión expresa** a determinados tribunales contenida en contratos de adhesión, o que contengan condiciones generales impuestas por una de las partes, o que se hayan celebrado con consumidores y usuarios (LEC art.54.2).

D. Obligaciones de los contratantes

Se establece el siguiente **contenido del contrato**: **8570**
- obligaciones del prestamista;
- obligaciones del prestatario.

8572 **Obligaciones del prestamista** Conforme a la postura mayoritaria, el préstamo bancario de dinero es **real y unilateral**. Por ser unilateral, solamente es fuente de obligaciones para el prestatario y no existen obligaciones para el prestamista.
En la **práctica**, es posible pactar el carácter **consensual** del préstamo mercantil, esto es, su perfección por el mero consentimiento de las partes, sin necesidad de la entrega de la cosa al prestatario. Por lo que se refiere al carácter unilateral del préstamo, dado que en el caso que nos ocupa su carácter gratuito es puramente residual y que, casi siempre, se pacta con intereses, se puede decir que el intercambio de prestaciones es similar al de los contratos **bilaterales** (González Vázquez).
Otra cosa es el nacimiento de una serie de **obligaciones jurídico-públicas**, principalmente en lo que se refiere con la colaboración con la Administración (nº 8159 s.).

8574 **Obligaciones del prestatario** Éstas son:
- la restitución del capital (obligación principal);
- el pago de intereses (obligación accesoria).

8576 **Obligación de devolución del principal** La restitución del principal está determinada por dos principios (CCom art.312):
1) El **principio traslativo** establece que el que recibe en préstamo dinero u otra cosa fungible, adquiere su propiedad, y está obligado a devolver al acreedor otro tanto de la misma especie y calidad (*tantundem*) (CC art.1753).
En definitiva, el **prestatario** (cliente bancario), adquiere la propiedad de la cosa, mientras que el **prestamista** (entidad de crédito) pierde tal derecho real, pero gana, en sustitución, un derecho de crédito a la devolución del *tantundem*.
2) Según el **principio nominalista**, consistiendo el préstamo en dinero, el deudor ha de pagar devolviendo una cantidad igual a la recibida, de acuerdo con el valor legal que tuviese la moneda en el momento de la devolución, salvo que se hubiese pactado la moneda en que había de hacerse el pago, todo ello salvo que se pactase la moneda de pago, si es así, la alteración de su valor será en perjuicio o en beneficio del prestador (CCom art.312).
No obstante lo anterior, tanto la jurisprudencia como la doctrina admiten el pacto o **cláusula de estabilización**, así como, aunque muy restringidamente, la entrada de la **cláusula «rebus sic stantibus»**, que permite la resolución o revisión del contrato cuando se produzca una alteración sobrevenida y totalmente imprevisible de las circunstancias tenidas en cuenta por las partes en el momento de contratar, que rompa la equivalencia entre las prestaciones.
La obligación principal debe cumplirse en el **plazo pactado** o, en defecto de pacto (supuesto verdaderamente irreal en la práctica bancaria), pasados treinta días, a contar desde la fecha en la que se le hubiese requerido notarialmente (CCom art.313).

Precisiones El Tribunal Constitucional en una sentencia relativa a una operación bancaria de préstamo hipotecario, consideró que las eventuales infracciones que puedan producirse en el procedimiento judicial sumario (en concreto se alegaba, entre otros extremos, la no realización de **requerimiento de pago** conforme a lo preceptuado en la LH) no son susceptibles de ser enmendadas por la vía del recurso de amparo, debiendo el perjudicado por las mismas acudir previamente a la jurisdicción ordinaria a ejercitar su derecho en el juicio declarativo que corresponda (TCo 296/1993).

8578 **Obligación de pago de los intereses** Se considera interés toda prestación pactada a favor del acreedor y se admite la **capitalización** de intereses (anatocismo) mediante pacto.
Los préstamos **no devengan intereses** si no se pactan por escrito. Además, el interés del préstamo puede pactarse sin tasa ni limitación de ninguna especie.
Como **límites** a la libertad de tipos destacan las siguientes normas:
- L 23-7-1908 de préstamos usurarios (nº 8585 s.);
- RDLeg 1/2007, por el que se aprueba el Texto refundido de la Ley general para la defensa de los consumidores y usuarios (LGDCU);
- L 2/1994, sobre subrogación y modificación de préstamos hipotecarios (modificada RDL 19/2022); y
- L 16/2011, de contratos de crédito al consumo (LCCo).

Precisiones **1)** Aunque en el contrato de préstamo la obligación principal se divida, en lo que a devolución se refiere, en **amortizaciones periódicas a la fecha fija** (también establecida para el pago de intereses), y los pagos por los dos conceptos no coincidan con las respectivas fechas de su realización, ello no afecta a la eficacia del negocio. Para la protección de la deuda principal se aplica el **plazo de prescripción** de 15 años -o 20 años si se ejercita acción hipotecaria- (CC art.1964), y para la deuda derivada de los intereses, el plazo de 5 años (CC art.1966.3º), ya que la prestación tiene carácter unitario para el pago del principal pese a pactarse su abono fraccionado para facilitar su cumplimiento (AP A Coruña 9-1-02, EDJ 8465).
2) El deudor debe aquello que se pactó, pero no se puede exigir el pago de mayores cantidades que aquellas expresamente acordadas por las partes (AP Murcia 30-9-11; TS 18-6-12, EDJ 209070). Así,

es de aplicación al contrato de préstamo el CC art.317, norma que regula el anatocismo en nuestro Derecho, por lo que los **intereses vencidos y no pagados** no devengarán nuevos intereses, aunque se pueden capitalizar los intereses líquidos y no satisfechos para que, como aumento del capital devenguen nuevos réditos, pero es necesario un **pacto expreso de capitalización** de los intereses vencidos para que éstos puedan generar nuevos intereses.

E. Prohibiciones

Préstamo bancario usurario (L 23-7-1908) El contrato de préstamo bancario de dinero, así como el de apertura de crédito en cuenta corriente (nº 8830), queda inserto dentro del ámbito objetivo de aplicación de la L 23-7-1908 de préstamos usurarios, que determina la **nulidad** de los contratos de préstamo que se consideren usurarios. Esta Ley ha sido modificada parcialmente por la LEC vigente. **8585**

Se considera nulo todo contrato de préstamo en que se estipule un interés **notablemente superior** al normal del dinero y **manifiestamente desproporcionado** con las circunstancias del caso, o en condiciones tales que resulte leonino, habiendo motivos para considerar que ha sido aceptado por el prestatario a causa de:
- su situación angustiosa;
- su inexperiencia;
- lo limitado de sus facultades mentales.

Es también nulo el contrato en que se suponga recibida **cantidad mayor** que la verdaderamente entregada, cualesquiera que sean su entidad y circunstancias.

Respecto a los **efectos de la nulidad** del contrato usurario hay que señalar que, una vez declarada la nulidad, el **prestatario** está obligado a entregar tan solo la suma recibida y, si satisfizo parte de aquélla y los intereses vencidos, el **prestamista** ha de devolverle lo que, tomando en cuenta el total de lo recibido, exceda del capital prestado.

Tanto la mayoría de la **doctrina** (Vicent Chuliá, Sánchez Calero, Broseta, Alfaro, Tapia Hermida), como la **jurisprudencia** consideran que la L 23-7-1908 es constitucional y se puede reputar vigente y aplicable a los contratos de préstamo mercantil (TS 17-4-89, EDJ 4079; 7-3-86, EDJ 1770; 29-9-92, EDJ 9377).

Sobre la usura, ver también nº 4482.

Precisiones **1)** La jurisprudencia considera que desde el momento en que hay una entrega de dinero para su devolución en circunstancias o tiempo determinadas, mediante la percepción de un interés y aunque sea con adiciones complejas de garantías añadidas, se está dentro del **ámbito de aplicación** de la L 23-7-1908 (TS 26-3-93, EDJ 3021). **8587**

2) Un contrato de préstamo de cinco millones que da lugar a un **reconocimiento de deuda** de diez millones a devolver en un plazo de dieciocho meses se califica de **usurario**, tanto por hacer suponer recibida mayor cantidad que la prestada, como por el plazo de devolución (TS 7-4-97, EDJ 2095).

3) Se ha considerado encubrimiento de un préstamo usurario y es, por tanto, aplicable la L 23-7-1908, un supuesto en el que se celebró una **compraventa** inmobiliaria por el importe del capital de un préstamo hipotecario que adeudaban los vendedores, seguida de un **arrendamiento** a favor de los vendedores y una **opción de compra** (TS 21-2-03, EDJ 2552).

4) La calificación del contrato como usuario únicamente puede basarse en el **carácter excesivo del interés** impuesto por la entidad de crédito, en que el mismo fue aceptado por el prestatario a causa de su situación angustiosa, dándose el carácter leonino del mismo, si bien para determinar la concurrencia de dichos requisitos debe atenderse a la realidad social que existió en el momento de perfección del contrato y no en el de efectividad del mismo (TS 7-3-98, EDJ 1128).

5) Se ha considerado que un **interés del 19%** en 1977 no tenía carácter usurario (TS 10-5-00, EDJ 8831).

6) Habiéndose pactado un **interés de demora** del 26% se considera inaplicable al caso la L 23-7-1908, porque la declaración de préstamo usurario se encuadra en el interés ordinario, al margen del moratorio, que se puede pactar libremente, y que además no está sujeto a la tutela por el Banco de España (AP Cáceres 25-4-00).

7) No son incompatibles la Ley de usura y la LGDCU, al tratarse de controles con ámbitos propios y diferenciados. La Ley de usura no altera el principio de libertad de precios, ni la configuración tradicional de los contratos. Por lo que se refiere al Derecho de los consumidores, tampoco modifica el principio de libertad de precios (TS 18-7-12).

Préstamo en pagaré firmado en blanco Algunas entidades han intentado reiteradamente, con frontal rechazo por parte de los jueces, evitar la formalización del préstamo bancario de dinero en póliza intervenida por fedatario público (AP León 7-12-94, Rec 11/94; AP Burgos 9-12-94; AP Madrid 8-3-96, entre otras). **8589**

La **finalidad** perseguida es no someter a juicio de identidad ni de capacidad el contrato, además de evitar el asesoramiento de parte proporcionado por el fedatario interviniente.

Se acude, así, a la **práctica fraudulenta** de obligar al cliente a la firma de un pagaré en blanco. En caso de **reclamación** contra el cliente bancario, la entidad de crédito rellena el pagaré con la cuantía que unilateralmente tiene a bien fijar. Quedan así vulneradas normas procesales y sustantivas.

Precisiones 1) Un sector de la **doctrina** reclama la adopción de medidas legislativas que prohíban esta práctica, porque el control judicial es claramente insuficiente mientras no se establezca una prohibición legal clara y específica del uso de tales pagarés (Sarazá Jimena).
2) El TS considera que es una **práctica abusiva** y, por tanto nula, vincular un pagaré en blanco a un préstamo al consumo permitiendo una liquidación unilateral por parte del prestamista, pues le da acceso a un proceso privilegiado para el cobro de su crédito, sin que existan contrapartidas para el consumidor. De la nulidad deriva la ineficacia de la declaración cambiaria basada en ella (TS 2-11-16, EDJ 197600).

F. Extinción del contrato

8595 Como contrato mercantil, son de aplicación al préstamo bancario las **causas genéricas** de extinción establecidas para cualquier contrato (CCom art.50; CC art.1156).
No obstante, las actuales pólizas bancarias de préstamo se redactan conteniendo **dos pactos conexos**:
- una cláusula de vencimiento anticipado (nº 8597); y
- una cláusula de amortización anticipada (nº 8601).

Merece especial atención la extinción por **vencimiento anticipado**, ya que es común en las pólizas bancarias la inclusión de una condición general por cuya virtud la entidad puede declarar vencida la operación en determinados supuestos.
La **licitud** de estas cláusulas ha sido cuestionada por algún sector de la doctrina al amparo de las siguientes normas (Garrigues):
- la **validez y cumplimiento** de los contratos no pueden dejarse al arbitrio de uno de los contratantes (CC art.1256);
- la **interpretación** de las cláusulas oscuras de un contrato no debe favorecer a la parte que haya ocasionado la oscuridad (CC art.1288).

8597 **Cláusula de vencimiento anticipado** Es aquella que legitima a la **entidad prestamista** para declarar el vencimiento anticipado unilateralmente, siempre que se cumplan determinadas circunstancias objetivadas en el contrato, tales como:
- incumplimientos contractuales;
- insolvencias;
- disminuciones patrimoniales;
- desvío de la financiación a finalidades diferentes de las inicialmente pactadas.

Este tipo de cláusula puede generar **abusos**, por lo que, exclusivamente para su ámbito subjetivo de aplicación, habrá que estar y pasar por la protección derivada de la LGDCU y la interpretación de la Dir 93/13/CEE, sobre las cláusulas abusivas en los contratos celebrados con consumidores realizada por el TJUE (TJUE 14-3-13, asunto C-415/11; 26-1-17, asunto C-421/14). Esta sentencia establece respecto de la cláusula sobre el vencimiento anticipado en los contratos de larga duración por **incumplimiento del deudor** en un lapso limitado, que el juez competente habrá de verificar especialmente si la potestad del profesional -predisponente- de imponer el vencimiento anticipado del total del préstamo se vincula con que el consumidor o usuario haya incumplido una obligación esencial del contrato en cuestión. De igual modo, si dicha facultad se contempla para supuestos en los que el incumplimiento es lo suficientemente grave en relación con la duración y la cuantía del préstamo. Si tal facultad supone una excepción respecto de las normas aplicables y si el Derecho nacional contempla medios apropiados y eficaces con la finalidad de remediar los efectos que tiene el vencimiento anticipado.
Destaca también la sentencia TJUE 26-3-19, asuntos acumulados C-70/17 y C-179/17, que declara inadmisible que una cláusula de vencimiento anticipado de un contrato de préstamo hipotecario declarada abusiva sea **conservada parcialmente** mediante la supresión de los elementos que la hacen abusiva, cuando tal supresión equivalga a modificar el contenido de dicha cláusula afectando a su esencia.

8599 Se consideran **abusivas** las siguientes cláusulas (LGDCU art.82 s.):
a. La **reserva a favor del profesional** de las siguientes facultades:
- interpretación o modificación unilateral del contrato sin motivos válidos especificados en el mismo;

- resolución anticipada de un contrato con plazo determinado, si al consumidor o usuario no se le reconoce la misma facultad, teniendo en cuenta las matizaciones señaladas en nº 8597 realizadas por TJUE (TJUE 14-3-13, asunto C-415/11);
- resolución, en un plazo desproporcionadamente breve o sin previa notificación con antelación razonable, de un contrato por tiempo indefinido, salvo por incumplimiento del contrato o por motivos graves que alteren las circunstancias que motivaron la celebración del mismo;
- la posibilidad de que el prestamista se quede con las cantidades abonadas en concepto de prestaciones aún no efectuadas cuando sea él mismo quien rescinda el contrato.

b. La **privación o restricción al consumidor o usuario** de las siguientes facultades:
- compensación de créditos;
- retención;
- consignación.

c. La imposición de la **carga de la prueba en perjuicio del consumidor** en los casos en que debería corresponder a la otra parte contratante.

En relación con la abusividad de las **cláusulas suelo**, nos remitimos al nº 4504 y nº 8083.

Precisiones La condición general de los contratos de préstamo concertados por los consumidores, en la que se prevea la firma por el prestatario (y en su caso por el fiador), de un **pagaré** en garantía de aquel, en el que el importe por la que se presentará la demanda de juicio cambiario es complementado por el prestamista con base en la liquidación realizada unilateralmente por él, es abusiva y, por tanto, nula, no pudiendo ser tenida por incorporada al contrato de préstamo, y, por ende, conlleva la ineficacia de la declaración cambiaria (TS 12-9-14, EDJ 178814).

Cláusula de amortización anticipada Es aquel pacto que legitima al **prestatario** para amortizar anticipadamente el préstamo, extinguiéndose, en consecuencia, el contrato, pero no por incumplimiento, sino por cumplimiento adelantado. **8601**

Esta cláusula de amortización anticipada, se considera un **derecho irrenunciable** a favor del consumidor. No debemos dejar de lado que en algunos supuestos la vía de **renuncia** en este caso a su ejercicio viene de la mano de las comisiones cobradas ante la amortización parcial anticipada o la amortización total -cancelación del préstamo-.

El consumidor puede **reembolsar** anticipadamente el préstamo concedido, de forma **total o parcial** en cualquier momento de vigencia del contrato (LCCo art.30). Pero sin olvidar las compensaciones generales y especiales, respectivamente, que puede solicitar el prestamista del crédito al consumo.

Por eso es obligatoria la mención en el documento contractual del pacto relativo a la amortización anticipada.

II. Principales tipos de préstamo bancario

8605

A. Crédito al consumo

(LCCo)

El **ámbito de aplicación** de la LCC no se circunscribe a la financiación exclusivamente bancaria, sino que pretende regular, también y, sobre todo, la financiación al consumo no bancaria. **8610**

Esta Ley se aplica a los contratos en que una persona física o jurídica en el ejercicio de su actividad, profesión u oficio -**empresario**-, concede o se compromete a conceder a un **consumidor** un crédito en la forma de pago aplazado, préstamo, apertura de crédito o cualquier medio de financiación equivalente (LCCo art.1).

Los contratos de suministro de bienes de un mismo tipo o que consistan en la prestación continuada de servicios **no se consideran** contratos de crédito a los efectos de la LCCo, cuando en ellos asista al consumidor el derecho a pagar por esos bienes o servicios a plazos a lo largo de la vigencia del contrato.

La **relación** ha de entablarse entre un consumidor y un prestamista, permitiéndose la entrada de los intermediarios de crédito.
Se consideran **consumidores** solo las personas físicas cuando operen en el marco de las relaciones contractuales reguladas por la LCCo y con una finalidad ajena a su actividad empresarial o profesional. Se sigue la regulación comunitaria sobre la materia y, por ello, un concepto estricto de consumidor, excluyendo, en consecuencia, a las personas jurídicas, y manteniendo el criterio de la deorgada L 7/1995 art.1.2 (LCCo art.2.1).
El **prestamista** puede ser persona física o jurídica, tratándose de quien concede o se compromete a conceder un crédito en el ejercicio de su actividad comercial o profesional.
Las **normas** contenidas en la LCCo son de **carácter imperativo**, de modo que los contratos de crédito al consumo que incluyan cláusulas, condiciones o pactos contrarios a tal Ley, se estiman inválidos, teniéndose por no puestos salvo que los mismos sean más beneficiosos para el consumidor del crédito.

8612 Se establecen una serie de **exclusiones totales**, quedando fuera del ámbito de regulación de esta norma los siguientes contratos (LCCo art.3):
• Contratos de crédito garantizados con **hipoteca inmobiliaria**.
• Contratos de crédito que tengan por finalidad adquirir o conservar derechos de propiedad relativos a **terrenos o edificios** construidos o por construir.
• Contratos de crédito por un **importe inferior a 200 euros**. A estos efectos, se entiende como única la cuantía de un mismo crédito pese a que pudiera estar distribuida en contratos diferentes pactados entre las mismas partes y para adquirir un mismo bien o servicio, aunque los créditos se hubieran concedido por diferentes miembros de una agrupación -con o sin personalidad jurídica- (LCCo art.3.c).
• Contratos de **arrendamiento o de arrendamiento financiero** -o *leasing*- en los que no se fije una obligación de compra del objeto del contrato por el arrendatario ni en el contrato ni en otro contrato al margen. Se estima que se da tal obligación cuando el prestamista lo haya decidido unilateralmente así.
• Contratos de crédito concedidos en forma de facilidad de **descubierto** y que hayan de reembolsarse en el plazo máximo de un mes, con independencia de lo establecido en LCCo art.12.7 y 19.
• Contratos de crédito otorgados **libres de intereses y sin otro tipo de gastos**. También los contratos de crédito en los que el mismo ha de reembolsarse en el plazo máximo de tres meses y por el que hayan de pagarse únicamente unos gastos mínimos.
Estos **gastos mínimos** no pueden superar en su conjunto, excluidos los impuestos, el 1% del importe total del crédito, definido en LCCo art.6.c).
En los **contratos vinculados** (LCCo art.29) se presume, salvo de pacto en contra, que el prestamista y el proveedor de bienes o servicios han pactado una retribución en virtud de la cual se abonará a aquél la cantidad por la celebración del contrato de préstamo; en estos casos, el contrato de crédito al consumo no será considerado como gratuito (LCCo art.3.f párr.2º).
• Contratos de crédito **concedidos por un empresario a sus empleados** a título subsidiario y sin intereses o cuyas tasas anuales equivalentes sean inferiores a las del mercado. No se han de ofrecer al público en general.
• Contratos de crédito que hayan sido celebrados con empresas de servicios de inversión o con entidades de crédito para que se permita al inversor realizar una operación relativa a uno o más de los **instrumentos financieros** que se recogen en LMV art.2, en los casos en los que la empresa de servicios inversión o la entidad de crédito que otorga el crédito tenga participación en la operación.
• Contratos de crédito que son el resultado de un **acuerdo** alcanzado en los tribunales.
• Contratos de crédito de **pago aplazado de una deuda existente** sin intereses ni comisiones ni otros gastos.
• Contratos de crédito en los que se pide al consumidor que entregue un bien al prestamista como **garantía** de la seguridad y en los que la responsabilidad del aquél se limite estrictamente a tal bien.

8614 **Regulación de los contratos de crédito al consumo en el ámbito de la UE** (Dir (UE) 2023/2225) La finalidad de la nueva Directiva, con fecha de entrada en vigor a partir del 18-11-2023, es reforzar la protección del consumidor y facilitar el mercado transfronterizo del crédito al consumo. Entre las **novedades** que comporta, destacan las siguientes:
1) En relación con el á**mbito de aplicación**:
a) Se incluyen dentro del ámbito de protección de la Dir (UE) 2023/2225 los siguientes **contratos**:
- Contratos de crédito al consumo cuyo **importe total de crédito sea inferior a 200 EUR** (que habían quedado excluidos del ámbito de aplicación de la Dir 2008/48/CE).

- Contratos de **alquiler o de arrendamiento financiero** con opción de compra.
- Contratos de crédito en forma de posibilidad de **descubierto** y en los que el crédito deba reembolsarse en el plazo de un mes.
- Contratos de crédito en los que el crédito se conceda **sin intereses** y sin ningún otro coste.
- Contratos de crédito según cuyas condiciones el crédito deba ser **reembolsado en un plazo de tres meses** y por los que solo se deban pagar unos gastos mínimos.
- Los sistemas **«Compre ahora, pague después»**.
- Todos los contratos de crédito de **hasta 100.000 €**.

b) Quedan **excluidos** del ámbito de protección de la Dir (UE) 2023/2225:
- Algunos pagos **aplazados**.
- Determinados contratos de crédito en forma de **tarjetas de débito diferido**.
- Los contratos de alquiler y arrendamiento financiero en los que la obligación u opción de compra por parte del consumidor del objeto del contrato no esté establecida ni en el propio contrato ni en ningún otro contrato (p.e. **contratos de alquiler puro**).

2) En relación con los **prestamistas**: **8616**
La Dir (UE) 2023/2225 se aplica con independencia de que el prestamista sea una persona física o jurídica. No obstante, los Estados miembros pueden reservar únicamente a las personas jurídicas o a algunas personas jurídicas la actividad de concesión de créditos al consumo.

3) En relación con los **intermediarios de crédito**:
Los intermediarios de crédito son personas físicas o jurídicas que, en el ejercicio de su actividad comercial, empresarial o profesional, a cambio de una remuneración, presentan o proponen contratos de crédito al consumo, asisten a los consumidores en los trámites previos de los contratos de crédito o suscriben contratos de crédito con los consumidores en nombre del prestamista.

4) En relación con la **información a los consumidores:**
Las explicaciones adecuadas, la información precontractual, la información general y la información sobre consulta de bases de datos, debe proporcionarse **gratuitamente**, debiendo prestar especial atención a las necesidades de las personas con discapacidad.
La **publicidad de los contratos** de crédito debe contener, en todos los casos, una advertencia clara y destacada para poner en conocimiento de los consumidores que tomar dinero prestado cuesta dinero.
La Directiva **prohíbe determinada publicidad**, como la que incita a los consumidores a solicitar crédito sugiriendo que este mejoraría su situación económica o especificando que el crédito registrado en las bases de datos tiene poca o ninguna influencia en la evaluación de una solicitud de crédito.
Asimismo, con el fin de poder tomar sus decisiones con pleno conocimiento de causa, la Dir (UE) 2023/2225 establece que los consumidores deben recibir **información precontractual** adecuada.

5) En relación con **la concesión de crédito no solicitada**: **8618**
La Dir (UE) 2023/2225 prohíbe la concesión no solicitada de crédito, incluidas las **tarjetas de crédito** previamente aprobadas no solicitadas y enviadas a los consumidores, la introducción unilateral de una nueva posibilidad de descubierto o de descubierto tácito o el aumento unilateral del límite del descubierto, descubierto tácito o tarjeta de crédito del consumidor. Asimismo, prohíbe la concesión no solicitada de créditos en forma de contratos celebrados fuera del establecimiento (Dir 2011/83/UE art.2.8).

6) En relación con **el reembolso del crédito**:
Impone la obligación de realizar una **evaluación** y comprobación de la capacidad del consumidor de reembolsar el crédito y su predisposición a ello, con anterioridad a la celebración de un contrato de crédito al consumo. Esta evaluación de la solvencia debe ser proporcionada y realizarse **en interés del consumidor**, a fin de evitar las prácticas de préstamo irresponsables y el endeudamiento excesivo, y debe tener en cuenta todos los factores necesarios y pertinentes que puedan influir en la capacidad del consumidor para reembolsar el crédito. Por otra parte, el **calendario de reembolso** debe adaptarse concretamente a las necesidades específicas del consumidor y a su capacidad de reembolso.

7) En relación con **el derecho de desistimiento**:
Los consumidores deben tener derecho de desistimiento sin penalización y sin obligación de justificación. Además, para garantizar la seguridad jurídica. El **plazo** de desistimiento debe expirar, en cualquier caso, a los 12 meses y catorce días de la celebración del contrato de crédito si el consumidor no ha recibido las condiciones contractuales ni la información de conformidad con la Dir (UE) 2023/2225.
En el caso de **no haber sido informado** de su derecho de desistimiento, el plazo de desistimiento no debe expirar.

8) En relación con la **finalización del contrato**:
Las partes deben tener derecho a poner fin por el procedimiento habitual a un contrato de crédito al consumo de **duración indefinida**, y el prestamista debe poder retirar al consumidor el derecho a disponer de cantidades con cargo a un contrato de crédito de duración indefinida, por razones objetivamente justificadas, cuando así se disponga en el contrato.
Asimismo, se debe permitir al consumidor **liquidar** sus obligaciones antes de la fecha convenida en el contrato de crédito.

Precisiones Se ha dispuesto como fecha límite de **transposición** de la Dir (UE) 2023/2225 por parte de los Estados miembros el 20-11-2025, estableciéndose su **aplicación** a partir del 20-11-2026.

8620 Información y actuaciones previas a la celebración del contrato (LCCo art.8 a 12)

Hay que tener en cuenta las siguientes consideraciones:
a) Respecto a la **oferta vinculante**, el empresario que ofrezca un crédito a un consumidor está obligado a entregarle antes de la celebración del contrato, si el consumidor así lo solicita, un documento con todas las condiciones del crédito, que debe mantener durante un **plazo mínimo** de catorce días naturales desde su entrega, salvo que medien circunstancias extraordinarias o no imputables a él.
b) Información básica que debe figurar en la publicidad: en la publicidad, así como en las comunicaciones comerciales, anuncios y ofertas exhibidos en los locales comerciales en los que se ofrezca un crédito o la intermediación para obtenerlo, deben incluirse ciertos elementos, de forma clara, concisa y destacada mediante un **ejemplo representativo**. Esta información básica debe publicarse con una letra que resulte legible y con un contraste de impresión adecuado.
La información básica está integrada por los siguientes **elementos** (LCCo art.9):
- el tipo deudor fijo o variable, así como los recargos incluidos en el coste total del crédito para el consumidor;
- el importe total del crédito;
- la tasa anual equivalente;
- en su caso, la duración del contrato de crédito;
- en el caso de los créditos en forma de pago aplazado de un bien o servicio, el precio al contado y el importe de los posibles anticipos;
- en su caso, el importe total adeudado por el consumidor y el importe de los pagos a plazos.

Se entiende por **coste total del crédito** para el consumidor todos los gastos, incluidos los intereses, las comisiones, los impuestos y cualquier otro tipo de gastos que el consumidor deba pagar en relación con el contrato de crédito y que sean conocidos por el prestamista, con excepción de los gastos de notaría. El coste de los servicios accesorios relacionados con el contrato de crédito, en particular las primas de seguro, se incluye asimismo en este concepto si la obtención del crédito en las condiciones ofrecidas está condicionada a la celebración del contrato de servicios.
Se entiende por **tasa anual equivalente (TAE)** el coste total de crédito, expresado en un porcentaje anual sobre la cantidad del crédito concedido. La tasa anual equivalente ha de igualar, sobre una base anual, el valor actual de todos los compromisos (créditos, reembolsos y gastos) existentes o futuros asumidos por el empresario y por el consumidor, y se ha de calcular de acuerdo con una fórmula matemática.

8622 **c) Obligaciones de información previa al contrato**: el prestamista o intermediario de crédito debe proporcionar de forma **gratuita** al consumidor, con la debida antelación y antes de que el consumidor asuma cualquier obligación en virtud del contrato, la información que sea precisa para **comparar diversas ofertas** y adoptar una decisión informada sobre la suscripción de un contrato de crédito. Entre los elementos que integran la información precontractual se encuentran el tipo de crédito, la identidad y domicilio social del prestamista, el importe total del crédito, etc. (LCCo art.10). Para determinados contratos de crédito, se establecen requisitos de información particulares (LCCo art.12).
d) Obligación de asistencia al consumidor previa al contrato: la LCCo impone a los prestamistas o intermediarios de crédito la obligación de facilitar al consumidor las explicaciones adecuadas de forma individualizada, con el fin de que éste pueda evaluar si el contrato de crédito propuesto se adapta a sus intereses, a sus necesidades y a su situación financiera. Si fuese preciso, la asistencia incluirá la explicación de la información precontractual, las **características esenciales** de los productos propuestos y los **efectos específicos** que puedan tener sobre el consumidor, incluidas las consecuencias en caso de **impago** por parte del mismo (LCCo art.11).
Sobre las especiales obligaciones de información en caso de **crédito revolving**, ver nº 8650.

Forma y contenido (LCCo art.7 y 16) El contrato -al igual que la información precontractual, todos los actos durante la vigencia del contrato, así como para su extinción- ha de constar en **papel u otro soporte duradero**. Se adapta nuestro ordenamiento jurídico a las nuevas tecnologías, permitiendo que el contrato se formalice en un soporte electrónico, y no alude a que haya de ser escrito, lo que es importante y destacable. 8624
Cada una de las partes contratantes ha de recibir un ejemplar.
La consecuencia del incumplimiento de las normas sobre **información precontractual** -en concreto, de LCCo art.10 y 12- es la anulabilidad del contrato.

Precisiones Conforme a lo indicado, sería válido que el «soporte duradero» consista en un **soporte electrónico de audio**; sin duda es criticable -salvo para los invidentes-. La norma define «**soporte duradero**» como todo instrumento que permita al consumidor conservar la información que se le transmita personalmente de forma que en el futuro pueda recuperarla fácilmente durante un período de tiempo adaptado a los fines de dicha información, y que permita la reproducción idéntica de la información almacenada.

Los contratos de crédito al consumo, junto con sus **condiciones esenciales**, deben contener necesariamente un número elevado de **datos**, que son los siguientes: 8626
a) El tipo de **crédito**.
b) La identidad y el domicilio social de las partes **contratantes**, al igual que, si fuera preciso, la identidad y el domicilio social del intermediario de crédito.
c) La **duración** del contrato de crédito.
d) El **importe** total del crédito y las condiciones en las que se puede disponer de él.
e) Si se trata de créditos en forma de pago diferido de un bien o servicio o cuando estemos ante contratos de crédito vinculados, el **producto o servicio** junto con el precio de contado.
f) El **tipo deudor** y las condiciones de aplicación de tal tipo. Si se dispusiera de ellos, los tipos de referencia aplicables al tipo deudor inicial, al igual que los períodos, condiciones y procedimiento de **variación** del tipo deudor y, en los casos en que se apliquen diferentes tipos deudores en distintas circunstancias, la información mencionada anteriormente sobre todos los tipos aplicables.
g) La **tasa anual equivalente** (TAE), junto con el importe total que haya sido adeudado por el consumidor, que han de ser calculados en el momento de la suscripción del contrato de crédito. Además, han de mencionarse todas las hipótesis que se han utilizado para el cálculo de tal porcentaje. Para ver el sistema actual del cálculo de la TAE hay que tener en cuenta la versión vigente de la LCCo (LCCo Anexo I, parte II).
h) La cuantía al igual que el número y la periodicidad de los **pagos** que ha de realizar el consumidor. Cuando proceda, el orden en que han de asignarse los pagos a diferentes saldos pendientes que se sometan a distintos tipos deudores a los efectos del reembolso.
i) Cuando va a amortizarse capital de un contrato de crédito de duración fija, debe informarse al consumidor del derecho a la recepción gratuita de un extracto de cuenta en forma de **cuadro de amortización**, siempre que los solicite. Ha de informarse también de que tal derecho le asiste durante todo el período de vigencia del contrato, y en cualquier momento.

j) Los supuestos en los que han de pagarse **recargos e intereses** de amortización de capital, los períodos y condiciones de pago de los intereses deudores y de los **gastos** conexos recurrentes y no recurrentes. 8628
k) Si procede, los **gastos de mantenimiento** de una o varias cuentas que registren operaciones de pago y de disposición del crédito, todo ello salvo que la apertura de la cuenta sea opcional. De igual forma, han de constar los gastos acerca de la utilización de un medio de pago que posibilite efectuar operaciones de pago y disposición del crédito, al igual que los gastos del contrato de crédito y las condiciones en que los costes señalados pueden ser objeto de modificación.
l) El tipo de **interés de demora** que sea aplicable en el momento de la celebración del contrato de crédito y los procedimientos para ajustarlo y, si procede, los **gastos derivados del impago**.
m) Las consecuencias que implica el **impago**.
n) Cuando sea procedente, una declaración que determine el abono de **gastos de notaría**.
o) Los **seguros** y **garantías** a los que quede condicionado el otorgamiento del crédito.
p) El reconocimiento del o la negativa al **derecho de desistimiento**, más el plazo y el resto de las condiciones para que esté operativo.
q) Información relativa a los derechos en los contratos de **crédito vinculados** reconocidos en LCCo art.29 y las normas para ejercitarlo.
r) El derecho de **reembolso anticipado**, junto con el procedimiento aplicable. Si existe también debe darse información sobre el derecho del prestamista a la compensación correspondiente y la forma en que se determinará.
s) El procedimiento para el ejercicio del **derecho a poner fin al contrato** de crédito.

t) Si existe o no un **procedimiento extrajudicial de reclamación y recurso** para el consumidor del crédito. Si existe, ha de informarse también acerca de la forma en que el consumidor tiene acceso.
u) Cuando proceda, el resto de las condiciones del contrato.
v) Si procede, el nombre y la dirección de la **autoridad de supervisión** que sea competente.

8630 **Obligación de verificación de la solvencia del consumidor** (LCCo art.14) Se impone al prestamista la obligación de verificar la solvencia del prestatario. Se articula de la siguiente manera:
- primero, el prestamista, antes de que tenga lugar la celebración del contrato ha de evaluar la solvencia del consumidor, utilizando la información suficiente obtenida por los medios adecuados a tal fin, entre los que se encontrará la **información facilitada por el consumidor**, entregada a solicitud del prestamista o del intermediario de crédito;
- segundo, voluntariamente, puede realizar consultas en los **ficheros de solvencia patrimonial y crédito** (los «sistemas comunes de información crediticia») a los que alude la LO 3/2018 art.20, respetando los requisitos fijados en materia de protección de datos.

8632 **Modificación del coste del crédito** Solo puede modificarse el tipo de interés en perjuicio del prestatario cuando esté previsto en un **acuerdo mutuo** de las partes formalizado por escrito.
Se admite el convenio de modificación del coste de crédito, pero se exigen unas mínimas garantías protectoras del justo equilibrio prestacional.

8634 **Excepciones oponibles** (LCCo art.31) Cuando el concedente de un crédito ceda sus derechos a un tercero, el consumidor tiene derecho a oponer **frente al tercero** las mismas excepciones que le hubieran correspondido contra el acreedor originario, incluida, en su caso, la de compensación conforme al CC art.1198.

Precisiones La AP estima el recurso de apelación interpuesto por los compradores de una vivienda contra la sentencia de instancia que les condenó a pagar la cantidad reclamada por el banco, como tenedor, al no caber la excepción extracambiaria por tercero que no fue contratante. La Sala resalta que la letras de cambio -para financiación de la promotora- no fueron endosadas, sino cedidas -**contrato de descuento**-, por lo que el cesionario está obligado a soportar la excepciones que el obligado al pago le pudiera oponer al cedente, más cuando debe perseguirse un criterio de protección de los derechos del consumidor, que no pueden ver limitadas sus posibilidades de oposición al pago de las letras de cambio aceptadas en referencia a excepciones que sí podría oponer al vendedor (AP Cádiz 26-4-12, EDJ 222399).

8636 **Financiación vinculada y obligaciones cambiarias** Son contratos de consumo con financiación vinculada aquellos en los que se establezca expresamente que la operación incluye la obtención de un crédito de financiación, cuando se dan además las siguientes circunstancias:
a. Que entre el concedente del crédito y el proveedor de los bienes o servicios exista un **acuerdo previo**, concertado en exclusiva, en virtud del cual aquél ofrecerá crédito a los clientes del proveedor para la adquisición de los bienes o servicios de éste. En el caso de que se provean servicios de tracto sucesivo y prestación continuada, no es preciso que el acuerdo sea en exclusiva.
b. Que el consumidor concierte la **concesión de crédito** con un empresario distinto del proveedor de aquéllos.
c. Que el consumidor haya **obtenido el crédito** en aplicación de acuerdo previo mencionado anteriormente.
La **eficacia** de los contratos de consumo con financiación vinculada queda condicionada a la efectiva obtención del crédito. Es nulo el pacto incluido en el contrato por el que se obligue al consumidor a un pago al contado o a otras fórmulas de pago, para el caso de que no se obtenga el crédito de financiación previsto.
Se tienen por no puestas las cláusulas en las que el proveedor exija que el crédito, para su financiación, únicamente pueda ser otorgado por un determinado concedente.
Del mismo modo, la **ineficacia** del contrato de consumo determina también la ineficacia del contrato de financiación vinculada.
En los contratos vinculados, el consumidor, además de poder **ejercitar los derechos** que le correspondan frente al proveedor de los bienes o servicios adquiridos mediante un contrato de crédito, puede ejercitar esos mismos derechos frente al empresario o profesional que hubiera concedido el crédito, siempre que concurran las circunstancias mencionadas en las letras a), b) y c) anteriores, así como los siguientes requisitos:
• Que los bienes o servicios objeto del contrato no hayan sido entregados en todo o en parte, o no sean conforme a lo pactado en el contrato.

• Que el consumidor haya reclamado judicial o extrajudicialmente, por cualquier medio acreditado en derecho, contra el proveedor y no haya obtenido la satisfacción a la que tiene derecho.
Hay que destacar especialmente el acierto del legislador, que ya en la L 7/1995 (derogada por LCCo) disciplinó la especial posición en la que se encuentran los consumidores que ven incorporada su obligación de pago del crédito en letras de cambio y pagarés cambiarios. De tal manera que, si en los contratos con financiación vinculada, el consumidor y su garante se han obligado cambiariamente mediante la firma de letras de cambio o pagarés cambiarios, pueden oponer al tenedor las **excepciones** que se basen en sus **relaciones personales** con el proveedor de los bienes o servicios correspondientes. Se trata de una norma excepcional respecto de la responsabilidad cambiaria establecida en la Ley Cambiaria y del Cheche (LCC), en virtud de la cual el obligado cambiario, como regla general, no puede oponer al tenedor cambiario -acreedor cambiario- las excepciones personales derivadas de relaciones personales con anteriores acreedores cambiarios. Con la LCCo se introduce un supuesto más a las excepciones cambiarias de LCC art.67.
Hay que aclarar que la norma afecta también a la posición que tiene el avalista (garante) del aceptante (consumidor) de letras de cambio y al avalista (garante) del librador-emisor (consumidor) de pagarés cambiarios.

Precisiones 1) Cabe deducir la existencia de un **acuerdo en exclusiva** por el elevado número de préstamos concedidos para la compra de un determinado servicio. El hecho de que exista la **posibilidad de desistir** del contrato de préstamo sin coste alguno y no se haga uso de ella, no es impeditivo para declarar la ineficacia del mismo como consecuencia de la nulidad del contrato principal vinculado (AP Barcelona 27-6-05, EDJ 104073; AP Asturias 23-2-04, EDJ 307025). 8638
2) Sobre el **pacto de exclusiva** entre proveedor y concedente de crédito se han hecho las siguientes reflexiones (AP Madrid 1-4-05, EDJ 43358):
• El pacto de exclusiva es un elemento que queda al margen del ámbito de decisión y de la voluntad del consumidor, ya que forma parte del contenido de las relaciones entre los citados proveedor y concedente de crédito. Por tanto, para acreditar la concurrencia de este pacto de exclusiva, no puede exigirse a los consumidores que dispongan de una prueba directa, clara y concluyente, sino que basta la constancia de que el proveedor **les ofreció la posibilidad** de concertar la financiación del bien adquirido mediante un contrato de crédito con una entidad distinta del propio proveedor, y únicamente con ella, con la que éste tenga concertado a su vez un **acuerdo previo**.
• No es suficiente a efectos de la **prueba de la falta de exclusividad**, que de la literalidad del acuerdo marco entre el concedente de crédito y el proveedor no resulte pactada tal exclusividad, omitiéndose toda referencia al respecto, porque ese acuerdo es ajeno al consumidor. Lo verdaderamente trascendente es el comportamiento que observe la empresa proveedora con el consumidor posteriormente, que es de donde ha de deducirse si efectivamente había exclusividad o no.
• Existe exclusividad cuando de hecho el proveedor colabora únicamente con un financiador, con independencia de que aquél haya asumido o no frente a éste la obligación de cooperar exclusivamente con él, postura que resulta más favorable para el consumidor.
• La **ausencia de exclusividad** solo puede resultar de la actitud del proveedor cuando contrata con el consumidor, de tal forma que si solo ofrece una fuente de financiación y no se acredita que tenga suscritos acuerdos previos para la financiación de la venta de su bien o servicio con otras entidades de crédito, ha de concluirse que el acuerdo que tenía era con carácter exclusivo.
• El **derecho del consumidor a financiarse con otra entidad** es perfectamente compatible con el pacto de exclusividad entre concedente y proveedor, ya que dicho pacto obliga al proveedor a no ofrecer otra financiación al consumidor que la que tiene concertada con la entidad de crédito por el compromiso asumido con ésta, pero nunca podría impedir al consumidor buscar por su cuenta la financiación que estime oportuna con otra entidad.

Cobro indebido Todo cobro indebido derivado de un crédito al consumo produce inmediatamente el **interés legal**. Si el interés contractual fuese superior al legal, devenga inmediatamente el primero. 8640
Si el cobro indebido se produjo por **malicia o negligencia** del empresario, el consumidor tiene el derecho a la indemnización de los daños y perjuicios causados, que en ningún caso ha de ser inferior al interés legal incrementado en cinco puntos, o el del contrato, si es superior al interés legal, incrementado a su vez en cinco puntos.

Reembolso anticipado (LCCo art.30) Se reconoce al consumidor el derecho a poner fin, ya sea total o parcialmente, y en cualquier momento, a las obligaciones del contrato de crédito. Se fijan de este modo normas especiales para los deudores consumidores de contratos de crédito respecto del Derecho común, en concreto por lo que se refiere al CC art.1127 (Marín López). 8642
Estamos ante un supuesto de **cumplimiento anticipado**; y, uniéndolo con las precisiones anteriores, se pone fin al contrato de modo unilateral por cumplimiento anticipado de las obligaciones por parte del consumidor, siempre que el reembolso sea total (Ramos Herranz). Tal

situación trastoca la posición de los prestamistas, entre los que están, de modo destacable, las entidades de crédito, que calculan sus operaciones de acuerdo con el plazo pactado de devolución del crédito. En consecuencia, en principio chocaría una disciplina de este tipo que prima de forma clara la posición del consumidor del crédito. La justificación de estas normas radica en la posición débil en la que se encuentra el consumidor y la especial protección que requiere según pone de manifiesto la doctrina (Andreu Martí).

Con ello se produce un trastoque de la situación de los prestamistas, al imponer elevados niveles de protección del consumidor, que pueden llevar a que se repercuta en el coste total del crédito al consumo o incluso a que se disminuya aún más el reducido número de créditos concedidos. Por ello quizás dichos niveles de protección en global no sean medidas adecuadas.

Como se reconoce el derecho al reembolso anticipado en cualquier momento serían nulos los **pactos** que impusieran fechas para reembolsar con antelación. La existencia de este tipo de pactos y su puesta en marcha podría constituir una vía para soslayar el derecho de reembolso anticipado (Ramos Herranz).

Es un derecho abstracto, como lo era en la L 7/1995 art.10 derog LCCo, ya que el consumidor no ha de alegar **causa** alguna. Podría hacerlo efectivo simplemente porque tiene una suma suficiente para el reembolso total o parcial.

Además, no va acompañado de **penalización**, porque si así fuera carecería de efectividad. Aunque el prestamista puede solicitar compensaciones generales y excepcionales, la penalización impediría en muchas ocasiones que los consumidores ejercitasen el derecho de reembolso, ya que no les interesaría el pago anticipado.

La **norma general** es que el consumidor tenga derecho a que se reduzca el coste total del crédito -intereses y costes- relativo a la duración del contrato que falta para su finalización, aunque dichos intereses y costes hayan sido pagados.

Adicionalmente, se concede al consumidor el derecho a solicitar a la entidad aseguradora que le reembolse la prima no consumida en los casos en los que el contrato de crédito tenga un **seguro vinculado a la amortización** del mismo, o cuando la concesión del crédito o la concesión en las condiciones ofertadas se haya condicionado a la suscripción de un contrato de seguro (LCCo art.30.6; Espina Fernández).

8644 **Compensación del prestamista** El prestamista tiene el contraderecho, frente al derecho de reembolso anticipado que asiste al consumidor, de solicitar compensaciones. Las mismas son de dos tipos (Ramos Herranz):

1) **Compensación general**: pese a que no haya penalización y se intente proteger al consumidor, evitando el enriquecimiento injusto de la contraparte, se permite que el prestamista solicite una compensación justa y que sea justificada objetivamente. Sería la denominada bancariamente como comisión por cancelación anticipada (LCCo art.30.2).

Este contraderecho reconoce, justamente, la posición del prestamista, debido a que el negocio de la operación de crédito al consumo se centra en los intereses pactados por el aplazamiento en el pago, situación a la que puede poner fin el consumidor -y por añadidura en cualquier momento-. Tal compensación cubrirá los posibles **costes** que se deriven directamente del reembolso anticipado del crédito; pero se exige que el reembolso anticipado tenga lugar en un período en el que el tipo deudor sea fijo.

La compensación ha de ajustarse a dos circunstancias:

a) Cuando el **período que resta sea superior a un año** -computado desde el ejercicio del derecho de reembolso-, la compensación al prestamista no podrá exceder del 1% del importe del crédito que sea reembolsado de modo anticipado.

b) Si el período **no excede de un año**, la compensación no podrá superar el 0,5% del importe del crédito que se reembolsa anticipadamente.

El prestamista **no tiene derecho de compensación**:

- cuando el reembolso se haya realizado en cumplimiento de un contrato de seguro que garantice el reembolso del crédito;
- si se da la posibilidad de descubierto; y
- cuando el reembolso anticipado tiene lugar en un período en el que no se haya designado tipo de interés deudor.

Precisiones En la doctrina científica algún autor sostiene, a nuestro juicio erróneamente, que, aunque la LCCo art.30 no exige expresamente la existencia de pacto para que sea efectivo el derecho de compensación general, en **ausencia de pacto**, el prestamista puede hacer valer tal derecho únicamente cuando demostrara que existen **pérdidas** producidas directamente del reembolso anticipado del crédito (aludiendo a LCCo art.30.4). Estimamos que no es correcto, primero, debido a que la LCCo art.30.4 regula la compensación excepcional y no la general y, segundo, porque la LCCo art.30.2 regula de forma imperativa el derecho de compensación general, con lo que para que sea operativo no es preciso pacto expreso a favor del mismo, ni tampoco podrá excluirse por la vía de la autonomía de la voluntad, al tratarse de Derecho imperativo.

2) **Compensación excepcional**: además de la compensación general, el prestamista está habilitado para solicitar, excepcionalmente, una compensación añadida. **8646**
Para recibir esta compensación excepcional, el prestamista debe probar que a causa del reembolso anticipado han tenido lugar **pérdidas directas**, que se calculan aplicando a la cantidad anticipada la diferencia entre el tipo de interés pactado inicialmente en el contrato de crédito al consumo y el tipo de interés al que el prestamista pueda prestar la cuantía reembolsada anticipadamente en el mercado -EURIBOR al plazo más cercano a la fecha de vencimiento del préstamo- en el momento de tal reembolso. Para dicho **cálculo** también hay que tener en cuenta el impacto del reembolso anticipado en los gastos administrativos (LCCo art.30.4 párr.2º).
Se sigue tutelando al consumidor, ya que le asiste el derecho a pedir una **reducción** de la compensación excepcional cuando la solicitada por el prestamista supere las pérdidas sufridas realmente. Entendemos que en este caso el consumidor, para hacer efectivo este derecho, tiene que poder probar que las pérdidas alegadas por el prestamista no son las reales.

Las dos compensaciones tienen **límites**. Para evitar excesos la compensación -general o excepcional- nunca puede superar la cuantía del tipo de interés que el consumidor hubiera pagado en el tiempo que medie entre el reembolso anticipado y la fecha de finalización del contrato pactada. **8648**

Créditos al consumo de duración indefinida (crédito «revolving») (OM EHA/2899/2011 art.33 bis a 33 octies; OM ETD/699/2020 disp.final segunda) Los créditos de duración indefinida con carácter revolvente, conocidos como créditos *revolving*, presentan ciertas especialidades que los hacen susceptibles de un tratamiento regulatorio diferenciado, aprobado por la OM ETD/699/2020. **8650**
El principal elemento que los **caracteriza** es que el prestatario puede disponer hasta el límite de crédito concedido sin tener que abonar la totalidad de lo dispuesto a fin de mes o en un plazo determinado, sino que el prestatario se limita a reembolsar el crédito dispuesto de forma aplazada mediante el pago de cuotas periódicas cuyo importe puede elegir y modificar durante la vigencia del contrato dentro de unos mínimos establecidos por la entidad. Las cuantías de las cuotas destinadas a la amortización del capital que el prestatario abona de forma periódica vuelve a formar parte de su crédito disponible (de ahí su nombre, revolvente o *revolving*), por lo que constituye un crédito que se **renueva de manera automática** en cada vencimiento, de tal forma que en realidad es un crédito rotativo equiparable a una línea de crédito permanente.
Actualmente el principal medio de disposición de los créditos *revolving* son las denominadas **tarjetas «revolving»** (nº 8517), pero nada impide que se desarrollen nuevas formas de prestar el servicio de crédito revolvente asociado a otros instrumentos de pago.
Esta regulación sobre los créditos revolving está vigente **desde el 2-1-2021**. A los contratos suscritos a dicha fecha también les es de aplicación la normativa -excepto lo relativo a la información precontractual-, pero no precisarán de la actualización de la información financiera que la entidad dispone sobre el cliente, ni de una nueva evaluación de su solvencia, salvo que en algún momento posterior al 2-1-2021 amplíen el límite del crédito (OM ETD/699/2020 disp.trans.primera redacc OM ETD/600/2022).

Precisiones **1)** En los últimos años ha aumentado la litigiosidad respecto de estos productos, fundamentalmente centrada en el **tipo de interés aplicado** a estas operaciones, que en unas ocasiones acaba siendo declarado usurario y en otras abusivo y por lo tanto nulo.
Así, por ejemplo, el TS ha determinado en esta sentencia cuándo el interés de un crédito *revolving* es **usurario** por ser notablemente superior al normal del dinero y manifiestamente desproporcionado con las circunstancias del caso (TS 4-3-20, EDJ 512653).
2) La BE Circ 3/2022 ha introducido determinadas **obligaciones de transparencia informativa** exigibles, tanto en la fase precontractual como durante la vigencia del contrato, para la adecuada comercialización de créditos al consumo de duración indefinida, o de duración definida prorrogable, con carácter revolvente (ver nº 8119 Precisiones).
3) En relación con el **carácter usurario** o no de los intereses pactados en relación con una tarjeta de crédito *revolving*», ver nº 4484. Sobre las especiales **obligaciones de información** en caso de crédito *revolving*, ver nº 8650.

Obligaciones de información de la entidad (OM EHA/2899/2011 art.33 ter, 33 quinquies y 33; BE Circ 5/2012 redacc BE Circ 3/2022) Además de las obligaciones de información establecidas en la LCCo (ver nº 8620), se añaden las siguientes obligaciones específicas para este tipo de créditos: **8652**
1. Información precontractual: cuando el contrato prevea la posibilidad de obtener un crédito *revolving*, la entidad debe facilitar al cliente, con la debida antelación a la suscripción del contrato, en documento separado:
- Descripción clara y sencilla de las modalidades de pago establecidas en el contrato y sus principales características, señalando expresamente el término «revolving» junto a aquellas

alternativas de pago que respondan a la modalidad de crédito de duración indefinida o de duración definida prorrogable de forma automática, y, en su caso, especificando la modalidad de pago establecida por defecto por la entidad.
- Si prevé la capitalización de cantidades vencidas, exigibles y no satisfechas.
- Si el cliente o la entidad tienen la facultad de modificar unilateralmente la modalidad de pago establecida.
- Un ejemplo representativo del crédito, con dos o más alternativas de financiación determinadas en función de la cuota mínima que pueda establecerse para el reembolso (para mayor detalle, ver BE Circ 5/2012 norma sexta.2.3).
2. Información periódica: la entidad debe suministrar la siguiente información al cliente de forma gratuita, con periodicidad al menos trimestral:
- importe del crédito dispuesto;
- tipo deudor;
- modalidad de pago establecida indicando la cuota fijada en ese momento para la amortización del crédito;
- fecha estimada en la que el cliente terminará de pagar el crédito dispuesto, teniendo en cuenta la cuota de amortización establecida en ese momento.
Si con posterioridad a la contratación del crédito revolving la cuantía de la cuota de amortización es inferior al porcentaje establecido en el OM EHA/2899/2011 art.18.2.e) (ver nº 8730 apartado e), la entidad debe añadir la siguiente información:
- ejemplos de escenarios sobre el posible ahorro que representaría aumentar el importe de la cuota por encima de la establecida en ese momento (ajustados a las instrucciones detalladas en la BE Circ 5/2012 norma undécima.8); y
- el importe de la cuota mensual que permitiría liquidar toda la deuda en el plazo de un año.

8654 **3. Información adicional**: cuando el cliente así lo solicite, la entidad facilitará en el plazo máximo de 5 días hábiles, la siguiente información adicional:
- Cualquiera de los extremos antes señalados.
- Cantidades abonadas y la deuda pendiente. La entidad facilitará al cliente un detalle lo más completo posible del crédito dispuesto, a fin de que pueda verificar la corrección del importe adeudado o reclamado y su composición.
- Cuadro de amortización.
Además, cuando se **amplíe el límite del crédito**, la entidad debe comunicar al cliente de forma individualizada, con una antelación mínima de 1 mes:
- el nuevo límite;
- cuantía de la deuda acumulada hasta ese momento;
- nueva cuota que deberá pagar, en su caso;
- la información prevista en el art.33 quinquies.2, en su caso.
Esta **información no es necesaria** cuando la entidad autorice excepcionalmente y de forma unilateral disposiciones del crédito por encima del límite del crédito concedido, siempre que sea por un importe inferior al 25% de dicho límite y que el importe dispuesto por encima del límite se incluya en su totalidad en la cuota correspondiente a la siguiente liquidación del crédito.

8656 **Obligación de asistencia** (OM EHA/2899/2011 art.33 ter.2 y 3) Con antelación a la firma del contrato, la entidad debe proporcionar al cliente la asistencia señalada en el nº 8622.
Además, sin perjuicio de la sujeción de la **publicidad** realizada en vías públicas, lugares abiertos al público y, en particular, en centros comerciales al cumplimiento de la normativa reguladora de la publicidad sobre productos y servicios bancarios, la entidad debe extremar la diligencia en el cumplimiento de la obligación de asistencia previa a la formalización del contrato cuando el crédito *revolving* se promocione u ofrezca a la clientela en estos casos, facilitando en ese momento explicaciones adecuadas de forma individualizada para que el potencial cliente pueda evaluar si el contrato de crédito, y en especial la modalidad de pago propuesta, se ajusta a sus intereses, a sus necesidades y a su situación financiera.

B. Préstamo de financiación de ventas a plazos de bienes muebles

(L 28/1998 art.2 a 5)

8660 Se entiende por **venta a plazos** el contrato mediante el cual una de las partes entrega a la otra una **cosa mueble corporal** y ésta se obliga a pagar por ella un precio cierto de forma total o parcialmente aplazada en tiempo superior a tres meses desde su perfección. El contrato de venta a plazos de bienes muebles se estudia en detalle en los nº 1330 s. de esta obra.

Financiación a vendedor Tienen la consideración de contratos de préstamo de financiación a vendedor para la venta a plazos los siguientes: 8662
a. Aquéllos en virtud de los cuales el vendedor **cede o subroga** a un financiador en su crédito frente al comprador nacido de un contrato de venta a plazos con o sin reserva de dominio.
b. Aquéllos mediante los cuales dicho vendedor y un financiador se conciertan para **proporcionar la adquisición** del bien al comprador contra el pago de su coste de adquisición en plazo superior a tres meses.

Financiación a comprador Tienen la consideración de contratos de préstamo de financiación a comprador para la venta a plazos, aquellos configurados por vendedor y comprador, y en virtud de los cuales un tercero facilita al comprador, como máximo, el **coste de adquisición** del bien, reservándose las garantías que se convengan, quedando obligado el comprador a devolver el importe del préstamo en uno o varios plazos superiores a tres meses. 8664

Exclusiones Quedan excluidos del ámbito de aplicación de la L 28/1998 los siguientes **supuestos**: 8666
1) Las compraventas a plazos de bienes muebles que, con o sin ulterior transformación o manipulación, se destinen a la **reventa al público** y los préstamos cuya finalidad sea financiar tales operaciones.
2) Las ventas y préstamos **ocasionales** efectuados sin finalidad de lucro.
3) Los préstamos y ventas garantizados con **hipoteca o prenda sin desplazamiento** sobre los bienes objeto del contrato.
4) Aquellos contratos de venta a plazos o préstamos para su financiación cuya **cuantía** sea inferior a la que se determine reglamentariamente.
5) Los contratos de **arrendamiento financiero**. Les resulta de aplicación la doctrina jurisprudencial relativa al momento a tener en cuenta para determinar la preferencia de créditos con ocasión de la confrontación de los derivados de una póliza de préstamo y de una póliza de crédito. Si bien no existe identidad o analogía entre los contratos de **préstamo y arrendamiento financiero**, en este último, el precio resulta exigible desde el momento de la firma de la póliza, aunque se establezcan cuotas periódicas de amortización, de manera que, incumplido el pago en los términos pactados, la liquidez de la deuda se consigue mediante una sencilla operación aritmética, al igual que sucede con un préstamo en que se hayan pactados diversos plazos para su amortización (TS 9-11-98, EDJ 26392).

Precisiones La regulación del contrato de arrendamiento financiero es parte integrante de la legislación mercantil y, consecuentemente, es **competencia estatal**. Sin perjuicio de lo anterior, las normas que regulan las sociedades de arrendamiento financiero son normas de ordenación del crédito y, en virtud de tal carácter, la configuración de la estructura y aspectos fundamentales de su actividad corresponden al Estado (TCo 96/1996).

Contenido del contrato (L 28/1998 art.7 y 8) Estos contratos han de contener con **carácter obligatorio**, además de los pactos y cláusulas que las partes libremente estipulen, las siguientes circunstancias: 8668
1) Lugar y fecha del contrato.
2) Nombre, apellidos, razón social y domicilio de las partes y, en los contratos de financiación, el nombre o razón social del financiador y su domicilio.
Se ha de hacer constar también el número o código de identificación fiscal de los intervinientes.
3) Descripción del **objeto vendido**, con las características necesarias para facilitar su identificación.
4) Precio de venta al contado, importe del desembolso inicial cuando exista, la parte del precio que se aplaza y, en su caso, la parte financiada por un tercero.
En los contratos de financiación debe constar el capital del préstamo.
5) Cuando se trate de **operaciones con interés, fijo o variable**, una relación del importe, el número y la periodicidad o las fechas de los pagos que debe realizar el comprador para el reembolso de los plazos o del crédito y el pago de los intereses y los demás gastos, así como el importe total de estos pagos cuando sea posible.
La **omisión** de alguna **de las circunstancias** señaladas en los dos números anteriores, no imputable a la voluntad del comprador o prestatario, reduce la obligación de éste a pagar exclusivamente el importe del precio al contado o el nominal del crédito, con derecho a satisfacerlo en los plazos convenidos, exento de todo recargo por cualquier concepto.
En el caso de **omisión o inexactitud de los plazos**, dicho pago no puede ser exigido al comprador antes de la finalización del contrato.
6) Tipo de interés nominal. En el supuesto de operaciones concertadas a interés variable se ha de establecer la fórmula para la determinación de aquél.

8670 7) **Tasa anual equivalente** (TAE) y condiciones en las que ese porcentaje puede, en su caso, modificarse.
La **omisión** de las circunstancias señaladas en los dos números anteriores reduce la obligación del comprador a abonar el interés legal del dinero en los plazos convenidos.
8) Relación de elementos que componen el **coste total del crédito**, con excepción de los relativos al incumplimiento de las obligaciones contractuales, especificando cuáles se integran en el cálculo de la tasa anual equivalente (TAE).
La **omisión** de esta relación determina la no exigibilidad al comprador del abono de los gastos no citados en el contrato, ni la constitución o renovación de garantía alguna.
9) Cuando se pacte, la **cesión** que de sus derechos frente al comprador realice el vendedor, subrogando a un tercero, y el nombre o razón social y domicilio de éste; o la reserva de la facultad de ceder a favor de una persona aún no determinada, cuando así se pacte.
10) Cláusula de **reserva de dominio**, si así se pacta, así como el derecho de cesión de la misma o cualquier otra garantía de las previstas y reguladas en el ordenamiento jurídico.
11) **Prohibición de enajenar** o de realizar cualquier otro acto de disposición en tanto no se haya pagado la totalidad del precio o reembolsado el préstamo, sin la autorización por escrito del vendedor o, en su caso, del financiador.
12) **Lugar** establecido por las partes a efectos de notificaciones, requerimientos y emplazamientos. Si no se consigna, las notificaciones, requerimientos y emplazamientos se han de efectuar en el domicilio propio de cada obligado.
También se ha de hacer constar un domicilio donde verificar el pago.
13) **Tasación** del bien para que sirva de tipo, en su caso, a la subasta.
También puede fijarse una tabla o índice referencial que permita calcular el valor del bien.
14) La facultad de **desistimiento**.
La **omisión o expresión inexacta** de los datos establecidos en los seis números anteriores puede reducir la obligación del comprador a pagar exclusivamente el importe del precio al contado o, en su caso, del nominal del préstamo. Esta reducción debe ser acordada por el Juez si el comprador justifica que ha sido perjudicado.

8672 Precisiones 1) Ha de tenerse en cuenta que los contratos de venta a plazos de bienes muebles y los de préstamo para su financiación se formalizan, habitualmente, de forma conjunta en los **modelos oficiales** aprobados por la DGRN (OM 19-7-1999 art.10.1). De otro modo, no es posible su inscripción en el Registro de venta a plazos de bienes muebles.
2) Mediante Resol DGRN 21-2-17, se ha aprobado la **renovación y digitalización** de los **modelos oficiales** de contratos de uso general y obligatorios para poder acceder a las ventajas y seguridad jurídica que proporciona la inscripción en el Registro de Bienes Muebles. Su cumplimentación se puede efectuar por medios electrónicos, sin necesidad de acudir a medios manuales o mecánicos de formalización. Los nuevos modelos son accesibles en la sede electrónica del Colegio de Registradores, web «registradores.org».
3) Mediante DGRN Resol 1-8-18, se ha aprobado un modelo de **cláusula de tratamiento de datos de carácter personal** para su utilización voluntaria en los modelos de contratos inscribibles en el Registro de Bienes Muebles.
4) Se aprueba mediante Resol DGRN 28-5-18 un **modelo de cláusula convencional** para a añadir a todos los modelos de contratos de financiación al comprador de bienes muebles, sin necesidad de su aprobación individual para cada contrato. Además, dicha cláusula se podrá adicionar de forma electrónica a los modelos F y A-V.2 aprobados por DGRN Resol 21-2-17.

C. Préstamo a interés variable

8675 En los contratos de préstamo bancario de dinero con interés variable, el tipo de interés **no permanece idéntico** a lo largo de la operación, sino que puede oscilar en función de lo pactado.
Habitualmente, en estos casos, se suele convenir que el tipo de interés, a partir de determinada fecha a contar de la del contrato, quede fijado por adición, a un **tipo de referencia** (normalmente el Euribor) de un corto diferencial.

Precisiones Con carácter especial, se exige para el **préstamo de financiación de ventas a plazos de bienes muebles** que el contrato contenga con carácter obligatorio una serie de circunstancias y, entre ellas, en el supuesto de operaciones concertadas a interés variable se ha de establecer la fórmula para la determinación de aquél (L 28/1998 art.7.5). Ver nº 8660 s.

8677 **Ejecución** (LEC art.574) En la ejecución en casos de intereses variables, el ejecutante ha de expresar en la demanda ejecutiva las **operaciones de cálculo** que arrojan como saldo la cantidad determinada por la que pide el despacho de la ejecución en los siguientes **casos**:
a. Cuando la cantidad que reclama provenga de un préstamo o crédito en el que se haya pactado un interés variable.

b. Cuando la cantidad reclamada provenga de un préstamo o crédito en el que sea preciso ajustar las paridades de distintas monedas y sus respectivos tipos de interés.

Precisiones Se vincula la necesidad de acompañar los documentos expresados, justificativos de realización de determinadas **operaciones de cierre** de cuenta para concretar la cantidad que se considera exigible, y de la notificación del saldo al ejecutado y al fiador, si lo hubiere, al pacto en el título que la cantidad exigible en caso de ejecución será la resultante de la liquidación efectuada por el acreedor en la forma convenida por las partes en el propio título ejecutivo, y para los supuestos en que no cabe entender que resulte líquida la cantidad por medio de simples operaciones aritméticas, como es el caso de pólizas de crédito derivadas de saldo en cuenta, o incluso aunque se trate de pólizas de préstamo, que por las circunstancias que se indican de ser variable el interés pactado o sea preciso ajustar paridades de distintas monedas y sus respectivos tipos de interés (AP Valencia auto 22-4-04, EDJ 211190).

D. Préstamo sindicado

El préstamo sindicado es aquel que presenta un fenómeno de **pluralidad de partes** en la parte acreedora. El prestamista es una comunidad de bancos o entidades crediticias agrupadas por un pacto de sindicación (nº 9030 s.). **8680**

Naturaleza jurídica Existen diversas posturas doctrinales en torno a la naturaleza jurídica del préstamo o crédito sindicado. Así, para un sector de la doctrina no es más que un contrato de **asociación de cuentas de participación** (CCom art.239 a 243), mientras que para otros es una **unión temporal de empresas** (regulada a efectos fiscales por la L 18/1982; ver nº 15810 s. Memento Sociedades Mercantiles 2024). **8682**

Cualquiera que sea la solución teórica, en la **práctica** es aconsejable que en el contrato celebrado entre las entidades sindicadas queden claramente determinadas:

a) Las relaciones de **solidaridad o parciariedad** acordadas.

b) El régimen por el que se han de regir las **relaciones internas** entre las figuras del *lead manager*, el *manager* y el banco agente.

Eurocréditos Tienen especial trascendencia, por haber escogido la figura del préstamo sindicado, los denominados eurocréditos, con las siguientes **modalidades**: **8684**

- los **créditos contingentes o «stand by»**, en los que las entidades crediticias abren una línea de crédito al cliente, sujeta a revisión periódica y en una determinada divisa;
- los **créditos «roll over»**, cuya característica es la existencia de una cláusula de revisión periódica del tipo de interés;
- los **créditos «revolving»**, que no se agotan con la utilización del crédito estipulado, sino que vuelven a ponerse automáticamente en vigor al iniciarse un nuevo período de tiempo o de renovación automática.

Precisiones El TS ha determinado cuándo el interés de un **crédito «revolving»** es **usurario** por ser notablemente superior al normal del dinero y manifiestamente desproporcionado con las circunstancias del caso (TS 4-3-20, EDJ 512653).
En relación con la determinación del **carácter usurario** de los intereses remuneratorios en las tarjetas *revolving* por parte del TS, ver nº 4484.

E. Préstamo en moneda extranjera

Se pueden distinguir tres categorías: **8690**

1) El caso en que el **prestamista y el prestatario son residentes en España**, aunque el préstamo sea en divisa. La operación es libre a partir de la liberalización general de los movimientos de capital en el seno de la Unión Europea (Dir 88/361/CEE).

2) El caso en que el **prestamista es no residente y el prestatario es residente**. Admite, a su vez, dos modalidades:

• Operación **puramente financiera**. Queda sometida, bajo el principio de libertad de movimientos de capital, a la normativa española sobre régimen jurídico de los movimientos de capitales y de las transacciones económicas con el exterior (L 19/2003; RD 1816/1991).

• Operación **de inversión**. Las inversiones extranjeras en España y su liquidación han de ser declaradas al Registro de Inversiones del Ministerio de Economía y Hacienda, con una finalidad administrativa, estadística o económica. Actualmente, la competencia administrativa en materia de inversiones exteriores recae en el Ministerio de Economía, ejercida a través de la Dirección General de Comercio e Inversiones (RD 689/2000 art.1.2.c; RD 1371/2000 art.12). La declaración, además, es posterior a la inversión, salvo si ésta procede de paraísos fiscales (RD 571/2023 art.8; OM 28-5-2001).

3) El **prestamista es residente y el prestatario es no residente**. Admite también las dos modalidades apuntadas para el caso anterior. La regla general es, de nuevo, la simple declaración, que basta que sea posterior, salvo inversiones en paraísos fiscales.

8692 **Ejecución de deudas en moneda extranjera** (LEC art.577) Si el título fija la cantidad de dinero en moneda extranjera, se ha de despachar la ejecución para obtenerla y entregarla.
Las **costas y gastos**, así como los intereses de demora procesal, se abonan en la moneda nacional.
Para el **cálculo de los bienes** que han de ser embargados, la cantidad de moneda extranjera se computa según el cambio oficial al día del despacho de la ejecución.
En el caso de que se trate de una **moneda extranjera sin cotización oficial**, el cómputo se hace aplicando el cambio que, a la vista de las alegaciones y documentos que aporte el ejecutante en la demanda, el tribunal considere adecuado, sin perjuicio de la ulterior liquidación de la condena.

F. Préstamos participativos

8695 Son contratos financieros en los que se estipula que el acreedor-financiador, además de la remuneración ordinaria vía interés, obtenga una **remuneración dependiente de los beneficios** obtenidos por el deudor-financiado. Es decir, es un préstamo en el que los intereses que recibe el prestamista están de alguna forma ligados a la evolución de la actividad del prestatario. Esto es, el prestamista recibe más o menos intereses en función de la evolución del EBITDA del prestatario, cifra de ventas, ratios de fondos propios, etc.

8697 El problema principal que plantean es el de su **naturaleza jurídica**, y se discute si conservan su carácter financiero de **recursos ajenos** o si, por el contrario, la nota de la participación en beneficios les atribuye naturaleza de **fondos propios**.
La **DGRN** (actual DGSJFP) los ha considerado como parte integrante de los fondos propios o patrimonio neto de la sociedad mercantil, tomando como base el RDL 7/1996 art.20.Uno.d, la Resol ICAC 20-12-96, por la que se fijan criterios generales para determinar el concepto de patrimonio contable a efectos de los supuestos de reducción de capital y disolución de sociedades regulados en la legislación mercantil y la Resol ICAC 5-3-19, por la que se desarrollan los criterios de presentación de los instrumentos financieros y otros aspectos contables relacionados con la regulación mercantil de las sociedades de capital (DGRN Resol 19-6-19; también DGT CV 19-9-06).

Precisiones Un sector de la **doctrina**, sin embargo, después de rechazar la identificación de esta figura con el contrato de cuentas en participación, concluye que es verdaderamente un préstamo con características especiales, pues aparejado al contrato ordinario de préstamo, va un pacto parciario singular (García Villaverde y Fradejas Rueda).

8699 **Características** (RDL 7/1996 art.20.1) Se consideran préstamos participativos aquellos que tienen las siguientes características:
a) La entidad prestamista percibe un **interés variable** que se determina en función de la evolución de la actividad de la empresa prestataria. El criterio para determinar dicha evolución puede ser: el beneficio neto, el volumen de negocio, el patrimonio total o cualquier otro que libremente acuerden las partes contratantes.Además, se puede acordar un **interés fijo** con independencia de la evolución de la actividad.
b) Las partes contratantes pueden acordar una **cláusula penalizadora** para el caso de amortización anticipada. Además, la amortización anticipada debe compensarse con fondos propios.
c) En orden a la **prelación de créditos** se sitúan después de los acreedores comunes. Así lo confirma la LCon art.281.1.2º, que los clasifica como créditos subordinados.
d) Los préstamos participativos se consideran **patrimonio neto** a los efectos de reducción del capital y liquidación de sociedades previstas en la legislación mercantil.
En relación con las Entidades de Capital-Riesgo y sus Sociedades Gestoras, ver L 22/2014 art.10.

Precisiones La aportación de los socios a una sociedad como préstamo participativo no puede tener tal consideración si se acuerda que la remuneración anual será de un **interés fijo** del 3%, liquidable mensualmente, pues dicha mención no cumple la exigencia legal del interés variable determinable en función de la evolución de la actividad de la empresa prestataria (TS 23-11-21, EDJ 748484; en términos similares, AP Las Palmas 28-6-13, EDJ 157303).

G. Préstamo hipotecario

 8705

La **hipoteca bancaria** es aquella que se constituye para asegurar el cumplimiento de una obligación nacida de un contrato bancario, normalmente, un contrato de préstamo, aunque también puede tratarse de una apertura de crédito en cuenta corriente (nº 8830 s.). 8707

Actualmente, las **principales especialidades** que presenta el préstamo hipotecario en el ámbito bancario se refieren a las normas de:

- protección de los deudores hipotecarios sin recursos (nº 8715);
- transparencia e información del cliente (nº 8725);
- contratos de crédito inmobiliario (nº 8765);
- subrogación y modificación en el préstamo (nº 8800); y
- procedimientos judiciales y extrajudiciales de ejecución hipotecaria (nº 8815).

La hipoteca como garantía se estudia más extensamente en nº 3915 s. de esta obra, así como en nº 6640 s. Memento Inmobiliario 2023-2024.

Precisiones **1)** El TS en relación con una operación de préstamo hipotecario, condena al banco concedente del préstamo a indemnizar al prestatario los daños causados al no permitirle **disponer del dinero procedente del préstamo** sin cumplir una serie de condiciones impuestas por el propio banco que resultaron de imposible verificación, lo que revelaba una actuación de la entidad crediticia contraria a la buena fe (CC art.1258). Para el Tribunal Supremo, con estos pactos se desvirtuaba totalmente el contrato de préstamo, que es un contrato real y que requiere, para su perfeccionamiento la entrega del dinero que, inmediatamente, pasa a la propiedad del prestatario, el cual puede disponer de él, ingresándolo en la cuenta que tenga por conveniente, invirtiéndolo, etc. 8709

De otro lado, en esta sentencia el Tribunal Supremo estimó también que las cláusulas de **vencimiento anticipado** insertas en préstamos hipotecarios eran nulas por constituir pactos *contra legem* en virtud de su vulneración de determinados preceptos del Código Civil -CC art.1125 y 1127- y de la Ley Hipotecaria -LH art.127 y 135- (TS 27-3-99, EDJ 5402).

A este respecto, es de esencial importancia la sentencia TJUE 14-3-13 (asunto C-415/11), que determina que respecto de la cláusula sobre el vencimiento anticipado en los contratos de larga duración por **incumplimiento del deudor en un lapso limitado**, el juez competente tiene que supervisar de modo especial si las facultades dadas al profesional -predisponente- de imponer el vencimiento anticipado del total del préstamo es vinculada con que el consumidor o usuario cumpla una obligación esencial del contrato en cuestión. Cuando tal facultad se recoge para casos en los que el incumplimiento es lo suficientemente grave en relación con la duración y la cuantía del préstamo, si se diera esa facultad, ha de ser una excepción respecto de las normas aplicables y el juez competente, además, ha de verificar si el Derecho nacional recoge vías adecuadas y eficaces para remediar los efectos de tal tipo de vencimiento (el anticipado). Acerca de esta sentencia ver también lo expuesto nº 4280 s. de esta obra y en nº 3604 Memento Experto Civil Derechos Reales.

Destaca también la sentencia TJUE 26-3-19, asuntos acumulados C-70/17 y C-179/17, que declara inadmisible que una cláusula de vencimiento anticipado de un contrato de préstamo hipotecario declarada **abusiva** sea **conservada parcialmente** mediante la supresión de los elementos que la hacen abusiva, cuando tal supresión equivalga a modificar el contenido de dicha cláusula afectando a su esencia. Véase nº 8075.

2) En una operación de préstamo hipotecario, se considera aplicable la **presunción de ganancialidad** de un inmueble adquirido por dos cónyuges en base al hecho de que para efectuar el pago ambos cónyuges formalizaron el citado préstamo hipotecario y sin que, por ello, sea de recibo la previa situación de separación de hecho alegada por uno de los cónyuges (TS 6-7-98, EDJ 7897).

3) El prestamista puede resolver el contrato de préstamo,en aplicación del art.1124 CC en caso de incumplimiento grave y esencial del prestatario, consistente en un incumplimiento del pago de las cuotas del préstamo durante casi 5 años. A falta de una norma que concrete cuándo es resolutorio el incumplimiento del deudor por impago de las cuotas del préstamo, la **valoración de la gravedad del incumplimiento** debe tener en cuenta tanto su carácter prolongado en el tiempo como la falta de reparación de la situación por parte del deudor, pues se trata de que dicho incumplimiento (devolución en ciertos plazos, pago de los intereses) justifique que el acreedor quiera poner fin al contrato para recuperar todo el capital prestado sin esperar al término pactado (TS 11-7-18, EDJ 516932).

4) En relación con la declaración de nulidad de las **cláusulas suelo** incluidas en los contratos de préstamo hipotecario por parte de varias entidades de crédito, ver nº 8083.

1. Protección de los deudores hipotecarios sin recursos

8715 El legislador español ha reaccionado ante la crisis económica, soportada de forma destacable por los deudores hipotecarios sin recursos, intentando paliar las consecuencias cuando afectan a su **vivienda habitual**.

En este sentido, se tomaron **medidas urgentes** por RDL 27/2012, siendo el punto central la **suspensión del desahucio** de forma inmediata y por un plazo de 2 años -desde la fecha de entrada en vigor de la norma el 16-11-2012- de las familias en situación de especial riesgo de exclusión. Esta medida afectó, temporal y excepcionalmente, a cualquier proceso judicial o extrajudicial de ejecución hipotecaria en el que se adjudicara al acreedor la vivienda habitual de personas que formaran parte de determinados colectivos -también se aplicaba a los procesos judiciales o extrajudiciales de ejecución hipotecaria iniciados a la entrada en vigor de esta norma en los que no se hubiera ejecutado el lanzamiento-; y no modificaba el procedimiento de ejecución hipotecaria.

Dichas medidas urgentes (de vigencia ya agotada) pusieron de manifiesto la necesidad de una reforma más profunda del régimen jurídico relativo a las **personas físicas en situación de sobreendeudamiento**, particularmente analizando los mecanismos de mejora de la ejecución hipotecaria.

Así, el RDL 27/2012 se vio modificado y complementado por la L 1/2013, de medidas para reforzar la protección a los deudores hipotecarios, reestructuración de deuda y alquiler social.

En el contexto de la crisis generada por el **COVID-19** también se adoptaron medidas específicas de protección de deudores hipotecarios sin recursos y se reforzaron las ya existentes (RDL 6/2020, que modificó la L 1/2013).

8717 **Medidas de protección** (L 1/2013 art.1; LH art.3, 5, 114; RDL 6/2012 art.3.1.b y anexo aptdo.4 y 5) Se establecen las siguientes:

1) La **suspensión de los lanzamientos** relativos a **viviendas habituales** para colectivos especialmente vulnerables: afecta tanto a procesos judiciales como a los extrajudiciales de ejecución hipotecaria. Consiste en que hasta que transcurran 11 años desde la fecha de entrada en vigor de la norma (esto es, **hasta el 15-5-2024**), no se permite el lanzamiento, en caso de adjudicación al acreedor, o a cualquier otra persona física o jurídica, de la vivienda habitual de personas que se encuentren en alguno de los supuestos de especial vulnerabilidad que contempla la norma y en determinadas circunstancias económicas. Ver nº 4310 y nº 4312.

2) Un **derecho de alquiler** en caso de ejecución de la vivienda habitual. Los beneficiarios de la suspensión de lanzamientos, que sean a su vez clientes de las entidades adheridas al Código de Buenas Prácticas, pueden solicitar a la entidad ejecutante que les sea arrendada su vivienda en condiciones preferenciales (renta anual máxima del 3% de su valor al tiempo de la aprobación del remate) por un periodo de hasta 5 años y 5 años más si así se acuerda con la entidad. Esta solicitud debe realizarse en el plazo de 6 meses a contar, bien desde el 19-3-2017, bien desde que la suspensión les sea aplicable si esta fuera posterior a dicha fecha.

8719 3) Algunas medidas de **mejora del sistema hipotecario**, entre las que cabe destacar las siguientes:

• En relación con los **intereses de demora** relativos a hipotecas sobre la vivienda habitual, la L 5/2019, de contratos de crédito inmobiliario (que modificó la LH art.114), establece con carácter imperativo que, en los préstamos o créditos concluidos por una persona física y garantizados mediante hipoteca sobre bienes inmuebles para uso residencial, el interés de demora será el interés remuneratorio más tres puntos porcentuales a lo largo del período en el que aquel resulte exigible. El interés de demora solo podrá devengarse sobre el principal vencido y pendiente de pago y no podrá ser capitalizado en ningún caso (salvo en el supuesto previsto en la LEC art.579.2.a).

• El **plazo de amortización** de los préstamos o créditos hipotecarios sobre la vivienda habitual -para adquisición, construcción o rehabilitación-, no pueden superar los 30 años.

• Se refuerza la independencia de las **sociedades de tasación**.

Las **ejecuciones hipotecarias** son objeto de un estudio en detalle en nº 4280 s. y, más ampliamente, en nº 8710 s. Memento Procesal Civil 2024 y nº 3604 s. Memento Experto Civil Derechos Reales.

2. Normas de transparencia en los préstamos hipotecarios

(L 2/2011 art.29)

8725 La vigente regulación persigue un triple **objetivo**:

1) Concentrar en un único texto la normativa básica de **transparencia**, superando la actual dispersión normativa.

2) Actualizar el conjunto de las previsiones relativas a la **protección del cliente bancario**, para racionalizar, mejorar y aumentar las obligaciones de transparencia y conducta de las entidades de crédito -con relación a la información relativa a tipos de interés y comisiones, comunicaciones con el cliente, información precontractual, servicios financieros vinculados, etc.-. A tales efectos, se incluye una mención expresa al **asesoramiento**, con el fin de garantizar que la prestación de este servicio bancario se realice siempre en mejor interés del cliente, y valorando adecuadamente su situación y el conjunto de servicios disponibles en el mercado.

3) Finalmente, se reconocen de manera definitiva los **medios electrónicos** como mecanismos a todos los efectos equiparables al tradicional soporte papel, en la relación de las entidades de crédito con sus clientes.

Se desarrollan también los principios generales previstos en L 2/2011 art.29 en lo que se refiere al **préstamo responsable**, introduciendo las obligaciones correspondientes para que el sector financiero español, en beneficio de los clientes y de la estabilidad del mercado, mejore los niveles prudenciales en la concesión de este tipo de operaciones. A estos efectos, se diseña un sistema basado en la **evaluación de la solvencia**, que tiene como objetivo la valoración del riesgo de impago a efectos de la posible concesión de un préstamo.

Por otro lado, se desarrolla la normativa de transparencia del **préstamo hipotecario para la adquisición de vivienda**, reforzándose específicamente la transparencia en lo que se refiere a las cláusulas suelo o techo y los instrumentos financieros de cobertura del tipo de interés.

Precisiones **1)** Esta regulación se completa por BE Circ 5/2012, sobre **transparencia en los servicios bancarios** y responsabilidad en la concesión de préstamos (modificada por BE Circ 1/2021, BE Circ 3/2021 y BE Circ 3/2022).

2) En materia de préstamos hipotecarios resulta de singular relevancia la doctrina relativa a la **nulidad**, por abusivas, de las **cláusulas suelo**. Ver nº 4504 y nº 8083.

3) También es relevante en esta materia la jurisprudencia dictada en relación con las **cláusulas de gastos**:

- TS 23-12-15, EDJ 253610; 24-7-20, EDJ 613251; 20-5-21, EDJ 570246; 6-7-21, EDJ 623941, entre otras, que declaran la abusividad de las cláusulas que hacen recaer en el consumidor hipotecado la totalidad de los gastos relativos a la constitución de hipoteca.
- TS Pleno cont-adm 27-11-18, EDJ 641978, que establece que el cliente es quien debe pagar el AJD.

Cuando se declara la nulidad de estas cláusulas abusivas, que atribuyen el pago de la totalidad de los gastos e impuestos derivados de la constitución de la hipoteca a la parte prestataria, el TJUE entiende que el juez nacional no puede negar al consumidor la **devolución** de las cantidades abonadas en virtud de la misma, salvo que las normas nacionales aplicables en defecto de tal cláusula impongan el pago de la totalidad o de una parte de esos gastos (TJUE 16-7-20, asunto C-224/19).

a. Préstamo responsable

(L 2/2011 art.29; OM EHA/2899/2011 art.18)

8730 Bajo esta denominación se establecen diversas normas para la **evaluación de la solvencia** del cliente bancario en cualquier tipo de préstamo.

La entidad de crédito, **antes de que se celebre cualquier contrato** de crédito o préstamo, debe evaluar la capacidad del cliente para cumplir con las obligaciones derivadas del mismo, sobre la base de la información suficiente obtenida por medios adecuados a tal fin, entre ellos, la información facilitada por el propio cliente a solicitud de la entidad. A estos efectos, las entidades deben contar con procedimientos internos específicamente desarrollados para llevar a cabo la evaluación de solvencia.

Estos **procedimientos**, que han de ser revisados periódicamente por las propias entidades, además de ajustarse a la normativa específica sobre **gestión de riesgos y control interno**, deben contemplar, al menos, los siguientes aspectos:

a) La adecuada evaluación de la **situación** de empleo, ingresos, patrimonial y financiera del cliente. Para ello, se exigirá cuanta documentación sea adecuada para evaluar la variabilidad de los ingresos del cliente, se consultará el historial crediticio del cliente y se tendrá en cuenta el nivel previsible de ingresos a percibir tras la jubilación (en el caso de que se prevea que una parte sustancial del crédito o préstamo se continúe reembolsando una vez finalizada la vida laboral).

b) La valoración de la **capacidad** del cliente y de los garantes de cumplir con sus obligaciones de pago derivadas del crédito o préstamo. Para ello, debe tenerse en cuenta, además de sus ingresos, sus activos en propiedad, sus ahorros, sus obligaciones derivadas de otras deudas o compromisos, sus gastos fijos y la existencia de otras posibles garantías.
c) En el caso de créditos o préstamos a **tipo de interés variable**, y de otros en los que el valor de las cuotas pueda variar significativamente a lo largo de la vida de la operación, se deberá valorar cómo afectaría esta circunstancia a la capacidad del cliente de cumplir con sus obligaciones.
d) En el caso de créditos o **préstamos hipotecarios** o con otras garantías reales, la valoración prudente de tales garantías mediante procedimientos que eviten influencias o conflictos de interés que puedan menoscabar la calidad de la valoración (nº 8735 s.).
e) En el caso créditos al consumo de duración indefinida o de duración definida prorrogable de forma automática concedido a personas físicas en el que el crédito dispuesto no se satisface en su totalidad al final del período de liquidación pactado (conocidos como **créditos revolventes o «revolving»**, ver nº 8650), se valorará, en particular, si el cliente dispone de capacidad económica suficiente para satisfacer sus obligaciones a lo largo de la vida de la operación sin incurrir en sobreendeudamiento. A tal fin, el importe anual de las cuotas a pagar por el crédito tendrá por objetivo amortizar una cuantía mínima anual del 25% del límite del crédito concedido. Para la valoración de la capacidad económica se utilizarán cuotas calculadas en doce plazos mensuales iguales con arreglo al sistema de amortización de cuota constante, sin perjuicio de que contractualmente pueda pactarse cualquier otra forma de cálculo de las mismas. Para ampliar el límite del crédito, la entidad deberá actualizar previamente la información financiera de que disponga sobre el cliente y evaluar nuevamente su solvencia con arreglo a lo previsto en este apartado.

8732 En el supuesto de créditos o **préstamos con garantía real**, los criterios para determinar la concesión o no del crédito o préstamo, la cuantía máxima del mismo y las características de su tipo de interés y de su sistema de amortización deben fundamentarse, preferentemente, en la capacidad estimada del cliente para hacer frente a sus obligaciones de pago previstas a lo largo de la vida del crédito o préstamo, y no exclusivamente en el valor esperado de la garantía.
En el caso de suscripción de **seguros de amortización** de créditos o préstamos, tal suscripción no puede sustituir, en ningún caso, la necesaria y completa evaluación de la solvencia del cliente y de su capacidad para cumplir con sus obligaciones de pago por sus propios medios.

b. Préstamos hipotecarios para adquisición de vivienda

(OM EHA/2899/2011 art.19 a 32; OM ECE/1263/2019; OM ETD/699/2020)

8735 **Información precontractual** (OM EHA/2899/2011 art.20 a 25) El Banco de España elaborará una «**Guía de Acceso al Préstamo Hipotecario**», con la finalidad de que quienes demanden servicios bancarios de préstamo hipotecario dispongan, con carácter previo, de información adecuada para adoptar sus decisiones de financiación.
Esta guía estará disponible en todos los establecimientos comerciales de las entidades de crédito, en sus páginas electrónicas y en la página electrónica del Banco de España, y a disposición de los clientes, en cualquier momento y gratuitamente.

8737 **Ficha de información precontractual** (OM EHA/2899/2011 art.21) Los prestamistas, intermediarios de crédito y sus representantes designados, en su caso, deberán proporcionar información general, clara y suficiente sobre los préstamos que ofertan a los potenciales prestatarios que la soliciten, con el contenido previsto en la L 5/2019 art.9 (nº 8779).
Esta información, que será gratuita y tendrá carácter orientativo, se facilitará mediante la ficha de información precontractual (**FIPRE**) que figura en OM EHA/2899/2011 Anexo I.
La FIPRE ha de estar a disposición de los prestatarios o potenciales prestatarios, de forma gratuita, en todos los canales de comercialización utilizados por los prestamistas, intermediarios de crédito o sus representantes.

8739 **Ficha de advertencias estandarizadas** (OM EHA/2899/2011 art.22) El prestamista, intermediario de crédito o su representante designado, en su caso, deberá entregar al prestatario o potencial prestatario, y, en su caso, a toda persona física que sea fiadora o garante del préstamo, con una antelación mínima de 10 días naturales respecto al momento de la firma del contrato de préstamo, la ficha de advertencias estandarizadas (**FiAE**) que figura en la OM EHA/2899/2011 Anexo II.

Información adicional sobre instrumentos de cobertura del riesgo de tipo de interés (OM EHA/2899/2011 art.24) En relación con cualquier sistema de cobertura de tipo interés que se comercialice vinculado a un préstamo concedido por la propia entidad y, especialmente, aquellos a los que se refiere la obligación establecida para las entidades de crédito en la L 36/2003 art.19.2, se informará al cliente de: **8741**

a) La **naturaleza del instrumento de cobertura**, si se trata de un límite al alza del tipo de interés, o si se trata de otro tipo de instrumento de cobertura ya sea porque el límite al alza vaya acompañado de un límite a la baja, o por cualquier otra característica, en cuyo caso se indicará expresamente que el producto no se limita a proteger al cliente frente al alza de tipos.
b) Su **duración** y, en su caso, las condiciones para su prórroga o renovación.
c) En función de la naturaleza del instrumento, si fuera el caso:
1. La obligatoriedad del pago de una **prima** y su importe.
2. Las potenciales **liquidaciones periódicas** del instrumento, producto o sistema de cobertura, teniendo en cuenta diversos escenarios de tipos de interés que respondan a la evolución histórica del tipo de referencia, destacando la posibilidad de que las mismas pueden ser negativas.
3. La metodología de cálculo del coste asociado a una **cancelación anticipada**, con referencia a distintos escenarios de tipos de interés que respondan a la evolución histórica del tipo de referencia.
d) Otras características del instrumento, producto o sistema de cobertura que pudiera establecer el Banco de España.
Toda esa información ha de recogerse en un **anexo** a la Ficha de información personalizada -FIPER- (OM EHA/2899/2011 art.32 decies).

No es necesario que en la contratación del sistema de cobertura se produzca una **vinculación expresa y formal** con el préstamo, siendo suficiente que las partes reconozcan expresamente en dicha contratación que el sistema de cobertura se contrata con esa finalidad respecto de aquél. Dicha finalidad no puede observarse, en ningún caso, cuando el importe nocional de la cobertura supere al del préstamo que pretende cubrir. Por el contrario, sí es posible observarla, aun cuando el plazo del sistema de cobertura sea superior al del préstamo, siempre que éste sea renovable y su no renovación suponga la cancelación del sistema de cobertura sin coste para el cliente. **8743**

Tipos de interés

(OM EHA/2899/2011 art.26) En el caso de préstamos concedidos a **tipo de interés variable**, las entidades de crédito únicamente pueden utilizar como **índices o tipos de referencia** aquellos que cumplan las siguientes condiciones: **8745**
a) Que se hayan calculado a **coste de mercado** y no sean susceptibles de influencia por la propia entidad en virtud de acuerdos o prácticas conscientemente paralelas con otras entidades.
b) Que los datos que sirvan de base al índice o tipo sean agregados de acuerdo con un **procedimiento matemático objetivo**.
En estos casos, el prestamista, intermediario de **crédito inmobiliario** o representante designado, en su caso, debe entregar al prestatario o potencial prestatario, y, en su caso, a toda persona física que sea fiadora o garante del préstamo, con una antelación mínima de 10 días naturales respecto al momento de la firma del contrato, el documento separado indicado en la L 5/2019 art.14.1.c (ver nº 8783), en el que se hará una referencia especial a las cuotas periódicas a satisfacer por el cliente en diferentes escenarios de evolución de los tipos de interés y las posibilidades de cobertura frente a tales variaciones, y todo ello teniendo además en cuenta el uso o no de índices oficiales de referencia.
A estos efectos, se deben presentar al menos tres **cuotas de amortización**, calculadas mediante el empleo de los niveles máximos, medios y mínimos que el índice de referencia utilizado en la ficha europea de información normalizada (FEIN) haya presentado durante los últimos veinte años o el plazo máximo disponible si es menor. Si el tipo de interés aplicable inicialmente al préstamo se correspondiera con el nivel máximo o mínimo durante los últimos veinte años, se tomará como referencia para el cálculo dicho nivel incrementado o disminuido, según el caso, en un cincuenta por ciento.

Tipos de interés oficiales (OM EHA/2899/2011 art.27; OM ETD/699/2020) A efectos de su aplicación por las entidades, se consideran tipos de interés oficiales los siguientes índices de referencia: **8747**
a) Tipo medio de los préstamos hipotecarios a **más de tres años**, para adquisición de vivienda libre, concedidos por las entidades de crédito en España.
b) Tipo medio de los préstamos a la vivienda **entre uno y cinco años** concedidos por las entidades de crédito en la zona euro.
c) Tipo de rendimiento interno en el mercado secundario de la deuda pública de plazo **entre dos y seis años**.

d) **Euribor** a una semana, un mes, tres meses, seis meses y un año.
e) Permuta de intereses/*Interest Rate Swap* (**IRS**) al plazo de cinco años.
f) Tipo de interés de referencia basado en el Euro short-term rate (**€STR**).
g) Cualquier **otro** índice establecido al efecto expresamente mediante resolución de la Secretaría General del Tesoro y Financiación Internacional.
Los tipos de interés oficiales se **publican** mensualmente por el Banco de España en el BOE y están también disponibles en su página electrónica.

8749 **Cálculo del valor de mercado y compensación por riesgo de tipo de interés** (OM EHA/2899/2011 art.28) A los efectos del cálculo del valor de mercado de los préstamos hipotecarios y la consiguiente compensación por riesgo de tipo de interés (L 41/2007 art.9.2), se consideran **índices o tipos de interés de referencia**, los tipos *Interest Rate Swap* (IRS) a los plazos de 2, 3, 4, 5, 7, 10, 15, 20 y 30 años que publicará el Banco de España y a los que se añadirá un diferencial. Este **diferencial** se fija como la diferencia existente, en el momento de contratación de la operación, entre el tipo de interés de la operación y el IRS al plazo que más se aproxime, en ese momento, hasta la siguiente fecha de revisión del tipo de interés o hasta la fecha de su vencimiento.
Se aplica el tipo de interés de referencia de los anteriores que más se aproxime al plazo del préstamo hipotecario que reste desde la cancelación anticipada hasta la próxima fecha de revisión del tipo de interés o hasta la fecha de su vencimiento.
El diferencial así calculado se debe incorporar al documento contractual en todos aquellos préstamos sujetos a la L 5/2019, reguladora de los contratos de crédito inmobiliario.
La forma de **cálculo** de los índices y tipos anteriores se determinará mediante circular del Banco de España.

8751 **Documentación contractual** (OM EHA/2899/2011 art.29) Los documentos contractuales y las escrituras públicas en las que se formalicen los préstamos han de recoger, debidamente separadas de las restantes, **cláusulas financieras** cuyo contenido mínimo se ajustará a la información personalizada prevista en la FIPER (nº 8739). Las **restantes cláusulas** de tales documentos contractuales no pueden, en perjuicio del cliente, desvirtuar el contenido de aquéllas. En particular, ha de fijarse el tipo de interés aplicable, así como la obligación de notificar al cliente las variaciones experimentadas en ese tipo de interés.

8753 **Acto de otorgamiento** (OM EHA/2899/2011 art.30) En materia de **elección de notario** hay que estar a lo dispuesto en el Reglamento Notarial.
El cliente tiene derecho a examinar el **proyecto de escritura** pública de formalización del préstamo hipotecario en el despacho del notario al menos durante los 3 días hábiles anteriores a su otorgamiento, aunque puede renunciar expresamente, ante el notario autorizante, al señalado plazo, siempre que el acto de otorgamiento de la escritura pública tenga lugar en la propia notaría.
Los **notarios** deben informar al cliente del valor y alcance de las **obligaciones** que asume y, en cualquier caso, deben:
a) Comprobar si el cliente ha recibido adecuadamente y con la suficiente antelación la **FIPER** (OM EHA/2899/2011 art.32 decies) y, en su caso, si existen discrepancias entre las condiciones de la oferta vinculante y el documento contractual finalmente suscrito, e informar al cliente tanto de la obligación de la entidad de poner a su disposición la FIPER (OM EHA/2899/2011 art.32 decies), como de aceptar finalmente las condiciones ofrecidas al cliente en la oferta vinculante dentro del plazo de su vigencia.
b) En el caso de **préstamos a tipo de interés variable**, comprobar si el cliente ha recibido la información prevista en OM EHA/2899/2011 art.24 a 26, y advertirle expresamente cuando se dé alguna de las siguientes circunstancias:
1. Que el tipo de **interés de referencia** pactado no sea uno de los oficiales.
2. Que el tipo de **interés aplicable durante el período inicial** sea inferior al que resultaría teóricamente de aplicar en dicho período inicial el tipo de interés variable pactado para períodos posteriores.
3. Que se hubieran establecido **límites a la variación** del tipo de interés, como cláusulas suelo o techo.

8755 **c)** Informar al cliente de cualquier **aumento relevante** que pudiera producirse en las cuotas como consecuencia de la aplicación de las cláusulas financieras pactadas. En particular, debe advertir de los efectos que la existencia, en su caso, de **períodos de carencia** tendría en el importe de las cuotas una vez finalizados tales períodos; así mismo, advertirá de la previsible evolución de las mismas cuando se hubieran pactado **cuotas crecientes** o cuando se hubiera previsto la posibilidad de interrumpir o posponer la amortización del préstamo.

d) Informar al cliente de la eventual obligación de satisfacer a la entidad ciertas cantidades en concepto de **compensación por desistimiento o por riesgo de tipo de interés** (L 41/2007 art.8 y 9).
e) En el caso de que el préstamo **no esté denominado en euros**, advertir al cliente sobre el riesgo de fluctuación del tipo de cambio.
f) Comprobar que ninguna de las cláusulas no financieras del contrato implica para el cliente **comisiones o gastos** que debieran haberse incluido en las cláusulas financieras.
g) En el caso de **hipoteca inversa** debe verificar la existencia del correspondiente asesoramiento independiente. En caso de que la formalización de la hipoteca inversa se realice en contra de la recomendación realizada por el asesoramiento independiente, se deberá advertir de este extremo al cliente (nº 8757).
h) Informar al cliente de los **costes exactos** de su intervención.

Precisiones La OM EHA/2899/2011 art.30.3 y 30.4 permite a los **notarios denegar la autorización del préstamo** cuando el mismo no cumpla lo previsto en dicha Orden y la legalidad vigente. Sin embargo, el TS cont-adm 7-3-16, EDJ 14623 ha dictaminado que dichos preceptos vulneran el principio de legalidad. Ello se debe a la falta de habilitación legal del Ministerio de Economía y Hacienda para regular una competencia de los notarios sobre los contratos de préstamo en los que intervienen.

Hipoteca inversa (OM EHA/2899/2011 art.32 septies, 32 octies, 32 novies, 32 decies, 32 undecies, 32 duocecies) 8757

Esta orden ministerial se aplica a las hipotecas inversas comercializadas en España (L 41/2007 disp.adic.1ª), con las siguientes especificidades:
a) El Banco de España y la Dirección General de Seguros y Fondos de Pensiones elaborarán conjuntamente una «**Guía de Acceso a la Hipoteca Inversa**» en términos adaptados y análogos a los previstos en la L 5/2019 disp.adic.tercera.
b) Las entidades deben proporcionar a los clientes que soliciten cualquiera de estos servicios, información clara y suficiente sobre los préstamos que ofertan. Esta información, que será gratuita y tendrá carácter orientativo, se facilitará mediante la **Ficha de Información Precontractual** (**FIPRE**) que figura en la OM EHA/2899/2011 Anexos III. Esta ficha estará a disposición de los clientes de préstamos, de forma gratuita, en todos los canales de comercialización utilizados por la entidad.
c) Las entidades, una vez que el cliente haya facilitado la información que se precise sobre sus necesidades de financiación, su situación financiera y sus preferencias, proporcionarán a este la información personalizada que resulte necesaria para dar respuesta a su demanda de crédito, de forma que le permita comparar los préstamos disponibles en el mercado, valorar sus implicaciones y adoptar una decisión fundada sobre si debe o no suscribir el contrato. Esta información se facilitará mediante la **Ficha de Información Personalizada** (**FIPER**) que figura en OM EHA/2899/2011 Anexos IV. La ficha de información personalizada se entregará a todos los clientes de préstamos, de forma gratuita, con la debida antelación y, en todo caso, antes de que el cliente quede vinculado por cualquier contrato u oferta. Toda información adicional que la entidad facilite al cliente figurará en un documento separado, que deberá adjuntarse a la ficha de información personalizada.
d) Una vez el cliente y la entidad hayan mostrado su voluntad de contratar un determinado servicio bancario de préstamo hipotecario, se disponga de la tasación correspondiente del inmueble y se hayan efectuado las oportunas comprobaciones sobre su situación registral y sobre la capacidad financiera del cliente, este podrá solicitar a la entidad la entrega de una **oferta vinculante**. La oferta vinculante se facilitará mediante la FIPER en la que, adicionalmente, se especificará:
- que se trata de una oferta vinculante; y
- el plazo de **vigencia** de dicha oferta, que, salvo que medien circunstancias extraordinarias o no imputables a la entidad, tendrá un plazo de validez no inferior a 14 días naturales desde su fecha de entrega.

Toda información adicional que la entidad facilite al cliente en la oferta vinculante figurará en un documento separado, que deberá adjuntarse a la ficha de información personalizada. Si la oferta vinculante se hace al mismo tiempo que se entrega la ficha de información personalizada y coincide íntegramente en cuanto a su contenido, podrá facilitarse al cliente en un único documento.
e) Información adicional sobre **cláusulas suelo y techo**. En el caso de préstamos en que se hubieran establecido límites a la variación del tipo de interés, como cláusulas suelo o techo, se recogerá en un anexo a la ficha de información personalizada, el tipo de interés mínimo y máximo a aplicar y la cuota de amortización máxima y mínima.

8759 **Tasa anual equivalente** (OM EHA/2899/2011 art.32 terdecies) La tasa anual equivalente, que iguala, sobre una base anual, al **valor actual de todos los compromisos** -disposiciones de crédito, reembolsos y gastos- existentes o futuros, asumidos por la entidad y por el cliente, se calcula de acuerdo con la **fórmula matemática** recogida en OM EHA/2899/2011 Anexo V.
Para calcular la tasa anual equivalente se determinará el **coste total del préstamo** para el cliente, exceptuando los gastos que éste tendría que pagar por el incumplimiento de alguna de sus obligaciones con arreglo al contrato de crédito.
Cuando sea obligatorio abrir una cuenta para obtener el préstamo, los **costes de mantenimiento** de dicha cuenta, los costes relativos a la utilización de un medio de pago que permita efectuar operaciones de pago y de disposición de crédito, así como otros costes relativos a las operaciones de pago, se incluirán en el coste total del crédito para el cliente, salvo que los costes de dicha cuenta se hayan especificado de forma clara y por separado en el contrato de préstamo o cualquier otro contrato suscrito con el cliente.
El cálculo de la tasa anual equivalente se realizará partiendo del supuesto de que el contrato de préstamo estará vigente durante el **período de tiempo** acordado y que la entidad y el cliente cumplirán sus obligaciones en las condiciones y en los plazos que se hayan acordado en el contrato.
En los contratos de préstamo que contengan cláusulas que permitan **modificaciones del tipo de interés** y, en su caso, de los gastos incluidos en la tasa anual equivalente que no sean cuantificables en el momento del cálculo, la tasa anual equivalente se calculará partiendo del supuesto de que el tipo de interés y los demás gastos se computarán al nivel fijado en el momento de la firma del contrato.

3. Regulación de los contratos de crédito inmobiliario

8765 La L 5/2019 reguladora de los contratos de crédito inmobiliario (en vigor desde el 16-6-2019), y el RD 309/2019 (que la desarrolla parcialmente) tienen por objeto la trasposición de la Dir 2014/17/UE del Parlamento Europeo y del Consejo. Esta Directiva pone de manifiesto en su considerando cuarto que «la Comisión ha determinado una serie de problemas que sufren los mercados hipotecarios de la Unión en relación con la irresponsabilidad en la concesión y contratación de préstamos», y pone de relieve la **asimétrica posición** que ocupan en la relación contractual el **prestamista y el prestatario**, que no queda salvada por el simple hecho de proporcionar al cliente información y advertencias. Se exige, por tanto, a la parte que domina la relación que, como profesional, tenga un plus de responsabilidad en su comportamiento hacia el prestatario.
La L 5/2019 tiene por objeto establecer determinadas **normas de protección de las personas físicas** (con independencia de que sean consumidores o no) que sean deudores, fiadores o garantes, de préstamos que estén garantizados mediante hipoteca u otro derecho real de garantía sobre bienes inmuebles de uso residencial o cuya finalidad sea adquirir o conservar derechos de propiedad sobre terrenos o inmuebles construidos o por construir (L 5/2019 art.1). Pretende completar y mejorar el actual marco existente de la OM EHA/2899/2011 (nº 8725 s.).
A estos efectos, se establecen:
- las normas de **transparencia** que han de regir dichos contratos (nº 8773);
- el **régimen jurídico** de los prestamistas e intermediarios de crédito inmobiliario (incluyendo la obligación de llevar a cabo una evaluación de la solvencia antes de conceder el crédito; ver nº 8781);
- un régimen de **supervisión** y de **sanción**;
- las normas de **conducta** aplicables a la actividad de prestamistas, intermediarios de crédito inmobiliario, representantes designados y asesores (nº 8787).

8767 Precisiones 1) Las disposiciones de la L 5/2019 y las contenidas en sus normas de desarrollo tienen **carácter imperativo**, no siendo disponibles para las partes contratantes salvo que la norma expresamente establezca lo contrario (L 5/2019 art.3).
2) La DGRN (hoy DGSJFP) ha resuelto diversas **dudas** generadas en la aplicación de la L 5/2019, planteadas por el Consejo General del Notariado (CGN) y por el Colegio de Registradores de la Propiedad y Mercantiles (CORPME), así como otras dudas planteadas de manera informal. La Intr DGRN 2-12-19 publicada tiene carácter **vinculante** para todos los **notarios y registradores**, quienes deben ajustar su actuación a la misma.

Ámbito de aplicación (L 5/2019 art.2) Las normas de protección establecidas en la L 5/2019 resultan aplicables a los **contratos de préstamo** en los que concurran las siguientes circunstancias: **8769**

1. El **prestamista**, ya sea personas físicas o jurídicas, desarrolle la actividad de concesión de préstamos hipotecarios **de manera profesional**, es decir, intervenga en el mercado de servicios financieros con carácter empresarial o profesional o, aun de forma ocasional, con una finalidad exclusivamente inversora.

2. El **prestatario**, el fiador o garante sea una **persona física** (consumidor o no).

3. El contrato tenga por **objeto**:

a) La concesión de préstamos con **garantía hipotecaria** u otro derecho real de garantía sobre un **inmueble de uso residencial**. A estos efectos, también se entienden como inmuebles para uso residencial aquellos elementos tales como trasteros, garajes, y cualesquiera otros que sin constituir vivienda como tal cumplen una función doméstica.

b) La concesión de préstamos cuya finalidad sea **adquirir o conservar derechos de propiedad** sobre terrenos o inmuebles construidos o por construir, siempre que el prestatario, el fiador o garante sea un consumidor.

c) La **intermediación** para la celebración de cualquiera de las modalidades de contrato anteriores.

Precisiones **1)** Han surgido dudas en la interpretación del art.2.1.b) de la L 5/2019, en cuanto a si su ámbito de aplicación se extiende a cualquier préstamo destinado a la adquisición o conservación de un inmueble o solo si el **inmueble** es de **carácter residencial**. Esta cuestión ha sido resuelta por la DGRN Intr 20-12-19, afirmando que en el supuesto de los préstamos con una persona física consumidora que actúe en concepto de prestataria, fiadora o garante, cuya finalidad sea adquirir o conservar derechos de propiedad sobre terrenos o inmuebles construidos o por construir, la L 5/2019 será aplicable con independencia de que su destino sea o no residencial.

2) Dado que, según la L 5/2019 art.2.1.b) se establece como presupuesto de la aplicación de la norma que, tratándose hipoteca de inmueble no residencial, los prestatarios personas físicas tengan la **condición de consumidores**, y habida cuenta de la trascendencia de tal presupuesto a la hora de apreciar si se han cumplido las normas pro consumidor de dicha Ley, debe concluirse que es necesario que en la escritura se haga constar si los prestatarios actúan o no como consumidores (DGSJFP Resol 27-7-20).

Exclusiones (L 5/2019 art.2.4) Existen determinadas categorías de préstamo excluidas del ámbito de aplicación de la norma: **8771**

- Préstamos concedidos por un **empleador** a sus empleados, a título accesorio y sin intereses o cuya TAE sea inferior a la del mercado, y que no se ofrezcan al público en general.
- Préstamos concedidos **sin intereses** y sin ningún otro tipo de gastos, excepto los destinados a cubrir los costes directamente relacionados con la garantía del préstamo.
- Préstamos concedidos en forma de facilidad de **descubierto** y que tengan que reembolsarse en el plazo de un mes.
- Préstamos que sean **resultado de un acuerdo** alcanzado ante un órgano jurisdiccional, arbitral, o en un procedimiento de conciliación o mediación.
- Préstamos relativos al **pago aplazado**, sin gastos, de una deuda existente, siempre que no se trate de contratos de préstamo garantizados por una hipoteca sobre bienes inmuebles de uso residencial.
- La **hipoteca inversa** en que el prestamista:

- desembolsa un importe a tanto alzado o hace pagos periódicos u otras formas de desembolso crediticio a cambio de un importe derivado de la venta futura de un bien inmueble de uso residencial o de un derecho relativo a un bien inmueble de uso residencial; y

- no persigue el reembolso del préstamo hasta que no se produzcan uno o varios de los acontecimientos previstos en la L 41/2007 disp.adic.primera, salvo incumplimiento del prestatario de sus obligaciones contractuales que permita al prestamista la rescisión del contrato de préstamo.

Precisiones Todas las referencias contenidas en la L 5/2019 deben entenderse realizadas a **préstamos** y **créditos** indistintamente.

Normas de transparencia (L 5/2019 art.5 a 15) Se establecen las siguientes normas de protección del prestatario hipotecario: **8773**

1. **Principios de actuación**: los prestamistas, los intermediarios de crédito inmobiliario y los representantes designados deben actuar de manera **honesta, imparcial, transparente y profesional**, respetando los derechos y los intereses de los prestatarios, tanto en la elaboración de productos crediticios, la concesión de préstamos, prestación de servicios de intermediación o de asesoramiento sobre el préstamo o, en su caso, de servicios accesorios, como en la ejecución de los contratos de préstamo.

En la concesión, intermediación o prestación de servicios de asesoramiento sobre el préstamo, las actividades se deben basar en la **información** sobre las circunstancias del prestatario y en cualquier requisito específico que éste haya dado a conocer, así como en hipótesis razonables sobre los riesgos para su situación durante la vigencia del contrato de préstamo. En cuanto a la prestación de servicios de asesoramiento, la actividad se basará también en la información obtenida del prestatario sobre su situación personal y financiera, así como sobre sus preferencias y objetivos, de modo que puedan recomendar contratos de préstamo adecuados. El análisis se basará en información que esté actualizada en la fecha de que se trate, y tendrá en cuenta hipótesis razonables sobre los riesgos existentes para la situación del prestatario a lo largo de la vigencia del contrato de préstamo propuesto. Las obligaciones de información que establece esta Ley a favor de los prestatarios no supondrán **coste** adicional alguno para los mismos.

8775 2. **Información en la publicidad de los préstamos inmobiliarios**: toda la publicidad relativa a los contratos de préstamo que indique un tipo de interés o cualesquiera cifras relacionadas con el **coste del préstamo** para el prestatario deberá especificar de forma clara, concisa y destacada:

- la identidad del prestamista o, en su caso, del intermediario de crédito o representante designado;
- cuando proceda, que el contrato de préstamo estará garantizado por una hipoteca o por otra garantía real sobre bienes inmuebles de uso residencial, o por un derecho relativo a un bien inmueble;
- el tipo deudor, indicando si es fijo, variable o una combinación de ambos, junto con información sobre los gastos incluidos, en su caso, en el coste total del préstamo para el prestatario;
- el importe total del préstamo;
- la Tasa Anual Equivalente, que deberá incluirse en la publicidad al menos de forma igualmente destacada que cualquier tipo de interés;
- cuando proceda: la duración del contrato de préstamo; el importe de los pagos a plazos; el importe total adeudado por el prestatario; el número de pagos a plazos; una advertencia sobre el hecho de que las posibles fluctuaciones del tipo de cambio podrían afectar al importe adeudado por el prestatario;
- el sistema de amortización y la fórmula de cálculo de las cuotas de amortización de principal y de intereses suficientemente detalladas como para que el prestatario pueda verificar con claridad la corrección de los importes cobrados;
- cuando proceda, la opción del deudor de poder dar en pago el inmueble hipotecado en garantía del préstamo, con carácter liberatorio de la totalidad de la deuda derivada del mismo.

Algunos de estos datos deben precisarse, según exige la Ley, mediante un **ejemplo representativo**.

Precisiones El **ejemplo representativo** debe ser determinado de conformidad con los siguientes **criterios** (OM EHA/1718/2010 art.4.5.d):
1º El capital inicial del préstamo empleado para la elaboración del ejemplo será de un mínimo de 100.000 euros o, a partir de dicho importe, un múltiplo de 50.000 euros, con un máximo de 300.000 euros.
2º El plazo de amortización empleado para la elaboración del ejemplo será de un mínimo de 10 años o, a partir de dicho plazo, un múltiplo de 5 años, con un máximo de 30 años.
3º Cuando el anuncio mencione una tarifa promocional o condiciones especiales de uso que deriven del funcionamiento normal del préstamo en cuestión, aplicable de forma temporal, el ejemplo representativo deberá ilustrar las condiciones normales de ejecución del contrato de préstamo.
4º El ejemplo representativo indicará que tiene tal condición.

8777 3. **Condiciones generales de la contratación**: los prestamistas tienen la obligación de inscribir en el **Registro** de Condiciones Generales de la Contratación las cláusulas contractuales utilizadas en los contratos de préstamo inmobiliario que tengan dicho carácter. También deben estar disponibles en la **web** del prestamista (si dispone de ella) y, en caso contrario, deberán estar gratuitamente a disposición de los prestatarios y potenciales prestatarios en sus establecimientos abiertos al público.

4. **Cálculo de la Tasa Anual Equivalente** (TAE): se establece una fórmula específica para el cálculo de la TAE en los préstamos con garantía inmobiliaria.

Precisiones Cabe la suspensión de la **inscripción** de una **cláusula general** por no constar el Código Identificador del modelo de contrato de préstamo o crédito que se ha utilizado, acreditativo de su depósito en el Registro de Condiciones Generales de la Contratación (DGSJFP Resol 3-1-20).

5. **Información general de los préstamos inmobiliarios**: los prestamistas o, en su caso, los intermediarios de crédito vinculados o sus representantes designados deben facilitar en todo momento, en soporte de papel o cualquier otro soporte duradero o en formato electrónico, información general **clara y comprensible** sobre los contratos de crédito. Esta información general debe especificar: 8779

a) La identidad y dirección geográfica de quien emite la información.
b) Los fines para los que puede emplearse el crédito.
c) Las formas de garantía, cuando proceda, incluyendo la posibilidad de que esté situada en otro Estado miembro.
d) La duración posible de los contratos de crédito.
e) Las formas de tipo deudor disponible, indicando si este es fijo o variable o una combinación de ambos, con una breve descripción de las características de los tipos fijos y variables, incluyendo sus implicaciones para el prestatario.
f) Cuando puedan contratarse créditos en moneda extranjera, una indicación de la misma, explicando las implicaciones que tiene para el prestatario la denominación de un crédito en moneda extranjera.
g) Un ejemplo representativo del importe total del crédito, del coste total del crédito para el prestatario, del importe total adeudado por el prestatario y de la TAE.
h) Una indicación de otros posibles costes, no incluidos en el coste total del crédito, para el prestatario que deban pagarse en relación con un contrato de crédito.
i) La gama de las diversas opciones existentes para reembolsar el crédito al prestamista (incluyendo el número, la periodicidad y el importe de las cuotas de reembolso).
j) Cuando proceda, una declaración clara y concisa de que el incumplimiento de los términos y condiciones de los contratos de crédito no garantiza el reembolso del importe total del crédito en virtud del contrato de crédito.
k) Una descripción de las condiciones relacionadas directamente con el reembolso anticipado.
l) Una indicación de si es necesario evaluar el bien inmueble y, si procede, de quién es responsable de garantizar que se lleve a cabo la evaluación, y de si se originan costes conexos para el prestatario.
m) Una indicación de los servicios accesorios que el prestatario esté obligado a contratar para obtener el crédito o para obtenerlo en las condiciones ofrecidas y, si ha lugar, la aclaración de que los servicios accesorios pueden contratarse con un proveedor distinto del prestamista.
n) Una advertencia general sobre las posibles consecuencias de no cumplir los compromisos asociados al contrato de crédito.
ñ) Cuando proceda, la opción del deudor de poder dar en pago el inmueble hipotecado en garantía del préstamo, con carácter liberatorio de la totalidad de la deuda derivada del mismo.
o) Cualesquiera otras advertencias que establezca la persona titular del Ministerio de Economía y Empresa.

6. **Suministro de información precontractual**: el prestamista y, si ha lugar, el intermediario de crédito o su representante designado deben ofrecer al prestatario la información **personalizada** que necesite para comparar los préstamos disponibles en el mercado, para evaluar sus implicaciones y para tomar una decisión fundada sobre la conveniencia de celebrar o no un contrato de préstamo sin demora injustificada, una vez que el prestatario haya dado la información necesaria sobre sus necesidades, situación financiera y preferencias, con suficiente **antelación**, que nunca será inferior a 10 días naturales, respecto del momento en que el prestatario quede vinculado por cualquier contrato u oferta de préstamo. Esta información personalizada debe facilitarse mediante la Ficha Europea de Información Normalizada (**FEIN**). 8781

7. **Evaluación de la solvencia del potencial prestatario**: se establece la obligación para los prestamistas de evaluar en profundidad la solvencia del potencial prestatario, fiador o garante antes de celebrar un contrato de préstamo. Dicha evaluación tendrá debidamente en cuenta los factores pertinentes para verificar la capacidad del cliente para cumplir con las obligaciones derivadas del préstamo, entre otros la situación de empleo, los ingresos presentes, los previsibles durante la vida del préstamo, los activos en propiedad, el ahorro, los gastos fijos y los compromisos ya asumidos. Asimismo, se valorará el nivel previsible de ingresos a percibir tras la jubilación, en el caso de que se prevea que una parte sustancial del crédito o préstamo se continúe reembolsando una vez finalizada la vida laboral.

8. **Información relativa a la solvencia del potencial prestatario**: los prestamistas e intermediarios de crédito y sus representantes designados especificarán de manera clara y directa en la fase precontractual la información necesaria y las pruebas, comprobables independientemente, que el potencial prestatario deberá facilitar, así como el marco temporal en que debe facilitar la información en cuestión. La información solicitada por el prestamista será proporcionada y limitada a lo necesario para la realización de una evaluación adecuada

de la solvencia, con los límites establecidos en la normativa de protección de datos. El prestamista deberá consultar el historial crediticio del cliente acudiendo a la Central de Información de Riesgos del Banco de España (CIR), así como a alguna de las entidades privadas de información crediticia en los términos y con los requisitos y garantías previstos en la legislación de protección de datos personales.

8783 9. **Tasación de los bienes inmuebles**: los inmuebles aportados en garantía habrán de ser objeto de una tasación adecuada antes de la celebración del contrato de préstamo. La tasación se debe realizar por una sociedad de tasación, servicio de tasación de una entidad de crédito (regulados por el RDL 24/2021 art.16 s. redacc RDL 5/2023), y/o profesional homologado e independiente del prestamista o del intermediario de crédito inmobiliario, utilizando normas de tasación fiables y reconocidas internacionalmente, de conformidad con lo establecido por la OM ECO/805/2003, sobre normas de valoración de bienes inmuebles y de determinados derechos para ciertas finalidades financieras (L 5/2009 art.13).

10. **Comercialización de préstamos inmobiliarios**: se impone al prestamista, intermediario de crédito o su representante designado la obligación de **entregar al prestatario** o potencial prestatario, con una antelación mínima de 10 días naturales respecto al momento de la firma del contrato, una determinada documentación, entre la cual destaca:
- la Ficha Europea de Información Normalizada -**FEIN**-;
- una Ficha de Advertencias Estandarizadas -**FiAE**-;
- en caso de tratarse de un préstamo a **tipo de interés variable**, de un documento separado con una referencia especial a las cuotas periódicas a satisfacer por el prestatario en diferentes escenarios de evolución de los tipos de interés;
- una copia del proyecto de **contrato**;
- información clara y veraz de los **gastos** que corresponden al prestamista y los que corresponden al prestatario. A este respecto, corresponden al **prestamista** los gastos de gestoría, el coste de los aranceles notariales de la escritura de préstamo hipotecario y los gastos de inscripción de las garantías en el registro de la propiedad. Y corresponden al **prestatario** los gastos de tasación del inmueble. El pago del ITP-AJD se realizará de conformidad con lo establecido en la normativa tributaria aplicable (L 5/2019 art.14.e);
- las condiciones de las garantías del **seguro** que en su caso se exija;
- cuando esté previsto que el préstamo se formalice en escritura pública, la advertencia al prestatario de la obligación de recibir asesoramiento personalizado y gratuito del **notario** que elija el prestatario para la autorización de la escritura pública del contrato de préstamo, sobre el contenido y las consecuencias de la información contenida en la documentación que se entrega conforme a este apartado.

11. **Comprobación del cumplimiento del principio de transparencia material**: se impone al prestatario la obligación de comparecer ante un notario (elegido por él mismo) con la finalidad de obtener presencialmente asesoramiento sobre determinados extremos (L 5/2019 art.15).

8785 12. **Información durante la vigencia del préstamo** (RD 309/2019 art.6 a 10). el prestamista debe facilitar al prestatario cierta información tras la firma del préstamo, con la finalidad de permitir su seguimiento. En concreto, se impone la obligación de suministrar:
a) En cada liquidación de intereses o comisiones, un **documento de liquidación** que necesariamente contendrá determinada información periódica (el tipo de interés nominal aplicado en el periodo ya devengado y, en su caso, el que se vaya a aplicar en el periodo que se inicia; las comisiones aplicadas en el período al que se refiere el documento de liquidación, con indicación concreta de su concepto, base y período de devengo; cualquier otro gasto incluido en la liquidación; y cuantos antecedentes sean precisos para que el prestatario pueda comprobar la liquidación efectuada y calcular los costes asociados).
b) Durante el mes de enero de cada año, una **comunicación** en la que, de manera completa y detallada, se recoja la información sobre **comisiones y gastos** devengados, y tipos de interés efectivamente aplicados y cobrados a los préstamos inmobiliarios durante el año anterior.
c) Información sobre **modificaciones del tipo de interés** aplicable: el prestamista informará al prestatario de dicha modificación con una antelación mínima de 15 días naturales antes de que esta se aplique. Dicha información incluirá: la variación del coste total del préstamo que implica dicha modificación; el importe de cada uno de los pagos que deban efectuarse tras la aplicación del nuevo tipo de interés; y los detalles correspondientes al número o la frecuencia de los pagos, si éste se modifica por haberse acordado contractualmente.
d) Información a **sucesores mortis causa**: los prestamistas inmobiliarios deben facilitar la información que permita a los sucesores de un prestatario, fiador o garante, una vez acreditada tal condición por cualquier medio admisible en Derecho, conocer el estado del préstamo inmobiliario frente a aquél al tiempo del fallecimiento del causante. En ningún caso

puede exigirse la acreditación de la aceptación de la herencia a los efectos del suministro de esta información.

Toda la información que se suministre al prestatario debe reunir las siguientes **características generales** (RD 309/2019 art.6):

• Reflejar de manera clara y fiel los términos en que se desarrolla el contrato de préstamo.
• No destacar ningún beneficio potencial del contrato de préstamo ni ocultar expresamente los riesgos inherentes al mismo.
• Resultar oportuna y coherente con el contenido y los términos esenciales del contrato de préstamo sobre el que se traslada la información.
• No omitir ni desnaturalizar ninguna información relevante.

Asimismo, se imponen determinados requisitos de **forma y de transparencia** a las **comunicaciones** realizadas durante la vigencia del préstamo (RD 309/2019 art.10):

- deben realizarse en papel, formato electrónico o en otro soporte duradero;
- deben estar redactadas en términos fácilmente accesibles y comprensibles (especialmente para las personas con discapacidad), en castellano o en cualquiera de las demás lenguas cooficiales de las respectivas CCAA en las que se preste el servicio, o en cualquier otra lengua acordada entre las partes.

Normas de conducta de los prestamistas en relación con los préstamos inmobiliarios (L 5/2019 art.16 a 21; RD 309/2019 art.3) A continuación se establecen las normas de conducta que prestamistas, intermediarios de crédito inmobiliario y representantes designados deben cumplir en el proceso de elaboración, promoción, comercialización y contratación de préstamos inmobiliarios, tanto respecto de su organización interna, como respecto del cliente: 8787

1. **Requisitos de conocimientos y competencia** del personal del prestamista. En concreto, el personal del prestamista debe reunir en todo momento los conocimientos y competencias necesarios y actualizados sobre los productos que comercializan, y, en especial, respecto de la elaboración, oferta o concesión de contratos de préstamo, la actividad de intermediación de crédito, y la prestación de servicios de asesoramiento, en su caso, y en la ejecución de los contratos de préstamo. Esta obligación también es aplicable respecto de los servicios accesorios incluidos en los contratos de préstamo y respecto de los productos de venta vinculada o combinada.

2. **Venta vinculada y combinada**. Quedan prohibidas las prácticas de venta vinculada de préstamos (con las excepciones previstas en la L 5/2109 art.17). En las ventas combinadas, el prestamista realizará la oferta de los productos de forma combinada y por separado, de modo que el prestatario pueda advertir las diferencias entre una oferta y otra.

3. **Política de remuneración** del personal. Se establecen determinados requisitos relativos a la política de remuneración del personal responsable de la evaluación de la solvencia y de la concesión de los préstamos. Así, la política remunerativa deberá ser compatible con una gestión sana y eficaz del riesgo, promoverá este tipo de gestión y no ofrecerá incentivos para asumir riesgos que rebasen el nivel de riesgo tolerado por el prestamista. Dicha política remunerativa debe estar en consonancia con la estrategia empresarial, los objetivos, los valores y los intereses a largo plazo del prestamista e incorporar medidas para evitar los conflictos de interés, en particular estableciendo que la remuneración no dependa de la cantidad o de la proporción de solicitudes aceptadas.

Precisiones En el ámbito de los préstamos hipotecarios, el producto o servicio **vinculado** se pude definir como aquel que se ofrece dentro de un mismo paquete y debe ser obligatoriamente contratado para obtener la concesión la financiación solicitada y sus condiciones financieras.

Por otro lado, el producto o servicio **combinado** es el que se ofrece en un paquete de productos, pero que también ha de ofrecerse de manera individualizada, de manera que el prestatario pueda contratar únicamente la financiación solicitada. Estos productos accesorios son totalmente opcionales para el prestatario y, con frecuencia, su contratación implica una mejora en las condiciones financieras del préstamo, a través del ofrecimiento de bonificaciones al tipo de interés.

Con carácter general, están **prohibidas** las ventas vinculadas (L 15/2019 art.17). Sin embargo, se admite expresamente con carácter general el **ofrecimiento** de productos o servicios, con carácter combinado con el préstamo hipotecario, cualquiera que sea el tipo o clase de los mismos, incluidos los servicios que podrían establecerse como vinculados, e incluso con imposición de la entidad que deba prestarlos, siempre que se oferten también con carácter separado del préstamo y que se suministre la información a que se refiere la L 5/2019 art.17.7.

La imposición de un contrato de seguro al prestatario para garantizar la devolución de un préstamo hipotecario es lícita, lo que es ilícito es imponerle la contratación del seguro con una determinada compañía aseguradora (DGSJFP Resol 1-2-23).

8789 4. **Servicios de asesoramiento**. Con carácter general, los servicios de asesoramiento en préstamos inmobiliarios solo pueden ser prestados por prestamistas, por intermediarios de crédito inmobiliario o por los representantes designados por cualquiera de los anteriores. Constituyen una actividad distinta de las de concesión e intermediación de préstamos inmobiliarios y deben ser objeto de un contrato específico. El prestamista, intermediario de crédito inmobiliario o representante designado que ofrezca préstamos inmobiliarios y no ofrezca servicio de asesoramiento debe señalar de forma expresa y clara en forma de información precontractual adicional que no está prestando el servicio de asesoramiento, y no podrá incluir los vocablos «asesorar», «asesor», «asesoría», «asesoramiento» o términos que en la práctica resulten análogos en la publicidad, en la información precontractual y en el contrato de préstamo inmobiliario, salvo para indicar de forma clara y directa que ese servicio no se incluye entre los servicios que se prestan o van a prestarse.

Únicamente podrá emplearse el término «**asesor independiente**» (o términos análogos) cuando el prestamista, intermediario de crédito inmobiliario o representante designado que preste esos servicios de asesoramiento, cumpla los siguientes **requisitos**:

a) Tener en cuenta un número suficientemente grande de contratos de préstamo disponibles en el mercado, y presentarle al potencial prestatario al menos 3 ofertas vinculantes de entidades prestamistas, sobre cuyas condiciones jurídicas y económicas le asesorará.

b) No percibir remuneración alguna por esos servicios de asesoramiento de uno o varios prestamistas o de cualquier tercero interesado en la operación

8791 **Otras normas de los contratos de préstamo inmobiliario** (L 5/2019 art.22, 23, 24 y 25) En cuanto a la **forma**, los contratos de préstamo inmobiliario deben formalizarse en papel o en otro soporte duradero. En caso de que estén garantizados con hipoteca constituida sobre un inmueble de uso residencial situado en territorio nacional, deben formalizase en escritura pública, pudiendo adoptar el formato electrónico conforme a la legislación notarial.

Es posible el **reembolso anticipado**, total o parcial, de la cantidad adeudada por el prestatario en cualquier momento anterior a la expiración del término pactado. Las partes pueden convenir un plazo de comunicación previa que no podrá exceder de un mes. El prestamista no puede cobrar compensación o comisión por reembolso o amortización anticipada total o parcial en los préstamos, excepto en los casos contemplados en la L 5/2019 art.23.5, 6 y 7 redacc RDL 19/2022.

8793 Se produce el **vencimiento anticipado** de estos contratos de préstamo, cuyo prestatario, fiador o garante sea una persona física y que estén garantizados mediante hipoteca o por otra garantía real sobre bienes inmuebles de uso residencial (o cuya finalidad sea adquirir o conservar derechos de propiedad sobre terrenos o inmuebles construidos o por construir para uso residencial), si concurren conjuntamente los siguientes **requisitos** (sin que quepa pacto en contrario):

a) Que el prestatario se encuentre en **mora** en el pago de una parte del capital del préstamo o de los intereses.

b) Que la **cuantía de las cuotas** vencidas y no satisfechas equivalgan al menos:

- al 3% de la cuantía del capital concedido, si la mora se produjera dentro de la primera mitad de la duración del préstamo. Se considerará cumplido este requisito cuando las cuotas vencidas y no satisfechas equivalgan al impago de 12 plazos mensuales o un número de cuotas tal que suponga que el deudor ha incumplido su obligación por un plazo al menos equivalente a 12 meses;
- al 7% de la cuantía del capital concedido, si la mora se produjera dentro de la segunda mitad de la duración del préstamo. Se considerará cumplido este requisito cuando las cuotas vencidas y no satisfechas equivalgan al impago de 15 plazos mensuales o un número de cuotas tal que suponga que el deudor ha incumplido su obligación por un plazo al menos equivalente a 15 meses.

c) Que el prestamista haya **requerido el pago** al prestatario concediéndole un plazo de al menos un mes para su cumplimiento y advirtiéndole de que, de no ser atendido, reclamará el reembolso total adeudado del préstamo.

8795 En el caso de préstamo o crédito concluido por una persona física que esté garantizado mediante hipoteca sobre bienes inmuebles para uso residencial, el **interés de demora** será el interés remuneratorio más tres puntos porcentuales a lo largo del período en el que aquel resulte exigible. El interés de demora solo puede devengarse sobre el principal vencido y pendiente de pago y no pueden ser capitalizados en ningún caso, salvo en el supuesto previsto en la LEC art.579.2.a. Contra esta regla no cabe pacto en contrario.

Precisiones La responsabilidad por **intereses de demora** puede ser inferior a la **cuantía** legal máxima del interés de demora, pero nunca superior.
Es doctrina de la DGRN/DGSJFP que, en lo tocante a la configuración de la responsabilidad hipotecaria que garantice los intereses de demora y remuneratorios y dentro de los límites legales imperativos (L 5/2019 art.25; LH art.14.2º y 3º; RH art.220), opera la **libertad de pacto**, la cual puede ejercitarse, (i) bien no garantizando los intereses devengados de un tipo determinado, (ii) bien fijando una cobertura en número de años distinta para cada tipo de interés, (iii) bien señalando un tipo máximo de cobertura superior a uno respecto del otro, sin que tengan que guardar ninguna proporción ya que estructuralmente nada impide que la garantía de uno u otro tipo de interés sea inferior a los efectivamente devengados, como nada impide la garantía parcial de la obligación principal.
La L 5/2019 de crédito inmobiliario ha supuesto un cambio en el entendimiento de que el tipo de interés de demora no está sujeto a negociación, es imperativo, se sustrae al derecho dispositivo. Pero ninguna limitación establece en cuanto a la **negociación** de la **cifra de responsabilidad hipotecaria**, por lo que puede ser inferior a la cifra máxima resultante de sumar tres puntos porcentuales al tipo máximo que -únicamente a efectos hipotecarios- se ha fijado para los intereses ordinarios (DGSJFP Resol 5-3-20; 28-7-20).

Inscripción en el registro público (L 5/2019 art.42; RD 309/2019 art.5) Los prestamistas de crédito inmobiliario que deseen realizar profesionalmente estas actividades deben estar debidamente inscritos en el correspondiente registro público. **8797**
La inscripción de estos **prestamistas** en el registro requiere la previa verificación, por parte de la autoridad competente, del cumplimiento de los siguientes **requisitos**:
a) Que cuenten con los procedimientos escritos, así como con la capacidad técnica y operativa, para el adecuado cumplimiento de los requisitos de evaluación de la solvencia del prestatario y potencial prestatario (nº 8781), y de información al prestatario (identidad y domicilio del prestamista, registro en el que está inscrito, el número de registro y los medios para comprobar esa inscripción, si ofrece o no servicios de asesoramiento y si éstos son independientes, y los procedimientos para realizar reclamaciones extrajudiciales -L 5/2019 art.35.1.a, b, d y f-).
b) Que dispongan de medios internos adecuados para la resolución de las quejas y reclamaciones que presenten los potenciales prestatarios o garantes que estén relacionadas con sus intereses y derechos legalmente reconocidos, y que deriven de presuntos incumplimientos de la L 5/2019, de sus normas de desarrollo, de los estándares o de las buenas prácticas y usos financieros que resulten aplicables.
c) Que hayan designado un representante ante el SEPBLAC conforme a lo previsto en el RD 304/2014 art.5.1 (nº 8031).
d) Que dispongan de un plan de formación en los conocimientos y competencias a que se refiere la L 5/2019 art.16.
Además, la autoridad competente debe verificar, respecto de las **personas físicas** establecidas como prestamistas de crédito inmobiliario o de los **administradores** de un prestamista de crédito inmobiliario con forma de persona jurídica, que:
a) Dispongan del nivel de conocimientos y competencia a que se refiere la L 5/2019 art.16 (nº 8787).
b) Posean reconocida honorabilidad comercial y profesional, de conformidad con lo previsto en el RD 84/2015 art.30.
c) Carezcan de antecedentes penales por haber cometido delitos graves, ya sea contra la propiedad, el patrimonio y el orden socioeconómico, de falsedad o cualquier otro cometido con ocasión del ejercicio de actividades financieras.
d) No hayan sido declarados con anterioridad en concurso de acreedores calificado como culpable, salvo que hayan sido rehabilitados

Precisiones No es preciso disponer de dicho registro para ejercer esa actividad por parte de una **entidad de crédito**, un **establecimiento financiero de crédito** o una sucursal en España de una entidad de crédito.

4. Subrogación hipotecaria

(L 2/1994)

La L 2/1994 (redacc RDL 19/2022) habilita los mecanismos para que prestamistas inmobiliarios, definidos en los términos del art 4.2 L 5/2019 puedan ser subrogados por el deudor en los préstamos hipotecarios concedidos por otros **prestamistas análogos.** Así, se establece, que las entidades financieras (según se definen por el Rgto (UE) 575/2013 art.4.1.1 al que se remite el RDL 24-2021 art.2.1.7) pueden ser subrogadas por el deudor en los préstamos hipotecarios concedidos, por otras entidades análogas. Esta subrogación es de aplicación a los contratos **8800** de préstamo hipotecario, cualquiera que sea la fecha de su formalización y aunque no conste en los mismos la posibilidad de amortización anticipada (L 2/1994 art.1 redacc RDL 19/2022).

Precisiones La L 2/1994 facilita al deudor el poder de iniciar un proceso de subrogación de otro acreedor, el cual alcanzará la finalidad pretendida si el prestamista originario **no presta su colaboración**, accediendo a novar las condiciones inicialmente pactadas, sustituyéndolas por otras iguales a las ofrecidas por la entidad que pretende subrogarse. Si hay tal colaboración, la subrogación iniciada queda enervada.
La actuación que la Ley impone al acreedor originario para el ejercicio de su derecho a enervar la subrogación que le ha sido anunciada, consistente en formalizar con el deudor, en el plazo máximo de 15 días naturales, la novación modificativa igualatoria de la oferta de otra entidad, debe ser interpretada en el sentido de que se cumple por aquel acreedor con la **comunicación fehaciente y vinculante** realizada al deudor, dentro del plazo indicado de su voluntad de llevar a cabo dicha novación del préstamo en las mismas condiciones ofrecidas por la financiera que había pretendido subrogarse en su posición acreedora (AP Madrid 10-12-04, EDJ 228324).

8802 **Procedimiento** (L 2/1994 art.2, 4 y 5 redacc RDL 19/2022) Pueden señalarse las siguientes fases y requisitos:
1. Constancia del propósito. El deudor puede subrogar a otra entidad financiera sin el consentimiento de la entidad acreedora, cuando para pagar la deuda haya tomado prestado el dinero de aquélla por escritura pública, haciendo constar su propósito en ella, conforme a CC art.1211.
2. Presentación de oferta. La entidad que esté dispuesta a subrogarse debe presentar al deudor una oferta vinculante en la que consten las condiciones financieras del nuevo préstamo hipotecario. Cuando sobre la finca exista más de un crédito o préstamo hipotecario inscrito a favor de la misma entidad acreedora, la nueva entidad deberá subrogarse respecto de todos ellos. Junto con la oferta vinculante, le entregará al deudor un documento informativo sobre los gastos de la subrogación, incluyendo los límites máximos legales de la comisión a percibir por parte de la entidad acreedora. La referida pieza de información deberá observar el régimen de distribución de gastos previsto en la L 5/2019 art.14.1.e.
3. Notificación a la entidad inicialmente acreedora. La aceptación de la oferta por el deudor implica su autorización para que la oferente se lo notifique a la entidad acreedora y la requiera para que le entregue, en el plazo máximo de 7 días naturales, certificación del importe del débito del deudor por el préstamo hipotecario en que se ha de subrogar.
4. Aceptación por la entidad inicialmente acreedora. Entregada la certificación del importe del débito del deudor por el préstamo hipotecario en que se ha de subrogar, la entidad acreedora tendrá derecho a enervar la subrogación si en el plazo máximo de quince días naturales a contar desde dicha entrega, formaliza con el deudor novación modificativa del préstamo hipotecario. En caso contrario, para que la subrogación surta efectos, bastará que la entidad subrogada declare en la misma escritura haber pagado a la acreedora la cantidad acreditada por ésta, por capital pendiente e intereses y comisión devengados y no satisfechos. Se incorporará a la escritura un resguardo de la operación bancaria realizada con tal finalidad solutoria.
5. En ningún caso la entidad acreedora tendrá **derecho a rechazar el pago**. No obstante, si el pago aún no se hubiera efectuado porque la entidad acreedora no hubiese comunicado la cantidad acreditada o se negase por cualquier causa a admitir su pago, bastará con que la entidad subrogada la calcule, bajo su responsabilidad y asumiendo las consecuencias de su error, que no serán repercutibles al deudor, y, tras manifestarlo, deposite dicha suma en poder del notario autorizante de la escritura de subrogación, a disposición de la entidad acreedora. A tal fin, el notario notificará de oficio a la entidad acreedora, mediante la remisión de copia autorizada de la escritura de subrogación, pudiendo aquélla alegar error en la misma forma, dentro de los ocho días siguientes.
En este caso, y sin perjuicio de que la subrogación surta todos sus efectos, el juez que fuese competente para entender del procedimiento de ejecución, a petición de la entidad acreedora o de la entidad subrogada, citará a éstas, dentro del término de ocho días, a una **comparecencia**, y, después de oírlas, admitirá los documentos que se presenten, y acordará, dentro de los tres días, lo que estime procedente. El auto que dicte será apelable en un solo efecto, y el recurso se sustanciará por los trámites de apelación de los incidentes.

8804 **6. Escritura pública**. En la escritura de subrogación solo se puede pactar la modificación de las condiciones del tipo de interés tanto ordinario como de demora inicialmente pactado o vigente, la ampliación del plazo del préstamo, o ambas.
7. Inscripción registral. La subrogación no surte efecto contra tercero, si no se hace constar en el Registro por medio de una nota marginal, que debe expresar las circunstancias siguientes:
• La persona jurídica subrogada en los derechos del acreedor.

• Las nuevas condiciones pactadas del tipo de interés, del plazo, o de ambos.
• La escritura que se anote, su fecha, y el notario que la autorice.
• La fecha de presentación de la escritura en el Registro y la de la nota marginal.
• La firma del registrador, que implicará la conformidad de la nota con la copia de la escritura de donde se hubiere tomado.

El registrador puede practicar la inscripción de la subrogación, aunque no se haya realizado aún la notificación al primitivo acreedor. No han de ser objeto de nueva calificación las cláusulas inscritas del préstamo hipotecario que no se modifiquen. El registrador no puede exigir la presentación del título de crédito.

Precisiones 1) La eficacia de la subrogación se supedita al **transcurso del plazo** señalado, salvo que con anterioridad la entidad acreedora manifieste su decisión de no proceder a la modificación de su crédito en las condiciones que se le comuniquen por la entidad que pretende la subrogación, o que quede debidamente acreditado que ha aceptado el pago efectuado, y que no se incorpora a la escritura la certificación de la entidad acreedora relativa al importe total del débito. La **certificación del importe de la deuda** no constituye requisito imprescindible de la subrogación, en tanto en cuanto si falta puede ser sustituida por el cálculo que de la cantidad debida realice la entidad prestamista que pretende subrogarse (DGRN Resol 20-7-95; 19-7-95).

2) No cabe imponer, al amparo del principio de determinación registral, la fijación de un **tipo máximo** al que puedan ascender los tipos ordinarios o moratorios en las relaciones personales entre acreedor y deudor si se señala el límite al que puede ascender su cobertura hipotecaria, de modo que más allá de éste no podrán ser ya satisfechos con cargo al precio de remate del bien hipotecado, aun cuando los efectivamente devengados y exigibles en las relaciones personales acreedor-deudor fueren superiores (DGRN Resol 26-9-01).

3) Para llevar a cabo una subrogación activa hipotecaria **no** constituye un requisito imprescindible aportar al notario autorizante, e incorporarse por éste en la escritura, la **certificación del importe de la deuda emitida** por la antigua entidad acreedora para la comprobación de la conformidad con la misma del pago realizado por la nueva entidad de crédito, porque ello implicaría hacer depender el derecho de subrogar del prestatario a la voluntad del antiguo acreedor (DGFPSJ Resol 13-9-22).

Efectos jurídicos (L 2/1994 art.6) Son los siguientes: 8806

a) **Consumación contractual**. La nueva entidad crediticia sucede a la antigua en todos sus derechos y obligaciones.

b) **Ejecución de la garantía**. La entidad subrogada debe presentar para la ejecución de la hipoteca, además de su primera copia auténtica inscrita de la escritura de subrogación, el título de crédito, revestido de los requisitos que exige la LEC para despachar ejecución. Si no puede presentar el título inscrito, debe acompañar, con la copia de la escritura de subrogación, certificación del Registro que acredite la inscripción y subsistencia de la hipoteca.

Efectos económicos (L 2/1994 art.3, 8 y 10) Son los siguientes: 8808

a) **Comisión de subrogación**. En las subrogaciones que se produzcan en los préstamos hipotecarios, a interés variable, la cantidad a percibir por la entidad acreedora en concepto de comisión por la amortización anticipada de su crédito, se ha de calcular sobre el capital pendiente de amortizar, de conformidad con las siguientes reglas:

• Cuando se haya pactado amortización anticipada sin fijar comisión, no habrá derecho a percibir cantidad alguna por este concepto.
• Si se ha pactado una comisión de amortización anticipada igual o inferior al 1%, la comisión a percibir será la pactada.
• En los demás casos, la entidad acreedora solamente puede percibir por comisión de amortización anticipada el 1%, cualquiera que sea la que se haya pactado. No obstante, si la entidad acreedora demuestra la existencia de un daño económico que no implique la sola pérdida de ganancias, producido de forma directa como consecuencia de la amortización anticipada, puede reclamar aquél. La alegación del daño por la acreedora no impide la realización de la subrogación y solo da lugar a que se indemnice, en su momento, la cantidad que corresponda por el daño producido.

b) **Comisión por ampliación de plazo**. En las novaciones modificativas que tengan por objeto la ampliación del plazo del préstamo, la entidad acreedora no puede percibir por comisión de modificación de condiciones más del 0,1% de la cifra de capital pendiente de amortizar.

c) **Aranceles notariales y registrales**. Para el cálculo de los honorarios notariales de este tipo de escrituras, han de aplicarse los aranceles correspondientes a los documentos sin cuantía previstos en RD 1426/1989 número 1. Para el cálculo de los aranceles registrales para este tipo de escrituras, se aplicarán los aranceles correspondientes al número 2, Inscripciones, del RD 1427/1989 Anexo I.

8810 d) **Efectos fiscales**. Están exentas del impuesto sobre transmisiones patrimoniales (ITP), en la modalidad gradual de actos jurídicos documentados (AJD), las escrituras públicas de novación modificativa de préstamos hipotecarios pactados de común acuerdo entre acreedor y deudor, siempre que:
- el **acreedor** sea una de las entidades financieras a las que se refiere el Rgto (UE) 575/2013 art.4.1.1 (al que se remite el RDL 24/2021 art.2.1.7; y
- la **modificación** se refiera (i) a las condiciones del tipo de interés -tanto ordinario como de demora- inicialmente pactado o vigente, (ii) a la alteración del plazo del préstamo, o (iii) a ambas.

Los beneficios de la L 2/1994 **no resultan de aplicación** a las cuentas de crédito con garantía hipotecaria (DGT CV 10-9-09).

Precisiones **1)** Se ha declarado aplicable la exención fiscal a una escritura de subrogación en préstamo hipotecario que **modificó** también el **préstamo primitivo**, con el límite de aplicar dicha exención solo a lo atinente a la subrogación (TSJ C.Valenciana 22-3-04).
2) Cuando se produzca, en una operación de novación de préstamo hipotecario, una **modificación en la moneda** designada para su amortización, que pasa a divisas, tributa por AJD (DN) (DGT CV 24-4-08; 2-12-08).
3) Si la escritura de **modificación de las cuotas** en un préstamo hipotecario se debe al cambio del tipo de interés y/o del plazo de amortización, se aplicará la exención prevista en LH art.9; si, por el contrario, se debe a un cambio en el método o sistema de amortización, no resulta de aplicación dicha exención (DGT CV 27-3-08).
4) Los actos de **emisión, transmisión, reembolso y cancelación** de las cédulas, bonos y participaciones hipotecarias gozan de la exención prevista en la LITP (RD 716/2009 art.35).

5. Mejora del procedimiento extrajudicial y judicial de ejecución hipotecaria

(L 1/2013)

8815 Resumidamente, entre las medidas adoptadas para reforzar la protección a los deudores hipotecarios, cabe destacar las siguientes:
1) Respecto del **procedimiento extrajudicial**: el notario debe advertir a las partes -deudor, acreedor y, si existiera, avalista e hipotecante no deudor- de la existencia de una **cláusula abusiva** en el contrato.
También, siguiendo la estela de la interpretación dada por TJUE 14-3-13, se suspenderá la venta extrajudicial ante la impugnación judicial de la venta basada en la existencia de cláusulas abusivas en los contratos de préstamo con garantía hipotecaria.
2) Por lo que se refiere al **procedimiento judicial**, son necesarios **tres impagos** -antes bastaba con uno- para que puedan reclamarse las cuotas al deudor.
Las **ejecuciones hipotecarias** son objeto de un estudio en detalle en nº 4280 s. y, más ampliamente, en nº 8710 s. Memento Procesal Civil 2024 y nº 3604 s. Memento Experto Civil Derechos Reales.

H. Otros tipos de préstamo

8820 Además de las figuras especiales relativas al préstamo bancario debemos mencionar aquí, **otros supuestos** que, por razones sistemáticas se estudian en detalle en otras partes de esta obra, como son:
- préstamo hipotecario;
- préstamo con garantía de valores;
- préstamo de valores.

8822 **Préstamo con garantía de valores** (CCom art.320 a 324) El acreedor pignoraticio queda protegido, al gozar de tres **privilegios**:
- preferencia;
- enajenación;
- irreivindicabilidad.

Este contrato se estudia en los nº 4561 s. de esta obra.

8824 **Préstamo de valores** Como las entidades de crédito están legitimadas ampliamente para operar en mercados secundarios oficiales, también pueden financiar al mercado mediante las operaciones de **crédito a vendedor.** Para el estudio de esta figura nos remitimos a lo expuesto en nº 4549 s.

SECCIÓN 8

Apertura de crédito en cuenta corriente

1. Consideraciones generales

Cuando un cliente bancario no necesita de manera inmediata la totalidad de una suma de dinero, sino **disponibilidades permanentes e irregulares**, adaptadas a la marcha de su empresa o de sus necesidades, no estipula un contrato de préstamo (que no satisface dichas necesidades, ni siquiera en la modalidad de entregas diferidas), sino un contrato de apertura de crédito. **8835**

No existe una definición legal, pero el **concepto** del contrato de apertura de crédito ha sido definido por la **jurisprudencia** como aquel por el que el banco pone su caja a disposición del cliente por cuantía y tiempo determinados (TS 27-5-66). Es aquel negocio jurídico bilateral por el que un comerciante o entidad mercantil se obliga a tener a disposición de la otra parte una determinada suma de dinero, ya en numerario en efectivo, ya en efectos mercantiles, por tiempo limitado o ilimitado, y haciéndose constar en la cuenta corriente del beneficiario la cantidad por la que se concede el crédito y la cantidad o cantidades de que vaya disponiendo la persona a quien el crédito se concede (AT Zaragoza 28-4-82).

La **doctrina** lo define como aquel contrato por el cual el banquero se compromete, mediante el pago de una comisión, a proporcionar los fondos que, hasta una cierta cuantía, le pide su cliente (acreditado), que ha de devolverlo en las condiciones pactadas (Sánchez-Calero y Garrigues).

No solamente pueden perfeccionar este contrato las **entidades de crédito** (L 10/2014), sino también los **establecimientos financieros de crédito** (RD 309/2020).

Precisiones El contrato de **apertura de crédito en cuenta corriente**, aunque referido en el CCom art.175.7º, no adquirió carta de naturaleza en nuestro Derecho positivo hasta que lo introdujeron en él las sentencias de la Sala 1ª, citadas en TS 1-3-69 y las DGRN Resol 28-2-33; 16-6-36). Así quedaría definido por la doctrina como el contrato por el cual el banco se obliga, dentro del límite pactado y mediante una comisión que percibe del cliente, a poner a disposición de éste, y a medida de sus requerimientos, sumas de dinero o a realizar otras prestaciones que le permitan obtenerlo al cliente. Estima el TS que tal concepto es sustancialmente coincidente con el acogido en TS 1-3-69. Tal contrato de carácter consensual y bilateral, no puede ser confundido con el contrato de **préstamo** regulado en CC art.1753 a 1757 y CCom art.311 s., de naturaleza real, que se perfecciona por la entrega de la cosa prestada, y unilateral por cuanto de él solo surgen obligaciones para uno de los contratantes, el prestatario (TS 11-6-99, EDJ 16796, citando TS 27-6-89, EDJ 6537, que alude a TS 12-6-76, EDJ 253).

Distinción con el préstamo bancario En la **apertura de crédito**, el cliente solamente dispone de la cantidad de dinero que en cada momento necesita (y que la entidad de crédito le facilita) hasta el límite pactado, por lo que únicamente ha de satisfacer intereses por dicha cuantía. En el **préstamo**, al contrario, el cliente prestatario queda obligado a satisfacer intereses por el importe íntegro de la cuantía prestada. **8837**

De un lado, el **cliente bancario** obtiene financiación proveniente de la entidad de crédito, como ocurre en el préstamo, pero, a diferencia de éste, se adapta elásticamente a las exigencias del momento, salvando las desventajas de la rigidez del préstamo.
Así, mientras el prestatario puede obligarse a pagar unos **intereses** injustificados, como consecuencia de haberse calculado por exceso la cuantía del préstamo, en la apertura de crédito los intereses se calculan, día a día, tomando como base únicamente el saldo resultante de sumar las cantidades dispuestas (cargos) y restar las cantidades ingresadas en la cuenta (abonos).
De otra parte, desde el punto de vista de la **entidad acreditante**, el contrato de la apertura de crédito en cuenta corriente supone, junto a la obtención de importantes beneficios (a través de interés y comisiones más caros que los normalmente aplicados al simple préstamo), la absorción de grandes gastos.

8839 Precisiones 1) La **práctica bancaria** demuestra que esta modalidad contractual es elegida más por comerciantes (individuales o sociales) que por consumidores o usuarios de productos bancarios, precisamente por su capacidad de acomodo a los presupuestos de tesorería, y aún a pesar de ser, normalmente, más caro desde el punto de vista de los tipos y comisiones.
2) No todo contrato llamado de «préstamo» por las partes del negocio jurídico constituye un auténtico contrato de préstamo. Si la póliza, a pesar de su calificación como de «préstamo» por las partes, presenta determinadas características (en particular, el denominado **pacto de liquidez**) que impidan considerar que la deuda que acredita es líquida, será necesario proceder a su liquidación. En tal supuesto, la fecha determinante, a los efectos de fijar su lugar en el orden de prelación respecto a los demás créditos que concurran sobre el mismo deudor, es, no la fecha de perfección del contrato, sino la fecha en que se lleva a cabo la liquidación (TS 29-4-00, EDJ 9279).
3) Para la determinación del tipo de contrato no hay que atender a la denominación elegida, sino al contenido del contrato. Así, a pesar de la denominación de contrato de crédito en cuenta corriente, se ha entendido que se trataba de un **préstamo** por cuanto la finalidad del mismo no era la concesión de crédito hasta una determinada cantidad, sino la adquisición de un inmueble. Queda demostrado que el prestatario pudo disponer del total importe del préstamo, que se le abonó en su cuenta corriente, aun cuando una parte del mismo fuera invertido en letras del tesoro por el propio banco, con el consentimiento tácito del cliente, para obtener unos réditos con los que compensar en parte los intereses del préstamo hasta que se formalizara la adquisición del inmueble (TS 2-3-04, EDJ 6974).

8841 **Naturaleza jurídica** El estudio de la naturaleza jurídica del contrato de apertura de crédito en cuenta corriente parte de la noción de **disponibilidad**.
En la apertura de crédito en cuenta corriente, la disponibilidad de los fondos no es consecuencia de una **entrega previa** de numerario hecha por el cliente bancario (como lo es en el depósito bancario de dinero), sino que es una verdadera **obligación** nacida de un pacto de financiación así concertado privadamente.
Por tanto, la esencia de la apertura de crédito no reside tanto en la **dación o concesión** de crédito, como en la **promesa** de concederlo, permitiendo al cliente que, mediante sus actos de disposición, se convierta en deudor de la entidad (Garrigues).

8843 **Opinión de la doctrina** Existen tres posiciones doctrinales en torno a la naturaleza jurídica de este contrato:
1) La que considera a la apertura de crédito en cuenta corriente como un simple contrato de **préstamo bancario de dinero**, apoyándose en la obligación de restitución que pesa sobre la persona que ha recibido el crédito. Algún sector de la doctrina rechaza esta calificación, debido a que estiman que la apertura de crédito en cuenta corriente es un **contrato consensual** (a diferencia del préstamo, que es un contrato real, que produce obligaciones a cargo del banco y, además, en la apertura de crédito en cuenta corriente el cliente está obligado a pagar una **comisión**, aun en el caso de que no reciba del banco ninguna prestación (comisión de disponibilidad, inexistente en el préstamo) (Garrigues).
2) La que considera a la apertura de crédito como un **contrato preparatorio o promesa de préstamo**. Se funda en la idea de que, si bien nadie puede obligarse a devolver lo que no ha recibido aún, sí cabe que el banco se pueda obligar a entregar aquello que luego el cliente va a tener derecho a reclamar. Esta postura podría admitirse si el **contenido de la obligación** consistiera siempre y únicamente en hacer entregas de dinero al cliente, pero los actos de utilización de la disponibilidad son, normalmente, de índole muy variada y, por tanto, imposibles de unificar en la figura del contrato preliminar de préstamo de dinero.
3) La que considera a la apertura de crédito como un **contrato consensual y autónomo** de concesión de crédito (Garrigues, Uría y Broseta). Esta postura surge por exclusión de las dos anteriores, ya que, si el contrato no se perfecciona por la entrega del dinero y si las disposiciones del crédito por parte del cliente no implican ejecución de un pacto preparatorio de préstamo, es evidente que el contrato tiene carácter consensual y definitivo.

Precisiones El contrato de apertura de crédito en cuenta corriente presenta carácter **consensual y bilateral**, y no cabe su identificación con el contrato de préstamo (CCom art.311 s.; CC art.1753 y concordantes), que tiene naturaleza jurídica de contrato real, ya que se perfecciona por la entrega de la cosa prestada, y de contrato unilateral, toda vez que de él solo se derivan obligaciones para uno de los contratantes (el prestatario) (TS 11-6-99, EDJ 16796; 7-4-04, EDJ 262062).

Características La generalidad de la doctrina considera a la apertura de crédito como un **contrato especial**, *sui generis*, caracterizado por las siguientes notas: **8845**
1) Es de naturaleza **mercantil**.
2) Por ser contrato de **financiación dineraria**, se trata de un contrato:
- atípico;
- consensual (se perfecciona por el mero consentimiento), aspecto en el que se distingue del préstamo, que es contrato real;
- no formal (no requiere forma especial), salvo las especialidades expuestas en nº 8856 s.;
- oneroso naturalmente (no esencialmente), esto es, si así se pacta;
- bilateral (genera obligaciones para ambas partes);
- conmutativo;
- de tracto sucesivo;
- de adhesión, generalmente, pues el acreditante-predisponente presenta al acreditado un formulario contractual pre-impreso con escasas posibilidades de modificación, pudiendo solamente el acreditado consentir en adherirse o no adherirse.
3) Por ser **contrato bancario**, destacan los siguientes rasgos:
- rige la mutua confianza;
- las obligaciones de pago que nacen a cargo del prestatario son, con habitualidad, aseguradas mediante alguno de los sistemas de garantía ordinarios -garantía real, personal o de tipo procesal, como es la intervención de un fedatario público- (nº 9045 s.);
- es un contrato sometido al principio de especialización operativa (L 10/2014 art.3).

Precisiones Habiéndose contratado con la entidad de crédito una apertura de crédito en cuenta corriente con la finalidad de refinanciar deudas anteriores (previas a la constitución de hipoteca en garantía de la devolución del crédito), se entiende que no necesita la entidad de crédito para dicha disposición mandato o autorización del acreditado, en atención a la finalidad del contrato -**refinanciación de deudas preexistentes**- (TS 22-12-04, EDJ 219271).

Normativa aplicable En materia de fuentes hay que diferenciar dos ámbitos normativos: **8847**
1) Fuentes **jurídico-privadas**.
- voluntad privada de las partes (CC art.1091), sin perjuicio del control sobre las condiciones generales;
- Código de Comercio (normas aplicables al préstamo mercantil que son las que regulan el préstamo bancario);
- Código Civil (por remisión expresa de CCom art.50);
- normas generales de la contratación, en cuanto sean compatibles con la naturaleza del contrato;
- RDLeg 1/2007, por el que se aprueba el Texto refundido de la Ley General para la defensa de los consumidores y usuarios (LGDCU), si bien, no es frecuente que este producto bancario se ofrezca en el mercado para financiar el consumo, lo cual no implica que sea ilícito tal ofrecimiento;
- L 16/2011, de crédito al consumo (LCCo);
- L 23-7-1908, de la usura;
- L 7/1998, sobre condiciones generales de la contratación (LCGC).
2) Fuentes **jurídico-públicas**.
- normas de transparencia bancaria (nº 7870);
- L 34/1988, general de publicidad (LGPu);
- L 15/2007, de defensa de la competencia (LDC);
- L 3/1991, de competencia desleal (LCD).

2. Elementos

En este contrato se pueden distinguir los siguientes elementos: **8850**
- partes contratantes;
- objeto del contrato;
- forma.

8852 **Contratantes** Las partes son:
El **financiador**, que siempre es una entidad de crédito o un establecimiento de crédito.
El **financiado**, que puede ser:
- empresario (no destinatario final, no consumidor) que destina la suma financiada a necesidades de su explotación mercantil;
- usuario de los servicios bancarios (nº 7923), si bien la forma ordinaria de financiar el consumo es el préstamo.

8854 **Objeto del contrato** Se distinguen los siguientes **elementos**:
- la cosa: el dinero prestado;
- el precio: el tipo de interés (precio-tasa) y las comisiones cobradas;
- el tiempo, que es elemento esencial de cálculo del precio-suma en los contratos financieros.
En cuanto al **dinero**, no hay especialidades salvo las derivadas de las operaciones en moneda extranjera.
En cuanto al **plazo** nos remitimos a lo expuesto sobre la prórroga del contrato en nº 8885 s.

8856 **Forma** No existe ningún precepto que exija forma escrita para el contrato de apertura de crédito en cuenta corriente, por lo que, en principio, se trata de un contrato **no formal**.
Sin embargo, en la práctica cotidiana, el contrato bancario de apertura de crédito en cuenta corriente siempre se formaliza **por escrito** ya que:
• La declaración de testigos no es por sí sola bastante para probar la existencia de un contrato cuya cuantía excede de 9 euros, de no concurrir con alguna otra prueba (CCom art.51).
• Los préstamos no devengan interés si éstos no se pactan por escrito (CCom art.314).

8858 De otra parte, en el plano de la ordenación bancaria, las **normas de transparencia** exigen lo siguiente:
a. Es obligatoria la **entrega del documento contractual** (BE Circ 8/1990 norma 6ª):
- cuando lo pida el cliente;
- en operaciones de préstamo o crédito cuya cuantía sea inferior a 60.000 euros.
b. En el **documento contractual** se han de recoger de forma clara y explícita los siguientes extremos (OM EHA/2899/2011 art.7):
- tipo de interés nominal;
- periodicidad de devengo de los intereses;
- comisiones y gastos repercutibles que sean de aplicación;
- pactos sobre modificación del tipo de interés aplicable;
- derecho del cliente al reembolso anticipado;
- demás extremos impuestos por la regulación específica de la entidad de crédito.
Así pues, los contratos bancarios de apertura de crédito en cuenta corriente, por una razón u otra, siempre se formalizan por escrito en un documento contractual. Éste es habitualmente **intervenido por fedatario público**, adopta la forma de formulario adhesivo regulado por LCGC y, en los excepcionales casos en que el cliente bancario sea **consumidor**, el contrato queda amparado por la normativa que regula la protección de los intereses de consumidores y usuarios (LGDCU).

8860 **Condiciones generales más usuales** Las condiciones generales más usuales en el contrato de cuenta corriente de crédito son las relativas a las siguientes circunstancias:
1) La **naturaleza mercantil** del contrato.
2) El sistema de **amortización** del principal dispuesto y de liquidación de los intereses.
3) Los supuestos en que la entidad queda legitimada para declarar el **vencimiento anticipado** de la operación y las consecuencias de éste.
4) Los derechos del cliente en materia de **cancelación anticipada** del crédito.
5) La repercusión de los **gastos judiciales y extrajudiciales** e **impuestos** a cargo del cliente.
6) Cláusula de **prórroga automática** y subsistencia de **garantías**.
7) El **carácter solidario** de los fiadores, con renuncia expresa de los beneficios de excusión, división y orden (CC art.1830, 1831 y 1837).
En relación con ellas, nos remitimos a lo expuesto en los nº 8065 s.

8862 Precisiones **1)** No es válida la **sumisión expresa** a determinados tribunales contenida en contratos de adhesión, o que contengan condiciones generales impuestas por una de las partes, o que se hayan celebrado con consumidores y usuarios (LEC art.54.2).
2) Las cláusulas de **sumisión territorial expresa** son perfectamente admisibles dado que no rompen por sí solo el equilibrio de las prestaciones de las partes y no son contrarias a la buena fe (TS 4-12-96, EDJ 9134).
3) Por el hecho de encontrarse la **póliza de crédito impresa** no puede calificarse directamente de contrato de adhesión. Tampoco puede considerarse de forma automática abusiva la cláusula de

renuncia al propio fuero, no resultando, por otra parte, de aplicación la Dir 93/13/CEE, sobre cláusulas abusivas en los contratos celebrados con los consumidores, puesto que dicha norma obliga directamente a los Estados, pero no a los particulares (TS 5-2-97, EDJ 1268).

Condiciones económicas particulares Hay que destacar las siguientes: **8864**
1. Mención del **importe máximo** disponible.
2. Plazo de **duración**.
3. **Comisiones** repercutibles: de apertura, de gastos de estudio, de disponibilidad, de administración, de excedido, de demora, de cancelación anticipada.
4. Tipo de **interés**, así como su forma de devengo y liquidación.
5. Tasa anual equivalente (**TAE**).
6. **Módulo-año** utilizado (año comercial de 360 días o año natural de 365 días).

3. Obligaciones de las partes

La apertura de crédito es un **contrato bilateral** que genera obligaciones para ambas partes y que consta de **dos fases**: **8870**
1) En una primera fase, el contrato engendra pura **disponibilidad**.
2) En una segunda fase, el contrato engendra las obligaciones aparejadas a la **efectiva disposición**. Estos actos de disposición no son, nuevos contratos, sino simples actos de ejecución del primitivo contrato.

Antes de hacer uso del crédito La **primera fase** se produce antes de que el cliente bancario haga uso del crédito abierto y el contenido contractual se concreta en las siguientes obligaciones: **8872**
- de la entidad de crédito;
- del cliente acreditado.

Obligaciones de la entidad de crédito En esta fase, la entidad de crédito o, en su caso, establecimiento financiero de crédito, asume la **obligación única** de ejecutar, a las órdenes del acreditado, actos de disponibilidad, en cualquier momento y en cualquier cantidad, siempre que ambas estén dentro de los **límites** de tiempo y de suma pactados en el contrato. **8874**
Esta obligación única se materializa en una **pluralidad de prestaciones** que implican diferentes formas de disposición. Éstas dependen de lo pactado, siendo las más frecuentes:
1. Entregar en **efectivo** las cantidades que solicite el acreditado dentro de los límites convenidos.
2. Pagar en nombre y por cuenta del acreditado, previa orden, **deudas** contraídas por éste (facturas, recibos, etc.).
3. Pagar los **cheques** que el acreditado gire regularmente.
4. Descontar **letras de cambio** que el acreditado le presente como tenedor, o aceptarlas para facilitar al cliente su descuento en otro banco.
5. Constituir **fianzas** por el cliente, ya sea bajo la forma de depósitos de garantía o bajo la forma específica de aval.
6. Otorgar al cliente la **prórroga** de una deuda vencida.
7. Facilitar al cliente o al tercero que éste indique una **carta de crédito**.

De todas estas formas de disposición, las que la práctica bancaria española admite como propias y exclusivas de la apertura de crédito son las **órdenes de pago en dinero**, las cuales pueden adoptar distintas **modalidades**: **8876**
- domiciliación de pagos;
- transferencias bancarias;
- cheques;
- utilización de tarjetas bancarias.

Precisiones **1)** La **utilización fraudulenta** de todos estos elementos puede conllevar la comisión de los delitos de apropiación indebida (CP art.252 a 254), estafa (CP art.248 a 251 bis redacc LO 14/2022) y falsedad documental (CP art.390 a 399 bis redacc LO 14/2022).
2) La transposición a nuestro ordenamiento jurídico de la Dir (UE) 2019/713, sobre la lucha contra el fraude y la falsificación de medios de pago distintos del efectivo, a través de la LO 14/2022, ha introducido **nuevas conductas** típicas del delito de estafa y de falsedades (CP art.248, 249, 399 bis, 399 ter y 400 redac LO 14/2022).

Obligaciones del cliente acreditado El acreditado queda obligado a **pagar las comisiones** convenidas que, normalmente, suelen ser: **8878**
- la comisión de apertura, por los gastos de estudio y formalización; y
- la comisión de disponibilidad.

La **comisión de disponibilidad** es un porcentaje del saldo no dispuesto, que se liquida periódicamente. La liquidación trimestral es la más frecuente.
Lo habitual es que se pacte que la **comisión de apertura** constituya el primer apunte contable a cargo del cliente acreditado. De ser así, se convierte en el primer acto de disponibilidad.

8880 **Después de ejercer el derecho a la disponibilidad** La **segunda fase** tiene lugar después de que el cliente bancario haya ejercido su derecho a la disponibilidad y, a consecuencia de la financiación obtenida, se haya convertido en deudor de la entidad, la cual resulta, así, acreedora.
El modo de concretarse las obligaciones de cada uno, depende de la naturaleza de la prestación realizada, pero, en el caso normal de que la prestación consista en las sucesivas **entregas de dinero** al acreditado, éste tiene la obligación de restituir la suma total recibida y abonar intereses por las cantidades dispuestas en función del tiempo que dure la financiación.
En opinión de toda la doctrina, una vez dispuesta la cuenta, aparecen las obligaciones propias del **préstamo bancario de dinero**, en la medida en que el cliente bancario ha devenido deudor por las cantidades dispuestas y sus intereses (Garrigues, Broseta, Vicent Chuliá, Sánchez Calero).
La entidad de crédito, que era fundamentalmente deudora en la fase de la **disponibilidad abstracta** se convierte en acreedor en la fase de **disponibilidad concreta** y, consecuentemente, el cliente acreditado queda obligado a amortizar el principal dispuesto y también a pagar los intereses devengados y vencidos.
Cualquiera que sea la fase de que se trate, los **tipos de interés y las comisiones** están amparados por el principio de libertad de pactos (OM EHA/2899/2011; CC art.1255; L 3/1991 art.17).

Precisiones 1) Procede la **reclamación del saldo negativo** de la póliza de crédito en cuenta corriente contra el deudor principal y sus avalistas. No prosperan las alegaciones de éstos referidas a la necesidad de que se hubieran liquidado -y compensado- los saldos de las tres cuentas que tenían en la entidad, la comisión de pequeñas irregularidades por parte de una entidad de crédito en la determinación de saldo negativo de la póliza a compensar con otros saldos positivos del cliente, no supone incumplimiento contractual, habiendo sido dichas irregularidades además tenidas en cuenta por la instancia (TS 4-2-04, EDJ 2118).
2) Apertura de crédito en cuenta corriente y **cesión de créditos en garantía**, condicionada a la efectiva disposición del crédito: la garantía no se podía hacer efectiva si no se realizaba la disposición. Embargo de dichos créditos por deuda tributaria sin que conste la disposición efectiva de crédito: no existe título de dominio de la entidad bancaria sobre los créditos embargados (TS 5-3-04, EDJ 7465).

4. Prórroga del contrato

8885 La causa espontánea de la extinción del contrato es la llegada de la fecha de su **vencimiento**.
En la práctica bancaria, la **continuación** de la relación contractual se puede producir de dos formas (Garrigues):
- por **extinción** del primitivo contrato y perfección de uno nuevo (novación extintiva);
- por **acuerdo de prolongación** del plazo inicialmente previsto, previo a la fecha de vencimiento (novación modificativa o renovación).

8887 **Novación extintiva** Este supuesto presupone que, **vencido el plazo** inicialmente pactado (y extinguida, por tanto, la relación contractual), las partes acuerdan perfeccionar un contrato nuevo y se presupone la extinción del antiguo.
Se produce pues, un **nuevo contrato**, nuevas las posiciones contractuales, nuevas las condiciones económicas y nuevo el plazo del vencimiento.
El primer contrato y el segundo se conectan jurídicamente por su causa y económicamente porque el **saldo favorable** a la entidad de crédito que existía a la fecha de vencimiento del primero, supone el **primer cargo** en la cuenta aparejada al segundo.
Este primer sistema no suele ser utilizado en la práctica por las entidades ya que presenta **inconvenientes prácticos**:
1) En primer lugar, al existir novación extintiva, se extinguen también las **fianzas** dadas al contrato inicial (CC art.1847), salvo nuevo consentimiento del fiador.
2) El segundo inconveniente es que la **fecha de prelación del crédito** es la del segundo contrato y no la del primero, con lo que ello supone de riesgo en los supuestos de concurso del acreditado.

Novación modificativa o renovación Se basa, simplemente, en **prever**, antes de la extinción contractual, si las partes desean o no mantener sus posiciones contractuales. En **caso afirmativo**, antes de la citada fecha se suscribe un nuevo pacto en virtud del cual se afirma la permanencia de la causa de contratar y se consiente la subsistencia de las estipulaciones inicialmente convenidas con posibles diferencias, sobre todo en lo tocante a las condiciones económicas y de plazo. 8889

Este sistema es más ventajoso para las entidades de crédito, por eso es más utilizado, ya que aquí no hay novación extintiva, sino meramente modificativa en su sentido objetivo.

No surge, entonces, el problema práctico de la **pérdida de fecha prelativa**, pero sí el inconveniente de la **extinción de la fianza**, pues la prórroga concedida al deudor por el acreedor sin el consentimiento del fiador extingue la fianza (CC art.1851).

Tratando de superar este obstáculo, las pólizas bancarias contienen en ocasiones una **cláusula de prórroga tácita**, cuya licitud ha sido puesta en duda por la doctrina y por los tribunales. Consiste en que, no obstante el **vencimiento** que se señala a la operación, si el acreditado no solicita su cancelación con anterioridad al mismo, para cuando éste llega, se entiende prorrogado por otro plazo igual, y así sucesivamente en cada uno de los vencimientos de las prórrogas. Todo ello previa liquidación y cargo de los intereses, comisiones y gastos en cada una de ellas, y subsistiendo para la prórroga o prórrogas sucesivas la garantía solidaria que se prestaba, salvo que con anterioridad a cada uno de los vencimientos expresasen al banco los garantes solidarios su propósito de retirar la garantía a partir de dicha fecha (Garrigues).

5. Extinción

Este contrato se puede extinguir por dos **causas**: 8895
- dependientes de la voluntad de los contratantes (voluntarias);
- independientes de la voluntad de los contratantes (no voluntarias).

Causas de extinción voluntarias Pueden estar previstas en el contrato, o ser ajenas al mismo: 8897

a) Entre las causas de extinción voluntarias **previstas en el contrato** destaca el vencimiento del plazo fijado o el de la prórroga, en su caso.

Si no se fijó **ningún término**, puede denunciarse el contrato por cualquiera de las partes, pues nadie puede obligarse de por vida.

En ocasiones se pacta la posibilidad de que se declare **unilateralmente** vencido el contrato.

b) El contrato también puede extinguirse por causas voluntarias **no concretadas** explícitamente en la póliza firmada. Así ocurre con el supuesto del mutuo disenso posterior, si tal convención es aceptada por las partes durante algún momento de la vida contractual.

Respecto de las **cláusulas de anticipación del vencimiento** nos remitimos a lo expuesto en relación con el préstamo bancario de dinero en el nº 8597 de esta obra. 8899

También se extingue la apertura de crédito por **incumplimiento del contrato** (CC art.1124). En este caso, el acreditado queda obligado a restituir las cantidades dispuestas, y si no lo hiciese, viene obligado a pagar los intereses moratorios pactados, o, en su defecto, el legal, sin perjuicio del derecho, a favor de la entidad de crédito, de reclamar en vía ejecutiva sobre la base de la póliza contractual si ésta está intervenida por fedatario público (LEC art.517).

Precisiones La **reclamación ejecutiva** con causa en una póliza de apertura de crédito plantea problemas singulares. Éstos tienen su origen en una dificultad técnica intrínseca al contrato: el cálculo de la cantidad líquida debida por el cliente a la entidad (nº 9140 s.).

Causas de extinción no voluntarias Entre las causas no voluntarias de extinción del contrato hay que señalar las siguientes: 8901
- **muerte** del acreditado;
- **disolución**, si se trata de una sociedad mercantil;
- **concurso** de alguno de los contratantes.

SECCIÓN 9

Descuento bancario y redescuento

8905

A. Descuento bancario

8910 El contrato de descuento bancario es una de las operaciones bancarias habitualmente perfeccionadas por las compañías de crédito (CCom art.175 y 177).

Casi toda la doctrina y la jurisprudencia lo **definen** como aquel contrato por el cual el banco, previa deducción del interés o de un porcentaje, anticipa al cliente el importe de un crédito pecuniario frente a tercero, todavía no vencido, mediante la cesión del citado crédito, «salvo buen fin» (TS 14-4-80; 12-12-87; 26-5-14, EDJ 85658).

En este sentido se ha pronunciado también la doctrina jurisprudencial, destacando como **elementos** del contrato de descuento (TS 11-6-93, EDJ 5624):

1º La existencia de un **crédito** contra tercero aun no vencido, procedente de una operación comercial (descuento comercial), o de una operación de simple crédito (descuento financiero).

2º El **anticipo** hecho por el banco al cliente del importe del crédito, menos los intereses por el tiempo que falta para su vencimiento.

3º La **cesión** de la titularidad del crédito con la cláusula «salvo buen fin» (ver nº 8973).

En relación con el **elemento objetivo** o real del descuento, nuestro ordenamiento jurídico no puede entenderse constreñido a solo los **efectos cambiarios** (letras de cambio, pagarés cambiarios u otros valores del comercio); antes al contrario, debe entenderse y que impera una vocación de generalidad y amplitud objetiva, de suerte que cualquier tipo de **crédito ordinario** pueda ser objeto de descuento, siempre que concurran los elementos enumerados.

8912 La técnica bancaria del descuento es un instrumento insustituible en la economía moderna, eminentemente crediticia, desde una doble perspectiva:

a) Constituye el principal **medio de financiación empresarial**, al permitir a los acreedores a plazo, percibir anticipadamente el importe de sus créditos, mediante su cesión onerosa al banco, sin esperar al transcurso del plazo concertado con su cliente. Todo ello con el fin de reinvertir inmediatamente el importe así obtenido en la explotación de sus negocios.

b) Permite a los bancos **obtener importantes beneficios** por la diferencia entre el interés que abonan a sus depositantes y el más elevado que reciben de sus clientes descontatarios de efectos.

Precisiones La importancia de esta operación bancaria se pone de manifiesto en que la **cartera de efectos descontados** es una de las partidas fundamentales del balance de los bancos comerciales, *también llamados bancos de descuento.*

8914 **Naturaleza jurídica** No existe una posición doctrinal unánime, sino que se pueden distinguir las siguientes tesis:

1) La doctrina mayoritaria considera que se trata de una **figura contractual autónoma**, con fisonomía propia y distinta del resto de los contratos (Uría, Broseta y Vicent Chuliá).

2) Para otro sector, el descuento bancario es un contrato de **préstamo bancario de dinero** con la peculiaridad de que el cliente-prestatario solo está obligado a amortizar cuando la entidad de crédito no cobre del deudor cedido (Garrigues y Sánchez Calero).
3) Otros consideran que se trata de una **cesión de créditos** sometida, por tanto, a la disciplina del CCom art.347 y 348 y, supletoriamente, al CC art.1526 s.

Partiendo de esta discusión doctrinal hay que distinguir entre: **8916**
a) El **descuento individual** de un concreto crédito no vencido (sea o no cambiario), que se aproxima verdaderamente a la figura del préstamo, y que como él, es real (Sánchez Calero).
b) El **contrato de línea de descuento**, por el que la entidad de crédito se obliga a descontar, en ciertas condiciones, los créditos no vencidos que su cliente descontatario le presente, hasta el límite cuantitativo que se convenga. Éste es el más común en la práctica y el que vamos a analizar en esta sección.

Precisiones El descuento bancario, si bien es un contrato de crédito, lo es también de **liquidez**, porque supone el intercambio de un activo financiero por un activo monetario, efectuado con carácter pleno y poseyendo, por consiguiente, virtualidad traslativa (TS 1-2-89, EDJ 861).

Distinción con otras figuras afines El contrato de descuento ha de diferenciarse de las siguientes figuras contractuales (García-Pita): **8918**
- préstamo cambiario directo (que es simple préstamo documentado en letra de cambio);
- descuento sin recurso (que es simple compraventa);
- factoring (que presenta otro tipo de prestaciones);
- apertura de crédito en cuenta corriente.

Características Se considera un **contrato «sui generis»**. En él se conjuga una causa o función económica crediticia con una estructura de intercambio, se permuta un activo financiero no monetario por un activo financiero monetario. **8920**

Este contrato es de naturaleza **mercantil**, y presenta, por sí, los siguientes **caracteres**: **8922**
1) Es un contrato:
- atípico, aunque nominado;
- obligacional (se perfecciona por el mero consentimiento);
- no formal;
- oneroso, siempre, en la práctica bancaria;
- bilateral;
- conmutativo;
- de tracto sucesivo;
- de adhesión, generalmente, pues el descontante-predisponente presenta al descontatario un formulario contractual pre-impreso con escasas posibilidades de modificación, limitándose el descontatario a adherirse o no adherirse (nº 8065 s.).
2) Por ser **contrato bancario**, presenta los siguientes rasgos:
- rige la mutua confianza;
- las obligaciones de pago que nacen a cargo del cliente descontatario son, con habitualidad, aseguradas mediante alguno de los sistemas de garantía ordinarios (garantía real, personal o de tipo procesal, como es la intervención de un fedatario público);
- son contratos sometidos al principio de especialización operativa (L 10/2014 art.3).

Normativa aplicable **1)** Fuentes normativas **jurídico-privadas**: **8924**
- voluntad privada de las partes (CC art.1091), sin perjuicio del control sobre las condiciones generales (nº 8065 s.);
- Código de Comercio, aplicable analógicamente cuando exista identidad de razón; pudiendo también darse el caso de la aplicación en materia de cesión de créditos;
- Código Civil, con la misma exigencia de aplicación analógica, y por remisión expresa del CCom art.50;
- normas generales de la contratación, en cuanto sean compatibles con la naturaleza del contrato;
- L 7/1998, de condiciones generales de la contratación (LCGC);
- L 23-7-1908, referente a la usura en los contratos de préstamo, puesto que la causa del contrato también es la financiación;
- L 19/1985, cambiaria y del cheque (LCC) para el caso de que los créditos descontados estén soportados en letra de cambio o pagarés cambiarios.
2) Fuentes normativas **jurídico-públicas**:
- normas de transparencia bancaria (nº 7870);
- L 34/1988, general de publicidad (LGPu);
- L 15/2007, de defensa de la competencia (LDC);
- L 3/1991, de competencia desleal (LCD).

8926 **Clasificación** Las modalidades de contrato de descuento bancario pueden clasificarse con base en los siguientes **criterios**:
- el crédito;
- el modo de realizarse;
- su naturaleza

1. Crédito. En atención al crédito que es objeto del descuento se diferencian los siguientes tipos (Garrigues):

a) Descuento **cambiario**, si se descuentan letras de cambio o pagarés cambiarios. Es el más habitual en la práctica.

b) Descuento **de cupones** de acciones y de obligaciones.

c) Descuento de **créditos ordinarios**, no incorporados a títulos (p.e., reconocimiento de deuda).

d) Cesión financiera de **certificaciones de obra**. La mayoría de la **doctrina** opina que aquí no hay endoso de certificaciones porque éstas no son título-valor, y tampoco hay descuento porque el crédito a que se refieren las certificaciones ya está vencido, lo cual es incompatible con la mera definición de descuento (Vicent Chuliá).

2. Modo de realizarse. Según el modo de realizarse se distinguen las siguientes clases de contratos (Broseta):

a) Descuento **aislado**, que implica un contrato aislado para cada efecto descontable.

b) Descuento **en bloque**, que es el más habitual en el tráfico comercial. Suele denominarse crédito de descuento, o también **línea de descuento**.

3. Naturaleza. El crédito descontado puede ser:

a) **Comercial**. Si los efectos responden a operaciones de comercio (p.e., letras de cambio que incorporan el derecho de crédito a cobrar el precio de una compraventa o de un servicio prestado).

b) **Financiero.** Su finalidad es la transacción de crédito, porque la letra descontada se creó previamente sin responder a una relación económica (de pura transacción comercial o de cambio) preexistente, sino simplemente para obtener dinero de la entidad de crédito mediante su descuento, de modo que la entidad de crédito concede crédito a su cliente con una garantía cambiaria a su favor por el importe del capital anticipado más su interés. Son las llamadas **letras financieras**.

1. Elementos

8930 Se distinguen los siguientes elementos:
- partes contratantes (nº 8935);
- objeto del contrato (nº 8950);
- forma (nº 8965).

a. Contratantes

8935 Las partes contratantes son:

a) La entidad de crédito **descontante**.

b) El cliente **descontatario**. Éste es un comerciante. No lo es por imperativo legal, sino porque el contrato nació para necesidades financieras de los empresarios. Este empresario (individual o social) ha de reunir ciertos **requisitos** de solvencia sin los cuales el uso bancario le va a limitar esta fuente de financiación. Son aquellos que los banqueros suelen denominar condiciones bancarias de descuento.

Estas **condiciones bancarias de descuento** son el conjunto de requisitos que la entidad de crédito descontante exige que reúna el deudor cedido para proceder de manera efectiva a descontarla, y dentro del esquema jurídico del contrato de descuento previamente aceptado.

8937 **Elementos de riesgo** Los elementos del riesgo procedente de todo contrato de descuento son tres:

a) La **solvencia** material y moral del cliente **cedente**.

b) La solvencia material y moral del deudor **cedido**.

c) El **plazo** de la operación. A mayor plazo de diferimiento del cobro, mayor riesgo de cobro. De ahí que el precio del descuento sea superior si los vencimientos son a largo plazo que si son a corto.

Solvencia moral y material del cliente cedente y del deudor cedido La información para evaluar los riesgos es obtenida por la entidad sobre la base de su propia experiencia, de un lado, y del otro, a través de la consulta de alguno de los siguientes registros: 8939

• **Registro de Aceptaciones Impagadas** (RAI). Actualmente es gestionado por el Centro de Cooperación Interbancaria y tiene ámbito nacional bajo el principio de afiliación voluntaria.

• **Central de Información de Riesgos** del Banco de España (CIR).

Al contrario que el RAI, la CIR se inspira en el principio de **declaración obligatoria**, si bien no de impagos, sino solamente de riesgos. Distingue, entre los riesgos:

- declarables;
- directos (préstamos, créditos, arrendamiento financiero y valores de renta fija);
- indirectos (avales y asimilados).

Precisiones **1)** La **regulación** reglamentaria de la **Central de Información de Riesgos** (CIR) se recoge en OM ECO/697/2004 -redacc OM ETD/699/2020-, BE Circ 1/2013 -redacc Circ BE 2/2023-). Corresponde al Banco de España establecer los **tipos de riesgos** que hay que declarar, al igual que el alcance de los datos objeto de declaración por lo que toca a los titulares y a las características y circunstancias de las distintas clases de riesgos. En tal sentido, está habilitado para exigir la **declaración** de los datos que estime necesarios de cara a cumplir las finalidades a las que sirve la CIR; particularmente, en relación con el correcto ejercicio de las facultades de supervisión e inspección de las entidades declarantes. También se atribuyen al Banco de España competencias para determinar en qué casos es posible realizar **declaraciones con menor detalle** o directamente eliminar la obligación de declaración para determinados datos. De igual modo, será el Banco de España el que determine los **umbrales** de declaración aplicables, el contenido, forma y periodicidad de los informes que tienen derecho a obtener las entidades declarantes. A partir de la modificación introducida por la BE Circ 2/2023, las entidades declarantes deben reportar a la CIR, de forma individualizada, todas las operaciones de los titulares cuyo riesgo acumulado en la entidad sea **igual o superior a 3.000 euros**. A partir de **enero de 2027**, el umbral de exención de declaración bajará a 1.000 euros. 8941

2) Se ha considerado que no infringe las leyes, la moral ni el orden público el pacto de financiación celebrado entre el banco y el descontatario, una sociedad en suspensión de pagos con dificultades para obtener crédito, por el que se acuerda la **retención de parte del importe** de los efectos descontados, mediante su ingreso en una cuenta especial bloqueada a favor del banco descontante. La eventual infracción de alguna norma contenida en las órdenes y las circulares sobre corrección de las prácticas bancarias no impide la validez del pacto, sin perjuicio de las sanciones en que pueda incurrir la entidad que la lleve a cabo (TS 12-7-04, EDJ 82648).

3) Se ha establecido, en el **ámbito europeo**, un marco a largo plazo (conocido como **«AnaCredit»**) para la recopilación de datos granulares de crédito por el Sistema Europeo de Bancos Centrales (SEBC) a través de las obligaciones establecidas en el Rgto (UE) 867/2016. Dichas obligaciones tienen como objetivo fijar un **conjunto común de información granular** que complementará y mejorará las estadísticas armonizadas del Banco Central Europeo (BCE). Así, establece la obligación de las entidades de crédito residentes en un país de la zona del euro y de las sucursales en la zona del euro de entidades de crédito extranjeras (entidades declarantes a efectos del Rgto (UE) 867/2016) de enviar al BCE, a través de los bancos centrales nacionales correspondientes, información relativa a los préstamos que tienen con su clientela o gestionan por cuenta de terceros, y siempre que el deudor (o, al menos, uno de ellos) sea una persona jurídica con la que la entidad haya asumido un riesgo acumulado igual o superior a 25.000 euros.

La implantación de «AnaCredit» supuso la introducción de **requerimientos de información** que no contemplaba la Circ BE 1/2013, motivo por el cual fue modificada por la Circ BE 1/2017. En concreto, se solicita nueva información sobre las personas y sobre las operaciones declaradas, de los datos financieros y de las garantías recibidas, así como de los tipos de interés y de la situación contable de las operaciones. Adicionalmente, en algunos casos ha sido necesario homogeneizar el conjunto de atributos, conceptos y definiciones de la Circ BE 1/2013 con los del Rgto (UE) 867/2016. Los nuevos requerimientos de información se circunscriben a entidades de crédito y sucursales de entidades de crédito extranjeras en España, personas jurídicas y préstamos, excepto en el caso de los tipos de interés, que se pedirá para los préstamos de las personas tanto físicas como jurídicas. Finalmente, fuera de los requerimientos del citado Rgto, se introdujeron **otros cambios** en la Circ BE 1/2013, entre los que destaca la simplificación de los motivos por los que se declaran las personas a la CIR, flexibilizando la asignación de valores.

Letras de favor Están en íntima conexión con el análisis del riesgo del contrato de descuento. 8943

Junto a la **letra comercial ordinaria**, con su también ordinaria provisión de fondos documentada en albarán y correspondiente factura, por lo general, el tráfico bancario muestra la existencia de letras de cambio que únicamente tienen por soporte causal un pacto puramente financiero: la **letra financiera o letra de caución**. Mediante este pacto un empresario individual o social, con el conocimiento y el acuerdo de la entidad descontante, firma una letra de cambio sin soporte comercial alguno, y al solo efecto de que el tenedor de la misma pueda financiarse mediante el descuento.

Aquí **no hay ilicitud** alguna porque la entidad descontante conoce la realidad de la operación y acepta descontar a causa del crédito que le merece el firmante de la letra.

8945 **Letras de puro favor o de colusión** En ellas, lo que hay verdaderamente es un intento de defraudar.
El **librador y el aceptante** se conciertan para girar una letra disfrazada de efecto comercial, pero carente en absoluto de provisión de fondos subyacente.
El **tomador** la presenta al descuento y la entidad descontante, confiando en la existencia de sustrato negocial material (provisión de fondos), anticipa los fondos.
El **fraude** se destapa al momento de intentar el cobro si el aceptante lo niega.

Precisiones No se da el engaño suficiente para apreciar la existencia de **delito de estafa** en un caso en que el descontatario endosó al banco letras de cambio que no obedecían a operación comercial alguna. El Tribunal entiende que no hay engaño porque el banco conocía la nefasta situación financiera del librador y podía, en consecuencia, haber solicitado informes al librado de las letras de cambio (TS 24-3-99, EDJ 2586).

b. Objeto del contrato

8950 En el contrato de descuento cabe distinguir los siguientes elementos:
a. **Suma** financiada.
b. **Interés** cobrado (precio-suma). Se cobra por anticipado, por eso se denomina descuento. Se calcula tomando como base el importe nominal del crédito descontado.
c. **Tiempo**.
d. **Crédito** descontado (nº 8952 s.).

8952 **Crédito descontado** El crédito descontado ha de reunir las siguientes **características** (García-Pita):
- ser un crédito pecuniario (nº 8954);
- ser un crédito contra tercero (nº 8956);
- estar pendiente de vencimiento (nº 8958).

8954 **Crédito pecuniario** No basta que el crédito sea de dinero, sino que la **cantidad** tiene que estar absolutamente **determinada**. La técnica bancaria hace imposible la admisión de créditos de cuantía potencialmente determinable, al calcularse la remuneración bancaria en el momento de la recepción del crédito y sobre la base de una suma concreta. De no existir ésta, no es posible aplicar el tipo de descuento.
Por eso el descuento bancario es una operación crediticia acomodada en el ámbito de los **títulos-valores**, porque en ellos la suma que importa el crédito está explícitamente rubricada en el documento.

Precisiones Teóricamente no hay inconveniente para admitir los **créditos en especie**, pero hay que tener en cuenta que el descuento está muy vinculado a la función de movilizar el crédito dinerario.

8956 **Crédito contra tercero** Tiene que ser un crédito contra tercero y no cabe otra posibilidad, dado que un crédito contra uno mismo queda extinguido por **confusión** (CC art.1156).
En ocasiones, las entidades de crédito conceden a su clientela **anticipos dinerarios** mediante la transmisión de créditos o títulos cambiarios en que solo los beneficiarios de tales anticipos figuran como deudores (p.e. suscribiendo un pagaré cambiario o aceptando letras de cambio giradas al propio cargo). Sin embargo, en estos supuestos la **finalidad económica**, aunque es crediticia, ya no corresponde a la «causa liquiditatis» característica del descuento.
Lo que no es esencial es que se trate de un **crédito preexistente** al contrato. Basta con que exista en un momento posterior, el momento del efectivo descuento del mismo.

8958 **Crédito pendiente de vencimiento** Ha de tratarse de créditos **a plazo**. En caso contrario no sería de recibo por la entidad de crédito descontante, que carecería de un elemento técnico para el cálculo de su remuneración, el número de días al que aplicar el tipo de descuento.
Cuestión distinta es que la entidad de crédito, en ejercicio de su libre autonomía, adquiera un **crédito ya vencido** (crédito litigioso). Pero esa adquisición tiene naturaleza jurídica de cesión de créditos, no de descuento bancario. En cualquier caso, como ha declarado el TS, el crédito carece de carácter litigioso cuando, mediante sentencia firme, ya ha sido fijado en cuanto a su existencia, exigibilidad y cuantía (TS 13-9-19, EDJ 690665).

c. Formalización del contrato

No existe precepto alguno que exija **forma escrita** para el contrato bancario de descuento, por eso, en principio hay que considerar que nos encontramos ante un contrato **no formal**. 8965
Sin embargo, es posible afirmar que, en la práctica cotidiana, el contrato bancario de descuento siempre se formaliza **por escrito** ya que:
1) La **declaración de testigos** no es por sí sola bastante para probar la existencia de un contrato cuya cuantía excede de 9 euros, a no concurrir con alguna otra prueba (CCom art.51).
2) Los préstamos **no devengan interés** si no se pactan por escrito (CCom art.314).
Por otra parte, en el plano jurídico-público o jurídico-privado de la ordenación bancaria, las **normas de transparencia** establecen que la entidad de crédito queda obligada a entregar a su cliente un ejemplar original del documento contractual.
En este **documento contractual** se han de recoger de forma clara y explícita, entre otros extremos, los precios efectivos inicial y final de la operación, esto es, el descuento.
Asimismo, se exige que en el **descuento de papel comercial**, se cumplimente el coste efectivo por cada factura liquidada (BE Circ 8/1990 norma octava, vigente a los solos efectos del cálculo de los tipos de interés medios ponderados de las operaciones realizadas en España con el sector privado residente; en todo lo demás ha sido derogada por BE Circ 5/2012).

Aceptado, por tanto, que los contratos de descuento bancario siempre se formalizan por escrito en un **documento contractual**, hay que decir que: 8967
1) Es ciertamente habitual que la entidad de crédito requiera la **intervención** del negocio por parte de notario.
2) La póliza contractual (intervenida o no) suele ser un documento de **adhesión**.
Por lo que se refiere a la **estructura del clausulado**, ésta muestra:
- un primer apartado de **condiciones económicas particulares**, fijadas tras la negociación entre la entidad-predisponente y el cliente-adherente; y
- un segundo apartado de **condiciones generales** respecto de las cuales el cliente bancario tiene escasas posibilidades de negociación; se adhiere o no. Éstas últimas se examinan a continuación y en los nº 8065 s.

Condiciones generales más usuales Las condiciones generales más usuales del contrato de descuento son las relativas a las siguientes cuestiones: 8969
1) Los créditos cedidos han de ser legítimos, líquidos, exigibles, no vencidos y no litigiosos (**cláusula de reserva**) (nº 8975).
2) La cesión se ha de realizar siempre con la **cláusula salvo buen fin** (nº 8973).
3) El contrato se basa en la **mutua confianza** entre los contratantes.
4) El importe de los efectos descontados, así como el de los que resulten total o parcialmente impagados a su vencimiento, ha de ser abonado (el de los descontados) o adeudado (el de los impagados), respectivamente, en una **cuenta especial** abierta en la entidad de crédito a nombre del cedente.
5) En ocasiones se incluye un pacto por virtud del cual la entidad acreedora ha de tomar, como **plazo mínimo de días hasta el vencimiento del efecto**, uno señalado (quince días, p.e.). Así, los efectos presentados al descuento cuyo vencimiento sea anterior a ese intervalo (10 días, p.e.), han de ser liquidados en régimen de descuento tomando como número de días el mínimo pactado.
6) Cerrada la cuenta y practicada por la entidad de crédito la liquidación de tal cuenta especial, se considera como **cantidad vencida, líquida y exigible** a los efectos del pago, y eventualmente del despacho de ejecución, el saldo resultante.
7) Las partes contratantes pueden **cancelar** el contrato en cualquier momento, notificándolo a la otra.
8) Cláusula de **prórroga automática** y subsistencia de **garantías**.
9) El **carácter solidario** de los fiadores con renuncia expresa de los beneficios de excusión, división y orden (CC art.1830, 1831 y 1837).

Precisiones No es válida la **sumisión expresa** contenida en contratos de adhesión, o que contengan condiciones generales impuestas por una de las partes, o que se hayan celebrado con consumidores y usuarios (LEC art.54.2).

En caso de **contradicción** entre las condiciones generales y las particulares específicamente previstas para este contrato, prevalecen las particulares, salvo que las condiciones generales resulten más beneficiosas para el adherente. 8971
Las dudas en la interpretación de las **condiciones generales oscuras** se han de resolver a favor del adherente (LCGC art.6).

8973 **Cláusula «salvo buen fin»** Es una convención ordinaria en todo contrato de descuento (TS 10-3-00, EDJ 2557). Por su virtud, el anticipo entregado por la entidad al cliente (importe del crédito) está unido a una **condición resolutoria**, de modo que si el tercero **deudor no paga** a la entidad el crédito descontado el día del vencimiento (esto es, si no llega a buen fin), la entidad financiadora goza de acción contra el cliente-descontatario, cargándole en cuenta el nominal del crédito cedido y reclamándole de forma inmediata el pago del mismo.
Estas cláusulas normalmente quedan redactadas advirtiendo al cliente descontatario que, de ocurrir impagos de los efectos descontados, la entidad va a cargar su importe en una **cuenta especial** que al efecto se abre, la cual, salvo que pueda ser inmediatamente compensada, va a devengar a favor de la entidad un **tipo de interés** que se suele cuantificar en el entorno ordinario de los tipos moratorios o de descubiertos o excedidos.

Precisiones 1) Constituye una obligación fundamental de la entidad descontante, una vez producido el impago, la **devolución de las cambiales descontadas** al cliente descontatario.
Ahora bien, por lo que se refiere a la **retribución de la entidad descontante**, objeto de discusión, el juzgador entiende que éste la obtiene a través de las comisiones de gestión o de cobro, en el caso de que se pacten, y a través del tipo de interés de descuento, pero que no se ajusta a derecho que una de las gestiones de cobro pueda erigirse en actividad susceptible de generar el derecho a percibir comisiones nuevas y adicionales de las que se persiguen por el encargo del cobro (AP Córdoba 16-2-01, EDJ 4080; 15-3-10, EDJ 197450).
2) El que esa cesión se efectúe «salvo buen fin», no significa que el **crédito** no haya sido **transmitido**, sino que lo ha sido condicionado resolutoriamente, por una parte, a su existencia y validez, y por otra, a su destino al pago de los préstamos que la cesión tiene por objeto (TS 6-11-06), si bien impide atribuirle la eficacia extintiva de la deuda que sería propia de un pago o de una dación *pro soluto*. Consecuentemente, el cedente o descontatario sigue siendo deudor del cesionario descontante en tanto no se produzca la satisfacción del crédito cedido. Y si resulta insatisfecho el crédito incorporado al título cambiario descontado, será exigible al cedente la devolución de la suma anticipada (TS 10-12-07, EDJ 233272). En definitiva, en el descuento ordinario, el derecho del banco a recuperar el importe que anticipó a su cliente existe desde que la entrega de la cantidad tuvo lugar, pero no es exigible hasta que, siéndolo, haya resultado insatisfecho el crédito cedido *pro solvendo* o para pago (AP Pontevedra 10-11-16, EDJ 221633).

8975 **Cláusula de reserva** Con arreglo a ella las partes aceptan que la entidad no quede obligada a tomar cualquier clase de efecto presentado al descuento. Así pues, se reserva la facultad de examinar la **calidad de los efectos** para decidir, en función normalmente de la confianza financiera que le merezca el deudor cedido, si descuenta o no descuenta.
Habitualmente, se suelen explicitar algunas **circunstancias** de entre las que permiten a la entidad rechazar efectos presentados al descuento, como es el caso de que el deudor de los mismos esté incurso en procesos concursales o haya motivos razonables para prever el impago, o hipótesis similares que varían de unos contratos a otros.

8977 **Cláusula sin gastos** Si la letra de cambio o pagaré cambiario cedidos están pendientes de vencimiento y la entidad descontante queda obligada a gestionar diligentemente su cobro, y si llegado el vencimiento de los mismos el obligado cambiario no atiende su pago, entonces el deber de diligencia de la entidad le obliga a levantar el **protesto**, u obtener las declaraciones equivalentes (LCC art.51).
Para evitar cargar con la responsabilidad de estas prestaciones, las pólizas bancarias de descuento suelen incorporar la cláusula sin gastos. Ésta no tiene otra **finalidad** que eximir a la entidad de crédito del deber de levantar protesto u obtener las declaraciones equivalentes.

Precisiones 1) De **no existir** la cláusula sin gastos, si la entidad no levanta protesto en tiempo y forma, algún sector de la doctrina afirma que tal negligencia enervaría los efectos de la cláusula salvo buen fin y, consecuentemente, la entidad soportaría los efectos del perjuicio de la letra de cambio -o pagaré cambiario- conforme al CC art.1170.2º (Broseta y Garrigues).
2) La entidad que ha descontado unos efectos, cuyo pago no ha sido atendido por el librado en el momento del vencimiento, no está obligada a devolverlos al descontatario sino cuando éste reintegra su valor o existe **sentencia condenatoria del reintegro** de los mismos (TS 6-11-96, EDJ 7617).
3) La entidad descontante vulnera su obligación de **diligente gestión** si omite el levantamiento del protesto ante el impago por los aceptantes de las letras de cambio descontadas (TS 21-3-97, EDJ 2382; 25-11-04, EDJ 183452).

2. Obligaciones de los contratantes

8980 Toda vez que el contrato de descuento es **atípico**, la definición de las prestaciones a que cada parte queda obligada es producto de la reflexión doctrinal y jurisprudencial.
Respecto al **descuento de letras de cambio**, las obligaciones del cliente descontatario y de la entidad descontante son las que se exponen a continuación (Broseta).

Precisiones El contrato de descuento responde a una relación bancaria cuya esencia jurídica radica en la obligación que asume el descontatario de **restituir los importes descontados** a la entidad descontante cuando no se abonen al vencimiento por el obligado y deudor de los mismos (tercero), recuperando la entidad descontante los anticipos dinerarios realizados.
El deber de **restitución de los efectos impagados** al cedente descontatario solo procede cuando se produzca la liquidación de la deuda, una vez recaída sentencia en el procedimiento promovido por el banco descontante, es decir, una vez demostrada la existencia del crédito derivado del descuento a favor de la entidad bancaria. Ello se debe a que tales efectos constituyen los **documentos básicos** para el ejercicio de la acción causal nacida del contrato de descuento (TS 2-3-04, EDJ 6974).

Cliente descontatario Éste tiene las siguientes obligaciones: 8982
1) Informar verazmente a la entidad descontante acerca de los **contratos causales**, información especialmente trascendente si el descuento lo es de letras de cambio o pagarés cambiarios, debido al régimen de excepciones cambiarias (LCC art.20 y 67).
2) Transmitir el **crédito descontado**. Ha de ser una enajenación plena que procure a la entidad descontante la plena titularidad dominical del crédito. **No** es **admisible**:
- ni la cesión de la simple facultad de legitimación para el cobro (un poder), es decir, normalmente, **endosos para cobranza**;
- ni la entrega del crédito a título de prenda, o sea, **endosos en garantía**.
3) Pagar el **precio del descuento**, o sea los intereses que la entidad le descuenta directamente, así como resarcir a la entidad descontante de los gastos especiales que pueda originarle el descuento (p.e., gastos de levantamiento del protesto).
4) Restituir a la entidad de las **letras de cambio o pagarés cambios desatendidos** por sus destinatarios, conforme a la cláusula salvo buen fin (nº 8973).

Precisiones **1)** Conforme a la normativa vigente, el hecho de que la entidad descontante **no** proceda al **protesto** de los cheques, le hace perder las acciones derivadas de los mismos como tenedor de los efectos, pero en ningún caso su derecho al **reintegro** a través de la cuenta corriente bancaria que sirve de marco a su relación contractual de descuento, circunstancia que en la sentencia de referencia, además, era conocida por el demandante al constar por escrito en el contrato de cuenta corriente bancaria celebrado por las partes (AP Sevilla 12-3-01). Ha de matizarse respecto de esta sentencia que lo normal y lógico es que los **cheques** no se descuenten, ya que nacen vencidos y **no son un instrumento de crédito**, sino de pago; en consecuencia, aunque pueden endosarse o cederse a través del sistema de cesión ordinaria de créditos, el plazo de «vida» del cheque y su naturaleza jurídica -medio para facilitar el pago- debería impedir su descuento. 8984
2) Para ilustrar el contenido de este marginal, nos remitimos a la lectura de la sentencia referenciada en la precisión del marginal nº 8973 relativa al **cobro irregular de comisiones** por devolución de efectos (AP Córdoba 16-2-01, EDJ 4080).
3) Las **comisiones por devolución de efectos** no pueden ampararse en el principio de libertad contractual, porque carecen de causa que las justifique, ya que el mero hecho de comunicar por el banco al descontatario el impago del efecto no es un nuevo servicio ajeno al propio contrato de descuento y cobro de efectos, que ya tiene su justa retribución en las comisiones de gestión o de cobro, así como en el importante tipo de interés del propio descuento. El servicio que se presta por la entidad bancaria es el de la presentación al cobro de efectos, y ese ya ha sido remunerado, sin que la simple operación material de devolverlo suponga un nuevo servicio, ya que forma parte integrante de la gestión de cobro (AP Sevilla 7-5-01, EDJ 76575; AP Madrid 10-5-00, EDJ 117354; AP Almería 9-9-02, EDJ 52372; AP Barcelona 5-3-04, EDJ 13725). Es importante destacar esta matización, porque la práctica reiterada y habitual de las entidades descontantes, particularmente las bancarias, es volver a cobrar ante la devolución de los efectos.
4) Constituye **delito de estafa** la actuación tendente a conseguir una línea de descuento aparentando una normalidad mercantil, lo que motiva la concesión de otra segunda por parte de la entidad crediticia por un importe cuatro veces superior, descontando en este caso los demandados pagarés sin soporte comercial. No puede alegarse para excluir la concurrencia de la figura delictiva que la entidad de crédito no desplegara actividad alguna encaminada a averiguar que los pagarés descontados no respondían a efectivas operaciones comerciales, ya que ello no puede excluir la idoneidad del engaño desplegado, que lo es en sí mismo, puesto que ello equivaldría a imputar como cooperador necesario al empleado del banco que consintió tal cosa, perjudicando a la entidad de crédito (TS 21-12-04, EDJ 234869).

Entidad descontante La entidad de crédito, por su parte, queda sujeta a tres obligaciones: 8986
1) Descontar. La entidad ha de descontar los créditos que le entregue el cliente, siempre que éstos cumplan las **condiciones preconvenidas** en el contrato.
En la práctica, esta obligación se manifiesta en el **deber de anticipar el importe** pactado (nominal del crédito no vencido menos remuneración convenida a favor de la entidad descontante) abonándolo en la cuenta corriente que el cliente descontatario tiene abierta.

Es aquí donde se manifiesta una de las **características** peculiares del contrato (García Pita):
- el cliente descontatario entrega un activo financiero no inmediatamente líquido (pues es pagadero a plazo, al no estar vencido) y recibe un activo financiero plenamente líquido como es el dinero;
- la entidad de crédito, a la inversa.

2) No reclamar. La entidad de crédito toma **posición jurídica acreedora** a partir del momento en que efectúa el anticipo a favor de su cliente.

Esto le obliga a no reclamar la restitución de las cantidades adelantadas hasta que se haya producido el vencimiento del crédito descontado y haya sido **infructuoso el cobro** del mismo.

3) Conservar y reclamar. La entidad de crédito ha de actuar diligentemente para **evitar la extinción** del crédito descontado y en el caso particular de créditos en soporte cambiario, para evitar que la letra quede perjudicada (LCC art.65).

Para algún sector de la **doctrina** no nos encontramos en presencia de un verdadero deber contractual exigible (calificable como obligación), sino que se trata de una simple **carga** cuya inobservancia no desencadena la responsabilidad derivada del CC art.1101, sino que simplemente comporta la pérdida de un derecho por la entidad de crédito descontante: el derecho a obtener su reembolso del anticipo otorgado (García-Pita y Garrigues). Esta posición sería discutible; pudiendo entender, en consecuencia, que estamos ante una auténtica obligación.

8988 Precisiones 1) Por virtud del descuento cambiario, la entidad descontante queda constituida en tenedora de las letras descontadas y en legítima acreedora de su importe excluyendo como tal al librador descontatario, que no podrá ejercitar la correspondiente **acción cambiaria** sin haber reintegrado el importe de los efectos a la entidad descontante (TS 26-9-98, EDJ 20136).

2) La entidad descontante tiene obligación de entregar los títulos valores descontados al **avalista** ejecutado que había garantizado las cantidades debidas por el descontatario en virtud del contrato de descuento. La imposibilidad de entregar los mencionados títulos no puede afectar a los avalistas solidarios de la misma, por lo que la entidad descontante ha de resarcirles por los perjuicios que la falta de entrega de los documentos pueda depararles (TS 28-1-03, EDJ 949).

3) El **deber de devolver** al descontatario los títulos, valores descontados no es exigible mientras no exista una decisión judicial que conceda el derecho de reintegro a la entidad bancaria. El descontatario puede recuperar los títulos liquidando la cantidad debida a la entidad descontante. Las comisiones percibidas por la entidad descontante, por la gestión de cobro constituyen usos bancarios, dependiendo su cuantía de las circunstancias de cada caso (TS 2-3-04, EDJ 6974).

4) Perjuicio de las letras descontadas por **actuación negligente del banco** descontante, al haber dejado prescribir las acciones cambiarias sin devolver los títulos al descontatario. Tras declararse nulo el juicio ejecutivo por prescripción de la acción en vía de regreso, la entidad descontante interpone la acción causal derivada del contrato de descuento. Se considera que la entidad descontante ha actuado negligentemente al dejar prescribir las acciones cambiarias. Por ello desestima su pretensión y declara que la cesión «pro solvendo» de las letras se ha transformado en una cesión «pro soluto» (TS 25-11-04, EDJ 183452).

5) Pesa sobre el banco descontante la carga -que no obligación contractual en el sentido estricto del CC art.1088- del **deber de diligencia** dirigido a lograr el **cobro del crédito descontado** y a la conservación de todos los derechos y garantías que al citado crédito corresponden, sin que tal deber comprenda, sin embargo, la iniciación de acciones judiciales. A tal efecto, le corresponde al banco acreditar que cumplió con ese deber de diligencia (AP Pontevedra 28-1-99, EDJ 4190).

6) En el descuento bancario, ante el ejercicio de la **acción ordinaria para cobrar un crédito**, con aportación al juicio de las letras como meros documentos, y acreditado además el hecho de una operación de la clase referida con anticipación del importe de aquellas en la cuenta corriente del librador, lo único a demostrar para que prospere el pedimento, entablado fuera del derecho cambiario, es la existencia del crédito nacido del descuento y su vigencia al no satisfacerse las letras por nadie a su cumplimiento (TS 3-4-06, EDJ 37265).

3. Extinción

8995 Sin perjuicio de la aplicabilidad de las normas ordinarias sobre extinción de las obligaciones (CC art.1156), es preciso señalar que:

a) Cabe que las partes pacten un **período de duración determinado** para el contrato, en cuyo caso éste se extingue al vencimiento del término. Esto no es habitual en la práctica bancaria, sino que se suele pactar la **prórroga automática**.

b) Generalmente, se establece en las pólizas el **carácter indefinido** del contrato.

La entidad de crédito debe descontar los efectos que el cedente le vaya remitiendo, hasta una cantidad determinada (límite de la póliza), pero esa **cuantía-límite** se va renovando a medida que se cobran los efectos descontados, si bien, en ningún momento debe rebasarse la cifra máxima convenida.

A pesar del plazo indefinido, las partes pueden **rescindir** el contrato en cualquier momento, incluso sin necesidad de preaviso, notificándolo fehacientemente a la otra parte.

Si es el **cedente** quien quiere rescindir, queda obligado al pago del saldo que resulte a su cargo por todos los conceptos, subsistiendo su obligación y responsabilidad mientras exista algún riesgo en curso.
Si es la **entidad de crédito**, queda el cedente obligado a pagar dicho saldo en un determinado plazo (fijado en el contrato), contado a partir de la fecha del requerimiento que a dichos efectos le realice la entidad descontante.

Autorización de retención en garantía de una parte del importe líquido En algunas pólizas de descuento, la entidad de crédito se reserva la facultad de retener una parte del importe líquido entregado a su cliente. 8997
Esta cuantía retenida es de **titularidad del cliente**, pero se abona en una cuenta de depósito abierta a su nombre con carácter **indisponible** hasta una fecha determinada (normalmente largo plazo).
Con esta práctica, la entidad de crédito persigue obtener una **garantía adicional** de cobro para el caso de impagos, pues el saldo retenido se entrega en prenda.
Además, el **efecto financiero** es claro: la baja remuneración de estos depósitos origina que el coste global de la operación (descuento más retención) sea sensiblemente superior al que marca el tipo nominal de descuento contratado.

Precisiones 1) En épocas en que los tipos bancarios no eran libres, sino sometidos a tasas limitativas, esta práctica quedó prohibida por el Banco de España. Hoy, bajo el principio de **libertad de tipos**, la prohibición carece de sentido y por eso se ha retirado.
2) No obstante la inexistencia de prohibición expresa, esta práctica ha sido calificada por las resoluciones del Servicio de Reclamaciones del Banco de España (hoy Comisionado para la Defensa del Cliente de Servicios Bancarios) como **mala práctica**, contraria a la finalidad perseguida con las normas de transparencia bancaria, toda vez que dificulta el conocimiento del coste efectivo de la operación además de, por supuesto, encarecerlo.

B. Redescuento

El redescuento es el descuento que hace una entidad de crédito a otra, de papel previamente descontado por éste a sus clientes (Uría). 9000
Se trata de un nuevo descuento en el que quien antes fue cesionario, se convierte en cedente del crédito a otra entidad o a la entidad emisora.
Supone, por tanto, un **segundo descuento** de un mismo crédito y, en consecuencia, está sometido a la misma disciplina contractual que la del primer descuento.
A diferencia del descuento (operación bancaria activa en la que la entidad concede crédito al cedente), el redescuento es una **operación pasiva**, pues la entidad de crédito que acude al redescuento lo hace con objeto de conseguir liquidez.

Precisiones El redescuento fue durante mucho tiempo un **instrumento de política monetaria** en manos del Banco de España, que descontaba a los bancos privados créditos que éstos habían previamente descontado a sus clientes. Así, el Banco de España podía fijar un tipo concreto de redescuento que luego se transmitía hacia el conjunto del sistema financiero. Hoy día, sin embargo, esta técnica de política monetaria se ha abandonado.

SECCIÓN 10

Crédito documentario

9005

El crédito documentario es una operación de **mediación en los pagos**, que no implica necesariamente la existencia de un crédito. 9007
Nace en el ámbito de las **compraventas internacionales** debido al desconocimiento de los agentes económicos relacionados. Este desconocimiento generaba desconfianza y esa situación es la que se intenta remediar mediante la figura del crédito documentario.

Este contrato implica que un **tercero** (entidad de crédito), que conoce a ambas partes del negocio, les ofrece la prestación de sus especiales servicios financieros de mediación en los pagos (e incluso, de apertura de crédito).
Así, el **vendedor**, que tiene la esperanza de hacer un buen negocio, pero desconfía de cobrar porque no conoce los datos de honorabilidad y solvencia de su comprador/deudor, perdería una buena oportunidad de negocio de no acudir a una entidad de crédito especializada. Ésta le ofrece:
a. Actuar **como si fuera el comprador**, de manera que paga al vendedor el precio contra entrega de determinados documentos (factura, seguro, carta de porte, etc.) que previamente se pagan.
b. Actuar en la plaza de destino de la mercancía **como si fuera el mismo vendedor**, cobrando sobre la base legitimadora de los documentos previamente recibidos del repetido vendedor.

9009 **Normativa aplicable** Es un contrato **atípico**, por lo que sus fuentes normativas son la voluntad privada de las partes y las normas generales de los contratos mercantiles. Por ser un contrato bancario se aplican a la entidad de crédito las normas de disciplina y ordenación del mercado de carácter general.
La conexión de la operación bancaria de crédito documentario con las compraventas internacionales es patente, y así lo pone de manifiesto la doctrina especializada y las **Reglas y Usos Uniformes** relativos a los créditos documentarios.
Estas reglas y usos uniformes son elaboradas por la **Cámara de Comercio Internacional (CCI)** y su **utilización** se recomienda por la Comisión de las Naciones Unidas para el Derecho Mercantil Internacional (CNUDMI; *United Nations Commission on International Trade Law*, UNCITRAL). La versión más reciente de las mismas es de 1-7-2007, Publicación núm 600 de la Cámara de Comercio Internacional (en adelante, **UCP 600**).
Jurisprudencialmente se ha considerado que estas reglas y usos uniformes pueden tomar carácter de fuente de obligaciones en calidad de **condiciones generales** o de criterio interpretativo de la voluntad contractual, en la medida en que los contratantes las incorporen en el contrato, expresamente o por remisión (TS 11-3-91; 16-5-96, EDJ 2229; 9-10-97, EDJ 7489; 5-6-01, EDJ 7147; 10-7-07, EDJ 92315). De hecho, las propias reglas uniformes disponen que son de aplicación a un crédito documentario siempre que así se establezca en el contrato, obligando a todas las partes intervinientes, a menos que expresamente se estipule lo contrario.
Las reglas y usos uniformes **no son tratado internacional** por lo que no cabe su inclusión como fuente. La jurisprudencia no es unánime a la hora de considerarlas **usos de comercio**:
- en algunas sentencias se muestra reacia a admitirlo, pues considera que, aunque se aprecie repetición en su utilización, carecen de *opinio iuris* (TS 14-4-75);
- en otras sentencias, sin embargo, las califican como uso del comercio (TS 27-10-84; 14-3-89; 12-2-08, EDJ 82692).

9011 Precisiones **1)** Las reglas y usos uniformes para los créditos documentarios no forman parte del ordenamiento jurídico español a los efectos de fundamentar un motivo de **casación por infracción de ley** (TS 9-10-97, EDJ 7489). Sin embargo, sí ha superado el trámite de admisión un motivo que, amparándose en la -hoy derogada- LEC/1881 art.1962.1, alegaba infracción de preceptos de los usos reguladores del crédito documentario y de las reglas y usos uniformes, respectivamente (TS 27-10-84).
2) Doctrinalmente, no suelen ser consideradas usos de comercio, sino **Derecho preconsuetudinario** (Olivencia).
3) La calificación de las reglas y usos uniformes como **ley** es imposible, dada la naturaleza privada de la organización en cuyo seno se han redactado. Tampoco cabe afirmar, en propiedad, que su naturaleza sea la de la costumbre ni la del uso mercantil. A pesar de su habitual uso por parte de los empresarios que operan en el tráfico interno e internacional, para su aceptación como **fuente consuetudinaria** deben probarse todos los requisitos esenciales de ésta: práctica repetida de una determinada conducta, con aceptación de su fuerza de Ley, calificación que se obstaculiza por las sucesivas revisiones modificadoras de su texto inicial (Marimón Durá).
4) En 2023 se ha publicado la actualización del suplemento o de las Reglas y usos para créditos documentarios (UCP 600) para las presentaciones electrónicas (**eUCP versión 2.1**).
Las eUCP complementan a las UCP 600 con la finalidad de permitir la presentación de documentos electrónicos, solos o en combinación con documentos en papel.
Un crédito eUCP está sometido también a las UCP sin que se incorporen de modo expreso las UCP. Si se aplican las eUCP, sus disposiciones prevalecerán en caso de que produzcan un resultado diferente del que resultaría de la aplicación de las UCP.

Naturaleza jurídica Se ha considerado imposible reconducir el crédito documentario a una figura jurídica unitaria, expresando la necesidad de ir a un análisis de las distintas relaciones jurídicas que subyacen a esta operación (Alonso Ureba). 9013
La jurisprudencia considera al contrato de crédito documentario una **modalidad contractual autónoma y unitaria** (TS 20-7-95, EDJ 3999; 5-6-01, EDJ 7147).
No obstante, basándose en la característica inherente de esta figura negocial, que es su estructura triangular, cierto sector doctrinal y algunas resoluciones jurisprudenciales (TS 11-3-91; 3-5-91) lo han calificado como una **delegación pasiva de deuda** acumulativa y no liberatoria. Para esta corriente, el ordenante delega el pago de la deuda en el banco emisor (delegado), quien asume la deuda como propia frente al beneficiario (tercero-delegatario). Se trataría de una delegación imperfecta y no liberatoria porque el banco asume la deuda como propia y, sin embargo, no hay novación, puesto que el ordenante no queda liberado de la deuda derivada de la relación subyacente.

Distinción con el crédito documentario de garantía El crédito documentario no debe confundirse con el crédito documentario de garantía, cuya **finalidad** no es la de mediación en el pago, sino la garantía en el cobro de una suma de dinero debida por el ordenante del crédito documentario a su cliente-beneficiario. 9015
Así, la **entidad de crédito** abona a este beneficiario la suma debida, pero toma en garantía los documentos. Como entre éstos aparece un **título-valor de tradición** (representativo de las mercaderías objeto del negocio subyacente), el adquirente de estas mercancías no obtiene su posesión hasta que levante la garantía mediante el pago del crédito principal.

Precisiones La distinción entre crédito documentario y **aval a primer requerimiento** se centra en que el crédito documentario es un instrumento de pago y no una fianza de garantía o afianzamiento (TS 10-11-99, EDJ 36396).

Contenido del contrato En el contrato de crédito documentario se pueden diferenciar **tres relaciones jurídicas** (Alonso Ureba): 9017
- comprador-vendedor;
- comprador-entidad emisora;
- entidad emisora-vendedor beneficiario.

a) Relación **comprador-vendedor**. Preexistiendo una compraventa, la entidad de crédito ha de pagar el precio al vendedor, contra entrega por el mismo a la entidad de los documentos acordados.
No se produce una novación subjetiva respecto de la compraventa, pues la entidad de crédito no sustituye al comprador.
Entre los documentos entregados puede figurar un título de tradición representativo de la mercancía exportada, que atribuye a la entidad carácter de acreedor pignoraticio.
b) Relación **comprador-entidad emisora**. Se caracteriza como **comisión mercantil** indirecta. En el marco de esta relación de comisión mercantil, el comprador debe dar instrucciones concretas al banco.
El deber de examen de la entidad respecto de los documentos a entregar depende de lo pactado. Lo mismo hay que decir respecto de la facultad de rechazo que puede reservarse la entidad.
c) Relación **entidad emisora-vendedor beneficiario**. Se trata de una **promesa unilateral de pago** funcionalmente abstracta, que se concreta en la emisión por la entidad, en favor del vendedor-beneficiario, de la llamada carta de crédito, originadora del firme compromiso de pago por la entidad, a su vencimiento.

Precisiones **1)** El banco cumple con su obligación al denegar el pago de un crédito documentario tras deducir de la **comprobación de los documentos** que la mercancía suministrada no era de la calidad exigida (TS 23-12-96, EDJ 9550).
2) El beneficiario de un crédito documentario que no cumple con el requisito, establecido en la propia carta de crédito, de presentar un **certificado de calidad** aceptado por el comprador, no tiene derecho a exigir el pago (TS 24-1-00, EDJ 328).

Clases Se pueden distinguir los siguientes tipos de créditos documentarios: 9019
1) Crédito **revocable o modificable**. Es aquel que puede ser modificado o cancelado con el consentimiento del banco emisor, del banco confirmador, si lo hay, y del beneficiario (UCP 600 art.10).
El banco **emisor** queda obligado de manera irrevocable por una modificación desde el momento en que emite la modificación. El banco **confirmador** puede ampliar su confirmación a una modificación y quedará obligado de una manera irrevocable desde el momento que notifique la modificación. No obstante, el banco confirmador puede optar por notificar una

modificación sin su confirmación y, si así lo hiciese, debe informar sin demora al banco emisor, y al beneficiario en su notificación.

Los términos y condiciones del **crédito original** -o de un crédito que incorpore modificaciones previamente aceptadas- permanecerán en vigor para el beneficiario hasta que éste comunique su **aceptación de la modificación** al banco que notificó tal modificación. El beneficiario debería comunicar su aceptación o rechazo de una modificación. Si el beneficiario no hace llegar dicha comunicación, cualquier presentación que cumpla con el crédito y con cualquier modificación que aún no haya sido aceptada se considerará como comunicación de la aceptación de dicha modificación por el beneficiario. Desde ese momento el crédito quedará modificado.

La **aceptación parcial** de una modificación no está permitida y será considerada como un rechazo de la modificación.

9021 2) Crédito **irrevocable**. Es aquel crédito en el que la entidad de crédito tiene un compromiso firme cierto de honrar el crédito contra la presentación conforme de los documentos en los términos pactados (UCP 600 art.7). Un crédito es irrevocable, incluso aunque no haya indicación al respecto (UCP 600 art.3).

3) Crédito **simple**. En este supuesto hay una sola entidad de crédito.

4) Crédito **complejo**. En el crédito complejo hay dos o más entidades:

• Banco **emisor** es el banco que emite un crédito a petición de un ordenante o por cuenta propia (UCP 600 art.2).

• Banco **designado**, es el banco en el que el crédito es disponible o cualquier banco en el caso de un crédito disponible con cualquier banco (UCP 600 art.2). Se requiere su aceptación expresa y comunicación al beneficiario, salvo que el banco designado sea el banco confirmador (UCP 600 art.12).

• Banco **avisador**, es el banco que notifica el crédito a petición del banco emisor (UCP 600 art.2).

• Banco **confirmador**, es el banco que añade su confirmación a un crédito con la autorización o a petición del banco emisor (UCP 600 art.2).

5) Crédito **transferible** (UCP 600 art.38) (nº 9023).

6) Crédito **subsidiario** (UCP 600 art.39) (nº 9027).

9023 **Crédito documentario transferible** (UCP 600 art.38) Hay crédito documentario transferible cuando a petición del beneficiario (primer beneficiario), un crédito transferible puede ser puesto total o parcialmente a disposición de otro beneficiario (segundo beneficiario).

Banco transferente significa el banco designado que transfiere el crédito o, en un crédito disponible en cualquier banco, el banco que está específicamente autorizado por el banco emisor para transferir, y que transfiere el crédito. El banco emisor puede ser banco transferente.

Crédito transferido significa un crédito que el banco transferente ha puesto a disposición de un segundo beneficiario.

Un crédito puede ser transferido en parte a **más de un segundo beneficiario** a condición de que las utilizaciones o expediciones parciales estén autorizadas. Un crédito transferido no puede ser transferido a petición del segundo beneficiario a un posterior beneficiario. El primer beneficiario no se considera un posterior beneficiario.

Cualquier **solicitud de transferencia** debe indicar si las modificaciones pueden ser notificadas al segundo beneficiario y en qué condiciones puede serlo. El crédito transferido debe indicar de forma clara dichas condiciones. Si un crédito se transfiere a más de un segundo beneficiario, el rechazo de una **modificación** por uno o más segundos beneficiarios no invalida su aceptación por cualquier otro segundo beneficiario, para quien el crédito transferido quedará debidamente modificado. Para cualquier segundo beneficiario que haya rechazado la modificación, el crédito transferido se mantendrá inalterado.

El crédito transferido debe reflejar de forma precisa los **términos y condiciones del crédito**, incluyendo la confirmación, si la hubiera, con la **excepción** de:

- el importe del crédito;
- cualquier precio unitario indicado en él;
- la fecha de vencimiento;
- el período de presentación; o
- la fecha última del embarque o el período determinado de excepción, cualquiera de los cuales puede reducirse o acotarse.

9025 El **nombre del primer beneficiario** podrá sustituir al del ordenante del crédito.

Si el crédito, de forma específica, requiere que el **nombre del ordenante** aparezca en algún documento distinto de la factura, este requisito debe quedar reflejado en la factura.

El primer beneficiario tiene derecho a sustituir por la suya la **factura** del segundo beneficiario, y cualquier efecto si lo hay, por un importe que no exceda el estipulado en el crédito; y, si realiza tal **sustitución**, el primer beneficiario puede reclamar al amparo del crédito la diferencia, si la hay, entre su factura y la factura del segundo beneficiario.
Cuando el primer beneficiario deba presentar su propia factura y efecto, si lo hay, pero no lo hace a primer requerimiento, o si las facturas presentadas por el primer beneficiario ocasionan discrepancias que no existían en la presentación realizada por el segundo beneficiario, y el primer beneficiario no las subsana a primer requerimiento, el banco transferente tiene derecho a presentar los documentos al banco emisor tal como los recibió del segundo beneficiario, sin posterior responsabilidad ante el primer beneficiario. La **presentación de los documentos** por o en nombre del segundo beneficiario debe efectuarse al banco transferente.
En la solicitud de transferencia, el primer beneficiario puede indicar que el crédito se honre o negocie al segundo beneficiario en el lugar donde el crédito ha sido transferido, inclusive hasta la fecha de vencimiento del crédito. Todo ello sin perjuicio del derecho del primer beneficiario de acuerdo con el art.38.h.
Es **obligatorio** que conste de forma expresa en la carta de crédito la transferibilidad de la misma.

Crédito documentario subsidiario (UCP 600 art.39) Este crédito sirve al interés del vendedor-intermediario de utilizar el crédito documentario ya emitido en su favor como **garantía** de un nuevo crédito documentario a emitir a favor de su proveedor o suministrador. 9027
Frente al crédito documentario transferible, el subsidiario gana particular interés cuando no cabe la transferencia, o cuando aun siendo ésta posible, el proveedor no pueda hacer entrega de los documentos exigidos en la primera carta de crédito.

SECCIÓN 11

Créditos sindicados

9030

El crédito sindicado no es sino una manifestación en la órbita contractual bancaria del fenómeno jurídico de **pluralidad de partes** (en este caso, en el lado acreedor), de frecuente utilización en operaciones económicas de gran envergadura. 9032
Dentro las operaciones de crédito sindicado se incluyen las siguientes especies (Amesti Mendizábal):
- préstamos sindicados (nº 8680);
- créditos sindicados (nº 9034);
- créditos subasta (nº 9036);
- créditos subastados o subastables (nº 9038).

Precisiones La mayoría de la doctrina considera que el sindicato carece de **personalidad jurídica**. Para otro sector, la naturaleza jurídica de la actuación del banco agente es la propia de un **comisionista** dotado de representación (Gispert Pastor).

Crédito sindicado Se puede definir como aquel contrato crediticio en cuya virtud cada una de las **entidades de crédito sindicadas** queda obligada a poner a disposición del cliente-acreditado una fracción del límite total de disponibilidad acordado, **fracción** que para cada entidad sindicada supone su límite de crédito particular. 9034
En el sistema de organización del **sindicato bancario** se pueden distinguir hasta cuatro **posiciones** de las entidades sindicadas (Vicent Chuliá):
- entidad agente (que es comisionista necesariamente y, posiblemente, acreditante);
- entidad jefe de fila;
- entidades directoras;
- entidades simplemente participantes.

Todas estas entidades están convenidas en una compleja redacción contractual.

Precisiones 1) En los créditos sindicados, en los que coparticipan diversas entidades de crédito, el **pacto de preferencia** de cobro tiene puramente valor obligacional, de forma que no puede acceder al Registro de la Propiedad. Ello no impide que tenga plena eficacia entre las partes, y más aún cuando esté fundado en alguna contraprestación (TS 20-1-04, EDJ 857).

2) En los créditos sindicados las entidades se reparten proporcionalmente la totalidad del crédito de modo que, respetando la autonomía de cada participación en la globalidad de la operación, sin embargo, tales créditos no se pueden ejercitar individualmente por lo que suele pactarse en el **ámbito de las relaciones internas** entre los sindicados la solidaridad activa. Por lo demás, pese a la atipicidad de este contrato de sindicación de créditos, en las relaciones entre los acreedores existe el llamado banco agente que viene a ser una especie de mandatario que canaliza todas las actividades burocráticas que la operación lleva consigo (AP Córdoba 11-3-00, EDJ 11068).

9036 **Crédito subasta** Es un crédito sindicado complejo por cual la **entidad agente** queda obligada, cuando así lo requiere el cliente acreditado, a realizar subastas en las que, el **objeto subastado** es el derecho de adquirir una determinada cuota-parte en la posición acreedora frente al cliente que va a disponer del numerario, y en las que los **licitadores** son las entidades previamente sindicadas.
Algún sector doctrinal considera que nada impide la **cesión posterior** de la posición jurídica obtenida por la entidad de crédito rematante (Flaquert Riutort).

9038 **Crédito subastado** Aquí lo que se subasta es la **posición acreedora sin fraccionar**, respecto de una de las disposiciones a realizar por el cliente acreditado.
Se define como aquel contrato de crédito sindicado por el cual, habitualmente, dos entidades de crédito, que se constituyen en **banco agente** y **banco agente de subastas** respectivamente, asumen la totalidad del crédito (Amesti Mendizábal).
Posteriormente, cuando el acreditado desee realizar una **disposición de fondos**, ha de solicitar del banco agente de subastas la organización de la **subasta** de disposiciones de crédito, para lo cual éste invita a las entidades de crédito sindicadas, relacionadas en el anexo del propio contrato, a la participación en la citada subasta.
La subasta puede ser para la **adjudicación** de:
- disposiciones iniciales;
- participaciones en el crédito que constituyan una transmisión de todo o de parte de una participación de otra entidad de crédito que había adquirido dicha participación, esto es, la cesión del crédito, que ha de quedar documentada en un certificado de transmisión del crédito.

A su vez, esta **participación** puede ser consecuencia de subastas iniciales o de subastas sucesivas, de tal modo que las entidades que se adhieran al contrato mediante la subasta se comprometen por el mismo plazo en los mismos términos en que se obligaron las entidades inicialmente contratantes.

SECCIÓN 12

Garantías bancarias

9045

9047 Cuando las entidades de crédito conciertan sus operaciones activas de crédito, exigen la constitución por parte del acreditado (o de un tercero) de determinadas garantías que aseguren el **buen fin de la operación**.
Estas garantías pueden ser clasificadas en tres grandes grupos:
- personales (nº 9050);

- reales (nº 9100);
- procesales (nº 9140).

Todas ellas refuerzan el principio de **responsabilidad patrimonial universal** (CC art.1911).

Las **garantías personales** no afectan bien alguno con efecto de reipersecutoriedad, sino que añaden, a la masa patrimonial del deudor afecta al CC art.1911, otras masas patrimoniales de terceros que, sin ser deudores, aceptan ser responsables.

Las **garantías reales** generan el fenómeno de la «reipersecutoriedad» (CC art.1858): determinado bien queda sujeto al cumplimiento de la obligación garantizada, de suerte que, vencida ésta, pueden ser enajenadas las cosas en que consista la prenda o hipoteca para pagar al acreedor. En el tráfico bancario, además de las mencionadas prenda e hipoteca, destacan la hipoteca mobiliaria y prenda sin desplazamiento reguladas por L 16-12-1954, así como la hipoteca naval regida por L 14/2014 art.126 a 144.

Las **garantías procesales** nacen del documento en que se plasma el contrato bancario de activo cuyas obligaciones se aseguran. Al ser un documento público por estar adverado por **fedatario público** competente, goza:

- del carácter de prueba plena a los efectos del CC art.1218 y de la LEC art.317 s.;
- del privilegio del título ejecutivo (LEC art.517).

Asimismo, ha de tenerse en cuenta que, la elevación a escritura pública de los contratos bancarios de los que resulten créditos que encajen en los supuestos enumerados en LCon art.260.1, tiene determinados **efectos en sede concursal**:

• Así, en primer lugar, la elevación a escritura pública podría suponer el reconocimiento de una **preferencia especial** y, consecuentemente, una prelación en el cobro, siempre que la respectiva garantía esté revestida adicionalmente de los requisitos y formalidades de forma y/o fondo que, eventualmente, sean asimismo necesarios de conformidad con la legislación específica aplicable al efecto (LCon art.271).

• En segundo lugar, el crédito formalizado en escritura pública habrá de incluirse necesariamente en la lista de acreedores al constar en un documento que goza de **fuerza ejecutiva** aun cuando no hubiera sido aquél comunicado en tiempo y forma por el acreedor (LCon art.260.1).

1. Garantías personales

Dentro de las garantías personales hay que distinguir: 9050

- la fianza bancaria (nº 9055);
- las promesas de prenda y obligaciones de no disponer (nº 9075);
- los avales y garantías prestados por los bancos (nº 9080).

Por último, haremos referencia a las pólizas de aval o **contragarantía** (nº 9095).

a. Fianza bancaria

(CCom art.439 a 443; CC art.1822 a 1856)

Por la fianza se obliga uno a pagar o **cumplir por un tercero**, en el caso de no hacerlo éste (CC 9055
art.1822).

Si afirmamos el carácter mercantil de toda operación bancaria, aceptaremos que la fianza bancaria no es sino una **ordinaria fianza mercantil** dada en garantía de una obligación nacida de un contrato bancario.

Notas características La fianza bancaria se caracteriza por las siguientes notas: 9057

1) **Carácter accesorio**. Para que exista fianza tiene que existir una **obligación principal** garantizada. En el tráfico bancario este principio presentaría como obstáculo la existencia de deudas indeterminadas (supuestamente «inafianzables») nacidas de pólizas de apertura de crédito en cuenta corriente. Esta dificultad se salva acudiendo al CC art.1825, que establece que puede también prestarse fianza en garantía de deudas futuras, cuyo importe no sea aún conocido, pero que no se podrá reclamar contra el fiador hasta que la deuda sea líquida.

2) **Solidaridad**. La doctrina suele añorar una declaración legal explícita de solidaridad entre fiador y deudor principal mercantiles. Esta carencia se resuelve en la práctica con el pacto de **renuncia a los beneficios de excusión y división** (CC art.1831 y 1837), que no falta en ninguna póliza bancaria, es omnipresente y lícito (CC art.6.2). La solidaridad está permitida por el propio Código Civil, que dispone que si el fiador se obliga solidariamente con el deudor principal, se observará lo dispuesto en la Sección 4, Capítulo III, Título I de este Libro (CC art.1822 párr.2º). Pero el convenio de solidaridad no implica la **ruptura de la subsidiariedad**, pues, para que pueda reclamarse al fiador, es necesario el incumplimiento previo del deudor principal.

3) **Forma escrita**. El afianzamiento mercantil debe constar por escrito, sin lo cual no tiene valor ni efecto (CCom art.440). Todos los afianzamientos bancarios se otorgan en forma escrita y, la casi totalidad de los mismos, son intervenidos por **fedatario público**.
4) **Gratuidad**. El afianzamiento mercantil es gratuito, salvo pacto en contrario. En los **contratos por tiempo indefinido**, pactada una retribución al fiador, subsistirá la fianza hasta que, por la terminación completa del contrato principal que se afiance, se cancelen definitivamente las obligaciones que nazcan de él, sea cual fuese su duración, a no ser que por pacto expreso se hubiese fijado plazo a la fianza (CCom art.441 y 442).

Precisiones El Tribunal Supremo consideró, con base en el perfecto conocimiento por el banco concedente de un crédito afianzado de todas las operaciones patrimoniales realizadas por los fiadores con anterioridad a la solicitud del crédito, la inexistencia de **fraude de acreedores** (TS 14-10-98, EDJ 26462).

9059 **Estructura y contenido** El estudio de la estructura del contrato de afianzamiento bancario (elementos personales, reales y formales) y del contenido del mismo (obligaciones de las partes) no presenta especialidades respecto del **afianzamiento mercantil ordinario** (ver nº 3455 s.).
Procede recordar que nuestro Código Civil, al regular la fianza, diferencia tres estadios de **relaciones jurídicas**:
a) Efectos de la fianza entre fiador y acreedor (nº 3535 s.).
b) Efectos entre el deudor y fiador (nº 3560 s.).
c) Efectos entre los cofiadores (nº 3575).
Conviene, también, añadir que la **extinción** de la obligación principal produce también la extinción de la fianza (CC art.1847). Además, la **prórroga** concedida al deudor por el acreedor sin el consentimiento del fiador extingue la fianza (CC art.1851).

9061 **Diferenciación entre subsidiariedad y accesoriedad de la fianza** Se trata de una cuestión puesta de manifiesto por la doctrina especializada (Sánchez Calero, Carrasco Perera, etc.), que echa de menos un régimen jurídico más completo que el actualmente existente.
Para que el **acreedor pueda reclamar al fiador**, la norma general exige el cumplimiento de dos requisitos:
- que el deudor principal impague (**accesoriedad**); y
- que se haga, antes de reclamar al fiador, excusión del patrimonio del deudor principal (**subsidiariedad**).
Se discute si es posible la derogación particular de ambos requisitos. Es decir, si es lícita la **renuncia por el fiador** a tales beneficios.
Se puede renunciar **a la accesoriedad** de la fianza, pero entonces el negocio de garantía, siendo lícito y vinculante, no es una fianza de las que regulan nuestros códigos. Se estaría renunciando a un elemento esencial del contrato de fianza, cual es la necesidad de que el acreedor principal pruebe que el deudor ha incumplido. El contrato celebrado sería una **garantía independiente**.
También se puede renunciar **a la subsidiariedad**. Eso no implicaría abandonar la sede de la fianza. El contrato no se desnaturalizaría porque se permite el pacto de solidaridad (CC art.1822). Se estaría renunciando a un elemento no esencial, sino natural del contrato. El contrato celebrado seguiría siendo una **fianza**.

9063 **Fianzas en préstamos y créditos** La práctica contractual bancaria presenta dos categorías de contratos bancarios de fianza desde el punto de vista del **riesgo garantizado**:
- cláusula de fianza (nº 9065);
- póliza de afianzamiento de riesgos (nº 9067).

9065 **Cláusula de fianza** Es un **pacto añadido** a una póliza contractual de préstamo o apertura de crédito en cuenta corriente: si el fiador consiente, acepta salir responsable de las deudas nacidas, a cargo del obligado principal, como consecuencia del contrato bancario activo que así resulta afianzado.
La **redacción** de esta cláusula suele contener los siguientes extremos:
1) La **identificación de los fiadores**, destacando la obligación de que conste el NIF a los efectos del RD 1065/2007.
2) La delimitación de las **obligaciones garantizadas**, que normalmente son todas las dimanantes del contrato principal. El fiador pueda obligarse a menos, pero no a más que el deudor principal, tanto en la cantidad como en lo oneroso de las condiciones (CC art.1826).
3) La declaración de **solidaridad**, con renuncia expresa a los beneficios de excusión y división.
4) La facultad que la entidad acreedora se reserva en orden a **cobrar cualquier deuda impagada** por el cliente deudor, procediendo al inmediato cargo de la cantidad en cualquiera de las cuentas que el fiador tenga abiertas en la misma entidad.

5) El **pacto de liquidez**, en previsión de posibles reclamaciones ejecutivas, y para dar cumplimiento a lo dispuesto en LEC art.572, por cuya virtud, si en los contratos mercantiles otorgados por entidades de crédito, ahorro y financiación, en **escritura pública** o en **póliza intervenida**, se hubiese convenido que la cantidad exigible en caso de ejecución será la especificada en certificación expedida por la entidad acreedora, aquélla se tendrá por líquida siempre que conste en documento fehaciente que acredite haberse practicado la **liquidación** en la forma pactada por las partes en el título ejecutivo y que el saldo coincide con el que aparece en la cuenta abierta al deudor.

El pacto de liquidez, en este tipo de afianzamientos, va **implícito en la accesoriedad** de toda fianza, en el sentido de que ya ha quedado incorporado al conjunto de estipulaciones contractuales que conforman el préstamo o apertura de crédito en cuenta corriente cuyas obligaciones se garantizan.

Pólizas de afianzamiento de riesgos Como ocurre con toda póliza bancaria, se presentan como contratos de **adhesión**. Esto implica que son aplicables, para los casos de abuso por parte del predisponente (entidad de crédito-acreedora), las normas protectoras del adherente (cliente-fiador). Así, con carácter general se someten a la disciplina de la LCGC. **9067**

Los afianzamientos bancarios son considerados **riesgos indirectos** por la Central de Información de Riesgos del Banco de España (nº 8939). En consecuencia, existe obligación, a cargo de la entidad de crédito acreedora, de declararlos en los términos previstos por la BE Circ 1/2013 (redacc Circ BE 2/2023).

Pólizas bancarias de afianzamiento Es un contrato por el cual el/los fiadores consiente/n en garantizar, hasta un **límite de cuantía** que se fija en el contrato, y a favor de la entidad de crédito predisponente, que acepta, un conjunto de deudas que un tercero (muy habitualmente la sociedad de que los fiadores son socios) tiene contraídas con la propia entidad (esto es, con el acreedor principal) o incluso las que pueda llegar a contraer en el futuro. **9069**

En caso de que ese **conjunto de deudas** sea **total**, es decir, que se afiancen todos los riesgos que el deudor principal tenga para con la entidad de crédito acreedora o pueda tener en el futuro, la doctrina habla de **fianza ómnibus**.

Modalidad especial dentro de esta segunda categoría es la **póliza de afianzamiento recíproco**, que persigue que dos personas afiancen la una a la otra, hasta un límite, los riesgos contraídos (o a contraer) por las mismas con la entidad acreedora.

Notas definitorias Los aspectos más característicos en este tipo de pólizas bancarias son los siguientes: **9071**

a) **Cuantía predeterminada**. Normalmente, ésta coincide con el límite de una línea de descuento concertada simultáneamente entre la misma entidad de crédito y el mismo deudor garantizado.

b) **Plazo**. Es habitual el convenio de afianzamiento por tiempo indefinido, si bien el fiador se reserva la facultad de revocar la fianza, previa comunicación a la entidad de forma fehaciente y con la antelación debida, y aceptando que la revocación no afectará a los riesgos en curso y vencidos.

c) **Contenido ordinario**. Tratándose, como aquí ocurre, de un afianzamiento personal, ha de contener los extremos que esbozábamos antes, predicables de cualquier fianza bancaria:

1. Identificación de las partes.
2. Límite máximo del que los fiadores se hacen responsables (siendo de aplicación el CC art.1826).
3. Carácter mercantil.
4. Declaración de solidaridad y renuncia a los beneficios de orden, excusión y división.
5. Descripción de la **obligación principal garantizada**. En el caso de estas pólizas la redacción de este extremo suele incluir:

- el **buen fin de las letras de cambio** de las que la entidad de crédito sea tenedora legítima y en las que el afianzado figure como librador, aceptante, endosante o avalista, así como el buen fin de cualquier otro documento que el afianzado descuente o negocie en la entidad;
- los **descubiertos o saldos deudores** que, en esa fecha o en lo sucesivo, registren las cuentas corrientes o de crédito del afianzado;
- en general, **cualquier operación de naturaleza mercantil** y bancaria que el afianzado tenga contraída o contraiga en el futuro con el banco.

6. Facultad de la entidad acreedora de hacer efectiva la garantía desde el momento en que cualquiera de las obligaciones garantizadas se halle vencida y no atendida.
7. Facultad de la entidad acreedora de ejercicio de las acciones que le correspondan por título de esta fianza, con independencia de otros posibles títulos legitimadores para esta u otras reclamaciones.
8. Pacto de liquidez y convenios complementarios en orden a la exigibilidad de la deuda en el proceso ejecutivo, lo cual supone incorporar a la póliza el contenido de la LEC art.572 (nº 9140 s.).

b. Promesa de prenda y obligaciones de no disponer

(CC art.1862)

9075 La **promesa de prenda** es una forma de garantía personal. Solamente produce acción personal entre los contratantes, sin perjuicio de la **responsabilidad criminal** en que incurra el que defraude a otro ofreciendo en prenda, como libres, las cosas que sabía estaban gravadas, o fingiéndose dueño de las que no le pertenecen (la posible incriminación de esta conducta se tipifica en el CP art.248 a 251 bis).

De ahí que las **pólizas bancarias de operaciones activas** incluyan, en ocasiones, alguna de estas **cláusulas**:

a) Cláusula que faculta a la entidad de crédito, caso de no constituirse la garantía pignoraticia convenida en el plazo fijado, a **proceder judicialmente** contra el promitente para reclamar las cantidades que se le deban por incumplimientos.

b) Es posible, también, incluir en las pólizas de contratos activos, una **cláusula de obligación de no disponer** de uno o más bienes. Los **bienes afectos** han de quedar perfectamente identificados para, en el futuro, poder exigir responsabilidades en la hipótesis de incumplimiento.

Si la prohibición de no disponer recae sobre un **bien inmueble**, al traer causa de un contrato oneroso no incluido en ninguno de los supuestos de la LH art.26, no tiene acceso al Registro de la Propiedad (LH art.27).

c) Pacto similar al de las prohibiciones de disponer es el de las **autorizaciones de retención en operaciones de descuento**. Consisten éstas en que el cliente deudor se obliga frente la entidad de crédito acreedora a constituir un depósito de dinero (a plazo fijo) y no disponer del saldo del mismo hasta que se hayan extinguido todos los riesgos bancarios derivados del descuento (nº 8997).

c. Avales y garantías prestados por los bancos

9080 La **entidad de crédito** toma posición contractual no de acreedor, sino de fiador de su cliente para garantizar las deudas de éste frente a un tercero, el cual es el acreedor principal.

En la práctica bancaria, esta **posición de garante** puede tomar cuerpo de varias maneras, destacando entre ellas:

- la fianza mercantil ordinaria;
- la garantía a primera demanda o a primer requerimiento;
- el aval cambiario;
- la cosuscripción cambiaria;
- las cartas de patrocinio.

9082 **Fianza mercantil ordinaria** Se somete a las reglas aplicables a los afianzamientos mercantiles (nº 3455 s.).

9084 **Garantía a primera demanda o a primer requerimiento** Esta figura contractual no es una garantía subordinada o accesoria de la obligación principal, sino una garantía autónoma e **independiente** que vincula directamente al beneficiario con el garante. No es un medio de pago (TS 10-6-14, EDJ 111201).

Las **características** del aval a primer requerimiento son su naturaleza personal, atípica, autónoma, independiente, sujeta a un régimen de estricta inoponibilidad de excepciones salvo las derivadas de la propia garantía, y con obligación de pago por el simple requerimiento del beneficiario, pudiendo el banco avalista oponer excepciones fundadas en un evidente incumplimiento de la obligación garantizada, cuya prueba le corresponde al banco avalista (TS 4-12-09, EDJ 283142).

Existen unas **Reglas Uniformes de la CCI**, las URDG -Uniform Rules for Demand Guarantees-758 de 1-7-2010, que las regulan, con los efectos propios de este tipo de reglamentaciones.

Precisiones **1)** La nota de la **accesoriedad** de esta figura contractual puede quedar más o menos distendida dependiendo de la voluntad de las partes (Carrasco Perera).

2) No puede vincularse la **vigencia** de unos avales a primer requerimiento a la cláusula de cumplimiento del contrato principal cuando se pacta expresamente, con claridad y precisión, su **autonomía e independencia** respecto del cumplimiento obligacional objeto de las garantías. Cuando los términos del contrato son claros, su tenor literal debe ser el punto de partida y llegada (TS 2-6-17, EDJ 96177).

Aval cambiario La **naturaleza jurídica** del aval cambiario se describe por las siguientes notas extraídas de la LCC (García Cortés): 9086
a) **Autonomía**. El aval no es sustancialmente accesorio como lo es el afianzamiento (bancario y ordinario), sino válido aun cuando la obligación avalada sea nula, por cualquier causa que no sea la de vicio de forma.
b) **Accesoriedad formal**. Solo es menester que la letra de cambio contenga una obligación cartular formalmente válida a la que el aval cambiario asista.
c) **Abstracción**. Al aval se le comunica el régimen mixto de abstracción frente a terceros con causalidad inter partes de la LCC art.20 y 67, sin perjuicio de que las excepciones personales del deudor principal no competan al avalista (LCC art.37), salvo que sea aplicable la *exceptio doli* o la LCCo art.24, en relación con LCCo art.29.
d) **Literalidad**. Rasgo éste común a cualquier declaración cambiaria, si bien atenuado en nuestra Ley.
e) **Garantía indemnitaria**. La obligación cambiaria es siempre dineraria, por lo que el avalista es deudor de suma.
f) **Garantía objetiva**. El aval, según parte de la doctrina, no tiene por objeto garantizar el cumplimiento de la obligación cambiaria del avalado, sino que su objeto es el pago de la letra cambiaria (Pavone). Esta afirmación, sin embargo, no es compartida por otro sector doctrinal (Rojo Ajuria, Sánchez-Calero Guilarte).
g) **Tipicidad**. El avalista no se obliga en los términos que él desee, sino con el alcance -como en cualquier declaración cambiaria, por demás- que determine el legislador (LCC art.35 a 37).
h) **Solidaridad**. El avalista es responsable solidario del pago de la letra, como cualquier firmante de la misma (LCC art.57).
i) **Mercantilidad**. Es defendida por la práctica totalidad de la doctrina.
j) **Onerosidad o gratuidad**. Críticas doctrinales aparte, conforme a la aplicación analógica del CCom art.441, el aval es gratuito salvo pacto en contra.

Cosuscripción cambiaria Consiste ésta en que la entidad de crédito firma una letra de cambio, no como avalista, sino como **obligado cambiario ordinario**, bien en vía directa o bien en vía de regreso. Es, pues, una garantía cambiaria implícita en la responsabilidad cambiaria descrita por la LCC art.49 y 50. 9088

Cartas de patrocinio Son un **mensaje escrito** por un patrocinador y dirigido a un concreto destinatario (normalmente, una entidad de crédito) en el cual se describen las circunstancias económico-financieras del patrocinado (normalmente, filial del patrocinador), al efecto de que este pueda entrar en determinada relación negocial con el destinatario de la carta. 9090
Se distinguen dos tipos de cartas de patrocinio:
a) La «**carta débil**». Contiene únicamente información, no genera responsabilidad contractual.
b) La «**carta fuerte**». Contiene declaraciones de voluntad. Se distinguen, a su vez, dos modalidades:
• Carta fuerte **de conducta**. El remitente declara su voluntad de mantener una conducta en determinada dirección (conservar cierta participación en el capital de la sociedad beneficiaria, no reclamar a ésta un concreto pago, etc.). En la medida que exista aceptación expresa o tácita por el destinatario (la entidad que acredita al beneficiario), el incumplimiento de la misma origina prestación indemnizatoria (Díez-Picazo).
• Carta fuerte **de garantía**. El remitente declara su voluntad de resarcir a la entidad de crédito destinataria, en el caso de que el beneficiario, después de ser financiado por ésta, incumpla sus obligaciones de pago. También aquí surgen obligaciones contractuales.
El **estudio de conjunto** de la carta de patrocinio se expone en los nº 3645 s.

d. Pólizas de aval o contragarantía

En todo contrato de afianzamiento, surgen tres **relaciones jurídicas** (Garrigues): 9095
- relación acreedor-fiador;
- relación deudor-fiador;
- relación entre cofiadores.

La contragarantía afecta a la **relación deudor-fiador**.
Por el contrato de contragarantía el cliente bancario se obliga a **resarcir a la entidad de crédito** para el caso de que ésta deba de satisfacer el pago de una deuda que la propia entidad haya tenido previamente que atender en calidad de fiador de ese mismo cliente, y en favor de un tercero acreedor principal.
El fiador se subroga por el pago en todos los derechos que el acreedor tenía contra su deudor (CC art.1839). En todos estos casos, la **acción del fiador** tiende a obtener la relevación de la

fianza o una garantía que lo ponga a cubierto de los procedimientos del acreedor y del peligro de **insolvencia del deudor** (CC art.1843).
El contrato de contragarantía es la vestidura jurídica que fiador (entidad de crédito) y deudor afianzado (su cliente) consienten en redactar para dar concretos límites a sus relaciones, aceptando o rechazando el contenido dispositivo del CC art.1838 a 1843, e introduciendo pactos no contemplados en dicha sede normativa. Es un contrato **atípico** en nuestro ordenamiento.
Como el **garante** de esta modalidad contractual es un **fiador de la obligación de reembolso del deudor principal frente al fiador**, resulta que la especialidad de estas garantías es que quedan sometidas a condición: la de que el fiador cumpla por el deudor principal (Díez-Picazo). Queda así conectada la contragarantía con el CC art.1825.

9097 **Sujetos intervinientes** Los sujetos del contrato que estamos analizando son los siguientes:
a) El **contragarante**, que es la persona o entidad que reembolsará, en su caso, a la entidad de crédito garantizada (fiadora).
b) El **garantizado**, que es la entidad de crédito (fiadora).
Ahora bien, si extendemos el contrato y hablamos de «operación de contragarantía», entonces hay que conectar, al contrato de contragarantía, el afianzamiento del que trae causa, y aparece la figura del **beneficiario** de dicho afianzamiento (que es el acreedor principal del contragarante). Se trata de realidades contractuales diferentes vinculadas por la accesoriedad, pues si el primer afianzamiento puede existir sin la contragarantía, no parece aceptable la inversa.

2. Garantías reales

9100 Dentro de este tipo de garantías, se distingue entre garantías **mobiliarias** (nº 9045 y nº 9105) e **inmobiliarias** (nº 9135):

a. Garantías mobiliarias

(CCom art.320 a 324)

9105 **Préstamos y créditos con garantía de valores** La garantía de valores **admitidos a negociación** es una de las preferidas por las entidades de crédito debido a su fácil realización.
Puesto que el préstamo con garantía de valores ha quedado estudiado en otras partes de esta obra, no reiteraremos aquí su análisis material (nº 4561 s.). Baste recordar, nuevamente, que se atribuyen al acreedor pignoraticio los **privilegios de preferencia, enajenación e irreivindicabilidad**.
Las pólizas de préstamo (o apertura de crédito en cuenta corriente) con garantía de valores admitidos a negociación, como todas las pólizas bancarias, son **contratos de adhesión**. Su forma escrita es, pues, la de un **formulario** pre-impreso con una serie de condiciones económicas particulares y otras tantas cláusulas generales pre-redactadas por el predisponente (entidad de crédito). El **cliente bancario** (adherente) se limita a adherirse o no, con muy escasas posibilidades de negociación modificadora. Consecuentemente, en tanto tales **condiciones generales**, quedan sometidas a los límites que para cualquier contrato adhesivo encontramos en nuestro ordenamiento. En particular, la LCGC.

9107 De otra parte, si el **adherente es usuario** de los servicios bancarios, las normas protectoras se encuentran en la LGDCU. En particular, es necesario destacar los siguientes preceptos:
1) Poner a disposición del consumidor y usuario de forma clara, comprensible y adaptada a las circunstancias la **información relevante, veraz y suficiente** sobre las características esenciales del contrato, en particular, sobre sus condiciones jurídicas y económicas, y de los bienes o servicios objeto del mismo (LGDCU art.60 redacc L 4/2022). La L 4/2022 ha añadido la necesidad de que dicha información, principalmente cuando se trate de personas consumidoras vulnerables, se suministre en términos claros, comprensibles, veraces y suficientes, y se facilitarán en un **formato fácilmente accesible**, garantizando en su caso la asistencia necesaria, de forma que aseguren su adecuada comprensión y permitan la toma de decisiones óptimas para sus intereses.
2) Entregar **recibo justificante, copia o documento acreditativo con las condiciones esenciales** de la operación, incluidas las condiciones generales de la contratación, aceptadas y firmadas, cuando éstas sean utilizadas en la contratación (LGDCU art.63).
3) Equilibrio importante de los derechos y obligaciones de las partes que se deriven del contrato (LGDCU art.82).

En concordancia con lo visto en LCGC art.6, se establece que en caso de **duda sobre el sentido de una cláusula** prevalece la interpretación más favorable para el consumidor.

4) Se define el concepto de «**cláusula abusiva**» y se regulan las consecuencias para la supervivencia del contrato ante la presencia en el mismo de alguna cláusula abusiva (LGDCU art.82 y 83).

5) Se tipifican los supuestos de **cláusulas generales** consideradas como **abusivas** en LGDCU art.85 a 90. De este amplio catálogo destacan, a los efectos que importan para esta exposición, las siguientes **modalidades clausulares**:

- La imposición de **obligaciones al consumidor** para el cumplimiento de todos sus deberes y contraprestaciones, aun cuando el profesional no haya cumplido los suyos (LGDCU art.87.1).
- La imposición de **garantías desproporcionadas** al riesgo asumido. Se presume que no existe desproporción en los contratos de financiación o de garantías pactadas por entidades financieras que se ajusten a su normativa específica (LGDCU art.88.1).
- La imposición de la **carga de la prueba** en perjuicio del consumidor en los casos en que debería corresponder a la otra parte contratante (LGDCU art.88.2).

Condiciones generales más habituales Las pólizas bancarias a las que nos referimos presentan, como condiciones generales más habituales, en relación con la **garantía prendaria** (en cuanto a la **obligación principal**, las condiciones generales son las de todo préstamo o apertura de crédito en cuenta corriente, estudiadas en nº 8830 s.) las siguientes, regidas supletoriamente por lo dispuesto en el CC art.1863 a 1872: 9109

a) **La relación de proporcionalidad**. Refleja esta cláusula, cualquiera que sea su redacción, el interés de las partes en mantener constante, durante toda la vida de la operación, un determinado «**coeficiente de pignoración**». Por tal se entiende la relación por cociente entre el valor dinerario de la prenda (numerador) y el importe del préstamo (denominador).

Así, si los **valores pignorados bajan de valor** (disminuye su cotización), se reduce el coeficiente, de suerte que, si desciende éste por debajo de determinado umbral, queda el deudor obligado a reponer garantías, esto es, a entregar un número adicional de valores en prenda, hasta volver a alcanzar ese umbral. En caso contrario, la entidad queda facultada para considerar vencida la operación e iniciar la correspondiente actuación reclamadora.

b) **Dividendos (activos y pasivos) e intereses**. Es necesario acordar por quién y cómo se reclamará el cobro de los posibles dividendos o intereses devengados por los valores pignorados. Lo mismo cabe decir respecto de los posibles **dividendos pasivos a pagar**, si las acciones pignoradas no están íntegramente desembolsadas.

c) **Derechos de suscripción**. Si los valores son **acciones, «warrants» o similares**, es necesario pactar quién queda legitimado para ejercitar los derechos de suscripción preferente derivados de eventuales ampliaciones de capital, y si los valores suscritos al ejercitar este derecho deben o no entregarse al acreedor, como incremento de la garantía prendaria.

d) **Extensión de la prenda**. La mayoría de las pólizas bancarias contienen una cláusula en virtud de la cual, el deudor pignoraticio consiente que los valores pignorados, queden también afectos a cualquier otra deuda que, por distintos conceptos, pudiera contraer con la entidad acreedora, configurándose como **prenda en garantía de obligaciones futuras**, lícita por aplicación analógica del CC art.1825.

Cabe destacar igualmente la posibilidad de **prorrogar la retención** de los valores pignorados a los efectos del CC art.1866.

e) **Ejecutividad**. Sin perjuicio de la **ejecución extrajudicial** de la prenda conforme al procedimiento ya conocido (nº 4675), u otro que se pacte, la entidad acreedora se reserva la facultad de accionar contra su cliente por la **vía ejecutiva** para obtener el pago de las cantidades adeudadas, ello sobre la base del carácter ejecutivo de la póliza, que para ello se interviene por fedatario público (LEC art.517).

f) **Anexo de descripción**. A las pólizas debe añadirse un anexo **inseparable** en el que se detallan los valores pignorados (CCom art.321).

Créditos con garantía de imposiciones bancarias o efectos de comercio

9111 Distinguimos entre la prenda de **imposición a plazo fijo** y la prenda de **efectos de comercio**.

Prenda de imposición a plazo fijo Toda vez que la imposición a plazo fijo (IPF) es traslativa de la propiedad del dinero sobre que recae, su titular carece del derecho real de propiedad sobre dicho dinero, que se muda en derecho de crédito a la devolución del «tantundem». Cuando se pignora una IPF, es este crédito el que se da en prenda, y no dinero alguno, dado que el dinero objeto de la libreta ya es propiedad de la entidad de crédito en que la IPF se abrió. 9113

Cuestión distinta es si el **derecho de crédito** de que hablamos, al estar documentado en una **libreta**, atribuye a ésta el carácter de título-valor.

Precisiones 1) El Tribunal Supremo lo ha negado concluyendo su **inaptitud pignoraticia** (TS 27-12-85; 18-7-89; 28-11-89).
2) Eizaguirre, en rigurosa crítica de la misma, y a pesar de que también niega que la libreta sea título-valor, afirma su pignorabilidad argumentando que el objeto de la prenda es siempre el derecho de crédito y la **aptitud de los créditos para ser objeto de prenda** es aceptada unánimemente por la doctrina. Recogiendo este sentir doctrinal, las sentencias TS 19-4-97, EDJ 1745 y 7-10-97, EDJ 7979 que, por ser dos, con el mismo supuesto de hecho y la misma *ratio decidendi*, nos permiten considerar que ya constituyen jurisprudencia a los efectos del CC art.1.6, han «remediado» los defectos nacidos de la anterior orientación jurisprudencial. En este sentido, la sentencia TS 13-11-99, EDJ 40350 puntualiza también que cuando se pignora una IPF lo que se está haciendo es constituir una garantía sobre el crédito que ostenta el depositante.
3) La **nueva jurisprudencia** se resume en los siguientes términos (Salinas Adelantado):
- la prenda de saldos es una prenda de derechos;
- la prenda de derechos es una figura admitida con carácter general por nuestro ordenamiento;
- para constituir la prenda es necesario notificar al deudor del crédito pignorado y otorgar documento público;
- la ejecución por compensación es válida y su admisibilidad no atenta contra la interdicción del pacto comisorio.

9115 **Prenda de efectos de comercio** Cuando lo que se da en prenda es una **letra de cambio** o un efecto de comercio de los mencionados en el CC art.1170, la diferencia respecto al supuesto anterior es cualitativa: lo que hay aquí es un **título-valor** y, por tanto, se pignora un **bien mueble** (el documento que cosificó al derecho).
Distinguiremos dos **supuestos**:
a) La **prenda de letras de cambio** (LCC art.22). Cuando un endoso contenga la mención «**valor en garantía**», «**valor en prenda**», o cualquier otra que implique una garantía, el tenedor puede ejercer todos los derechos que derivan de la letra de cambio, pero el endoso hecho por él solo vale como comisión de cobranza. Las personas obligadas no pueden invocar contra el tenedor de una letra recibida en prenda o en garantía las **excepciones** fundadas en sus relaciones personales con el endosante que las transmitió en garantía, a menos que el tenedor, al recibir la letra, hubiera procedido a sabiendas en perjuicio del deudor. El precepto es aplicable a la figura del **pagaré cambiario** (LCC art.96).
b) La **prenda de títulos de tradición.** Los títulos de tradición son títulos-valores representativos de derechos reales sobre mercaderías. La entrega del título, cuando el que lo suscribe se halla en **posesión de la cosa**, produce los mismos efectos que la entrega real de ésta. Así, en los títulos de tradición la disponibilidad del título no se manifiesta, en la práctica, tanto en un derecho de devolución de las mercancías que representan, cuanto en un más sencillamente manejable **derecho de disposición** sobre el propio título. Para el caso de enajenación de la prenda se simplifican los trámites porque lo que es objeto de reipersecutoriedad no son las mercancías mismas, sino el título de tradición que ya estaba en posesión del acreedor pignoraticio, por habérselo entregado al constituir la prenda.
Un ejemplo de los mismos lo encontramos en los **resguardos expedidos por las compañías de almacenes generales de depósitos** (CCom art.193 a 198, complementados por las disposiciones del RD de 22-9-1917).

9117 **Préstamos y créditos con garantía de mercaderías** La operación bancaria en la que a un préstamo (o apertura de crédito) dinerario se añade un negocio jurídico accesorio de garantía pignoraticia de mercaderías recibe la denominación de **préstamo lombardo**, que «sigue viviendo en la práctica bancaria» (Garrigues).
La posición jurídica de la **entidad acreedora**, en este tipo de operación bancaria, es la propia de todo acreedor pignoraticio. Por tanto, le resulta de aplicación supletoria el régimen ordinario de la prenda (CC art.1863 a 1872). Entre sus **facultades** destaca la **ejecución extrajudicial de la garantía**, como manifestación de la «reipersecutoriedad» a que se refiere el CC art.1858.
Asimismo, es importante destacar que, en el seno de un **procedimiento concursal**, el crédito garantizado mediante prenda sobre las mercaderías del deudor que estén en posesión del acreedor o de un tercero que se halle formalizada mediante documento público tendrá la clasificación de crédito con privilegio especial, de conformidad con LCon art.270.6º y 271. Por otra parte, a este acreedor se le reconoce asimismo el derecho a ejecutar su garantía, si concurren los presupuestos establecidos contractualmente para ello, siempre y cuando tales mercaderías no tuvieran la consideración de «bienes necesarios para la continuidad de la actividad profesional o empresarial de la concursada» (LCon art.146).

9119 **Ventajas e inconvenientes** Interesa a las entidades la prenda de mercancías por lo sencillo de su realización, sobre todo si la cosa pignorada es de **escaso volumen** y de **alto y estable valor**.
Ahora bien, el **inconveniente** que presenta es doble:
- si se produce el **desplazamiento de la posesión** el deudor comerciante queda desapoderado de sus mercaderías, por lo que no puede venderlas ni obtener el beneficio necesario para poder resarcir el crédito garantizado;

- la entidad acreedora precisaría de **almacenes suficientemente amplios** para recibir en prenda toneladas de mercancías quedando además, en su caso, sujeto a las responsabilidades de todo depositario (CCom art.306). Por este último motivo, en los préstamos con garantía de mercaderías suele convenirse la contratación de un **depósito con un tercero**, que recibirá la cosa ajena (mercaderías pignoradas) con la obligación de guardarlas y restituirlas (CCom art.306; CC art.1758).

Soluciones propuestas por la práctica bancaria La práctica bancaria ha sabido encontrar diversas soluciones que a continuación resumimos: 9121

a) Pignoración de los títulos de tradición. Esto es, se sustituye la pignoración de las mercancías, por la de los títulos de tradición representativos de las mismas (nº 9115).

b) «Póliza flotante». Consiste en que, además de designarse a un tercero como depositario, de común acuerdo entre entidad y cliente, se consiente que el cliente (deudor pignoraticio) puede retirar porciones de prenda bajo el compromiso de su reposición. Esa reposición debe producirse, como máximo, en el mismo momento en que la proporción volumen de mercancía/cantidad adeudada sea inferior a determinada tasa (principio de proporcionalidad de la prenda bancaria). Tal **tasa** es denominada «cambio de garantía».

El préstamo (o apertura de crédito en cuenta corriente) con póliza flotante es una modalidad del préstamo (o apertura de crédito en cuenta corriente) con garantía de mercaderías. Esta modalidad negocial surge en la práctica bancaria para solucionar el problema, antes mencionado, que la **inmovilización pignoraticia** de tales bienes generaba sobre la viabilidad del negocio del deudor bancario.

A diferencia de lo visto para el ordinario préstamo lombardo (nº 9117), en que el coeficiente de pignoración tiene una exclusiva finalidad garantizadora, en la póliza flotante lo que ocurre es que, sobre la base de la **fungibilidad** de las mercancías pignoradas, y con la finalidad de facilitar el curso eficiente de la empresa del deudor, se acuerda que puedan verificarse **múltiples entregas** de mercancía pignorada. Consecuentemente, también se permiten **múltiples retiradas**, a voluntad del deudor, que las llevará a cabo en función de sus necesidades de negocio.

El derecho real de prenda recae aquí no sobre cosas determinadas, sino sobre el **valor de un conjunto de cosas**. Las cosas pueden ser sustituidas unas por otras, a condición de que el valor de la garantía siga siendo el mismo (Garrigues).

De ahí que el documento contractual lleve aparejado un anexo denominado «**cuenta de garantía**», donde quedan debidamente formalizados los cambios producidos en la garantía prendaria. Normalmente, la cuenta de garantía contendrá **cuatro columnas**: una para las entradas de mercancía, otra para las salidas de mercancía, otra para el saldo de mercancía, y una última para el saldo de dinero.

Las pólizas de esta clase prevén el derecho del acreditado a **reponer las mercancías** que haya extraído de esta cuenta mediante entrega de otras de la misma clase y calidad, las cuales, una vez recibidas por el depositario y aceptadas por la entidad acreditante, permitirán aumentar el efectivo disponible en la misma proporción, pudiendo llegar por **aportaciones sucesivas** hasta el límite máximo de dinero que se haya pactado.

c) Prenda sin desplazamiento. La figura de la prenda sin desplazamiento está sometida a norma especial en virtud de la L 16-12-1954 (LHMPSD). Puede constituirse prenda sin desplazamiento sobre las **mercaderías y materias primas almacenadas**, debiendo formalizarse en escritura pública o en póliza intervenida por notario (LHMPSD art.53.2).

Se exige la **inscripción de la garantía** en el Registro especial que la propia Ley regula, que se integra en el Registro de Bienes Muebles creado por la disp.adic.única RD 1828/1999) (LHMPSD art.3).

En virtud de esta singular forma de garantía real, el dueño de las mercaderías se convierte en el depositario de las mismas (LHMPSD art.59), pero con derecho a usar de ellas siempre que no se produzcan menoscabos.

Formalización Como todas las garantías de contratos bancarios, la formalización de la prenda de mercaderías puede hacerse mediante: 9123

- una **cláusula adicional** inserta en el contrato principal (técnica del «pacto añadido»);
- mediante **póliza contractual autónoma**, si bien referida expresamente a determinada obligación principal.

Tanto el «pacto añadido» cuanto la «póliza autónoma» se presentan por escrito en un **formulario pre-impreso** con una serie de condiciones generales pre-redactadas por el predisponente (entidad de crédito). El cliente bancario (adherente) se limita a adherirse o no, con muy escasas posibilidades de negociación modificadora. Ya sea un «**pacto añadido**» o una «**póliza autónoma**», sus condiciones generales quedan sometidas a los límites que para cualquier contrato adhesivo encontramos en nuestro ordenamiento. Así, con carácter general se someterá a la disciplina de la LCGC.

9125 **Condiciones generales más habituales** Las más habituales, en relación con la **garantía prendaria** (pues respecto a la obligación principal las condiciones generales son las de todo préstamo o apertura de crédito en cuenta corriente, estudiadas en nº 8860 s.) son las siguientes, regidas supletoriamente por lo dispuesto en el CC art.1863 a 1872:
a) **La relación de proporcionalidad**. Refleja esta cláusula, cualquiera que sea su redacción, el interés de las partes en mantener constante, durante toda la vida de la operación, un determinado «**coeficiente de pignoración**». Por tal se entiende la relación por cociente entre el valor dinerario de la prenda (numerador) y el importe del préstamo (denominador).
Así, si las **mercancías pignoradas bajan de valor en el mercado**, se reduce el coeficiente, de suerte que si desciende éste por debajo de determinado umbral («límite de garantía»), queda el deudor obligado a reponer garantías, esto es, a entregar un volumen adicional de mercancía en prenda, hasta volver a alcanzar ese umbral. En caso contrario, la entidad queda facultada para considerar vencida la operación e iniciar la consecuente actuación reclamadora.
b) **Depósito**. Es necesario acordar qué persona o entidad actuará como depositario, qué parte contratante queda obligada a pagar el precio del depósito, así como los demás extremos que interesen a esta pieza contractual (responsabilidades, seguros, etc.).
c) **Extensión de la prenda**. La mayoría de las pólizas bancarias contienen una **cláusula** en virtud de la cual, el deudor pignoraticio consiente que las mercancías pignoradas queden también afectas a cualquier otra deuda que, por distintos conceptos, pudiera contraer con la entidad acreedora, configurándose, así, como prenda en garantía de **obligaciones futuras**, lícita por aplicación analógica del CC art.1825.
Cabe destacar igualmente la posibilidad de **prorrogar la retención** de las mercaderías pignoradas a los efectos del CC art.1866.
d) **Ejecutividad**. Sin perjuicio de la **ejecución extrajudicial** de la prenda conforme al procedimiento que se pacte, la entidad acreedora se reserva la facultad de accionar contra su cliente por la **vía ejecutiva** para obtener el pago de las cantidades adeudadas, sobre la base del carácter ejecutivo de la póliza.
e) **Anexo de descripción**. A las pólizas suele añadirse un anexo **inseparable** en el que se detallan extremos tales como su propietario, una descripción breve de las mismas, su precio unitario y su valor total.

9127 Para el caso particular de la **prenda sin desplazamiento de mercaderías**, el art.57 de la L 16-12-1954 exige que en la escritura o póliza se haga constar:
1. Descripción de los **bienes** que se pignoran, con expresión de su naturaleza, cantidad, calidad, estado y demás circunstancias que contribuyan a individualizarlos o identificarlos.
2. Determinación, en su caso, del **inmueble** en que se sitúen esos bienes por su origen, aplicación, almacenamiento o depósito, no pudiendo ser desplazados sin consentimiento del acreedor (LHMPSD art.60).
3. La obligación del dueño de los bienes de **conservarlos y tenerlos a disposición del acreedor**, para que éste pueda, en cualquier momento, inspeccionarlos y comprobar la existencia y estado de los mismos, en la forma pactada o, en su defecto, conforme al LHMPSD art.63.
4. Los **seguros concertados**, con referencia a la póliza correspondiente.

9129 **Hipoteca mobiliaria bancaria** No presenta peculiaridad alguna, salvo que el **acreedor** es una entidad de crédito. Para su estudio nos remitimos a lo expuesto en nº 4180 s.

9131 **Hipoteca naval bancaria** Vale aquí la misma reflexión que la expresada para el epígrafe anterior (nº 4215).

b. Garantías inmobiliarias

9135 Son dos: hipoteca ordinaria y anticresis.
La **anticresis** últimamente apenas tiene presencia en el ámbito bancario. Queda regulada en el CC art.1881 a 1886.
En cuanto a la **hipoteca bancaria**, entendemos por tal aquella que se constituye para asegurar el cumplimiento de una obligación nacida de un contrato bancario, normalmente préstamo, pero también apertura de crédito en cuenta corriente (LH art.153).
La hipoteca como garantía, se estudia más extensamente en los nº 3915 s. de esta obra, así como en los nº 6640 s. Memento Inmobiliario 2023-2024. Para el estudio de ciertas particularidades del **préstamo hipotecario** nos remitimos a los nº 8705 s.

Precisiones En un supuesto de **préstamo con garantía real anticrética**, se incorpora una cláusula expresa que impone, para el caso de impago, que se proceda contra los bienes objeto de la garantía real y, subsidiariamente, contra los demás bienes y derechos de los deudores, para declarar improcedente la acumulación de las acciones personal -de reclamación de cantidad contra los prestatarios- y real -contra sus bienes- (TS 13-11-98, EDJ 25114).

3. Garantías procesales

(LEC art.571 s.)

Los requisitos de integración de todo título ejecutivo, necesarios para proceder al **despacho de ejecución**, son de dos tipos: 9140
a) Un requisito formal: que exista **título ejecutivo**. Las pólizas intervenidas por notario que documenten contratos de préstamo o de apertura de crédito en cuenta corriente de crédito, son título ejecutivo (LEC art.517), del mismo modo que también lo son las primeras copias de las escrituras públicas; o, si es segunda copia, que esté dada en virtud de mandamiento judicial y con citación de la persona a quien deba perjudicar, o de su causante, o que se expida con la conformidad de todas las partes.
b) Un requisito material: que la **deuda** procedente del título ejecutivo esté **vencida** y sea **líquida**.

Deudas dinerarias vencidas y líquidas (LEC art.571 y 572) La nueva LEC ha reafirmado el sistema de «**trámite previo**» en el orden de la **liquidez** de las deudas dinerarias. Tal criterio es especialmente trascendente en el ámbito bancario, habida cuenta del enorme número de reclamaciones que por esta vía se producen. 9142
El **carácter necesariamente dinerario** de la deuda reclamada se confirma en la LEC art.571, aplicable cuando la ejecución forzosa proceda en virtud de un título ejecutivo del que, directa o indirectamente, resulte el deber de entregar una cantidad de dinero líquida.
Para el despacho de la ejecución se considera **líquida** toda cantidad de dinero determinada, que se exprese en el título con letras, cifras o guarismos comprensibles. En caso de **disconformidad** entre distintas expresiones de cantidad, prevalece la que conste con letras. No es preciso, sin embargo, al efecto de despachar ejecución, que sea líquida la cantidad que el ejecutante solicite por los **intereses** que se pudieran devengar durante la ejecución y por las costas que ésta origine (LEC art.572).

Ampliación de la ejecución (LEC art.578 y 579) A partir de la LEC se permite la ampliación de la ejecución si, despachada ejecución por deuda de una cantidad líquida, venciera algún plazo de la misma obligación en cuya virtud se procede, o la obligación en su totalidad. Se entiende ampliada la ejecución por el **importe** correspondiente a los nuevos vencimientos de principal e intereses, si lo pidiera así el actor y sin necesidad de retrotraer el procedimiento (LEC art.578). 9144
La ampliación de la ejecución es razón suficiente para la **mejora del embargo** y puede hacerse constar en la anotación preventiva de éste, conforme a lo dispuesto en la LEC art.613 aptdo.4. En este caso, la ampliación de la ejecución no comporta la **adopción automática** de estas medidas, que solo se acuerdan, si procede, cuando el ejecutante las solicite después de cada vencimiento que no hubiera sido atendido.
Cuando la ejecución se dirija exclusivamente contra **bienes hipotecados o pignorados** en garantía de una deuda dineraria se estará a lo dispuesto en el Capítulo V de este Título. Si, subastados los bienes hipotecados o pignorados, su producto fuera insuficiente para cubrir el crédito, el ejecutante puede pedir el **embargo** por la cantidad que falte y la **ejecución** proseguirá con arreglo a las normas ordinarias aplicables a toda ejecución.
Ahora bien, por efecto de la L 1/2013, se establecen disposiciones especiales para el caso de adjudicación de **vivienda habitual** hipotecada (ver nº 4280 s.).

Requisitos procesales La LEC exige la observancia de los requisitos que se exponen a continuación para proceder al **despacho de ejecución**, además del de la liquidez antedicha: 9146

Documentos complementarios (LEC art.573, 575 y 578) A la **demanda ejecutiva** deben acompañarse, además del título ejecutivo y de los documentos a que se refiere la LEC art.550, los siguientes: 9148
1. El documento o documentos en que se exprese el **saldo resultante de la liquidación** efectuada por el acreedor, así como el extracto de las partidas de cargo y abono y las correspondientes a la aplicación de intereses que determinan el saldo concreto por el que se pide el despacho de la ejecución.
2. El documento fehaciente que acredite haberse practicado la **liquidación en la forma pactada** por las partes en el título ejecutivo.
3. El documento que acredite haberse **notificado al deudor y al fiador**, si existe, la cantidad exigible.
El ejecutado puede alegar la **pluspetición**. El tribunal, sin perjuicio de ésta, no está habilitado para denegar el despacho de la ejecución cuando entienda que la cantidad debida es distinta de la fijada por el ejecutante en la demanda ejecutiva. Aunque, no se despachará ejecución si, en su caso, la demanda ejecutiva no expresa los cálculos a que aluden los artículos anteriores o si no se acompaña de los documentos exigidos por tales disposiciones (LEC art.575).
Por razón de plazos vencidos durante el proceso, se puede solicitar la **ampliación de la ejecución**.

La ampliación de la ejecución puede solicitarse en la demanda ejecutiva. En este caso, al notificarle el auto que despache la ejecución, se advertirá al ejecutado que la ejecución se entenderá ampliada automáticamente si, en las fechas de vencimiento, no se hubieran consignado a disposición del Juzgado las cantidades correspondientes.
Cuando el ejecutante solicite la **ampliación automática** de la ejecución, debe presentar una liquidación final de la deuda incluyendo los vencimientos de principal e intereses producidos durante la ejecución. Si esta liquidación fuera conforme con el título ejecutivo y no se hubiera consignado el importe de los vencimientos incluidos en ella, el pago al ejecutante se realiza con arreglo a lo que resulte de la liquidación presentada (LEC art.578).

9150 **Liquidez de los saldos** (LEC art.572.2º) También puede despacharse ejecución por el importe del **saldo resultante** de operaciones derivadas de contratos formalizados en escritura pública o en póliza intervenida por notario, siempre que se haya pactado en el título que la cantidad exigible en caso de ejecución será la resultante de la liquidación efectuada por el acreedor en la forma convenida por las partes en el propio título ejecutivo.
En este caso, solo se despacha la ejecución si el acreedor acredita haber **notificado previamente** al ejecutado y al fiador, si existe, la cantidad exigible resultante de la liquidación.

Precisiones En relación con el art.1435.4 de la LEC/1881 (precedente de los art.572.2 y 573 de la actual LEC), el Tribunal Constitucional en sentencia de 10-2-1992, cuyo criterio se repitió posteriormente en sentencia de 2-4-1992, afirmó la **constitucionalidad** de este precepto, argumentando, entre otros extremos (TCo 14/1992; 47/1992):
- que el precepto discutido únicamente afirmaba que la cantidad contenida en la certificación expedida por la entidad acreedora se tendría por líquida, no que fuese cierta o que no pudiese ser cuestionada conforme a las normas generales que rigen la prueba;
- que la intervención de fedatario público en el momento inicial del contrato y, posteriormente, al verificar la regularidad de la liquidación efectuada por la entidad crediticia, debía ser considera suficiente para acreditar la apariencia de un buen derecho digno de tutela judicial preventiva inmediata.

9152 **Fijación provisional de intereses «transitorios»** (LEC art.575 y 576) La ejecución se despacha por la cantidad que se reclame en la demanda ejecutiva en concepto de **principal e intereses ordinarios y moratorios vencidos**, incrementada por la que se prevea para hacer frente a:
- los intereses que, en su caso, puedan devengarse durante la ejecución; y
- las costas de ésta.

La **cantidad** prevista para estos dos conceptos, que se fija provisionalmente, no puede superar el 30% de la que se reclame en la demanda ejecutiva, sin perjuicio de la posterior liquidación.
Excepcionalmente, si el ejecutante justifica que, atendiendo a la previsible duración de la ejecución y al tipo de interés aplicable, los **intereses** que puedan devengarse durante la ejecución más las **costas** de ésta **superarán el límite fijado** (30%), la cantidad que provisionalmente se fije para dichos conceptos puede exceder del límite indicado.
En todo caso, en el supuesto de **ejecución de vivienda habitual**, las costas exigibles al deudor ejecutado no pueden superar el 5% de la cantidad reclamada en la demanda ejecutiva. Ver nº 4280 s.
Distinto es el caso de los **intereses moratorios del proceso**, ya que, desde que se dicte en primera instancia, toda sentencia o resolución que condene al pago de una cantidad de dinero líquida determina, en favor del acreedor, el devengo de un interés anual igual al del interés legal del dinero incrementado en dos puntos o el que corresponda por pacto de las partes o por disposición especial de la ley.

9154 **Especialidad en casos de interés variable o moneda extranjera** (LEC art.574 y 577) El ejecutante ha de expresar en la demanda ejecutiva las **operaciones de cálculo** que arrojan como saldo la cantidad determinada por la que pide el despacho de la ejecución en los siguientes **supuestos**:
1. Cuando la cantidad que reclama provenga de un préstamo o crédito en el que se haya pactado un **interés variable**.
2. Cuando la cantidad reclamada provenga de un préstamo o crédito en el que sea preciso ajustar las paridades de **distintas monedas** y sus respectivos tipos de interés.
Si el título fija la cantidad de dinero en **moneda extranjera**, se despacha la ejecución para obtenerla y entregarla. Las **costas** y **gastos**, así como los intereses de demora procesal, se abonan en la moneda nacional.
Para el **cálculo** de los bienes que han de ser embargados, la cantidad de moneda extranjera se computa según el cambio oficial al día del despacho de la ejecución.
En el caso de que se trate de una **moneda extranjera sin cotización oficial**, el cómputo se hace aplicando el cambio que, a la vista de las alegaciones y documentos que aporte el ejecutante en la demanda, el tribunal considere adecuado, sin perjuicio de la ulterior liquidación de la condena.

CAPÍTULO 13

Contratación bursátil

9200

SECCIÓN 1

Introducción al derecho del mercado de valores

9205

1. Consideraciones generales

Mercado financiero Desde el punto de vista institucional Moral Bello define el **sistema financiero** como el conjunto de entidades que generan, recogen, administran y dirigen tanto el ahorro como la inversión, en una unidad político-económica. 9210

En un sentido general, el sistema financiero de un país está formado por el conjunto de instituciones, medios y mercados, cuyo fin primordial es **canalizar el ahorro** que generan las unidades de gasto con superávit, hacia los prestatarios o unidades de gasto con déficit (Parejo, Cuervo, Calvo y Saiz).

El mercado financiero es la institución donde se encuentran la oferta y la demanda de **flujos financieros** deficitarios y excedentarios, transaccionándose los mismos mediante precio.

El sistema financiero se somete a unas reglas de funcionamiento que justifican un estudio desde la óptica jurídica. Y el mercado financiero también. El **Derecho del mercado financiero** comprende el conjunto de normas que regulan los mecanismos que permiten garantizar la eficiente asignación del ahorro a la financiación. El mecanismo principal que permite cumplir esta función económica es el mercado, por esta razón resulta apropiado referirse a esta parte del Derecho mercantil como Derecho del mercado financiero (Zunzunegui).

Berkovitz ha afirmado que los conceptos de Derecho del mercado financiero, de Derecho del mercado de capitales y de Derecho bursátil aparecen como círculos concéntricos, idea ésta que lleva a diferenciar tres **subsistemas** dentro del sistema financiero español (Vicent Chuliá):
- el **bancario**, cuya norma básica es la L 10/2014 de ordenación, supervisión y solvencia de entidades de crédito;
- el de **instrumentos y servicios financieros**, cuya norma básica es la L 6/2023 de los Mercados y Valores y los Servicios de Invesión (LMV);
- y el de **seguros** y **planes de pensiones**, cuya norma básica es la L 20/2015 de ordenación, supervisión y solvencia de las entidades aseguradoras y reaseguradoras.

En el subsistema de instrumentos y servicios financieros podemos diferenciar, por el **tipo de activo negociado**:

a) El **mercado monetario**, donde se negocian activos financieros de corto o cortísimo plazo (en general, de plazo inferior al año, para Kaufman, línea divisoria que, como el propio autor reconoce, no es aceptada por todos). Son a corto plazo los mercados de bonos de caja y los bonos de tesorería. Son a cortísimo plazo los mercados interbancarios de dinero.

b) El **mercado de capitales**, según Parejo y Cuervo, inspirándose en la definición aportada por la OCDE, es aquél donde se negocian valores de renta fija y variable a medio y largo plazo. En este amplio espectro de definición podemos diferenciar entre mercados de valores stricto sensu y mercados de crédito a largo plazo.

9212 **Mercado de valores** Los conceptos de bolsa de valores y mercado de valores no son coincidentes. El mercado de valores es un género y la bolsa de valores es una de sus especies.

Desde el punto de vista económico-financiero, el mercado de valores es un **sistema multilateral** que permite reunir los distintos intereses de **compra y venta**: demandantes de fondos (emisores de determinados instrumentos financieros a medio plazo, sean de renta fija o variable) y oferentes de fondos (adquirentes de esos activos financieros) originando un precio más o menos estable.

Desde el punto de vista institucional, el mercado de valores es una **organización** dotada públicamente de autoridad que se responsabiliza del cumplimiento de los objetivos preestablecidos por el Estado.

Desde el punto de vista jurídico, los mercados pueden ser regulados o no regulados. En Derecho español, encontramos una definición legal de **mercados regulados de valores**, siendo aquéllos que permiten reunir los diversos intereses de compra y venta sobre instrumentos financieros para dar lugar a contratos con respecto a los instrumentos financieros admitidos a negociación, y que están autorizados y funcionan de forma regular.

Los **centros de negociación se definen** como sistemas multilaterales autorizados a operar por la CNMV y por las comunidades autónomas con competencias en materia de mercados de valores, entendidos como todo sistema o dispositivo en el que interactúan los diversos intereses de compra y de venta de instrumentos financieros de múltiples terceros, cuyo funcionamiento se debe regir por las disposiciones de la LMV y su normativa de desarrollo.

Son centros de negociación (LMV art.42):

• Los **mercados regulados**: sistema multilateral, operado o gestionado por un organismo rector del mercado, que reúne o brinda la posibilidad de reunir, dentro del sistema y según sus normas no discrecionales, los diversos intereses de compra y de venta sobre instrumentos financieros de múltiples terceros para dar lugar a contratos con respecto a los instrumentos financieros admitidos a negociación conforme a sus normas o sistemas, y que está autorizado y funciona de forma regular de conformidad con lo recogido en la LMV Título IV.

• Los **sistemas multilaterales de negociación (SMN)**: sistema multilateral, operado por una empresa de servicios de inversión o por un organismo rector del mercado, que permite reunir, dentro del sistema y según normas no discrecionales, los diversos intereses de compra y de venta sobre instrumentos financieros de múltiples terceros para dar lugar a contratos, de conformidad con lo recogido en la LMV Título IV.

• Los **sistemas organizados de contratación (SOC)**: sistema multilateral, que no sea un mercado regulado o un SMN y en el que interactúan los diversos intereses de compra y de venta de bonos y obligaciones, titulizaciones, derechos de emisión o derivados de múltiples terceros para dar lugar a contratos. En este centro de negociación únicamente se podrán negocias instrumentos de renta fija y derivados.

En los SOC a **diferencia** de los que ocurre en los mercados regulados y los SMS, la negociación se puede efectuar a través de regalas discrecionales.

Precisiones 1) Las **bolsas de valores** no son bolsas de comercio. Podrán negociarse en las bolsas de valores todos los valores negociables e instrumentos financieros de los previstos en la LMV art.2 y que, por sus características, sean aptos para ello de acuerdo con el Reglamento específico de cada una de ellas.

2) Los siguientes mercados o **sistemas multilaterales de negociación** de valores y otros instrumentos financieros, distintos a los Mercados regulados, han sido **autorizados** por el Gobierno:
• Mercado de Valores Latinoamericanos en euros «**Latibex SMN**» (Acuerdo del Consejo de Ministros de 29-10-1999), es el mercado internacional sólo para valores latinoamericanos. Los valores cotizan en euros en el Sistema Electrónico de la Bolsa Española (SIBE).
• Sistema electrónico de negociación electrónica de activos financieros «**SENAF SMN**» (Acuerdo Consejo de Ministros 23-2-2001), que tiene por objeto la negociación electrónica de instrumentos financieros vinculados a renta fija, pública o privada y, en general, a tipos de interés.
• Mercado Alternativo de Renta Fija «**MARF**» (Acuerdo del Consejo de Administración de Mercado de renta fija, AIAF, 7-5-2013), es un mercado gestionado por BME, dirigido fundamentalmente a inversores institucionales, que pone a su disposición valores de renta fija de compañías de mediana dimensión, y habitualmente no cotizadas en el mercado de acciones.
• **DOWGATE MTF (SMN)**, mercado de negociación de deuda pública y productos derivados, que ha comenzado su operativa en España ante la salida de Reino Unido de la UE. Es gestionado por Kings & Shaxson Capital Markets, S.V., S.A., sociedad de valores inscrita en los registros de la CNMV el 8-8-2019, la cual ofrece, bajo el nombre de Dowgate (Madrid) SMN, sus servicios como Sistema Multilateral de Negociación (SMN) de bonos y permutas financieras.
• **BME MTF Equity (SMN)**, en el que se negocian acciones de SICAV, de SIL, de ECR y de PYMES en expansión, cuyo reglamento ha sido aprobado el 30-7-2020, y que está dirigido y gestionado por BME. Asimismo, cuenta con un segmento denominado **BME Growth** que, según su configuración jurídica, está destinado a empresas medianas y pequeñas en crecimiento del BME, permitiendo a estas acceder a los mercados de capitales.
• Portfolio Stock Exchange (SMN): En él se negocian valores de primera admisión de renta variable y renta fija. Su reglamento fue aprobado en junio de 2022.
3) Los mercados regulados, que las **Bolsas** de Valores de **Madrid**, **Barcelona**, **Bilbao** y **Valencia**, incluido el Sistema de Interconexión Bursátil, así como los demás mercados regulados existentes a esta fecha se entenderán automáticamente autorizados a los efectos previstos en el la LMV art.43, sin perjuicio de que les sea de aplicación todo lo previsto en esta ley para los mercados regulados y en las disposiciones de desarrollo que se dicten en relación con los instrumentos financieros, la admisión a negociación de valores negociables y las infraestructuras de mercado (LMV disp.adicional 8ª). La CNMV se asegurará, en particular, de que dichos mercados cumplen cuantos requisitos resulten exigibles para la autorización de mercados regulados. Las Bolsas de Valores podrán mantener o establecer un Sistema de Interconexión Bursátil, de ámbito estatal, integrado a través de una red informática, en el que se negociarán aquellos valores que estén admitidos a negociación en, al menos dos Bolsas de Valores, a solicitud de la entidad emisora y previo informe favorable de la entidad que gestione el aludido sistema. La integración de una emisión en el Sistema de Interconexión Bursátil implicará su negociación exclusiva a través del mismo.

Mercado primario y mercado secundario de valores Los mercados secundarios oficiales de valores se oponen, conceptual y operativamente, a la figura del **mercado primario**. **9214**
Es mercado primario aquel en que confluyen las fuerzas de la oferta y la demanda sobre **valores de nueva creación** (emisiones). Se trata del mercado en el que los demandantes (esto es, los emisores) requieren nueva financiación ya sea a través de la emisión de valores de deuda, a través de participación en el capital, o de valores mixto de deuda y participación en el capital (instrumentos híbridos).
Como en los mercados primarios los instrumentos financieros intercambiados son de nueva creación, un valor solo puede ser objeto de negociación una sola vez, esto es, en el momento de su emisión (Parejo y Cuervo). Tal es el caso de una emisión de acciones de una sociedad recién constituida o una ampliación de capital, o una emisión de obligaciones.
Es **mercado secundario** aquel en que confluyen las fuerzas de la oferta y la demanda de valores ya existentes; esto es previamente emitidos y ya admitidos a negociación. Por tanto, es aquel mercado donde los inversores intercambian los valores previamente emitidos. Es pues un mercado de realización sin cuya existencia sería difícil la del mercado primario, ya que difícilmente se suscribirían las emisiones de instrumentos financieros si no existiese la posibilidad de liquidar la inversión transmitiéndolos. Proporciona por tanto **liquidez** a las inversiones, pero sin afectar directamente a la financiación de las mismas (Nieto Carol).
El mercado secundario no supone la existencia de nueva financiación, sino el fomento de las futuras operaciones financieras de nueva financiación (Parejo y Cuervo).

Derecho del mercado de valores Es el conjunto de normas que regulan las instituciones intervinientes en este mercado, los activos propios del mismo, y las operaciones que en él se desarrollan (Cachón Blanco). Comprende, pues: **9216**
a) El estudio del **marco jurídico** general del mercado de valores.
b) El estudio de los **instrumentos** que se negocian en este mercado: acciones, obligaciones, etc.
c) El estudio de los **sujetos** que intervienen en el mercado de valores.
d) El estudio de las **operaciones** -contratos.

Su ámbito, en todo caso, es más amplio que el del Derecho bursátil pues el mercado de valores es un género de los mercados, y la bolsa de valores es una de sus especies.
Sin embargo, es un ámbito más reducido que el del Derecho del mercado financiero. Este último abarca, además del Derecho del mercado de valores, el Derecho bancario e incluso, en un sentido muy amplio, el Derecho del mercado de seguros y planes de pensiones. Sin embargo, para la mayoría de la doctrina el **Derecho del mercado de seguros y planes de pensiones**, con ser un conjunto normativo regulador de la tercera columna del sistema financiero, no forma parte del Derecho del mercado financiero debido a su inspiración en principios y concepciones doctrinales autónomos.
Derecho del mercado de valores y **Derecho bancario** tienen en común el objeto del mercado financiero, los **instrumentos financieros:** dinero y valores, así como el **operador del mercado:** la entidad financiera, dotada de un estatuto jurídico que en sus principios esenciales se aplica tanto a las entidades de crédito como a las de valores (Zunzunegui). Hay, pues, bases razonables para afirmar la existencia de una cierta unidad estructural afirmadora de un concepto genérico de Derecho del mercado financiero, dentro de cuyo seno conviven, en régimen de interrelación, dos parcelas: el Derecho del mercado de valores y el Derecho bancario.

2. Regulación del mercado de valores

9220 El sistema financiero es una realidad económico-financiera que, desde el punto de vista del Derecho, presenta dos **tipos de relaciones jurídicas**:
a) La existente entre los operadores especializados del mercado y sus **clientes**. Se somete a normas de Derecho privado, las cuales constituyen las fuentes de la contratación en el mercado de valores.
b) La existente entre los operadores especializados del mercado y la **Administración Pública** que los somete a disciplina. Se somete a normas de Derecho público y constituyen la ordenación del mercado de valores.

a. Regulación de la ordenación

9225 Su naturaleza es la de normas de **Derecho administrativo**, y, en tal sentido, puede decirse de su vertiente de Derecho administrativo sancionador que su esquema es el de tipificación infracción-sanción.
Se caracterizan por las notas propias del Derecho administrativo y, fundamentalmente, por el **principio de sometimiento** de la Administración Pública al imperio de la Ley. Esta naturaleza normativa tiene como consecuencia la escasa presencia de la costumbre en el ámbito del mercado de valores. El tecnicismo y superespecialización de sus operadores reclama un conjunto normativo rígido con escasa presencia del uso.
El complejo conjunto de normas reguladoras del mercado de valores tiene **características distintas**. Así existe normativa:
- con caracteres jurídico-privados de naturaleza civil-mercantil (p.e., la regulación del préstamo de valores);
- con caracteres jurídico-públicas (típicamente el derecho sancionador del mercado de valores); y
- con caracteres intermedios a las anteriores (a modo de ejemplo, la normativa que regula el contenido necesario de los contratos-tipo, suelen tener parte de normativa civil-mercantil y parte de normativa de protección al inversor).
Los **usos bursátiles** (que los había, y que contribuyeron enormemente en otros tiempos a configurar, entre otras cosas, las diversas categorías de órdenes bursátiles existentes en la actualidad) mantienen una función interpretativa que contribuye a resolver las controversias que puedan surgir entre los intermediarios y sus clientes (Zunzunegui).

9227 **Principios generales del mercado de valores** Más influencia tienen los **principios generales**, de entre los que destacan los siguientes como característicos de los mercados de valores (Cachón Blanco):
a) **Principio de protección al inversor**. Las actuaciones desleales e incluso fraudulentas que en ocasiones se han producido en los mercados de valores han de perseguirse, incluso por la vía penal (CP art.284 a 285 quater). Las iniciativas de protección al inversor se han confiado, por una parte, a las propias entidades, obligándose a la creación por cada entidad de un departamento de atención al cliente y, en su caso, a la designación de un **defensor del cliente** para atender las quejas y reclamaciones que los usuarios de servicios financieros puedan presentar; se ha creado un cauce específico para canalizar las quejas y reclamaciones de los inversores, estableciéndose, asimismo, la posibilidad que tienen los clientes de, en caso de

disconformidad con la resolución dada por la entidad reclamada, acudir ante los **servicios de reclamaciones** del Banco de España, Comisión Nacional del Mercado de Valores y Dirección General de Seguros y Fondos de Pensiones (ver nº 9250).

b) **Principio de amplia información**. La Directiva de Instrumentos Financieros Negociables en Mercados (**MiFID II**, por sus siglas en inglés) establece en su art.24 la obligación de que toda la información, incluidas las comunicaciones publicitarias, que las empresas de inversión dirijan a sus clientes o posibles clientes sea imparcial, clara y no engañosa. Las entidades que presten servicios de inversión deben mantener, en todo momento, adecuadamente informados a sus clientes, indicando que las **comunicaciones publicitarias** serán claramente identificables como tales. Esta información está contenida en la LMV art.200.2. Asimismo, la LMV art.200.1 establece que las entidades que presten servicios y actividades de inversión deberán mantener en todo momento adecuadamente informados a sus clientes, de conformidad con lo dispuesto en la LMV, sus disposiciones de desarrollo y el Rgto Delegado (UE) 2017/565, de la Comisión (ver nº 9236).

c) **Principio de transparencia**. Es desarrollo del anterior y, a la vez, instrumento de otro fin: el de contribuir al abaratamiento de los precios en la medida de lo posible. El principio de transparencia es el que pretende que la información relativa a cotizaciones y a comisiones fluya entre operadores e inversores con la mayor rapidez y con el menor coste posible, ello para que estos últimos puedan comparar los distintos valores e instrumentos financieros en que invertir alcanzando el punto óptimo de utilidad.

d) **Principio de igualdad**. Se refiere a igualdad entre inversores. Cualquiera que sea la envergadura económica o la capacidad de influencia política del que compra o vende valores, el trato dado por los operadores del mercado ha de ser idéntico. Que ello sea una realidad es competencia de las entidades públicas encargadas de controlar el mercado.

e) **Principio de control del mercado**. La autoridad pública estatal o autonómica ha de supervisar el general funcionamiento del mercado. Para ello se elige una unidad administrativa: la CNMV, en el ámbito estatal, y se le dota de competencias en materia de supervisión, inspección y sanción.

f) **Principio de comportamiento leal de los intermediarios y de las sociedades cotizadas**. Se enfatiza sobre estos operadores cuenta tenida de su especial deber de diligencia nacido de la especialización que les caracteriza.

Precisiones El Rgto Delegado (UE) 2017/565, de la Comisión, completa la Dir 2014/65/UE del Parlamento Europeo y del Consejo (**MiFID II**) en lo relativo a los requisitos organizativos y las condiciones de funcionamiento de las **empresas de servicios de inversión** y términos definidos a efectos de dicha Directiva, estableciendo, entre otros, requisitos en relación con la información dirigida a los clientes o posibles clientes, incluidas las **comunicaciones publicitarias**, a fin de garantizar que dicha información sea imparcial, clara y no engañosa, debiendo informar sobre la naturaleza de los instrumentos financieros y los riesgos asociados con la inversión en los mismos, de modo que los clientes estén adecuadamente informados. Las condiciones que debe cumplir la información facilitada por las empresas de servicios de inversión a los clientes y posibles clientes para ser imparcial, clara y no engañosa deben aplicarse a las comunicaciones destinadas a los clientes minoristas o profesionales de forma adecuada y proporcionada, teniendo en cuenta, por ejemplo, los medios de comunicación y la información que la comunicación pretende transmitir a los clientes o posibles clientes. En concreto, no sería adecuado aplicar estas condiciones a las comunicaciones publicitarias que consten solamente de uno o varios de los siguientes **elementos**:
- el nombre de la empresa;
- un logotipo u otra imagen asociada con la empresa;
- un punto de contacto; o
- una referencia a los tipos de servicios de inversión prestados por la empresa.

b. Regulación de la contratación

Las fuentes de la **contratación** en el mercado de valores son mucho menos prolijas que las de la **ordenación** (nº 9225 y nº 9227). 9230

Esto es así porque ni el Código de Comercio ni el Código Civil han tipificado los contratos característicos del mismo, ni tampoco las Leyes especiales posteriores, que, cuando han entrado, ocasionalmente, a definir o regular fragmentariamente algún **tipo contractual**, se han limitado a enfatizar la posible conexión disciplinaria que pueda tener la figura en el ámbito normativo de la ordenación del mercado.

El Derecho del mercado de valores es un caso paradigmático de lo que alguna doctrina ha denominado corriente general de administrativización del Derecho privado. Es cierto que la LMV integra no solamente la dimensión institucional (ordenación del mercado), sino también la contractual, pero las normas que contiene acerca de los diversos contratos bursátiles no aportan una construcción dogmática del concepto, estructura, contenido obligacional y extinción del contrato. Más bien, aunque definidoras de negocios jurídicos entre particulares, regulan los aspectos de éstos que tienen que ver con las **necesidades de supervisión y disciplina** propias de la ordenación del mercado.

Como consecuencia de lo anterior, las fuentes de los distintos contratos bursátiles son, en realidad, las fuentes generales de la contratación en el Derecho privado español: normas generales del Código de Comercio y del Código Civil.

El **Código de Comercio** resulta aplicable tanto en materia de concretas figuras contractuales -préstamo (nº 4455), comisión (nº 5580)...-, como en sede de normas generales de la contratación, siempre que sean de recibo (CCom art.50 a 63).

El **Código Civil**, supletoriamente de aplicación a los contratos mercantiles (CCom art.50), también es fuente supletoria del Derecho de la contratación del mercado de valores, tanto en lo tocante a actos (CC art.464), como a determinados negocios jurídicos en general e incluso a contratos en particular -p.e., compraventa (CC art.1448)-.

Y, por supuesto, es de recibo el Código Civil en sede de normas generales de la contratación (CC art.1254 a 1314).

En el campo de los **reglamentos**, la situación es la misma: se ha prestado mucha mayor atención a la regulación de los aspectos ordenancistas que a la disciplina contractual ordinariamente comprensiva de una Ley de Derecho privado (derechos y obligaciones de las partes, etc.). Así, únicamente encontramos normas dispersas aplicables a algunos contratos del mercado de valores en el Reglamento General de Bolsas de 1967, así como en algunos preceptos de los desarrollos reglamentarios de la LMV (nº 9234).

Hay que destacar la L 7/1998, sobre **condiciones generales de la contratación** (LCGC), que no es una norma pensada para el ámbito bursátil, pero si determinado contrato bursátil celebrado entre el inversor e intermediario es subsumible dentro de su ámbito objetivo de regulación, hay que estar y pasar por sus disposiciones protectoras del adherente al contrato.

9232 **Legislación aplicable** Como normativa aplicable a los contratos bursátiles, hay que hacer referencia a las siguientes disposiciones:

• L 7/1998 sobre **condiciones generales de la contratación** (LCGC).

• L 44/2002, de medidas de reforma del **sistema financiero**, que transpone al ordenamiento jurídico español varias Directivas comunitarias.

• RDLeg 1/2020, por el que se aprueba el TR de la LCon (en adelante, **LCon**) que, aparte de su gran incidencia en el ordenamiento jurídico general, ha concretado las **especialidades concursales** aplicables a los mercados de valores y sus operadores.

• L 26/2003, que modificó la LMV/88 y la LSA con el fin de reforzar la transparencia de las **sociedades anónimas cotizadas**. Así, entre otras medidas, se introdujeron preceptos para permitir el voto y delegación de voto electrónico de los accionistas en una junta general, se amplió el derecho de información de los accionistas, se concretaron los deberes de fidelidad, lealtad y secreto de los administradores de sociedades anónimas y se reforzó la responsabilidad de los administradores.

• L 35/2003 (**LIIC**), de Instituciones de Inversión Colectiva, que regula en profundidad el régimen de la inversión colectiva española.

• L 62/2003 disp.adic.18ª, que aclaró el **régimen fiscal de los préstamos de valores** y la OM ECO/764/2004, las **obligaciones de información** relativas a este tipo de operativa.

• RDLeg 1/2010, por el que se aprueba el texto refundido de la **LSC**.

• L 22/2014 por la que se regulan las **entidades de capital-riesgo**, otras entidades de inversión colectiva de tipo cerrado y las sociedades gestoras de entidades de inversión colectiva de tipo cerrado, y por la que se modifica la L 35/2003 de instituciones de inversión colectiva.

• L 6/2023 de los mercados de valores y servicios de inversión.

• L 11/2015 de **recuperación y resolución de entidades de crédito** y empresas de servicio de inversión, que sustituye en su práctica totalidad a la L 9/2012, de reestructuración y resolución de entidades de crédito (salvo sus disposiciones modificativas de otras normas y las disp.adic.segunda, tercera, cuarta, sexta a decimotercera, decimoquinta, decimoséptima, decimoctava y vigésima primera). Esta Ley transpone la normativa europea Dir 2014/59/UE y Dir 2014/49/UE relativa a los **sistemas de garantías de depósitos**, con el objetivo de facilitar la continuidad de sus funciones esenciales, así como minimizar el impacto de su inviabilidad en el sistema económico y en los recursos públicos.

• L 7/2017, que incorpora al ordenamiento jurídico español la Dir 2013/11/UE, relativa a la resolución alternativa de litigios en materia de **consumo**.

9234 **Desarrollos reglamentarios** Los desarrollos reglamentarios actualmente vigentes más destacables son los que siguen:

• RD 948/2001, sobre sistemas de **indemnización de los inversores** -redacc RD 1180/2023-.

• RD 302/2004, que reformó el régimen jurídico sobre **cuotas participativas** de las cajas de ahorros.
• RD 1778/2004, que estableció las obligaciones de información respecto de las **participaciones preferentes** y otros instrumentos de deuda.
• En materia de **mercados primarios**, la labor de trasposición de la Directiva comunitaria de **folletos** al Derecho interno, iniciada por el RDL 5/2005, fue completada por el RD 1310/2005 (actualmente derogado por el RD 814/2023) y por la OM EHA/3537/2005.
• RD 814/2023, sobre **instrumentos financieros, admisión a negociación**, registro de valores negociables e infraestructuras de mercado. Ese reglamento recoge las disposiciones comunes aplicables a los centros de negociación detallando sus requisitos de organización y funcionamiento, además de las disposiciones específicas que regulan a los mercados regulados y a los sistemas multilaterales de negociación y a los sistemas organizados de contratación. Regula los centros de negociación y los sistemas de liquidación, compensación y registro de valores, detallando sus requisitos de organización y funcionamiento. Para ello, incorpora el RD 878/2015 y transpone parcialmente la Dir 2014/65/UE.
• RD 813/2023, sobre **régimen jurídico** de las empresas de **servicios de inversión** y de las demás entidades que prestan servicios de inversión, que desarrolla lo establecido en la LMV art.122 s. y traslada a Derecho español el Derecho comunitario aplicable en la materia: Dir 2014/65/UE del Parlamento Europeo y del Consejo -MiFID II-, en lo relativo a los requisitos organizativos y condiciones de funcionamiento de las empresas de servicios de inversión, y por el Rgto Delegado (UE) 2017/565, de la Comisión, en lo relativo a las obligaciones de las empresas de servicios de inversión de llevar un registro, la información sobre las operaciones, la transparencia del mercado, la admisión a negociación de instrumentos financieros, para establecer la columna vertebral de la regulación y obligaciones de las empresas de servicios de inversión y, entre otras, las exigencias respecto de las relaciones entre estas empresas y sus clientes: desde los tratos preliminares -que llevan aparejadas obligaciones de obtención de información acerca del cliente y de suministro de información a éste, cuya deficiencia puede determinar la nulidad del contrato- hasta la integración de cierta información necesaria en el contrato, la forma de éste -en soporte permanente- y las obligaciones de ejecución.
Los aspectos más destacados de esta norma se resumen en los siguientes:
a) Regula el régimen administrativo al que estarán sujetas las empresas de servicios de inversión en aspectos tales como los requisitos de acceso a la actividad y su operativa.
b) Regula la actuación transfronteriza de las empresas de servicios de inversión.
c) Refuerza el régimen interno de control de las entidades, obligando al establecimiento de medidas organizativas y de auto-vigilancia, e implicando al consejo de administración en esta función.
• RDL 6/2013, de **protección a los titulares de determinados productos de ahorro e inversión** y otras medidas de carácter financiero.
• RD 83/2015, por el que se modifica el RD 1082/2012, por el que se aprueba el Reglamento de desarrollo de la L 35/2003, de **instituciones de inversión colectiva**.
• RD 1012/2015, por el que se desarrolla la L 11/2015 de **recuperación y resolución** de entidades de crédito y empresas de servicios de inversión, y por el que se modifica el RD 2606/1996, sobre fondos de garantía de depósitos de entidades de crédito.
• RDL 19/2018, de servicios de pago y otras medidas urgentes en materia financiera, cuya disp.final novena modifica la LMV/15 para dar plena efectividad a las novedades introducidas por el RDL 14/2018.
• RD 1082/2012 que desarrolla la L 35/2003, de Instituciones de Inversión Colectiva, modificado por RDL 816/2023 y RD 1180/2023.
• RD 815/2023 por el que se desarrolla la L 6/2023, en relación con los registros oficiales de la Comisión Nacional del Mercado de Valores, la cooperación con otras autoridades y la supervisión de empresas de servicios de inversión.

Precisiones Por su parte, la CNMV ha venido publicando numerosas **circulares** en desarrollo y ejecución de los anteriores Reales Decretos y Órdenes Ministeriales.

Normativa MiFID II El conocido como «paquete regulatorio MIFID II» o «MIFID II/MIFIR», está conformado por: **9236**
- la **Directiva MiFID II** (Dir 2014/65/UE, recientemente modificada por la Dir (UE) 2021/338 en lo relativo a los requisitos de información, la gobernanza de productos y la limitación de posiciones); y
- el **Reglamento MiFIR** (Rgto (UE) 600/2014).
La normativa MiFID II ha sido **incorporada** a la **legislación española** mediante el RD 21/2017 y el RD 14/2018, ambos de modificación de la LMV/15, cuyo desarrollo se completa con el RD 1464/2018.

MiFID II, que comenzó a aplicarse desde el **3-1-2018**, supone una modificación sustancial del funcionamiento de los mercados y de los centros de contratación de la UE, no tanto por los objetivos que se persiguen, pues se mantienen en esencia los mismos que inspiraron y dirigieron la Dir 2004/39/CE del Parlamento Europeo y del Consejo, relativa a los mercados de instrumentos financieros, sino por la envergadura de las modificaciones operativas que se imponen para cumplir con las obligaciones de transparencia y de negociación obligatoria en centros de contratación que se recogen en el citado Rgto (UE) 600/2014.

El paquete regulatorio MiFID II se completa con más de treinta y cuatro **normas de desarrollo** de Derecho Europeo, entre actos delegados y normas técnicas de regulación e implementación.

La transposición del paquete regulatorio MiFID II trata de guardar el necesario equilibrio entre proporcionar un marco normativo adecuado, ágil y que favorezca el desarrollo y competitividad de nuestro sector financiero y garantizar la protección al inversor, que redundará en una mayor confianza en el sector financiero y un mejor desempeño por parte de este de las funciones que debe realizar en el conjunto de la economía española, teniendo como **objetivos**:

- asegurar unos elevados niveles de protección de los inversores en productos financieros, especialmente de los inversores minoristas;
- mejorar la estructura organizativa y el gobierno corporativo de las empresas de servicios de inversión;
- aumentar la seguridad, eficiencia, buen funcionamiento y estabilidad de los mercados de valores;
- garantizar una convergencia normativa que permita la competencia en el marco de la Unión Europea; y
- fomentar el acceso de las pequeñas y medianas empresas a los mercados de capitales.

Precisiones Respecto a la numerosa **normativa europea de desarrollo**, cabe destacar los siguientes reglamentos delegados y de ejecución:

• Rgto Delegado (UE) 2017/565, de la Comisión, por el que se completa la Dir 2014/65/UE en lo relativo a los requisitos organizativos y las condiciones de funcionamiento de las **empresas de servicios de inversión** y términos definidos a efectos de dicha Directiva.

• Dir Delegada (UE) 2017/593, de la Comisión, por la que se complementa la Dir 2014/65/UE en lo que respecta a la **salvaguarda** de los **instrumentos financieros** y los fondos pertenecientes a los clientes, las obligaciones en materia de gobernanza de productos y las normas aplicables a la entrega o percepción de honorarios, comisiones u otros beneficios monetarios o no monetarios.

• Rgto Delegado (UE) 2017/568 por el que se completa la Dir 2014/65/UE en lo que respecta a las normas técnicas de regulación relativas a la **admisión** de **instrumentos financieros** a negociación en mercados regulados.

• Rgto Delegado (UE) 2017/569, de la Comisión, por el que se completa la Dir 2014/65/UE en lo que respecta a las normas técnicas de regulación relativas a la suspensión y **exclusión de la negociación** de instrumentos financieros.

• Rgto Delegado (UE) 2017/583, de la Comisión, por el que se completa el Rgto (UE) 600/2014 del Parlamento Europeo y del Consejo, relativo a los mercados de instrumentos financieros, en lo que respecta a las normas técnicas de regulación sobre los **requisitos de transparencia** aplicables a los centros de negociación y las empresas de servicios de inversión con relación a los bonos, los productos de financiación estructurada, los derechos de emisión y los derivados.

9238 Caben destacar los siguientes aspectos regulados por la normativa MiFID II:

• En el ámbito de las **empresas de servicios de inversión** se refuerza la protección al inversor modificando los requisitos organizativos con los que deben contar las entidades, las normas de conducta que deben cumplir e introduciendo nuevas obligaciones y medidas de supervisión preventiva, se refuerza la exigencia y responsabilidad de los órganos de administración, la política de remuneración del personal y la información precontractual y periódica a los clientes, en especial sobre la existencia de incentivos. Asimismo, el Reglamento MiFIR, introduce poderes de intervención específicos para ESMA y los supervisores nacionales, permitiendo prohibir temporalmente o restringir la publicidad, distribución o venta de un instrumento financiero o un tipo de actividad financiera o práctica cuando se cumplan ciertas condiciones.

• En el ámbito de los **mercados** se refuerza el marco regulatorio de los mercados de valores para su adaptación a la nueva realidad del mercado y para la incorporación de numerosas mejoras cuya necesidad se ha visto evidenciada con la crisis financiera, con esta reforma normativa se pretende contribuir a la creación de un mercado de valores más competitivo, integrado y eficiente en el seno de la Unión Europea. Se pretende canalizar la negociación que se realiza al margen de entornos organizados (OTC) hacia centros de negociación; introducir controles sobre la negociación algorítmica e incrementar la transparencia en la fase previa y posterior a la negociación.

• Respecto a los **proveedores de suministros de datos**, se sujeta a dichos proveedores al requisito de autorización previa y a la supervisión continua por las autoridades competentes.

Las ESI o los órganos rectores de los centros de negociación podrán asimismo prestar estos servicios en la medida en que cumplan con los requisitos prescritos por la normativa. Se **clasifican**, según el tipo de servicio que estén autorizados a prestar, en:
a) Sistema de información autorizado (SIA) a prestar el servicio notificación del detalle de las operaciones a las autoridades competentes o a ESMA en nombre de las ESI.
b) Agente de publicación autorizado (APA), autorizado a prestar el servicio de publicación de informes de transparencia post-negociación en nombre de las ESI.
c) Proveedor de información consolidada (PIC), autorizado a prestar el servicio de recopilación de informes de transparencia post-negociación de mercados regulados, y de consolidación de los mismos en un flujo de datos electrónicos continuo, que proporcione información sobre precios y volúmenes para cada instrumento financiero.

3. Efectos jurídicos de la contratación electrónica

(L 44/2002 art.20; L 34/2002; L 22/2007; L 21/2011; RD 778/2012)

El RD 778/2012, de régimen jurídico de las **entidades de dinero electrónico**, desarrolla la L 21/2011, trasladando al Derecho español la Dir 2009/110/CE, sobre el acceso a la actividad de las entidades de dinero electrónico y su ejercicio, así como a la supervisión prudencial de dichas entidades. El RD 778/2012 concreta, asimismo, algunas disposiciones relativas al régimen jurídico general de la actividad de **emisión de dinero electrónico**. **9245**
Respecto a la contratación de **servicios de inversión** de forma electrónica, hay que atender:
- de una parte, a la regulación general, contenida en la L 34/2002 Título IV, de servicios de la sociedad de la información y de **comercio electrónico**, que incorpora la Dir 2000/31/CE, relativa a determinados aspectos de los servicios de la sociedad de la información, en particular el comercio electrónico en el mercado interior; y
- de otra, la regulación específica en el ámbito de los **servicios financieros**, contenida en la L 22/2007, reguladora de los términos de la **comercialización a distancia** de los servicios financieros dirigidos a los consumidores, que traslada la Dir 2002/65/CE, y que tiene como objetivo principal dotar de una mayor protección de los consumidores, atendiendo siempre a las especiales características de los servicios financieros, estableciendo un régimen riguroso en cuanto a la información que deben recibir los consumidores antes de la celebración del contrato, de tal manera que el contrato pueda cerrarse con completo conocimiento por las partes contratantes de sus respectivos derechos y obligaciones.

Al respecto, se establece que con arreglo a lo que establezcan las normas que, con carácter general, regulan la contratación por vía electrónica, se habilita a la persona titular del Ministerio de Asuntos Económicos y Transformación Digital para que mediante orden regule las especialidades de la contratación de **servicios de inversión** de **forma electrónica**, garantizando la protección de los intereses de la clientela y sin perjuicio de la libertad de contratación que, con las limitaciones establecidas en otras disposiciones legales, deba presidir las relaciones entre las empresas de servicios de inversión y su clientela (RD 813/2023 art.100).

Precisiones La **Dir 2002/65/CE** queda **derogada**, con efectos de 19-6-2026, por la Dir (UE) 2023/2673. Las **referencias** a la derogada directiva (a partir del 19-6-2026), se entenderán hechas a la Dir 2011/83/UE, con arreglo a una tabla de correspondencias recogida en la Dir (UE) 2023/2673 Anexo II.

4. Medidas protectoras del cliente de servicios financieros

Reclamaciones, quejas y consultas (L 44/2002 art.29; OM ECO/734/2004; OM ECC/2502/2012; CNMV Circ 7/2013) Los usuarios de servicios de financieros pueden presentar sus reclamaciones o quejas relacionadas con sus intereses y derechos legalmente reconocidos ante: **9250**
1º Las propias **entidades financieras**, quienes deben contar con un **departamento de atención al cliente** y, en su caso, con un **defensor del cliente** que las atiendan y resuelvan.
Ambos servicios, que son gratuitos para los inversores, deben ser autónomos en sus actos y estar separados de los departamentos operativos y comerciales, aunque coordinados con ellos para asegurar un correcto flujo de información que permita la resolución de las cuestiones planteadas. Los servicios de atención al cliente funcionan de acuerdo con un «Reglamento para la Defensa del Cliente» propio para cada entidad o grupo.
El **plazo** para la **presentación** de una reclamación en ningún caso puede ser inferior a 2 años desde la fecha en que se tenga conocimiento de los hechos objeto de la reclamación, este plazo debe estar definido en el Reglamento para la Defensa del Cliente de cada entidad.
El plazo para la **resolución** de la reclamación por el departamento de atención al cliente o, en su caso, defensor del cliente es de 2 meses, desde que el cliente la presentó.

Las resoluciones del defensor del cliente, en caso de que exista, son **vinculantes** para la entidad reclamada, no ocurre lo mismo con las del departamento de atención al cliente.
Si el cliente no está conforme con la resolución, o si transcurren 2 meses desde que presentó su reclamación, puede acudir al **servicio de reclamaciones** del organismo supervisor correspondiente.

Precisiones 1) Deben disponer de un **departamento de atención al cliente** las siguientes entidades (OM ECO/734/2004 art.2):
- las entidades de crédito;
- las empresas de servicios de inversión;
- las sociedades gestoras de instituciones de inversión colectiva;
- las entidades aseguradoras;
- las entidades gestoras de fondos de pensiones, con las precisiones establecidas en OM ECO/734/2004 disp.adic.1ª;
- las sociedades de correduría de seguros;
- las sucursales en España de las entidades enumeradas en los párrafos anteriores con domicilio social en otro Estado.

2) La L 7/2017, incorpora al ordenamiento jurídico español la Dir 2013/11/UE, relativa a la resolución alternativa de litigios en materia de consumo.
Mientras que la OM ECC/2502/2012 y la CNMV Circ 7/2013 se refieren a los usuarios de servicios de inversión definidos como «todas las personas físicas y jurídicas, españolas o extranjeras», la L 7/2017 limita su ámbito de aplicación a los **consumidores**, definidos en su art.2 como «toda persona física que actúe con fines ajenos a su actividad comercial, empresarial, oficio o profesión, así como toda persona jurídica y entidad sin personalidad jurídica que actúe sin ánimo de lucro en un ámbito ajeno a una actividad comercial o empresarial, salvo que la normativa aplicable a un determinado sector económico limite la presentación de reclamaciones ante las entidades acreditadas a las que se refiere esta ley exclusivamente a las personas físicas». Al respecto, la disp.final 5ª L 7/2017 modifica el RD 1/2007, por el que se aprueba el texto refundido de la Ley General para la Defensa de los Consumidores y Usuarios, estableciendo que la entidad deberá dar respuesta a las **reclamaciones** recibidas en el plazo más breve posible y, en todo caso, en el plazo máximo **de un mes** desde la presentación de la reclamación por el consumidor (La OM ECO 734/2004 establece un plazo de dos meses, sin diferenciar entre consumidores o no consumidores).
En caso de que la entidad no hubiera resuelto, satisfactoriamente, una reclamación interpuesta directamente ante la misma por un consumidor, este podrá acudir a una **entidad de resolución alternativa** (ADR), asimismo podrá acudir a la misma en caso de que haya transcurrido un mes desde que el consumidor presentó la reclamación a la entidad y esta no ha comunicado su resolución L 7/2017 art.18.
La disp.adic.1ª L 7/2017, indica que se creará por Ley una única entidad que regule el sistema institucional de protección del cliente financiero, señalando que hasta que no entre en vigor dicha Ley, los actuales **servicios de reclamaciones** de la CNMV, el Banco de España y la Dirección General de Seguros desempeñarán la función de ADR en el sector financiero y deberán acomodar su funcionamiento y procedimiento a lo previsto en la L 7/2017.

9252 2º Los **servicios de reclamaciones de los organismos supervisores**: Banco de España (productos bancarios), CNMV (productos de inversión) y Dirección General de Seguros y Fondos de Pensiones (productos de seguros), según corresponda.
Para la presentación de quejas y reclamaciones ante estos servicios de reclamaciones es **requisito** imprescindible acreditar haberlas formulado previamente al departamento de atención al cliente, o en su caso, al defensor del cliente de la entidad contra la que se reclame (L 44/2002; OM ECC/2502/2012).
Respecto a la presentación de quejas, reclamaciones y consultas ante la **CNMV**, la Circ CNMV 7/2013 regula el procedimiento de presentación de reclamaciones y quejas contra empresas que prestan servicios de inversión y de atención a consultas en el ámbito del mercado de valores, ante dichos organismos.
3º Además de los servicios de atención al cliente de las entidades y de los servicios de reclamaciones de los organismos supervisores de los mercados financieros, los clientes pueden acudir a los **tribunales** de justicia. Es más, aunque los servicios de reclamaciones de la CNMV, BE o Dirección General de Seguros resuelvan una reclamación reconociendo una posible actuación incorrecta de la entidad, solo los tribunales de justicia pueden valorar el daño económico e imponer a la entidad reclamada la obligación de resarcimiento.
Hay que tener en cuenta que, en el caso de los «**chiringuitos financieros**», es decir, empresas que ofrecen servicios de inversión sin estar autorizadas para ello ni sometidas al control de ningún órgano supervisor, por tratarse de entidades no registradas en la CNMV, no cabe ninguna reclamación en la vía administrativa. Sería necesario acudir a las instancias judiciales para exigir responsabilidades legales y/o compensaciones económicas.

Otras medidas protectoras Asimismo, se establecen otra serie de medidas protectoras, que se pueden definir como preventivas, y entre las que destacan las siguientes: 9254

• Se amplía el **régimen sancionador** aplicable a las entidades prestadoras de servicios financieros -es decir, empresas de servicios de inversión, entidades de crédito y compañías de seguros- para calificar como infracciones las deficiencias de organización administrativa y control interno.

• Se imponen normas de **transparencia en las operaciones vinculadas**, de manera que se eviten abusos por parte de directivos, consejeros y accionistas significativos en perjuicio de los intereses de los accionistas. Asimismo, se refuerza la regulación de la **información relevante** y de la **información privilegiada**, con el fin de evitar la pérdida de integridad de los mercados y, en última instancia, el encarecimiento en la financiación empresarial que provoca la falta de confianza entre los inversores (L 44/2002).

• Se establece que los miembros del **órgano de administración** y de la **alta dirección** de las empresas de servicios de inversión y las empresas de asesoramiento nacionales que sean personas jurídicas deben (LMV art.164):

a) Poseer reconocida **honorabilidad**, honestidad e integridad para el adecuado ejercicio de sus funciones.

b) Tener **conocimientos**, competencias y experiencia suficientes.

c) Actuar con **independencia** de ideas.

d) Estar en **disposición** de ejercer un buen gobierno de la empresa de servicios de inversión.

Estos requisitos serán exigibles también a las personas físicas que representen a las personas jurídicas en los órganos de administración, de conformidad con lo dispuesto en LSC art.236.5.

A la hora de valorar los requisitos previstos en las letras b) y d) anteriores, la CNMV tendrá en cuenta el tamaño, la organización interna, la naturaleza, escala y complejidad de las actividades de la entidad, así como las funciones desempeñadas por estas personas respecto a la empresa de servicios de inversión.

Lo dispuesto en los apartados a) y b) anteriores será de aplicación a los **responsables** de las funciones de **control interno**, los directores financieros y otros puestos clave que, conforme a un enfoque basado en el riesgo, hayan sido considerados como tales para el desarrollo diario de la actividad de las empresas de servicios y actividades de inversión y, en su caso, de sus entidades dominantes (LMV art.168.2).

• Se establece una regulación específica para aquellas **sociedades anónimas** cuyas acciones estén admitidas a negociación en una bolsa de valores, recogida en la LMV Título X.

Precisiones Lo dispuesto en la LMV art.164 también es de aplicación a los miembros del órgano de administración y de alta dirección de **entidades dominantes de las empresas de servicios**, cuando dicha entidad dominante, sea una sociedad financiera de cartera o una sociedad financiera mixta de cartera (LMV art.168.1).

5. Operadores del mercado de valores: empresas de servicios de inversión

La redacción inicial de la LMV/88 optó por atribuir la característica de **operador del mercado** exclusivamente a las sociedades y agencias de valores. A las entidades de crédito, inicialmente, únicamente se les atribuyó competencia bursátil de carácter marginal. 9260

Posteriormente, las Dir 93/22/CEE y 93/6/CEE se publicaron con la finalidad de construir un mercado financiero único y, consecuentemente, un mercado único de valores, tomando partido por lo que se denomina «proceso de competencia entre legislaciones» (Ballbé). En España, ese imperativo comunitario fue acogido en la reforma de la LMV/88 (L 37/1998), que recogía, ya, el más extenso término de empresas de servicios de inversión (investment firms).

Las empresas de servicios de inversión **se definen como** aquellas empresas cuya actividad principal consiste en prestar servicios de inversión o en realizar actividades de inversión con carácter profesional a terceros sobre los instrumentos financieros sometidos a la LMV y sus disposiciones de desarrollo y adoptan una de las formas jurídicas que establece la LMV art.128.1.

Las empresas de servicios de inversión, conforme a su régimen jurídico específico, realizarán los **servicios y actividades de inversión** y los **servicios auxiliares** previstos en la LMV art.125 y 126, pudiendo ser miembros de los mercados regulados si así lo solicitan de conformidad con lo dispuesto en la LMV art.62, así como miembros o usuarios de los SMN y de los SOC, de conformidad con lo dispuesto en la LMV y sus normas de desarrollo LMV art.122.

Se consideran empresas de servicios de inversión (LMV art.128):

- las **sociedades de valores**;
- las **agencias de valores**;
- las **sociedades gestoras de carteras**; y
- las **empresas de asesoramiento financiero**, que sean personas jurídicas.

Asimismo, se admite que las **entidades de crédito** compitan con éstas pues, aunque no sean empresas de servicios de inversión según la LMV, pueden realizar habitualmente todos los servicios de inversión y actividades complementarias, siempre que su régimen jurídico, sus estatutos y su autorización específica las habiliten para ello (LMV art.128).
Por otro lado, se establece la posibilidad de que determinadas personas físicas o jurídicas puedan prestar el servicio de inversión previsto en el la LMV art.125.1.g, con o sin los servicios auxiliares previstos en la LMV art.126.c y e, sin que tengan la consideración de empresas de servicios de inversión. Estas personas físicas o jurídicas serán denominadas **empresas de asesoramiento financiero nacionales** y estarán sometidas a los mismos requisitos y régimen sancionador que las empresas de asesoramiento financiero del artículo 128.1.d), pero con unos menores requisitos de capital inicial y no podrán prestar sus servicios en otros estados miembros de la Unión Europea, de acuerdo con la LMV art.143, 144 y 150 (LMVl art.128.5).

9262 **Constitución** Para el **inicio de su actividad** las empresas de servicios de inversión precisan de autorización administrativa cuya competencia corresponde a la CNMV. Una vez autorizada, para poder iniciar su actividad, los promotores deberán constituir la sociedad, inscribiéndola en el Registro Mercantil y, posteriormente, en el Registro de la Comisión Nacional del Mercado de Valores que corresponda. Cuando se trate de empresas de asesoramiento financiero nacionales que sean personas físicas, bastará con la inscripción en el Registro de la Comisión Nacional del Mercado de Valores que corresponda (LMV art.131 y 132).
En el desarrollo de su actividad, las empresas de servicios de inversión se someten a las siguientes **reglas generales de actuación**:
• Llevar en forma reglamentaria los registros de las operaciones.
• Informar a la CNMV de las operaciones efectuadas.
• Mantener en todo momento un volumen de recursos propios proporcionados al de su actividad y gastos de estructura y a los riesgos asumidos y, en general, cumplir las normas de solvencia que se establezcan. Esta obligación será extensible a los grupos consolidables.
• Mantener los volúmenes mínimos de inversión en determinadas categorías de activos líquidos y de bajo riesgo que, a fin de salvaguardar su liquidez, reglamentariamente se establezcan.
• Participar en un Fondo de Garantía de Inversiones (nº 9305).
• Informar a la CNMV de la composición de su accionariado.
• Tomar las medidas adecuadas, en relación con los valores y fondos que les confían sus clientes, para proteger sus derechos y evitar una utilización indebida de ellos.

Precisiones Cuando la solicitud de autorización se refiera a la prestación del servicio de gestión de un **SMN** o un **SOC**, la empresa de servicios de inversión, el organismo rector o, en su caso, la entidad constituida al efecto por uno o varios organismos rectores, deberá, además, someter a la aprobación de la CNMV unas normas internas de funcionamiento del SMN o del SOC en los términos que se determinen reglamentariamente (LMV art.134.3).

9264 **Actuación transfronteriza** (LMV art.143 a 151; RD 13/2023 art.33 s.) Importa destacar uno de los imperativos comunitarios de mayor relevancia, el denominado **pasaporte comunitario** o licencia única, que establece la posibilidad de actuación transfronteriza de las empresas de servicios de inversión.
Se distinguen cuatro **supuestos**:
• Las empresas de servicios y actividades de inversión **españolas** pueden prestar en el territorio de otros **Estados miembros de la UE** los servicios de inversión para los que estén autorizados, ya sea a través del establecimiento de una sucursal, utilizando agentes vinculados allí establecidos o mediante la libre prestación de servicios, para lo cual deberán notificarlo previamente a la CNMV.
• Las empresas de servicios y actividades de inversión españolas que pretendan abrir una sucursal o prestar servicios sin sucursal en un **Estado no miembro de la UE**, deberán obtener previamente una autorización de la CNMV, determinándose reglamentariamente los requisitos y el procedimiento aplicables a este supuesto.
• Empresas de servicios y actividades de inversión **comunitarias** que pretendan **operar en España** mediante la apertura de sucursal, la utilización de agentes vinculados o en régimen de libre prestación de servicios. No requiere autorización previa, sin embargo, es necesario que la CNMV reciba una comunicación de la autoridad competente del Estado miembro de origen de la empresa de servicios de inversión. En el caso de que pretendan operar mediante sucursal esta deberá inscribirse en el Registro Mercantil y en el registro de la CNMV.
• Empresas de servicios y actividades de inversión cuya administración central o sede social esté ubicada en un **Estado no miembro** de la UE que tengan intención de prestar en España servicios o actividades de inversión, con o sin servicios auxiliares, ya sea mediante el establecimiento de sucursal, ya sea en régimen de libre prestación de servicios, requerirán de la

autorización previa de la CNMV en la forma y condiciones que reglamentariamente se fijen. Sin perjuicio del sentido de la resolución que la CNMV debe dictar, el vencimiento del plazo máximo sin haberse notificado resolución expresa supondrá que esta tiene carácter desestimatorio.

Precisiones Cuando una **empresa de un tercer país** se proponga prestar en España servicios y actividades de inversión, con o sin servicios auxiliares, a clientes minoristas o a los clientes profesionales a que se refiere la LMV art.195, **debe** establecer una sucursal en España y solicitar a la CNMV, en caso de que se trate de una empresa de servicios de inversión, o al Banco de España, en caso de que se trate de una **entidad de crédito**, la correspondiente autorización, en los términos y condiciones contemplados, para las empresas de servicios de inversión, en la LMV art.151 y en sus disposiciones de desarrollo y, para las entidades de crédito, en la L 10/2014 art.13 y sus disposiciones de desarrollo.
Asimismo, atendiendo al volumen de la actividad, complejidad de los productos o servicios, o a razones de interés general, la **CNMV puede exigir** que la empresa de un tercer país que preste o se proponga prestar en España servicios y actividades de inversión, con o sin servicios auxiliares a clientes profesionales o a contrapartes elegibles a que se refieren, respectivamente, la LMV art.194 y 196, establezcan una sucursal en España, debiendo solicitar a la CNMV, en caso de que se trate de una empresa de servicios de inversión, o al Banco de España, en caso de que se trate de una entidad de crédito, la correspondiente autorización, en los términos y condiciones descritas en el párrafo anterior. (LMV art.149.2).

Actividades Las empresas de servicios de inversión, conforme a su régimen jurídico específico, pueden realizar los siguientes **servicios de inversión** (LMV art.125): **9266**
• La recepción y transmisión de órdenes por cuenta de clientes en relación con uno o más instrumentos financieros.
• La ejecución de dichas órdenes por cuenta de clientes.
• La negociación por cuenta propia.
• La gestión de carteras.
• La colocación de instrumentos financieros sin base en un compromiso firme.
• El aseguramiento de instrumentos financieros o colocación de instrumentos financieros sobre la base de un compromiso firme.
• El asesoramiento en materia de inversión.
• La gestión de sistemas multilaterales de negociación.
• La gestión de sistemas organizados de contratación.

Y los siguientes **servicios auxiliares** (LMV art.126): **9268**
• La custodia y administración por cuenta de clientes de los instrumentos financieros, incluidos la custodia y servicios conexos como la gestión de tesorería y de garantías y excluido el mantenimiento de cuentas de valores en el nivel más alto.
• La concesión de créditos o préstamos a inversores, para que puedan realizar una operación sobre uno o más de los instrumentos previstos en la LMV art.2, siempre que en dicha operación intervenga la empresa que concede el crédito o préstamo.
• El asesoramiento a empresas sobre estructura del capital, estrategia industrial y cuestiones afines, así como el asesoramiento y demás servicios en relación con fusiones y adquisiciones de empresas.
• Los servicios relacionados con el aseguramiento.
• La elaboración de informes de inversiones y análisis financieros u otras formas de recomendación general relativa a las operaciones sobre instrumentos financieros, de conformidad con lo dispuesto en el Rgto Delegado (UE) 2017/565 art.36.
• Los servicios de cambio de divisas, cuando estén relacionados con la prestación de servicios y actividades de inversión.
• Los servicios y actividades de inversión, así como los servicios auxiliares que se refieran al subyacente no financiero de los instrumentos financieros derivados como contratos de opciones, futuros, permutas (*swaps*), acuerdos de tipos de interés a plazo y otros contratos de derivados relacionados con instrumentos financieros, divisas, variables financieras, materias primas o derechos de emisión, cuando se hallen vinculados a la prestación de servicios y actividades de inversión o de servicios auxiliares. Se entenderá incluido el depósito o entrega de las mercaderías que tengan la condición de entregables.

Precisiones En ningún caso se concederá autorización para la **prestación exclusivamente de actividades auxiliares** (LMV art.131.3).

Prestación de servicios sobre instrumentos no contemplados en la LMV art.2, u otras **actividades accesorias que supongan prolongación de negocio** (LMV art.127). **9270**
Las empresas de servicios de inversión y las empresas de asesoramiento financiero nacionales que sean **personas jurídicas**, en los términos que reglamentariamente se establezcan, y

siempre que se resuelvan en forma adecuada los posibles riesgos y conflictos de interés entre ellas y sus clientes, o los que puedan surgir entre los distintos clientes, podrán realizar las servicios de inversión o auxiliares, referidas a instrumentos no contemplados en la LMV art.2, y sus disposiciones de desarrollo, u otras actividades accesorias que supongan la prolongación de su negocio, cuando ello no desvirtúe el objeto social exclusivo propio de la empresa de servicios de inversión.

Para el **acceso y ejercicio** de las actividades accesorias, las empresas de servicios de inversión y las empresas de asesoramiento financiero nacionales que sean personas jurídicas están obligadas al cumplimiento de la normativa que en su caso regule la actividad que se pretende realizar.

9272 **Clases** (LMV art.128) Son empresas de servicios de inversión las siguientes:

• Las **sociedades de valores** son aquellas empresas de servicios de inversión que pueden operar profesionalmente, tanto por cuenta ajena como por cuenta propia, y realizar todos los servicios de inversión y servicios auxiliares del nº 9266 (LMV art.128.1.a).

• Las **agencias de valores** son aquellas empresas de servicios de inversión que profesionalmente solo pueden operar por cuenta ajena, con representación o sin ella. Pueden prestar todos los servicios de inversión, con la excepción de la negociación por cuenta propia y el aseguramiento de instrumentos financieros o colocación de instrumentos financieros sobre la base de un compromiso firme; y todos los auxiliares, excepto la concesión de créditos o préstamos a inversores, para que puedan realizar una operación sobre uno o más de los instrumentos previstos en la LMV art.128.1.b.

• Las **sociedades gestoras de carteras** son aquellas empresas de servicios de inversión que, exclusivamente, pueden prestar los **servicios de inversión** de gestión discrecional e individualizada de carteras de inversión, con arreglo a los mandatos conferidos por los inversores, y el de asesoramiento en materia de inversión.

Las sociedades gestoras de carteras pueden también realizar los **servicios auxiliares** de:

- asesoramiento a empresas sobre estructura del capital, estrategia industrial y cuestiones afines, así como asesoramiento y demás servicios en relación con fusiones y adquisiciones de empresas;
- elaboración de informes de inversiones y análisis financieros u otras formas de recomendación general relativa a las operaciones sobre instrumentos financieros.

Estas empresas no están autorizadas a tener **fondos o valores de clientes** por lo que, en ningún caso, podrán colocarse en posición deudora con respecto a sus clientes (LMV art.128.1.c).

• Las **empresas de asesoramiento financiero** (EAF), son personas jurídicas que, únicamente, pueden prestar el **servicio de inversión** de asesoramiento en materia de inversión (LMV art.128.1.d).

Las empresas de asesoramiento financiero pueden también realizar los **servicios auxiliares** de:

- asesoramiento a empresas sobre estructura del capital, estrategia industrial y cuestiones afines, así como asesoramiento y demás servicios en relación con fusiones y adquisiciones de empresas;
- elaboración de informes de inversiones y análisis financieros u otras formas de recomendación general relativa a las operaciones sobre instrumentos financieros.

Estas empresas no están autorizadas a tener **fondos o valores de clientes** por lo que, en ningún caso, podrán colocarse en posición deudora con respecto a sus clientes (LMV art.128.1.d).

Por otro lado, las **empresas de asesoramiento financiero nacionales**, son personas físicas o jurídicas que sin tener la consideración de empresas de servicios de inversión pueden prestar el servicio de asesoramiento en materia de inversión, y los servicios auxiliares de:

- asesoramiento a empresas sobre estructura del capital, estrategia industrial y cuestiones afines, así como asesoramiento y demás servicios en relación con fusiones y adquisiciones de empresas;
- elaboración de informes de inversiones y análisis financieros u otras formas de recomendación general relativa a las operaciones sobre instrumentos financieros (LMV art.128.5).

9274 Precisiones 1) Las **diferencias** fundamentales entre sociedades y agencias de valores radican en el **régimen de actuación** y en las actividades que pueden desarrollar (Uría). Así, las sociedades actúan como el *dealer* anglosajón: por cuenta propia (o bien por la de terceros), pero las agencias actúan como el *broker* anglosajón, pues solamente pueden operar por cuenta de sus clientes (nunca hacen «contrapartida»).

Unas y otras pueden alcanzar la condición de miembro de los mercados secundarios oficiales.

2) Respecto a la **independencia** en la prestación de servicios, la LMV art.215 establece que cuando preste el servicio de **gestión de carteras**, la empresa de servicios y de inversión no aceptará y retendrá honorarios, comisiones u otros beneficios monetarios o no monetarios abonados o proporcionados por un tercero o por una persona que actúe por cuenta de un tercero en relación con la prestación del servicio a los clientes.

Las empresas de servicios de inversión y las empresas de asesoramiento financiero nacionales (ver nº 9286) solo pueden informar a sus clientes que prestan sus servicios de forma **independiente** si cumplen los siguientes requisitos (LMV art.214):

• Evaluar una gama de instrumentos financieros disponibles en el mercado que sea suficientemente diversificada en lo que respecta a sus tipos y a sus emisores o proveedores, a fin de garantizar que los objetivos de inversión del cliente puedan cumplirse adecuadamente y no se limiten a instrumentos financieros emitidos o facilitados por la propia empresa de servicios y actividades de inversión o por entidades que tengan vínculos estrechos con la empresa de servicios y actividades de inversión, o por aquellas con las que la tengan vínculos jurídicos o económicos, tales que puedan mermar la independencia del asesoramiento facilitado.

• No aceptar y retener honorarios, comisiones u otros beneficios monetarios o no monetarios abonados o proporcionados por un tercero o por una persona que actúe por cuenta de un tercero en relación con la prestación del servicio a los clientes.

• Comunicar claramente al cliente los beneficios no monetarios menores que puedan servir para aumentar la calidad del servicio prestado al cliente y cuya escala y naturaleza sean tales que no pueda considerarse que afectan al cumplimiento por la empresa de servicios y actividades de inversión de la obligación de actuar en el mejor interés de sus clientes, los cuales además estarán excluidos de lo dispuesto en la letra anterior.

Agentes de empresas de servicios de inversión (LMV art.130; RD 813/2023 art.14 s.) Las empresas de servicios de inversión, pueden designar **agentes vinculados** para la promoción y comercialización de los servicios y actividades de inversión y servicios auxiliares que estén autorizadas a prestar. Igualmente, pueden designarlos para captar negocio y realizar habitualmente frente a los posibles clientes, en nombre de la empresa de servicios y actividades de inversión, los servicios y actividades de inversión previsto en la LMV art.125.1.a, e y g (ver nº 9266). 9276

Asimismo, las **empresas de asesoramiento financiero nacionales** que sean personas jurídicas pueden designar agentes vinculados para la promoción y comercialización del servicio de asesoramiento en materia de inversión y servicios auxiliares que estén autorizadas a prestar y para captar negocio.

Los agentes actúan en todo momento por cuenta y bajo **responsabilidad** plena e incondicional de las empresas de servicios de inversión o de las empresas de asesoramiento financiero nacional que los hubieran contratado (LMV art.130.2).

Los agentes contratados por las empresas de servicios y actividades de inversión deberán ser **inscritos** en el registro de la CNMV para poder iniciar su actividad en los términos que reglamentariamente se determine (LMV art.130.3).

Puede **actuar como agente** de una empresa de servicios de inversión o empresa de asesoramiento financiero nacionales que sea persona jurídica cualquier persona física o jurídica, a **excepción** de:

a) Las personas físicas ligadas por una relación laboral a la propia entidad o a cualquier otra que preste servicios de inversión sobre los instrumentos previstos en la LMV art.2.

b) Las personas físicas o jurídicas que actúen como agentes de otra empresa de servicios de inversión o como agentes de entidades de crédito que presten servicios de inversión, salvo que ambas entidades pertenezcan al mismo grupo (RD 813/2023 art.14.2).

La actuación como agente de las **personas jurídicas** queda condicionada a la compatibilidad de dicha actividad con su objeto social, disponer de los procedimientos, medidas y medios necesarios para cumplir con los requisitos de organización interna y funcionamiento y con las normas de conducta previstas en la LMV y los requisitos relativos al capital y número mínimo de administradores previstos en la normativa del mercado de valores (RD 813/2023 art.14.3 y 14.4).

Respecto al régimen de representación, las empresas de servicios de inversión o empresas de asesoramiento financiero nacionales que sean personas jurídicas que designen agentes serán responsables del cumplimiento por estos de todas las **normas de ordenación y disciplina** del mercado de valores en los actos que realicen (RD 813/2023 art.17). Asimismo, deberán disponer de los medios necesarios para controlar de forma efectiva la actuación de sus agentes y hacer cumplir las normas y procedimientos internos de las entidades que les resulten aplicables. En ningún caso los agentes podrán disponer, ni siquiera de forma transitoria de los valores o **instrumentos financieros de los clientes**, que deberán quedar depositados directamente a su nombre. Por otro lado, se prohíbe a las empresas de servicios de inversión que designen agentes el establecimiento de sistemas de remuneración escalonados vinculados a la venta multinivel.

Precisiones Los agentes deben cumplir los siguientes **requisitos** (LMV art.130; RD 813/2023 art.16):

• Actuar en exclusiva para una sola empresa de servicios de inversión o empresa de asesoramiento financiero nacional que sea persona jurídica, o para varias del mismo grupo.

• No ostentar representación alguna de los inversores ni desarrollar actividades que puedan entrar en conflicto con el buen desempeño de sus funciones.

• Los requisitos de honorabilidad, conocimiento, competencias y experiencia de la LMV art.164.1.

• No percibir de la clientela honorarios, comisiones o cualquier otro tipo de remuneración.

• No subdelegar sus actuaciones.

9278 **Régimen jurídico** En todo lo no sometido a norma especial por alguna de las fuentes del nº 9220 s. habrá que estar al régimen general de la Ley de sociedades de capital y el Reglamento del Registro Mercantil.

Por ser empresas de servicios de inversión, para su **constitución** se requiere autorización administrativa en los términos del nº 9262, y cuyo desarrollo reglamentario se encuentra en el RD 813/2023 art.20, sobre el régimen jurídico de las empresas servicios de inversión y de las demás entidades que prestan servicios de inversión.

9280 **Requisitos de las empresas de servicios de inversión para ejercer su actividad** (LMV art.134; RD 813/2023 art.20; CNMV Circ 10/2008) Son requisitos para que una empresa de servicios de inversión obtenga y conserve su **autorización** como empresa de servicios de inversión, entre otros, los siguientes:

1) Tener por **objeto social** exclusivo la realización de las actividades que sean propias de las empresas de servicios de inversión, de conformidad con lo establecido en la LMV art.125 y 126.

2) Tener su **domicilio social**, así como su efectiva administración y dirección, en territorio nacional.

3) Revestir la **forma de sociedad** anónima o sociedad de responsabilidad limitada, constituida por tiempo indefinido, con una denominación ajustada a lo previsto en la LMV art.129, y en el RD 813/2023 art.7 y que las acciones o participaciones integrantes de su capital social tengan carácter nominativo.

4) Cuando se trate de una entidad de nueva creación, debe constituirse por el **procedimiento de fundación** simultánea y no reservar ventajas o remuneraciones especiales de clase alguna a sus fundadores.

5) Contar con un **capital inicial mínimo** totalmente desembolsado en efectivo y con los recursos propios mínimos establecidos en la LMV art.171.a, que establece que son obligaciones de las empresas de servicios de inversión las derivadas del Rgto (UE) 2019/2033. Las empresas de servicios de inversión deben tener un capital inicial no inferior a las siguientes cantidades (RD 813/2023 art.66):

• Las sociedades de valores; 750.000 euros.
• Las agencias de valores autorizadas a prestar los servicios de gestión de un SMN o SOC; 150.000 euros.
• Las agencias de valores; 150.000 euros.
• Las agencias de valores no autorizadas a tener en depósito fondos o valores mobiliarios de su clientela; 75.000 euros.
• Las sociedades gestoras de carteras; 75.000 euros.
• Las empresas de asesoramiento financiero; 75.000 euros.

Precisiones LaL 6/2023 y el RD 813/2023 incorporan al Derecho español los aspectos principales de la Dir (UE) 2019/2034, relativa a la supervisión prudencial de las empresas de servicios de inversión, y por la que se modifican las Dir 2002/87/CE, 2009/65/CE, 2011/61/UE, 2013/36/UE, 2014/59/UE y 2014/65/UE. Una de las **novedades** del **régimen prudencial** de las empresas de servicios de inversión es la modificación de los requisitos de capital inicial. De esta forma la Dir (UE) 2019/2034 establece unos requisitos armonizados entre empresas de servicios de inversión con el fin de evitar la fragmentación a nivel de la Unión Europea y el arbitraje regulatorio entre jurisdicciones.

Con el nuevo régimen prudencial, las **empresas de asesoramiento financiero** (EAF) pasan a tener un **capital inicial** de 75.000 euros. Anteriormente el requisito de capital inicial era de 50.000 euros o disponer de un seguro de responsabilidad civil que les permitiese afrontar la actividad de asesoramiento financiero. Sin embargo, la Dir (UE) 2019/2034, no permite que las empresas de servicios de inversión suscriban un **seguro como alternativa** al desembolso del capital inicial, por lo que se elimina la posibilidad de que las entidades cuenten con un seguro de responsabilidad civil patrimonial que le permitía disponer de un menor capital social.

9282 6) Contar con un **órgano de administración** que debe estar compuesto por un número de miembros adecuado y, como mínimo, de tres.

Las **empresas de asesoramiento financiero**, así como las empresas de asesoramiento financiero nacional que sean personas jurídicas pueden dotarse de un órgano de administración compuesto por un número inferior de miembros. su composición se atenderá al principio de presencia equilibrada de mujeres y hombres. El concepto de **diversidad** incluye, entre otras, la dimensión de género, edad, formación y experiencia profesional previa (LMV art.165.4; RD 813/2023 art.54).

7) Cumplir con los requisitos de **gobierno corporativo** y de idoneidad de los miembros del órgano de administración y de la alta dirección de las empresas de servicios de inversión:

a) El órgano de administración de las **empresas de servicios de inversión** y de las **empresas de asesoramiento financiero nacionales** que sean personas jurídicas deben poseer colectivamente los conocimientos, competencias y experiencia suficientes para poder entender las actividades de dichas entidades, los principales riesgos y asegurar la capacidad efectiva del órgano de administración para tomar decisiones de forma independiente y autónoma en beneficio de la entidad (LMV art.163.1).

b) Los miembros del **órgano de administración** y de la **alta dirección** de las empresas de servicios de inversión y de las empresas de asesoramiento financiero nacionales que sean personas jurídicas deberán cumplir en todo momento los siguientes requisitos de **idoneidad**:

- poseer reconocida honorabilidad, honestidad e integridad;
- tener conocimientos, competencias y experiencia suficientes;
- actuar con independencia de ideas; y
- estar en disposición de ejercer un buen gobierno de la entidad.

Estos requisitos son **también exigibles a** las personas físicas que representen a las personas jurídicas en los órganos de administración (LMV art.164; LSC art.236.5).

c) El órgano de administración de la empresa de servicios de inversión o de la empresa de asesoramiento financiero nacional que sea persona jurídica debe definir un **sistema de gobierno corporativo** sólido que garantice una gestión eficaz y prudente de la entidad, y que incluya el adecuado reparto de funciones en la organización y la prevención de conflictos de intereses, promoviendo la integridad del mercado y el interés de la clientela (LMV art.161).

En desarrollo de lo dispuesto, se establece que el sistema de gobierno corporativo de las empresas de servicios de inversión y de las empresas de asesoramiento financiero nacional que sean personas jurídicas debe atenerse, como mínimo, a los siguientes **principios** (RD 813/2023 art.52):

• La responsabilidad general de la entidad, la aprobación y vigilancia de la aplicación de sus objetivos estratégicos, su estrategia de riesgo y su gobierno interno, recaerá en el órgano de administración.

• El órgano de administración garantizará la integridad de los sistemas de información contable y financiera, incluidos el control financiero y operativo y el cumplimiento de la legislación aplicable.

• El órgano de administración deberá supervisar el proceso de divulgación de información y las comunicaciones relativas a la entidad.

• El órgano de administración será responsable de garantizar una supervisión efectiva de la alta dirección.

• La persona titular de la presidencia del órgano de administración no podrá ejercer simultáneamente el cargo de consejero delegado salvo que la entidad lo justifique y la CNMV lo autorice.

Precisiones 1) Los miembros del órgano de administración de las **entidades dominantes** contempladas en la LMV art.138.1.b deben cumplir con los requisitos de gobierno corporativo y de idoneidad previstos en el apartado anterior.

2) Los **responsables de las funciones de control interno y otros puestos clave** que, conforme a un enfoque basado en el riesgo, hayan sido considerados como tales para el desarrollo diario de la actividad de las empresas de servicios de inversión, que, de acuerdo con lo establecido en la LMV art.124, apliquen los requisitos prudenciales establecidos en el Rgto (UE) 575/2013, sobre los requisitos prudenciales de las entidades de crédito, y en la Ley 10/2014, de ordenación, supervisión y solvencia de entidades de crédito y sus normas de desarrollo, así como de las entidades dominantes a que se refiere el párrafo anterior, deberán cumplir con los requisitos de idoneidad previstos en la LMV art.164.1.a y b.

8) Adherirse al **fondo de garantía de inversiones** previsto en el título VII de la LMV. 9284

9) Disponer de los procedimientos, medidas y medios necesarios para cumplir con los requisitos de **organización interna y funcionamiento** y con las normas de conducta previstas en la LMV art.176, 177, 178, 179 y 180, así como en el título VIII y en el Rgto Delegado (UE) 2017/565. En especial, deben contar con procedimientos y órganos adecuados para prevenir e impedir la realización de operaciones relacionadas con el **blanqueo de capitales** y la financiación del terrorismo, en los términos establecidos en la L 10/2010, y en su normativa de desarrollo. Dichos procedimientos se documentarán en un manual de prevención del blanqueo de capitales y de la financiación del terrorismo.

Cuando la entidad pretenda prestar **servicios por medios telemáticos** debe disponer de los medios adecuados para garantizar la seguridad, confidencialidad, fiabilidad y capacidad del servicio prestado.

10) Remitir a la CNMV toda la **documentación** completa prevista en el Rgto Delegado (UE) 2017/1943, así como en el RD 813/2023.

11) Contar con las **medidas de promoción de la igualdad y de conciliación** previstas en la LO 3/2007 título IV, para la igualdad efectiva de mujeres y hombres, en particular, con planes de igualdad y protocolos de prevención del acoso sexual y por razón de sexo en el trabajo.

Precisiones 1) Las sociedades y agencias de valores gozan de un sistema de aseguramiento de la **solidez financiera** fundado en cuatro piezas:
- nivel mínimo de recursos propios, desglosado en dos coeficientes complementarios: el de «nivel mínimo» y el de «nivel de actividad»;
- riesgos ligados a la cartera de valores de negociación;
- riesgo de crédito; y
- riesgo de tipo de cambio.

2) En tanto que entidades financieras, aquellos **grupos de entidades** que tengan la consideración de «grupo consolidable de sociedades y agencias de valores» se someten a las normas de **consolidación** de balances de la L 13/1992 y a lo dispuesto en el CCom art.42 s.

3) Concurre la **honorabilidad, honestidad e integridad** exigidas en la LMV art.164 en quienes hayan venido mostrando una conducta personal, comercial y profesional que no arroje dudas sobre su capacidad para desempeñar una gestión sana y prudente de la empresa de servicios de inversión o de la empresa de asesoramiento financiero nacional (RD 813/2023 art.55).

4) Poseen los **conocimientos, competencias y experiencia** exigidos conforme a la LMV art.164 quienes cuenten con formación del nivel y perfil adecuado, en particular en las áreas de servicios de inversión, banca y otros servicios financieros, las competencias apropiadas para el puesto en cuestión y experiencia práctica derivada de sus anteriores ocupaciones durante periodos de tiempo suficientes. Se tendrán en cuenta para ello los conocimientos adquiridos en un entorno académico, las competencias y capacidades demostradas y la experiencia en el desarrollo profesional de funciones similares a las que van a desarrollarse en otras entidades o empresas (RD 813/2023 art.56).

5) El 5-12-2019 se publicaron en el DOUE tanto la Dir (UE) 2019/2034, relativa a la supervisión prudencial de las empresas de servicios de inversión, como el Rgto (UE) 2019/2033, relativo a los **requisitos prudenciales** de las empresas de servicios de inversión. **Desde el 26-6-2021**, fecha de aplicación efectiva del Reglamento indicado, las empresas de servicios de inversión deberán cumplir con los requisitos de solvencia establecidas en dichas disposiciones.

9286 **Requisitos específicos empresas de asesoramiento financiero nacional** (LMV art.128.5 y134.2; RD 813/2023 art.21; CNMV Circ 10/2008) Las empresas de asesoramiento financiero nacional (EAFN) **no son consideradas** empresas de servicios de inversión. De conformidad con lo previsto en la LMV art.134.2, deben cumplir, para obtener y conservar la correspondiente **autorización**, con los siguientes requisitos (RD 813/2023 art.21):
• Adherirse al **fondo de garantía de inversiones**.
• Disponer de los procedimientos, medidas y medios necesarios para cumplir con los requisitos de **organización interna y funcionamiento** y con las normas de conducta previstas en la LMV art.176 y 177 y título VIII, y en el Rgto Delegado (UE) 2017/565. En especial, deberán contar con procedimientos y órganos adecuados para prevenir e impedir la realización de operaciones relacionadas con el blanqueo de capitales y la financiación del terrorismo, en los términos establecidos en la Ley 10/2010 y en su normativa de desarrollo.
• Remitir a la CNMV toda la **documentación** completa prevista en el Reglamento Delegado (UE) 2017/1943 de la Comisión.
Adicionalmente, deberán cumplir:
a) Si se trata de **personas jurídicas**:
• Tener **por objeto social** exclusivo la realización de las actividades que sean propias de las empresas de servicios de inversión (LMV art.125 y 126).
• Revestir la **forma de sociedad** anónima o sociedad de responsabilidad limitada, constituida por tiempo indefinido, con una denominación ajustada a lo previsto en la LMV art.129, y el RD 813/2023 art.7 y que las acciones o participaciones integrantes de su capital social tengan carácter nominativo.
• Cuando se trate de una entidad de nueva creación, deberá constituirse por el **procedimiento de fundación** simultánea y no reservar ventajas o remuneraciones especiales de clase alguna a sus fundadores.
• Cumplir con los requisitos de **gobierno corporativo** y de **idoneidad** de los miembros del órgano de administración y de la alta dirección de las empresas de servicios de inversión previstos en la LMV art.161, 163.1 y 164 y el RD 813/2023 art.52 y 53.
En caso de estar **dirigidos por una sola persona** deberán cumplir con los requisitos establecidos en el Rgto Delegado (UE) 2017/1943 art.8.
• Cumplir con los requisitos de **capital inicial** (RD 813/2023 art.5.3):
- un capital inicial de 50.000 euros; o
- un seguro de responsabilidad civil profesional, un aval u otra garantía equivalente que permita hacer frente a la responsabilidad por negligencia en el ejercicio de su actividad profesional, con una cobertura mínima de 1.000.000 euros por reclamación de daños, y un total de 1.500.000 euros anuales para todas las reclamaciones.

b) Si se trata de **personas físicas**: 9288
• Tener **capacidad** para ejercer el comercio.
• Tener su **residencia** en España.
• Cumplir con los **requisitos de idoneidad** previstos en la LMV art.164.1.
• Disponer de mecanismos alternativos que aseguren la **gestión adecuada y prudente** de la empresa de asesoramiento financiero nacional y la debida consideración del interés de su clientela y de la integridad del mercado.
• Cumplir con los **requisitos** establecidos en el Rgto Delegado (UE) 2017/1943 art.8.
• Contar con **un seguro de responsabilidad civil profesional**, un aval u otra garantía equivalente que permita hacer frente a la responsabilidad por negligencia en el ejercicio de su actividad profesional, con una cobertura mínima de 1.000.000 euros por reclamación de daños, y un total de 1.500.000 euros anuales para todas las reclamaciones (RD 813/2023 art.5.3).

Precisiones **Únicamente se autorizará** una EAFN que sea una persona física o una persona jurídica dirigida por una única persona física **cuando** (Rgto Delegado (UE) 2017/1943 art.8):
- la persona física sea fácil y rápidamente localizable por parte de las autoridades competentes;
- la persona física dedique tiempo suficiente a esta función; y
- faculten a una persona para sustituirle de manera inmediata y para desempeñar todas sus funciones si no pudiera desempeñarlas, dicha persona deberá gozar de buena reputación suficiente y contar con la suficiente experiencia para realizar la sustitución durante su ausencia, o hasta que se designe a un nuevo responsable, de manera que se garantice una gestión sólida y prudente de la empresa de servicios de inversión, y este disponible para prestar asistencia a los administradores judiciales y a las autoridades pertinentes en caso de liquidación.

Entidades de crédito que presten servicios o actividades de inversión (RD 813/2023 art.21) Las entidades de crédito, aunque no sean empresas de servicios de inversión según la LMV, pueden realizar habitualmente todos los servicios y actividades previstos en la LMV art.125 y 126, siempre que su régimen jurídico, sus estatutos y su autorización específica les habiliten para ello. 9290
En el procedimiento por el que se autoriza a las entidades de crédito para la prestación de servicios y actividades de inversión o servicios auxiliares es preceptivo el **informe de la CNMV**.

6. Tarifas aplicables a las comisiones

Las entidades que prestan servicios de inversión pueden establecer libremente sus tarifas máximas de **comisiones y gastos repercutibles** en relación con los servicios de inversión y auxiliares que prestan (ver nº 9457). Pero deben cumplir con las obligaciones en materia de información sobre los costes y gastos asociados que se detallan a continuación. 9295

Obligación de información sobre costes y gastos (LMV art.200; RD 813/2023 art.143 a 145; Dir 2014/65/UE art.24.4; Rgto (UE) 2017/565 art.50) A la clientela, incluida la potencial, se les debe proporcionar con suficiente **antelación** información conveniente con respecto a la empresa de servicios de inversión, los instrumentos financieros y las estrategias de inversión propuestas, los centros de ejecución de órdenes y todos los costes y gastos asociados (LMV art.200.3) 9297
La información sobre **costes y gastos asociados** a proporcionar con suficiente antelación a la clientela **debe incluir** lo siguiente (LMV art.200; RD 813/2023 art.143; Dir 2014/65/UE art.24.4):
• Información tanto sobre los servicios de inversión como con los auxiliares, incluidos el coste de asesoramiento, cuando proceda, el coste del instrumento financiero recomendado o comercializado al cliente y la forma en que este deberá pagarlo, así como cualesquiera pagos relacionados con terceros.
• Información sobre todos los costes y gastos, incluidos los relacionados con el servicio de inversión y el instrumento financiero, que no sean causados por la existencia de un riesgo de mercado subyacente, estará agregada de forma que el cliente pueda comprender el coste total, así como el efecto acumulativo sobre el rendimiento de la inversión, facilitándose, a solicitud del cliente, un desglose por conceptos. Cuando proceda, esta información se facilitará al cliente de manera periódica, y como mínimo una vez al año, durante toda la vida de la inversión.
Las entidades que presten servicios de inversión deben cumplir con las obligaciones en materia de información sobre costes y gastos asociados enumeradas en el Rgto (UE) 2017/565 art.50, habilitando a la persona titular del Ministerio de Asuntos Económicos y Transformación Digital para desarrollar lo dispuesto en este artículo y cualquier otro aspecto relevante relativo a las **comisiones** percibidas por operaciones y servicios más frecuentes de las entidades que prestan servicios de inversión, incluido el régimen de publicidad de las mismas (RD 813/2023 art.145).

9299 A efectos de facilitar esa información a los clientes sobre los costes y gastos, las empresas de servicios de inversión deben cumplir los siguientes **requisitos**:
• Sobre la **divulgación ex ante o ex post** de información, las empresas de servicios de inversión deben informar de:
- todos los costes y gastos conexos cobrados por la empresa de servicios de inversión o terceros, cuando se haya remitido al cliente a esos terceros, por los servicios de inversión o los servicios auxiliares prestados al cliente;
- todos los costes y gastos conexos relacionados con la producción y la gestión de los instrumentos financieros.
• Cuando una parte del total de los costes y gastos deba pagarse en **moneda extranjera**, las empresas de servicios de inversión deben proporcionar una indicación de la moneda de que se trate y del tipo de cambio y costes aplicables.
• Cuando el **cálculo** de los costes y gastos se haga sobre una **base ex ante**, se deben utilizar los costes realmente soportados como aproximación de los costes y gastos previstos. En caso de que los costes reales no estén disponibles, deberá realizar estimaciones razonables de estos costes.
• Deben facilitar **información ex post anual** sobre todos los costes y gastos relacionados con los instrumentos financieros y servicios de inversión y auxiliares, cuando hayan recomendado o vendido los instrumentos financieros, o cuando hayan facilitado al cliente el documento de datos fundamentales o documento de datos fundamentales para el inversor en relación con los instrumentos financieros, y tengan o hayan tenido una relación continua con el cliente durante el año. Dicha información estará basada en los costes reales y se facilitará de forma personalizada.
• Por último deben facilitar a sus clientes una **ilustración** que muestre el **efecto acumulado de los costes** sobre la rentabilidad cuando presten servicios de inversión. Tal ilustración se facilitará tanto sobre una base ex ante como ex post.
No obstante, las empresas de servicios de inversión que presten servicios de inversión a **clientes profesionales** (nº 10375) tienen derecho a convenir con estos clientes una aplicación limitada de estos requisitos.
Sobre la **forma** en que las entidades deben facilitar la información a sus clientes, se dispone que las empresas de servicios de inversión facilitarán toda la información exigida a su cliente-la actual o potencial en formato electrónico, salvo cuando el cliente o cliente potencial sea un cliente minorista o cliente minorista potencial que haya solicitado recibir la información en papel, en cuyo caso la información se les facilitará en papel de forma gratuita. Por otro lado, las empresas de servicios de inversión informarán a los clientes minoristas o clientes minoristas potenciales acerca de la opción de recibir la información en papel (RD 813/2023 art.144.1).

Precisiones 1) La obligación recogida en el derogado RD 217/2008 art.71 se desarrollaba en la OM EHA/1665/2010 y en la CNMV Circ 7/2011, **normas no expresamente derogadas** a la fecha de actualización de la presente edición del Memento.
2) Sin perjuicio de las obligaciones establecidas en Dir 2014/65/UE art.24.4, recogidas en la LMV art.200 las empresas de servicios de inversión que presten servicios de inversión a **clientes profesionales** tendrán derecho a convenir con estos clientes una aplicación limitada de los requisitos detallados establecidos en Rgto (UE) 2017/565 art.50. Las empresas de servicios de inversión no estarán autorizadas a pactar estas limitaciones cuando se presten servicios de asesoramiento en materia de inversión o de gestión de carteras o cuando, con independencia del servicio de inversión prestado, los instrumentos financieros de que se trate tengan derivados implícitos. Asimismo, en el caso de que presten servicios de inversión a contrapartes elegibles tendrán derecho a pactar una aplicación limitada de los requisitos establecidos en Dir 2014/65/UE art.24.4, salvo en el caso de que, con independencia del servicio de inversión, los instrumentos financieros de que se trate tengan derivados implícitos y la contraparte elegible se proponga ofrecerlos a sus clientes.

9301 **Folleto informativo de tarifas** (OM EHA/1665/2010; CNMV Circ 7/2011; CNMV Circ 3/2016) El folleto informativo de tarifas debe incluir, al menos la siguiente **información** (OM EHA/1665/2010 art.2):
- las actividades, operaciones y servicios por los que se tarifa;
- las comisiones y gastos por cada operación;
- la forma de determinar las comisiones y gastos por las operaciones de carácter singular;
- la referencia cruzada de los distintos epígrafes del folleto, cuando una operación pueda dar lugar a la aplicación de comisiones o gastos incluidos en más de un epígrafe;
- mención expresa a la intervención o no de varias entidades.

La CNMV Circ 7/2011 regula el contenido de los folletos de tarifas que apliquen las entidades a **clientes minoristas**, con el fin de que los folletos de las distintas entidades sean fácilmente comparables entre sí. Se concretan las bases de cálculo y conceptos de algunas de las operaciones más habituales, como son intermediación en mercados nacionales y extranjeros, custodia y administración de instrumentos financieros, gestión de carteras y asesoramiento en materia de inversión.

Las comisiones aplicables a **inversores profesionales**, no incluidos en el ámbito establecido en la OM EHA/1665/2010, se determinarán libremente entre las partes sin que hayan de someterse al régimen que regula los folletos informativos de tarifas.

En relación a la **publicidad**, se establece la necesaria puesta a disposición de los clientes o potenciales clientes, tanto de los folletos informativos de tarifas, como de los contratos tipo en todas sus oficinas de atención a clientes, incluidos los agentes externos, y en su página web, en sitio de fácil acceso.

7. Fondo de Garantía de Inversiones

(LMV art.187 s.; L 53/2002; RD 948/2001)

Se regula la figura del Fondo de Garantía de Inversiones, incorporando al ordenamiento jurídi- 9305
co español la Dir 97/9/CE, relativa a los sistemas de **indemnización de los inversores**, estableciendo que se creará un Fondo de Garantía de Inversiones para asegurar la cobertura. Se desarrolla por RD 948/2001 que establece los sistemas de indemnización de los inversores.

Por otro lado, el **Fondo de Garantía de Depósitos de Entidades de Crédito** (RDL 16/2011 art.9; ver nº 8425 s.) señala que se prestará garantía a los inversores en relación con los servicios de inversión que reciban de las entidades de crédito, ya que éstas pueden realizar tal actividad desde el inicio del año 2000 (L 37/1998 disp.adic.13ª).

El RD 628/2010 adapta la protección ofrecida por los fondos de garantía de depósitos e inversores al nuevo régimen europeo tras la crisis financiera de los años 2008-2010, que llevó al Parlamento Europeo, a adoptar una **modificación de urgencia** de la Dir 94/19/CEE.

Se contemplan dos **sistemas de indemnización de los inversores**:

• Uno que se instrumenta, mediante uno o más **fondos de garantía de inversiones** al que deben adherirse todas las empresas de servicios de inversión españolas y las empresas de asesoramiento financiero nacional. Las sucursales de empresas extranjeras, pueden adherirse si son de la UE. El régimen de adhesión de las sucursales de empresas de un Estado tercero se ajustará a los términos que se establezcan reglamentariamente (LMV art.188).

• Otro que se instrumenta mediante los **fondos de garantía de depósitos en entidades de crédito** (RD 16/2011).

Es necesario destacar una de las principales novedades de la reforma de 1998: la creación de «uno o más» fondos de garantía de inversiones, cuya finalidad es la de establecer un **umbral mínimo de garantía**, paralelo al «fondo de garantía de depósitos» del mercado bancario a favor del pequeño inversor para los casos singularísimos en que se verifiquen situaciones traumáticas de los operadores (nº 8425).

Solamente se cubren los supuestos que reúnan dos tipos de **requisitos**:

• Que los inversores no puedan obtener directamente de una entidad adherida a un fondo el **reembolso** de las cantidades de dinero o la restitución de los valores o instrumentos que les pertenezcan. Deben adherirse obligatoriamente a los fondos de garantía de inversiones todas las empresas de servicios de inversión.

• Que la entidad adherida al fondo se encuentre en alguna de las siguientes circunstancias:

- que haya sido declarada en estado de **concurso**;
- que la CNMV declare que la empresa de servicios de inversión no puede, aparentemente y por razones directamente relacionadas con su **situación financiera**, cumplir las obligaciones contraídas con los inversores, siempre que éstos hubieran solicitado a aquélla la devolución de fondos o valores que le hubieran confiado y no hubieran obtenido satisfacción por parte de la misma en un plazo máximo de 21 días hábiles.

Sistemas de indemnización de los inversores (RD 948/2001 redacc RD 1180/2023) En el 9307
marco de las previsiones legales, se opta por crear un fondo de garantía de inversiones de carácter **obligatorio** y prever la posibilidad de que las sociedades y agencias de valores miembros de una bolsa de valores creen otro fondo de carácter **voluntario**.

Se determinan los **tipos de empresas** de servicios de inversión que han de adherirse a cada fondo, que no incluyen a las sociedades gestoras de carteras, atendiendo a las limitaciones operativas a las que están sujetas. También se establecen las condiciones para la adhesión de **sucursales** de empresas de servicios de inversión extranjeras, según pertenezcan o no al ámbito de la Unión Europea.

La **cobertura de los fondos** se extiende al dinero y a los valores que los clientes hubieran confiado a las empresas para realizar servicios de inversión, pero no alcanzará a las pérdidas de valor de la inversión o a cualquier riesgo de crédito.
El desencadenante para poder exigir la cobertura es que la empresa de servicios de inversión sea declarada insolvente, ya sea por vía judicial, en los supuestos de suspensión de concurso, o por vía administrativa, por la Comisión Nacional del Mercado de Valores.
Como el objetivo de los fondos es, principalmente, el de proteger al inversor no profesional, **se excluyen de la cobertura** el dinero o los valores que procedan de inversores, que se consideran profesionalmente cualificados, como lo son todo tipo de entidades financieras.
Se determinan el **importe garantizado** y el **límite cuantitativo de la indemnización**, de tal manera que los fondos garantizarán que todo inversor perciba el valor monetario de su posición acreedora global frente a la empresa de servicios de inversión, con el límite cuantitativo de 100.000 euros.
Los fondos se nutren, exclusivamente, con **aportaciones** de las entidades adheridas, que se fijan en función de la lista de servicios y actividades de inversión que realicen, número de clientes y de los capitales depositados o registrados.
Los fondos de garantía de inversiones se constituyen como patrimonios separados, sin personalidad jurídica, cuya **representación y gestión** se encomienda a una sociedad gestora. Las sociedades gestoras se constituyen como sociedades anónimas, cuyo capital se suscribe por las entidades adheridas a cada fondo, con arreglo a los mismos criterios a los que se ajustan las aportaciones a dicho fondo. La **supervisión** de estas sociedades gestoras se encomienda a la CNMV.

9309 **Fondo de Garantía de Depósitos de Entidades de Crédito** (RD 2606/1996; RD 16/2011) El Fondo de Garantía de Depósitos tiene **personalidad jurídica** propia, con plena capacidad para el desarrollo de sus fines en régimen de Derecho privado.
La **adhesión** al Fondo de Garantía de Depósitos de Entidades de Crédito es obligatoria para todas las entidades de crédito españolas, con la excepción del Instituto de Crédito Oficial, inscritas en los Registros Especiales del Banco de España y las sucursales de entidades bancarias autorizadas en un país no miembro de la UE, si los depósitos o valores garantizados confiados a la sucursal no están cubiertos por un sistema de garantía en el país de origen, o si dicha cobertura resulta insuficiente, a fin de cubrir la diferencia.
En cambio, la adhesión de las sucursales de entidades bancarias autorizadas en otro país miembro de la UE es voluntaria, porque la garantía de los depósitos y valores queda cubierta en su país de origen.
El Fondo tiene por **objeto** garantizar los depósitos en dinero y en valores u otros instrumentos financieros constituidos en las entidades de crédito, con el límite de 100.000 euros para los depósitos en dinero o, en el caso de depósitos nominados en otra divisa, su equivalente aplicando los tipos de cambio correspondientes, y de 100.000 euros para los inversores que hayan confiado a una entidad de crédito valores u otros instrumentos financieros.
Estas dos garantías que ofrece el Fondo son distintas y compatibles entre sí.
Adicionalmente, en el ámbito de dichas funciones y teniendo en cuenta el beneficio del conjunto del sistema de entidades adheridas, el Fondo de Garantía de Depósitos de Entidades de Crédito puede adoptar medidas tendentes a facilitar la implementación de la asistencia financiera europea para la **recapitalización** de las entidades de crédito españolas. Entre tales medidas, el Fondo puede comprometer su patrimonio para la prestación de garantías que pudieran exigirse en el ámbito de la referida asistencia financiera, y suscribir o adquirir acciones o instrumentos de deuda subordinada emitidos por la Sociedad de Gestión de Activos Procedentes de la Reestructuración Bancaria, así como acciones ordinarias no admitidas a cotización en un mercado regulado emitidas por cualquiera de las entidades a las que se refiere la L 9/2012 disp.adic.novena, en el marco de las acciones de gestión de instrumentos híbridos y deuda subordinada reguladas en su capítulo VII.
La **financiación** de los Fondos de Garantía de depósitos procede de las **aportaciones anuales** que deben hacer las entidades adheridas. En caso de necesidad, las entidades deberán realizar **derramas** (es decir, contribuciones extraordinarias). Excepcionalmente, un fondo puede nutrirse de aportaciones extraordinarias del **Banco de España**, cuya cuantía se fijará por Ley.

Precisiones Al objeto de adaptar el régimen del RD 2606/1996 a lo previsto en la Dir 2014/49/UE, relativa a los sistemas de garantía de depósitos, el RD 1041/2021 incluye, con efectos **desde el 24-11-2021**, las siguientes medidas:
1. Se introducen modificaciones con la finalidad de otorgar mayor **flexibilidad** al Fondo de Garantía de Depósitos de Entidades de Crédito en relación con el método de cálculo y aprobación de derramas.
2. Se garantiza la **cobertura** del Fondo de Garantía de Depósitos de los depósitos realizados por las entidades de crédito, por las sociedades y agencias de valores y por las sociedades gestoras de carteras y empresas de asesoramiento financiero por cuenta de sus clientes.

3. Se atribuye al Fondo de Garantía de Depósitos la facultad de **comprobar la corrección de la información** sobre los depósitos admisibles y garantizados de cada depositante, así como la utilizada para determinar la base de cálculo de las aportaciones al Fondo de Garantía de Depósitos.

8. Valores e instrumentos financieros

Con anterioridad a la reforma de 1998, la LMV hablaba exclusivamente del concepto de valores negociables. Tras la reforma, el ámbito objetivo de la Ley se extiende a los instrumentos financieros. 9315

Valores negociables Quedan primeramente comprendidos en el ámbito de la LMV los valores negociables emitidos por personas o entidades públicas o privadas. 9317

La LMV no aporta un concepto legal de valor negociable, sino que delega tal tarea en el desarrollo reglamentario, exigiendo que en el mismo se establezcan los criterios de homogeneidad en virtud de los cuales un conjunto de valores negociables se entenderá integrado en una emisión.

Los valores negociables se caracterizan por dos **notas básicas**:

• Disociación de una determinada **forma de representación**. Los valores negociables podrán representarse por medio de anotaciones en cuenta, títulos o sistemas basados en tecnología de registros distribuidos. La modalidad de representación elegida ha de aplicarse a todos los valores negociables integrados en una misma emisión (LMV art.6).

• **Negociabilidad**, esto es, algo más que la mera transmisibilidad, propia de prácticamente todos los derechos, y que debe definirse en términos de un mercado que, aunque sea de proporciones reducidas, se caracterice por el predominio de los términos económicos en que se produzca la transmisión, sobre las características personales de los contratantes.

Los **requisitos de idoneidad** de los valores que sean objeto de admisión a un mercado regulado español son (RD 814/2023 art.66):

• Respetar el régimen jurídico al que estén sometidos.

• Representarse por medio de **anotaciones en cuenta** (sin perjuicio de lo dispuesto con respecto de valores extranjeros en el RD 814/2023 art.66 -ver nº 9601-).

• Ser **libremente negociables**. Se considera que los valores parcialmente desembolsados cumplen dicha condición si, a juicio de la CNMV o, en su caso, del organismo rector del mercado, la transmisibilidad de dichos valores no está restringida y los inversores disponen de toda la información necesaria para que su negociación se realice de una manera transparente.

• Cuando se realice una OPV/OPS con carácter previo a la admisión a negociación de los valores, la primera admisión no podrá realizarse antes de que concluya el **período de suscripción** (salvo que se trate de valores no participativos para los que no exista un período cerrado de suscripción de modo que las sucesivas emisiones y admisiones se realicen de forma continuada durante el plazo de vigencia del folleto informativo).

• Tener un **importe total**, como mínimo, para acciones: 6.000.000 de euros de valor esperado de mercado (precio que hayan pagado los inversores en la OPV/OPS previa a la admisión, si hubiera existido dicha oferta) y para valores distintos de las acciones o equivalentes a las acciones, 200.000 euros, de valor nominal de la emisión. Estos importes mínimos, ni se exigen para el resto de valores, ni se aplican cuando ya estén admitidos a negociación valores de la misma clase, reservándose la CNMV o, en su caso, el organismo rector del mercado, la potestad de admitir acciones y valores de deuda que no alcancen los importes mínimos indicados si considera que queda garantizada la existencia de un mercado suficientemente líquido.

• Tener, con carácter previo o, como más tarde, en la fecha de admisión a negociación, una **distribución suficiente** de tales acciones en uno o más Estados miembros de la UE, (o en Estados no miembros de la UE, si las acciones cotizan en estos últimos). Este requisito no resultará de aplicación cuando las acciones vayan a distribuirse al público a través de una bolsa de valores y siempre que la CNMV considere que se realizará la distribución a corto plazo en la bolsa. Se considera que existe distribución suficiente si, al menos, el 25% de las acciones respecto de las cuales se solicita la admisión están repartidas entre el público, o si el mercado puede operar adecuadamente con un porcentaje menor debido al gran número de acciones de la misma clase y a su grado de distribución entre el público.

• Respetar el hecho de que la solicitud de **admisión a negociación de acciones de una clase** debe comprender todas las acciones de esa clase. Si ya hay acciones de esa clase admitidas, deberá comprender todas las nuevas acciones de esa clase emitidas o que se vayan a emitir. En el caso de valores de deuda la solicitud de admisión a negociación de valores de deuda deberá comprender todos los valores de una misma emisión.

• En el caso de la admisión a negociación de obligaciones convertibles o canjeables y de **obligaciones con «warrants»** se exige que las acciones a las que se refieren hayan sido anteriormente admitidas a negociación, o vayan a admitirse simultáneamente, en una bolsa de valores española, en otro mercado regulado domiciliado en la UE, en otros mercados similares domiciliados en países de la OCDE o en aquellos otros que la CNMV estime equivalentes.

9319 Se define el valor negociable como cualquier **derecho de contenido patrimonial**, cualquiera que sea cualquiera que sea su denominación, que, por su configuración jurídica propia y régimen de transmisión, sea susceptible de tráfico generalizado e impersonal en un mercado de índole financiera.

A tal definición acompaña una lista de concretos supuestos de valores naturalizados como **valores negociables** (LMV art.2.1.a), entendiéndose como tal cualquier derecho de contenido patrimonial, cualquiera que sea su denominación, que por su configuración jurídica propia y régimen de transmisión, sea susceptible de tráfico generalizado e impersonal en un mercado financiero, incluyendo las siguientes **categorías** de valores, con excepción de los instrumentos de pago:

1º **Acciones** de sociedades y otros valores equiparables a las acciones de sociedades, y recibos de depositario representativos de tales valores.

2º **Bonos y obligaciones** u otras formas de deuda titulizada, incluidos los recibos de depositario representativos de tales valores.

3º Los **demás valores** que dan derecho a adquirir o a vender tales valores negociables o que dan lugar a una liquidación en efectivo, determinada **por referencia** a valores negociables, divisas, tipos de interés o rendimientos, materias primas u otros índices o medidas.

Precisiones A los efectos del mercado primario de valores, debe considerarse la división existente entre **valores negociables participativos y no participativos**:

a) Son participativos las acciones y los valores negociables equivalentes a las acciones, así como cualquier otro tipo de valores negociables que den derecho a adquirir acciones o valores equivalentes a las acciones, por su conversión o por el ejercicio de los derechos que confieren, a condición de que esos valores sean emitidos por el emisor de las acciones subyacentes o por una entidad que pertenezca al grupo del emisor.

b) Son no participativos el resto de valores negociables.

9321 **No** se consideran **valores negociables**, entre otros:

a) Las participaciones en sociedades de responsabilidad limitada.

b) Las cuotas de socios de sociedades colectivas y comanditarias simples.

c) Las aportaciones al capital de las sociedades cooperativas de cualquier clase, salvo las que por su régimen jurídico específico tengan la consideración de valores negociables.

d) Las cuotas que integran el capital de las sociedades de garantía recíproca.

9323 **Instrumentos financieros** La aparición de los instrumentos financieros es fruto de la confusión, y su única utilidad es permitir la ampliación del ámbito de aplicación de la LMV y, en consecuencia, del control por parte de la CNMV (Recalde Castells). En definitiva, hubiera sido técnicamente más preciso abrir el concepto de valor negociable para poder introducir dentro del mismo estos nuevos instrumentos financieros (**«swaps», FRA, opciones, futuros**...) que tienen presencia en nuestros mercados.

Son instrumentos financieros, aparte de los valores negociables recogidos en la LMV art.2.1.a (nº 9319), los siguientes (LMV art.2.1.b a g):

• **Instrumentos del mercado monetario.**

• **Participaciones y acciones en instituciones de inversión colectiva**, así como de las entidades de capital-riesgo y las entidades de inversión colectiva de tipo cerrado.

• **Contratos de opciones, futuros, permutas** (swaps), acuerdos de tipos de interés a plazo y otros contratos de derivados relacionados con instrumentos financieros, divisas, variables financieras, materias primas o derechos de emisión.

• Instrumentos financieros **derivados** para la transferencia del riesgo de crédito.

• Contratos **financieros por diferencias.**

• **Derechos de emisión.**

También se consideran **instrumentos financieros** cuando los mismos sean emitidos, registrados, transferidos o almacenados utilizando tecnología de registros distribuidos u otras tecnologías similares como soporte de esas actuaciones (LMV art.2.2).

Precisiones 1) Se entienden como **valores negociables** cualquier derecho de contenido patrimonial, cualquiera que sea su denominación, que, por su configuración jurídica propia y régimen de transmisión, sea susceptible de tráfico generalizado e impersonal en un mercado financiero, incluyendo las siguientes categorías de valores negociables con excepción de los instrumentos de pago:

• **Acciones** de sociedades y otros valores negociables equiparables a las acciones de sociedades, y recibos de depositario representativos de tales valores.

• **Bonos y obligaciones** u otras formas de deuda titulizada, incluidos los recibos de depositario representativos de tales valores.
• Los demás **valores negociables** que dan derecho a adquirir o a vender tales valores negociables o que dan lugar a una liquidación en efectivo, determinada por referencia a valores negociables, divisas, tipos de interés o rendimientos, materias primas u otros índices o medidas.
2) A los instrumentos financieros, les serán de aplicación, con las adaptaciones precisas, las **reglas** previstas en la LMV para los valores negociables (nº 9317).
3) La LMV art.247 establece que la CNMV, **aunque no se trate de actividades o productos previstos en la LMV**, podrá someter a autorización u otras modalidades de control administrativo, incluida la introducción de advertencias sobre riesgos y características, la **publicidad de criptoactivos u otros activos e instrumentos presentados como objeto de inversión, con una difusión publicitaria comparable**. A este respecto, la LMV art.246, establece que la CNMV ejercerá las acciones procedentes con objeto de conseguir la cesación o rectificación de la publicidad que resulte contraria a las disposiciones a dispuesta en la LMV o que en general deba reputarse ilícita conforme a las normas generales en materia publicitaria, sin perjuicio de las sanciones que resulten aplicables.
En virtud de lo previsto en la LMV art.247, la CNMV Circ 1/2022, relativa a la publicidad sobre criptoactivos presentados como objeto de inversión, desarrolla las normas, principios y criterios a los que debe sujetarse la actividad publicitaria sobre criptoactivos, y en particular delimitar el ámbito objetivo y subjetivo de aplicación, así como las facultades de la CNMV en materia de supervisión y control de la publicidad de criptoactivos.

Comercialización de productos financieros complejos (LMV art.208; RDL 6/2013; CNMV Circ 3/2013; CNMV Circ 1/2018) Los **productos financieros complejos** son instrumentos financieros: **9325**
- para los que no suele existir un **precio** públicamente disponible; y
- que pueden dar lugar a **pérdidas** reales o potenciales superiores al coste de la inversión.

Entre los productos financieros complejos cabe **mencionar**:
- participaciones preferentes;
- deuda subordinada;
- productos preempaquetados de inversión minorista, conocidos por sus siglas en inglés «PRIP-s» (*Packaged Retail Investment Products*);
- opciones, futuros, «swaps» sobre tipos de interés, «warrants» y otros derivados, así como aquellos instrumentos financieros cuya estructura contiene algún derivado.

Son **productos no complejos** los siguientes instrumentos (LMV art.208):
• Las acciones admitidas a negociación en un mercado regulado o en un mercado equivalente de un tercer país o en un SMN.
• Los instrumentos del mercado monetario, con excepción de los que incluyan derivados o incorporen una estructura que dificulte al cliente la comprensión de los riesgos en que incurre.
• Las obligaciones, los bonos u otras formas de deuda titulizadas, admitidas a negociación en un mercado regulado, en un mercado equivalente de un tercer país de conformidad con lo que se determine reglamentariamente, o en un SMN, excluidos los que incorporen derivados o incorporen una estructura que dificulte a la clientela la comprensión de los riesgos en que incurre.
• Las participaciones y acciones en un organismo de Inversión colectiva de valores mobiliarios (OICVM), excluidos los estructurados.
• Los depósitos estructurados, excluidos aquellos que incorporen una estructura que dificulte al cliente la comprensión de los riesgos en que incurre, en lo que respecta al rendimiento o al coste de salida del producto antes de su vencimiento.

Además de los instrumentos indicados, tendrán también la consideración de instrumentos financieros no complejos, aquellos en los que concurran las condiciones establecidas en el Rgto Delegado (UE) 2017/565 art.57.

Precisiones A efectos de lo previsto en la LMV art.191 s., no se consideran **instrumentos financieros no complejos**:
a) Los valores que den derecho a adquirir o a vender otros valores negociables o que den lugar a su liquidación en efectivo, determinada por referencia a valores negociables, divisas, tipos de interés o rendimientos, materias primas u otros índices o medidas.
b) Los siguientes instrumentos financieros: contratos de opciones, futuros, permutas (*swaps*), contratos a plazo, instrumentos derivados para la transferencia del riesgo de crédito, contratos financieros por diferencias, derechos de emisión consistentes en unidades reconocidas, acuerdos de tipos de interés a plazo y otros contratos de derivados relacionados con instrumentos financieros, divisas, variables financieras, materias primas o derechos de emisión, y los demás instrumentos que así se establezcan reglamentariamente.
c) Los bonos y obligaciones u otras formas de deuda titulizada, incluidos los recibos de depositario representativos de tales valores, que a su vez sean pasivos admisibles para la recapitalización interna de acuerdo con lo establecido en la L 11/2015 capítulo VI sección 4ª.

9327 La Circ CNMV 1/2018, establece la obligación de que las entidades que presten **servicios a clientes minoristas** en España distintos de la gestión discrecional de carteras (LMV art.125.d), deberán informarles, con carácter previo a la adquisición de los instrumentos financieros en relación con su elevado grado de complejidad, su admisibilidad para la recapitalización interna o la existencia de una diferencia significativa respecto al valor actual. De esta manera se trata de aumentar la **transparencia informativa** y reforzar el **consentimiento informado** de los clientes minoristas cuando contratan productos de inversión particularmente complejos.

En la norma segunda de esta Circular, la CNMV detalla los **instrumentos** que, a su juicio, no resultan adecuados por su **elevada complejidad** para clientes minoristas. Incluye el contenido de la advertencia a realizar tanto a los clientes minoristas que cuenten con asesoramiento profesional como a los que no, tomando en consideración las características personales de dichos clientes minoristas. Se ha atendido a aquellos tipos de instrumentos especialmente complejos que, en los últimos años, se han comercializado en alguna ocasión entre el público minorista. Por tanto, pueden existir otros de elevada complejidad que, dada su escasa o nula difusión en la actualidad entre el público minorista, no hayan quedado incluidos en este momento en la presente circular, razón por la que se prevé la posibilidad de que la CNMV pueda decidir en el futuro añadir a la lista otros instrumentos.

Asimismo, según la norma tercera, las entidades deben advertir a sus clientes minoristas que vayan a adquirir un instrumento financiero que a su vez sea un **pasivo admisible para la recapitalización interna**, de acuerdo con la L 11/2015 y la Dir 2014/59/U/E, informándole de que en caso de resolución del emisor de dicho instrumento financiero dicho producto podría convertirse en acciones o ver reducido su principal y, en consecuencia, sus tenedores soportar pérdidas en su inversión por tal motivo.

Por último, la norma cuarta establece que las entidades, deben informar a sus clientes minoristas, en la documentación que se les debe entregar cuando vayan a adquirir o vender el producto, en relación con la existencia de una **diferencia** significativa respecto a la **estimación del valor actual** de determinados instrumentos financieros.

Precisiones La OM ECC/2316/2015, relativa a las obligaciones de información y clasificación de productos financieros, establece un sistema normalizado de información para garantizar que los clientes de servicios financieros dispongan de toda la información necesaria para formarse un juicio de valor sobre los servicios de inversión ofrecidos y para comprender los riesgos asociados a ellos.

Con este fin, las entidades deben facilitar un **indicador de riesgo del producto financiero** actualizado al momento de su entrega conforme, que será elaborado y representado gráficamente, a cuyos efectos los productos financieros se clasificarán atendiendo al nivel de riesgo del producto, de menos a mayor, numéricamente del 1 al 6 o de color verde a rojo. Asimismo, deben añadir **alertas** sobre la liquidez y sobre la complejidad de los productos que ofrezcan a sus clientes.

Los **productos financieros** sujetos a esta orden son:

• Los instrumentos financieros recogidos en la LMV.
• Los depósitos bancarios incluyendo, entre otros, los depósitos a la vista, de ahorro y a plazo.
• Los productos de seguros de vida con finalidad de ahorro, incluidos los planes de previsión asegurados.
• Los planes de pensiones individuales y asociados.

No obstante, lo establecido en el apartado anterior, **quedan excluidos** del ámbito de aplicación de esta orden, los siguientes productos financieros:

• **Los seguros colectivos** que instrumentan compromisos por pensiones, los planes de previsión social empresarial, los contratos de seguros concertados por los planes de pensiones para la cobertura de riesgos y prestaciones del plan y las modalidades de seguro de vida previstas en la OM ECC/2329/2014 art.3.
• **La deuda pública** emitida por el Estado, las Comunidades Autónomas y las Entidades Locales, al igual que la deuda que suponga exposición frente al sector público siempre que cumpla con los requisitos fijados en el RD 84/2015 art.56.2.

La deuda emitida por las instituciones, órganos u organismos de la Unión Europea y los Gobiernos centrales, autoridades regionales o locales u otras autoridades públicas, organismos de Derecho público o empresas públicas de los Estados miembros de la Unión Europea, análogos a los españoles.

• Los **productos financieros** sujetos al Rgto (UE) 1286/2014 sobre los documentos de datos fundamentales relativos a los productos de inversión minorista vinculados y los productos de inversión basados en seguros.
• **Las participaciones y acciones de instituciones de inversión colectiva** sujetas al Rgto 583/2010/UE.

9329 La **comercialización o colocación entre clientes o inversores minoristas** de emisiones de participaciones preferentes, instrumentos de deuda convertibles o financiaciones subordinadas computables como recursos propios conforme a la normativa de solvencia de entidades de crédito, exige el cumplimiento de los **requisitos** siguientes (L 10/2014):

a) La emisión ha de contar con un **tramo dirigido exclusivamente a clientes o inversores profesionales** de al menos el 50% del total de la misma.

b) El **número total de inversores profesionales** debe ser mayor a 50.
c) En el caso de emisiones de participaciones preferentes o instrumentos de deuda convertibles de entidades que no sean sociedades cotizadas, en los términos de LSC art.495, el **valor nominal unitario mínimo de los valores** será de 100.000 euros. En el caso de las restantes emisiones, el valor nominal unitario mínimo será de 25.000 euros.

Respecto a la idoneidad de los productos, la regulación busca que -independientemente de su complejidad- sean aptos para el cliente. La entidad prestataria de los servicios de inversión debe cumplir lo dispuesto en la LMV art.213 s., debiendo asegurarse de que disponen de toda la información necesaria sobres sus clientes, estando obligada a realizar los correspondientes **test de conveniencia y de idoneidad**. 9331
En caso de que el servicio de inversión se preste en relación con un instrumento complejo, según lo establecido en la LMV art.215.6 (nº 9325), se exige que el **documento contractual** incluya, junto a la firma del cliente, una expresión manuscrita, por la que el inversor manifieste que ha sido advertido de que el producto no le resulta conveniente o que no ha sido posible evaluarle en los términos de la LMV art.205.

Precisiones Las empresas de servicios de inversión y las empresas de asesoramiento financiero nacionales deben crear un **registro** que incluya los acuerdos en los que se establezca, por escrito y en papel o en cualquier otro soporte duradero, los derechos y obligaciones esenciales de la empresa y del cliente, así como las condiciones en las que la empresa de servicios de inversión prestará servicios al cliente. El contenido de dichos acuerdos debe cumplir con lo dispuesto en el Rgto Delegado (UE) 2017/565 art.58 (LMV art.210).

La CNMV Circ 3/2013 desarrolla las **obligaciones de información** previstas en la LMV art.200, 201 y 202, recogiendo, en particular, las obligaciones de información en el proceso de **evaluación de la conveniencia**, indicando respecto a los productos complejos lo siguiente (CNMV Circ 3/2013 norma 4ª): 9333

• Cuando la evaluación **no pueda realizarse** porque el cliente no proporcione información suficiente, la entidad debe advertirle que la deficiencia de información le impide determinar si el servicio de inversión o el producto es adecuado para él. La advertencia tendrá el siguiente contenido:

«Le informamos de que dadas las características de esta operación XXX (deberá identificarse la operación), ZZZ (denominación de la entidad que presta el servicio de inversión) está obligada a evaluar la conveniencia de la misma para usted; es decir, evaluar si, a nuestro juicio, usted posee conocimientos y experiencia necesarios para comprender la naturaleza y riesgos del instrumento sobre el que desea operar. Al no haber proporcionado los datos necesarios para realizar dicha evaluación, usted pierde esta protección establecida para los inversores minoristas. Al no realizar dicha evaluación, la entidad no puede formarse una opinión respecto a si esta operación es o no conveniente para usted.»

• Cuando la operación se realice sobre un **instrumento de carácter complejo**, la entidad deberá recabar la **firma** por el cliente del texto anterior unida a una **expresión manuscrita** por él mismo que dirá:

«Este es un producto complejo y por falta de información no ha podido ser evaluado como conveniente para mí.»

• Cuando realizada la evaluación, la entidad considere que el **servicio o producto no es adecuado para el cliente**, deberá advertírselo. Cuando la operación se realice sobre un **instrumento de carácter complejo**, la entidad debe recabar la firma por el cliente del texto anterior unida a una expresión manuscrita que diga:

«Este producto es complejo y se considera no conveniente para mí.»

• Cuando la entidad preste un servicio relativo a instrumentos de **carácter complejo diferente del asesoramiento en materia de inversión o de gestión de carteras** y desee incluir en la documentación que debe firmar el inversor una manifestación en el sentido de que no le ha prestado el servicio de asesoramiento en materia de inversión, debe recabar junto a la firma del cliente una expresión manuscrita que diga:

«No he sido asesorado en esta operación.»

Por su parte, el RDL 6/2013, de **protección a los titulares de determinados productos de ahorro e inversión** y otras medidas de carácter financiero, tiene como objetivos fundamentales: 9335
a) Hacer un seguimiento de las eventuales **reclamaciones** que los clientes pueden dirigir a las entidades financieras por razón de la comercialización de estos productos complejos y facilitar en determinados casos mecanismos ágiles de resolución de controversias, principalmente por medio de arbitraje. Con este fin se crea la **comisión de seguimiento de instrumentos híbridos de capital** -fundamentalmente participaciones preferentes- y deuda subordinada.

b) Ofrecer, excepcionalmente, liquidez a las acciones que los tenedores de estos instrumentos recibirán en **canje** de los mismos, en la medida en que estas acciones no cotizarán en un mercado oficial.

9337 **Jurisprudencia** Existe numerosa jurisprudencia sobre la comercialización de productos financieros complejos sin la suficiente información. A continuación, se resumen algunas sentencias de particular relevancia:

1. Unos clientes solicitan a una entidad financiera la nulidad radical de las cláusulas que incluyen un **derivado financiero** en unos **contratos de leasing** suscritos, que servía para estabilizar el pago del interés variable, una vez transcurridos los seis primeros meses en que el interés era fijo. El tribunal de instancia entendió que el derivado implícito no era un producto de inversión ni de especulación, por lo que no era necesario fijar el perfil de inversor ni exigibles los deberes de información previstos en la normativa MiFID. El TS, por su parte, señala que, interpretando la LMV/88 art.79 bis (aplicable al caso) -actualmente LMV art.201-, el derivado es un producto financiero complejo y por tanto debía haber sido objeto de la información recogida en dicho artículo tras la modificación de la L 47/2007. Señalando, sin embargo, que el incumplimiento de estos deberes de información no conlleva la nulidad radical de la cláusula ni del contrato por las siguientes razones:

- La normativa comunitaria MiFID no imponía la sanción de nulidad del contrato para el incumplimiento de los deberes de información, lo que nos lleva a analizar si, de conformidad con nuestro derecho interno, cabría justificar la nulidad del contrato de adquisición de este producto financiero complejo en el mero incumplimiento del deber de recabar el **test de conveniencia** (TS 3-6-16, EDJ 80313).
- Aunque el incumplimiento de los deberes de información sí podría tener incidencia en la apreciación del **error vicio**, la nulidad por este vicio del consentimiento debía conllevar la ineficacia de la totalidad del contrato y no solo de la cláusula que contiene un derivado implícito (TS 1-7-16, EDJ 104628).

En este caso, en cuanto se había pedido en la demanda únicamente la nulidad de la cláusula relativa al derivado implícito, y no del resto del contrato, el motivo es desestimado porque el incumplimiento de los deberes de información invocados en ningún caso podría justificar lo pedido en la demanda (TS 2-2-17, EDJ 6157).

2. Un cliente suscribe, en una entidad bancaria, **participaciones preferentes** en un banco islandés, sin que la entidad bancaria le realizase test de idoneidad ni test de conveniencia, limitándose suministrarle la información contenida en un **breve folleto** que explicaba algunas características de este producto, sin hacer mención a ningún riesgo. Con posterioridad, unos días después de que el gobierno islandés interviniera el banco y el cliente perdiera su inversión, la entidad bancaria somete al cliente a un cuestionario de «preferencias de inversión».

9339 El **TS**, en resolución del recurso de casación presentado por el cliente, establece lo siguiente:

a) La suscripción de participaciones preferentes debe ser considerada un **servicio de asesoramiento** en materia de inversión (TJUE 30-5-13, C-604/11).

b) El hecho de que la relación contractual entre el banco y su cliente en la suscripción de las participaciones preferentes pueda considerarse como una comisión mercantil no excluye que presente características especiales al estar sometida a la normativa sobre el mercado de valores, que establece unas obligaciones de información reforzadas a la empresa que presta servicios de inversión.

c) Las entidades que presten servicios de inversión a clientes minoristas deben asegurarse de la idoneidad y conveniencia de los productos que les ofrecen, suministrándoles información completa y suficiente, y con la antelación necesaria, sobre los riesgos que conllevan. Con este fin, deben realizar un examen completo del cliente, mediante el denominado test de idoneidad que suma el test de conveniencia (conocimientos y experiencia) a un informe sobre la situación financiera (ingresos, gastos y patrimonio) y los objetivos de inversión del cliente (duración prevista, perfil de riesgo y finalidad), para recomendarle los servicios o instrumentos que más le convengan.

En el presente caso no se realizó un estudio previo del cliente, solo se evaluó al cliente varios meses después de la suscripción del producto complejo y de riesgo.

d) La entidad debió **informar en términos claros y precisos**, y con suficiente antelación a la contratación, no solo de la naturaleza compleja y de riesgo del producto ofertado, sino también del concreto riesgo de pérdida de la inversión en caso de insolvencia del emisor (TS 18-4-13, EDJ 70336).

Sin **conocimientos expertos** en el mercado de valores, el cliente no puede saber qué información concreta ha de buscar y debe poder confiar en que la entidad de servicios de inversión que le asesora no está omitiendo información sobre ninguna cuestión relevante (TS 16-11-16, EDJ 208762).

3. Una entidad celebra con una entidad bancaria contratos denominados **«contrato marco de operaciones financieras»** y «confirmación **swap** ligado a inflación». Los contratos generaron una serie de liquidaciones negativas que propiciaron la solicitud de cancelación por parte del cliente.
El cliente presentó demanda solicitando la nulidad de los contratos, por vicio en el consentimiento, en conexión con el incumplimiento de la normativa sobre el deber de información, estimado en primera instancia y revocado en apelación.
El TS declara que la entidad financiera no cumplió los deberes de información al cliente, debido a que únicamente le proporcionó una mera **exposición verbal** sobre el producto, no cumpliendo con sus obligaciones de: estudiar el perfil inversor del cliente; realizar al cliente el test de conveniencia e idoneidad; y de informarle de los riesgos reales que podía conllevar una bajada de tipos de interés y de la magnitud del coste de cancelación.
La **obligación de informar** debidamente se acentuó con la inclusión en nuestro ordenamiento de la normativa MiFID (LMV/88 art.79 bis.3 -actualmente LMV art.201-). El banco no podía obviar el análisis de la situación del cliente y de la conveniencia de su contratación, debiendo ser consciente del **tipo de cliente** con el que contrataba, sin experiencia suficiente y contrastada en el mercado financiero (TS 4-12-15, EDJ 225215).

4. En un caso en el que las partes contratan una **permuta financiera de tipos de interés**, el TS declara la nulidad del contrato por incumplimiento de los especiales deberes de información que pesan sobre la entidad financiera cuando el cliente es minorista, pues no se le informó de los concretos riesgos que podrían derivarse de una caída drástica de los tipos de interés. La falta de acreditación del deber de informar sobre el riesgo en un contrato complejo, ni sobre el coste de la cancelación, determina la apreciación de **error vicio del consentimiento** que da lugar a su nulidad (TS 18-4-18, EDJ 51198). **9341**
En este caso (al igual que el de la sentencia TS 20-1-14, EDJ 8696), la **carga de la prueba** no incumbía al cliente, sino que la acreditación del cumplimiento de estos deberes de información pesaba sobre la entidad financiera.
5. Un cliente de entidad bancaria pierde la inversión aportada en una orden de adquisición de **aportaciones financieras subordinadas** a través de «Bono de Empresa», tras el concurso de acreedores de la entidad emisora y solicita la declaración de nulidad de la operación por vicio en el consentimiento. El TS señala que, en atención al **perfil inversor** del cliente y conforme con la documentación aportada, el cliente tuvo **conocimiento de los riesgos** del producto a través del documento denominado «Producto Rojo», documento que resalta, de un modo sencillo y directo, los posibles riesgos que comporta la adquisición de las referidas aportaciones financieras (TS 16-5-18, EDJ 72486).
6. El TS señala, respecto del **alcance de la indemnización** por responsabilidad contractual por **defectuoso asesoramiento** en la comercialización de productos financieros complejos, que si una misma relación obligacional genera al mismo tiempo un daño (en este caso, por incumplimiento de la otra parte) pero también una ventaja (la percepción de unos rendimientos económicos), deben compensarse uno y otra, a fin de que el contratante cumplidor no quede en una situación patrimonial más ventajosa con el incumplimiento que con el cumplimiento de la relación obligatoria. Para que se produzca esta aminoración deben ser evaluables, a efectos de rebajar la indemnización, las ventajas que el deudor haya obtenido precisamente mediante el hecho generador de la responsabilidad o en relación causal adecuada con éste (TS 14-2-18, EDJ 7405).
7. Se insta la nulidad de un **swap** por error vicio del consentimiento. El TS señala que de la redacción de las cláusulas se deduce la complejidad y difícil comprensión del producto. El hecho de que el **cliente sea empresario** (en este caso propietarios de un negocio de panadería), no faculta sin más para el conocimiento y comprensión de un clausulado tan opaco en su desarrollo. La LMV/15 no excluye de su protección al empresario pues la disyuntiva no es consumidor o profesional, sino meramente la de inversor profesional o no.
En este caso, la normativa incumplida (L 24/1988) es anterior a la a la incorporación al derecho español de la normativa MiFID. No obstante, ya recogía la obligación de las entidades financieras de **informar** debidamente a los clientes de los riesgos asociados a este tipo de productos, como las permutas financieras. El deber que pesaba sobre la entidad no se limitaba a cerciorarse de que el cliente conocía bien en qué consistía el swap que contrataba y los concretos riesgos asociados a este producto, sino que además debía haber evaluado que, en atención a su situación financiera y al objetivo de inversión perseguido, era lo que más le convenía.
Son múltiples las sentencias del TS que conforman una **jurisprudencia reiterada y constante** consideran que un incumplimiento de dicha normativa en cuanto a la información de los riesgos inherentes a los contratos de swap, tanto en lo que se refiere a la posibilidad de liquidaciones periódicas negativas en elevada cuantía como a un también elevado coste de cancelación, puede hacer presumir el error en quien contrató con dicho déficit informativo (TS 23-11-16, EDJ 215411; 19-12-16, EDJ 240120, entre muchas otras).

En este caso concreto, no puede apreciarse que la entidad financiera cumpliera los deberes de información que hemos visto que establecía la legislación aplicable en la fecha de celebración de los contratos litigiosos. En particular, consta que la **información escrita precontractual** facilitada brilló por su ausencia.
El incumplimiento del deber de información al cliente sobre el riesgo económico en caso de que los **intereses** fueran **inferiores al Euribor** y sobre los riesgos patrimoniales asociados al coste de cancelación, es lo que propicia un error en la prestación del consentimiento (TS 20-1-14, EDJ 8696) y, en consecuencia, la nulidad del contrato (TS 18-1-18, EDJ 1513).

9343 **8.** El TS desestima la solicitud de nulidad radical o anulabilidad de unos **contratos de swaps** celebrados con una SA con la que la entidad bancaria había suscrito un contrato marco de operaciones financieras (CMOF), en base a los siguientes motivos:
- la empresa realizó la contratación de los swaps contando con el asesoramiento de un **experto financiero**;
- la contratación se realizó con un **periodo de reflexión** que precedió a la firma de los citados contratos, con entrevistas previas y cambio de información entre el director de la oficina y el asesor financiero de la empresa;
- hubo una **ratificación tácita** por la sociedad con la aprobación de las cuentas y resultados financieros que incluían los resultados, tanto positivos como negativos, de los referidos productos financieros.

En cuanto a la cuestión relativa a si realmente se realizó un genuino **test de conveniencia**, o un mero parte de información, tal y como sostiene la recurrente, no resulta determinante, pues como tiene señalado el TS el hecho de que no se haya realizado el test de conveniencia no comporta, por sí solo, la nulidad de los contratos de swaps celebrados, si se acredita por la entidad bancaria, supuesto del presente caso, que el cliente tuvo información suficiente acerca del funcionamiento del producto financiero y de los riesgos asociados al mismo (TS 21-11-17, EDJ 243405).

9. Dos clientes contrataron la adquisición de **obligaciones de deuda subordinada** con una entidad bancaria, que desembocó posteriormente en un **canje obligatorio por acciones** de la misma entidad en cumplimiento de resolución del FROB. Tras el canje obligatorio, las acciones adquiridas podían ser vendidas al Fondo de Garantía de Depósitos.
Los clientes interpusieron demanda contra la entidad solicitando que se declarase la nulidad de los contratos por falta de consentimiento con restitución de las prestaciones o, la resolución del contrato por incumplimiento y subsidiariamente, que se declarase que la demandada había incumplido sus obligaciones de asesoramiento, condenándola a indemnizar los daños y perjuicios causados.
Habiéndose confirmado la **nulidad de los contratos** de adquisición de las obligaciones subordinadas por error vicio del consentimiento, se discute ante el TS si el canje obligatorio y la posterior venta de las acciones obtenidas supuso o no confirmación tácita del contrato viciado por error en el consentimiento.
De acuerdo con el TS, «no cabe considerar que la nulidad del consentimiento quedara posteriormente sanada o **convalidada por el canje** de las obligaciones subordinadas por acciones, puesto que el error ya se había producido y los clientes, ante el riesgo cierto que suponía que la entidad emisora no tenía la solvencia que manifestaba, aceptaron dicho canje y posterior venta de las acciones obtenidas a fin de intentar incurrir en las menores pérdidas posibles» (TS 12-2-16, EDJ 5939; 6-10-16, EDJ 171349; 7-10-16, EDJ 171357). El **canje obligatorio** impuesto por el FROB a los inversores no es un acto facultativo que deba atribuirse a la mera voluntad de los recurrentes, con los efectos de confirmación tácita del CC art.1311 (TS 13-7-17, EDJ 143026).

9. Elemento operativo: el mercado

9350

a. Mercado primario en la LMV

(LMV art.34 a 41)

9355 El mercado primario de valores se rige por el **principio de reserva**: para que una entidad capte ahorro del público ha de someterse imperativamente a los requisitos exigidos por la LMV si bien debe matizarse que también existe un principio de libertad de emisión y colocación de emisiones en virtud del cual las emisiones de valores no requerirán autorización administrativa

previa. El desarrollo reglamentario lo encontramos en el RD 814/2023 sobre instrumentos financieros, admisión a negociación, registro de valores negociables e infraestructuras de mercados.
Las reglas de emisión, colocación y admisión a negociación (nº 9357 s.) solamente se aplican a **valores privados**, pues las emisiones de valores del Estado y de Comunidades Autónomas no están sujetas a lo previsto en la LMV art.34 a 41, que son los que las regulan (LMV art.37.2).

Precisiones El énfasis en la **distribución de información** al mercado en lo relativo a los valores se ha retrasado, con carácter general, al momento de su admisión a negociación, frente al anterior sistema en el que el folleto informativo era muy frecuentemente exigido con carácter previo a la emisión de los valores.

Requisitos de información para la admisión a negociación de valores en un mercado regulado (LMV art.37) La LMV se ha pronunciado por un claro principio general de libertad atenuada: 9357
a) Hay **libertad de emisiones** y admisión a negociación en un mercado regulado pues ni la emisión de valores ni su admisión a negociación requieren autorización administrativa.
b) La **libertad** es **atenuada** ya que para la admisión a negociación de los valores en un mercado regulado está sujeto al cumplimiento de los requisitos siguientes:
• Aportación y registro en la CNMV o en el organismo rector del mercado regulado, según corresponda, conforme a lo indicado en la LMV art.63 de los documentos que acrediten la sujeción del emisor y de los valores al régimen jurídico que les sea aplicable.
• Aportación y registro en la CNMV o en el organismo rector del mercado regulado, según corresponda conforme a lo indicado en la LMV art.63 de los **estados financieros** del emisor, preparados y auditados, según la legislación aplicable a dicho emisor cuando no resulte exigible la aprobación de un folleto por la CNMV.
• Aportación, aprobación y registro en la CNMV, en caso de ser exigible, de un folleto informativo, así como su **publicación**.

Folleto informativo de la emisión (LMV art.35) Los folletos contienen información muy detallada, ajustándose, según el tipo de emisor y de los valores de que se trate, a los modelos que figuran anexos al Rgto Delegado (UE) 2019/980 relativo a la aplicación de la Rgto (UE) 2017/1129 o, en el caso de los pagarés y los contratos financieros (LMV art.2), a los modelos que establezca la CNMV (OM EHA/3537/2005). 9359
Debe contener la información relativa al emisor y a los valores que vayan a ser admitidos a negociación en un mercado regulado y toda la información que, según la naturaleza específica del emisor y de los valores, sea necesaria para que los inversores puedan hacer una evaluación, con la suficiente información, de los activos y pasivos, la situación financiera, beneficios y pérdidas, así como de las perspectivas del emisor, y eventualmente del garante, y de los derechos inherentes a tales valores. Esta **información** se presentará de forma fácilmente analizable y comprensible.
Excepto para admisiones a negociación de valores no participativos cuyo valor unitario sea igual o superior a 100.000 euros, el folleto **debe incluir** una nota de síntesis que contenga la información fundamental que necesitan los inversores para comprender las características y riesgos del emisor, del garante y de los valores ofertados o admitidos a cotización en un mercado regulado, para ser leída conjuntamente con las demás partes del folleto a fin de ayudarles a decidir si deben invertir o no en estos valores (Rgto (UE) 2017/1129 art.7).
Forman parte de la **información fundamental**, como mínimo, los elementos siguientes:
a) Una breve descripción de las características esenciales y los riesgos asociados con el emisor y los posibles garantes, incluidos los activos, los pasivos y la situación financiera.
b) Una breve descripción de las características esenciales y los riesgos asociados con la inversión en los valores de que se trate, incluidos los derechos inherentes a los valores.
c) Las condiciones generales de la oferta, incluidos los gastos estimados impuestos al inversor por el emisor o el oferente.
d) Información sobre la admisión a cotización.
e) Los motivos de la oferta y el destino de los ingresos.
El folleto debe **inscribirse** en el registro oficial correspondiente (LMV art.244.b).
El folleto debe ser **suscrito por el emisor u oferente**.
El folleto debe incluir un **resumen** que, de una forma breve y en un lenguaje no técnico, refleje las características y los riesgos esenciales asociados al emisor, los posibles garantes y los valores.
En el caso de **valores garantizados**, el garante tendrá que proporcionar información sobre sí mismo como si fuera el emisor del mismo tipo de valor que es objeto de la garantía.
Asimismo, dicho resumen debe contener una **advertencia** de que:
- debe leerse como introducción al folleto;

- toda decisión de invertir en los valores debe estar basada en la consideración por parte del inversor del folleto en su conjunto;
- no podrá exigirse responsabilidad civil a ninguna persona exclusivamente por el resumen, a no ser que dicho resumen sea engañoso, inexacto o incoherente en relación con las demás partes del folleto.

Precisiones **No es obligatorio** incluir un **resumen** en los casos en que el folleto aprobado por la CNMV se refiera a la admisión a negociación, en un mercado regulado o en otro mercado regulado domiciliado en la UE, de valores que no sean participativos cuyo valor nominal unitario sea de, al menos, 100.000 euros.

9361 Tanto el folleto informativo aprobado por CNMV, como un folleto informativo aprobado por la autoridad competente en el Estado de origen gozan de **validez transfronteriza** en la Unión Europea, siempre que se haya procedido a su **notificación** a la Autoridad Europea de Valores y Mercados y a la autoridad competente de cada Estado miembro de acogida (Rgto (UE) 2017/1129 art.24).

En relación con las emisiones de obligaciones o de otros valores que reconozcan o creen deuda siempre que vayan a ser objeto de OPV/OPS y respecto de las cuales se exija la elaboración de un folleto que esté sujeto a aprobación y registro por la CNMV, no les es exigible el requisito de otorgamiento de escritura pública de emisión ni su inscripción en el Registro Mercantil ni en el BORM (LMV art.40).

Precisiones Los valores negociables únicamente puedenn ofertarse al público o admitirse a cotización en un mercado regulado tras la previa publicación de un folleto de conformidad con el Rgto (UE) 2017/1129, sin perjuicio de lo dispuesto en el Rgto (UE) 2017/1129 art.1.4 y 5 (LMV art.35).

No será exigible el folleto al que se refiere el apartado anterior en los siguientes casos:

a) En el caso de ofertas al público o admisiones a negociación en mercados regulados de pagarés con plazo de vencimiento inferior a 365 días.

b) Cuando las ofertas de valores negociables no estén sujetas a notificación de conformidad con el artículo 25 de dicho Reglamento, y el importe total de cada una de esas ofertas en la Unión sea inferior a ocho millones de euros, límite que se calculará sobre un período de doce meses.

c) En el caso de las entidades de crédito, no existirá obligación de publicar un folleto cuando las ofertas de valores negociables no estén sujetas a notificación de conformidad con el artículo 25 de dicho Reglamento, y el importe total de cada una de esas ofertas en la Unión sea inferior a cinco millones de euros, límite que se calculará sobre un período de doce meses.

Asimismo, se ha modificado el contenido de la LMV art.38.4, de tal forma que no se podrá exigir ninguna **responsabilidad** por causas relacionadas exclusivamente con la nota de síntesis a que se refiere el Rgto. (UE) 2017/1129, art.7 o con la nota de síntesis específica del folleto de la Unión de crecimiento contemplada en el art 15.1 de dicho reglamento, incluida su traducción, salvo que: a) sea engañosa, inexacta o incoherente con las demás partes del folleto, o b) no contenga, leída conjuntamente con el resto del folleto, la información fundamental destinada a ayudar a los inversores a decidir si deben invertir o no en los valores.

9363 **Sistemas de colocación** En materia de elección de sistemas de colocación igualmente impera el principio de **libertad de elección**. Así, para la colocación de emisiones podrá recurrirse a cualquier técnica adecuada a la elección del emisor (LMV art.34).

Pero también se trata de una **libertad atenuada**, pues se exige que el procedimiento de colocación quede definido y que se haga público en todos sus extremos antes de proceder a la misma. En el caso de que el emisor esté obligado a elaborar un folleto informativo, la colocación deberá ajustarse a las condiciones recogidas en mismo, por lo que es obligatorio que las **condiciones de colocación** figuren en el folleto informativo del nº 9359.

b. Mercados secundarios oficiales en la LMV

9370 **Clases de mercados** (LMV art.42) Los mercados regulados españoles reciben la **denominación** de mercados secundarios oficiales de valores.

Se puede entender **mercado regulado** como un sistema multilateral, operado o gestionado por un organismo rector del mercado, que reúne o brinda la posibilidad de reunir, dentro del sistema y según sus normas no discrecionales, los diversos intereses de compra y de venta sobre instrumentos financieros de múltiples terceros para dar lugar a contratos con respecto a los instrumentos financieros admitidos a negociación conforme a sus normas o sistemas, y que está autorizado y funciona de forma regular de conformidad con LMV título IV.

Se consideran mercados regulados de valores:

- Las **bolsas de valores**.
- El **mercado de deuda pública en anotaciones**.
- Los **mercados de futuros y opciones**.
- El **mercado de renta fija**, AIAF.

• Cualesquiera otros, de ámbito estatal, que, cumpliendo los requisitos previstos, se autoricen en el marco de las previsiones de la LMV y de su normativa de desarrollo, así como aquellos, de ámbito autonómico, que autoricen las comunidades autónomas con competencia en la materia.

Precisiones 1) Son **centros de negociación, además de los mercados regulados, los siguientes** (LMV art.42):

• **Sistema multilateral de negociación** (SMN): sistema multilateral, operado por una empresa de servicios de inversión o por un organismo rector del mercado, que permite reunir, dentro del sistema y según normas no discrecionales, los diversos intereses de compra y de venta sobre instrumentos financieros de múltiples terceros para dar lugar a contratos, de conformidad con el presente Título.

• **Sistema organizado de contratación** (SOC): sistema multilateral, que no sea un mercado regulado o un SMN y en el que interactúan los diversos intereses de compra y de venta de bonos y obligaciones, titulizaciones, derechos de emisión o derivados de múltiples terceros para dar lugar a contratos.

2) El RD 814/2023 recoge las **disposiciones comunes aplicables a los centros de negociación** detallando sus requisitos de organización y funcionamiento, además de las disposiciones específicas que regulan a los mercados regulados y a los sistemas multilaterales de negociación y a los sistemas organizados de contratación.

Principios comunes (LMV art.57 a 76) Existen unos principios de común aplicación a todos los mercados que conviene conocer: 9372

1) Principio de **soberanía privada**: las operaciones formalizadas se cumplirán conforme a lo convenido por los contratantes.

2) Principio de **ejecución obligatoria** (por cuenta ajena), aplicable a los miembros de los distintos mercados y respecto de las órdenes recibidas de sus clientes.

3) Principio de **protocolización** escrita de operaciones de contrapartida: quien ostente la condición de miembro de un mercado regulado no podrá operar por cuenta propia con quien no tenga esa condición sin que quede constancia explícita, por escrito, de que este último ha conocido tal circunstancia antes de concluir la correspondiente operación.

4) Principio de **comisión de seguridad**: en las operaciones que realicen por cuenta ajena, los miembros responderán ante sus comitentes de la entrega de los valores y del pago del precio.

5) Principio de **libre retribución**.

6) Atribución del carácter de **información pública** a los elementos objetivos de las operaciones, así como a la identidad del miembro interviniente.

7) Atribución al Gobierno de **facultades protectoras** de los inversores y del buen funcionamiento de los mercados.

Bolsas de valores (RD 814/2023 art.116) Las bolsas de valores tienen por **objeto** la negociación de valores negociables y otros instrumentos financieros de los previstos en la LMV art.2, que por sus características sean aptas para ello de acuerdo con lo dispuesto en las normas internas de funcionamiento del mercado. 9374

• **Pueden negociarse** en las bolsas de valores, en los términos establecidos en sus normas internas de funcionamiento, instrumentos financieros admitidos a negociación en otro mercado regulado. En este caso, se deberá prever la necesaria coordinación entre los sistemas de registro, compensación y liquidación respectivos.

• El organismo rector que administre una bolsa de valores puede desarrollar otras **actividades complementarias** si bien no tendrá la condición legal de miembro de la correspondiente Bolsa de Valores ni podrá realizar ninguna actividad de intermediación financiera, ni las actividades relacionadas en la LMV art.125 y 126.

• Las **comunidades autónomas** con competencias en la materia podrán establecer, en el marco de la legislación básica del Estado, la organización que estimen oportuna de las bolsas de valores de ámbito autonómico.

• Los organismos rectores de las bolsas de valores podrán encomendar a uno de ellos o a en otra entidad la gestión del **Sistema de Interconexión Bursátil**. La entidad a la que se encomiende la gestión tendrá la consideración de organismo rector del sistema a los efectos de dicha gestión, siendo responsable del mismo y titular de los medios necesarios para su funcionamiento; En caso de que en el capital social de dicha sociedad participasen las sociedades rectoras de las bolsas de valores, dichas autorizaciones de la CNMV requieren previo informe de las comunidades autónomas con competencias en la materia.

• Pueden ser **miembros de los mercados regulados** las siguientes entidades (RD 814/2023 art.104):

- las empresas de servicios de inversión que estén autorizadas para ejecutar órdenes de clientes o para negociar por cuenta propia;
- las entidades de crédito españolas;

- las empresas de servicios de inversión y las entidades de crédito autorizadas en otros Estados miembros de la Unión Europea que estén autorizadas para ejecutar órdenes de clientes o para negociar por cuenta propia.

Precisiones Existen en **España**, en la actualidad, las Bolsas de Madrid, Barcelona, Bilbao y Valencia y miembros respectivamente de las Bolsas de Madrid, Barcelona, Valencia y Bilbao.

9376 **Mercado de deuda pública en anotaciones** (L 44/2002) Mercado regido en un principio por el Banco de España, y ahora integrado en la **plataforma SENAF** (Sistema Electrónico de Negociación de Activos Financieros), que es una plataforma electrónica de negociación de deuda pública española en la que se negocian instrumentos financieros vinculados a renta fija, pública o privada y, en general, a tipos de interés, como pueden ser bonos, obligaciones, letras del Tesoro y deuda emitida por las Comunidades Autónomas y algunos organismos públicos.
Está sujeta a la **supervisión** del Banco de España y de la CNMV.
Desarrolla el **sistema ciego de negociación** de bonos, en el que los negociadores no conocen la contrapartida de sus operaciones.
Le son **aplicables las disposiciones** relativas a los sistemas multilaterales de negociación recogidas en la LMV, y en sus disposiciones de desarrollo. Adicionalmente, le son de aplicación el el reglamento de SENAF, las circulares y decisiones aprobadas por los órganos de gobierno competentes.
Está **dirigido y gestionado** por BME Renta Fija Sociedad Anónima Unipersonal en calidad de sociedad rectora, a través de su consejo de administración.
Los acuerdos de **incorporación** de **instrumentos financieros** a SENAF son aprobados por el consejo de administración y comunicados a la CNMV.
Pueden adquirir la condición de **miembros de SENAF**:
- las **entidades de crédito** y las **empresas de servicios de inversión** que cumpliendo lo dispuesto en la LMV y estando interesadas en adquirir la condición de miembros, reúnan los requisitos previstos en el Reglamento y detallados en las circulares del sistema;
- la **Dirección General del Tesoro y Política Financiera**, la **Tesorería General de la Seguridad Social** y el **Banco de España**;
- aquellas entidades que, a juicio del consejo de administración, cumplan las condiciones establecidas en la LMV y desempeñen **especiales funciones** que sean relevantes para el funcionamiento del sistema;
- aquellas entidades que, sin pertenecer a los tipos de intermediarios financieros previstos en los anteriores apartados, **se les atribuya por disposición legal** la condición o la facultad de convertirse en miembro.

Los miembros del sistema deben reunir y mantener los **medios técnicos y personales** exigidos para su actuación en el sistema, que serán fijados y revisados de forma general y para todos los miembros por el consejo de administración a través de las correspondientes circulares, prestando especial atención a una adecuada organización, sistemas de información y equipos informáticos. Estos medios serán los adecuados a su capacidad negociadora, al volumen de su actividad, así como a la necesidad de garantizar la transparencia, integridad y supervisión de la contratación.
La **contratación** está reservada a los miembros de SENAF, quienes deberán ajustarse a los procedimientos y modalidades establecidas al efecto, así como utilizar los medios establecidos con carácter general por el sistema.
Las **transacciones** sobre los instrumentos financieros negociados en el sistema, serán al contado y a plazo y dentro de éstas podrán realizarse a vencimiento o con pacto de recompra.

9378 Precisiones **1)** La **Central de Anotaciones de Deuda del Estado** fue creada como organismo dependiente del Banco de España por el RD 505/1987, desarrollado por OM 19-5-1987. Posteriormente la LMV/88 constituyó el Mercado de Deuda Pública representada por medio de Anotaciones en Cuenta, que atribuyó al RD 505/1987 el carácter de su desarrollo reglamentario. Este desarrollo fue complementado más adelante por el RD 116/1992 art.43 -sustituido por el RD 878/2015- y por la OM 16-1-1992, reguladora de un sistema complementario de negociación de deuda pública anotada en bolsas de valores. El RD 2813/1998 ha desarrollado las previsiones de la L 46/1998, de introducción del euro, en materia de este mercado, que a partir del 1-1-1999 tiene por exclusiva unidad de cuenta el euro.
Tras la modificación de la LMV/88 por la L 44/2002 (y según lo establecido en su disp.trans.1ª), el 1-4-2003, la **Sociedad de Sistemas** asumió las funciones que correspondían a la Central de Anotaciones de Deuda del Estado, quedando el Banco de España desde esa fecha únicamente como organismo rector del Mercado de Deuda Pública en Anotaciones.
2) El RD 1948/2000 extiende a la deuda emitida por Comunidades Autónomas y Entidades Locales los **procedimientos de pago de intereses** exceptuados de retención existentes para la deuda del Estado.

3) El **régimen de la Deuda del Estado en Anotaciones** se extiende a la de otras entidades tales como las entidades locales u otras entidades públicas, siempre que lo autorice el Ministerio de Economía (en la actualidad Ministerio de Asuntos Económicos y Transformación Digital), a solicitud del emisor (RD 705/2002).
4) EL RD 814/2023, elimina aquellas **menciones** que han quedado **desfasadas**, las que resultan inaplicables en la actualidad o que no reflejan de manera adecuada la realidad de los mercados de capitales españoles como, por ejemplo, las disposiciones relativas al mercado de Deuda Pública en anotaciones.

Mercados secundarios de opciones y futuros Son los mercados secundarios oficiales, de ámbito estatal, en los que se negocian los futuros y las opciones del nº 9323, cuya forma de representación sea la de **anotaciones en cuenta**. 9380
Actualmente el mercado regulado de opciones y futuros financieros en España es MEFF Exchange (nº 10097).

Precisiones Los **mercados** regulados de contratos de **instrumentos financieros derivados** tienen por **objeto** los contratos de futuros, de opciones y de otros instrumentos financieros derivados, cualquiera que sea el activo subyacente, definidos por el organismo rector del mercado. El organismo rector organizará la negociación de los citados contratos.
El organismo rector del mercado asegurará por medio de una entidad de contrapartida central, previa aprobación de la CNMV, la **contrapartida** en todos los contratos que emita RD 814/2023 art.117.

Otros mercados regulados La LMV se limita a describirlos diciendo que son tales cualesquiera otros, de **ámbito estatal**, que, cumpliendo los requisitos previstos, se autoricen en el marco de las previsiones de la Ley y de su normativa de desarrollo, así como aquellos, de **ámbito autonómico**, que autoricen las comunidades autónomas con competencia en la materia. 9382
Les resultan aplicables las normas generales de la LMV art.44 s.
Además de los ya citados, actualmente tiene carácter de mercado regulado de valores el **mercado AIAF** de renta fija (Asociación de intermediarios de Activos Financieros de Renta Fija), cuya liquidación ha sido encomendada a la Sociedad de Sistemas.
Sin tener el carácter de mercado regulado, hay que hacer referencia también a los sistemas multilaterales de negociación entre los que destacan el **Mercado de Valores Latinoamericanos** en euros («Latibex») que tiene naturaleza de sistema multilateral de negociación. Fue autorizada su creación por acuerdo del Consejo de Ministros de 29-10-1999. El reglamento de este mercado es el de 18-11-1999 y la compensación, liquidación y registro de valores admitidos en el mismo corresponde a la Sociedad de Sistemas. El «BME MTF Equity», antiguo Mercado Alternativo Bursátil (MAB), es otro sistema multilateral de negociación que fue autorizado por acuerdo del Consejo de Ministros de 30-12-05, comenzando su funcionamiento en julio de 2009, y está dirigido a empresas de pequeña capitalización que buscan expandirse, así como a las SICAV. Por último, destaca como sistema multilateral de negociación, el **Mercado Alternativo de Renta Fija (MARF)** (autorizado por acuerdo del Consejo de Administración de Mercado de renta fija, AIAF 7-5-2013). El MARF se configura jurídicamente como un sistema multilateral de negociación, dirigido y gestionado por la sociedad rectora de AIAF a través de su consejo de administración, pretende facilitar la financiación de las empresas mediante la emisión de valores de renta fija.

10. Intervención pública en el mercado de valores

9385

a. Organismos competentes

Comisión Nacional del Mercado de Valores (LMV art.16 a 33) La CNMV es el ente al que se encomienda la supervisión e inspección del mercado de valores. Se configura como un ente de derecho público con **personalidad jurídica** propia y **plena capacidad** pública y privada, que se regirá por lo dispuesto en la LMV y disposiciones que la completen o desarrollen y supletoriamente por la L 40/2015 de régimen jurídico del sector público. 9390
La LMV atribuye a la CNMV **potestad normativa,** pues para el adecuado ejercicio de las competencias que le corresponden, puede dictar las disposiciones que exija el desarrollo y ejecución de las normas contenidas en los Reales Decretos aprobados por el Gobierno o en las Órdenes del Ministerio de Economía (actualmente Ministerio de Asuntos Económicos y Transformación Digital), siempre que estas disposiciones le habiliten de modo expreso para ello.

Las disposiciones y resoluciones que dicte la CNMV en el ejercicio de las potestades administrativas conferidas, ponen fin a la vía administrativa y son recurribles en vía contencioso-administrativa con ciertas excepciones.
La CNMV está **regida por** un consejo y asesorada por un comité consultivo.
En el ejercicio de sus funciones y para el cumplimiento de los fines que le han sido asignados, la CNMV cuenta con **autonomía orgánica y funcional** debiendo actuar en todo caso con plena independencia de las instituciones del Estado y de cualquier otra persona o entidad pública o privada.
Ninguna institución del Estado ni ninguna otra entidad pública o privada tratarán de dar **instrucciones** o ejercer presión sobre los miembros del Consejo ni el personal de la CNMV en el ejercicio de sus funciones ni el consejo ni el personal de la CNMV pueden solicitarlas ni aceptarlas (LMV art.17).

9392 Las **competencias** de la CNMV en materia de supervisión e inspección del mercado de valores son generales:
a) Velar por la **transparencia de los mercados** de valores, la correcta formación de los precios de los mismos y la protección de los inversores, promoviendo la difusión de cuanta información sea necesaria para asegurar la consecución de estos fines.
b) Asesorar al Gobierno y al Ministerio de Economía (actualmente Ministerio de Asuntos Económicos y Transformación Digital) y, en su caso, a los órganos equivalentes de las comunidades autónomas en las materias relacionadas con los mercados de valores, a petición de los mismos o por iniciativa propia.
Puede elevar a aquellos **propuestas** sobre las medidas o disposiciones relacionadas con los mercados de valores que estime necesarias.
c) Elevará anualmente a las Cortes Generales un **informe** sobre el desarrollo de sus actividades y sobre la situación de los mercados financieros organizados.
d) Elaborar y dar publicidad a un **informe anual** en el que se refleje su actuación y la situación general de los mercados de valores.
e) Elevar anualmente a la Comisión de Economía, Comercio y Hacienda del Congreso de los Diputados, un informe sobre el desarrollo de sus actividades y sobre la situación de los mercados financieros organizados.

Precisiones Con efectos desde el 6-12-2011, se crea el **Registro electrónico de la Comisión Nacional del Mercado de Valores**, para la recepción y remisión de **solicitudes, escritos y comunicaciones** relativos a su ámbito, en la forma y con el alcance previsto en L 11/2007 art.24, derogada por la L 39/2015 disp.derog.única, la cual regula en su art.16 los registros electrónicos de las Administraciones Públicas y de sus Organismos Públicos vinculados o dependientes.
La **sede electrónica de la CNMV**, en la dirección https://sede.cnmv.gob.es, incluirá de forma sistemática y ordenada la relación actualizada de los trámites que se refieren en el anexo I y los formularios del anexo II de la Resolución, así como el enlace con las aplicaciones informáticas gestoras correspondientes.
La CNMV no asume la **responsabilidad por el uso fraudulento** que los usuarios del sistema puedan llevar a cabo de los servicios prestados a través del Registro electrónico.

9394 **Banco de España** (LMV art.249) El Banco de España **ejercerá facultades de supervisión e inspección** sobre las actividades relacionadas con el mercado de valores realizadas por las entidades de crédito.
Existen **competencias administrativas** atribuidas al Banco de España en materia de mercado de valores por consecuencia de dos motivos: su condición de organismo rector del Mercado de Deuda Pública en Anotaciones y la presencia de entidades de crédito como operadores del mercado.
Intentando solventar los posibles conflictos que puedan surgir, el Banco de España y la CNMV actúan bajo el principio de que la **tutela de la solvencia** sobre las entidades financieras afectadas recae sobre la institución que mantenga el correspondiente registro, y la del funcionamiento de los mercados de valores corresponde a la CNMV.
En todos los casos de confluencia de competencias de supervisión e inspección entre la CNMV y el Banco de España, ambas instituciones coordinarán sus actuaciones bajo el principio de que la tutela del funcionamiento de los mercados de valores corresponde a la CNMV, y la tutela de la solvencia, así como las restantes cuestiones de organización interna recaen sobre la *institución que mantenga* el correspondiente registro. Por otro lado, la CNMV y el Banco de España deberán suscribir convenios al objeto de coordinar las respectivas competencias de supervisión e inspección.
Competen, pues, al Banco de España, las siguientes funciones:
- **supervisión e inspección** de los miembros del mercado de deuda pública anotada, de los titulares de cuenta a nombre propio y de sus entidades gestoras;

- **tutela de solvencia**, así como las restantes **cuestiones de organización interna**, de las entidades que figuren en sus registros;
- **informe previo** en determinados supuestos de expedientes sancionadores (LMV art.270.1.b; LIIC art.92.d).

Comunidades autónomas Las competencias atribuidas por la LMV a las comunidades autónomas son las siguientes, siempre en el conocimiento de que se atribuyen exclusivamente a las comunidades con competencia en materia de mercado de valores (Jiménez-Blanco): 9396
a) Existencia en el comité consultivo de la CNMV de un **representante autonómico** (LMV art.31; RD 303/2012).
b) La autorización y revocación de la autorización de **centros de negociación** de ámbito exclusivamente autonómico o (LMV art.55).
c) Asimismo, se establece las siguientes competencias a favor de las comunidades autónomas (LMV art.67):
- la **autorización y supervisión** de los mercados regulados de ámbito autonómico, pudiendo establecer las medidas organizativas adicionales que estime oportunas respecto de dichos mercados;
- la **aprobación de nombramientos** de consejeros, consejeras y personal de alta dirección del organismo rector;
- la **admisión de instrumentos financieros a negociación**, respecto a los valores negociados exclusivamente en mercados de ámbito autonómico y previo cumplimiento de requisitos específicos exigidos en dichos mercados, exceptuando lo relativo a la aprobación de folletos de conformidad con el Rgto (UE) 2017/1129; y
- la **suspensión y exclusión** de negociación de instrumentos financieros, respecto a los valores negociados exclusivamente en mercados de ámbito autonómico.

b. Régimen de supervisión, inspección y sanción

(LMV art.232 s.)

La Ley tipifica tres modalidades de infracciones: muy graves, graves y leves. Cada una de ellas lleva aparejada su correspondiente sanción, que, dentro de cada uno de los tres grupos definidos, puede variar en función de diversos parámetros, destacando la teoría de la **comunicación de la responsabilidad** a los órganos sociales cuando el infractor (solo para los casos de infracción muy grave o grave) es una **persona jurídica**. 9400

SECCIÓN 2

Contrato de comisión bursátil u «orden de bolsa»

9405

a. Consideraciones generales

La **inversión bursátil** atraviesa un proceso constante de diversas etapas. La primera de ellas es la pura decisión de invertir. Existente tal decisión, el inversor ordenará a un operador del mercado que adquiera los valores ordenados, ello por cuenta de aquél. 9410
Desde el punto de vista jurídico, tal orden es un encargo mercantil o comisión, y como tiene por objeto la compra de valores negociados en Bolsa, la denominamos comisión bursátil.
Secuencialmente, es, pues, el primero de los dos negocios jurídicos que configuran la operación de inversión bursátil. El segundo es la compraventa bursátil con la que queda ejecutada la orden de bolsa (nº 9505 s.), únicamente pendiente de la entrega de valores y efectivo en la fecha de liquidación de la operación.

Todas las operaciones de inversión bursátil se agrupan en torno a estos dos **tipos contractuales**: comisión y compraventa, ambos tipificados (con carácter genérico, pero no con el adjetivo de «bursátiles») tanto por el Código de Comercio como por el Código Civil.

Precisiones 1) Según Garrigues, la **compraventa** es el negocio de realización de la comisión bursátil.
2) No es lo mismo comisión bursátil que **comisión del mercado de valores**. Esta última, considerada como la comisión de cualquiera de los mercados secundarios oficiales regulados por la Ley del Mercado de Valores, es el género, mientras que la comisión bursátil, exclusivamente la de la Bolsa de valores, es la especie.
No obstante, la comisión puramente bursátil puede aceptarse como modelo explicativo de cualquiera de las comisiones del mercado de valores. En definitiva, si económicamente lo que hay es un encargo de adquirir-invertir o transmitir-desinvertir, bien en Bolsa de valores, bien en el Mercado de deuda pública anotada, bien en el Mercado de A.I.A.F. de Renta Fija, jurídicamente existirán escasas diferencias en el tratamiento.
El estudio realizado en esta sección se centra en la comisión puramente bursátil, esto es, la formalizada para invertir en la Bolsa de valores, uno solo de los mercados regulados de la LMV art.42, sin perjuicio de que las conclusiones sean extrapolables a la comisión formalizada en cualquiera de los restantes mercados, con las particularidades existentes en cada uno de ellos (con respecto a los tipos de operaciones permitidas, tipos de valores negociados, etc.).

9412 La comisión bursátil es el **mandato** por el que una persona encarga a un miembro del mercado la realización por cuenta del mandante de una compraventa de valores cotizados en Bolsa (Zunzunegui).
Tal concepto lo es del contrato de comisión bursátil stricto sensu, cuyo objeto es una actividad material (comprar o vender valores). En sentido amplio, cabe también hablar de comisión bursátil cuando tiene por objeto una actividad meramente formal, de pura tramitación. Esto ocurre en los supuestos negociales de **permuta** de valores, de **donación**, de aportación de valores a una sociedad mercantil en constitución, etc.
Así concebido, el contrato de comisión bursátil es conocido por el público inversor como **orden de bolsa**.

9414 La orden de invertir en Bolsa puede ser simple o compleja, sin perjuicio de otras clasificaciones (nº 9425 s.).
1) Hay **orden simple** cuando el ordenante encarga a su operador bursátil una sola operación de inversión, de forma tal que, debidamente ejecutada, quedará deshecho el vínculo entre ambos.
Desde el punto de vista jurídico-privado se trata de un contrato de **comisión bursátil principal**. Esto es, el contrato da vestidura jurídica a una relación social planteada entre un inversor/desinversor que decide adquirir/transmitir un valor negociado en Bolsa y el mediador del mercado. Una vez ejecutado el encargo, la inversión se habrá consumado (o la desinversión, en su caso) y el contrato se habrá extinguido por espontánea consumación. Esta es la hipótesis más habitual.
2) Hay **orden compleja** cuando el ordenante encarga a su operador bursátil no una única operación de inversión, sino múltiples. La relación entablada no termina cuando se ejecuta la primera operación de inversión, sino que continúa en el tiempo para canalizar la recepción de nuevas órdenes de inversión o de desinversión, con arreglo a unas normas prefijadas por las partes en el seno de un vínculo más rico de matices económicos y jurídicos que el anterior.

9416 Desde el punto de vista jurídico-privado estamos en presencia de una pluralidad de contratos de comisión bursátil no principales, sino **auxiliares**, que se configuran como contratos de desarrollo de un negocio jurídico bursátil previo más amplio, duradero y complejo. Cachón Blanco recoge esta realidad del mercado bursátil con referencia a los siguientes contratos, que serían el contrato principal:
a) El contrato de **cuenta corriente bursátil** (nº 10180). Es el contrato-marco general que regula las relaciones jurídicas entre un inversor y un intermediario del mercado de valores a lo largo de un extenso período de tiempo. En él un inversor, entregando al intermediario bursátil una inicial suma de dinero, le encarga la ejecución de las órdenes de compra futuras contra dicha suma y la anotación de las mismas como cargo/abono de la cuenta contable, así como, en su caso, la ejecución de órdenes de venta futuras contra el saldo de valores existente en cada momento y la anotación de las mismas como abono/cargo de la cuenta contable (por estar los valores admitidos a negociación representados mediante anotaciones en cuenta), todo lo cual es obligación del intermediario aceptante, a cambio de un precio convenido.
b) El contrato de **custodia y administración del mercado de valores** (nº 10210). Es aquel que hace nacer para el depositario (un intermediario del mercado de valores) la obligación de custodia (en el caso de recaer sobre valores negociables representados mediante títulos) y/o de registro contable de detalle (en el caso de estar los valores negociables objeto de la inversión

representados por medio de anotaciones en cuenta -en cuyo caso el intermediario deberá ser una entidad participante del Depositario Central de Valores -RD 814/2023 art.32 y 33-) y, además, aquellas prestaciones necesarias para el cobro de los derechos económicos vencidos procedentes de los valores objeto del mismo (en el caso de títulos mediante su presentación al cobro y en el caso de anotaciones en cuenta -RD 814/2023 art.28-), así como las requeridas para conservar el valor patrimonial de tales valores (CCom art.308) (ver nº 8325).
c) El contrato de **gestión de carteras** (nº 10255). Es un contrato por el cual un intermediario autorizado se obliga a gestionar, mediante operaciones teniendo por objeto valores mobiliarios, un patrimonio del cliente compuesto de valores mobiliarios y liquidez (Carbonetti).

Precisiones **1)** En esta sección se estudia la **comisión bursátil principal**, pues las conclusiones a que su estudio nos lleva permiten ser aplicadas con más o menos matices a las **comisiones bursátiles auxiliares**.
2) El RD 814/2023, que entró en **vigor** el 29-11-2023, regula los centros de negociación y los sistemas de liquidación, compensación y registro de valores, detallando sus requisitos de organización y funcionamiento. Para ello, incorpora el RD 878/2015 y traspone parcialmente la Dir 2014/65/UE.
Entre otras cuestiones, suprime la **denominación** de **mercado secundario oficial** por la de mercado regulado y detalla los límites de posición al volumen de una posición neta en derivados sobre materias primas agrícolas y derivados sobre materias primas críticos o significativos. Se regula también la comunicación de las posiciones en derivados sobre materias primas, derechos de emisión o derivados sobre derechos de emisión, desarrollándose el régimen de las obligaciones de información y clasificación.
Recoge también el **régimen** de los sistemas de liquidación, compensación y registro especificando los supuestos de intervención obligatoria de una entidad de contrapartida central, así como las disposiciones relativas a la liquidación de valores negociables.
Detalla las **disposiciones comunes** aplicables a las entidades de contrapartida central y a los depositarios centrales de valores y las que son específicas a cada una de estas infraestructuras de mercado. Se detallan las entidades que pueden participar en cada una de ellas y el acceso a la condición de miembro, sus requisitos de organización y funcionamiento, su régimen económico y las normas aplicables a sus estatutos sociales y su reglamento interno.

La **naturaleza jurídica** de la comisión bursátil es, para Garrigues y para toda la doctrina posterior, la de la comisión mercantil (nº 5585). Y eso es tanto como decir que tiene naturaleza de mandato mercantilizado. **9418**
En efecto, por la comisión una persona (el intermediario bursátil) se obliga a hacer una cosa (adquirir o transmitir valores admitidos a negociación) por encargo de otra (el inversor/desinversor) (CC art.1709).
La naturaleza mercantil de esta comisión se desprende de dos datos argumentales:
a) Argumento legal (CCom art.244): Tiene por objeto un acto u operación de comercio, pues la inversión/desinversión de valores es el negocio típico de un operador -el bursátil- que tiene naturaleza jurídica de empresario. Si el comitente es también comerciante de dicho mercado (otra Sociedad de valores, por ejemplo), el acto jurídico será calificable como acto de comercio bilateral o propio, pero si el comitente no es tal, sino un particular o un empresario dedicado a otro género de actividad mercantil, entonces el acto jurídico habrá de reputarse como acto de comercio unilateral o impropio. Además, el **comisionista** es, sin duda, comerciante, pues las empresas de servicios de inversión son aquellas empresas cuya actividad principal consiste en prestar servicios de inversión, con carácter profesional, a terceros sobre los instrumentos financieros señalados en la LMV art.2 (LMV art.122).
b) Argumento doctrinal: Hay comisión mercantil cuando se ejecuta dentro del ejercicio de una actividad mercantil organizada con la finalidad de aportar un valor añadido al mercado, que lo retribuirá vía precio. Tal es el caso, nuevamente, de las mencionadas **empresas de servicios de inversión**.

Precisiones **1)** La singularidad de la comisión bursátil respecto de la comisión mercantil ordinaria es que aquella se perfecciona bajo el principio general de «**admisión legalmente obligatoria**». Tanto se trata de proteger la viabilidad y liquidez del mercado que el comisionista carece de capacidad de decidir si contrata o no. **9420**
2) El contrato de comisión bursátil presenta los siguientes **caracteres**: es consensual (sin perjuicio de la aplicabilidad de las normas administrativas de registro de órdenes o de libro diario de inscripciones entre otras), bilateral, oneroso, conmutativo, de tracto único y de adhesión. Y pueden señalarse las siguientes notas (Zunzunegui): carácter obligatorio; indirecto, pues el comisionista contrata en nombre propio sin declarar quién es el comitente, más aún, la información relativa a la identidad de los ordenantes tiene carácter confidencial; y «de garantía», ya que del incumplimiento de esta obligación responde, hasta cierta cantidad, el Fondo de Garantía de Inversiones, en los supuestos previstos en la LMV art.190.

3) La **regulación** de la comisión bursátil se recoge en:
- la voluntad privada;
- en los Códigos: se aplica con carácter general el CCom, en cuanto no contradiga las especiales normas y principios de la contratación bursátil, y supletoriamente, el CC;
- en las leyes especiales: LMV, Ley de Contrato de Agencia (L 12/1992), Ley de Condiciones Generales de la Contratación (L 7/1998) y Ley del Euro (L 46/1998). Es también aplicable la Ley General para la Defensa de los Consumidores y Usuarios (RDLeg 1/2007), si bien el inversor bursátil difícilmente puede ser calificado como «consumidor», es lícito y acorde al criterio sociológico de interpretación considerar que dicho inversor es destinatario final no de los valores, sino del «servicio de inversión» prestado por las entidades especializadas;
- los reglamentos: RD 814/2023; RD 1849/1980 art.1 a 4 por el que se regulan las órdenes de compraventa y el régimen de aplicaciones sobre valores mobiliarios con cotización oficial; RD 813/2023, sobre régimen jurídico de las empresas de servicios de inversión y de las demás entidades que prestan servicios de inversión; y el RD 2590/1998, sobre modificaciones del régimen jurídico de los mercados de valores;
- los usos bursátiles, han ido perdiendo terreno en punto a su trascendencia y aplicabilidad, dada la creciente tecnificación y profesionalización del mercado, ello no obstante, quedan reminiscencias de su antigua importancia.

b. Clases de órdenes bursátiles

9425 Se pueden distinguir los siguientes criterios (Nieto Carol):

9427 **Órdenes bursátiles según el precio** Se diferencian las siguientes:
a) Orden **por lo mejor o al mejor cambio**. Es la más utilizada, tradicionalmente, en el mercado español. Son órdenes que se introducen sin precio. La negociación se realiza al mejor precio de contrapartida en el momento en que se introducen. Se pueden introducir tanto en periodos de subasta como de mercado abierto. Si al mejor precio no hay volumen suficiente para atender la totalidad de la orden, la parte no satisfecha quedara limitada a ese precio (no podrá cruzarse a otro más desfavorable). La orden por lo mejor se utiliza cuando el inversor quiere asegurarse una ejecución inmediata, pero también desea ejercer cierto control sobre el precio.
b) Orden **limitada o con límite**. El inversor marca un precio máximo a la orden si es de compra o bien un precio mínimo si es de venta. El intermediario puede ejecutar la orden si encuentra contrapartidas por debajo del límite (si es de compra) o por encima del límite (si es de venta).
c) Orden **a cambio aproximado o «alrededor de»**. Con ella el inversor determina una horquilla dentro de la cual el intermediario puede actuar. Así: comprar un determinado valor si la cotización oscila dentro de un intervalo de más/menos 3% respecto de la última cotización del día anterior.
d) Orden **«al harán»**. Tiene su origen en la tradicional expresión del argot bursátil «a como hagan». Por su virtud el intermediario recibe el encargo de comprar (o vender) al cambio verificado al final de la sesión bursátil.
e) Orden «**on stop**». Son órdenes condicionadas, en el sentido de que se encarga comprar si el precio baja de determinado nivel o bien vender si el precio sube de cierto umbral.
f) Orden **de mercado**. No se especifica límite de precio, por lo que se negociara al mejor precio que ofrezca la parte contraria en el momento en que se introduzca la orden. Se pueden introducir tanto en periodos de subasta como de mercado abierto. Si no puede ejecutarse en su totalidad contra la mejor orden del lado contrario, lo que reste se seguirá ejecutando a los siguientes precios ofrecidos, en tantos tramos como sea necesario hasta que se complete. Lo habitual es que las órdenes de mercado se ejecuten inmediatamente, aunque sea en partes.

9429 **Órdenes bursátiles según el plazo** Las órdenes pueden ser (RD 1849/1980 art.1.3):
- válida durante una sola sesión;
- válida hasta una fecha concreta;
- válida hasta el último día de la semana en curso;
- válida hasta el último día del mes en curso.
Debido a que las órdenes de compraventa podrán ser revocadas por el dador en cualquier momento anterior a la iniciación de la ejecución por el agente mediador encargado de ellas (RD 1849/1980 art.4.4), se puede distinguir entre:
- Órdenes **VTC** (*valid till cancell*): son ejecutables en cualquier momento mientras no sean revocadas.
- Órdenes **IOC** (*inmediate or cancel*): si no se ejecuta inmediatamente toda o una parte de la orden, y en el primer momento que sea posible, la orden o la parte pendiente de la orden ha de reputarse cancelada.

- Órdenes **FOK** (*fill or kill*): más rígidas que las anteriores, obligan al intermediario a actuar inmediatamente por el total de la orden. En caso contrario, se extingue la orden, también automáticamente.

Órdenes bursátiles según la cuantía de valores La comisión bursátil no suele tener por objeto una sola unidad del valor que se desea vender o comprar. Antes bien, el inversor decide primero la cuantía de la inversión; selecciona después el valor; y, finalmente, adquiere tantos valores como sea posible en función del precio. Es decir, la orden recae sobre una pluralidad de valores. Por ello se distingue: 9431
a) Orden **de todo o nada**: o se compran o venden todos o ninguno.
b) Orden **con mínimos**: se encarga la compra o venta de, como mínimo, un determinado número de valores.
c) Orden **de múltiplos**: para evitar complicaciones, se puede encargar la inversión/desinversión por lotes de un determinado número de valores (p.e., de mil en mil acciones).
d) Orden **de suma**: es la más corriente, se encarga la adquisición de todos los valores a que alcance una suma monetaria de inversión que queda fijada.

Órdenes bursátiles por su relación con otras Diferenciamos: 9433
a) Órdenes **independientes**: es la regla general. Por su virtud, se ordena la adquisición/transmisión de tal o cual valor con independencia de cualquier otra circunstancia.
b) Órdenes **ligadas**: se encarga comprar bajo condición de que previamente se haya vendido otro valor o viceversa.

Precisiones En relación con los **valores admitidos a negociación en el S.I.B.E.** gestionado por la Sociedad de Bolsas, sus normas de adhesión y funcionamiento (Circ 1/2021, redacc Circ 1/2023) establecen todo lo relativo a las normas sobre las órdenes que los miembros del mercado pueden enviar al mismo.

c. Contratantes

Comitente Al que ordena comprar valores se le aplican las reglas generales de **capacidad**, sea persona física o jurídica, pudiendo actuar por sí o por medio de representante. Sin embargo, el que ordena vender valores ha de tener capacidad de disposición sobre los mismos. 9440
Si se trata de un **menor**, los padres no pueden enajenar o gravar, entre otros bienes y derechos, valores mobiliarios de titularidad de sus hijos, salvo el derecho de suscripción preferente, sino por causas justificadas de utilidad o necesidad y previa autorización del juez del domicilio, con audiencia del Ministerio Fiscal. No es necesaria la autorización, si el menor ha cumplido 16 años y consienta en documento público, ni para la enajenación de valores mobiliarios si el importe de los valores se reinvierte en bienes seguros (CC art.166).
Si es un **menor emancipado**, para enajenar objetos de extraordinario valor precisa del consentimiento de sus padres y, a falta de ambos, del de su defensor judicial (CC art.247).
Si es un **pupilo**, el tutor necesita autorización judicial para, entre otros, enajenar o gravar valores mobiliarios no cotizados en mercados oficiales de titularidad del sujeto a tutela. Se exceptúa la venta del derecho de suscripción preferente de acciones. La enajenación de estos bienes se realizará mediante venta directa salvo que el Tribunal considere que es necesaria la enajenación en subasta judicial para mejor y plena garantía de los derechos e intereses de su titular (CC art.224 y 287.2º).
En el régimen económico matrimonial de **gananciales**, se rompe la regla general del consentimiento conjunto de ambos cónyuges, pues son válidos los actos de disposición de valores realizados por el cónyuge a cuyo nombre figuren o en cuyo poder se encuentren (CC art.1384).
En el caso del **desaparecido**, cuyos representantes legales gozan de poder de representación para actos de administración, pero no para disponer, los poseedores temporales de los bienes del ausente no pueden venderlos, gravarlos, hipotecarlos o darlos en prenda, sino en caso de necesidad o utilidad evidente, reconocida y declarada por el letrado de la Administración de Justicia (secretario judicial), quien, al autorizar dichos actos, determina el empleo de la cantidad obtenida (CC art.186).

Si la **persona física** actúa por poder, se debe enjuiciar la forma, subsistencia y suficiencia del poder, considerando que, como estamos ante un acto de disposición, la interpretación de dicha suficiencia ha de ser estricta, sobre la base del CC art.1713. 9442
Para las **personas jurídicas** habrá que estar a las normas legales de representación orgánica (LSC art.234), bajo el principio de amplia interpretación de la suficiencia representativa, o bien al criterio estricto de interpretación del apoderamiento ordinario, con arreglo al mismo criterio que el dicho para las personas físicas.

Existen algunos supuestos en los que, para que el **administrador o representante ordinario de las compañías anónimas** pueda adquirir valores, han de observarse ciertos requisitos:
a) Si se trata de adquisiciones realizadas por la sociedad dentro de los **dos primeros años a partir de su constitución**, habrán de ser previamente aprobadas por la junta general siempre que el importe de aquéllas exceda de la décima parte del capital social (LSC art.72).
b) Si se intenta adquirir **acciones cotizadas propias** o de la sociedad dominante, entonces habrán de observarse los requisitos generales de autocartera. Y, además los especiales siguientes:
- salvo en los supuestos de libre adquisición de las propias acciones, en las sociedades cotizadas el valor nominal de las acciones propias adquiridas directa o indirectamente por la sociedad, sumándose al de las que ya posean la sociedad adquirente y sus filiales y, en su caso, la sociedad dominante y sus filiales, no podrá ser superior al **10% del capital suscrito** (LSC art.509);
- el **emisor de acciones** admitidas a cotización comunicará a la CNMV la proporción de derechos de voto que quede en su poder, cuando **adquiera acciones propias** que atribuyan derechos de voto, en un solo acto o por actos sucesivos, bien por sí mismo, a través de una sociedad controlada o por persona interpuesta, y dicha adquisición alcance o supere el 1% de los derechos de voto -el emisor dispondrá de un plazo máximo de cuatro días de negociación desde dicha adquisición para efectuar la comunicación- (RD 1362/2007 art.40);
- existen normas especiales en materia de comunicación de participaciones significativas, pero tales reglas, más que limitaciones a la capacidad de disponer lo que imponen son obligaciones administrativas bajo sanción para caso de contravención (nº 10358). Algo parecido puede predicarse respecto de la necesidad de que entre el contenido mínimo del **informe anual de gobierno corporativo** figuren las participaciones accionariales de los miembros del consejo de administración que deberán comunicar a la sociedad (LSC art.540);
- el administrador o representante, al igual que ninguna otra persona, podrá realizar o intentar realizar operaciones con **información privilegiada**, recomendar que otra persona realice operaciones con información privilegiada o inducirla a ello, o comunicar ilícitamente información privilegiada (Rgto (UE) 596/2014 art.14).

Precisiones Si el intermediario-comprador responde a su cliente de la entrega de los valores (**comisión de garantía**), será coherente exigir al intermediario-vendedor que se asegure de la capacidad de quien ordena la venta. En caso contrario la compraventa bursátil podría ser objeto de posibles reclamaciones por vicio de capacidad, que no supondrían sino alteraciones de la seguridad que debe regir en el mercado.

9444 **Comisionista** Las operaciones bursátiles se realizarán, en todo caso, con la participación o mediación de, al menos, un **miembro de la Bolsa**, a través de los sistemas de contratación que las Bolsas de valores tengan establecidos (LMV art.62; RD 814/2023 art.105). Entre estos sistemas de contratación merece destacar, por su elevado número de operaciones, y volumen e importancia de los emisores, el **S.I.B.E.** gestionado por la Sociedad de Bolsas, que incluye a los valores admitidos a negociación, al menos en dos Bolsas de Valores (LMV disp.adicional 8ª; RD 814/2023 art.116.5).
Pueden distinguirse dos tipos de comisiones bursátiles y dos -sendas- modalidades de intermediarios.

9446 **Comisión indirecta** Es la encargada a un intermediario no miembro del mercado.
La LMV diferencia de manera explícita entre la actividad de recepción y transmisión de órdenes y la de **ejecución de órdenes**. Esta última queda reservada a las empresas de servicios de inversión y entidades de crédito que alcancen la condición de miembro del mercado (nº 9260 s.). Pero las dos primeras no están sometidas a tal principio de reserva exclusiva.

Precisiones Para Sánchez Calero lo que hay, en definitiva, es una sola operación bursátil edificada sobre dos comisiones. La primera comisión es la formalizada entre el inversor y el intermediario-no miembro. La segunda comisión es la perfeccionada entre el inversor y el intermediario miembro.

9448 **Comisión directa** Es la directamente ordenada al miembro del mercado, sin interposición de ningún intermediario adicional entre tal miembro y el ordenante.

Precisiones **1)** Sobre los **miembros del mercado**, sean empresas de servicios de inversión (sociedades o agencias de valores, pero no sociedades gestoras de carteras) o sean entidades de crédito, el Banco de España o la Administración General del Estado, ver nº 9260 s.
2) El RD 813/2023 cita como uno de los requisitos que ha de cumplir una entidad para obtener y conservar su autorización como empresa de servicios de inversión el de revestir la forma de sociedad anónima o de sociedad de responsabilidad limitada. En todo caso, la sociedad debe ser de duración indefinida, y las acciones o participaciones integrantes de su capital social deben tener carácter nominativo (RD 813/2023 art.20).

d. Objeto y precio

Servicio de inversión (RD 814/2023 art.116) El ordenante encarga a su comisionista o bien una adquisición-inversión: **orden de compra**, o bien una enajenación-desinversión: **orden de venta**. Por tanto, la orden tiene por objeto un contrato de ejecución: la compraventa. Y el objeto de este último es, a su vez, un valor negociable. Podemos afirmar, pues, que el objeto indirecto de la orden bursátil es el **valor bursátil**. 9455
En consecuencia, el servicio de inversión prestado por la empresa especializada tendrá por objeto la compra o venta de alguno de los valores negociados en Bolsa de valores: acciones y valores convertibles en ellas o que otorguen derecho a su adquisición o suscripción; y aquellos otros valores para los que así lo determine la CNMV.
Ahora bien, la comisión de valores puede tener por objeto cualquiera de los valores negociables o instrumentos financieros negociados en cualquiera de los mercados secundarios oficiales regulados en la LMV.

Precisiones En la ejecución del encargo, el intermediario debe cumplir las **normas de conducta** aplicables a quienes presten servicios de inversión (LMV título VIII; RD 813/2023 título VI).

Libertad de comisiones (RD 814/2023 art.102) No es una libertad absoluta, sino limitada, tutelada y disciplinada. 9457
Es una **libertad limitada**, ya que el Gobierno puede establecer retribuciones máximas para las operaciones cuya cuantía no exceda de una determinada cantidad y para aquéllas que se hagan en ejecución de resoluciones judiciales.
Además, se trata de una **libertad tutelada**, pues queda sometida a ciertas reglas de conducta bursátil contenidas en el Código de Conducta en los Mercados de Valores: la entidad no debe ofrecer ventajas, incentivos, compensaciones o indemnizaciones de cualquier tipo a clientes relevantes o con influencia en la misma cuando ello pueda suponer perjuicios para otros clientes o para la transparencia del mercado; debe abstenerse de realizar operaciones con el exclusivo objeto de percibir comisiones o multiplicarlas de forma innecesaria y sin beneficio para el cliente; y no debe actuar anticipadamente por cuenta propia ni inducir a la actuación de un cliente cuando el precio pueda verse afectado por una orden de otro de sus clientes.
Y se trata, finalmente, de una **libertad disciplinada**, pues alrededor de la misma se han establecido una serie de normas jurídico-públicas que forman parte de ese conglomerado normativo que llamamos normas de disciplina del mercado y que, en esta materia, se encuentran recogidas en el RD 813/2023.

Normas de disciplina bursátil Los intermediarios establecen libremente sus **tarifas máximas** de comisiones y gastos repercutibles (nº 9295 s.), pero existen unas normas de disciplina bursátil a cargo de los intermediarios especializados a efectos de facilitar la información a los clientes acerca de todos los costes y gastos (RD 813/2023 art.145; Rgto Delegado (UE) 2017/565 art.50), en concreto: 9459
1. Sobre la **divulgación ex ante o ex post** de información, las empresas de servicios de inversión agregarán lo siguiente:
- todos los costes y gastos conexos cobrados por la empresa de servicios de inversión o terceros, cuando se haya remitido al cliente a esos terceros, por los servicios de inversión o los servicios auxiliares prestados al cliente; y
- todos los costes y gastos conexos relacionados con la producción y la gestión de los instrumentos financieros.
2. Cuando una parte del total de los costes y gastos deba pagarse en **moneda extranjera**, las empresas de servicios de inversión deberán proporcionar una indicación de la moneda de que se trate y del tipo de cambio y costes aplicables.
3. En relación a los costes y gastos de **productos que no estén incluidos** en el **documento de datos fundamentales** para el inversor de las Instituciones de Inversión Colectiva, las empresas de servicios de inversión deberán calcular y revelar tales costes.
4. La obligación de presentar a su debido tiempo información previa completa sobre los **costes y gastos agregados** asociados al instrumento financiero y al servicio de inversión o auxiliar prestado cuando la empresa de servicios de inversión recomiende o venda a los clientes instrumentos financieros, o cuando la empresa de servicios de inversión que preste cualquier servicio de inversión esté obligada a proporcionar a los clientes el documento de datos fundamentales para el inversor de una Institución de Inversión Colectiva o el documento de datos fundamentales relativo a productos empaquetados o basados en seguros (PRIIPS) en relación con los instrumentos financieros pertinentes, de conformidad con la legislación de la Unión Europea aplicable.

5. Las empresas de servicios de inversión que **no recomienden ni vendan** al cliente un **instrumento financiero**, o que no estén obligadas a facilitarle un documento de datos fundamentales o documento de datos fundamentales para el inversor de conformidad con la legislación pertinente de la Unión, deberán informar al cliente acerca de todos los costes y gastos relacionados con el servicio de inversión o auxiliar prestado.
6. Cuando se **calculen** los costes y gastos sobre una **base ex ante**, se utilizarán los costes realmente soportados como aproximación de los costes y gastos previstos.
7. Facilitarán **información ex post anual** sobre todos los costes y gastos relacionados con los instrumentos financieros y servicios de inversión y auxiliares, cuando hayan recomendado o vendido los instrumentos financieros, o cuando hayan facilitado al cliente el documento de datos fundamentales o documento de datos fundamentales para el inversor en relación con los instrumentos financieros, y tengan o hayan tenido una relación continua con el cliente durante el año. Dicha información estará basada en los costes reales y se facilitará de forma personalizada.
8. Por último facilitarán a sus clientes una **ilustración** que muestre el efecto acumulado de los costes sobre la rentabilidad cuando presten servicios de inversión. Tal ilustración se facilitará tanto sobre una base ex ante como ex post.
No obstante, las empresas de servicios de inversión que presten servicios de inversión a **clientes profesionales** tienen derecho a convenir con estos clientes una aplicación limitada de estos requisitos.

e. Forma

9465 El contrato de comisión mercantil es **consensual** y no formal, y lo mismo el contrato de comisión bursátil.
Cosa distinta es la existencia, para el comisionista, de ciertas obligaciones jurídico-públicas de **constancia y registro** de órdenes bursátiles e incluso de llevanza de un libro diario de operaciones como entidad participante en la Sociedad de Sistemas (o en un Servicio de Compensación y Liquidación de una Bolsa de Valores), pero tales obligaciones no se adentran en la esencia privada de la relación negocial. Por eso, su incumplimiento no acarrea consecuencias de carácter contractual, sino meramente sancionadoras.

9467 **Óptica jurídico-privada** Desde el punto de vista formal tanto la comisión aislada: orden simple como la comisión vinculada a otra figura negocial más amplia: orden compleja (nº 9414) son contratos consensuales. Se someten, pues, a las normas ordinarias y generales tanto en materia de forma (CCom art.51 y concordantes; CC art.1278 a 1280), cuanto en materia de prueba (LEC art.299 a 386).
Generalmente la **orden simple** toma cuerpo documental en un **formulario estandarizado** que el intermediario presenta a su cliente. Éste lo rellena, con sus instrucciones, y lo firma en prueba de que el encargo se ajusta a su voluntad. Sin embargo, habitualmente, el consentimiento del comisionista no es expreso, pues en la orden no firma el intermediario. Se conforma normalmente de manera tácita. La entrega del formulario al ordenante y la recepción posterior del mismo son prueba suficiente de que se ha consentido aceptar el encargo, sobre todo si se aprecia que al ordenante se le entrega copia idéntica de la orden formalizada. Desde entonces se produce el efecto del CC art.1262 (concurso de la oferta y la aceptación); y, como hay causa (inversión) y objeto (los valores), hay ya contrato (CC art.1261).
Ahora bien, la orden simple también se formaliza, cada vez con más frecuencia, mediante procedimientos distintos del anterior, pues en el mercado de valores existe una frecuente contratación verbal o telefónica y también por vía electrónica (Internet, correo electrónico...).

Precisiones 1) Resulta aplicable lo dispuesto en L 6/2020, reguladora de determinados aspectos de los servicios electrónicos de confianza, así como en el Rgto (UE) 910/2014 relativo a la identificación electrónica y los servicios de confianza para las transacciones electrónicas en el mercado interior.
2) En caso de **órdenes no escritas**, y como salvaguarda para la mejor prueba presuntiva esgrimible, en su caso, con posterioridad, se entiende confirmada la orden cuando el receptor de la misma comunique a su ordenante por cualquier medio escrito, la ejecución y, en su caso, la liquidación de la misma según sus instrucciones y éste no manifieste disconformidad con las mismas en el plazo que al efecto le indique la entidad, que no podrá ser inferior a quince días desde la recepción de dicha información por el ordenante (CNMV Circ 3/1993 norma 2ª).

9469 La **orden compleja**, es decir, la que inicia una relación contractual más compleja de cuenta corriente bursátil, de depósito y administración o de gestión bursátil, encuentra un cauce formal particular. En efecto, el contrato principal (nº 9416) se suele formalizar en **ejemplar documental preimpreso**. La comisión compleja aparece dentro del mismo como una particular estipulación contractual. Esta es la práctica generalizada en el mercado.

Además, se exige que, en la prestación de los servicios de gestión de carteras y de depósito y de administración de valores, la relación contractual se formalice mediante un contrato tipo en el que se establezcan, de manera detallada, para la prestación de estos servicios, las relaciones entre la entidad y sus **clientes minoristas**. La prestación de estos servicios a **clientes no minoristas** no debe someterse a la existencia de un contrato tipo, sino que se regirán por lo establecido entre las partes (OM EHA/1665/2010; CNMV Circ 7/2011).

Precisiones Sea simple o compleja la orden, si se formula en **impreso-tipo** escrito, son de aplicación la LGDCU y la L 7/1998, sobre Condiciones Generales de la Contratación.

Óptica jurídico-pública Existe un **deber de precisión** que recae en el ordenante, pero no se especifican las consecuencias de su infracción, lo que genera una inseguridad para el propio ordenante a la hora de interpretar la orden. 9471

Las órdenes deben ser claras y precisas en su alcance y sentido, de forma que tanto el ordenante como el receptor conozcan con exactitud sus efectos. Se exige el siguiente **contenido mínimo** (RD 1849/1980 art.1):
- voluntad del ordenante sobre el destino de la orden;
- clase de orden;
- plazo de validez;
- gastos de la operación;
- lotes;
- conocimiento del significado y trascendencia de la orden.

Asimismo, existe un deber de registro (RD 813/2023 art.90; LMV art.177). Los intermediarios bursátiles deben disponer de un **registro de todos los servicios, actividades y operaciones** que contendrá la información sobre las órdenes recibidas de terceros relativas a la actividad de intermediación, anotación y depósito sobre cualesquiera valores y aquella otra referente a las actuaciones posteriores de la entidad receptora, en relación con las operaciones a que se refieren dichas órdenes.

También existe un **deber de archivo de justificantes**. Está formado por: el ejemplar original de la orden firmada por el cliente o por persona autorizada de forma fehaciente cuando sea realizada en modo escrito; la cinta de grabación, cuando la orden sea realizada en modo telefónico; y el registro magnético correspondiente en el caso de transmisión electrónica.

Por último, la empresa de servicios de inversión en cuanto participante en los sistemas de registro, compensación y liquidación de valores deberá cumplir las normas sobre **el registro de detalle** (RD 814/2023 art.35) y registros de terceros (RD 505/1987 art.6.4, con respecto a los valores de la Deuda Pública en Anotaciones negociados en Bolsa de Valores -o en el Mercado de Deuda Pública en Anotaciones-).

Precisiones Todas estas son obligaciones jurídico-públicas. En caso de **incumplimiento** el contrato continúa siendo válido y eficaz y, sin embargo, el intermediario incumplidor habrá incurrido en infracción del Mercado de valores, sancionable en los términos previstos por la LMV.

f. Obligaciones del ordenante-comitente

Si todo comisionista es responsable de los **daños sobrevenidos** al comitente por no haber culminado, sin causa legal justificada, la comisión aceptada o empezada a ejecutar, el comitente bursátil, en justa equivalencia de posiciones contractuales, debe asumir las consecuencias generales de la orden por él dada (CCom art.252). Por ello, el ordenante debe consignar en la orden escrita, el conocimiento y trascendencia del significado de la misma (RD 1849/1980 art.1.6). 9475

Ahora bien, para que el comitente quede vinculado, es necesario que el mediador bursátil se haya ajustado a sus instrucciones, pues si éste se sujetó a las mismas, quedará exento de toda responsabilidad.

Aparte esta consideración general, surgen otras obligaciones para el comitente bursátil y también para el genérico comitente del mercado de valores:

Pago del premio de la comisión (CCom art.277) El comitente está obligado a pagar al comisionista la comisión pactada. 9477

Rige el principio de libertad de comisiones, pero no es una libertad absoluta, sino limitada, tutelada y disciplinada (ver nº 9457).

Gastos suplidos y otros (CCom art.278) Tiene el comitente obligación de satisfacer al comisionista los gastos suplidos y demás gastos y desembolsos realizados a virtud de la comisión. Esta es una afirmación generalizada en la doctrina especializada (Cachón Blanco, Nieto Carol), pero no deja de estar sometida a posible crítica, por cuanto que, en el ámbito bursátil, 9479

el precio o comisión pagado al miembro del mercado (o a cualquier otro intermediario) ha de presumirse neto de otro tipo de gastos.
En consecuencia, para que el mediador bursátil pudiera repercutir estos gastos, ha de existir pacto expreso.

9481 **Provisión de fondos** (CCom art.250) El comitente tiene obligación de provisionar fondos, si se hubiera pactado o lo exigiere la comisión.
Es aplicable a la comisión bursátil el CCom art.276, que regula el denominado **privilegio del comisionista**. En virtud de este derecho el comisionista no puede ser desposeído de los efectos que recibió en consignación, sin que previamente se le reembolse de sus anticipos, gastos y derechos de comisión.
El comisionista tiene un derecho preferente sobre los valores objeto de la comisión frente a los demás acreedores del comitente, debiendo ser pagado por cuenta del producto de los mismos géneros.

g. Obligaciones del ordenado-comisionista

9485 El comisionista bursátil actúa en nombre propio y por cuenta ajena. Por eso no tiene obligación de declarar el nombre del comitente y queda obligado directamente frente a las personas con quien hubiere contratado, que será otro intermediario, las cuales no tendrán acción frente al comitente, ni éste frente a aquéllas, quedando a salvo las acciones que correspondan entre comitente y comisionista (CCom art.246).
No hay, pues, **transmisión de propiedad** entre comitente y comisionista. La propiedad se transfiere directamente de vendedor a comprador, sin que el intermediario sea reputado titular de los valores en momento alguno, y por eso en caso de quiebra del comisionista vendedor, los valores que tuviere en su poder para ejecutar la comisión se separan de la masa.
Las obligaciones del comisionista nacen, unas, de la pura relación contractual y, otras, de la aplicación de las leyes (CCom y LMV y sus desarrollos), Cachón Blanco las enumera así:

9487 **Obligación de aceptar la comisión recibida** El intermediario está obligado a aceptar la orden que reciba, pero puede subordinar el cumplimiento de dicha obligación a que se acredite por el ordenante la titularidad de los valores o que haga entrega de los fondos destinados a pagar su importe. Si el cliente comitente le acredita la titularidad o le entrega los fondos, el intermediario está obligado a cumplir la operación, vendiendo o comprando los valores.
Sin embargo, en algunos supuestos decae esa obligación y, consecuentemente, no habrá sanción:
a) Cuando la orden o la operación encargada resulten contrarias a las Leyes y Reglamentos (p.e., una orden que vulnere la normativa sobre OPAs).
b) Cuando el ordenante no aporte los datos precisos para el cumplimiento por el comisionista de las obligaciones de información fiscal legalmente establecidas (LMV art.339).
c) Cuando la orden no contenga todos los elementos precisos para la determinación del mandato conferido, o sea susceptible de interpretación dudosa, si bien, en este caso, debe solicitar las aclaraciones procedentes.
d) Cuando la orden resulte de ejecución imposible.
e) Cuando la orden sea contraria a los sistemas de contratación vigentes en el mercado.
En estos casos específicos es factible rehusar la comisión y, en consecuencia, el comisionista debe comunicarlo al comitente por el medio más rápido posible. En defecto de esta comunicación, el comisionista responde de los **daños y perjuicios** ocasionados al comitente (CCom art.248).

9489 **Otras obligaciones** Entre las obligaciones del comisionista podemos destacar las siguientes:
- Defender los **intereses generales** del cliente (LMV art.191).
- Sujetarse a las **instrucciones del comitente** (CCom art.254 a 256).
- **Comunicar** al comitente las operaciones realizadas y a **rendir cuentas** de los resultados (CCom art.260 y 263).
- No aplicación de la prohibición de **autoentrada** del CCom art.267 (LMV art.128).
- Observar lo establecido en **leyes y reglamentos** (CCom art.259) y, en particular, en el Código de Conducta en los Mercados de Valores.
- **Cumplir** personalmente la **comisión encargada** sin poder delegarla sin previo consentimiento (CCom art.261).
- Archivar **copia** de las órdenes que reciba (RD 1849/1980 art.2).
- Obligación general de **información.** Deben mantener en todo momento adecuadamente informada a su clientela, de conformidad con lo dispuesto en la LMV, sus disposiciones de

desarrollo y el Rgto Delegado (UE) 2017/565. Toda información dirigida a la clientela, incluida la de carácter publicitario, deberá ser imparcial, clara y no engañosa. Las comunicaciones publicitarias deberán ser identificables con claridad como tales (LMV art.200).

• **Conocer a su clientela**. Las personas y entidades que presten servicios y actividades de inversión deberán asegurarse en todo momento de que disponen de toda la información necesaria sobre su clientela (LMV art.203).

• Obligación de **mejor ejecución**. Deberán adoptar todas las medidas suficientes para obtener el mejor resultado posible para las operaciones de su clientela teniendo en cuenta el precio, los costes, la rapidez y probabilidad en la ejecución y liquidación, el volumen, la naturaleza de la operación y cualquier otro elemento relevante para la ejecución de la orden (LMV art.218).

h. Extinción del contrato

El destino natural de la comisión bursátil es su **ordinario cumplimiento**. Ocurre éste cuando las obligaciones de las partes han quedado totalmente agotadas, de suerte que el objeto de la comisión ha quedado consumado, y el comitente ha adquirido los valores objeto de la orden de compra o ha enajenado los ordenados vender y el comisionista ha cobrado su premio y gastos lícitamente repercutidos. Una vez producido el cumplimiento, se extingue cualquier obligación a cargo de las partes y, consecuentemente, el contrato como negocio unitario. **9495**

Precisiones 1) Cabe también la extinción por **incumplimiento**.

2) Las **fuentes reguladoras** del contrato de comisión bursátil no aportan unas normas especiales en materia de extinción. Se aplican, por tanto, los preceptos ordinarios de la teoría general del cumplimiento/incumplimiento de las obligaciones (CC art.1156), con aplicación primaria de las especialidades del CCom respecto de la extinción de la comisión (CCom art.279 y 280) y con aplicación supletoria -salvadas esas especialidades- de las normas de extinción del mandato civil (CC art.1732 a 1739). Como muestra de esas especialidades, si el mandato se acaba por renuncia del mandatario (CC art.1732.2º), renuncia que en el Código de Comercio recibe el nombre de rehúse (CCom art.248), no cabe tal en el caso de la orden o comisión bursátil, cuenta tenida del principio de ejecución obligatoria.

Dentro de las causas ordinarias o generales de extinción, cabe reseñar ciertas circunstancias singulares: **9497**

a) **Transcurso del plazo**. La comisión se extingue por el transcurso del plazo establecido por voluntad de las partes sin que se haya ejecutado el encargo por la razón que sea. Todas las órdenes sin plazo se entenderán válidas hasta fin de mes en curso (RD 1849/1980 art.1.3).

b) **Imposibilidad de ejecución**. Este sería el caso de no haber encontrado contrapartida al cambio señalado, o de haberse producido la suspensión o exclusión de negociación de los valores (LMV art.52 y 64).

Quedaría subsumido en este bloque de causas el supuesto en que el operador receptor de la orden ha sido sancionado con **suspensión total o parcial** de su actividad y dicha sanción afecta, precisamente, a la actividad de ejecución de órdenes (LMV art.312.2 y 313.2).

Distinta es la hipótesis de **inexistencia de contrato** por carecer de objeto, pues aquí, lo que ocurre no es que se haya extinguido el contrato, sino que nunca llegó a nacer (p.e., se ordena que se adquiera un valor que no cotiza, o que cotiza en Bolsa distinta de la que recibe la orden).

c) **Revocación**. Siendo el contrato de comisión bursátil un contrato basado en la confianza, el comitente puede revocar la comisión en cualquier estado del negocio, poniéndolo en conocimiento del comisionista, pero quedando obligado a las resultas de las gestiones realizadas antes de haberle hecho saber su revocación. Es decir, el comitente que revoque una orden queda obligado tanto por las operaciones concertadas antes de que el comisionista lo conozca, como por los compromisos firmes asumidos por éste, por ejemplo, si hubiere dado una orden o posición vinculante hasta una hora o sesión posterior (Cachón Blanco). **9499**

La **revocación expresa** es el sistema ordinario de la revocación mercantil y también de la revocación bursátil. Y, de la misma manera que la formalización del contrato es libre (nº 9465 s.), así también la **formalización** de su revocación, que puede tomar forma escrita o verbal. Se admite, consecuentemente, la revocación telefónica y también la dada por medios electrónicos.

Sin embargo, es discutible la admisibilidad de la **revocación tácita**. Nada se dice ni en el Código de Comercio ni en el Código Civil acerca de la revocación bursátil. Nada tampoco en la LMV ni en sus desarrollos reglamentarios.

A favor de la exigibilidad de una mínima expresión de la declaración revocatoria cabría argumentar:

1º) La seguridad del mercado. Si para tal seguridad se grava a los miembros del mercado con la carga de la aceptación obligatoria de la orden, así como con la de la comisión de garantía,

justo es entender, en reciprocidad, que a dichos miembros se les deba beneficiar con la garantía de la revocabilidad expresa. En caso contrario podrían cruzar operaciones por cuenta de sus ordenantes sin haber conocido la previa revocación, lo que les obligaría a responder de la operación primariamente para luego tener que correr con los costes de una reclamación indemnizatoria contra el tácito revocante siempre incierta.
2º) El criterio de **extensión analógica** del CCom art.290. Este precepto exige que la **revocación del factor** sea expresa. No hay, evidentemente, identidad de razón en la relación jurídica que vincula a principal y factor con la que une a ordenante y miembro del mercado. La analogía no está ahí, sino en el criterio de seguridad con arreglo al cual el legislador niega la posibilidad de que la revocación sea tácita. Si la del factor no puede ser tácita por seguridad del mercado (de cualquier mercado), y si esa seguridad jurídica se predica como bien jurídico protegible en un mercado concreto (el de valores), en ella encontraremos el argumento de identidad de razón que nos permite proclamar la analogía.

Precisiones Habrá de ser predicada la inaceptabilidad de la revocación tácita también de la revocación hecha por los representantes del **comitente difunto o inhabilitado**.

9501 **d) Extinción o inhabilitación del intermediario del mercado de valores que actúe de comisionista**. Es causa admitida para la extinción del mandato (CC art.1732.3º). Sin embargo, el mismo precepto admite también como causa de extinción la muerte del mandante. Estas causas no lo pueden ser de extinción de la comisión mercantil, como se desprende del CCom art.280. Consecuentemente, tampoco lo serán de la comisión bursátil, sobre todo si se acepta que la revocación ha de ser expresa (nº 9499).
En los supuestos de **concurso** de un intermediario, debido a la trascendencia económica y bursátil de esta situación, normalmente se adoptarán las medidas de sustitución e intervención previstas en la LCon y en la Ley de Disciplina e Intervención de Entidades de Crédito (LMV art.330). Cabe señalar las siguientes hipótesis (Cachón Blanco):
- en todos los supuestos en los que una empresa de servicios de inversión o entidad de crédito quede privada de la autorización oportuna para actuar como tal;
- en los supuestos de revocación de la autorización o de suspensión temporal de la condición de miembro de un mercado regulado;
- en los supuestos de pérdida de la condición de miembro de un mercado (aunque pueda seguir actuando como Sociedad de valores o Agencia de valores): por no adquirir o no suscribir las oportunas acciones en las Sociedades Rectoras en los momentos de adaptación de participaciones, por mora en el pago de deudas con la Sociedad Rectora, etc.;
- por el contrario, en los supuestos de declaración de **concurso**, aparte de la intervención o sustitución de la administración de una empresa de servicios de inversión o entidad de crédito y del hecho de que no se produce extinción de la personalidad jurídica, sí pueden producirse limitaciones operativas a su actuación derivadas de la L 41/1999.

SECCIÓN 3

Contrato de compraventa del mercado de valores

9505

1. Consideraciones generales

9510 Puede definirse la compraventa bursátil como la compraventa sobre **valores cotizados** en Bolsa celebrada con la participación de un miembro del mercado y de conformidad con las leyes, reglamentos y reglas técnicas que rigen la contratación mercantil (Zunzunegui).

La compraventa bursátil es, económicamente, el objeto de la orden bursátil (nº 9405 s.). Una vez ocurrida la compraventa culmina la inversión en valores deseada por el ordenante-comprador, y, del otro lado, la desinversión deseada por el ordenante-vendedor. El contrato de compraventa bursátil es la vestidura jurídica de la anterior realidad económica.
En la compraventa bursátil:
- el **consentimiento** se manifiesta, como en todo contrato, por la concurrencia de la oferta y la aceptación sobre la cosa y la causa del mismo (CC art.1262). Uno de los más interesantes aspectos de la regulación del contrato es, precisamente, las diversas maneras de manifestación ad extra de ese consentimiento;
- el **objeto** lo son los valores que se transmiten y el precio por ellos pagado;
- y la **causa** es el interés de las partes en invertir/desinvertir.
La **Ley del Mercado de Valores** no aporta una definición singular de compraventa bursátil. Se limita a presuponer la definición legal tradicional y a diferenciar entre compraventas que tienen consideración de operaciones ordinarias de un mercado regulado y compraventas que tienen consideración de operaciones extraordinarias (nº 9525). Unas y otras son operaciones bursátiles, y se oponen, en el texto del LMV, a las operaciones extrabursátiles (nº 9520).

Precisiones Por el contrato de compraventa uno de los contratantes se obliga a entregar una cosa determinada y el otro a pagar por ella un precio cierto, en dinero o signo que lo represente (CC art.1445).
El **Código de Comercio** se limita a exigir el cumplimiento de ciertos **requisitos** para poder calificar el contrato como mercantil, pues será mercantil la compraventa de cosas muebles para revenderlas, bien en la misma forma que se compraron o bien en otra diferente, con ánimo de lucrarse en la reventa (nº 955).

En cuanto a la **naturaleza jurídica**, no hay dudas doctrinales acerca de la conceptuación de este contrato como verdadero contrato de compraventa. Y acerca de su naturaleza mercantil cabría decir: **9512**
a) Si el adquirente es **especulador bursátil** dedicado a tal actividad, empresarialmente la mercantilidad le vendría dada al contrato por cumplir los requisitos ordinarios previstos en el CCom art.325: se adquieren los valores con la finalidad de revenderlos buscando el lucro de la plusvalía bursátil.
Dentro de esta modalidad quedan ubicadas las compraventas celebradas entre dos intermediarios del mercado, así como las perfeccionadas por cualquier sociedad de valores e incluso aquellas en que el comprador o el vendedor es una Institución de Inversión Colectiva, representada en su caso por su Sociedad Gestora de Instituciones de Inversión Colectiva.
b) Si el adquirente es un **inversor particular** que persigue simplemente ahorrar, tomando su ahorro la opción de la adquisición de valores bursátiles a largo plazo, entonces habremos de calificar el acto como acto de comercio incuestionablemente si el vendedor es un intermediario bursátil que enajena los valores de su propia cartera, es decir, le «hace contrapartida». Sería un acto de comercio impropio o mixto.
Si el vendedor es otro particular que enajena los valores en los que había invertido a priori sin ningún ánimo especulador, la operación bursátil será mercantil por razón de la interpretación del CCom art.2 y por el hecho de tener por objeto unos valores de naturaleza mercantil incuestionable: acciones y obligaciones, u otros admitidos a negociación en algún mercado regulado (p.e., warrants o participaciones preferentes). A lo que hay que añadir, como soporte argumental, que se trata de un contrato de ejecución de otro (la previa comisión bursátil) de ya comentada naturaleza mercantil (nº 9418) por el hecho de que el miembro del mercado tiene por imperativo legal forma de SA, que es necesariamente mercantil (LSC art.2).

Precisiones 1) Como tal compraventa mercantil, sus **notas características** son las siguientes: consensual, ello sin perjuicio de los deberes jurídico-públicos de documentación contractual (nº 9615 s.), bilateral, onerosa (en régimen de libertad de cotizaciones), conmutativa, de tracto único y es un negocio jurídico encorsetado en los modelos estandarizados y tipificados por las fuentes, por lo que tienen escasa entrada las manifestaciones concretas de declaraciones de voluntad singulares tales como posibles condiciones suspensivas o resolutorias, reservas de dominio y similares. **9514**
2) En la compraventa bursátil, los efectos de la **tradición de los valores**, si están representados mediante anotaciones en cuenta, tiene lugar por transferencia contable (LMV art.11) simultánea al momento de la liquidación de la operación -como norma general, dos días hábiles de Bolsa después de su contratación-, a través del depositario central de valores respectivo (LMV art.8.3). En el caso de estar representados mediante sistemas basados en tecnología de registros distribuidos la transmisión de valores tendrá lugar mediante la transferencia registrada en el registro distribuido.
3) No hay compraventa bursátil sin intermediación de un **miembro del mercado**. Si no existe tal, el acuerdo será válido entre las partes, aunque carecerá en absoluto de eficacia frente a terceros. Ejemplo: A compra a B determinados valores bursátiles, pero del negocio jurídico no se da razón al mercado. Al día siguiente B vende a C esos mismos valores a través del mercado. A no podrá ejercer acción reivindicatoria contra C, sino una mera acción indemnizatoria frente a B.

9516 **4)** Por ser bursátil, el negocio queda sometido a las **rígidas normas de disciplina bursátil**: sometimiento a normas imperativas; carácter público del precio de la compraventa, esto es, la cotización oficial, y otros extremos tales como la denominación del valor, la cantidad comprada y la fecha; control por parte de la CNMV; presencia del «término esencial», pues en la contratación bursátil no hay mora: hay cumplimiento o incumplimiento; y principio de «unicidad de contratación», en virtud del principio tradicional de nuestra organización bursátil, también denominado principio de concentración de mercado que predica que las operaciones se realicen, salvo las excepciones expresamente previstas, a través de los sistemas de contratación que las Bolsas tengan establecidos, para facilitar la confluencia en régimen de mercado de las órdenes relativas a la compra y la venta de los valores y asegurar un grado suficiente de transparencia y eficiencia en el mecanismo de formación de precios.

5) La compraventa bursátil se regula por:

- la **voluntad privada**, que aparece manifestada en los condicionantes impuestos por el inversor/desinversor en la orden de compra/venta encargada a su intermediario;
- los **Códigos generales**: con carácter general, y solamente en cuanto no contradiga las especialísimas normas y principios de la contratación bursátil, se aplica el CCom art.325 a 345 y, supletoriamente el CC art.1445 a 1505;
- las **leyes especiales**: en la LMV; en la L 7/1998 (Ley de Condiciones Generales de la Contratación); y en la L 46/1998 (Ley del Euro), si bien esta última con mero carácter instrumental. La aplicabilidad del RDLeg 1/2007 (Ley General para la Defensa de los Consumidores y Usuarios) es también predicable de este contrato en los mismos términos y con idénticos matices que los vistos para la comisión bursátil (nº 9420);
- los **reglamentos**: RD 814/2023 sobre instrumentos financieros, admisión a negociación, registro de valores negociables e infraestructuras de mercado; el RD 1066/2007 sobre régimen desobre el régimen jurídico de las empresas de servicios de inversión y de las demás entidades que prestan servicios de inversión las ofertas públicas de adquisición de valores; el RD 81/2023 sobre empresas de servicios de inversión y la OM EHA/1665/2010; y el RD 2590/1998 sobre modificaciones del régimen jurídico de los mercados de valores;
- los **usos bursátiles**: la importancia que tuvieron en los albores de la Bolsa ha ido decayendo a medida que los avances técnicos han resuelto los problemas que venían sucediendo.

a. Operaciones extrabursátiles

9520 Son aquellas que, produciendo la transmisión de los valores admitidos a negociación, no tienen por **título oneroso** la compraventa, sino cualquier otro (p.e., una aportación a una sociedad que se constituye, una dación en pago, etc.). También se incluyen dentro de esta categoría las transmisiones a **título lucrativo** (donaciones y sucesiones).

b. Operaciones bursátiles

9525 Son las realizadas a **título de compraventa**. Se denominan también operaciones de mercado y pueden clasificarse en:

a) Compraventas bursátiles ordinarias: Se definen como las realizadas con sujeción a las reglas de funcionamiento del mercado regulado de que se trate.

El modelo-tipo de operación de mercado ordinaria en la Bolsa de valores es la ordenada por un inversor particular, que pretende comprar unos valores bursátiles, encontrando, a través del miembro del mercado con el que intermedia, una contrapartida en el correspondiente desinversor, que también actuó a través de su intermediario-miembro del mercado (nº 9260 s.).

b) Compraventas bursátiles extraordinarias: Aun configurándose jurídicamente como compraventas, desde el punto de vista jurídico-público no están sujetas a todas o a alguna de las reglas de funcionamiento del mercado regulado.

Pueden realizarse operaciones extraordinarias:

- cuando el comprador y el vendedor residan habitualmente o estén establecidos fuera del territorio nacional;
- cuando la operación no se realice en España;
- cuando tanto el comprador como el vendedor autoricen previamente a una empresa de servicios de inversión o a una entidad de crédito, expresamente y por escrito, para que la correspondiente operación se realice sin sujeción a las reglas de funcionamiento del mercado (nº 9527).

Precisiones **1)** La realización de operaciones extraordinarias debe ser comunicada a los **organismos rectores** del correspondiente mercado, en la forma que reglamentariamente se determine. Estos, a su vez, darán cuenta de ello a la CNMV, en la forma y casos que reglamentariamente se establezca.

2) Desde el punto de vista jurídico-privado, todas las compraventas bursátiles consisten, con una u otra peculiaridad, en **intercambios sinalagmáticos y consensuales** de valores negociables a cambio de un precio determinado -CC art.1445 a 1450- (Ibáñez Jiménez).

3) Dentro de las **operaciones bursátiles ordinarias** quedan incluidas las operaciones comunes del sistema de negociación y las operaciones especiales (Zapata). Ver nº 9527.

Operaciones bursátiles especiales (OM 5-12-1991) Las compraventas ordinarias comunes son las que se producen dentro de la sesión bursátil y a través de los mecanismos establecidos en los sistemas de contratación, en concurrencia con las demás órdenes de compra y venta. Las operaciones especiales se celebran, sin embargo, **fuera** del correspondiente **sistema de contratación**, en los casos expresamente admitidos por la LMV y las disposiciones que la desarrollan (OM 5-12-1991), y se comunican al mercado a los efectos de su incorporación al mismo y su liquidación a través de la Sociedad de Gestión de los Sistemas de Registro, Compensación y Liquidación de Valores, S.A. (IBERCLEAR) (Zapata). 9527

Son operaciones bursátiles especiales las siguientes:
- aplicaciones;
- operaciones especiales con contrapartida por cuenta propia;
- operaciones especiales entre miembros; y
- tomas de razón.

Precisiones Desde el 3-1-2018 este tipo de operaciones pasan a regularse a través del Rgto UE 600/2014 (**MiFIR**) relativo a los mercados de instrumentos financieros. Este Reglamento regula, entre otros, la transparencia pre y post negociación en relación con las autoridades competentes y los inversores y los requisitos y obligaciones de los proveedores de servicios de datos. Asimismo, establece requerimientos sobre la difusión al público de datos sobre actividad de negociación y el reporte de datos sobre operaciones a reguladores y supervisores.
Entre sus **objetivos** está reforma el reforzar la protección al inversor e impulsar la negociación de instrumentos financieros desde mercados OTC (*over the counter*) hacia centros de negociación (mercados regulados, sistemas multilaterales de negociación o sistemas organizados de contratación).

Aplicaciones Un operador bursátil, que sea miembro de una Bolsa de Valores, recibe una orden de compra (o venta) sobre un determinado valor admitido a negociación en Bolsa. El mismo operador recibe una orden de venta (o compra) de diferente inversor sobre ese mismo valor. El operador no introduce las órdenes en el mercado, que verá, consecuentemente, reducida la oferta total y la demanda total, sino que las casa directamente y por su cuenta y riesgo, siempre que éstas cumplan los requisitos establecidos en la normativa vigente (OM 5-12-1991; CNMV Circ 3/1991). 9529

Las aplicaciones siempre han originado el peligro de conculcación del **principio de unicidad** del mercado tan celosamente perseguido por la LMV.

Formulación pública Como **sistema general** de admisibilidad de las aplicaciones, los miembros de las Bolsas en quienes concurran órdenes de signo contrario sobre un mismo valor admitido a negociación en ellas, pueden proceder a su aplicación solo si, formuladas públicamente a través del correspondiente sistema de contratación, quedan casadas por no existir en el momento de su formulación contrapartidas al mismo precio o a otro más favorable. 9531

De esta manera, la aplicación queda formalizada cuando en el momento de formalizarse la posición al sistema de contratación (S.I.B.E.) no existen contrapartidas. Si existieran contrapartidas al mismo cambio que el propuesto para la aplicación, será requisito para proceder a la aplicación cubrir al menos el 20% de las mismas.

Comunicación a un órgano de supervisión Como **sistema especial** de admisibilidad de las aplicaciones, los miembros de las Bolsas pueden aplicar las órdenes de signo contrario que en ellos concurran sin formularlas públicamente a través del correspondiente sistema de contratación y fuera del horario en éste establecido siempre que se cumplan los siguientes **requisitos**: 9533

a) Que la **desviación del precio** con respecto al cambio o cambios más significativos del día no sea superior al más alto de: cambio medio ponderado o cambio de cierre, incrementados en un 5%, ni inferior al más bajo de dichos precios, reducidos en un 5% (OM 5-12-1991 art.2).

b) Que al precio referido anteriormente, o a otro más favorable, no exista posición de dinero o papel vinculante manifestada con anterioridad al cierre de la sesión en los **términos, cuantía y porcentaje** siguientes (OM 5-12-1991 art.33):
- el precio será igual, o más bajo, si la posición es de venta, o igual, o más alto, si la posición es de compra, que aquel al que pretenda realizarse la aplicación;
- cuantía mínima efectiva: para valores negociados en el Sistema de Interconexión Bursátil: 30.000 €; y para valores negociados por el sistema de viva voz en corro: 18.000 €;
- cuantía máxima: los órganos de supervisión designados por las Sociedades rectoras, o en su caso, por la Sociedad de Bolsas, podrán rechazar las posiciones vinculantes que por su cuantía o sus características deban reputarse como excepcionales. La CNMV queda habilitada para, previo informe de las Sociedades rectoras y de la Sociedad de Bolsas, establecer los criterios que permitan calificar a una posición vinculante como excepcional;
- las operaciones manifestadas con anterioridad al cierre de la sesión deben comunicarse a los órganos de supervisión citados, en la forma que establezcan las Sociedades rectoras o, en su caso, la Sociedad de Bolsas;
- asimismo, aparecerán recogidas en el acta de la sesión, y en el «Boletín de Cotización» correspondiente a dicha sesión. Además, una vez cerrada la sesión, deberán figurar en las pantallas, en el

caso de valores negociados en el Sistema de Interconexión Bursátil, y en el tablón de anuncios de la Sociedad rectora, o a través de sistemas electrónicos de difusión de información, en el caso de valores negociados por el sistema de viva voz en corro.

9535 **c)** Que el **importe de la operación** supere tanto la cuantía como el porcentaje respecto del volumen medio de contratación del valor siguiente (OM 5-12-1991 art.4):
- si se trata de valores de renta variable: 300.000 € efectivos, si se negocian en el Sistema de Interconexión Bursátil, o, si se negocian en el sistema de viva voz en corro: 120.000 € efectivos. En los casos de valores de renta fija: 300.000 € efectivos, con independencia del sistema de negociación en que se contraten;
- el 20% de la media diaria de contratación del valor de que se trate durante el último trimestre natural cerrado, en el caso de valores negociados en el Sistema de Interconexión Bursátil, y el 25% sobre la misma magnitud para los valores negociados por cualquier otro sistema de negociación.

d) Que se trate de **órdenes individualizadas** procedentes de un solo ordenante final, quedando prohibida la agrupación de órdenes a estos efectos. Se considerarán de un solo ordenante final las órdenes simultáneamente procedentes de una sola persona, física o jurídica, que tenga capacidad de decisión sobre todas ellas (normativa S.I.B.E.) OM 5-12-1991 art.5.

e) Que la operación se comunique al **órgano de supervisión** de la correspondiente sociedad rectora o de la Sociedad de Bolsas, dentro del mismo día, en la forma y dentro del horario que fija la Comisión Nacional del Mercado de Valores, previo informe de las Sociedades rectoras de las Bolsas de Valores y de la Sociedad de Bolsas OM 5-12-1991 art.6.

9537 **Autorización administrativa** Como **sistema excepcional** de admisibilidad de las aplicaciones, para el caso de que ni haya formulación pública (nº 9531) ni tampoco se cumplan los límites reglamentarios de desviación de precio (nº 9533), el Ministro de Economía y Hacienda determina los supuestos en que las aplicaciones podrán autorizarse, singularmente, por la Sociedad rectora o, en su caso, por la Sociedad de Bolsas. Así, será posible la autorización si la operación se ajusta a alguno de los siguientes requisitos (OM 5-12-1991 art.7):

a) Superar su **importe** los dos siguientes mínimos:
- 500.000 € efectivos, si se trata de valores negociados en el sistema de interconexión bursátil, o 300.000 € efectivos, si se trata de valores negociados por el sistema de viva voz en corro;
- en ambos sistemas, el 40% de la media diaria de contratación del valor de que se trate durante el último trimestre natural cerrado.

b) Por las siguientes consideraciones de **interés societario**: transmisiones relacionadas directamente con procesos de fusión o escisión de Sociedades; o transmisiones que tengan su origen en acuerdos de reorganización de un grupo empresarial.

c) Por tratarse de la ejecución de los siguientes contratos antecedentes y **compraventas conjuntas**: compraventas que sean consecuencia de transacciones o acuerdos dirigidos a poner fin a conflictos; o compraventas que formen parte de operaciones integradas por una pluralidad de contratos especiales relacionados entre sí.

d) Por cualquier **otra causa** que, a juicio del órgano competente, justifique suficientemente la autorización de la operación.

9539 **Operaciones especiales con contrapartida propia** Son compraventas en que las acciones vendidas al ordenante de la compra proceden de la **cartera propia** de la empresa de servicios de inversión autorizada para negociar por cuenta propia, la cual actúa de vendedora. O bien la viceversa (acciones compradas al ordenante de la venta y para la cartera del operador bursátil). A ellas sí se refiere explícitamente la LMV, pues considera servicios de inversión, entre otros, la negociación por cuenta propia (LMV art.125).

9541 **Operaciones especiales entre miembros del mercado** Son compraventas en que comprador y vendedor son empresas de servicios de inversión o bien entidades de crédito.

9543 **Tomas de razón** Son compraventas bursátiles perfeccionadas directamente entre inversores, los cuales, una vez consentida la operación, la notifican a un operador bursátil para que éste «tome razón» de la misma introduciéndola en los sistemas de negociación correspondientes para que tenga lugar el cargo de los valores en la cuenta contable del vendedor, contra el correspondiente abono contable en la cuenta del comprador en el momento de liquidación de la operación (como regla general, dos días hábiles de Bolsa después).

Estas operaciones deben cumplir los requisitos de **desviación de precio y de importe** estudiados para las aplicaciones (ver nº 9533).

No concurriendo alguno de dichos requisitos, los miembros de las Bolsas de valores no podrán tomar razón sin contar con la **autorización** de los órganos de supervisión antes mencionados.

2. Clases

Existen distintos criterios para la clasificación de los contratos de compraventa bursátil: 9550

Por razón del plazo Se distingue entre compraventas al contado (regla general) y compraventas a plazo (regla especial). 9552

a) Operaciones al contado son aquellas en que las obligaciones recíprocas de los contratantes deben consumarse el mismo día de la celebración del contrato, efectuándose la transmisión de los valores por transferencia contable a realizarse dos días hábiles de Bolsa después de la contratación de la operación en el mercado.

b) Operaciones a plazo son aquellas operaciones en que las obligaciones recíprocas de los contratantes no deben quedar satisfechas en el día del contrato, sino al vencimiento de un plazo convenido.

Estas operaciones a plazo pueden ser **en firme** o condicionales, las primeras son aquellas en que comprador y vendedor quedan definitivamente obligados, y, por lo tanto, el plazo fijado para su vencimiento y las condiciones del contrato son inalterables, liquidándose la operación en la fecha convenida.

Las **operaciones condicionales** son aquellas en que una de las partes se reserva el derecho a modificar alguna de sus condiciones mediante el pago de una compensación de acuerdo con su naturaleza. Admiten tres categorías:

- **con opción**: el comprador o vendedor, mediante una diferencia de cambio a su cargo respecto al cambio cotizado para el mismo valor a plazo en firme, adquiere el derecho de exigir la entrega o la recepción de una cantidad de valores de la misma clase, igual o múltiplo en número a los que son objeto de la operación inicial.
- **con prima**: el tomador de la prima puede abandonar el contrato en cualquiera de las sesiones de Bolsa mediante el abono del importe de la misma.
- **a voluntad**: el comprador o vendedor quedan definitivamente obligados, reservándose el derecho de liquidar en cualquier día de los que median hasta el plazo convenido, pero debiendo avisar con veinticuatro horas de anticipación.

Precisiones 1) Dentro del grupo de las operaciones a plazo, si bien que como categoría sui generis, la doctrina especializada suele incluir el **contrato de doble**, que consiste en la compra al contado o a plazo de valores al portador y en la reventa simultánea a plazo y a precio determinado a la misma persona de títulos de la misma especie.

2) Aunque en la actualidad en el mercado bursátil español no pueden realizarse operaciones bursátiles a plazo, la realidad es que no se hacen necesarias porque la función económica que a ellas tradicionalmente se había reservado es actualmente cumplida por las **operaciones de crédito** al mercado y por las operaciones de **futuros y opciones** del mercado MEFF Exchange con respecto de acciones cotizadas (Cachón Blanco).

Por razón de la disciplina del mercado Se diferencian compraventas con carácter de «operaciones **ordinarias** de mercado» y compraventas con carácter de «operaciones **extraordinarias** de mercado» (ver nº 9525). 9554

Por razón del ámbito del mercado Diferenciamos: compraventas sobre valores admitidos en una sola Bolsa de valores y compraventas sobre valores admitidos en el Sistema de Interconexión Bursátil, por estar previamente admitidos a negociación en, al menos, dos Bolsas de valores. 9556

Por razón de la financiación Se distingue: 9558

- Compraventas **no financiadas**. Es la hipótesis ordinaria. El comprador paga con recursos propios o bien con recursos financieros procedentes de mecanismos ordinarios de financiación (préstamo bancario con garantía de valores, fundamentalmente).
- Compraventas **financiadas**. Es el caso singular. En ellas el mercado, a través de alguno de sus operadores especializados, presta dinero (crédito al mercado, bajo modalidad de crédito a comprador) o bien presta valores (crédito al mercado, bajo modalidad crédito a vendedor) para permitir un alto grado de apalancamiento al inversor que, carente de recursos financieros propios, o siendo propenso al riesgo, decide apostar por una futura subida de las cotizaciones (crédito a comprador) o bien una baja de las mismas (crédito a vendedor) (ver nº 9655 s.).

3. Contratantes

9565 Para que la compraventa bursátil quede perfecta se precisa un elemento personal ajeno a la pura relación negocial de la compraventa. Son los **miembros del mercado**.

Las **partes** del contrato de compraventa bursátil son el comprador (nº 9567) y el vendedor (nº 9569). Sin embargo, tanto uno como otro actúan representados por sus **comisionistas**: los intermediarios bursátiles o empresas de servicios de inversión o entidades de crédito.

Ahora bien, los **efectos patrimoniales** del contrato (transmisión de la propiedad de los valores y pago del precio) se predican del adquirente, que compra valores y paga el precio, y del disponente, que vende valores y cobra el precio.

9567 **Comprador** Caben dos posibilidades:

a) Comprador **no especializado**: es una persona física o jurídica interesada en invertir en el mercado por motivo de ahorro o bien por motivo de especulación, pero no se dedica a ello habitualmente, en el marco de una organización empresarial competidora con otras actuantes en el mismo mercado.

Si es **persona física**, se aplican las reglas generales de capacidad (ver nº 110). Si es **persona jurídica**, habrá que estudiar las posibles limitaciones estatutarias a la capacidad de actuación y su relevancia/ineficacia frente a terceros. En cualquiera de los dos casos, si actúan por medio de **representante** será necesario enjuiciar la forma, suficiencia y subsistencia del apoderamiento según el criterio general de interpretación estricta del CC art.1713.

b) Comprador **especializado**: es una empresa de servicios de inversión o bien una entidad de crédito que adquiere los valores para su propia cartera para ser titular de los mismos.

Cuando el comprador es alguna de estas entidades, el valor negociable comprado es su mercadería. Se cumplen aquí, en su plenitud, las notas características de la compraventa mercantil: disposición a la reventa y ánimo de lucro en la misma.

Precisiones Respecto a los requisitos previstos en ciertos supuestos para que el **administrador** o representante ordinario de las compañías anónimas pueda adquirir valores, ver nº 9442.

9569 **Vendedor** El vendedor de los valores ha de ser **dueño** de los mismos en el momento de la venta, prohibiéndose la «**venta en descubierto**», salvo que se negocie la venta de valores adquiridos en la misma sesión bursátil que se venden, pero todavía no liquidados. Recordemos que el ciclo de liquidación es de dos días hábiles de Bolsa hasta que se entregan los valores.

La CNMV recuerda que existen normas que prohíben y penalizan las ventas en corto descubiertas (en el mercado de contado solo pueden negociarse por los vendedores los títulos-valores de los que sean propietarios con anterioridad), e insta a los miembros del mercado a hacer uso de las facultades que les otorga la LMV para asegurarse de que sus clientes y ordenantes cuenten con los valores antes de procesar sus órdenes de venta. Esta norma permite a los intermediarios a subordinar la ejecución de las órdenes a que se acredite por el ordenante la **titularidad de los valores**. Conforme al Acuerdo, los intermediarios podrán satisfacerse de esta titularidad mediante sus propios registros, si fueran los depositarios de los valores, o con la manifestación expresa del cliente de no estar realizando una venta en corto descubierta.

A estos efectos, la CNMV define como ventas descubiertas aquellas en las que el vendedor no disponga previamente de los valores que vende, bien sea por haberlos adquirido previamente mediante compraventa o ejercicio de un derecho de conversión, o por haberlos tomado en préstamo, siempre que el préstamo haya quedado registrado con anterioridad a la fecha de venta, salvo que el vendedor pueda acreditar disponibilidad suficiente de valores de forma previa a la venta.

Por otro lado, quien ostente la condición de **miembro de un mercado regulado** vendrá obligado a ejecutar, por cuenta de sus clientes, las órdenes que reciba de los mismos para la negociación de valores en el correspondiente mercado. No obstante, podrá subordinar el cumplimiento de dicha obligación, tratándose de operaciones al contado, a que se acredite por el ordenante la titularidad de los valores o a que el mismo haga entrega de los fondos destinados a pagar su importe. En las **operaciones a plazo**, podrá subordinar el cumplimiento de dicha obligación a la aportación por el ordenante de las garantías o coberturas que estime convenientes, que, como mínimo, habrán de ser las que, en su caso, se establezcan reglamentariamente.

9571 Precisiones La Circ 3/2017 (IBERCLEAR) establece las **tarifas** para las entidades participantes en el sistema de liquidación de valores ARCO. Entre otros se establece que por la cancelación automática que IBERCLEAR realice en los siguientes casos, será aplicable una tarifa de 3 euros (Circ 3/2017 (IBERCLEAR) Norma 5.6):

- Instrucciones no casadas que hayan superado el periodo de permanencia en el sistema.

- Instrucciones casadas que hayan superado el periodo de reciclaje en el caso de establecerse uno.
- Operaciones que hayan superado su fecha valor y que no están sujetas a reciclaje (operaciones con Depositarios centrales de valores externos a T2S (TARGET2-Securities es una plataforma única paneuropea, propiedad del Eurosistema, que facilita la liquidación centralizada de las operaciones de valores en euros o en otras monedas, movimientos de saldos dentro de una cuenta y bloqueos).
- Operaciones rechazadas por la Entidad de contrapartida central.

Se puede distinguir entre: **9573**
a) **Vendedor no especializado**: esto es, un particular (persona física o jurídica) que no es ni empresa de servicios de inversión ni entidad de crédito.
Si es persona física, el acto jurídico perfeccionado es un **acto de disposición**. Consecuentemente, habrá que estar y pasar por las especiales reglas existentes para este tipo de actos sobre valores negociables (nº 9440).
Si la persona física actúa por **poder**, se debe enjuiciar la forma, subsistencia y suficiencia del poder, ello considerando que, como estamos ante acto de disposición, la interpretación de dicha suficiencia ha de ser estricta con arreglo al CC art.1713.
Si es persona jurídica, habrá que estar a las normas legales de representación orgánica (LSC art.234), bajo el principio de amplia interpretación de la suficiencia representativa, o bien al criterio estricto de interpretación del apoderamiento ordinario, con arreglo al mismo criterio que el dicho para las personas físicas.
b) **Vendedor especializado**: es decir, una empresa de servicios de inversión o bien una entidad de crédito. Se someten a las reglas bursátiles de conducta del nº 10365.

4. Objeto y precio

Los elementos objetivos del contrato de compraventa bursátil son la cosa: los valores negociables, y el precio: la cotización. **9580**

a. Valores negociables

Los valores objeto de una compraventa bursátil no solamente han de tener la naturaleza jurídica de valor negociable (nº 9317), sino que deben estar efectivamente admitidos a negociación en Bolsa de valores. **9585**

Precisiones La LMV regula la admisión, la suspensión y la exclusión de la negociación de valores en los mercados regulados.

Régimen general de admisión Distinguimos entre la admisión al primer mercado bursátil (nº 9589) y la integración de valores en el sistema de interconexión bursátil (nº 9591). **9587**

Admisión al primer mercado bursátil (LMV art.63; RD 814/2023 art.62 a 68) El procedimiento de admisión incluye dos **fases**: fase de verificación previa por la CNMV del cumplimiento de los requisitos previstos en la LMV y su normativa de desarrollo, y el acuerdo de admisión por cada Sociedad Rectora. **9589**
Cada Sociedad Rectora, debe establecer sus propias reglas para la admisión a negociación de los valores que se negocien en la misma, debiendo ser estas claras y transparentes (RD 814/2023 art.64).
La admisión a negociación se tramita mediante:
- previa solicitud de la entidad emisora, una vez emitidos los valores o constituidas las anotaciones en cuenta ante las entidades encargadas de su llevanza;
- la aportación de la documentación exigida por la Sociedad Rectora en sus reglas para la admisión a negociación.

Precisiones 1) Los **requisitos** y el **procedimiento** para la admisión de valores a negociación en los mercados regulados de valores, así como la publicidad que haya de darse a los acuerdos de admisión se determinarán reglamentariamente. Del mismo modo se determinarán los requisitos y procedimiento de permanencia de los valores en caso de escisión de sociedades.
2) Al objeto de favorecer el **tránsito** desde un **sistema multilateral de negociación a un mercado regulado**, la LMV art.112 establece la reducción de ciertos requisitos por un periodo transitorio de dos años. Además, la LMV art.63 introduce la obligación de solicitar la admisión a negociación en un mercado regulado cuando la capitalización de las acciones que estén siendo negociadas en un mercado multilateral de negociación supere los 1.000 millones de euros durante más de 6 meses. No obstante, quedaran exentas de esta obligación las sociedades de naturaleza estrictamente financiera o de inversión, como las reguladas por la L 35/2003 (IIC), la L 22/2014 (entidades de capital riesgo e IIC de tipo cerrado) y la L 11/2009 (SOCIMIS) siempre y cuando el porcentaje de acciones distribuido entre el público al cierre del mercado del día de finalización del plazo de seis meses sea

inferior al 25% de las acciones que componen su capital social. No obstante, las sociedades de inversión reguladas en la L 35/2003, también quedarán exentas de la obligación cuando, alternativamente concurra cualquiera de las siguientes circunstancias (CNMV Circ 1/2016):
- Que durante el periodo continuado de seis meses en que se supere el volumen de capitalización de quinientos millones de euros, la negociación de las acciones a través del sistema de fijación de precios mediante la confluencia de oferta y demanda haya representado un porcentaje inferior al 50% del volumen total negociado, correspondiendo el resto de negociación a operaciones que se contraten al valor liquidativo de la IIC (siempre que tal contratación esté prevista en el sistema multilateral de negociación).
- Que durante el citado periodo de seis meses, las operaciones realizadas en el sistema de fijación de precios mediante la confluencia de oferta y demanda no se hayan ejecutado a un cambio medio ponderado que difiera en más del 3% respecto del valor liquidativo de la IIC correspondiente al día de la contratación en más de un 50% de las sesiones en que haya habido negociación a través del indicado sistema.

9591 **Admisión de valores al sistema de interconexión bursátil** La admisión de valores en el mercado continuo o sistema de interconexión bursátil se configura como un **expediente adicional**, distinto de la admisión propiamente dicha en bolsa. Asimismo, es necesario el informe previo favorable de la Sociedad de Bolsas. Un valor cotizado en el sistema de interconexión bursátil de ámbito estatal es un valor cotizado en, al menos, dos bolsas de valores, e incorporado a este sistema de contratación específico a solicitud de la entidad emisora y previo informe favorable de la entidad que gestione el aludido sistema. Por tanto, no se pierde la condición de valor admitido en una Bolsa por el hecho de que el valor en cuestión esté admitido dentro del sistema de interconexión bursátil.
La integración de una emisión de valores en el sistema de interconexión bursátil implicará su negociación exclusiva a través del mismo (LMV disp.adicional 8ª).

9593 **Regímenes especiales de admisión** Distinguimos los siguientes supuestos:
- valores públicos (nº 9595);
- valores emitidos por Instituciones de Inversión Colectiva (nº 9597);
- valores del Mercado hipotecario (nº 9599);
- valores extranjeros (nº 9601);
- valores no participativos (nº 9603).

9595 **Valores públicos** Los valores emitidos por el **Estado** y por el Instituto de Crédito Oficial, cuando cuenten con el aval del Estado, se consideran admitidos de oficio a negociación en el Mercado de Deuda Pública en Anotaciones o, en su caso, en los demás mercados regulados conforme a lo que se determine en la emisión.
Los valores emitidos por las **comunidades autónomas** se entienden admitidos a negociación en virtud de la mera solicitud del emisor. Ver nº 9376.

Precisiones Todos estos supuestos deben ajustarse a las especificaciones técnicas del mercado en cuestión.

9597 **Valores emitidos por Instituciones de Inversión Colectiva con forma societaria, fondos de inversión cotizados y sociedades índice cotizadas** La L 35/2003 que regula las Instituciones de Inversión Colectiva suprimió la obligación de cotización en Bolsa de las acciones representativas del capital de las Sociedades de Inversión de Capital Variable (**SICAV**) que preveía la Ley anterior, quedando esta opción como una de las posibles para dar liquidez a las acciones de las SICAV. Esta previsión ha permitido que la mayoría de las SICAV hayan **excluido sus acciones de negociación** de las Bolsas de Valores, habiendo pasado la mayoría de ellas a cotizar en el "BME MTF Equity", antiguo Mercado Alternativo Bursátil (MAB).
El RD 1082/2012 -de desarrollo de la L 35/2003-, regula en su art.79 los **fondos y sociedades de inversión** cotizados en Bolsa -denominados «fondos de inversión cotizados» y «SICAV índice cotizadas»-, es decir, aquellos cuyas participaciones o acciones están admitidas a negociación en bolsa de valores.
Además de los que posteriormente pueda establecer la CNMV y de los previstos en relación con las acciones de la SICAV, se han establecido los siguientes **requisitos** para que la admisión tenga lugar:
• Obtención de la **autorización** de la CNMV.
• Que el objetivo de la **política de inversión** sea reproducir un índice que cumpla con las condiciones previstas en RD 1082/2012 art.50.2.d, así como cualquier otro subyacente que la CNMV autorice expresamente.
• Que la SGIIC, o el consejo de administración de la SICAV en el caso de SICAV índice cotizada, determine la composición de la **cesta de valores** y/o la cantidad de efectivo susceptible de ser intercambiados por participaciones.

• Que existan entidades que asuman el compromiso de ofrecer en firme posiciones compradoras o vendedoras de participaciones con un **diferencial máximo de precios** a los efectos de facilitar el alineamiento del valor de cotización con el valor liquidativo estimado en diferentes momentos de la contratación.
• Que se realice una **difusión** adecuada a través de la sociedad rectora de la bolsa en que cotice de la cartera del fondo o sociedad, la composición de la cesta de valores y/o la cantidad de efectivo susceptibles de ser intercambiados por participaciones y el valor liquidativo estimado en diferentes momentos de la contratación.

Valores del mercado hipotecario Las entidades a que se refiere el RDL 24/2021 art.1, de, entre otros, transposición de directivas de la UE en las materias de bonos garantizados, pueden hacer participar a terceros en todo o parte de uno o varios préstamos o créditos hipotecarios de su cartera, aunque estos préstamos o créditos no reúnan los requisitos establecidos en el art.23 de dicho RDL. Estas participaciones se han de emitir y comercializar con la denominación de **certificados de transmisión de hipoteca** (RDL 24/2021 disp.adic.24ª). **9599**
Por otro lado, cabe destacar la figura de las **cédulas territoriales**, recogida en el RDL 24/2021 art.24. Este valor, a imagen y semejanza de la cédula hipotecaria, permite que las entidades de crédito dispongan de una nueva vía de refinanciación de sus créditos frente a las disponibles en otros países de la Unión Europea (p.e., en Alemania, los «Pfandbriefe»). Se trata de valores de renta fija que podrán emitir las entidades de crédito, siempre que tales préstamos no estén vinculados a la financiación de contratos de exportación de bienes y servicios ni a la internacionalización de empresas, y que gozan de una garantía especial sobre los préstamos y créditos concedidos por la entidad a una serie de sujetos públicos, principalmente administraciones públicas locales y autonómicas, recogidos en el Rgto (UE) 575/2023 art.129.1.a, sobre los requisitos prudenciales de las entidades de crédito. Estos valores gozan del mismo régimen fiscal y financiero aplicable a las cédulas hipotecarias.
Asimismo, a partir de 15-7-2012, las entidades de crédito pueden realizar emisiones de valores de renta fija con la denominación de **«cédulas de internacionalización»** (RDL 24/2021 art.25).

Valores extranjeros (RD 814/2023 art.65) La admisión a negociación de valores extranjeros en las Bolsas de valores es libre. Para ello el **emisor** deberá estar válidamente **constituido**, de acuerdo con la normativa del país en el que esté domiciliado, y deberá estar **operando**, de conformidad con su escritura pública de constitución y estatutos, o documentos equivalentes. **9601**

Precisiones 1) En tanto no se dicten las nuevas disposiciones que deban regular la admisión a negociación de valores y las normas especiales que, en su caso, puedan resultar precisas para adecuar los requisitos generales de admisión y las normas generales de contratación a las singularidades propias de los valores extranjeros, los **requisitos de admisión** se aplicarán, cuando resulte necesario, de forma analógica. Ver nº 9589.
2) En cualquier caso, y según recuerda el RD 814/2023 art.66, los valores extranjeros deberán estar incorporados a la entidad encargada del **registro contable** de los valores admitidos a negociación en el mercado de que se trate según prevé el RD 814/2023 art.41. El sistema de registro implica que los valores extranjeros estén registrados en un **depositario central de valores español**, sin que ello determine cambio en su sistema de representación y, por consiguiente, con independencia de que los mismos permanezcan incorporados a títulos o estén desmaterializados de acuerdo con la legislación de origen respectiva. Así, se permite a un emisor elegir libremente el sistema de liquidación que prefiera, sin que la elección de un mercado u otro para la negociación de los valores que emite deba predeterminar o interferir en la elección del **sistema de liquidación**. Por tanto, con independencia de que la incorporación de valores extranjeros al depositario central de valores español implica necesariamente que estos se representen mediante anotaciones en cuenta, nada obsta que los valores extranjeros en cuestión puedan seguir representados en títulos a los efectos que correspondan según su legislación de origen.

Valores no participativos Tras la incorporación y redacción definitiva de la LMV art.40, la trasposición de la Directiva de folletos por medio del RDL 5/2005 y el RD 813/2023, y la entrada en vigor, el 1-7-2005, del Reglamento sobre información contenida en los folletos informativos, con relación a la admisión de valores no participativos al Mercado AIAF de Renta Fija, la AIAF Circ 1/2023, sobre normas de **admisión y exclusión** de valores en AIAF Mercado de Renta Fija, regula de forma detallada la documentación a presentar en relación con la admisión a negociación de emisiones de valores no participativos en este Mercado, así como las fases de ésta. **9603**

b. Precio o cotización

9610 La determinación del cambio en toda operación se hace en **régimen de mercado**.
El precio bursátil tiene carácter de **información pública** y ha de considerarse cierto a efectos civiles (CC art.1448). Ello, no obstante, los archivos de datos personales existentes en las empresas de servicios de inversión han de someterse a las prescripciones de la LO 3/2018 de protección de datos personales y garantía de los derechos digitales.

5. Forma

9615 **Óptica jurídico-privada** La compraventa bursátil es un **contrato consensual** y no formal. Rigen para ella las reglas generales de forma contractual y de medios de prueba.
Precisiones Ver precisión 1) del nº 9467.

9617 **Óptica jurídico-pública** Se puede distinguir entre unos requisitos funcionales y unas normas sobre modelos contractuales.
a) Requisitos funcionales. Como regla general para todas las trasmisiones a título de compraventa, es requisito ineludible la **intermediación de un miembro del mercado**. Así se exige porque, en caso contrario, se disgregaría todo el sistema, rompiéndose el principio de unicidad del mercado.
Como regla especial, predicable solamente respecto de las compraventas de **valores suspendidos de cotización**, no es necesaria intermediación de un miembro del mercado, aunque sí notificación al mismo y en tanto no tengan lugar dichas comunicaciones, el adquirente no podrá negociar los correspondientes valores, ni ejercer los derechos que los mismos comprendan. Tal comunicación debe efectuarse por el miembro de la bolsa que hubiera participado en la transmisión o, en su caso, por el notario a que se refiere la LMV art.11.5. Recibida la comunicación, las sociedades rectoras o la Sociedad de Bolsas, en el mismo día o, no siendo posible, en el siguiente, darán publicidad a las operaciones en sus boletines de cotización, cualquiera que sea su cuantía.

9619 **b) Normas sobre modelos contractuales.** Son de recibo las normas de ordenación bursátil relativas a la forma y contenido de algunos de estos contratos, pero no tienen trascendencia inter-partes, sino solamente eficacia sancionadora sobre la actuación incumplidora de la empresa de servicios de inversión.
Las empresas de servicios y actividades de inversión deben crear un **registro de contratos** que incluya los acuerdos en los que se establezca, por escrito y en papel o en cualquier otro soporte duradero, los derechos y obligaciones esenciales de la empresa y del cliente, así como las condiciones en las que la empresa de servicios y actividades de inversión prestará servicios al cliente.
El contenido de dichos acuerdos debe cumplir con lo dispuesto en el Rgto Delegado (UE) 2017/565 art.58 (LMV art.210; RD 813/2023 art.118).
Es necesaria la elaboración de **contratos tipo** para la prestación a clientes minoristas de los servicios de gestión de carteras y custodia y administración de instrumentos financieros, en este último supuesto, en caso de que fuera necesaria la apertura de una cuenta de valores, esta operación deberá incluirse dentro del contrato-tipo de administración de instrumentos financieros. Por otro lado, la CNMV Circ 7/2011 recoge los contenidos obligatorios que deben figurar en los contratos tipo (OM EHA/1665/2010).
Junto con el contrato, es necesaria la entrega de **folleto de tarifas máximas** que recoja las comisiones que el cliente deberá satisfacer por los servicios prestados por la entidad. Cuando el importe sea inferior al establecido en el folleto correspondiente se deberán especificar los conceptos, periodicidad e importes de la retribución.

9621 Las entidades retendrán y conservarán copia firmada por el cliente de los documentos contractuales durante un **plazo** de seis años. También conservarán el recibí del cliente de la copia del documento que le haya sido entregada.
Junto con los documentos contractuales, se entregará una copia de las tarifas de comisiones y gastos repercutibles y las normas de disposiciones aplicables a la operación concertada. Para ello, bastará entregar la hoja u hojas del folleto en que figuren todos los conceptos de aplicación a esa operación, o los folletos parciales. Será válido, asimismo, que las tarifas aplicables aparezcan expresamente en el contrato, no siendo admisibles las remisiones genéricas al folleto de tarifas si no se hace entrega del mismo.
Los documentos contractuales establecerán, de manera clara:
- las **partes** obligadas;

- el conjunto de **obligaciones** a las que se comprometan las partes. En particular, se precisarán las obligaciones de la empresa de servicios de inversión o entidad de crédito prestadora del servicio de inversión, delimitando su contenido específico;
- los conceptos y periodicidad, en su caso, de la **retribución**;
- la **información** que la empresa de servicios de inversión o entidad de crédito prestadora del servicio de inversión deberá remitir al cliente, su periodicidad y forma de transmisión;
- las cláusulas específicas con respecto a la **rescisión** y modificación por las partes. En cuanto a la facultad de rescisión del contrato por parte de la empresa de servicios de inversión o entidad de crédito prestadora del servicio de inversión, el período de preaviso no podrá ser inferior a quince días;
- las cláusulas de **responsabilidad** en caso de incumplimiento por alguna de las partes;
- el sometimiento de las partes a las **normas de conducta** y requisitos de información previsto en la legislación del mercado de valores.

Precisiones 1) En la **redacción de los contratos-tipo** se atenderá al RDLeg 1/2007, de defensa de los consumidores y usuarios, a la L 7/1998 de condiciones generales de la contratación, así como a las normas de conducta que se establecen en el RD 813/2023 y a la OM EHA/1665/2010, que recoge los casos en los que será necesaria la utilización de los contratos tipo, estableciendo el contenido mínimo que deben recoger.
2) La CNMV Circ 7/2011 desarrolla la OM EHA/1665/2010, estableciendo de manera detallada el **contenido general** de los contratos tipo (norma 7ª) y el **contenido específico** para los contratos de custodia y administración de instrumentos financieros (norma 8ª) y el de gestión de carteras (norma 9ª).
3) Las entidades deben poner a disposición del público los contratos tipo, en cualquier **soporte** duradero, en su domicilio social, en todas las sucursales y en el domicilio de sus agentes. También deben ponerlos en su **página web** en sitio de fácil acceso (CNMV Circ 7/2011 norma 10ª).

6. Obligaciones del vendedor

El vendedor tiene las siguientes obligaciones: 9625

Entregar los valores Con carácter general, en relación con compraventas bursátiles ordinarias, incluyendo las especiales -nº 9527-, la entrega de los valores ocurre **dos días hábiles** de Bolsa después de la contratación de la operación. Es decir, el sistema de liquidación adeuda los valores vendidos al vendedor y se los abona al comprador dos días hábiles de Bolsa después de que la orden de compraventa de los mismos haya sido enviada al mercado y cruzada en el mismo a través de los sistemas de contratación establecidos. 9627
Subsiste, inevitablemente, el riesgo de prácticas irregulares por parte de las personas que gestionan el sistema de liquidación y registro de valores -tanto a nivel central, como a nivel de detalle-, o el sistema informático de introducción de órdenes de la entidad, pero tales circunstancias rebasan el campo de lo puramente contractual (negligencia profesional) pudiendo incluso llegar a aparecer fenómenos de responsabilidad, por ejemplo, por falta de práctica de las correspondientes inscripciones, las inexactitudes y retrasos, y cualquier quebrantamiento de las reglas establecidas (RD 814/2023 art.30).

Precisiones La **inscripción de la transmisión** a favor del adquirente produce los mismos efectos que la entrega de los títulos (LMV art.11).

Recibir el precio Como éste queda abonado en cuenta, en la cuenta de numerario asociada a su respectiva cuenta de valores, inmediata y simultáneamente a la liquidación de la operación, tampoco parece posible la entrada en **mora** respecto de esta obligación, siempre que la entidad participante en el sistema de liquidación traslade a su cliente los efectivos recibidos -simultáneamente al momento en el que le hubiesen sido adeudados los valores vendidos- en el mismo momento que los reciba del gestor del sistema de liquidación en su cuenta de tesorería abierta en el Banco de España. 9629

Obligación de saneamiento En teoría, todo vendedor tiene obligación de saneamiento, pero en la práctica bursátil, la mecánica del funcionamiento por medio de **anotaciones en cuenta** hace difuminarse tal responsabilidad, que pasa a convertirse en responsabilidad objetiva en el plano profesional, a cargo de las entidades encargadas del registro contable del detalle. No debe olvidarse que la transmisión de valores es oponible a terceros desde el momento en que la entidad encargada del registro contable de detalle practica la inscripción en el sistema de anotaciones en cuenta o en el sistema basado en tecnología de registros distribuidos, según el caso (LMV art.11.2), y que el tercero que adquiere a título oneroso valores representados por medio de anotaciones en cuenta o por medio de sistemas basados en tecnología de resigtros distrubidos, de persona que, según los asientos del registro contable o el sistema basado en 9631 tecnología de registros distribuidos, aparece legitimada para transmitirlos, no está sujeto a reivindicación, a no ser que en el momento de la adquisición haya obrado de mala fe o con culpa grave (LMV art.11.3).

En este orden de cosas, Cachón se plantea el problema del **concurso** de alguno de los contratantes y, sobre todo, del vendedor. En tal sentido, será necesario dilucidar si los valores vendidos forman o no parte de la masa del concurso. Si el vendedor de los valores fuese una empresa de servicios de inversión o entidad de crédito, a este respecto habría necesariamente que atender a las especialidades previstas en la L 41/1999 sobre **firmeza e irrevocabilidad de las órdenes de venta** que hubiese cursado al sistema de liquidación.

Consumado el contrato de compraventa bursátil, se genera el principal de sus efectos: la **transferencia de la propiedad** de los valores a favor del comprador. Dos notas caracterizan tal transferencia:

a) Se produce directamente del patrimonio del vendedor al patrimonio del comprador, sin que exista adquisición de propiedad por parte de los intermediarios bursátiles.

b) Se reconduce a la clásica **teoría del título y modo**. El modo, en el caso de la compraventa bursátil, es ficticio: la anotación contable o registro en el registro distribuido procesada informáticamente (LMV art.11). La **liquidación automática** dos días hábiles de Bolsa después de la contratación de la operación genera un modo automático y, consecuentemente, una automática transmisión de la propiedad.

Precisiones 1) Sin embargo, podría seguirse manteniendo la discusión suscitada por el D 1506/1967 art.62 (derogado por el RD 878/2015) al señalar que los beneficios, perjuicios, derechos y deberes inherentes a todo **propietario de títulos o valores negociados**, serán de cuenta y provecho del comprador de los mismos desde que se realizó la compra. Así, se afirmaba que, a pesar de que el comprador no resultaba propietario hasta la efectiva entrega (teoría del título y el modo), el destino de la sustancia económica de estos derechos es el patrimonio del comprador y éste tiene que recibir la cosa con todos sus aumentos (Duque Domínguez). De ahí que Cachón Blanco afirme que como el titular de los valores sigue siendo el enajenante hasta la efectiva liquidación o entrega, éste es el legitimado frente a la sociedad emisora para el ejercicio de tales derechos. En la actualidad, y mediante unos procesos denominados «ajustes de operaciones financieras», el sistema de liquidación de valores consigue el cumplimiento de lo establecido en el D 1506/1967 art.62, con respecto de los derechos económicos: Siendo D el día de generación del derecho económico, en D+2 (2 días hábiles de Bolsa después), coincidiendo con la liquidación, se adeuda el importe del derecho al vendedor y se abona ese importe al comprador que compró en la fecha del derecho, pero al que no se le pudo abonar en la fecha de compra por no tener todavía inscritos los valores en esa fecha (D) a su favor y no habérsele podido efectuar el abono correspondiente.

2) El RDL 9/2017 modifica la L 41/1999 art.11, relativo a la «**validez y firmeza de las órdenes de transferencia**»: aclara en el apdo.1, segundo párrafo, que las órdenes de transferencia cursadas a un sistema por sus participantes **no podrán ser revocadas** por los participantes o por terceros a partir del momento determinado por las normas de funcionamiento del sistema». Se modifica, de esta manera, la definición de firmeza e irrevocabilidad de las órdenes de transferencia, que viene motivada por la necesidad de adaptar el sistema a los **protocolos de funcionamiento de la plataforma paneuropea** de liquidación de operaciones sobre valores TARGET2-Securities, a la que pertenece el «depositario central de valores español» (Iberclear) desde septiembre de 2017. Se trata, por tanto, de garantizar, en la transición al nuevo modelo, la plena seguridad jurídica de las operaciones que se realicen en dicha plataforma panaeuropea. Cabe señalar que en 2012 Iberclear asumió una serie de compromisos con el Eurosistema con la firma del Acuerdo Marco de TARGET2-Securities, la plataforma paneuropea de liquidación de valores promovida por el Eurosistema como una iniciativa privada. Esas responsabilidades que Iberclear asumió con la firma del Acuerdo Marco parten del supuesto de que la regulación española sustenta la migración y sus reglas son acordes tanto con la normativa europea como con el funcionamiento de la plataforma.

7. Obligaciones del comprador

9635 Las obligaciones del comprador son las señaladas a continuación:

9637 **Pagar el precio** Con carácter simultáneo al abono de los valores a la entidad participante que actúa por cuenta de comprador (empresas de servicios de inversión, miembros del mercado, o entidad de crédito), el sistema registro, compensación y liquidación de valores adeuda el importe efectivo de los mismos a la entidad participante (empresas de servicios de inversión, miembros del mercado, o entidad de crédito), que actúa por el vendedor en su cuenta de tesorería en el **Banco de España**. Estos abonos y adeudos ocurren, con respecto de operaciones bursátiles ordinarias dos días hábiles de Bolsa después de su contratación en el mercado.

Recibir los valores Esta obligación se consuma automática e informáticamente mediante **transferencia contable** de los valores adquiridos por el sistema de registro, compensación y liquidación de valores a la entidad participante que actúa por el comprador, quien, a su vez, se los reconocerá a éste en la cuenta abierta al inversor. 9639

Pagar los dividendos pasivos El comprador deberá pagar los dividendos pasivos de las acciones compradas, si los hubiera, ya que este supuesto no es frecuente respecto de sociedades cuyas acciones están admitidas a negociación en Bolsa de Valores (LSC art.85). 9641

8. Liquidación y compensación de operaciones bursátiles

(RD 814/2023 art.142 s.)

Principios informadores del sistema La mecánica del sistema de compensación y liquidación de valores admitidos a negociación en las Bolsas de Valores funciona inspirándose en una serie de principios. 9645

Será obligatoria la **compensación centralizada** por parte de una entidad de contrapartida central de las operaciones que sean realizadas en segmentos de contratación multilateral de los mercados regulados y de los sistemas multilaterales de negociación (RD 814/2023 art.142).

Los **organismos rectores** que gestionan un sistema multilateral de negociación, o un sistema organizado de contratación, deben tomar las medidas necesarias para facilitar el registro, compensación y la liquidación eficiente de las operaciones realizadas en los sistemas de ese sistema multilateral de negociación o un sistema organizado de contratación. Así, sus normas internas de funcionamiento deberán regular la existencia, en su caso, de entidades de contrapartida central u otros mecanismos de novación de las operaciones así como los métodos previstos o admisibles para la liquidación y, en su caso, compensación de las operaciones (RD 814/2023 art.122).

Precisiones El **depositario central de valores** procederá a la liquidación de los valores mediante el abono y correlativo adeudo de los valores en las cuentas del registro central y, las entidades participantes registradoras deberán practicar simultáneamente la anotación correlativa, cuando proceda, en las cuentas de sus registros de detalle (RD 814/2023 art.148).

Los principios rectores del sistema de liquidación son los siguientes (RD 814/2013 art.146): 9647

1) Principio de **entrega** contra pago: las transferencias de valores y efectivo resultantes de la liquidación se practicarán u ordenarán por los depositarios centrales de valores de modo simultáneo.

2) Principio de **objetivación** de la fecha de liquidación: la liquidación correspondiente a cada sesión en un mercado regulado o en un sistema multilateral de negociación tendrá lugar un número prefijado de días después. El sistema de liquidación de valores tendrá como objetivo alcanzar la liquidación antes de terminar la jornada de la fecha prevista de liquidación. En todo caso, deberá producirse el cierre de la cuenta de liquidación antes del inicio de la siguiente sesión.

3) Principio de **neutralidad financiera**: los cargos y abonos en las cuentas de efectivo derivados de las órdenes de transferencia de valores y efectivo tendrán valor del mismo día.

Mecánica del sistema La técnica de la compensación y liquidación bursátil tiene por finalidad fijar, día a día, los valores negociados que, tras la correspondiente sesión de mercado, corresponden a cada inversor, así como las cantidades que, en su caso, se les deben a los desinversores. Tal técnica está basada en las siguientes piezas: 9649

a) **Sujetos**. Junto a la Sociedad de Gestión de los Sistemas de Registro, Compensación y Liquidación de Valores, S.A. (IBERCLEAR) (**depositario central de valores**), y actuando bajo su dirección y supervisión, aparecen las **entidades participantes** en los depositarios centrales de valores reconocido por la L 41/1999 art.8. Tales entidades son (RD 814/2023 art.158):

- entidades de crédito;
- empresas de servicios de inversión autorizadas a prestar el servicio custodia y administración por cuenta propia o de clientes de instrumentos financieros;
- el Banco de España;
- la Administración General del Estado y la Tesorería General de la Seguridad Social;
- aquellas instituciones de Derecho público y personas jurídico-privadas cuando una disposición de carácter general expresamente les habilite para ser entidad participante en un depositario central de valores;
- otros depositarios centrales de valores autorizados conforme a lo establecido en el Rgto (UE) 909/2014;
- entidades de contrapartida central autorizadas o reconocidas conforme a lo establecido en el Rgto UE/648/2012;

b) **Registro contable de valores admitidos a negociación en mercados regulados o en sistemas multilaterales de negociación**. Ya que la representación mediante anotaciones en cuenta es condición necesaria para que los valores coticen en Bolsa de Valores (RD 814/2023 art.32), es preciso encargar la llevanza del registro contable a determinadas entidades.

El **depositario central** de valores **y** sus **entidades participantes** serán las encargadas de la llevanza del registro contable (RD 814/2023 art.33). Así, los valores se inscriben en el registro contable en el depositario central de valores (Sociedad de Sistemas) en el llamado Registro Central, a nombre de las entidades participantes en dicho servicio. El depositario central de valores adoptará un sistema de registro compuesto por un **registro central y** los **registros de detalle** a cargo de las entidades participantes en dicho sistema.

El registro central recogerá las siguientes **cuentas** a solicitud de las entidades participantes (RD 814/2023 art.34):

- Una o varias cuentas propias de las **entidades participantes** en las que se anotarán los saldos de valores de los que sea titular en cada momento la propia entidad participante.
- Una o varias cuentas generales de **terceros** en las que se anotarán, de forma global, los saldos de valores correspondientes a los clientes de la entidad participante o los clientes de una tercera entidad que hubiera encomendado a la entidad participante solicitante la custodia y el registro de detalle de los valores de dichos clientes.
- Una o varias cuentas **individuales** en las que se anotarán, de forma segregada, los saldos de valores correspondientes a aquellos clientes de las entidades participantes que hayan acordado la llevanza de tales cuentas en el registro central.

Por otra parte, cada entidad participante con cuentas generales de terceros llevará un registro de detalle, en el que se reflejará a qué clientes corresponden los saldos de valores anotados en dichas cuentas en el registro central. Cada cuenta del registro de detalle reflejará en todo momento el saldo de valores que corresponde al titular de la misma.

Con objeto de facilitar el control y la **conciliación de los saldos** de valores reconocidos en las **cuentas generales de terceros** con los anotados en las cuentas de detalle, las entidades participantes organizarán los registros de detalle mediante un **sistema de codificación único** y estandarizado de cuentas que será regulado por el depositario central de valores en su normativa interna. El sistema de codificación permitirá obtener para cada emisión información, al menos, sobre la identidad del titular que figure en el registro, el saldo de valores, las fechas relevantes, transacciones que den lugar a una variación del saldo y, cuando sea posible identificarlo, el precio de estas, así como la existencia de cualquier derecho o gravamen que afecte a los valores anotados, su fecha de constitución y de cancelación (RD 814/2023 art.38).

9651 c) **Liquidación de efectivos**. La liquidación de las operaciones que hayan sido comunicadas a un depositario central de valores por una entidad de contrapartida central, un mercado regulado, un sistema multilateral de negociación o por sus entidades participantes, se realizará en la fecha hábil que se especifique conforme a la normativa interna del depositario central de valores.

La liquidación de las operaciones conllevará **transferencia** de valores, transferencia de efectivos o ambas.

El depositario central de valores procederá a la liquidación de los valores mediante el **abono y correlativo adeudo** de los valores en las cuentas del registro central, y las entidades participantes registradoras deberán practicar simultáneamente la anotación correlativa, cuando proceda, en las cuentas de sus registros de detalle (RD 814/2023 art.148).

Precisiones **1)** Las **funciones** de compensación, liquidación y registro contable de valores admitidos a negociación en bolsa de valores han sido asumidas por la Sociedad de Gestión de los Sistemas de Registro, Compensación y Liquidación de Valores, S.A. (IBERCLEAR) (LMV art.83 s.).

2) Los depositarios centrales de valores y las entidades de contrapartida central elaborarán sus **estatutos sociales**, así como un reglamento interno, que tendrá carácter de norma de ordenación y disciplina del mercado de valores. El reglamento interno regulará el funcionamiento del depositario central de valores y de la entidad de contrapartida central y los servicios que prestan (LMV art.86). Dentro de las **funciones de dirección y administración** del sistema de anotaciones en cuenta, la Sociedad Gestión de los Sistemas de Registro, Compensación y Liquidación de Valores, S.A. (IBERCLEAR) puede dictar **Circulares de ordenación** de los procesos de compensación y liquidación y de registro contable de valores y que, junto con su Reglamento de 22-12-2015 (modificado el 6-7-2017) y sus normas de adhesión y funcionamiento (publicadas en el BOE el 22-2-02), resultan de obligado cumplimiento para el conjunto de sus entidades participantes.

SECCIÓN 4

Operaciones con crédito al mercado

9655

1. Consideraciones generales

En el contrato de compraventa bursátil se distinguen, desde el punto de vista del plazo de la operación, entre compras **al contado** y compras **a plazo** aunque solo están desarrolladas para su conclusión en bolsa las primeras (nº 9552). Bajo el prisma de la financiación de las operaciones al contado se distingue entre operaciones ordinarias (financiación propia) y operaciones especiales con crédito al mercado (nº 9558). 9660

A pesar de su denominación, no son compraventas a plazo. En ellas hay una verdadera compra **al contado** o venta al contado, pues:

- si es **compra financiada**, el vendedor recibe el precio en el instante mismo de la liquidación de la compraventa. Lo único que ocurre es que el dinero desembolsado no procede de los recursos propios del comprador, sino de recursos ajenos. El vendedor desconoce esta circunstancia por el **principio de multilateralidad** que rige la liquidación de operaciones bursátiles. Hay un negocio principal de compraventa bursátil y hay un negocio accesorio de financiación dineraria, en este último el vendedor no toma parte. Se celebrará entre el comprador y el intermediario financiador;
- si es **venta financiada**, el comprador recibe los valores en el instante mismo de la liquidación del contrato. Esos valores no proceden de la cartera propia del vendedor, sino que son prestados. El comprador desconoce esta circunstancia por el principio de multilateralidad que rige la liquidación de operaciones bursátiles. Hay un negocio principal de compraventa bursátil y hay un negocio accesorio de financiación no dineraria, en este último el comprador no toma posición jurídica alguna. Se celebrará entre el vendedor y el intermediario bursátil financiador.

Precisiones 1) A la naturaleza jurídica de las operaciones bursátiles con crédito al mercado es también aplicable la L 7/1998 sobre condiciones generales de la contratación, así como la L 46/1998 sobre introducción del euro, y la OM 25-3-1991. 9662

2) Los **fondos de titulización** pueden titulizar de forma sintética préstamos y otros derechos de crédito. Estas operaciones se rigen por lo dispuesto en el título III de la L 5/2015.

El activo de los fondos de titulización de activos que efectúen **operaciones de titulización sintética** puede estar integrado por depósitos en entidades de crédito y valores de renta fija negociados en mercados regulados, incluidos los adquiridos mediante operaciones de cesión temporal de activos, y pueden ser objeto de cesión, pignoración o gravamen en cualquier forma en garantía de las obligaciones asumidas por el fondo frente a sus acreedores, en particular, frente a las contrapartes de los derivados crediticios y cesiones temporales de activos.

La titulización de forma sintética de préstamos y otros derechos de crédito conlleva la asunción, bien total o parcialmente, del **riesgo de crédito** de los mismos mediante la contratación con uno o más terceros de derivados crediticios o mediante el otorgamiento de garantías financieras o avales en favor de los titulares de tales préstamos u otros derechos de crédito (L 5/2015 art.19).

3) Resulta plenamente válido el contrato de crédito en virtud del cual los recurrentes dispusieron de la cantidad otorgada para la compra efectiva de acciones del Banco demandante, quedando **obligados a la devolución** del capital dispuesto. No cabe alegar como causa contractual ilícita el hecho de que el otorgamiento del crédito tuviese como finalidad acudir a ampliaciones de capital del propio Banco otorgante del mismo, que nunca llegaron a ser efectivas (TS 6-6-02, EDJ 20082).

2. Crédito a comprador

9665 El crédito a comprador es un **préstamo de dinero**.

Ejemplo El día primero de mes se tiene información que asegura un alza en la cotización del valor Y. Hoy cotiza a 100 €. Como se carece de tesorería, se obtiene un préstamo a un mes de plazo y al 5,00% de interés por importe de una acción, que será la inversión (100 €). Con ese crédito se adquiere la acción y se espera. El día treinta del mes corriente la cotización de la acción ha alcanzado los 105 €. Se vende la acción y, para calcular el resultado final, se hace la siguiente cuenta:

- Entrada en caja el día 1	100 €	(préstamo)
- Salida de caja el día 1	(100 €)	(compra de la acción)
Inversión neta el día 1	0 €	(invierto 0)
- Entrada en caja el día 30	105 €	(venta de la acción)
- Salida de caja el día 30	(0,42 €)	(intereses)
- Salida de caja el día 30	(100 €)	amortización del préstamo)
Beneficio por neto	4,58 €	

Porcentaje de rentabilidad (beneficio/inversión): infinito, porque la inversión es cero.
Lo anterior es un ejemplo demasiado simplificado, pero resulta suficientemente ilustrativo acerca del enorme grado de apalancamiento obtenido con este tipo de operaciones.
En la práctica la inversión no es cero, sino que se exige una mínima inversión bajo la forma de depósitos dinerarios que quedan inmovilizados con finalidad de garantía.
Del mismo modo que si se cumplen las expectativas iniciales, subida del precio del valor, el beneficio es muy alto por el gran apalancamiento, para la hipótesis contraria, descenso de la cotización del valor Y, las pérdidas son enormes pues el grado de apalancamiento enfatiza los dos sentidos del resultado.

3. Crédito a vendedor

9670 En el crédito a vendedor la financiación no es dineraria, sino **en especie**. Se prestan valores.

Ejemplo Si partimos de la misma hipótesis anterior (nº 9665), el valor Y cotiza hoy a 100 €, pero si la información de que se dispone es de sentido inverso, esto es, se va a producir una baja en la cotización, entonces se puede arriesgar especulando:
El día 1 se presta una acción Y. Como el préstamo de valores es un mutuo traslativo de la propiedad (CC art.1753), se adquiere el dominio de la acción, quedando obligado a:
• Devolver una acción Y dentro de un mes.
• Pagar intereses al 5,00% a final de mes, sobre la base del valor a fecha de hoy de la acción (100 €).
Este mismo día inicial se procede a vender la acción en el mercado. Se vende, pues, a 100 €. Hay, entonces, un primer flujo de caja positivo (100 €) con una inversión inicial de 0 €.
A fin de mes se liquida. Si se han cumplido las expectativas y ha descendido la cotización a 97 €. La **cuenta** será la siguiente:

- Salida de caja el día 30	(0,42 €)	(intereses)
- Salida de caja el día 30	(97 €)	(compra de la acción)

Una vez comprada la acción, se entrega al prestamista, con lo que se amortiza el préstamo. Se pagan, además, los intereses. Hecho todo lo cual puede calcularse **el beneficio**:

• Ingresos	100 €	(venta de la acción el día 1)
• Pagos	(97,42 €)	(liquidación el día 30)
Beneficio	2,58 €	

La **rentabilidad sobre la inversión** es infinita porque, de nuevo, la inversión ha sido cero.
Pero, en la realidad, también en esta operación hay que aportar garantías, por lo que la inversión inicial no es cero (RDL 5/2005 art.5 y 7). El **grado de apalancamiento** también juega aquí en los dos sentidos: puede haber un alto porcentaje de ganancia, pero también de pérdida, esto último si no se cumplen las expectativas por las que se apostó y sube la cotización del valor.

4. Elementos del contrato

a. Contratantes

Inversor Puede serlo **cualquier persona**. Sin embargo, el gran riesgo de las operaciones, sobre todo en la modalidad de crédito a vendedor, hace que solamente acudan a este mecanismo de inversión bursátil personas o entidades con suficiente información y alto grado de experiencia. 9680

Los acreditados designarán, en cada caso, la entidad miembro de la correspondiente Bolsa a la que encomendarán la realización de esas operaciones de contado (OM 25-3-1991 norma 1ª).

Financiador No pueden serlo todas las empresas de servicios de inversión. la LMV **niega competencia** para formalizar estas operaciones a: 9682

- las agencias de valores (LMV art.128.1.b);
- las sociedades gestoras de carteras (LMV art.128.1.c);
- las empresas de asesoramiento financiero (LMV art.128.1.d).

Las **entidades de crédito** pueden realizar habitualmente esta actividad (LMV art.128.3).

Las **instituciones de inversión colectiva** de carácter financiero, en principio, están autorizadas (L 35/2003 art.30.6) a prestar valores y otros activos que integren su cartera con los límites y garantías que establezca el Ministerio de Economía y Hacienda. No obstante, actualmente está pendiente de desarrollo esta posibilidad a través de una Orden Ministerial por lo que en la práctica las instituciones de inversión colectiva todavía no pueden acceder al préstamo de valores.

Se atribuyen ciertas **facultades de supervisión** tanto a las Sociedades Rectoras de las Bolsas en que los valores coticen, como a la Sociedad de Bolsas y a la CNMV. Esta última, por ejemplo, puede fijar **límites** (OM ECO/764/2004, de 11 de marzo):

a) De carácter general; esto es, límites al volumen de operaciones de crédito que pueden otorgar las entidades o a las condiciones en que dichas operaciones se practiquen, atendiendo a las circunstancias del mercado.

b) De carácter singular; esto es, límites al volumen concreto de las operaciones de crédito que puedan llegar a otorgar cada una de las entidades financiadoras, atendiendo en cada momento a su particular situación económico-financiera y al alcance de sus recursos propios.

De otra parte, las Sociedades Rectoras de las Bolsas de valores o, en su caso, la Sociedad de Sistemas podrán establecer los procedimientos y sistemas necesarios para uniformar, simplificar y agilizar la tramitación administrativa y el tratamiento informático de aquellos créditos que tengan un carácter continuado o generalizado. 9684

Además, cuando el conjunto de posiciones en régimen de crédito sea excepcional por su cuantía, las Sociedades Rectoras de las Bolsas o, en su caso, la Sociedad de Bolsas, previa comunicación a la CNMV, podrán suspender las operaciones en régimen de crédito en relación con los tipos de valores afectados. El **acuerdo de suspensión** debe publicarse en los boletines de cotización.

Con igual comunicación previa, dichas Sociedades podrán suspender las operaciones en régimen de crédito con respecto a determinados valores cuando las entidades emisoras de los mismos anuncien operaciones financieras que, por sus características, puedan dificultar su desarrollo. El acuerdo de suspensión también debe publicarse en los boletines de cotización.

b. Objeto, precio, crédito y garantías

Valores Los créditos permitirán únicamente realizar **operaciones de contado** sobre los valores que, previa comunicación a la CNMV, determina la Sociedad Rectora de cada Bolsa de entre los admitidos a negociación en ella o, en su caso, la Sociedad de Bolsas. Tales valores deben ser en todo caso valores incluidos en la Sociedad de Sistemas (OM 25-3-1991 norma 1ª). 9690

El **acuerdo de aplicación** a un valor del sistema de crédito será comunicado a todas las Sociedades Rectoras de las Bolsas de valores, a la Sociedad de Sistemas y a la Sociedad de Bolsas y será publicado en los boletines de cotización.

Las órdenes de compra o venta de valores que deriven de la previa concesión de un crédito deberán ascender, como mínimo, a un importe efectivo de 1.200 €. En ningún caso pueden referirse a operaciones que sean calificadas como excepcionales por razón de su cuantía o finalidad, de acuerdo con las disposiciones aplicables.

En el caso de crédito a vendedor, es decir, de préstamo de valores, los valores objeto del mismo pueden pertenecer en propiedad a la entidad financiadora o bien pueden haber sido recibidos por ésta en previo **mutuo de valores**. En este segundo caso:
1) Se exige que el mutuo previo sea también finalista. Esto es, que se haya formalizado con la exclusiva finalidad de que el mutuatario, es decir, el intermediario bursátil que se convierte en prestatario de esos mismos valores, los destine a una operación de crédito al mercado. Este primer mutuo es el **préstamo instrumental de valores** (ver nº 9730). Su misión es, precisamente, facilitar el crédito del mercado al especulador bajista. En efecto, si éste se acerca a un intermediario solicitando un mutuo de valores y el intermediario carece de los mismos, entonces puede, a su vez, tomarlos en préstamo.
2) La entidad receptora de los valores prestados y que, a su vez, los prestará inmediata y simultáneamente, deberá remitir una **copia del contrato** en que se base la utilización de los valores a las Sociedades Rectoras de la Bolsa o, en su caso, a la Sociedad de Bolsas y otra a la Sociedad de Sistemas.

9692 **Precio de los valores** Será el que fije el mercado, sin más normas especiales.

9694 **Crédito** Se trata de un crédito finalista y no exclusivo.
Es **finalista** porque se destinará necesariamente a realizar operaciones bursátiles de compra y venta de valores al contado, debiendo atender el acreditado, en la forma y de acuerdo con los requisitos, procedimiento y calendarios previstos en la OM 25-3-1991, las obligaciones que resulten de los créditos.
Y **no** es **exclusivo** porque no se impide a las entidades facultadas para ello de acuerdo con la LMV otorgar, al margen del sistema citado en la OM 25-3-1991, créditos vinculados a operaciones bursátiles.

9696 **Remuneración de la financiación** Se somete al principio general de **libertad de tipos y comisiones** (apertura, cancelación...).
Para el caso de crédito a comprador, por tratarse de un préstamo de dinero, se debe diferenciar entre el tipo nominal y la tasa efectiva (TAE), que debe consignarse en el contrato.

9698 **Plazo de la financiación** (OM 25-3-1991 norma 2ª y 3ª) El **vencimiento** del crédito será el último día hábil del mes corriente para las operaciones contratadas en la primera quincena del mismo y el último día hábil del mes próximo para las contratadas en la segunda quincena. Sin perjuicio de ello, las operaciones de crédito podrán cancelarse a voluntad del acreditado antes del vencimiento, con tal de que así lo manifieste con dos días de antelación a la fecha de cancelación.
Vencido, en su caso anticipadamente, el crédito, se debe proceder por las entidades acreedoras a su **cancelación y liquidación**, de acuerdo con el calendario que fija la Sociedad Rectora de cada Bolsa o en su caso, la Sociedad de Bolsas, calendario que debe ser publicado en los boletines de cotización con dos días hábiles, al menos, de antelación al inicio de su aplicación.
En la liquidación que siga a la cancelación del crédito, los acreditados entregarán a la entidad acreedora el efectivo o los valores adeudados, según proceda, excepto en los supuestos de prórroga.
En cuanto a la **prórroga del plazo**, se entiende que, salvo manifestación en contrario antes del vencimiento, los compradores o vendedores en régimen de crédito solicitan de la entidad acreedora la prórroga de sus posiciones por un mes. La misma regla es aplicable al vencimiento de la prórroga concedida, si bien no podrán otorgarse más de dos prórrogas de una misma posición. La **manifestación en contrario** debe formularse, al menos, con dos días hábiles de antelación a la fecha de vencimiento del crédito. La denegación, en su caso, de la prórroga solicitada debe comunicarse al interesado durante el día hábil siguiente a aquel en que se tenga por hecha la solicitud.
Las condiciones aplicables a las posiciones prorrogadas son las vigentes para las nuevas operaciones de crédito concertadas en el período durante el que se acuerde la prórroga.

9700 **Garantías** El mecanismo de garantía del sistema se basa en dos piezas: la caución dada (nº 9702) y el depósito del objeto de la operación (nº 9704).

9702 **Caución dada** (OM 25-3-1991 norma 4ª) Tanto en las operaciones de compra, como en las de venta, los acreditados deben aportar las garantías que establezca la Sociedad Rectora de cada Bolsa de Valores o, en su caso, la Sociedad de Bolsas, que no podrán ser inferiores a las fijadas con carácter general por la CNMV y tendrán carácter irreivindicable.
A solicitud de las entidades acreedoras, los acreditados deberán aportar complementos de las garantías respecto de las posiciones de compra o venta que se hallasen pendientes y tuvieran por objeto valores cuya cotización hubiera variado en más de un 10% en contra de la posición a que las garantías se refieren. Para el cálculo de los **complementos exigibles** se tendrá en

cuenta el importe de los derechos económicos devengados durante la vigencia de las posiciones. La posibilidad de exigir complementos de garantías es también aplicable a las posiciones prorrogadas. Estas operaciones pueden tener la consideración de **acuerdos de garantías financieras** (RDL 5/2005 art.10).

Las garantías deben ser depositadas en una entidad participante de la Sociedad de Sistemas o en una entidad de depósito habilitada a tal fin mediante su inscripción en el correspondiente Registro de las Sociedades Rectoras o, en su caso, de la Sociedad de Bolsas. Dicho régimen de **depósito de garantías** puede sustituirse por un sistema de constitución de otro tipo de coberturas, de acuerdo con lo que establezca la CNMV.

Precisiones 1) La exigencia de garantías complementarias puede imponerse como obligatoria por las Sociedades Rectoras o, en su caso, por la Sociedad de Bolsas, en los casos y de acuerdo con los **porcentajes y cuantías** que estimen necesarias.

2) La designación y eventuales **cambios de las entidades depositarias** de cada entidad que otorgue crédito puede efectuarse con carácter general, en cuyo caso deben publicarse en los boletines de cotización y comunicarse a la Sociedad de Sistemas o en relación con alguna o algunas operaciones concretas, supuesto en el que se comunicarán a la Sociedad de Sistemas en el momento de declarar la operación en cuestión.

Depósito del objeto de la operación (OM 25-3-1991 norma 5ª) Se distingue entre operaciones de crédito a comprador y operaciones de crédito a vendedor. **9704**

a) Crédito a comprador. Los valores adquiridos previa concesión de un crédito quedan depositados en la entidad depositaria hasta que se produzca la liquidación del mismo, entregándose a cambio el correspondiente recibo.

El acreditado debe entregar a la sociedad de valores o entidad de crédito que efectuó la operación de contado, **orden irrevocable** de venta de los valores adquiridos a crédito, con entrega del importe de la operación a la entidad que otorgó el crédito. Esa orden solo puede ejecutarse por decisión de esta última entidad, en caso de que el acreditado incumpla las obligaciones resultantes de la liquidación de su posición, o de la ausencia de actualización de garantías.

Precisiones Los **derechos económicos** devengados por tales valores complementan las garantías prestadas por el comprador a crédito, aplicándoseles el régimen propio de las mismas.

b) Crédito a vendedor. El importe de las ventas efectuadas con préstamo de valores debe ser depositado en la misma forma prevista para el caso de las garantías; y sus rendimientos, de existir, incrementarán las mismas. **9706**

Los vendedores deben entregar a la sociedad de valores o entidad de crédito que efectuó la operación de contado **orden irrevocable** de compra de los valores vendidos a crédito, con entrega de los mismos a la entidad que concedió el crédito. Esa orden solo puede ejecutarse por decisión de esta última entidad, en caso de que el acreditado incumpla las obligaciones resultantes de la liquidación de su posición, o de la ausencia de actualización de garantías.

c. Forma

Los **requisitos formales genéricos** son los aplicables a las órdenes de compraventa y a las propias compraventas bursátiles financiadas mientras que entre los requisitos formales **específicos** del crédito al mercado se regulan los siguientes: **9710**

- los requisitos de contenido de los contratos de financiación (nº 9712);
- la publicación de las condiciones de estos contratos (nº 9714);
- el registro de operaciones ya verificadas (nº 9716);
- la comunicación de tales operaciones (nº 9718).

Contenido (OM 25-3-1991 norma 6ª y 7ª) Respecto de las **condiciones generales** utilizadas para cualquier tipo de operación (crédito a comprador o a vendedor) la OM exige que las entidades financiadoras fijen, con una **periodicidad** no inferior a la semanal, las condiciones que aplicarán a dichas operaciones, incluyendo las relativas a garantías o coberturas. Cada operación se regirá por las condiciones vigentes a la fecha de su celebración o, en su caso, de su prórroga. **9712**

Respecto del contenido del **contrato de préstamo de valores**, únicamente aplicable, por tanto, al crédito a vendedor, la OM establece que estos préstamos se documentarán en contratos en los que deberán identificarse los valores objeto del mismo, a través de la mención a su referencia técnica, indicando expresamente su afectación a dicho uso y la duración del préstamo. Asimismo, deberán fijarse y hacerse públicas las condiciones de estos contratos en la misma forma que la prevista para las condiciones generales.

9714 **Publicación** (OM 25-3-1991 norma 6ª y 7ª) Las **condiciones generales** de cualquier clase de crédito, sea dinerario o en especie de valores, deberán ser comunicadas a las Sociedades Rectoras de las Bolsas o, en su caso, a la Sociedad de Bolsas, con antelación suficiente para que sea posible la publicación de las mismas en los **boletines de cotización** antes de su aplicación. Las entidades que ofrezcan crédito deben publicar las condiciones mencionadas en las oficinas y representaciones en que ofrezcan tal servicio.
En materia de contenido de los **contratos de préstamo de valores** se exige que las entidades financiadoras fijen y hagan públicas las condiciones de los mismos con arreglo a los mismos requisitos que los previstos para las condiciones generales.

9716 **Registro de operaciones** (OM 25-3-1991 norma 8ª) Las entidades financiadoras quedan obligadas a llevar un registro de las operaciones en el que constarán:
a) Las **operaciones de compra**, especificando los valores comprados, el precio, el nombre del comprador y la fecha del vencimiento.
b) Las **operaciones de venta**, especificando los valores vendidos, el precio, el nombre del vendedor y la fecha del vencimiento.
c) Los contratos de **préstamo de valores**, especificando los que sean objeto del contrato, el nombre del préstamo y la fecha de vencimiento del contrato.
d) Las **garantías** constituidas, separando la garantía inicial y las garantías complementarias, y especificando la fecha de constitución de cada una.
Del mismo modo, las Sociedades Rectoras o, en su caso, la Sociedad de Bolsas, debe llevar otro registro en el que se anoten estas operaciones, una vez debidamente comunicadas (nº 9718).

9718 **Comunicación de las operaciones** Las operaciones ya realizadas, así como sus prórrogas, deben comunicarse a la Sociedad Rectora de la Bolsa en la que tengan lugar las mismas o, en su caso, a la Sociedad de Bolsas. El **sujeto obligado** a comunicar no es ninguna de las partes en el contrato, sino las entidades financiadoras.
En cuanto a las **operaciones no realizadas**, si bien no pueden registrarse, esas mismas entidades publicarán en el boletín oficial de cotización las posiciones de crédito existentes en cada momento que estén pendientes de cancelar.

5. Derechos y obligaciones de las partes

9725 En el crédito al comprador la financiación tiene por objeto el dinero. Por eso el contenido del contrato es el ordinario de todo **préstamo dinerario**: el prestatario queda obligado a amortizar el principal y a pagar los intereses convenidos. Algo muy similar es predicable respecto del crédito al vendedor, al ser **préstamo de valores**: el prestatario queda obligado a devolver otros tantos de la misma clase e idénticas condiciones y, también, a pagar los intereses pactados (CCom art.312, 314 y 315).
Regla especial y singularmente predicable del préstamo de valores en el crédito a vendedor es la de los **derechos devengados** por los valores, pues si habitualmente estos pertenecen al propietario de los mismos, que es el prestatario, aquí sin embargo serán los prestamistas de los valores los que percibirán el importe dinerario correspondiente a los derechos económicos que generen durante la cesión pactada, incluidas las primas de asistencia a las Juntas Generales. Salvo pacto en contrario, si dentro de ese período sobrevinieran **aumentos de capital** que dieran nacimiento a derechos de asignación gratuita o de suscripción preferente de nuevas acciones, deberán ponerse a disposición del prestamista, cuando tales derechos se segreguen, otros de la misma clase, en la cuantía que corresponda a los valores prestados (OM 25-3-1991 norma 7ª).

6. Contrato de préstamo instrumental para el crédito al mercado

9730 Si una sociedad de valores o una entidad de crédito recibe de su cliente la solicitud de formalización de una operación de crédito al mercado -modalidad vendedor- y carece de los valores objeto de la misma puede optar por, o bien comprarlos y prestarlos a su cliente, con lo que incurriría en los mismos riesgos que éste; o bien adquirir su propiedad por la vía de un **previo mutuo de valores**.
Este segundo supuesto es el que origina el contrato de préstamo instrumental de valores, cuya estructura contractual es sencilla y es la propia de todo mutuo de valores. La única especialidad es que el mutuatario es un intermediario bursátil.

Sin embargo, el préstamo instrumental se ha considerado siempre como una operación que no solamente es instrumental respecto del crédito al mercado, sino, en general, de cualquier situación de carencia de valores en un intermediario bursátil.

Precisiones Sobre préstamo de valores, ver nº 10050 s.

SECCIÓN 5

Operaciones extrabursátiles

 9735

a. Consideraciones generales

9740 La LMV no define la compraventa bursátil, sino que, presumiendo el concepto legal genérico de **compraventa** (nº 945 y nº 9510) y aceptando los criterios de mercantilización del Código de Comercio, únicamente clasifica las operaciones sobre valores admitidos a negociación diferenciando:

a) Operaciones bursátiles o, también, operaciones de mercado. Son las realizadas por título de compraventa u otros negocios onerosos de cada mercado, cuando se realicen sobre valores negociables u otros instrumentos financieros admitidos a negociación en el mismo y se efectúen en ese mercado con sujeción a sus reglas de funcionamiento.

b) Operaciones extrabursátiles. No tendrán la consideración de operaciones de mercado aquellas transmisiones a título oneroso diferentes de las previstas en el apartado anterior y las transmisiones a título lucrativo (donaciones y sucesiones).

Su **especialidad** respecto de las operaciones bursátiles se materializa en tres cuestiones:

1ª. No se ejecutan en masa, como las operaciones bursátiles ordinarias.

2ª. No suelen requerir una contrapartida en el mercado, pues, llegan a él con sus elementos personales (adquirente y transmitente) ya preconfigurados, teniendo generalmente el carácter de operaciones bilaterales.

3ª. Su cauce formal es diferente, suelen quedar formalizadas por escrito y ello con independencia de que la final transmisión de la propiedad operada por su virtud tenga que ser reflejada dentro del sistema de anotaciones en cuenta en que los valores admitidos a negociación en Bolsa se materializan.

Precisiones En materia de **fuentes** hay que significar las siguientes: RD 814/2023 sobre instrumentos financieros, admisión a negociación, registro de valores negociables e infraestructuras de mercado, OM 5-12-1991 sobre operaciones bursátiles especiales y Rgto (UE) 600/2014 (Títulos III y IV).

b. Clases

9745 Se contempla la realización de las siguientes operaciones extrabursátiles:

a) Negocios jurídicos inter vivos:

- aportación al patrimonio de una sociedad (civil o mercantil) en constitución;
- reintegro por consecuencia de extinción de la sociedad propietaria;
- transmisión con ocasión de fusión propia, fusión por absorción o escisión de sociedad;
- constitución de comunidad pro indiviso sobre valores cotizados;
- extinción de esa comunidad;
- permuta por otro valor, cotizado o no, o por otro bien o derecho;
- retribución en especie (valores) a favor de directivos o empleados;
- dación en pago;
- dación para pago.

b) Negocios mortis causa: donación, herencia a título universal y legado.

Precisiones La inicial redacción de la LMV/88 art.83 forzaba a considerar al **préstamo de valores** (ver nº 9730), que es traslativo de la propiedad en cuanto los mismos son fungibles (CC art.1753), como operación extrabursátil por ser título jurídico distinto de la compraventa. Sin embargo, tras la reforma de la LMV/88 por L 37/1998, el legislador parece haber cambiado de orientación. La nueva redacción dada al precepto citado permite afirmar que en el caso de los préstamos de valores motivados por operaciones de crédito al mercado o de crédito a vendedor han de considerarse, más bien, como verdaderas **operaciones de mercado**, pues la finalidad última del préstamo de valores es la enajenación de los mismos como operación especulativa o bien su entrega en garantía de alguna operación principal y, consecuentemente, su posible enajenación por compraventa en subasta pública.

c. Elementos

9750 **Intervinientes** Son el transmitente y el adquirente.
Sea el negocio inter vivos o mortis causa, es requisito imprescindible que el **transmitente** tenga capacidad para formalizar un acto de disposición, pues éste lo es.
En cuanto al **adquirente**, no hay especialidades dignas de mención. Si el adquirente es una sociedad anónima habrá que estar y pasar por las normas relativas a autocartera (LSC art.134 a 158).

9752 **Objeto y precio** No hay especialidades respecto de la cosa. Son los **valores negociables** objeto de la operación.
En cuanto al precio, si el negocio es mortis causa, simplemente no hay precio. Sin embargo, si el negocio es inter vivos hay precio, pero dicho precio normalmente no coincidirá con el **valor de cotización** de los valores en Bolsa. De ahí la necesidad de establecer mecanismos de cautela. Sirven estos a las **finalidades** de:
- conservar un solo mercado. De no existir esas cautelas podría provocarse una situación de dispersión nociva para la eficaz asignación de recursos deseable cuando se enfrentan las fuerzas de la oferta y la demanda;
- mantener un solo precio. Aunque la transacción se verifique a valor diferente del precio de cotización, se debe intentar que la desviación sea la mínima imprescindible.

Precisiones Las anteriores reflexiones explican el mandato de **diligencia cautelar** impuesto a las Sociedades rectoras y a la Sociedad de Bolsas, las cuales quedan obligadas a poner en conocimiento de la CNMV cualquier indicio que adviertan de la utilización de negocios distintos de la compraventa con el fin de eludir lo previsto en la normativa vigente.

9754 **Forma** (RD 814/2023 art.56) Las **inscripciones** derivadas de la transmisión de valores negociables se practicarán por las entidades encargadas, en cuanto se presente el documento, en cualquier soporte duradero, acreditativo del acto o contrato traslativo.
Cuando la transmisión se refiera a la propiedad de valores sujetos a **derechos reales limitados o gravámenes**, en cuanto se practique la inscripción, la entidad encargada deberá comunicarla al usufructuario, acreedor pignoraticio o beneficiario del gravamen, los cuales, sin perjuicio de que puedan solicitar y obtener la expedición de un nuevo certificado, deberán restituir el que tengan expedido a su favor en cuanto les sea notificada la transmisión de los valores negociables.
Antes de proceder a la inscripción, las entidades deberán exigir siempre la debida **acreditación documental** de la concurrencia de los consentimientos. Asimismo, **conservarán** durante diez años copia de los documentos, en cualquier soporte duradero, acreditativos de los actos, contratos, notificaciones y consentimientos mencionados en los apartados anteriores.
En el supuesto de **transmisión** de una **cuota indivisa** de los valores se practicará su inscripción a favor de los copropietarios resultantes, con baja de los mismos en la cuenta del transmitente o transmitentes.

Precisiones Habrán de observarse las **normas específicas** propias de cada uno de los negocios mencionados:
a) Negocios jurídicos **inter vivos**:
- aportación al patrimonio de una sociedad (civil o mercantil) en constitución: LSC art.61 y 63 y normas especiales de cada uno de los tipos sociales singulares existentes;
- reintegro a consecuencia de extinción de la sociedad propietaria: LSC art.391 a 394 y normas especiales de cada uno de los tipos sociales singulares existentes;
- transmisión con ocasión de fusión propia, fusión por absorción o escisión de sociedad: RDL 5/2023 art.33, 34 y 58 a 60 y normas especiales de cada uno de los tipos sociales singulares existentes;
- constitución de comunidad pro indiviso sobre valores cotizados: LSC art.126;
- extinción de esa comunidad: LSC art.126 y CC art.402 s.
- permuta por otro valor (cotizado o no) o por otro bien o derecho: CCom art.346;
- retribución en especie (valores) a favor de administradores: LSC art.219.
b) Negocios **mortis causa:**
- donación: CC art.618 s.;
- herencia a título universal: CC art.657 s.;
- legado: CC art.858 s.

Comunicación (Rgto (UE) 600/2014 art.26) Las empresas de servicios de inversión que ejecuten operaciones con instrumentos financieros deben comunicar los datos completos y exactos de esas operaciones a la **autoridad competente** con la mayor brevedad, y a más tardar al **cierre del siguiente día hábil**. Las autoridades competentes establecerán, de conformidad con la Dir 2014/65/UE art.85, las medidas necesarias para garantizar que la autoridad competente del mercado más importante en términos de liquidez para dichos instrumentos financieros reciba asimismo esa información. 9756

Esta obligación se aplica, entre otros, a los **instrumentos financieros** admitidos a negociación o negociados en un centro de negociación o para los que se haya solicitado la admisión a negociación y a los instrumentos financieros en los que el subyacente es un instrumento financiero negociado en un centro de negociación.

Estas comunicaciones deben incluir, en particular, los **datos** siguientes:

- la denominación y número de los instrumentos comprados o vendidos;
- la cantidad, las fechas y horas de ejecución;
- los precios de la operación;
- un identificador de los clientes en cuyo nombre la empresa de servicios de inversión haya ejecutado esa operación;
- un identificador de las personas y los algoritmos informáticos dentro de la empresa de servicios de inversión responsables de la decisión de invertir y de la ejecución de la operación;
- un identificador de la exención aplicable con arreglo a la cual haya tenido lugar la negociación;
- los medios de identificación de las empresas de servicios de inversión de que se trate; y
- un identificador de las ventas en corto.

Para las **operaciones** que **no se ejecuten en un centro de negociación**, las comunicaciones deben incluir asimismo un identificador de los tipos de operaciones.

Precisiones El Rgto (UE) 600/2014 establece en su Título III las **condiciones de transparencia** para los internalizadores sistemáticos y las empresas de servicios de inversión que negocien en mercados extrabursátiles. Entre ellas se establece la obligación para las empresas de servicios de inversión de hacer públicas cotizaciones firmes respecto de aquellas acciones, certificados de depósito de valores, fondos cotizados, certificados y otros instrumentos financieros similares negociados en un centro de negociación de los que sean internalizadores sistemáticos y para los que exista un mercado líquido. En caso de que no exista un mercado líquido para dichos instrumentos financieros mencionados, los internalizadores sistemáticos proporcionarán cotizaciones a sus clientes a petición de estos. Asimismo, las empresas de servicios de inversión que, por cuenta propia o por cuenta de sus clientes, efectúen operaciones con acciones, certificados de depósito de valores, fondos cotizados, certificados y otros instrumentos financieros similares negociados en un centro de negociación, harán público el volumen y el precio de esas operaciones y la hora en que se hayan concluido.

Los **internalizadores sistemáticos** son entidades de crédito o empresas de servicios de inversión que con carácter organizado, frecuente, sistemático y sustancial, sin gestionar un sistema multilateral, negocian por cuenta propia cuando ejecutan órdenes de su clientela al margen de un mercado regulado o un Sistema multilateral de negociación o un Sistema organizado de contratación (LMV art.79).

Cierre registral (RD 814/2023 art.44) Producida la comunicación, e introducida la operación en el registro contable correspondiente, las entidades participantes en la Sociedad de Sistemas quedan obligadas a determinadas actuaciones en relación con las **inscripciones informáticas** de los valores objeto de estas operaciones. 9758

En primer lugar, las entidades participantes, una vez practicada la inscripción, no pueden dar curso a transmisiones o gravámenes ni practicar ulteriores inscripciones respecto de los valores comprendidos en las transmisiones mientras no tengan constancia de que la comunicación haya tenido lugar.

Es decir, se impone un particular cierre registral (Olivares Blanco), en virtud del cual se imposibilita cualquier **acto dispositivo** por parte del nuevo titular de los valores hasta que la entidad participante tenga constancia del cumplimiento del trámite de la comunicación (nº 9756). Por eso se permite que, si los interesados la requieren a tal fin, sea la propia entidad adherida la que lleve a cabo directamente la comunicación, dentro del plazo de los siete días hábiles.

SECCIÓN 6

Ofertas públicas de adquisición de acciones (OPAs)

9765

I. Consideraciones generales

9770 Se entiende por OPA aquel procedimiento por el que una persona física o jurídica se propone adquirir los títulos de una **sociedad cotizada en Bolsa** a un precio justo y durante un plazo determinado.

La operación bursátil en que consiste se encuadra en el marco más general de las técnicas de toma de control de las sociedades mercantiles y de la sujeción de éstas a los **principios rectores del mercado de valores**, en particular, a los principios de:
- protección a los inversores;
- igualdad de trato a todos los accionistas;
- información pública;
- transparencia operativa.

Una de las novedades más importantes que ha experimentado la legislación mercantil española en los últimos años ha sido la aprobación del **nuevo régimen** de las ofertas públicas de adquisición de valores.

La nueva regulación está contenida en:
- L 6/2023, de los mercados de valores y de los servicios de inversión (LMV art.108 a 117);
- L 6/2007, de reforma de la LMV/88, para la modificación del régimen de las OPAs y de la transparencia de los emisores, que incorpora a la legislación española la Dir 2004/25/CE, relativa a las OPAs;
- RD 1066/2007, que desarrolla reglamentariamente la L 6/2007, y que ha sido modificado por el RD 4/20114 y la L 17/2014;
- CNMV Circ 8/2008, por la que se aprueban los modelos a los que deben ajustarse los anuncios y las solicitudes de autorización de las ofertas públicas de adquisición de valores.

9772 La normativa española sobre OPAs es de aplicación en los siguientes **supuestos** (RD 1066/2007 art.1):

a) Ofertas sobre sociedades cuyas **acciones** están, total o parcialmente, **admitidas a negociación** en un mercado regulado español o en un SMN, en los términos que se determinen reglamentariamente y tengan su domicilio social en España. No es de aplicación, sin embargo, a las OPAs de sociedades de inversión de capital variable ni de los bancos centrales de los Estados miembros de la UE.

b) Ofertas sobre sociedades que tienen su domicilio social en un Estado miembro de la UE distinto de España y cuyas acciones **no están admitidas** a negociación en un mercado regulado en dicho Estado, cuando concurra alguna de las siguientes circunstancias:
- que las acciones de la sociedad solo estén admitidas a negociación en un mercado regulado español;
- que la primera admisión a negociación de las acciones en un mercado regulado lo haya sido en un mercado regulado español;
- que las acciones de la sociedad sean admitidas a negociación simultáneamente en mercados regulados de más de un Estado miembro y en un mercado regulado español, y la sociedad así lo decida mediante notificación a dichos mercados y a sus autoridades competentes el primer día de negociación de sus acciones; o
- que el 20-5-2006 las acciones de la sociedad ya hubieran sido admitidas a negociación simultáneamente en mercados regulados de más de un Estado miembro y en un mercado regulado español y la CNMV así lo hubiera acordado con las autoridades competentes de los demás mercados en los que se hubieran admitido a negociación o, a falta de acuerdo, así lo hubiera decidido la sociedad.

En los casos enumerados en la letra b), la oferta se rige por las siguientes **normas**:
1) La decisión sobre la **autorización** de la oferta corresponde a la CNMV.
2) Los asuntos relativos a la contraprestación o **precio** ofrecido en el procedimiento de oferta, a la información sobre la decisión del oferente de presentar una oferta, al contenido del folleto explicativo, a la difusión de la oferta y a las ofertas competidoras están sujetos a lo dispuesto en el RD 1066/2007.
3) Por el contrario, las normas del Estado miembro de la UE en el que la sociedad afectada tenga su domicilio social determinan la **información** que debe facilitarse al personal de la sociedad afectada y, en los aspectos relativos al Derecho de sociedades, en particular el porcentaje de derechos de voto que confiere el control y las excepciones a la obligación de formular una oferta, así como las condiciones en las que el órgano de administración o dirección de la sociedad afectada puede emprender una acción que pueda perturbar el desarrollo de la oferta. Las autoridades de dicho Estado son también las competentes en relación con todos estos aspectos.
c) Cuando la sociedad afectada **no** tiene su **domicilio** social en España ni en ningún otro Estado miembro de la UE y sus **acciones están admitidas a negociación** en un mercado regulado español. En este caso, solo son de aplicación a la oferta pública de adquisición de valores las reglas previstas en los apartados 1) y 2) anteriores.
d) La sociedad afectada tiene su **domicilio** social en España, pero sus valores **no están admitidos a negociación** en un mercado regulado español. En este caso, solo son de aplicación a la oferta pública de adquisición de valores las reglas previstas en el párrafo 3) anterior.

Precisiones El régimen de determinación de la ley aplicable a las OPAs -tributario del sistema previsto en la Dir 2004/25/CE-, y especialmente los supuestos previstos en los apartados c) y d) anteriores, puede acarrear problemas prácticos de aplicación cuando entren en juego **jurisdicciones no armonizadas** por la norma comunitaria y en las que, por tanto, las normas de conflicto aplicables pueden, potencialmente, diferir de las existentes a nivel comunitario. En el caso, por ejemplo, de una sociedad con domicilio social en España y con acciones admitidas a negociación en un mercado de un Estado no miembro de la UE -supuesto previsto en el apartado d)-, nuestras normas de conflicto establecen que la normativa española sobre OPAs es la que regula las excepciones a la obligación de formular una oferta. Podría darse el caso, sin embargo, de que la legislación sobre OPAs de dicho país no tenga una norma de conflicto paralela a la del RD 1066/2007 y se declare competente para regular esta misma materia.

La L 6/2007 modifica el régimen de las ofertas públicas de adquisición y de la transparencia de los emisores, previsto en la LMV/15. **9774**
El vigente régimen jurídico de las OPAs se basa en un **sistema de OPA obligatoria**, y sus principales **características** hacen referencia a las siguientes materias:
• **Momento de la oferta**. Se instaura un sistema de OPA *a posteriori*. A diferencia del sistema anterior de OPA «a priori» que no permitía a quien tuviera la intención de rebasar alguno de los umbrales relevantes a efectos de OPA adquirir ninguna acción de la sociedad afectada sin la previa formulación de una oferta pública de adquisición de valores, en la nueva regulación la obligación de lanzar una OPA no surge por la intención del oferente de rebasar el umbral de control establecido -fijado ahora en el 30% del capital social con derecho de voto o en el nombramiento de más de la mitad de los miembros del órgano de administración-, sino, precisamente, por alcanzar dicho umbral.
Así, el actual sistema permite que, primero se tome el control de una sociedad, y que, posteriormente, se lance la OPA; de ahí que tenga que existir un sistema del **control del precio** -el precio equitativo-.
No obstante, nada impide que se lance una OPA *a priori* -p.e., que se lance una OPA antes de alcanzar el control de la sociedad afectada-. En este último caso, nos encontraremos ante una **oferta voluntaria**, cuyo régimen es mucho más flexible que el de las ofertas obligatorias y que permite formular la OPA a cualquier precio; esto es, sin estar sujeta al límite del precio equitativo.
• **Precio de la oferta**. Se introduce el concepto de precio equitativo, por lo que quien deba lanzar una OPA obligatoria ya no podrá hacerlo a cualquier precio, sino que tendrá que formularla, como mínimo, al precio equitativo.
• **Alcance de la oferta**. Se instaura un sistema de OPA total. Se eliminan de este modo las ofertas parciales en las OPAs obligatorias que sí se contemplaban en la anterior normativa. Bajo el nuevo régimen, cuando surge la obligación de formular una OPA por haberse adquirido el control de una sociedad cotizada, la OPA debe dirigirse a la adquisición de todos los valores de la sociedad afectada.

II. Tipos de OPA

9782 Se contemplan dos **categorías** fundamentales de OPAs:
- las obligatorias (nº 9785 s.); y
- las voluntarias (nº 9875 s.).

A. OPA obligatoria

9785 Dentro de las OPAs obligatorias se distingue entre:
- las OPAs cuando se alcanza el **control** -paradigma de las OPAs obligatorias- (nº 9790);
- las OPAs por **exclusión** (nº 9855); y
- las OPAs por **reducción de capital** mediante adquisición de acciones propias (nº 9870).

1. OPA cuando se alcanza el control

(LMV art.108; RD 1066/2007 art.3)

9790 La persona o entidad que alcanza el control de una sociedad cotizada en los términos contemplados en nº 9795, tiene la obligación de lanzar una OPA por la **totalidad de las acciones** u otros valores que directa o indirectamente puedan dar derecho a su suscripción o adquisición y dirigida a todos sus titulares a un precio equitativo.
En función del medio a través del cual se adquiere el control en la sociedad cotizada, pueden distinguirse tres **tipos** de ofertas obligatorias, cuando se alcanza el control:
- por adquisición (nº 9812);
- por concertación (nº 9814); e
- indirecta o sobrevenida (nº 9820).

a. Control

(LMV art.111; RD 1066/2003 art.4.1)

9795 Se considera que una persona o entidad logra el control de una sociedad cotizada cuando, directa o indirectamente, alcanza en la sociedad cotizada:
- un porcentaje de **derechos de voto igual o superior al 30%**; o
- cualquier **participación inferior al 30%** de los derechos de voto, pero designa en los veinticuatro meses siguientes a la fecha de la adquisición un número de consejeros que, unidos a los que en su caso ya hubiera designado, representen más de la mitad de los miembros del órgano de administración de la sociedad.
La CNMV debe dispensar condicionalmente, en los términos que se establezcan reglamentariamente, de la **obligación de formular la oferta pública** de adquisición establecida en la LMV art.108, cuando otra persona o entidad, directa o indirectamente, tuviera un porcentaje de voto igual o superior al que tenga el obligado a formular la oferta.

Precisiones La L 5/2021 art.6.17 introdujo un **nuevo supuesto de control** de la sociedad a efectos de formular una OPA, derivado de las **acciones con voto de lealtad,** incorporando un nuevo apartado 3 al art.131 LMV/15 (actual LMV art.111), estableciendo que si, como exclusivamente de la variación en el número total de derechos de voto de la sociedad derivada de la existencia de acciones con voto de lealtad conforme a la LSC art.527 ter s., cualquier accionista llegara a alcanzar, directa o indirectamente, un número de derechos de voto igual o superior al 30 %, dicho accionista no podrá ejercer los derechos políticos que excedan de dicho porcentaje sin formular una OPA dirigida a la totalidad del capital social.
La oferta se formulará dentro de los **3 meses** siguientes a la fecha en que se hubiese sobrepasado el umbral del 30%.
No obstante, no será obligatoria la formulación de la oferta, cuando, dentro ese plazo se enajene por el obligado a formular la oferta el número de acciones necesario para reducir el exceso de derechos de voto sobre los porcentajes señalados o se renuncie a los derechos de voto por porcentaje de lealtad que excedan del porcentaje del 30% de los derechos de voto de la sociedad, siempre que, entre tanto, no se ejerzan los derechos políticos que excedan de dicho porcentaje, o se obtenga una dispensa de la CNMV. En cualquier caso, le serán de aplicación las reglas relativas a la determinación del precio equitativo.

Cómputo de los derechos de voto (RD 1066/2007 art.5) El **porcentaje de derechos** de voto se calcula sobre la base de todas las acciones que llevan aparejadas derechos de voto, incluso si se ha suspendido el ejercicio de los mismos. 9797

Las **acciones sin voto** se computan únicamente cuando gozan de este derecho. Se excluyen de la base de cómputo las acciones que, de acuerdo con la información disponible en la fecha de cómputo del porcentaje de derechos de voto, pertenecen, directa o indirectamente, a la propia sociedad afectada.

A los efectos de determinar si una persona o entidad ha alcanzado el **30% de los derechos de voto** en la sociedad afectada, se computan, tanto los derechos de voto procedentes de la titularidad dominical de las acciones, como los derechos de voto de que disfrute por concepto de usufructo o prenda o en virtud de cualquier otro título de naturaleza contractual.

Se atribuyen a una misma persona o entidad los **derechos de voto ostentados por terceros** en los siguientes **supuestos**:

a) Los pertenecientes a otras sociedades de su mismo grupo, conforme a la definición de la LMV art.4, que dispone que, a efecto de la LMV, se estará a la definición de grupo de sociedades establecida en el CCom art.42.

b) Los ostentados por los miembros del órgano de administración de la persona o entidad de que se trate. Este es el único supuesto que admite prueba en contrario, aunque el RD 1066/2007 no aporta mucha claridad sobre qué tipo de circunstancia deberá de acreditarse que concurre en el consejero en cuestión para que no opere esta atribución de derechos de voto.

c) Los de las demás personas que actúen en nombre propio, pero por cuenta o de forma concertada con ella.

d) Los derechos de voto que esa persona o entidad pueda ejercer de manera libre y duradera en virtud de un poder conferido por los titulares de las acciones, en ausencia de instrucciones específicas sobre los mismos.

e) Los correspondientes a acciones poseídas por persona interpuesta, entendiendo por tal al tercero a quien la persona obligada a formular la oferta deja total o parcialmente a cubierto de los riesgos inherentes a las adquisiciones o transmisiones o a la posesión de las acciones.

En particular, se consideran **poseídos por persona interpuesta** los derechos de voto correspondientes a acciones que constituyen el subyacente o el objeto de contratos financieros o permutas cuando tales contratos o permutas cubren, total o parcialmente, los riesgos inherentes a la titularidad de los valores y, en consecuencia, tienen un efecto similar al de la tenencia de acciones a través de persona interpuesta.

Precisiones Con el fin de adaptarse a la Dir 2017/828/UE, en lo que respecta al fomento de la implicación a largo plazo de los accionistas, la L 5/2021 art.6.18 que modifica, entre otras normas, la LMV/15, introdujo en el Título IV un nuevo capítulo X denominado «Asesores de voto», que comprende los nuevos art.137 bis a 137 quinquies. Por **asesor de voto** se entiende aquella persona jurídica que analiza con carácter profesional y comercial la información que las sociedades cotizadas están legalmente obligadas a publicar y, en su caso, otro tipo de información, para asesorar a los inversores en el ejercicio de sus derechos de voto mediante análisis, asesoramiento o recomendaciones de voto (LMV art.118.2).

Caso particular: sociedad con acciones con voto de lealtad (LMV art.111.3) Si, como **consecuencia exclusivamente de** la variación en el número total de derechos de voto de la sociedad derivada de la existencia de acciones con voto de lealtad conforme a la LSC art.527 ter s., cualquier accionista llegara a alcanzar, directa o indirectamente, un número de derechos de **voto igual o superior al 30%**, dicho accionista no puede ejercer los derechos políticos que excedan de dicho porcentaje sin formular una OPA dirigida a la totalidad del capital social. 9799

La **oferta** se ha de formular dentro del **plazo** de 3 meses siguientes a la fecha en que se hubiese sobrepasado el umbral del 30%., **no es obligatoria** la formulación de la oferta, **cuando**, dentro ese plazo se enajene por el obligado a formular la oferta el número de acciones necesario para reducir el exceso de derechos de voto sobre los porcentajes señalados o se renuncie a los derechos de voto por lealtad que excedan del porcentaje del 30% de los derechos de voto de la sociedad, siempre que, entre tanto, no se ejerzan los derechos políticos que excedan de dicho porcentaje, o se obtenga una dispensa de la CNMV.

En cualquier caso, le son de aplicación las reglas relativas a la **determinación del precio** equitativo.

Asesor de Voto (LMV art.118 a 121) Se **define** asesor de voto o *proxy advisor* como aquella persona jurídica que analiza con carácter profesional y comercial la información que las sociedades cotizadas están legalmente obligadas a publicar y, en su caso, otro tipo de información, para asesorar a los inversores en el ejercicio de sus derechos de voto mediante análisis, asesoramiento o recomendaciones de voto (LMV art.118.2). 9801

9803 **Designación de consejeros** (RD 1066/2007 art.6) A los efectos de determinar si, en los **24 meses siguientes a la adquisición** de una participación inferior al 30% en una sociedad cotizada, una persona o entidad ha designado a un número de consejeros que, unidos a los que en su caso ya hubiera designado, representen más de la mitad de los miembros del órgano de administración de la sociedad afectada, se establecen una serie de **presunciones** *iuris tantum*. Así, se presume, salvo prueba en contrario, que el titular de la participación ha designado miembros del órgano de administración de la sociedad afectada en los siguientes **casos**:

a) Cuando el consejero ha sido nombrado por el titular de la participación o por una sociedad perteneciente a su mismo grupo en ejercicio de su derecho de representación proporcional.

b) Cuando los nombrados son, o han sido en los doce meses anteriores a su designación, consejeros, altos directivos, empleados o prestadores no ocasionales de servicios al titular de la participación o sociedades pertenecientes a su mismo grupo.

c) Cuando el acuerdo de nombramiento no se hubiese podido adoptar sin los votos a favor emitidos por el titular de la participación o por sociedades pertenecientes a su mismo grupo, o por los miembros del órgano de administración designados con anterioridad por dicho titular.

d) Cuando el nombrado sea el propio titular de la participación de que se trate o una sociedad perteneciente a su mismo grupo.

e) Cuando en la documentación societaria en la que conste el nombramiento, incluyendo las actas, certificaciones, escrituras públicas u otra documentación elaborada para obtener la inscripción registral, en la información pública de la sociedad afectada o del titular de la participación de que se trate, o en otra documentación de la sociedad afectada, el titular de la participación asuma que el consejero ha sido designado por dicho titular o que lo representa o es consejero dominical en la sociedad afectada por su relación con aquél. En ningún caso se atribuye a una persona la designación de aquellos miembros del órgano de administración que tengan la consideración de consejeros independientes ni de consejeros dominicales de otros accionistas que no actúen en concierto con el titular de la participación, de acuerdo con las reglas de gobierno corporativo.

b. Ofertas públicas por adquisición y por concertación

9810 En función de si el **control de la sociedad** cotizada se adquiere mediante la **adquisición** de valores de la sociedad cotizada o mediante un **pacto parasocial**, podemos distinguir entre:

- ofertas públicas por adquisición; y
- ofertas públicas por concertación.

9812 **Ofertas públicas por adquisición** (RD 1066/2007 art.3.1.a) El control de la sociedad cotizada se consigue mediante la **adquisición de acciones** u otros valores que confieren, directa o indirectamente, derechos de voto en la sociedad afectada. Es importante destacar que la adquisición de valores u instrumentos financieros que dan derecho a la suscripción, conversión, canje o adquisición de acciones que lleven aparejado derechos de voto no produce la obligación de formular OPA hasta que no se produce dicha suscripción, conversión, canje o adquisición. Así, la adquisición de **obligaciones convertibles** es irrelevante a efectos de determinar si existe la obligación de formular una OPA hasta la fecha en que se produce la conversión en acciones de la sociedad afectada.

9814 **Ofertas públicas por concertación** (RD 1066/2007 art.3.1.b y 5.1.b) El control de la sociedad cotizada se adquiere mediante la **actuación concertada**, a través de pactos parasociales, entre titulares de valores de la sociedad de que se trate.

No es necesario, por tanto, que se produzca adquisición alguna de valores de la sociedad afectada.

Así, por **ejemplo**, surge la obligación de formular una OPA por concertación cuando un accionista titular de un 25% de los derechos de voto de la sociedad afectada llegue a un pacto parasocial de los descritos a continuación con otro accionista de la misma sociedad propietario de un 6% de los derechos de voto.

Se entiende que existe **concierto** cuando dos o más personas colaboran en virtud de un acuerdo, ya sea expreso o tácito, verbal o escrito, con el fin de obtener el control de la compañía afectada.

Se presume que existe concierto cuando las personas hubieran alcanzado un pacto de los señalados en LSC art.530 s., destinado a establecer una política común en lo que se refiere a la gestión de la sociedad o que tenga por objeto influir de manera relevante en la misma, así como cualquier otro que, con la misma finalidad, regule el derecho de voto en el consejo de administración o en la comisión ejecutiva o delegada de la sociedad.

De lo anterior se desprende que no todo pacto de los previstos en LSC art.530 s. tiene relevancia a efectos de determinar la existencia de la obligación de formular una OPA por concertación. En este campo solo son relevantes aquellos pactos parasociales destinados a establecer una **política común de gestión de la sociedad** o que tiene por objeto influir de manera relevante en ésta.

c. Ofertas públicas indirectas o sobrevenidas

(RD 1066/2007 art.7)

Se distinguen cinco supuestos de OPAs indirectas o sobrevenidas. 9820
Los cinco **supuestos** de tomas de control indirectas o sobrevenidas de sociedades cotizadas en los que puede resultar **obligatorio la formulación de una OPA** son los siguientes:
1) **Fusión o toma de control** de otra sociedad o entidad (entidad accionista) que tiene participación directa o indirecta en una tercera sociedad cotizada (sociedad cotizada).
2) **Reducción de capital** de una sociedad cotizada.
3) **Conversión o canje de valores**.
4) **Variaciones de autocartera**.
5) Compromisos de **aseguramiento de emisiones**.

Fusión o toma de control de otra sociedad o entidad que tiene participación directa o indirecta en una tercera sociedad cotizada Si se adquiere el control de una entidad -que no tiene por qué ser cotizada ni estar domiciliada en España- que tiene una participación directa o indirecta en una sociedad cotizada, o si aquella entidad se fusiona de tal manera que, como consecuencia de dicha toma de control o fusión, se alcanza, directa o indirectamente, en la sociedad cotizada alguno de los umbrales de control a efectos de OPA (nº 9795), debe formularse una OPA dirigida a la **totalidad del capital** social de la sociedad cotizada. 9822

Precisiones 1) Aunque la norma no es clara a este respecto y será necesario examinar todas las circunstancias concurrentes en el supuesto concreto, parece que la **obligación** de lanzar la OPA no surge solo en el caso en que como consecuencia la fusión o toma de control se alcance, directa o indirectamente, al menos, el 30% de los derechos de voto en la sociedad cotizada, sino que también nace cuando no llegando a este porcentaje, en los 24 meses siguientes a la fusión o toma de control, se designe un número de consejeros que, unidos a los que en su caso ya se hubieran designado, representen más de la mitad de los miembros del órgano de administración de la sociedad cotizada.

2) Ha de entenderse que el control de la entidad que tiene la participación directa o indirecta en una sociedad cotizada se adquiere en los mismos casos en que procede respecto de una sociedad cotizada, esto es:
- cuando se alcanza, directa o indirectamente, un porcentaje de derechos de voto igual o superior al 30%; o
- cuando se haya alcanzado un porcentaje inferior, pero se haya designado a más de la mitad de los miembros del órgano de administración de la entidad accionista en un plazo de 24 meses.
Esta previsión puede tener sentido si la entidad es igualmente cotizada, pero resulta en exceso rigurosa si se trata de una sociedad o entidad no cotizada.

Reducción de capital de una sociedad cotizada Si, como consecuencia de una reducción de capital en una sociedad cotizada, algún **accionista** llega a alcanzar alguno de los **umbrales de control** a efectos de OPA en la sociedad, el accionista de que se trate debe formular una OPA obligatoria dirigida a la totalidad del capital social. 9824

Precisiones Al igual que en el supuesto anterior, aunque el RD 1066/2007 no es claro a este respecto, parece que la obligación de lanzar la OPA no surge solo en el caso en que como consecuencia de la reducción de capital se alcance, al menos, el 30% de los **derechos de voto** en la sociedad afectada, sino que también nace cuando no llegando a este porcentaje, en los 24 meses siguientes a la reducción de capital el accionista en cuestión **designe** un **número de consejeros** que, unidos a los que en su caso ya hubiera designado, representen más de la mitad de los miembros del órgano de administración de la sociedad cotizada.

Conversión o canje de valores Si, como consecuencia del canje, **suscripción, conversión o adquisición** en o de acciones de una sociedad cotizada derivado de la adquisición de valores o instrumentos financieros que den derecho a dicho canje, suscripción, conversión o adquisición, un accionista llegara a alcanzar alguno de los umbrales de control a efectos de OPA en la sociedad, el accionista de que se trate debe formular una OPA obligatoria dirigida a la totalidad del capital social. 9826

Precisiones Aunque el RD 1066/2007 tampoco es explícito a este respecto, parece que la obligación de lanzar la OPA no surge solo en el caso en que como consecuencia del canje, suscripción, conversión o adquisición se alcance, al menos, el 30% de los **derechos de voto** en la sociedad afectada, sino que también nace cuando no llegando a este porcentaje, en los 24 meses siguientes al canje, suscripción, conversión o adquisición, el accionista en cuestión **designe** un **número de consejeros** que, unidos a los que en su caso ya hubiera designado, representen más de la mitad de los miembros del órgano de administración de la sociedad cotizada.

9828 **Variaciones de autocartera** Si, como consecuencia de las variaciones en la autocartera de una sociedad cotizada, algún **accionista** llega a alcanzar alguno de los umbrales de control a efectos de OPA en la sociedad, el accionista de que se trate debe formular una OPA obligatoria dirigida a la totalidad del capital social (p.e., un accionista tiene el 28,5% del capital en una sociedad que posteriormente adquiere un 5% de su capital en autocartera).

Precisiones Aunque el RD 1066/2007 no lo menciona expresamente, parece que la obligación de lanzar la OPA también surge cuando, no llegando la participación del accionista al 30% de los **derechos de voto** de la sociedad, en los 24 meses siguientes a la variación de la autocartera **designe** un **número de consejeros** que, unidos a los que en su caso ya hubiera designado, representen más de la mitad de los miembros del órgano de administración de la sociedad cotizada.

9830 **Compromisos de aseguramiento de emisiones** Las **entidades financieras** y cualquier otra persona o entidad que, en cumplimiento de un contrato o compromiso de aseguramiento de una emisión o de una oferta pública de venta de valores de una sociedad cotizada, llega a alcanzar alguno de los umbrales de control a efectos de OPA en la sociedad, debe formular una OPA obligatoria dirigida a la totalidad del capital social.

Precisiones En este supuesto se planeta la misma duda que en los anteriores. No obstante, entendemos que la obligación de lanzar la OPA no surge solo en el caso en que como consecuencia del cumplimiento del contrato o compromiso de aseguramiento se alcance, al menos, el 30% de los **derechos de voto** en la sociedad afectada, sino que también nace cuando no llegando a este porcentaje, en los 24 meses siguientes al cierre de la emisión la entidad financiera en cuestión **designe** un **número de consejeros** que, unidos a los que en su caso ya hubiera designado, representen más de la mitad de los miembros del órgano de administración de la sociedad cotizada.

9832 **Aspectos comunes a OPAs indirectas o sobrevenidas** (RD 1066/2007 art.7, 16.2 y 32.2) Las OPAs indirectas o sobrevenidas, con independencia del supuesto de hecho del que derivan, están sujetas a las siguientes reglas comunes:

1. Hasta que la OPA indirecta o sobrevenida no es **autorizada por la CNMV**, el oferente y quienes actúan en concierto con él no pueden ejercer los derechos de voto correspondientes al 30% o más del capital social de la sociedad afectada.
2. La oferta se ha de formular dentro del **plazo** de los tres meses siguientes a la fecha de acaecimiento del hecho determinante de la obligación de lanzar la OPA indirecta o sobrevenida (p.e., la fecha de la fusión o toma de control; de la reducción de capital; de la suscripción o conversión; de la comunicación por la sociedad de las variaciones en la autocartera; y del cierre de la emisión).
3. La oferta debe formularse a un **precio** no inferior al precio equitativo.
4. **No es obligatoria** la formulación de la oferta indirecta o sobrevenida en los dos casos siguientes:

a) Si, dentro de los tres meses siguientes a la fecha de acaecimiento del hecho determinante de la obligación de lanzar la OPA indirecta o sobrevenida, **se enajena el número de acciones necesario para reducir el exceso** de derechos de voto sobre el 30% y, entre tanto, no se ejercen los derechos políticos que excedan de dicho porcentaje. En el caso de OPA obligatoria por variaciones en la autocartera, la enajenación del exceso podrá llevarla a cabo tanto el accionista como la propia sociedad afectada.

b) Si se obtiene una **dispensa de la CNMV** por tener un tercero un porcentaje de voto igual o superior en la sociedad afectada (nº 9835).

5. En el mismo **hecho relevante** en que se hace público el acaecimiento del supuesto determinante de la obligación de formular la OPA indirecta o sobrevenida, se debe anunciar si se va a proceder a la formulación de la oferta o si se va a optar por reducir la participación por debajo del umbral que obliga a lanzarla.

d. Dispensa de la obligación de formular una OPA obligatoria

(RD 1066/2007 art.4.2)

9835 Tanto si se trata de una oferta por adquisición, por concertación o una oferta indirecta o sobrevenida, la CNMV tiene la facultad de dispensar de la obligación de formular una OPA obligatoria. Así, cuando se alcanza, directa o indirectamente, un porcentaje de derechos de voto igual o superior al 30% en una sociedad cotizada, si otra persona o entidad, individualmente o de forma conjunta con las personas que actúan en concierto con ella, tiene un porcentaje de voto igual o superior al que tiene aquél que está bajo la obligación de formular la oferta, la CNMV le

dispensará de la obligación de formularla. Por ejemplo, cuando una entidad adquiere el 30% del capital social de una sociedad cotizada en la que ya hay un accionista que ostenta una participación del 40%.
La dispensa está **condicionada** a que la otra persona o entidad no disminuya su participación por debajo de la ostentada por el accionista que hubiese sido dispensado y a que este último no designe a más de la mitad de los miembros del consejo de administración de la sociedad afectada. Si ello sucede, o si no se obtiene la dispensa, el adquirente está obligado a formular una OPA, salvo que en el plazo de tres meses enajene el número de valores necesario para **reducir el exceso de derechos de voto** sobre el porcentaje señalado y, entre tanto, no ejerza los derechos de voto que excedan de tal porcentaje.
La dispensa debe ser solicitada a la CNMV por la sociedad adquirente, quien al mismo tiempo la debe notificar a la sociedad afectada. Esta última dispone de tres días hábiles para formular **alegaciones** ante la CNMV.
La CNMV dispone de un plazo de diez días hábiles a contar desde la solicitud para comunicar su **decisión motivada** al interesado, a la sociedad afectada y para publicar su decisión en su página web.

e. Exclusión de formular una OPA obligatoria cuando se alcanza el control

(RD 1066/2007 art.8)

9840 No es necesaria la formulación de una oferta pública de adquisición en los siguientes **supuestos**:
a) Adquisiciones u otras operaciones que, **en el cumplimiento de sus funciones**, realicen los Fondos de Garantía de Depósitos en Establecimientos Bancarios, Cajas de Ahorro o Cooperativas de Crédito, el Fondo de Reestructuración Ordenada Bancaria, el Fondo de Garantía de Inversiones, el Consorcio de Compensación de Seguros, y otras instituciones similares legalmente establecidas, así como las adquisiciones consistentes en las adjudicaciones que estos organismos, con sujeción a las reglas de publicidad y concurrencia de ofertas establecidas en la normativa específica, acuerden en cumplimiento de sus funciones. La exclusión se extiende, igualmente, a las tomas de control indirecto, siempre que la entidad de supervisión competente lo considere conveniente.
Conforme a lo previsto en la L 11/2015 art.34.1.c, cuando el FROB suscriba o adquiera instrumentos de recapitalización señalados en la L 11/2015 art.31 a 34 (acciones, obligaciones, e instrumentos convertibles en acciones) no conlleva la obligación de formular una OPA. Asimismo, la toma de control de una sociedad cotizada por una sociedad de gestión de activos (p.e., la SAREB) también está exenta de la obligación de formular una OPA (L 11/2015 art.29.4.c).
b) Adquisiciones u otras operaciones que se realicen de conformidad con la Ley de **expropiación forzosa**.
c) Cuando todos los titulares de valores de la sociedad afectada acuerden por unanimidad la **venta o permuta de todas o parte de las acciones** u otros valores que confieran, directa o indirectamente, derechos de voto en la sociedad o renuncien a la venta o permuta de sus valores en régimen de OPA. En estos casos, es preciso que los titulares de los valores acuerden, simultáneamente, la **exclusión de negociación** de los valores de los mercados secundarios oficiales en que estuvieran admitidos.
d) Adquisiciones u otras operaciones procedentes de la conversión o capitalización de créditos en acciones de sociedades cotizadas cuya **viabilidad financiera** esté en peligro grave e inminente, aunque no esté en concurso, siempre que se trate de operaciones concebidas para garantizar la recuperación financiera a largo plazo de la sociedad.
Corresponde a la CNMV acordar, en un plazo no superior a 15 días a contar desde la presentación de la correspondiente solicitud por cualquier persona interesada, que no resulta exigible una oferta pública.

9842 **e)** Las **adquisiciones gratuitas** «mortis causa» y las adquisiciones gratuitas «inter vivos», siempre que, en este segundo caso, el adquirente no haya adquirido acciones u otros valores que puedan dar derecho a su adquisición o suscripción en los doce meses anteriores y no medie acuerdo o concierto con el transmitente.
f) Cuando el **control se haya alcanzado tras una oferta voluntaria por la totalidad** de los valores, si se da alguna de las siguientes circunstancias:
- que la oferta haya sido formulada a un precio equitativo; o
- que haya sido aceptada por titulares de valores que representen al menos el 50% de los derechos de voto a los que se hubiera dirigido, excluyendo del cómputo los que ya obraran en poder del oferente y los que correspondan a accionistas que hubieran alcanzado algún acuerdo con el oferente relativo a la oferta.

g) Están exentos de la obligación de formular una OPA los **accionistas de sociedades afectadas por una fusión** que alcancen en la sociedad cotizada resultante, como consecuencia de tal fusión, un porcentaje igual o superior al 30% del capital con derecho a voto siempre que:
- no hubiesen votado a favor de la fusión en la junta general correspondiente; y
- pueda justificarse que la operación no tiene como objetivo principal la toma de control de la sociedad resultante, sino un objetivo industrial o empresarial.

Precisiones Cuando el **FROB** -Fondo de Reestructuración Ordenada Bancaria- suscriba o adquiera cualquiera de los instrumentos de recapitalización señalados en L 11/2015 art.31 a 34, no le resultará de aplicación la obligación de presentar oferta pública de adquisición con arreglo a la normativa sobre mercados de valores (L 11/2015 art.34.1.c).

f. Régimen aplicable a las ofertas obligatorias cuando se alcanza el control

9845 Se exponen a continuación las reglas aplicables a las ofertas obligatorias cuando se alcanza el control.

9847 **Destinatarios** La oferta debe dirigirse a:
a) Todos los **titulares de las acciones** de la sociedad cotizada, incluidos los de acciones sin voto que, en el momento de solicitarse la autorización de la oferta, tengan derecho de voto de acuerdo con lo establecido en la legislación vigente.
b) Cuando existan, a todos los **titulares de derechos de suscripción** de acciones, así como a los titulares de obligaciones convertibles y canjeables en ellas.
No caben, por tanto, ofertas obligatorias parciales.
La oferta puede o no dirigirse a todos los **titulares de warrants o de otros valores** o instrumentos financieros que dan opción a la adquisición o suscripción de acciones. Si se dirige a ellos, la oferta debe destinarse a todas aquellas personas que ostentan la titularidad de los warrants, valores o instrumentos financieros en cuestión.

9849 **Entidad oferente** (RD 1066/2007 art.3.3) La regla general es que la OPA debe formularla la persona o entidad que, directa o indirectamente, ha alcanzado el **control de la sociedad** cotizada.
En los supuestos de acción concertada, pacto parasocial o aquellos otros en los que se atribuyen a una misma persona los porcentajes de voto pertenecientes a otros accionistas, la obligación de formular la OPA recae en quien, directa o indirectamente, tiene el **mayor porcentaje de derechos de voto**.
Si los porcentajes de dos o más accionistas son iguales, la obligación de formular la OPA recae sobre todos ellos conjuntamente.

9851 **Precio ofrecido** (RD 1066/2007 art.9) Una de las principales novedades introducidas por la nueva regulación de las OPAs es la inclusión de un nuevo concepto, el del **precio equitativo**.
Las OPAs cuando se alcanza el control -ya sean ofertas por adquisición, por concertación u ofertas indirectas o sobrevenidas- no pueden formularse a cualquier precio, sino que deben necesariamente efectuarse a un precio o contraprestación no inferior al precio equitativo.
Por tanto, el precio equitativo no es el precio al que debe lanzarse la oferta, sino que marca el «**suelo**» del precio o contraprestación de la oferta obligatoria.
El precio equitativo se define como el más elevado que el oferente o personas que actúen concertadamente con él hubieran pagado o acordado por los mismos valores durante los doce meses previos al anuncio de la oferta.
El precio equitativo debe recoger el **importe íntegro de la contraprestación satisfecha** por el oferente, a cuyo efecto se establecen **reglas específicas de cálculo** en los supuestos más comunes en que el precio satisfecho por el oferente no es resultado de una simple compraventa. En concreto, se aplican las siguientes reglas:
• Si la adquisición por el oferente es fruto de la ejecución de un derecho de **opción de compra** previo, al precio de la compraventa se le adiciona la prima en su caso acordada por la concesión de la opción.
• Si la adquisición por el oferente es fruto de la ejecución de un derecho de **opción de venta** previo, al precio de la compraventa se le deduce la prima en su caso acordada por la concesión de la opción.
• En el caso de **instrumentos financieros derivados**, el precio es el precio de ejercicio más las primas satisfechas para la adquisición del derivado.
• Si la adquisición de los valores se ha efectuado a través de un **canje o conversión**, el precio se calcula como la media ponderada de los precios de mercado de los indicados valores en la fecha de adquisición.
En los casos anteriores, si los precios de ejercicio se calculan en relación con varias operaciones, se aplicará el más elevado al que haya cruzado operaciones el accionista en cuestión.

• Si la adquisición incluye alguna **compensación adicional** al precio pagado o acordado o cuando se haya acordado un diferimiento en el pago, el precio de la oferta no puede ser inferior al más alto que resulte incluyendo el importe correspondiente a dicha compensación o al pago diferido.
En el caso de que el oferente **no** hubiese efectuado **adquisiciones durante los doce meses previos al anuncio** de la OPA, el precio equitativo se calcula conforme a las reglas de valoración previstas para las ofertas de exclusión (nº 9855), por lo que el precio al que se formule la oferta no podrá ser inferior al que resulte de tomar en cuenta, de forma conjunta y con justificación de su respectiva relevancia, esos métodos de valoración.
La CNMV puede modificar el precio equitativo calculado conforme a las reglas anteriores, cuando concurren determinadas **circunstancias excepcionales** como, por ejemplo, cuando:
- la cotización de los valores de la sociedad afectada se haya visto afectada por el pago de un dividendo, una operación societaria o acontecimiento extraordinario;
- haya indicios razonables de manipulación de los valores de la sociedad afectada;
- el precio equitativo corresponda a una adquisición por un volumen no significativo.

Precisiones Al igual y en los mismos términos que sucede en las OPAs voluntarias, si durante los dos años anteriores al anuncio de la oferta concurre alguna de las circunstancias previstas en la LMV art.117.3, el precio ofrecido en la OPA obligatoria no puede ser inferior al mayor entre el precio equitativo y el resultante del informe del experto independiente preparado conforme a la LMV art.117.2.

2. OPA por exclusión

(LMV art.65; RD 1066/2003 art.10)

Cuando una sociedad acuerda la **exclusión de negociación** de sus acciones en los mercados regulados, debe promover una OPA dirigida a todos los valores afectados por la exclusión. 9855
Se exceptúa el caso de que se haya formulado con carácter previo una oferta dirigida a la totalidad de los valores a un precio igual o superior al exigible en las ofertas contempladas en este apartado, siempre que a resultas de dicha oferta el oferente haya alcanzado al menos el 75% del capital con derecho a voto de la sociedad afectada.
Se asimilan a la exclusión de negociación las operaciones societarias en virtud de las cuales los accionistas de la sociedad cotizada puedan convertirse, total o parcialmente, en socios de otra entidad no cotizada o que **no obtenga la admisión a cotización** de sus acciones en el plazo de tres meses a contar desde la inscripción de la correspondiente operación societaria en el Registro Mercantil.

Precisiones La **normativa europea** relativa a los mercados de instrumentos financieros (mercados regulados) ha sufrido modificaciones derivadas de la incorporación al derecho de los Estados miembros de la Dir 2014/65/UE, teniendo como fecha límite para dicha incorporación el 3-1-2018, fecha en la que, asimismo, es directamente aplicable el Rgto (UE) 600/2014.
El RDL 21/2017 y el RDL 14/2018 han sido **derogados** por la LMV disp.derogatoria única.b y c.
Actualmente, la LMV art.52 establece que el organismo rector de un centro de negociación puede **suspender o excluir de negociación** un instrumento financiero que deje de cumplir las normas de dicho centro. En tal caso, los organismos rectores suspenderán o excluirán también la negociación de los instrumentos derivados vinculados o que hagan referencia al instrumento financiero suspendido o excluido de negociación, cuando esta medida sea necesaria para apoyar los objetivos de la suspensión o exclusión y comunicarán a la CNMV inmediatamente la información sobre a la aplicación de este artículo y seguidamente la harán pública.
Las mismas obligaciones surgen para el organismo rector de un centro de negociación cuando el instrumento financiero haya sido **excluido** de negociación en **otro mercado regulado**, en las condiciones que se determinen reglamentariamente.
Reglamentariamente se establecerán los casos en los que el organismo rector **no puede suspender o excluir** la negociación de un instrumento financiero, así como las clases de instrumentos financieros derivados que quedarán también suspendidos o excluidos.

Destinatarios de la oferta La oferta debe dirigirse a (RD 1066/2007 art.10): 9857
a) Todos los **titulares de las acciones** de la sociedad cotizada, incluidos los de acciones sin voto que, en el momento de solicitarse la autorización de la oferta, tengan derecho de voto de acuerdo con lo establecido en la legislación vigente.
b) Cuando existan, a todos los **titulares de derechos de suscripción** de acciones, así como a los titulares de obligaciones convertibles y canjeables en ellas.
La oferta puede o no dirigirse a todos los **titulares de warrants o de otros valores o instrumentos** financieros que den opción a la adquisición o suscripción de acciones.
No es preciso dirigir la oferta a aquellos titulares que han votado a favor de la exclusión y que, además, inmovilizan sus valores hasta que transcurra el plazo de aceptación de la oferta.

9859 **Entidad oferente y autocartera** La OPA de exclusión puede ser formulada por la propia **sociedad emisora** de los valores a excluir o por **otra persona o entidad**, siempre que cuente con la aprobación de la junta general de accionistas de la sociedad que se excluye.
Si la oferta es formulada por la propia sociedad emisora de los valores a excluir, se debe proceder a la amortización o enajenación de los valores adquiridos en la oferta, salvo que se cumpla con los requisitos para la **adquisición de autocartera** previstos en LSC art.509. A estos efectos, el límite de adquisición de acciones propias es del 10% del capital social.
En las ofertas de exclusión no procederá el informe del órgano de administración de la sociedad afectada previsto en el RD 1066/2007 art.24 (nº 9915).

9861 **Aprobación** (LMV art.65.3) La **junta general de accionistas** de la sociedad emisora de los valores a excluir debe aprobar el acuerdo de exclusión, los acuerdos relativos a la oferta y el precio ofrecido en la OPA.
Al tiempo de la convocatoria de los órganos sociales que deban aprobar la oferta, se debe poner a disposición de los titulares de los valores afectados un **informe de los administradores** en el que se justifique detalladamente la propuesta y el precio ofrecido.

9863 **Precio** La oferta de exclusión solo puede formularse como **compraventa**, debiendo consistir en dinero la totalidad del precio.
El precio de la oferta no puede ser inferior al mayor que resulte entre el **precio equitativo** (nº 9845) y el que resulte de tomar en cuenta, de forma conjunta y con justificación de su respectiva relevancia, los siguientes **métodos de valoración**:
• **Valor teórico contable** de la sociedad y, en su caso, del grupo consolidado, calculado con base en las últimas cuentas anuales auditadas y, si son de fecha posterior a éstas, sobre la base de los últimos estados financieros.
• **Valor liquidativo** de la sociedad y, en su caso, del grupo consolidado. Si de la aplicación de este método fueran a resultar valores significativamente inferiores a los obtenidos a partir de los demás métodos, no será preciso su cálculo.
• **Cotización media ponderada** de los valores durante el semestre inmediatamente anterior al anuncio de la propuesta de exclusión mediante la publicación de un hecho relevante, cualquiera que sea el número de sesiones en que se hubieran negociado.
• **Valor de la contraprestación** ofrecida con anterioridad, en el supuesto de que se hubiese formulado alguna oferta pública de adquisición en el año precedente a la fecha del acuerdo de solicitud de exclusión.
• **Otros métodos de valoración** aplicables al caso concreto y aceptados comúnmente por la comunidad financiera internacional, tales como descuento de flujos de caja, múltiplos de compañías y transacciones comparables u otros.
Los administradores de la sociedad emisora de los valores a excluir deben preparar un **informe** en el que se justifique la propuesta de exclusión y el precio ofrecido sobre la base de los métodos de valoración antes referidos. El informe se ha de poner a disposición de los accionistas al tiempo de la convocatoria de la junta general que decida sobre la exclusión, la oferta y el precio.

9865 **Excepciones** (RD 1066/2007 art.11) No será preciso formular una oferta de exclusión en los siguientes supuestos:
a) Cuando, tras la realización de una **OPA por el 100%** del capital de la sociedad afectada:
- el oferente ejercite el derecho **venta forzosa**; o
- los accionistas minoritarios de la sociedad afectada ejerciten el derecho de **compra forzosa** y, como consecuencia de ello, el oferente pase a ser titular de todos los valores de la sociedad.
b) Cuando todos los titulares de los valores afectados acuerden por **unanimidad** la exclusión de negociación con renuncia a la venta de sus valores en régimen de oferta pública.
c) Cuando se produzca la extinción de la sociedad mediante alguna **operación societaria** en virtud de la cual los accionistas de la sociedad extinguida se conviertan en accionistas de otra sociedad cotizada.
d) Cuando se hubiera realizado **con anterioridad una OPA por la totalidad del capital** de la sociedad afectada siempre que:
- en el folleto de la OPA el oferente hubiera manifestado la intención de excluir las acciones de negociación;
- se justifique mediante un informe de valoración que el precio ofrecido en la OPA previa cumple con los requisitos de precio previstos para las OPAs de exclusión; y
- se facilite a los minoritarios la venta de la totalidad de sus acciones mediante una orden de compra de dichos valores, al mismo precio que el de la oferta previa y durante al menos un mes en el semestre posterior a la finalización de la oferta precedente.

e) Cuando la junta general de accionistas y, en su caso, la asamblea general de obligacionistas, de la sociedad emisora de los valores a excluir, acuerde un procedimiento que, a juicio de la CNMV, sea **equivalente a la oferta pública** porque asegure la protección de los legítimos intereses de los titulares de valores afectados por la exclusión.

3. OPA por reducción de capital mediante adquisición de acciones propias

(RD 1066/2007 art.12)

Cuando la reducción del capital de una sociedad cotizada se realiza mediante la compra por ésta de sus propias acciones para su amortización, sin perjuicio de los requisitos mínimos contenidos en la LSC, debe formularse una OPA. **9870**

Este tipo de ofertas permite articular la compra por la sociedad de sus propias acciones respetando el principio de igualdad de trato entre todos sus accionistas.

Por **excepción**, no es necesario formular OPA cuando la compra de acciones propias se realice según lo previsto en el Rgto UE/596/2014 art.5, en el que se recogen las exenciones para los programas de recompra y de las medidas de estabilización.

B. OPA voluntaria

(RD 1066/2007 art.8.f) y 13)

Son voluntarias todas aquellas OPAs que no son obligatorias (nº 9785 s.). Por tanto, todas las ofertas que se formulan cuando no es obligatorio hacerlo por no haberse alcanzado los **umbrales de control** relevantes a estos efectos, tienen la consideración de voluntarias. **9875**

La OPA voluntaria puede utilizarse como mecanismo para **adquirir una participación de control** en la sociedad afectada. En este caso, si tras la OPA voluntaria el oferente adquiere una participación de control en la sociedad afectada está en la obligación de formular una OPA obligatoria.

Por **excepción**, se excluye de la obligación de formular una OPA en aquel supuesto en el que el control se haya alcanzado tras una oferta voluntaria por la totalidad de los valores de la sociedad afectada, si se da alguna de las siguientes circunstancias:

- que la oferta haya sido formulada a un precio equitativo; o
- que haya sido aceptada por titulares de valores que representen al menos el 50% de los derechos de voto a los que se hubiera dirigido, excluyendo del cómputo los que ya obraran en poder del oferente y los que correspondan a accionistas que hubieran alcanzado algún acuerdo con el oferente relativo a la oferta.

Si en el curso de la formulación de una oferta voluntaria ésta **deviene obligatoria**, la oferta deberá cumplir con lo dispuesto para las ofertas obligatorias. La Comisión Nacional del Mercado de Valores adaptará todos los plazos que le sean aplicables cuando ello sea necesario para que el oferente pueda cumplir con las obligaciones derivadas del carácter obligatorio de la oferta y para que se garantice la debida protección de los destinatarios de la misma.

Régimen aplicable (RD 1066/2007 art.13) Las OPAs voluntarias se rigen por las mismas reglas que las OPAs obligatorias (nº 9785 s.), con las siguientes **especialidades**: **9877**

a) Las OPAs voluntarias pueden sujetarse a **condiciones** con determinados límites.

b) Pueden formularse a cualquier **precio**, sin que sea necesario lanzarlas al menos al precio equitativo.

c) En el supuesto de que la oferta voluntaria se estructure como un **canje de valores**, no es necesario que se incluya como alternativa una contraprestación o precio en efectivo equivalente financieramente, como mínimo, al canje ofrecido.

d) Pueden formularse por un **número de valores** inferior al 100%; es decir, es factible una OPA voluntaria parcial, cuando, como consecuencia de la oferta, no se vaya a alcanzar una participación de control o cuando quien la formule ya ostente una participación de control y pueda incrementar libremente su participación en la sociedad afectada.

Precisiones Se faculta a la CNMV a **dispensar** de la **obligación de formular una oferta** pública de adquisición en aquellos supuestos en los que mediante otro procedimiento equivalente se asegure la protección de los legítimos intereses de los titulares de acciones afectadas por la exclusión, así como de los correspondientes a los titulares de las obligaciones convertibles y demás valores que den derecho a su suscripción (LMV art.65). También podrá la CNMV dispensar de la obligación de formular una oferta pública de adquisición en los supuestos en los que el valor cotice en otro centro de negociación domiciliado en la Unión Europea.

Se contempla una **excepción al principio general** de que las OPAs voluntarias pueden formularse a cualquier **precio**. Esta excepción es de aplicación cuando durante los dos años anteriores al anuncio de la oferta concurre alguna de las siguientes circunstancias (LMV art.117.2 y 3):

• Que los precios de mercado de los valores a los que se dirige la oferta presentan **indicios razonables de manipulación**, que han motivado la incoación de un procedimiento sancionador por la CNMV por infracción de lo dispuesto en el Rgto 596/2014 art.15 sobre abuso de mercado que regula la prohibición de la manipulación de mercado, sin perjuicio de la aplicación de las sanciones correspondientes, y siempre que se hubiese notificado al interesado el correspondiente pliego de cargos. Son infracciones el incumplimiento lo dispuesto en el Rgto 596/2014 art.15 sobre abuso de mercado que establece que ninguna persona manipulará o intentará manipular el mercado (LMV art.297.1.c).

• Que los precios de mercado, en general, o de la sociedad afectada en particular, se han visto afectados por **acontecimientos excepcionales** tales como por catástrofes naturales, situaciones de guerra, calamidad, pandemias declaradas u otras derivadas de fuerza mayor.

• Que la sociedad afectada se haya visto sujeta a **expropiaciones**, **confiscaciones** u otras circunstancias de igual naturaleza que puedan suponer una alteración significativa del valor real de su patrimonio. Si en el plazo indicado alguna de estas circunstancias tiene lugar, el oferente debe aportar un informe de experto independiente sobre los métodos y criterios aplicados para determinar el precio ofrecido. La LMV art.117.2 incluye una enumeración de los métodos de valoración que el experto deberá utilizar: valor medio de mercado en un determinado período, valor liquidativo de la sociedad, valor de la contraprestación pagada por el oferente por los mismos valores en los doce meses previos al anuncio de la oferta, valor teórico contable de la sociedad y otros criterios de valoración objetivos generalmente aceptados que, en todo caso, aseguren la salvaguarda de los derechos de los accionistas. El informe debe justificar la relevancia de cada uno de los métodos empleados.

La excepción al principio general de que las OPAs voluntarias pueden formularse a cualquier precio consiste en que este **no puede ser inferior al** mayor entre:

- el precio equitativo; y
- el resultante del informe del experto independiente. Esta cautela adicional para determinar el precio de la OPA voluntaria también es de aplicación a las ofertas obligatorias.

Asimismo, si la oferta se formulara como **canje de valores**, además de lo anterior, se deberá incluir, al menos como alternativa, una contraprestación o precio en efectivo equivalente financieramente, como mínimo, al canje ofrecido.

9879 **Condiciones** (RD 1066/2007 art.13.2) A diferencia de lo que sucede con las OPAs obligatorias, la **efectividad** de las OPAs voluntarias sí puede sujetarse a condición. Solo se permite las siguientes **condiciones** y siempre y cuando su cumplimiento o incumplimiento pueda ser objeto de verificación al finalizar el plazo de aceptación de la oferta:

• La aprobación de modificaciones estatutarias o estructurales o la adopción de otros acuerdos por la junta general de accionistas de la sociedad afectada.
• La aceptación de la oferta por un número mínimo de valores de la sociedad afectada.
• La aprobación de la oferta por la junta general de la sociedad oferente.
• Cualquier otra que sea considerada conforme a derecho por la CNMV.

III. Precio y garantías

9885

9887 **Contraprestación de la OPA** (RD 1066/2007 art.14) Salvo en las ofertas de exclusión (nº 9855 s.), que necesariamente tienen que estructurarse como una compraventa, las OPAs, tanto obligatorias como voluntarias, pueden estructurarse como:

- **compraventa**, en cuyo caso la contraprestación ofrecida es en efectivo y el precio en dinero ha de expresarse en euros por cada valor unitario;
- **permuta** (p.e., canje de valores); o
- ambas cosas a la vez.

En el caso en que la oferta se estructure como **permuta**, debe ser clara en cuanto a la naturaleza, valoración y características de los valores que se ofrezcan en canje, así como en cuanto a las proporciones en que hayan de producirse. La contraprestación solo puede consistir en valores. No obstante, debe ofrecerse, al menos como alternativa, una **contraprestación en efectivo** que sea equivalente financieramente, como mínimo, al valor del canje ofrecido, en los siguientes **supuestos**:

1. Cuando el oferente o las personas con las que actúe concertadamente hubiesen adquirido en efectivo en los doce meses previos al anuncio de la oferta valores que confieran, al menos, el 5% de los derechos de voto de la sociedad afectada.

2. En las ofertas obligatorias por haberse alcanzado el control de una sociedad cotizada.

3. En los supuestos en que la contraprestación ofrecida sean valores, salvo que los valores ofrecidos en canje:

• Estén admitidos a negociación en un mercado regulado español o en otro mercado regulado de la UE.

• Sean valores a emitir por la propia sociedad oferente y se cumplan los siguientes requisitos:
- que el capital social de la sociedad oferente esté admitido a negociación en uno de los mercados antes indicados; y
- que el oferente adquiera el compromiso de solicitar la admisión a negociación de los nuevos valores en el plazo de tres meses desde la publicación del resultado de la OPA.

Cuando los **valores ofrecidos en canje no estén admitidos a negociación** en ninguno de los mercados antes indicados, debe aportarse un informe de valoración de un experto independiente en el que se determine el valor que les corresponde.

4. Cuando durante los dos años anteriores al anuncio de la oferta concurra alguna de las circunstancias previstas en la LMV art.117.2.

Precisiones En el caso en que la oferta se estructure como **permuta**, debe ser clara en cuanto a la naturaleza, valoración y características de los valores que se ofrezcan en canje, así como en cuanto a las proporciones en que hayan de producirse.

Caso particular: canje de valores pendientes de emisión por el oferente (RD 1066/2007 art.14.5 y 6) En caso de que los valores ofrecidos en canje estén pendientes de emitir por la sociedad oferente, se establecen una serie de **reglas especiales** sobre la **convocatoria de la junta general** que debe decidir acerca de la emisión de estos valores y sobre los términos del acuerdo de emisión: **9889**

• El órgano de administración de la sociedad oferente, en la misma sesión en que acuerde formular la oferta, debe convocar la junta general de accionistas que deba decidir sobre este extremo. Dicha convocatoria no será necesaria cuando el oferente acredite que tienen autorización de la junta general para llevar a cabo la emisión de dichos valores.

• El anuncio de convocatoria de la junta general debe ser publicado, como máximo, en la fecha de publicación del primero de los anuncios en que se difunda el contenido de la oferta tras su autorización por la CNMV.

• La junta debe fijarse para su celebración en primera convocatoria en un plazo comprendido entre un mes y cuarenta días a partir del día hábil siguiente al de publicación de los anuncios, debiendo mediar entre la primera y segunda convocatoria un plazo máximo de cuarenta y ocho horas. Si el oferente no tiene su domicilio social en España, la convocatoria y celebración de la junta se han de ajustar a los requisitos establecidos en el Estado en que tenga su domicilio social. El plazo de aceptación de la oferta se amplía, cuando proceda, de forma que entre el día hábil de la celebración de la junta general que apruebe la emisión de los valores ofrecidos en canje y el último día del plazo de aceptación, ambos incluidos, transcurran 15 días naturales.

• La emisión debe acordarse por la cuantía máxima necesaria para dar cumplimiento a la oferta presentada, con posibilidad de suscripción incompleta.

• Si la sociedad oferente tiene su domicilio social en España, los accionistas y los titulares de obligaciones convertibles no tienen derecho de suscripción preferente, por lo que, en estos casos, no es necesario cumplir con los requisitos para la exclusión de este derecho.

Garantías de la oferta (RD 1066/2007 art.15) El oferente deberá acreditar ante la CNMV la constitución de las garantías que aseguren el cumplimiento de las obligaciones resultantes de la oferta. Dependiendo de la naturaleza de la **contraprestación ofrecida** se pueden distinguir tres **supuestos** distintos: **9891**

1) En el supuesto de que la contraprestación ofrecida sea, total o parcialmente, en **efectivo**, el oferente debe aportar un aval bancario o documentación acreditativa de la constitución de un depósito de efectivo en una entidad de crédito que garantice el pago de la contraprestación frente a los miembros del mercado o sistema de liquidación y frente a los aceptantes de la oferta, y que permita su empleo por el sistema de compensación y liquidación del mercado en el que se negocien los valores objeto de la oferta.

2) Si la contraprestación de la oferta son **valores ya emitidos**, debe justificarse su disponibilidad y afección al resultado de la oferta. La presentación de un certificado de inmovilización debería satisfacer este requisito.
3) Si la contraprestación consiste en **valores a emitir por la sociedad oferente**, se exige a los administradores de ésta actuar de modo no contradictorio con la decisión de formular la oferta, pero no se establece ningún requisito documental específico para acreditar esta circunstancia. No obstante, si la CNMV apreciase falta de seriedad en la oferta, podría exigir a los administradores garantías para asegurar las responsabilidades en que pudieran incurrir por los perjuicios derivados de la no emisión de los valores en los términos previstos.

IV. Procedimiento

9895

9897 **Anuncio** (RD 1066/2007 art.16) Cuando la oferta es **voluntaria**, la decisión de realizar una OPA debe anunciarse tan pronto como se haya adoptado.
Si la **contraprestación** de la OPA consiste en efectivo, el oferente debe asegurarse de que puede hacer frente a ella íntegramente antes de realizar el anuncio.
Cuando existen otros tipos de contraprestación, el oferente debe haber adoptado todas las medidas razonables para garantizar su cumplimiento.
Quien se encuentra en uno de los supuestos de **OPA obligatoria** debe hacer pública esta circunstancia y difundirla al mercado inmediatamente.
La **comunicación** debe especificar:
- cuando proceda, si la persona o entidad tiene intención de solicitar una dispensa; y,
- en los supuestos de tomas de control indirectas o sobrevenidas, si tiene intención de formular una OPA o de reducir su participación por debajo del umbral que le obligue a formular la oferta.

En el caso de que le sea denegada la **dispensa**, el oferente debe hacer pública y difundir la decisión de formular la oferta.
En todos los casos, el anuncio debe realizarse al mercado en la misma **forma** que un hecho relevante en los términos establecidos en la LMV art.226 y 227 y, por tanto:
- debe enviarse a la CNMV simultáneamente a su difusión por cualquier otro medio y tan pronto como sea conocido el hecho o se haya adoptado la decisión; y
- el contenido de la comunicación debe ser veraz, claro y completo, de manera que no induzca a confusión o engaño, y debe ajustarse al modelo aprobado por la CNMV Circ 8/2008.

Si la entidad es un emisor de valores, debe difundir la información en su **página web**.

9899 **Presentación** (RD 1066/2007 art.17 y 20) La **solicitud de autorización** de la oferta debe presentarse dentro de los siguientes **plazos**:
• Si se trata de **oferta voluntaria**, durante el mes siguiente a la fecha en que se haya hecho pública la decisión de formular la oferta.
• En los casos en que se haya adquirido una **participación de control** o se haya designado a más de la mitad de los miembros del órgano de administración de la sociedad afectada, durante el mes siguiente a la fecha en que surja la obligación de formular la oferta.
• En los supuestos de **tomas de control indirectas o sobrevenidas**, en los tres meses siguientes a la fecha en la que se produzca la toma de control.
La solicitud de autorización debe ajustarse al **modelo** aprobado por la CNMV Circ 8/2008.
Al escrito de solicitud **se acompaña**:
- la documentación acreditativa del acuerdo o decisión de promover la OPA adoptado por la persona u órgano competente; y
- el folleto explicativo de la oferta suscrito por la persona que figure como responsable en todas sus hojas.

En el plazo de siete días hábiles desde la presentación del escrito de solicitud debe aportarse los siguientes **documentos adicionales**: 9901

a) Documentación acreditativa de la constitución de la **garantía de la contraprestación** ofrecida.

b) Solicitud de **autorización o verificación administrativa** o, en su caso, documentación acreditativa de dicha autorización o verificación, si la operación lo requiere.

c) Documentación acreditativa del **precio** de la oferta e **informes de valoración** cuando corresponda.

d) Certificados de legitimación acreditativos de la **inmovilización de los valores** de la sociedad afectada, en el caso de que proceda.

e) Modelo de los **anuncios** a publicar y certificación acreditativa de las otras formas de publicidad o difusión de la oferta en su caso previstas.

f) Si el **oferente es una persona jurídica**:

- certificación acreditativa de su constitución y de sus estatutos vigentes; y
- estados financieros auditados y, en su caso, los de su grupo, correspondiente, al menos, al último ejercicio cerrado o aprobado.

El primero de los documentos no es necesario si el oferente tiene sus acciones admitidas a negociación en un mercado regulado español y, por tanto, sus estatutos ya se encuentran depositados en los registros de la CNMV.

El segundo de los documentos indicados tampoco es necesario si la auditoría ya se encuentra depositada en los registros de la CNMV o si la sociedad no está obligada a auditar sus cuentas.

Si la **sociedad oferente no tiene actividad** o ha sido creada para la realización de la oferta, se han de aportar las auditorías de cuentas de los estados financieros del último ejercicio cerrado o aprobado correspondiente a sus accionistas o socios de control y, en su caso, de sus respectivos grupos, siempre que se trate de personas jurídicas.

Si la sociedad oferente ha publicado **estados financieros posteriores al cierre** de las cuentas anuales indicadas anteriormente, se aportarán también dichos estados financieros, salvo que ya se encontraran depositados en los registros de la CNMV.

g) Cuando la **contraprestación consiste en valores ya emitidos** por una sociedad distinta de la oferente, debe aportarse los estados financieros auditados de la sociedad emisora y, en su caso, de su grupo, correspondiente, al menos, al último ejercicio, así como, en su caso, certificación acreditativa de su constitución y de sus estatutos vigentes, salvo que estos ya se encontrasen depositados en los registros de la CNMV.

La CNMV revisa la solicitud de autorización y documentación presentada y declara en su caso su **admisión a trámite** en un plazo que no excede de siete días hábiles desde que se complete la documentación.

Autorización (RD 1066/2007 art.21) El acuerdo de autorización o denegación de la autorización debe ser adoptado por la CNMV en un **plazo** de veinte días hábiles a partir de la recepción de la solicitud correspondiente. 9903

En el caso de que los **documentos complementarios** se reciban después de la solicitud, o cuando se requieran informaciones o documentos adicionales, el plazo señalado se computa desde la fecha en que se registren o aporten los documentos o informaciones adicionales.

La CNMV notifica el acuerdo adoptado al oferente, a la sociedad afectada, a las Sociedades Rectoras de las Bolsas y a la Sociedad de Bolsas, así como a cualesquiera otros organismos o autoridades cuya **notificación** pudiera considerarse necesaria y difunde dicho acuerdo mediante la **publicación** en su página web.

Publicación (RD 1066/2007 art.22) El oferente debe proceder a dar difusión pública y general de la oferta en el **plazo** máximo de cinco días hábiles desde que se le haya notificado la autorización por parte de la CNMV. 9905

Se da publicidad a la oferta mediante la publicación de un **anuncio** en:

- el Boletín de Cotización de las Bolsas de Valores donde los valores afectados estén admitidos a negociación y de todas ellas si están integrados en el Sistema de Interconexión Bursátil Español; y
- como mínimo, en un periódico de difusión nacional.

El anuncio debe contener los **datos esenciales de la oferta** que consten en el folleto y se ha de ajustar al **modelo** registrado como documento complementario del folleto. La CNMV puede exigir la **repetición o ampliación del anuncio** a costa del oferente. Además, desde el día hábil bursátil siguiente al de la publicación del primero de los anuncios a los que se refiere el párrafo anterior, el oferente ha de poner a disposición de los interesados ejemplares del folleto explicativo de la oferta y de la documentación complementaria al mismo.

Se considera que se ha producido dicha **puesta a disposición del público**, cuando el folleto y la documentación complementaria se publican a través de cualquiera de los medios siguientes:
• En uno o más **periódicos** de difusión nacional.
• En un **formato impreso** que debe ponerse gratuitamente a disposición del público en las Bolsas de Valores o en los mercados en los que los valores estén admitidos a negociación o en los domicilios sociales del oferente, de la sociedad afectada o de la entidad que actúe como intermediaria y liquidadora de la oferta.
• En **formato electrónico** en la página web del oferente, de la sociedad afectada, de las Bolsas de Valores o mercados en los que estén admitidos a negociación los valores.
• En formato electrónico en la página web de la CNMV, en el caso de que ésta ofrezca este servicio para los folletos que apruebe.
En los casos en que el folleto se ponga a disposición mediante su publicación en formato electrónico, el oferente debe entregar gratuitamente una **copia en papel** al inversor que lo solicite.

9907 **Folleto informativo** (RD 1066/2007 art.18 y anexo; Rgto (UE) 2017/1129 art.3) El folleto ha de presentar, de forma fácilmente analizable y comprensible, toda la información que, según la naturaleza específica del emisor y de los valores, sea necesaria para que los **inversores** puedan **hacer una evaluación**, con la suficiente información, de los activos y pasivos, la situación financiera, beneficios y pérdidas, así como de las perspectivas del emisor, y eventualmente del garante, y de los derechos inherentes a tales valores.
El folleto deberá **inscribirse** en el registro oficial correspondiente (LMV art.244).
La CNMV deber mantener los **registros** que se determinen reglamentariamente. Estos registros tendrán el carácter de registros oficiales y el público podrá acceder libremente a ellos.
La incorporación a los registros de la CNMV de la **información periódica** y de los **folletos informativos** solo implicará el reconocimiento de que aquellos contienen toda la información requerida por las normas que fijen su contenido y en ningún caso determinará responsabilidad de la CNMV por la falta de veracidad de la información en ellos contenida.
La **CNMV** es **responsable** de la aprobación del folleto, en los términos y con el alcance previsto en el Rgto (UE) 2017/1129 art.20.9 (LMV art.39). Asimismo, la CNMV tiene el carácter de **autoridad competente** para la aplicación del Rgto (UE) 2017/1129, pudiendo ejercer todas y cada una de las facultades en materia de supervisión e investigación que el citado reglamento reconoce a las autoridades competentes, entre otras, las específicamente señaladas en el art.32.1 Rgto (UE) 2017/1129 por cualquiera de los modos señalados en el art.32.2 de dicho reglamento (LMV art.251).
Los folletos contienen información muy detallada, ajustándose según el tipo de emisor y de los valores de que se trate, a los **modelos** que figuran anexos al Rgto Delegado (UE) 2019/980 relativo a la aplicación del Rgto (UE) 2017/1129 o, en el caso de los pagarés y los contratos financieros (LMV art.2), a los modelos que establezca la CNMV (OM EHA/3537/2005).

9909 Precisiones 1) El Rgto Delegado (UE) 2019/979 hace referencia a la información financiera fundamental en la **nota de síntesis**, la **publicación** y **clasificación** de los folletos, publicidad, así como la determinación de varios supuestos en los que se hace necesaria la publicación de un suplemento al folleto, y el Rgto Delegado (UE) 2019/980 determina, en relación al folleto que debe publicarse en caso de oferta pública o admisión a cotización de valores en un mercado regulado, el **formato, contenido mínimo** de información y criterios para la aprobación del folleto por parte de las autoridades competentes.
2) El Rgto Delegado (UE) 2021/528 completa el Rgto Delegado (UE) 2017/1129 en lo que respecta al contenido mínimo de **información** del documento que debe publicarse con objeto de acogerse a una **exención de la obligación de publicar un folleto** en relación con una adquisición mediante una oferta de canje, una fusión o una escisión.
3) El Rgto (UE) 2017/1129 recoge las **novedades** incorporadas en el régimen aplicable a los folletos pretende mejorar algunos requisitos del **régimen aplicable a los folletos** y, en particular, aliviar la carga administrativa (en particular para las PYMEs, las emisiones secundarias y los emisores frecuentes). Las **novedades** que introduce son, entre otras:
• Se exceptúa la publicación del folleto informativo por debajo de 1 millón de euros (antes 5 millones de euros). No obstante, los Estados Miembros pueden modificar dicho importe que será siempre igual o inferior a 8 millones de euros.
• Se incluyen novedades en la nota de síntesis del folleto que tendrá un máximo de 7 páginas y no podrá incluir más de 15 factores de riesgo. Estos factores serán los que el emisor considere de mayor relevancia para el inversor.
• En relación con los factores de riesgo que se incluyen en el folleto se incluirán explicaciones relativas al impacto que podrían tener. Los factores de riesgo serán los específicos del emisor y/o de los valores.
• Se crea un Documento de Registro Universal en el que describirán su organización, tipo de negocio, situación financiera, resultados y perspectivas, gobernanza y estructura accionarial durante el ejercicio económico.

• Se establece la posibilidad de elaborar un folleto simplificado independiente para emisiones y ofertas de valores ya admitidos a negociación en un mercado regulado o un mercado de PYMEs en expansión durante al menos 18 meses anteriores de forma continuada. Este folleto se compondrá de una nota de síntesis, un documento de registro y una nota de valores específicos.

• Para las entidades que no tengan valores admitidos en un mercado regulado, se crea un nuevo folleto de la Unión en crecimiento (EU Growth Prospectus). Las siguientes personas podrán optar por elaborar este folleto siempre que no tengan valores admitidos a cotización en un mercado regulado:

a) PYMEs; siendo estas las empresas que, según sus últimas cuentas anuales o consolidadas, cumplan por lo menos dos de los tres criterios siguientes: un número medio de empleados inferior a 250 a lo largo del ejercicio, un balance total que no supere los 43.000.000 euros y un volumen de negocios neto anual no superior a 50.000.000 euros; o bien, las PYMEs tal como se definen en la Dir 2014/65/UE art.4.1.13.

b) Emisores, que no sean PYMEs, cuyos valores se coticen o se vayan a cotizar en un mercado de PYMEs en expansión, siempre y cuando esos emisores hayan tenido una capitalización de mercado media inferior a 500.000.000 euros sobre la base de las cotizaciones de fin de año de los tres años civiles anteriores.

c) Emisores, distintos de los contemplados en las letras a) y b), cuando la oferta pública de valores asciende a un valor total en la Unión que no excede de 20.000.000 euros, lo que se calculará sobre un período de doce meses, y a condición de que esos emisores no tengan valores que se coticen en un sistema multilateral de negociación y tengan un número medio de empleados durante el ejercicio económico anterior de hasta 499.

d) Oferentes de valores emitidos por emisores a los que se refieren las letras a) y b).

4) Como parte del paquete de medidas para ayudar a los emisores a recuperarse de las perturbaciones económicas resultantes de la pandemia de **COVID-19**, el Rgto (UE) 2021/337 modificó el Rgto (UE) 2017/1129 por lo que respecta al folleto de la Unión de recuperación y los ajustes específicos para los intermediarios financieros. Para ello crea un **nuevo folleto abreviado** denominado «folleto de la Unión de recuperación», más fácil de elaborar para los emisores de valores, más fácil de comprender para los inversores (especialmente los minoristas), y más fácil de examinar y aprobar para las autoridades competentes.

Su **régimen** es el siguiente:

• Solo se utiliza para **emisiones secundarias de acciones**. En concreto, solo pueden elaborarlo los emisores de acciones que hayan sido admitidas a cotización en un mercado regulado o en un mercado de PYMES en expansión de forma continuada durante al menos los 18 meses anteriores, cuando emitan acciones fungibles con acciones vigentes emitidas previamente.

• La **información incluida** debe redactarse y presentarse en forma fácilmente analizable, concisa y comprensible y que permita a los inversores, en particular a los inversores minoristas, adoptar una decisión de inversión informada.

• Se debe redactar como un único documento de **extensión limitada** (no más de 30 páginas), que permite la incorporación de información por referencia.

• Debe incluir una **nota de síntesis** abreviada (no más de dos páginas) como fuente de información de utilidad para los inversores, especialmente para los inversores minoristas, que contenga los datos esenciales y, en particular, información sobre las consecuencias comerciales y financieras, si las hay, de la pandemia de COVID-19, así como, en su caso, el impacto futuro que se prevea.

• Su **uso** está **limitado** a las ofertas que no superen el 150% del capital en circulación. Es decir, solo podrán elaborar este folleto cuando el número de acciones que se pretenda ofertar represente, junto con el número de acciones ya ofertadas a través de un folleto de la Unión de recuperación durante un período de doce meses, en su caso, una cifra que no supere el 150% del número de acciones ya admitidas a cotización en un mercado regulado o en un mercado de PYMES en expansión, según el caso, en la fecha de aprobación del folleto de la Unión de recuperación.

Puesto que el régimen del folleto de la Unión de recuperación se limita a la fase de recuperación, dicho régimen **expirará el 31-12-2022**. Los folletos de la Unión de recuperación aprobados entre el 18-3-2021 y el 31-12-2022 seguirán rigiéndose por este régimen hasta que finalice su período de validez o hasta que hayan transcurrido doce meses desde el 31-12-2022, según lo que ocurra primero.

Contenido El folleto debe estar redactado en castellano, salvo, en su caso, la información que se incorpore por referencia, conforme. En ese caso, el **resumen** del folleto incorporado por referencia deberá estar traducido al castellano. **9911**

El folleto explicativo de la oferta debe ser suscrito en todas sus hojas por persona con **representación** suficiente.

El folleto debe contener la información contenida en el anexo I del RD 1066/2007, así como cualquier otra información que el oferente considere oportuno incluir con el fin de que sus destinatarios puedan formarse un juicio fundado sobre la oferta.

Si, una vez publicado el folleto, se produjera alguna circunstancia que exija la incorporación de informaciones o datos adicionales, el oferente puede aportarlos mediante un **suplemento**.

En el supuesto de que se ofrezca como **contraprestación valores emitidos o a emitir**, el oferente puede optar por incluir en el folleto información sobre dichos valores equivalente a la que fuera requerida en caso de realizar una oferta pública de venta o suscripción de valores.
Además, el folleto puede contener **información por referencia** a uno o más documentos que hayan sido publicados previa o simultáneamente a la aprobación del folleto. Dichos documentos deben haber sido aprobados por la Comisión Nacional del Mercado de Valores o depositados en ella, o bien haber sido aprobados por o depositados en la autoridad competente de otro Estado miembro de la Unión Europea, siempre que se trate del Estado de origen del emisor de los valores que se ofrezcan como contraprestación.

Precisiones El RD 1066/2007 Anexo establece el **contenido** que debe incluir el folleto:
• Capítulo I:
- Personas responsables del folleto.
- Acuerdos, ámbito y legislación aplicables.
- Información sobre la sociedad afectada.
- Información sobre el oferente y su grupo.
- Acuerdos sobre la oferta y la sociedad afectada.
- Valores de la sociedad afectada pertenecientes al oferente.
- Operaciones con valores de la sociedad afectada.
- Actividad y situación económico-financiera del oferente.
• Capítulo II:
- Valores a los que se dirige la oferta.
- Contraprestación ofrecida.
- Condiciones a las que está sujeta la oferta.
- Garantías y financiación de la oferta.
• Capítulo III:
- Procedimiento de aceptación y liquidación.
• Capítulo IV:
- Finalidad de la operación.
• Capítulo V:
- Autorizaciones y otras informaciones o documentos.

9913 **Aceptación** (RD 1066/2007 art.23) El **plazo** para la aceptación de la oferta se fija en el folleto por el oferente, no pudiendo ser inferior a quince días naturales ni superior a setenta, contados a partir del día hábil bursátil siguiente a la fecha de publicación del primer anuncio de la oferta por el oferente.
El plazo de aceptación de la oferta puede ser objeto de **ampliación** en los siguientes supuestos:
a) El **oferente** puede ampliar el plazo de aceptación siempre que no se exceda el **límite máximo** de setenta días. La ampliación debe anunciarse, al menos, tres días naturales antes del término del plazo inicial.
b) El plazo de aceptación queda **ampliado automáticamente**, cuando proceda, para que medien al menos quince días naturales entre el día de la celebración de la junta general que debe aprobar la emisión de los valores ofrecidos en contraprestación o decidir sobre las condiciones a las que se hubiera sujetado la oferta y el último día del plazo de aceptación.
c) La **CNMV** puede ampliar el plazo de aceptación:
- cuando se publique un suplemento al folleto y la relevancia de la información lo exija; o
- de forma motivada en los demás casos en que pueda resultar necesario, basándose en el buen fin de la oferta y la debida protección de sus destinatarios.

9915 **Informe del órgano de administración** (RD 1066/2007 art.24) En el **plazo** máximo de diez días naturales a partir de la fecha de inicio del plazo de aceptación de la oferta, el órgano de administración de la sociedad afectada deberá redactar un informe detallado y motivado sobre la OPA.
El informe debe tener el siguiente **contenido**:
• **Observaciones** a favor o en contra de la oferta.
• Si existe algún **acuerdo** entre la sociedad afectada y el oferente, sus administradores o socios, o entre cualquiera de estos y los miembros del órgano de administración de aquélla.
• **Opinión** de los miembros del órgano de administración de la sociedad afectada respecto de la oferta, y si tienen intención de aceptar o no la oferta respecto de los valores afectados de que sean titulares directos o indirectos. Si los miembros del órgano de administración mantienen posiciones distintas en relación a la oferta, deben incorporarse al informe las opiniones de aquéllos que se encuentren en minoría.
• Posibles **repercusiones** de la oferta y de los planes estratégicos del oferente que figuren en el folleto, sobre el conjunto de intereses de la sociedad, el empleo y la localización de sus centros de actividad.
• **Conflictos de interés** de los miembros del órgano de administración de la sociedad afectada.

• Los **valores** de la sociedad oferente poseídos, directa o indirectamente, por la sociedad afectada o por las personas con las que actúe concertadamente y los valores de la sociedad afectada poseídos o representados, directa o indirectamente, por los miembros del órgano de administración de la sociedad afectada, así como los que pudieran tener en la sociedad oferente.
• Cuando el órgano de administración de la sociedad afectada reciba dentro del plazo previsto para la publicación del informe un dictamen distinto de los representantes de los trabajadores en cuanto a las **repercusiones sobre el empleo**, éste se adjuntará al informe.

Información a los trabajadores (RD 1066/2007 art.25) Tan pronto como se haya hecho pública una **OPA**, los órganos de administración o dirección de la sociedad afectada y del oferente deben informar a los representantes de sus respectivos trabajadores o, en su defecto, a los propios trabajadores. **9917**
Así mismo, una vez publicado el **folleto de la oferta**, tanto el oferente como la sociedad afectada lo deben remitir a los representantes de sus respectivos trabajadores o, en su defecto, a los propios trabajadores. Éstos, además, deben poder obtener fácil y rápidamente el folleto explicativo de la oferta y su documentación complementaria.

Liquidación (RD 1066/2007 art.37) Las sociedades rectoras o, en su caso, las entidades que actúen por cuenta del oferente deben comunicar a la CNMV, en el **plazo** de cinco días hábiles desde la finalización del plazo de aceptación, el **número total de valores** comprendidos en las declaraciones de aceptación presentadas. **9919**
La CNMV, una vez tiene conocimiento del número de valores, comunica, en el plazo de dos días hábiles, a las Sociedades Rectoras de las Bolsas de Valores en que están admitidos a negociación los valores y, en su caso, a la Sociedad de Bolsas, al oferente y a la sociedad afectada el **resultado** positivo o negativo de la oferta.
Las Sociedades Rectoras publican dicho resultado en el **boletín de cotización** correspondiente a la sesión bursátil en la que reciben la comunicación.
Una vez publicado el resultado, en el caso de que la oferta hubiera alcanzado un resultado positivo, se procede a la liquidación de la oferta.
El **procedimiento** de liquidación varía en función de la naturaleza de la contraprestación ofrecida. Cuando la contraprestación consiste en dinero, la oferta se liquida por el procedimiento establecido por Iberclear, y cuando consiste en una permuta de valores, la OPA se liquida en la forma prevista en el folleto.
La **fecha de la operación bursátil**, cuando la contraprestación consiste en dinero, es la de la sesión a la que se refiera el boletín de cotización en que se publica el resultado de la oferta.

Sociedad cotizada con propósito para la adquisición (LMV disp.final 6; LSC art.535 bis s.) **9921**
Las particularidades del régimen aplicable a las sociedades cotizadas con propósito para la adquisición (SPAC por sus siglas en inglés) fue introducido en la LSC por la LMV disp.final 6.
La sociedad cotizada con propósito para la adquisición **se define como** aquella que se constituya con el objeto de adquirir la totalidad o una participación en el capital de otra sociedad o sociedades cotizadas o no cotizadas, ya sea directa o indirectamente, a título de compraventa, fusión, escisión, aportación no dineraria, cesión global de activos y pasivos u otras operaciones análogas y cuyas únicas actividades hasta ese momento sean la oferta pública de valores inicial, la solicitud a admisión a negociación y las conducentes a la adquisición que, en su caso, sea aprobada por la junta general de accionistas (LSC art.535 bis).
Los **fondos obtenidos** en la oferta pública de valores se inmovilizarán en una cuenta abierta en una entidad de crédito a nombre de la sociedad cotizada con propósito para la adquisición.
Las sociedades cotizadas con propósito para la adquisición deben incluir en la **denominación social** la indicación «Sociedad cotizada con Propósito para la Adquisición», o su abreviatura, «SPAC, S.A.», hasta que se formalice la adquisición que sea aprobada.
Los **estatutos sociales** de la sociedad cotizada con propósito para la adquisición deben contemplar un **plazo** de 36 meses como máximo para la formalización del **acuerdo de adquisición**. Este plazo podrá ser ampliado, hasta un máximo de 18 meses adicionales, mediante decisión de la Junta General de Accionistas con los mismos requisitos exigibles a una modificación estatutaria.
Las especialidades previstas se aplican también a las sociedades cotizadas con propósito para la adquisición que tengan valores admitidos a negociación en **sistemas multilaterales de negociación**.
Las **especialidades** indicadas **dejan de aplicarse** una vez formalizada la adquisición o inscrita la fusión.
Las sociedades cotizadas con propósito para la adquisición deben incorporar al menos uno de los siguientes **mecanismos de reembolso de los accionistas,** salvo que se comprometan a

realizar la reducción de capital mediante la adquisición de sus propias acciones para su amortización como mecanismo de reembolso, en los términos previstos en la LSC art.535 quater 3 (LSC art.535 ter):

• La introducción de un **derecho estatutario de separación** una vez que la sociedad cotizada con propósito para la adquisición anuncie la adquisición o fusión proyectada, con independencia del sentido del voto del accionista en la junta correspondiente y sin que resulte de aplicación lo dispuesto en la LSC art.346.1.a.

• La **emisión de acciones rescatables**, sin que resulte de aplicación el límite máximo y las previsiones establecidas, respectivamente, en la LSC art.500 y 501. El rescate se podrá ejercer en el plazo que prevea la sociedad, a solicitud de los accionistas que lo fueran en la fecha establecida al efecto, hayan votado o no a favor de la propuesta de adquisición.

9923 El **valor de reembolso de las acciones**, ya se configure como derecho de separación o como acciones rescatables, es la parte alícuota del importe efectivo inmovilizado en la cuenta transitoria (LSC art.535 bis 2).

Las **especialidades** de las sociedades cotizadas con propósito especial para la adquisición en relación con las ofertas públicas de adquisición son (LSC art.535 quater y 535 quinquies):

1) Si, como consecuencia de la adquisición aprobada, algún accionista alcanza, directa o indirectamente, una **participación de control** de la sociedad resultante, tal y como se define en el RD 1066/2007 art.4, dicho accionista está exceptuado de la **obligación de formular una OPA**. Esta excepción se aplica automáticamente y no requiere un acuerdo al efecto de la CNMV.

2) Si la sociedad cotizada con propósito especial para la adquisición llevase a cabo, como mecanismo de reembolso, una **reducción de capital** mediante la adquisición de sus propias acciones para su amortización, la oferta a la que hacen referencia la LSC art.388 y el RD 1066/2007 art.12 debe incluir las siguientes previsiones:

• El **precio de la oferta pública** de adquisición debe ser el importe equivalente a la parte alícuota del importe efectivo inmovilizado en la cuenta transitoria a la que se refiere la LSC art.535 bis 2 en el momento del ejercicio del derecho de reembolso.

• La sociedad puede, en lugar de amortizar las acciones adquiridas, aprobar su **entrega en canje** a los accionistas de la sociedad adquirida como contraprestación total o parcial de la adquisición.

• Siempre que la sociedad haya limitado sus actividades a la oferta de acciones y las conducentes a la adquisición o fusión según se prevé en la LSC art.535 bis, no existirá **derecho de oposición de acreedores**.

3) No les es de aplicación el **límite máximo de la autocartera** (LSC art.509), siempre que la adquisición de acciones propias por la sociedad se lleve a cabo como mecanismo de reembolso de los accionistas una vez determinada la sociedad a adquirir, en los términos previstos en la LSC art.535 quater 3.

4) En las **operaciones de fusión** en las que resulten de aplicación las excepciones a la obligación de publicar un **folleto** (Rgto (UE) 2017/1129 art.1.4.g y 1.5.f), la CNMV, atendiendo a la naturaleza y complejidad de la operación, puede exigir su elaboración.

SECCIÓN 7

Ofertas públicas de venta y suscripción de valores (OPV y OPS)

(LMV art.34 a 39; RD 814/2023)

9930

9932 El mercado de valores ha arbitrado un sistema para la venta de valores a gran escala, siempre que estos valores pertenezcan a sociedades cuyo capital se encuentre **admitido a negociación** en un mercado regulado.

Por OPV u OPS se entiende toda comunicación a personas, en cualquier forma o por cualquier medio, que presente **información suficiente** sobre los términos de la oferta y de los valores que se ofrecen de modo que permita a un inversor decidir la adquisición o suscripción de estos valores.

En la práctica, el mecanismo de la **OPV** se utiliza en los siguientes supuestos:
- privatización de una empresa pública;
- salida a bolsa de empresas públicas o privadas;
- venta de una participación significativa de una sociedad cotizada.

En la práctica, el mecanismo de la **OPS** se utiliza fundamentalmente para buscar nuevos inversores para la financiación de la empresa.

Normativa La OPV u OPS se regula en: 9934

• L 6/2023 art.34 a 39, de los mercados de valores y de los servicios de inversión (LMV) cuyo contenido recoge lo dispuesto en el Rgto (UE) 2017/1129.

• La OM EHA/3537/2005 que desarrolla el LMV/15 art.37.6, concretando determinados aspectos de la regulación del **folleto** exigible en la admisión a negociación de valores en mercados secundarios oficiales y en las ofertas públicas de venta o suscripción.

• El RD 814/2023 sobre instrumentos financieros, admisión a negociación, registro de valores negociables e infraestructuras de mercado.

• El Rgto Delegado (UE) 2017/1129 sobre el **folleto** que debe publicarse en caso de oferta pública o admisión a cotización de valores en un mercado regulado y por el que se deroga la Dir 2003/71/CE, en vigor desde el 20-7-2017 y directamente aplicable, que tiene como objetivo garantizar la **protección del inversor** y la **eficiencia del mercado**, promoviendo al mismo tiempo el mercado interior de capitales. El suministro de la información que, según las características del emisor y de los valores, sea necesaria para que los inversores puedan tomar una decisión informada sobre la inversión garantiza, junto con las normas de conducta, la protección de los inversores.

• El Rgto Delegado (UE) 2019/980, que determina, en relación al **folleto**, el **formato** en función de si se trata de un documento único o de documentos separados, contenido mínimo de información y la aprobación del folleto por parte de las autoridades competentes en base a determinados criterios de exhaustividad, inteligibilidad y coherencia de la información que debe publicarse en caso de oferta pública o admisión a cotización de valores en un mercado regulado.

• El Rgto Delegado (UE) 2021/528, que completa el Rgto Delegado (UE) 2017/1129 en lo que respecta al **contenido mínimo** de información del documento que debe publicarse con objeto de acogerse a una exención de la obligación de publicar un folleto en relación con una adquisición mediante una oferta de canje, una fusión o una escisión.

Precisiones Los **valores negociables** deben respetar el **régimen jurídico** al que estén sometidos y, en los casos en los que el emisor esté obligado a elaborar un folleto conforme a lo dispuesto en el Rgto UE 2017/1129, la colocación deberá ajustarse a las condiciones recogidas en él.

Ámbito de aplicación Los requisitos para la elaboración, aprobación y distribución del **folleto** que debe publicarse cuando se ofertan al público o se admiten a cotización valores en un mercado regulado situado o en funcionamiento en un Estado miembro se definen en el Rgto (UE) 2017/1129 art.1. 9936

Régimen (LMV art.33 y 34; Rgto (UE) 2017/1129) Las ofertas públicas de venta de valores son libres, no requieren **autorización administrativa** previa y para su colocación puede recurrirse a cualquier técnica adecuada a elección del emisor. 9938

La **CNMV** es responsable de la **aprobación del folleto**, en los términos y con el alcance previsto en el Rgto (UE) 2017/1129 art.20.9. Asimismo, la CNMV tiene el carácter de autoridad competente para la aplicación del Rgto (UE) 2017/1129, pudiendo ejercer todas y cada una de las facultades en materia de supervisión e investigación que el citado reglamento reconoce a las autoridades competentes, entre otras, las específicamente señaladas en el Rgto (UE) 2017/1129 art.32.1 por cualquiera de los modos señalados en el Rgto (UE) 2017/1129 art.32.2 (LMV art.251.f).

Las **emisiones** de valores **no requieren autorización** administrativa previa y para su colocación puede recurrirse a cualquier técnica adecuada a elección del emisor.

El **emisor** debe estar válidamente constituido de acuerdo con la legislación del país en el que esté domiciliado y estar operando de conformidad con su escritura de constitución y estatutos o documentos equivalentes.

Adicionalmente, los **valores** deben respetar el régimen jurídico al que estén sometidos y, en los casos en los que el emisor esté obligado a elaborar un folleto conforme a lo dispuesto en el Rgto (UE) 2017/1129 (nº 9948), la colocación deberá ajustarse a las condiciones recogidas en el mismo.

Con las excepciones recogidas en el nº 9940, los valores únicamente podrán ofertarse al público, o admitirse a cotización, en un mercado regulado tras la previa **publicación del folleto** de conformidad con lo dispuesto en el Rgto (UE) 2017/1129. No obstante, cualquier **reventa** ulterior de valores que hayan sido previamente objeto de uno o más de los tipos de oferta mencionados se considerará como una oferta separada y se aplicará la definición de oferta pública contenida en el nº 9932 para decidir si dicha reventa puede calificarse o no como oferta pública de valores (Rgto (UE) 2017/1129 art.5).

Precisiones Cuando la oferta pública de valores o su admisión a cotización en un mercado regulado quede fuera de su ámbito de aplicación o quede exento de la obligación de publicar un folleto el emisor, oferente o persona que solicite la admisión a cotización en un mercado regulado puede elaborar un **folleto voluntario**, que deberá ser aprobado por la autoridad competente del Estado miembro de origen (en España, la CNMV), y comportará todos los **derechos y obligaciones** inherentes al folleto exigido por el citado reglamento y estará sujeto a todas sus disposiciones, bajo la supervisión de la mencionada autoridad competente (Rgto (UE) 2017/1129 art.4).
Debe intervenir una **entidad autorizada** para prestar servicios de inversión, **cuando** se trate de colocaciones de emisiones no sujetas a la obligación de publicar folleto por (LMV art.35):
- tratarse de **pagarés** con plazo de vencimiento inferior a 365 días;
- ir dirigidas a **menos de 150 inversores** por Estado miembro excluyendo a los inversores cualificados;
- por requerirse una **inversión mínima** igual o superior a 100.000 euros o por ser su importe total en la Unión Europea inferior a 8 millones de euros, calculado en un periodo de doce meses;
- que se dirijan al público en general empleando cualquier forma de **comunicación publicitaria**.

La **actuación** de esta entidad **debe incluir**, al menos, la validación de la información a entregar a los inversores y la supervisión de modo general del proceso de comercialización.
No es de aplicación esta obligación al ejercicio de la actividad propia de las **plataformas de financiación** participativa debidamente autorizadas.
Adicionalmente la CNMV puede exigir que estas colocaciones, atendiendo a la **complejidad** del emisor o del instrumento financiero en cuestión, cumplan con la obligación de publicar folleto.

9940 **Excepciones a la obligación de publicar un folleto de OPV u OPS** (Rgto (UE) 2017/1129 art.1.4 y 3; LMV art.35 y 36) La obligación de publicar un folleto informativo no se aplica a los siguientes tipos de ofertas públicas de valores:

• Las de **pagarés** con plazo de vencimiento inferior a 365 días.
• Las ofertas de valores que no estén sujetas a notificación conforme al Rgto (UE) 2017/1129 art.25, y cuyo **importe total** de cada una de esas ofertas en la Unión sea inferior a 8.000.000 euros, límite que se calcula sobre un período de 12 meses.
• Las ofertas dirigidas exclusivamente a **inversores cualificados**.

Precisiones Se consideran **inversores cualificados** (Rgto (UE) 2017/112 art.2.e) las personas físicas o jurídicas enumeradas en la Dir 2014/65/UE anexo II, sección I, puntos 1 a 4, así como las personas o entidades que, a petición propia, son tratadas como clientes profesionales de conformidad con la Dir 2014/65/UE anexo II sección II, o que son reconocidas como contrapartes elegibles de conformidad con su artículo 30, a menos que hayan celebrado a un acuerdo para ser tratadas como clientes no profesionales de conformidad con la sección I, apartado cuarto, de dicho anexo. A efectos de la aplicación de la frase primera de la presente letra, a petición del emisor, las empresas de inversión y las entidades de crédito deberán comunicar al emisor la clasificación de sus clientes, con sujeción al cumplimiento de la legislación aplicable en materia de protección de datos.
A estos efectos, la Directiva 2014/65/UE señala que los siguientes clientes se considerarán profesionales para todos los servicios y actividades de inversión e instrumentos financieros a los efectos de la Directiva:

• Entidades que deben ser autorizadas o reguladas para operar en los mercados financieros. Se entenderá que la siguiente lista incluye todas las entidades autorizadas que desarrollan las actividades características de las entidades mencionadas: entidades autorizadas por un Estado miembro conforme a una directiva, entidades autorizadas o reguladas por un Estado miembro sin referencia a una directiva, y entidades autorizadas o reguladas por un tercer país:
- entidades de crédito;
- empresas de servicios de inversión;
- otras entidades financieras autorizadas o reguladas;
- compañías de seguros;
- instituciones de inversión colectiva y sus sociedades de gestión;
- fondos de pensiones y sus sociedades de gestión;
- operadores en materias primas y en derivados de materias primas;
- operadores que contratan en nombre propio; y
- otros inversores institucionales.

• **Grandes empresas** que, a escala individual, cumplan dos de los siguientes requisitos de tamaño de la empresa:
- total del balance: 20 000 000 euros;
- volumen de negocios neto: 40 000 000 euros; y
- fondos propios: 2 000 000 euros.

• **Gobiernos nacionales y regionales**, incluidos los organismos públicos que gestionan la deuda pública a escala nacional y regional, bancos centrales, organismos internacionales y supranacionales como el Banco Mundial, el FMI, el BCE, el BEI y otras organizaciones internacionales similares.

• **Otros inversores institucionales** cuya actividad como empresa es invertir en instrumentos financieros, incluidas las entidades dedicadas a la titularización de activos u otras transacciones de financiación.

• Los **dividendos** pagados a los accionistas actuales en forma de acciones de la misma clase que aquellas por las que se pagan los dividendos, siempre que esté disponible un documento que contenga información sobre el número y la naturaleza de las acciones y los motivos y pormenores de la oferta. 9942
• Los valores ofertados, asignados o que vayan a ser asignados a **administradores o empleados** actuales o anteriores por su empresa o por una empresa vinculada, siempre que esté disponible un documento que contenga información sobre el número y la naturaleza de los valores y los motivos y pormenores de la oferta o asignación.
• Desde el 10-11-2021, las ofertas de valores al público hechas por **proveedores de servicios de financiación participativa** autorizado con arreglo al Rgto (UE) 2020/1503, siempre que no supere el umbral de 5.000.000 euros, calculado a lo largo de un período de 12 meses, conforme a lo establecido en el Rgto (UE) 2020/1503 art.1.2.c.
• Los **valores no participativos emitidos de manera continua** o reiterada por entidades de crédito, cuando el importe agregado total de la oferta en la Unión correspondiente a los valores ofertados sea inferior a 75.000.000 euros por entidad de crédito calculados sobre un período de 12 meses, a condición de que estos valores:
- no sean subordinados, convertibles o canjeables; y
- no den derecho a suscribir o a adquirir otros tipos de valores ni estén ligados a un instrumento derivado.

Precisiones Con el fin de promover la captación de fondos para las entidades de crédito y darles margen para que apoyen a sus clientes en la economía real y así apoyar la recuperación de la crisis de **COVID-19, desde el 18-3-2021 hasta el 31-12-2022**, el **umbral de la exención** de 75.000.000 euros se incrementa hasta los 150.000.000 euros (Rgto (UE) 2017/1129 art.1 redacc Rgto (UE) 2021/337).

• Las ofertas dirigidas a **menos de 150 personas** físicas o jurídicas por Estado miembro de la UE, sin incluir los inversores cualificados. 9944
• Las ofertas de valores cuya **denominación por unidad** ascienda como mínimo a 100.000 euros.
• Las ofertas dirigidas a inversores que **adquieran valores por un mínimo** de 100.000 euros por inversor, para cada oferta separada.
• Las acciones emitidas en **sustitución de acciones** de la misma clase ya emitidas, si la emisión de tales acciones no supone ningún aumento del capital emitido.
• Los valores ofertados en relación con una adquisición mediante una **oferta de canje**, a condición de que se ponga a disposición del público un documento de exención que contenga información descriptiva de la transacción y de sus consecuencias para el emisor (ver precisión).
• Los valores ofertados, asignados o que vayan a ser asignados en relación con una **fusión o escisión**, siempre que se ponga a disposición del público un documento de exención, que contenga información descriptiva de la transacción y de sus consecuencias para el emisor (ver precisión).

Precisiones El Rgto Delegado (UE) 2021/528, con el fin de garantizar que se facilite a los inversores la información necesaria para tomar una decisión de inversión informada en los casos de adquisición de valores mediante una oferta de **canje**, una **fusión o** una **escisión**, recoge el documento que debe ponerse a disposición del público de conformidad con el Rgto (UE) 2017/1129 art.21.2 para poder acogerse a una exención de la obligación de publicar un folleto, que debe contener la información necesaria para que los inversores comprendan:
a) Las perspectivas del emisor y, en función del tipo de operación, de la sociedad afectada, de la sociedad absorbida o de la sociedad escindida, y cualquier cambio significativo en la situación empresarial y financiera de cada una de esas sociedades que se haya producido desde el final del ejercicio anterior.
b) Los derechos inherentes a los valores participativos.
c) Una descripción de la operación y sus consecuencias para el emisor.
La información incluida en el documento de exención se debe redactar y presentar en forma fácilmente analizable, concisa y comprensible y permitirá a los inversores adoptar una decisión de inversión informada.
Este documento de exención debe incluir la información mínima mencionada en el anexo I del Rgto Delegado (UE) 2021/528. No obstante, en determinadas condiciones, el documento de exención ha de incluir también la información mínima mencionada en el anexo II del Reglamento y puede incorporar información por referencia a otros documentos.

9946 **Intervención de entidad autorizada** (LMV art.36) Sin perjuicio de lo anterior, es necesaria la intervención de una entidad autorizada para prestar servicios de inversión, cuando se trate de colocaciones de emisiones:

1º Que se dirijan al **público en general** empleando cualquier forma de comunicación publicitaria.

2º Que no estén sujetas a la **obligación** de publicar **folleto** por alguno de los siguientes motivos:
- tratarse de pagarés con plazo de vencimiento inferior a 365 días;
- ir dirigidas a menos de 150 inversores por Estado miembro excluyendo a los inversores cualificados;
- por requerirse una inversión mínima igual o superior a 100.000 euros; o
- por ser su importe total en la UE inferior a 8 millones de euros, calculado en un periodo de 12 meses.

La **actuación de esta entidad** debe incluir, al menos, la validación de la información a entregar a los inversores y la supervisión de modo general del proceso de comercialización.

No será de aplicación esta obligación al ejercicio de la actividad propia de las plataformas de financiación participativa debidamente autorizadas así como los proveedores servicios de financiación participativa.

Adicionalmente, la CNMV podrá exigir que estas colocaciones, atendiendo a la complejidad del emisor o del instrumento financiero en cuestión, cumplan con la obligación de publicar folleto.

Se configura como **infracción muy grave** (LMV art.280.1.a) la colocación de este tipo de emisiones sin cumplir el requisito de intervención de entidad autorizada, sin atenerse a las condiciones básicas publicitadas, omitiendo datos relevantes o incluyendo inexactitudes, falsedades o datos que induzcan a engaño en la citada actividad publicitaria.

9948 **Folleto** (LMV art.37.1.c, 38 y 40; Rgto (UE) 2017/1129; OM EHA/3537/2005) Los valores negociables únicamente podrán ofertarse al público o admitirse a cotización en un mercado regulado tras la previa publicación de un folleto de conformidad con el Rgto (UE) 2017/1129 sin perjuicio de lo dispuesto en el mismo Rgto (UE) 2017/1129 art.1.4 y 5.

El folleto ha de presentar, de forma fácilmente analizable y comprensible, toda la información que, según la naturaleza específica del emisor y de los valores, sea necesaria para que los **inversores** puedan **hacer una evaluación**, con la suficiente información, de los activos y pasivos, la situación financiera, beneficios y pérdidas, así como de las perspectivas del emisor, y eventualmente del garante, y de los derechos inherentes a tales valores.

La CNMV es la responsable de la aprobación del folleto, en los términos y con el alcance previsto en el Rgto (UE) 2017/1129 (LMV art.39).

El folleto debe **inscribirse** en el registro oficial correspondiente (LMV art.244).

Los folletos contienen información muy detallada, ajustándose según el tipo de emisor y de los valores de que se trate, a los **modelos** que figuran anexos al Rgto Delegado (UE) 2019/980 relativo a la aplicación de la Rgto (UE) 2017/1129 o, en el caso de los pagarés y los contratos financieros (LMV art.2), a los modelos que establezca la CNMV (OM EHA/3537/2005).

El folleto debe **contener** la información relativa al emisor y a los valores que vayan a ser admitidos a negociación en un mercado regulado español o en un mercado regulado domiciliado en la UE. El folleto contendrá toda la información que, según la naturaleza específica del emisor y de los valores, sea necesaria para que los inversores puedan hacer una evaluación, con la suficiente información, de los activos y pasivos, la situación financiera, los beneficios y las pérdidas, así como de las perspectivas del emisor y eventualmente del garante y de los derechos inherentes a tales valores. Esta información se ha de presentar en forma fácilmente analizable y comprensible.

El folleto **debe incluir** una nota de síntesis que contenga la información fundamental que necesitan los inversores para comprender las características y riesgos del emisor, del garante y de los valores ofertados o admitidos a cotización en un mercado regulado, para ser leída conjuntamente con las demás partes del folleto a fin de ayudar les a decidir si deben invertir o no en estos valores.

La **nota de síntesis** estará compuesta por las cuatro secciones siguientes:
- una introducción que incluya las advertencias oportunas;
- la información fundamental sobre el emisor;
- la información fundamental sobre los valores;
-la información fundamental sobre la oferta pública de valores o sobre su admisión a cotización en un mercado regulado.

El folleto debe ser **suscrito** por el emisor u oferente.

El **contenido** del folleto debe cumplir con lo dispuesto en el Rgto Delegado (UE) 2017/1129 capítulo III. 9950

La CNMV puede autorizar la **omisión de determinada información** del folleto por causas tales como que dicha información sea contraria al interés público, que sea gravemente perjudicial para el emisor o que sea de escasa relevancia para una admisión específica a negociación en un mercado regulado. También existen exenciones a la publicación del precio final de la oferta y del número de valores a ofertar cuando se cumplan determinadas condiciones. Asimismo, cuando los valores estén garantizados por un Estado miembro de la UE, podrá no incluirse en el folleto información sobre el garante (OM EHA/3537/2005 art.4).

Régimen transfronterizo del pasaporte comunitario de folletos (Rgto (UE) 2017/1129 art.25) 9952

Cuando una oferta pública de valores o admisión a cotización en un mercado regulado se efectúa en uno o más Estados miembros, o en un Estado miembro distinto del Estado miembro de origen, el **folleto** aprobado por el **Estado miembro de origen**, así como sus suplementos, es válido para la oferta pública o la admisión a cotización en cualquier número de Estados miembros de acogida, siempre que se notifique a la autoridad competente de cada Estado miembro de acogida. Las autoridades competentes de los **Estados miembros de acogida** se han de abstener de someter los folletos y suplementos aprobados por las autoridades competentes de otros Estados miembros, así como las condiciones finales, a procedimientos de aprobación u otros procedimientos administrativos.

A petición del emisor, del oferente, de la persona que solicita la admisión a cotización en un mercado regulado o de la persona responsable de elaborar el folleto, la autoridad competente del Estado miembro de origen debe facilitar a la autoridad competente del Estado miembro de acogida, en el **plazo** de un día hábil a partir de dicha petición o, si la petición se presenta conjuntamente con el proyecto de folleto, en el plazo de un día hábil a partir de la aprobación de este último, un **certificado de aprobación** que acredite que el folleto se ha elaborado de conformidad con el presente Reglamento y una copia de dicho folleto en formato electrónico.

La autoridad competente del Estado miembro de origen del emisor de un país tercero puede aprobar el folleto correspondiente a una **oferta pública de valores** o a la **admisión a cotización** en un mercado regulado, redactado de acuerdo con la legislación nacional del emisor de un país tercero y sujeto a la misma, a condición de que:

- los requisitos de **información** impuestos por dicha legislación del país tercero sean equivalentes a los del presente Reglamento; y
- la autoridad competente del Estado miembro de origen haya celebrado **acuerdos de cooperación** con las autoridades de supervisión pertinentes del emisor de un país tercero (Rgto (UE) 2017/1129 art.29 y 30).

Responsabilidad por el folleto informativo (LMV art.38; RD 814/2023 art.69 s.) Son responsables en relación con el folleto, incluyendo en su caso cualquier suplemento, las personas siguientes (RD 814/2023 art.69): 9954

• **Responsabilidad del emisor, oferente o persona que solicita la admisión a negociación** y de quienes acepten tal responsabilidad o autoricen el folleto (RD 814/2023 art.70).

Son responsables por el contenido del folleto, incluyendo en su caso cualquier suplemento, las siguientes personas:

- el emisor, el oferente o la persona que solicita la admisión a negociación de los valores a los que se refiere el folleto;
- los administradores de los anteriores, en los términos que se establezcan en la legislación mercantil que les resulte aplicable;
- las personas que acepten asumir responsabilidad por el folleto cuando tal circunstancia se mencione en el folleto; y
- las personas no incluidas en ninguno de los párrafos anteriores que hayan autorizado, total o parcialmente, el contenido del folleto cuando tal circunstancia se mencione en el folleto.

Cuando una **persona acepta la responsabilidad**, en el caso de los dos últimos párrafos, puede declarar que la acepta solo en relación con ciertas partes del folleto o solo en relación a determinados aspectos, y en estos casos será únicamente responsable respecto de las partes o aspectos especificados y sólo si se han incluido en la forma y contexto acordados.

Cuando el **oferente de los valores sea distinto del emisor**, es responsable del folleto el oferente. No obstante, el emisor puede asumir dicha responsabilidad en sustitución del oferente cuando aquel haya elaborado el folleto.

El emisor u oferente **no puede oponer** frente al inversor de buena fe hechos que no consten expresamente en el folleto. A estos efectos, se considerará que los documentos incorporados al folleto por referencia constan en él. Esto no es de aplicación a las personas que presten su asesoramiento profesional sobre el contenido del folleto.

• **Responsabilidad del garante**: lo dispuesto en relación con el emisor se aplica al garante de los valores exclusivamente respecto de la información que este ha de elaborar.
• **Responsabilidad de la entidad directora**: en el caso de que el emisor u oferente haya otorgado un mandato a una entidad directora para realizar las operaciones con relación a la primera admisión a negociación de las acciones del emisor que hayan sido previamente objeto de una oferta pública de venta dirigida a clientes minoristas y el folleto deba ser aprobado por la CNMV, aquella debe llevar a cabo las comprobaciones que, razonablemente, según criterios de mercado comúnmente aceptados, sean necesarias para contrastar que la información contenida en la nota de los valores relativa a la operación o a los valores no es falsa ni se omiten datos relevantes requeridos por la legislación aplicable.
La entidad directora resultará responsable cuando no lleve a cabo diligentemente las **comprobaciones** establecidas.

Precisiones El TS declara responsable a una entidad bancaria por el **incumplimiento** de las **obligaciones de información** del folleto informativo, que presentaba deficiencias respecto a la situación económico-financiera del emisor y a sus previsiones de futuro, estando probado que el adquirente era cliente de buena fe.
La **legitimación activa** para exigir la responsabilidad civil por folleto corresponde, en primer lugar, a quienes han adquirido los valores en el mercado primario, esto es, a quienes los han adquirido del emisor que ha realizado la oferta pública, y también ambién corresponde a quienes hayan adquirido los valores en el mercado secundario en un momento posterior. Solo exige que «hayan adquirido [los valores objeto de oferta pública] de **buena fe**» y lo hayan hecho «durante su **período de vigencia** [del folleto]», esto es, en los 12 meses siguientes a la aprobación del folleto (RD 1310/2005 art.27) (TS 1-6-21, EDJ 588330).

9956 **Personas legitimadas para ejercitar la acción de responsabilidad** Las personas responsables por el folleto están **obligadas a indemnizar** a las personas que han adquirido de buena fe los valores a los que se refiere el folleto durante su período de vigencia por los daños y perjuicios que hubiesen ocasionado como consecuencia de cualquier información incluida en el folleto que sea falsa, o por la omisión en el folleto de cualquier dato relevante requerido de conformidad con el Rgto (UE) 2017/1129 y su normativa de desarrollo, siempre y cuando la información falsa o la omisión de datos relevantes no se haya corregido mediante un suplemento al folleto o se haya difundido al mercado antes de que dichas personas hubiesen adquirido los valores.

9958 **Exenciones de responsabilidad** Una persona no será responsable de los daños y perjuicios causados por la falsedad en cualquier información contenida en el folleto, o por una omisión de cualquier dato relevante requerido de conformidad con lo dispuesto en el Rgto (UE) 2017/1129 y su normativa de desarrollo, **si prueba que** en el momento en el que el folleto fue publicado actuó con la debida diligencia para asegurarse que:
- la información contenida en el folleto era verdadera; y
- los datos relevantes cuya omisión causó la pérdida fueron correctamente omitidos.

No obstante, dicha **exención no se aplica cuando** dicha persona, con posterioridad a la aprobación del folleto, tuvo conocimiento de la falsedad de la información o de la omisión y no puso los medios necesarios para informar diligentemente a las personas afectadas durante el plazo de vigencia del folleto.

SECCIÓN 8

Contratos de dirección, colocación, aseguramiento y asesoramiento de emisiones y ofertas públicas de venta de valores (*)

9965

(*) Esta sección se ha elaborado sobre la base de la obra del profesor Cachón Blanco «Los contratos de dirección, colaboración, aseguramiento y asesoramiento de emisiones y ofertas públicas de ventas de valores».

Las emisiones (ofertas públicas de suscripción) y las ofertas públicas de venta de valores negociables (OPVs) constituyen apelaciones de una persona o entidad, oferente, al ahorro del público inversor con la finalidad de que ahorradores en determinado número procedan a suscribir o comprar los valores negociables ofertados. Hay varias diferencias de carácter general entre emisiones y OPVs: 9967

- las **emisiones** son negocios jurídicos de colocación de nuevos valores negociables: **adquisición originaria**, perfeccionados entre el propio sujeto que los emite y los inversores. Las emisiones permiten, por tanto, financiar al emisor;
- las **OPVs** son negocios jurídicos de venta de valores negociables previamente emitidos: **adquisición derivativa**, perfeccionados entre el titular de los valores, normalmente un sujeto distinto del emisor, y los inversores. Las OPVs generan financiación al titular de los valores, no al emisor, salvo cuando ambas notas coincidan, como sucede en una OPV relativa a valores en autocartera del oferente.

No obstante, a pesar de la calificación de apelación directa al ahorro público de las emisiones y de las OPVs al objeto de permitir y facilitar la colocación de los valores ofertados, los oferentes suelen solicitar la colaboración de uno o varios **intermediarios financieros** para que intervengan en la preparación y/o en la colocación de los valores, dando lugar a diferentes relaciones jurídicas (nº 9970 s.).

a. Contrato de dirección de una oferta pública de valores negociables

El contrato de dirección de una emisión u OPV de valores es un contrato por el que una persona, normalmente un intermediario del mercado de valores, se compromete, frente al sujeto que pretende realizar una emisión u OPV, a desarrollar una actividad consistente en la **preparación técnica y dirección** de la operación. 9970

La **entidad directora** es aquella o aquellas a las que el emisor o el oferente hayan otorgado mandato para dirigir las operaciones relativas al diseño de las condiciones financieras, temporales y comerciales de la oferta o admisión, así como para la coordinación de las relaciones con las autoridades de supervisión, con los operadores de los mercados, con los potenciales inversores y con las restantes entidades colocadoras y aseguradoras (RD 814/2023 art.72).

Respecto a su **naturaleza jurídica**, hay que distinguir dos niveles genéricos dentro de la estructura de este contrato: **asesoramiento** jurídico y asesoramiento técnico-económico. 9972

Ninguna de las dos actividades anteriores implica la promoción ni la celebración de relaciones contractuales con terceros, tampoco la perfección de negocios jurídicos por parte de la entidad directora por cuenta del oferente. Simplemente tienen por objeto la realización de determinadas actividades materiales de carácter no representativo, lo que conduce a afirmar que tales actividades no se van a reconducir propiamente a la comisión o a la mediación, sino más bien a un contrato de prestación o arrendamiento de servicios (Peinado Gracia).

Por otro lado, se podría plantear si esta actividad constituye un contrato de obra y no de **prestación de servicios**. En este sentido, la doctrina moderna (Traviesas, Lucas Fernández) determina cómo el criterio diferenciador entre una y otra figura está en la actividad a realizar, y considerando que en este contrato lo relevante es la actividad del director durante cierto tiempo, correspondiendo al oferente decidir sobre su resultado, habrá que considerarlo como una prestación de servicios.

Ahora bien, si a esa prestación de servicios se le superpone una relación negocial de representación del oferente frente a terceros, se trataría, entonces, de un contrato de naturaleza mixta de prestación de servicios y comisión o mediación mercantil según los casos. Aunque ciertamente la **actividad del director** no consiste en perfeccionar operaciones para un emisor (mandante), como es típico en el mandato, sino en servir al éxito de la emisión, prestando un conjunto de servicios que normalmente no realizaría el mandante. De este modo, ni se da la sustitución en la actividad negocial del mandante típica del mandatario, ni existe obligación de resultado sino de medio, procurando dicho éxito (Ibáñez Jiménez).

9974 Precisiones 1) Como **características** se puede señalar que es un contrato bilateral (obligaciones por ambas partes), sinalagmático (equivalencia de prestaciones), consensual, oneroso, conmutativo, no formal, *intuitu personae* y esencialmente mercantil, ya que tiene por objeto un acto de comercio.
2) En cuanto a sus **fuentes**, hay que destacar que carece de una regulación especial, salvo determinadas referencias legislativas.
Las entidades directoras van a estar sometidas a la LMV art.191 s., sobre **normas de conducta** relativo también a esta materia, si bien es cierto que parte de los preceptos de esta norma, al estar pensados para una relación contractual en la que una de las partes es el inversor, son difícilmente aplicables a la relación oferente-entidad directora) así como al régimen de responsabilidad del RD 814/2023 art.72.
Dada su naturaleza jurídica de contrato de prestación de servicios, son aplicables las normas jurídicas generales relativas a este contrato en el Código Civil. Y, si en el convenio se incluye relación de comisión mercantil, serán de recibo las normas del CCom art.244 s. y, supletoriamente, las normas del Código Civil en sede de mandato (CC art.1709 s.). Todo ello sin perjuicio de la aplicabilidad de las normas generales relativas a los contratos y obligaciones, tanto mercantiles (CCom art.50 s.) como civiles (CC art.1254 s.).

9976 **Contratantes** En cuanto a la **entidad directora** no hay limitación legal alguna para el ejercicio de esta actividad. Este contrato, por tanto, podrá celebrarse por sociedades de valores, agencias de valores, bancos, cajas de ahorro y cooperativas de crédito, e incluso por otros sujetos como sociedades gestoras de cartera.
La LMV pretende reservar a empresas de servicios de inversión y entidad de crédito cualquier actividad reconducible a un **servicio de inversión** (como es la dirección que nos ocupa) y desde esa perspectiva, niega la posibilidad de dirigir a quienes no sean intermediarios autorizados y registrados en beneficio de la seguridad de emisor e inversores (Ibáñez Jiménez).
Dos notas importantes respecto a la entidad directora son:
- que su **intervención** en la operación no es obligatoria, sino solo cuando el ofertante solicite sus servicios;
- que puede tratarse del **colocador de los valores**, o de la entidad situada en el vértice de un grupo o sindicato de colocadores;
- que es posible la **coexistencia de varias entidades** directoras ya sea en un sindicato o independientemente (Fernández de Araoz).
El **emisor** de los valores negociables objeto de OPV u OPS admitidos a negociación en un mercado regulado puede serlo cualquiera sociedad emisora precisada de los servicios de la entidad directora. No hay reglas especiales.

9978 **Objeto y precio** Sobre el objeto, esto es, la actividad a desarrollar por la entidad directora y el precio, ver nº 9982 s.

9980 **Forma** Al ser un contrato consensual y de carácter no formal, no hay forma legal expresa sobre este contrato, que normalmente se articula de forma escrita mediante **contrato privado**.

9982 **Obligaciones de la entidad directora** La entidad directora está sometida a tres **tipos** de obligaciones:
- obligaciones **contractuales**;
- obligaciones **complementarias**, para con el sujeto oferente y para con el público inversor, derivadas no del contrato, sino del proceso de OPV u OPS admisión a negociación de los valores en un mercado regulado en su conjunto, y de la normativa jurídica general aplicable, cuya manifestación específica es el folleto informativo;
- obligaciones **definidas legalmente**: p.e., elaborar un reglamento interno de conducta, obligaciones de la normativa sobre blanqueo de capitales y aquellas exigibles en la medida que la entidad directora sea una empresa de servicios de inversión o una entidad de crédito.

9984 **Obligaciones contractuales** Donde cabe destacar:
a) Información y advertencia al cliente, en particular, **informaciones** jurídicas, económicas y fiscales y análisis sobre la conveniencia económica de la emisión u OPV.
La entidad directora prepara la OPV para:
- aconsejar al emisor sobre viabilidad/estrategia de la operación;
- determinar naturaleza, número y condiciones de los valores a ofertar;

- diseñar la distribución de la oferta en tramos y el calendario idóneo de la operación.
b) Respecto al deber de **aceptar el encargo**, hay que señalar que solo existe cuando una disposición legal o reglamentaria así lo disponga.
c) Disponer de los medios y los **instrumentos técnicos y de mercado** para llevar a cabo esta actividad.
d) Prestar obligatoriamente el **servicio** solicitado (no cabe sustitución sin el consentimiento del cliente oferente, CC art.1161). Esta obligación dará lugar a la correspondiente responsabilidad civil en el supuesto de actuación negligente o dañosa que implique daño al oferente.
e) Obligación de **fidelidad** respecto al cliente (CC art.1258 y CCom art.57).
f) Deber de guardar **secreto** de los servicios prestados, y especialmente de los datos conocidos.
g) **Evitar conflictos** entre el cliente y la entidad directora (RD 814/2023 art.72.1).

Obligaciones complementarias La entidad emisora debe llevar a cabo las **comprobaciones** que, razonablemente, según criterios de mercado comúnmente aceptados, sean necesarias para contrastar que la información contenida en el folleto informativo relativa a la OPV u OPS / admisión a negociación de los valores en un mercado regulado o a los valores no es falsa ni se omiten datos relevantes requeridos por la legislación aplicable. Estas comprobaciones podrán variar en función de factores como las características de la operación, del emisor y su negocio, de la calidad de la información disponible o facilitada por el emisor o del conocimiento previo que del emisor tenga la entidad directora. 9986
La entidad directora resulta **responsable** cuando no lleve a cabo diligentemente las comprobaciones que, razonablemente, según criterios de mercado comúnmente aceptados, sean necesarias para contrastar que la información contenida en el folleto informativo de OPV u OPS / admisión a negociación de los valores en un mercado regulado relativo a la operación o a los valores no es falsa ni se omiten datos relevantes requeridos por la legislación aplicable (estas comprobaciones pueden variar en función de factores como las características de la operación, del emisor y su negocio, de la calidad de la información disponible o facilitada por el emisor o del conocimiento previo que del emisor tenga la entidad directora) (ver nº 9954).

Precisiones Se limita la responsabilidad de la entidad directora a las ofertas públicas de venta dirigidas a **clientes minoristas**. En relación a la primera admisión a negociación de las acciones del emisor que hayan sido previamente objeto de una oferta pública de venta dirigida a clientes minoristas y el folleto deba ser aprobado por la CNMV, la entidad directora debe llevar a cabo las comprobaciones que, razonablemente, según criterios de mercado comúnmente aceptados, sean necesarias para contrastar que la información contenida en la nota de los valores relativa a la operación o a los valores no es falsa ni se omiten datos relevantes requeridos por la legislación aplicable. La entidad directora resulta responsable cuando no lleve a cabo diligentemente las comprobaciones señaladas (RD 814/2023 art.72.2 y 3).

Obligaciones del oferente Son las siguientes: 9988
a) **Pago del precio**. No se trata de un contrato de obra, sino de actividad, y el pago del precio se corresponde al servicio prestado. No hay norma expresa en cuanto a su determinación: tanto alzado, horas trabajadas, porcentaje, etc. Se puede determinar en el momento anterior, por acuerdo expreso o con posterioridad.
b) **Suministrar información** a la entidad directora para que ésta pueda llevar a cabo su actividad (CC art.1258 y CCom art.57), facilitando todos los datos e informaciones que precise y colaborando con ella al máximo en función del deber «intuitu personae» de fidelidad, recíproco del deber idéntico del director.
Se puede señalar también un deber general de lealtad del oferente respecto a la entidad directora.

Extinción del contrato El contrato de dirección tiene un carácter esencialmente temporal y se extingue por las siguientes **causas**: 9990
- cumplimiento del servicio solicitado;
- mutuo acuerdo de las partes, con ciertas especialidades si la ejecución de la emisión o la OPV hubiera comenzado;
- todos los supuestos en los que la entidad directora no pueda seguir prestando su actividad de forma diligente y efectiva;
- declaración de concurso de la entidad directora;
- declaración de concurso del oferente;
- revocación unilateral o desistimiento del cliente, ya que es un contrato de confianza, que puede dar lugar a indemnizaciones a favor de la entidad directora, si no hay justa causa;
- incumplimiento de obligaciones (CC art.1124);
- imposibilidad sobrevenida (p.e., por darse alguna de las causas de resolución por fuerza mayor previstas en el folleto informativo de la oferta (CC art.1105).

b. Contrato de colocación de una OPV de valores negociables

9995 Se trata de un contrato por el que un oferente o emisor solicita al colocador la realización de una **actividad de comercialización** que conduzca a la adquisición de los valores objeto de la emisión o de la OPV por parte del público inversor.
Es **entidad colocadora** aquella que medie, por cuenta del oferente, en la distribución al público de valores con o sin compromiso de aseguramiento o adquisición.
A diferencia de la actividad de dirección, la colocación de instrumentos financieros sin base en un compromiso firme, sí está tipificada como un **servicio de inversión** (LMV art.125.1.e), siendo por tanto una actividad legalmente limitada y reservada a empresas de servicios de inversión y entidades de crédito habilitadas para ello (LMV art.128 y 129).

9997 Respecto a su **naturaleza jurídica**, la que mejor se aproxima a esta actividad es la de comisión mercantil (Sánchez Calero, Vicent Chuliá, Vega Pérez, Ibáñez Jiménez), ya que:
a) No es un contrato de prestación de servicios, pues no tiene por objeto la realización de una actividad material, sino la celebración de negocios jurídicos que recaen en la esfera del comitente o cliente.
b) No se trata de una simple mediación, ya que el colocador no solo pone en contacto a las partes, sino que participa en el contrato con el adquirente de los valores.
Se trata por tanto de una **comisión mercantil** ya que se dan los requisitos del CCom art.244: tiene por objeto un acto u operación de comercio y el comisionista, al menos, es comerciante.
Normalmente, el colocador actúa en nombre y por cuenta de un comitente (CCom art.267).
Hay que resaltar que algunos de los colocadores (sociedad de valores, bancos, cajas de ahorro, cooperativas de crédito) pueden actuar por cuenta propia, pudiendo adquirir los valores personalmente, dando lugar a la **autoentrada del comisionista**.

Precisiones **1)** El contrato goza de las siguientes **características**: consensual, no formal (aunque normalmente se documenta en forma escrita), bilateral, *intuitu personae*, oneroso y conmutativo.
2) En cuanto a las **fuentes**, no existe naturalmente una regulación general de este contrato, salvo en las normas generales del Mercado de valores. Así, junto con las normas pactadas en el contrato, se aplican, a efectos de protección del mercado y los inversores: en relación con la colocación de valores: LMV art.125.1.e; respecto a la libertad de colocación: LMV art.34; en relación con la información fiscal: LMV art.339, así como los Títulos VII sobre normas de conducta y Título VIII sobre régimen de inspección y sanción. Además, son aplicables el RD 813/2023 y el RD 814/2023.
También es aplicable la L 10/2010 sobre prevención del **blanqueo de capitales** y de la financiación del terrorismo, y el RD 304/2014 por el que se aprueba el reglamento de la L 10/2010 sobre prevención del blanqueo de capitales y de la financiación del terrorismo (nº 7950 s.).
Finalmente, en defecto de pactos expresos y de la normativa citada, las normas generales de los contratos de **comisión y mandato** (nº 5580 s.).

9999 **Contratantes** Son el oferente o cliente y el colocador-comisionista.
El **oferente** puede ser cualquier persona jurídica con capacidad al efecto. En cuanto al **colocador**, ya que esta actividad es un servicio de inversión (LMV art.125.1.e), podrá ser realizado por sociedades, agencias de valores y entidades de crédito habilitadas para ello. No pueden desarrollar esta actividad las sociedades gestoras de carteras y las sociedades gestoras de instituciones de inversión colectiva, que actuarán como solicitantes, no como colocadores (LMV art.128 y 129).
Es frecuente que exista una **pluralidad de colocadores** (sindicación) debido a la necesidad de mitigar los riesgos típicos de demora, precio y falta de demanda de títulos por lo que es habitual firmar un **contrato de sindicación**, separado del de colocación, suscrito por varias entidades encargadas de la distribución de los títulos. La **estructura sindical** suele in encabezada por una entidad: jefe de fila «manager» que suscribe con el emisor el contrato de sindicación por el que aquél, que suele ser el director de la emisión (ver nº 9965) se encarga de promover y formar una red de colocadores, los cuales ha de seleccionar con diligencia. En ocasiones el manager representa como comisionista al emisor ante el sindicato, erigiéndose en entidad agente que promueve la suscripción y se obliga a centralizar órdenes, filtrar peticiones, e.s.c. prorratear los valores e ir preparando la liquidación de las compraventas (en que la OPV se materializa) ante el sistema de liquidación (Ibáñez Jiménez).
El **pacto atípico de sindicación** se concibe (tras descartar su materia jurídica comunitarista, societaria y asociativa) como un pacto atípico de cooperación temporal entre entidades del mercado financiero, sin entidad asociativa ni orgánica y de gestión, donde los agentes no representan a los miembros sindicados sino al emisor; y donde, por lo común cada entidad está vinculada al resto por los pactos privados del contrato de sindicación, amparados por el principio de garantía de la voluntad (CC art.1255).

Objeto y precio La **actividad colocadora** consiste en una actividad representativa para la búsqueda primero, y para la recepción de las aceptaciones negociales, después. Se trata de una actividad de comercialización o venta al público de los valores objeto de la emisión u oferta. 10001
El **precio** del servicio es libre.

Forma No se exige forma expresa, incluso el CC art.1710 admite el mandato expreso o tácito. El expreso puede darse por instrumento público o privado o, incluso, de palabra. Rige la libertad de forma, si bien se suele documentar por escrito en **contrato privado**. El procedimiento de colocación, por imperativo de la LMV, debe hacerse público en el folleto informativo. 10003

Obligaciones del colocador El colocador está sujeto a dos tipos de obligaciones: 10005

Obligaciones contractuales Entre las obligaciones derivadas del contrato, cabe señalar las siguientes: 10007
a) **Ejecutar la comisión** encargada (CCom art.252). Está obligado a proceder de acuerdo con las instrucciones del comitente y según lo previsto en el folleto informativo, es decir, tiene obligación de acatar las instrucciones expresas del comitente, consultar todo lo que no estuviera expresamente previsto y no proceder contra disposición del comitente.
b) Al ser el colocador una entidad profesional y experta en el sector debe desarrollar su actividad con la **diligencia** propia de un profesional experto (Nieto Carol).
c) Facilitar al comitente **informaciones** relativas a la ejecución de la comisión, en los términos estipulados, o en su defecto, conforme al CCom art.260, así como al RD 217/2008 art.62 s.
d) **Rendir cuentas** al comitente de la ejecución de la comisión conforme a lo dispuesto en el contrato y, en general, al CCom art.263 y 264.
Son de cuenta del comisionista los riesgos del numerario que tenga en poder por razón de la comisión.
Existirá comisión de garantía ya por pacto expreso o en el supuesto de norma legal.
e) Defender los **intereses del comitente** (Sánchez Andrés).
f) Ejecutar la comisión personalmente, debido al carácter «intuitu personae» del contrato. Es frecuente que se pacte la intervención de otras entidades colocadoras (mediante sindicatos), mediante la vía jurídica de sustitución del comisionista o por la subcomisión.

Precisiones Las entidades que presten servicios de inversión deben cumplir con las obligaciones en materia de **información sobre costes y gastos asociados** enumeradas en el Rgto Delegado (UE) 2017/565 art.50 (nº 9459). No obstante, las empresas de servicios de inversión que presten servicios de inversión a clientes profesionales tendrán derecho a convenir con estos clientes una aplicación limitada de las obligaciones establecidas en dicho artículo.

Obligaciones frente a terceros Está obligado el comisionista a cumplir, además de los pactos contractuales, lo establecido en las Leyes y Reglamentos. 10009
Estas obligaciones son consecuencia del principio de **protección del inversor** que preside el Derecho del Mercado de Valores. Así, podemos destacar las normas de conducta contenidas en la LMV título VIII y el RD 813/2023 título VI.
Hay que considerar que aparte de la relación contractual entre el colocador y el comitente, puede existir otra relación de **comisión mercantil** entre el inversor y el colocador, en cuanto que el primero puede acudir al colocador no por ese motivo, sino porque sea este último un habitual intermediario. En este caso, el intermediario sería colocador y comisionista del oferente y comisionista del inversor, dando lugar a las correspondientes obligaciones, derechos y responsabilidades frente a ambos.

Obligaciones del oferente-comitente Son dos fundamentales: 10011
a) Pagar el precio (CCom art.277).
b) Suministrar al colocador los instrumentos e informaciones precisas para desarrollar su actividad, en particular, el folleto informativo.

Extinción del contrato Se puede producir por las siguientes **causas**: 10013
- cumplimiento del contrato o transcurso del plazo establecido;
- mutuo acuerdo o revocación unilateral del comitente (CC art.1732 y 1733; CCom art.279). Si bien, una vez publicado el folleto informativo e iniciado el período de aceptaciones no sería posible alegar esta causa de extinción. En efecto, para Cachón Blanco estamos ante un mandato cuyo carácter irrevocable ha de defenderse por razones de garantía de los intereses generales del conjunto de inversores. No obstante, en situaciones excepcionales, la CNMV ha admitido el desistimiento por el oferente a las entidades colocadoras en determinados supuestos;
- declaración de concurso del colocador;
- medidas sancionadoras que afecten a la capacidad de actuación del colocador;

- por darse alguna de las causas de resolución por fuerza mayor previstas en el folleto informativo de la oferta (CC art.1105).
Se discute doctrinalmente acerca de la aplicabilidad de las siguientes causas:
- **fallecimiento** del oferente, persona física (causa ésta solamente aplicable para las OPV);
- **disolución** de persona jurídica oferente, que no afectará a la OPV ni al contrato de colocación, ya que comenzará el período de liquidación, subsistiendo la personalidad jurídica;
- **declaración de concurso** del oferente, no implica la extinción, ya que aunque en el ámbito civil sí se produce (CC art.1732), al ser éste un contrato mercantil, podrá la administración concursal, junto con el juez que conozca el procedimiento concursal, decidir mantenerlo.

c. Contrato de aseguramiento de una oferta pública de valores negociables

10020 El contrato de aseguramiento de emisiones, y de OPV, es un contrato, o una obligación adicional a un contrato previo de colocación, entre un emisor u oferente de valores y un intermediario legalmente habilitado para ello por el cual éste adquiere o se compromete a adquirir todos o parte de los valores objeto de la emisión u OPV en el caso de que estos no sean colocados entre el público inversor por parte de los diferentes sujetos intervinientes en dicho proceso.
Para determinar su **naturaleza jurídica**, varias son las posibles alternativas: contrato de compraventa, arrendamiento o prestación de servicios, arrendamiento o ejecución de obra, comisión de garantía, contrato de seguro y obligación de garantía o de resultado añadida a un contrato de colocación. Cuál sea la verdadera naturaleza es cuestión imposible de determinar a priori, pues depende del concreto contenido obligacional de cada contrato individualmente considerado.
Con alcance genérico Aurioles Martín lo califica como una obligación de resultado y Peinado Gracia como un pacto de garantía en contratos de colaboración.
Se pueden distinguir varias **clases**: aseguramiento en firme y aseguramiento en garantía; o aseguramiento con responsabilidad individual o con responsabilidad solidaria.
1. **En firme**. Compra inicial al emisor/oferente de todos o parte de los valores por el asegurador quién, siendo a un tiempo colocador, procura resituar mediante reventa el mayor número posible, permaneciendo obviamente propietario de los no colocados.
2. **En garantía**. El asegurador se obliga a adquirir, allí donde no lo haga el público los valores emitidos/ofertados y no colocados.
Por ser también frecuente la existencia de un sindicato de aseguramiento o asegurador, los aseguradores pueden cubrir cuotas separadas de títulos no colocados (responsabilidad individual) o bien actuar solidariamente, cubriendo cada uno el total importe de la emisión/oferta (Ibáñez Jiménez).

Precisiones **1)** Como **características**, además de la mercantilidad, es un contrato esencialmente consensual y no formal, bilateral, oneroso, atípico y aleatorio.
2) En materia de **fuentes**, su atipicidad obliga a buscar simples referencias. Existen éstas en la LMV y en el RD 814/2023.
La LMV tipifica esta actividad como propia de las sociedades de valores y las entidades de crédito (LMV art.125.1.f). Son, pues, genéricamente aplicables el Título VIII y IX sobre normas de conducta y régimen de supervisión, inspección y sanción, así como la LMV art.339 en materia de información fiscal.
Es de destacar que el aseguramiento de valores es contemplado por la legislación sobre recursos propios de las entidades financieras, especialmente la L 13/1992 de recursos propios y supervisión en base consolidada. Por último, hay que considerar la aplicación de las normas en materia de blanqueo de capitales (L 10/2010; RD 304/2014).

10022 **Contratantes** Son el asegurador financiero y el oferente garantizado, este último puede ser cualquiera con capacidad suficiente para ello.
En cuanto al **asegurador financiero**, solamente lo pueden ser las sociedades de valores y entidades de crédito habilitadas para ello. Estas actividades pueden ser desarrolladas por empresas de inversión o entidades de crédito autorizadas de otros Estados comunitarios, mediante sucursal o en régimen de libre prestación de servicios, con requisitos especiales.
En relación a las **agencias de valores**, no pueden realizar el servicio de inversión consistente en el aseguramiento de la suscripción de emisiones y ofertas públicas de venta (LMV art.125.1.f).

10024 **Objeto y precio** El objeto es la actividad a desarrollar por el asegurador y consiste en una **obligación de resultado**, adquiriendo los valores no colocados.
Respecto al precio, ver nº 10030.

Forma En el caso ordinario y usual de pacto accesorio a un contrato de colocación, no se presume el aseguramiento, sino que ha de ser expreso, ocurriendo igual en el aseguramiento autónomo. No es una forma *ad solemnitatem*, sino *ad probationem*, viniendo a recogerse en un **documento privado**, aunque su existencia debe figurar en el folleto informativo. 10026

Obligaciones del asegurador El asegurador está obligado a adquirir para sí los valores que no hayan sido suscritos por él o por los colocadores al término del período de colocación. En caso de varios aseguradores, el contrato determinará los criterios de **distribución de los valores** entre ellos. Se determinarán, también, las condiciones de la compra, en cuanto plazo, y forma de pago. 10028
Asimismo, el asegurador está sometido a las **normas de conducta** siguientes:
- en su caso, el asegurador puede verse obligado a formular una OPA si alcanza una participación de control y no reduce el exceso de derechos de voto, según lo previsto en la normativa de OPAs y a comunicar esta participación significativa a la CNMV;
- disponer de un reglamento interno de conducta;
- entrega del documento contractual al cliente;
- información sobre las operaciones;
- imparcialidad, medios y capacidades.
Igualmente, debe informar a la CNMV sobre los extremos que sea requerido, así como a la clientela.

Obligaciones del emisor u oferente El emisor u oferente está obligado a pagar el **precio o prima** del aseguramiento. Se presume esta retribución, pudiendo pactarse libremente y en defecto de pacto, conforme a los usos mercantiles. 10030
En caso de colocación-aseguramiento, se establece un precio para ambas actividades.

Extinción del contrato Su extinción, considerándolo accesorio al **contrato de colocación**, se produce por las causas que extinguen dicho contrato: 10032
- finalización del plazo de colocación;
- cumplimiento por el asegurador adquiriendo los valores;
- no será posible la revocación del comitente ni la renuncia del asegurador ni el mutuo disenso, en aras del principio de protección e información de los inversores, básico dentro del Derecho del Mercado de valores (Cachón Blanco);
- declaración de concurso del asegurador;
- por medidas sancionadoras que afecten a la capacidad de actuación del asegurador;
- por darse alguna de las causas de resolución por fuerza mayor previstas en el folleto informativo de la oferta (CC art.1105).

d. Contrato de asesoramiento en una oferta pública de valores negociables

El asesoramiento del mercado de valores tiene lugar, en la práctica actual, en dos casos fundamentales: asesoramiento a **inversores particulares** y asesoramiento a **grandes empresas e instituciones**. 10035
El asesoramiento prestado en emisiones y ofertas públicas de venta tipo es un asesoramiento dirigido en exclusiva a **grandes empresas e instituciones**.
Es un contrato por el que una persona, denominada asesor, presta **servicios de opinión, valoración y recomendación técnica** en favor de otra, denominada cliente.
Su **naturaleza jurídica** puede oscilar entre el mandato, arrendamientos de servicios y de obra, en función del tratamiento que concretamente se haya dado al contenido obligacional.

Precisiones **1)** Como **características** cabe resaltar que es un contrato por el que una parte presta servicios a otra, bilateral, oneroso, conmutativo, consensual y no formal.
2) Se regula por las siguientes **fuentes**: la LMV 125.1.c, y los Títulos VIII y IX de la misma LMV, así como el RD 813/2023. Como normas generales, se aplica el CC art.1542, 1544 y 1583 en materia de prestación de servicios; y el CC art.1104 y 1161 y CCom art.50 a 63 en materia de obligaciones y contratos. Analógicamente, en su caso, las disposiciones relativas al mandato o al contrato de obra.

Contratantes Son el **cliente** y el **asesor**. 10037

Objeto y precio En la **actividad** a desarrollar por el asesor, se puede distinguir: 10039
- nivel económico-técnico o conocimiento del mercado, de sus operaciones, y técnicas;
- nivel jurídico o conocimiento de la normativa aplicable;
- nivel de decisión y valoración de las necesidades y circunstancias del cliente.

El **precio** es un elemento esencial del contrato (CC art.1544). Sin precio no existirá un contrato de este tipo, siendo normalmente en dinero, aunque no de forma exclusiva.

Precisiones Las **comisiones aplicables a inversores profesionales**, no incluidos en el ámbito establecido en la OM EHA/1665/2010, se determinan libremente entre las partes, sin que hayan de someterse a la CNMV Circ 7/2011, que regula el contenido que deben recoger los folletos informativos de tarifas respecto a las operaciones y actividades realizadas, únicamente, con clientes minoristas.

10041 **Forma** El contrato es **consensual** y no formal.

10043 **Obligaciones del asesor** El asesor tiene las siguientes obligaciones:
a) Prestación diligente de **servicios**.
b) Aportación de la **información** previa y posterior a dichos servicios.
c) Cumplir las demás obligaciones reglamentarias, particularmente las establecidas en las **normas de conducta**.
d) Información sobre la conveniencia de llevar a cabo las operaciones.
e) No existe un deber expreso de **aceptación del encargo**, existiendo libertad para el asesor para aceptarlas o no.
f) Disponer de los **medios** jurídico-técnicos, económico-técnicos y la información para llevar a cabo la actividad.
g) **Diligencia y honestidad profesional**: su asesoramiento debe estar basado en datos económicos u otros suficientemente contrastados.
h) No delegar, salvo cuando cuente con **autorización** del cliente.

10045 **Obligaciones del cliente** Éste tiene las siguientes obligaciones:
a) Pagar el precio pactado.
b) Deber de **lealtad** respecto al asesor, proporcionando la información que este último necesite. En caso de no facilitar estas informaciones, el asesor podrá rechazar el encargo (p.e., identificación, objetivo de la inversión). Esta información tendrá, en todo caso, carácter confidencial.

10047 **Extinción del contrato** Este contrato, como contrato de prestación de servicios, es esencialmente temporal y se extingue por las siguientes causas:
a) **Cumplimiento** del plazo establecido y por cumplimiento del servicio prestado.
b) **Mutuo acuerdo** entre las partes.
c) Todos aquellos supuestos en los que el asesor no pueda seguir prestando el servicio de forma efectiva y diligente:
- muerte, jubilación si es persona física;
- cese voluntario del negocio;
- disolución de la entidad asesora;
- declaración de concurso de la entidad asesora;
- adopción de ciertas medidas sancionadoras por la CNMV (LMV art.279 y 280);
- fallecimiento u otras circunstancias que afecten a la existencia del cliente;
- imposibilidad sobrevenida, en sentido amplio como todo supuesto de imposibilidad física, jurídica o disminución de la capacidad efectiva de prestación de los servicios;
- tratándose de un contrato de confianza, cabe -perdida ésta- que el cliente resuelva el contrato;
- desistimiento del profesional, con justa causa e indemnizando al cliente por los daños sufridos;
- incumplimiento de obligaciones contractuales por cualquiera de las partes, siendo de aplicación el CC art.1124.

SECCIÓN 9

Préstamo de valores

En los préstamos de valores, paga el deudor devolviendo otros tantos de la misma clase e idénticas condiciones, o sus equivalentes si aquéllos se han extinguido, salvo pacto en contrario. 10052
Respecto de las **acciones** de una **sociedad anónima fungibles** que estén admitidas a negociación en Bolsa, el préstamo de valores puede definirse como aquel contrato en virtud del cual un prestamista, transmite la propiedad de una serie de valores negociables al prestatario, el cual se obliga a devolver otros tantos de la misma clase, calidad y especie, independientemente de las variaciones de valor o precio que los entregados hubiesen experimentado en el período de duración del préstamo.
El préstamo de acciones se configura pues como **préstamo simple** o mutuo, en tanto que préstamo de cosa fungible (CC art.1753).

Precisiones Las **instituciones de inversión colectiva de carácter financiero**, en principio, están autorizadas (L 35/2003 art.30.6) a prestar valores y otros activos que integren su cartera con los límites y garantías que establezca el Ministerio de Economía y Hacienda. No obstante, actualmente está pendiente de desarrollo esta posibilidad a través de una Orden Ministerial por lo que en la práctica las instituciones de inversión colectiva todavía no pueden acceder al préstamo de valores.

Caracteres Los más importantes son los siguientes: 10054
• Son considerados contratos de **naturaleza mercantil** (por la naturaleza de los bienes que constituyen su objeto como por el hecho de que normalmente uno de los contratantes -si no los dos- tienen la condición de comerciante).
• **Unilaterales**, pues al ser de naturaleza real y requerirse la entrega de los valores prestados para su perfección, una vez perfeccionado, solo dimanan obligaciones para el prestatario de los valores.
• Por su **naturaleza real**, solo se perfeccionan con la entrega de los valores al prestatario no siendo suficiente a tales efectos el mero compromiso de entrega de los mismos.
• Con la entrega de los valores (los anotados en cuenta por transferencia contable), el prestatario adquiere la **propiedad** de los mismos y puede disponer de ellos libremente.
• En cuanto a su onerosidad o **gratuidad**, solo si se pacta expresamente y por escrito, devengan los préstamos interés.
• Al tratarse de **préstamos de cosas fungibles**, el prestamista pierde la propiedad de los valores entregados en préstamo cuya titularidad pasa al prestatario, y la sustituye por un derecho de crédito a la devolución de otros de similar clase, especie y condición.
De ello se derivan una serie de **consecuencias** relevantes en el marco del ejercicio de los derechos inherentes a las acciones:
a) El prestatario es el que puede ejercitar los **derechos de voto** inherentes -en su caso- a los valores dados en préstamo.
b) El prestatario ejercitará así mismo los **demás derechos** inherentes a las acciones, incluidos los de contenido económico y el derecho de información. Se establece, sin embargo, en defecto de pacto entre las partes la presunción contraria para los préstamos de su ámbito de aplicación (nº 10060 s.).
• En tanto que el objeto de los préstamos sean **valores representativos del capital de sociedades cotizadas**, las acciones adquiridas o dispuestas de este modo deben computarse a efectos de los porcentajes que determinan la obligación de comunicar la adquisición o pérdida de una participación significativa (nº 10365 s.).
• En caso de **situación concursal** de los prestatarios los valores objeto de préstamo, en cuanto el prestatario adquiere su propiedad, se integran en la masa activa del concurso los valores en préstamo.

Préstamos de valores en el marco de acuerdos de compensación contractual 10056
(RDL 5/2005 art.2) Es práctica común que las entidades financieras operen entre sí a través de contratos marco en los que se establecen unas **garantías** que cubren la posición neta

resultante de todas las operaciones de financiación, préstamos de valores, derivados financieros, etc., que llevan a cabo las partes. En concreto, los acuerdos de compensación contractual se definen como aquéllos en los que se prevea la creación de una **única obligación** que abarque todas las operaciones financieras incluidas en el mismo y en virtud de la cual, en caso de **vencimiento anticipado**, las partes solo tendrán derecho a exigirse el saldo neto del producto de la liquidación de dichas operaciones, el cual deberá ser calculado conforme a lo establecido en el mismo acuerdo de compensación o en los acuerdos que guarden relación con el mismo.

En cuanto al **tipo de operaciones** que pueden ser objeto de un acuerdo de compensación contractual, se incluyen expresamente los préstamos de valores, entre otras operaciones realizadas en los mercados de valores (operaciones financieras realizadas sobre valores, derivados, compraventa de divisas, cesiones en garantía de valores, operaciones dobles o pactos de recompra, etcétera). Adicionalmente, los préstamos de valores, en tanto generan una obligación de entregar dinero o valores, pueden también estar garantizados por dinero o valores en los términos de un **acuerdo de garantía financiera**, beneficiándose de un régimen de constitución informal, un procedimiento de ejecución simplificada y de una protección especial que les dispensa en caso de insolvencia del deudor. Además de un objeto determinado, se reserva en beneficio de determinados sujetos la figura del acuerdo de compensación contractual y de los **acuerdos de garantía financiera**. Para que la norma resulte aplicable, al menos una de las partes de un acuerdo de compensación contractual o de un acuerdo de garantía financiera, debe caer dentro del ámbito subjetivo del RDL 5/2005 art.4.

Precisiones Debe mencionarse la existencia de **contratos marco de préstamo de valores** que, desarrollados por los representantes más destacados de la industria financiera, proveen de un marco normativo contractual asiduamente utilizado en el mercado internacional para la celebración de este tipo de operaciones. El contrato marco de préstamo de valores más representativo en el mercado financiero internacional es el denominado «Global Master Securities Lending Agreement» -GMSLA-, elaborado por la International Securities Lending Association, «ISLA» con sede en Londres. También debe mencionarse el contrato marco europeo -CME- para operaciones financieras elaborado por la Federación Bancaria de la Unión Europea.

a. Valores para posterior enajenación o garantía de operación financiera

(OM ECO/764/2004)

10060 Se trata de aquellos préstamos de valores negociados en un **mercado regulado** cuya finalidad sea la de disponer de los valores para su posterior enajenación, para su préstamo, o para servir como garantía de una operación financiera.

10062 **Requisitos de los valores** Solo pueden ser **objeto de préstamo** los valores admitidos a negociación que sean designados aptos por el organismo rector del mercado en cuestión.

Los organismos rectores de los mercados regulados, previa comunicación a la CNMV, deberían publicar en sus **boletines de cotización** la lista de aquellos valores que se determinen como aptos para ser objeto de préstamo, así como sus sucesivas actualizaciones. Hasta el momento no ha acontecido esta publicación.

La CNMV puede, atendiendo a circunstancias del mercado, fijar **límites generales** al volumen de operaciones de préstamo que pueden otorgar las entidades o a las condiciones en que dichas operaciones se practiquen, con el objetivo de evitar posibles distorsiones en la cotización de los valores objeto de préstamo o su posible utilización con fines ajenos a su naturaleza y objeto.

Asimismo, dentro del marco general previsto en el párrafo anterior, la CNMV puede establecer **límites singulares** al volumen concreto de las operaciones de préstamo que se puedan otorgar. A la fecha de cerrar esta edición, la CNMV no ha establecido ningún límite general al volumen de operaciones de préstamo que pueden otorgar las entidades ni a las condiciones de las mismas ni tampoco ha establecido ningún límite singular a operaciones de este tipo.

10064 **Intervinientes** (OM ECO/764/2004) Una de las partes ha de ser una **entidad participante** o miembro del sistema correspondiente de compensación y liquidación del mercado en donde se negocia el valor objeto de préstamo.

10066 **Obligaciones del prestatario** Dado que se trata de un contrato unilateral, solo el prestatario contrae obligaciones frente al prestamista (Cachón Blanco).

Corresponde a éste **devolver los valores prestados** al vencimiento del préstamo (por el carácter fungible de lo prestado se sigue que la obligación del deudor consista en devolver otro tanto de la misma clase e idénticas condiciones o sus equivalentes, si aquéllos se hubiesen extinguido,

salvo pacto en contrario). En caso de **amortización** por el emisor de los valores durante la vida del préstamo, éste se verá extinguido por destrucción de su objeto, debiendo el prestatario reintegrar al prestamista el efectivo de amortización percibido.
Si las acciones percibiesen **dividendos** durante la duración del contrato, corresponde al prestamista, salvo pacto en contrario, percibir los frutos derivados de los derechos económicos inherentes a dichos valores, incluidas las primas de asistencia que se devenguen durante el préstamo y los derechos de asignación gratuita y de suscripción preferente de nuevas acciones que nazcan durante la vida del préstamo.
El prestatario está obligado al **pago de las comisiones** y de los **intereses** que se hayan pactado, soliendo calcularse como un porcentaje del precio de mercado de los valores al inicio del préstamo, o como un incremento de los valores a devolver al finalizar el contrato.
En lo referente a la prioridad de **restitución de los intereses** sobre el capital, es de aplicación el CCom art.318.

Obligaciones de información y registro (OM ECO/764/2004) Las entidades que hayan sido parte en la operación de préstamo, deben cumplir las obligaciones de información que se detallan a continuación, en el momento de **perfección** de los contratos. 10068
En el caso de que en una misma operación de préstamo **ambas partes** sean **entidades participantes**, la obligación de informar recae sobre la entidad prestamista de los valores.
La información a facilitar **a la sociedad de sistemas** (órgano receptor) es la siguiente:
a) El número que corresponde a la operación, salvo que éste haya sido asignado por el órgano receptor de la información.
b) Si actúa por cuenta propia o por la de terceros clientes.
c) La fecha de perfección y de cancelación o vencimiento del préstamo, entendiéndose por fecha de perfección la de entrega de los valores objeto del mismo.
d) La identificación y el número de los valores prestados; y
e) Las garantías que, en su caso, se constituyan o entreguen a través del sistema de registro, compensación y liquidación gestionado por el órgano receptor.
Sujeto al desarrollo de la CNMV, la información a facilitar por la entidad informante, **al organismo rector del mercado** en el que cotizan los valores prestados debe ser la siguiente:
a) Identificación de las partes del contrato.
b) Fecha de perfección y de cancelación o vencimiento del préstamo.
c) Identificación y número de los valores objeto del contrato.
d) Remuneración del prestamista, incluyendo las eventuales compensaciones económicas por los derechos económicos inherentes a los valores.
e) Número que corresponde a la operación.
El organismo rector debe dar **publicidad** a los saldos de los préstamos de valores existentes en cada momento, así como a la constitución y cancelación de los préstamos, y a los demás aspectos que la CNMV considere de interés para los mercados.
La información a facilitar a la CNMV por parte de las entidades informantes, según conste en el **registro** que deben mantener al efecto, se facilita previa solicitud de la CNMV y en la forma en que ésta determine.

En cuanto a las **obligaciones de registro**, los organismos receptores deben llevar uno en el que consten todos los préstamos que les sean comunicados, con asignación de un número para cada uno de ellos. Las entidades informantes también llevan un registro de los préstamos en los que intervengan, asignándole a cada operación un número que puede coincidir con el asignado por el órgano receptor al liquidar la operación. 10070
En este registro, las **entidades informantes** deben hacer constar la información que especifique la CNMV, que se extiende, al menos, a los siguientes conceptos:
a) Identificación de las partes del préstamo.
b) Fecha de perfección y de cancelación o vencimiento de la operación.
c) Identificación y número de los valores objeto del préstamo.
d) Remuneración del prestamista, incluyendo las eventuales compensaciones económicas por los derechos económicos inherentes a los valores.
e) Garantías, en su caso, otorgadas.
f) Intereses y comisiones pactados.

Precisiones Hasta el momento la CNMV no ha desarrollado el contenido de esta obligación.

Duración del préstamo El contrato se configura temporalmente limitado, no pudiendo establecerse un **plazo de vencimiento** superior al año. 10072

10074 **Garantías de su cumplimiento** Se requiere que los prestatarios constituyan aquellas garantías que determine la CNMV, quedando **exceptuados** del cumplimiento de esta obligación los préstamos de valores resultantes de operaciones de política monetaria y los que se hagan con ocasión de una oferta pública de venta.
En cuanto a las garantías, les es aplicable el régimen de **prendas de valores** establecido en el nº 3761 s. y, si estuviese dentro de su ámbito, podría constituirse alguna de las garantías financieras mencionadas en el RDL 5/2005.

10076 **Régimen tributario** (L 62/2003 disp.adic.18ª) Se establece un régimen fiscal específico y favorable exclusivamente para los préstamos de valores regulados en el nº 10060 s. y para aquellos préstamos que tengan por objeto valores admitidos a negociación en determinadas bolsas de valores, mercados y sistemas organizados de negociación radicados en Estados miembros de la OCDE y que reúnan las siguientes **condiciones**:
1. Que la **cancelación** del préstamo se efectúe mediante devolución de otros tantos valores homogéneos a los prestados.
2. Que se establezca una **remuneración** dineraria a favor del prestamista y que, en todo caso, se convenga la entrega al prestamista de los importes dinerarios correspondientes a los derechos económicos o que por cualquier otro concepto se deriven de los valores prestados durante la vigencia del préstamo.
3. Que el **plazo de vencimiento** del préstamo no sea superior a un año.
4. Que el préstamo se realice o instrumente con la participación o mediación de una **entidad financiera establecida en España** y los pagos al prestamista se efectúen a través de dicha entidad.

Precisiones Estos efectos son equivalentes a la ausencia de traslación alguna del dominio de los valores objeto de préstamo.

b. Préstamo de valores en operaciones bursátiles con crédito al mercado

10080 El régimen de los préstamos de valores empleados en operaciones bursátiles con crédito al mercado ha sido objeto de estudio en el nº 9655.

c. Préstamo centralizado del depositario central de valores para el aseguramiento de la liquidación bursátil

(RD 814/2023 art.50; Rgto (UE) 909/2014)

10085 El préstamo de valores es un mecanismo para subsanar eventuales incumplimientos en la entrega de valores. Así, en caso de **insuficiencia de valores**, el depositario central de valores podrá articular un procedimiento de préstamo de valores, en calidad de agente, a disposición de la entidad de contrapartida central y de sus miembros, con objeto de que puedan cumplir con sus deberes de entrega de valores.
Sobre la **mejora de la liquidación** de valores en la Unión Europea y los depositarios centrales de valores, se reconoce para los depositarios centrales de valores la posibilidad de realizar servicios vinculados al servicio de liquidación, tales como la organización de un mecanismo de préstamo de valores, en calidad de agente, entre los participantes en un sistema de liquidación de valores (Rgto (UE) 909/2014 anexo sección 1.a).

Precisiones El **régimen tributario** de este tipo de préstamo de valores ha sido fijado por la DGT Resol 14-10-94 (que determinó que este préstamo, entre otras consideraciones, no genera alteraciones patrimoniales, IVA ni ITPAJD).

d. Otros préstamos

10090 Aparte de las modalidades de préstamos descritas en los nº 10060, nº 10080 y nº 10085, cabe aún otra categoría, por defecto, de préstamos que incorporaría cualesquiera otras modalidades de préstamos de valores, incluso sobre valores admitidos a cotización en un mercado regulado, con **finalidades distintas** de las que constituyen las propias de los hasta aquí mencionados y que se regularían por el CCom art.312 y, en general por las normas de derecho privado.

SECCIÓN 10

Mercado de futuros y opciones

Las opciones y futuros son productos financieros que en España están actualmente configurados como **mercado regulado** (MEFF Exchange -Renta Fija y Renta Variable-) (LMV art.42). 10097
En el mercado de derivados pueden negociarse contratos de futuros. opciones y otros instrumentos financieros derivados, cualquiera que sea el activo subyacente (RD 814/2023 art.117), realidades financieras éstas que han recibido el calificativo de **instrumentos financieros** por parte de nuestro legislador (conforme a LMV art.2) por lo que, en consecuencia, además de quedar comprendidos en el ámbito de la LMV, les son de aplicación, con las adaptaciones previstas, las reglas previstas para los **valores negociables** (nº 9317).
En el presente estudio nos limitamos a analizar las **opciones y futuros de carácter financiero**, dejando a un lado los no financieros, si bien estructural, financiera y jurídicamente, las similitudes entre ambos son numerosas.

Precisiones **1)** La inclusión de estas figuras en el ámbito objetivo de la LMV (reforma operada por L 37/1998) se justifica con el ánimo de dar cabida a un elenco de **nuevas realidades financieras** (swap, fras y otros, además de los futuros y opciones) con presencia en nuestros mercados. Actualmente MEFF ofrece dos segmentos de negociación:
- Derivados Financieros (futuros y opciones sobre IBEX 35 y acciones individuales, futuros sobre índices de dividendos, futuros sobre dividendos sobre acciones y xRolling FX);
- Derivados de Energía (MIBEL).
2) MEFF, Sociedad Rectora de Productos Derivados (o **MEFF Exchange**), es el principal centro español de **negociación de opciones y futuros** y cuarto de Europa.
3) El Mercado de Futuros de **Aceite de Oliva** (cuyo Reglamento fue aprobado por la OM ECO/3519/2003) así como el FC&M S.R. de futuros y opciones sobre **cítricos**, S.A. (autorizada por Orden 14-7-95), han dejado de operar por su escasa liquidez.

Régimen normativo La creación de mercados regulados de futuros y opciones, así como los rasgos fundamentales de estos mercados encuentran previsión legal en la normativa sobre el mercado de valores (RD 814/2023 art.117). Además, resultan aplicables a estos mercados las normas generales reguladoras de los **mercados secundarios oficiales** (LMV art.57 a 67). 10099
Por otro lado, resultan también de aplicación la OM 8-7-1992 por la que se autoriza el mercado «MEFF, Sociedad Rectora de Productos Financieros Derivados de Renta Variable, S.A.U» con el carácter de mercado secundario y la OM 8-7-1992 (de igual fecha que la anterior) por la que se autoriza el mercado «MEFF, Sociedad Rectora de Productos Financieros Derivados de Renta Fija, S.A.U.»;

Precisiones Tienen especial importancia en estos mercados, el **reglamento** de cada uno de ellos, que ha de ser oficialmente aprobado y que tiene el carácter de norma de ordenación y disciplina del mercado de valores (RD 814/2023 art.89.g). La última versión del reglamento de MEFF es del 1-7-2021.

Función económica Las opciones y futuros se denominan **productos derivados** porque su valor deriva del valor de un bien (materias primas) o de un valor (acciones, obligaciones) o incluso de un dato de relevancia del mercado (futuros sobre tipos de interés o sobre índices bursátiles). 10101

Se utilizan para cubrir riesgos nacidos de operaciones ordinarias acometidas por inversores del mercado ordinario de valores al contado o bien de operaciones bancarias de financiación. En ese sentido, sirven como «**cobertura**» para determinados productos financieros cuyo precio oscila en el tiempo y cuya valoración futura resulta difícil. El **valor** de las opciones y futuros oscila de forma inversa a la del producto financiero cuyo valor queremos proteger, de manera que lo que se pierde como consecuencia de un movimiento a la baja del precio del producto financiero original, se recupera por la evolución del precio del producto derivado (Vera Santana).

Según la operativa comentada, procede la **compra** de futuros, si lo que se intenta es cubrir el riesgo de un futuro incremento de precio de los valores que se pretende comprar en el futuro. Por el contrario, conviene su **venta** si se intenta cubrir el riesgo de un futuro descenso en el precio de los valores que se pretende vender en el futuro.

Pero, además de dicha función de cobertura, cumplen otras dos funciones, a saber (Zunzunegui):

• Sirven a la **especulación**, en cuanto producen un altísimo grado de apalancamiento de los beneficios y también de las pérdidas.

• Son instrumento de **arbitraje** entre los distintos mercados, lo que implica un efecto amortiguador respecto de la posibilidad de oscilaciones profundas y repentinas en las cotizaciones.

10103 **Definiciones** Los contratos de futuros y opciones pueden definirse (siguiendo a Costa Ran y Font Vilalta) de la siguiente forma:

a) Un contrato de **futuros** es un acuerdo por el cual las partes intervinientes en el mismo se obligan a la compra o venta de uno o varios bienes o valores, a un precio y en una fecha futura (o bien durante un intervalo temporal que finalice en esa fecha), estipulados de antemano en el contrato.

b) Un contrato de **opción** es un acuerdo por el que una de las partes concede a la otra el derecho y no la obligación de comprar o vender al concedente (que sí tiene obligación de aceptar) uno o varios valores a un precio y en una fecha futura (o bien durante un intervalo temporal que finalice en esa fecha) estipulados de antemano en el contrato.

10105 Aceptadas las definiciones expuestas, en la realidad al negociar tiene lugar lo siguiente:

• En ocasiones, el comprador y el vendedor del contrato de futuro **negocian individualmente** los elementos objetivos del contrato (cosa, plazo y precio). Estas operaciones financieras, hechas a medida de las partes reciben, en terminología anglosajona, la denominación *over the counter* (OTC).

• No obstante, lo normal es que comprador y vendedor de futuros se acerquen al **mercado especializado**. En este caso, los elementos objetivos no son negociables, sino que están previamente estandarizados. Son este tipo de operaciones las que tratamos en esta sección.

10107 **Creación del mercado** (LMV art.43; RD 814/2023 art.89) La **solicitud de autorización** para la creación de un mercado regulado se debe dirigir a la CNMV y debe cumplir los siguientes **requisitos**:

• Designar un **organismo rector**, que tendrá la forma de sociedad anónima y cuyas funciones básicas serán la administración y gestión del mercado, así como la supervisión de su funcionamiento.

• Elaborar el **proyecto de estatutos** sociales del organismo rector.

• Elaborar un **programa de actividades** en el que se detallen la estructura organizativa del mercado, los instrumentos financieros susceptibles de ser negociados en el mismo y los servicios que pretende prestar el organismo rector.

• Que los miembros del **órgano de administración** del organismo rector y las personas que ejerzan su alta dirección tengan una reconocida honorabilidad y conocimientos, competencias y experiencia suficientes y dediquen un tiempo suficiente al desempeño de su cometido.

• Que los **accionistas** que vayan a tener una **participación significativa** en el organismo rector del mercado sean idóneos, de acuerdo con lo establecido en el RD 814/2023 art.103.5.

• Que el organismo rector disponga del **capital social mínimo** y de los recursos propios mínimos, atendiendo a la necesidad de asegurar su funcionamiento ordenado y teniendo en cuenta la naturaleza y el alcance de las operaciones que en él se realizan y el tipo y el grado de riesgo a que se expone.

• Elaborar un **proyecto de normas internas de funcionamiento** que contendrá como mínimo las reglas aplicables en materia de negociación de instrumentos financieros, emisores, miembros, régimen de garantías, clases de operaciones, negociación, reglas sobre compensación, liquidación y registro de transacciones, distribución de dividendos y otros eventos corporativos, supervisión y disciplina del mercado y medidas de carácter organizativo relativas, entre otras materias, a los conflictos de interés y a la gestión de riesgos. Asimismo, deberá preverse la consulta a los emisores de instrumentos financieros admitidos a negociación en el mercado y a los miembros del mercado cuando se proponga una modificación sustancial de sus normas internas de funcionamiento.

• Disponer de **normas y procedimientos de negociación** transparentes y no discrecionales que aseguren una negociación justa y ordenada y fijen criterios objetivos para una ejecución eficaz de las órdenes.

El **plazo** para resolver el procedimiento de autorización es de seis meses. En ausencia de resolución expresa en dicho plazo, la solicitud se entiende desestimada (LMV art.43).

Sociedad rectora (LMV art.44 y 58) En cada mercado debe existir una sociedad rectora que no podrá ejecutar órdenes de clientes por cuenta propia o recurrir a la interposición de cuenta propia, con o sin riesgo, en ninguno de los mercados regulados que opere. Los organismos rectores de los mercados regulados realizan las **funciones** relacionadas con la organización, gestión y supervisión del funcionamiento del mercado regulado bajo la supervisión de la CNMV. **10109**

Por otra parte, deben velar por el cumplimiento de los siguientes **requisitos de organización** (LMV art.45):

• Garantizar una adecuada **gestión de riesgos**, una **negociación justa y ordenada** que permita el funcionamiento ordenado, eficiente y puntual de sus operaciones.

• Implantar los procedimientos y mecanismos para la adecuada **gestión de los aspectos técnicos**, incluidos procedimientos de contingencia eficaces para hacer frente a posibles perturbaciones de los sistemas, y aquellos que aseguren la resistencia y continuidad de sus sistemas de negociación, así como una capacidad suficiente para tramitar órdenes en condiciones de tensión o máxima actividad, rechazando aquellas que sean manifiestamente erróneas.

• Para garantizar el adecuado **funcionamiento de sus sistemas**, los centros de negociación dispondrán de acuerdos y planes de creación de mercado con las empresas de servicios de inversión, y controlarán y garantizarán que estas los cumplen.

• Implantar sistemas, procedimientos y mecanismos que permitan prevenir y gestionar de manera adecuada las **anomalías** que generen, en su caso, los **sistemas de negociación algorítmicos** y velar por el debido cumplimiento de los miembros o participantes en dicho centro de negociación. Entre dichos sistemas, procedimientos y mecanismos se encuentran la realización de pruebas adecuadas de algoritmos, la limitación de la proporción de órdenes no ejecutadas, la ralentización del flujo de órdenes y la restricción del valor mínimo de variación del precio.

• Implantar sistemas y procedimientos que aseguren la adecuada gestión de los **conflictos de interés** y las normas relativas al **acceso electrónico** directo.

Por otra parte, los organismos rectores **no pueden** ejecutar órdenes de clientes por cuenta propia o recurrir a la interposición de cuenta propia, con o sin riesgo, en ninguno de los mercados regulados en los que operen. **10111**

Asimismo, debe contar con un **consejo de administración** de no menos de cinco miembros y con, al menos, un director general.

Operadores (RD 814/2023 art.106) Son los **miembros del mercado**. Pueden serlo: **10113**

• Las **empresas de servicios de inversión** que estén autorizadas para ejecutar órdenes de clientes o para negociar por cuenta propia.

• Las **entidades de crédito** españolas.

• Las empresas de servicios de inversión y entidades de crédito autorizadas en un Estado comunitario, con ciertos requisitos (**pasaporte financiero comunitario**).

• Las empresas de servicios de inversión y entidades de crédito autorizadas en un **Estado no comunitario** siempre que su acceso al mercado no haya sido condicionado o denegado por el ministro de Economía en función de la reciprocidad existente con ese Estado.

• La **Administración General del Estado**, actuando a través de la Secretaría General del Tesoro y Financiación Internacional, la Tesorería General de la Seguridad Social y el Banco de España.

• Aquellas **otras personas** que, a juicio del organismo rector:

- sean idóneas;
- posean un nivel suficiente de aptitud y competencia en materia de negociación;
- tengan establecidas, en su caso, medidas de organización adecuadas; y
- dispongan de recursos suficientes para la función que han de cumplir, teniendo en cuenta los diversos mecanismos financieros que el mercado regulado puede haber establecido para garantizar la correcta liquidación de las operaciones.

En el caso de **mercados con subyacente no financiero**, reglamentariamente se puede determinar la adquisición de dicha condición por otras entidades distintas de las anteriores, siempre que reúnan los requisitos de especialidad, profesionalidad y solvencia.

10115 Los miembros del mercado quedan sujetos al régimen de **supervisión, inspección y sanción** de la LMV (LMV art.232).
La CNMV puede establecer normas de obligado cumplimiento por los miembros del mercado en sus relaciones con sus clientes, en lo referente a la **documentación** que debe acompañar la formalización de las órdenes de compra o venta y el registro de las mismas.
Puede establecerse una **clasificación** de los miembros del mercado, atendiendo a los siguientes criterios:
• Según actúen solo por cuenta ajena, solo por cuenta propia, o de ambos modos.
• Según participen o no en la actividad de liquidación de los contratos.
• Según sean o no creadores de mercado, esto es, haciendo o no contrapartida a las órdenes de compra o venta de futuros u opciones recibidas.

10117 **Clientes** Pueden ser clientes, es decir, parte de un contrato negociado, quienes determine el Reglamento del mercado, y en los términos que éste establezca. Los que lo decidan quedan protegidos por las normas de **transparencia, ordenación y supervisión** del mercado.
No obstante, la realidad demuestra que solamente acuden a estos mercados **inversores verdaderamente especializados**, debido al alto riesgo desprendido de las operaciones. Asimismo, también demuestra que el horizonte temporal preferido por estos inversores es el **corto plazo**, pues recordemos que su posición financiera suele ser especulativa.
Para poder ser especulador en el mercado de futuros es necesario, en efecto, que exista una **contraparte con riesgo opuesto**. Esto quiere decir:
• Que solamente se puede **comprar un futuro** (tomar posición jurídica de comprador de un contrato de futuro) si hay algún especulador interesado en vender su anterior posición compradora.
• Que, a la inversa, solamente se puede **vender un futuro** (tomar posición jurídica de vendedor de un contrato de futuro) si hay algún especulador interesado en ceder su anterior posición vendedora.
Jurídicamente quien entra en el mercado (o «toma posición») es el cesionario, no de un derecho o de una obligación, sino de una **íntegra posición contractual**. Por eso, es necesario que encuentre algún cedente de la misma que le haga contrapartida, el cual «sale» del mercado («cede posición»).
En este sentido, se admite que los miembros del mercado «**den contrapartida**», lo que quiere decir que pueden constituirse en contraparte del cliente que desea comprar o vender futuros.

10119 **Contratos negociados** Hemos de distinguir entre futuros y opciones.
• Los **futuros financieros** son los contratos a plazo que tengan por objeto valores, préstamos o depósitos, índices u otros instrumentos de naturaleza financiera. Han de tener normalizados su importe nominal, objeto y fecha de vencimiento, y deben negociarse y transmitirse en un mercado organizado cuya sociedad rectora los registre, compense y liquide, actuando como compradora ante el miembro vendedor y como vendedora ante el miembro comprador.
• Las **opciones financieras** son los contratos a plazo que tengan por objeto valores, préstamos o depósitos, índices, futuros u otros instrumentos financieros. Han de tener normalizados su importe nominal, objeto y precio de ejercicio, así como su fecha, única o límite, de ejecución. En ellos, la decisión de ejecutar o no el contrato es un derecho de una de las partes, adquirido mediante el pago a la otra de una prima acordada. Como en el caso anterior, han de negociarse y transmitirse en un mercado organizado cuya sociedad rectora los registre, compense y liquide, actuando como compradora ante el miembro vendedor y como vendedora ante el miembro comprador.
Los **rasgos principales** de estas operaciones son los siguientes:
- se trata de contratos (nº 10121);
- son normalizados (nº 10123);
- se representan por anotaciones en cuenta (nº 10129).

10121 **Naturaleza contractual** Es muy escasa la reflexión doctrinal acerca de la naturaleza jurídica de los futuros y las opciones.
a) Los **futuros** han sido calificados como contrato a plazo (Madrid Parra), difícilmente encasillables como compraventa (Cachón Blanco). Entendemos, pues, que:
• Con la **toma de posición** el día inicial en la vida del contrato, hay una verdadera promesa de comprar y vender (nº 230). En la hipótesis de que el promitente comprador y el promitente vendedor no cedieran su posición a lo largo de la vida del contrato (p.e., un año), en la fecha de

vencimiento: el comprador estaría obligado a comprar el activo subyacente y el vendedor estaría obligado a vendérselo. Pero lo normal es que tal hipótesis no se cumpla, sino que el primer comprador deshaga su posición antes del vencimiento, y que quien se la adquiera la vuelva a deshacer en otro momento.
• Durante la **vida del futuro**, cada vez que un cliente deshace posición encontrando a otro que la toma, se perfecciona un negocio jurídico de cesión de contrato (nº 318 y nº 1660).
b) Respecto de las **opciones,** presentan menos dificultades a la hora de discutir su naturaleza jurídica, pues el contrato de opción tiene perfiles propios (nº 234 y nº 925), aunque no está plenamente regulado en nuestro ordenamiento jurídico.

Normalización Estos contratos están estandarizados en cuanto al **vencimiento**, al **activo subyacente**, al **clausulado**, a las **garantías** y demás extremos principales o accesorios. Lo único que varía es la cotización del subyacente, cuya variación produce la oscilación diaria en el valor de las posiciones tomadas. Lo único que puede hacer cada parte contratante es ofrecer o aceptar un **precio** (Madrid Parra). **10123**
En principio, corresponde a la CNMV, a solicitud de sus sociedades rectoras, aprobar las **condiciones generales** de los contratos que hayan de ser objeto de negociación, registro, compensación, liquidación y contrapartida en cada uno de los mercados, así como sus modificaciones. La CNMV puede **suspender la negociación o el registro de un contrato** cuando concurran circunstancias especiales que puedan perturbar el normal desarrollo de las operaciones en el mercado o aconsejen dicha medida en aras de la protección de los inversores. También la sociedad rectora puede suspender la negociación o el registro de uno o varios contratos, o la actuación en el mercado de uno o varios de sus miembros, bajo ciertos supuestos, informando a la CNMV. En ambos casos, la suspensión quedará levantada en un plazo máximo de 10 días hábiles, salvo que fuera expresamente ratificada por subsistir las causas que hubieran originado la suspensión.

Las características de cada contrato de futuro negociado de MEFF Exchange se encuentran recogidas en las condiciones generales, que forman parte de la normativa del mercado respectivo, en desarrollo de cada Reglamento. En cada condición general se definen: **10125**
• Las **especificaciones técnicas**. Fundamentalmente, el activo subyacente de cada contrato, multiplicador, nominal del contrato, vencimientos, fecha de vencimiento y de liquidación del contrato, fluctuaciones permitidas, liquidación diaria de pérdidas y ganancias, liquidación de las comisiones, garantías exigibles y precio de liquidación diario.
• **Horario** de negociación.
• **Forma** de liquidación a vencimiento de los contratos (generalmente por diferencias y en efectivo).
• **Precio** de liquidación al vencimiento (incluyéndose la fórmula para su cálculo y los supuestos de interrupción del mercado.
• El **cálculo de garantías exigibles** y método de constitución.
• **Liquidación diaria de pérdidas y ganancias** (cada día, antes del cálculo de garantías se realiza el cálculo de liquidación diaria de pérdidas y ganancias correspondiente a la posición de contratos para cada vencimiento que es igual al importe neto de contratos compensados, contratos vencidos y contratos vencidos y compensados en el día del cálculo).
• **Difusión de información**. Forma de difusión de las transacciones efectuadas, con el contenido de precios y volúmenes.
En la actualidad se encuentran **en vigor** condiciones generales relativas a:
a) Futuros sobre los índices.
b) Opciones sobre índices.
c) Opciones sobre acciones.
d) Futuros sobre acciones.
e) Futuros sobre dividendos de acciones.
f) Futuros sobre el bono nocional a 10 años.
g) Futuros FX Rolling spot (tipo de cambio de un par de Divisas).
h) Futuros Rolling spot sobre acciones.
i) Contratos de Futuros y Swaps sobre electricidad MIBEL.
Las condiciones generales c) y d), por tener **acciones** por **subyacentes** se ocupan adicionalmente de regular y definir aspectos como:
• Ajustes por operaciones de capital.
• Límites a las posiciones.
• Incidencias en la cotización del activo subyacente.
• Precio de referencia (precio de las entregas).

10127 Las **condiciones generales de los contratos** han de redactarse con claridad y precisión, al menos, los siguientes extremos:
- descripción del tipo de **subyacente** de los contratos;
- **categoría o grupo** de contratos al que pertenece, en su caso;
- **importe** nominal;
- **funciones** que la sociedad rectora llevará a cabo en relación con los contratos;
- forma de **cotización**;
- modo de **determinación de los vencimientos** de contratos admitidos a efectos de negociación y contrapartida;
- determinación del **formato del precio** para los contratos que se registren solo a efectos de contrapartida;
- **miembros** con acceso a la negociación o al registro a efectos de contrapartida;
- criterios para la introducción de **nuevas series**, en el caso de las opciones;
- reglas de determinación, si procede, de las **garantías** exigibles; y
- reglas de **liquidación al vencimiento**, con indicación, en su caso, de la forma de determinación de los valores entregables.

10129 **Anotación en cuenta** Los contratos de futuros y opciones se representan exclusivamente a través de anotaciones en cuenta en los registros contables de la sociedad rectora o mediante sistemas basados en tecnología de registros distribuidos. A este respecto resultan de aplicación las normas generales en la materia (LMV art.6 a 15; RD 814/2023 título I capítulo I).

10131 **Precio de negociación** El precio de la negociación es libre. Lo fija el propio mercado según las leyes de la oferta y la demanda.
Distinto del precio del contrato de futuro u opción es la **retribución** cobrada por los operadores del mercado, que también es libre.

10133 **Normas internas de funcionamiento del mercado** (LMV art.57; RD 814/2023 art.89) Todo mercado regulado debe elaborar para su autorización un **proyecto de normas internas** de mercado que **contenga** como mínimo las reglas aplicables en materia de negociación de instrumentos financieros, emisores, miembros, régimen de garantías, clases de operaciones, negociación, reglas sobre compensación, liquidación y registro de transacciones, distribución de dividendos y otros eventos corporativos, supervisión y disciplina del mercado y medidas de carácter organizativo relativas, entre otras materias, a los conflictos de interés y a la gestión de riesgos. Asimismo, debe preverse la consulta a los emisores de instrumentos financieros admitidos a negociación en el mercado y a los miembros del mercado cuando se proponga una modificación sustancial de sus normas internas de funcionamiento.
El proyecto de normas internas de funcionamiento debe ser propuesto por la CNMV en el expediente presentado al ministro de Economía, **solicitando** la **autorización** para crear el mercado. Autorizada la creación, quedan autorizadas las normas internas de funcionamiento.
Para que el proyecto se convierta en definitivo, ha de contener las **menciones** que se exponen a continuación.
a) En lo que se refiere a **miembros del mercado**:
- clases de miembros;
- condiciones de acceso a la condición de miembro, en sus diversas categorías;
- contenido mínimo de los documentos contractuales que las diferentes clases de miembros deben suscribir con la sociedad rectora;
- funciones, obligaciones y derechos de las diferentes clases de miembros con la sociedad rectora y, en su caso, entre los propios miembros del mercado.
b) Con relación a los **clientes**:
- derechos y obligaciones frente a la sociedad rectora y a las diferentes clases de miembros;
- contenido mínimo de los documentos contractuales que deben suscribir con los miembros del mercado;
- procedimiento para la presentación y tramitación de las reclamaciones de clientes.
c) En cuanto a **negociación**:
- case de órdenes y registro de transacciones;
- forma de establecimiento de los horarios de negociación;
- resolución de incidencias; y
- supuestos de interrupción de la contratación.
d) En cuanto al **registro**:
- sistema de registro;
- normas generales del registro;
- en su caso, régimen aplicable al registro central y al registro de detalle;

- requisitos y funciones de los miembros autorizados para llevar el registro de detalle correspondiente a los contratos de sus clientes;
- tipos de cuentas.

e) En lo relativo a **liquidación**: 10135
- criterios generales de la liquidación;
- procedimiento de liquidación de los contratos.

f) En cuanto a **contrapartida central**:
- criterios generales de la función de contrapartida incluyendo, en su caso, lo relativo a la responsabilidad de la cámara de contrapartida central.

g) En cuanto a **garantías**:
- régimen general de determinación;
- método de constitución de las garantías exigibles a los miembros y a sus clientes;
- criterios de remuneración de las garantías constituidas;
- potestad de la sociedad rectora para establecer límites a las posiciones abiertas de miembros y clientes;
- criterios para la aplicación de las garantías.

h) En lo referente a **disciplina**:
- medidas que, sin perjuicio de lo previsto en el régimen de incumplimientos, pueda adoptar la sociedad rectora para garantizar el adecuado desarrollo de la negociación, compensación, liquidación, registro y contrapartida y el estricto cumplimiento de sus obligaciones por los participantes en el mercado;
- régimen aplicable en caso de incumplimientos de los miembros y clientes;
- funciones de supervisión de la sociedad rectora.

i) Finalmente, en relación con los **contratos**:
- han de figurar como anexos las condiciones generales de los contratos aprobados, anexo que surte los efectos de la escritura pública necesaria para la representación mediante anotación en cuenta (LMV art.7);
- pueden establecerse, también como anexo, diferentes categorías o grupos de contratos, entendiendo por tales, las clases de contratos consideradas conjuntamente a los efectos de la normativa y del régimen de garantías aplicables a los mismos.

La **modificación de las normas internas de funcionamiento** del mercado requerirá la previa aprobación de la CNMV. Se debe ajustar al mismo procedimiento establecido para su autorización, salvo que las modificaciones deriven del cumplimiento de normas legales o reglamentarias, o de resoluciones judiciales o administrativas. También se excepcionan de dicho procedimiento aquellas modificaciones respecto de las cuales la CNMV, en contestación a consulta previa, haya considerado innecesario, por su escasa relevancia, el trámite de autorización.

Precisiones Se han modificado el Reglamento de MEFF Sociedad Rectora de productos Financieros de Renta Variable, S.A.U., para la creación de la figura de **miembro negociador por cuenta propia** (OM ECO/3658/2003).

Sistema de liquidación diaria La liquidación diaria está basada en las siguientes piezas: 10137
- cámara de compensación;
- sistema de cálculo diario de pérdidas o ganancias;
- sistema de actualización diaria de garantías.

Cámara de compensación Desarrolla una **doble función** (Vera Santana): 10139
• Por un lado, elimina el riesgo de contraparte, es decir, la posibilidad de que un pretendido inversor no encuentre a un desinversor que desee deshacer su posición vendiendo su contrato.
• Por otro, facilita la liquidación de posiciones con anterioridad al vencimiento del contrato.

En España es la sociedad rectora quien realiza las funciones de compensación.

Sistema de cálculo diario de pérdidas o ganancias Consiste en que, al final del día (todos 10141 los días en que hay sesión), se calcula el **precio de cierre**. Con ese precio de cierre, la sociedad rectora (cámara de compensación) calcula el **valor de todas las posiciones** (compradoras y vendedoras) que están vivas en el mercado (esto es, las que no han vencido).

La diferencia entre el valor al cierre y el valor al cierre de la sesión anterior es la **ganancia o pérdida diaria** de cada una de las posiciones. Como cada posición pertenece a un inversor, ocurre que:
• El inversor/especulador que **compró un futuro** (es decir, que tomó posición compradora), obtiene ganancia si el valor de cierre es superior al valor de cierre del día anterior. Y a la inversa, pierde si descendió ese valor.
• El inversor/especulador que **vendió un futuro** (es decir, que tomó posición vendedora), obtiene ganancia si el valor de cierre es inferior al valor de cierre del día anterior. Y a la inversa, pierde si aumentó ese valor.

Esta técnica se denomina de **liquidación por diferencias**.
Pueden negociarse:
a) Contratos cuyo cumplimiento exija la **entrega efectiva**, al precio convenido, del valor o instrumento financiero a que se refieran o de otro que resulte financieramente equivalente, de acuerdo con lo en ellos previsto.
b) Contratos cuya **liquidación se efectúe por diferencias**, abonándose por la parte obligada el importe que resulte de la diferencia entre el precio inicialmente convenido y el precio de liquidación, determinado de acuerdo con lo previsto en sus propias condiciones generales.

10143 **Sistema de actualización diaria de garantías** Es un mecanismo contractual que obliga a quien toma posición en el mercado de futuros a:
a) Depositar una **garantía de numerario** en el momento de tomar posición, para asegurar el cumplimiento de su obligación en el futuro (esto es de comprar a un precio o de vender a un precio). La cuantía de dicha garantía la decide la sociedad rectora y suele ser una proporción del valor del contrato.
La **sociedad rectora**, de acuerdo con las normas que fije el reglamento del mercado, debe exigir a los **miembros y participantes** del mercado, según su categoría y las posiciones abiertas que tengan contraídas, la constitución y mantenimiento de las garantías exigibles a sus clientes y, en su caso, a los miembros negociadores que liquiden a través de ellos, y a los clientes de éstos.
La sociedad rectora debe velar igualmente porque los miembros, según corresponda a su categoría, requieran, a su vez, la constitución y mantenimiento de las garantías exigibles a sus **clientes** y, en su caso, a los **miembros negociadores** que liquiden a través de ellos, y a los clientes de éstos, de acuerdo con las normas que fije el reglamento del mercado.
b) Aceptar los **cargos o abonos** que, respecto de la misma se practican diariamente tras cerrar el mercado y calcular las pérdidas o las ganancias. Así, la cámara de compensación debe:
- si hubo ganancia, practicar un abono en la cuenta del inversor; y
- si hubo pérdidas, practicar un cargo.

10145 El importe de las garantías debe ser **actualizado diariamente**, al cierre de la sesión, en función de la evolución de las cotizaciones. No puede, en efecto, iniciar la negociación en cada nueva sesión quien haya incumplido la obligación de constitución y mantenimiento de garantías actualizadas en el tiempo y plazo previstos en las normas internas de funcionamiento del mercado, sin perjuicio de otras medidas que pueda establecer al respecto las propias normas.
El **incumplimiento de la obligación** de la constitución o actualización de las garantías por un cliente o un miembro del mercado conduce al cierre de todas sus posiciones abiertas, mediante la compraventa en el mercado de todos los contratos que formen parte de la posición inadecuadamente cubierta, y a la aplicación de las garantías existentes a la cobertura de las posibles pérdidas registradas. Todo ello, sin perjuicio de las **reclamaciones adicionales** a que, en su caso, haya lugar por quebrantos no cubiertos y por la aplicación de las medidas previstas en el reglamento del mercado, en los supuestos de incumplimiento de esta obligación.
Por otra parte, las normas internas de funcionamiento del mercado puede establecer un régimen de **garantía colectiva**, obligatoria para todas o, en su caso, alguna categoría de miembros.

10147 Las **reglas de determinación y actualización** de las garantías han de tomar en cuenta:
- la naturaleza de las operaciones;
- la posición financiera resultante para quien deba constituirlas;
- la volatilidad natural y el margen máximo de fluctuación diario de las cotizaciones; y
- cualquier otra circunstancia que, a juicio de la sociedad rectora, pueda influir sobre el riesgo de eventuales incumplimientos o afectar a la evolución de los mercados en que se negocien los activos en los que se basen los respectivos futuros u opciones financieras.

La **materialización de las garantías** se formalizará y materializará en los términos previstos en las normas internas de funcionamiento del mercado a través de cualquier forma que, a juicio de la CNMV, suponga una garantía suficiente y líquida de cobertura de riesgos, o mediante aquélla que, con carácter general, se establezca por la CNMV mediante circular.
La sociedad rectora o el miembro del mercado que se encargue de la **gestión patrimonial de las garantías**, debe hacerlo en nombre y por cuenta de los titulares de las garantías con plena disponibilidad de las mismas por la sociedad rectora que debe aplicarlas a los fines para los que son constituidas. La sociedad rectora, o miembro del mercado, ha de llevar el adecuado **control de la inversión** de los correspondientes fondos, utilizando al efecto cuentas separadas de las suyas propias. Debe además informar puntualmente de los correspondientes **movimientos**, para que tenga lugar su inmediata contabilización por parte de aquellos.

Clases de operaciones En términos genéricos, pueden señalarse los siguientes tipos de **futuros** financieros: 10149
- futuros sobre acciones;
- futuros sobre divisas;
- futuros sobre tipos de interés;
- futuros sobre índices bursátiles;
- futuros sobre bono nocional.

En los mismos términos genéricos, podemos diferenciar las siguientes categorías de **opciones**:

a) La **opción de compra** u opción call. El comprador de esta opción adquiere el derecho a comprar el activo subyacente, el día convenido, pagando el precio pactado, y previo pago de una prima. Busca prevenirse contra las alzas de un producto financiero. De no proceder al ejercicio final de la opción (porque el subyacente no subió de precio según lo apostado), su pérdida se limita a la prima desembolsada. El vendedor adquiere la obligación de vender el subyacente conforme a lo convenido (precio y día).

b) La **opción de venta** u opción put. El comprador de esta opción adquiere el derecho a vender el activo subyacente, el día convenido, cobrando el precio pactado y previo pago de una prima. Busca prevenirse contra las bajas de un producto financiero. De no proceder al ejercicio final de la opción (porque el subyacente no bajó de precio según lo apostado), su pérdida se limita a la prima desembolsada. Por su parte, el vendedor adquiere la obligación de comprar el subyacente conforme a lo convenido (precio y día).

Desde el punto de vista del **momento en que se puede ejercer la opción** se distingue entre (Moral Bello): 10151
- opción americana, si se puede ejercer en cualquier momento antes del día de vencimiento (ejercicio por intervalo);
- opción europea, si únicamente puede ejecutarse en el día señalado; no antes, ni después (ejercicio por fecha).

Clases de órdenes Las órdenes pueden ser (Vera Santana): 10153
- **Simples**. No están sometidas a ningún condicionamiento y pueden ejecutarse total o parcialmente dependiendo de la situación del mercado en el momento en que se introducen en él.
- **Combinadas**. Se refieren a más de una serie de contratos y su ejecución está condicionada a la ejecución total y simultánea de todas las órdenes que se han encargado.
- De «**todo o nada**». La orden solo se ejecuta si se cumplen exacta y precisamente todos los elementos objetivos del encargo.

SECCIÓN 11

Mercado de Deuda Pública en Anotaciones

10160

El Mercado de Deuda Pública en Anotaciones **es** un mercado regido en un principio por el Banco de España y que ahora se integra en la plataforma SENAF. En él **se negocian** instrumentos financieros de renta fija emitidos por entidades territoriales estatales, regionales o locales, instituciones financieras públicas y cualesquiera otras instituciones públicas nacionales e internacionales, de análoga naturaleza a las anteriores, y a las que las disposiciones legales en vigor a la fecha de emisión de valores les otorgue un tratamiento similar (SENAF Reglamento 31-05-18 art.12). 10162

En cuanto al mercado secundario, el **mercado de referencia** de estos valores es el Sistema Electrónico de Negociación de Activos Financieros (SENAF), plataforma electrónica de negociación mayorista de BME para deuda pública española, cuyo funcionamiento está supervisado por la sociedad rectora del Mercado AIAF de Renta Fija. Por otra parte, todos los inversores minoristas pueden operar en Deuda pública a través de la plataforma SEND, cuyo funcionamiento es similar al de la Bolsa.

10164 **Régimen normativo** Le serán aplicables las disposiciones relativas a los **sistemas multilaterales de negociación** recogidas en la LMV, y en sus disposiciones de desarrollo. **Adicionalmente**, le serán de aplicación:

- El Reglamento de del mercado de **renta fija AIAF** y circulares de desarrollo.
- El **Reglamento de SENAF**, las Circulares y decisiones aprobadas por los órganos de gobierno competentes.
- La L 46/1998 sobre **Introducción del Euro** (LIE), que ha regulado el procedimiento de redenominación de la Deuda del Estado y el cambio de unidad de cuenta de su mercado; y el desarrollo reglamentario operado por RD 2813/1998.
- El RD 505/1987 por el que se dispone la **creación de un sistema de anotaciones en cuenta** para la deuda del estado, desarrollado por OM 19-5-1987.
- El RD 139/1990 sobre **composición y funcionamiento** de la Comisión Asesora del Mercado de Deuda Pública en Anotaciones.
- Intervención General de la Administración del Estado Resol 23-2-99 por la que se regulan las **implicaciones contables** de la introducción del euro en la Deuda del Estado.
- OM 16-1-1992, que reguló la creación de un sistema complementario de negociación de Deuda Pública anotada en Bolsas de Valores.
- OM 10-2-1999 y Resol 20-7-2012, que contienen la regulación actual de los **Creadores de Mercado de Deuda Pública del Reino de España**.
- La OM ECO/689/2003 que aprobó el **Reglamento de la Sociedad de Gestión de los Sistemas de Registro Compensación y Liquidación de Valores**, que también afecta a los valores admitidos y a los miembros (que estarán obligados a cumplir cuantas disposiciones y decisiones adopte la Sociedad de Sistemas en el marco de sus funciones) del Mercado de Deuda Pública en Anotaciones.
- La OM EHA/2054/2010, por la que se aprueba la modificación del **Reglamento de la Sociedad de Gestión de los Sistemas de Registro Compensación y Liquidación de Valores**.
- La BE Circ 2/2007, del Mercado de Deuda Pública en Anotaciones, que integra y sistematiza los aspectos relacionados con la negociación y contratación del Mercado de Deuda Pública en virtud de las funciones atribuidas al Banco de España. Asimismo, actualiza la operativa de los titulares de cuenta en lo que a las operaciones dobles se refiere, adaptando la normativa actual a las circunstancias de mercado.

10166 Precisiones El Mercado de Deuda Pública Anotada fue **inicialmente creado** por RD 505/1987, desarrollado por OM 19-5-1987. Posteriormente se consolida con la regulación de la LMV, que no deroga la OM 19-5-1987, confirmando su carácter de norma de desarrollo.

10168 **Autoridad supervisora** (Reglamento SENAF 31-05-2018 art.3 y 29) La autoridad supervisora u organismo rector de SENAF es BME renta fija SA, que está sujeta a la supervisión del Banco de España y la CNMV.

Las **operaciones** son **liquidadas y compensadas** a través del procedimiento establecido por la Sociedad de Gestión de los Sistemas de Registro, Compensación y Liquidación de Valores (Iberclear) y con la Cámara de Contrapartida Central (BME Clearing).

10170 **Operadores** (Reglamento SENAF 31-05-2018 art.8) Pueden adquirir la **condición de miembros** de SENAF las entidades de crédito y las empresas de servicios de inversión que cumpliendo lo dispuesto en la LMV y estando interesadas en adquirir la condición de Miembros, reúnan los requisitos previstos en este Reglamento y detallados en las Circulares del Sistema. En concreto, podrán ser Miembros del Sistema la Dirección General del Tesoro y Política Financiera, la Tesorería General de la Seguridad Social y el Banco de España. Asimismo, pueden ser miembros del sistema aquellas entidades que, a juicio del consejo de administración, cumplan las condiciones establecidas en la LMV y desempeñen especiales funciones que sean relevantes para el funcionamiento del Sistema. También podrán obtener la condición de Miembros del Sistema aquellas entidades que sin pertenecer a los tipos de intermediarios financieros previstos anteriormente se les atribuya por disposición legal la condición o la facultad de convertirse en Miembro.

Existen dos **categorías de miembros** del mercado: miembro mediador, que son los autorizados para mediar en el sistema, o miembro negociador, que son los autorizados para negociar en el Sistema.

En los términos que se fijen reglamentariamente, el Banco de España puede acordar cautelarmente la **suspensión o limitación de actividades** de los miembros del mercado y de las entidades gestoras, cuando por su actuación generen un peligro o causen un grave trastorno para el mercado, para los procedimientos de compensación y liquidación o, en los casos de entidades gestoras, para la seguridad jurídica de los valores anotados.

Como miembros de un mercado regulado, los operadores señalados están sometidos a las **normas de conducta** del mercado (LMV art.191 a 224), así como a las rígidas reglas de **disciplina** del mercado -supervisión, inspección y sanción- (LMV art.234 a 337: nº 9400).

Inversores Puede serlo cualquier **persona física o jurídica**, sin más especificaciones. 10172

Valores Los valores que se negocian en la plataforma de negociación SENAF son los valores de **deuda pública** emitidos por el Tesoro Público y el Banco de España representados mediante anotaciones en cuenta. 10174
Los valores admitidos a negociación en este mercado son **negociables en otros mercados regulados**, en los términos que reglamentariamente se fijen.

Operaciones (OM 19-5-1987 art.10) SENAF es un **mercado ciego**. La negociación es anónima, tanto a priori como a posteriori, lo que garantiza la confidencialidad de las actuaciones de sus miembros en el mercado. 10176
Se definen cuatro **tipos** de operaciones:
- operaciones de compraventa simple al contado;
- operaciones de compraventa simple a plazo;
- operaciones de compraventa con pacto de recompra a fecha fija;
- operaciones de compraventa con pacto de recompra a la vista.

Todas ellas se liquidan conforme a un **sistema de cuentas** gestionado por la Sociedad de Sistemas en la que quedan establecidas tres tipos de cuentas:
• **Cuentas individualizadas a nombre propio**, pertenecientes a titulares de cuenta. Pueden ser titulares de cuentas a nombre propio, además del Banco de España, los sistemas y organismos compensadores y liquidadores de los mercados secundarios oficiales y los sistemas de compensación interbancaria al objeto de gestionar el sistema de garantías, así como quienes cumplan los requisitos que al efecto se establezcan en el reglamento del mercado. Para ser titular se exige autorización previa por el ministro de Economía.
• **Cuentas globales**, pertenecientes a entidades gestoras, en las que se reflejan los saldos consolidados de deuda perteneciente al conjunto de los clientes de cada operador. Para desglosar estas cuentas globales, las entidades gestoras han de llevar el registro de los valores de quienes no sean titulares de cuentas a nombre propio en la Sociedad de Sistemas y mantener en ésta una cuenta global que constituya, en todo momento, la contrapartida exacta de aquellos.
• **Cuentas especiales**, abiertas, en su caso, al Banco Central Europeo, los bancos centrales nacionales de la Unión Europea, así como los depositarios centrales de valores con sede en la misma (régimen establecido por la OM 18-3-1999). Actualmente la Sociedad de Sistemas tiene abiertas cuentas, según este esquema, en los Depositarios Centrales de Valores de Alemania, Francia, Austria, Italia Portugal, Bélgica y Países Bajos. Asimismo, fuera de la UE, dispone de enlaces con los depositarios centrales de valores de Colombia, Argentina y Brasil.

SECCIÓN 12

Contrato de cuenta corriente del mercado de valores

10180

Partiendo de la diferencia entre **orden simple** y **orden compleja** del mercado de valores (nº 9414), puede distinguirse, al intentar encontrar una definición precisa, y considerando que el contrato de cuenta corriente del mercado de valores no suele aparecer en estado puro, sino 10182 que a su contenido básico se le suele añadir un conjunto de derechos y obligaciones propios de otras figuras contractuales, entre:

a) Un **núcleo negocial básico**. El puro contrato de cuenta corriente del mercado de valores se define como aquel por el cual un inversor, entregando al intermediario bursátil una inicial suma de dinero, le encarga la ejecución de las órdenes de compra futuras contra dicha suma y la anotación de las mismas como cargo/abono de la cuenta contable, así como, en su caso, la ejecución de órdenes de venta futuras contra el saldo de valores existente en cada momento y la anotación de las mismas como abono/cargo de la cuenta contable, todo lo cual es obligación del intermediario aceptante, a cambio de un precio convenido.

Una de sus especies es el contrato de cuenta corriente bursátil al que nos referimos en la presente sección. No obstante, las conclusiones son extrapolables a los contratos de cuenta corriente de los otros **mercados secundarios oficiales** (p.e. Mercado AIAF de Renta Fija o Mercado de Deuda Pública en Anotaciones).

b) Un **revestimiento negocial complejo adicional** que puede consistir en derechos y obligaciones de la más diversa índole (gestión de cartera, servicio de crédito al mercado, administración de los valores, etc.).

Es necesario diferenciar entre el puro contrato de cuenta corriente (el contrato-núcleo) y el simple instrumento contable de la cuenta. El primero es un negocio jurídico en el sentido técnico del término, productor por tanto de obligaciones (comprar, vender, y cargar-abonar). La **mera cuenta corriente** es un simple instrumento técnico-contable (debe-haber) necesario para el desenvolvimiento de la vida contractual en su aspecto económico. Si la cuenta corriente bancaria es el espejo de toda operación bancaria (Garrigues), lo mismo cabe decir de la cuenta corriente bursátil respecto de toda operación bursátil en que se producen múltiples adquisiciones y enajenaciones de valores. Así, ni el contrato de gestión de carteras (nº 10270 s.) ni el de custodia y administración de valores (nº 10210 s.) pueden subsistir sin el auxilio contable de la cuenta corriente.

Precisiones Por cuenta corriente del mercado de valores entendemos la estructura, **soporte o transcripción contable** correspondiente a las anotaciones practicadas por el intermediario del mercado de valores a virtud de las órdenes de compra y venta recibidas de su cliente-inversor, denominándose también cuenta corriente al contrato que liga a inversor e intermediario en orden a practicar las sucesivas anotaciones representativas de las operaciones descritas (Ibáñez Jiménez).

10184 **Naturaleza jurídica** Es discutida, como ocurre con todo **negocio de gestión de intereses ajenos**. La cuenta corriente bursátil se mantiene en el mundo jurídico por la existencia de la comisión, del arrendamiento de servicios, de la agencia, etc.

Se desecha la naturalización como especie del género de la cuenta corriente mercantil, pues si el dato esencial de ésta es la **mutua concesión de crédito**, no hay tal en el contrato de cuenta corriente bursátil. En este último el intermediario bursátil no financia a su cliente, que abonará las compras con recursos propios o bien con financiación ajena, normalmente bancaria (y ello salvo el especial supuesto del crédito a mercado (nº 9655, estudiado en la Sección 4).

Más bien parece aproximarse a la figura de la cuenta corriente bancaria (nº 8195) y, consecuentemente, naturalizarse como contrato sui generis que tiene aspectos propios de la comisión mercantil (nº 5580) en cuanto que el devenir del curso contractual se nutre de los encargos (órdenes bursátiles) del cliente.

10186 **Notas características** El contrato se caracteriza por las siguientes notas:

a) Es atípico. No aparece regulado en la LMV ni en el CCom, ni en el CC.

b) Es consensual. Se perfecciona por el mero acuerdo, sin que sea necesaria la entrega de cantidad alguna por el cliente bursátil. Ahora bien, sin previa provisión de fondos el intermediario no dará curso a las órdenes de compra.

Respecto de la **forma**, no requiere ninguna como requisito ad solemnitatem, si bien existen, como en todos los contratos bursátiles, reglas ordenancistas relativas a los contratos-tipo que se insertan dentro del cuerpo normativo llamado de la «disciplina del mercado».

c) Es bilateral: genera obligaciones para ambas partes.

d) Es oneroso: se pacta retribución a favor del intermediario bursátil.

e) Es normativo. Esto es, «define el marco de condiciones bajo el cual se han de desarrollar una serie de contratos posteriores y de contenido genérico y no concreto» (Cachón Blanco).

f) Es autónomo y aformal (Ibáñez Jiménez).

10188 **Normativa aplicable** Las fuentes son las propias de todo contrato atípico:

- la autonomía de la voluntad (con sus límites ordinarios), y
- las reglas generales de la contratación mercantil (CCom art.50 a 63 y, por la remisión del CCom art.50, las normas del CC).

Son colacionables, por su citada conexión con la **comisión bursátil** (nº 9405 s.), las normas reguladoras de ésta (CCom art.244 a 280 y, ex art.50; CC art.1709 a 1739).

Nada se dice del contrato en la LMV, que será de aplicación, no obstante, en materia de disposiciones generales reguladoras de cualquier relación negocial (y, fundamentalmente, en lo referente a la comisión bursátil).

Con carácter también especial, la LCGC, así como la L 46/1998, sobre introducción del euro.

En cuanto a los **reglamentos**, se destaca la aplicabilidad de las normas de conducta y actuación en los mercados de valores:

- LMV título VIII.
- RD 813/2023.

Sujetos intervinientes El **cliente** puede serlo cualquier persona física o jurídica. No hay especialidades respecto de las normas generales de capacidad (nº 110), que son de plena aplicación sobre todo en lo referente a la ejecución de órdenes vendedoras, puesto que tales encargos son actos de disposición. **10190**

Es importante destacar el problema de la **disponibilidad del saldo**, en caso de varios titulares de la cuenta, problema idéntico al de la disponibilidad del saldo de la cuenta corriente bancaria (nº 8195 s.). Si la disponibilidad no se ha pactado expresamente solidaria, ha de aplicarse la regla general de la mancomunidad (CC art.1137), pues no cabe otra solución en nuestro derecho positivo. En contra, Cachón Blanco, que soporta su afirmación de solidaridad en los principios generales del derecho mercantil y en el CC italiano art.1854.

En cuanto a la **otra parte contratante**, lo puede ser cualquier empresa de servicios de inversión y cualquier entidad de crédito con habilitación suficiente para ello (si bien debe remarcarse la ausencia de una mención específica del contrato de cuenta corriente del Mercado de Valores entre los servicios de inversión y servicios auxiliares mencionados en la (LMV art.125 y 126).

Objeto Son dos: **10192**

- el servicio prestado, y
- el precio. Respecto de este último nos remitimos a lo dicho en el contrato de comisión bursátil: hay **libertad de comisiones**. No es una libertad absoluta, sino limitada, tutelada y disciplinada.

El **servicio** es el de ejecución del encargo recibido: comprar/vender y cargar/abonar. Pero esto en el puro contrato de cuenta corriente o contrato-núcleo (siguiendo con la terminología inicialmente utilizada). A medida que ese núcleo se va enriqueciendo con «capas» de contenido contractual complejo se irá enriqueciendo el servicio objeto del contrato.

Precisiones En la **práctica** el puro contrato de cuenta corriente apenas existe. Lo ordinario es que quede superpuesto a otra u otras relaciones jurídicas tales como la custodia o administración de valores, el asesoramiento de mercado, la gestión libre de valores y numerario, la canalización de información bursátil, etc.

Elementos formales El contrato es consensual (nº 10186). Son, pues, de aplicación las reglas generales de prueba documental del Código de Comercio y del Código Civil (nº 195). **10194**

Respecto de la **recepción de órdenes** es de aplicación el conjunto normativo regulador de la firma electrónica (nº 11680 s.).

Con el aludido carácter de normas ordenancistas (cuya contravención no genera efectos en el orden de la validez contractual), son de aplicación las relativas a la necesidad de utilización de **contratos-tipo,** necesarios para las siguientes operaciones (OM EHA/1665/2010 art.5; CNMV Circ 7/2011):

a) Gestión de carteras (nº 10270 s.).

b) Custodia y administración de instrumentos financieros (nº 10210 s.). Si para la prestación de este servicio fuera necesaria la apertura de una cuenta de valores en la entidad, esta operación debe incluirse dentro del contrato-tipo de custodia y administración de instrumentos financieros.

Las entidades que prestan servicios de inversión deben proporcionar a los **clientes minoristas**, incluidos los potenciales, con antelación suficiente a la celebración del contrato de prestación de servicios de inversión o auxiliares, o a la propia prestación del servicio, cuando éste sea anterior a aquél:

- las condiciones del contrato;
- información sobre la empresa de servicios de inversión y sobre sus servicios destinados a clientes minoristas.

Obviamente, ha de estarse y pasar por lo dispuesto en la LCGC, así como también en la LGDCU, a la que, en materia de contenido de los contratos-tipo, se remite expresamente la OM EHA/1665/2010 art.6.
La **apertura de la cuenta corriente** del Mercado de Valores solo debe tener lugar, previa comprobación por el intermediario de la identidad personal y fiscal de los titulares o representantes a efectos de la comunicación que deben realizar las entidades a la Administración tributaria, en relación con las operaciones de emisión, suscripción y transmisión de valores en que hubieran intervenido (LMV art.339).

10196 **Obligaciones del cliente** Destacamos las siguientes como más habituales:
a) Pagar las comisiones concertadas.
b) Informar puntualmente al intermediario acerca de los extremos que interesen al desenvolvimiento contractual según lo pactado. Así: alteraciones en datos identificativos, o de estado civil, o de domicilio, etc.
c) Utilizar diligentemente los mecanismos de disponibilidad que se hayan convenido.
Las **obligaciones tributarias** a cargo del cliente no nacen en el contrato, sino en la Ley fiscal aplicable.

Precisiones Las empresas de servicios y actividades de inversión deben crear un **registro de contratos** que incluya los acuerdos en los que se establezca, por escrito y en papel o en cualquier otro soporte duradero, los derechos y obligaciones esenciales de la empresa y del cliente, así como las condiciones en las que la empresa de servicios y actividades de inversión prestará servicios al cliente. El contenido de dichos acuerdos deberá cumplir con lo dispuesto en el art.58 del Rgto Delegado (UE) 2017/565; LMV art.210 (Ver nº 10236 y 10259).

10198 **Obligaciones del intermediario bursátil** Del puro contrato de cuenta corriente bursátil nacen las siguientes (habitualmente, y siempre en función de lo pactado, pues recuérdese que nada dice la LMV o texto legal alguno):
a) Recibir las provisiones de fondos entregadas por el cliente, si se ajustan a lo pactado (cheques, transferencias, etc.).
b) Informar al cliente del estado de la cuenta, ello con el carácter periódico que se haya pactado (mensualmente, por regla general). Esta **información** (extractos) es singular por cuanto que no solamente se ha de informar acerca del estado contable de las posiciones de numerario (debe, haber y saldo), sino también sobre las de valores, información ésta que quedará desglosada aclarando la cantidad y la clase de cada tipo de valores.
c) Actuar diligentemente en la aceptación de órdenes de compra y de venta, así como en las solicitudes de disposición de numerario. En realidad, respecto de esta materia es criterio doctrinal y jurisprudencial aceptado el de exigir un deber objetivo de diligencia profesional.
Esta obligación se manifiesta en el deber exigible al intermediario de comprobar la **realidad y legitimidad de las firmas** bajo las que se produzcan esas órdenes, pues en caso contrario perjudicaría los intereses de su cliente.
d) Guardar **secreto profesional**, conforme a los principios y normas generalmente aplicables. En el cumplimiento de esta obligación el intermediario debe ajustarse a la LO 3/2018, de protección de datos de carácter personal.
e) Anotar las **remesas de valores** sobre los que se hubieran recibido órdenes conforme a los pactos o condiciones generales.
f) Cumplir con las **obligaciones** referentes a los **contratos conexos** con la cuenta corriente del Mercado de Valores por consecuencia de erigirse ésta en soporte contable de tales pactos contractuales. Así la cuenta corriente del Mercado de Valores como contrato nominativo, y soporte del contrato de custodia y administración de valores integrables en la cuenta, cabe que en virtud del contrato de cuenta corriente:
1. Se gestionen los valores en interés del cliente.
2. Se le notifiquen al cliente incidencias.
3. No se usen los valores en interés del intermediario/depositario.

10200 En la cuenta corriente bursátil no existe (habitualmente) ni **concesión de crédito** ni, consecuentemente, **deber de pagar intereses**.
El intermediario no concede crédito a su cliente. Esto significa que la cuenta no entra en descubierto contable. No es que lo contrario sea imposible o ilícito, sino que es poco habitual, pues el contrato intenta configurarse como autónomo de este tipo de prestación. Consecuentemente, no hay pago de intereses a cargo del cliente, ni, en la práctica, a cargo del intermediario. Por consiguiente, siendo posible y lícita la convención de tal tenor (cuya base sería el saldo potencial a favor del cliente), no es ni mucho menos ordinaria. Así ocurre porque la causa del

contrato es la inversión bursátil y la obtención de sus plusvalías, lo cual quiere decir que ni una parte ni la otra tienen interés en que existan saldos de dinero, pues para rentabilizar estos existen otras opciones en el mercado y otros sendos contratos.

Obligaciones configuradoras de la relación jurídica de la comisión Habida cuenta de la trascendencia interna de las órdenes bursátiles recibidas, la redacción contractual ha de ser especialmente atenta a esta figura. Esto es, siguiendo nuevamente a Cachón Blanco: 10202
• Criterios de validez de **órdenes verbales y telefónicas**.
• Subordinación de la ejecución de órdenes de compra a la existencia de provisión de fondos (saldo dinerario a favor del cliente).
• Criterios de **determinación de los mercados secundarios de valores** donde se haya de operar.
• Criterios de determinación del **tipo de operación** (o todas las que se deseen celebrar) deseada por el cliente (compraventas al contado, a plazo, con crédito a mercado, etc.).
• Criterios de **admisión de órdenes** y, en particular, de aquellas que pueden presentar dificultades de ejecución. Así, puede pactarse una prohibición de órdenes contrarias a los procedimientos vigentes de contratación, no vinculación del intermediario por ejecución de órdenes a cambios distintos del cambio medio, por ejecución de órdenes parciales, o por recepción de órdenes en momento inoportuno, como sucede en el caso de órdenes recibidas casi al cierre de la sesión.

Extinción del contrato

Las causas concretas de extinción del contrato dependen, en primer lugar, de lo pactado por las partes. Esta premisa se reúne con otra: como todos los contratos bursátiles, el de cuenta corriente está basado en la **buena fe** y **mutua confianza** entre los contratantes. 10204

Como causas de extinción, se enumeran las siguientes:

a) **Cumplimiento del término pactado**. Lo habitual es pactar duración ilimitada, sin perjuicio ello de que:
• El cliente puede revocar el consentimiento en cualquier momento sin más que anunciarlo con el suficiente preaviso. La revocación se funda en la regla general del CCom art.279 y CC art.1732.
• No así la empresa de servicios de inversión o entidad de crédito, que debe respetar el plazo salvo justa causa. En la hipótesis ordinaria de inexistencia de plazo, sí es lícita la resolución unilateral con el mismo preaviso.

b) **Mutuo acuerdo** entre las partes. Como ocurre, en realidad, con cualquier contrato.

c) **Inhabilitación, declaración de concurso o disolución del intermediario**. Respecto de la inhabilitación, hay que estar y pasar por las reglas de disciplina bursátil.

d) **Declaración de concurso del cliente**.

e) La **muerte** también determina la extinción del contrato (CCom art.280), salvo para la ejecución de las órdenes en curso, a las que se aplica el CCom art.279 (esto es, pueden revocarlas sus herederos).

f) **Resolución unilateral** bien por:
- el intermediario (CC art.1736 y 1737); o
- el inversor (solicitando el traspaso a otra entidad).

SECCIÓN 13

Contrato de custodia y administración de valores

10210

10212 Los depositarios de títulos, valores, efectos o documentos que devenguen **intereses**, quedan obligados:
- a realizar el **cobro** de éstos en el momento de sus vencimientos; así como
- a practicar los actos necesarios para que los efectos depositados conserven el valor y los derechos que les correspondan con arreglo a disposiciones legales (CCom art.308).

Este tipo contractual, denominado doctrinalmente **depósito administrado**, y actualmente conocido en el mercado como custodia y administración de valores, es una especialidad respecto a la ordinaria y simple obligación de custodia recayente en todo depositario. El depositario está obligado a conservar la cosa objeto del depósito según la recibe y a devolverla con sus aumentos, si los tiene, cuando el depositante se la pida (CCom art.306 y CC art.1766).

La obligación de custodia se constituye en el depósito desde que uno recibe la cosa ajena con la obligación de guardarla y de restituirla (CC art.1758).

En concordancia, la LMV art.126.a incluye, como servicio auxiliar de las empresas de servicios de inversión, la custodia y administración, por cuenta de cliente, de los instrumentos previstos en la LMV art.2, comprendiendo la **llevanza del registro contable** de los valores representados mediante anotaciones en cuenta.

Es pues un depósito cualificado que obliga al depositario, además de a la **custodia** (que en el caso de valores admitidos a negociación en algún mercado regulado es virtual, por deberse necesariamente representar éstos mediante anotaciones en cuenta) y a la **devolución de la cosa depositada** (los valores), a realizar las actividades necesarias para el ejercicio, en nombre y por cuenta del depositario, de los derechos económicos, y en su caso, políticos, inherentes a los valores depositados.

10214 Es posible aceptar la existencia de un género que es el depósito administrado del mercado de valores. Su especie más significativa es el **depósito bursátil administrado**, que únicamente tiene por objeto valores admitidos a negociación en las Bolsas de Valores. Este último es el contrato que vamos a analizar cuyas conclusiones son extrapolables a los depósitos administrados de cualquier otro mercado regulado (por ejemplo, AIAF Mercado de Renta Fija o el Mercado de Deuda Pública en Anotaciones).

En el **depósito administrado de valores representados por medio de títulos,** la entrega física es necesaria para que el depositario pueda legitimarse al momento del ejercicio de los derechos económicos.

En la **custodia**, la entidad custodia se obliga a la guarda y custodia de los instrumentos financieros depositados por el cliente en el marco del contrato suscrito, a tal efecto:
• En cuanto a los valores representados mediante **títulos físicos**, la custodia se realiza a través del depósito físico de los títulos, que serán custodiados en la cámara de valores de la entidad o de aquella tercera entidad con la que, en su caso, se haya subcontratado dicho servicio.
• En cuanto a los instrumentos representados por **anotaciones en cuenta**, la entidad promoverá su registro contable.

Pero los valores admitidos a negociación en bolsa no son tabulares. No existen como documento, sino que se representan mediante anotaciones en cuenta. Así pues, se inscriben, como tales, en el registro contable de valores de la entidad encargada correspondiente. En consecuencia, la tradicional entrega física (requisito de perfección del ordinario depósito mercantil, con arreglo al CCom art.305) ha de sustituirse por un título legitimador suficiente en derecho.

En relación con este título, los **derechos al cobro** de intereses, dividendos y cualesquiera otros de contenido económico se ejercitan a través de las entidades encargadas del registro contable, en cuyos registros estén inscritos los valores.
De aquí se desprende la desaparición, por inexistencia de objeto físico, de la **obligación de custodia**, esencial a todo depósito por virtud del CC art.1758.

Precisiones 1) En el sistema contractual español se admite la **conclusión de pactos** por los que los titulares de acciones en depósito deciden, mediante el concurso de voluntades sobre la cosa y causa del negocio, atribuir o distribuir libremente las acciones depositadas que les pertenecen, dentro de los términos de su poder de disposición, sin tener que someterse a las determinaciones testamentarias, que solo a ellas afectan, ni sujetarse a un principio de igualdad que ningún precepto legal impone (TS 22-12-00, EDJ 49752). 10216
2) La Sociedad de Sistemas y sus entidades participantes tienen atribuido el **depósito** de los valores admitidos a negociación en las Bolsas de Valores o en el Mercado de Deuda Pública en Anotaciones, mientras que los valores admitidos a negociación únicamente en las Bolsas de Barcelona, Bilbao o Valencia deberán quedar depositados en los **servicios locales de compensación y liquidación** de estas Bolsas y en el conjunto de entidades adheridas a cada servicio respectivo (LMV art.90 y 91). En adelante se hablará únicamente de la Sociedad de Sistemas y sus entidades participantes, pero lo dicho se entiende extrapolable a los servicios locales y sus entidades adheridas.

Naturaleza jurídica Es la de un depósito mercantil cualificado. 10218
Es un **depósito mercantil** por cumplir los tres requisitos de mercantilización (CCom art.303):
- que el depositario, al menos, sea comerciante;
- que las cosas depositadas sean objeto de comercio; y
- que el depósito constituya por sí una operación mercantil, o se haga como causa o a consecuencia de operaciones mercantiles.

Ésta es la tesis tradicional, si bien hay que matizar que, habida cuenta lo dicho respecto de la desaparición de la obligación de custodia y de la existencia de una verdadera obligación legal (no contractual) de administrar los valores, estamos o no ante un contrato de depósito e incluso si verdaderamente estamos en presencia de un verdadero contrato o si, simplemente, se trata de la **ejecución de una obligación** impuesta por el legislador a ciertos operadores del mercado (las entidades participantes en la Sociedad de Sistemas, encargadas de la llevanza de los registros contables de detalle).

Notas características El contrato se caracteriza por las siguientes notas: 10220
a) Es **bilateral**, pues origina obligaciones entre las partes (nº 10238 s.).
b) Es **oneroso**, pues el depositario es una empresa de servicios de inversión o una entidad de crédito, cuya naturaleza mercantil es incompatible con la celebración de contratos gratuitos.
c) Es de **tracto sucesivo**. Las prestaciones de las partes no se agotan en un solo acto.
d) Es, finalmente, un **depósito regular**. Esto es, el depositario no queda facultado para aplicar los valores depositados a usos propios ni para enajenarlos. El depositante conserva la propiedad de los valores, por lo que no hay que confundirlo con el **mutuo de valores**. Y, como hay precio, tampoco cabe hablar de **comodato de valores**. En definitiva, no se da ninguna de las circunstancias que permitirían desnaturalizar el contrato de conformidad con el CCom art.309 y sus concordantes CC art.1767 y 1768.
e) **Real** y **no formal** (Ibáñez Jiménez).

Normativa aplicable Las fuentes son las del contrato de depósito mercantil (CCom Tít IV del Libro II art.303 a 310, con aplicación supletoria, CCom art.50, de las normas civiles del depósito: CC art.1758 a 1789). 10222
El **carácter bursátil** del contrato reclama la presencia y aplicación de las leyes que venimos caracterizando como fuentes de los contratos bursátiles:
- LMV (L 6/2023).
- LCGC (L 7/1998).

En cuanto a los **reglamentos**, de nuevo destacaremos la aplicabilidad de las normas de conducta y actuación en los mercados de valores:
- RD 878/2015, sobre compensación, liquidación y registro de valores negociables representados mediante anotaciones en cuenta, sobre el régimen jurídico de los depositarios centrales de valores y de las entidades de contrapartida central y sobre requisitos de transparencia de los emisores de valores admitidos a negociación en un mercado regulado.
- RD 813/2023, sobre régimen jurídico de las empresas de servicios de inversión (en particular, el RD 813/2023art.145 sobre obligaciones en materia de costes y gastos asociados: nº 9295 s.).
- OM EHA/1665/2010, de desarrollo del RD 217/2008 art.71 y 76 (artículos eliminados tras la modificación del RD 217/2008 operada por el RD 1464/2018).
- CNMV Circ 7/2011, sobre folleto informativo de tarifas y contenido de los contratos tipo.

10224 **Intervinientes** Son el depositante y el depositario.
Ninguna especialidad destaca el estudio del **depositante** (inversor administrado), respecto del cual hay que remitirse al análisis contenido en el nº 4937 s. Queda protegido, como todo inversor en el mercado, por las leyes especiales de ordenación.
En cuanto al **depositario**, en lo que se refiere a valores admitidos a negociación en las bolsas españolas, ha de tratarse de una empresa de servicios de inversión o una entidad de crédito participante en sistema de registro, compensación y liquidación de valores bursátiles gestionado por la Sociedad de Sistemas. La actividad de custodia y administración por cuenta de clientes se contempla como un **servicio auxiliar** (LMV art.126.a), que puede ser prestado tanto por las sociedades como por las agencias de valores (LMV art.128.1.a y b). No así, sin embargo, las **sociedades gestoras de carteras y las empresas de asesoramiento financiero** (EAF), pues, en ambos casos, la LMV limita su competencia en materia de servicios auxiliares, únicamente a la actividad de asesoramiento a empresas sobre estructura de capital y a la elaboración de informes de inversiones y análisis financieros u otras formas de recomendación general relativa a las operaciones sobre instrumentos financieros (LMV art.128 1.c y d).

10226 **Objeto** Los elementos objetivos del contrato son:
- los valores negociables; y
- el precio cobrado por el depositario.

Respecto de los **valores negociables admitidos a negociación**, hay que observar que el depósito administrado a que se refiere el CCom art.308 lo es de valores de representación cartular. Sin embargo, hoy no se admite esa posibilidad, pues los valores admitidos a negociación en Bolsa han de representarse necesariamente mediante anotaciones en cuenta. Así que la **custodia** ha de ser, también, virtual.
En cuanto al **precio**, de nuevo destacamos la libertad de retribución propia del mercado, que en Bolsa es limitada, tutelada y disciplinada.

10228 **Elementos formales** El contrato es consensual. Son, pues, de aplicación las reglas generales de prueba documental del CCom y del CC (nº 195).
Reiteramos que, como normas ordenancistas (cuya contravención no genera efectos en el orden de la validez contractual), hay que estar a las reguladoras de **contratos tipo**. Tales formularios contractuales son necesarios para las operaciones mencionadas en el nº 10194, al cual nos remitimos a efectos de evitar duplicidades.

10230 **Contratos tipo** (CNMV Circ 7/2011 normas 7ª y 8ª) Los contratos tipo de administración y depósito deben contener las características esenciales de los contratos tipo y, en concreto, lo siguiente:
a) Las **partes** obligadas.
b) El conjunto de **obligaciones** a que se comprometan las partes.
c) La **información** que la entidad debe poner a disposición y remitir a los clientes, su periodicidad y forma de transmisión.
d) Cuando el servicio conlleve la recepción de **incentivos** a que se refiere el (RD 813/2023 art.120 s.), descripción del procedimiento para revelar al cliente su existencia, naturaleza y cuantía o, si no es posible, su forma de cálculo, con carácter previo, así como la forma en que el cliente puede solicitar información más detallada.
e) Los conceptos, periodicidad e importes de la **retribución**, cuando sean menores de los establecidos en el folleto informativo de tarifas. En caso contrario, se hará entrega del citado folleto y se conservará recibí del cliente de que le ha sido entregado. Además, se establece la obligación de informar previamente al cliente de la **modificación** al alza de las comisiones y **gastos** aplicables al servicio prestado y que se hubieran pactado previamente con el cliente.
f) Las cláusulas especificas con respecto a la **modificación y rescisión** por las partes.
g) Identificación del **sistema de garantía de depósitos o inversiones**, señalando aquél o aquéllos a que esté adherida la entidad y especificando la forma de obtener información adicional sobre el sistema.
h) El procedimiento para la **actualización de la información del cliente** sobre sus conocimientos, situación financiera y objetivos de inversión, a efectos de la mejor prestación del servicio por parte de la entidad, cuando proceda.

10232 Por otro lado, como **contenido específico**, además del indicado, han de recoger:
1. Identificación de la **cuenta** de valores y de la de efectivo en la que se efectuarán las liquidaciones correspondientes al servicio.
2. La forma y plazos en que la entidad pondrá a **disposición de los clientes** los instrumentos financieros depositados o anotados, así como en su caso, sus fondos y el procedimiento para que pueda traspasarlos cuando se rescinda el contrato.

3. Si la entidad delega en un tercero el **registro individualizado** de los valores e instrumentos financieros del cliente se deberá señalar esta posibilidad en el contrato, indicando expresamente que la entidad asumirá frente al cliente la responsabilidad de la custodia y administración.
4. Si por razones de práctica habitual o porque lo permite la normativa aplicable, los instrumentos financieros del cliente fueran a estar depositados en una **cuenta global en un tercero** ha de incluirse en el contrato tal posibilidad.
5. El compromiso de informar al cliente de la existencia y las condiciones de cualquier derecho de **garantía o gravamen** que la entidad tenga o pueda tener sobre los instrumentos financieros de los clientes, o de cualquier **derecho de compensación** que posea en relación con esos instrumentos.
6. El procedimiento para que el cliente sea informado previamente y se recabe su **consentimiento expreso** por escrito para que la entidad que custodia sus instrumentos financieros pueda utilizarlos tanto por cuenta propia como por cuenta de otro cliente o para establecer acuerdos para operaciones de financiación de valores sobre dichos instrumentos.
7. Detalle de las **principales actuaciones que conlleva la administración** de los instrumentos financieros custodiados por la entidad y de la forma de recabar sus **instrucciones** en aquellos casos que resulte necesario.

Publicidad (CNMV Circ 7/2011 norma 10ª) Las entidades deben poner a disposición del público los contratos tipo, en cualquier **soporte** duradero, en su domicilio social, en todas las sucursales y en el domicilio de sus agentes. También deben ponerlos en su **página web**, en sitio de fácil acceso. 10234

Registro de contratos (LMV art.210; RD 8103/2023 art.118) Las empresas de servicios y actividades de inversión deben crear un registro que incluya los **acuerdos** en los que se establezca, por escrito y en papel o en cualquier otro soporte duradero LMV art.210: 10236
- las **condiciones** en las que las empresas de servicios y actividades prestará servicios al cliente; y
- los **derechos y obligaciones** esenciales de la empresa y del cliente.

Los derechos y obligaciones de las partes pueden incluirse mediante una referencia a otros documentos o textos legales RD 813/2023 art.118.
El **contenido** de los **acuerdos** a los que hace referencia la LMV art.210 debe cumplir con lo dispuesto en el Rgto Delegado (UE) 2017/565 art.58, según el cual, además de establecer los derechos y obligaciones esenciales de las partes, debe incluir una **descripción de los servicios** que vayan prestarse y sus principales características.

Precisiones El art.58 Rgto Delegado (UE) 217/565 recoge lo que se establece en la Dir 2014/65/UE art.24.1 y 25.5 (**MiFID II**), señalando que las empresas de servicios de inversión que presten a un cliente el servicio de custodia y administración de instrumentos financieros por cuenta de clientes, deberán celebrar con dicho cliente un acuerdo básico por escrito, en papel o cualquier otro soporte duradero, que establezca los derechos y obligaciones esenciales de la empresa y del cliente.
El **acuerdo escrito** establecerá los derechos y obligaciones esenciales de las partes e incluirá una descripción de los servicios y de las principales características del servicio de custodia y administración de instrumentos financieros por cuenta de clientes, incluidas, en su caso, la función de la empresa con respecto a las actuaciones societarias relacionadas con los instrumentos de los clientes y las condiciones en que las operaciones de financiación de valores que impliquen valores de clientes generarán un rendimiento para el cliente.

Obligaciones del cliente-depositante

Se resumen en las siguientes: 10238
a) **Remuneración.** Queda el cliente depositante obligado a pagar los servicios prestados por la empresa de servicios de inversión (o la entidad de crédito), en régimen ordinario de libertad de precios. No es una libertad absoluta, sino limitada, tutelada y disciplinada.
Así, el cliente pagará a la entidad depositaria la retribución o retribuciones periódicas convenidas por los servicios de custodia y reembolsará a la entidad los importes de las operaciones ejecutadas como administradora de la cuenta. Adicionalmente, el cliente debe otorgar las garantías que exija la entidad para cubrir saldos por operaciones derivadas de la administración.
b) **Apoderamiento.** El cliente tiene que dotar al depositario-administrador de un título jurídico suficiente para que este último pueda legitimarse ante la sociedad emisora de los valores y obtener el cobro de los derechos económicos devengados a favor de los valores o bien permitirle ejercitar en su representación los derechos políticos inherentes a los valores (LSC art.186).
c) **Colaboración.** El cliente debe facilitar al depositario-administrador el cumplimiento de sus obligaciones, absteniéndose de hacer cuanto pueda ir en detrimento del correcto ejercicio de los derechos económicos adjudicados a los valores.

Precisiones Se debe adjuntar al contrato de custodia y administración el **folleto de tarifas** (nº 9301) o, en caso de que se acuerden tarifas inferiores de lo establecido en el mismo, los conceptos, periodicidad e importes de la **retribución**. Al respecto, la CNMV Circ 7/2011 norma 4ª.2 determina los requisitos que deben cumplir las entidades para el establecimiento de las **comisiones** de custodia y administración, concretando los conceptos y fórmulas de cálculo de las distintas comisiones.
Las **comisiones aplicables a inversores profesionales**, no incluidos en el ámbito establecido en la OM EHA/1665/2010, se determinarán libremente entre las partes sin que hayan de someterse al régimen que regula los folletos informativos de tarifas. Las entidades que presten servicios de inversión deberán cumplir con las obligaciones en materia de información sobre costes y gastos asociados enumeradas en el art.50 del Rgto Delegado (UE) 2017/565 (ver nº 9295 s.).

10240 **Obligaciones del intermediario-depositario** El depositario está obligado a guardar la cosa y restituirla, cuando le sea pedida, al depositante, o a sus causahabientes, o a la persona que hubiese sido designada en el contrato (CC art.1766).
La administración de los valores depositados (en nuestro caso, registrados) es una obligación que el propio legislador apareja al negocio del depósito. Así se desprende de la expresión «quedan obligados a realizar» (CCom art.308) y de la yuxtaposición «el depósito y administración» (LMV art.126.a).
No obstante, cabe la **subcontratación** si hay acuerdo entre las partes. En tal sentido, Zunzunegui opina que el depósito de valores negociables es siempre administrado, si bien se puede encargar a otra entidad la administración. Esta solución se refleja en el régimen de la actividad de las **entidades de crédito** como depositarios de instituciones de inversión colectiva. El nombramiento de una entidad de crédito (que ostente como tal la condición de entidad participante o actúe a través de otra entidad participante, en los sistemas de compensación, liquidación y registro en los mercados en los que la IIC vaya a operar) como depositario de una de estas instituciones la hace responsable de la **custodia de los valores**, sin que esta responsabilidad se vea afectada por el hecho de que confíe a un tercero la administración de los valores (L 35/2003 art.57 y 62).

10242 **Custodia** En el caso de los **valores representados en anotaciones en cuenta**, que es el más habitual, no es una custodia física, pues nada hay físicamente que custodiar. Esta obligación sustancial a todo depósito se transforma, en éste, en la obligación de actuar diligentemente para tener en todo momento los medios técnicos suficientes (aparatos y programas) en perfecto estado de funcionamiento, evitando toda vicisitud que pueda originar incertidumbre acerca de la titularidad de los valores registrados y manteniendo la entidad participante la debida coordinación con la Sociedad de Sistemas a efectos de guardar una **exacta correspondencia de saldos** y atendiendo cuantas solicitudes de comprobación le sean efectuadas (RD 878/2015 art.36).
Así la **entidad depositaria-administradora** deberá poseer en calidad de depositario los valores remitidos, depositados o administrados. De tratarse de valores cotizados, anotados por tanto en cuenta, deberá ser una entidad participante en la Sociedad de Sistemas, para poder gestionar-administrar los valores en las cuentas. Los valores de los clientes deben custodiarse con absoluta separación de los de la propia cartera de la entidad (LMV art.176.2.f), manteniéndose en todo momento **identificados** los valores de cada cliente, separados de los de los demás y de los de la propia entidad (RD 813/2023 art.77).
La entidad no puede disponer de los valores de los clientes para **operar por cuenta propia**, salvo cuando medie la autorización expresa de éstos.

10244 **Devolución** Es la ordinaria de todo depositario, sujeta a la responsabilidad propia de su carácter profesional y sin más especialidades que, nuevamente, las que derivan de la cosa objeto del contrato. No siendo ésta una realidad física, tampoco la devolución lo será. Ahora bien, seguirá los mecanismos ordinarios de la técnica de registro contable propia del mercado de valores.

10246 **Ejercicio de los derechos** La entidad depositaria está obligada a ejercitar los derechos económicos derivados de los valores depositados desplegando la máxima diligencia. El ejercicio de estos derechos se rige por lo convenido entre las partes. En ausencia de convención, la entidad depositaria no puede negarse a realizar los actos de gestión recogidos en el CCom art.308. La entidad depositaria tiene la obligación legal de cobrar los intereses y de conservar el valor y los derechos que correspondan a los títulos. El **cobro de los intereses** incluye el cobro de los derechos económicos, incluidos los dividendos. Debe cobrar los intereses, la devolución de aportaciones, la prima de asistencia a juntas generales, los dividendos y el reembolso del principal en caso de amortización de los valores.
Es responsable además del **abono en la cuenta del cliente** de los derechos de suscripción preferente en aumentos de capital en los que nazca este derecho para los accionistas y la Sociedad de Sistemas así se los abone a la entidad depositaria.

En el **aspecto fiscal**, no queda obligada a practicar retención alguna, pues recibe los derechos ya netos de retención, la cual habrá sido practicada en la fuente por el pagador, aunque deberá encargarse de las gestiones de **devolución de la retención**, cuando haya lugar a ello, ante la entidad agente de pagos de la operación financiera concreta (RD 1065/2007; RD 1145/2011).
La realización de los actos necesarios para que los títulos conserven los derechos que les corresponden es una obligación que debe atender a la naturaleza de los valores y que plantea algunos problemas de aplicación. Se ha dicho que el depositario no tiene la obligación de velar por el **ejercicio o la venta de los derechos de suscripción**. No debe ejercitar el derecho avanzando fondos cuando esto no haya sido solicitado por el cliente. Si el cliente no da instrucciones al depositario antes del cierre del período de suscripción, el depositario debe proceder a la venta de los derechos (Zunzunegui).
La entidad depositaria debe, además:
1. Comunicar los **derechos y obligaciones** relativos a la titularidad de los valores, al ejercicio o a la conservación de sus derechos incorporados a de su valor patrimonial (normalmente a través de extractos periódicos).
2. Guardar todos los **datos e informaciones** correspondientes a la situación de los valores administrados con el máximo sigilo y desplegando la debida diligencia en el uso de los medios técnicos necesarios (Ibáñez Jiménez).

Llevanza de una cuenta corriente asociada Como auxilio de su actividad, lo normal es que depositante y depositario pacten la llevanza por el depositario de un **sistema contable** de cuenta corriente, asociada a la cuenta de valores, donde se abonen y carguen los derechos y sus cobros. La cuenta corriente es, al igual que ocurre en la esfera de los contratos bancarios, el reflejo de toda operación bursátil. 10248

Extinción del contrato No hay normas especiales. 10250
Como todo contrato bursátil, está basado en la mutua confianza entre los contratantes. En consecuencia, cuando desaparezca ésta, cualquiera de las partes puede iniciar el expediente de **resolución contractual**.

SECCIÓN 14

Gestión de carteras y asesoramiento financiero en materia de inversión

10255

La **causa** de ambos contratos -gestión de carteras y asesoramiento en materia de inversión- es el interés del cliente en obtener un rendimiento óptimo con su patrimonio bursátil, cuya contraprestación es la retribución del gestor o asesor que, siendo especialista en el mercado, le ha facilitado el rendimiento económico deseado adoptando en favor del cliente una serie de estrategias operativas y análisis de mercados que le llevarán a actuar en el mercado para elevar el valor del patrimonio del cliente y maximizar su rentabilidad. 10257
Las entidades que prestan servicios de inversión deben crear un **registro** que incluya el contrato o contratos que tengan por objeto el acuerdo entre la empresa y el cliente y en los que deben concretarse los derechos y obligaciones de las partes y demás condiciones en las que la empresa prestará el servicio al cliente.
Es obligatorio que consten por escrito los contratos celebrados con **clientes minoristas**.

Clases de contrato (LMV art.210; RD 813/2023 art.118 y 119; Rgto Delegado (UE) 2017/565 art.58) Las empresas de servicios de inversión que presten a un cliente servicios de inversión, entre los que se encuentran **la gestión de carteras y el asesoramiento financiero en materia de inversión**, deben celebrar con dicho cliente un **acuerdo básico por escrito**, en papel o cualquier otro soporte duradero, que establezca los derechos y obligaciones esenciales de la empresa y del cliente. Las empresas de servicios de inversión que presten asesoramiento en materia de inversión deben cumplir esta obligación solo cuando se lleve a cabo una evaluación periódica de la idoneidad de los instrumentos financieros o servicios recomendados. 10259
El acuerdo escrito debe **contener**:
a) Los **derechos y obligaciones** de la empresa y del cliente.

b) Una descripción de los **servicios** y, cuando proceda, la naturaleza y el alcance del asesoramiento en materia de inversión que deban prestarse.
c) En el caso de los servicios de **gestión de carteras**, los tipos de instrumentos financieros que puedan ser adquiridos y vendidos y los tipos de operaciones que puedan llevarse a cabo en nombre del cliente, así como los instrumentos u operaciones que, en su caso, estén prohibidos.
d) Una descripción de las principales características de los servicios auxiliares de **custodia y administración de instrumentos financieros** por cuenta de clientes (incluidos la custodia y servicios conexos como la gestión de tesorería y de garantías, y excluido el mantenimiento de cuentas de valores en el nivel más alto -Dir 2014/65/UE anexo I.B.1-) que vayan a prestarse, incluidas, en su caso, la función de la empresa con respecto a las actuaciones societarias relacionadas con los instrumentos de los clientes y las condiciones en que las operaciones de financiación de valores que impliquen valores de clientes generarán un rendimiento para el cliente.
Las empresas de servicios y actividades de inversión deben crear un **registro de contratos** que incluya estos acuerdos con el cliente (ver nº 10236).

10261 En la **gestión de carteras** el gestor no solamente recomienda, sino que tiene libertad y legitimación para decidir sobre compras y ventas. Es él, en consecuencia, el responsable de la composición de la cartera de inversión en todo momento.
A cambio, el gestor percibe una retribución que consiste en una **comisión**.
En el **asesoramiento en materia de inversión** el asesor propone -recomienda-, pero es el cliente el que decide -dispone-. En consecuencia, el asesor carece de **responsabilidad** respecto de los resultados de la decisión.
A cambio, el asesor percibe una retribución que consiste en una **comisión**.
Se ha considerado que, en el asesoramiento en materia de inversión, estamos, en realidad, ante una primera relación jurídica de mero **asesoramiento** -arrendamiento de servicios- y una segunda de mera **ejecución de órdenes** -comisión mercantil- (Tapia Hermida).

Precisiones Tanto en la gestión de carteras como en el asesoramiento en materia de inversión, a los clientes, incluidos los clientes potenciales, se les proporcionará con suficiente antelación información conveniente con respecto a la empresa de servicios y actividades de inversión, los instrumentos financieros y las estrategias de inversión propuestas, los centros de ejecución de órdenes y todos los costes y gastos asociados (LMV art.200).
El RD 813/2023 art.145, dispone que las entidades que presten servicios de inversión **deben cumplir con las obligaciones en materia de información sobre costes y gastos asociados** enumeradas en el Rgto (UE) 2017/565 art.50, señalado entre otros, que deberá facilitar a sus clientes información ex ante y ex post sobre costes y gastos, informando, por los servicios que presten, de todos los costes y gastos conexos cobrados por la empresa de servicios de inversión o por terceros, y de todos los costes y gastos conexos relacionados con la producción y la gestión de los instrumentos financieros (ver nº 9295 s.)

10263 **Percepción de incentivos** (LMV art.216; RD 813/2023 art.121) Las empresas de servicios y actividades de inversión no actúan con sus clientes con honestidad, imparcialidad, profesionalidad y en su mejor interés, ni previenen los conflictos de interés (como les impone la LMV art.197 y 198), si abonan o **cobran honorarios o comisiones**, o proporcionan o reciben cualquier beneficio no monetario en relación con la prestación de un servicio de inversión o un servicio auxiliar, a un tercero o de un tercero que no sea el cliente o la persona que actúe en nombre del cliente, a menos que el pago o el beneficio:
- haya sido concebido para **mejorar la calidad** del servicio pertinente prestado al cliente; y
- no perjudique el cumplimiento de la obligación de la empresa de servicios y actividades de inversión de actuar con **honestidad, imparcialidad y profesionalidad**, en el mejor interés de sus clientes.
Deben **revelarse** claramente **al cliente**, de forma completa, exacta y comprensible, antes de la prestación del servicio de inversión o servicio auxiliar correspondiente, la existencia, naturaleza y cuantía de los pagos o beneficios, o cuando dicha cuantía no pueda determinarse, su método de cálculo. Debiendo también informar al cliente, cuando proceda, de los mecanismos para transferirle los honorarios, comisiones o beneficios monetarios y no monetarios percibidos por la prestación del servicio de inversión o del servicio auxiliar.

Precisiones No está sujeto a los requisitos señalados en la LMV art.216 el **pago o beneficio** que permita o sea **necesario para prestar servicios y actividades de inversión**, tales como gastos de custodia, gastos de liquidación y cambio, tasas reguladoras o gastos de asesoría jurídica, y que, por su naturaleza, no puedan entrar en conflicto con el deber de la empresa de servicios y actividades de inversión de actuar con honestidad, imparcialidad y profesionalidad en el mejor interés de sus clientes.

Las empresas de servicios de inversión que presten **asesoramiento independiente** sobre inversiones o servicios de gestión de carteras deben **devolver a los clientes los honorarios**, comisiones o beneficios monetarios abonados o entregados por terceros o personas que actúen en nombre de terceros en relación con los servicios prestados a sus clientes tan pronto como sea razonablemente posible tras su recepción (RD 813/2023 art.121). Todos los honorarios, comisiones o beneficios monetarios percibidos de terceros en relación con la prestación de asesoramiento independiente sobre inversiones y servicios de gestión de carteras se han de transferir en su totalidad al cliente, debiendo establece las empresas de servicios de inversión una política que garantice que los mismos asignen y transfieran a cada uno de los clientes pertinentes, no pudiendo compensar cualesquiera pagos de terceros con los honorarios adeudados por el cliente a la empresa. 10265

Las empresas de servicios de inversión han de **informar a los clientes** de los honorarios, comisiones o beneficios monetarios que se le hayan transferido, por ejemplo, a través de los informes periódicos facilitados al cliente. Las empresas de servicios de inversión que presten asesoramiento independiente sobre inversiones o servicios de gestión de carteras no pueden aceptar beneficios no monetarios que no puedan considerarse como beneficios no monetarios menores.

Los **beneficios no monetarios menores aceptables** deben revelarse al cliente previamente a la prestación de servicios y han de ser razonables y proporcionados, y de tal escala que sea poco probable que influyan en la conducta de la empresa de servicios de inversión de algún modo que vaya en detrimento de los intereses del cliente en cuestión. En concreto, se consideran beneficios no monetarios menores aceptables únicamente si consisten en:

a) Información o documentación relativa a un instrumento financiero o un servicio de inversión, de índole genérica o personalizada para reflejar las circunstancias de un determinado cliente.

b) Materiales escritos de terceros encargados y abonados por una sociedad emisora o un posible emisor para promover una nueva emisión por la sociedad en cuestión.

c) La participación en conferencias, seminarios u otras actividades de formación sobre los beneficios y características de un determinado instrumento financiero o servicio de inversión.

d) Gastos de representación de un valor de minimis razonable, como las dietas durante una reunión empresarial o una conferencia, seminario u otra actividad de formación mencionada en la letra c).

e) Otros beneficios no monetarios menores que eleven la calidad del servicio prestado al cliente.

Precisiones Los **beneficios no monetarios menores** pueden **describirse** de un modo genérico.

a. Contrato de gestión de carteras

Por el contrato de gestión de carteras un sujeto intermediario actúa en el mercado por cuenta o en interés de un inversor. El gestor asume facultades de tomar decisiones de suscripción, compra y venta de valores en nombre y por cuenta del titular, de forma que el gestor, en base a sus servicios de análisis y gestión, toma decisiones relativas a dinero y/o a una cartera de valores en nombre y por cuenta del inversor, con la **finalidad** de obtener la mayor rentabilidad posible, mediante actuaciones en el mercado de valores. 10270

Naturaleza jurídica Dos son las opiniones doctrinales como más significativas al respecto: 10272

a) La **tesis tradicional**, representada por Cachón Blanco, para quien es un contrato innominado y atípico que participa de la naturaleza jurídica de la comisión mercantil, si bien el mismo autor reconoce que no es sencilla la absoluta asimilación de la figura dentro de esa naturaleza jurídica. Para Zunzunegui la gestión es una comisión especial.

b) La **tesis moderna**, patrocinada por Tapia Hermida. Para éste la búsqueda de una disciplina contractual no se termina con la figura de la comisión, que, siendo de recibo, no resulta plenamente satisfactoria. Tampoco es de recibo la sencilla y peligrosa naturalización como sui generis.

Se acepta aquí la tesis tradicional, si bien reconociendo la existencia de serias dificultades que plantea el contrato y que no resuelve la solución de la comisión mercantil, motivo por el cual ha de admitirse cierta flexibilidad en la interpretación de las normas del Código de Comercio.

Precisiones Tapia soporta su opinión en la constatación de que existen unos **intermediarios profesionales** dedicados a la actividad compleja de gestión de patrimonios integrados por valores negociables, instrumentos financieros y efectivo. Este género de contratos engloba tanto el contrato de gestión individualizada de carteras, cuanto el contrato de gestión de Fondos de Inversión o Sociedades de Inversión de carácter financiero e incluso el de gestión de Fondos de Pensiones. En conclusión, el

contrato de gestión de carteras puede identificarse como un **subtipo** de la categoría **de contratos de gestión** de la inversión, caracterizado por la individualización de la administración que a través del mismo se instrumenta.
Sobre esas bases, afirma su diferenciación -más o menos pronunciada- respecto del contrato de asesoramiento financiero, respecto del **contrato de pura comisión bursátil**, respecto del contrato de depósito administrado de valores, y, finalmente, respecto del contrato de gestión de los Fondos de Inversión o Sociedades de Inversión de carácter financiero.

10274 **Características** Además de la imprescindible relación de confianza entre las partes, sus restantes notas características son:
- atípico. No aparece regulado en el Código de Comercio ni en el Código Civil;
- principal: su vida jurídica no depende de relación negocial alguna preexistente;
- consensual;
- intuitu personae;
- bilateral;
- oneroso;
- de tracto sucesivo;
- de adhesión.

10276 **Regulación** Las **fuentes** reguladoras son las siguientes:
- en primer lugar, los pactos que libremente acuerden las partes, con arreglo al principio general de autonomía de la voluntad (CCom art.57 y CC art.1255);
- por la proximidad con la comisión bursátil, se ha de estar a las normas reguladoras de ésta (CCom art.244 a 280; CC art.1709 a 1739). Además, son de recibo las reglas generales de la contratación mercantil (CCom art.50 a 63 y, por remisión del art.50, normas del CC);
- escasas referencias se encuentran en la LMV, y las existentes no regulan la relación contractual, sino el vínculo entre las sociedades gestoras de carteras y la administración pública supervisora (la CNMV). Esto es, son parte del Derecho ordenancista incorporado a la LMV;
- la LMV art.125.1.d describe la actividad de gestión discrecional e individualizada de carteras de inversión con arreglo a los mandatos conferidos por los inversores como uno de los servicios de inversión; y la LMV art.210 recoge la obligación de crear un registro de contratos por parte de las empresas de servicios de inversión (nº 10236);
- con carácter también especial, la L 7/1998, de Condiciones Generales de la Contratación, así como la L 46/1998, del Euro.

En cuanto a los **reglamentos**, de nuevo destaca la aplicabilidad de las normas de conducta y actuación en los mercados de valores:
- RD 813/2023 sobre empresas de servicios de inversión (concretamente el RD 813/2023 art.145 sobre obligaciones en materia de costes y gastos asociados descritos en el nº 9295 s.).
- OM EHA/1665/2010, de desarrollo del RD 217/2008 art.71 y 76 (artículos eliminados tras la modificación del RD 217/2008 operada por el RD 1464/2018).
- CNMV Circ 7/2011, sobre folleto informativo de tarifas y contenido de los contratos tipo.

10278 **Intervinientes** Dos son los elementos subjetivos del contrato de gestión de carteras: el cliente-inversor y su gestor bursátil.
Respecto del **cliente-inversor** destaca que, en la medida que el contrato contiene posibles encargos de venta de valores (sin lo cual no se puede gestionar la cartera), el consentimiento prestado al perfeccionar el contrato incluye la facultad de disposición patrimonial. En consecuencia, el contrato será anulable en los supuestos en que una de las partes sea incapaz para disponer.
Los supuestos en que, por aplicación de las normas generales de capacidad (CC art.166, 271 ó 323, por ejemplo), sea necesaria algún tipo de autorización judicial o requisito especial de algún tipo suponen dificultades difícilmente salvables para la actuación bursátil, necesitada de rapidez.
En cuanto al **gestor**, lo pueden ser (LMV art.143):
• Todas las empresas de servicios de inversión, salvo las empresas de asesoramiento financiero (EAF), que únicamente pueden prestar el servicio de inversión de asesoramiento personalizado sobre inversiones. En este sentido, tanto las sociedades de valores, como las agencias de valores, prestan el servicio de gestión discrecional, si bien, en teoría, las empresas de servicios de inversión verdaderamente especializadas en el mercado son las constituidas con este objeto social exclusivo, esto es, las sociedades gestoras de carteras. Sin embargo, en los últimos años, son cada vez menos las entidades que se dedican a esta actividad de manera exclusiva -a abril de 2019, una única sociedad gestora de carteras se encuentra inscrita en el registro de la CNMV-.

• Las entidades de crédito, pues para ello quedan legitimadas en los amplios términos de la LMV art.128. Únicamente se exige que su régimen jurídico, sus estatutos y su autorización específica les habiliten para ello.
Siendo unos y otros empresarios que administran negocios ajenos y que actúan en el mercado de valores, tienen obligación de contar con unos requisitos generales de **organización** acordes con la naturaleza, escala y complejidad de su actividad empresarial y la naturaleza y gama de los servicios prestados, debiendo mantener una suficiente estructura de personal y de material para el eficaz desenvolvimiento de su actividad (RD 813/2023 art.83 s.).

Objeto y precio Son la cartera de inversión y la retribución cobrada por el gestor. 10280
1º. La **cartera de inversión** es un patrimonio mobiliario especial. La primera redacción de la LMV/15 lo denominó cartera de valores. Se puede considerar como una unidad ideal que da cuerpo único a un conjunto de valores negociables escogidos por el gestor (o por su cliente, ello en función del grado de discrecionalidad concertado). Su propietario es el cliente, pues el gestor se limita a actuar en nombre ajeno, si bien por su cuenta.
Desde el punto de vista patrimonial, la cartera es una masa con valor económico tanto a efectos de cambio como a efectos de suma de responsabilidad (CC art.1911). Así, siguiendo de nuevo a Tapia Hermida:
a) No se integra ni en el patrimonio del gestor ni tampoco en ninguna de las restantes carteras que, perteneciendo a diversos clientes, son gestionadas por la misma sociedad. Las empresas de servicios de inversión deben tomar las medidas adecuadas, en relación con los valores y fondos que les confían sus clientes, para proteger sus derechos y evitar una utilización indebida de aquellos (LMV art.176.2.f).
b) No se separa del conjunto patrimonial del cliente-propietario. No es, pues, un patrimonio separado en sentido técnico, sino que es una porción de la universal masa patrimonial de su titular afecta a una finalidad de administración bursátil.
2º. En cuanto a la **retribución**, la LMV recoge el principio de libertad de precios en el conjunto del Mercado de Valores, que no es una libertad absoluta, sino limitada, tutelada y disciplinada (ver nº 9295 s.).

Independencia en la gestión discrecional de carteras (LMV art.215) Con el fin de garantizar la independencia en la prestación del servicio de gestión de carteras, la empresa de servicios y actividades de inversión no puede aceptar y retener **honorarios, comisiones u otros beneficios** monetarios o no monetarios abonados o proporcionados por un tercero o por una persona que actúe por cuenta de un tercero en relación con la prestación del servicio a la clientela. 10282
Están **permitidos** los **beneficios no monetarios menores**, que deben se comunicados con claridad al cliente, siempre que los mismos puedan servir para aumentar la calidad del servicio prestado y cuya escala y naturaleza sean tales que no pueda considerarse que afectan al cumplimiento por la empresa de servicios y actividades de inversión de la obligación de actuar en el mejor interés de sus clientes.

Elementos formales El contrato es consensual. Son, pues, de aplicación las reglas generales de prueba documental del Código de Comercio y del Código Civil. 10284
Como normas ordenancistas (cuya contravención no genera efectos en el orden de la validez contractual), hay que estar a las reguladoras de **contratos-tipo** (nº 10286).

Contratos tipo (OM EHA/1665/2010 art.6 y 7; CNMV Circ 7/2011 norma 7ª y 9ª) Respecto a la gestión de carteras, las relaciones entre el **cliente minorista** y el gestor de cartera deben estar formalizadas mediante un contrato-tipo de gestión de carteras. Su **contenido** abarcará, al menos, los aspectos siguientes: 10286
a) Las **partes** obligadas.
b) El conjunto de **obligaciones** a que se comprometan las partes.
c) La **información** que la entidad debe poner a disposición y remitir a los clientes, su periodicidad y forma de transmisión.
d) Cuando el servicio conlleve la recepción de **incentivos** a que se refiere el RD 813/2023 art.120 y 121, descripción del procedimiento para revelar al cliente su existencia, naturaleza y cuantía o, si no es posible, su forma de cálculo, con carácter previo, así como la forma en que el cliente puede solicitar información más detallada.
e) Los conceptos, periodicidad e importes de la **retribución** cuando sean menores de los establecidos en el folleto informativo de tarifas. En caso contrario, se hará entrega del citado folleto y se conservará recibí del cliente de que le ha sido entregado. Además, se deberá establecer la obligación de informar previamente al cliente de la **modificación** al alza de las comisiones y gastos aplicables al servicio prestado y que se hubieran pactado previamente con el cliente.

f) Las cláusulas especificas con respecto a la **modificación y rescisión** por las partes.
g) Identificación del **sistema de garantía de depósitos o inversiones**, señalando aquél o aquéllos a que esté adherida la entidad y especificando la forma de obtener información adicional sobre el sistema.
h) El procedimiento para la **actualización de la información del cliente** sobre sus conocimientos, situación financiera y objetivos de inversión, a efectos de la mejor prestación del servicio por parte de la entidad, cuando proceda.

10288 Por otro lado, se prevé un **contenido específico**, que además del anterior, deben recoger los contratos tipo de gestión de carteras (CNMV Circ 7/2011 norma 9ª):
1. Concreción de los **objetivos** de gestión, así como cualquier **limitación** específica a la facultad de gestión discrecional que afecte al cliente.
2. Los tipos de **instrumentos financieros** que pueden incluirse en la cartera y los tipos de **transacciones** que pueden realizarse con ellos.
3. Además de la **información** a remitir al cliente conforme a la LMV art.200 y al RD 813/2024 art.143, el soporte y periodicidad de tales envíos.
4. El **umbral de pérdidas** acordado entre las partes, que no puede ser superior al 25% del patrimonio gestionado, a partir del cual la entidad debe informar inmediatamente al cliente.
5. Si la entidad recibe la **delegación de los derechos políticos** derivados de las acciones pertenecientes a la cartera del cliente, debe informarle expresamente de la existencia de cualquier conflicto de interés entre la entidad y su grupo con alguna de las sociedades a las que se refiere la representación.
6. La posibilidad de que el cliente solicite **información sobre cada transacción** realizada en el ámbito del mandato recibido. La forma en que dicha información se debe solicitar por el cliente y facilitarse por la entidad y, en su caso, el coste que ello conlleva para el cliente.
7. El **límite de los compromisos** de la cartera gestionada. Dicho importe no puede suponer que el gestor exija aportaciones adicionales para cubrir pérdidas, salvo que se trate de aportaciones voluntarias del cliente o créditos obtenidos del gestor, con los requisitos establecidos en OM EHA/1665/2010 art.7.1.e).
8. Las entidades pueden establecer **distintos contratos tipo** de gestión de cartera cuyo objetivo de gestión recaiga sobre distintos tipos de instrumentos financieros y siempre que dichos contratos sean excluyentes entre sí.

10290 **Publicidad** (CNMV Circ 7/2011 norma 10ª) Las entidades deben poner a disposición del público los contratos tipo, en cualquier **soporte** duradero, en su domicilio social, en todas las sucursales y en el domicilio de sus agentes. También deben ponerlos en su **página web**, en sitio de fácil acceso.

10292 **Obligaciones del cliente-inversor** Son tres, coincidentes con las del contrato de depósito administrado:
1ª. Remunerar. Queda el cliente-inversor obligado a pagar los servicios prestados por el gestor bursátil, en régimen ordinario de libertad de precios en relación con las actividades enumeradas en la LMV art.125.1.d. No es una libertad absoluta, sino limitada, tutelada y disciplinada. Acompaña a esa libertad de precios la transparencia de los mismos y la publicación de las tarifas aplicadas (OM EHA/1665/2010 art.2; CNMV Circ 7/2011). Así, las entidades que prestan servicios de inversión, entre los que se encuentra la gestión de carteras, deben cumplir con las obligaciones en materia de **información sobre costes y gastos** asociados enumeradas en el Rgto Delegado (UE) 2017/565 art.50 (ver nº 9297).
Junto con la remuneración económica, el gestor suele obtener una remuneración indirecta de carácter político, cual es la del control de los derechos políticos inherentes a los valores integrados en las carteras administradas (Tapia Hermida).
2ª. Apoderar. El cliente tiene que dotar a su gestor bursátil de un título jurídico suficiente para que este último pueda proceder a perfeccionar negocios jurídicos de compra y también de venta de valores.
3ª. Facilitar. El cliente debe facilitar al depositario-administrador el cumplimiento de sus obligaciones, absteniéndose de hacer cuanto pueda ir en detrimento del correcto ejercicio de su actividad.

10294 **Obligaciones del intermediario-gestor** El contrato de gestión discrecional de carteras se caracteriza por tres notas:
- es convencional, mediante acuerdo de voluntades previo;
- es individualizado, pues a cada perfil de cliente corresponde una modalidad de gestión, en función de su mayor o menor deseo especulativo;
- es discrecional (pero dentro de los límites generales o particulares del mandato).

Así pues, el gestor bursátil asume una obligación principal de redundante definición: **gestionar diligentemente**. Esa obligación es el núcleo contractual nacido de la causa de contratar y alrededor del cual gira el resto de las convenciones particulares. Incluso en ocasiones la retribución es función del resultado alcanzado.
A esta obligación principal se le pueden superponer otras enlazadas con ella:
• Enviar información del estado de la cartera con la periodicidad aceptada (semanal, mensual...).
• Asesorar respecto de la situación general del mercado.
• Enviar detalles de datos relevantes para las declaraciones de impuestos del inversor.

La obligación principal de gestión es una obligación de carácter profesional. Ello implica estas consecuencias: **10296**
1ª. El deber de **acatar las instrucciones** del cliente. Particularmente en lo relativo a la selección de inversiones o productos, sistema o procedimiento de rentabilización, y estrategias o modalidades de ejecución de órdenes determinadas en el contrato.
2ª. El deber de **diligencia profesional,** obrando en el mejor interés del cliente, el cual genera responsabilidad no solamente contractual, sino de carácter extra-contractual y naturaleza objetiva (de ahí lo usual de la cobertura de esta última responsabilidad mediante pólizas de seguro *ad hoc*).
3ª. El deber de **ordenada conducta bursátil.** El gestor debe abstenerse de la preparación o realización de prácticas que falseen la libre formación de los precios. Como tales se entenderán las siguientes (LMV art.229 y 230, recogiéndose las infracciones en la LMV art.298):
a) Las operaciones u órdenes que:
- proporcionen o puedan proporcionar indicios falsos o engañosos en cuanto a la oferta, la demanda o el precio de los valores negociables o instrumentos financieros; o
- aseguren, por medio de una o varias personas que actúen de manera concertada, el precio de uno o varios instrumentos financieros en un nivel anormal o artificial, a menos que la persona que hubiese efectuado las operaciones o emitido las órdenes demuestre la legitimidad de sus razones y que éstas se ajustan a las prácticas de mercado aceptadas en el mercado regulado de que se trate.
b) Operaciones u órdenes que empleen dispositivos ficticios o cualquier otra forma de engaño o maquinación.
c) Difusión de información a través de los medios de comunicación, incluido Internet, o a través de cualquier otro medio, que proporcione o pueda proporcionar indicios falsos o engañosos en cuanto a los instrumentos financieros, incluida la propagación de rumores y noticias falsas o engañosas, cuando la persona que las divulgó supiera o hubiera debido saber que la información era falsa o engañosa.
4ª. **Informar al cliente** con la frecuencia pactada, comunicándole el resultado de sus actividades o actuaciones de gestión de forma pormenorizada (CCom art.260).
5ª. **Rendir cuentas** de los contratos ejecutados (CCom art.263).

Precisiones **1)** El deber de **acatar las instrucciones del cliente** puede afectar a las características concretas del contrato concertado entre las partes, si bien, en el caso de autos no se ha acreditado en forma alguna que el comitente diera al gestor instrucciones precisas a las que éste debiera atenerse, y más bien puede afirmarse, atendiendo a los actos posteriores de uno y otro, elemento interpretativo del contrato (CC art.1282), que se dejó al gestor amplia libertad para actuar como le pareciera más conveniente a los intereses de su comitente y obtener una alta rentabilidad a la inversión, así se deduce del hecho de que, salvo la manifestación de unas inconcretas discrepancias, lo cierto es que las relaciones se prolongaron en el tiempo con aportaciones dinerarias del comitente (TSJ Navarra 20-2-97, EDJ 19245).
2) En relación a un **contrato de gestión discrecional de carteras de inversión**, se estimó la existencia de responsabilidad de la sociedad de valores por incumplimiento de ciertos deberes impuestos por las normas reguladoras de la comisión mercantil (que como subrayó el Tribunal Supremo se aplican al contrato en lo no previsto por las partes) normas como la obligación del comisionista de consultar lo no previsto, siempre que lo permita la naturaleza del negocio (CCom art.255) o la obligación del comisionista de comunicar al comitente frecuentemente las noticias que interesen al buen éxito de la negociación (CCom art.260) (TS 11-7-98, EDJ 17993).
3) En cualquier caso, como nota, el gestor, aun asumiendo el deber de ajustarse a las instrucciones de sus clientes, debe tener un **mínimo grado de autonomía operativa**. En concreto, la L 13/1994 art.28.1, de Autonomía del Banco de España, al regular los contratos forzosos de gestión de las carteras de los miembros de su Consejo de Gobierno, establece que la entidad gestora efectuará la administración con sujeción exclusivamente a las directrices generales de rentabilidad y riesgo establecidas en el contrato, sin que pueda recibir ni recabar instrucciones de inversión por parte de los interesados (Tapia Hermida).
4) El Rgto Delegado (UE) 2017/565 art.60 establece que las empresas de servicios de inversión que presten servicios de gestión de carteras a clientes deberán facilitar a cada uno de estos clientes un **estado periódico en un soporte duradero** de las actividades de gestión de carteras llevadas a cabo

por cuenta del cliente, a menos que otra persona facilite dicho estado. En dicho estado la entidad proporcionará un análisis equitativo y equilibrado de las actividades efectuadas y del rendimiento de la cartera durante el período de información e incluirá, cuando proceda, la siguiente información:
- la denominación de la empresa de inversión;
- la denominación u otra designación de la cuenta del cliente;
- información sobre el contenido y la valoración de la cartera, con datos de cada instrumento financiero en cartera, su valor de mercado, o el valor razonable si no se dispone del valor de mercado, y el saldo de caja al principio y al final del período de información, así como el rendimiento de la cartera durante el período de información;
- la cuantía total de los honorarios y gastos en que se haya incurrido durante el período de información, detallando al menos el total de honorarios de gestión y los costes totales asociados con la ejecución, incluida, cuando proceda, una declaración que indique que se facilitará un desglose más detallado si se solicita;
- una comparación del rendimiento durante el período cubierto por el estado con el indicador de referencia del rendimiento de la inversión (si existiera) acordado entre la empresa de servicios de inversión y el cliente;
- la cuantía total de los dividendos, intereses y otros pagos recibidos durante el período de información en relación con la cartera del cliente;
- información sobre otras operaciones societarias que otorguen derechos en relación con los instrumentos financieros de la cartera;
- para cada operación ejecutada durante el período, cuando proceda, a menos que el cliente elija recibir información sobre las operaciones ejecutadas operación por operación, información acerca de la jornada de negociación; la hora de negociación; el tipo de orden; la identificación del centro; la identificación del instrumento; el indicador de compra/venta; y la naturaleza de la orden si no es de compra/venta).

5) Teniendo en cuenta el **aumento de la digitalización** y el mayor acceso a instrumentos y servicios de inversión por parte de personas consumidoras el RD 813/2204 introduce **nuevas normas de conducta** aplicables a los prestadores de servicios de inversión:

• Cuando el **contrato** de compra o venta se celebre mediante un medio de **comunicación a distancia** que imposibilite la entrega previa de la información sobre costes y gastos, puede facilitarse en papel o formato electrónico, sin demora indebida, cuando (RD 813/2023 art.143.2):
- se deje al cliente la opción de demorar la conclusión e la operación hasta recibir la información; o
- el cliente ha consentido en recibir la información después de la conclusión.

• La obligación de presentar toda la **información** exigida a la clientela actual o potencial en **formato electrónico**, salvo cuando se solicite recibirla en papel, opción que debe ser advertida por la empresa de servicios de inversión. Además, se debe informar a los clientes que venían recibiendo la información en papel, que van a recibir la información en formato electrónico con una antelación de 8 semanas si no se solicita seguir recibiéndola en papel (RD 813/2023 art.144).

6) Las empresas de servicio de inversión y entidades de crédito que presten el servicio de gestión discrecional e individualizada de carteras deben poner en conocimiento del público una **política de implicación** que describa el seguimiento de sociedades, estrategia, rendimiento, riesgos, estructura de capital, impacto social y medioambiental y gobierno corporativo (RD 813/2023 art.142).

7) En la información que las empresas de servicio deben prestar a los distribuidores se han de incluir **factores de sostenibilidad** del instrumento financiero para tener debidamente en cuenta cualquier objetivo relacionado con la sostenibildiad del cliente o posible cliente (RD 813/2023 art.131).

10298 **Extinción** Se encuentran en sede de comisión mercantil y, supletoriamente, de mandato. Son habituales las siguientes:
- el mutuo disenso;
- la revocación hecha por el cliente;
- el cumplimiento del plazo pactado, si lo hubo;
- si no se pactó plazo, la resolución unilateral con justa causa, y con preaviso;
- la extinción y disolución del gestor o del cliente (si es persona jurídica);
- la muerte del cliente;
- la sanción recayente sobre el gestor que le inhabilite para realizar esta actividad.

Con independencia de las demás causas que, legal o convencionalmente, puedan dar lugar a la finalización del contrato de gestión de carteras, los clientes conservan en todo momento la **facultad de resolverlo unilateralmente**, sin perjuicio del derecho de la entidad a percibir las comisiones por las operaciones realizadas pendientes de liquidar en el momento de la resolución del contrato y otros gastos pactados contractualmente.

Una vez resuelto el contrato, los gestores de carteras disponen de un **plazo máximo** de quince días para rendir y dar razón de las cuentas de la gestión. A la finalización del contrato, los gestores de carteras han de poner el patrimonio a **disposición de sus clientes** en la forma prevista en él, previa deducción de las cantidades debidas (OM EHA/1665/2010).

b. Contrato de asesoramiento financiero en materia de inversión

El asesoramiento en materia de inversión es un **servicio de inversión** que consiste en la emisión de una **recomendación personalizada** a un cliente, ya sea a petición de éste o por iniciativa de la entidad, con respecto a una o más operaciones relativas a instrumentos financieros concretos. La recomendación debe presentarse como **idónea** para el cliente, basándose en sus circunstancias personales. 10305

Por el contrario, **no se considera asesoramiento** en materia de inversión cualquier recomendación de carácter genérico y no personalizada que se pueda realizar en el ámbito de la comercialización o venta de valores e instrumentos financieros y que se consideran comunicaciones de carácter comercial (LMV art.125.1).

El asesor debe recomendar los productos que mejor se ajusten a la **situación personal del cliente**, por lo que, con carácter previo a la prestación del servicio de asesoramiento, debe analizar:

- su experiencia y conocimientos;
- su situación financiera; y
- sus objetivos de inversión, no pudiendo recomendar productos no idóneos.

Ello implica que, antes de emitir la recomendación personalizada, la entidad debe obtener determinada información para poder concluir si el producto es o no idóneo para el cliente y, en consecuencia, si puede seguir adelante y emitir la recomendación. A tal fin debe realizarle el denominado **test de idoneidad**.

Las entidades que evalúen la idoneidad al objeto de prestar el servicio de asesoramiento en materia de inversión deben proporcionar a sus clientes una descripción de cómo la recomendación realizada se ajusta a sus objetivos de inversión. La recomendación, que debe ser coherente con todos los aspectos evaluados al cliente, debe tener en consideración la complejidad del producto o servicio de inversión y los términos en que se haya clasificado el mismo, desde el punto de vista del riesgo de mercado, de crédito y de liquidez (CNMV Circ 3/2013 norma 3ª).

La normativa no requiere que exista un **contrato** por escrito entre la entidad y el inversor cuando se presta asesoramiento en materia de inversión, ni que el cliente preste su **consentimiento** de forma expresa.

En todo caso, deben constar por escrito o de forma fehaciente las recomendaciones personalizadas, que deben ser objeto del correspondiente **registro** (LMV art.176.2.e y 218; CNMV Resol 7-10-09, sobre los registros mínimos a mantener por las empresas que presten servicios de inversión). 10307

Este registro debe incluir al menos (CNMV Resol 7-10-09):

- el **cliente minorista** al que se ha prestado el asesoramiento (NIF/CIF/Cod.cliente, etc.);
- la **recomendación** (comprar, vender, mantener, suscribir, nº de títulos/contratos o % de la cartera e importe, etc.);
- el **instrumento financiero o cartera recomendado** (ISIN o código equivalente, denominación, etc.), haciendo constar la fecha de la recomendación, entre otros.

Este registro debe llevarse como un registro adicional a los registros de órdenes y operaciones -si la entidad presta el servicio de recepción, transmisión y ejecución-. Por lo tanto, es independiente de qué el cliente decida o no realizar la operación asociada a la recomendación -aunque decida no realizar la operación o ésta se efectúe con otra entidad, la recomendación debe quedar registrada-.

Todo ello sin perjuicio de que la **efectiva realización de las recomendaciones personalizadas** al inversor debe constar por escrito o de otra forma fehaciente (ver nº 10259).

Asimismo, la **llevanza** del registro es independiente de que la entidad haya decidido documentar contractualmente el asesoramiento. Por consiguiente, la existencia de un contrato de asesoramiento no exime, en ningún caso, de llevar el citado registro, ni de comunicar de forma fehaciente cada recomendación al inversor.

Características Es un contrato por el que una persona, denominada asesor, presta servicios de **opinión, valoración y recomendación técnica** relativa al mercado de valores en favor de otra, denominada cliente o inversor, durante un tiempo determinado y a cambio de un **precio**, aplicando la información disponible a las circunstancias del cliente inversor. 10309

Su **naturaleza jurídica** puede oscilar entre el mandato, arrendamientos de servicios y de obra, en función del tratamiento que concretamente se haya dado al contenido obligacional.

Precisiones 1) Como características cabe resaltar que es un contrato por el que una parte presta servicios a otra, **bilateral, oneroso, conmutativo, consensual y no formal**.
2) Se regula por la LMV art.125.1.g y títulos VIII y IX, así como por el RD 813/2024. Como **normas generales**, se aplican el CC art.1542, 1544 y 1583 en materia de prestación de servicios; y el CC art.1104 y 1161 y el CCom art.50 a 63, en materia de obligaciones y contratos. Por **analogía**, en su caso, las disposiciones relativas al mandato o al contrato de obra.

10311 **Regulación** Las fuentes reguladoras son las siguientes:
- en primer lugar, los **pactos** que libremente acuerden las partes, con arreglo al principio general de autonomía de la voluntad (CCom art.53; CC art.1255);
- por la proximidad con la **comisión bursátil**, se ha de estar a las normas reguladoras de ésta (CCom art.244 a 280; CC art.1709 a 1739), siendo, además, de recibo las **reglas generales de la contratación mercantil** (CCom art.51 a 63 y, por remisión del CCom art.50, normas del CC);
- escasas referencias se encuentran en la LMV, y las existentes **no regulan** la **relación contractual**, sino el vínculo entre las sociedades gestoras de carteras y la Administración pública supervisora (CNMV), esto es, son parte del Derecho ordenancista incorporado a la LMV. No obstante, cabe citar: (i) la LMV art.125.1.g que describe la actividad de asesoramiento en materia de inversión como uno de los servicios de inversión (nº 10313) y (ii) la LMV art.210 que recoge la obligación de crear un registro de contratos por parte de las empresas de servicios de inversión que incluya los acuerdos en los que se establezca, por escrito y en papel o en cualquier otro soporte duradero, los derechos y obligaciones esenciales de la empresa y del cliente (nº 10236);
- con carácter también especial, la L 7/1998, de **condiciones generales de la contratación**, así como la L 46/1998, del Euro.

En cuanto a los **reglamentos**, de nuevo destaca la aplicabilidad de las **normas de conducta y actuación** en los mercados de valores:
- RD 813/2024, sobre empresas de servicios de inversión (concretamente el RD 813/2023 art.145 sobre obligaciones en materia de costes y gastos asociados descritos en el nº 9295 s.);
- OM EHA/1665/2010, de desarrollo del RD 217/2008 art.71 y 76 (artículos eliminados tras la modificación del RD 217/2018 operada por el RD 1464/2018);
- CNMV Circ 10/2008, sobre empresas de asesoramiento financiero;
- CNMV Circ 7/2011, sobre folleto informativo de tarifas y contenido de los contratos tipo;
- CNMV Circ 3/2013, que desarrolla las obligaciones de información previstas en LMV/88 art.79 bis (actual LMV art.200), sobre la información que las entidades que presten servicios de inversión deben prestar a sus clientes en relación con la evaluación de la conveniencia e idoneidad de los instrumentos financieros recomendados.

10313 **Intervinientes** (LMV art.125.1.g) Son el **inversor** y el **asesor**.

A raíz de la modificación operada en la LMV/88 por la L 47/2007, la actividad de asesoramiento -entendiendo por tal la prestación de recomendaciones personalizadas a un cliente- es una **actividad regulada**, cuyo desarrollo está sometido a la **supervisión** de la CNMV.

Pueden ser **asesores financieros**:

• Todas las empresas de servicios de inversión, incluidas las **empresas de asesoramiento financiero** (EAF), que están autorizadas únicamente para la prestación de este servicio de inversión. Esta figura fue introducida por la L 47/2007.

• Las **entidades de crédito**, al quedar legitimadas en los amplios términos de la LMV art.128.1.3. Únicamente se exige que su régimen jurídico, sus estatutos y su autorización específica les habiliten para ello.

Siendo empresarios que administran negocios ajenos y que actúan en el mercado de valores, tienen obligación de contar con unos **requisitos generales de organización** acordes con la naturaleza, escala y complejidad de su actividad empresarial y la naturaleza y gama de los servicios prestados, debiendo mantener una suficiente estructura de personal y de material para el eficaz desenvolvimiento de su actividad (RD 813/2024 art.83).

10315 **Objeto y precio** En la **actividad a desarrollar** por el asesor, se puede distinguir:
- nivel económico-técnico o conocimiento del mercado, de sus operaciones y técnicas;
- nivel jurídico o conocimiento de la normativa aplicable;
- nivel de decisión y valoración de las necesidades y circunstancias del cliente.

El **precio** es un elemento esencial del contrato (CC art.1544). Sin precio no existe un contrato de este tipo, siendo normalmente en dinero, aunque no de forma exclusiva.

A estos efectos, las entidades que presten servicios de inversión, entre los que se encuentra la gestión de carteras, deben cumplir con las obligaciones en materia de información sobre costes y gastos asociados que se exponen en el nº 9295 s.

Precisiones El Rgto Delegado (UE) 2017/565 art.50 enumera las **obligaciones** en materia de **información sobre costes y gastos** asociados. Entre otros, a efectos de la divulgación *ex ante* o *ex post* de información sobre costes y gastos a los clientes, las empresas de servicios de inversión deberán informar, por los servicios que presten de todos los costes y gastos conexos cobrados por la empresa de servicios de inversión o por terceros, y de todos los costes y gastos conexos relacionados con la producción y la gestión de los instrumentos financieros (nº 9295 s.).

Formalidades El contrato es consensual y no formal. 10317
Las entidades podrán prestar el servicio de **asesoramiento** en materia de inversión **de forma dependiente o independiente**.
El servicio se prestará de forma **independiente** si cumplen los siguientes **requisitos** (LMV art.214):

• Evaluar una gama de **instrumentos financieros** disponibles en el mercado que sea suficientemente diversificada en lo que respecta a sus tipos y a sus emisores o proveedores, a fin de garantizar que los objetivos de inversión del cliente puedan cumplirse adecuadamente y no se limiten a instrumentos financieros emitidos o facilitados por la propia empresa de servicios y actividades de inversión o por entidades que tengan vínculos estrechos con la empresa de servicios y actividades de inversión, o por aquellas con las que la tengan vínculos jurídicos o económicos, tales que puedan mermar la independencia del asesoramiento facilitado.
• No aceptar y retener **honorarios, comisiones** u otros beneficios monetarios o no monetarios abonados o proporcionados por un tercero o por una persona que actúe por cuenta de un tercero en relación con la prestación del servicio a los clientes.
• Comunicar claramente al cliente los **beneficios no monetarios** menores que puedan servir para aumentar la calidad del servicio prestado al cliente y cuya escala y naturaleza sean tales que no pueda considerarse que afectan al cumplimiento por la empresa de servicios y actividades de inversión de la obligación de actuar en el mejor interés de sus clientes, los cuales además estarán excluidos de lo dispuesto en la letra anterior.

Precisiones **1)** El Rgto Delegado (UE) 2017/565 art.53 establece que las empresas de servicios de inversión que proporcionen **asesoramiento en materia de inversión con carácter independiente** definirán y aplicarán un proceso de selección para evaluar y comparar una gama suficiente de instrumentos financieros disponibles en el mercado. El proceso de selección deberá incluir los elementos siguientes:
a) el número y la variedad de instrumentos financieros considerados serán proporcionados al alcance de los servicios de asesoramiento en materia de inversión ofrecidos por el asesor independiente en materia de inversión;
b) el número y la variedad de instrumentos financieros considerados serán suficientemente representativos de los instrumentos financieros disponibles en el mercado;
c) la cantidad de los instrumentos financieros emitidos por la propia empresa de servicios de inversión o por entidades estrechamente vinculadas a ella será proporcionada a la cantidad total de instrumentos financieros considerados; y
d) los criterios de selección de los diversos instrumentos financieros incluirán todos los aspectos relevantes, como son los riesgos, los costes y la complejidad, así como las características de los clientes de la empresa de servicios de inversión, y garantizarán que la selección de los instrumentos que puedan recomendarse no se vea sesgada.
En caso de que tal comparación no sea posible debido al modelo de negocio o al alcance específico del servicio prestado, la empresa de servicios de inversión que preste asesoramiento en materia de inversión no se presentará como independiente.
2) Una empresa de servicios de inversión que preste **asesoramiento en materia de inversión con carácter independiente y que se centre en determinadas categorías** o en una determinada gama de instrumentos financieros deberá cumplir los siguientes requisitos:
a) la empresa se promocionará de forma que solo tenga por objeto atraer clientes con una preferencia por esas categorías o gama de instrumentos financieros;
b) la empresa deberá pedir a los clientes que indiquen que solo están interesados en invertir en la categoría o la gama especificada de instrumentos financieros; y
c) antes de la prestación del servicio, la empresa deberá asegurarse de que su servicio sea conveniente para cada nuevo cliente comprobando que su modelo de negocio se ajuste a las necesidades y objetivos del cliente, y la gama de instrumentos financieros sea idónea para el cliente; si no es así, la empresa no prestará ese servicio al cliente.
3) Una empresa de servicios de inversión que ofrezca asesoramiento en materia de inversión **tanto de forma independiente como no independiente deberá cumplir los siguientes requisitos**:
a) con suficiente antelación antes de la prestación de sus servicios, la empresa de servicios de inversión comunicará a sus clientes, en un soporte duradero, si el asesoramiento será independiente o no independiente,
b) la empresa de servicios de inversión se presentará como independiente en relación con los servicios para los que preste asesoramiento en materia de inversión de forma independiente, y

c) la empresa de servicios de inversión establecerá unos requisitos de organización y controles adecuados a fin de garantizar que ambos tipos de servicios de asesoramiento y de asesores estén claramente separados entre sí y que los clientes no puedan confundirse en cuanto al tipo de asesoramiento que reciben y obtengan el tipo de asesoramiento conveniente para ellos; la empresa de servicios de inversión no permitirá que una persona física preste asesoramiento tanto independiente como no independiente.

10319 **Obligaciones del asesor** El asesor tiene las siguientes obligaciones:
a) **Prestación diligente** de servicios.
b) Aportación de la **información previa y posterior** a dichos servicios.
c) Cumplir las demás **obligaciones reglamentarias**, particularmente las establecidas en las normas de conducta.
d) Información sobre la **conveniencia** de llevar a cabo las operaciones.
e) No existe un deber expreso de **aceptación del encargo**, existiendo libertad para el asesor para aceptarlas o no.
f) Disponer de los **medios jurídico-técnicos, económico-técnicos y la información** para llevar a cabo la actividad.
g) **Diligencia y honestidad profesional**: su asesoramiento debe estar basado en datos económicos u otros suficientemente contrastados.
h) **No delegar**, salvo cuando cuente con autorización del cliente.
i) Ofrecer **información al cliente**, con suficiente antelación respecto de la prestación de dichos servicios sobre:
- si el asesoramiento se presta de forma **independiente o no**;
- si el asesoramiento se basa en un análisis general o más restringido de los diferentes **tipos de instrumentos financieros** y, en particular, si la gama se limita a instrumentos financieros emitidos o facilitados por entidades que tengan vínculos estrechos con la empresa de servicios de inversión, o bien cualquier otro tipo de relación jurídica o económica, como por ejemplo contractual, que pueda mermar la independencia del asesoramiento facilitado; y
- si la empresa de servicios de inversión proporcionará al cliente una **evaluación** periódica de la **idoneidad** de los instrumentos financieros recomendados para ese cliente (LMV art.214).

Precisiones **1)** La Dir 2014/65/UE art.24.2 establece que las empresas de servicios de inversión deberán comprender las características de los instrumentos financieros que ofrecen o recomiendan, valorar la compatibilidad de los mismos con las necesidades de los clientes a quienes prestan servicios de inversión. Considerando lo anterior, la **Autoridad Europea del Mercado de Valores** (AEMV o ESMA, utilizando el acrónimo en inglés) publicó el 22-3-2016 unas "*Directrices para la evaluación de los conocimientos y competencias del personal que informa y que asesora*" de aplicación desde el 18 enero de 2018. Teniendo en cuenta estas Directrices de ESMA, la CNMV concreta en la Guía Técnica 4/2017, para la evaluación de los conocimientos y competencias del personal que informa y que asesora, los criterios que la CNMV considera adecuados para que las entidades puedan demostrar que el personal que informa o que asesora sobre servicios de inversión posee los conocimientos y competencias necesarios. Entre otros, establece que las entidades financieras se asegurarán de que el personal relevante posee los conocimientos y competencias necesarias para cumplir los requisitos legales y reglamentarios y las normas de conducta que sean de aplicación.
Con el fin de asegurar una aplicación proporcionada de los requisitos de conocimientos y competencias, las entidades financieras garantizarán que el personal cuenta con los **niveles de conocimientos y competencias** necesarios para cumplir sus obligaciones, teniendo en cuenta el alcance y grado de los servicios prestados, así como la complejidad de los instrumentos financieros sobre los que informa o asesora, y que conoce, entiende y pone en práctica las políticas y procedimientos internos de la entidad destinados a garantizar el cumplimiento de la normativa del mercado de valores. Por otro lado, se determina que el nivel y profundidad de los conocimientos y competencias de quienes presten asesoramiento en materia de inversión debe ser mayor que el de quienes solo proporcionen información sobre productos y servicios de inversión.
2) Teniendo en cuenta el **aumento de la digitalización** y el mayor acceso a instrumentos y servicios de inversión por parte de personas consumidoras el RD 813/2204 introduce **nuevas normas** de conducta aplicables a aquellos que presenten servicios de inversión:
• Cuando el contrato de compra o venta se celebre mediante un **medio de comunicación a distancia** que imposibilite la entrega previa de la **información sobre costes y gastos**, la empresa puede facilitarla en papel o formato electrónico, sin demora indebida, cuando (RD 813/2023 art.143.2):
- se deje al cliente la opción de demorar la conclusión e la operación hasta recibir la información; o
-el cliente ha consentido en recibir la información después de la conclusión.
• Se debe presentar toda la **información** exigida a la clientela actual o potencial en **formato electrónico**, salvo cuando se solicite recibirla en papel, opción que debe ser advertida por la empresa de servicios de inversión. Además, se debe informar a los clientes que venían recibiendo la información en papel, que van a recibir la información en formato electrónico con una antelación de 8 semanas si no se solicita seguir recibiéndola en papel (RD 813/2023 art.144).
• Se deben incluir **factores de sostenibilidad** del instrumento financiero en la información que las empresas de servicio deben prestar a los distribuidores (RD 813/2023 art.131).

Obligaciones del cliente Son las siguientes: 10321
a) Pagar el **precio** pactado.
b) Deber de **lealtad** respecto al asesor, proporcionando la información que este último necesite. En caso de no facilitar estas informaciones, el asesor puede rechazar el encargo (p.e. identificación, objetivo de la inversión...).
Esta información tiene, en todo caso, carácter confidencial.

Extinción del contrato Como contrato de prestación de servicios, es esencialmente temporal y se extingue por las siguientes **causas**: 10323
a) Cumplimiento del **plazo** establecido y por cumplimiento del servicio prestado.
b) Mutuo **acuerdo** entre las partes.
c) Todos aquellos supuestos en los que el **asesor no pueda seguir prestando el servicio** de forma efectiva y diligente:
- muerte, jubilación, si es persona física;
- cese voluntario del negocio;
- disolución de la entidad asesora;
- declaración de concurso de la entidad asesora;
- adopción de ciertas medidas sancionadoras por la CNMV (LMV art.279 s.);
- fallecimiento u otras circunstancias que afecten a la existencia del cliente;
- imposibilidad sobrevenida, en sentido amplio como todo supuesto de imposibilidad física, jurídica o disminución de la capacidad efectiva de prestación de los servicios;
- tratándose de un contrato de confianza, cabe -perdida ésta- que el cliente resuelva el contrato;
- desistimiento del profesional, con justa causa e indemnizando al cliente por los daños sufridos;
- incumplimiento de obligaciones contractuales por cualquiera de las partes, siendo de aplicación el CC art.1124.

SECCIÓN 15

Adquisición de participaciones significativas

La regulación de las participaciones significativas tiene por finalidad la **transparencia del mercado**: dar a conocer la estructura de la propiedad y del poder existente en el seno de las sociedades cotizadas. 10330
En términos generales, existe **participación significativa**, siempre que se adquieran acciones de una sociedad cotizada que atribuyan derechos de voto, y, como resultado, se alcance o se supere un determinado porcentaje de derechos de voto en la referida sociedad cotizada.
La transparencia del mercado, el «dar a conocer», se logra a través de la obligación o **deber de comunicación** de la participación significativa, en los términos que establecen las siguientes fuentes legales:

1ª. LMV art.105; RD 1362/2007 art.23 s.; Rgto (UE) 596/2014 art.19. Con arreglo a dichos preceptos, pueden diferenciarse estos elementos: 10332
a) Elemento **subjetivo**. Es sujeto pasivo del deber de comunicar las participaciones significativas cualquier **accionista** que adquiera o transmita acciones que atribuyan derechos de voto de una sociedad cotizada. A los efectos del RD 1362/2007 art.23, se entiende por accionista toda persona física o jurídica que posea, directa o indirectamente a través de una entidad controlada:
- Acciones del emisor en nombre propio y por cuenta propia.
- Acciones del emisor en nombre propio, pero por cuenta de otra persona física o jurídica.
- Certificados que representen acciones, en cuyo caso el tenedor de dichos certificados será el titular de las acciones subyacentes representadas por los mismos. Se entenderá por **control** lo establecido en LMV art.4 -que, a su vez, remite al CCom art.42-.

Existen asimismo **reglas especiales** en relación con la notificación de la adquisición, transmisión o ejercicio de derechos de voto por otros sujetos obligados distintos del accionista -como por ejemplo, en situaciones de **ejercicio concertado de derechos de voto** o en casos en que una persona física o jurídica posea los derechos de voto a través de **persona interpuesta**, entendiéndose por persona interpuesta aquella que, en nombre propio, adquiera, transmita o posea acciones por cuenta de otra, presumiéndose tal condición cuando se deje total o parcialmente a cubierto de los riesgos inherentes a las adquisiciones, transmisiones o a la posesión de las acciones- y disposiciones específicas en materia de **grupos** -así, en supuestos de

grupos conforme a LMV art.4, no será necesaria la notificación de las entidades que, formando parte del mismo, sean sujetos obligados, siempre que las notificaciones sean realizadas por la entidad o persona dominante-.
Existen igualmente reglas aplicables a las personas con **responsabilidades de dirección** de un emisor, así como las personas estrechamente vinculadas con ellas, que deberán notificar al emisor y a la autoridad competente toda operación ejecutada por cuenta propia relativa a acciones o instrumentos de deuda de dicho emisor, instrumentos derivados u otros instrumentos financieros vinculados a ellos. Dicha notificación se llevará a cabo sin demora y a más tardar en un plazo de tres días hábiles a partir de la fecha de la operación y está sujeta a las limitaciones y exenciones establecidas en Rgto (UE) 596/2014 art.19.

10334 **b)** Elemento **objetivo**. Lo conforma la adquisición (sea por operación bursátil o por operación extrabursátil) o la transmisión de acciones de un emisor para el que España sea Estado de origen, en los términos establecidos reglamentariamente, cuyas acciones estén admitidas a negociación, y que atribuyan derechos de voto, y en la que, como resultado de dichas operaciones, la proporción de derechos de voto que quede en poder del sujeto obligado alcance, supere o se reduzca por debajo de los porcentajes establecidos (nº 10340).
Además, y como regla especial, la **admisión a negociación** por primera vez en un mercado regulado o en otro mercado regulado domiciliado en la Unión Europea de las acciones de un emisor para el que España sea Estado de origen, o el **nombramiento** de nuevos miembros del consejo de administración obligará igualmente a comunicar la proporción de derechos de voto, en la forma y con los efectos ordinarios.
c) Elemento **formal**. Reunidos los requisitos subjetivos (cualquiera de ellos) y objetivos, surge la consecuencia: deberá informarse, en las condiciones que se señalen, a la sociedad afectada y a la CNMV, de la proporción de derechos de voto resultante.
Dichas entidades estarán obligadas a hacer pública dicha información en la forma que se establece en LMV art.244.

10336 **2ª**. RD 1362/2007, por el que se desarrolla la LMV en relación con los requisitos de **transparencia** relativos a la información sobre los emisores cuyos valores estén admitidos a negociación en un mercado regulado o en otro mercado regulado de la Unión Europea. La norma desarrolla, entre otros, la LMV art.105 y el deber de **notificación de participaciones significativas**.

Precisiones El RD 1362/2007 se desarrolla, a su vez, por la CNMV Circ 8/2015, por la que se aprueban los **modelos de notificación** de participaciones significativas, de los consejeros y directivos y sus vínculos estrechos, de operaciones del emisor sobre acciones propias, y otros modelos (nº 10348).

10338 **3ª**. Es necesario que en el **informe anual de gobierno corporativo** de las sociedades cotizadas se incluyan datos:
- sobre la **estructura de propiedad** de la sociedad cotizada, con información relativa a los accionistas con participaciones significativas, indicando los porcentajes de participación y las relaciones de índole familiar, comercial, contractual o societario que existan, así como su representación en el consejo;
- de las **participaciones accionariales de los miembros del consejo** de administración que deben comunicar a la sociedad; y
- de la existencia de los **pactos parasociales** comunicados a la propia sociedad y a la CNMV y, en su caso, depositados en el Registro Mercantil.

Igualmente, se informará de los valores que no se negocien en un mercado regulado comunitario, con indicación, en su caso, de las distintas clases de acciones y, para cada clase de acciones, los derechos y obligaciones que confiera, así como el porcentaje del capital social que represente la autocartera de la sociedad y sus variaciones significativas (LSC art.540; OM ECC/461/2013).

10340 **Concepto de participación significativa** (RD 1362/2007 art.23) Se concretan los **porcentajes de derechos de voto** que tienen la consideración de participación significativa, con lo que el concepto de participación significativa ha dejado de estar basado en los supuestos de mera titularidad de acciones, como sucedía en la regulación anterior, para estar basado en la posibilidad de ejercicio de derechos de voto.
La expresión «significativa» comprende los supuestos legales de porcentajes de derechos de voto de tal magnitud que permiten **controlar** una sociedad o **mostrar una preponderancia**.

En concreto, las adquisiciones o transmisiones de acciones de sociedades cuyas acciones estén admitidas a negociación en Bolsa de Valores han de ser **comunicadas**, conforme a lo señalado en el nº 10346, siempre que, como resultado de dichas operaciones, la proporción de derechos de voto alcance, supere o se reduzca por debajo de los **umbrales** del 3%, 5%, 10%, 15%, 20%, 25%, 30%, 35%, 40%, 45%, 50%, 60%, 70%, 75%, 80% y 90%.
No obstante, los porcentajes referidos en el párrafo anterior serán sustituidos por el porcentaje del 1% y sus sucesivos múltiplos cuando el sujeto obligado a notificar tenga su residencia en un **paraíso fiscal** o en un país o territorio de nula tributación o con el que no exista efectivo intercambio de información tributaria conforme a la legislación vigente (RD 1362/2007 art.32).

El concepto de participación significativa así definido precisa ser complementado por la exacta delimitación de dos nociones: el cálculo de los derechos de voto y qué se entiende por sociedades cotizadas a efectos de la aplicación del RD 1362/2007: **10342**
• Los **derechos de voto** se calculan sobre la totalidad de las acciones que los atribuyan, incluso en los supuestos en que el ejercicio de tales derechos esté suspendido.
• Por **sociedad cotizada**, a los efectos de «participación significativa», se entiende aquella sociedad para la que España sea Estado de origen y cuyas acciones estén admitidas a negociación en un mercado regulado español o en otro mercado regulado domiciliado en la UE.

Ámbito objetivo de aplicación de las normas especiales (RD 1362/2007 art.28 y 30) La obligación de notificar se aplica también a toda persona que posea, adquiera o transmita, directa o indirectamente, los **otros instrumentos financieros** que, a su vencimiento, confieran el derecho incondicional o la facultad discrecional de adquirir, exclusivamente por iniciativa propia de dicho tenedor y según acuerdo formal, acciones ya emitidas que atribuyan derechos de voto de un emisor cuyas acciones estén admitidas a negociación en un mercado regulado o en otro mercado regulado domiciliado en la Unión Europea, cuando la proporción de derechos de voto alcance, supere, o se reduzca por debajo de los porcentajes anteriormente mencionados (nº 10340). **10344**
Esta obligación también aplica a los instrumentos financieros no incluidos en el párrafo anterior, pero que estén referenciados a acciones mencionadas en el mismo y que tengan un efecto económico similar al de dichos instrumentos financieros, con independencia de si dan o no derecho a su liquidación mediante entrega física de los valores subyacentes.
En caso de **ampliación de capital** con cargo a reservas, solo se considerará adquisición o transmisión el incremento de la proporción de los derechos de voto y su disminución que sean consecuencia de la compra o enajenación de derechos de suscripción a la asignación gratuita de acciones que atribuyen derechos de voto.

Deberes de comunicación (LMV art.105; RD 1362/2007 art.23 s.) Los elementos fundamentales del deber de comunicación se concretan como sigue: **10346**
1º. **Obligados a informar.** La obligación corresponde a quien, por sí o por persona interpuesta, adquiere las acciones que atribuyan derechos de voto. En particular, por el **adquirente o transmitente** que posea, directa o indirectamente a través de una sociedad controlada, acciones del emisor, según lo anteriormente indicado (nº 10332).

2º. **Destinatarios de la información.** La información ha de dirigirse a: **10348**
- la sociedad afectada;
- la CNMV.
3º. **Contenido de la información.** Se ha de efectuar mediante **escrito** firmado, conforme a los **modelos** normalizados aprobados por la CNMV Circ 8/2015.

Precisiones Los modelos aprobados por la CNMV Circ 8/2015 deben utilizarse por los sujetos obligados para las notificaciones que tengan que realizar a partir del 31-3-2016, en cumplimiento del RD 1362/2007 Títulos II (información sobre participaciones significativas y autocartera) y III (otras obligaciones de información) y de la LMV art.230 (operaciones realizadas por personas con responsabilidades de dirección y personas estrechamente vinculadas).
Los modelos aprobados por la Circular son:
1. El **Modelo I**, aplicable a los **accionistas significativos** u otras personas que no tengan la condición de consejeros del emisor, en el que se agregarán todos los derechos de voto que posean, asociados o atribuidos tanto a acciones como a otros instrumentos financieros que confieran derecho a adquirir acciones ya emitidas que atribuyan derechos de voto o que tengan un efecto económico similar.
Este modelo sustituye y agrupa en uno solo los Anexos I y II de la Circ CNMV 2/2007.
2. El **Modelo II**, aplicable a los **consejeros** de los emisores, en el que se identificará la posición final, directa e indirecta, de derechos de voto, atribuidos tanto a acciones como a otros instrumentos financieros, por lo que se incluirán todas las operaciones realizadas por el consejero, directamente

o por otras personas (en algunos casos tendrán la consideración de vínculos estrechos), siempre que los derechos de voto correspondan al propio consejero, por ser él quien tiene la discrecionalidad para el ejercicio de esos derechos.
Este modelo sustituye y agrupa en uno solo los antiguos Anexos III y IV de la Circ CNMV 2/2007.
3. El **Modelo III**, aplicable a **directivos** y sus **vínculos estrechos** y a otros vínculos estrechos de consejeros (aquellos vínculos cuyos derechos de voto relativos a las acciones e instrumentos financieros no son atribuibles al consejero), y en él informarán tanto de las operaciones realizadas sobre acciones como sobre instrumentos financieros ligados a acciones.
Este modelo sustituye al Anexo V de la Circ CNMV 2/2007.
4. El **Modelo IV**, aplicable a los emisores que tengan que notificar las operaciones realizadas con **acciones propias**.
5. El **Modelo V**, aplicable a los creadores de mercado que desean acogerse a la **excepción** de la obligación de notificar participaciones significativas.
6. El **Modelo VI**, que se cumplimentará para informar sobre los **sistemas retributivos de administradores y directivos** aprobados por un emisor. Aquéllos los comunicarán a la CNMV directamente o a través del emisor.
Estos tres últimos modelos no se modifican respecto de lo establecido en la anterior Circ CNMV 2/2007, salvo en el número del modelo para mantener la numeración correlativa.
Por lo que respecta a la **forma de presentación** de estas notificaciones, los modelos de notificación de operaciones realizadas sobre acciones propias deberán remitirse obligatoriamente por medios electrónicos; el resto de notificaciones podrán remitirse indistintamente por medios electrónicos o en soporte papel.

10350 4º. **Plazos**. La notificación al emisor y a la CNMV se hará en el plazo **máximo** de cuatro días hábiles bursátiles, a contar desde el día siguiente al que la persona obligada haya conocido o debiera haber conocido la adquisición o transmisión de las acciones o la posibilidad de ejercer los derechos de voto correspondientes.
Ha de entenderse que los sujetos obligados a comunicar debieran haber tenido **conocimiento** de la adquisición, cesión o la posibilidad de ejercer los derechos de voto dentro de los dos días hábiles bursátiles siguientes a la transacción.
Los plazos para la remisión de la comunicación se calculan de acuerdo con el **calendario de días hábiles bursátiles** vigente en los mercados oficiales. A este fin, la CNMV publica anualmente en su página web, el calendario de días hábiles bursátiles aplicable (RD 1362/2007 art.35).

10352 **Supuestos especiales** Se contemplan los siguientes:
a) En el supuesto de que la obligación se origine como consecuencia de un **cambio en el número total de derechos de voto del emisor**, se entenderá que el sujeto obligado ha tenido conocimiento del hecho mencionado desde la fecha en que la información haya sido publicada en la página web de la CNMV.
b) En el caso de que la obligación de comunicación traiga causa del **nombramiento de administradores**, la obligación comenzará a contar desde el día hábil bursátil siguiente al de su aceptación.
c) Tratándose de suscripción de acciones por **ampliación de capital** o de **adquisición de acciones por conversión**, el plazo comenzará a contar desde el día hábil bursátil siguiente a la fecha de inscripción en el Registro Mercantil.
d) Si la adquisición o transmisión se produce por **causa distinta de la negociación en un mercado regulado**, el plazo se contará desde el día hábil bursátil siguiente a la fecha en que surta efecto el título que origine tal adquisición o transmisión.
e) Cuando la obligación de comunicación trae causa de la **admisión a negociación por primera vez** en un mercado regulado español, el plazo de comunicación empezará a contar desde el día hábil bursátil siguiente al de la admisión a negociación de las acciones.

10354 **Caso particular: Obligaciones especiales de los administradores** (RD 1362/2007 art.31) Según lo ya indicado, los administradores de un emisor deben informar de la proporción de derechos de voto que quede en su poder tras las operaciones de **adquisición o transmisión de acciones o derechos de voto**, así como de instrumentos financieros que den derecho a adquirir o transmitir acciones que tengan derechos de voto atribuidos, y ello con independencia del porcentaje que representen (nº 10332).
La obligación de notificación recogida en el apartado anterior se aplicará también en el momento de la **aceptación de su nombramiento y cese** como administrador. Igualmente, se aplicará cuando se produzca la admisión a negociación por primera vez, en un mercado regulado o en otro mercado regulado domiciliado en la Unión Europea, de las acciones de un emisor para el que España sea Estado de origen.

Precisiones Los **administradores de las sociedades cotizadas** tienen una serie de obligaciones adicionales de publicidad. Entre estas destacan:
1) En la **memoria** de la sociedad se deberá informar sobre las operaciones de los administradores y de los miembros del consejo de control de una sociedad anónima europea domiciliada en España que haya optado por el sistema dual, o persona que actúe por cuenta de éstos, realizadas, durante el ejercicio, con la citada sociedad cotizada o con una sociedad del grupo, cuando las operaciones sean ajenas al tráfico ordinario de la sociedad o que no se realicen en condiciones normales de mercado (LMV art.99).
2) El Consejo de Administración deberá dotarse de un reglamento de **normas de régimen interno** y funcionamiento del propio consejo, de acuerdo con la ley y los estatutos, que contendrá las medidas concretas tendentes a garantizar la mejor administración de la sociedad (LSC art.528).
3) Las sociedades anónimas cotizadas deberán hacer público con carácter anual un **informe de gobierno corporativo**, que es objeto de comunicación a la CNMV y publicado como hecho relevante. El contenido y estructura de este informe ha sido desarrollado por la OM ECC/461/2013).
4) Las sociedades anónimas cotizadas deberán disponer de una **página web** para atender el ejercicio, por parte de los accionistas, del derecho de información, y para difundir la información relevante. Asimismo, las sociedades anónimas cotizadas publicarán en dicha página web el periodo medio de pago a sus proveedores. (LSC art.539).

Publicidad de las participaciones significativas (RD 1362/2007 art.37 y 38) Una vez recibida la notificación, la CNMV incorporará las informaciones resultantes de la misma al **registro de información regulada**. 10356
La CNMV hará pública la información sobre participaciones significativas a través de sus registros públicos en el **plazo** máximo de tres días hábiles bursátiles a contar desde la recepción de la notificación por parte del sujeto obligado.

Sanciones (LMV art.282 y 302) El incumplimiento de las obligaciones relativas sobre comunicación de participaciones significativas en sociedades cotizadas puede constituir infracción muy grave de acuerdo con lo previsto en la LMV art.297, pudiendo ser sancionado conforme a la LMV art.312 y 313. 10358

SECCIÓN 16

Normas de conducta del mercado de valores

(LMV art.191 a 231; RD 813/2023; CNMV Cir 3/2013)

El mercado de valores es uno de los pilares en que se asienta el sistema financiero de una economía. De ahí que, en el seno de un Estado social y democrático de Derecho (Const art.1), esté justificado el deseo público de impedir ineficiencias, abusos y desequilibrios. 10365
Se puede decir que el mercado de valores no funciona en ningún Estado bajo reglas de absoluta libertad, sino al contrario, bajo el imperio de normas administrativas de severidad creciente.
España no es ajena a esta regla propia de prácticamente todos los países occidentales y a través de la **Ley del Mercado de Valores** se han dado una serie de normas que disciplinan la actuación de todas aquellas personas y entidades que participan o se relacionan en y/o con los mercados de valores. Así, dedica el contenido íntegro de la LMV Título VIII (LMV art.191 a 231) a estas **normas de conducta** o de actuación de los sujetos que actúan en los mercados de valores, recogiendo:
- las normas de conducta aplicables a quienes presten **servicios de inversión** en la LMV art.191 a 224 (nº 10375 s.); y
- lo relacionado con operaciones que pudiesen considerarse **abuso de mercado** en la LMV art.255 a 231 (nº 10381).
Hay que subrayar que, fruto de la experiencia de los últimos años y en particular de la crisis financiera de los años 2008-2010, se ha abandonado la **separación existente entre normas organizativas y normas de conducta**, por haber probado la experiencia que las normas de conducta son insuficientes para asegurar la protección de los inversores en ausencia de normas organizativas que incorporen esta voluntad de protección. El mejor ejemplo sería la obligación de establecer «**murallas chinas**» entre las distintas actividades de una misma entidad, para asegurar que la información generada en una de ellas no quede al alcance de quienes desempeñan la segunda, o la **prohibición de un sistema de incentivos** o remuneraciones (como los ofrecidos a los analistas) que fomenten el conflicto de interés.

Como **normas de desarrollo** del texto legal hay que destacar los siguientes textos de rango inferior:

a) El RD 813/2023, que establece el régimen jurídico de las **empresas de servicios de inversión**. Superada la idea de que los mercados y sus operadores son capaces de autoregularse, las normas de conducta han adquirido una importancia capital dentro del Derecho del Mercado de Valores.

Son necesarios estándares mínimos de funcionamiento que garanticen la seriedad de los operadores que libremente decidan actuar en éste.

b) Por otra parte, la creciente **integración del mercado único europeo de servicios financieros** requiere que estos estándares sean homogéneos en todo el territorio de la Comunidad: eso explica el desarrollo de la MiFID mediante una Directiva de nivel 2 (Dir 2006/73/CE) y un Reglamento (Rgto CE/1287/2006), las cuales fueron incorporadas a la LMV/88 por la L 47/2007.

c) La CNMV Circ 7/2011, sobre **folleto informativo de tarifas** y contenido de los **contratos-tipo**. En la presente sección se va a seguir el texto legal, dado que los desarrollos reglamentarios han sido analizados en el estudio individualizado de cada uno de los diversos contratos.

d) La CNMV Circ 3/2013, que desarrolla las relativas a la evaluación de la **idoneidad y conveniencia** de los productos y servicios que se ofrecen o adquieren y las obligaciones de información a clientes a los que se presta servicios de inversión en relación con la evaluación de la conveniencia e idoneidad de los instrumentos financieros.

Precisiones Las normas de conducta no solo tienen un origen legal (LMV art.191 s. y normas de desarrollo) sino que coexisten con los denominados **códigos de conducta**. Respecto de estos últimos, y sin perjuicio de los códigos de conducta internos diseñados por algunas empresas de servicios de inversión, destacan los siguientes textos aprobados por la Sociedad Rectora de la Bolsa de Madrid y la Sociedad de Sistemas:

- la Circ 7/1993, sobre Reglamento General de Conducta de la Bolsa de Madrid;
- la Circ 8/1993, sobre Reglamento interno de conducta para el personal de la Bolsa de Madrid;
- **IBERCLEAR**, heredero del Servicio de Compensación y Liquidación de Valores, sobre el reglamento interno de conducta, se adhirió al Reglamento General de Conducta establecido el 7-11-2006 por las organizaciones integradas en la Federación Europea de Bolsas, la Asociación Europea de Cámaras de Compensación y Contrapartida Central y la Asociación Europea de Depositarios Centrales de Valores.

El **objetivo** de este Reglamento es asegurar la transparencia en los precios, facilitar la interoperabilidad entre sistemas y la disociación de servicios y separación contable para facilitar un entorno de competencia.

Por otro lado, fruto del principio fundamental de protección al inversor, la **Bolsa de Madrid** ha creado por Circ 7/1991, una **Comisión de Vigilancia del Mercado**, y por Circ 8/1991, la figura del **Protector del Inversor**. Esta última figura ha sido instituida para atender las quejas y reclamaciones que los inversores formulen en relación con las operaciones que se efectúen en la Bolsa de Madrid.

10367 **Incorporación a ordenamiento español de la normativa europea de protección de los inversores (MIFID II)** En relación con las normas de conducta que deben respetar las **empresas de servicios y actividades de inversión** para garantizar una adecuada protección al inversor, se incorporan a derecho español las novedades importantes procedentes de la Dir 2014/65/UE y se refuerzan las obligaciones de diligencia y transparencia y de las relativas a la gestión de conflictos de intereses. A este respecto, destacan las nuevas prescripciones sobre la vigilancia y control de productos financieros, conforme a las cuales las empresas de servicios y actividades de inversión que diseñen instrumentos financieros para su venta a clientes deben asegurar una calidad mínima de los mismos y una adecuación al segmento del mercado al que se dirijan.

• **Información**. En cuanto a la información que deben prestar las empresas de servicios y actividades de inversión a sus clientes:

a) Se detalla el contenido de la información que las empresas de servicios y actividades de inversión deben proporcionar a sus clientes y potenciales clientes antes de la prestación del servicio, especialmente en relación con el tipo de **asesoramiento** que se ofrece y, sobre los instrumentos financieros y estrategias de inversión propuestos y los costes y gastos asociados al servicio de inversión. Se prevé la existencia de un formato normalizado para ofrecer toda esta información y la obligación de distinguir si el asesoramiento se presta o no de forma independiente.

b) Una vez se ha prestado el servicio, la empresa de servicios de inversión debe proporcionar también información sobre los **costes** de las operaciones y servicios realizados, considerando el tipo y complejidad de los instrumentos financieros y la naturaleza del servicio.

c) En los casos en los que se ofrezca un servicio de inversión como parte de un **producto financiero**, o se ofrezca un servicio de inversión junto con otro servicio o producto o como parte de un paquete o como condición del mismo acuerdo o paquete, la empresa de servicios y actividades de inversión debe informar al cliente de la posibilidad de comprar o no por separado los distintos componentes y los costes y cargas de cada uno de ellos.

• **Pagos y remuneraciones**. En materia pagos y remuneraciones en la prestación de servicios:

a) Se hace explícita la regla general de que las remuneraciones **no entren en conflicto** con la obligación de la empresa de servicios y actividades de inversión de actuar en el mejor interés de sus clientes.

b) Se detallan las condiciones admisibles para la prestación de **asesoramiento** independiente y del servicio de gestión discrecional de carteras.

c) Se establecen las obligaciones y condiciones necesarias para poder percibir **incentivos**, de modo que si no se cumplen obligaciones tales como que se aumente la calidad del servicio para el cliente, con carácter general, no se podrán percibir incentivos a la comercialización.

d) Se hace una referencia expresa a los conocimientos y **competencias** que deben reunir las personas que prestan asesoramiento o proporcionan información a los clientes.

• **Gestión y ejecución de las órdenes de clientes**. En esta materia: 10369

a) Se refuerza este área para garantizar una mejor protección al inversor, destacando las especialidades para el caso de ejecución de órdenes a precio limitado y se incluye el concepto de contraprestación total para determinar cuál es el mejor resultado posible para un cliente cuando se ejecutan sus órdenes, y la forma de comparar centros de ejecución para determinar cuál es el mejor resultado posible para el cliente.

b) Se regulan dos elementos nuevos en este ámbito:

- la prohibición de que la empresa de servicios y actividades de inversión perciba remuneración, descuento o beneficio no monetario alguno por dirigir órdenes a un determinado centro de negociación o de ejecución; y
- la obligación de publicar anualmente los cinco principales centros de ejecución de órdenes con los que trabajan, acompañando información sobre la calidad de la ejecución.

• **Facultades de supervisión de la CNMV**. Se incorporan nuevas facultades de la CNMV, entre las que destacan:

- requerir o solicitar información sobre el volumen de una posición;
- limitar la capacidad de cualquier persona de suscribir un contrato de derivados sobre materias primas; o
- suspender la comercialización o venta de determinados instrumentos financieros.

• **Cooperación de la CNMV con otras autoridades**. Se refuerza cooperación de la CNMV con otras autoridades de la UE, incorporando obligación de la CNMV de notificar a la Autoridad Europea de Valores y Mercados (AEVM) cualquier exigencia de limitación de posiciones y cualquier límite a la capacidad de las personas de contratar un instrumento financiero y estableciéndose la posibilidad de que la CNMV llegue a acuerdos de cooperación con otras autoridades competentes de Estados no miembros de la UE, que incluya intercambio de información.

• **Comunicación y publicidad de infracciones**. Se introducen dos nuevos capítulos en el título X relativos a la comunicación de infracciones y a la publicidad de las mismas, incorporando las novedades derivadas de la normativa europea transpuesta.

Principios básicos (LMV art.191 a 231) Las normas de conducta tienen por objetivo la defensa de una serie de principios entre los que destacan: 10371

- principio de defensa de la prioridad de los intereses de los inversores;
- principio de igualdad de trato entre los clientes;
- principio de primacía de la transparencia del mercado;
- principio de interdicción del abuso de información privilegiada (*insider trading*);
- principio de publicidad de todos aquellos hechos o decisiones que puedan influir sobre la cotización de los valores de un emisor y de las sanciones.

Es obligatoria la **información** necesaria sobre sus clientes y mantenerlos siempre adecuadamente informados.

Para la consecución de tales objetivos, Cachón Blanco distingue, sobre la base de la LMV art.191, dos tipos de normas:

a) Las **normas legales y reglamentarias**, de carácter puramente jurídico, que establecen obligaciones y prohibiciones, recogidas en el Título VIII de la LMV y en sus disposiciones reglamentarias de desarrollo.

b) Los **códigos de conducta**, que, sin valor normativo, y con un alcance fundamentalmente de carácter ético, vinculan moralmente a las personas y entidades que actúan en el mercado de valores. Estos códigos pueden proceder, bien de acuerdos tomados por los operadores e intervinientes en el mercado, bien de una decisión tomada por una autoridad superior, generalmente el órgano rector de un mercado.

Aquí nos centraremos básicamente en las primeras. Esto es, en las normas jurídicas del Título VIII de la LMV.

10373 **Intervinientes** (LMV art.191) Las normas legales de conducta no se aplican únicamente a las empresas de servicios de inversión, sino que se extienden a las entidades de crédito, las instituciones de inversión colectiva, los emisores, los analistas de inversiones en valores e instrumentos financieros y, en general, cuantas personas o entidades ejerzan, de forma directa o indirecta, actividades relacionadas con los mercados de valores.

10375 **Normas de conducta aplicables a quienes prestan servicios de inversión** (LMV art.191 a 224) Quienes presten servicios y actividades de inversión deben atenerse a los siguientes principios y requisitos:

1. Obligación de clasificar a sus clientes en minoristas, profesionales y contrapartes elegibles. Obligación aplicable, asimismo, a las demás empresas que presten servicios y actividades de inversión respecto de los clientes a los que les presten u ofrezcan dichos servicios.

Son clientes **profesionales** aquéllos a quienes se presuma la experiencia, conocimientos y cualificación necesarios para tomar sus propias decisiones de inversión y valorar correctamente sus riesgos (LMV art.194).

Son clientes **minoristas** todos aquellos que no sean profesionales (LMV art.193).

La categoría de **contraparte elegible** solo resulta aplicable en relación con el servicio de recepción y trasmisión de órdenes, ejecución de órdenes por cuenta de terceros o negociación por cuenta propia y los servicios auxiliares directamente relacionados con éstos. Esta categorización no es posible cuando se presten servicios distintos de los anteriores como es el caso de gestión de carteras y asesoramiento (LMV art.192).

Precisiones **1)** El RD 813/2023 art.112, desarrolla la LMV art.194, señalando que tiene, en todo caso, la consideración de **cliente profesional**, en la medida en que no sea una contraparte elegible, los siguientes tipos de clientes:

a) Las **entidades financieras** y demás personas jurídicas que para poder operar en los mercados financieros hayan de ser autorizadas o reguladas por Estados, sean o no miembros de la Unión Europea. Se incluirán entre ellas:

- las entidades de crédito;
- las empresas de servicios de inversión y las empresas de asesoramiento financiero nacionales;
- las entidades aseguradoras o reaseguradoras;
- las instituciones de inversión colectiva y las Sociedades Gestoras de Instituciones de Inversión Colectiva,
- las entidades de capital-riesgo, otras entidades de inversión colectiva de tipo cerrado y las Sociedades Gestoras de Entidades de Inversión Colectiva;
- los fondos de pensiones y sus sociedades gestoras;
- los fondos de titulización y sus sociedades gestoras; y
- los operadores que contraten habitualmente con materias primas y con derivados de materias primas, así como operadores que contraten en nombre propio y otros inversores institucionales.

b) Los **Estados y Administraciones regionales**, incluidos los organismos públicos que gestionen la deuda pública a escala nacional y regional, los bancos centrales y organismos internacionales y supranacionales, como el Banco Mundial, el Fondo Monetario Internacional, el Banco Central Europeo, el Banco Europeo de Inversiones y otros de naturaleza similar.

c) Los **empresarios** que individualmente reúnan, al menos, dos de las siguientes condiciones:

- que el total de las partidas del activo sea igual o superior a 20 millones de euros;
- que el importe de su cifra anual de negocios sea igual o superior a 40 millones de euros;
- que sus recursos propios sean iguales o superiores a 2 millones de euros.

d) Los **inversores institucionales** que, no estando incluidos en la letra a), tengan como actividad habitual invertir en valores u otros instrumentos financieros.

Las entidades señaladas en los apartados anteriores se considerarán clientes profesionales sin perjuicio de que puedan solicitar un trato no profesional y de que las empresas de servicios de inversión puedan acordar concederles un nivel de protección superior. La empresa de servicios de inversión debe también informar al cliente de que puede pedir una modificación de las condiciones del acuerdo para obtener un mayor grado de protección.

2) El RD 813/2023 art.113, establece que, según lo previsto en la LMV art.195 los **clientes minoristas** pueden solicitar ser tratados como clientes profesionales, renunciando de forma expresa a su tratamiento como clientes minoristas. La admisión de la solicitud y dicha renuncia quedará condicionada a que la empresa que preste el servicio de inversión efectúe la adecuada evaluación de la experiencia y conocimientos del cliente en relación con las operaciones y servicios que solicite y se asegure de que puede tomar sus propias decisiones de inversión y comprende sus riesgos. Al llevar a cabo la citada evaluación, la empresa deberá comprobar que se cumplen al menos dos de los siguientes **requisitos**:

a) Que el cliente ha realizado operaciones de volumen significativo en el mercado relevante del instrumento financiero en cuestión o de instrumentos financieros similares, con una frecuencia media de 10 por trimestre durante los cuatro trimestres anteriores.

b) Que el tamaño de la cartera de instrumentos financieros del cliente, formada por depósitos de efectivo e instrumentos financieros, sea superior a 500.000 euros.

c) Que el cliente ocupe o haya ocupado durante, al menos, un año, un cargo profesional en el sector financiero que requiera conocimientos sobre las operaciones o servicios previstos.

No podrá presumirse que los clientes profesionales a los que refiere este artículo poseen conocimientos de mercado y experiencia comparables con los de los clientes profesionales a los que se refiere el RD 813/2023 art.112.

La evaluación de la experiencia y conocimientos del cliente, en el caso de las pequeñas entidades, se efectuará sobre la persona autorizada a realizar operaciones en nombre de estas y en el resto se efectuará a directivos y gestores.

2. **Obligación de diligencia y transparencia**, debiendo actuar con honestidad, imparcialidad y profesionalidad, en el mejor interés de sus clientes (LMV art.197). **10377**

3. **Obligaciones de información**, al respecto deben (LMV art.200):

a) **Informar adecuadamente a sus clientes**, incluidos los potenciales, sobre la entidad y los servicios y actividades de inversión que presta, los instrumentos financieros y las estrategias de inversión propuestas, los centros de ejecución de órdenes y todos los gastos y costes asociados, de modo que estos puedan comprender la naturaleza y los riesgos del servicio de inversión y del tipo específico de instrumento financiero que se ofrece pudiendo, por tanto, tomar decisiones sobre las inversiones con conocimiento de causa. En esta obligación se incluye a las comunicaciones publicitarias, la cual debe ser identificables con claridad como tales.

b) **Remitir al cliente informes sobre el servicio prestado** (LMV art.202). La empresa de servicios o empresa de asesoramiento nacional proporcionará al cliente en un soporte duradero informes adecuados sobre el servicio prestado. Dichos informes incluirán comunicaciones periódicas a sus clientes, tomando en consideración el tipo y la complejidad de los instrumentos financieros de que se trate y la naturaleza del servicio prestado al cliente e incluirán, en su caso, los costes de las operaciones y servicios realizados por cuenta del cliente.

4. **Obligación de evaluar la idoneidad y conveniencia** de los productos que ofrecen a sus clientes, al respecto deben:

a) Disponer de toda la información necesaria sobre sus **clientes** (LMV art.203).

b) Evaluar si los **productos y servicios** que prestan son idóneos o convenientes para sus clientes, de forma que:

- Cuando preste servicios de asesoramiento en materia de inversiones o de gestión de carteras, la empresa de servicios de inversión o la empresa de asesoramiento financiero nacional, en lo que respeta al servicio de asesoramiento en materia de inversión, obtendrá la información necesaria sobre los conocimientos y experiencia del cliente o posible cliente en el ámbito de inversión correspondiente al tipo concreto de producto o servicio, su situación financiera, incluida su capacidad para soportar pérdidas, y sus **objetivos de inversión** incluida su tolerancia al riesgo, con el fin de que la empresa pueda recomendarle los servicios de inversión e instrumentos financieros que sean idóneos para él y que, en particular, mejor se ajusten a su nivel de tolerancia al riesgo y su capacidad para soportar pérdidas. Es lo que se conoce como el **test de idoneidad** (LMV art.204).

- Cuando se presten servicios distintos de los dispuestos anteriormente, la entidad debe solicitar del cliente que facilite información sobre sus conocimientos y experiencia en el ámbito de inversión correspondiente al tipo concreto de producto o servicio ofrecido o solicitado, con el fin de que la entidad pueda evaluar si el servicio o producto es adecuado para el cliente. Es lo que se conoce como **test de conveniencia**. La entidad deberá llevar un registro de las evaluaciones de conveniencia efectuadas (LMV art.205 y 206).

- Cuando el cliente **no proporcione esta información**, o la misma sea insuficiente, la entidad le advertirá de que dicha decisión le impide determinar si el servicio de inversión o producto previsto es adecuado para él (LMV art.205.5). Asimismo, en caso de que el servicio de inversión se preste en relación con un instrumento complejo, según lo establecido en la LMV art.218, se exigirá que el documento contractual incluya, junto a la firma del cliente, una expresión manuscrita, en los términos que determine la CNMV, por la que el inversor manifieste que ha sido advertido de que el producto no le resulta conveniente o de que no ha sido posible evaluarle en los términos de la LMV art.205.6. Las entidades podrán facilitar las advertencias anteriormente indicadas en formato normalizado RD 814/2023 art.117.

- Cuando, de acuerdo con lo dispuesto en la LMV art.207, la entidad preste exclusivamente el servicio de **ejecución o recepción y transmisión de órdenes** de clientes, con o sin prestación de servicios auxiliares, a excepción de la concesión de créditos o préstamos en virtud de la LMV art.126.b que no se refieran a límites crediticios existentes de préstamos, cuentas corrientes y autorizaciones de descubiertos de clientes, **no será obligatorio realizar el test de conveniencia** siempre que se cumplan todas las siguientes condiciones:
- que la orden se refiera a instrumentos financieros no complejos;
- que el servicio se preste a iniciativa del cliente o posible cliente;
- que la entidad haya informado al cliente o posible cliente con claridad de que no está obligada a evaluar la conveniencia del instrumento financiero ofrecido o del servicio prestado y que, por tanto, el cliente no goza de la protección de las normas de conducta establecidas en esta ley. Dicha advertencia podrá realizarse en un formato normalizado; y
- que la entidad adopte las medidas de conflictos de interés previstos en la LMV art.198.

5. Obligación de registrar contratos. Las empresas de servicios de inversión y las empresas de asesoramiento financiero nacionales deben crear un registro que incluya los acuerdos en los que se establezca, por escrito y en papel o en cualquier otro soporte duradero, los derechos y obligaciones esenciales de la empresa y del cliente, así como las condiciones en las que la empresa de servicios y actividades de inversión prestará servicios al cliente (LMV art.210). Ver nº 10259.

6. En caso de que se ofrezca un servicio de inversión como **parte de un producto financiero** al que ya se apliquen otras disposiciones sobre entidades de crédito y créditos al consumo relativas a los requisitos de información, dicho servicio no estará sujeto además a las obligaciones de información descritas. En caso de que se ofrezca un servicio de inversión junto con otro servicio o producto como **parte de un paquete** o como condición del mismo acuerdo o paquete, la empresa de servicios y actividades de inversión comunicará al cliente si se pueden comprar por separado los distintos componentes y facilitará aparte los justificantes de los costes y cargas de cada componente. Si es probable que los riesgos asociados a dicho acuerdo o paquete ofrecido a un cliente minorista sean diferentes de los riesgos asociados a los componentes considerados por separado, la empresa de servicios y actividades de inversión facilitará una descripción adecuada de los diferentes componentes del acuerdo o paquete y del modo en que la interacción entre ellos modifica los riesgos (LMV art.211).

10379 Por otro lado, las empresas de servicios de inversión deben:

a) Organizarse y adoptar medidas para prevenir, detectar y gestionar posibles **conflictos de interés** entre sus clientes y la propia empresa o su grupo (LMV art.176.2.b y 198; RD 813/2023 art.84).

b) Desarrollar una **gestión ordenada y prudente**, cuidando de los intereses de los clientes como si fuesen propios.

c) Disponer de los **medios adecuados** para realizar su actividad y tener establecidos los controles internos oportunos para garantizar una gestión prudente y prevenir los incumplimientos de los deberes y obligaciones que la normativa del Mercado de Valores les impone.

d) Garantizar la **igualdad de trato** entre los clientes, evitando primar a unos frente a otros a la hora de distribuir las recomendaciones e informes.

e) Abstenerse de **tomar posiciones por cuenta propia** en valores o instrumentos financieros sobre los que se esté realizando un análisis específico, desde que se conozcan sus conclusiones hasta que se divulgue la recomendación o informe elaborado al respecto. Este **deber de abstención** no es de aplicación cuando la toma de posición tenga su origen en compromisos o derechos adquiridos con anterioridad o en operaciones de cobertura de dichos compromisos.

f) Asegurarse de **no remunerar o evaluar el rendimiento de su personal** de un modo que entre en conflicto con su obligación de actuar en el mejor interés de sus clientes. asimismo definirán y aplicarán políticas y prácticas remunerativas de conformidad con el Rgto Delegado (UE) 2017/565 art.27, con la finalidad de evitar conflictos de intereses en la prestación de servicios a su clientela (LMV art.170).

Precisiones **1)** Las empresas de servicios de inversión definirán y aplicarán políticas y **prácticas remunerativas** de conformidad con procedimientos internos adecuados y teniendo en cuenta los intereses de todos los clientes de la empresa, con el fin de garantizar que estos reciban un **trato equitativo** y que sus intereses no se vean menoscabados por las prácticas de remuneración adoptadas por la empresa a corto, medio o largo plazo. Las políticas y prácticas remunerativas se diseñarán de modo que no generen un conflicto de intereses o de incentivos que pueda llevar a las personas pertinentes a favorecer sus propios intereses o los intereses de la empresa en posible detrimento de algún cliente.

2) Las empresas de servicios de inversión se asegurarán de que sus **políticas y prácticas remunerativas se aplican a** todas las personas pertinentes que incidan, directa o indirectamente, en los servicios de inversión y auxiliares prestados por la empresa de servicios de inversión o en su conducta empresarial, independientemente del tipo de clientes, en la medida en que la remuneración de dichas personas e incentivos similares puedan generar un conflicto de intereses que les incite a actuar en contra de los intereses de cualquier cliente de la empresa.

3) El órgano de dirección de la empresa de servicios de inversión aprobará, tras consultar a la función de verificación del cumplimiento, la política de remuneración de la empresa. La **alta dirección** de la empresa de servicios de inversión será responsable de la aplicación cotidiana de la política de remuneración y el control de los riesgos de cumplimiento relacionados con esa política.

4) Las **remuneraciones e incentivos** similares **no se basarán** exclusiva o primordialmente en criterios comerciales cuantitativos, y tendrán plenamente en cuenta criterios cualitativos adecuados que reflejen el cumplimiento de las normas aplicables, un trato justo de los clientes y la calidad de los servicios prestados a los clientes. Se mantendrá en todo momento un equilibrio entre los **componentes fijo y variable** de la remuneración, de forma que la estructura de la remuneración no favorezca los intereses de la empresa de servicios de inversión o de las personas pertinentes en su seno en detrimento de los intereses de los clientes (Rgto Delegado (UE) 2017/565 art.27).

La política de remuneración **se transpone** a nuestro ordenamiento jurídico en RD 813/2023 art.105 s.

Deberes de conducta relativos a operaciones que pueden considerarse abuso de mercado (LMV art.225 a 231) Los deberes concretos de conducta bursátil pueden enumerarse como sigue: 10381

1. Difusión pública de información por parte de los emisores (LMV art.226, 227, 228 y 229). Los emisores de valores o instrumentos financieros que sean objeto de negociación en un mercado regulado español deben comunicar a la CNMV:

- la información **privilegiada** que le concierna directamente a que se refiere el Rgto (UE) 596/2014 art.17, tan pronto como sea posible; y
- otra información **relevante** de carácter financiero o corporativo relativa al propio emisor o a sus valores o instrumentos financieros que cualquier disposición legal o reglamentaria les obligue a hacer públicas en España o que consideren necesario, por su especial interés, difundir entre los inversores.

El emisor debe incluir y mantener en su **página web** por un período de al menos 5 años toda la información privilegiada que esté obligado a hacer pública.

El emisor puede, bajo su propia responsabilidad, **retrasar la difusión** de información privilegiada, siempre que se cumplan todas las condiciones siguientes (Rgto (UE) 596/2014 art.17.4):

- que la difusión inmediata pueda perjudicar los intereses legítimos del emisor;
- que el retraso en la difusión no pueda inducir al público a confusión o engaño;
- que el emisor esté en condiciones de garantizar la confidencialidad de la información.

En cualquier caso, el retraso en la difusión de la información privilegiada debe comunicarse a la CNMV, no siendo necesario remitir la justificación de la concurrencia de las condiciones que permiten tal retraso, salvo que la CNMV lo solicite expresamente.

2. Operaciones realizadas por directivos (LMV art.230; Rgto (UE) 596/2014 art.19). Las personas con responsabilidades de dirección, así como las personas estrechamente vinculadas con ellas, deben comunicar al emisor y a la CNMV toda operación ejecutada por cuenta propia relativa a acciones o instrumentos de deuda de dicho emisor, instrumentos derivados u otros instrumentos financieros vinculados a ellos, cuando, dentro de un año natural, la suma sin compensaciones de todas las operaciones **alcance la cifra** de 20.000 euros. A partir de esa primera comunicación, los sujetos obligados deberán comunicar todas y cada una de las operaciones subsiguientes. Asimismo, se faculta a la CNMV para desarrollar los medios técnicos por los que cada emisor deberá difundir la información relativa a dichas operaciones para cumplir con su obligación de velar por su difusión recogida en el Rgto (UE) 596/2014 art.19.3. 10383

3. Obligaciones para SMN y SOC en relación con las operaciones realizadas por **directivos** (LMV art.231). Los SMN y los SOC deben contar con medios técnicos que garanticen la difusión pública de las operaciones a las que se refiere el párrafo anterior (Rgto (UE) 596/2014 art.19.1), que hayan sido notificadas por las personas con responsabilidades de dirección en emisores de instrumentos financieros negociados exclusivamente en un SMN o en un SOC, los admitidos a negociación en un SMN o para los que se haya solicitado la admisión a negociación en un SMN, así como las notificadas por las personas estrechamente vinculadas con ellas. La obligación de difusión pública de las operaciones notificadas por las personas con responsabilidades de dirección en los emisores indicados anteriormente o por las personas estrechamente vinculadas con ellas, se dará por cumplida para dichas sociedades emisoras en caso de que las mismas difundan la información pertinente a través de los medios técnicos previstos por los SMN o por los SOC, según corresponda.

Derecho sancionador (LMV art.232 a 337) Las anteriores normas de conducta, al igual que otros imperativos de la LMV, quedarían desprotegidas sin la existencia de un régimen disciplinario. La LMV dedica el íntegro contenido del Título VIII al régimen de supervisión, inspección y sanción. 10385

No obstante, dentro del Derecho sancionador español debemos diferenciar, de acuerdo con la Const art.25, dos grandes ramas:

a) El **Derecho Penal**. En el CP aprobado por LO 5/2010, se incriminan una serie de conductas delictivas directamente relacionadas con la actuación de los operadores en el mercado de valores, a saber:

- delito de falseamiento de folletos de emisión o de cualquier otra información que una sociedad deba difundir bajo la normativa de mercado de valores (CP art.282 bis; nº 10750);
- delito de manipulación de mercado o utilización de información privilegiada (CP art.285; nº 10730).

10387 b) El **Derecho Administrativo** sancionador. Esta rama del ordenamiento jurídico público parte del precepto constitucional que dispone que la Administración Civil no podrá imponer sanciones que, directa o subsidiariamente, impliquen privación de libertad (Const art.25.3º).

El Derecho Administrativo sancionador en materia de Mercado de Valores se encuentra ubicado en el citado Título IX de la LMV, cuyos **elementos** son:

• **Ámbito subjetivo**: El sujeto activo lo es, fundamentalmente, la CNMV (LMV art.232). Corresponde a este ente de Derecho Público el ejercicio de la potestad sancionadora, ya sea con carácter exclusivo o conjuntamente con otros órganos de la Administración (p.e., el Ministerio de Asuntos Económicos y Transformación Digital).

El sujeto pasivo sometido a dicha potestad sancionadora lo es toda aquella persona y entidad regulada por la Ley y aquellas otras personas y entidades relacionadas con el mercado de valores (LMV art.232).

• **Ámbito objetivo**: La Ley distingue tres tipos de infracciones: graves y muy graves (LMV art.279 a 309) y leves (LMV art.310). A cada tipo de infracción la Ley apareja una diferente categoría de baterías sancionadoras reguladas por la LMV art.312 s.

• **Ámbito funcional**: Las normas de procedimiento se encuentran contenidas en la LMV art.269.1, el cual se remite a la L 40/2015 de Régimen Jurídico del Sector Público, con las especialidades recogidas en la L 10/2014 art.108, 100 y 112. Igualmente, será aplicable en el ejercicio de la potestad sancionadora lo previsto en la L 10/2014 art.106. Deben citarse, además, la L 39/2015 de procedimiento administrativo común (que regula el procedimiento sancionador común) y el RD 2119/1993, sobre el procedimiento sancionador aplicable a los sujetos que actúan en los mercados financieros.

Precisiones **1)** El **Derecho penal** del mercado de valores se expone en el nº 10690.

2) El Derecho del mercado de valores se encuentra inspirado en el **principio de la prevención general**, por lo que las sanciones administrativas, en cuanto manifestación del «ius puniendi» del Estado, tienen una clara función preventivo-represiva. Esta función, que no es exclusiva de la sanción penal, sino que es común y general para todos los tipos de sanciones de carácter aflictivo, también aparece justamente con relación a las sanciones administrativas pecuniarias y accesorias de la LMV, que tienen una naturaleza y una función de pena para el supuesto de violación de los deberes legales impuestos: abstención, salvaguardia y otros (Gómez Iniesta).

3) La reforma de la LMV/15 operada por RDL 19/2018, en vigor **desde el 25-11-2018**, amplía las facultades de supervisión e inspección de la CNMV e incluye nuevas infracciones y sanciones en materia de abuso de mercado, adaptándose entre otros, al **Reglamento sobre abuso de mercado** (Rgto (UE) 596/2014). Entre otras novedades, categoriza los incumplimientos del Rgto (UE) 596/2014, sobre abuso de mercado, como infracciones muy graves o graves y especifica las sanciones asociadas a los mismos.

SECCIÓN 17

Inversión en el mercado de valores en régimen colectivo

10390

1. Consideraciones generales

10395

Frente a la inversión directa, en la que el inversor se convierte directamente en propietario de un activo financiero, surge una segunda alternativa, la inversión en el mercado de valores en régimen colectivo.

Según su ley reguladora (ver nº 10399), son **instituciones de inversión colectiva (IIC)** las entidades que tienen por objeto captar fondos, bienes o derechos del público para gestionarlos e invertirlos en bienes, derechos, valores u otros instrumentos, financieros o no, siempre que el rendimiento del inversor se establezca en función de los resultados colectivos (LIIC art.1.1).

Se incluyen en el **ámbito de aplicación** de la normativa sobre IIC:

- las IIC que tengan en **España** su domicilio social -en el caso de sociedades de inversión- o que se hayan autorizado en España en el caso de fondos de inversión-;
- las IIC abiertas autorizadas en **otro Estado miembro** de la UE que se comercialicen en España **sometidas a la Directiva UCITS**, en cuyo caso solo les serán aplicables en su actuación en España las normas relativas a la comercialización en España de las acciones y participaciones de IIC extranjeras (LIIC art.15);
- las IIC abiertas constituidas en otro Estado miembro de la UE, gestionadas por sociedades gestoras autorizados en un Estado miembro de la UE al amparo de la Directiva 2011/61/UE (Directiva AIFMD sobre gestores de inversión alternativos) que se comercialicen en España a inversores profesionales, **no sometidas a la Directiva UCITS**. En este caso solo les serán aplicables en su actuación en España las normas relativas a la comercialización a inversores profesionales de este tipo de IIC (LIIC art.15 bis);
- las IIC abiertas constituidas en terceros Estados gestionadas por sociedades gestoras autorizadas en un Estado miembro de la UE al amparo de la Directiva 2011/61/UE que se comercialicen en España a inversores profesionales, **no sometidas a la Directiva UCITS**. En este caso solo les serán aplicables en su actuación en España las normas relativas a la comercialización a inversores profesionales de este tipo de IIC (LIIC art.15 ter);
- las IIC gestionadas por sociedades gestoras no domiciliadas en la UE cuando se comercialicen en España a inversores profesionales **no sometidas a la Directiva UCITS**. En este caso solo les serán aplicables en su actuación en España las normas relativas a la comercialización a inversores profesionales de este tipo de IIC (LIIC art.15 quater);

- las IIC señaladas en los tres párrafos anteriores cuando se comercialicen en España a inversores no profesionales. En este caso solo les serán aplicables en su actuación en España las normas relativas a la comercialización a inversores no profesionales de este tipo de IIC (LIIC art.15 quinquies);
Reglamentariamente se podrán determinar los tipos de IIC que pueden comercializarse tanto a profesionales como a no profesionales.
Las IIC pueden ser de dos **clases**:
- de carácter financiero, que tienen por objeto principal la inversión en estos activos e instrumentos; y
- de carácter no financiero, que, por defecto, son las que no son financieras y entre las que destacan las IIC inmobiliarias.
Ambas clases pueden revestir la **forma** de sociedad de inversión o de fondo de inversión (LIIC art.1.1).

10397 Precisiones 1) Sin perjuicio de las especialidades previstas para cada clase de IIC, las IIC deben llevar a cabo sus inversiones con respeto a los siguientes **principios** (LIIC art.23):
- **Liquidez**: deben tener liquidez suficiente, según la naturaleza de la institución, del partícipe o accionista y de los activos en los que se invierta.
- **Diversificación del riesgo**: deben limitar la concentración del riesgo de contrapartida de forma que se garantice la suficiente diversificación.
- **Transparencia**: deben definir claramente su perfil de inversión, que habrá de quedar reflejado en los documentos informativos previstos en LIIC art.17.

2) En los países con **sistemas financieros avanzados**, la mayor parte de las inversiones en los mercados de capitales se canaliza a través de instrumentos de inversión colectiva. Las razones de este fenómeno son, fundamentalmente, dos: por un lado, la creciente complejidad de los mercados financieros y el consiguiente encarecimiento del acceso a los mismos y a una gestión profesionalizada por parte de los inversores con patrimonio reducido; por otro, el hecho de que la inversión colectiva tiene en la mayoría de los países un tratamiento fiscal más favorable que la inversión directa.

3) La L 5/2015(Título V) ha establecido un régimen jurídico para las denominadas **plataformas de financiación participativa** (también denominadas comúnmente como *crowdfunding*). Se trata de empresas autorizadas cuya actividad consiste en poner en contacto, de manera profesional y a través de páginas web u otros medios electrónicos, a una pluralidad de personas físicas o jurídicas, que ofrecen financiación a cambio de un rendimiento dinerario (inversores) con personas físicas o jurídicas que solicitan financiación en nombre propio para destinarlo a un proyecto de financiación participativa (promotores). La autorización y registro de estas entidades corresponde a la CNMV.

4) La LIIC regula las denominadas **IIC abiertas**, es decir, aquellas que pueden ser reembolsadas en cualquier momento por los inversores con cargo a los activos de las IIC. No obstante, existen las denominadas **IIC cerradas** que son aquellas en las que las desinversiones se producen de forma simultánea para todos los inversores y lo percibido por cada inversor lo es en función de sus derechos. Las IIC cerradas se regulan por la L 22/2014 y, por regla general, se comercializan bien a inversores profesionales o bien a minoristas a los que se les exige una inversión mínima muy elevada.

10399 **Normativa aplicable** Las IIC se encuentran reguladas en la actualidad fundamentalmente por la L 35/2003, de Instituciones de Inversión Colectiva **(LIIC)**, modificada por:
- la L 43/2007;
- el RD 215/2008;
- la L 5/2009 disp.final 2ª;
- la L 11/2009 disp.final 5ª;
- la L 10/2010;
- la L 2/2011 disp.final 7ª;
- la L 15/2011;
- la L 21/2011 disp.final 4ª;
- la L 25/2011 disp.final 2ª;
- la L 31/2011;
- la L 16/2013 disp.final 1ª;
- la L 22/2014 disp.final 1ª;
- la L 5/2015 disp.final 3ª;
- la L 11/2015 disp.final 6ª;
- la L 25/2015 disp.final 2ª;
- el RDL 19/2018 disp.final 2ª;
- el RDL 22/2018 art.1;
- la L 11/2018 disp.final 1ª;
- el RDL 11/2020;
- la L 5/2021;

- el RDL 24/2021;
- la L 18/2022;
- la L 6/2023.

El desarrollo fundamental de la LIIC se encuentra en el RD 1082/2012 (modificado recientemente por RD 813/2023, RD 816/2023 y RD 1180/2023), que aprueba su Reglamento **(RIIC)**. Adicionalmente, es necesario tener en cuenta el resto de la **normativa de desarrollo** (Reales Decretos, órdenes ministeriales, circulares de la Comisión Nacional del Mercado de Valores, etc.).

La Dir 2009/65/CE, por la que se coordinan las disposiciones legales, reglamentarias y administrativas sobre determinadas IIC, conocida como **UCITS IV** ha sido traspuesta al ordenamiento jurídico español a través de, entre otros, las mencionadas L 35/2003 -fundamentalmente, a través de la modificación por la L 31/2011- y el RD 1082/2012. **10401**
Esta Directiva ha sido modificada parcialmente por la Dir 2014/91/UE, conocida como UCITS V, que mayormente ha sido transpuesta al ordenamiento jurídico español (L 22/2014 y RD 83/2015).
La Dir 2011/61/UE, sobre gestores de fondos de inversión alternativos, conocida como AIFMD ha sido traspuesta al ordenamiento jurídico español a través de, entre otros, la L 22/2014 por la que se regulan las entidades de capital-riesgo, otras entidades de inversión colectiva de tipo cerrado y las sociedades gestoras de entidades de inversión colectiva de tipo cerrado y el RD 83/2015 (que modifica el RD 1082/2012).

La Dir 2009/65/CE -**UCITS IV** - sustituye a la Dir 85/611/CEE, cuyos **objetivos** son permitir a las IIC operar libremente a lo largo de la UE en base a una única autorización otorgada por un Estado miembro, así como coordinar las distintas normativas nacionales sobre IIC para aproximar las condiciones de competencia entre los distintos países de la UE y lograr una protección más eficiente de los inversores. Esta Directiva establece unos **requisitos mínimos** en cuanto a autorización, supervisión, estructura, actividad e información al partícipe o accionista. **10403**
El objetivo principal de la Directiva UCITS IV es aunar las sucesivas modificaciones introducidas por las directivas UCITS desde 1985, minimizando los costes de la distribución transfronteriza a través de estructuras de gestión más eficientes, aumentando el volumen de las IIC para competir en el mercado internacional, gracias a las fusiones transfronterizas y las estructuras tipo principal/subordinado y dando mayor movilidad a las sociedades gestoras europeas a través del correspondiente pasaporte comunitario. Las principales **novedades** que introduce la Directiva UCITS IV se resumen en las siguientes:

• **Comercialización de IIC** (Dir 2009/65/CE art.93): Se simplifica el procedimiento actual (nº 10452) en cuanto a la comunicación entre las autoridades supervisoras de los Estados miembros y la aportación de documentación por parte de la sociedad gestora, lo que le permitirá a esta última iniciar la comercialización una vez realizada la notificación por la autoridad supervisora de su Estado de origen a la autoridad supervisora del Estado de acogida. La labor de esta última queda reducida a la supervisión del cumplimiento de la normativa nacional en relación con la distribución y publicidad de las IIC, una vez se encuentren registradas.

• **Pasaporte europeo para sociedades gestoras**: Mediante el pasaporte europeo, las sociedades gestoras, que se encuentren registradas en un Estado miembro de la Unión Europea, podrán actuar en cualquier otro Estado miembro a través de la libre prestación de servicios o de mediante el establecimiento de una sucursal. La sociedad gestora estará sometida a la autorización y control de la autoridad supervisora de su Estado miembro de origen. No obstante lo anterior, los depositarios deberán estar en el mismo domicilio en el que se encuentren las IIC.

• **Fusiones transfronterizas de IIC**: Se establece un nuevo marco jurídico para las fusiones de IIC, tanto nacionales como transfronterizas. En este sentido, se establece el principio de autorización previa por parte del supervisor del Estado miembro de la IIC absorbida, quién deberá informar al supervisor del Estado miembro de la IIC absorbente.

• **Estructuras de tipo principal/subordinado (Master/Feeder)**: Si bien las estructuras principal/subordinado ya existen en España (nº 10542), la Directiva UCITS IV introduce un nuevo marco regulatorio y clarifica la posibilidad de llevar a cabo este tipo de estructuras entre IIC de distintos Estados miembros.

• **Sustitución del folleto simplificado por el «Key Investor Information»** o el **«Documento con los Datos Fundamentales para el Inversor»** (DFI): La Directiva sustituye la obligación de suministrar un folleto simplificado (nº 10460), por un breve documento estandarizado sobre las características esenciales de la inversión («Key Investor Information»), que deberá indicar además dónde y de qué forma se puede obtener información suplementaria al respecto. Este documento deberá ser válido en todos los Estados miembros en los que la IIC comercialice sus participaciones/acciones.

La Dir 2014/91/UE (UCITS V), que modifica parcialmente la Dir 2009/65/CE (UCITS IV), introduce como principales novedades: un nuevo régimen para los depositarios (similar al exigido por la Directiva AIFMD), normas acerca de la política de remuneración de las sociedades gestoras, así como medidas para conseguir una mínima homogeneización en el régimen de sanciones entre los países miembros.

Precisiones Con fecha 15-12-2021 se modificó la Directiva UCITS al objeto de incorporar el documento de datos fundamentales para el inversor recogido en el Rgto (UE) 1286/2014 sobre los documentos de datos fundamentales relativos a los productos de inversión minorista empaquetados y los productos de inversión basados en seguros.

10405 **b)** La Directiva sobre **gestores de fondos de gestión alternativa** («AIFMD»). Lo esencial de la citada **Directiva AIFMD** puede resumirse como a continuación se expone:

• **Objetivo**: Los objetivos de esta Directiva son incrementar la transparencia, someter a supervisión a las gestoras de productos alternativos, un mayor control del riesgo sistémico y la creación de un mercado interno en la UE para este tipo de activos a través del pasaporte de la gestora.

• **Ámbito de aplicación**: La Directiva se aplica a los gestores de IIC de gestión alternativa (AIFMD), entendiendo por éstas todas aquellas que, haciendo llamamiento a los fondos de varios inversores para invertirlos de acuerdo con una política de inversión predeterminada, en beneficio de esos mismos inversores, no entran en el ámbito de la Directiva UCITS (Dir 2009/65/CE) y, por lo tanto, afectará, a todas las IIC no UCITS y al capital riesgo o *private equity*.

• **Establecimiento de licencia administrativa para los gestores de gestión alternativa**: La Directiva establece dos tipos de licencias, el registro y la autorización. Así, si concurren ciertos supuestos -gestores que gestionen las carteras de entidades cuyos activos, incluidos los adquiridos con apalancamiento, no excedan de 100 millones de euros o gestores que gestionen las carteras de entidades cuyos activos no excedan de 500 millones de euros, cuando esta cartera consista en activos que no estén apalancados y cuyas participaciones no sean reembolsables durante los 5 años siguientes a la fecha de la inversión inicial-, y, aunque no están obligados a hacerlo, los Estados miembros podrán optar por establecer un procedimiento de supervisión menos exigente que el de autorización previa. Este procedimiento aligerado consiste en una obligación del gestor de registrarse con su supervisor nacional, y someterle información reglada tanto en el momento del registro como continuadamente.

• **Plazo de transposición**: Una vez publicada la Directiva AIFMD, los Estados miembros debían trasponerla a su Derecho nacional antes del 23-7-2013, como **regla general**, pues existen **obligaciones singulares** para cuya transposición al Derecho nacional se ha establecido un plazo distinto, porque la regulación de estas obligaciones requiere, además de lo dispuesto en la Directiva, la adopción, por parte de la Comisión Europea, de ciertas normas de desarrollo.

Las obligaciones así señaladas son las relativas a:
- la comercialización en territorio europeo de fondos establecidos fuera de este territorio, pero gestionados por gestores europeos;
- la comercialización en territorio europeo de fondos establecidos fuera de este territorio por gestores que también lo están; y
- la gestión, por éstos últimos, de fondos europeos.

10407 **Ámbito de aplicación** Aparte de lo mencionado en el nº 10395, la LIIC resulta de aplicación a las **SGIIC**, los depositarios de IIC, así como a otras entidades que presten servicios a las IIC y a aquellos que ostenten cargos de administración o dirección en dichas entidades o sus apoderados.

Asimismo, la LIIC será aplicable a las personas o entidades que, con los requisitos de publicidad y determinación de resultados previstos en la definición de IIC, capten recursos para su gestión mediante el contrato de **cuentas en participación** y cualquier forma de **comunidad de bienes y derechos**.

10409 **Tipología** La LIIC establece dos únicas **clases de IIC**, pudiendo cada una de ellas adoptar la forma de Fondo de Inversión o de Sociedad de Inversión:

1. Las **de carácter financiero**, que son aquellas que tienen por objeto la inversión en activos e instrumentos financieros y entre las que cabe destacar, en atención a su política de inversión y características, las IIC financieras de régimen común y las IIC financieras especiales -IIC de inversión libre, IIC de IIC de inversión libre, IIC principales, IIC subordinadas, IIC o compartimentos de propósito especial e IIC cotizadas-.

2. Las **no financieras** entre las que se encuentran las **inmobiliarias**, que tienen por objeto principal la inversión en inmuebles urbanos para su arrendamiento, y **otras IIC no financieras**, que se regirán por lo dispuesto en la LIIC y en sus desarrollos reglamentarios.

2. Forma jurídica de las Instituciones de Inversión Colectiva

Las IIC pueden adoptar jurídicamente dos formas: 10415
- fondo de inversión (nº 10420); o
- sociedad de inversión (nº 10435).

a. Fondos de inversión

Los fondos de inversión (FI) son IIC que constituyen **patrimonios separados sin personalidad jurídica**, pertenecientes a una pluralidad de inversores -incluidos entre ellos otras IIC-, cuya gestión y representación corresponde a una SGIIC, que ejerce las facultades de dominio sin ser propietaria del FI, con el concurso de un depositario, y cuyo objeto es la captación de fondos, bienes o derechos del público para gestionarlos e invertirlos en bienes, derechos, valores u otros instrumentos, financieros o no, siempre que el rendimiento del inversor se establezca en función de los resultados colectivos. 10420

Los FI se configuran, por tanto, como un patrimonio que pertenece a una **pluralidad de inversores** (partícipes), si bien la doctrina tiende a reconocerles una cierta naturaleza jurídica societaria próxima a la sociedad civil con régimen típico y esencial o a la sociedad, en sentido amplio.

Su importancia deriva de sus indudables **ventajas** frente a la inversión particular (p.e., gestión eficiente, diversificación, mayor liquidez, menor riesgo, etc.). El patrimonio de los FI queda constituido pues con las **aportaciones** de los partícipes y sus rendimientos, no respondiendo los partícipes por las **deudas** del FI sino hasta el límite de lo aportado, ni respondiendo el patrimonio de los FI por las deudas de los partícipes, SGIIC o depositarios.

Precisiones 1) Existe la posibilidad de crear **FI por compartimentos** en los que, bajo un único contrato constitutivo y reglamento de gestión, se agrupan dos o más compartimentos, debiendo quedar reflejada esta circunstancia, expresamente, en dichos documentos. Cada compartimento:
- recibe una **denominación** específica en la que necesariamente deberá incluirse la denominación del FI; y
- da lugar a la emisión de sus **propias participaciones**, que podrán ser de diferentes clases, representativas de la parte del patrimonio del fondo que les sea atribuido.

La parte del patrimonio del FI que le sea atribuido a cada compartimento responde exclusivamente de los costes, gastos y demás obligaciones expresamente atribuidas a ese compartimento y de los **costes, gastos y obligaciones** que no hayan sido atribuidas expresamente a un compartimento en la parte proporcional que se establezca en el reglamento del fondo.

A los compartimentos les serán individualmente aplicables todas las previsiones de la LIIC con las especificidades que se establezcan. El **número mínimo de partícipes** de cada compartimiento no puede ser inferior a 20, sin que, en ningún caso el número de partícipes totales que integren el fondo sea inferior a 100.

Cada compartimento contará con una única **política de inversión**.

2) Los fondos de inversión se pueden dividir a su vez en las siguientes **categorías**:
- **Fondos de inversión**: podrán clasificarse a su vez en fondo de inversión, fondo de fondos, fondo cotizado, fondo índice o fondo subordinado.
- **Fondos de inversión libre**: con unos requisitos y características más flexibles que los fondos de inversión (LIIC art.33 bis).
- **IIC de IIC de inversión libre**: deberán invertir al menos el 60% de su patrimonio en IIC de inversión libre bajo ciertas condiciones (LIIC art.33 ter).
- **Fondo de inversión inmobiliario**: son aquellos de carácter no financiero que tengan por objeto principal la inversión en bienes inmuebles de naturaleza urbana para su arrendamiento.

Constitución Obtenida la autorización de la Comisión Nacional del Mercado de Valores (CNMV), la constitución tiene lugar mediante una o varias aportaciones iniciales, quedando documentado en un **contrato** entre la SGIIC y un depositario. 10422

El **contenido mínimo** del contrato se fija en el RIIC art.9.

Partícipes y participaciones La condición de partícipe en un FI se adquiere mediante la realización de la aportación al patrimonio común del FI, adquiriéndose desde ese momento los **derechos** reconocidos en la LIIC, el RIIC, sus desarrollos y el reglamento de gestión del FI, entre los que figuran, como mínimo, los siguientes: 10424

a) Solicitar y obtener el **reembolso** del valor de sus participaciones, así como el traspaso de sus inversiones entre IIC.

b) Obtener **información** completa, veraz, precisa y permanente sobre el FI, el valor de las participaciones y la posición del partícipe en el FI.

c) Exigir **responsabilidades** a la SGIIC y al depositario por el incumplimiento de sus obligaciones legales y reglamentarias.

d) Acudir al departamento de atención al cliente o al **defensor del cliente**, así como, en su caso, al Comisionado para la Defensa del Inversor.

10426 Con carácter general, el **número de partícipes** en un FI no puede ser inferior a 100, si bien habrá que tener en cuenta las excepciones existentes en determinadas IIC financieras de régimen especial (nº 10530) y, en su caso, el número mínimo de partícipes por compartimento antes citado en la introducción a este apartado (nº 10420).

La participación en un FI es cada una de las **partes alícuotas** en que se divide el patrimonio de un fondo y de las que es titular cada partícipe.

Las participaciones no tienen valor nominal, pero sí la condición de valores negociables (ver nº 9317) y pueden representarse mediante **certificados nominativos** o mediante **anotaciones en cuenta**.

Dentro de un mismo fondo, o en su caso, de un mismo compartimento, pueden existir distintas **clases** de participaciones que se diferenciarán, entre otros aspectos, por la divisa de denominación, por la política de distribución de resultados o por las comisiones que les sean aplicables. Cada clase de participación recibe una denominación específica, que va precedida de la denominación del fondo y, en su caso, del compartimento.

El **valor liquidativo** de cada clase de participación en un FI será el que resulte de dividir el valor de la parte del patrimonio del fondo que corresponda a dicha clase por el número de participaciones de esa clase en circulación.

10428 A los efectos de **suscripción y reembolso**, el valor liquidativo aplicable se calculará y se hará público por un medio de difusión que garantice un acceso fiable, rápido y no discriminatorio entre ellos (RIIC art.4.8), con la periodicidad que se establezca, en función de las distintas políticas de inversión, de la naturaleza de los partícipes y de la liquidez del fondo. Las participaciones se emiten y reembolsan por la SGIIC a solicitud de cualquier partícipe, en los términos que se establece en el RIIC. No obstante, la CNMV, de oficio o a petición de la SGIIC, podrá suspender temporalmente la suscripción o reembolso de participaciones cuando no sea posible la determinación de su precio o concurra otra causa de fuerza mayor. Con carácter general, las suscripciones y reembolsos de fondos de inversión deben realizarse en efectivo. No obstante, excepcionalmente, cuando así se haya previsto reglamentariamente y en el reglamento de gestión, las suscripciones y reembolsos pueden efectuarse mediante entrega de bienes, valores o derechos aptos para la inversión, adecuados a la vocación inversora del fondo.

Las SGIIC de IIC y los depositarios podrán recibir de los fondos **comisiones de gestión y de depósito**, respectivamente, y las SGIIC podrán recibir de los partícipes comisiones por suscripción y reembolso. En el folleto se deberá recoger la forma de cálculo, el límite máximo de las comisiones referidas tanto al compartimento como a cada una de las clases, las comisiones que efectivamente vayan a aplicarse, y la entidad beneficiaria de su cobro. Asimismo, en caso de que la SGIIC se reserve la posibilidad de establecer acuerdos de devolución a partícipes de comisiones cobradas, tal circunstancia se deberá incluir en el folleto informativo de los fondos, junto con los criterios a seguir para la práctica de dichas devoluciones. Se podrán aplicar distintas comisiones a las distintas clases de participaciones, pero se aplicarán las mismas comisiones de gestión y de depósito a todas las participaciones de una misma clase y las comisiones de suscripción y reembolso de las participaciones de una misma clase solo podrán distinguirse por condiciones objetivas y no discriminatorias incluidas en el folleto.

En RIIC art.5 se establecen las **reglas de cálculo** y los **límites** aplicables a la comisión de gestión, así como los límites a las comisiones y descuentos de suscripción y reembolso y a las comisiones de depósito. Asimismo, el citado artículo establece qué gastos y comisiones de intermediación serán por cuenta del fondo, debiendo los restantes ser asumidos por la gestora o el depositario.

b. Sociedades de inversión

10435 Las sociedades de inversión son aquellas IIC que adoptan la forma de **sociedad anónima** y cuyo objeto social es el descrito en nº 10395.

Las sociedades de inversión se rigen por lo establecido en la LIIC y, en lo no previsto en ella, por la LSC.

Su **capital** debe estar íntegramente suscrito y desembolsado desde su constitución, representándose por medio de acciones, que podrán estar representadas mediante títulos nominativos o mediante anotaciones en cuenta.

Pueden emitirse diferentes **series de acciones** que se diferencian por las comisiones que les son aplicables. Las acciones pertenecientes a una misma serie tienen igual valor nominal y confieren los mismos derechos, recibiendo cada una de estas series una denominación específica, que va precedida de la denominación de la sociedad y, en su caso, del compartimento.

Con carácter general, el **número de accionistas** de las sociedades de inversión no puede ser inferior a 100, si bien habrá que tener en cuenta las excepciones existentes en determinadas IIC financieras de régimen especial (nº 10530) y, en su caso, el número mínimo de partícipes por compartimento abajo mencionado.

Precisiones Pueden crearse **sociedades de inversión por compartimentos** en los que bajo un único contrato constitutivo y estatutos sociales se agrupen dos o más compartimentos, debiendo quedar reflejada esta circunstancia expresamente en estos documentos. La parte del capital de la sociedad correspondiente a cada compartimento responderá exclusivamente de los costes, gastos y obligaciones atribuidos expresamente a un compartimento y de los costes, gastos y obligaciones que no hayan sido atribuidos expresamente a un compartimento, en la parte proporcional que se establezca en los estatutos sociales. 10437

Cada compartimento recibe una **denominación** específica en la que necesariamente debe incluirse la denominación de la sociedad de inversión.

Cada compartimento da lugar a la emisión de **acciones** o de diferentes series de acciones, representativas de la parte del capital social que les sea atribuida. A los compartimentos les son individualmente aplicables todas las previsiones de la LIIC con las especificidades que se establezcan.

El **número mínimo de accionistas** de cada compartimento no podrá ser inferior a 20, sin que, en ningún caso el número de accionistas totales que integren la sociedad de inversión sea inferior a 100.

Los **órganos de administración y representación** de la sociedad de inversión serán los determinados en sus estatutos, debiendo contar con una junta general y un consejo de administración. Cuando así lo prevean los estatutos sociales, la junta general o, por su delegación, el consejo de administración, podrán acordar que la gestión de los activos, bien en su totalidad, bien en parte, se encomiende a una o varias SGIIC o a una o varias entidades que estén habilitadas para realizar en España el servicio de inversión de gestión discrecional e individualizada de carteras. Sin perjuicio de lo anterior, la gestión, representación y administración, solo podrá ser encomendada a una SGIIC y, en caso contrario, la sociedad de inversión deberá cumplir con los requisitos adicionales descritos en nº 10490 s. Por otro lado, las citadas entidades podrán, a su vez, delegar la gestión de los activos cuya gestión les hubiera sido encomendada en otra entidad financiera en la forma y con los requisitos establecidos en RIIC art.98.

c. Disposiciones comunes

Se exponen a continuación las disposiciones comunes del régimen jurídico de los FI y las sociedades de inversión. 10440

Autorización y registro (LIIC art.10 y 11; RIIC art.8 a 12 y 15) La **CNMV** autoriza el proyecto de constitución de las sociedades de inversión y FI, debiendo en todo caso la **solicitud** de autorización incorporar una memoria, la acreditación de la honorabilidad y de la profesionalidad de quienes desempeñen cargos de administración y dirección de la IIC, y en general, cuantos datos, informes o antecedentes se consideren oportunos para verificar el cumplimiento de las condiciones y requisitos establecidos en la LIIC art.10. 10442

En el caso de **FI** acompañando a la solicitud se debe incorporar el folleto y el documento con los datos fundamentales para el inversor del mismo, y, en el caso de las **sociedades de inversión**, los estatutos sociales. Por otro lado, en el caso de las sociedades que no hayan designado sociedad de gestión, será necesario incluir una memoria de actividad en la que se describa su estructura organizativa.

La autorización de la CNMV, en el caso de los FI y las sociedades de inversión que hayan designado una sociedad gestora, debe ser objeto de **notificación** dentro de los dos meses siguientes a la recepción de la solicitud o al momento en el que se complete la documentación exigible. Este plazo es de tres meses en el caso de las sociedades de inversión que no hayan designado una sociedad gestora. Si transcurren cinco meses sin que se dicte resolución expresa, podrá entenderse estimada la solicitud por silencio administrativo.

Los motivos de **denegación** de la solicitud por CNMV se encuentran tasados en la LIIC art.10.4.

Para obtener y conservar la autorización para operar otorgada por CNMV es necesario cumplir los siguientes **requisitos**:

a) Constituirse como **SA** o como FI.

b) Limitar su **objeto social** a las actividades establecidas en la LIIC.

c) Disponer del **capital** social o patrimonio mínimos en el plazo y cuantía que reglamentariamente se determinan.

d) Contar con los **accionistas o partícipes** en el plazo y número legalmente exigible.

e) En el caso de los FI, designar una **SGIIC** cuyo domicilio social y efectiva administración y dirección estén en España, y en el caso de las sociedades de inversión, si el capital social inicial mínimo no supera los 300.000 euros designar una SGIIC.

f) Designar un **depositario** en el caso de los FI y de las sociedades de inversión de capital variable (SICAV) previstas en la LIIC art.32.

10444 Para las **sociedades de inversión** y con carácter general, es necesario cumplir, además, los siguientes requisitos:

a) Su **domicilio** social, así como su efectiva administración y dirección, ha de estar situado en territorio español.

b) Quienes ostenten **cargos de administración o dirección** en la entidad han de tener una reconocida honorabilidad empresarial o profesional.

Adicionalmente, aquellas sociedades de inversión cuya **administración, gestión y representación no esté encomendada a una SGIIC**, deben cumplir también con lo siguiente:

• Contar con una **organización administrativa y contable**, así como con procedimientos de control interno adecuados que garanticen, tanto aquellos como éstos, la gestión correcta y prudente de la IIC, incluyendo procedimientos de gestión de riesgos, así como mecanismos de control y de seguridad en el ámbito informático y órganos y procedimientos para la prevención del blanqueo de capitales.

• La mayoría de los miembros de su consejo de administración o de sus comisiones ejecutivas, así como todos los consejeros delegados y directores generales y asimilados, deben contar con **conocimientos y experiencia** adecuados en materias relacionadas con el mercado de valores o con el objeto principal de inversión de la IIC en cuestión.

• Contar con un **reglamento interno de conducta** de los previstos en LIIC.

10446 **Modificación de proyectos constitutivos, estatutos y reglamentos** (LIIC art.12; RIIC art.14) Las modificaciones en el proyecto constitutivo, en los estatutos o en el reglamento de las IIC quedan sujetas al procedimiento de **autorización** visto en nº 10442, sin embargo, existen ciertas especialidades contenidas en RIIC art.14 (p.e. para ciertas modificaciones de los estatutos sociales y de los reglamentos, basta con que sean comunicadas con posterioridad a la CNMV).

Toda modificación del reglamento de un FI que requiera autorización previa debe ser comunicada por la **SGIIC** a los partícipes en los diez días siguientes a la notificación de la autorización por parte de la CNMV. Existen determinados casos (p.e., cuando quede afectada la política de inversión, política de distribución de resultados, cuando se sustituya a la SGIIC o al depositario, cuando ocurra un cambio de control de la SGIIC, o la fusión, transformación o escisión del FI, cuando se establezcan o eleven las comisiones, etc.), en los que la modificación del reglamento de gestión, del folleto o del documento con los datos fundamentales para el inversor, siempre que exista **comisión de reembolso** o gastos o descuentos asociados al mismo, otorga a los partícipes el derecho de **separación**, sin deducción de comisión o gasto alguno, durante el plazo de 30 días naturales contado a partir de la remisión de las comunicaciones a los partícipes y por el valor liquidativo que corresponda a la fecha del último día de los 30 días naturales de información.

Precisiones Todas las **comunicaciones a partícipes o accionistas** a las que se refiera el RIIC art.14, han ser remitidas por medios telemáticos, excepto cuando aquellos inversores que no sean considerados clientes profesionales tal y como están definidos en la LMV art.193 y 194 no faciliten los datos necesarios para ello o cuando manifiesten por escrito su preferencia para recibirlos físicamente, en cuyo caso se le remitirán versiones en papel, siempre de modo gratuito y sin coste alguno.

10448 **Revocación y suspensión de la autorización** (LIIC art.13; RIIC art.16 y 17) La autorización concedida a las IIC solo puede ser revocada por la CNMV -además de cómo **sanción** por la comisión de una infracción muy grave de las tipificadas en LIIC art.85-, en los siguientes **supuestos**:

a) Por el incumplimiento de los **requisitos de autorización y ejercicio de la actividad**. Existe una excepción a esto consistente en que, cuando por circunstancias del mercado o por el obligado cumplimiento de la LIIC o de la LSC, el patrimonio o el número de partícipes de un fondo, o el capital o el número de accionistas de una sociedad de inversión, descienden de los mínimos establecidos reglamentariamente, dichas instituciones gozan del plazo de un año, durante el cual pueden continuar operando como tales. Dentro de dicho plazo deben, bien llevar a efecto la reconstitución permanente del capital o del patrimonio y del número de accionistas o partícipes, bien renunciar a la autorización concedida o bien decidir su disolución.

b) Si no da **comienzo** a las **actividades** específicas de su objeto social dentro de los seis meses siguientes a la fecha de inscripción en el registro especial correspondiente por causa imputable al interesado.

c) Si **renuncia** de modo expreso a la autorización.

d) Si **no se inscribe en el registro** correspondiente de la CNMV dentro de los seis meses siguientes a la fecha de notificación de la autorización, por causa imputable al interesado.

e) Cuando se ha obtenido la autorización por medio de **declaraciones falsas** u omisiones o por otro medio contrario al ordenamiento jurídico.

f) Si durante un año el **volumen de actividad** es inferior al que reglamentariamente se determine.
g) Cuando existen razones fundadas y acreditadas respecto de que la influencia ejercida por las personas que poseen una **participación significativa** en una sociedad de inversión puede resultar en detrimento de la gestión correcta y prudente de la misma, que daña gravemente su situación financiera.
h) Si se inicia respecto de la entidad un **procedimiento concursal**.
i) Cuando se da alguna de las causas de **disolución forzosa** de LSC título X cap.I.
Los supuestos de suspensión exclusivamente de **sociedades de inversión** son los siguientes:
- cuando se infrinjan de manera grave o sistemática las disposiciones previstas en esta ley o en el resto de normas reguladoras de las sociedades de inversión;
- cuando existan razones fundadas y acreditadas respecto de que la influencia ejercida por las personas que posean una participación significativa en una sociedad de inversión pueda resultar en detrimento de la gestión correcta y prudente de la misma, que dañe gravemente su situación financiera;
- como sanción según lo previsto en LIIC; o
- en los supuestos previstos en la LMV art.140.5.a, b y c.

Reserva de actividad y denominación (LIIC art.14; RIIC art.18) La denominación «**Instituciones de Inversión Colectiva**» y sus siglas «**IIC**» y las específicas previstas en la LIIC y sus normas de desarrollo, son privativas de las entidades inscritas en los registros correspondientes de la CNMV, no pudiendo ninguna otra entidad utilizar dichas denominaciones u otras que induzcan a confusión con ellas. **10450**
Ninguna persona o entidad puede, sin haber obtenido la preceptiva autorización y sin hallarse inscrita en los registros de la CNMV desarrollar las **actividades** legalmente reservadas a las IIC, ni utilizar la denominación de IIC o cualquier otra expresión que induzca a confusión con ellas, so pena de ser sancionado, conforme al régimen sancionador previsto en LIIC. Si requeridas por la CNMV para que cesen inmediatamente en la utilización de las denominaciones o en la oferta o realización de las actividades, continúan utilizándolas o realizándolas, podrán ser sancionadas con **multas** coercitivas por importe de hasta 300.000 euros, que pueden ser reiteradas con ocasión de posteriores requerimientos, todo ello sin perjuicio de las demás responsabilidades, incluso de orden penal, que pueden ser exigibles.

Comercialización transfronteriza de IIC (LIIC art.15 y 16; RIIC art.20 y 21) A continuación, se exponen de forma esquemática los procedimientos para la comercialización de IIC extranjeras en España y de IIC españolas en el extranjero. **10452**

Comercialización en España de acciones y participaciones de IIC extranjeras Es necesario distinguir entre IIC UCITS e IIC no UCITS: **10454**
1) IIC UCITS:
La comercialización en España de las acciones y participaciones de las IIC UCITS, es decir, autorizadas en otro Estado miembro de la **UE** de acuerdo con Dir 2009/65/CE y sus sucesivas (Directiva UCITS), es libre, con sujeción a las siguientes **normas,** desde que la autoridad competente del Estado miembro de origen de la IIC comunique a la IIC que ha remitido a la CNMV el escrito de notificación con información sobre las disposiciones y modalidades de comercialización de las acciones o participaciones en España, y cuando proceda, sobre las clases de estas o sobre las series de aquellas, el reglamento del fondo de inversión o los documentos constitutivos de la sociedad, su folleto, el último informe anual y en su caso el informe semestral sucesivo, el documento con los datos fundamentales para el inversor y el certificado acreditativo de que la IIC cumple las condiciones impuestas por la Dir 2009/65/CE:
a) La IIC debe respetar las disposiciones normativas vigentes en España que no entren en el ámbito de la Dir 2009/65/CE, así como las normas que regulan la **publicidad** en España.
b) El escrito de **notificación** incluirá los detalles necesarios, incluida la dirección, para la facturación o la comunicación de cualesquiera tasas o gravámenes reglamentarios aplicables por parte de la CNMV e información de los servicios para llevar a cabo las siguientes tareas:
- procesar las órdenes de suscripción, recompra y reembolso y efectuar otros pagos a los partícipes en relación con las participaciones de la IIC, de conformidad con las condiciones establecidas en la documentación exigida con arreglo a lo establecido en la LIIC y en su normativa de desarrollo.
- proporcionar información a los inversores sobre cómo se pueden cursar las órdenes a que se refiere el apartado anterior y cómo se abona el importe de la recompra y el reembolso;
- facilitar el tratamiento de la información y el acceso a los procedimientos y disposiciones relativos al ejercicio, por parte de los inversores, de los derechos asociados a su inversión en la IIC.

- poner a disposición de los inversores, a efectos de examen y de la obtención de copias, la información y la documentación que deban suministrar a los accionistas y partícipes;
- proporcionar a los inversores, en un soporte duradero, información pertinente respecto a las tareas que los servicios realizan, y
- actuar como punto de contacto para la comunicación con las autoridades competentes.

Las IIC no estarán obligadas a tener presencia física en España o a designar un tercero para llevar a cabo estas tareas.

c) La IIC debe proporcionar a los inversores radicados en España toda la **información y documentación** que con arreglo a la legislación de su Estado miembro de origen deba proporcionar a los inversores radicados en dicho Estado.

Por otra parte, las sociedades gestoras que gestionen **fondos y sociedades** establecidos en **otro Estado miembro** de la Unión Europea al amparo de la Directiva UCITS están obligadas a atender y resolver las **quejas o reclamaciones** en la **lengua** o en una de las lenguas oficiales del Estado miembro de origen del fondo o sociedad.

10456 **2) IIC no UCITS**

Cabe distinguir entre:

a) Comercialización a profesionales de IIC constituidas en otro Estado miembro de la UE gestionadas por gestoras autorizadas en otro Estado de la UE al amparo de la Directiva AIFMD. Será libre desde que la autoridad competente del Estado de origen de la gestora comunique a dicha gestora que ha remitido a la CNMV el escrito de notificación con la documentación necesaria. No obstante, las IIC y sus sociedades gestoras deberán respetar las disposiciones normativas vigentes en España referidas a la comercialización y publicidad (L 35/2003 art.15 bis).

b) Comercialización a profesionales de IIC constituidas en un Estado no miembro de la UE gestionadas por gestoras autorizadas en otro Estado de la UE al amparo de la Directiva AIFMD. Se requerirá que se acredite previamente ante la CNMV el cumplimiento de los siguientes extremos (L 35/2003 art.15 ter):
- que la normativa española regula la misma categoría de IIC a la que pertenece la institución extranjera y de que la IIC está sujeta en su Estado de origen a una normativa específica de protección de intereses de los accionistas o partícipes semejante a la normativa española en esta materia;
- que existen acuerdos de cooperación entre las autoridades competentes del Estado miembro de origen de la sociedad gestora y las autoridades de supervisión del Estado no miembro en el que está establecida la IIC;
-que el país en el que está establecida la IIC no figure en la lista de países y territorios no cooperantes establecida por el Grupo de Acción Financiera Internacional;
- que el país en el que esté establecida la IIC haya firmado un acuerdo con España en materia tributaria.

Acreditados estos extremos, la gestora de la IIC deberá aportar y registrar la documentación pertinente ante la CNMV. Para que las acciones o participaciones de la IIC sean comercializadas en España será preciso que sea expresamente autorizada por la CNMV.

c) Comercialización a profesionales de IIC gestionadas por gestoras no domiciliadas en la UE. Se requerirá que se acredite previamente ante la CNMV el cumplimiento de los siguientes extremos (L 35/2003art.15 quater):
- que la normativa española regula la misma categoría de IIC a la que pertenece la institución extranjera y de que la IIC, o la gestora que actúe en su nombre, esté sujeta en su Estado de origen a una normativa específica de protección de intereses de los accionistas o partícipes semejante a la normativa española en esta materia;
- informe favorable de la autoridad del Estado de origen de la IIC o de la gestora que actúe en su nombre, con respecto al desarrollo de las actividades de esta;
- que existen acuerdos de cooperación entre la CNMV, las autoridades competentes del país de origen de la sociedad gestora, las autoridades de supervisión del Estado no miembro de la UE, y, en su caso, las autoridades de supervisión del Estado miembro de la UE en el que esté establecida la IIC con el objeto de garantizar el intercambio eficaz de información;
- que el país en el que está establecida la IIC no figure en la lista de países y territorios no cooperantes establecida por el Grupo de Acción Financiera Internacional.

Acreditados estos extremos, la gestora de la IIC deberá aportar y registrar la documentación pertinente ante la CNMV. Para que las acciones o participaciones de la IIC sean comercializadas en España será preciso que sea expresamente autorizada por la CNMV.

d) Comercialización en España a inversores no profesionales de IIC de las IIC descritas en a), b) y c) (L 35/2003art.15 quinquies): se atenderá a lo dispuesto en c) si bien dentro de la información pertinente se incluirán adicionalmente los estados financieros de la IIC y su correspondiente informe de auditoría de cuentas, preparados de acuerdo con la legislación aplicable a dicha IIC. Además, en este caso es exigible presentar toda la documentación acompañada de su traducción al castellano u otra lengua admitida por la CNMV.

Comercialización en el extranjero de acciones y participaciones de IIC españolas (LIIC art.16; RIIC art.21) Pese a que determinadas dificultades de índole operativo y fiscal pueden hacer poco atractiva la posibilidad, se establece el **procedimiento** y los **requisitos** para llevar a cabo la comercialización de las IIC españolas en el extranjero. 10458
Adicionalmente, será necesario tomar en consideración las regulaciones existentes en el país de destino donde la IIC pretenda ser comercializada.

Información y publicidad (LIIC art.17 a 19 y 22 a 22 bis; RIIC art.22 a 31; Rgto. (UE) 2019/1156 art.4 y 7) A continuación, se resumen las principales obligaciones de información y publicidad aplicables a las IIC. 10460

Documentos informativos Las SGIIC para cada FI que administre, así como las sociedades de inversión deben publicar para su difusión entre los accionistas, partícipes y público en general, un **folleto**, un **documento con los datos fundamentales para el inversor**, un **informe** anual y un informe semestral, con el fin de que, de forma actualizada, sean públicamente conocidas todas las circunstancias que puedan influir en la apreciación del valor del patrimonio y perspectivas de la institución, en particular los riesgos inherentes que comporta, así como el cumplimiento de la normativa aplicable. 10462
La CNMV establecerá los **modelos normalizados** de toda la documentación anteriormente citada, manteniendo un registro de folletos, informes anuales, semestrales y trimestrales de las IIC al que el público tendrá libre acceso.

Precisiones 1) El **folleto** contiene, como anexo, los **estatutos o el reglamento** de las IIC, según proceda.
2) El **documento con los datos fundamentales para el inversor** se ajustará a lo previsto en el Rgto (UE) 1286/2014 sobre los documentos de datos fundamentales relativos a los productos de inversión minorista vinculados y los productos de inversión basados en seguros (PRIIPS) y muestra de manera resumida las características más relevantes del fondo incluyendo, entre otros, un indicador del nivel de riesgo, una simulación de escenarios y un indicador de costes.
La CNMV Circ 2/2013, establece la forma y el contenido del folleto y el documento con los datos fundamentales para el inversor.
3) El **informe anual** debe contener las cuentas anuales y el informe de gestión, el informe de auditoría de cuentas correspondiente y las demás informaciones que se determinen reglamentariamente, al objeto de incluir la información significativa que permita al inversor formular, con conocimiento de causa, un juicio sobre la evolución de la actividad y los resultados de la IIC.
4) El **informe semestral contiene**, entre otros datos, informaciones sobre el estado del patrimonio, el número de participaciones y acciones en circulación, el valor liquidativo por participación o acción, la cartera de títulos y los movimientos habidos en los activos de la institución, así como un cuadro comparativo relativo a los tres últimos ejercicios. Además, contendrá la totalidad de los gastos del fondo o, en su caso, de la sociedad, expresados en términos de porcentaje sobre el patrimonio del fondo o, en su caso, sobre el capital de la sociedad. En lo que respecta al detalle de la composición de la cartera en los informes semestrales, respecto de un máximo del 30 por cien de los activos, podrá facilitarse de modo agregado o por categorías. La CNMV Circ 4/2008 (modificada por la CNMV Circular 5/2018), establece el contenido de los informes anual, semestral y trimestral.
5) La sociedad gestora, para cada uno de los fondos de inversión que administre, y las sociedades de inversión deben indicar en cada folleto si van a proporcionar **información trimestral** de forma voluntaria. En caso de que decidan proporcionarla, esta debe cumplir los mismos requisitos indicados para la información semestral

Partícipes, accionistas y público en general Con anterioridad a la suscripción de las participaciones o acciones debe entregarse **gratuitamente** y, previa solicitud, el folleto completo y los últimos informes anual y semestral publicados. El suministro del documento de datos fundamentales para el inversor debe realizarse con suficiente **tiempo** antes de que el inversor quede obligado por cualquier contrato u oferta relativa al producto, de conformidad con lo dispuesto en Rgto (UE) 1286/2014 art.13. No obstante, la adquisición en bolsa de valores de participaciones de fondos de inversión cotizados (o ETFs) estará exenta de la obligación de entrega gratuita del último informe semestral (aunque, en cualquier caso, previa solicitud, se deberá entregar el folleto y el último informe anual publicado). RIIC art.79.6. El **folleto** y el documento con los **datos fundamentales para el inversor** pueden facilitarse en un soporte duradero o a través de la página web de la sociedad de inversión o de la sociedad de gestión. Previa solicitud, se entregará gratuitamente a los inversores un ejemplar en papel de dichos documentos. 10464
Los **informes** anual y semestral se deben poner a disposición del público en los lugares que se indiquen en el folleto y, en su caso, en el documento con los datos fundamentales para el inversor, que incluirán en todo caso la dirección de la página web. Asimismo, salvo renuncia expresa del partícipe o accionista, los informes anual y semestral deben serle remitidos por medios telemáticos, salvo que no facilite los datos necesarios para ello o manifieste por escrito su preferencia por recibirlos físicamente, en cuyo caso se le deben remitir versiones en

papel, siempre de modo gratuito. El informe trimestral, en aquellos casos en los que voluntariamente se haya decidido elaborarlo, debe ser remitido también a los partícipes o accionistas, de acuerdo con las mismas reglas, en el caso de que lo soliciten.
En relación a los requisitos relativos a las **comunicaciones publicitarias**, el Rgto (UE) 2019/1156 art.4, indica que las entidades responsables de las IIC se asegurarán de que todas las comunicaciones publicitarias dirigidas a los inversores sean identificables como tales, y que describan los riesgos y los beneficios de la adquisición de participaciones o acciones de manera igualmente destacada, y de que toda la información incluida en las comunicaciones publicitarias sea imparcial, clara y no engañosa. Además, se asegurarán de que las comunicaciones publicitarias que contengan información específica sobre una IIC no contradigan ni menoscaben la importancia de la información contenida en el folleto ni el documento con los datos fundamentales para el inversor, así como de que tales comunicaciones publicitarias especifiquen dónde, cómo y en qué lengua pueden los inversores o inversores potenciales obtener el folleto y los datos fundamentales para el inversor.
Asimismo, las autoridades competentes pueden exigir la notificación previa de las comunicaciones publicitarias que las sociedades de gestión de las IIC tengan intención de utilizar directa o indirectamente en sus relaciones con los inversores, No obstante, este requisito de notificación previa no constituirá una condición previa para la comercialización de participaciones de IIC.
Los **hechos relevantes** relacionados con las IIC se han de hacer públicos en la forma determinada por el RIIC art.30, dando conocimiento de los mismos a la CNMV, y quedando incorporados a los informes anual o semestral sucesivos. La adquisición y pérdida de una **participación significativa** en una IIC debe hacerse pública según lo dispuesto en el RIIC art.31, que también ha regulado las personas o entidades obligadas a su comunicación y difusión, su forma y plazos, y los porcentajes que tienen la consideración de participación significativa a estos efectos.

10466 **Contabilidad y auditoría** El régimen contable de las instituciones de inversión colectiva, tanto financieras como inmobiliarias, se establece en la CNMV Circ 3/2008 (al amparo de LIIC art.20 y de acuerdo con el marco contable establecido en el Plan General de Contabilidad).
A través de dicha circular se regulan las **normas específicas de contabilidad**, los criterios de valoración y clasificación de activos y de determinación del patrimonio y de los resultados, y las cuentas anuales y estados complementarios de información reservada de las instituciones de inversión colectiva.
Las IIC deben someterse a la **auditoría de cuentas**, ajustando el ejercicio económico al año natural. La revisión y verificación de sus documentos contables se realizará de acuerdo con lo previsto en las normas reguladoras de la auditoría de cuentas. Esta auditoría se extiende a los documentos previstos en la Ley de auditoría de cuentas y sus disposiciones de desarrollo. La publicación de las cuentas anuales auditadas se efectuará en los cuatro meses siguientes a la finalización del periodo de referencia y deberán entregarse a los partícipes dentro del mes siguiente a su elaboración (RIIC art.29 y 34).

10468 **Disolución, liquidación, transformación, fusión y escisión** (LIIC art.24 a 27; RIIC art.35 a 47)
A continuación, se exponen los procesos referidos.

10470 **Disolución** Son **causas de disolución** de un FI, el cumplimiento del plazo señalado en el contrato de constitución, el acuerdo de la sociedad gestora y el depositario, cuando el fondo fuese constituido por tiempo indefinido, y las demás previstas en la LIIC o en sus normas de desarrollo, así como en el reglamento de gestión.
La liquidación del fondo se realiza por la **sociedad gestora** con el concurso del depositario y previo el cumplimiento de los requisitos de publicidad y garantías que establece el RIIC art.35. Una vez acordada la disolución y hecha pública por la **CNMV**, se abre el periodo de liquidación y se suspenden las suscripciones y reembolsos.
En el caso de IIC de **carácter societario**, la disolución y liquidación se ajusta a la LSC, con las especialidades previstas en la LIIC y en su normativa de desarrollo.

10472 **Transformación** Como norma general, las IIC solo pueden transformarse en otras IIC que pertenezcan a la misma clase. No obstante, las IIC autorizadas de acuerdo con la Dir 2009/65/CE no se pueden transformar en otras IIC.
Las operaciones de transformación están sujetas a los **requisitos** siguientes:
- **autorización** administrativa previa de la CNMV;
- acreditación, en el momento de la transformación, de que se reúnen las **condiciones** específicas fijadas para la clase de IIC resultante;
- reforma de los **estatutos** sociales o del reglamento de gestión, actualizando el registro de la CNMV correspondiente y, tratándose de sociedades, previamente en el Registro Mercantil;
- comunicación a los partícipes, cuando se trate de FI, para que, en su caso, ejerzan los derechos de separación que les correspondan; y

- presentación en la CNMV de la **auditoría** que haya servido para acordar la transformación -requisito que no se aplica cuando la entidad que se transforme sea una IIC-.
Sin perjuicio de todo lo anterior, todas las sociedades de inversión acogidas al estatuto de las IIC pueden convertirse en sociedades que no posean ese estatuto, es decir, en **sociedades anónimas de régimen común**. Igualmente, las sociedades anónimas se pueden convertir en sociedades de inversión.

Fusión Las operaciones de fusión se someten al procedimiento de **autorización** previsto en la LIIC art.26, pudiendo únicamente fusionarse IIC de la misma clase, ya sea por absorción o por creación de una IIC de la misma clase jurídica. Las operaciones de fusión estarán sujetas a la autorización previa de la CNMV cuando al menos una de las IIC fusionadas haya sido autorizada en España (RIIC art.37.2). **10474**
En el caso de **sociedades de inversión**, los procesos de fusión deben ajustarse a la LSC, en lo que no esté dispuesto por la LIIC y su normativa de desarrollo.
El **procedimiento** de fusión se inicia previo acuerdo del proyecto común de fusión por los administradores de cada una de las sociedades que participen en la fusión, el cual, junto al resto de información establecida en RIIC art.37 y 38, habrán de facilitar a la CNMV para su autorización.
Dicha **autorización** se solicita a la CNMV una vez que la fusión haya sido acordada por el consejo de administración y antes del depósito del proyecto de fusión en el Registro Mercantil.
La autorización, junto con información adecuada y exacta sobre la fusión prevista, debe ser objeto de **comunicación a los accionistas** de todas las sociedades afectadas con posterioridad al depósito del proyecto de fusión en el Registro Mercantil, a través de un procedimiento que asegure la recepción de aquél en el domicilio que figure en la documentación de la sociedad.
La fusión debe acordarse necesariamente por la junta de socios de cada una de las sociedades que participen en ella, una vez que la CNMV autorice la fusión.
La **ecuación de canje definitiva** se determina sobre la base de los valores liquidativos y número de acciones en circulación del día anterior al del otorgamiento de la escritura pública de fusión.

En el caso de **FI**, el procedimiento de fusión se inicia previo acuerdo de la SGIIC o, en su caso, de las SGIIC que pretenden fusionarse, el cual, junto al resto de información establecida en RIIC art.37 y 38, se presenta ante la CNMV para su autorización. La autorización tiene la consideración de **hecho relevante** y debe ser objeto de publicación en el BOE y en dos periódicos de ámbito nacional o en la página web de sus respectivas gestoras o de entidades de sus respectivos grupos, durante el plazo mínimo de un mes. Asimismo, la autorización, junto con la información establecida en RIIC art.42 y 43, debe ser objeto de **comunicación a los partícipes** de todos los fondos afectados. Transcurridos al menos 40 días desde la fecha de los anuncios o desde la remisión de la notificación individualizada, si ésta es posterior, la SGIIC y el depositario de los FI ejecutan la fusión mediante el otorgamiento del correspondiente documento contractual y su **inscripción** en el correspondiente registro de la CNMV. **10476**
La **ecuación de canje** se determina sobre la base de los valores liquidativos y número de participaciones en circulación al cierre del día anterior al del documento contractual o escritura.

Escisión La escisión de IIC puede ser **total** o **parcial**. Las IIC pueden beneficiarse de la escisión de cualesquiera otras entidades, sean o no IIC, siempre que ello no suponga desvirtuar su carácter y naturaleza jurídica o el incumplimiento de los requisitos y obligaciones específicos de la clase de institución de que se trate. Las escisiones deben cumplir, como mínimo, los **requisitos** establecidos para la transformación de IIC (nº 10472), además del de presentación del correspondiente proyecto de escisión, y, en el caso de las sociedades de inversión, los requisitos de la LSC. **10478**

3. Instituciones de inversión colectiva de carácter financiero

(LIIC art.29 a 33; RIIC art.48 a 84)

10485

Las IIC de carácter financiero son aquellas que tienen por **objeto** la inversión en activos e instrumentos financieros, conforme a las prescripciones definidas en la LIIC y su desarrollo reglamentario. **10487**

Dentro de las IIC financieras y con independencia de su forma jurídica, cabe distinguir entre las IIC financieras de **régimen común** (FI y SICAV) y aquellas otras que, por incluir determinadas especialidades (política de inversión, nivel de endeudamiento, número de partícipes o accionistas, periodicidad del cálculo del valor liquidativo, etc.) cabe denominar como IIC financieras de **régimen especial** (IIC españolas que no cumplan con la Directiva UCITS, IIC de inversión libre, IIC de IIC de inversión libre, IIC subordinadas, IIC de propósito especial e IIC cotizadas).

a. Disposiciones comunes a las IIC financieras de régimen común

10490 A continuación, se expone de forma resumida lo más relevante de las disposiciones comunes relativas a las IIC financieras de régimen común.

10492 **Denominación** En el caso de los **fondos de inversión**, su denominación debe ir seguida de la expresión «Fondo de Inversión», o bien de las siglas «FI».
Las **sociedades de inversión** tienen que adoptar la forma de sociedad anónima y su capital social puede aumentar o disminuir dentro de los límites del capital máximo o mínimo fijados en sus estatutos, mediante la venta o adquisición por la sociedad de sus propias acciones, sin necesidad de acuerdo de la junta general. Su denominación debe ir seguida de la expresión «Sociedad de Inversión de Capital Variable», o bien de las siglas «**SICAV**».

10494 **Activos aptos para la inversión, reglas de inversión y niveles de endeudamiento** (RIIC art.48) Con carácter general, y sin perjuicio de las particularidades que pudieran tener determinadas IIC financieras de régimen especial, las IIC de carácter financiero pueden invertir en los siguientes activos e instrumentos financieros:
a) **Valores negociables e instrumentos financieros**, de los previstos en la LMV art.2.1 (excepto la letra j), admitidos a cotización en bolsas de valores o en otros mercados o sistemas organizados de negociación, cualquiera que sea el Estado en que se encuentren radicados, siempre que, en todo caso, se cumplan los siguientes **requisitos**:
- que se trate de mercados que tengan un funcionamiento regular;
- que ofrezcan una protección equivalente a los mercados oficiales radicados en territorio español; y
- que dispongan de reglas de funcionamiento, transparencia, acceso y admisión a negociación similares a las de los mercados secundarios oficiales.

b) Valores e instrumentos negociables mencionados en apartado a) respecto de los cuales esté **solicitada su admisión** a negociación en alguno de los mercados o sistemas a los que se refiere dicho párrafo o en cuyas condiciones de emisión exista el compromiso de solicitar la admisión a negociación, siempre que el plazo inicial para cumplir dicho compromiso sea inferior a un año. Este tipo de valores no puede representar más del 10% del patrimonio de la IIC.
c) **Acciones y participaciones de otras IIC autorizadas** conforme a la Dir 2009/65/CE, siempre que el reglamento de los fondos o los estatutos de las sociedades cuyas participaciones o acciones se prevea adquirir no autorice a invertir más de un 10% del activo de la institución en participaciones o acciones de otras IIC.
d) **Acciones y participaciones de otras IIC no autorizadas** conforme a la Dir 2009/65/CE, siempre que estas últimas no tengan por finalidad invertir a su vez en otras IIC y siempre que cumplan ciertos requisitos.
e) **Depósitos en entidades de crédito que sean a la vista o puedan hacerse líquidos**, con un vencimiento no superior a doce meses, siempre que la entidad de crédito tenga su sede en un Estado miembro de la UE o en cualquier Estado miembro de la OCDE sujeto a supervisión prudencial.
f) **Instrumentos financieros derivados negociados** en un mercado o sistema de negociación que cumpla los requisitos señalados en la letra a) anterior, siempre que el activo subyacente consista en activos o instrumentos de los mencionados en las letras a), b), c) y d) anteriores, riesgo de crédito, volatilidad, índices financieros, tipos de interés, tipos de cambio, divisas o inflación de países o zonas geográficas, en los que la IIC de carácter financiero pueda invertir según su política de inversión declarada en el folleto y en el documento con los datos fundamentales para el inversor, así como cualquier otro instrumento derivado, siempre que la CNMV haya aprobado su utilización por parte de las IIC, con carácter general o particular.
g) **Instrumentos financieros derivados no negociados** en un mercado o sistema de negociación que cumpla los requisitos señalados en la letra a) anterior, siempre que se cumplan determinados requisitos.

h) **Instrumentos del mercado monetario**, siempre que sean líquidos y tengan un valor que pueda determinarse con precisión en todo momento, no negociados en un mercado o sistema de negociación que cumpla los requisitos señalados en la letra a) anterior, siempre que se cumplan determinados requisitos.
i) **Valores o instrumentos financieros distintos** de los previstos en los párrafos anteriores, con un límite conjunto del 10% del patrimonio de la IIC y según los requisitos del RIIC art.48.1.j.
j) En el caso de las **sociedades de inversión**, las mismas podrán adquirir los bienes muebles e inmuebles indispensables para el ejercicio directo de su actividad con un límite máximo del 15% del patrimonio de la IIC.
Adicionalmente, las IIC financieras pueden invertir en **operaciones estructuradas** que resulten de la combinación de uno o más de los activos financieros aptos descritos con anterioridad.

Por otro lado, las IIC deben contar con sistemas internos de **control de la profundidad del mercado** de valores en que invierte considerando la negociación habitual y el volumen invertido, para procurar una liquidación ordenada de las posiciones de la IIC a través de los mecanismos normales de contratación (RIIC art.53). 10496
No obstante lo anterior, la inversión en los activos aptos antes descritos no es totalmente libre, ya que para cumplir el principio de **diversificación de riesgos**, el RIIC ha establecido **límites de concentración** distintos, dependiendo de la naturaleza de la IIC, del partícipe o accionista y de los activos en los que se invierta, así como porcentajes adicionales de diversificación del riesgo (RIIC art.48 a 52).
Para cumplir el principio de **transparencia**, las IIC deben definir claramente su vocación inversora.
Ni las sociedades gestoras ni las sociedades de inversión pueden **conceder o avalar créditos** por cuenta de terceros. No obstante, pueden adquirir los activos a los que se refiere la LIIC art.30.1.a, b, c, d, f, g, h, aunque no hayan sido enteramente desembolsados.

Con carácter general, ni las sociedades gestoras, en relación con las IIC por ellas gestionadas, ni las sociedades de inversión, pueden realizar **ventas al descubierto** de los activos financieros a los que se refiere la LIIC art.30.1.c, d, h. Tampoco pueden realizar ventas al descubierto de valores no cotizados y, en cualquier caso, las ventas al descubierto de los valores e instrumentos financieros previstos en LIIC art.30.1.a), estará sujeta a la obligación de mantener liquidez adicional, que se calculará diariamente en función de la cotización del valor o instrumento de que se trate (RIIC art.71). 10498
Los valores y otros activos que integran la cartera no pueden pignorarse ni constituir **garantía** de ninguna clase, salvo para servir de garantía en las operaciones que la IIC realice en los mercados secundarios oficiales y en los mercados no organizados de derivados bajo ciertas condiciones (LIIC art.30.6). En su caso, los valores y activos que integren la cartera deben estar depositados bajo la custodia de los **depositarios** regulados en la LIIC. No obstante, los valores y otros activos que integren la cartera de las IIC de carácter financiero pueden ser objeto de operaciones de préstamo de valores con los límites y garantías que establezca el Ministro de Economía y Hacienda.
En relación con el **endeudamiento** y los **compromisos frente a terceros**, las IIC de carácter financiero, en general, pueden:
• Endeudarse hasta el límite conjunto del 10% de su activo para resolver dificultades transitorias de tesorería, siempre que se produzca por un plazo no superior a un mes, o por adquisición de activos con pago aplazado, con las condiciones que establezca la CNMV.
• Las sociedades de inversión pueden, además, contraer préstamos para la adquisición de inmuebles indispensables para la continuación de sus actividades hasta un 10% de su activo, sin que en ningún caso su endeudamiento total pueda superar el 15% de sus activos.
• Recibir fondos del público en forma de depósito, préstamo, cesión temporal de activos financieros u otras análogas.
• Adquirir directamente metales preciosos ni ningún otro tipo de materia prima o de bienes muebles o inmuebles diferentes de los contemplados en LIIC art.30.

b. Fondos de inversión de carácter financiero y régimen común

Los fondos de inversión financieros y de régimen común deben cumplir con lo expuesto a continuación, existiendo determinadas **particularidades** en el supuesto de los fondos financieros de régimen especial. 10505

10507 **Patrimonio mínimo y aportaciones** (RIIC art.76) Los FI de carácter financiero deben tener un **patrimonio mínimo** de 3.000.000 de euros, que debe mantenerse mientras están inscritos en los registros de la CNMV, todo ello sin perjuicio de que en el supuesto de que dicho patrimonio quedase por debajo del citado límite mínimo, el FI dispondría de un año para restituirlo de forma permanente o disolverse y liquidarse.

En el caso de los FI de carácter financiero **por compartimentos**, cada uno de los compartimentos debe tener un patrimonio mínimo de 600.000 euros, sin que, en ningún caso, el patrimonio total del FI de carácter financiero sea inferior a 3.000.000 de euros.

No obstante, pueden constituirse FI de carácter financiero y compartimentos con un patrimonio inferior que, en el caso de los FI de carácter financiero, no será inferior a 300.000 euros y, en el de los compartimentos, a 60.000 euros, todo ello a condición de que en el **plazo máximo** de 6 meses, contados a partir de su inscripción en el registro de la CNMV, alcancen el patrimonio mínimo establecido en los párrafos anteriores. En el caso contrario, el FI de carácter financiero o, en su caso, el compartimento debe disolverse y liquidarse.

Las **aportaciones** para la constitución del patrimonio deben realizarse exclusivamente en dinero, valores admitidos a negociación en un mercado regulado o en los demás activos financieros que, de acuerdo con las reglas de cada IIC, resulten aptos para la inversión o para dar cumplimiento al principio de liquidez.

Las aportaciones de valores y demás activos financieros están sujetas a las normas sobre la política de inversión establecidas en el RIIC.

10509 **Inversión del patrimonio** (RIIC art.77) La SGIIC dispone del **plazo** de un mes, desde la inscripción del fondo en el correspondiente registro de la CNMV, para efectuar la inversión de las aportaciones dinerarias obtenidas con motivo de la constitución del FI, disponiendo del plazo de 1 mes desde la inscripción de la modificación del folleto, para adaptar el activo del FI de carácter financiero a los eventuales cambios en la política de inversión.

10511 **Cálculo del valor liquidativo** (RIIC art.78.1 a 78.4) El valor liquidativo de las participaciones en un FI de carácter financiero debe calcularse **diariamente** por la SGIIC. Por excepción, cuando esté previsto en el reglamento de gestión del FI de carácter financiero y así lo exijan las inversiones previstas, las suscripciones y reembolsos podrán atenderse, al menos, quincenalmente en las fechas previstas en el folleto (en tales casos, el valor liquidativo que se aplique a las suscripciones y reembolsos será el primero que se calcule con posterioridad a la solicitud de la operación). En estos supuestos la gestora puede calcular el valor liquidativo con dicha frecuencia o con una superior a efectos informativos.

A los efectos de fijar dicho valor liquidativo, el valor del patrimonio del FI de carácter financiero es el resultante de deducir las cuentas acreedoras de la suma de todos sus activos, valorados con sujeción a las normas contenidas en el RIIC y en las disposiciones que lo desarrollan.

Todos los **gastos de funcionamiento** deben provisionarse diariamente para la determinación del valor liquidativo. A estos efectos:

a) Los **valores admitidos a negociación** en bolsas de valores o en otros mercados o sistemas organizados de negociación deben valorarse a los precios de mercado del día a que se refiera el cálculo del valor liquidativo.

b) Los **valores no cotizados** adquiridos deben valorarse conforme a su valor efectivo, de acuerdo a criterios de máxima prudencia y aplicando métodos valorativos generalmente admitidos en la práctica.

El valor liquidativo aplicable a las **suscripciones y reembolsos** es el del mismo día de su solicitud o el del día hábil siguiente, de acuerdo con lo que a tal efecto esté previsto en el folleto del FI de carácter financiero. Este folleto debe indicar, asimismo, el procedimiento de suscripción y reembolso de participaciones para asegurar que las órdenes de suscripción y reembolso se aceptarán por la SGIIC solo cuando se hayan solicitado en un momento en el que el valor liquidativo aplicable resulte desconocido para el inversor y resulte imposible de estimar de forma cierta.

En el supuesto de **reinversiones** pactadas con carácter automático, el valor liquidativo aplicable es el correspondiente a la fecha del devengo del beneficio reconocido al partícipe.

La **CNMV** está habilitada para establecer reglas específicas para el cálculo del valor liquidativo (RIIC art.78.9) y así quedan establecidas en la CNMV Circ 6/2008 (Normas 1ª a 3ª), sobre la determinación del valor liquidativo y aspectos operativos de las instituciones de inversión colectiva.

10513 **Suscripción y reembolso de participaciones** (RIIC art.78.5 a 78.8) Como norma general, el pago del reembolso se hace por el depositario en el **plazo** máximo de tres días hábiles desde la fecha del valor liquidativo aplicable a la solicitud. Excepcionalmente, este plazo puede ampliarse a cinco días hábiles cuando las especialidades de las inversiones que superan el 5% del patrimonio del FI de carácter financiero así lo exigen.

Los **reglamentos de gestión** de los FI de carácter financiero pueden establecer que los reembolsos por cifras superiores a los 300.000 euros exijan para su plena efectividad el **preaviso** a la SGIIC con 10 días de antelación a la fecha de presentación de la solicitud de reembolso. Asimismo, cuando la suma total de lo reembolsado a un mismo partícipe dentro de un período de 10 días sea igual o superior a 300.000 euros, la SGIIC puede exigir el requisito del preaviso para las nuevas peticiones de reembolso que, cualquiera que sea su cuantía, le formule el mismo partícipe dentro de los diez días siguientes al último reembolso efectuado. Adicionalmente, se puede establecer en el folleto y en los reglamentos de gestión de los fondos periodos de preaviso con **otros plazos o importes**, siempre que esté justificado por la política de inversiones y el periodo de preaviso sea como máximo el establecido para atender las solicitudes de suscripción y reembolso.
Cuando la contratación de valores cotizados hubiese sido suspendida y dichos valores y otros similares, aún no cotizados, emitidos por la misma sociedad formen parte del fondo, el reembolso y suscripción de la participación se realiza al **precio** determinado conforme a los apartados anteriores, siempre que la valoración de los valores citados no exceda del 5% del valor del patrimonio y así se haya previsto en el reglamento del FI de carácter financiero.

En el caso contrario, la suscripción y reembolso de participaciones se hace en efectivo por la parte del precio de la participación que no corresponde a los valores citados en el párrafo precedente, y la diferencia se hace efectiva cuando se reanude la contratación, habida cuenta de la cotización del primer día en que se produzca. En la suscripción, el **partícipe**, y en los reembolsos, la SGIIC, ha de hacer constar que se comprometen a hacer efectivas las diferencias calculadas en la forma expresada; la SGIIC debe proceder a la compensación de diferencias cuando el partícipe solicitase el reembolso de las participaciones antes de superarse las circunstancias que dieron lugar a su débito. **10515**
No obstante, cuando la contratación de valores cotizados hubiese sido suspendida, debido a causas técnicas o de otra índole que afecten a la contratación de todo un mercado o sistema organizado de negociación, y siempre que tales valores representen más del 80% del valor del patrimonio del fondo, la **SGIIC** puede suspender el reembolso y suscripción de participaciones hasta que se solventen las causas que dieron origen a la suspensión, previa comunicación a la CNMV.
En casos excepcionales, la **CNMV** puede autorizar, a solicitud motivada de la SGIIC y cuando así esté previsto en el reglamento de gestión, que el reembolso de participaciones se haga en valores que formen parte integrante del fondo. La CNMV fija en tales supuestos las condiciones y plazos en los que puede hacerse uso de dicha facultad excepcional.

Precisiones Como norma general, y salvo los FI cotizados, las participaciones en FI no pueden ser objeto de **compraventa** en sistemas organizados de negociación, sino que su liquidez se logra a través de los mecanismos de suscripción y reembolso que se acaban de describir.

c. Sociedades de inversión de capital variable y régimen común (SICAV)

(LIIC art.32; RIIC art.80)

Las sociedades financieras y de régimen común deben cumplir con lo expuesto a continuación, existiendo determinadas **particularidades** en el supuesto de las sociedades financieras de régimen especial. **10520**
Las SICAV son las IIC que adoptan la forma societaria y, más concretamente, deben constituirse como sociedad anónima.
En sus **estatutos** sociales la SICAV debe recoger necesariamente: la designación del depositario, la cifra de capital inicial y la del capital estatutario máximo, expresando, en uno y otro caso, el número de acciones y, en su caso, las series, en que está dividido el capital social y el valor nominal de aquéllas.
El **capital mínimo** desembolsado de las SICAV es 2.400.000 euros y debe ser mantenido mientras la sociedad continúa inscrita en el registro de CNMV como tal, sin perjuicio de que en el supuesto de que dicho capital quedase por debajo del citado límite mínimo, la SICAV dispondría de un año para restituirlo de forma permanente, renunciar a su condición de SICAV y transformarse en una sociedad anónima de régimen común o disolverse y liquidarse. En el caso de **SICAV por compartimentos**, cada uno de los compartimentos deberá tener un capital mínimo desembolsado de 480.000 euros, sin que, en ningún caso, el capital total mínimo desembolsado sea inferior a 2.400.000 euros.

El **capital inicial** debe estar íntegramente suscrito y desembolsado desde el momento de constitución. En la constitución solo cabe efectuar las aportaciones en dinero, valores admitidos a negociación en un mercado regulado o en los demás activos financieros que, de acuerdo con las reglas de cada institución, resulten aptos para la inversión o para dar cumplimiento al principio de liquidez.
El **capital estatutario máximo** no puede superar en más de diez veces el inicial.
Las **acciones** representativas del capital estatutario máximo que no están suscritas, o las que posteriormente haya adquirido la SICAV, se mantienen en cartera hasta que sean puestas en circulación por los órganos gestores. Las acciones en cartera deben estar en poder del depositario. El ejercicio de los **derechos incorporados a las acciones en cartera** queda en suspenso hasta que hayan sido suscritas y desembolsadas.
La SICAV puede solicitar la admisión a **negociación** de sus acciones en bolsa de valores, según las reglas especiales contenidas en el RIIC art.82.1, o a otro mercado o sistema organizado de negociación (RIIC art.84). Sí no opta por ninguna de estas dos fórmulas tiene la obligación de dar liquidez a sus acciones a un precio igual al valor liquidativo al interesado que así lo solicite, en los términos del RIIC art.78 (RIIC art.83.1).

Precisiones En la actualidad, la gran mayoría de las SICAV se encuentran admitidas a negociación en BME MTF EQUITY (antiguo **Mercado Alternativo Bursátil**).

10522 La SICAV debe **reducir obligatoriamente el capital**, reduciendo el valor nominal de sus acciones en circulación, cuando el patrimonio social hubiere disminuido por debajo de las dos terceras partes de la cifra de capital en circulación, siempre que haya transcurrido un año sin que se haya recuperado el patrimonio. En igual proporción se ha de reducir el valor nominal de las **acciones en cartera**. En el caso de que no existiesen bastantes acciones propias adquiridas por la SICAV para atender la obligación de vender sus propias acciones, la propia SICAV debe poner en circulación acciones suficientes hasta alcanzar, si ello fuera necesario, el capital máximo estatutario establecido.
Cuando la SICAV no puede atender las obligaciones anteriores por carecer de acciones en cartera y estar ya desembolsado el capital estatutario máximo, la sociedad ha de declarar esta circunstancia como **hecho relevante**, y su consejo de administración debe proponer que se acuerde en la próxima junta ordinaria de accionistas el aumento de su capital estatutario.
El **valor liquidativo** de cada acción es el que resulta de dividir el patrimonio de la SICAV correspondiente a la serie a la que pertenece por el número de acciones en circulación correspondiente a esa serie y, a efectos de su suscripción y recompra por la SICAV, se calcula con la periodicidad que se establezca reglamentariamente, en función de las distintas políticas de inversión y características de los accionistas.
Las acciones se emiten y **recompran** por la propia SICAV a solicitud de cualquier interesado según el valor liquidativo que corresponda a la fecha de solicitud, pudiendo ser objeto de comercialización por la sociedad, directamente o a través de intermediarios habilitados, o en bolsa de valores pudiéndose, a tal efecto, percibir comisiones o descuentos a favor de aquélla.

10524 La adquisición por la SICAV de sus **acciones propias**, entre el capital inicial y el capital estatutario máximo, no está sujeta a las limitaciones establecidas sobre adquisición derivativa de acciones propias en la LSC. Por debajo de dicho capital mínimo puede adquirir acciones con los límites y condiciones establecidos en la LSC.
La SICAV puede poner en circulación acciones a precio inferior a su valor nominal, no siendo aplicable la LSC art.144 a 147.
Los accionistas de la SICAV no gozan en ningún caso del **derecho preferente de suscripción** en la emisión o puesta en circulación de las nuevas acciones.
Asimismo, quedan prohibidas las remuneraciones o ventajas a fundadores o promotores que admite la LSC.

Precisiones La característica esencial de las SICAV es, como se destaca en su definición legal, la **variabilidad del capital**, sometido a un régimen distinto del propio de las sociedades anónimas, que tiene como consecuencia inmediata para sus socios la mejora en la liquidez, puesto que pueden transmitir sus acciones en el mercado, a un tercero o a la propia sociedad.

d. Instituciones de inversión colectiva financieras y de régimen especial

10530 Las IIC financieras de régimen especial deben cumplir por lo general lo establecido para las IIC financieras de **régimen común** (nº 10490), pero con determinadas **particularidades**, destacando como las más relevantes las expuestas de forma esquemática a continuación.

Instituciones de inversión colectiva españolas que no cumplan la Directiva UCITS (IIC no armonizadas) Con la entrada en vigor del RD 1082/2012, por el que se aprueba el Reglamento de desarrollo de la L 35/2003 de IIC, culminó el proceso de trasposición de la Directiva UCITS IV a la normativa española. De esta forma, se creó un **registro** de IIC armonizadas, es decir, IIC que cumplen con la Directiva UCITS, y otro registro de IIC no armonizadas. En este último estarían aquellas IIC recogidas en RIIC art.72, que deben cumplir con todas las previsiones recogidas en el RIIC excepto: 10532

1. En caso de **IIC que repliquen o reproduzcan un determinado índice bursátil o de renta fija** a que se refiere el RIIC art.50.2.d, el límite del 20% se podrá ampliar al 35% en más de un emisor, siempre y cuando venga justificada por causas excepcionales en el mercado y se haga constar en el folleto y en toda publicidad de promoción de la IIC.
2. Podrán no cumplir con el requisito previsto en el RIIC art.50.2 b, tercer párrafo, relativo a la **diversificación** en al menos 6 **emisiones** diferentes.
3. A las IIC que lleven a cabo una gestión encaminada a la consecución de un objetivo concreto de rentabilidad en las que exista una garantía otorgada a la propia institución por un tercero, tampoco se aplicarán los límites relativos a la exposición total al **riesgo de mercado** y de contraparte (RIIC art.51.3, 52.3 y 52.4).
4. Podrán invertir, junto con los activos a los que se refiere el RIIC art.48.1.j, y hasta un máximo conjunto del 10% de su patrimonio, en **acciones y participaciones** de **IIC no autorizadas** conforme a la Directiva UCITS, distintas de las previstas en el RIIC art.48.1.c y d, así como en acciones y participaciones de IIC de inversión libre, tanto las reguladas en el RIIC art.73 y 74 como las instituciones extranjeras similares.
5. Podrán invertir en **instrumentos financieros derivados** cuyo activo subyacente consista en acciones o participaciones de IIC de inversión libre, instituciones extranjeras similares, materias primas para las que exista un mercado secundario de negociación, así como cualquier otro activo subyacente cuya utilización haya sido autorizada por la CNMV.

En definitiva, una vez traspuesta la Directiva UCITS, todas las IIC cumplen con la misma, excepto las acogidas al RIIC art.72, las IIC no financieras, las IIC de inversión libre y las IIC de IIC de inversión libre.

Instituciones de inversión colectiva de inversión libre (LIIC art.33 bis; RIIC art.73) Las IIC de inversión libre (IICIL) son IIC que no están sometidas prácticamente a ninguna norma de inversión y que únicamente se pueden comercializar a **inversores cualificados**. 10534

Las acciones y participaciones de las IICIL se podrán comercializar entre inversores considerados clientes profesionales (LMV art.193 y 194) así como entre otros inversores cuando reúnan alguna de las **condiciones** siguientes:

• Que tales inversores se comprometan a **invertir como mínimo** 100.000 euros, y declaren por escrito, en un documento distinto del contrato relativo al compromiso de inversión, que son conscientes de los riesgos ligados al compromiso previsto (salvo en el caso de existir un contrato de gestión discrecional de carteras).

• Que tales inversores realicen su inversión atendiendo una **recomendación personalizada** de un intermediario que les preste el servicio de asesoramiento, siempre que, en el caso de que su patrimonio financiero no supere los 500.000 euros, la inversión sea como mínimo de 10.000 euros, y no represente a su vez más del 10% de dicho patrimonio.

Adicionalmente, las **acciones o participaciones de las IICIL** pueden suscribirse o adquirirse a iniciativa de los inversores que **no** tengan la consideración de **profesionales**, siempre que cumplan los requisitos mencionados anteriormente.

Las acciones o participaciones de las IICIL pueden comercializarse también, entre los **administradores, directivos o empleados** de la sociedad gestora o de entidades autogestionadas, con respecto a la propia entidad o a las gestionadas o asesoradas por la sociedad gestora, así como entre aquellos inversores que justifiquen disponer de **experiencia** en la gestión o asesoramiento en IICIL similares a aquella en la que pretenda invertir.

Por tanto, constituyen el vehículo idóneo para establecer *hedge funds* domiciliados en España o fondos de «hedge funds» españoles, posibilidad esta última que también es posible llevar a cabo a través de las IIC de IIC de inversión libre descritas a continuación. 10536

De las principales **características** de las IICIL, cabe destacar que:

a) Salvo en el supuesto de los clientes profesionales definidos en la LMV art.193 y 194, las acciones o participaciones de las IICIL deberán suscribirse o adquirirse mediante un **desembolso mínimo** y a mantener inicial de 100.000 euros.

b) Solo podrán realizar las actividades de **comercialización** a las que se refiere LIIC art.2.1, cuando se dirijan a los citados clientes profesionales o minoristas bajo ciertas condiciones.

c) Tendrán como mínimo 25 **accionistas** o partícipes.

d) El valor liquidativo de las **acciones y participaciones** deberá calcularse, al menos, trimestralmente. No obstante, cuando así lo exijan las inversiones previstas, se podrá hacer semestralmente.
e) Las **suscripciones y reembolsos** de los fondos o, en su caso, las adquisiciones y ventas de las acciones de las sociedades de inversión se realizarán normalmente con la misma periodicidad que el cálculo del valor liquidativo, pero la IICIL podrá no otorgar derecho de reembolso en todas las fechas de cálculo del valor liquidativo.
f) Se podrán establecer períodos mínimos de **permanencia** para los accionistas o partícipes.
g) Podrán establecer períodos de **preaviso** para las suscripciones y los reembolsos, cualquiera que sea su cuantía.
h) Determinadas IICIL podrán establecer un límite máximo al **importe de los reembolsos** en una determinada fecha.
i) No les resultarán de aplicación los límites máximos y las formas de cálculo de las **comisiones** de gestión, depósito, suscripción y reembolso (salvo si se comercializan a minoristas, en cuyo caso les aplica lo previsto en el RIIC art.5.3 sobre la comisión de gestión sobre resultados).
j) Les aplican reglas especiales en cuanto al plazo máximo para el **pago de los reembolsos**.

10538 **k)** Podrán invertir, atendiendo a los principios de liquidez, diversificación del riesgo y transparencia, en activos e instrumentos financieros de los relacionados en el LIIC art.30.1, siempre que el activo subyacente en el caso de instrumentos derivados consista en activos o instrumentos mencionados en el RIIC art.48.1.f); en materias primas para las que exista un mercado secundario de negociación; acciones o participaciones en IIC de inversión libre, así como en instituciones extranjeras similares a éstas; cualquier otro activo subyacente cuya utilización haya sido autorizada por la CNMV o cualquier combinación de los mencionados en las letras anteriores.
Adicionalmente, y como novedad introducida por el RD 83/2015, y sin que les sea de aplicación el principio de liquidez, podrán invertir en **facturas, préstamos, efectos comerciales** de uso habitual en el ámbito del tráfico mercantil y otros activos de naturaleza similar, en activos financieros vinculados a estrategias de inversión con un horizonte temporal superior a un año y en instrumentos financieros derivados, cualquiera que sea la naturaleza del subyacente siempre que su liquidación no suponga la incorporación al patrimonio de la IICIL de un activo no financiero. Asimismo, podrán otorgar préstamos. Para este último tipo de IIC las sociedades gestoras han de cumplir con lo establecido en RIIC art.73.5.
A las IICIL a las que se refiere este último párrafo no les resulta de aplicación lo previsto en la LIIC art.30.4.
Adicionalmente, no les serán de aplicación las reglas sobre inversiones aplicables a las IIC de régimen común.
l) El **límite de endeudamiento** no podrá superar en cinco veces el valor de su patrimonio. Si su política de inversión consiste en la concesión de préstamos, no podrán endeudarse.
m) No les serán de aplicación los límites generales previstos en la Ley para la **pignoración de activos**.
n) Están sometidas a normas más estrictas en cuanto al control de los **conflictos de interés, operaciones vinculadas y riesgos**, incluyendo la realización periódica de ejercicios de simulación e información al inversor respecto de los riesgos del producto.

10540 **IIC de IIC de inversión libre** (LIIC art.33 ter; RIIC art.74) Las instituciones de inversión colectiva de instituciones de inversión colectiva de inversión libre (IICIICIL) son IIC que invierten mayoritariamente en IICIL e IIC extranjeras similares, pudiendo por tanto servir para constituir **fondos de «hedge funds»** españoles y siendo comercializables a **todo tipo de inversores**.
A las IICIICIL les serán aplicables las reglas sobre IIC de carácter financiero de **régimen común**, pero con una serie de **excepciones** entre las que destacan las siguientes:
a) Deben invertir al menos el **60% de su patrimonio** en IICIL constituidas en España y en IIC extranjeras similares, o bien domiciliadas en países pertenecientes a la Unión Europea o a la OCDE, o bien cuya gestión haya sido encomendada a una sociedad gestora sujeta a supervisión con domicilio en un país perteneciente a la Unión Europea o a la OCDE.
b) No pueden invertir más del **10% de su patrimonio** en una única IIC de las que se refiere la letra b) anterior (nº 10534 s.).
c) El valor liquidativo de las **acciones** y participaciones puede ser calculado con una periodicidad no superior a la semestral.
d) Las **suscripciones y reembolsos** de los fondos o, en su caso, las adquisiciones y ventas de las acciones de las sociedades de inversión se realizarán normalmente con la misma periodicidad que el cálculo del valor liquidativo, pero la IICIICIL podrá no otorgar derecho de reembolso en todas las fechas de cálculo del valor liquidativo.

e) Podrán establecer períodos mínimos de **permanencia** para sus accionistas o partícipes.
f) Determinadas IICIL podrán establecer un límite máximo al **importe de los reembolsos** en una determinada fecha.
g) No les resultarán de aplicación los límites máximos y las formas de cálculo de las **comisiones** de gestión, depósito, suscripción y reembolso (salvo si se comercializan a minoristas, en cuyo caso les aplica lo previsto en el RIIC art.5.3 sobre la comisión de gestión sobre resultados).
h) Podrán establecer periodos de **preaviso** para las suscripciones y los reembolsos, cualquiera que sea su cuantía (tales períodos de preaviso no podrán ser superiores en más de 15 días naturales al período de cálculo del valor liquidativo).
i) Les aplican reglas especiales en cuanto al plazo máximo para el **pago de los reembolsos**.
j) Están sometidas a normas más estrictas en cuanto a la **información al inversor** respecto de los riesgos del producto.

Instituciones de inversión colectiva subordinadas (RIIC art.54 y 55) 10542

Las IIC subordinadas o **IIC Feeder**, son IIC que invierten fundamentalmente en otra IIC y entre sus principales **características** cabe destacar las siguientes:
a) Deben invertir al menos el **85% de su patrimonio** en una única IIC que recibe el nombre de IIC principal, pudiendo invertir el **resto** en:
• **Efectivo**, en depósitos o cuentas a la vista en el depositario o en otra entidad de crédito si el depositario no tiene esa consideración, o en compraventas con pacto de recompra a un día en **valores** de deuda pública.
• **Instrumentos financieros derivados** con la finalidad de asegurar una adecuada cobertura de los riesgos asumidos en toda o parte de la cartera que pueden ser utilizados únicamente a efectos de cobertura.
• **Bienes muebles e inmuebles** indispensables para el ejercicio directo de su actividad, cuando la IIC sea una sociedad de inversión.
b) Por **IIC principal** se entiende una IIC o uno de sus compartimentos que:
- cuente entre sus partícipes o accionistas al menos una IIC subordinada;
- no sea una IIC subordinada;
- no posea acciones ni participaciones en una IIC subordinada.
c) La CNMV procederá a la **autorización de la inversión** de una IIC subordinada autorizada en España en una determinada IIC principal en el plazo de quince días hábiles desde la presentación de la solicitud o desde el momento en el que la documentación del expediente esté completa, si se cumple lo dispuesto en el RIIC.
d) Las IIC principales han de facilitar a cualquiera de sus IIC subordinadas todos los **documentos e información** necesarios para que estas últimas puedan cumplir los requisitos establecidos en la LIIC, o en el caso de que la IIC subordinada haya sido autorizada en otro Estado miembro de la UE, las disposiciones de esa legislación que incorporen la Dir 2009/65/CE. Para ello, la IIC principal y la subordinada celebrarán un **acuerdo** cuyo contenido se establece en RIIC art.57.
e) Cuando la IIC principal y la subordinada tengan **depositarios** distintos, estos últimos celebrarán un acuerdo de intercambio de información a fin de que ambos depositarios puedan desempeñar sus funciones. Lo mismo ocurre cuando ambas IIC tengan **auditores** distintos.
f) Cuando tanto la IIC subordinada como la principal hayan sido autorizadas en España, las **comisiones** de gestión y depósito, así como las comisiones de suscripción y reembolso y los descuentos a favor del fondo que se practiquen en las suscripciones y reembolsos, no pueden superar los límites máximos previstos en RIIC art.5. Cuando la IIC principal esté autorizada en España, serán de aplicación esos mismos límites previstos en RIIC art.5 para las comisiones de gestión y depósito.

Instituciones de inversión colectiva de propósito especial o «side-pockets» 10544

(RIIC art.75) Este tipo de IIC tiene como **finalidad** evitar perjuicios para los partícipes en supuestos en los que una IIC financiera no pueda valorar un número relevante de los activos subyacentes en que está invertida.
En este sentido, lo más relevante a tener en cuenta respecto de las IIC de propósito especial es que:
a) Cuando por **circunstancias excepcionales** relativas a los instrumentos financieros en los que haya invertido una IIC, a sus emisores o a los mercados, no resulte posible la valoración o la venta a su valor razonable de dichos instrumentos, dichos activos representen más del 1% del patrimonio de la IIC y se deriven perjuicios graves para los partícipes o accionistas, la sociedad gestora SGIIC o la sociedad de inversión, con el conocimiento del depositario, podrá **escindir la IIC original**, traspasando los activos afectados por estas circunstancias a un fondo de propósito especial, de nueva creación, de la misma forma jurídica, que estará constituido

exclusivamente por dichos activos. En el caso de que la IIC original tenga forma de fondo, el traspaso de los activos afectados podrá realizarse también, a elección de la gestora, a un compartimento de propósito especial, de nueva creación.
b) Los partícipes o accionistas de la IIC original recibirán, en proporción a su inversión en la IIC original, **participaciones del fondo** o compartimento de propósito especial resultante.
c) El fondo o compartimento de propósito especial resultante se regirá por las previsiones aplicables a los fondos o compartimentos, pero aplicando determinadas **particularidades** entre las que cabe destacar las siguientes:
• No les son de aplicación las **reglas sobre inversiones de las IIC** financieras de régimen común.
• No deben disponer de un **patrimonio** mínimo.
• No deben contar con **folleto**.
• No pueden establecer **comisiones** ni **descuentos de reembolso** y respecto a las comisiones de gestión, depósito y demás gastos, únicamente se devengarán y liquidarán cuando el fondo o compartimento de propósito especial resultante tenga liquidez suficiente, siendo el límite máximo de dichas comisiones el establecido en la IIC original. A partir del segundo año desde la creación del fondo o compartimento de propósito especial resultante, la comisión de gestión tendrá como límite máximo una tercera parte de la establecida en la IIC original, o el 0,20 % del patrimonio gestionado, si aquélla resultara inferior a dicho porcentaje.
• El cálculo del **valor liquidativo** ha de realizarse con la periodicidad de la IIC o compartimento originario.
• Una vez creados no pueden emitir **nuevas participaciones** o acciones.
• Cuando **desaparezcan** total o parcialmente las **circunstancias que dieron lugar a su creación**, ha de procederse con la mayor diligencia a la venta de los activos y al reparto proporcional de la liquidez resultante entre todos los inversores.
• Una vez **satisfechos todos los reembolsos** o realizadas todas las **recompras** o los **traspasos** de los inversores, se procederá a la extinción del fondo o compartimento de propósito especial resultante.

10546 **Fondos de inversión cotizados** (RIIC art.79) Los fondos de inversión cotizados («**Exchange Traded Funds**» o «ETF») son aquellos cuyas participaciones estén admitidas a negociación en bolsa de valores.
Además de estar cotizados, de entre sus principales **características** cabe destacar que:
a) Les aplican reglas específicas para su **cotización** en bolsas de valores.
b) El objetivo de la **política de inversión** debe ser reproducir un índice que cumpla las condiciones previstas en RIIC art.50.2.d), así como cualquier otro subyacente que la CNMV autorice expresamente.
c) Les aplican reglas específicas en relación con las **suscripciones y reembolsos**, pudiendo estos estar limitados a entidades habilitadas para poder prestar servicios de inversión, con las que se haya suscrito un contrato al efecto.
d) A los efectos de facilitar el **alineamiento del valor de cotización** con el valor liquidativo estimado en diferentes momentos de la contratación, deberán existir entidades que asuman el compromiso de ofrecer en firme posiciones compradoras o vendedoras de participaciones con un diferencial máximo de precios.
e) No les resulta de aplicación a los fondos de inversión cotizados el procedimiento de **traspaso de participaciones.**
f) No estarán sujetos a los requisitos de **liquidez** aplicables a las IIC financieras de régimen común.
g) Les aplican reglas especiales en relación con la **publicidad, transparencia y documentación** a entregar a los inversores.

10548 **SICAV índice cotizada** Las SICAV índice cotizadas son aquellas que cumplen con lo dispuesto para los **fondos cotizados** (nº 10546), con determinadas especialidades.

4. Instituciones de inversión colectiva de carácter no financiero: IIC inmobiliaria

(LIIC art.34 a 39; RIIC art.85 a 93)

10555 Dentro de las instituciones de inversión de carácter no financiero, que se definen como todas aquellas que no sean financieras, las únicas que son reguladas en detalle por la LIIC son las de naturaleza inmobiliaria.
Las **sociedades de inversión inmobiliaria (SII)** y los **fondos de inversión inmobiliaria (FII)**, se definen, de forma conjunta, como aquellas instituciones de inversión colectiva de carácter no financiero cuyo objeto exclusivo es la inversión en cualquier tipo de inmueble de naturaleza urbana para su arrendamiento, exclusividad que será compatible, aunque con limitaciones, con la inversión en valores y los activos líquidos a que se refiere el RIIC.

Las **denominaciones** «Fondo de Inversión Inmobiliaria» o «Sociedad de Inversión Inmobiliaria», o sus siglas, «FII» y «SII» son privativas de las entidades autorizadas, constituidas y registradas conforme a la LIIC.

Normas de inversión y endeudamiento (LIIC art.35 y 36; RIIC art.86, 90 y 91) Las IIC inmobiliarias son aquellas IIC de carácter no financiero que tienen por objeto principal la inversión en bienes inmuebles de naturaleza urbana para su **arrendamiento**, y que invierten su activo en dichos bienes inmuebles en sus distintas fases de construcción, pudiendo además y con las limitaciones establecidas en RIIC art.90, invertir una parte de su activo en valores negociados en mercados secundarios. 10557

Entre las **inversiones propias de su objeto principal** cabe incluir:

a) Las inversiones en **inmuebles finalizados**, incluyéndose en dicho concepto con un límite de máximo conjunto del 15% sobre el patrimonio de la IIC:

• Las inversiones en sociedades cuyo activo esté constituido mayoritariamente por bienes inmuebles, siempre que la adquisición de aquélla sea con el objeto de disolverla en el plazo de seis meses desde su adquisición y el inmueble sea objeto de arrendamiento a partir de ésta.

• Las inversiones en entidades de arrendamiento de viviendas referidas en el capítulo III del título VII de la Ley del Impuesto sobre Sociedades (L 27/2014).

• Las inversiones en una sociedad cuyo activo esté constituido mayoritariamente por bienes inmuebles, siempre que los inmuebles sean objeto de arrendamiento.

• Las inversiones en sociedades anónimas cotizadas de inversión en el mercado inmobiliario contempladas en la L 11/2009, por la que se regulan las sociedades anónimas cotizadas de inversión en el mercado inmobiliario, siempre que no tengan participaciones en el capital o patrimonio de otras IIC inmobiliarias.

• Las inversiones en otras IIC inmobiliarias, siempre que en el reglamento del fondo o los estatutos de la sociedad cuyas participaciones o acciones se prevea adquirir no autoricen a invertir más de un 10% del activo de la institución en participaciones o acciones de otras IIC y, adicionalmente, las normas sobre régimen de inversiones, prevención de conflictos de interés, endeudamiento y valoración de bienes inmuebles sean similares a las incluidas en el RIIC.

b) Las inversiones en **inmuebles en fase de construcción**, incluso si se adquieren sobre plano, siempre que al promotor o constructor le haya sido concedida la autorización o licencia para edificar.

c) La **compra de opciones de compra**, cuando el valor de la prima no supere el 5% del precio de ejercicio del inmueble, así como los compromisos de compra a plazo de inmuebles, siempre que el vencimiento de las opciones y compromisos no supere el plazo de dos años y que los correspondientes contratos no establezcan restricciones a su libre transmisibilidad.

d) La titularidad de cualesquiera **otros derechos reales** sobre bienes inmuebles, siempre que les permita cumplir su objetivo de ser arrendados.

e) La titularidad de **concesiones administrativas** que permita el arrendamiento de inmuebles.

Las IIC inmobiliarias deben cumplir los **criterios de valoración** de los bienes y derechos en los que inviertan y respetar los siguientes coeficientes: 10559

• **Coeficiente de liquidez**, que garantice suficientemente el cumplimiento del régimen de reembolso;

• **Coeficientes de diversificación del riesgo**, que limiten la inversión en un solo inmueble (35% del patrimonio total en el momento de la adquisición), así como el arrendamiento de bienes inmuebles a entidades de un mismo grupo (35% del patrimonio de la IIC).

Por otro lado, y salvo previa autorización de la CNMV, los bienes inmuebles no podrán enajenarse hasta transcurridos 3 años desde su adquisición.

Ahora bien, el RIIC art.91.2 ha establecido el **plazo** mínimo de tres años desde la inscripción de la IIC inmobiliaria en el registro de CNMV para el cumplimiento de los porcentajes derivados de los coeficientes señalados en los párrafos anteriores.

Con carácter general, los accionistas o partícipes de IIC inmobiliaria pueden ser **arrendatarios** de los bienes inmuebles que integren el activo de las mismas, así como ostentar cualquier derecho distinto del derivado de su condición de accionista o partícipe y realizar aportaciones, originarias o derivativas, en especie. Ahora bien, pueden hacerlo solo cuando de ello no se derive un **conflicto de interés** y se cumplan determinados **requisitos**, entre los que destacan los siguientes por su carácter limitativo:

• Los **inmuebles arrendados** por la IICI a sus socios o partícipes o a personas o entidades que mantengan vínculos con dichos socios o partícipes, no podrán superar el 25% del patrimonio de la IIC.

• Las entidades del grupo de la SGIIC y de la SII no podrán ser arrendatarias de los bienes inmuebles de la IICI.

• Los **inmuebles adquiridos** a entidades del grupo de la SGIIC o de la IICI no podrán suponer más del 25% del patrimonio de la institución, aplicando este requisito a los bienes aportados en el momento de constitución y en sucesivas ampliaciones de capital.
• No podrán vender inmuebles a las personas o entidades de su grupo o del de su SGIIC.
El **límite general a la financiación** de las IICI es del 50% del patrimonio de la institución y debe destinarse a la adquisición o rehabilitación de inmuebles -se incluye aquí el pago aplazado-. Las SII pueden financiarse hasta un 10% adicional de su patrimonio, siempre y cuando la financiación tenga un plazo no superior a los 18 meses y se utilice para resolver dificultades transitorias de tesorería.

10561 **Clases de IIC inmobiliarias** (LIIC art.37 y 38; RIIC art.92 y 93) Las **sociedades de inversión inmobiliaria** son sociedades anónimas que disponen de un capital mínimo totalmente desembolsado desde su constitución y cuya gestión puede encomendarse a una SGIIC. El **capital social** mínimo es de 9.000.000 €. En el caso de **sociedades por compartimentos**, cada uno de estos debe tener un capital mínimo de 2,4 millones de euros, sin que, en ningún caso, el capital total de la sociedad sea inferior a 9.000.000 de euros.
Los **fondos de inversión inmobiliaria** se rigen, en lo no dispuesto específicamente para ellos, por lo contemplado para los FI de carácter financiero. El **patrimonio mínimo** será de 9.000.000 €. En el caso de **fondos por compartimentos**, cada uno de estos deberá tener un capital mínimo de 2,4 millones de euros, sin que, en ningún caso, el capital total del fondo sea inferior a 9.000.000 €.
Su régimen de **suscripción y reembolso**, se ajusta a las siguientes reglas:
a) El **valor liquidativo** debe ser fijado, al menos, mensualmente.
b) Debe permitirse a los partícipes suscribir o solicitar el **reembolso** de sus participaciones, al menos, una vez al año -excepcionalmente, y previa autorización de la CNMV, cada dos años-.
c) El patrimonio inmobiliario debe tasarse, como regla general, una vez al año. Dicha **tasación** deberá efectuarse necesariamente por una sociedad de tasación de las previstas en la legislación del mercado hipotecario.
d) Cuando concurren circunstancias excepcionales la CNMV puede autorizar la **suspensión** de la suscripción y el reembolso de las participaciones.

5. Entidades de apoyo a las instituciones de inversión colectiva

10565 Las IIC precisan del auxilio de otras entidades e, incluso, en el caso de los fondos, el concurso de alguna de éstas resulta imprescindible para su funcionamiento al carecer la institución de personalidad jurídica.
La LIIC dedica sus títulos IV y V a regular las SGIIC y los depositarios respectivamente, epígrafes que se corresponden con los IV y V del RIIC.
Sobre estas bases, procede examinar, brevemente, el **régimen general de las sociedades gestoras** (nº 10570) y de los **depositarios** (nº 10600), señalando las especialidades que presentan en relación con las SII y con los FII, así como las **sociedades de tasación** (nº 10615), exclusivas de estas últimas instituciones.

a. Sociedades Gestoras de Instituciones de Inversión Colectiva (SGIIC)

(LIIC art.40 a 56; RIIC art.94 a 125)

10570 Las SGIIC son sociedades anónimas o de responsabilidad limitada cuyo **objeto social** consiste en la administración, representación, gestión de las inversiones, el control y la gestión de riesgos y la gestión de las suscripciones y reembolsos de los fondos y sociedades de inversión.

10572 **Actividades** (RIIC art.94; LIIC art.40) La actividad de las SGIIC **engloba** la gestión de las inversiones, el control y la gestión de riesgos, la administración de IIC -prestando servicios jurídicos y contables, respondiendo consultas de los clientes, valorando y determinando el valor liquidativo, controlando la normativa aplicable, llevando el registro de partícipes/accionistas, distribuyendo rendimientos, suscribiendo/reembolsando participaciones y adquiriendo/enajenando acciones de IIC, liquidando contratos y manteniendo registros-, representación y la comercialización de acciones y participaciones de IIC.
Además, las SGIIC **pueden realizar** las siguientes actividades:
a) **Gestión discrecional e individualizada** de carteras de inversiones, incluidas las pertenecientes a fondos de pensiones, en virtud de un mandato otorgado por los inversores o persona legalmente autorizada y en los términos establecidos en la LMV.
b) **Administración, representación, gestión y comercialización** de entidades de capital-riesgo, de Entidades de Inversión Colectiva Cerradas, de Fondos de Capital Riesgo Europeos (FCRE) y

de Fondos de Emprendimiento Social Europeos (FESE) y fondos de inversión a largo plazo europeos (FILPE), y otros vehículos de inversión colectiva regulados por la normativa de la Unión Europea en los términos establecidos por la L 22/2014.

Además, las sociedades gestoras pueden ser autorizadas para realizar las siguientes **actividades complementarias**: 10574
c) Asesoramiento sobre inversiones en los términos recogidos en la LMV.
d) Custodia y administración de las participaciones de los FI y, en su caso, de las acciones de las sociedades de inversión de los FCRE, FESE, FILPE y otros vehículos de inversión colectiva regulados por la normativa de la UE.
e) La recepción y transmisión de órdenes de clientes en relación con uno o varios instrumentos financieros.
En todo caso, la autorización para realizar las actividades descritas en c), d) y e) está condicionada a que la sociedad gestora cuente con la autorización preceptiva para prestar los servicios mencionados en a).
Adicionalmente, las SGIIC pueden **comercializar acciones** o participaciones de IIC en los términos del RIIC art.95. Las suscripciones o adquisiciones de participaciones o acciones deben efectuarse obligatoriamente mediante **cheque** nominativo librado a favor de la IIC, transferencia bancaria a favor de la misma o mediante entrega de efectivo directamente por la persona interesada al depositario, para su posterior abono en la cuenta del fondo o de la sociedad.
Se entienden reservadas a las SGIIC las actividades definidas propias del objeto social descrito en este epígrafe, pudiendo ser sancionadas por la CNMV las personas que violen esta reserva de actividad con **multas** coercitivas por importe de hasta 300.000 euros, que podrán ser reiteradas con ocasión de posteriores requerimientos.
La **denominación** «Sociedad Gestora de Instituciones de Inversión Colectiva» y sus siglas «SGIIC» son privativas de las entidades inscritas en el registro correspondiente de la CNMV, no pudiendo ninguna otra entidad utilizar dichas denominaciones u otras que induzcan a confusión con ellas.
Las SGIIC tienen la obligación de la llevanza y el mantenimiento de los **registros y documentos** en relación con las participaciones y, en general, con sus operaciones en el mercado de valores.

Autorización y registro (LIIC art.41) Corresponde a la CNMV, autorizar, con carácter previo, la creación de SGIIC. 10576
Una vez constituidas, para dar comienzo a su actividad, deben **inscribirse** en el Registro Mercantil y en el correspondiente registro de la CNMV.
La **solicitud** de autorización debe ir acompañada necesariamente del proyecto de estatutos y una memoria en la que se describirá con detalle la estructura organizativa de la sociedad, la relación de actividades a desarrollar y los medios técnicos y humanos de que dispondrá, relación de quiénes ostentarán cargos de administración o dirección en la entidad, así como la acreditación de la honorabilidad y de la profesionalidad de éstos, la identidad de los accionistas que posean una participación significativa en la sociedad y el importe de la misma, así como, en general, cuantos datos y antecedentes se consideren oportunos para poder verificar el cumplimiento de los requisitos exigidos por la LIIC y el RIIC.
La resolución de la **autorización** debe notificarse dentro de los tres meses siguientes a la recepción de la solicitud, o al momento en el que se complete la documentación exigible.
Si transcurre dicho plazo sin que se dicte resolución expresa, podrá entenderse estimada su solicitud por **silencio administrativo**, con los efectos previstos en la L 39/2015.
Se produce la **caducidad** de la autorización si transcurrido el plazo de un año, a contar desde el día siguiente a la fecha de notificación de la resolución administrativa por la que se concede la autorización, los promotores de la SGIIC no solicitan su inscripción en el correspondiente registro de la CNMV.
La **denegación** de la autorización debe basarse por el Ministro de Economía y Empresa en las causas tasadas en la LIIC art.42.

Acceso a la actividad (LIIC art.43) Para obtener y conservar la autorización las SGIIC deben reunir los siguientes **requisitos**: 10578
a) Revestir la **forma** de sociedad anónima o de responsabilidad limitada, constituida por tiempo indefinido, y que las acciones integrantes del capital social tengan carácter nominativo.
b) Tener por **objeto social** exclusivo el previsto en la LIIC art.40. Con carácter principal, deben realizar las actividades contempladas en nº 10570, sin perjuicio de que puedan ser autorizadas para realizar las actividades adicionales previstas en nº 10572. Si bien, con carácter general, todas las actividades se incluirán en el objeto social descrito en los estatutos, las actividades concretas a desarrollar deben incluirse en el correspondiente programa de actividades.

c) Que su **domicilio** social, así como su efectiva administración y dirección, estén situados en España.

d) Que, cuando se trate de una entidad de nueva creación, se constituya por el procedimiento de **fundación simultánea** y que sus fundadores no se reserven ventajas o remuneraciones especiales.

e) Disponer de un **capital** social mínimo de 300.000 euros, totalmente desembolsado en efectivo y posteriormente con los niveles de recursos propios que se exijan, proporcionados al valor real de los patrimonios que administren y las actividades que desarrollen.

f) Que cuente con un **consejo de administración** formado por no menos de tres miembros.

g) Que se comunique la identidad de todos los **accionistas**, directos o indirectos, personas físicas o jurídicas, que posean una participación significativa y su importe.

h) Que quienes ostenten cargos de administración o dirección en la sociedad, cuenten con los requisitos de **honorabilidad** establecidos en la LIIC y que la mayoría de los miembros del consejo de administración o de sus comisiones ejecutivas, así como todos los consejeros delegados y directores generales y asimilados cuenten con los requisitos de experiencia establecidos en la LIIC.

i) Que cuente con una buena **organización administrativa y contable**, así como con medios humanos y técnicos adecuados, en relación con su objeto y actividades concretas a desarrollar.

j) Que cuente con procedimientos y mecanismos de control interno adecuados que garanticen la gestión correcta y prudente de la sociedad, incluyendo procedimientos de **gestión de riesgos**, así como mecanismos de control y de seguridad en el ámbito informático y órganos y procedimientos para la prevención del blanqueo de capitales y la financiación del terrorismo, un régimen de operaciones vinculadas y un reglamento interno de conducta.

k) Que haya presentado documentación adecuada sobre las condiciones y los servicios, funciones o actividades que vayan a ser objeto de **subcontratación o externalización**, de forma que pueda verificarse que este hecho no desnaturaliza o deja sin contenido la autorización solicitada.

10580 **Condiciones de ejercicio** (LIIC art.44) Las **modificaciones** del proyecto constitutivo y de los estatutos sociales de las SGIIC se sujetan, con las excepciones que se determinen, al procedimiento de autorización descrito en nº 10576, existiendo sin embargo ciertas modificaciones que no requieren autorización previa, aunque deben ser comunicadas a la CNMV para su constancia en el registro correspondiente.

10582 **Participaciones significativas** (LIIC art.45; RIIC art.113 y 114) El régimen **participaciones significativas** en SGIIC se resume, en lo más relevante, como a continuación se expone:

a) Se debe entender por participación significativa aquélla que alcance, de forma directa o indirecta, al menos el **10% del capital o de los derechos de voto** de la SGIIC o aquella que, sin llegar al porcentaje señalado, permita ejercer una influencia notable en ésta.

b) Toda persona física o jurídica que, por sí sola o actuando de forma concertada con otras, haya adquirido, directa o indirectamente, una participación en una SGIIC, de tal forma que su porcentaje de derechos de voto o de capital poseído resulte **igual o superior al 5%**, lo comunicará inmediatamente por escrito a la CNMV y a la SGIIC correspondiente, indicando la cuantía de dicha participación.

c) Toda persona física o jurídica que, por sí sola o actuando de forma concertada con otras, pretenda adquirir, directa o indirectamente, una participación significativa en una SGIIC o bien, incrementar, directamente o indirectamente, su participación significativa de tal forma que su porcentaje de capital o derechos de voto **alcance o sobrepase el 20%, 30% ó 50%** -o pueda llegar a controlar la SGIIC-, deberá informar previamente a la CNMV, indicando la cuantía de dicha participación el modo de adquisición y el plazo máximo en que se pretenda realizar la operación.

d) Cuando se efectúe una **adquisición de las descritas en la letra c) sin haber informado previamente** a la CNMV, habiéndole informado, pero sin que hubiera transcurrido el plazo previsto en la LIIC, o con la oposición expresa de la CNMV, se producirán los siguientes **efectos**:

- No se podrán ejercer los derechos políticos correspondientes a las participaciones adquiridas irregularmente y si llegaran a ejercerse, los votos serán nulos y los acuerdos serán impugnables en vía judicial, estando legitimada al efecto la CNMV.
- Se podrá acordar la suspensión de actividades de la SGIIC.
- Se podrá acordar la intervención de la SGIIC o la sustitución de sus administradores.
- Se podrán imponer las sanciones correspondientes.

e) Toda persona física o jurídica que, directa o indirectamente, pretenda **dejar de tener una participación significativa** en una SGIIC, que pretenda reducir su participación de forma que ésta se reduzca por debajo de algunos de los niveles descritos en la letra c) anterior, o que, en virtud de la enajenación pretendida, pueda perder el control de la sociedad, deberá informar previamente a la CNMV, indicando la cuantía de la operación propuesta y el plazo previsto para llevarla a cabo. En caso contrario, se podrán imponer las sanciones correspondientes.

f) Las sociedades gestoras deberán comunicar a la CNMV, en cuanto tengan conocimiento de ello, las adquisiciones o cesiones de participaciones en su capital que traspasen alguno de los **niveles** señalados en los apartados anteriores y no inscribirán en su **libro registro de acciones** las transmisiones de acciones que estén sometidas a obligación de comunicación previa, hasta que no se justifique la no oposición de la CNMV o, en su caso, se les acredite que se le ha realizado la comunicación al supervisor y que ha transcurrido el plazo establecido para la oposición.

Auditoría de cuentas y otras condiciones de ejercicio Las SGIIC deben someterse a la auditoría de cuentas, de conformidad con lo dispuesto en la L 22/2015, y ajustar su ejercicio económico al año natural. 10584

En RIIC art.100 a 104 se establecen los **coeficientes mínimos de inversión**, recursos propios, diversificación y endeudamiento que deberán cumplir en todo momento. Las SGIIC están obligadas a atender y resolver las **quejas y reclamaciones** que los accionistas de sociedades de inversión o los partícipes de FI puedan presentar, relacionados con sus intereses y derechos legalmente reconocidos (LIIC art.48). A estos efectos, las SGIIC deben contar con un departamento o servicio de atención al cliente encargado de atender y resolver las quejas y reclamaciones.

En la LIIC art.49 a 53 se establecen las causas y los procedimientos de la **revocación** de la autorización conferida a una SGIIC, de su **suspensión** de actividades y de su sustitución.

Política de implicación (LIIC art.47.ter) Las sociedades gestoras desarrollarán y pondrán en conocimiento del público una política de implicación que describa cómo integran su implicación como accionistas o gestores de los accionistas en su política de inversión. Esta política describirá la forma en que llevan a cabo el **seguimiento** de las sociedades admitidas a negociación en un mercado regulado que esté situado u opere en un Estado miembro en las que invierten en lo referente, entre otras cuestiones, a la estrategia, el rendimiento financiero y no financiero y los riesgos, la estructura del capital, el impacto social y medioambiental y el gobierno corporativo. Dicha política también describirá los mecanismos para desarrollar un diálogo con las sociedades admitidas a negociación en un mercado regulado que esté situado u opere en un Estado miembro en las que invierten, ejercen los derechos de voto y otros derechos asociados a las acciones, cooperan con otros accionistas, se comunican con grupos de interés importantes de las sociedades en las que invierten y gestionan conflictos de interés reales y potenciales en relación con su implicación. 10586

Las sociedades gestoras harán **pública** con carácter anual la aplicación de su política de implicación, incluidas una descripción general de su comportamiento en relación con sus derechos de voto, una explicación de las votaciones más importantes y, en su caso, del recurso a los servicios de asesores de voto.

Las sociedades gestoras publicarán el sentido de su voto en las juntas generales de las sociedades en las que las IIC poseen acciones.

Esta información estará disponible públicamente y de forma gratuita en el sitio web de la sociedad gestora.

Obligaciones y régimen de responsabilidad Las SGIIC deben cumplir las obligaciones previstas en la LIIC y sus normas de desarrollo y, en especial, las siguientes: 10588

a) Comunicar a la CNMV aquellos **cambios** en las condiciones de la **autorización** que puedan ser relevantes.

b) Informar a la CNMV de las **inversiones** en que materialicen sus recursos propios y por cuenta de los fondos y sociedades que administren.

c) Informar a la CNMV de forma periódica sobre la **composición** de su **accionariado** o de las alteraciones que en el mismo se produzcan. Tal información comprenderá, necesariamente, la relativa a la participación de otras entidades financieras en su capital, cualquiera que fuera su cuantía.

d) En relación con los **fondos gestionados**, las SGIIC están obligadas a ejercer, con especial atención, y en beneficio de los partícipes, el derecho de asistencia y voto en las juntas generales de emisores españoles en la que participen sus fondos con una antigüedad superior a doce meses y si la participación representa, al menos, el 1% del capital. En todo caso, las sociedades gestoras deben informar a los partícipes de su política en relación al ejercicio de los derechos políticos inherentes a los valores que integren la cartera del fondo, justificando bien el no ejercicio del derecho de voto o bien el sentido del mismo.

e) Emitir los **certificados de las participaciones** en los fondos de inversión que estén representadas a través de dichos títulos. Asimismo, pueden solicitar a las entidades encargadas de los registros contables, por cuenta y en nombre de los partícipes, la expedición de los certificados a los que alude la LMV art.14, cuando se trate de participaciones representadas mediante anotaciones en cuenta. Lo anterior no es aplicable en el caso de que en el registro de partícipes de la sociedad gestora, las participaciones figuren a nombre del partícipe, identificado tan solo por su número de identificación fiscal y por el comercializador a través del que haya adquirido dichas participaciones, de acuerdo con lo establecido en LIIC art.40.3, en cuyo caso es la entidad comercializadora la que debe emitir los certificados correspondientes a cada uno de los partícipes.

10590 Asimismo, las SGIIC:
- Deben actuar en beneficio de los partícipes o accionistas de las IIC cuyos activos administren y las **comisiones** que perciban de ellos tendrán los límites marcados por LIIC art.8 y RIIC art.5.
- Tienen las facultades del dominio sobre el patrimonio de los FI, sin ser propietarias de los mismos, ejerciéndolas en **interés de los partícipes**, de acuerdo con lo dispuesto en esta ley, en sus normas de desarrollo y en el reglamento de gestión.
- Están obligadas a remitir a los depositarios toda la **información** que precisen para el ejercicio de sus funciones.

Asimismo, están obligadas a comunicar a la CNMV cualquier anomalía que detecten en las funciones del depositario respecto de los activos que administren; y son **responsables** frente a los partícipes o accionistas de todos los perjuicios que causara por incumplimiento de sus obligaciones legales, estando obligadas a exigir al depositario responsabilidad en el ejercicio de sus funciones en nombre de los partícipes.
- Deben hacer pública, en el informe anual, sus políticas de remuneración en los términos señalados en LIIC art.46 bis.

10592 **Actuación transfronteriza** Las SGIIC autorizadas en España y reguladas por la Dir 2009/65/CE pueden ejercer la actividad a que se refiera la autorización en otros Estados miembros de la UE, bien a través del establecimiento de una **sucursal**, bien mediante la libre prestación de servicios, en los términos que se describen a continuación.

Si tal SGIIC se limita a proponer, **sin establecimiento de una sucursal**, la comercialización de las acciones y participaciones de una IIC que gestione y se encuentre autorizada en España, en un Estado miembro de la Unión Europea distinto de España, tal actividad estará sujeta solo a los requisitos de LIIC art.16 relativos a la comercialización de las acciones y participaciones de IIC españolas en el ámbito de la UE.

Una SGIIC autorizada en España que desea establecer una sucursal en el territorio de otro Estado miembro de la UE debe notificarlo a la **CNMV**.

En la **notificación** a la CNMV debe indicarse:

a) El Estado miembro en cuyo territorio se propone establecer la sucursal.

b) El programa de funcionamiento que establece las actividades y servicios que se propone realizar y la estructura de la organización de la sucursal, que incluirá una descripción del procedimiento de gestión del riesgo establecido por la SGIIC, así como ciertos procedimientos y disposiciones que establece la LIIC.

c) La dirección en el Estado miembro de acogida en la que pueden serle requeridos los documentos.

d) El nombre de los directivos responsables de la sucursal.

10594 La CNMV debe remitir toda la información aportada por la SGIIC al Estado miembro de acogida en el **plazo** de dos meses, a partir de la recepción de la totalidad de la información, salvo que tenga razones para dudar, visto el proyecto en cuestión, de la adecuación del mismo a las actividades que ésta se proponga ejercer, en cuyo caso lo notificará a la SGIIC en el plazo de dos meses a partir de la recepción de la totalidad de la información.

Igualmente, en el supuesto de que una **SGIIC española desee prestar servicios en otro Estado miembro** de la UE y en libre prestación de servicios, debe notificarlo a la CNMV, informando sobre:

a) El Estado miembro en cuyo **territorio** se proponga operar.

b) El **programa de funcionamiento** en el que se establezcan las actividades y servicios que se proponga realizar, que incluirá una descripción del procedimiento de gestión del riesgo establecido por la SGIIC, así como ciertos procedimientos y disposiciones que establece la LIIC.

Las SGIIC españolas que pretendan abrir una sucursal o prestar servicios sin sucursal **en un Estado que no sea miembro de la UE**, deben obtener previamente una autorización de la CNMV (RIIC art.122). Adicionalmente, es necesario que tomen en consideración los requisitos que pudiera exigir la legislación del Estado no miembro de la UE en cuestión.

Las **SGIIC autorizadas en España** de conformidad con la Dir 2011/61/UE pueden gestionar IIC establecidas **en otros Estados miembros de la UE**, bien a través del establecimiento de una sucursal, o bien directamente, siempre que la SGIIC esté autorizada a gestionar ese tipo de IIC, debiendo comunicar previamente a la CNMV la información establecida en LIIC art.54 bis. En el plazo de un mes desde la fecha de recepción de la documentación completa, o dos meses en el caso de establecimiento de sucursal, la CNMV transmitirá dicha información a las autoridades competentes del Estado miembro de acogida. Una vez recibida esta notificación, la gestora podrá comenzar a prestar sus servicios en su Estado miembro de acogida.
En el caso de **sociedades gestoras autorizadas en otro estado miembro de la UE** al amparo de la Dir 2009/65/CE o de la Dir 2011/61/UE o de sociedades gestoras no domiciliadas en la UE, estas pueden realizar en España la actividad a la que se refiera su actividad en los términos previstos en LIIC art.55 y 56.

b. Depositarios de instituciones de inversión colectiva

(LIIC art.57 a 64; RIIC art.126 a 139; CNMV Circ 4/2016)

Las IIC, con la **excepción** de las sociedades de inversión inmobiliaria, bajo determinadas circunstancias (RIIC art.11.1.e), requieren el concurso de un depositario, junto a la SGIIC, al que se encomienda el depósito o **custodia** de los valores, efectivo y, en general, de los activos objeto de las inversiones de las IIC, así como la vigilancia de la gestión de las SGIIC y, en su caso, de los administradores de las IIC con forma societaria. 10600

Designación e incompatibilidades Cada IIC debe tener un **único** depositario y ninguna entidad podrá ser simultáneamente gestora y depositaria de una misma institución, salvo en los supuestos normativos en que, con carácter excepcional, se admita esta posibilidad. 10602
A diferencia de lo que sucede con las SGIIC, el depositario no es una entidad financiera que tenga que dedicarse de forma exclusiva a estas funciones, sino que es una **entidad financiera** que puede asumir además esta función.
Pueden ser depositarios los bancos, las cajas de ahorro, las sociedades y agencias de valores y las cooperativas de crédito (LIIC art.58).
Para ser depositarios de IIC estas entidades deben ostentar la condición de entidad participante en los **sistemas de compensación, liquidación y registro** en los mercados en los que vayan a operar, sea como tal o a través de otra entidad participante. En este último caso, la entidad participante deberá tener desglosada la cuenta de terceros.
El depositario deberá tener su **domicilio** social o, en su caso, una sucursal en España, pero ninguna entidad podrá ser depositaria de IIC gestionadas por una sociedad perteneciente a su mismo grupo, ni de sociedades de inversión en las que se dé la misma circunstancia, salvo que la IIC o, en su caso, la SGIIC disponga de un procedimiento específico, recogido en su reglamento interno de conducta, que permita evitar conflictos de interés (LIIC art.68).

Autorización y suspensión Los depositarios de las IIC adquirirán el carácter de tales mediante la autorización de la **CNMV** e inscripción en el correspondiente registro administrativo de la misma. 10604
Cuando la **solicitud** no sea resuelta en el plazo de un mes desde que se presente completa la documentación, podrá entenderse estimada con los efectos previstos en la L 39/2015.
La CNMV solo podrá **denegar** la autorización para ser depositario cuando la entidad no cumpla los requisitos normativos exigidos a los depositarios o no cuente con los medios adecuados para la realización de las funciones establecidas en la LIIC (nº 10606).
La CNMV, en su caso, previo informe del Banco de España, podrá suspender, con carácter total o parcial, los efectos de la autorización concedida a un depositario de IIC El régimen de suspensión de actividades del depositario de IIC está regulado en la LIIC art.63 y 64 y RIIC art.137.

Obligaciones Los depositarios de IIC deben cumplir las siguientes obligaciones: 10606
a) Redactar el **reglamento de gestión de los FI** y otorgar el documento de constitución, así como los de modificación o liquidación, todo ello de manera conjunta con la SGIIC.
b) Asumir ante los partícipes o accionistas la función de **vigilancia de la gestión** realizada por las SGIIC de los FI o por los administradores de las sociedades de inversión, comprobando especialmente que se respetan los límites a las inversiones y coeficientes previstos la LIIC.
c) Velar por la regularidad de las **suscripciones** de participaciones cuyo neto abonarán en la cuenta de los FI.
d) Satisfacer, por cuenta de los FI, los **reembolsos** de participaciones, cuyo importe neto adeudará en la cuenta del FI. A este fin, le corresponde supervisar los criterios, fórmulas y procedimientos utilizados por la SGIIC para el cálculo del valor liquidativo de las participaciones.

e) Velar por los pagos de los **dividendos** de las acciones y los beneficios de las participaciones en circulación, así como cumplimentar las órdenes de reinversión recibidas.
f) Cumplimentar, en su caso, por cuenta de las IIC, las operaciones de **compra y venta** de valores, así como cobrar los intereses y dividendos devengados por los mismos.
g) Ejercer las funciones de depósito o **administración** de valores pertenecientes a las IIC, responsabilizándose en los casos en que no desarrollen directamente las mismas.
h) Realizar cualquier otra función que sirva para la mejor ejecución o como complemento de las funciones de custodia y vigilancia, entre las que se encuentra garantizar el control de los flujos de tesorería y comprobar el procedimiento de cálculo del valor liquidativo.
En caso de que la SGIIC haya sido **autorizada en otro Estado miembro de la Unión Europea** al amparo de la Dir 2009/65/CE, el depositario firmará un acuerdo por escrito con la sociedad de gestión que regule el flujo de información necesaria para que el depositario desempeñe las obligaciones y funciones previstas en la LIIC.

Precisiones El contenido de estas obligaciones viene desarrollado en la **CNMV Circ 4/2016**, la cual se centra fundamentalmente en las funciones de custodia y administración de activos, control de efectivo, alcance de la función de registro de los activos no custodiables, vigilancia y supervisión y delegación de la función de depósito. Asimismo, establece las especificidades de los depositarios de entidades de capital riesgo, entidades de inversión colectiva cerradas e instituciones de inversión colectiva de inversión libre.

10608 **Sustitución** El **depositario** puede solicitar su sustitución, cuando así lo estime pertinente, mediante escrito presentado a la CNMV por la SGIIC, el antiguo depositario y por el nuevo, el cual se declara dispuesto a asumir tales funciones, interesando la correspondiente autorización.
Excepcionalmente, la **CNMV** puede autorizar dicha sustitución aun cuando sea solicitada unilateralmente por el depositario o, en su caso, por la SGIIC.
En ningún caso puede el depositario **renunciar** al ejercicio de sus funciones mientras no se hayan cumplido los requisitos y trámites para la designación de un sustituto.
El **procedimiento concursal del depositario** no produce de derecho la disolución de la institución cuyos activos custodia, aunque, en dicho supuesto, el depositario cesará en sus funciones, iniciándose los trámites para su sustitución.
En situaciones de concurso o suspensión del depositario que deriven en su sustitución, y cuando **gestora y depositario** pertenezcan al **mismo grupo**, la CNMV puede solicitar manifestaciones de interés en base al procedimiento desarrollado al efecto, con el fin de nombrar una nueva entidad depositaria.
En caso de que **ningún depositario** manifestase su **interés en sustituir al depositario** saliente, o existiendo manifestaciones de interés, ninguna cumpliese con los requisitos mínimos establecidos en el procedimiento previsto en el apartado anterior, la CNMV puede determinar la entidad o entidades que deberán asumir tal función, en base al procedimiento desarrollado al efecto.
Todos los procedimientos descritos han de regirse por los **principios** de trasparencia, libre concurrencia y neutralidad.

Precisiones Con efectos **a partir del 7-4-2023**, fecha de entrada en vigor de la nueva LMV, en caso de **sustitución del depositario** por causa de concurso, revocación o suspensión, las sociedades de inversión afectadas deberán convocar las juntas generales de accionistas en el plazo de tres meses, prorrogable, previa justificación, por un 1 adicional, con el fin de ratificar a la SGIIC sustituta o para designar a una nueva sociedad gestora.
El **plazo** para convocar las **juntas generales** se contará a partir del día siguiente a la fecha en que la CNMV publique la resolución de sustitución. De incumplirse este plazo la sociedad será dada de baja del registro de la CNMV.
Asimismo, en el supuesto de un **procedimiento concursal del depositario**, se aplicarán las **especialidades** previstas en la LIIC con carácter preferente a la normativa que resultara de aplicación al depositario en su condición de entidad de crédito o empresa de servicio de inversión.

10610 **Responsabilidad** Los depositarios deben actuar siempre de manera independiente y en **interés de los inversores** en IIC, pudiendo requerir a la SGIIC toda la información que necesiten para el ejercicio de sus funciones.
El depositario está obligado a comunicar a la CNMV cualquier **anomalía** que detecte en la gestión de las IIC cuyos activos tienen en custodia, así como, previa solicitud, toda la información que el mismo haya obtenido en el ejercicio de sus funciones y que la CNMV necesite para supervisar el cumplimiento de la normativa vigente por parte de la IIC. El depositario está obligado a exigir responsabilidades a la SGIIC en el ejercicio de sus funciones, siendo el mismo responsable frente a los partícipes o accionistas de todos los **perjuicios** que les causaran por incumplimiento de sus obligaciones legales.

El depositario está obligado a exigir a la SGIIC responsabilidad en el ejercicio de sus funciones en nombre de los partícipes.
Los depositarios son responsables del depósito de los activos de las IIC, aún en el supuesto de que hayan confiado a un **tercero** la custodia de parte o de la totalidad de los activos.
En el caso de que la pérdida afecte a los instrumentos financieros custodiados, el depositario debe devolver sin demora a la IIC un instrumento financiero de idénticas características o bien la cuantía correspondiente. No obstante, no es responsable si la pérdida es debida a un acontecimiento externo que escape al control razonable.

c. Sociedades de tasación

Se trata de entidades auxiliares características de las IIC inmobiliarias, reguladas, fundamentalmente, en el RD 775/1997, sobre el régimen jurídico de homologación de los servicios y sociedades de tasación, y en la OM 24-9-1993 (derogada parcialmente por RD 845/1999; modificada por la OM EHA/3064/2008 de 28/10/2008 y por el RD 749/2010). **10615**
Tales sociedades han de ser homologadas por el Banco de España, quedando condicionadas a que se cumplan determinados **requisitos** recogidos en el RD 775/1997 art.3.
Sus **funciones** consisten en la valoración de los bienes inmuebles que integran el patrimonio de las SII y de los FII; para desarrollarlas deben estar inscritas en el Registro especial del Banco de España y comunicarlo a la CNMV, a la que se obligan a suministrar cualquier información relativa a su actividad tasadora.
Son **designadas** por las Sociedades gestoras de los FII o por las SII por un plazo no inferior a tres años ni superior a nueve. La SGIIC de un FII no puede designar como sociedad de tasación a una que pertenezca a su mismo grupo ni a aquélla en que las retribuciones obtenidas anualmente de la gestora supongan más del 15% de los ingresos totales por servicios de valoración de la Sociedad de tasación, con lo que se pretende garantizar su independencia.
Los **cambios** de sociedad de tasación deben ser comunicados a la CNMV, que puede autorizarlos con anterioridad al transcurso del plazo inicial de designación (OM 24-9-1993 art.28).

6. Normas de conducta

(LIIC art.65 a 68; RIIC art.140 a 150)

Las SGIIC, las entidades depositarias y aquellas IIC que revistan la forma de sociedad y cuya gestión integral no esté encomendada a una SGIIC, las entidades comercializadoras, así como quienes desempeñen cargos de administración y dirección en todas ellas, sus empleados, agentes y apoderados, estarán sujetos a las siguientes normas de conducta: **10620**
a) Las previstas en la LIIC y el RIIC.
b) Las contenidas en el título VII del LMV, con determinadas adaptaciones y especificaciones.
c) Las dictadas en desarrollo de los preceptos anteriormente citados.
d) Las contenidas en sus reglamentos internos de conducta.
Estas normas serán también de aplicación a la **actividad de comercialización** según se define en LIIC art.2.
En su actividad en España, las sociedades gestoras autorizadas en otro Estado miembro de la UE se sujetan a lo anterior cuando ejerzan ésta a través de una **sucursal**.
En su **actividad transfronteriza** en otro Estado Miembro de la UE, las SGIIC autorizadas en España se sujetan a lo anterior cuando ejerzan ésta en el marco de la libre prestación de servicios.

Reglamento interno de conducta (RIIC art.142) Las SGIIC, las entidades depositarias, las IIC que revistan la forma de sociedad y cuya gestión no esté encomendada a una SGIIC, las entidades diferentes de una SGIIC que gestionen los activos de una IIC y las entidades comercializadoras deberán elaborar un reglamento interno de conducta, de obligado cumplimiento, que regulará la actuación de sus **órganos de administración, empleados y representantes.** **10622**
Cuando las entidades referidas en el párrafo anterior ya tengan, en aplicación de otra normativa, la obligación de elaborar un reglamento interno de conducta, podrán integrar en éste las normas específicas referidas a su actividad en el ámbito de la inversión colectiva.
Los reglamentos internos de conducta **deben remitirse a** la CNMV previamente a su aplicación, la cual podrá efectuar recomendaciones y **deben contener**, de modo expreso, el régimen de operaciones personales de los consejeros, empleados y apoderados o agentes de empresa, y demás aspectos previstos en el título VI de la LIIC.

10624 **Operaciones en régimen de mercado, operaciones vinculadas y asignación de operaciones** (RIIC art.143; LIIC art.67) Las IIC han de efectuar sus transacciones sobre bienes, derechos, valores o instrumentos a **precios** y en **condiciones** de mercado, salvo que las operaciones se realicen en condiciones más favorables para la IIC.
Se consideran **operaciones vinculadas** las que realizan las personas que se enumeran en la LIIC art.67.1 en relación con las operaciones a que se refiere la LIIC art.67.2. Para que una SGIIC pueda realizar las operaciones vinculadas, deberán cumplirse los siguientes **requisitos**:
a) La SGIIC debe disponer de un **procedimiento interno formal** para cerciorarse de que la operación vinculada se realiza en interés exclusivo de la IIC y a precios o en condiciones iguales o mejores que los de mercado.
b) La SGIIC debe informar en los **folletos** y en la **información periódica** que las IIC publiquen, sobre los procedimientos adoptados para evitar los conflictos de interés y sobre las operaciones vinculadas realizadas.
c) La comisión u órgano interno creado al efecto debe **informar al consejo de administración**, al menos una vez al trimestre, sobre las operaciones vinculadas realizadas.
Los requisitos anteriores son exigibles a las sociedades de inversión cuando no hayan delegado la gestión de sus activos en otra entidad que los cumpla. **No son exigibles** los requisitos señalados en las letras a) y c) anteriores, cuando la junta general de accionistas autorice expresamente y con carácter previo a su realización, operaciones vinculadas.
Respecto a la **asignación de operaciones**, los procedimientos de control interno deben permitir acreditar que las decisiones de inversión a favor de una determinada IIC, o cliente, se adoptan con carácter previo a la transmisión de la orden al intermediario. Asimismo, las entidades deben disponer de criterios, objetivos y preestablecidos, para la distribución o desglose de operaciones que afecten a varias IIC, o clientes, que garanticen la equidad y no discriminación entre ellos.

10626 **Separación gestora-depositario** (RIIC art.146) Ninguna entidad puede ser depositaria de IIC gestionadas por una sociedad perteneciente a su mismo grupo, ni de sociedades de inversión en las que se dé la misma circunstancia, salvo que la IIC o, en su caso, la SGIIC disponga de un procedimiento específico, que permita evitar **conflictos de interés**. En particular, estos procedimientos deben prever las siguientes **normas de separación**:
a) La inexistencia de **consejeros o administradores** comunes.
b) La **dirección efectiva de la SGIIC** por personas independientes del depositario.
c) Que la SGIIC y el depositario tengan **domicilios** diferentes.
La verificación del cumplimiento de estos requisitos corresponde a una **comisión independiente** creada en el seno del consejo de administración o a un órgano interno de la SGIIC o de la sociedad de inversión. A estos efectos, el órgano al que se encomiende esta función ha de elaborar un **informe** sobre el grado de cumplimiento de los citados requisitos con carácter anual y remitirlo a la CNMV en el plazo de un mes desde el cierre.
En el supuesto de que el informe refleje **salvedades** sobre el correcto cumplimiento de tales exigencias, debe procederse a la sustitución del depositario por otro que no pertenezca a su mismo grupo.

7. Supervisión e inspección

(LIIC art.69 a 94)

10630 Quedan sujetos al **régimen de supervisión e inspección específico** de la LIIC, incluido el Rgto (UE) 2017/1131, del Parlamento Europeo y del Consejo, sobre fondos del mercado monetario:
a) Las IIC descritas en el nº 10395.
b) Las SGIIC españolas descritas en el nº 10570 y sus agentes, extendiéndose esta competencia a cualquier oficina o centro fuera del territorio español.
c) Los depositarios de IIC descritos en el nº 10600.
d) Quienes realicen operaciones propias de cualquiera de los sujetos anteriores y, en general, las restantes personas físicas y jurídicas en cuanto puedan verse afectadas por las normas de la LIIC y sus disposiciones reglamentarias, en particular a los efectos de comprobar si infringen las reservas de actividad y denominación previstas en LIIC art.14.

10632 **Responsabilidad** (LIIC art.77) Las entidades o personas descritas en el nº 10630, así como quienes ostenten cargos de administración o dirección en las mismas y sus apoderados, que infrinjan la LIIC y su normativa de desarrollo, incurrirán en responsabilidad administrativa sancionable, sin perjuicio de la responsabilidad penal que en su caso corresponda.

Infracciones y sanciones (LIIC art.79 a 91) De acuerdo con su respectiva trascendencia, las infracciones se clasifican en tres **categorías**: leves, graves y muy graves. **10634**
La **prescripción de las infracciones** muy graves y graves tiene lugar a los cinco años y la de las leves a los dos años.
Las **sanciones leves** solo pueden imponerse unitariamente y a la entidad infractora, pero en el caso de las **sanciones graves y muy graves**, éstas pueden imponerse cumulativamente y tanto a la entidad infractora, como a quienes ejerciendo cargos de administración o dirección en la misma sean responsables de la infracción, existiendo una regulación muy estricta en relación con su responsabilidad en la LIIC art.89.
Las sanciones se determinan de acuerdo con los **criterios** recogidos en la L 40/2015 art.29.3 y los siguientes (LIIC art.88):
a) La naturaleza y entidad de la infracción.
b) La gravedad del peligro ocasionado o del perjuicio causado.
c) Las ganancias obtenidas o, en su caso, las pérdidas evitadas o, en su caso, las pérdidas causadas a terceros.
d) La importancia de la IIC correspondiente.
e) Las consecuencias desfavorables de los hechos para el sistema financiero o la economía nacional.
f) La circunstancia de haber procedido a la subsanación de la infracción por propia iniciativa.
g) En caso de incumplimiento de los requisitos exigidos en LIIC título II, las dificultades objetivas que puedan haber concurrido para alcanzar o mantener los niveles legalmente exigidos.
h) La conducta anterior de la entidad en relación con las normas de ordenación y disciplina que le afecte, atendiendo a las sanciones firmes que le hubieran sido impuestas, durante los últimos cinco años.
i) La reparación de los daños o perjuicios causados.
j) La colaboración con la CNMV.
k) La solidez financiera de la persona física o jurídica responsable de la infracción reflejada, entre otros elementos objetivables, en el volumen de negocios total de la persona jurídica responsable o en los ingresos anuales de la persona física.
l) Las medidas adoptadas tras la infracción por la persona responsable de la infracción con el fin de evitar que se repita.
Además, para determinar, en el caso de sanciones por **infracciones graves o muy graves**, la sanción a quienes ejerciendo cargos de administración o dirección en la entidad sean responsables de la infracción, ha de tenerse en cuenta:
- el grado de responsabilidad en los hechos que concurran en el interesado;
- la conducta anterior del interesado;
- el carácter de la representación que el interesado ostente.
La **prescripción de las sanciones** impuestas por faltas muy graves tiene lugar a los tres años, las impuestas por faltas graves a los dos años y las impuestas por faltas leves al año.

Competencia y procedimiento sancionador (LIIC art.92 y 94) La competencia para la **instrucción de los expedientes** sancionadores y la imposición de las correspondientes sanciones se rige por las siguientes **reglas**: **10636**
1) Es competente para la **incoación e instrucción** de los expedientes la CNMV.
2) La imposición de **sanciones por infracciones muy graves, graves y leves** corresponde a la CNMV.
3) Cuando la entidad infractora es una entidad de crédito, o una sucursal de una entidad de crédito de un Estado que no sea miembro de la Unión Europea, para la imposición de la correspondiente sanción por infracciones graves o muy graves es preceptivo el previo **informe del Banco de España**.
4) En materia de **procedimiento** sancionador se aplica la L 39/2015.
5) Las **resoluciones** que impongan sanciones conforme a esta ley serán **ejecutivas** cuando pongan fin a la vía administrativa. En las mismas han de adoptarse, en su caso, las **medidas cautelares** precisas para garantizar su eficacia en tanto no sean ejecutivas. Las resoluciones de la CNMV que pongan fin al procedimiento son susceptibles de **recurso** ante el ministro de Economía y Empresa conforme a lo dispuesto por la L 39/2015.

Publicidad de las sanciones (LIIC art.94 bis) Las sanciones por infracciones muy graves y graves se publican en el **Boletín Oficial del Estado** (BOE) cuando sean firmes en vía administrativa. **10638**
Las sanciones impuestas en los últimos 5 años por la comisión de infracciones, graves y muy graves se deben hacer constar en el correspondiente **registro administrativo** a cargo de la **CNMV**, accesible a través de su página web. La publicación ha de incluir, como mínimo:
- información sobre el tipo y naturaleza de la infracción;

- la identidad de la persona física o jurídica sobre la que recaiga la sanción;
- información sobre la posibilidad de recurrir la sanción conforme a la L 39/2015; y
- en su caso, información relativa al resultado de los recursos que se hayan interpuesto.

No obstante lo anterior, si la CNMV considera que la publicación en el registro administrativo de la identidad de las personas jurídicas o de los datos personales de las personas físicas, atendiendo a las circunstancias del caso, es desproporcionada o pone **en peligro** la estabilidad de los mercados financieros o una investigación en curso, puede, siempre que la estabilidad de los mercados financieros no corra peligro y no sea más proporcionado medidas de menor importancia:

a) **Demorar la publicación** de la sanción impuesta hasta el momento en que cesen los motivos que justifiquen el retraso de la publicación.

b) **Publicar de manera anónima** la sanción impuesta si esa publicación anónima garantiza una protección efectiva de los datos de carácter personal en cuestión. En este caso, la publicación de los datos pertinentes puede aplazarse por un periodo razonable de tiempo si se prevé que en el transcurso de ese periodo dejarán de existir las razones que justifiquen una publicación con protección del anonimato.

c) **No publicar** la sanción impuesta si se considera que las opciones anteriores no son suficientes para garantizar que la estabilidad de los mercados financieros no corra peligro o la proporcionalidad de la publicación frente a las que se consideran de menor importancia.

8. Tratamiento fiscal

10645 Interesa destacar este aspecto porque es uno de los que favorecen la inversión bursátil mediante estas figuras especiales.

a. Impuesto sobre Sociedades

(LIS art.29 y 52 a 54)

10650 Tributan al tipo del **1%** en el IS, frente al tipo general del 35%:

a) Las **SICAV** reguladas por la LIIC, siempre que el número de accionistas requerido sea como mínimo de 100.

Para determinar el número mínimo de accionistas se seguirán las siguientes **reglas**:

1. Se computarán exclusivamente aquellos accionistas que sean titulares de acciones por importe igual o superior a 2.500 euros determinado de acuerdo con el valor liquidativo correspondiente a la fecha de adquisición de las acciones.

Además, tratándose de SICAV por compartimentos, a efectos de determinar el número mínimo de accionistas de cada compartimento se computarán exclusivamente aquellos accionistas que sean titulares de acciones por importe igual o superior a 12.500 euros, determinado conforme a lo previsto en el párrafo anterior.

2. El número mínimo de accionistas determinado conforme a lo previsto anteriormente deberá concurrir durante el número de días que represente al menos las tres cuartas partes del período impositivo.

Esta condición del número mínimo de accionistas no aplicará a las sociedades de inversión libre ni a las sociedades cuyos accionistas sean exclusivamente otras instituciones de inversión colectiva, ni a las SICAVS índice cotizadas.

Precisiones No obstante, en base a la nueva disp.trans.41ª LIS, las SICAV podrán aplicar el **régimen tributario anterior** a la modificación expuesta anteriormente, siempre que durante el año 2022 adopten válidamente el acuerdo de disolución con liquidación, y realicen con posterioridad al acuerdo, dentro de los seis meses posteriores a dicho plazo, todos los actos o negocios jurídicos necesarios según la normativa mercantil hasta la cancelación registral de la sociedad en liquidación. Si se cumplen estas condiciones, la continuidad del régimen tributario anterior a la reforma se mantendrá durante los períodos impositivos que concluyan hasta la cancelación registral.

10652 b) Los **FI de carácter financiero** previstos en la LIIC, siempre que el número de partícipes requerido sea como mínimo de 100.

c) Las **sociedades de inversión inmobiliaria y los fondos de inversión inmobiliaria** regulados en la LIIC, siempre que el número de accionistas o partícipes requerido sea como mínimo de 100, y que, con el carácter de instituciones de inversión colectiva no financieras tengan por objeto exclusivo la inversión en cualquier tipo de inmueble de naturaleza urbana para su arrendamiento.

La aplicación de los tipos de gravamen previstos en este apartado requerirá que los bienes **inmuebles** que integren el activo de las IIC a que se refiere el párrafo anterior no se enajenen hasta que no hayan transcurrido tres años desde su adquisición, salvo que, con carácter excepcional, medie autorización expresa de la CNMV.
d) Las sociedades de inversión inmobiliaria y los fondos de inversión inmobiliaria regulados en la LIIC, que cumplan los requisitos de la letra c) y además desarrollen la actividad de **promoción exclusivamente de viviendas para destinarlas al arrendamiento**, siempre que se cumplan determinados requisitos.
Las IIC, con excepción de las sometidas al tipo general de gravamen, no tienen derecho a **deducción** alguna de la **cuota** del IS ni a la exención de rentas en la base imponible para evitar la doble imposición internacional.
Cuando el importe de los **pagos fraccionados, retenciones e ingresos a cuenta** practicados sobre los ingresos supere la cuantía de la cuota íntegra, la Administración tributaria procederá a devolver, de oficio, el exceso.

b. Impuesto sobre Transmisiones Patrimoniales y AJD

(LITP art.45.I.B.20; RITP art.88.I.B.18)

Se reconocen los siguientes **beneficios fiscales**: 10655
1. Las operaciones de constitución y aumento de capital de las **SICAV**, así como las aportaciones no dinerarias a dichas entidades, quedan exentas en la modalidad de operaciones societarias del ITP.
2. Los **FI** de carácter financiero regulados gozan de exención en el ITP con el mismo alcance establecido en el apartado anterior.
3. Las **IIC inmobiliaria** que, con el carácter de instituciones de inversión colectiva no financieras, tengan por objeto social exclusivo la adquisición y la promoción, incluyendo la compra de terrenos, de cualquier tipo de inmueble de naturaleza urbana para su arrendamiento, gozarán de la exención a efectos de operaciones societarias, en los mismos términos que lo previsto en los dos apartados anteriores.
Del mismo modo, estas IIC inmobiliarias gozan de una bonificación del 95% en el ITP por la adquisición de viviendas destinadas al **arrendamiento**, y por la adquisición de terrenos para la promoción de viviendas destinadas al arrendamiento, siempre que, en ambos casos, cumplan los requisitos específicos sobre mantenimiento de los inmuebles establecidos en LIS art.29.5.c) y d), salvo que, con carácter excepcional, medie autorización expresa de la Comisión Nacional del Mercado de Valores.
4. Los **fondos de capital riesgo** están exentos de todas las operaciones sujetas a la modalidad de operaciones societarias del ITP.

Precisiones El RDL 13/2010, introduce, con la finalidad de eliminar los obstáculos existentes para la creación, capitalización y mantenimiento de empresas, la **exención** de las operaciones de constitución y aumento de capital, entre otras, en la modalidad de operaciones societarias del impuesto sobre transmisiones patrimoniales y actos jurídicos documentados. Estas nuevas exenciones son aplicables **desde el 3-12-2010**.

SECCIÓN 18

El contrato de liquidez o contrapartida (*)

10660

(*) La presente sección se ha elaborado sobre la base del artículo «Las relaciones jurídicas de liquidez y contrapartida del mercado de valores y, en particular, el contrato bursátil de liquidez», contenido en la obra «Instituciones del Mercado Financiero», volumen III, de la Editorial La Ley-Actualidad.

El **mercado secundario de valores** tiene por objeto la liquidez de los valores admitidos a negociación. El precio de un valor negociado se determina por la oferta y la demanda que se producen en el mismo en un momento determinado. Cuando dicha oferta y demanda son reducidas o insuficientes, los emisores y/o los mercados de valores pueden articular mecanismos complementarios con objeto de dotarles de mayor liquidez. 10662

Así, la función natural que cumplen los demandantes y oferentes voluntarios o naturales que acuden al mercado en situaciones de eficiencia máxima puede ser desempeñada, sustituida o alternativamente, y con carácter sistemático, por **profesionales** que intervienen en el mercado para otorgar la contrapartida que espontáneamente no se halla (Ibáñez Jiménez).

Surgen así los denominados sistemas de liquidez o de contrapartida, que presentan modalidades diversas. Dos son, genéricamente, los **sistemas de liquidez** existentes:

a) El **contrato de liquidez contractual**, que es un negocio jurídico celebrado entre el emisor de los valores y un miembro del mercado por el que éste se obliga a, en determinadas condiciones, atender las ofertas y las demandas de valores/dinero introducidas en el mercado por los inversores (a través de sus mediadores).

b) El **sistema institucional de creador de mercado,** son operadores que, previa solicitud, obtienen esta condición por decisión del organismo rector del mercado. Esta calificación les atribuye el privilegio de la mediación en el mercado, dentro del cual solamente competirán con otros creadores de mercado. En compensación, se les carga con el deber de hacer contrapartida, para generar en el mercado la deseada liquidez. El **incumplimiento** de esta obligación no da lugar a responsabilidad contractual alguna (cual sería el caso del contrato de liquidez) sino a la calificación de tal conducta como infracción del mercado de valores correspondiente, en el grado que corresponda.

Cualquiera que sea el sistema escogido, la experiencia demuestra que quedar obligado a «hacer contrapartida» genera evidentes y grandes **riesgos**. Así ocurre porque, como el contrapartidista, actúa normalmente tomando posición de mercado contraria a la oscilación cotidiana del mismo, tiene altas probabilidades de incurrir en pérdidas. Tales pérdidas pueden disminuirse mediante posiciones arbitrajistas, pero la realidad es que las entidades contrapartidistas suelen exigir una retribución a la sociedad emisora de los valores cuya contrapartida quedan comprometidas a atender.

En todo caso, por ser el sistema de liquidez (uno u otro) un elemento integrado dentro de la general ordenación del Mercado, se somete a todos los principios propios de la misma y, en particular, el de protección del inversor, que es menester destacar desde el principio.

10664 **Mercado de valores español** Los diferentes sistemas de complemento de liquidez vigentes en el mismo son distintos en función del mercado regulado en que nos encontremos.

a) En el **mercado bursátil**, y únicamente referidos a fondos de inversión cotizados en el Sistema de Interconexión Bursátil, se opta por un sistema basado en una relación contractual entre la entidad gestora y un miembro del mercado «Especialista»: el **contrato bursátil** de liquidez o contrato de contrapartida, vigente en la actualidad (Sociedad de Bolsas Circ 2/2021).

Por otra parte, la Sociedad de Bolsas Circular 1/2021 apart.9 establece el régimen de actuación de los denominados Creadores de Mercado con los cuales la Sociedad de Bolsas podrá establecer acuerdos de provisión de liquidez respecto de los valores líquidos negociados en el Sistema de Interconexión Bursátil.

10666 **b) El mercado de Deuda Pública en anotaciones** se ha organizado en torno a la figura de los «creadores de mercado».

El sistema de **Entidades Creadoras del Mercado** de Deuda Pública en Anotaciones se rige actualmente por la OM 10-2-1999 por la que se regula la figura de Creador del Mercado de Deuda Pública del Reino de España, desarrollada por la Resol 21-7-2017, de la Secretaría General del Tesoro y Política Financiera.

De acuerdo con esta normativa:

1. Los **Creadores de Mercado de Deuda Pública del Reino de España** son aquellas entidades financieras miembros del Mercado de Deuda Pública en Anotaciones cuya función es la de favorecer la liquidez del mercado español de Deuda Pública y cooperar con la Secretaría General del Tesoro y Política Financiera en la difusión exterior e interior de la Deuda del Estado (OM 10-2-1999 núm 1; SGTPF Resol 21-7-2017 aptdo.1º).

2. La condición de Creador de Mercado, bien de Bonos y Obligaciones del Estado, bien de Letras del Tesoro, se otorga por la Secretaría General del Tesoro y Política Financiera, previo informe del Banco de España (SGTPF Resol 21-7-2017 aptdo.3º).

3. Las obligaciones de los Creadores de Mercado de Bonos y Obligaciones del Estado se recogen en la SGTPF Resol 21-7-2017 aptdo.6º:

• Participar en las **subastas del Tesoro**. Cada creador deberá presentar en cada subasta, a excepción de las subastas especiales, peticiones por un **valor mínimo** del 3% de la cantidad adjudicada por el Tesoro para cada tipo de instrumento (Bonos y Obligaciones del Estado), a precios no inferiores al marginal de adjudicación, menos:

- 5 céntimos para Bonos del Estado a tres años;
- 10 céntimos para Bonos del Estado a cinco años;
- 15 céntimos para Obligaciones del Estado a diez años, y
- 30 céntimos para Obligaciones del Estado a más de diez años.

• Garantizar la **liquidez** del mercado secundario de bonos y obligaciones y de valores segregados.
• Deberá **cotizar obligatoriamente principales segregados** de acuerdo con las condiciones de diferencial máximo y volumen mínimo acordados por la Secretaría General del Tesoro y Política Financiera.
• Para la cotización de los principales segregados, los Creadores de Mercado se podrán dividir en grupos. La Secretaría General del Tesoro y Política Financiera podrá diseñar cestas, previa consulta con los Creadores de Mercado, en las que se podrán incluir los principales segregados cuya cotización será obligatoria. Cada cesta se asignará a un grupo de Creadores de Mercado.
• Aportar la **información** que el Tesoro pueda solicitar sobre el mercado de Deuda en general y sobre la actividad del creador en el mismo en particular. En concreto, cada Creador deberá informar mensualmente sobre su operativa por cuenta propia y de terceros, la base geográfica y el tipo de entidades que constituyen su clientela, siguiendo el modelo que indique la Dirección General del Tesoro y Política Financiera.
• Asegurar con su actuación el **buen funcionamiento del mercado**, respetando las obligaciones operativas que se establezcan y evitando la realización de acciones que puedan afectar negativamente al mercado o a la Deuda del Estado.
4. Como contrapartida se establecen los derechos de los **creadores de bonos y obligaciones del Estado** (SGTPF Resol 21-7-17 aptdo 5):
a. Participan en las subastas del Tesoro en condiciones privilegiadas y teniendo acceso a las segundas vueltas de estas subastas en exclusiva, excepto en las subastas especiales, salvo que esta se contemple en la disposición por la que se convocan las mismas.
b. Son las únicas entidades autorizadas a segregar y reconstituir valores de Deuda del Estado segregable.
c. Su condición de Creador de Mercado de Bonos y Obligaciones del Estado es valorada en la elección de contrapartidas para otras operaciones de gestión y colocación de Deuda que pueda realizar la Secretaría General del Tesoro y Política Financiera, tales como las operaciones de venta simple, las emisiones sindicadas en euros, operaciones de permuta financiera y emisiones en divisas.
d. Reciben información acerca de la política de financiación del Tesoro.
e. Participan en la fijación de los objetivos de emisión de instrumentos del Tesoro a medio y largo plazo.
f. Participación en las reuniones de Creadores de Mercado de Bonos y Obligaciones con la Secretaría General del Tesoro y Política Financiera.
5. Los **creadores de mercado de Letras del Tesoro** tienen un estatuto muy parecido al de los creadores de bonos y obligaciones (SGTPF 21-7-17 aptdo 7 y 8).
6. Ambos tipos de creadores son evaluados mensualmente por la DGTPF.

c) En los **mercados de futuros y opciones**, también ha apostado por el sistema de creadores de mercado (OM 8-7-1992). Así, MEFF Exchange establece a través de la Circ C-EX-DF-04/2023 de 29-3-23 la figura del Creador de Mercado. A los efectos del cumplimiento de la Dir 2014/65/UE (MiFID II), tendrán la consideración de Creadores de Mercado aquellos miembros que cumplan las condiciones establecidas en el Rgto Delegado (UE) 2017/578 art.1 y 5. Los miembros que cumplan dichas condiciones deben suscribir un contrato de creación de mercado con MEFF y serán considerados **Creadores de Mercado Regulado** (CMR). **10668**

Características A los efectos del mercado de la Sociedad de Sistemas, se entiende por contrato de liquidez un contrato celebrado entre un intermediario del mercado de valores, denominado especialista, y un emisor de valores negociados en el Sistema de Interconexión Bursátil, por el cual aquél se compromete a efectuar determinadas operaciones bursátiles durante un plazo determinado con la finalidad de mejorar la liquidez del mercado, es decir, comprando o vendiendo valores o fijando precios a los que está dispuesto a comprar o vender, a cambio de una remuneración (Cachón Blanco). **10670**
El contrato da satisfacción, pues, a **dos intereses jurídicos**:
- uno, de carácter particular, es el del emisor de valores de renta fija. Consiste en obtener para sus valores una deseada liquidez que haga atractiva la inversión en los mismos, mejorando la calidad del activo financiero, y, por ende, su potencia como fuente de financiación;
- el otro, de alcance general, que es la mejora del conjunto del mercado en uno de sus parámetros decisivos: la liquidez.
La **naturaleza jurídica** del contrato dependerá del contenido obligacional concreto aceptado por las partes, pudiéndose diferenciar dos posibles ubicaciones:
a) Como **arrendamiento**: si hay obligación de resultado (es decir, el contrapartidista queda verdaderamente obligado a comprar si la posición del mercado es de papel y a vender si es de dinero), la figura se aproximará al arrendamiento de obra. Si no hay tal obligación, sino que

queda simplemente obligado a desplegar una actividad sin responsabilizarse de la efectividad de la misma, entonces estaremos próximos al mero arrendamiento de servicios.
b) Como **mandato de crédito:** la sociedad emisora de los valores de renta fija cotizados en Bolsa encarga al intermediario que conceda al inversor el crédito que el propio mercado le niega (pues si quiere vender no hay dinero y si quiere comprar no hay papel). En definitiva, el intermediario proporciona al inversor el dinero o el papel deseados, tomando una posición bursátil algo precaria. Este crédito, nacido de una inicial negativa del mercado, será reembolsado al acreedor (el intermediario) por el propio mercado, cuando éste cambie la orientación de su tendencia, lo cual generará posible ganancia (por plusvalía).

10672 Cualquiera que sea la opción escogida (hay escasas aportaciones doctrinales todavía), podemos predicar del contrato las siguientes **notas**:
- es bilateral, porque genera obligaciones para ambas partes contratantes;
- es oneroso, porque normalmente implica la obligación de pago de un precio;
- es consensual, porque se perfecciona por el mero consentimiento. Las normas y textos del mercado de valores tienden a definir ciertas formas de instrumentación, pero no con carácter ad solemnitatem, sino simplemente a efectos de control de tales contratos por la institución competente en materia de disciplina bursátil;
- es un contrato *intuito personae*, en el que se tienen en cuenta al formalizarse las condiciones concretas del intermediario con el que se contrata;
- es un contrato esencialmente temporal.

10674 **Elementos** Pueden distinguirse los siguientes:
a) Personales: son dos:
- el **intermediario** o contrapartidista. Su actividad puede ser genéricamente desarrollada, en principio, por Bancos y Cajas de Ahorro, Sociedades de Valores y Sociedades de Valores y Bolsa, Cooperativas de Crédito y empresas de servicios de inversión y entidades de crédito extranjeras.
Como se señaló en el nº 10664, teóricamente solo es dable esta actividad a las empresas de servicios de inversión que pueden actuar por cuenta propia (no, por tanto, las Agencias de Valores, a las que les está vetada esta posibilidad). Sin embargo, la vigente regulación de la Bolsa de Madrid para valores de renta fija privada admitidos a negociación en la misma, si bien exige que el intermediario sea miembro del mercado, admite no solo a las SV-miembros, sino también a las AV-miembros.
La actuación como contrapartida de una sociedad emisora de valores de renta fija cotizados tiene el límite del LMV art.297, que califica como **infracción** muy grave el desarrollo de prácticas dirigidas a falsear la libre formación de los precios en el mercado de valores, cuando produzcan una alteración significativa de la cotización y generen daños considerables a los inversores.
- el **emisor** de los valores. Si bien no hay más limitaciones que las procedentes de la autonomía de la voluntad, la realidad es que los documentos contractuales actualmente manejados por la Bolsa de Madrid únicamente contemplan a emisores de renta fija en el mercado electrónico.

10676 La **Sociedad de Sistemas** no es elemento personal del contrato de liquidez. Su situación en cuanto a los contratos de liquidez que se celebren, se concreta como sigue:
- crea un **registro** de contratos de liquidez, que es potestativo para las entidades;
- atribuye la **calificación** de especialistas de tales valores, previa solicitud potestativa por parte del miembro del mercado. Esta calificación de especialista no queda reservada jurídicamente para ninguna entidad en concreto, dado que la Circular de **Sociedad de Sistemas** no tiene la condición de norma jurídica suficiente para reservar dicha calificación. En consecuencia, esta calificación no impide que otras entidades pudieran formular contratos de liquidez distintos de los reconocidos por Sociedad de Sistemas y ser denominados e incluso auto-denominarse especialistas. Es decir, el registro del contrato de liquidez por parte de Sociedad de Sistemas no atribuye exclusividad terminológica ni de actuación alguna, sino simplemente y, sobre todo, un marco de publicidad y divulgación frente a terceros de una especial forma de actuación en la contratación bursátil.

10678 **b) Reales**: son los valores negociados en el Sistema de Interconexión Bursátil a que se ofrecerá liquidez y el precio o contraprestación que el emisor pagará al intermediario por el servicio de liquidez prestado por éste.
El **precio** es libre, como para cualquier actividad del mercado. En cuanto a los **valores**, es igualmente predicable el principio de libertad contractual.

c) Formales: Como ya se dijo, el contrato es consensual. La Circular de la Sociedad de Sistemas solo fija los requisitos para que un contrato de liquidez sea inscrito en el Registro especial (registro que solo tiene valor y naturaleza privada e interna). En todo caso, la forma escrita será necesaria para efectuar dicho registro y es siempre recomendable como medio de prueba de los compromisos asumidos por las partes.

Obligaciones de las partes Como contrato bilateral, surgen derechos y obligaciones para ambas partes contratantes, de forma recíproca. 10680
a) Obligaciones del miembro del mercado: siguiendo las directrices de los contratos de liquidez registrados en la actualidad pueden destacase las siguientes:
• Introducir y mantener **órdenes de compra o venta** de los valores de renta fija privada cotizados sobre los que actúe en los siguientes casos:
- en el supuesto de falta o de notable insuficiencia de oferta o de demanda;
- en el caso en que, existiendo oferta y demanda de los respectivos valores, la diferencia entre las mejores posiciones de compra y venta sea superior al 2% del mejor precio de venta.
• Introducir **precios de compra y venta** en condiciones tales que no exceda del 2% la diferencia entre las mejores posiciones de compra o de venta en el mercado y completar las posiciones de oferta y demanda de modo que éstas sean de, al menos, 12.020,24 €.
• Dar **información** a la sociedad emisora, de los actos de contrapartida bursátil verificados en determinado período de tiempo, así como de las incidencias o noticias que lleguen a su conocimiento y que afecten a la negociación de las emisiones objeto del contrato de liquidez.
Respecto a la **obligación de exclusiva** en el intermediario, es posible el pacto en tal sentido, si bien no es lo habitual. De hecho, la propia Circular prevé la posibilidad de que varios intermediarios celebren el correspondiente contrato sobre el mismo valor de renta fija cotizado en la Bolsa de Madrid.
El modelo de contrato elaborado por Bolsa de Madrid prevé expresamente que la entidad emisora puede celebrar **nuevos contratos** de liquidez de conformidad con lo previsto en la Circular, si bien en este caso, la entidad emisora debe comunicarlo al especialista previo, el cual puede optar entre solicitar las modificaciones o adaptaciones que estime oportunas a su contrato para adaptarlo a una nueva situación de actuación de varios especialistas, o resolver el contrato, comunicándolo a la entidad emisora y a Bolsa de Madrid, en el plazo de un mes desde la puesta en su conocimiento de la celebración del nuevo contrato de liquidez.

b) Obligaciones contractuales de la entidad emisora de los valores de renta fija. La entidad emisora tiene obligación de pagar la **retribución** establecida en el contrato, ya sea de forma determinada o determinable. Cabe la posibilidad de inexistencia de precio, obteniendo el intermediario-especialista su ganancia del resultado económico entre ventas y compras. 10682
Por otra parte, el emisor está obligado a **colaborar** facilitando al especialista el acceso, desde el momento de la emisión o desde el momento de inicio de la actividad de contrapartida, de una cantidad de valores pactada para poder atender las demandas de liquidez.

c) Efectos adicionales reconocidos por Bolsa de Madrid para los contratos de liquidez registrados. La Bolsa de Madrid se compromete a proporcionar a los especialistas las facultades y medios ya indicados, es decir, crea un marco general favorecedor de su actuación. En contrapartida, los intermediarios reconocidos están sujetos a las medidas que adopte Sociedad de Sistemas para asegurar la correcta aplicación de la Circular y demás decisiones y acuerdos que sean desarrollo de la misma. 10684
La Bolsa de Madrid puede **suspender la condición de especialista** reconocido a los miembros en cuestión, interrumpiendo el acceso de los mismos a los medios y facilidades puestos a su disposición, si no cumple los parámetros mínimos de presencia establecidos por Sociedad de Bolsas en la correspondiente Instrucción Operativa, durante tres meses consecutivos. En el caso de que un Creador de Mercado dejara de cumplir las condiciones mínimas a las que resultara obligado, Sociedad de Bolsas comunicará por escrito al Miembro la pérdida de su condición de Creador de Mercado (Circ Sociedad de Sistemas 1/2021 aptdo.9.2.3).

Extinción El contrato de liquidez se extingue por las siguientes **causas**, siguiendo de nuevo a Cachón Blanco: 10686
- por el transcurso del **plazo** pactado. Generalmente, estos contratos tienen estipulado un plazo, con posibilidad de prórroga tácita por sucesivos períodos anuales si cualquiera de las partes no lo denuncia con determinado período de antelación;
- como contrato bilateral, se puede resolver a instancias de cualquiera de las partes, como consecuencia de un **incumplimiento** de las obligaciones propias de la otra parte contratante. Del incumplimiento se deriva la consecuencia ordinaria para todo contrato bilateral (CC art.1124): el emisor puede optar por resolver el contrato o por exigir el cumplimiento, con

indemnización en uno y otro caso de los daños y perjuicios causados. Pero, además, por ser ese incumplimiento una vulneración de una norma de disciplina del mercado, cual es el caso de la Circ Sociedad de Bolsas 1/2021, se inicia el expediente administrativo de la posible sanción;
- por la ruptura de **pacto de exclusiva**. De haberse celebrado tal, también es posible la resolución a instancia del miembro del mercado;
- cuando el miembro del mercado encuentre **imposibilidad** de seguir desarrollando su actividad: disolución, declaración de concurso, suspensión de actividad como sanción del mercado de valores, pérdida de la condición de miembro del mercado, etc. Lo mismo ocurrirá cuando tengan lugar circunstancias que afectan al propio emisor, como sería la declaración de quiebra o la exclusión de cotización bursátil de los valores de renta fija o su amortización total;
- por mutuo **disenso**.

SECCIÓN 19

Derecho penal del mercado de valores

10690

1. Consideraciones generales

10695 El mercado de valores, como **centro de contratación de valores mobiliarios** donde se negocian valores ya emitidos que pueden convertirse en medios directos de pago, deshaciendo la inversión que en su día tuvo lugar (merced a la existencia de un mercado secundario), se ha llegado a considerar como un «espacio altamente criminógeno» (Gómez Iniesta).

El **bien jurídico protegido** penalmente es plural: el conjunto de intereses generales de la comunidad reunidos en la necesidad de un correcto y eficaz funcionamiento del mercado de valores. La protección penal viene dada cuando se elevan a categoría de delito aquellas conductas que lesionen o pongan en peligro ese bien jurídico protegido (Muñoz Conde).

Es importante señalar si dentro de la protección penal del mercado de valores debemos incluir la **protección de cualquier delito** que pueda tener por objeto un valor negociable o instrumento financiero -este último concepto fue introducido en la LMV/88 por la L 37/1998 en materia del posible objeto de las operaciones de los mercados secundarios oficiales, concepto que ya había aparecido en el CP en el año 1995, es decir, tres años antes-.

10697 **Normativa aplicable** La fuente de partida, con base en principios constitucionales inderogables e insustituibles, es el Código Penal (CP). En él se definen:
- los distintos **bienes jurídicos protegidos** a través de su regulación, mediante la especificación de las distintas figuras típicas; y
- la **fijación de las penas** correspondientes para el caso realización de dichos actos.

Precisiones El Código penal ha procurado adaptarse a las distintas figuras delictivas que han aparecido con la evolución reciente de la sociedad española, como ya aclaró en la Exposición de Motivos de la LO 10/1995, del Código Penal, en la que se afirmó que «se ha afrontado la antinomia existente entre el principio de intervención mínima y las crecientes necesidades de tutela en una sociedad cada vez más compleja, dando prudente acogida a nuevas formas de delincuencia, destacando la introducción de los **delitos contra el orden socioeconómico**».

Esta idea de adaptación a la evolución social se ha mantenido en la actualidad, tal y como afirmó el legislador español en la Exposición de Motivos de la LO 5/2010, por la que se modifica la LO 10/1995, del Código Penal, bien creando **nuevos tipos penales**, bien modificando los ya existentes. Así, «teniendo como referente la Dir 2003/6/CE, sobre las operaciones con información privilegiada y la manipulación del mercado, se han llevado a cabo reformas en el campo de los delitos relativos al mercado y los consumidores. Así, se incorpora como figura delictiva la denominada **estafa de inversores**, incriminando a los administradores de sociedades emisoras de valores negociados en los mercados de valores que falseen las informaciones sobre sus recursos, actividades y negocios presentes o futuros, y de ese modo consigan captar inversores u obtener créditos o préstamos. Del mismo modo, se castiga la difusión de noticias o rumores sobre empresas donde se ofreciesen **datos falsos para alterar o preservar el precio de cotización de un instrumento financiero** y la conducta de quienes, utilizando **información privilegiada**, realicen transacciones u órdenes de operación que proporcionen o puedan proporcionar indicios falsos o engañosos en cuanto a la oferta, la demanda o el precio de instrumentos financieros, o para asegurar, en concierto con otras personas, el precio de uno o varios instrumentos financieros en un nivel anormal o artificial, así como el concierto para asegurarse una posición dominante sobre la oferta o demanda de un instrumento financiero».

Esta idea preside la materia objeto de tratamiento y, sin embargo, no existe en nuestro vigente Código Penal ni en la LO 5/2010, un epígrafe específico de **delitos propios de los mercados de valores**. El legislador ha optado por la técnica de incardinar los tipos en el marco del CP Título XIII del Libro II («Delitos contra el patrimonio y contra el orden socioeconómico»). En concreto, en su Capítulo XI, Sección 3ª («De los delitos relativos al mercado y los consumidores»).

Sanciones Un problema planteado doctrinalmente, y también en la práctica, es el de si la técnica de las sanciones -penales, administrativas e incluso civiles- pueden llegar a erigirse en un mecanismo formal que llegue a atentar directamente contra la eficiencia y la agilidad que se exigen en todo mercado y, en particular, en el mercado de valores. La realidad demuestra que en la mayoría de los Estados, a pesar de los posibles perjuicios, se ha optado por el establecimiento de **medidas de control** -civiles, penales, o administrativas- que toman alguna o algunas -o todas- de las siguientes formas: **10699**

a) La **autorregulación**. Aparecen así conceptos que conllevan la separación en los centros de decisión por donde circula la información privilegiada (LMV art.226 y 227).

b) El establecimiento de **acciones civiles expresas**. Normalmente son insuficientes por defectos estructurales de los mecanismos judiciales y por la evidente diferencia económica existente entre el pequeño inversor y el intermediario que se aprovechó de su privilegiada información.

c) Imposición de **sanciones administrativas**.

d) Creación de **tipos penales**.

En el ámbito jurídico español se combinan todas las anteriores medidas:

• Se establecen **normas administrativas** de conducta bursátil (LMV art.191 a 231).

• Se admite la posibilidad de acudir a **tribunales ordinarios** reclamando responsabilidad, bien sea ésta contractual (CC art.1101), bien extracontractual (CC art.1902).

• Se tipifica un régimen administrativo de normas de conducta bursátil protegido por otras de **supervisión, inspección y sanción** (LMV Título IX).

La LMV ha buscado la **transparencia de los mercados** para la protección de los inversores a través de normas específicas como LMV art.34 a 41, 105, 191, 226 y 227, evitando conflicto de intereses y estimulando la mayor **publicidad** posible a través del LMV art.226 a 229.

Su **finalidad** es evitar aquellas actuaciones que son perjudiciales para el conjunto del mercado en la medida en que bien en interés propio o de tercero, bien no respetando el interés de los clientes y la igualdad entre los mismos, consisten en utilizar abusiva y deslealmente una posición personal o profesional por la que acceden a una información sobre el mercado.

• Se tipifican una serie de conductas cuya relación con la actividad desarrollada en el mercado de valores va desde la íntima conexión (delito de abuso de información privilegiada en estos mercados) hasta la mera proximidad (tipo general de la estafa).

Relación entre la sanción administrativa y la penal Genera la duda de dónde está la linde entre una y otra, esto es, dónde termina la sanción administrativa por incumplimiento de los deberes de ordenación del mercado conectados con los tipos penales y dónde empieza la aplicación del derecho penal. Así: **10701**

a) Tesis **negatoria de la materialidad de la dicotomía**. Algunos entienden que tanto el ámbito administrativo como el penal coinciden. Solamente se diferencian por la gravedad de la sanción que se imponga. Así, donde termine la máxima sanción administrativa comenzará la mínima sanción penal.

b) Tesis **afirmadora de la materialidad de la dicotomía**. Postula que verdaderamente la naturaleza de ambos ilícitos es completamente diferente y que se sostiene en principios diferentes.

Sea cual sea la solución, existen dos realidades que no deben ocultarse:

1. El **poder sancionador** es único y recae en el Estado. Es el Estado el que decide cuál será el elemento fundamental para fijar la conexión de un determinado supuesto de hecho con el ámbito de la protección administrativa y cuál lo será para fijar la conexión con el ámbito de la protección penal, más rigurosa. Esta última se inspirará, como para cualquier materia, en el **principio de intervención mínima**: solamente debe aplicarse ante los ataques más graves, sin olvidar que dicha intervención se debe realizar bajo el principio de reserva de ley de la Const art.25.3, que establece que la Administración civil no podrá imponer sanciones que, directa o indirectamente, impliquen privación de libertad.

2. Hay un elemento de conexión entre la sanción penal y la administrativa cual es la aplicación del principio non bis in ídem. Se intenta así evitar la **duplicidad de sanciones**, si bien la LMV art.271 no aclara expresamente que la sanción penal anula la posibilidad de actuación administrativa.

2. Tipos genéricos de protección penal

10705 La protección penal del mercado de valores va más allá de los tipos en que el CP explícitamente se refiere a valores negociables e instrumentos financieros (Herrera o Ruiz Rodríguez). Por el contrario, ha de entenderse que esa protección no queda limitada al CP art.282 bis o 285 (delitos exclusivos del mercado de valores: nº 10725), sino que se amplía y se extiende a todo delito que haya tenido por objeto un **valor negociable** o un **instrumento financiero** (así, hurto, robo, estafa o apropiación indebida, que también aparecen regulados en el marco de los delitos contra el patrimonio y el orden socioeconómico de este Tít.XIII). En definitiva, para que esta protección sea válida y para cohonestarla con el principio de mínima intervención en los mercados, no solamente se busca la protección de un ataque al patrimonio individual, sino que además dicho ataque pueda provocar una **lesión** o puesta en peligro de un **bien jurídico supraindividual**. Únicamente cuando se da esta situación se puede hablar de una protección penal de los mercados de valores a través del Derecho penal.

Problema característico de esta materia es la frecuente **conexión entre varias figuras delictivas**. Tal es lo que ocurre con los delitos societarios (en los que vuelve a aparecer la dicotomía entre la protección penal individual y la colectiva o supraindividual). Así, cuando un administrador de una sociedad de cartera se apropia de cantidades de sus clientes por transmisión de valores podrá ser un delito patrimonial, pero no socioeconómico, en la medida en que el interés lesionado no sobrepasa la esfera de lo individual.

Muestra de la protección colectiva de que venimos hablando son conceptos que a veces son difíciles de precisar, tales como el de «**fidelidad**», en íntima conexión con la mayoría de los contratos característicos de los mercados de valores, que aparecen presididos por la **buena fe** y **mutua confianza** entre las partes (la comisión o el corretaje, que, por lo demás, y como ya se ha visto, suelen llevar aparejada una relación representativa igualmente necesitada de buena fe). Es también el caso de la «**lealtad**» precisada cuando de la relación primaria se desencadenan relaciones para con terceros, especialmente si tienen por objeto el patrimonio o los bienes de otra persona.

10707 Esta fidelidad y lealtad se destacan ya en las normas de ordenación del mercado de valores (así, la LMV art.197 habla de la honestidad, imparcialidad y profesionalidad, en defensa de los intereses de los clientes).

La **infidelidad** quiebra el deber de cuidado y lesiona o pone en peligro los intereses en conflicto y deriva de una obligación jurídica que va más allá de las meras obligaciones contractuales, convirtiéndose en un deber legal de actuación a favor de otros. Aparecen también conectadas a la protección de la misma otras figuras delictivas, como los tipos de **revelación y descubrimiento de secretos** del CP art.278, 279 y 280.

En los delitos societarios la criminalización de las conductas se produce porque quedan vulnerados los deberes de actuar correctamente y en interés de otro. En particular, muchas veces se predica respecto de los **administradores** su responsabilidad penal conectada con el uso de información privilegiada que tipifica el CP art.285 (nº 10720). Se sustenta, además, en el respeto de las normas de conducta de la LMV art.191 s. (nº 10365 s.).

El **delito de utilización de información privilegiada** atenta, en tal sentido, no solamente contra el correcto desenvolvimiento del mercado como bien jurídico digno de protección penal, sino también contra el deber de fidelidad societaria (igualmente merecedor de esa protección) dando lugar a un delito especial. Si bien de acuerdo con el CP/95 este problema quedaba sustentado en el principio *societas delinquere non potest*, la aprobación de la LO 5/2010, ha modificado este régimen a partir del 24-12-2010, incluyendo la **responsabilidad penal de las personas jurídicas** como uno de los principios rectores del sistema penal español.

10709 **Responsabilidad penal de las personas jurídicas** Según la propia Exposición de Motivos de la LO 5/2010, «son numerosos los instrumentos jurídicos internacionales que demandan una respuesta penal clara para las personas jurídicas, sobre todo en aquellas figuras delictivas donde la posible intervención de las mismas se hace más evidente -corrupción en el sector privado, en las transacciones comerciales internacionales, pornografía y prostitución infantil, trata de seres humanos, blanqueo de capitales, inmigración ilegal, ataques a sistemas informáticos-».

Mediante la aprobación de la LO 5/2010 se cambia radicalmente la **estructura** de nuestro **sistema penal** que, asentado sobre la base del principio *societas delinquere non potest*, negaba la posibilidad de que las personas jurídicas fueran autores o partícipes de un hecho delictivo, individualizándose su eventual responsabilidad en la persona de su administrador de hecho, de derecho o aquél que actúe en su nombre o representación, ya sea legal o voluntaria (CP art.31). Hasta entonces, las empresas venían respondiendo en sede administrativa, bajo regímenes que, en ocasiones, podían llegar a ser muy severos pero, en ningún caso, se contemplaba la responsabilidad penal de la persona jurídica. La regulación de la responsabilidad penal de la persona jurídica se contiene en el vigente CP art.31 bis.

En consecuencia, en aquellos supuestos contemplados expresamente en el vigente Código Penal, como son los **delitos relativos al mercado y a los consumidores** (CP art.278 s.), la persona jurídica podrá ser declarada penalmente responsable:

- de los delitos cometidos, por su cuenta y en su provecho, por sus **representantes legales, administradores** de hecho y/o administradores de derecho; y también

- de los delitos cometidos en el ejercicio de sus actividades, por su cuenta y en su provecho, por quienes, estando **sometidos a la autoridad de los anteriores**, han podido realizar los hechos por no haberse ejercido sobre ellos el debido control.

Se configura la responsabilidad penal de la persona jurídica por medio de una **doble vía**, la primera de las cuales nace de la actuación de otro, es decir, de forma vicaria y objetiva y por culpa «in vigilando» o negligencia en la segunda de las configuraciones.

Asimismo, no se hace depender la responsabilidad penal de la persona jurídica de la **responsabilidad penal de la persona física**, sino que ambas se adicionan, pudiendo ser la persona jurídica declarada responsable (i) incluso si no se ha individualizado la concreta persona física responsable o (ii) cuando no se haya podido dirigir el procedimiento contra ella (CP art.31 ter.1). **10711**

En consecuencia, tampoco se ve afectada la responsabilidad de la persona jurídica por las **circunstancias modificativas de la responsabilidad** de la persona física –atenuantes y agravantes–, sino que la persona jurídica goza de sus propias circunstancias modificativas de la responsabilidad penal (CP art.31 bis):

a) Así, cabe mantener que la empresa que ejerza el **debido control** sobre aquellos de sus miembros sometidos a la autoridad de representantes legales, administradores de hecho y/o administradores de derecho podría eliminar su responsabilidad penal (CP art.31 ter.2). Qué es el debido control, cómo se ejerce o cómo se atienden «las concretas circunstancias del caso» es algo que no define el Código Penal y que, evidentemente, la jurisprudencia tardará mucho en tratar.

b) Y, para el caso de que la persona jurídica no pueda eliminar su responsabilidad penal, se regulan las siguientes como las únicas **circunstancias que permiten atenuarla** (CP art.31 quater):

1. Haber procedido, antes de conocer que el procedimiento judicial se dirige contra ella, a **confesar** la infracción a las autoridades.
2. Haber colaborado en la investigación, aportando **pruebas** que fueran nuevas y decisivas para esclarecer las responsabilidades penales dimanantes de los hechos.
3. Haber procedido con anterioridad al juicio oral a **reparar o disminuir el daño** causado por el delito.
4. Haber establecido, antes del comienzo del juicio oral, medidas eficaces para **prevenir y descubrir** los delitos que en el futuro pudieran cometerse con los medios o bajo la cobertura de la persona jurídica.

Esta última circunstancia no es sino la implantación de un **programa de «corporate compliance»** como el anteriormente definido entre el momento de comisión del delito y el de la celebración del acto de juicio oral.

Así, como se desprende de la redacción del CP art.31 bis, el establecimiento por parte de la empresa del «debido control» puede eliminar o atenuar su responsabilidad penal, dependiendo de si se hace con carácter previo a la comisión del hecho delictivo o, si por el contrario, se implanta una vez cometido el ilícito penal, aunque con carácter previo a la apertura del Juicio Oral (**atenuante**). **10713**

En conclusión, el sistema penal español ya no se rige por el tradicional principio *societas delinquere non potest*, por lo que la quiebra por parte de un administrador -de hecho o de Derecho- del deber de fidelidad, incurriendo en alguno de los delitos relativos al mercado y a los consumidores deparará, además de un perjuicio al desenvolvimiento del mercado, la prosecución de la persona jurídica a la que representa como responsable del delito cometido.

Precisiones Con relación a la **infracción del deber de fidelidad**, algunos autores sostienen que las conductas relativas al ejercicio de la administración de patrimonios ajenos reclaman un tratamiento jurídico-público (incluso penal) independiente y autónomo. En tal sentido, afirma la jurisprudencia que los supuestos de administración fraudulenta no deben enmarcarse en la estafa o en la apropiación indebida.

3. Tipos específicos de protección penal del mercado de valores

10720 Hay que hacer referencia a:
• Un **tipo básico**, aplicable a cualquier mercado, incluido el Mercado de Valores: los delitos de alteración de precios del CP art.284 (nº 10725).
• Dos **delitos exclusivos** de los mercados de valores:
- el fraude de inversores (CP art.282 bis) (ver nº 10750 s.); y
- el abuso de información privilegiada (CP art.285) (ver nº 10730 s.).

Precisiones El CP art.288 bis, incluido tras la reforma de la LO 14/2022, establece la exención de responsabilidad criminal en los delitos de alteración de precios (CP art.284) a los **directores, administradores** de hecho o de Derecho, **gerentes** y otros miembros del personal actuales y anteriores de cualquier sociedad, constituida o en formación, que en esa condición hayan cometido alguno de los hechos previstos en dicho precepto, cuando pongan fin a su participación en los mismos y cooperen con las autoridades competentes de manera plena, continua y diligente, aportando informaciones y elementos de prueba de los que estas carecieran, que sean útiles para la investigación, detección y sanción de las demás personas implicadas, siempre que se cumplan las siguientes **condiciones**:
• **Cooperen activamente** en este sentido con la autoridad de la competencia que lleva el caso y con la autoridad judicial o el Ministerio Fiscal proporcionando indicios útiles y concretos para asegurar la prueba del delito e identificar a otros autores.
• Estas sociedades o personas físicas hayan presentado una solicitud de **exención del pago de la multa** de conformidad con lo establecido en la Ley de Defensa de la Competencia.
• Dicha **solicitud se haya presentado** en un **momento anterior** a aquel en que los directores, administradores de hecho o de Derecho, gerentes y otros miembros del personal actuales y anteriores de cualquier sociedad, constituida o en formación, que en esa condición hayan sido informados de que están siendo investigados en relación con estos hechos.

a. Delitos de alteración de precios

(CP art.284)

10725 **Modalidades comisivas** A través de este delito se castiga a quien:
1º Empleando **violencia, amenaza, engaño o cualquier otro artificio**, altere los precios que hayan de resultar de la libre concurrencia de productos, mercancías, instrumentos financieros, servicios o cualesquiera otras cosas muebles o inmuebles que sean objeto de contratación, así como contratos sobre materias primas relacionadas con instrumentos financieros o índices de referencia.
2º Difunda **noticias o rumores** o transmita señales falsas o engañosas sobre personas o empresas, ofreciendo a sabiendas datos económicos total o parcialmente falsos con el fin de alterar o preservar el precio de cotización de un instrumento financiero o un contrato de contado sobre materias primas relacionado o de manipular el cálculo de un índice de referencia, cuando obtenga, para sí o para un tercero, un beneficio, siempre que concurra alguna de las siguientes **circunstancias**:
a) Que dicho **beneficio** sea superior a 250.000 euros o se cause un perjuicio de idéntica cantidad (antes de la reforma operada por la LO 1/2019 el beneficio o pérdida debía ser superior a 300.000 euros).
b) Que el importe de los **fondos empleados** sea superior a 2.000.000 de euros (nueva circunstancia añadida por la reforma).
c) Que se cause un **grave impacto** en la integridad del mercado (nueva circunstancia añadida por la reforma).
La difusión de noticias, rumores o señales falsas o engañosas puede hacerse, por sí, de manera directa o indirecta o a través de un **medio de comunicación**, o por medio de Internet o mediante el uso de tecnologías de la información y la comunicación, o por cualquier otro medio.
3º Realice transacciones, transmita **señales falsas o engañosas**, o dé órdenes de operación susceptibles de proporcionar indicios falsos o engañosos sobre la oferta, la demanda o el precio de un instrumento financiero, un contrato de contado sobre materias primas relacionado o índices de referencia, o se aseguren, utilizando la misma información, por sí o en concierto con otros, una **posición dominante** en el mercado de dichos instrumentos o contratos con la finalidad de fijar sus precios en niveles anormales o artificiales, siempre que concurra alguna de las siguientes **circunstancias**:
a) Que como consecuencia de su conducta obtenga, para sí o para tercero, un **beneficio** superior a 250.000 euros o causara un perjuicio de idéntica cantidad.
b) Que el importe de los **fondos empleados** sea superior a 2.000.000 de euros,
c) O que se cause un **grave impacto** en la integridad del mercado.

Punición Por la comisión de este delito se impone: 10727
• La pena de **prisión** de 6 meses a 6 años (en lugar de 6 meses a 2 años como se establecía antes de la reforma).
• Una **multa** de 2 a 5 años (en lugar de 12 a 24 meses como se establecía antes de la reforma), o del tanto al triplo del beneficio obtenido o favorecido, o de los perjuicios evitados, si la cantidad resultante fuese más elevada.
• La **inhabilitación** especial para intervenir en el mercado financiero como actor, agente o mediador o informador por tiempo de 2 a 5 años (en lugar de 1 a 2 años como se establecía antes de la reforma).
Se impondrá la **pena en su mitad superior** si concurriera alguna de las siguientes circunstancias:
- Que el sujeto se dedique de forma habitual a las anteriores prácticas abusivas.
- Que el beneficio obtenido, la pérdida evitada o el perjuicio causado sea de notoria importancia.
- Si el responsable del hecho fuera trabajador o empleado de una empresa de servicios de inversión, entidad de crédito, autoridad supervisora o reguladora, o entidad rectora de mercados regulados o centros de negociación

Precisiones 1) La LO 5/2010 reformó el CP art.284con el fin de adaptar el Derecho penal en el ámbito bursátil a los cambios sociales, reflejados en la Dir 2003/6/CE, sobre las operaciones con información privilegiada y la manipulación del mercado.
La mencionada directiva parte de la teoría de que nos encontramos ante un **mercado único de servicios financieros**, que exige el buen funcionamiento y la confianza del público en los valores y productos derivados. Por ello, la manipulación del mercado a través de la información es el mayor peligro para el desarrollo económico.
Por lo tanto, los objetivos que determinaron la aprobación de la Directiva fueron:
- la **transparencia** de los mercados;
- la **seguridad** de que las autoridades apliquen coherentemente las normas, a fin de situar en pie de igualdad a todos los participantes en el mercado en todo el espacio de la UE.
Y, en consecuencia, se exigió el castigo de aquellas conductas de manipulación de mercado, ampliando el espectro de las mismas y ofreciendo una serie de pautas de interpretación que afectaban directamente a la interpretación de los preceptos del Código Penal español, forzando, por tanto, la modificación del CP art.284.
2) La reforma del CP operada por la LO 1/2019, que transpone, entre otras, la Dir 2014/57/UE, introduce importantes **novedades** en relación con los delitos de alteración de precios, a fin de ajustar su contenido a las previsiones de aquella norma comunitaria. En concreto las novedades se concentran en los medios comisivos del delito, el objeto de protección y su punición. Estas novedades entraron en vigor a partir del **13-3-2019**.

b. Abuso de información privilegiada

(CP art.285, 285 bis y 285 ter)

La utilización abusiva de la información privilegiada en el mercado de valores como elemento tipificado en el Código penal se sustenta en la necesidad de dotar a los mercados de un grado de seguridad creciente y acorde con la enorme trascendencia socio-económica que les es propia. 10730
Se considera **información privilegiada** aquella: «que no se ha hecho pública, de carácter preciso, que se refiera a uno o varios emisores de valores negociables o a uno o varios valores negociables y que de hacerse pública podría influir de manera apreciable sobre la cotización de esos valores» (Dir 89/592/CEE).
Destacan en este concepto una serie de **elementos**:
a) Se trate de información no pública. Ha de tenerse en cuenta en este punto la LMV art.233.
b) Información con un contenido específico y relevante.
c) Influencia de dicha información en el ámbito económico en general y en los mercados de valores en concreto.
El **bien jurídico protegido** no se configura tanto en atención al contenido patrimonial o al propio orden socioeconómico, como a la integridad de los mercados y la confianza de los inversores que actúan en ellos.

Precisiones La **reforma del CP** operada por la LO 1/2019, que transpone, entre otras, la Dir 2014/57/UE, introduce importantes **novedades** en relación con el delito de abuso de información privilegiada. Aunque el CP ya sancionaba conductas concretas de actuación delictiva por utilización de información privilegiada y manipulación de mercado, ha sido necesario realizar esta modificación para sancionar de forma expresa todos los supuestos referidos en la **norma europea**.
La reforma tipifica nuevas formas de comisión del hecho delictivo; especifica los supuestos en que legalmente se entiende que una persona tiene acceso reservado a la información privilegiada; y añade también una agravación específica para el caso de que el responsable del hecho fuera

trabajador o empleado de una empresa de servicios de inversión, entidad de crédito, autoridad supervisora o reguladora, o entidades rectoras de mercados regulados o centros de negociación.
También se reordena el reproche a los actos cometidos por una persona jurídica, cuando se declare la responsabilidad penal de ésta, en consonancia con la gravedad de las conductas de la persona física.
La Dir 2014/57/UE exige que los delitos relativos a **operaciones con información privilegiada** cometidos por sujetos que no tienen acceso reservado a la información privilegiada se castiguen con **penas** privativas de libertad cuya duración máxima sea de, al menos, 4 años. La LO 1/2019 no introdujo, sin embargo, esta previsión, que fue introducida por la LO 14/2022, extendiendo al CP art.285.5 la aplicación de las penas señaladas en el resto del artículo para el **tipo general** del CP art.285.1 y el **tipo agravado** del CP art.285.3, cuya duración máxima sí supera los 4 años exigidos por la norma europea. En concreto, se castiga con la pena de prisión de 6 meses a 6 años, multa de 2 a 5 años, o del tanto al triplo del beneficio obtenido o favorecido o de los perjuicios evitados si la cantidad resultante fuese más elevada, e inhabilitación especial para el ejercicio de la profesión o actividad de 2 a 5 años cuando el responsable del hecho, sin tener acceso reservado a la información privilegiada, la obtenga de cualquier modo y la utilice conociendo que se trata de información privilegiada.

10732 **Modalidades comisivas** Con el fin de garantizar, en primer término, la integridad de los mercados financieros de la Unión y de aumentar, en un segundo plano, la protección de los inversores y la confianza en esos mercados, se tipifican **tres tipos penales** relacionados con el uso de información privilegiada:
1. La manipulación del mercado.
2. La recomendación a otra persona a realizar operaciones con información privilegiada.
3. La comunicación ilícita de información privilegiada.
También se castiga, con la pena inferior en uno o dos grados, los actos de **proposición, conspiración y provocación** para cometer cualquiera de los tres delitos mencionados (CP art.285 quáter).

Precisiones Las previsiones de las tres modalidades comisivas se extenderán a los instrumentos financieros, contratos, conductas, operaciones y órdenes previstos en la **normativa europea y española** en materia de mercado e instrumentos financieros (CP art.285 ter).

10734 **Manipulación del mercado** (CP art.285.1) Se castiga a quien, utilizando información privilegiada a la que hubiera tenido acceso reservado (ver nº 10740), realice, de forma directa o indirecta o por persona interpuesta, actos de adquisición, transmisión o cesión de un instrumento financiero, o de cancelación o modificación de una orden relativa a un instrumento financiero, siempre y cuando concurra alguna de las siguientes **circunstancias**:
a) Que, como consecuencia de su conducta obtenga, para sí o para tercero, un **beneficio** superior a 500.000 euros o cause un **perjuicio** de idéntica cantidad (con anterioridad a la reforma del CP operada por la LO 1/2019, se exigía que el beneficio obtenido o el perjuicio causado fuera superior a 600.000 euros).
b) Que el **valor de los instrumentos financieros** empleados sea superior a 2 millones de euros.
c) Que se cause un **grave impacto** en la integridad del mercado.
Este delito se castiga con las siguientes **penas**:
- prisión de 6 meses a 6 años;
- multa de 2 a 5 años, o del tanto al triplo del beneficio obtenido o favorecido o de los perjuicios evitados si la cantidad resultante fuese más elevada; e
- inhabilitación especial para el ejercicio de la profesión o actividad de 2 a 5 años.

10736 **Recomendación del uso de información privilegiada** (CP art.285.1) Se castiga con la misma pena establecidas en el nº 10734 a quien recomiende a un **tercero** el uso de información privilegiada para realizar, de forma directa o indirecta o por persona interpuesta, actos de adquisición, transmisión o cesión de un instrumento financiero, o de cancelación o modificación de una orden relativa a un instrumento financiero, siempre y cuando concurra alguna de las citadas **circunstancias** de: (i) beneficio obtenido o el perjuicio causado superior a 500.000 euros, (ii) valor de los instrumentos financieros superior a 2.000.000 euros, o (iii) grave impacto en la integridad del mercado.

10738 **Comunicación ilícita de información privilegiada** (CP art.285 bis) Se castiga a quien posea información privilegiada y la revele fuera del normal ejercicio de su trabajo, profesón o funciones, poniendo en **peligro** la integridad del mercado o la confianza de los inversores.
A estos efectos, también constituirá delito la revelación de información privilegiada en una prospección de mercado cuando se realice **sin observar los requisitos** previstos en la normativa europea en materia de mercados e instrumentos financieros.

Este delito se castiga con **pena**:
- de prisión de 6 meses a 4 años;
- multa de 12 a 24 meses; e
- inhabilitación especial para el ejercicio de la profesión o actividad de 1 a 3 años.

Personas con acceso reservado a la información privilegiada (CP art.285.4) Se entiende que tiene acceso reservado a la información privilegiada: 10740
- quien sea miembro de los **órganos de administración**, gestión o supervisión del emisor o del participante del mercado de derechos de emisión;
- quien participe en el **capital** del emisor o del participante del mercado de derechos de emisión;
- quien la conozca con ocasión del ejercicio de su **actividad profesional** o empresarial, o en el desempeño de sus funciones; y
- quien la obtenga a través de una **actividad delictiva**.

Cuando el responsable del hecho delictivo, sin tener acceso reservado a la información privilegiada, la obtenga de cualquier **modo distinto** de los aquí previstos y la utilice conociendo que se trata de información privilegiada, se le impondrán las penas rebajadas en un grado.

Agravación de las penas (CP art.285.2 y 3) Las penas previstas en el CP art.285.1 (nº 10734) se imponen en su mitad superior si concurre alguna de las siguientes **circunstancias**: 10742

1. Que los sujetos se dediquen de **forma habitual** a las prácticas descritas con información privilegiada.

2. Que el beneficio obtenido, la pérdida evitada o el perjuicio causado sea de **notoria importancia**, cuestión que debe valorarse por el tribunal en el momento de enjuiciar cada situación.

3. Que el responsable del hecho sea **trabajador o empleado** de una empresa de servicios de inversión, entidad de crédito, autoridad supervisora o reguladora, o entidades rectoras de mercados regulados o centros de negociación.

Precisiones La reforma del CP operada por la LO 1/2019 **elimina** de entre las circunstancias agravantes «3ª Que se cause grave **daño a los intereses generales**», cuestión que exigía una valoración del tribunal en la medida en que era un concepto un tanto indeterminado.

Conexión con otras figuras delictivas Puede dar origen a situaciones concursales, normalmente con las siguientes figuras delictivas: 10744
- el delito de **revelación de secretos** industriales y comerciales;
- los delitos de **administración** de sociedades; o
- delitos **societarios**.

c. Fraude de inversores

(CP art.282 bis)

Mediante la LO 5/2010 se introdujo este delito por medio del cual se sanciona a aquellos administradores de hecho o de derecho de una sociedad emisora de valores negociados en los mercados de valores que falseen la **información económico-financiera** contenida en los folletos de emisión de cualesquiera instrumentos financieros o las informaciones que la sociedad debe publicar y difundir conforme a la legislación del mercado de valores sobre sus recursos, actividades y negocios presentes y futuros, con el propósito de captar inversores o depositantes, colocar cualquier tipo de activo financiero u obtener financiación por cualquier medio. 10750

Elemento objetivo del tipo Si bien el supuesto de hecho típico del CP art.282 bis parece estar ya recogido en los demás tipos penales, concretamente en CP art.284 a 285 quater, existe un ámbito que no queda cubierto, que viene a proteger este tipo penal, el **falseamiento de la información y la inversión**, sin perjuicio para el tercero o incluso con beneficio para él. 10752

En este sentido, no es necesario que la falsedad sea idónea para generar el error, ni siquiera que se llegue a materializar la realización de la inversión, sino que se trata de proteger el fortalecimiento de las estructuras de los mercados de valores.

Por ello, podemos afirmar que este tipo penal tutela el mercado, sancionando su vulneración mediante la **manipulación de información** bajo formas falsarias.

En lo que se refiere a los diferentes **elementos del tipo**, debemos especificar:

1) Las **sociedades emisoras de valores negociados** en los mercados de valores: debe especificarse que, de acuerdo con la regulación contenida en LMV art.34 y 44, el tipo se limita a aquellos supuestos en los que la sociedad emisora ha presentado ya los valores ante los mercados primarios -aquellos mercados de emisión y oferta de suscripción o venta de valores negociables-, para negociarlos en los mercados secundarios -mercados en los que se negocian los valores previamente emitidos-.

Es decir, quedan **excluidos** del tipo penal los supuestos de falsedad en la información del folleto, cuando se emiten los valores sin intención de negociar con ellos en ningún mercado secundario.

Se ha desarrollado por parte de la doctrina (Quintero Olivares) un debate en torno a la posibilidad de que exista una **tentativa**, cuando el falseamiento de la información se lleva a cabo por la sociedad emisora del valor para ser negociado en mercados secundarios, pero se desvela antes de que se produzca la negociación. Se ha criticado ampliamente el precepto por ofrecer un tratamiento penal excesivamente severo para el falseamiento que se produce cuando el valor es negociado en mercados secundarios, pero se prevé la atipicidad cuando dicho falseamiento se produce en un valor emitido en un mercado primario que no va a ser negociado.

10754 2) Asimismo, tal y como hemos mencionado, el tipo penal se limita a las **falsedades existentes** en el folleto o en las informaciones que la sociedad debe publicar y difundir conforme a la legislación del mercado de valores sobre sus recursos, actividades y negocios presentes y futuros.

a) El **folleto** que las sociedades emisoras de valores deben publicar se describe en LMV art.35. Sin embargo, la indefinición normativa respecto del contenido del folleto hace que no quede exactamente determinado el objeto del tipo penal contenido en CP art.282 bis. Por ello, debemos confiar en lo que un hombre medio considere como mecanismo de información sobre la naturaleza de la entidad emisora del valor, el tipo de valor y las condiciones de emisión.

Asimismo, debemos destacar las numerosas **excepciones** a la obligación de emisión del folleto (RD 814/2023 art.68; Rgto (UE) 2017/1129 art.1), que determinan la falta de un elemento del tipo fundamental para que se pueda considerar la existencia del tipo penal.

También se ha suscitado dentro de la doctrina un debate en torno a la posibilidad de la tipicidad de la conducta cuando el falseamiento se produce mediante la omisión de información fundamental. Quintero Olivares es de la opinión de que «la **omisión de datos relevantes** traerá causa, normalmente, de la adulteración de otras informaciones en las cuales se basará la omisión relevante de información en el folleto. El folleto será objeto de revisión y aprobación por la CNMV, por lo que será necesaria una cierta exigencia en el falseamiento de la información previa en la que se basará la omisión relevante. No debe olvidarse, en este sentido, que la consumación de la acción falsaria se producirá solo una vez admitido a negociación el valor o instrumento financiero emitido. Con todo, es imaginable, que la CNMV no pueda advertir la falsedad de la información previa en que se basa la omisión relevante en el folleto, en cuyo caso, tal omisión relevante debería dar lugar a la plena realización del comportamiento típico. Ahora bien, la omisión relevante estará fundamentando, dada la supervisión y aprobación previa por la CNMV, posiciones de error de tipo (sobre los hechos que deben o no formar parte de un elemento esencial de la infracción penal, cual es el folleto). En cualquier caso, el debate podría ser estéril según se interprete el rendimiento de la cláusula de cierre empleada en el tipo, sobre otros objetos susceptibles de falsificación».

Esto es, partiendo de la base de que la omisión de información relevante en el folleto vendrá derivada de la omisión de dicha información en los demás documentos mercantiles que configuran el folleto, debemos afirmar que siempre que se haya producido dicha omisión, quedaría cubierta por el inciso siguiente del CP art.282 bis, referido a las informaciones que la sociedad debe publicar y difundir conforme a la legislación del mercado de valores sobre sus recursos, actividades y negocios presentes y futuros, por lo que en cualquier caso la omisión de información quedaría tipificada por el presente artículo.

b) Las **informaciones que la sociedad debe publicar y difundir** conforme a la legislación del mercado de valores sobre sus recursos, actividades y negocios presentes y futuros (LMV art.99 s.). Se refiere a aquella información que trimestral, semestral o anualmente las sociedades emisoras de valores deben poner a disposición de la CNMV. Concretamente:

- las cuentas anuales; y
- la documentación acreditativa de la situación jurídica a que se somete como emisora de valores o institución financiera.

10756 **Agravación de las penas** (CP art.282 bis.2º) En el supuesto de que se llegue a obtener la inversión, el depósito, la colocación del activo o la financiación, con **perjuicio para el inversor**, depositante, adquirente de los activos financieros o acreedor, se impondrá la pena en la mitad superior. Si el perjuicio causado fuera de notoria gravedad, la pena a imponer será de uno a seis años de prisión y multa de seis a doce meses.

Esto es, se aplicará la pena en su mitad superior siempre que se llegue a obtener el depósito, la colocación del activo o la financiación con perjuicio para el inversor, depositante, adquirente o acreedor de los activos financieros.

A su vez, se aplicará la pena de prisión de uno a seis años de prisión y multa de seis a doce meses, cuando el perjuicio causado sea de **notoria gravedad**.

Dado que el nuevo régimen del CP art.250 fija el régimen agravado de la estafa en 50.000 € como **umbral** de la notoria gravedad, debemos entender que se encuentra en esa misma cantidad la frontera para el agravamiento de la pena aparejada a este tipo penal.

CAPÍTULO 14

Arbitraje y mediación

Con el fin de **resolver** los posibles **conflictos** que puedan plantearse, tanto en la interpretación de las cláusulas contractuales como en la ejecución de los contratos mercantiles, los empresarios contratantes suelen acordar que sus controversias sean solucionadas por otras personas o instituciones mediante un **arbitraje**, que generalmente es de equidad (nº 10857), o a través de la mediación. Con ello se evita, en la mayoría de los casos, acudir a los procedimientos judiciales, normalmente más complejos y delicados. 10802

La **mediación** ha ido cobrando una importancia creciente como instrumento complementario de la vía de los tribunales de justicia desde la aprobación de la L 5/2012, ya que hasta dicha norma, se carecía de una ordenación general de la mediación aplicable a los diversos asuntos civiles y mercantiles. Ver nº 11115 s.

Precisiones Los **registradores mercantiles** -así como los notarios y los letrados de la administración de justicia- son competentes para conocer de los actos de conciliación sobre cualquier controversia mercantil o que verse sobre hechos o actos inscribibles en el RM, siempre que no recaiga sobre materia indisponible -en particular la materia concursal-, con la finalidad de alcanzar un acuerdo extrajudicial. Una vez celebrado el acto de conciliación, el registrador ha de certificar la avenencia entre los interesados o, en su caso, que se intentó sin efecto o avenencia (LH art.103 bis; L 28-5-1862 art.81, 82 y 83).

SECCIÓN 1

Arbitraje

I. Consideraciones generales

Por el arbitraje, una o más personas dan solución a un conflicto planteado por otras, que se comprometen previamente a aceptar su decisión. 10810

El arbitraje puede estudiarse desde dos perspectivas: **interno** e **internacional**.

La nacionalidad o internacionalidad de un arbitraje no afecta sustancialmente a la institución en sí. El árbitro decide el conflicto de la misma manera, tenga o no tenga carácter internacional.

En la legislación vigente, el legislador ha optado por una **regulación unitaria** del arbitraje interno y del internacional, adoptando un sistema monista que prevé la aplicación de los mismos preceptos a uno y otro, salvo contadas excepciones justificadas por las especificidades propias del arbitraje internacional (nº 11040 s.).

Este estudio se centra, fundamentalmente, en el **arbitraje de derecho privado**, matizado por su carácter mercantil, excluyéndose, por consiguiente, los arbitrajes de naturaleza jurídico-pública.

Un estudio detallado de esta materia se puede encontrar en el Memento Arbitraje 2020-2021.

Precisiones **1)** El Tribunal Constitucional equipara al arbitraje a un **equivalente jurisdiccional**, mediante el cual las partes pueden obtener los mismos objetivos que con la jurisdicción civil, esto es, la obtención de una decisión al conflicto con todos los efectos de la cosa juzgada (TCo 288/1993).
2) Es necesario hacer una breve mención a la **transacción**, contrato que, si bien tiene carácter civil, guarda cierta semejanza con el arbitraje.
Se define esta figura como el contrato por el que las partes, dando, prometiendo o reteniendo cada una alguna cosa, evitan la provocación de un pleito o ponen término al que había comenzado (CC art.1809).

Sin embargo, no parece claramente determinada en la definición del Código el concepto o materia de la transacción, que es el recíproco sacrificio de parte del hecho pretendido o controvertido.
La palabra **cosa** ha de entenderse en sentido amplio, englobando cosa y derechos.
3) La **voluntad de las partes** de sometimiento al arbitraje ha de resultar del conjunto de las comunicaciones mantenidas y de las actuaciones llevadas a cabo.
El **silencio** o inactividad de la parte a la que se dirige la oferta que contiene la cláusula compromisoria carece de eficacia (TS auto 18-4-00, EDJ 117266; auto 20-2-01, EDJ 3507).

10812 **Características** Destacamos las siguientes:
1. El arbitraje es una institución en la que se reúnen las siguientes **actividades**:
- el convenio arbitral;
- el contrato de dación y recepción del arbitraje; y
- el procedimiento arbitral, que concluye con el laudo.
La **finalidad** de todas ellas es dar solución a un conflicto.
2. La existencia de una **cuestión litigiosa**, que no tiene que ser actual, sino que puede ser futura, es el fundamento del mismo.
3. La **solución del conflicto** se lleva a cabo por un tercero que no tiene la condición de juez, si bien su decisión surte los mismos efectos que la sentencia judicial, aunque para su ejecución se necesita la intervención jurisdiccional.
4. El arbitraje es siempre una **alternativa** que las partes eligen frente a la solución jurisdiccional de los conflictos privados, aceptando previamente la decisión de los árbitros.
5. El arbitraje es eficaz siempre que se realice con la observancia de la **legalidad** vigente.
Si una parte, conociendo la infracción de alguna norma dispositiva de la Ley de arbitraje (L 60/2003), o de algún requisito del convenio arbitral (nº 10890 s.) no lo denuncia dentro del plazo previsto para ello, o, en su defecto, tan pronto como le sea posible, se considera que **renuncia** (tácitamente) a las **facultades de impugnación** que le otorga la Ley.
Si la **intervención** dirimente de uno o más terceros se pacta **de forma distinta**, el arbitraje es lícito en virtud del principio de libertad contractual, siempre que en él concurran los requisitos para la validez de un contrato, si bien, su **efectividad**, depende de la posterior voluntad de las partes.
6. La **ausencia de formalidades** en el procedimiento arbitral. Cumplidos los principios considerados como garantías constitucionales (audiencia, contradicción e igualdad entre las partes), el procedimiento se rige por la voluntad de las partes, o por las normas establecidas por la corporación o institución o asociación a la que se haya encomendado la administración del arbitraje y, en su defecto, por acuerdo de los árbitros.

10814 **Normativa aplicable** A continuación se detallan las principales disposiciones, tanto a nivel estatal como internacional.

10816 **Arbitraje interno** El régimen jurídico del arbitraje interno está actualmente contenido en la L 60/2003 (en adelante, LArb).
La Ley parte, salvo contadas excepciones, de que los mismos preceptos se apliquen por igual al arbitraje interno que al internacional siendo su principal criterio inspirador el de basar el régimen jurídico español del arbitraje en la Ley Modelo de CNUDMI/UNCITRAL (nº 10818).
La LArb fue modificada por la L 11/2011, que introdujo algunos cambios con el fin de **impulsar la mediación**. Entre las principales novedades:
- se suprimió la facultad de las partes para acordar que los laudos se emitiesen sin motivación; es decir, todos los laudos deben estar motivados, con la excepción de laudos por acuerdo;
- se reconoció de forma expresa los arbitrajes societarios; y
- se estableció la posibilidad de que el órgano arbitral pueda rectificar parcialmente el laudo una vez emitido cuando haya resuelto sobre cuestiones no sometidas a su decisión por la partes (extrapetita), o sobre cuestiones no susceptibles de arbitraje.
Posteriormente ha sido modificada por la L 42/2015, respecto de los efectos del convenio arbitral (nº 10902).

10818 **Arbitraje internacional** La LArb se apoya, en gran parte de su articulado, en la Ley Modelo sobre Arbitraje Comercial Internacional, gestada en el seno de la CNUDMI/UNCITRAL (**Ley Modelo UNCITRAL**) y aprobada por la Comisión de las Naciones Unidas para el Derecho Mercantil Internacional el 21-6-1985 (Documento de las Naciones Unidas A/40/17, Anexo I) y renovada en 2006. Si bien la Ley Modelo está concebida específicamente para el arbitraje comercial internacional, sus soluciones son perfectamente válidas para el arbitraje interno (nº 10835 s.).

En materia internacional, España ha ratificado determinados **convenios internacionales** reguladores del arbitraje:
- la Convención sobre el reconocimiento y ejecución de las sentencias arbitrales extranjeras de Nueva York de 10-6-1958, asumida por España mediante Instrumento de adhesión de 12-5-77 (BOE 11-7-77), rectificado por anuncio de 13-10-1986 (BOE 17-10-86);
- el Convenio europeo sobre el Arbitraje Comercial Internacional de Ginebra de 21-4-1961 (BOE 4-10-75), Instrumento de ratificación de 5-3-1975 (BOE 4-10-75);
- mediante RD 1094/1981, sobre realización por el Consejo Superior de las Cámaras Oficiales de Comercio, Industria y Navegación de arbitraje comercial internacional se creó la **Corte Española de Arbitraje**.

Precisiones Ante la propuesta de UNCITRAL, la Asamblea General de Naciones Unidas, acordó el 6-12-2010 la **renovación del Reglamento de Arbitraje** de la Comisión de las Naciones Unidas para el Derecho Mercantil Internacional, aprobado en diciembre de 1976.
Como notas a destacar del mismo se enumeran:
- la esfera del arbitraje se extiende a los litigios emanados, tanto de **relaciones jurídicas contractuales** como **no contractuales**;
- la tradicional cláusula compromisoria se ha sustituido por un simple acuerdo de arbitraje del que, incluso ha desaparecido la exigencia de su forma escrita reconociéndose la efectividad de **acuerdos arbitrales pactados verbalmente**;
- las nuevas reglas permiten las **comunicaciones arbitrales electrónicas** con igual validez que las realizadas en papel, dando entrada a la plena electronificación del proceso arbitral;
- las **medidas cautelares** han sido objeto de tipificación y exacta denominación, disciplinándose la conexión necesaria entre tribunal arbitral y juez nacional del lugar dónde la medida debe hacerse efectiva.

Principales causas de conflicto Los supuestos de incumplimiento dependen de las particularidades de cada contrato. En la práctica, las divergencias que pueden surgir entre las partes acerca de la **interpretación** y **ejecución** de los contratos, se resumen en las siguientes: 10820
- responsabilidad atribuible a las partes en la resolución del contrato;
- incumplimiento de las partes intervinientes en su ejecución;
- posibilidad de derecho de compensación;
- indemnización por daños y perjuicios;
- resolución del contrato y fecha en que ésta se produce;
- cantidades exigibles entre las partes y causa que provoca la deuda;
- alegación de excepciones por las partes;
- derecho de retención sobre cantidades en poder de una parte;
- costas del procedimiento arbitral (Bertrán Mendizábal).

Los conflictos que pueden surgir en la interpretación o ejecución de los **contratos internacionales** plantean el problema de la determinación de la Corte o Tribunal al cual las partes han de someterse (nº 11100 s.).

Resolución de controversias Para solucionar los conflictos que puedan surgir en la interpretación o ejecución de los contratos, caben diversos medios: 10822
1. Solución amistosa o **conciliadora**, aunque no siempre es posible debido a la negativa de alguna de las partes a intentar solucionar el litigio o a desavenencias entre ellas.
2. Intervención de terceros de carácter público. Desempeñan este papel las **Cámaras de Comercio**, Industria, Servicios y Navegación y la Cámara Oficial de Comercio, Industria, Servicios y Navegación de España, quienes pueden desempeñar actividades de mediación, así como de arbitraje mercantil, nacional o internacional, de conformidad con lo establecido en la legislación vigente (L 4/2014 art.5.3 y 21.1).
3. Aproximación de las partes mediante la **transacción procesal** cuando el pleito ya se haya iniciado.

Quedando patente la imposibilidad de acuerdo, si no es aconsejable la vía judicial, hay que recurrir al arbitraje comercial, ya sea interno (nº 10835 s.) o internacional (nº 11040 s.).

Principales Cortes de arbitraje El arbitraje institucional se define como el arbitraje cuya administración ha sido encomendada a una institución arbitral, que aplicará su Reglamento arbitral y velará por el desarrollo correcto del procedimiento. 10824
Existen una diversidad de **instituciones arbitrales**, tanto de carácter nacional como internacional, disponibles para administrar arbitrajes. A continuación se señalan algunas de ellas, remitiéndonos al nº 675 Memento Arbitraje 2020-2021 para un estudio más detallado.

Cortes y Tribunales de Arbitraje nacionales Se enumeran los siguientes: 10826
a) La **Corte Española de Arbitraje** del Consejo Superior de Cámaras de Comercio, Industria y Navegación de España, es una institución especializada en arbitrajes de naturaleza mercantil,

tanto de derecho como de equidad, a nivel nacional e internacional. Su actual Reglamento entró vigor el 15-5-2010, habiendo sido reformado el 1-3-2011 (se puede consultar en: https://www.camara.es/arbitraje-y-mediacion/corte-espanola-de-arbitraje).
Dispone de un modelo de **cláusula arbitral** tipo:
«Toda controversia derivada de este contrato o que guarde relación con él, incluida cualquier cuestión relativa a su existencia, validez, interpretación, cumplimiento o terminación, queda sometida a la decisión de [un árbitro/tres árbitros], encomendándose la administración del arbitraje y la designación de los árbitros a la Corte Española de Arbitraje, de acuerdo con sus Estatutos y Reglamento vigente a la fecha de presentación de la solicitud de arbitraje. El arbitraje será de Derecho. El idioma del arbitraje será el [indicar idioma]. El lugar del arbitraje será [ciudad]».
b) La **Corte de Arbitraje de Madrid**. Se regula por sus Estatutos y Reglamento propios.
La **cláusula arbitral** a incluir en el contrato es la siguiente:
«Las partes intervinientes acuerdan que todo litigio, discrepancia, cuestión o reclamación resultantes de la ejecución o interpretación del presente contrato o relacionados con él directa o indirectamente, se resolverán definitivamente mediante arbitraje en el marco de la Corte de Arbitraje de Madrid de la Cámara Oficial de Comercio e Industria de Madrid, a la que se encomienda la administración del arbitraje y la designación de los árbitros de acuerdo con su Reglamento y Estatutos.
Igualmente, las partes hacen constar su compromiso de cumplir el laudo arbitral que se dicte».

10828 c) El **Tribunal Arbitral de Barcelona**. Se regula por su propio Reglamento.
La **cláusula modelo** de arbitraje es la siguiente:
«Para la solución de cualquier conflicto o cuestión litigiosa derivada de este contrato o acto jurídico, incluidos los que de ellos se deriven, así como su validez, las partes se someten al arbitraje institucional del Tribunal Arbitral de Barcelona, de la Asociación Catalana para el Arbitraje, (TAB) -cualquiera que fuera su denominación futura- a quien se encomienda la designación del árbitro o árbitros y la administración del arbitraje de acuerdo con su Reglamento vigente al inicio del arbitraje».
d) La **Corte de Arbitraje de la Cámara de Comercio de Bilbao**. Se regula por su Estatuto y Reglamento propios.
La Corte de Arbitraje de la Cámara de Comercio, Industria y Navegación de Bilbao recomienda la inserción de la siguiente cláusula en todo documento escrito emitido con motivo de una operación comercial:
«Las partes acuerdan que todo tipo de litigio o discrepancia que se derive de esta relación jurídica se resolverá definitivamente ante la Corte de Arbitraje de la Cámara de Comercio, Industria y Navegación de Bilbao, a la que se encomiendan la administración del arbitraje y la designación del árbitro(s), según su reglamento y estatutos».
e) La **Corte de Arbitraje de Sevilla**. Se regula por su Estatuto y Reglamento propios.
La **cláusula arbitral** es la siguiente:
«Las partes intervinientes acuerdan que todo litigio, discrepancia, cuestión o reclamación resultantes de la ejecución o interpretación del presente contrato o relacionados con él, directa o indirectamente, se resolverán definitivamente mediante arbitraje en el marco de la Corte de Arbitraje de la Cámara de Comercio, Industria y Navegación de Sevilla, a la que se encomienda la administración del arbitraje y la designación de los árbitros de acuerdo con su Reglamento y Estatutos.
Igualmente, las partes hacen constar expresamente su compromiso de cumplir el laudo arbitral que se dicte».

10830 f) La **Corte de Arbitraje de Valencia**. Se regula por su Reglamento.
La **cláusula tipo** es la siguiente:
«Las partes intervinientes acuerdan que todo litigio, discrepancia, cuestión o reclamación resultantes de la o interpretación del presente contrato o relacionados con él, directa o indirectamente, se resolverán definitivamente mediante arbitraje administrado por la Corte de Arbitraje y Mediación de la Cámara de Comercio de Valencia a la que se encomienda la administración del arbitraje y la designación de los árbitros, de acuerdo con su reglamento y estatutos».
g) La **Corte de Arbitraje** de la Cámara Oficial del Comercio e Industria **de Navarra**.
La **cláusula tipo** es la siguiente:
«Las partes intervinientes acuerdan que todo litigio, discrepancia, cuestión o reclamación resultantes de la o interpretación del presente contrato o relacionados con él, directa o indirectamente, se resolverán definitivamente mediante arbitraje (de equidad o de derecho, elegir

la opción que se desee) en el marco de la Corte de Arbitraje de la Cámara Oficial de Comercio e Industria de Navarra a la que se encomienda la administración del arbitraje y la designación del árbitro o árbitros, de acuerdo con su Reglamento y Estatuto».
h) **Otras Cortes de Arbitraje**. Existen otras Cortes de Arbitraje, en el seno de las diversas Cámaras de Comercio, conjuntamente o no con los Colegios de Abogados de la localidad. Así, por ejemplo, en Palma de Mallorca, Las Palmas de Gran Canaria, Alcoy, etc.

Entes arbitrales de carácter internacional Se mencionan las siguientes: **10832**
a) La **Corte Internacional de la Cámara de Comercio Internacional (CCI) de París**. Se rige por sus Estatutos y por su actual Reglamento, en vigor desde el 1-1-2012 (www.iccwbo.org).
Las **cláusulas modelo** de arbitraje, dependiendo de si se quiere o no incluir árbitro de emergencia, son las siguientes:
«Todas las controversias que deriven del presente contrato o que guarden relación con éste serán resueltas definitivamente de acuerdo con el Reglamento de Arbitraje de la Cámara de Comercio Internacional por uno o más árbitros nombrados conforme a este Reglamento».
«Todas las controversias que deriven del presente contrato o que guarden relación con éste serán resueltas definitivamente de acuerdo con el Reglamento de Arbitraje de la Cámara de Comercio Internacional por uno o más árbitros nombrados conforme a este Reglamento. Las Disposiciones sobre el Árbitro de Emergencia no serán aplicables».
b) **AAA** (*American Arbitration Association*. Nueva York). Trata los procedimientos para la resolución de disputas internacionales. Su actual Reglamento es de 1-6-2014, documento disponible en su página web: www.adr.org.
c) **LCIA** (*London Court of International Arbitration*). Se define como una institución internacional cuya finalidad es la solución de controversias comerciales. Se rige por actual Reglamento, en vigor desde el 1-1-1998.
d) **Instituto de Arbitraje de la Cámara de Comercio de Estocolmo**. Su actual Reglamento es del 1-1-2017, documento disponible en su página web: www.sccinstitute.com.
e) **Institución de Arbitraje de las Cámaras Suizas**. Ofrece servicios de resolución de disputas aplicando las Reglas Suizas de Arbitraje Internacional. Las Reglas Suizas de Arbitraje Internacional se revisaron con efectos 1-6-2012, documento disponible en su página web: www.swissarbitration.ch.

II. Arbitraje interno

10835

A. Ámbito de aplicación

(LArb art.1)

La Ley de Arbitraje (LArb) adopta el principio de **territorialidad** y se aplica a los arbitrajes cuyo lugar se halle dentro del territorio español, sean de carácter interno o internacional, sin perjuicio de lo establecido en Tratados de los que España sea parte, o en Leyes que contengan disposiciones especiales sobre arbitraje. **10840**
Por **lugar del arbitraje** se entiende el lugar determinado formalmente como sede del arbitraje, aunque las reuniones, vistas y otros actos se celebren en otro lugar. El lugar del arbitraje en este sentido formal es el determinado por las partes o, a falta de acuerdo, lo determinan los árbitros atendidas las circunstancias del caso y la conveniencia de las partes.
Se excluyen expresamente de su ámbito los **arbitrajes laborales**.
Se pretende que la LArb sea una Ley general, aplicable íntegramente a todos los arbitrajes que no tengan una regulación especial aunque también, supletoriamente a los que sí la tengan (L 20/2015 art.97, LOTT y LPI, LCoop), con una **regulación unitaria** del arbitraje interno y el internacional, salvo contadas **excepciones** (nº 10861 s.).

Existen determinados preceptos que se aplican aún cuando el **lugar del arbitraje** se encuentre **fuera de España** y el mismo no deba regirse por la Ley española:
a) Los que regulan la forma y contenido del convenio (nº 10898), salvo las previsiones sobre su validez e interpretación (nº 10900), cuando esté contenido en un contrato de adhesión, así como las que disciplinan su eficacia y su compatibilidad con la solicitud y concesión de medidas cautelares.
b) Las relativas a la potestad de los árbitros de adoptar medidas cautelares (nº 10940), a la ejecución del laudo (nº 11030 s.), y al exequatur de laudos extranjeros (nº 11035).

Precisiones Si bien la **negociación** y **cuantificación** de las **pensiones** que corresponden a una persona están excluidas, puede someterse a arbitraje el pacto por el que se trata de asegurar, por encima de aquélla pensión, una mejor y más desahogada situación económica en los casos de fallecimiento, jubilación, invalidez o cambio de titulares (TS 1-7-87, EDJ 5278).

B. Materias objeto de arbitraje

(LArb art.2)

10845 Las materias objeto de arbitraje se regulan sobre la base del criterio de la **libre disposición**, sin que la Ley establezca ninguna clasificación de las que no lo son. La arbitrabilidad de la controversia coincide, por tanto, con la libre disposición de su objeto por las partes. Las cuestiones disponibles son, en principio, cuestiones arbitrales.
Si en un arbitraje se suscitan **cuestiones arbitrables y no arbitrables** inseparables, de tal manera que la resolución de una afecta a la otra, todas las cuestiones deben considerarse indisponibles. Si son separables, la ley prevé la separabilidad de las mismas (LArb art.39.1.d).
Respecto del **arbitraje internacional**, y en la pretensión de que el Estado tenga idéntico trato a un particular, los Estados y entes que de ellos dependen (sociedad, organización o empresa controlada por un Estado), no pueden hacer valer las prerrogativas de su ordenamiento jurídico.

Precisiones **1)** La jurisprudencia ha entendido que, **afectan al orden público** (y, por tanto, quedan excluidas del arbitraje), las siguientes materias de derecho privado: la ordenación de la sucesión hereditaria y la fijación de la legítima (TS 23-10-92, EDJ 10381; la filiación (DGRN Resol 11-5-93); el nombre y apellido de las personas físicas (TS 30-3-93, EDJ 3177); la legislación sobre marcas (TS 14-12-88); la concordancia entre el Registro de la Propiedad y la realidad material (DGRN Resol 9-9-87).
2) Fijadas en la norma estatutaria las cuestiones litigiosas que, de surgir, se someten a arbitraje, puede oponerse en su momento la **falta de competencia objetiva** de los árbitros o proponerse la **impugnación del laudo**, pero lo que no cabe es que, para su concreción, se puedan imponer actuaciones u obligaciones cuyo incumplimiento provoca una **intervención judicial**, no solo no prevista, sino expresamente excluida por la Ley (DGRN Resol 10-11-93; 25-6-13).

C. Reglas de interpretación

(LArb art.4)

10850 Las partes pueden, tanto directamente a través de declaraciones de voluntad, como indirectamente, decidir que el arbitraje sea administrado por un **tercero**, incluso una institución arbitral (nº 10857) o que se rija por un **reglamento arbitral**.
Se pone de nuevo de manifiesto el carácter dispositivo de las normas, previstas solo para el caso de que las partes no hayan decidido expresamente otra regulación.
La autonomía de la voluntad debe entenderse integrada por las **decisiones** que pueda adoptar, en su caso, la institución administradora del arbitraje, en virtud de sus normas o de las que puedan adoptar los árbitros en virtud del reglamento arbitral al que se hayan sometido las partes.
Cuando una disposición de la LArb se refiera a la demanda, ésta debe aplicarse también a la **reconvención**, y cuando se refiera a la contestación, se aplica asimismo a la contestación a esa reconvención excepto en los supuestos de:
- no presentación de la demanda en plazo; o
- desistimiento del demandante.

D. Modalidades

10855 El arbitraje puede clasificarse con arreglo a diversos criterios. Según la Ley concreta que regule la materia se admiten los siguientes modos de arbitraje:
- el arbitraje **general**, o conforme a la Ley de Arbitraje; y
- los arbitrajes **especiales**, o conforme a leyes especiales.

Arbitraje general Se distingue entre: 10857
a. Contractual y testamentario (LArb art.10). El primero es el arbitraje utilizado habitualmente en la práctica, definido en el nº 10863, y, respecto del segundo, se instituye por el causante para solucionar diferencias entre herederos no forzosos o legatarios por cuestiones relativas a la distribución o administración de la herencia.
b. «Ad hoc» e institucional (LArb art.14). La Ley deja abierto el camino en el primer tipo de arbitraje para que las partes en conflicto puedan encomendar la administración del mismo a los árbitros, personas físicas, por ellas designados; el institucional, permite encomendar también el arbitraje a las corporaciones de Derecho Público, y en particular, al Tribunal de Defensa de la Competencia, y a las asociaciones y entidades sin ánimo de lucro previstas en sus estatutos para el desempeño de tales funciones (nº 10824).
La tendencia a favor del arbitraje institucional es clara en el arbitraje internacional (nº 11040 s.).
c. De derecho o de equidad (LArb art.34.1 y disp.adic.única). En el primero, los árbitros deciden con arreglo a derecho; en el segundo, fallan en equidad, según su saber y entender.
Los árbitros solo resuelven en equidad si las partes les han autorizado expresamente para ello. Sólo en los arbitrajes de consumo (nº 10863) la Ley permite que se invierta este criterio general.
d. Interno e internacional. Partiendo de la regulación unitaria que hace el legislador del arbitraje interno (nº 10835) y del internacional (nº 11040), es necesario determinar la internacionalidad del arbitraje a los efectos de fijar la normativa que es aplicable a los requisitos y eficacia de la cláusula arbitral, así como al régimen de reconocimiento y ejecución en España del futuro laudo que se dicte.
El **carácter internacional** de un conflicto comercial sometido a arbitraje viene determinado por:
- en el **momento de la celebración** del convenio arbitral, cuando las partes tengan sus domicilios en Estados diferentes;
- en función del **lugar de cumplimiento** de una parte sustancial de las obligaciones de la relación jurídica, o el lugar con el que la controversia tenga una relación más estrecha, cuando esté situado fuera del Estado en que las partes tengan su domicilio; ó
- cuando la **relación jurídica** de la que dimane la controversia afecte a intereses del comercio internacional.
e. Arbitraje estatutario (LArb art.11 bis y 11 ter). Las **sociedades de capital** pueden someter a arbitraje los conflictos que en ellas se planteen.
La introducción en los estatutos sociales de una **cláusula de sumisión a arbitraje** requiere el voto favorable de, al menos, dos tercios de los votos correspondientes a las acciones o a las participaciones en que se divida el capital social.
Los estatutos sociales pueden establecer que la **impugnación de los acuerdos sociales** por los socios o administradores quede sometida a la decisión de uno o varios árbitros, encomendándose la administración del arbitraje y la designación de los árbitros a una institución arbitral.
Respecto de la **anulación por laudo de los acuerdos societarios inscribibles**, el laudo que declare la nulidad de un acuerdo inscribible ha de inscribirse en el Registro Mercantil, del que publica un extracto el Boletín Oficial del Registro Mercantil.
En el caso de que el acuerdo impugnado esté **inscrito en el Registro Mercantil**, el laudo determina, además, la cancelación de su inscripción, así como la de los asientos posteriores que resulten contradictorios con ella.

Precisiones 1) Según se instituya libremente por los interesados o se establezca por disposición de la Ley, el arbitraje puede considerarse **voluntario o forzoso**. 10859
El derecho a la **tutela jurisdiccional** impide la posibilidad de que se impongan a las partes mecanismos no jurisdiccionales de resolución de sus conflictos de intereses (Const art.24).
2) Ha sido voluntad del legislador extender el **arbitraje testamentario**, no sólo a los conflictos en sentido estricto, sino también a la interpretación de las disposiciones testamentarias, otorgando a la resolución sobre esta materia la eficacia propia del laudo (Cordón Moreno).
Entiende un sector de la doctrina que pueden ser objeto de arbitraje todas las cuestiones que versen, no sólo sobre la **distribución de la herencia** en sentido estricto, sino también sobre si alguien ha de ser o no partícipe en ella.
La cuestión parece discutible al citado autor, ya que la jurisprudencia considera integrante del orden público, y, por consiguiente, excluidas del arbitraje, las cuestiones relativas a la ordenación de la **sucesión hereditaria** y la **fijación de la legítima** (TS 23-10-92, EDJ 10381).
3) La utilización del **arbitraje «ad hoc»** resulta desaconsejable pues, basta que el árbitro designado por la parte reticente no acepte, renuncie, o quede imposibilitado para emitir el laudo, para que el procedimiento arbitral se obstruya y la resolución de la controversia quede abierta a la vía de los tribunales de justicia (Cordón Moreno).

4) Siempre que el fallo del laudo se atenga a los temas litigiosos que se le ofrecieron resolver, no puede hablarse de **alteraciones de la litis** ni de modificaciones del objeto del arbitraje, ni puede aludir a que la **incongruencia de las resoluciones** vertidas en el juicio de equidad tenga el mismo sentido que en el proceso ordinario (TS 14-7-86, EDJ 5013).

5) La paz que preside el **arbitraje de equidad** quedaría despojado de sus características de sencillez y confianza si no se aceptasen las facultades del árbitro para decidir, con libertad de criterio y empleando fórmulas flexibles que escapan al control judicial, que ha de detenerse ante el fondo de lo resuelto por el árbitro dentro de su competencia. Por ello, al TS sólo le compete dejar sin efecto aquello que, de forma más que evidente, constituya extralimitación (TS 3-2-88, EDJ 821; AP Madrid 5-10-04, EDJ 166058).

6) La **sala de lo civil y penal del tribunal superior de justicia** asume las competencias que, en materia de arbitraje, estaban atribuidas a los juzgados de primera instancia y los juzgados de lo mercantil (LOPJ art.73.1.c).

7) El Reglamento de la Corte Española de Arbitraje del Consejo Superior de Cámaras de Comercio, Industria y Navegación de España recomienda el siguiente **artículo modelo para incluir en los estatutos societarios**: «Todo conflicto de naturaleza societaria, que afecte a la sociedad, sus socios y/o sus administradores (incluyendo a título de ejemplo la impugnación de acuerdos sociales, la acción social e individual de responsabilidad contra administradores y las controversias relativas a la convocatoria de órganos sociales), queda sometido a la decisión de [un árbitro / tres árbitros], encomendándose la administración del arbitraje y la designación de los árbitros a la Corte Española de Arbitraje, de acuerdo con sus Estatutos y Reglamento vigente a la fecha de presentación de la solicitud de arbitraje. El arbitraje será de Derecho. El idioma del arbitraje será el [indicar idioma]. El lugar del arbitraje será [ciudad]».

10861 **Arbitrajes especiales** Este término se emplea para hacer referencia a procesos arbitrales que cuentan con legislación propia en la materia, aplicable con preferencia a la LArb, aunque esta última actúa como norma supletoria.

10863 **Arbitraje de consumo** (Const art.51.1; LGDCU art.57 y 58; RD 231/2008) El **Sistema Arbitral del Consumo** es el sistema extrajudicial de resolución de conflictos entre los consumidores y usuarios y los empresarios a través del cual, sin formalidades especiales y con carácter vinculante y ejecutivo para ambas partes, se resuelven las reclamaciones de los consumidores y usuarios, siempre que el conflicto no verse sobre intoxicación, lesión o muerte o existan indicios racionales de delito.

Únicamente pueden ser objeto de arbitraje de consumo los **conflictos** surgidos entre los **consumidores** y usuarios **y las empresas** o profesionales, en relación con los derechos que legal o contractualmente se reconocen al consumidor, siempre que estos conflictos versen sobre materias de libre disposición conforme a Derecho.

La **sumisión** de las partes al Sistema Arbitral del Consumo es **voluntaria** y debe constar expresamente, por escrito, por medios electrónicos o en cualquier otra forma admitida legalmente que permita tener constancia del acuerdo.

Quedan **sin efecto** los convenios arbitrales y las ofertas públicas de adhesión al arbitraje de consumo formalizados por quienes sean declarados en **concurso de acreedores**. A tal fin, el auto de declaración de concurso se notifica al órgano a través del cual se haya formalizado el convenio y a la Junta Arbitral Nacional, quedando desde ese momento el deudor concursado excluido a todos los efectos del Sistema Arbitral de Consumo (LGDCU art.58.2).

Los **convenios arbitrales** suscritos con un empresario antes de surgir el conflicto no serán vinculantes para los consumidores. Ahora bien, sí vincularán al empresario, ya que se considera que acepta el arbitraje de consumo para la solución de las controversias derivadas de la relación jurídica a la que se refiere el contrato, siempre que el acuerdo de sometimiento reúna los requisitos exigidos por las normas aplicables, esto es, en esencia, que se refieran a materias objeto de arbitraje de consumo (LGDCU art.57.4).

La **organización**, **gestión** y **administración** del Sistema Arbitral de Consumo y el **procedimiento** de resolución de los conflictos, se establece en el RD 231/2008.

En el arbitraje de consumo se distinguen dos tipos de **órganos**:

a) Los encargados de la **administración** del arbitraje: las Juntas arbitrales de consumo; la Comisión de las Juntas Arbitrales de Consumo; y el Consejo General del Sistema Arbitral de Consumo.

b) Los encargados de **conocer las controversias**: los árbitros o los colegios arbitrales.

Los órganos arbitrales están integrados por representantes de los sectores empresariales interesados, de las organizaciones de consumidores y usuarios y de las Administraciones públicas.

El arbitraje de consumo se decide **en equidad**, salvo que las partes opten expresamente por la decisión **en derecho**.

Precisiones 1) En materia de consumo, los pactos de sumisión a **arbitrajes distintos al arbitraje de consumo** están muy limitados. En primer lugar, porque se consideran cláusulas abusivas las que establece la sumisión a arbitrajes distintos del arbitraje de consumo, salvo que se trate de órganos de arbitraje institucional creados por normas legales para un sector o un supuesto específico (LGDCU art.90.1; TSJ Madrid 16-10-15, EDJ 212170). Además, los arbitrajes distintos al de consumo sólo pueden pactarse una vez surgido el conflicto material o controversia entre las partes del contrato, pues es en este momento cuando el consumidor puede evaluar correctamente el alcance de la renuncia a la jurisdicción con preferencia del arbitraje (LGDCU art.57.4). **10865**

2) El sistema arbitral de consumo prevé la utilización de **medios electrónicos**, informáticos o telemáticos en el desarrollo del procedimiento arbitral (LGDCU art.58).

A través de la aplicación informática **SITAR** (Sistema de Información y Tramitación del Arbitraje), se permite la tramitación a través de Internet de la integridad del procedimiento arbitral, con la correspondiente acumulación de datos, incluidos los de carácter personal, lo que hace obligado el tratamiento automatizado de los mismos.

3) Pueden someterse a arbitraje de consumo:

- todos los conflictos que afecten a derechos del consumidor, independientemente de su **cuantía**.
- un conflicto en torno a la **cláusula penal** por incumplimiento del contrato celebrado con una empresa suministradora de telefonía móvil (AP Asturias 27-11-06, EDJ 396435).
- la anulación de cargos impagados a una empresa de telefonía por unas llamadas realizadas por el consumidor a un número de teléfono 906. Aunque existan unas **diligencias penales abiertas** contra la empresa que facilitó al consumidor ese número de teléfono., La prejudicialidad penal en ningún caso afecta a la empresa de telefonía, no implicada en los hechos delictivos (AP Murcia 30-1-04, EDJ 307020).

4) No pueden someterse a arbitraje de consumo:

- cuando exista ya, sobre el mismo asunto, una **resolución judicial** firme y definitiva.
- las reclamaciones **entre particulares** o aquéllas en las que el reclamante haya adquirido un bien o contratado un servicio en su calidad de **empresario o profesional** no pueden resolverse a través del Sistema Arbitral de Consumo.
- la procedencia de una **sanción administrativa** en materia de consumo, pues el arbitraje no es instrumento para resolver el contenido de un expediente sancionador, sino que es una institución para dilucidar quejas y reclamaciones que no constituyan infracciones en materia de consumo (TS 22-6-98, EDJ 21695).
- por ser indisponible para las partes, un conflicto relativo a la **prestación del Servicio Universal de Telecomunicaciones** -en particular, sobre el ejercicio de una facultad del Ministerio de Ciencia e Innovación- (AP Tarragona 3-1-05, EDJ 39651). Igualmente indisponibles son los **derechos colectivos**; en consecuencia, no puede someterse a arbitraje una acción de carácter colectivo o que pueda calificarse como tal (AP Barcelona 3-11-03, EDJ 165813).

Arbitraje de transporte (LOTT art.37 y 38) Como instrumento de protección y defensa de las partes intervinientes en el transporte se crean las **juntas arbitrales de transportes**. **10867**

Su **competencia, organización, funciones** y **procedimiento** se rigen por la LOTT y por las normas de desarrollo de la misma.

Deben en todo caso **formar parte de las juntas**, miembros de la Administración, a los que corresponde la presidencia, representantes de las empresas de transporte y representantes de los cargadores y usuarios.

El Ministerio de Transportes, Turismo y Comunicaciones (actualmente, Ministerio de Transportes, Movilidad y Agenda Urbana), a través de la Dirección General de Transportes Terrestres, dirime los **conflictos de atribuciones** que puedan surgir entre las juntas arbitrales del transporte y asegura la debida coordinación entre las mismas, facilitando el intercambio de información y ejerciendo cuantas otras funciones le sean atribuidas.

Es **competencia** de las juntas arbitrales:

• Resolver, con los efectos previstos en la legislación general de arbitraje, las **controversias de carácter mercantil** surgidas en relación con el cumplimiento de los contratos de transporte terrestre cuando, de común acuerdo, sean sometidas a su conocimiento por las partes intervinientes u otras personas que ostenten un interés legítimo en su cumplimiento.

• Resolver, en idénticos términos a los anteriormente previstos, las controversias surgidas en relación con los **demás contratos celebrados por empresas transportistas** y de actividades auxiliares y complementarias del transporte cuyo objeto esté directamente relacionado con la prestación por cuenta ajena de los servicios y actividades que, conforme a lo previsto en la presente Ley, se encuentran comprendidos en el ámbito de su actuación empresarial.

Se presume que existe acuerdo de sometimiento al arbitraje de las juntas siempre que la **cuantía de la controversia** no exceda de 15.000 euros y ninguna de las partes intervinientes en el contrato haya manifestado expresamente a la otra su voluntad en contra antes del momento en que se inicie o debiera haberse iniciado la realización del servicio o actividad contratado.

El Gobierno determinará reglamentariamente el **procedimiento** conforme al cual debe sustanciarse el arbitraje, debiendo caracterizarse por la simplificación de trámites y por la no exigencia de formalidades especiales.

Las juntas arbitrales realizarán, además de las funciones de arbitraje a la que se refieren los puntos anteriores, cuantas **actuaciones** les sean atribuidas.
Reglamentariamente se establecerá un procedimiento simplificado a través del que las Juntas Arbitrales del Transporte atenderán al depósito y, en su caso, enajenación de mercancías en los supuestos en que así corresponda de conformidad con lo dispuesto en la legislación reguladora del contrato de transporte terrestre.
Para más información sobre las juntas arbitrales de transporte, ver nº 7750 s.

10869 **Arbitraje en materia de propiedad industrial** (LM art.28 y 40) Se pueden someter a arbitraje las cuestiones litigiosas surgidas con ocasión del procedimiento para el **registro de una marca**.
El arbitraje sólo puede versar sobre las prohibiciones relativas previstas en la LM art.6.1.b), 7.1.b), 8 y 9. En ningún caso pueden someterse a arbitraje cuestiones referidas a la concurrencia o no de defectos formales o prohibiciones absolutas de registro.
El **convenio arbitral** sólo es válido si está **suscrito**, además de por el solicitante de la marca:
a) Por los titulares de los derechos anteriores que hubieren causado la denegación de la marca y, en su caso, por sus licenciatarios exclusivos inscritos.
b) Por los titulares de los derechos anteriores que hubieran formulado oposición al registro de la marca y, en su caso, por sus licenciatarios exclusivos inscritos.
c) Por quienes hubieran interpuesto recurso o hubieran comparecido durante el mismo.
El convenio arbitral debe ser notificado a la **Oficina Española de Patentes y Marcas** por los interesados una vez finalizado el procedimiento administrativo de registro de la marca y antes de que gane firmeza el acto administrativo que hubiera puesto término al mismo. Resuelto el recurso de alzada contra el acto que conceda o deniegue el registro, quedará expedita la vía contencioso-administrativa salvo que se haga valer ante la oficina la firma de un convenio arbitral.
Suscrito el convenio arbitral, y mientras subsista, no cabe interponer **recurso administrativo** alguno de carácter ordinario, declarándose la inadmisibilidad del mismo. Igualmente, de haberse interpuesto con anterioridad a la suscripción del convenio, se tendrá por desistido.
El **laudo arbitral** firme produce efectos de cosa juzgada (LArb art.43), y la Oficina Española de Patentes y Marcas debe proceder a realizar las actuaciones necesarias para su ejecución.
Debe comunicarse a la Oficina Española de Patentes y Marcas la presentación de los recursos que se interpongan frente al laudo arbitral. Una vez firme éste, se comunica fehacientemente a la Oficina Española de Patentes y Marcas para su ejecución.
Además de este arbitraje especial, de marcado acento administrativo, la Ley prevé un arbitraje, que sigue las pautas de la LArb en cuanto a su configuración jurídica y procedimiento, para la resolución de las **acciones civiles** que los particulares titulares de una marca puedan ejercitar para salvaguardar sus derechos.

10871 **Arbitraje en materia de propiedad intelectual** (LPI art.194 y 195) En este ámbito actúa la **Comisión de Propiedad Intelectual**, órgano colegiado que, en su vertiente arbitral (**Sección Primera**), y previo sometimiento de las partes manifestado expresamente por escrito, tiene como función dar solución a los conflictos que puedan producirse sobre materias directamente relacionadas con la gestión colectiva de derechos de propiedad intelectual (según L 21/2014; previamente, entre las entidades de gestión de los derechos de propiedad intelectual y las asociaciones de usuarios de su repertorio, o entre aquéllas y las entidades de radiodifusión y las empresas de difusión por cable).
Asimismo, la tarea arbitral de la Sección Primera de la Comisión comprende la función de fijar una **cantidad sustitutoria** de las **tarifas generales**, a solicitud de la entidad de gestión afectada, de una asociación de usuarios, de una entidad de radiodifusión o de un usuario afectado especialmente significativo, a juicio de la Comisión, y previa aceptación de la otra parte (según L 21/2014; con anterioridad, a solicitud de una asociación de usuarios o de una entidad de radiodifusión, siempre que éstas se sometan, por su parte, a la competencia de la Comisión con el objeto de solventar los conflictos surgidos).
Lo determinado por medio de **laudo arbitral** se entenderá sin perjuicio de las acciones que puedan ejercitarse ante la jurisdicción competente. No obstante, el planteamiento de la controversia sometida a decisión arbitral ante la Sección impedirá a los órganos jurisdiccionales conocer de la misma, hasta que haya sido dictada la resolución y siempre que la parte interesada lo invoque mediante excepción.
Reglamentariamente se ha de determinar el **procedimiento** para el ejercicio de su función de arbitraje. Lo que se hace efectivamente por RD 1023/2015 art.12 s..
En sus **funciones de mediación**, la Sección Primera de la Comisión, previo sometimiento voluntario de las partes por falta de acuerdo, puede actuar respecto de materias relacionadas con la gestión colectiva de derechos de propiedad intelectual y para la autorización de distribución por cable de emisiones de radiodifusión entre titulares de tales derechos y empresas de distribución por cable, presentando en su caso propuestas a las partes. Se considera que

las partes aceptan la propuesta si no expresan su oposición en plazo de 3 meses, surtiendo la resolución de la comisión los efectos previstos en la L 60/2003, con posible impugnación ante el orden jurisdiccional civil.

Mediante RDL 24/2021 se han ampliado las **funciones de mediación y/o arbitraje** de la Sección Primera de la Comisión de Propiedad Intelectual en los siguientes aspectos: 10873

1. Mediación o arbitraje en los conflictos relacionados con la obligación de transparencia en favor de los autores, respecto a la **remuneración equitativa**.

2. Mediación o arbitraje en los litigios relacionados con el acceso y retirada de obras por aplicación de la regulación legal del uso de contenidos protegidos por parte de prestadores de servicios para compartir **contenidos en línea**.

3. Mediación alcanzar un acuerdo con la concesión de autorizaciones para poner a disposición obras audiovisuales en servicios de **vídeo a la carta**.

4. Mediación en los conflictos que se generen entre una entidad de gestión colectiva y el operador de un servicio de retransmisión o entre el operador de un servicio de retransmisión y el organismo de radiodifusión en relación con la autorización para la **retransmisión de emisiones**.

Arbitraje en el seno de la Comisión Nacional de los Mercados y la Competencia (L 3/2013; RD 657/2013; OM ECC/1796/2013) Se trata de un arbitraje especial, por cuanto que se prevé un procedimiento específico para las materias que los operadores jurídicos puedan someterle. 10875

La Comisión Nacional de los Mercados y la Competencia realiza las funciones de arbitraje, tanto de derecho como de equidad, que le sean sometidas por los **operadores económicos**, así como aquellas que le encomienden las leyes, sin perjuicio de las competencias que correspondan a los órganos competentes de las Comunidades Autónomas en sus ámbitos respectivos.

El ejercicio de esta función **no** tiene carácter **público**.

El **procedimiento arbitral** se ajusta a los principios de esenciales de audiencia, libertad de prueba, contradicción e igualdad y se someterá a las reglas de la Comisión de las Naciones Unidas para el Derecho Mercantil o, en su caso, las que determine el Consejo de la Comisión Nacional de los Mercados y la Competencia.

También podrá preverse la existencia de un procedimiento **abreviado** atendiendo al nivel de complejidad de la reclamación y a la menor cuantía.

La **administración del arbitraje** corresponde al Consejo de la Comisión Nacional de los Mercados y la Competencia, pudiendo cada una de las Salas, en atención a la materia de la reclamación, designar árbitros y determinar los honorarios según los aranceles aprobados por el Consejo.

Arbitraje cooperativo (LCoop disp.adic.10ª) Las controversias que puedan plantearse en las cooperativas entre el Consejo rector o los apoderados, el Comité de recursos y los socios, incluso en el período de liquidación, pueden someterse al **arbitraje de derecho** regulado en la LArb. 10877

Si la discrepancia afecta principalmente a los **principios cooperativos**, puede acudirse al arbitraje de equidad.

No se excluyen del **arbitraje de equidad** las pretensiones de nulidad de la Asamblea General ni la impugnación de acuerdos asamblearios o rectores. No obstante, el árbitro no puede pronunciarse sobre aquellos extremos que, en su caso, estén fuera del poder de disposición de las partes.

Dado el carácter negocial y dispositivo de los acuerdos sociales, no quedan excluidas de la posibilidad anterior ni las pretensiones de **nulidad** de la Asamblea General, ni la **impugnación de acuerdos** asamblearios o rectores; pero el **árbitro** no puede pronunciarse sobre aquellos extremos que, en su caso, estén fuera del poder de disposición de las partes.

Otros tipos de arbitraje Otras menciones al arbitraje pueden encontrarse en materia de relaciones de propiedad. Específicamente, con relación a los **arrendamientos rústicos**, sin que pueda decirse que constituya una forma de arbitraje especial se señala que las partes pueden someterse libremente al arbitraje en los términos previstos en la legislación aplicable en la materia (LAR art.34). 10879

Sí puede en cambio hablarse de una especialidad propia en materia de **deporte**, contemplando unas reglas mínimas específicas relativas a materias, causas y requisitos de aplicación del propio arbitraje. Este un sistema común de carácter extrajudicial de solución de conflictos, tendrá en todo caso carácter voluntario y gratuito para las personas deportistas, que deberán manifestar su aceptación expresa. (L 39/2022 art.119.3 y 4).

Asimismo, en materia de **seguros privados** se prevé expresamente la posibilidad de que las cuestiones litigiosas, surgidas o que puedan surgir, entre tomadores de seguro, asegurados, beneficiarios, terceros perjudicados o derechohabientes de cualesquiera de ellos con entidades aseguradoras, salvo aquellos supuestos en que la legislación de protección de los consumidores y usuarios lo impida, se puedan someter a arbitraje en los términos de la LArb (L 20/2015 art.97.4).

Precisiones Es válida la cláusula de arbitraje contenida en los estatutos de **comunidad de propietarios** sometiendo a árbitros de equidad una contienda suscitada entre los propietarios de un inmueble en el que se produce un daño como consecuencia del **deficiente estado de conservación** de los elementos comunes (TS 27-9-06, EDJ 269915; AP León 25-4-16, EDJ 69170).

E. Intervención judicial

(LArb art.7)

10885 En las cuestiones que se sometan a la Ley, no hay intervención de ningún tribunal. Se exceptúan supuestos muy precisos:

• En la puesta en práctica del convenio arbitral mediante el nombramiento de **árbitros**, cuando las partes no se pongan de acuerdo en su designación (nº 10916).
• En la fase de **prueba**, al existir la posibilidad de solicitud, por los árbitros o las partes la asistencia del juez para su práctica (nº 10969).
• En la adopción judicial de **medidas cautelares** (nº 10975).
• En el control judicial de los laudos, a través del ejercicio de la **acción de anulación** (nº 11010).
• En la **ejecución** forzosa del laudo (nº 11030).
• En el **exequatur** de laudos extranjeros (nº 11035).

Precisiones **1)** La **sala de lo civil y penal del tribunal superior de justicia** asume las competencias que, en materia de arbitraje, estaban atribuidas a los juzgados de primera instancia y los juzgados de lo mercantil.
Asimismo, conoce de las funciones de apoyo y control del arbitraje que se establezcan en la ley, así como de las peticiones de exequatur de laudos o resoluciones arbitrales extranjeros, a no ser que, con arreglo a lo acordado en los tratados o las normas de la Unión Europea, corresponda su conocimiento a otro juzgado o tribunal.
Igualmente, tienen competencia para el reconocimiento y ejecución de sentencias y demás resoluciones judiciales extranjeras, cuando éstas versen sobre materias de su competencia, a no ser que, con arreglo a lo acordado en los tratados y otras normas internacionales, corresponda su conocimiento a otro juzgado o tribunal (LOPJ art.73.1.c).
2) Los **juzgados de primera instancia** conocen en el orden civil de las solicitudes de reconocimiento y ejecución de sentencias y demás resoluciones judiciales extranjeras y de la ejecución de laudos o resoluciones arbitrales extranjeros, a no ser que, con arreglo a lo acordado en los tratados y otras normas internacionales, corresponda su conocimiento a otro juzgado o tribunal (LOPJ art.85.5.; ver nº 11100).
3) Los **juzgados de lo mercantil** conocen de cuantas cuestiones se susciten en materia concursal, en los términos previstos en su Ley reguladora (LOPJ art.86 ter. En todo caso, la jurisdicción del **juez del concurso** es exclusiva y excluyente respecto de toda medida cautelar que afecte al patrimonio del concursado, excepto las que se adopten en los procesos civiles que quedan excluidos de su jurisdicción en el número 1.º y sin perjuicio de las medidas cautelares que puedan decretar los árbitros durante un procedimiento arbitral (nº 10904).

F. Convenio arbitral

10890

10892 Se define como el **acuerdo** por el que las personas, naturales o jurídicas, expresan su voluntad inequívoca de someter a arbitraje la solución de todas o algunas de las cuestiones litigiosas, surgidas o que puedan surgir de relaciones jurídicas determinadas, sean o no contractuales, en materia de su libre disposición conforme a derecho, expresando la obligación de cumplir tal decisión.
El convenio arbitral puede ir incorporado a un **contrato principal o** ser **independiente** del mismo (LArb art.9.1).

10894 **Intervinientes** En cuanto contrato bilateral, se requiere la concurrencia de voluntades de dos o más personas, que tanto pueden ser naturales como jurídicas, que tengan la capacidad de disposición sobre el objeto de que se trate.
Excepcionalmente, es válido el arbitraje instituido por la sola **voluntad del testador** (nº 10857).

Como norma de derecho internacional privado, la **capacidad** de las partes para otorgar el convenio arbitral es la exigida por su respectiva ley personal para disponer en la materia controvertida.

Precisiones 1) Conforme a la moderna doctrina científica de la transmisión del convenio arbitral, si un contrato concede derechos a un **tercero**, este queda vinculado por la cláusula arbitral contenida en dicho contrato. Esto es, se produce la **extensión de la aplicación de la cláusula o convenio arbitral** a las partes directamente implicadas en la ejecución del contrato, aunque sean terceros (TS 26-5-05, EDJ 76728).
2) Se ha admitido que la **cláusula de sumisión a arbitraje** contenida en el condicionado general del contrato suscrito entre las partes afecta también al avalista, aún cuando no hubiera firmado de forma expresa, al estar directamente implicado en su ejecución (TSJ Madrid 16-9-15, EDJ 180103).

Controversia (LArb art.1.1 y 2) El objeto del convenio lo constituye la divergencia surgida, o que pueda surgir entre las partes en materia de su libre disposición. **10896**
La Ley exige que se trate de una controversia **jurídica** y **real**, sin que sea necesario que esté concreta y determinada; basta que sea **determinable**, aunque ha de estar determinada antes del inicio del procedimiento, sin perjuicio de que se concrete dentro del mismo.
Es necesario que el convenio recaiga sobre una materia susceptible de ser sometida a arbitraje, esto es, de **libre disposición** conforme a derecho (nº 10845), y que la controversia sea sometida a los árbitros para que éstos decidan sobre ella.
Cuando se trate de **arbitrajes internacionales** regidos por la Ley española (nº 11052), la controversia no tiene que tener necesariamente carácter mercantil.

Formalidades (LArb art.9.3, 4, 5 y 6) El convenio arbitral debe constar **por escrito** en un documento firmado por las partes o en un intercambio de cartas, telegramas, telex, fax u otros medios de telecomunicación que dejen constancia del acuerdo. **10898**
Este requisito se considera cumplido cuando el convenio arbitral conste y sea accesible para su ulterior consulta en **soporte electrónico**, óptico o de otro tipo.
Se refuerza por tanto el criterio antiformalista, y, siguiendo la Ley Modelo, se atenúan las exigencias formales puesto que:
a) Se considera incorporado al acuerdo entre las partes el convenio arbitral que conste en un **documento separado** al que éstas se hayan remitido por cualquiera de los medios enumerados anteriormente.
b) Hay convenio arbitral cuando en un intercambio de **escritos de demanda y contestación**, su existencia se afirme por una parte y no se niegue por la otra.
c) En los **arbitrajes internacionales**, prescinde de la exigencia de la forma escrita cuando la misma no venga impuesta por las normas jurídicas que rigen el convenio.

Precisiones Formalizado el contrato **por escrito** en el que se ponga de manifiesto el consentimiento de las partes, es innecesario expresar la obligación de cumplir el laudo arbitral. El **consentimiento contractual** lleva implícito la voluntad inequívoca de las partes del cumplimiento de lo acordado (TS 1-6-99, EDJ 13267; 11-12-99, EDJ 37870).

Interpretación del convenio (LArb art.4.b) Cuando la Ley de referencia haga alusión al convenio arbitral o a cualquier otro acuerdo entre las partes, ha de entenderse que integran su **contenido** las disposiciones del Reglamento de arbitraje al que las partes se hayan sometido. **10900**

Precisiones Los árbitros no vienen obligados a interpretar en todo caso de modo restrictivo las cláusulas arbitrales. Es cierto que no pueden traspasar los límites objetivos del compromiso, pero tampoco quedan ceñidos a una **interpretación literal y restrictiva**. Lo que sí deben es tener en cuenta el conjunto de todas ellas (TS 16-3-87, EDJ 2096; AP Barcelona 21-5-02, EDJ 60131).

Efectos (LArb art.7 y 11; LEC art.63) El convenio arbitral obliga a las partes a cumplir lo estipulado e impide a los tribunales conocer de las controversias sometidas a arbitraje, siempre que la parte a quien interese lo invoque mediante **declinatoria**. El **plazo para la proposición** de la declinatoria es dentro de los 10 primeros días del plazo para contestar a la demanda. **10902**
No podrán **denunciar la falta de jurisdicción** del tribunal ante el que se ha interpuesto la demanda, el **consumidor** que sea demandante en los supuestos en que exista un pacto previo entre consumidor y empresario de someterse a un procedimiento de resolución alternativa de litigios de consumo.
En cualquier caso, el convenio solo puede versar sobre conflictos planteados por personas que se comprometieron previamente a **aceptar la decisión** y no puede extenderse a personas ni cuestiones ajenas al pacto.
El convenio posibilita a las partes para solicitar de un tribunal la adopción de **medidas cautelares**, y al tribunal, a concederlas, bien con anterioridad a las actuaciones arbitrales o durante su tramitación.

La solicitud y concesión de las medidas cautelares por los tribunales es compatible con el convenio arbitral, sin que ello sea impedimento para la solicitud de las mismas por los árbitros.

Precisiones 1) La Ley priva a la **declinatoria** de sus **efectos suspensivos** para así evitar el riesgo de que se utilice como instrumento dilatorio (LArb art.11.2 en relación con LEC art.64).

2) El convenio arbitral no impedirá a ninguna de las partes, con anterioridad a las actuaciones arbitrales o durante su tramitación, solicitar de un tribunal la **adopción de medidas cautelares** ni a éste concederlas (AP Cádiz 15-2-21, EDJ 590455).

10904 **Convenio arbitral en el proceso concursal** (LCon art.140y 141) La declaración de concurso, por sí sola, no afecta a los pactos de mediación ni a los convenios arbitrales suscritos por el concursado. No obstante, cuando el órgano jurisdiccional entienda que dichos pactos o convenios puedan suponer un **perjuicio para la tramitación del concurso** puede acordar la suspensión de sus efectos, todo ello sin perjuicio de lo dispuesto en los tratados internacionales. Por tanto, la **suspensión** de los convenios en tramitación sólo podrá realizarse motivadamente, justificando las razones que, a juicio del juez del concurso, pueden interferir en el desarrollo del concurso.

Los **procedimientos arbitrales en tramitación** al momento de la declaración de concurso se continúan hasta la firmeza del laudo, siendo de aplicación las normas contenidas en la LCon art.140.2 y 3.

Los **laudos firmes** dictados antes o después de la declaración de concurso vinculan al juez de éste, el cual da a las resoluciones pronunciadas el tratamiento concursal que corresponda.

Ello se entiende sin perjuicio de la acción que asiste a la administración concursal para **impugnar los convenios y procedimientos arbitrales** en caso de fraude.

G. Árbitros

10910

10912 Los árbitros han de ser **personas naturales** que se hallen, desde la aceptación de este cargo, en el pleno ejercicio de sus derechos civiles, siempre que no se lo impida la legislación a la que queden sometidos en función del ejercicio de la profesión que desempeñen (LArb art.13). Se excluye la posibilidad de que sean árbitros las **personas jurídicas**, que sólo pueden administrar el arbitraje (LArb art.14).

Salvo acuerdo en contrario de las partes, el árbitro **no** puede haber intervenido como **mediador** en el mismo conflicto entre éstas (LArb art.17.4; TSJ Madrid 24-10-17, EDJ 249809).

En el arbitraje interno, si no se ha pactado expresamente el arbitraje de equidad, los árbitros han de ser **abogados en ejercicio**, salvo acuerdo expreso en contrario.

Salvo que las partes acuerden lo contrario, la **nacionalidad** de una persona no es obstáculo para que actúe como árbitro (LArb art.13).

Las partes pueden fijar libremente el **número** de árbitros, siempre que éste sea impar. A falta de acuerdo, se designa un solo árbitro (LArb art.12; TSJ Madrid 11-7-17, EDJ 176355).

También pueden decidir que el arbitraje al que someten la controversia sea **institucional** (nº 10824 y nº 10857).

Precisiones La limitación de la exigencia del abogado en ejercicio en los arbitrajes de derecho no excluye la posibilidad de que el **árbitro de equidad** también pueda serlo (TSJ Galicia 23-11-19, EDJ 736881).

10914 **Nombramiento** (LArb art.14.1.a, 14.3 y 15.1 y 7) Las partes pueden acordar libremente el procedimiento *para la designación de* los *árbitros* respetando siempre el principio de igualdad.

Las partes pueden encomendar la administración del arbitraje y la designación de árbitros a **corporaciones de Derecho público** y **entidades públicas** que puedan desempeñar funciones arbitrales, según sus normas reguladoras.

Las instituciones arbitrales velarán por el cumplimiento de las condiciones de **capacidad** de los árbitros y por la **transparencia** en su designación, así como su **independencia**.

Salvo acuerdo en contrario de las partes, en los arbitrajes que no deban decidirse en equidad, cuando el arbitraje se haya de resolver por **árbitro único** se requiere la condición de **jurista** al árbitro que actúe como tal.
Cuando el arbitraje se haya de resolver por **tres o más árbitros**, se requerirá que al menos uno de ellos tenga la condición de jurista.
Contra las **resoluciones definitivas** que decidan sobre las cuestiones atribuidas en este artículo al tribunal competente no cabe recurso alguno.
Aunque no se contemple expresamente, dentro de la **libertad** que se reconoce a las partes, se entiende que pueden encomendar la designación a un **tercero**, incluso a una institución arbitral cuyo nombramiento estaría implícito en el convenio arbitral en el que se pacte encomendar la administración del arbitraje a una de las instituciones enunciadas en el nº 10857 apartado b).

Designación del árbitro por el tribunal (LArb art.8.1 y 15.3, 5, 6 y 7) Si a través del procedimiento acordado por las partes no es posible la designación de los árbitros, cualquiera de ellas puede solicitar al **tribunal** competente su nombramiento o, en su caso, la adopción de **medidas** necesarias para ello, empezando por las que puedan estar previstas en el procedimiento de nombramiento pactado. 10916
El tribunal solo puede **rechazar la petición** formulada cuando aprecie que no resulta la existencia de un convenio arbitral, a resultas de los documentos aportados.
Si procede que sea el tribunal el que designe a los árbitros, éste confecciona una **lista** con tres nombres por cada árbitro que deba ser nombrado teniendo para ello en cuenta los requisitos establecidos por las partes para ser árbitros y tomando las medidas oportunas para garantizar su independencia e imparcialidad.
En el caso de que proceda designar **un solo árbitro o un tercer árbitro**, el tribunal debe tener en cuenta la conveniencia de nombrar un árbitro de nacionalidad distinta a la de las partes y, en su caso, a la de los árbitros ya designados.
El nombramiento se hará, una vez cumplidos estos trámites, mediante **sorteo**.
Contra las **resoluciones** definitivas que decidan sobre las cuestiones atribuidas en este artículo al tribunal competente no cabrá recurso alguno.
La **competencia** para el nombramiento y remoción judicial de árbitros es la siguiente:
- la sala de lo civil y de lo penal del tribunal superior de justicia de la comunidad autónoma donde tenga lugar el arbitraje;
- de no estar éste aún determinado, la que corresponda al domicilio o residencia habitual de cualquiera de los demandados;
- si ninguno de ellos tiene domicilio o residencia habitual en España, la del domicilio o residencia habitual del actor; y
- si éste tampoco los tiene en España, la de su elección.

Falta de acuerdo entre las partes (LArb art.15.2 y 4) A falta de acuerdo, la **reglas** aplicables son las siguientes: 10918
a) En el arbitraje con **un solo árbitro**, éste se nombra, a petición de cualquiera de las partes, por el tribunal competente.
b) En el arbitraje con **tres árbitros**, cada parte nombra uno y los dos árbitros así designados nombran al tercero, que actúa como presidente del colegio arbitral.
Si una parte no nombra al árbitro dentro de los 30 días siguientes a la recepción del requerimiento de la otra para que lo haga, a petición de cualquiera de las partes, la designación del árbitro se hace por el tribunal competente.
Igual regla se aplica cuando los árbitros designados no consigan ponerse de acuerdo sobre el tercer árbitro dentro de los 30 días contados desde la última aceptación.
Si existen **varios demandantes o demandados**, éstos nombran un árbitro y aquéllos otro.
Si demandantes o demandados no se ponen de acuerdo sobre el árbitro que les corresponde nombrar, todos los árbitros se designan por el tribunal competente a petición de cualquiera de las partes.
c) En el arbitraje con **más de tres árbitros**, todos se nombran por el tribunal competente a petición de cualquiera de las partes.
Todas las pretensiones que se ejerciten en relación con las cuestiones expuestas en los párrafos anteriores se tramitan a través del juicio verbal.

Aceptación (LArb art.16) Salvo que se disponga otra cosa por las partes, cada árbitro debe comunicar, dentro del plazo de 15 días a contar desde el siguiente a la **comunicación** del nombramiento, su aceptación a quién lo designó. Se entiende que no acepta el nombramiento si no lo hace. 10920
En los casos en que la designación se haga por medio de una **corporación** o **asociación**, el procedimiento a seguir es el mismo.

No se exige por la Ley la fehaciencia de la comunicación de la designación a los árbitros, salvo en el caso de designación judicial, ni tampoco de la comunicación de la aceptación.

10922 **Responsabilidad** (LArb art.21) La aceptación obliga a los árbitros y, en su caso, a la corporación o asociación, a **cumplir fielmente su encargo** incurriendo, si no lo hacen, en responsabilidad por los daños y perjuicios causados mediando mala fe, temeridad o dolo.
Este régimen de responsabilidad obliga a hacer las siguientes consideraciones (AP Barcelona 15-12-95):
a) Se excluye la **responsabilidad por culpa**, lo cual no parece lógico si se considera que, admitiendo la institución del arbitraje desde una perspectiva contractualista, los árbitros quedan sujetos al régimen de responsabilidad del Código Civil (CC art.1091 y 1101).
b) La responsabilidad civil del árbitro no incide en la **eficacia vinculante del laudo**.
c) Respecto de la **responsabilidad penal**, no puede considerarse al árbitro sujeto activo del delito prevaricación pero sí del de cohecho.
En los arbitrajes encomendados a una **institución**, el perjudicado tiene acción directa contra la misma, con independencia de las acciones de resarcimiento que asistan a aquélla contra los árbitros.
Se trata de tres **tipos** de responsabilidades (Montero Aroca):
- la directa de los árbitros;
- la de la corporación o asociación por el incumplimiento del encargo de administrar el arbitraje; y
- la directa de la entidad por la actuación de los árbitros.
Respecto de la **responsabilidad civil** de los árbitros, los presupuestos que deben darse son los siguientes (TS 22-6-09, EDJ 225069):
• **Infracción manifiesta** en el cumplimiento del encargo, derivado de una grave negligencia. Es decir, se habla de daños y perjuicios que se causaren por mala fe, temeridad o dolo. El concepto de dolo es equiparable al de mala fe. Y la temeridad al de culpa grave.
• Un **perjuicio económico** efectivo en los bienes o derechos de la parte.
• Existencia de **nexo causal** entre la acción productora del daño y el resultado. La mala fe es el resultado de una forma de hacer patológica cuya realidad ha de ser probada por el perjudicado. Igual con la temeridad que presenta, en ocasiones, grandes dificultades probatorias.

10924 La relación contractual que vincula a las partes y los árbitros conlleva una serie de **derechos** y **obligaciones**:
• La de realizar o administrar el **arbitraje** bajo los parámetros fijados por la Ley.
• La obligación de los árbitros o las instituciones arbitrales de contratar un **seguro de responsabilidad civil** o garantía equivalente, en la cuantía que reglamentariamente se establezca. Se **exceptúan** de la contratación de este seguro o garantía equivalente a las entidades públicas y a los sistemas arbitrales integrados o dependientes de las Administraciones públicas.
• El derecho a percibir los **honorarios** correspondientes respecto de los cuales pueden los árbitros exigir a las partes, salvo acuerdo en contra, la correspondiente **provisión de fondos**.
Si **no** se hace la **provisión** por las partes, los árbitros pueden suspender o dar por concluidas las actuaciones arbitrales.
Si alguna de las partes no ha realizado su provisión dentro del plazo, antes de que se suspendan o concluyan las actuaciones, los árbitros lo comunican a las demás partes por si, dentro del plazo que se fije, tienen interés en suplirla.

> Precisiones Se excluye la responsabilidad de la institución arbitral cuando el acto de denegación de prueba solicitada, supuestamente causante del daño, es un **acto propio del árbitro** y no de la institución (TS 14-9-18, EDJ 563112).

10926 **Abstención y recusación** (LArb art.17 y 18) El árbitro debe ser y permanecer durante el arbitraje **independiente** e **imparcial** sin que pueda mantener con las partes ningún tipo de relación personal, profesional o comercial.
Tanto las personas propuestas para ser árbitros como las ya nombradas, respecto de las causas sobrevenidas con posterioridad al nombramiento, están obligadas a poner de manifiesto las circunstancias que puedan dar lugar a **dudas justificadas** sobre su imparcialidad e independencia y, para ello, cualquiera de las partes puede pedir a los árbitros, en cualquier momento, la **aclaración** de sus relaciones con algunas de las otras partes.
Si no lo hacen, pueden ser recusados por esa causa y también por no poseer las **cualidades** necesarias convenidas por las partes.
Cada parte solo puede recusar al árbitro nombrado por ella por causas de las que haya tenido conocimiento después de su designación.

Precisiones 1) Los motivos de abstención y recusación se deben referir a las personas de los árbitros y **no a las organizaciones** por las que vienen designados (TSJ Aragón 25-6-14, EDJ 110556).
2) No existe la necesaria **imparcialidad del árbitro** cuando la asociación que prepara los contratos para las empresas del sector a instancias de esas mismas empresas, lo hace bajo la formula de contratos de adhesión con efecto obligatorio para todos los contratantes, sin posibilidad alguna de discusión; ni siquiera de proposición de otro modelo distinto de contrato y de cláusula arbitral, se erige como única institución competente para arbitrar el conflicto, sin dar lugar a que pueda existir otra, elige y nombra a los árbitros, y ejecuta el laudo. Dicho de otro modo; la asociación administradora del arbitraje juzga a través de sus árbitros contratos que ella misma ha confeccionado a instancia de sus clientes mas poderosos (AP Madrid 30-9-05, EDJ 209790).

Procedimiento de recusación (LArb art.18) Las partes pueden acordar libremente el procedimiento de recusación de los árbitros. 10928
En su defecto, la parte interesada debe exponer **por escrito** los motivos de recusación y si el árbitro recusado no renuncia a su cargo o la otra parte no acepta la recusación, los árbitros han de decidir sobre ésta.
En cualquier caso, si la recusación no prospera, la parte interesada puede hacerla valer de nuevo mediante la **impugnación del laudo**.
No puede por consiguiente, acudirse a las tribunales frente a la decisión de desestimar la recusación.

Ejercicio de sus funciones Los árbitros vienen obligados, una vez aceptan el cargo, a realizar o administrar el arbitraje de acuerdo con lo previsto en la Ley (o en el Reglamento de la respectiva institución). 10930

Imposibilidad del ejercicio (LArb art.19) No obstante, el árbitro ha de **cesar en su cargo** si renuncia, o si las partes acuerdan su remoción cuando: 10932
- se vea impedido para el ejercicio de sus funciones, ya sea de hecho o de derecho, o
- no pueda ejercerlas por cualquier otro motivo dentro de un plazo razonable.

Si existe **desacuerdo** sobre la remoción y las partes no han estipulado un procedimiento para salvar dicho desacuerdo, deben tenerse en cuenta las siguientes reglas:
a) La pretensión de la remoción se sustancia por los trámites del juicio verbal. Para el caso de que se estime la remoción, puede acumularse la solicitud de nombramiento de árbitros (nº 10914).
Contra las resoluciones definitivas que se dicten no cabe recurso alguno.
b) En el arbitraje con pluralidad de árbitros, serán los demás los que decidan la cuestión.
Si no se alcanza una solución, es de aplicación lo dispuesto en el párrafo anterior.
No se considera como un reconocimiento de la procedencia de ninguno de los motivos mencionados, la renuncia de un árbitro a su cargo o la aceptación por una de las partes de su cese.

Plazo para el ejercicio de sus funciones (LArb art.29 y 37.2) Los árbitros no están sujetos a plazos determinados en el desarrollo del arbitraje si bien les corresponde fijar el plazo para las **alegaciones** si no existe acuerdo entre las partes. 10934
Para la **emisión del laudo**, la Ley fija un plazo, en defecto del que puedan señalar las partes, de 6 meses (nº 10991).

Precisiones Cuando el **retraso** en la emisión del laudo se deba a causas imponderables que sólo son imputables a situaciones ajenas a la voluntad del árbitro, no se les puede exigir responsabilidad por daños y perjuicios (TS 21-4-99, EDJ 7228).

Árbitro sustituto (LArb art.19.1 y 20) Procede la sustitución del árbitro cuando: 10936
- éste se vea impedido, ya sea de hecho o de derecho para el ejercicio de sus funciones, o
- no pueda ejercerlas dentro de un plazo razonable, por cualquier otro motivo.

En cualquiera de estos supuestos, **cesa en su cargo** si renuncia de forma voluntaria, o si las partes acuerdan su remoción.
Si existe **desacuerdo sobre la remoción** y las partes no han previsto un procedimiento para salvarlo, la cuestión se decide por los propios árbitros, si son varios, o por el juez, a instancia de parte, tramitándose por el procedimiento del juicio verbal.
Una vez nombrado el árbitro sustituto, los árbitros, previa audiencia de las partes, deciden si es necesario repetir las actuaciones ya practicadas.

Precisiones El Tribunal **no puede nombrar un árbitro sustituto** sin estar previsto su nombramiento simultáneo con el del árbitro principal en el convenio arbitral, ni tampoco en la LArb, cuyo art.21 dispone: "Cualquiera que sea la causa por la que haya que designar un nuevo árbitro, se hará según las normas reguladoras del procedimiento de designación del sustituido" (TSJ Baleares 25-6-19, EDJ 662767).

10938 **Competencia** (LArb art.22 y 23) Los árbitros tienen facultad para decidir sobre su propia competencia, incluso sobre las **excepciones** relativas a la existencia o a la validez del convenio arbitral o cualesquiera otra cuya estimación impida conocer el fondo de la controversia.
El **convenio arbitral** que forme parte de un contrato se considera, a estos efectos, como un acuerdo independiente de las demás estipulaciones que el mismo contenga y no deviene nulo por la decisión tomada por los árbitros declarando la nulidad del contrato.
La **oposición de la excepción** debe hacerse, como máximo, en el momento de presentación de la contestación, sin que se considere obstáculo para oponerlas el hecho de haber designado o participado en el nombramiento de los árbitros.
Cuando la excepción consista en que los árbitros se han excedido del ámbito de sus competencias, ésta debe oponerse tan pronto como se plantee, durante las actuaciones arbitrales, la materia que exceda de dicho ámbito.
Los árbitros solo pueden admitir excepciones opuestas con posterioridad si se justifica la demora.
Las excepciones pueden decidirse con carácter previo o junto con las demás cuestiones relativas al fondo del asunto.
La decisión de los árbitros solo es objeto de **impugnación** mediante la anulación del laudo en el que se haya adoptado (nº 11010 s.).
El ejercicio de la **acción de anulación** no suspende el procedimiento arbitral si las excepciones son desestimadas y esta decisión se adopta con carácter previo.

Precisiones 1) La potestad de los árbitros para decidir sobre su competencia se extiende al enjuiciamiento de la **validez** misma **del convenio arbitral**.
2) Bajo el término genérico de competencia deben entenderse incluidas, no solo las estrictamente de competencia sino todas las que puedan impedir un **pronunciamiento de fondo** sobre la controversia.
3) La Ley impone la obligación de plantear desde el comienzo las cuestiones relativas a la competencia de los árbitros, sin considerar que, si una de las partes colabora activamente en su designación, ello conlleve una **renuncia tácita** a hacer valer la incompetencia objetiva de los mismos (Cordón Moreno).

10940 **Adopción de medidas cautelares** (LArb art.23) Los árbitros están facultados, a instancia de cualquiera de las partes y salvo acuerdo en contra de las mismas, para adoptar las medidas cautelares que estimen necesarias respecto de la controversia pudiendo exigir **caución** suficiente al solicitante.
A las decisiones arbitrales sobre medidas cautelares les son aplicables las normas sobre anulación (nº 11010 s.) y ejecución forzosa de laudos (nº 11030 s.).

H. Procedimiento arbitral

10945

10947 La norma básica aplicable al procedimiento arbitral es el principio de **autonomía de la voluntad** con respeto a unas garantías mínimas (nº 10949).
Las partes pueden convenir libremente el procedimiento al que los árbitros deben ajustar sus actuaciones. A **falta de acuerdo**, éstos pueden, dentro del respeto a la Ley, dirigir el arbitraje del modo que consideren apropiado. Esta potestad de los árbitros comprende la de decidir sobre admisibilidad, pertinencia y utilidad de las **pruebas** sobre su práctica, incluso de oficio, y sobre su valoración (LArb art.25; nº 10969).
El procedimiento arbitral se deja:
- en primer lugar a la voluntad de las partes (entendiendo incluidas las normas del reglamento de arbitraje o de la corporación o asociación a la que las partes se hayan sometido, si estamos ante un arbitraje internacional); y

- en su defecto, se aplica la Ley española cuando el arbitraje, sea interno o internacional, se desarrolle en España.
En lo que respecta al **arbitraje interno** (nº 10835 s.), estas normas se aplican siempre, sin perjuicio de lo que dispongan leyes especiales sobre el arbitraje.
Cuando se trata de **arbitraje internacional** (nº 11040 s.), cuyo lugar se halle dentro del territorio español, se aplican con carácter preferente las normas de los Tratados ratificados por España.
Cuando el arbitraje internacional se desarrolle **en el extranjero**, la Ley española solo se aplica para regular el procedimiento cuando las partes lo dispongan así de mutuo acuerdo.

Precisiones Existe **absoluta libertad** de las partes y los árbitros para determinar el procedimiento a seguir y la forma de intervención de aquéllas quedando asegurado el derecho de las partes a ser oídas y proponer e intervenir en las pruebas (AP Cantabria 22-1-93).

Principios inspiradores (LArb art.24) El procedimiento arbitral se ajusta, en todo caso, a lo dispuesto en la Ley, con sujeción a los principios esenciales de **audiencia**, **contradicción** e **igualdad** entre las partes. 10949
En cualquier caso, debe tratarse a las partes con igualdad y dar a cada una de ellas suficiente oportunidad de hacer valer sus derechos.
Los árbitros, las partes, y las instituciones arbitrales tienen la obligación de guardar **confidencialidad** de las informaciones que conozcan a través de las actuaciones arbitrales.

Precisiones **1)** La prohibición de que se produzca **indefensión** constituye una garantía que implica el respeto del esencial principio de contradicción, de modo que los contendientes, en posición de igualdad, dispongan de las mismas oportunidades de alegar y probar cuanto estimen conveniente con vistas al reconocimiento judicial de su tesis (TCo 145/1990).
2) La **negativa** deliberada a la **recepción de notificaciones** coloca a la parte en una aparente situación de indefensión con la intención de frustrar el arbitraje, lo que no puede admitirse pues supondría dejar en manos de la parte la efectividad de la institución dándole la oportunidad de sustraerse al arbitraje o de intentar la **anulación del laudo**, como es el caso de autos (AP Bizkaia 4-4-01, EDJ 70987).
3) La **práctica de las pruebas** se encuentra presidida por la máxima libertad de las partes y de los árbitros y una debida flexibilidad, con el límite de no conculcar los derechos de **defensa e igualdad** (TSJ Cataluña 22-5-14, EDJ 114393).

Representación y defensa La Ley no establece ningún requisito de intervención de profesionales en el procedimiento por lo que las partes pueden actuar por sí mismas sin necesidad de estar representadas por procurador ni asistidas de abogado. 10951
Ante el silencio legal, y basándonos en el principio de la **autonomía de la voluntad** de las partes, éstas pueden:
- actuar por sí mismas; o
- conferir su representación a un tercero (sea procurador o abogado), sin que se excluyan otras formas de representación como la voluntaria, por lo que se considera posible otorgarla facultativamente a técnicos en la materia objeto de la controversia (Cordón Moreno).

Precisiones Para la **ejecución** derivada de un **laudo arbitral** sí se requiere la intervención de abogado y procurador siempre que la cantidad por la que se despache ejecución sea superior a 2.000 euros (LEC art.539.1).

Requisitos de actividad (LArb art.26 y 28) La Ley somete el procedimiento al sometimiento de unas reglas mínimas, pero fundamentales, que no pueden desconocerse por su naturaleza de **principios fundamentales** integrantes del derecho a la tutela judicial efectiva. 10953
1. **Lugar**. Las partes pueden determinar libremente el lugar del arbitraje. A falta de acuerdo, éste viene determinado por los árbitros atendiendo a las circunstancias del caso y a la conveniencia de las partes.
La fijación de un lugar como sede del arbitraje no supone que los árbitros no puedan realizar actuaciones concretas fuera del mismo si bien se exige previa consulta a las partes y que no exista acuerdo en contrario de éstas.
EL lugar ha de ser el apropiado para oír a los testigos, peritos o partes, o para examinar o reconocer objetos, documentos o personas.
2. **Idioma**. Las partes pueden acordar libremente el idioma o los idiomas del arbitraje. A **falta de acuerdo**, y cuando de las circunstancias del caso no permitan delimitar la cuestión, el arbitraje se tramita en cualquiera de las **lenguas oficiales** en el lugar donde se desarrollen las actuaciones. La parte que alegue **desconocimiento del idioma** tiene derecho a audiencia, contradicción y defensa en la lengua que utilice, sin que esta alegación pueda suponer la paralización del proceso. Salvo que en el acuerdo de las partes se haya previsto otra cosa, el idioma o los idiomas establecidos se utilizan en los escritos de las partes, en las audiencias, en los laudos y en las decisiones o comunicaciones de los árbitros, sin perjuicio de lo señalado en el

párrafo primero. En todo caso, los **testigos**, **peritos** y **terceras personas** que intervengan en el procedimiento arbitral, tanto en actuaciones orales como escritas, pueden utilizar su **lengua propia**. En las **actuaciones orales** se puede habilitar como intérprete a cualquier persona conocedora de la lengua empleada, previo juramento o promesa de aquella.

Precisiones 1) El **juez de primera instancia** del lugar donde vaya a desarrollarse la práctica de la prueba es competente para la función de auxilio que le corresponda prestar a los árbitros, si éstos no pueden realizarlas por sí, o en caso de formalización judicial de aquél, así como para evitar las dudas y conflictos si los árbitros designados son varios y con domicilios distintos (TS 27-4-89, EDJ 4454).
2) La **falta del requisito** en la escritura **del lugar** en que ha de desarrollarse el arbitraje da lugar a la nulidad del mismo y del laudo consiguiente (TS 22-9-87, EDJ 6554).
3) Las **notificaciones**, **citaciones** y **emplazamientos** no constituyen meras exigencias formales en la tramitación procesal sino un mandato para garantizar a los litigantes la defensa de sus derechos o intereses legítimos (TCo 242/1991).
4) Es esencial que, en las citaciones por **correo certificado con acuse de recibo**, la recepción de la cédula por el destinatario. Si no se le encuentra, habrá de ser emplazado por el secretario o funcionario en quien delegue. Si aún así resulta fallido, es necesario que se haga entrega de la cédula de citación a un pariente, familiar o vecino, a quién se impone la obligación de hacerla llegar a aquél a la mayor brevedad posible.
Las formalidades para el caso de no entrega incluyen la consignación de circunstancias o personalidad del receptor (TCo 97/1992).

10955 3. **Plazo de notificaciones** (LArb art.5). Salvo **acuerdo en contrario de las partes** y con **exclusión**, en todo caso, de los actos de comunicación realizados dentro de un procedimiento judicial, se aplican las disposiciones siguientes:
a) Toda notificación o comunicación se considera **recibida** el día en que haya sido entregada personalmente al destinatario o en que haya sido entregada en su domicilio, residencia habitual, establecimiento o dirección.
Asimismo, es válida la notificación o comunicación realizada por **télex, fax** u otro **medio de telecomunicación electrónico, telemático** o de otra clase semejante que permitan el envío y la recepción de escritos y documentos dejando constancia de su remisión y recepción y que hayan sido designados por el interesado.
En el supuesto de que no se descubra, tras una indagación razonable, ninguno de esos lugares, se considera **recibida** el día en que haya sido entregada o intentada su entrega, por **correo certificado** o cualquier otro medio que deje constancia, en el último domicilio, residencia habitual, dirección o establecimiento conocidos del destinatario.
b) El **cómputo de plazos** se realiza desde el día siguiente al de recepción de la notificación o comunicación.
Si el último día del plazo es festivo en el lugar de recepción de la notificación o comunicación, se prorroga hasta el primer día laborable siguiente.
Cuando dentro de un plazo haya de presentarse un escrito, el plazo se entiende cumplido si el escrito se remite dentro de aquél, aunque la recepción se produzca con posterioridad.
Los plazos establecidos por días se computan por **días naturales**.

Precisiones Aunque la Ley nada dice sobre el cómputo de plazos fijados por **meses** o por **años**, se entiende aplicable la regla general del cómputo de fecha a fecha y, cuando en el mes de vencimiento no haya día equivalente al inicial del cómputo, se entiende que el plazo expira el último del mes (CC art.5; LEC art.133).

10957 4. **Fecha de inicio** (LArb art.27). Se considera fecha de inicio del arbitraje, la fecha en la que el demandado haya recibido el requerimiento de someter la controversia a arbitraje, salvo oposición de alguna de las partes.

Precisiones Los **efectos** jurídicos propios del inicio del arbitraje se producen ya en este momento, aunque no esté perfectamente delimitado el objeto de la controversia (LArb, Exposición de motivos).

10959 **Inactividad de las partes** (LArb art.31) La inactividad de las partes a lo largo del procedimiento no impide que se dicte el laudo ni le priva de eficacia.
Son varias las situaciones que contempla la Ley como supuestos de inactividad:
a) Cuando el demandante **no** presenta la **demanda en plazo** y no alega causa suficiente a juicio de los árbitros, éstos consideran terminadas las actuaciones salvo que el demandado, una vez oído, manifieste su voluntad de ejercitar alguna pretensión.
b) Si el demandado **no** presenta su **contestación en plazo**, los árbitros continúan sus actuaciones sin que esta omisión se considere como allanamiento o admisión de los hechos alegados por el demandante.
c) Si una de las partes no comparece a una audiencia o **no** presenta **pruebas**, los árbitros pueden continuar las actuaciones y dictar el laudo con fundamento de las pruebas de que dispongan.

d) La Ley no contempla la inactividad completa de las partes por lo que, con fundamento de nuevo en la autonomía de la voluntad, se entiende que, de común acuerdo, pueden **suspender el arbitraje** por un plazo cierto y determinado.
Si la inactividad no se debe al acuerdo de las partes sino al **incumplimiento** por alguna de ellas de los **plazos** fijados para formular alegaciones iniciales (nº 10961), los árbitros consideran terminadas las actuaciones.
Si la **inactividad** es **de ambas partes** y posterior a las alegaciones, los árbitros pueden hacer uso de los medios previstos en el convenio arbitral, o en el reglamento de la institución de que se trate para motivar las actuaciones. En su defecto, puede considerarse que el desarrollo de la actividad arbitral puede devenir imposible (Cordón Moreno).

Alegaciones (LArb art.29 y 30) El demandante debe **alegar**: **10961**
- los hechos en que se funda;
- la naturaleza y las circunstancias de la controversia; y
- las pretensiones que formula.
El demandado puede **responder** a lo planteado en la demanda.
En defecto de previsión por las partes, la Ley contiene las siguientes normas:
a) En caso de **alegaciones orales**, debe citarse a audiencia a las partes con suficiente antelación y pueden intervenir en ella de forma directa o por medio de sus representantes.
b) Con las alegaciones deben aportarse todos los documentos que se consideren pertinentes o hacer referencia a los **documentos** u otras **pruebas** que vayan a presentar o proponer.
c) De todas las alegaciones escritas, documentos y demás instrumentos que una parte aporte, se da **traslado** a la otra por los árbitros, los cuales deben poner a disposición de ambas los incorporados de oficio.

Demanda y contestación (LArb art.29) Se regulan como actos de alegaciones sucesivos, que deben realizarse dentro del plazo previsto por las partes o determinado por los árbitros. **10963**
Atendiendo al principio de **libertad de procedimiento**, las partes pueden acordar otra cosa respecto del contenido de la demanda y la contestación.
Los principios rectores de la fase de alegaciones del proceso civil respecto de la dualidad de partes (demandante y demandada) no se aplican al arbitraje ya que:
a) No se establecen propiamente requisitos de **forma y contenido**.
b) No existe la carga de aportar con los escritos de alegaciones los **documentos** en que las partes funden su derecho, sino que pueden aportarse con posterioridad a ese momento o de oficio.
c) Los escritos de alegaciones no delimitan el **objeto de la controversia** de forma que ésta no pueda modificarse con posterioridad.

Excepciones del demandado (LArb art.22, 29 y 41) Se distinguen dos tipos: **10965**
a) La que consiste en que los árbitros se exceden del **ámbito de su competencia**. Esto sucede:
- cuando la cuestión sometida a arbitraje se refiera a **materia no disponible**; y
- cuando el demandante incluya en su escrito inicial una **cuestión litigiosa** susceptible de arbitraje, pero ajena al convenio.
Esta excepción puede ser apreciada por los árbitros u opuesta por el demandado tan pronto como se plantee, durante las actuaciones arbitrales, la materia que exceda de dicho ámbito, si bien los árbitros están facultados par admitir su planteamiento **con posterioridad** si consideran que la demora en su formulación resulta justificada.
b) Las excepciones cuya estimación impida entrar en el **fondo de la controversia**, que también pueden ser apreciadas por los árbitros y se plantean por el demandado en su escrito de contestación, sin que la circunstancia de haber designado o participado en el nombramiento de los árbitros impida oponerlas.
También en este caso se faculta a los árbitros a admitir las que se planteen con posterioridad si entienden que la demora en su formulación está justificada.
Estas excepciones son:
- las de inexistencia o nulidad del convenio arbitral (nº 11012); y
- cualesquiera otra cuya estimación impida entrar en el fondo del asunto.
c) Excepciones materiales que, fundadas en hechos impeditivos, extintivos o excluyentes, se oponen al fondo de la pretensión ejercitada por el demandante en su demanda.
Se plantean por el demandado en su **escrito de contestación**, sin perjuicio de que puedan ser ampliadas durante el curso de sus actuaciones y resueltas por los árbitros en el laudo definitivo.

Precisiones La oposición al arbitraje en la contestación a la demanda planteando en ella las **excepciones dilatorias o perentorias** necesarias, que serán resueltas en la sentencia, o incluso el planteamiento de reconvención, no significa sumisión a la jurisdicción ni constituye renuncia a la cláusula arbitral.
La **sumisión al arbitraje** ha de ser decisiva, exclusiva y excluyente, sin que quepa la concurrencia o posibilidad de alternar con otras jurisdicciones.
La **renuncia al convenio arbitral** se produce cuando la parte demandada realice, después de personados en el juicio, cualquier gestión procesal que no sea la de proponer en forma la declinatoria, que solo puede plantearse para denunciar la falta de jurisdicción del tribunal ante el que se interpuso la demanda cuando el conocimiento de la misma corresponde, tanto a tribunales extranjeros, como a árbitros u órganos de otras jurisdicciones (TS 31-3-05, EDJ 37411).

10967 **Reconvención del demandado** No es objeto de regulación en la Ley actual si bien puede admitirse la misma con fundamento en la exposición de motivos en la que se expone que la práctica arbitral demuestra que quien inicia el arbitraje formula en todo caso una pretensión frente a la parte o partes contrarias y se convierte, por consiguiente, en **actor**; y ello sin perjuicio de que el demandado pueda reconvenir.

Precisiones Cordón Moreno sostiene que, en defecto de regulación legal y, salvo que las partes lo acuerden expresamente, son aplicables a la reconvención en el procedimiento arbitral las normas del **proceso civil** (LEC art.406 y 407), cumpliéndose siempre la exigencia de que las pretensiones se refieran a controversias surgidas sobre materias previstas en el convenio.
También se puede defender el régimen especial previsto para las **excepciones de nulidad** del negocio jurídico y de compensación (LEC art.408).

10969 **Práctica de pruebas** (LArb art.25.2, 30, 32 y 33) La Ley no regula el recibimiento a prueba ni la proposición de los diferentes medios por las partes. También en esta fase prevalece la **libertad** de las partes y de los árbitros. La de estos últimos se refiere a decidir sobre la admisibilidad, pertinencia y utilidad de las pruebas, sobre su práctica, incluso de oficio, y sobre su valoración.
No obstante, no se excluye la vigencia de la **carga de las partes** de proponer los medios de prueba de que intentan valerse en el sentido de que, si no los proponen y los árbitros no hacen uso de su iniciativa, sufren las consecuencias de la falta de pruebas sin que puedan posteriormente invocar indefensión.
Los árbitros tienen reconocido el mismo poder que el juez civil en orden a **rechazar** determinados **medios de prueba** que consideren impertinentes o inútiles. En cualquier caso, la parte disconforme con la inadmisión de algún concreto medio de prueba puede ejercitar la acción de **anulación del laudo** (nº 11010) en esta causa siempre que se le haya causado indefensión (LArb art.41.1.b).
La Ley establece normas para la prueba pericial encaminadas a permitir, tanto los **dictámenes** emitidos por peritos designados directamente por las partes como los emitidos por peritos designados, de oficio o a instancia de parte por los árbitros.
En cualquier caso, los árbitros, o cualquiera de las partes con su aprobación, pueden solicitar del tribunal competente **asistencia** para la práctica de pruebas.
Esta asistencia puede consistir:
a) En la práctica de la **prueba ante el tribunal**. Los árbitros, o cualquiera de las partes con su aprobación, pueden solicitar del tribunal competente **asistencia para la práctica de pruebas**, de conformidad con las normas que le sean aplicables sobre medios de prueba. Esta asistencia puede consistir en la práctica de la prueba ante el tribunal competente o en la adopción por éste de las concretas medidas necesarias para que la prueba pueda ser practicada ante los árbitros.
Si así se le solicita, el **tribunal** practica la prueba bajo su exclusiva dirección. En otro caso, el tribunal se limita a acordar las medidas pertinentes (LArb art.33.2).
En ambos supuestos, el letrado de la administración de justicia entregará al solicitante **testimonio de las actuaciones**.
b) En la **adopción** por éste de las **concretas medidas** necesarias para que la prueba pueda ser practicada ante los árbitros (nº 10940).

10971 Precisiones **1)** Los árbitros deben dar la oportunidad de presentar pruebas pero pueden **denegar la apertura** de dicha fase si no consideran pertinente la práctica de prueba y razonan su resolución (TCo auto 701/1988).
2) A las partes interesadas corresponde aportar las pruebas en el arbitraje, a los árbitros, dar oportunidad al efecto, y al Tribunal Supremo, en decisión del recurso de nulidad controlar si se cumplen las **mínimas exigencias legales**, porque las deficiencias y omisiones no pueden ser corregidas ni por el este Tribunal, ni en juicio declarativo posterior (TS 3-3-89, EDJ 2372).

3) La inadmisibilidad de una prueba no implica necesariamente la ausencia de garantías y principios esenciales del procedimiento. Para ello es necesario que la falta de práctica de la propuesta produzca absoluta **indefensión** con relación causal en la resolución de la controversia suscitada (AP A Coruña 15-3-95, Rec 2177/94).
4) Los tribunales, cuando conocen de la acción de nulidad de un laudo, **no pueden revisar,** al amparo del orden público, la valoración de la prueba realizada por los árbitros. La **valoración de la prueba** incluye la selección de las pruebas que se estimen más convincentes para los árbitros y la credibilidad de las mismas sin que sea preciso que el árbitro exprese cómo se han valorado ni especifique en concreto los elementos probatorios que ha considerado (TSJ Cataluña 27-12-21, EDJ 847689).

Conclusiones (LArb art.30.1) Salvo acuerdo en contra de las partes, los árbitros deciden sobre 10973
la celebración de **audiencias** para la emisión de conclusiones, o si las actuaciones se sustancian únicamente por escrito.
Vuelve a ser de nuevo un trámite potestativo en que debe estarse a lo previsto por las partes, institución arbitral, en su caso, o a lo dispuesto por los árbitros.

Adopción de medidas cautelares (LArb art.8.3 y 23; LEC art.722) Se reconoce a los **árbitros**, 10975
salvo acuerdo en contra de las partes, la potestad de adoptar, a instancia de cualquiera de ellas, las medidas cautelares que estimen necesarias respecto del objeto del litigio.
Si las medidas se adoptan **judicialmente**, la competencia corresponde al tribunal del lugar en que el laudo deba ser ejecutado (nº 10969) y, en su defecto, el del lugar donde las medidas deban producir su eficacia.
La **solicitud** al tribunal de medidas cautelares corresponde a quien acredite:
- ser parte de convenio arbitral con anterioridad a las actuaciones arbitrales;
- ser parte de un proceso arbitral pendiente en España;
- haber pedido la formalización judicial a que se refiere la LArb art.15; o
- en el supuesto de un arbitraje institucional, haber presentado la debida solicitud o encargo a la institución correspondiente según su Reglamento.

Formas de terminación del procedimiento Normalmente, las actuaciones arbitrales 10977
finalizan con la emisión del laudo (nº 10985 s.), si bien se prevén como otras formas:
a) El **desistimiento** del demandante. La petición del actor no vincula a los árbitros, los cuales, previa audiencia de la otra parte podrían rechazarlo.
Tampoco les vincula la oposición del demandado, ya que pueden aceptar el desistimiento si no le reconocen un interés legítimo en obtener una decisión definitiva de la controversia.
b) El **acuerdo** de las partes. Es una manifestación más de la voluntad contractual. No se refiere al convenio sino al procedimiento.
El acuerdo ha de ser expreso, y, si es de suspensión, durante el mismo, el convenio arbitral continuará desplegando sus efectos.
c) La comprobación por los árbitros de que su **continuación** es **innecesaria o imposible**.

Precisiones El procedimiento puede concluir con la **decisión de no resolver** de los árbitros. Estaríamos ante un supuesto de incumplimiento por parte de los árbitros de su obligación de cumplir fielmente su encargo con la consiguiente exigencia de responsabilidad por los daños y perjuicios causados por dolo o culpa (Cordón Moreno).

I. Laudo arbitral

10980

La Ley prescribe una serie de requisitos sobre la decisión, que están más próximos a la **teoría** 10982
jurisdiccional que a la contractual.

1. Pronunciamiento del laudo

Son objeto de estudio en este apartado las siguientes cuestiones: 10985
- forma (nº 10987);
- clases (nº 10989);
- tiempo (nº 10991);
- contenido (nº 10995);
- motivación (nº 10997).

10987 **Forma** (LArb art.35.1, 2 y 37.3, 7 y 8) El laudo es la forma normal de terminación de las actuaciones arbitrales, y una vez dictado, produce como efecto inmediato el cese de los árbitros en sus funciones.

Todo laudo debe constar **por escrito** y ser **firmado** por los árbitros, quienes pueden dejar constancia de su voto a favor o en contra. Cuando haya **más de un árbitro**, bastan las firmas de la mayoría de los miembros del colegio arbitral o sólo la de su presidente, siempre que se manifiesten las razones de la falta de una o más firmas. A los efectos de lo dispuesto en el párrafo anterior, se entiende que el laudo consta por escrito cuando de su contenido y firmas quede constancia y sean accesibles para su ulterior consulta en **soporte electrónico**, óptico o de otro tipo.

Se decide por **mayoría de votos** del colegio arbitral, salvo que las partes hayan dispuesto otra cosa.

Se otorga al **presidente** la facultad de decidir por sí solo, salvo acuerdo de las partes o de los árbitros en contrario en cuestiones exclusivamente de ordenación, tramitación e impulso del procedimiento, nunca a los contenidos del laudo.

Ha de expresar, además de la identificación de los árbitros y de las partes, la **fecha** en que ha sido dictado y el **lugar** del arbitraje.

La **notificación** del laudo debe hacerse a las partes en la forma y plazo que éstas hayan acordado o, en su defecto, mediante entrega a cada una de ellas de un ejemplar firmado dentro del plazo establecido en el nº 10991.

El laudo puede ser **protocolizado notarialmente**. Cualquiera de las partes, a su consta, puede instar de los árbitros, antes de la notificación, que el laudo sea protocolizado.

Precisiones **1)** No existe laudo, aunque haya sido votado y fallado y sólo se encuentre pendiente de redacción, hasta que la misma se ha realizado y se ha **firmado** por los árbitros (AP Madrid 22-3-06, EDJ 41299).

2) Aunque sea suficiente la mayoría de votos para dictar el laudo, es obvio que se requiere la concurrencia de la **totalidad de los nombrados** o, en su caso, de los designados para sustituirlos, para que el órgano colegiado cumpla legalmente la función arbitral que se le encomendó, y que cuando la **renuncia anticipada** de uno de los miembros reduce a solo dos el órgano colegiado, no se reputa válidamente dictado el laudo arbitral (TS 13-7-82). Si concurren los tres árbitros, no es causa de anulación del laudo el hecho de que haya sido emitido solo por dos (TS 6-2-89, EDJ 1069).

3) El laudo arbitral es nulo, por vulneración del orden público, cuando en la **deliberación, decisión y firma** se produce la omisión del tercer árbitro, afectando a la composición del tribunal, número impar de árbitros, y a la toma de decisión (TSJ País Vasco 18-4-17, EDJ 49154).

10989 **Clases** (LArb art.36, 37.1, 38.1, 40 y 43) Los árbitros se pronuncian sobre la cuestión litigiosa sometida a su decisión en un solo laudo o en tantos laudos parciales como consideren necesarios.

El laudo **parcial** tiene por objeto una parte de la controversia, con entidad propia y con aplicación al mismo de todos los requisitos exigidos para el laudo arbitral (nº 10987).

La Ley distingue entre:
- el laudo **definitivo**, contra el que puede ejercitarse la acción de anulación; y
- el laudo **firme**, contra el que no cabe acción o recurso alguno.

También se contempla la posibilidad de que el laudo recoja el **acuerdo transaccional** por el que las partes ponen fin a la controversia. En dicho caso, los árbitros dan por terminadas sus actuaciones con relación a los puntos acordados y, a solicitud de ambas partes, hacen constar el acuerdo en forma de laudo en los términos convenidos por las partes, siempre que no aprecien motivos para oponerse.

10991 **Tiempo** (LArb art.5 y 37.2; CC art.5) Salvo acuerdo en contrario de las partes, los árbitros deben **decidir la controversia** dentro de los 6 meses siguientes a la fecha de presentación de la contestación a que se refiere la LArb art.29 o de expiración del plazo para presentarla.

Salvo acuerdo en contrario de las partes, este plazo puede ser **prorrogado** por los árbitros, por un plazo no superior a 2 meses, mediante decisión motivada.

La **expiración del plazo** sin que se haya dictado laudo definitivo no afecta a la eficacia del convenio arbitral ni a la validez del laudo dictado, sin perjuicio de la responsabilidad en que hayan podido incurrir los árbitros, excepto que las partes hayan acordado otra cosa.

Queda, por consiguiente, reservada a la voluntad de las partes la **fijación del plazo** para la emisión del laudo.

Su **duración** depende de la complejidad del asunto, y puede fijarse por meses, días o años.

Para su **cómputo**, la Ley establece los plazos fijados por días naturales contados desde el día siguiente al de recepción de la notificación o comunicación. Si el último día es festivo en el lugar de recepción de la comunicación, se prorroga hasta el primer día laborable siguiente. Para los fijados por meses o años, se computan de fecha a fecha.

Precisiones 1) Debe diferenciarse entre el plazo para dictar el laudo y la **notificación** del mismo a las partes para la que, en defecto de acuerdo entre ellas, no se señala plazo legal alguno (AP Ciudad Real 1-2-94, Rec 246/93). 10993

2) El cómputo del plazo fijado por **días naturales** no es una norma imperativa por lo que las partes pueden pactar en el convenio que el cómputo se realice por días hábiles.

3) En el arbitraje de equidad, el laudo se considera dictado en plazo cuando el **cómputo de la fecha inicial** del mismo es aquélla en la que quedó constituido el colegio arbitral, observándose, como en el caso de autos (en el que la notificación de la composición se hizo en el momento de la celebración de la vista), las debidas formalidades legales para el nombramiento de los árbitros (AP Tarragona 27-7-04, EDJ 115189).

4) Si el plazo se fija **por días**, se plantea el problema de su cómputo:

- la determinación de si se trata de **días hábiles o naturales** queda reservada a la voluntad de las partes (TS 1-10-90, EDJ 8811), aplicándose el cómputo civil con inclusión de los días inhábiles, en defecto de previsión en contrario (Cordón Moreno).
- si el plazo se computa **por meses**, no se excluye el mes de agosto; no obstante, es discutible la validez de la inclusión de dicho mes por acuerdo entre las partes (a favor de la validez, AP Araba 8-6-04, EDJ 148378; en contra, AP Sta. Cruz de Tenerife 22-3-04, EDJ 25051).

5) La **sentencia dictada fuera de plazo** puede propiciar una responsabilidad disciplinaria del juez, que conserva su plena validez al encontrarse aquél en el pleno ejercicio de su función, sin embargo, la decisión arbitral dictada extemporáneamente carece de valor al haberse excedido el árbitro en el cometido que se le atribuyó (AP Sevilla 17-11-16, EDJ 254648).

6) La concesión de **prórroga** por el juez a petición de parte, pero **fuera del plazo** marcado, no da lugar a su validez ni se convalida su nulidad porque la otra parte se aquiete a la decisión judicial; sólo aquietándose frente al laudo dictado extemporáneamente puede éste llegar a ser eficaz (TS 1-10-90, EDJ 8811).

Contenido (LArb art.37.6) No contiene la ley precepto alguno relativo a la **estructura** del laudo, quedando la misma a la decisión de los árbitros. 10995

Sí exige la norma que los árbitros se pronuncien en el laudo sobre las **costas** del arbitraje, que incluyen:

- honorarios y gastos de los árbitros y, en su caso, honorarios y gastos de los defensores o representantes de las partes;
- coste del servicio prestado por la institución administradora del arbitraje; y
- demás gastos originados en el procedimiento arbitral.

Precisiones 1) Prevalece la **voluntad de las partes** sobre el pacto libremente expresada, teniendo los demás carácter supletorio.

2) En defecto de pacto, cada parte debe satisfacer los **gastos** ocasionados a su instancia y los que sean **comunes** por partes iguales, a no ser que los árbitros aprecien mala fe o temeridad en alguna de ellas.

3) Los árbitros pueden cuantificar el importe de los gastos y honorarios a través de su aclaración o complemento (nº 10999) correspondiendo la **fijación definitiva** al juez ejecutor si, ni aún de esta manera, fuera posible cuantificarlos (Cordón Moreno).

Motivación (LArb art.37.4) El laudo debe ser siempre motivado, a menos que se trate de un laudo pronunciado en los términos convenidos por las partes. 10997

Precisiones 1) La ausencia de motivación en los laudos arbitrales, es causa de nulidad de los mismos, al infringir el principio de **tutela judicial efectiva**, que reconoce el derecho a obtener una resolución fundada (TSJ Madrid 17-5-16, EDJ 120485).

2) Aun tratándose de un arbitraje de equidad y, no siendo, por tanto, exigible acudir a razones jurídicas, es obligado que los árbitros fundamenten su decisión, con objeto de respetar las exigencias constitucionales y de evitar la **arbitrariedad** (AP Ourense 23-4-12, EDJ 79741).

3) En aras a preservar el derecho fundamental a obtener la tutela judicial efectiva, es requisito exigible la **exteriorización** del fundamento de la decisión adoptada (TCo 199/1991), lo que constituye una garantía esencial del justiciable mediante la cual se puede comprobar que la solución dada al caso no es resultado de la arbitrariedad sino de la aplicación del ordenamiento a la controversia (TCo 109/1992).

Corrección, aclaración y complemento del laudo (LArb art.39.1, 2, 3 y 4) Dentro de los 10 días siguientes a la notificación del laudo, salvo que las partes hayan acordado otro plazo, cualquiera de ellas puede, con **notificación a la otra**, solicitar a los árbitros: 10999

- la corrección de cualquier **error** de cálculo, de copia, tipográfico o de naturaleza similar;
- la aclaración de un **punto** o de una parte concreta del laudo;
- el complemento del laudo respecto de **peticiones** formuladas y **no resueltas** en él;
- la rectificación de la **extralimitación parcial del laudo**, cuando se haya resuelto sobre cuestiones no sometidas a su decisión o sobre cuestiones no susceptibles de arbitraje.

Previa audiencia de las demás partes, los árbitros resuelven sobre las solicitudes de corrección de errores y de aclaración en el **plazo** de 10 días, y sobre la solicitud de complemento y la rectificación de la extralimitación, en el plazo de 20 días.
Lo dispuesto en la LArb art.37 se aplica a las **resoluciones arbitrales** sobre corrección, aclaración, complemento y extralimitación del laudo.
Los árbitros resuelven, previa audiencia de las demás partes, sobre las **peticiones de corrección y aclaración** dentro de los 10 días siguientes, y sobre las de complemento en el plazo de 20 días, plazos que se amplían a uno y dos meses respectivamente, cuando el arbitraje sea internacional.
En igual sentido, están obligados a aclarar un punto o una parte concreta del laudo, si bien se regula de manera distinta pues, si bien coinciden en que la corrección de errores señalados puede realizarse también **de oficio** por los árbitros, para la aclaración se exige siempre la **petición de la parte**. Además, se señalan unos **plazos** más amplios para la resolución (10 días si se trata de arbitrajes internos y un mes, de internacionales).
En lo que se refiere al **complemento** del laudo respecto de peticiones formuladas y no resueltas en él, solo pueden realizarse a instancia de parte y previa audiencia de la contraria, dentro del plazo de 20 días en los arbitrajes internos y de dos meses en los internacionales.

11001 Precisiones 1) El **recurso de aclaración** es compatible con el principio de inmodificabilidad de las resoluciones judiciales siempre que los jueces y tribunales respeten estrictamente los límites inherentes a la vía reparadora sin alterar la esencia de la resolución jurisdiccional (TCo 82/1995).
2) La vía de aclaración no puede utilizarse para remediar la falta de fundamento de la que adolece la resolución judicial aclarada (TCo 138/1985; 27/1994), ni tampoco para corregir **errores de calificación jurídica** (TCo 119/1988) o para anular y sustituir una resolución judicial por otra de fallo en contrario (TCo 19/1995).
Sí lo es, por el contrario, para corregir los requisitos de carácter formal del fallo como la **falta de claridad y precisión** (TS 10-5-89, EDJ 4859).
3) Cabe la posibilidad de suplir por auto de declaración la condena al pago de intereses que se apoya en los fundamentos de derecho de la sentencia ya que no introduce ninguna modificación en el fallo sino que se limita a **suplir una omisión** sobre una controversia (TS 9-1-92, EDJ 112).
4) El órgano arbitral puede decidir que no corresponde realizar la **aclaración** si lo considera apropiado (AP Barcelona 10-3-92, EDJ 13633).

11003 **Terminación de las actuaciones** (LArb art.38) Con el laudo se pone fin a las actuaciones arbitrales y los árbitros cesan en el ejercicio de sus funciones.
No obstante, loa árbitros ordenan la terminación de las mismas:
a) Con el **desistimiento** por el demandante de su demanda, salvo que el demandado se oponga a ello y los árbitros le reconozcan un interés legítimo en obtener una solución definitiva del litigio.
b) Por **acuerdo** entre las partes para ponerlas fin.
c) Si los árbitros comprueban que la **continuación** de las mismas resulta **innecesaria o imposible**.
La obligación de los árbitros de **conservación de la documentación** del procedimiento finaliza una vez trascurrido el plazo que las partes hayan señalado para este fin o, en su defecto, el de dos meses desde la conclusión de las actuaciones.
Dentro de este plazo, cualquiera de las partes puede solicitar a los árbitros la **remisión de documentos** por ella presentados. Éstos han de acceder a la solicitud siempre que no atente contra el secreto de la deliberación arbitral y que el solicitante asuma los gastos correspondientes al envío, en su caso.

11005 **Efectos** (LArb art.43) El laudo produce efectos de **cosa juzgada** y frente a él sólo cabrá ejercitar la **acción de anulación** y, en su caso, solicitar la **revisión** conforme a lo establecido en la LEC para las sentencias firmes.

Precisiones 1) Una vez firme el laudo, sus declaraciones son cosa juzgada para las partes y por ello no pueden volver sobre los temas en los que hubo pronunciamiento arbitral, por lo que es **nulo** todo **laudo posterior** que se pronuncia sobre las cuestiones controvertidas ya resueltas por un laudo anterior firme (TS 4-6-91, EDJ 5855; AP Asturias 13-10-10, EDJ 282893).
2) La intención del legislador es la de atribuir al laudo idéntica eficacia que a las sentencias. En consecuencia, se aplica al mismo la doctrina sobre los **efectos positivo y negativo** de la cosa juzgada así como la de la **prejudicialidad** y el «non bis in idem» de la cosa juzgada, tanto en un proceso judicial posterior como en un procedimiento arbitral.
Del mismo modo, le es aplicable la doctrina jurisprudencial sobre el control de la **excepción de cosa juzgada** cuando, desconociendo esta eficacia del laudo, una de las partes pretenda reproducir la controversia ante los órganos jurisdiccionales (Cordón Moreno).
3) Aunque el **laudo no** sea **firme**, el órgano judicial no puede ignorar el convenio arbitral y sus efectos mediante una interpretación del mismo (TS 23-5-02, EDJ 16922).

4) La viabilidad de la excepción de cosa juzgada no puede apreciarse en el momento de la **comparecencia preliminar**, pues ha de terminarse todo el proceso para poder valorar, una vez practicadas las pruebas, la concurrencia de identidades (AP Bizkaia 9-1-02, EDJ 130317).

2. Anulación del laudo

Sea cual sea el tipo de arbitraje, está prevista la posibilidad de anular el **laudo arbitral definitivo**, cuando concurra alguna de las causas que se enumeran taxativamente en el nº 11012 (LArb art.40). **11010**

Dicho régimen de anulación se entiende aplicable tanto a laudos finales como a laudos parciales, así como a las resoluciones arbitrales (independientemente de la forma que revistan) sobre medidas cautelares (LArb art.23.2).

La anulación se configura como una **acción autónoma** (no se denomina recurso) en que el tribunal se limita a resolver y dejar sin efecto lo que constituye exceso o incorrección del laudo a la vista de los motivos que fundamentan la acción.

La **competencia** para conocer de la acción se atribuye a las Audiencias Provinciales del lugar donde se haya dictado el laudo.

Motivos (LArb art.41) Son comunes al arbitraje de derecho y de equidad (nº 10857). **11012**

La Ley los enumera de **forma taxativa**, lo cual no obsta para que, en alguno de ellos, redactados de forma muy general, puedan entenderse incluidas otras causas que no están expresamente previstas en la Ley.

a) Cuando el convenio arbitral **no existe** o **no es válido**.

La Ley no distingue entre causas de nulidad y de anulabilidad por lo que ambas son denunciables. La nulidad, cuando falte alguno de los requisitos esenciales que determinan el nacimiento del convenio. La anulabilidad, cuando se produzca un vicio, que solo determina la anulación cuando sea alegado por la parte interesada.

b) Que la parte alegue y pruebe que la **notificación** de la designación de un árbitro o de las actuaciones arbitrales no ha sido hecha debidamente, o no ha podido, por cualquier otra razón, hacer valer sus derechos.

Precisiones La **irregularidad en las notificaciones** supone una infracción del principio de audiencia y ello solo tiene trascendencia cuando produce indefensión a la parte por lo que el hecho de contemplarla como motivo tasado tiene su fundamento en el interés del legislador de resaltar la importancia en el cumplimiento de las normas en materia de notificaciones (Cordón Moreno).

c) Que los árbitros han resuelto sobre **cuestiones no sometidas a su decisión**. **11014**

Este motivo incluye dos supuestos según que la extralimitación del árbitro se refiera:
- a una materia incluida en el convenio pero no sometida a la decisión de los árbitros; o
- una controversia que, siendo susceptible de arbitraje, no está incluida en el convenio.

En ambos casos, la procedencia del motivo de anulación exige la previa **denuncia de la falta de competencia** de los árbitros.

d) Que la **designación** de los árbitros o el **procedimiento** arbitral no se han ajustado al acuerdo entre las partes salvo que dicho acuerdo sea contrario a una norma imperativa de esta Ley o, a falta de dicho acuerdo, que no se han ajustado a la misma.

Se contemplan dos motivos diferentes:

1. Respecto al nombramiento de los árbitros debe contemplarse la infracción de los requisitos de capacidad, normas que fijan el número de árbitros (nº 10912), nombramiento (nº 10914), comunicación de éste y posterior aceptación (nº 10920) y sustitución (nº 10936).
2. En lo que se refiere a su actuación deben tenerse en cuenta:
- las normas reguladoras del procedimiento arbitral (nº 10949 s.);
- el lugar o el idioma (nº 10953), entre otras.

También deben incluirse en este motivo los supuestos en que el **laudo** se haya dictado **fuera de plazo** (nº 10991).

e) Que los árbitros hayan resuelto sobre **cuestiones no susceptibles de arbitraje**. Los árbitros no pueden resolver, aunque las partes lo hayan sometido a su decisión, sobre cuestiones que no pueden ser objeto de arbitraje. Las materias de libre disposición se exponen en el nº 10845. Si el convenio arbitral versa sobre estas materias, deviene nulo. **11016**

f) Que el laudo sea **contrario al orden público**. El orden público es un concepto jurídico indeterminado que debe aplicarse de acuerdo con la totalidad del ordenamiento jurídico, y que informa toda la institución arbitral, desde el objeto del arbitraje hasta el mismo laudo.

Como motivo de anulación, es una **causa genérica** dentro de la cual pueden incluirse todas las demás enumeradas hasta ahora, si bien la opción del legislador de referenciarlas de forma independiente, hace entender que puedan incluirse en ella todos aquellos supuestos que no están de forma expresa y específica contemplados en otras causas de anulación.
La acción de anulación no puede tener por objeto entrar en el **fondo de la controversia**, ni revisar la aplicación del derecho sustantivo por los árbitros, ni su apreciación de los hechos o pruebas.

Precisiones La acción de anulación no abre una **instancia más** para el enjuiciamiento de la controversia para corregir la valoración de la prueba hecha por el árbitro ni para enmendar o sustituir la interpretación y aplicación del derecho realizadas por el árbitro. Se trata de un juicio externo en el que el tribunal es solo juez de la forma del juicio o de sus mínimas garantía formales, no pronunciándose sobre el fondo (TCo 43/1988; AP Madrid 26-9-11, EDJ 256390).

11018 **Motivos apreciables de oficio** (LArb art.41.2) Los motivos contemplados en el apartado b) del nº 11012 y los apartados e) y f) del nº 11016 pueden ser apreciados por el **tribunal** que conozca de la acción de anulación de oficio o a instancia del Ministerio Fiscal en relación con los intereses cuya defensa le está legalmente atribuida.
La referencia expresa a estos motivos significa la trascendencia que para el legislador español tienen unos y otros motivos.
El juez puede apreciar **de oficio**:
- el laudo que se ha pronunciado sobre una cuestión no susceptible de arbitraje; y
- los motivos que integran el orden público.
En cuanto a la posibilidad de intervención del **Ministerio Fiscal** en el ámbito del arbitraje, solo se justifica cuando esté en juego el interés público y para su defensa, sería suficiente con que se le preste audiencia, pero no parece necesario reconocerle la condición de parte en el proceso.

11020 **Anulación parcial** (LArb art.41.3) En caso de estimación de las alegaciones por los motivos señalados en la LArb art.41.1.c) (árbitros han resuelto sobre cuestiones no sometidas a su decisión) o LArb art.41.1.e) (árbitros han resuelto sobre cuestiones no susceptibles de arbitraje) la anulación afecta sólo a los pronunciamientos del laudo relativos a las cuestiones no sometidas a los árbitros o las **cuestiones no arbitrables**, siempre que puedan separarse de los demás pronunciamientos del laudo.

11022 **Plazo para el ejercicio de la acción** (LArb art.41.4; CC art.5) Es de dos meses, contados a partir de la notificación del laudo, o, en el supuesto de que se haya solicitado **corrección**, **aclaración** o **complemento** del laudo (nº 10999), desde la notificación de la resolución sobre esta solicitud, o desde la expiración del plazo para adoptarla.
Se trata de un plazo de **caducidad** y, transcurrido el mismo sin haberse ejercitado, el laudo deviene firme y produce efectos de cosa juzgada (nº 11005).
Respecto a la **notificación del laudo**, que determina el día a partir del cual ha de computarse el plazo, hay que considerar que el día inicial es el siguiente al de la recepción de la notificación (nº 10955), y, en defecto de previsión legal, hay que acudir al sistema general para el cómputo de plazos fijado por meses, computados de fecha a fecha, aunque siendo la inicial la siguiente a la de la notificación, y cuando en el mes de vencimiento no haya día equivalente al inicial del cómputo, se entiende que el plazo expira el último del mes.

11024 **Procedimiento** (LArb art.42.1 y 2) La acción de anulación del laudo se sustancia por los cauces del **juicio verbal**, sin perjuicio de las siguientes especialidades:
• La **demanda** debe presentarse conforme a lo establecido en la LEC art.399, acompañada de los documentos justificativos de su pretensión, del convenio arbitral y del laudo, y, en su caso, debe contener la proposición de los medios de prueba cuya práctica interese el actor.
• El letrado de la administración de justicia da **traslado de la demanda** al demandado, para que conteste en el plazo de 20 días. En la contestación, acompañada de los documentos justificativos de su oposición, deberá proponer todos los **medios de prueba** de que intente valerse. De este escrito, y de los documentos que lo acompañan, se da traslado al actor para que pueda presentar **documentos adicionales** o proponer la práctica de prueba.
• Contestada la demanda o transcurrido el correspondiente plazo, el letrado de la administración de justicia cita a la **vista**, si así lo solicitan las partes en sus escritos de demanda y contestación. Si en sus escritos **no han solicitado la celebración de vista**, o cuando la única prueba propuesta sea la de **documentos**, y éstos ya se hubieran aportado al proceso sin resultar impugnados, o en el caso de los **informes periciales** no sea necesaria la ratificación, el tribunal dicta sentencia, sin más trámite.
Frente a la sentencia que se dicte **no** cabe **recurso** alguno.

Para conocer de la acción de anulación del laudo es **competente** la sala de lo civil y de lo penal del tribunal superior de justicia de la comunidad autónoma donde aquél se haya dictado (LArb art.8.5).

Precisiones 1) Son aplicables las normas sobre **postulación** (preceptiva la intervención de abogado y procurador) y **condena en costas** en primera instancia al tratarse de un verdadero proceso jurisdiccional.
2) El **contenido** de la sentencia ha de ser la confirmación o anulación total del laudo. Se admite la posibilidad de que éstas sean parciales para el caso de extralimitación, sin que el tribunal pueda resolver la cuestión o cuestiones objeto del laudo anulado para las que queda abierta la vía judicial.
3) No se reconoce a la parte interesada el derecho a solicitar la adopción de **medidas cautelares** conducentes a asegurar la plena efectividad del laudo pendiente de anulación, al estar prevista su ejecución directa (nº 11032).

3. Ejecución forzosa del laudo

Como consecuencia del carácter voluntario del arbitraje, es la última vía a la que se acude cuando han fallado otros medios encaminados a lograr el cumplimiento voluntario que, en principio, están **excluidos** de la ejecución **de sentencias judiciales**. 11030
Se rige por las disposiciones que se exponen a continuación (nº 11032) y por la normativa de la LEC (LArb art.44).
Para la ejecución forzosa de laudos o resoluciones arbitrales es **competente** el juzgado de primera instancia del lugar en que se haya dictado de acuerdo con lo previsto en la LEC art.545.2 (LArb art.8.4).

Eficacia ejecutiva del laudo (LArb art.45) El laudo produce efectos de **cosa juzgada** y frente a él sólo cabe ejercitar la **acción de anulación** y, en su caso, solicitar la **revisión** conforme a lo establecido en la LEC para las sentencias firmes. 11032
El ejecutado puede solicitar en este caso al tribunal competente la **suspensión** de la ejecución siempre que ofrezca **caución** por el valor de la condena más los daños y perjuicios que puedan derivarse de la demora en la ejecución.
La caución puede constituirse:
- en dinero efectivo;
- mediante aval solidario; ó
- por cualquier otro medio que garantice la inmediata disponibilidad (LEC art.529.3, párr 2º).

Presentada la **solicitud de suspensión**, el tribunal, tras oír al ejecutante, resuelve sobre la caución.
Contra esta resolución no cabe recurso alguno.
El letrado de la administración de justicia **alza la suspensión** y ordena que continúe la ejecución cuando conste al tribunal la desestimación de la acción de anulación, sin perjuicio del derecho del ejecutante a solicitar, en su caso, **indemnización de los daños y perjuicios** causados por la demora en la ejecución, a través de los cauces ordenados en la LEC art.712 s.
El letrado de la administración de justicia alza la ejecución, con los efectos previstos en la LEC art.533 y 534, cuando conste al tribunal que ha sido **estimada la acción de anulación**.
Si la anulación afecta sólo a las cuestiones a que se refiere la LArb art.41.3 y **subsisten otros pronunciamientos del laudo**, se considera estimación parcial, a los efectos previstos en la LEC art.533.2 (LArb art.45.3, párr 2º).

Precisiones El laudo definitivo ha sido incorporado a la relación de **títulos ejecutivos** de la LEC art.517, del que ha desaparecido el calificativo de «firmes» equiparando su régimen al de la ejecución de las resoluciones judiciales por lo que se hace una remisión en bloque a la ejecución definitiva de las mismas.
Por lo demás, al **no** precisar de la **homologación judicial**, tampoco es precisa cuando el contenido del laudo sea meramente declarativo o constitutivo y su efectividad solo precise alguno de los actos que integran la llamada ejecución impropia.
Su **inscripción** directa en los registros públicos, sin que se despache ejecución (LEC art.521.2), precisa de su protocolización notarial, aunque en los supuestos generales, la Ley no lo exija (Cordón Moreno).

4. Reconocimiento y ejecución de laudos extranjeros

(LArb art.46)

Se entiende por laudo extranjero el pronunciado fuera del territorio español. 11035
Para que los laudos arbitrales extranjeros tengan **eficacia ejecutiva** en España es preciso que se reconozcan por un órgano jurisdiccional español.

Esta homologación se realiza a través del procedimiento del **exequatur** (nº 11100 s.) cuya resolución es el laudo arbitral extranjero que, por sí mismo, carece de fuerza ejecutiva en España.

La **normativa aplicable** al exequatur de laudos extranjeros es el Convenio de Nueva York, sin perjuicio de lo dispuesto en otros convenios internacionales más favorables a su concesión (nº 11054).

Su sustanciación se realiza conforme al procedimiento establecido en el ordenamiento procesal civil para el de sentencias dictadas por tribunales extranjeros.

Para el **reconocimiento** de laudos o resoluciones arbitrales extranjeros es **competente** la sala de lo civil y de lo penal del tribunal superior de justicia de la comunidad autónoma del domicilio o lugar de residencia de la parte frente a la que se solicita el reconocimiento o del domicilio o lugar de residencia de la persona a quien se refieren los efectos de aquellos, determinándose subsidiariamente la competencia territorial por el lugar de ejecución o donde aquellos laudos o resoluciones arbitrales deban producir sus efectos.

Para la **ejecución** de laudos o resoluciones arbitrales extranjeros es **competente** el juzgado de primera instancia con arreglo a los mismos criterios (LArb art.8.6).

Precisiones 1) Se destaca el favoritismo de la CNY sobre los instrumentos bilaterales, señalando que el conflicto ha de solucionarse con arreglo al **principio de especialidad**, lo que determina la preferencia de la norma supranacional de carácter especial -por su contenido- sobre la general, y conforme al principio de **máxima eficacia** o de mayor grado de favorecimiento al reconocimiento de las decisiones foráneas; principios uno y otro que desplazan la aplicación del convenio bilateral en favor del multilateral (TS auto 13-11-01, EDJ 52690).

2) No se exige el trámite del exequatur para que la sentencia o el laudo extranjero tenga **eficacia probatoria** en un proceso español (TS 22-11-77).

III. Arbitraje internacional

11040

11042 Cuando surge un litigio entre dos entidades de nacionalidad diferente **no** existe una **jurisdicción internacional** competente a la que las partes puedan someterse. Pueden hacerlo a un tribunal nacional de una de las partes en litigio, pero darse el caso de que ambas partes no se encuentren en igual posición procesal.

La **atribución de la competencia** a un juez de un país tercero plantea problemas respecto de su propia competencia, si no existen, de manera clara, puntos de conexión con dicha jurisdicción.

De igual forma, subsisten las dificultades de **ejecución de la sentencia**, al ser de obligada necesidad el respeto a las normas de procedimiento local.

Todo ello lleva a la conclusión de que, acudir a una jurisdicción nacional para resolver los conflictos que surgen en el comercio internacional, da lugar a numerosas dificultades. Ante este hecho, se han ido desarrollando diversas vías de prevención y resolución de los conflictos que puedan surgir en las relaciones privadas comerciales internacionales, con el fin de dar solución a los mismos, como por ejemplo el **arbitraje internacional**.

11044 La caracterización del arbitraje como internacional se determina por el tribunal arbitral, que establece dicho carácter en función de los siguientes criterios (LArb art.3):

a) Que en el momento de la celebración del **convenio arbitral**, el domicilio de las partes esté en Estados diferentes.

b) Que el **lugar del arbitraje**, determinado en el convenio arbitral o con arreglo a éste, el lugar de cumplimiento de una parte sustancial de las obligaciones de la relación jurídica de la que dimane la controversia o el lugar con el que ésta tenga una relación más estrecha, esté situado fuera del Estado en que las partes tengan sus domicilios.

c) Que la relación jurídica de la que dimane la controversia afecte a intereses del **comercio internacional**.

A estos efectos, si alguna de las partes tiene más de un domicilio, se estará al que guarde una relación más estrecha con el convenio arbitral; y si una parte no tiene ningún domicilio, se estará a su residencia habitual.

Precisiones El legislador español sigue la recomendación de las Naciones Unidas de tener en cuenta las exigencias de uniformidad del derecho procesal arbitral acogiendo como base la **Ley Modelo de CNUDMI/UNCITRAL** recomendada por la Asamblea General en su Resol 11-12-85, y, además, toma en consideración los sucesivos trabajos emprendidos por aquella Comisión con el propósito de incorporar los avances técnicos y atender a las nuevas necesidades de la práctica arbitral, particularmente en materia de requisitos del convenio arbitral y de adopción de medidas cautelares. El modelo se puede consultar en idioma español en http://www.uncitral.org.

A. Normativa aplicable

Desde la perspectiva del derecho español, las fuentes del arbitraje comercial internacional son internas e internacionales. 11050

Legislación interna (LArb art.1.1 y 2) La LArb es aplicable a todos los arbitrajes cuyo lugar de celebración se halla en **territorio español**, sean de carácter interno o internacional. 11052
Cuando el lugar del arbitraje se encuentre **fuera de España**, la LArb es aplicable para las siguientes cuestiones:
• Establece la **competencia judicial** para prestar **apoyo** judicial a arbitrajes extranjeros en materia de:
- adopción de medidas cautelares (tribunal del lugar en que el laudo deba ser ejecutado y, en su defecto, el del lugar donde las medidas deban producir su eficacia) (LArb art.8.3);
- reconocimiento de laudos o resoluciones arbitrales (Tribunal Superior de Justicia de la Comunidad Autónoma en función de los diversos criterios de la LArb art.8.6; y
- ejecución forzosa de laudos o resoluciones arbitrajes (juzgado de primera instancia) (LArb art.8.4).
• Forma y contenido del **convenio arbitral** extranjero (LArb art.9, excepto apartado 2; ver nº 10898).
• **Declinatoria** de la jurisdicción ordinaria (LArb art.11; ver nº 10902).
• Reconocimiento de la potestad de árbitros extranjeros para adoptar **medidas cautelares**, salvo acuerdo contrario de partes (LArb art.23; ver nº 10975).
• Ejecución forzosa del **laudo** extranjero (LArb art.44 y 45; ver nº 11030).
• **Exequatur** (reconocimiento judicial) de laudos extranjeros (LArb art.46; ver nº 11100).

Legislación internacional Las fuentes más importantes son los **convenios multilaterales** sobre arbitraje comercial internacional ratificados por España. Estos son: 11054
1. El **Convenio de Nueva York** de 10-6-1958, sobre reconocimiento y ejecución de sentencias arbitrales extranjeras (BOE 11-7-77, Ce BOE 17-10-86). Este Convenio sustituye al Protocolo de Ginebra de 1923, relativo a las cláusulas de arbitraje y a la Convención de Ginebra de 1927, sobre ejecución de sentencias arbitrales extranjeras (Convenio Nueva York art.VII.2).
2. El **Convenio de Ginebra** de 21-4-1961, sobre arbitraje comercial internacional, que regula específicamente cuestiones relativas al arbitraje (BOE 4-10-75). Ratificado el 5-3-75 (Convenio de Ginebra).
Junto a los tratados multilaterales, pero desempeñando un papel mucho más modesto, existen diversos **convenios bilaterales** sobre reconocimiento y ejecución de decisiones judiciales y arbitrales extranjera. A estos efectos, puede consultarse la web del Ministerio de Asuntos Exteriores, Unión Europea y Cooperación para la determinación de la existencia del convenio correspondiente (www.exteriores.gob.es).
En materia de **competencia judicial internacional**, ha de hacerse mención al Convenio de Bruselas de 27-9-1968, modificado en sucesivas ocasiones. Actualmente hay una versión que constituye el texto refundido del Convenio y todas sus modificaciones, publicada en el DOCE 26-1-98. Ratificado el 29-10-90.

B. Convenio arbitral

El arbitraje internacional se sustenta sobre los convenios de las partes, teniendo por norma fundamental el **acuerdo** arbitral entre las partes y el árbitro o la institución arbitral. 11060
El convenio arbitral se enmarca dentro de los límites del **orden público** de los ordenamientos en los cuales ha de surtir efecto. Las legislaciones internas de los distintos Estados pueden establecer un conjunto de normas de carácter imperativo, que no sean susceptibles de derogación o modificación por acuerdo privado.

Al ser el arbitraje un contrato para la solución de conflictos, las partes no pueden disponer por acuerdo privado de aquello que es indisponible. Es por ello por lo que han de tenerse en cuenta las **legislaciones internas** para evitar posibles conflictos entre los acuerdos privados y las normas imperativas, que tengan como resultado una eventual nulidad de lo acordado entre las partes.

El arbitraje comercial internacional viene respaldado jurídicamente por numerosos convenios y tratados (nº 11054) ratificados por los Estados, en los cuales se garantiza el cumplimiento de la voluntad de las partes de someterse a arbitraje y, en consecuencia, de aceptar y obligarse a lo que determinen los árbitros.

Los **tratados** pueden tener **carácter**:

- **bilateral**, en que dos Estados reconocen la plena validez y ejecutividad de las sentencias arbitrales dictadas en uno u otro de ellos;
- **multilateral**, en los cuales, los Estados se adhieren a un régimen jurídico adoptado por otros Estados.

Los tratados pasan normalmente a ser **derecho interno** por la ratificación, que consiste en la adopción de cuantos preceptos se encuentran contenidos en los tratados objeto de ratificación.

11062 **Requisitos del convenio** Se consideran los siguientes:

a) Los convenios internacionales sólo regulan, de forma especial, el **requisito formal**, quedando el resto sometidos a las leyes que les sean de aplicación.

Es por ello por lo que se precisa específicamente el requisito de **capacidad de las partes**.

Para regular esta materia ha de tenerse en cuenta las normas de Derecho internacional privado referidas a la ley nacional de las **personas físicas y jurídicas** (nº 110). En el mismo sentido, para los convenios arbitrales suscritos en España aunque con efectos en el extranjero, la capacidad de las partes para otorgar el convenio arbitral es la expuesta en el nº 10894.

El resto de los requisitos se somete al régimen general de consentimiento, objeto y causa (nº 95).

Precisiones El elemento decisivo para determinar la validez de un convenio arbitral no es tanto la firma de las partes o la utilización de determinadas fórmulas como la prueba de la **voluntad inequívoca** de las partes contratantes de someter sus controversias a arbitraje (TS 6-2-03, EDJ 1554 -asunto suscitado en el marco del mismo contrato que el que ahora nos ocupa-; TS 13-3-01, EDJ 2049). En este caso, se acordaba el sometimiento a arbitraje en Londres y la aplicación de la ley inglesa (algo habitual en el comercio internacional).

La recurrente (aseguradora) alega que el convenio arbitral en cuestión **no existe**, porque falta su consentimiento, dado que en ningún momento tuvo conciencia de haberlo suscrito, a pesar de constar su firma en los documentos que obran como prueba (TS 9-5-03, EDJ 17177).

11064 **b)** Todos los países firmantes han de aceptar la formalidad de suscripción del convenio **por escrito** (Convenio de Nueva York art.II.1), si bien se acepta como tal:

- el intercambio de telegramas o cartas;
- otro medio documental cualquiera en el que quede patente la voluntad inequívoca de las partes de sumisión de la cuestión objeto de controversia al arbitraje.

Precisiones **1)** Aunque en el convenio de referencia se excluyó la **forma tácita**, las necesarias exigencias de agilidad y ausencia de formalismos del tráfico jurídico, lleven a flexibilizar la exigencia de la escritura como requisito de validez, tendiendo hacia la admisión del **convenio verbal**, en la línea que sigue **Convenio de Ginebra**, que prescinde de la exigencia escrita cuando se trate de relaciones entre Estados que no exigen dicha forma para el convenio arbitral (Convenio de Ginebra art.I.2.a).

2) En la práctica, también se admiten los acuerdos puramente verbales, la **designación unilateral** por una de las partes del recurso al arbitraje seguida por el silencio de la otra, o, la simple **comparecencia** de las partes en el procedimiento arbitral, sin mediar acuerdo previo (Cordón Moreno).

11066 **c)** Requisito imprescindible del convenio arbitral es que el mismo recaiga sobre una **materia** susceptible de ser sometida a arbitraje. Este requisito se desdobla en dos:

1. Las controversias deben surgir en **operaciones de comercio internacional**, o haberse concertado entre personas físicas o jurídicas con sede o residencia habitual en estados contratantes diferentes en el momento de adopción del acuerdo (Convenio de Ginebra art.I.1.a).

Esta restricción no se contiene en el Convenio de Nueva York, aunque se exige que, el Estado, en el momento de la firma o ratificación del convenio, puede declarar que sólo aplicará la Convención a los litigios surgidos de relaciones jurídicas, sean o no contractuales, consideradas comerciales por su derecho interno o al reconocimiento y ejecución de sentencias dictadas en otro estado miembro contratante (Convenio de Nueva York art.I.3). España no ha hecho uso de esta reserva.

2. El **tribunal** puede denegar el reconocimiento del acuerdo o compromiso arbitral si, conforme a la *lex fori* no es por su objeto o materia susceptible de arreglo mediante arbitraje (Convenio de Nueva York art.V.2.a; Convenio de Ginebra art.VI.2).

Precisiones Desde una perspectiva doctrinal, cabe entender que la arbitrabilidad de la cuestión sometida a arbitraje constituye un requisito de validez del convenio arbitral, y, al regirse ésta por la ley de voluntad de las partes, puede existir una **discrepancia** respecto al sometimiento de la cuestión a arbitraje entre la ley de autonomía y la *lex fori*, discrepancia que se resuelve a favor de esta última que, en definitiva, es la aplicable cuando la cuestión se plantea en sede de reconocimiento y ejecución del laudo.

Con el fin de facilitar la identificación de las **cuestiones más relevantes** a la hora de redactar un convenio arbitral, la **IBA** (*International Bar Association*) adoptó unas **Directrices** en 2010 para la redacción de cláusulas de arbitraje internacional, en las que se identifican las cuestiones mas relevantes que, de manera generalizada, deben considerarse a la hora de redactar un convenio arbitral para un arbitraje internacional. Se pueden consultar en el nº 9035 Memento Experto Arbitraje 2015. **11068**
Cobra especial relevancia en el arbitraje internacional, el **idioma** y la designación del **lugar** del arbitraje (entre otras consecuencias, determinará la ley arbitral aplicable al arbitraje, los tribunales de control y apoyo al procedimiento arbitral y la facilidad de ejecución del laudo en otras jurisdicciones).

Efectos del convenio (LArb art.9.6) El convenio arbitral internacional tiene la misma eficacia que en el arbitraje interno (nº 10902). **11070**
Cuando el arbitraje sea internacional, la LArb es especialmente favorecedora a la **validez del convenio** arbitral señalando que el convenio arbitral es válido si se cumplen los **requisitos** establecidos:
- por las normas jurídicas elegidas por las partes para regir el convenio; o
- por las normas jurídicas aplicables al fondo de la controversia; o
- por el derecho español.

La **exclusión** de los **tribunales estatales** en el curso del procedimiento no es total, sino que tiene excepciones. Estas son:
- adopción por una de las partes de **medidas provisionales** de carácter urgente o preventivas de conservación o seguridad ante una autoridad judicial (Convenio de Ginebra art.VI.4);
- colaboración de tribunales estatales con el órgano arbitral, como en el caso de **práctica de pruebas** (nº 10969);
- facultad del órgano arbitral de remitir a un tribunal estatal las controversias entre las partes;
- intervención de los tribunales para garantizar el **cumplimiento del laudo** (nº 11005);
- posibilidad de **impugnación** de la obligatoriedad del convenio arbitral ante los tribunales.

Excepción o declinatoria (Convenio de Nueva York art.II.3; Convenio de Ginebra art.VI.1) El Tribunal de uno de los Estados contratantes al que se someta una controversia respecto de la que las partes hayan llegado a un acuerdo, **a instancia de una de ellas**, ha de remitir a las mismas al arbitraje. **11072**
Se excluyen los supuestos en los que se compruebe que el acuerdo es nulo, ineficaz o inaplicable.
Toda excepción o declinatoria por **incompetencia de tribunal estatal** basada en la existencia de un acuerdo o compromiso arbitral e intentada ante el tribunal estatal ante el que se promovió la controversia por una de las partes, debe ser **propuesta por el demandado**, antes, o en el momento de presentar alegaciones de fondo, dependiendo de que la ley del país del tribunal considere la excepción o declinatoria como cuestión de derecho procesal o sustantivo.
La **pérdida del derecho** del demandado a oponer excepciones puede producirse si éstas no se presentan dentro de plazo.

Litispendencia (Convenio de Ginebra art.VI.3) Si una de las partes de un acuerdo o compromiso arbitral ha incoado un **procedimiento arbitral antes de** recurrir a un **tribunal judicial**, el tribunal de uno de los Estados contratantes al que, posteriormente se dirija la otra parte con una demanda referente al mismo objeto, debe posponer cualquier resolución sobre la competencia del tribunal arbitral hasta el momento en que éste dicte su laudo sobre el fondo del asunto, siempre que el tribunal estatal no tenga **motivos suficientemente graves** para separarse de esta norma. **11074**

C. Procedimiento arbitral

11080 Una vez constituido el tribunal arbitral, han de resolverse **problemas preliminares** del procedimiento, si las partes no lo han hecho previamente en el convenio arbitral. Se refieren fundamentalmente a:
- la **sede**, o lugar dónde ha de emitirse el arbitraje;
- la **lengua** en que se desarrolla, si no es la común de las partes; si no es la establecida por las mismas, la elección corresponde al tribunal arbitral que, por regla general, tiene en cuenta la del contrato;
- la **ley aplicable** al procedimiento, libre de establecer por las partes y, a falta de ella, por los propios árbitros;
- **pluralidad de partes**, pues, cuando son más de dos, la realidad económica es más compleja pues, a menos que todos presten su consentimiento, quien no es parte en el contrato no puede recurrirlo ni intervenir en el procedimiento arbitral;
- el **derecho de defensa**, constituido por una serie de principios que conforman límites a la libre determinación de la voluntad de las partes o del árbitro sobre las normas a aplicar en el procedimiento (Medina de Lemus).

Las partes pueden, de igual forma que en el arbitraje interno, proceder a la **elección de árbitros** optando por alguna de las dos posibilidades que ofrece el nº 10914 s.
En el arbitraje internacional **no** existe la **limitación** a las **corporaciones de derecho público** y asociaciones y entidades sin ánimo de lucro si poseen facultades para el desempeño del arbitraje. Las partes pueden por tanto delegar el nombramiento de árbitros a un tercero, sea persona física o jurídica.

Precisiones La tendencia a favor del arbitraje institucionalizado es evidente, si bien la doctrina insiste en la subsistencia del arbitraje *ad hoc*, especialmente en los **procedimientos contenciosos** (Cordón Moreno).

11082 **Organización del arbitraje** (Convenio de Nueva York art.II; Convenio de Ginebra art.IV) La ley aplicable a la designación de árbitros y al procedimiento es, con carácter prioritario, la autonomía de la voluntad, y, a falta de acuerdo entre las partes, la Ley supletoria.
1) El **acuerdo** celebrado entre las partes es la norma fundamental que rige la constitución del tribunal arbitral y el procedimiento. En caso de no ajustarse a este acuerdo, puede denegarse el reconocimiento y ejecución del laudo.
Las partes, según su libre criterio, pueden acordar que la resolución de sus controversias sea sometida:
- a una **institución arbitral permanente**, en cuyo caso el procedimiento arbitral se desarrollará conforme al Reglamento de la institución designada;
- a un **procedimiento arbitral «ad hoc»** (nº 10857) cuyas facultades se traducen en el nombramiento de árbitros o fórmulas conforme a los cuales sean designados, la fijación de las reglas de procedimiento que éstos deben seguir, así como la determinación del lugar de la sede del tribunal arbitral.

11084 **2)** A **falta de acuerdo** entre las partes, la ley aplicable a la constitución del tribunal arbitral y al procedimiento es la del país donde ha de desarrollarse el arbitraje.
El Convenio de Ginebra contempla diversos criterios ante este supuesto:
a) Si **hay acuerdo** en el sometimiento al arbitraje «ad hoc» y, en el plazo de 30 días desde la fecha de notificación de la demanda de arbitraje al demandado, **una de las partes no ha nombrado a su árbitro**, éste se designa, a petición de la otra parte, por el Presidente de la Cámara de Comercio competente del país en el que tenga su residencia habitual o su sede social la parte en el momento de la presentación de la demanda. Todo ello, salvo que las partes hayan previsto otra cosa en el convenio arbitral. Lo previsto en este párrafo es aplicable para la **sustitución** de árbitros.
Si las partes acuerdan someter la controversia a un arbitraje «ad hoc» sin que el acuerdo contenga los **datos indispensables** para su práctica, han de adoptarse las medidas necesarias por el árbitro/s nombrado/s, sin perjuicio del posible acuerdo de las partes.
b) Si **no hay acuerdo** entre las partes para la **designación del árbitro único**, o no se llega a un acuerdo entre los árbitros nombrados sobre las **medidas a adoptar**, el demandante puede, a su elección, dirigirse solicitando se tomen dichas medidas al Presidente de la Cámara de Comercio competente del lugar del arbitraje convenido, o bien al competente de la residencia del lugar de residencia habitual o sede social del demandado, o su sede social en el momento de la presentación de la demanda de arbitraje.
Si las partes no han convenido el **lugar del arbitraje**, el demandante puede, a su elección, dirigirse solicitando la acción necesaria, bien al Presidente de la Cámara de Comercio competente del país donde tenga el demandado su residencia habitual o su sede social en el momento

de la presentación de la demanda de arbitraje, o al Comité especial previsto en el anexo del Convenio. Si el demandante deja de ejercitar los referidos **derechos**, puede hacerlo en su lugar el demandado o el árbitro.

c) El **presidente** o, en su caso el **Comité especial**, puede proceder, según los casos, y en defecto de la voluntad de los árbitros: **11086**
- a nombrar el árbitro único, el árbitro presidente, el superárbitro o el tercer árbitro;
- a determinar el lugar del arbitraje, pudiendo el árbitro elegir otro distinto;
- a fijar las reglas de procedimiento, bien de manera directa, bien remitiéndose al reglamento de una institución arbitral permanente.

Procedimiento El desarrollo del procedimiento arbitral se caracteriza porque carece de reglas formales. **11088**
La jerarquía de su regulación sería:
- lo dispuesto por las partes en el convenio arbitral o por las normas establecidas por la corporación o asociación a la que se haya encomendado el arbitraje y, en su defecto,
- por la normativa del país donde se desarrolle el arbitraje en el régimen del Convenio de Nueva York art.II s. (nº 11082), o
- las normas previstas con carácter supletorio en el Convenio de Ginebra art.IV s. (nº 11082).
Se establecen unos **principios esenciales** que deben ser valorados por el tribunal español que conoce del exequatur:
- notificación a la otra parte de la designación del árbitro o del procedimiento arbitral;
- posibilidad de hacer valer los medios de defensa. Éstos se admiten bajo la perspectiva de los principios mínimos a respetar que impone la ley interna como **garantías constitucionales** (audiencia, contradicción e igualdad entre las partes).

D. Laudo arbitral

La sentencia arbitral no está sometida a ningún requisito especial de **forma**. No obstante, es necesario que la misma sea: **11095**
a) **Motivada**; lo que se presume excepto:
- que se establezca expresamente por las partes que la sentencia no debe ser fundada;
- que se haya elegido un procedimiento arbitral en el que no sea habitual la motivación de los fallos. Ello es posible siempre que las partes no soliciten expresamente que el fallo sea fundado, antes de terminar la vista o de redactar el fallo (Convenio de Ginebra art.VIII).
b) **Congruente**; se produce incongruencia en el laudo cuando:
- éste se refiere a una cuestión no prevista o no incluida en la cláusula compromisoria (Convenio de Nueva York art.V.1.c);
- contiene decisiones que se extralimitan de los términos del compromiso o de la cláusula compromisoria (Convenio de Ginebra art.IX.c).

Precisiones El órgano de arbitraje privado que se propase al resolver puntos que no fueron sometidos a su jurisdicción incurre en **exceso de jurisdicción** y su laudo es incongruente al resolver sobre otras cuestiones distintas a las que a él fueron sometidas (TS 9-10-84, EDJ 7387; AP Salamanca 12-11-01, EDJ 71283).

Declaración de nulidad de la sentencia (Convenio de Ginebra art.IX.1; Convenio de Nueva York art.V.1.e) **11097**
La anulación en uno de los estados contratantes del laudo arbitral es causa de denegación en lo que se refiere al **reconocimiento** y **ejecución** del laudo en otro estado contratante únicamente en el caso en que la anulación se dicte en el estado en que se pronuncia el fallo arbitral conforme a la ley aplicable.
El reconocimiento y ejecución de la sentencia sólo puede denegarse, a instancia de la parte contra la cual es invocada, si ésta prueba ante la autoridad del país en que se solicita tal reconocimiento y ejecución que:
- la **sentencia no** es todavía **obligatoria** para las partes; o
- ha sido **anulada** o **suspendida** por autoridad competente del país en el que se haya dictado la sentencia o conforme a la ley vigente en el mismo.
Los **recursos** que pueden interponerse y la **eficacia del laudo** desde su notificación a las partes, han sido objeto de estudio en el arbitraje interno (nº 11005), al cual nos remitimos.

E. Reconocimiento y ejecución de laudos arbitrales extranjeros

(LArb art.46; Convenio de Nueva York art.I.1, IV y V)

11100 La **normativa legal** en esta materia se encuentra en el Convenio de Nueva York y los demás tratados bilaterales sobre reconocimiento y ejecución ratificados por España y, para los aspectos de remisión que hace el propio convenio a la legislación interna, en la LArb (ver nº 11035 s.).

Se define el laudo arbitral extranjero como aquél que **no** ha sido **pronunciado en España**, siguiendo la línea del Convenio de Nueva York, si bien éste sigue un criterio más amplio -no basado en criterios estrictamente territoriales- para determinar cuándo nos hallamos ante un arbitraje internacional sometido a su régimen, al aplicarse a las **sentencias arbitrales** que no sean consideradas como sentencias nacionales en el Estado en que se pide su reconocimiento y ejecución.

Sin embargo, la opción del legislador a favor del **criterio de exclusividad territorial** parece clara y, en consecuencia, es arbitraje nacional el desarrollado en España, y extranjero el que tenga lugar fuera de ella, y, sólo, a los laudos dictados en éste, se aplican las normas de los Convenios sobre su reconocimiento y ejecución en España.

Sin perjuicio de lo dispuesto en los tratados y otras normas internacionales, la **competencia** para conocer de las **solicitudes de reconocimiento y ejecución de sentencias** y demás resoluciones judiciales extranjeras, así como de **acuerdos de mediación extranjeros**, corresponde a los juzgados de primera instancia del domicilio o lugar de residencia de la parte frente a la que se solicita el reconocimiento o ejecución, o del domicilio o lugar de residencia de la persona a quien se refieren los efectos de aquéllas. Subsidiariamente, la **competencia territorial** se determina por el lugar de ejecución o donde aquellas sentencias y resoluciones deban producir sus efectos.

Con arreglo a los mismos criterios señalados en el párrafo anterior, corresponde a los **juzgados de lo mercantil** conocer de las solicitudes de reconocimiento y ejecución de sentencias y demás resoluciones judiciales extranjeras que versen sobre materias de su competencia.

La **competencia** para el **reconocimiento** de los laudos o resoluciones arbitrales extranjeros, corresponde, con arreglo a los criterios que se establecen en el párrafo primero de este artículo, a las salas de lo civil y de lo penal de los tribunales superiores de justicia, sin que quepa ulterior recurso contra su decisión.

La **competencia** para la **ejecución** de laudos o resoluciones arbitrales extranjeros corresponde a los juzgados de primera instancia, con arreglo a los mismos criterios (LArb art.8.6).

Precisiones El Tribunal Supremo afirma el carácter netamente homologador del procedimiento del **exequatur** (TS auto 20-6-00, EDJ 30369; 10-4-01, EDJ 10586; TSJ Madrid auto 14-10-20, EDJ 760272).

11102 **Documentación a aportar** (Convenio de Nueva York art.IV) La parte que pida el reconocimiento y la ejecución debe presentar, junto con la demanda, el **original** debidamente autenticado de la **sentencia o** del **acuerdo**, o un **copia** de ese original, que reúna las condiciones requeridas para su autenticidad.

Si la sentencia o el acuerdo no están en un **idioma oficial** del país en que se invoca la sentencia, la parte que pida el reconocimiento y la ejecución de esta última debe presentar una traducción a ese idioma de dichos documentos.

La **traducción** debe ser certificada por un traductor oficial o un traductor jurado o por un agente diplomático consular.

11104 **Denegación del reconocimiento y ejecución** (Convenio de Nueva York art.V) Solo se puede denegar, **a instancia de la parte** contra la cual es invocada, si esa parte prueba ante la autoridad competente del país en que se pide el reconocimiento y la ejecución:

a) Que las partes en el acuerdo estaban sujetas a alguna **incapacidad**.

b) Que la parte contra la cual se invoca la sentencia arbitral no ha sido debidamente notificada de la **designación del árbitro** o del procedimiento del arbitraje o no ha podido hacer valer sus medios de defensa.

c) Que la sentencia se refiere a una **diferencia no prevista en el compromiso**, o contiene decisiones que se exceden de los términos de la cláusula. Si las disposiciones de la sentencia que se refieren a cuestiones sometidas a arbitraje pueden separarse de las que no lo están, se puede dar reconocimiento y ejecución a las primeras.

d) Que la constitución del **tribunal arbitral** o el procedimiento arbitral no se hayan ajustado al acuerdo celebrado entre las partes o a la Ley del país donde se ha efectuado el arbitraje.

e) Que la **sentencia no** sea aún **obligatoria** para las partes o haya sido anulada o suspendida por una autoridad del país en que haya sido dictada.
También se puede denegar si la autoridad competente comprueba:
- que según la Ley del país, el **objeto de la diferencia** no es susceptible de solución por vía de arbitraje; ó
- si el reconocimiento o la ejecución son contrarios al **orden público** de ese país.

Petición de anulación o suspensión (Convenio de Nueva York art.VI) La autoridad ante la que se invoca puede: 11106
- **aplazar la decisión** sobre la ejecución de la sentencia; y
- ordenar a la otra parte que presente las **garantías** necesarias.

Precisiones 1) La **dualidad legislativa**, en supuesto de duda, en cualquier caso debe resolverse a favor de la supremacía de los convenios internacionales, al menos, siempre que la cuestión sea resuelta por éstos de forma más favorable (Cordón Moreno). 11108
2) En caso de **concurrencia** del Convenio de Nueva York con los Convenios bilaterales ratificados por España, la Ley no ofrece soluciones, si bien, un sector de la doctrina estima que la postura correcta es considerar el Convenio de Nueva York como un marco mínimo que puede ser completado con las normas más favorables a la ejecución que puedan existir en los demás tratados o en las leyes internas españolas (Calvo-Caravaca y Fernández de la Gándara).
3) La **litispendencia** en el ámbito de reconocimiento y ejecución de decisiones extranjeras se basa en la necesidad de evitar la posible concurrencia de dos resoluciones que no puedan coexistir, bien por sí mismas, bien por sus efectos (TS auto 20-6-00, EDJ 30369).
4) La **falta de prueba** de la existencia del **acuerdo compromisario** hace que se deniegue el «exequatur» al laudo arbitral dictado en un procedimiento arbitral por la Cámara Internacional de arbitraje de Estrasburgo. No procede, por consiguiente, el reconocimiento y ejecución del mismo (TS auto 26-5-98, EDJ 41013). En el mismo sentido, denegación del «exequatur» al laudo arbitral dictado por la Asociación Mercantil de la Bolsa de Hamburgo por **falta de aportación** del acuerdo compromisario (TS auto 17-2-98, EDJ 40992).

5) El TS otorga el «exequatur»: 11110
a. A un laudo arbitral dictado por un árbitro nombrado por el Alto tribunal de Justicia del Reino Unido al resultar probada la **voluntad conjunta de las partes** de someter a arbitraje las controversias que surgieran en un contrato de fletamento (TS auto 14-7-98, EDJ 65210).
b. Del laudo arbitral dictado por la Cámara Arbitral de París aún cuando:
- se alegó la **falta de personalidad del procurador**, pero la misma quedó subsanada por medio de poder;
- no se consideró **indefensión** la ausencia de notificaciones en España;
- la **ausencia de período probatorio** o la **irrazonabilidad del fallo** arbitral no cabe alegarse como causa de oposición (TS auto 29-9-98, EDJ 41028).
c. A la sentencia de divorcio decretada por los tribunales de los Estados Unidos de América, pues no hay razón para considerar que la competencia judicial internacional de dichos tribunales haya nacido de las partes en busca fraudulenta de un **foro de conveniencia**. No concurren en el presente caso ninguno de los foros determinantes a favor de los tribunales españoles; por el contrario, hay conexiones, como es el domicilio del esposo en los EEUU al tiempo de promoverse el juicio de divorcio ante la jurisdicción estadounidense y, en todo caso, la aceptación por la esposa de la competencia de los tribunales de los EEUU, razones que permiten considerar fundada la competencia de los tribunales de origen (TS auto 27-10-98, EDJ 65211).

SECCIÓN 2

Mediación

11115

A. Consideraciones generales

La mediación es el medio de **solución de controversias**, cualquiera que sea su denominación, en que dos o más partes intentan voluntariamente alcanzar por sí mismas un acuerdo con la intervención de un mediador (L 5/2012 art.1). 11120

La mediación es un instrumento eficaz para la resolución de controversias cuando el conflicto jurídico afecta a **derechos subjetivos de carácter disponible**, que posibilita concebir a los tribunales de justicia como un último remedio, en caso de que no sea posible resolver la situación por la mera voluntad de las partes, reduciendo su intervención a aquellos casos en que las partes enfrentadas no hayan sido capaces de poner fin, desde el acuerdo, a la situación de controversia.

La mediación en su vertiente **civil y mercantil** se recoge en la L 5/2012, que es el resultado de la incorporación a Derecho español de la Dir 2008/52/CE. Su desarrollo reglamentario se ha aprobado por el RD 980/2013.

El modelo de mediación se basa en la **voluntariedad** y **libre decisión** de las partes y en la intervención de un **mediador**, del que se pretende una intervención activa orientada a la solución de la controversia por las propias partes. El régimen que contiene la citada Ley se basa en la flexibilidad y en el respeto a la autonomía de la voluntad de las partes, cuya voluntad, expresada en el acuerdo que la pone fin, puede tener la consideración de título ejecutivo, si las partes lo desean, mediante su elevación a escritura pública. En ningún caso pretende esta norma encerrar toda la variedad y riqueza de la mediación, sino tan sólo sentar sus bases y favorecer esta alternativa frente a la solución judicial del conflicto. Es aquí donde se encuentra, precisamente, el segundo eje de la mediación, que es la **deslegalización** o pérdida del papel central de la ley en beneficio de un principio dispositivo que rige también en las relaciones que son objeto del conflicto.

11122 **Ámbito de aplicación** (L 5/2012 art.2 y 3) La L 5/2012 es aplicable a las mediaciones en asuntos civiles o mercantiles, incluidos los conflictos transfronterizos, siempre que no afecten a derechos y obligaciones que no estén a disposición de las partes en virtud de la legislación aplicable.

Tienen carácter de **transfronterizo** aquellos conflictos en los que al menos una de las partes esté domiciliada o resida habitualmente en un Estado distinto a aquél en que cualquiera de las otras partes a las que afecta estén domiciliadas cuando acuerden hacer uso de la mediación o sea obligatorio acudir a la misma de acuerdo con la ley que resulte aplicable. También tienen esta consideración los conflictos previstos o resueltos por acuerdo de mediación, cualquiera que sea el lugar en el que se haya realizado, cuando, como consecuencia del traslado del domicilio de alguna de las partes, el pacto o algunas de sus consecuencias se pretendan ejecutar en el territorio de un Estado distinto.

Quedan **excluidas**, en todo caso, del ámbito de aplicación de la Ley:
- la mediación penal;
- la mediación con las Administraciones públicas;
- la mediación laboral;
- con anterioridad a la L 7/2017, la mediación en materia de consumo.

Precisiones Desde el 5-11-2017, fecha de entrada en vigor de la L 7/2017 por la que se incorpora al Derecho español la Dir 2013/11/UE, se incluye en el ámbito de aplicación de la L 5/2012 la **mediación en materia de consumo** (L 5/2012 art.2.2.d).

Puede ser de interés cosultar el sistema de **resolución alternativa o extrajudicial de litigios de consumo** (L 7/2017), que es objeto de estudio detallado en nº 2750 s. Memento Procesal Civil 2024.

11124 **Principios informadores** (L 5/2012 art.6, 7, 8, 9 y 10) La mediación se organiza del modo que las partes tengan por conveniente, si bien se deben respetar los siguientes principios:

a) **Voluntariedad y libre disposición**. La mediación es voluntaria. Ello implica, por una parte, que sólo se estará obligado a acudir a este procedimiento, antes de acudir a la jurisdicción o a otra solución extrajudicial, cuando exista un pacto por escrito que exprese el compromiso de someter a mediación las controversias surgidas o que puedan surgir. Por otra parte, nadie estará obligado a mantenerse en el procedimiento de mediación ya iniciado, ni a concluir un acuerdo.

b) **Igualdad** de las partes. En el procedimiento de mediación se garantiza que las partes intervengan con plena igualdad de oportunidades, manteniendo el equilibrio entre sus posiciones y el respeto hacia los puntos de vista por ellas expresados.

c) **Imparcialidad** del mediador, que no puede actuar en perjuicio o interés de cualquiera de las partes. El mediador no puede iniciar o debe abandonar la mediación cuando concurran circunstancias que afecten a su imparcialidad (L 5/2012 art.13.4). Antes de iniciar o de continuar su tarea, el mediador debe revelar cualquier circunstancia que pueda afectar a su imparcialidad o bien generar un **conflicto de intereses**. Tales circunstancias incluyen, en todo caso:
- Todo tipo de relación personal, contractual o empresarial con una de las partes.
- Cualquier interés directo o indirecto en el resultado de la mediación.

- Que el mediador, o un miembro de su empresa u organización, hayan actuado anteriormente a favor de una o varias de las partes en cualquier circunstancia, con excepción de la mediación.
En tales casos el mediador sólo puede aceptar o continuar la mediación cuando asegure poder mediar con total imparcialidad y siempre que las partes lo consientan y lo hagan constar expresamente.
El deber de revelar esta información permanece a lo largo de todo el procedimiento de mediación (L 5/2012 art.13.5).
d) **Neutralidad**. Las actuaciones de mediación se deben desarrollar de forma que permitan a las partes en conflicto alcanzar por sí mismas un acuerdo de mediación. El mediador debe trata de lograr el acercamiento entre las partes, facilitando la comunicación entre las mismas y velando porque dispongan de la información y asesoramiento suficientes (L 5/2012 art.13.1 y 2).
e) **Confidencialidad**. El procedimiento de mediación y la documentación utilizada en el mismo es confidencial. La obligación de confidencialidad se extiende al mediador, que queda protegido por el secreto profesional, a las instituciones de mediación y a las partes intervinientes de modo que no pueden revelar la información que hayan podido obtener derivada del procedimiento.
Los mediadores o las personas que participen en el procedimiento de mediación no están obligados a declarar o aportar documentación en un **procedimiento judicial o** en un **arbitraje** sobre la información y documentación derivada de un procedimiento de mediación o relacionada con el mismo, excepto:
- cuando las partes de manera expresa y por escrito les dispensen del deber de confidencialidad; o
- cuando, mediante resolución judicial motivada, sea solicitada por los jueces del orden jurisdiccional penal.
El **mediador** debe comunicar a todas las partes la celebración de las reuniones que tengan lugar por separado con alguna de ellas, sin perjuicio de la confidencialidad sobre lo tratado. El mediador no puede ni comunicar ni distribuir la información o documentación que la parte le hubiera aportado, salvo autorización expresa de esta (L 5/2012 art.21.3).

A estos principios se añaden las reglas o directrices que han de guiar la **actuación de las partes** en la mediación, como son la lealtad, buena fe y el respeto mutuo. Ello implica que durante el tiempo en que se desarrolla la mediación las partes no pueden ejercitar contra las otras partes ninguna acción judicial o extrajudicial en relación con su objeto, con excepción de la solicitud de las medidas cautelares u otras medidas urgentes imprescindibles para evitar la pérdida irreversible de bienes y derechos. 11126
Asimismo, las partes deben prestar **colaboración y apoyo** permanente a la actuación del mediador, manteniendo la adecuada deferencia hacia su actividad.

Compromiso de mediación (L 5/2012 art.6.2 y 10.2) Las partes están obligadas a intentar de buena fe la mediación, antes de acudir a la jurisdicción ordinaria o al arbitraje, cuando hayan pactado **por escrito** su compromiso de someter a mediación las controversias surgidas o que puedan surgir. 11128
La ley no precisa la **forma** que ha de tener este compromiso más allá de la exigencia de que conste por escrito. Por ello, parece razonable considerar que es válido el acuerdo que conste en formato físico o electrónico.
La **cláusula de mediación** surte estos efectos incluso cuando la controversia versa sobre la validez o existencia del contrato en el que conste.
El compromiso de sometimiento a mediación y la iniciación de ésta impide a los **tribunales** conocer de las controversias sometidas a mediación durante el tiempo en que se desarrolle ésta, siempre que la parte a quien interese lo invoque mediante declinatoria. Finalizada la mediación, quedará libre la vía para iniciar el proceso judicial.

B. Mediador

La figura del mediador es, de acuerdo con su conformación natural, la **pieza esencial** del modelo, puesto que es quien ayuda a encontrar una solución dialogada y voluntariamente querida por las partes. 11135
La actividad de mediación se despliega en múltiples ámbitos profesionales y sociales, requiriendo habilidades que en muchos casos dependen de la propia naturaleza del conflicto. El mediador ha de tener, pues, una **formación** general que le permita desempeñar esa tarea y sobre todo ofrecer **garantía** inequívoca a las partes por la responsabilidad civil en que pudiese incurrir.

La ley establece además **pautas de conducta** que el mediador debe aplicar y seguir en el desarrollo de su actividad. Los mediadores que actúan al amparo de una institución de mediación deben asimismo observar sus reglas de conducta especificas si las hubiera. El Ministerio de Justicia y las Administraciones públicas, en colaboración con las instituciones de mediación, han de fomentar y requerir la elaboración de códigos de conducta voluntarios, así como la adhesión de los mediadores y las instituciones de mediación a los mismos (L 5/2012 art.12).

Tienen la consideración de **instituciones de mediación** las entidades públicas o privadas, españolas o extranjeras, y las corporaciones de derecho público que tengan entre sus fines el impulso de la mediación, facilitando el acceso y administración de la misma, incluida la designación de mediadores, debiendo garantizar la transparencia en la referida designación. La institución de mediación no puede prestar directamente el servicio de mediación (L 5/2012 art.5.1).

11137 **Requisitos** (L 5/2012 art.11 y 18) Pueden ser mediadores tanto las personas naturales como las jurídicas.

El mediador **persona natural** se debe hallar en pleno ejercicio de sus derechos civiles, y la legislación a la que esté sometido en el ejercicio de su profesión no le debe impedir ejercer esta actividad.

El mediador **persona jurídica**, ya sea una sociedad profesional o cualquier otra prevista por el ordenamiento jurídico, debe designar para su ejercicio a una persona natural que reúna los requisitos para ser mediador.

La Ley utiliza el término mediador de manera genérica sin prejuzgar que sea uno o varios. Normalmente la mediación se desarrolla con la intervención de un **único mediador**. Sin embargo, por la complejidad de la materia o por la conveniencia de las partes, puede ser conveniente designar **varios** mediadores en un mismo procedimiento, quienes han de actuar de forma coordinada.

El mediador debe estar en posesión de un **título oficial** universitario o de formación profesional superior.

Además ha de contar con **formación** específica para ejercer la mediación, que se adquirirá mediante la realización de uno o varios cursos específicos impartidos por instituciones debidamente acreditadas, que tendrán validez para el ejercicio de la actividad mediadora en cualquier parte del territorio nacional. La formación se ha de desarrollar tanto a nivel teórico como práctico y tener una duración mínima de 100 horas de docencia efectiva, de las cuales, al menos, el 35% ha de ser formación práctica (RD 980/2013 art.4 y 5). Los mediadores también deben realizar actividades de formación continua de carácter eminentemente práctico al menos cada 5 años con una duración total mínima de 20 horas (RD 980/2013 art.6).

El mediador debe suscribir un **seguro** o garantía equivalente que cubra la responsabilidad civil derivada de su actuación en los conflictos en que intervenga. Este seguro o garantía puede ser contratado a título individual o dentro de una póliza colectiva. En el caso de mediadores que actúen en el ámbito de una institución, la cobertura puede ser asumida directamente por ésta (RD 980/2013 art.26.2 y 3).

11139 **Responsabilidad** (L 5/2012 art.14) La aceptación de la mediación obliga a los mediadores a cumplir fielmente el encargo, incurriendo, si no lo hicieran, en responsabilidad por los **daños y perjuicios** que causen. La responsabilidad del mediador se genera por incumplimiento de los deberes contractuales pactados en su contrato de servicios, así como las obligaciones imperativas establecidas en la ley.

El perjudicado tiene **acción directa** contra el mediador y, en su caso, la institución de mediación que corresponda, con independencia de las acciones de reembolso que asistan a ésta contra los mediadores.

La responsabilidad de la **institución de mediación** deriva de la designación del mediador o del incumplimiento de las obligaciones que le incumben.

11141 **Remuneración** (L 5/2012 art.15) Las partes y el mediador son libres para pactar el criterio de cuantificación de **honorarios** (por horas, a tanto alzado o variantes), así como el régimen de los gastos a incurrir.

Salvo acuerdo de las partes, el **coste de la mediación**, haya concluido o no con el resultado de un acuerdo, se divide por igual entre las partes.

Tanto los mediadores como la institución de mediación pueden exigir a las partes la **provisión de fondos** que estimen necesaria para atender el coste de la mediación.

Si las partes o alguna de ellas no realizan en plazo la provisión de fondos solicitada, el mediador o la institución, podrán dar por concluida la mediación. No obstante, si alguna de las partes no hubiera realizado su provisión, el mediador o la institución, antes de acordar la conclusión, lo comunicará a las demás partes, por si tuvieran interés en suplirla dentro del plazo que hubiera sido fijado.

Renuncia (L 5/2012 art.13.3) El mediador puede renunciar a desarrollar la mediación, con obligación de entregar un **acta** a las partes en la que conste su renuncia. 11143
La renuncia sólo produce la **terminación del procedimiento** cuando no se llegue a nombrar un nuevo mediador.

C. Procedimiento de mediación

El procedimiento de mediación debe ser lo más **breve** posible y sus actuaciones se han de concentrar en el mínimo número de sesiones posibles (L 5/2012 art.20). 11150
El **mediador** es quien convoca a las partes para cada sesión con la antelación necesaria, dirige las sesiones y facilita la exposición de sus posiciones y su comunicación de modo igual y equilibrado. Las comunicaciones entre el mediador y las personas en conflicto pueden ser o no simultáneas (L 5/2012 art.21.1 y 2).
Las partes pueden acordar que todas o alguna de las actuaciones de mediación, incluida la sesión constitutiva y las sucesivas que estimen conveniente, se lleven a cabo por **medios electrónicos**, por videoconferencia u otro medio análogo de transmisión de la voz o la imagen, siempre que quede garantizada la identidad de los intervinientes y el respeto a los principios de la mediación. De hecho, si la mediación consiste en una reclamación de cantidad por un **importe** que no excede de 600 euros, se debe desarrollar preferentemente por medios electrónicos, salvo que el empleo de éstos no sea posible para alguna de las partes (L 5/2012 art.24).

Solicitud de inicio (L 5/2012 art.16) El procedimiento de mediación puede iniciarse: 11152
a) De **común acuerdo** entre las partes. En este caso la solicitud debe incluir la designación del mediador o la institución de mediación en la que llevarán a cabo la mediación, así como el acuerdo sobre el lugar en el que se desarrollarán las sesiones y la lengua o lenguas de las actuaciones.
b) Por **una de las partes** en cumplimiento de un pacto de sometimiento a mediación existente entre aquéllas.
La **solicitud** se formula ante las instituciones de mediación o ante el mediador propuesto por una de las partes a las demás o ya designado por ellas.
Cuando de manera voluntaria se inicie una mediación estando en **curso un proceso judicial**, las partes de común acuerdo pueden solicitar su suspensión de conformidad con lo dispuesto en la legislación procesal.

Efectos (L 5/2012 art.4) La solicitud de inicio de la mediación suspende la **prescripción** o la **caducidad** de acciones desde la fecha en la que conste la recepción de dicha solicitud por el mediador, o el depósito ante la institución de mediación en su caso. Si en el **plazo** de 15 días naturales a contar desde la recepción de la solicitud de inicio de la mediación no se firma el acta de la sesión constitutiva prevista en el nº 11158, se reanudará el cómputo de los plazos. 11154
La **suspensión** se prolonga hasta la fecha de la firma del acuerdo de mediación o, en su defecto, la firma del acta final, o cuando se produzca la terminación de la mediación por alguna de las causas previstas en la Ley.

Sesión informativa (L 5/2012 art.17) Recibida la solicitud y salvo pacto en contrario de las partes, el mediador o la institución de mediación cita a las partes para la celebración de la sesión informativa. 11156
En caso de **inasistencia** injustificada de cualquiera de las partes a la sesión informativa se entenderá que desisten de la mediación solicitada. La información de qué parte o partes no asistieron a la sesión no es confidencial.
En esta sesión el **mediador** debe informar a las partes de:
- las posibles causas que puedan afectar a su imparcialidad;
- su profesión, formación y experiencia;
- las características de la mediación, su coste, la organización del procedimiento y las consecuencias jurídicas del acuerdo que se pudiera alcanzar, así como del plazo para firmar el acta de la sesión constitutiva.

Las **instituciones de mediación** puede organizar sesiones informativas abiertas para aquellas personas que puedan estar interesadas en acudir a este sistema de resolución de controversias, pero estas sesiones en ningún caso sustituyen a la información que debe suministrar el mediador.

11158 **Sesión constitutiva** (L 5/2012 art.19) Celebrada la sesión informativa, o renunciada a la misma por las partes, comienza el procedimiento de mediación mediante una sesión constitutiva en la que las partes expresan su deseo de desarrollar la mediación.
De la sesión constitutiva se levanta un **acta** en la que se deja constancia de los siguientes aspectos:
a) La identificación de las **partes**.
b) La designación del **mediador** y, en su caso, de la institución de mediación o la aceptación del designado por una de las partes.
c) El objeto del **conflicto** que se somete al procedimiento de mediación.
d) El programa de **actuaciones** y **duración** máxima prevista para el desarrollo del procedimiento, sin perjuicio de su posible modificación.
e) La información del **coste** de la mediación o las bases para su determinación, con indicación separada de los honorarios del mediador y de otros posibles gastos.
f) La declaración de **aceptación** voluntaria por las partes de la mediación y de que asumen las obligaciones de ella derivadas.
g) El **lugar** de celebración y la **lengua** del procedimiento.
El acta debe estar **firmada** tanto por las partes como por el mediador o mediadores. En otro caso, dicha acta declarará que la mediación se ha intentado sin efecto.

11160 **Terminación del procedimiento** (L 5/2012 art.22) El procedimiento de mediación puede concluir por cualquiera de los siguientes motivos:
1. Por haberse alcanzado un **acuerdo** entre las partes.
2. Porque todas o alguna de las partes ejerzan su derecho a dar por **terminadas las actuaciones**, comunicándoselo al mediador.
3. Por el transcurso del **plazo** máximo acordado por las partes para la duración del procedimiento sin que se haya alcanzado un acuerdo.
4. Cuando el mediador aprecie de manera justificada que las **posiciones** de las partes son **irreconciliables** o concurra otra causa que determine su conclusión (p.e., por infracción de los principios informadores de la mediación).
La **renuncia** del mediador a continuar el procedimiento o el rechazo de las partes a su mediador sólo produce la terminación del procedimiento cuando no se llegue a nombrar un nuevo mediador.

11162 La conclusión del procedimiento tiene lugar con la emisión del **acta final** que refleja los acuerdos alcanzados de forma clara y comprensible, o su finalización por cualquier otra causa.
El acta debe ir **firmada** por todas las partes y por el mediador o mediadores y se entrega un ejemplar original a cada una de ellas. Si alguna de las partes no quiere firmar el acta, el mediador debe hacer constar en la misma esta circunstancia, entregando un ejemplar a las partes que lo deseen.
Con la terminación del procedimiento se devuelven a cada parte los **documentos** que hubieran aportado. Con los documentos que no haya que devolver a las partes, se forma un **expediente** que debe conservar y custodiar el mediador o, en su caso, la institución de mediación, una vez terminado el procedimiento, por un plazo de 4 meses.

D. Acuerdo de mediación

11165 El acuerdo de mediación es un documento adicional al **acta final** (nº 11162), que puede suscribirse simultáneamente a ésta o en los días siguientes.
Se trata de un **contrato** transaccional, resultado final de la mediación, en el que las partes evitan o dan por concluido un conflicto.

11167 **Requisitos y contenido** (L 5/2012 art.23) El acuerdo de mediación puede versar sobre una parte o sobre la totalidad de las materias sometidas a la mediación, y ha de contener la siguiente **información**:
• identidad y el domicilio de las partes;
• lugar y fecha en que se suscribe;
• obligaciones que cada parte asume;
• declaración de que se ha seguido un procedimiento de mediación ajustado a las previsiones de la Ley; y

• indicación del mediador o mediadores que han intervenido y, en su caso, de la institución de mediación en la cual se ha desarrollado el procedimiento.
El acuerdo de mediación debe **firmarse** por las partes o sus representantes. La firma del mediador no es necesaria.
Del acuerdo de mediación se entrega un ejemplar a cada una de las partes, reservándose otro el mediador para su conservación.
Recibido el acuerdo de mediación por el mediador, éste debe informar a las partes del carácter **vinculante** del acuerdo alcanzado y de que pueden instar su elevación a **escritura pública** al objeto de configurar su acuerdo como un título ejecutivo.

Elevación a público (L 5/2012 art.23.3 y 25) Las partes pueden instar la elevación a escritura pública del acuerdo de mediación al objeto de configurarlo como un **título ejecutivo**. 11169
Para ello, el acuerdo de mediación se presenta por las partes ante un notario acompañado de **copia de las actas** de la sesión constitutiva y final del procedimiento, sin que sea necesaria la presencia del mediador. El **notario** debe verificar el cumplimiento de los requisitos exigidos por la Ley y que su contenido no es contrario a Derecho.
Cuando el acuerdo de mediación haya de ejecutarse en **otro Estado**, además de la elevación a escritura pública, es necesario el cumplimiento de los requisitos que, en su caso, puedan exigir los convenios internacionales en que España sea parte y las normas de la Unión Europea.

Precisiones Para el cálculo de los **honorarios notariales** de la escritura pública de formalización de los acuerdos de mediación se aplican los aranceles correspondientes a los «Documentos sin cuantía» previstos en el RD 1426/1989 anexo I número 1, por el que se aprueba el arancel de los notarios (L 5/2012 disp.adic.3ª).

Ejecución del acuerdo (L 5/2012 art.26) El acuerdo de mediación elevado a escritura pública se reconoce como título ejecutivo (LEC art.517.2.2º), cuya ejecución puede instarse directamente ante los **tribunales**. 11171
La **competencia** para denegar o autorizar la ejecución del acuerdo y el correspondiente despacho se atribuye a:
- El tribunal que ha homologado el acuerdo en aquellos acuerdos alcanzados a resultas de una mediación iniciada estando en curso un proceso.
- El Juzgado de Primera Instancia del lugar donde se ha firmado el acuerdo de mediación en el caso de acuerdos formalizados tras un procedimiento de mediación.

En cuanto al **proceso** de ejecución, no plantea especialidades significativas a las previstas en la LEC para la ejecución de resoluciones judiciales o arbitrajes de condena, si bien, merece la pena resaltar lo siguiente:
• La acción ejecutiva **caduca** si no se interpone la correspondiente demanda ejecutiva dentro de los 5 años siguientes a la firma del acuerdo (LEC art.518).
• Para la ejecución derivada de un acuerdo de mediación se requiere la intervención de **abogado y procurador** siempre que la cantidad por la que se despache ejecución sea superior a 2.000 euros (LEC art.539.1).
• El **plazo de espera** para la ejecución de acuerdos de mediación es de 20 días tras la notificación de la firma del acuerdo al ejecutado (LEC art.548).
• La **demanda ejecutiva** se debe acompañar de copia de las actas de la sesión constitutiva y final del procedimiento (LEC art.550.1.1º).
• El ejecutado, dentro de los 10 días siguientes a la notificación del auto en que se despache ejecución, puede **oponerse** a ella por escrito alegando el pago o cumplimiento de lo ordenado en el acuerdo, que habrá de justificar documentalmente. También se puede oponer la caducidad de la acción ejecutiva, y los pactos y transacciones que se hubiesen convenido para evitar la ejecución, siempre que dichos pactos y transacciones consten en documento público. La oposición que se formule no suspende el curso de la ejecución (LEC art.556.1 y 2).
• Cuando el acuerdo de mediación consiste en la obligación de entregar cantidades determinadas de dinero, no es necesario requerir de pago al ejecutado para proceder al **embargo** de sus bienes (LEC art.580).

Acuerdo de mediación transfronterizo (L 5/2012 art.27) Sin perjuicio de lo que dispongan la normativa de la Unión Europea y los convenios internacionales vigentes en España, el **reconocimiento y ejecución** de un acuerdo de mediación se producirá en la forma prevista en la Ley de cooperación jurídica internacional en materia civil. 11173
Un acuerdo de mediación que no haya sido declarado ejecutable por una autoridad extranjera sólo puede ser ejecutado en España previa elevación a **escritura pública** por notario español a solicitud de las partes, o de una de ellas con el consentimiento expreso de las demás.
El documento extranjero no puede ser ejecutado cuando resulte contrario al **orden público** español.

11175 **Impugnación** (L 5/2012 art.23.4) Contra lo convenido en el acuerdo de mediación sólo puede ejercitarse la **acción de nulidad** por las causas que invalidan los contratos.

E. Registro de Mediadores e Instituciones de Mediación

(RD 980/2013 art.8, 9.1, 11 y 12.1)

11180 El Registro de Mediadores e Instituciones de Mediación tiene por **finalidad** facilitar el acceso de los ciudadanos a este medio de solución de controversias.
Es un Registro de carácter **público** e informativo y se constituye como una base de datos informatizada accesible a través del sitio web del Ministerio de Justicia.
La inscripción de los mediadores que desarrollen las actividades de mediación en los asuntos civiles y mercantiles es **voluntaria.**
La **inscripción** en el Registro permite acreditar la condición de mediador así como el carácter de institución de mediación.

CAPÍTULO 15

Contratos de las nuevas tecnologías

 11250

SECCIÓN 1

Contratos informáticos

 11255

La generalización del uso de la informática y su implantación, sobre todo en el mundo de la empresa, como herramienta imprescindible, ha determinado la aparición de una serie de figuras contractuales cuya característica común radica en la **singularidad de los productos**, en torno a los cuales se configura la transacción, y que, en expresión anglosajona, se identifican con las voces de «hardware» y «software». 11257

Precisiones 1) Se entiende por «**hardware**», el conjunto de componentes y elementos materiales de un sistema informático; esto es, cada una de las partes físicas que conforman un ordenador, incluidos sus periféricos. El término «**software**» designa al conjunto de programas de distinto tipo (sistema operativo y aplicaciones diversas) que hacen posible operar el ordenador; viene a ser el soporte lógico del ordenador (TS 20-7-98, EDJ 8614).
2) Con carácter general, pueden señalarse como principales aspectos a tener en cuenta en materia de contratación informática, los siguientes:
- evitar la contratación a ciegas, derivada del **desconocimiento** generalizado, de los departamentos jurídicos e informáticos de las empresas, de la auténtica naturaleza del objeto del contrato;
- existencia generalizada entre los proveedores de software y de servicios informáticos de **contratos de adhesión** (nº 248), con desequilibrios entre las obligaciones de las partes, provocados por el clausulado del contrato;
- **confidencialidad** extrema en los contratos informáticos, derivada tanto de la concepción del software como propiedad intelectual, como del conocimiento que los proveedores de software adquieren en sus trabajos;
- la **dependencia** que la puesta en marcha de los sistemas informáticos produce, tanto desde el punto de vista técnico (p.e., instalación), como humano (formación);
- la necesidad de pactar **medidas preventivas** que doten de eficacia al contrato sin necesidad de acudir a los tribunales para la resolución de las controversias que eventualmente puedan producirse (peritajes informáticos que evalúen el correcto funcionamiento de los productos; cláusulas penales inmediatas; cláusulas arbitrales), todo ello al objeto de evitar las paralizaciones en el funcionamiento de la empresa;
- la necesidad de **claridad terminológica**, tanto informática como jurídica;
- la necesidad de contemplar las particularidades derivadas de los **derechos de propiedad intelectual** sobre los programas informáticos o las bases de datos u otras obras que puedan formar parte del contrato (nº 1760 s.);
- la necesidad de dotar al contrato informático de un dinamismo que tenga en cuenta la **evolución tecnológica**;
- la necesidad de definir el alcance de los contratos ante la multitud de **variedades** existentes.
3) Sobre los distintos **tipos** de contratos informáticos, ver la AP Barcelona 19-10-21, EDJ 777531.

A. Consideraciones generales

11260 La contratación informática **no** tiene una **calificación jurídica uniforme** (TS 12-12-88, EDJ 9722). La prestación de técnicas informáticas puede consistir en un contrato de actividad, asimilable al de arrendamiento de servicios (nº 5175), o un contrato de resultado, dentro del concepto genérico de arrendamiento de obra (nº 5065). Usualmente se trata de **negocios jurídicos atípicos y complejos**, recíprocos y onerosos, que presentan caracteres comunes con otros contratos -de distribución, de transferencia de tecnología, e incluso con el de compraventa-, lo que dificulta determinar con precisión su naturaleza jurídica, y exige un especial cuidado en la fijación de las obligaciones asumidas por cada una de las partes.

No existe en nuestro ordenamiento una **normativa específica** en materia de contratación informática. Tal circunstancia determina que, a efectos de legislación aplicable, sea preciso acudir a las disposiciones de carácter general en el ámbito contractual.

Precisiones **1)** La **transmisión** de los programas informáticos no puede considerarse consecuencia natural del contrato, sino que depende de lo pactado en cada caso (TS 12-12-88, EDJ 9722; AP Madrid 5-6-08, EDJ 115926).

2) Ante una petición de **resolución contractual** de implementación del software, se resuelve negativamente entendiendo que no concurren los requisitos para el ejercicio de la acción, ya que el programa contiene opciones que no formaban parte del programa base y que, por tanto, deben calificarse como adaptaciones específicas hechas para la empresa cliente.

Además, por la correspondencia que mantuvieron las partes, queda acreditado que, en los días siguientes a la instalación, se produjeron frecuentes **comunicaciones de incorrecto funcionamiento** de la aplicación que progresivamente se van subsanando, fuera del plazo fijado, quedando pendientes solamente los últimos detalles (AP Lérida 10-1-01, EDJ 1152).

3) Por su inmaterialidad, los **programas de ordenador** constituyen un bien especialmente susceptible de ser alterado o hecho desaparecer de un equipo informático de la contraparte si ésta se encuentra en el brete de que se le reproche su posesión indebida o su mal uso (AP Madrid 5-6-08, EDJ 115926).

4) Aunque el art.43 LPI limita la transmisión a los derechos de explotación, se admite la **venta** de tales derechos si así es la voluntad de ambas partes (AP Girona 14-10-21, EDJ 765955).

5) La **prestación de técnicas informáticas** no tiene, necesariamente, una calificación uniforme, puesto que puede consistir en un contrato de actividad, asimilable al de arrendamiento de servicios o un contrato de resultado, dentro del concepto genérico del arrendamiento de obra y puede concertarse concesión de la propiedad de los programas (AP Valencia 19-6-20, EDJ 678624).

6) El objeto de la protección abarca el programa de ordenador en todas sus formas de expresión, tales como el **código fuente y** el **código objeto**, que permiten reproducirlo en diferentes lenguajes informáticos, añadiendo que el término «programa de ordenador» también designa el trabajo preparatorio de concepción que conduce al desarrollo de un programa, siempre que su naturaleza sea tal que más tarde pueda originar un programa de ordenador (AP Madrid 18-1-19, EDJ 549060).

7) La **interfaz gráfica** de usuario no permite reproducir ese programa de ordenador, sino que solo constituye un elemento de dicho programa por medio del cual los usuarios utilizan las funcionalidades de éste (TJUE 22-12-10, asunto C-393/02).

8) Ni la funcionalidad de un programa de ordenador, ni el **lenguaje de programación o** el **formato** de los archivos de datos utilizados en un programa de ordenador para explotar algunas de sus funciones, constituyen una forma de expresión de tal programa en el sentido de la Dir 91/250/CEE art.1.2 -equivalente a la vigente Dir 2009/24/CE art.1.2- (TJUE 2-5-12, asunto C-406/10).

9) En los **programas individualizados**, hechos a la medida del cliente, se ha admitido la posibilidad de transformación sin autorización previa, salvo pacto (TS 17-5-03, EDJ 17209; AP Valencia 13-3-06, EDJ 104931; AP Soria 18-10-17, EDJ 242721; AP Madrid 11-1-24, EDJ 522190).

10) Verdaderamente, es una cuestión controvertida si se produce o no una transformación, en el sentido del artículo 4.1 b) CPD, cuando no se modifica el código objeto o el **código fuente** de un programa de ordenador (pende de decisión C-159/23, Sony Computer Entertainment Europe; se inclina por que no hay transformación BGH 23-2-2023 - I ZR 157/21 (AP Madrid 11-1-24, EDJ 522190).

11) No puede considerarse ilícita la prueba adquirida por medio de un programa informático que recopile **IPs de infractores** / personas jurídicas, porque no existe violación de la protección de datos que pueda ser reprochada a la actora como consecuencia del uso del referido programa, que le puede permitir conocer la dirección IP de las personas jurídicas infractoras y que tampoco existe violación de derechos fundamentales que justifique la apreciación de que existe prueba ilícitamente adquirida (AP Barcelona 27-9-23, EDJ 734198).

12) No es controvertido que los **videojuegos** son un material complejo que incluye aspectos informáticos (como un programa de ordenador) y también elementos narrativos, gráficos y sonoros, codificados en lenguaje informático, protegibles en caso de originalidad por los derechos de autor, en el régimen establecido por la Dir 2001/29/CE (TJUE 23-1-14, asunto C-355/12).

En consecuencia, corresponde a su **autor** el ejercicio exclusivo de los **derechos de explotación** de los mismos (LPI art.17 s.), el derecho de reproducción (LPI art.18) y el de transformación (LPI art.21), diferenciándose en que, en el derecho de **reproducción**, lo obtenido por el tercero es una copia en la que no se introduce alteración alguna o con alteraciones nimias que resultan insignificantes o insustanciales, en tanto que en el derecho de **transformación** interviene un proceso creativo que da lugar a una obra distinta (la obra derivada, LPI art.11), pues, partiendo de una obra preexistente, se crea una diferente que expresa y añade una dosis nueva de originalidad, de modo que cohabitan la obra preexistente y la obra derivada, cuya explotación precisa la **autorización** del autor de la obra preexistente (LPI art.11 y 21.2) (AP Alicante 15-9-23, EDJ 787404).

Clasificación Los contratos informáticos pueden ser objeto de la siguiente clasificación: **11262**
a) Contratos de **adquisición** de software (nº 11280).
b) Contratos **accesorios a la adquisición** de un software (nº 11365).
c) Contratos de **distribución** del software (nº 11405).
d) Contratos **complejos** (nº 11445).
e) Contratos de **hardware** (nº 11525).

Fases del contrato En relación con las diferentes etapas o fases por las que transcurre toda relación contractual, las **especificidades** de los contratos informáticos aconsejan prestar, en cada una de aquellas, especial atención a determinados aspectos. **11264**

Precontractual Cobra especial trascendencia el **alcance de la prestación** que se va a solicitar al proveedor informático, máxime si se tiene en cuenta que las distintas ofertas y propuestas pueden tener para el mismo una eficacia vinculante. **11266**

Formalización del contrato Adquieren singular importancia la claridad y precisión de los términos y **conceptos** empleados en: **11268**
- la definición del objeto y alcance del contrato;
- la fijación de forma clara y concreta, de las obligaciones de las partes;
- la previsión de formación del cliente en la utilización del programa en cuestión;
- las garantías de buen funcionamiento y de titularidad, lo que entronca con el uso pacífico de los derechos cedidos o licenciados;
- el establecimiento de vías de aceptación del producto;
- la titularidad de los derechos de propiedad intelectual sobre el software;
- el apoyo del creador o titular de derechos de propiedad intelectual sobre el software en relación con el mantenimiento y asistencia, sobre todo en casos de concurso o desaparición de su personalidad jurídica.

Ejecución del contrato Se caracteriza por el hecho de que en escasas ocasiones se trata de una mera entrega, sin más, de un producto terminado. Por el contrario, lo habitual es que exista una ejecución sucesiva y que la misma se prolongue en el tiempo. Por ello, el **control del desarrollo** de dicha ejecución, así como las garantías de saneamiento y de vicios ocultos son de gran trascendencia. **11270**
La relativa inestabilidad que suele caracterizar a los productos informáticos obliga al establecimiento de mecanismos de **comprobación periódica y mantenimiento** regular, que garanticen la continuidad y, en su caso, actualización de los productos. Además, los programas informáticos son objetos de **continuas mejoras y versiones** (siendo en extremo difícil a veces distinguir unas de otras), por lo que se hace preciso incluir previsiones contractuales que cubran estos aspectos.

Clausulado tipo de contrato informático Teniendo en cuenta las anteriores consideraciones, el contenido de un contrato informático suele ser el siguiente: **11272**
• definiciones;
• objeto del contrato;
• precio del producto;
• forma de pago;
• plazos de entrega y de realización y/o puesta en marcha;
• características técnicas necesarias para la perfección del contrato (locales, ordenadores, calificación técnica, etc.);
• entrega e instalación del producto;
• motivos de sustitución del producto;
• definir las pruebas de aceptación y el modo de aceptación;
• establecimiento del alcance del mantenimiento del producto: preventivo, correctivo, evolutivo;
• compatibilidad de los productos;
• entrega de manuales y documentación;
• entrenamiento y soporte del sistema;
• período contractual de garantía;
• transmisión de derechos, definiendo su alcance;
• establecimiento de la titularidad de los desarrollos;
• cláusulas de confidencialidad;

• alcance de la propiedad industrial (marcas y know-how);
• responsabilidades de ambas partes por incumplimiento;
• responsabilidades del proveedor derivado de su falta de titularidad.

El contrato suele contener, asimismo, un anexo o **anexos**, en los que se detallan los productos informáticos adquiridos, con especial hincapié en los requisitos técnicos de funcionamiento, así como los lugares donde se van a instalar dichos productos o donde ha de prestarse el servicio contratado.

11274 Precisiones La generalización del uso del software y la contratación en masa de tales productos ha propiciado, también en el ámbito de los contratos informáticos, la aparición de **contratos de adhesión** (nº 248), siendo ejemplo de ello los contratos de:
- **shrink-wrap**, en el cual las cláusulas contractuales se contienen dentro de un envoltorio junto con el software, de manera que la rotura del precinto del software implica la aceptación por el cliente de dichas cláusulas;
- **click-wrap**, en el que la aceptación de las cláusulas contractuales se produce por el simple hecho de realizar un «click» con el ratón del ordenador, y que suele referirse a licencias de programas informáticos que se adquieren a través de Internet.

B. Contratos de adquisición de software

11280

1. Leasing de software

11285 Constituye una especialización del contrato genérico de leasing o arrendamiento financiero, por el cual la empresa interesada en adquirir un software llega a un acuerdo con una **institución financiera** para que sea ésta la que lo adquiera del proveedor y, a continuación, conceda un derecho de uso pacífico a la empresa usuaria final (el cliente), así como una opción de compra sobre la licencia de uso o sobre la copia concreta adquirida.

11287 **Función económica** El contrato cumple la función económica propia de todo contrato de leasing. El elevado coste de algunos programas informáticos motiva que los clientes (usuarios finales) opten por la búsqueda de **fuentes de financiación** que les permita acceder al uso del software, a cambio de una cuota periódica y constante que se abona al arrendador financiero. Asimismo, supone una alternativa de adquisición de software que garantiza un correcto uso por el arrendatario, ya que se traslada al arrendador financiero las posibles incidencias que el software tenga en su funcionamiento.

Salvo en el caso, poco frecuente, de que sea el propio proveedor de software el que realice directamente el leasing, el contrato suele ir acompañado de **otros de carácter accesorio**, en virtud de los cuales:

a) El arrendador adquiere la oportuna **licencia** de software, con expresa autorización para su cesión a un tercero.

b) El proveedor de software asume ante el arrendatario la prestación de una serie de **servicios inherentes al uso** del software (mantenimiento, consultoría. etc.), los cuales suelen venir especificados en el propio contrato por el que el arrendador adquiere el software (normalmente contrato de licencia de uso).

En cualquier caso, el arrendamiento financiero de software presenta ciertos **riesgos** para la compañía de leasing:

• En cuanto a que, al quedar limitados sus derechos de propiedad intelectual, la entidad de leasing ve devaluada su **garantía ante el incumplimiento** por parte del arrendatario de sus obligaciones contractuales. Para solucionar dicha problemática se recurre a dos mecanismos:
- al establecimiento en el contrato entre el proveedor de software y la propia compañía de leasing del derecho de ésta última de poder volver a ceder el software a un tercero hasta que se haya resarcido de la inversión;

- pactar la colaboración del proveedor de software en caso de impago de las cuotas de arrendamiento, para que se impida el uso del software al cliente.
• La rapidez con que el software queda **obsoleto**, lo que implica un valor residual prácticamente nulo del mismo al finalizar el contrato.

Obligaciones de las partes Sin perjuicio del régimen general aplicable al contrato de leasing genérico (nº 4575 s.), el contenido obligacional específico del leasing de software presenta las siguientes **especialidades**: 11289
• La **opción de compra** que la compañía de leasing concede al usuario final no recae sobre la propiedad del software, sino sobre la licencia de uso que la compañía de leasing ha adquirido o sobre la copia concreta adquirida.
• El arrendatario, junto al resto de sus obligaciones (básicamente el pago de la cuota periódica), se hace responsable con la compañía de leasing de las obligaciones inherentes a cualquier usuario de un software, las cuales son objeto de análisis en el **contrato de licencia de uso** (nº 11295).
• El **proveedor de software** debe prever que el software cuyo uso cede a la compañía de leasing va a ser utilizado por un tercero distinto, y que, por lo tanto, dicho tercero debe respetar todas y cada una de las cláusulas contractuales pactadas entre el proveedor de software y la compañía de leasing.
• Traslado al **usuario final arrendatario** de las obligaciones asumidas por la compañía de leasing en el contrato de adquisición del software al proveedor.
• Corresponsabilidad del usuario final del software y de la compañía de leasing en los **daños y perjuicios** derivados de la vulneración de los derechos de propiedad intelectual de los que es titular el proveedor de software. En el contrato de leasing de software, es muy habitual que la compañía de leasing traslade al arrendatario cualquier tipo de responsabilidad que la compañía de leasing pueda tener como consecuencia de acciones u omisiones que causen daño al proveedor de software.
• **Prohibición de uso** del software a la compañía de leasing. En el contrato suscrito ente el proveedor de software y la compañía de leasing se suele pactar una autorización para que ésta pueda trasladar el uso al arrendatario final, pero estableciéndose que, a partir de dicho momento, la compañía de leasing no pueda utilizar el software en su propio beneficio. Esta cláusula es lógica ya que, si no se pactase así, el software podría ser utilizado tanto por la compañía de leasing como por el arrendatario, con el evidente perjuicio económico que se causaría al proveedor.

2. Licencia de uso

Cuando una compañía desarrolla un software o adquiere los derechos de explotación del software, debe plantearse cuál es la forma de optimizar sus ingresos mediante la comercialización de dicho software. Obviamente, cuantas más copias del software comercialice, mayor será la rentabilidad que obtenga. 11295
Ahora bien, dicha **comercialización** debe hacerse teniendo en cuenta que:
a) el software es un elemento fácilmente reproducible mediante sucesivas **copias**, manipulable y alterable, lo que exige el establecimiento de ciertas cautelas que impidan tales acciones;
b) el mantenimiento de la **exclusividad** en la comercialización y el control de la misma, determinan que el software no suela ser objeto de compraventa, por cuanto ello determinaría que el proveedor perdiera respecto de la copia transmitida la exclusividad de la comercialización, y podría ser objeto a su vez de sucesivas comercializaciones por parte del adquirente;
c) el verdadero negocio de los proveedores de software (sobre todo de software empresarial) radica no sólo en la comercialización de copias de software, sino también en el **mantenimiento** de las mismas (nº 11370), que les permite retener al cliente, a través de nuevas versiones de los productos, a cambio del pago de una cuota de mantenimiento.
Las circunstancias anteriores motivan que los proveedores de software opten, en su gran mayoría, por comercializar sus productos a través de una serie de contratos atípicos, denominados **licencias de uso**, y en virtud de los cuales, una parte (el proveedor) concede a la otra (el cliente o usuario del software), una licencia para usar un software, a cambio de una contraprestación monetaria.

Precisiones 1) Aunque las interpretaciones doctrinales y jurisprudenciales clásicas equiparan el contrato de licencia de software con el de concesión (nº 5885) o con el de arrendamiento (nº 5175); las opiniones más modernas defienden el **carácter atípico** de este tipo de contratos, a los que únicamente serían de aplicación ciertos aspectos de los contratos de arrendamiento o compraventa en casos muy particulares y con una duración limitada.

2) Ante un supuesto de **compraventa de las licencias de uso** de un conjunto de programas informáticos que adolecen de una serie de **deficiencias** que los hacen inservibles para el uso pactado, procede la resolución de los contratos y la indemnización de perjuicios y cobros indebidos, por parte de la vendedora (TS 20-7-98, EDJ 8614).

3) Se declara resuelto el contrato de adquisición de un paquete de software, debido a **inidoneidad del programa suministrado**, junto a diversos elementos de hardware, condenando a la parte vendedora a devolver la cantidad total pagada por la compradora, mientras que a ésta última se le impele a devolver la aplicación informática junto con el resto del material contratado, no accediendo el juzgador en este caso, a la pretensión del comprador de indemnización por daños y perjuicios, al no acreditarse la realidad de los daños ni las bases para su cuantificación (AP Valencia 26-4-00, EDJ 117451).

4) Los contratos de comercialización de software y servicios se consideran **relaciones comerciales complejas**, consistentes no sólo en contratos de compraventa, sino también de arrendamientos de obra y arrendamientos de servicios (TS 17-5-03, EDJ 17209).

a. Elementos

11300 Los aspectos más destacados a considerar en un contrato de licencia de uso son:
- titularidad de los derechos de explotación;
- alcance de la licencia;
- fijación del precio.

11302 **Titularidad** El **proveedor** ha de ser titular de los derechos de explotación del software. Dicha titularidad puede derivar básicamente de:
- ser el autor de la obra (persona física);
- ser una obra colectiva, realizada por una multiplicidad de intervinientes, pero coordinada y editada por el proveedor;
- haberse realizado una contratación mercantil previa con otra empresa o con el/los autores originales;
- haber sido el software elaborado por personal en plantilla del proveedor, en su jornada de trabajo.

La **falta de titularidad** de los derechos de explotación del software por parte del proveedor, si bien no determina responsabilidad alguna del usuario de buena fe, ante el verdadero titular, puede sin embargo deparar graves perjuicios para el cliente, en particular, la paralización del uso del software como consecuencia del ejercicio de medidas cautelares por el titular legítimo, o el triunfo de una acción de cesación por su parte.

Para evitar tales perjuicios, y ante las dificultades que, de ordinario, encuentra el cliente para asegurarse de la legitima titularidad de los derechos de explotación objeto de la licencia de uso, es habitual establecer en el contrato **cláusulas punitivas** tendentes, no tanto a resarcir daños y perjuicios al usuario, como a garantizar la continuidad del uso del software (nº 11312).

11304 **Alcance** La licencia de uso presenta las siguientes características:

a) La cesión del derecho de uso del software se entiende como **no exclusiva**, ya que el mismo software se comercializa con relación a múltiples clientes.

b) El control del proveedor sobre el producto determina que la licencia sea, en principio, **intransferible**.

c) El cliente debe destinar el producto exclusivamente:
- para su **uso personal**: esto es, para satisfacer sus propias necesidades; si se contempla su utilización para la prestación de servicios a terceros, es habitual que el precio sea más elevado y que se limite contractualmente el alcance del servicio, normalmente por número de empresas (nº 11343);
- para un **ordenador y entorno operativo determinado**: el empleo de ordenadores de mayor potencia suele implicar un coste adicional para el cliente y el cambio de entorno operativo, determina asimismo que el software deba ser alterado o modificado (upgrade);
- por un **período de tiempo**: los contratos de licencia pueden establecer un tiempo concreto de uso (normalmente cuando van unidos a otros contratos como el de mantenimiento), un uso ilimitado en el tiempo (situación que da lugar a confusiones respecto a su similitud con una compraventa), o, incluso, no establecer plazo, en cuyo caso el mismo se entiende limitado a cinco años (LPI art.43.2);
- para un **número de usuarios** determinado.

d) La licencia de uso implica la entrega de una copia del **código objeto** que permite el normal funcionamiento del software; sin embargo, no suele ser frecuente la entrega de una copia del código fuente, ya que ello supondría dejar en manos del cliente la posibilidad de alterar el software.

Precio La fijación del precio de la licencia de uso de software suele realizarse mediante una **tarifa**, graduada en función de distintos factores. 11306
Los **factores** que con mayor frecuencia son tenidos en cuenta en la graduación de la tarifa los siguientes:
- el número de **usuarios finales**, es decir, el número de personas físicas que van a poder operar con el programa;
- el número de **ordenadores**, es decir, los puestos de ordenador que van a tener instalado, o van a poder acceder al software;
- la **potencia** y tipo de ordenador donde va a estar instalado (p.e., el que un mismo producto sea instalado en un servidor personal o en un mainframe, o gran ordenador, puede suponer diferencias de precio abismales).

b. Obligaciones de las partes

Pueden concretarse, para cada parte, en las siguientes: 11310

Proveedor La obligación principal del proveedor es conceder y otorgar al cliente el uso pacífico del software. Dicha obligación comprende, a su vez: 11312
• La **entrega** efectiva del software objeto del contrato.
• La **garantía**, tanto del correcto funcionamiento del producto, como de su continuidad.
El proveedor asume usualmente frente al cliente:
a) La defensa en toda reclamación o acción contra el mismo fundada en que el producto o su uso infringe una patente, marca, derecho de propiedad intelectual o secreto comercial, para lo cual se le reconoce al proveedor la dirección del procedimiento y el derecho a recibir del usuario toda la información relacionada con el asunto de la que éste disponga.
b) El abono de cualesquiera **daños y perjuicios** a que pudiera ser eventualmente condenado el cliente en dichos procedimientos.
• En el caso de que, como consecuencia del ejercicio de una acción o reclamación, el software quedara total o parcialmente afectado, o si quedara prohibida la concesión en licencia de uso del mismo, el proveedor suele quedar obligado a **sustituir** la parte afectada por otro producto adecuado, o **modificar**, en su caso, el producto para que cese la infracción. Si ninguno de los mencionados remedios fuera viable se establece una cláusula penal consistente, normalmente, en el **reembolso** de la cantidad total pagada por el cliente con respecto al software o la parte del mismo.
Al objeto de posibilitar la obligación de garantía, el proveedor ha de comprometerse a prestar una serie de servicios o **prestaciones adicionales**, tales como:
- mantenimiento (nº 11370);
- escrow (nº 11385);
- consultoría (nº 11405 y formación (nº 11415);
- extensión de la licencia a las modificaciones del software realizadas por el proveedor.

Precisiones Es conveniente que el contrato especifique con claridad el **momento** en el que se entiende realizada la **entrega** efectiva del software:
- al recibir el cliente los programas y la documentación;
- al instalarse el software en el sistema del cliente y obtener los informes de instalación correcta;
- al recibir el cliente los cursos de formación;
- al finalizar la parametrización o adaptación del sistema a las necesidades del cliente.

Cliente Las obligaciones fundamentales del cliente se concretan en: 11314
• El **pago** del precio convenido en el contrato.
• El **uso y** la **protección** del software de conformidad con la legislación aplicable en materia de propiedad intelectual y con sujeción a las propias limitaciones contractuales. Dada la especial naturaleza del software, el cliente debe velar por la protección de un producto del cual ha adquirido un derecho de uso, pero cuya propiedad no le pertenece. Por ello debe respetar y hacer respetar a sus colaboradores todos los derechos de propiedad que se mencionen o a los que se haga referencia, impidiendo que terceros tengan acceso al software, mediante la adopción de las medidas necesarias para evitar dicha intromisión en los derechos de autor del proveedor.

De otra parte, y de acuerdo con la normativa en materia de **propiedad intelectual**, el usuario legítimo de un software está facultado para, **sin** necesidad de **autorización del titular** del derecho de autor sobre el software, ejercitar determinados derechos y realizar determinados actos (LPI art.100): 11316
• **Reproducir o transformar** un programa de ordenador, incluida la corrección de errores, cuando dichos actos sean necesarios para la utilización del mismo por parte del usuario legítimo, con arreglo a su finalidad propuesta, todo ello, salvo que exista un pacto contractual que lo prohíba.

• Realizar una **copia de seguridad**, en tanto que resulte necesaria para la utilización de un programa.
• Observar, verificar y estudiar el **funcionamiento del programa** siempre que lo haga durante la carga, visualización, ejecución, transmisión o almacenamiento del programa y con fines de determinar las ideas y principios implícitos en cualquier elemento del programa.
• **Reproducir el código y la traducción** de su forma, cuando sea indispensable para obtener la información necesaria para la interoperabilidad de un programa creado de forma independiente con otros programas, siempre que se cumplan los siguientes requisitos:
- que tales actos sean realizados por el **licenciatario** o por cualquier persona facultada para utilizar una copia del programa, o en su nombre, por parte de una persona debidamente autorizada;
- que la información necesaria para conseguir la **interoperabilidad** no haya sido puesta previamente y de manera fácil y rápida, a disposición de las personas a las que se hace referencia en el apartado anterior;
- que dichos actos se limiten a aquellas partes del **software original** que resulten necesarias para conseguir la interoperabilidad.

c. Licencia de uso gratuita para el usuario final

11320 Es este un contrato por el cual una empresa de software otorga a un usuario una licencia para descargar, instalar y utilizar un software determinado en su equipo de escritorio (ordenador, smartphone o tablet) con el único fin de utilizar personalmente las aplicaciones suministradas de forma explícita por la empresa de forma totalmente gratuita. Dicha licencia es limitada, personal, no comercial (para **uso en el hogar** o **en el trabajo**), no exclusiva y gratuita, y normalmente no puede sublicenciarse ni cederse.

11322 **Obligaciones del usuario** Son más extensas que las de licencia de uso genéricas (nº 11310 s.) y entre ellas destacan:
a) Prohibición de vender, ceder, alquilar, arrendar, distribuir, exportar, importar, actuar como un **intermediario** o **proveedor**, u otorgar a terceros derechos sobre el software en cuestión o cualquiera de sus componentes.
b) Prohibición de realizar, causar, permitir o autorizar la modificación, creación de trabajos derivados, traducción, **ingeniería inversa**, descompilación, desarmado o **piratería** del software suministrado o cualquiera de sus componentes.
c) El usuario reconoce y acepta que la empresa suministradora de la licencia de uso de software gratuito, a su libre y exclusivo criterio, puede modificar, interrumpir o **suspender** la posibilidad de que el usuario utilice cualquier versión del mismo, como así también dar por finalizada la **vigencia** de cualquier licencia surgida del presente contrato, cuando así lo desee, con efecto inmediato y sin recurrir a los tribunales, no aceptando ninguna responsabilidad en relación con **daños** directos o indirectos provocados por:
- el lanzamiento o la ausencia de lanzamientos de versiones nuevas; y
- la suspensión o extinción de este contrato por parte de la propia empresa o por el usuario.

11324 **Obligaciones de la empresa suministradora** No suelen tener obligaciones, aunque de forma general se establece que:
a) La empresa suministradora, a su libre y exclusivo criterio, se reserva el derecho de **agregar características**, funciones, correcciones y actualizaciones al software.
El usuario debe reconocer y aceptar que dicha empresa no tiene obligación alguna de proporcionarle ninguna **versión posterior** de su software, debiendo realizar un nuevo contrato en caso de que desee descargar, instalar o utilizar una nueva versión.
b) Todos los derechos de propiedad intelectual sobre el mismo o que surjan de él son y serán propiedad exclusiva de la empresa y sus licenciantes.
El **uso** del programa no transfiere ninguno de esos derechos de propiedad intelectual (LPI art.56).

11326 **Ausencia de garantía** El software se provee en su estado actual (típica garantía «AS IS») y generalmente sin garantías de ningún tipo.
La empresa no ofrece de manera explícita, implícita ni jurada, garantías, **afirmaciones** ni **declaraciones** de ningún tipo, lo cual incluye, entre otros aspectos, garantías relativas a la calidad, rendimiento, ausencia de infracciones, comercialización o aptitud para el uso o propósitos particulares.
La empresa, en principio, no declara ni garantiza que esté siempre **disponible**, accesible y completo ni que sea **seguro** o preciso.

Tampoco declara ni garantiza que no sufra interrupciones o **demoras**, ni que esté libre de errores o que funcione sin pérdida de paquetes.
Pese a ello siempre podría ejercitarse la **acción de responsabilidad civil** por daños causados por productos defectuosos (nº 1206).

Extinción del contrato El contrato entra **en vigor** a partir de la fecha de vigencia y hasta tanto la empresa o el usuario lo den por concluido. 11328
Generalmente la **empresa** puede extinguir este contrato en cualquier momento y con efecto inmediato, con o sin motivos y sin recurrir a los tribunales, proporcionándole al usuario una notificación o impidiendo que acceda al software.
Igualmente, el **usuario** puede extinguir el contrato en cualquier momento y con efecto inmediato, con o sin motivos y sin recurrir a los tribunales, reconociendo que una vez extinguido éste, caducan todas las licencias y derechos de utilizar el software, suspendiéndose su uso, desinstalándolo de todos los discos duros, redes y otros medios de almacenamiento y destruyendo todas las copias que tenga en su posesión o estén bajo su control.

d. Contratos especiales

Existen determinados contratos de licencia de uso que se producen en situaciones especiales, por las particularidades que presentan. En concreto, nos referimos a los contratos de: 11335
- licencia llave en mano;
- licencia de uso especial para upgrade;
- licencia especial para outsourcing.

Contrato de licencia llave en mano Es un contrato de licencia caracterizado porque en el que en el mismo se pacta expresamente un **resultado** concreto: el funcionamiento del software de conformidad con las necesidades concretas del cliente. 11337
Junto a la concesión de una licencia de uso, implica necesariamente la prestación por parte del proveedor de una serie de **servicios adicionales** (instalación, formación, consultoría, la parametrización del software), de conformidad con las particularidades del cliente e incluso el desarrollo específico de soluciones a medida para el cliente.

Precisiones 1) La calificación jurídica de este contrato es cercana a la del **arrendamiento de obra**, y así, se **resuelve por mora** un contrato en el que la recurrente se obligaba a diseñar, elaborar y entregar un programa informático adaptado a las necesidades del cliente, actuaciones que, transcurrido el plazo de tres años, no llegan a efectuarse. Igualmente, obliga a la entidad informática vendedora a la devolución de las cantidades percibidas del comprador (AP Barcelona 10-3-00, EDJ 18958).
2) Se considera que el autor del programa informático preexistente, que, posteriormente se convierte en **administrador solidario de la sociedad** que los transforma para hacer una **versión sucesiva** de aquel, ha dado su consentimiento inequívoco para que dicha modificación o transformación tenga lugar (AP Madrid 14-1-08, EDJ 16048).
3) En los **programas individualizados**, hechos a la medida del cliente, se ha admitido la posibilidad de transformación sin autorización previa, salvo pacto (TS 17-5-03, EDJ 17209; AP Valencia 13-3-06, EDJ 104931; AP Soria 18-10-17, EDJ 242721; AP Madrid 11-1-24, EDJ 522190).

Contrato de licencia de uso especial para upgrade Se denomina upgrade a la autorización del uso del software original contratado en unas **circunstancias distintas a las originales**, lo que implica el pago de una cantidad adicional a la inicialmente satisfecha por la licencia de uso. 11339
Es necesario por tanto la preexistencia de un contrato de licencia original, exigiéndose normalmente que el cliente suscriba un contrato de **mantenimiento** para que se pueda producir un upgrade, procediéndose en caso contrario al otorgamiento de una nueva licencia.

Precisiones Formalmente es factible que este contrato sea un **anexo** al contrato original de licencia, o bien un nuevo contrato, siendo ésta última la alternativa más favorable para el proveedor.
Desde un punto de vista técnico, el upgrade puede suponer la realización de ciertas **alteraciones** o procesos técnicos que habiliten el uso del software, tales como:
- el uso del programa en un ordenador distinto, de mayor potencia o capacidad, del indicado en el contrato de licencia;
- o en un sistema operativo distinto del indicado en el contrato de licencia;
- o por un número de usuarios u ordenadores superior al indicado en el contrato de licencia original.

Particularidades Las particularidades de este tipo de contrato de licencia de uso, y las **consecuencias prácticas** derivadas de las mismas, pueden concretarse en los siguientes puntos: 11341
a) Al tratarse de un **software conocido** y ya utilizado por el cliente:
- desaparece la cláusula de garantía del software;

- no caben alegaciones por parte del usuario acerca del desconocimiento sobre el funcionamiento del software.
b) Al encontrarse el software ya instalado en los ordenadores del cliente, la instalación es un servicio especial susceptible de ser facturado de forma independiente, por lo que suele ser práctica general la **autoinstalación** por parte del cliente.
c) Es posible que existan **desarrollos informáticos** realizados **a medida** en el software estándar sobre el que se realiza el upgrade:
- si han sido realizados por el proveedor, estos irán incluidos en el upgrade, y será obligación del proveedor realizar las adaptaciones necesarias para su correcto funcionamiento;
- si han sido realizados directamente por el cliente o un tercero, su adaptación no irá incluida en el upgrade, extremo este que ha de preverse.
d) La licencia de uso en un upgrade tendrá una tarifa superior a la de la licencia de uso sobre el producto original. Como consecuencia de ello:
- se incrementará la cuota pactada de mantenimiento del software, ya que su precio suele ser un porcentaje sobre la tarifa de la licencia de uso;
- se incrementará la responsabilidad del proveedor.
e) El contrato de **mantenimiento** (nº 11370) se ve modificado tácitamente, de conformidad con la nueva licencia.

11343 **Contrato de licencia especial para outsourcing** En el ámbito de la contratación informática el término outsourcing alude a la idea de **externalización** de la gestión informática de una empresa.
Al respecto, se hace preciso **distinguir** entre:
- el contrato de outsourcing (nº 5230); y
- el contrato de licencia de uso que se concede a la empresa que presta servicios de outsourcing, a cuyo análisis se dedica el presente apartado.

Precisiones 1) En relación con los posibles contratos de licencia de uso que se tengan en las compañías destinatarias del outsourcing, ha de tenerse en cuenta que, salvo pacto en contrario, no cabe, sin consentimiento del licenciatario, una **cesión o transferencia** de las mismas.

2) No cabe responder por los **servicios de interconexión** pactados con una empresa tercera, salvo que dicha responsabilidad se pacte expresamente (AP Gerona 28-7-08, EDJ 267406).

11345 **Especialidades** Frente al contrato de licencia de uso general el contrato presenta las siguientes especialidades:
a) La empresa que presta servicios de outsourcing utiliza el **mismo software** para múltiples clientes, usuarios finales, que obviamente no van a adquirir licencias de uso de dichos productos (p.e. una empresa dispone de un centro de procesos de datos, desde donde presta servicios de gestión informatizada a decenas de empresas distintas que no disponen, por lo tanto, de servicios propios).
b) En cuanto al precio, éste suele ser más elevado, porque, aunque se concede la licencia a una empresa, el uso va destinado a un número mayor de usuarios finales. En tal sentido, se suele establecer una tarifa gradual progresiva por número de destinatarios del outsourcing, que nunca tiene carácter regresivo; es decir, se habilita hasta un número máximo de destinatarios.
c) El contrato suele contener las siguientes **previsiones**:
- detalle de las compañías que van a ser **destinatarias** del servicio de outsourcing, bien de forma nominativa, bien estableciendo el número máximo de empresas a las cuales se puede realizar outsourcing;
- **upgrades específicos** por número de empresas destinatarias y también por tamaño o potencia de ordenador;
- se prohíbe de realizar **cambios de localización** del ordenador;
- mayor **flexibilidad en el uso** del software, permitiendo, por ejemplo, que el cliente pueda realizar un número de copias de seguridad más elevado;
- se exige **responsabilidad** a la empresa que presta servicios de outsourcing por las vulneraciones que cometan las empresas destinatarias del mismo;
- el **mantenimiento** se realiza a la empresa que presta servicios de outsourcing, y cubre las necesidades de ésta, no a las de los destinatarios del outsourcing.

3. Desarrollo de software

Mediante el contrato de desarrollo de software, una de las partes recibe de la otra el encargo de proceder al desarrollo, **evolución o mejora** de un software, a cambio de un precio. El encargo que realiza el cliente puede tener como objetivo el desarrollo: 11350
- de un software **estándar**, que pasa a ser propiedad del cliente;
- o el desarrollo de un software **a medida**, cuya propiedad debe quedar determinada contractualmente.

Fases El contrato de desarrollo de software a medida comprende todo un programa de **actuaciones sucesivas** que, en términos generales, pueden agruparse en las siguientes fases: 11352
- estudio previo sobre la empresa;
- análisis funcional;
- especificaciones técnicas;
- programación;
- depuración;
- entrega e instalación;
- garantía;
- mantenimiento;
- modificaciones y futuras versiones.

De la enumeración anterior, destacan por su importancia:

a) El **análisis funcional**, que es el documento donde se determinan las funcionalidades y operativa que el software va a tener.

b) Las **especificaciones técnicas**, en las cuales se detallan el hardware óptimo para el funcionamiento del software, la memoria mínima requerida, los requisitos de ampliación de equipo y los requisitos del software de sistemas o de cualquier otro extremo que influya en el desarrollo a medida.

Obligaciones de las partes Desde un punto de vista práctico, el contenido obligacional del contrato se corresponde con el propio de cualquier contrato de ejecución de obra. Ello no obstante, las **particularidades** propias del contrato de desarrollo de software, exigen que en la redacción del clausulado se preste una especial atención en relación con determinados aspectos, entre los que cabe destacar los siguientes: 11354

a) En cuanto a la definición del **objeto** del contrato -desarrollo de un software-, la descripción del programa ha de realizarse de la manera más detallada posible, indicando su compatibilidad o no con el sistema preexistente.

b) Asimismo, es conveniente fijar de forma exhaustiva:
- los **plazos** y cargas de trabajo, así como la emisión de informes periódicos que certifiquen el cumplimiento de las tareas;
- las **personas** que van a intervenir en la ejecución del proyecto;
- las obligaciones que el **cliente** asume y que constituyen requisito indispensable para la obtención del resultado perseguido.

c) En relación con la **titularidad del software**, ésta debe ser objeto de pacto expreso, estableciendo que la misma corresponderá:
- a **quien lo desarrolla**, lo que implica licenciar indefinidamente el uso del código fuente por el cliente, y la necesidad de incluir en el contrato una cláusula escrow (nº 11385);
- al **cliente**, en cuyo caso debe preverse la cesión de los derechos de explotación por 70 años y para todo el mundo (LPI art.15). En este caso se plantean como cuestiones de interés el encarecimiento del producto, así como la dificultad en la fijación del momento de la traslación de la propiedad.

Precisiones **1)** Cuando el programa informático **no** es un producto **standard**, sino personalizado para el cliente, y este último corre con todos los gastos de investigación y desarrollo del programa, con la considerable inversión que ello supone, su viabilidad para el futuro no puede dejarse al puro interés o capricho del proveedor del programa. 11356

En consecuencia, el proveedor debe entregar al usuario una copia de las fuentes, a fin de que pueda actualizar el programa e introducir las mejoras oportunas (TS 17-5-03, EDJ 17209).

2) El contrato informático tiene un innegable matiz de **contrato de resultado** o de obra, de tal forma que no se contrata y se retribuye por la simple dedicación de esfuerzos y tiempo por parte de la empresa informática, sino que lo que se pretende es la realización e implantación, para los cometidos o áreas que interesan al cliente, según lo pactado, cualesquiera que sean los términos y denominaciones del contrato.

El contrato contiene tanto obligaciones de dar como, muy especialmente, de hacer, configurándose como una obligación de resultado (AP La Rioja 16-9-03, EDJ 266046).

3) La **obra** creada **por encargo** es aquella figura jurídica por medio de la cual una de las partes (contratista o encargado) se obliga a crear una obra, no por iniciativa propia, sino de un tercero (comitente o contratante), y a entregársela a éste a cambio del pago de un precio cierto por ella. El pago hecho por el comitente puede conllevar la transmisión, expresa o tácita, a su favor de los derechos patrimoniales sobre la obra creada por encargo cuando no existe contrato (solo había facturas y presupuestos), ni estipulación alguna sobre la materia en la relación jurídica que une a comitente y encargado. Sobre todo, habrá que estar a la intención de las partes. Este tipo de contratos se asimila al de arrendamiento de obra previsto en el CC (AP Barcelona 23-11-17, EDJ 273842).

4) El ejercicio de los derechos de **reproducción** (en sentido amplio, comprensivo tanto del que podríamos denominar derecho de copia -reproducción permanente- como del que era conocido en la anterior etapa histórica de nuestro ordenamiento como «derecho de uso» -reproducción temporal) **y distribución** no exigen el acceso al código fuente. Únicamente el derecho de transformación exigiría tal acceso (AP Madrid 26-5-20, EDJ 691826).

5) El autor del software podrá dirigirse contra cualquier sujeto de la **cadena de transmisión del derecho de uso** que trate de craquear cualquier dispositivo de protección instalado en el programa con la finalidad de poder instalar ese software en otros ordenadores o equipos por medio de la realización de copias (AP Valencia 24-2-20, EDJ 655161; TJUE 23-1-14).

6) En los **programas individualizados**, hechos a la medida del cliente, se ha admitido la posibilidad de transformación sin autorización previa, salvo pacto (TS 17-5-03, EDJ 17209; AP Valencia 13-3-06, EDJ 104931; AP Soria 18-10-17, EDJ 242721; AP Madrid 11-1-24, EDJ 522190).

11358 **Otras cláusulas** Además de las expuestas, suelen incluirse en el contrato las relativas a:
- la asunción de un compromiso de **confidencialidad y no competencia** o exclusividad;
- la obligación contractual y postcontractual por parte del proveedor de no llevar a cabo el mismo o similares servicios a los establecidos en el presente contrato para terceras personas dentro del mismo ámbito comercial y/o empresarial;
- las **modificaciones** y futuras versiones;
- la fijación de **parámetros técnico-informáticos** que permitan valorar el software desde diferentes perspectivas: si cumple con todas las especificaciones pactadas y se ajusta a las necesidades del cliente, su grado de fiabilidad y eficiencia, facilidad en cuanto su uso, mantenimiento, e interpolación, es decir, la facilidad para acoplar, en un sistema, un software instalado en otro.

Precisiones 1) La calificación del contrato como arrendamiento de servicios o arrendamiento de obra es una cuestión que se desprende del clausulado del contrato, siendo lo habitual su consideración como contrato de **arrendamiento de obra**.

2) En la práctica, el punto de mayor discusión en estos contratos trata de conciliar la tendencia del proveedor a realizar un contrato con un **precio** abierto y la tendencia del cliente a fijar un precio cerrado.

C. Contratos accesorios a la adquisición de software

11365

a. Mantenimiento

11370 El mantenimiento de un software estándar resulta imprescindible para el usuario, ya que supone una **garantía** de que el software no sólo a va a ser reparado, sino de su permanente actualización.

Al objeto de dar la oportuna cobertura a las necesidades enunciadas, es práctica general que al contrato principal de adquisición de software quede vinculado con **carácter accesorio** otro en virtud del cual una empresa, normalmente el mismo proveedor de software o alguien muy cercano a él, se compromete, a cambio de una cuota, a mantener el correcto funcionamiento de un software.

Sin perjuicio de cualesquiera otros conceptos que las partes puedan pactar, la **extensión** del servicio de mantenimiento suele abarcar una triple dimensión:
- mantenimiento **correctivo**, esto es, el encaminado a corregir los errores del software;
- mantenimiento **preventivo**, es decir, dirigido a evitar la comisión de errores o el acaecimiento de los mismos;
- mantenimiento **evolutivo** o de actualización, cuyo objetivo es dotar de continuidad al software mediante mejoras y nuevas versiones.

Precisiones Con respecto a la **calificación jurídica** del contrato, la mayoría de la doctrina considera que debe ser calificado como arrendamiento de servicios, si bien, dada la posible extensión del contrato, cabe su calificación como arrendamiento de obra, como sucede en el caso de referencia, que califica como arrendamiento de obra un contrato de mantenimiento, por el que se estableció contractualmente la obtención de una serie de resultados de mejora de los sistemas y la aplicación mantenida (AP Barcelona 10-5-07, EDJ 146615).

Contenido de los servicios Asimismo, y en cuanto al **contenido** concreto de los servicios de mantenimiento, cabe citar, entre otros, los siguientes: 11372
• hot line: atención telefónica o telemática a las llamadas y preguntas del cliente;
• adaptación del software a los cambios sectoriales y así como a las modificaciones legales que eventualmente se produzcan;
• corrección de errores del software;
• incorporación al software original de nuevas versiones o actualizaciones del mismo;
• acceso a upgrades (nº 11339), a precio inferior al de mercado;
• recuperación de la información perdida;
• servicio de escrow o garantía de acceso al código fuente.

Como elementos principales a tener en cuenta en el **clausulado** del contrato de mantenimiento, pueden citarse los siguientes: 11374
a) Definición de las **características** que reviste el servicio: lugar de la prestación, horario de atención al cliente, equipo de mantenimiento, etc.
b) Tiempo de **respuesta** a las llamadas o requerimientos del cliente.
c) Términos en que se establece la relación entre proveedor y cliente respecto a las **mejoras** que se desarrollen (p.e., pactar que, si el cliente se niega a instalar las mejoras o las nuevas versiones, la versión anterior quede fuera del mantenimiento).
d) Definición del **alcance temporal** del mantenimiento.
e) Compromiso de no contratación del **personal** de la empresa que presta el servicio de mantenimiento.
f) Pacto de **confidencialidad**.

Obligaciones de las partes 11376

Sin perjuicio de cualesquiera otras que puedan ser objeto de pacto, las mismas se concretan en:
a) El **cliente** se obliga a:
- mantener el hardware;
- conservar la documentación, discos originales, etc., que faciliten las tareas del equipo de mantenimiento;
- realizar copias de seguridad de los ficheros de datos;
- designar a un interlocutor que reporte las incidencias;
- notificar el traslado de los equipos;
- instalar las nuevas versiones.
b) El **proveedor** queda, por su parte, obligado a:
- cumplir las tareas del mantenimiento;
- no ceder el servicio;
- mantener actualizado el software.

Contrato especial de actualización de versiones Como especialidad del contrato de mantenimiento, se configura el contrato de actualización de versiones o «update», habitual en productos que son distribuidos mediante terceros distintos del fabricante del software, habitualmente VAR (nº 11431). En dichas situaciones, es habitual que el **distribuidor de valor añadido** (VAR), otorgue los niveles de mantenimiento más cercanos al cliente final, pero el fabricante o autor, suele firmar directamente con el cliente final (aunque también cabe firmarlo con el VAR), un contrato únicamente de actualización de versiones, por el cual se adquieren los **compromisos** de la **puesta a disposición del cliente**, a través de la red de distribuidores del fabricante del software, y durante la vigencia estipulada, de aquellas modificaciones y/o mejoras que se hayan producido en el software, a cambio de una remuneración consistente, habitualmente, en un porcentaje del importe de la licencia. 11378

b. Escrow

El contrato de escrow es una especialidad del contrato de **depósito** (nº 4910), conforme al cual el proveedor de software entrega una **copia del código fuente** del software a un tercero, normalmente un fedatario público (notario) o una empresa tecnológica, que se obliga tanto a 11385

custodiarlo como, ante el acaecimiento de ciertos hechos (p.e. desaparición de la empresa por disolución o liquidación concursal), a entregar una copia del mismo a un tercero o al licenciatario.
El depósito es **remunerado**, ya que, tanto el depositante, como el tercero al que se le proporciona acceso van a pagar un precio al depositario, no sólo por la labor de custodia, sino también por la realización de prestaciones accesorias.

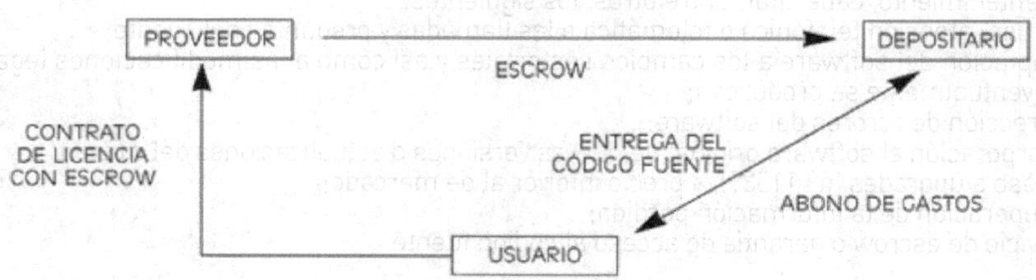

El contrato cumple como **función principal** garantizar a los usuarios de software el acceso a las novedades que, fruto de su evolución, se produzcan en relación con el producto.
En tal sentido, es práctica habitual que en el contrato de **licencia de uso** (nº 11295) se incorpore la denominada «cláusula escrow», mediante la que se otorga al usuario el derecho de acceder a una copia del código fuente en la hipótesis de que sucedan ciertos hechos, asegurando así al usuario un uso futuro del software, ya que con el código fuente podrá mantener el software en funcionamiento por sus propios medios.
Asimismo, el proveedor de software suele vincular la prestación del escrow a la suscripción de un contrato de **mantenimiento** (nº 11370), condicionando el acceso al código fuente a la vigencia del contrato de mantenimiento.
Últimamente, este tipo de contratos se ha visto progresivamente sustituido por los depósitos hechos con tecnología **blockchain**. En este caso, se pacta que un tercero tenga el derecho a recuperar una cantidad de dinero a modo de cláusula penal, cuando las condiciones pactadas de la licencia no se cumplan.

Precisiones 1) El **código fuente** es el núcleo formal y la primera expresión independiente del proceso de creación, que alcanza una protección directa del derecho de autor.
2) El **origen histórico** de esta acción de depósito, proviene de la necesidad de proteger la titularidad de un software, pues supone una presunción de la titularidad a favor del depositante. Cierto que en la actualidad los Registros de la Propiedad Intelectual son un medio habitual de prueba de la titularidad de un software, pero la inscripción de un software en ellos, siendo el autor una empresa, genera problemas operativos que han motivado la búsqueda de alternativas más operativas, como es la que nos ocupa en este epígrafe.

11387 **Elementos intervinientes** En el contrato de escrow intervienen los siguientes **sujetos**:
- el depositante;
- el depositario;
- el usuario del software.

1) El **depositante** es titular de los derechos de explotación del software.
2) En relación con la idoneidad del **tercero depositario**, existen diversas opiniones. Frente a quienes entienden la conveniencia de que sea un fedatario público, para que quede constancia suficiente del depósito, otras opiniones, atendidas las obligaciones accesorias que suele conllevar este contrato para que sea eficaz, consideran más adecuado que el depositario sea una compañía del sector tecnológico (escrow office). En cualquier caso, el depositario debe cumplir una serie de **requisitos**:
- disponer de instalaciones seguras, tanto desde el punto de vista físico como técnico;
- disponer, asimismo, de medios técnicos suficientes para cumplir sus obligaciones (al menos copiar el código fuente);
- garantizar cierta continuidad e independencia.

3) El **cliente** del depositante, usuario del software, cuya participación en el contrato original no suele existir, salvo casos especiales, si bien pacta el acceso al código fuente con el proveedor de software, y en algunas ocasiones asume ciertas obligaciones con el depositario.

Precisiones En la práctica, son las **grandes empresas** que proporcionan servicios de outsourcing, y que por lo tanto disponen de recursos tecnológicos muy importantes, las que, junto con las **compañías de seguridad**, ofrecen los servicios de escrow.

Sucesión de contratos Dada la participación de tres partes, es habitual que nos encontremos con una **diversidad** de contratos: 11389

a) Por una parte, el contrato de depósito entre el **depositante y** el **depositario**, contrato con contenido propio, en el que se establecen las condiciones del depósito, las obligaciones de ambas partes, los supuestos de retirada, etc.

b) Por otra, el contrato o relación entre el **depositante y** el **usuario**. Normalmente plasmado en el propio contrato de licencia de uso.

c) Incluso puede producirse una nueva relación jurídica entre **depositario y usuario** del software o cliente en que se regulen sus condiciones concretas de acceso.

Asimismo, cabe que el contrato inicialmente suscrito entre el depositante y depositario se vea posteriormente refrendado, en cuanto a las obligaciones que le son propias, por el cliente, mediante la **adhesión** al mismo. Es decir, el aspecto formal del contrato presenta múltiples variables, si bien todas ellas tienen los mismos **objetivos**:

• El proveedor de software deposita este ante un tercero.
• El tercero depositario se compromete a guardarlo y a entregar una copia del software a usuarios legítimos del mismo ante el acaecimiento de ciertas circunstancias.
• El usuario debe ver reconocido dicho derecho de acceso.

Clausulado En relación con el clausulado del contrato de escrow, con independencia de la forma concreta en que se pacte, resultan de mayor interés y, por tanto, merecen especial atención los siguientes **aspectos**: 11391

1. Las circunstancias que permiten que el cliente pueda **copiar el código fuente**, pudiendo citar como las más frecuentes en la práctica:
- cuando sea declarado en concurso de acreedores;
- el cambio en la actividad social del depositante;
- el reiterado incumplimiento por el depositante de las obligaciones pactadas, en particular, el compromiso de futuras modificaciones o nuevas versiones sobre el software que se contrata.

Precisiones 1) Resulta, pues, fundamental detallar en el contrato de escrow la operativa para permitir que el usuario del Software retire la copia del código fuente y, sobre todo, la operativa que acredite el acaecimiento del hecho habilitante para ello. Ante la dificultad de proceder a incorporar dicho detalle en el contrato, una solución práctica es el sometimiento expreso a un **arbitraje** (nº 10800 s.), en el que sea árbitro único bien el depositario, bien un experto en la materia. Esta opción requiere, de una parte, inmediatez suficiente al objeto de evitar daños irreparables al usuario derivados de su falta de acceso al código fuente, y, de otra, la suscripción de los oportunos acuerdos. Asimismo, la alternativa sugerida supone una razón adicional para que se recomiende la utilización de un tercero depositario experto en nuevas tecnologías.

2) En el caso de software en escrow de **blockchain**, el Smart contract actúa como parte tercera que retiene el dinero depositado hasta que el vendedor de la obra (software) la entrega en las debidas condiciones al comprador.

2. La **forma** concreta en que se realiza el depósito del código fuente. 11393

3. **Los plazos y forma** de entrega al usuario de la copia del código fuente, y si aquél está obligado a realizar algún tipo de pago, lo que cada vez es más habitual.

4. **Otros aspectos**:
- autorización a favor del depositario para duplicar;
- duración del contrato;
- responsabilidad del depositario por vulnerar la normativa sobre confidencialidad y propiedad intelectual;
- autorizaciones a favor del depositario para realizar verificaciones técnicas de la bondad del software, y para realizar comunicaciones a cualquier interesado.

Precisiones 1) Si el depósito se realiza ante un **fedatario público**, es habitual que dicha entrega se realice de forma que, prima facie, se garantice la inaccesibilidad al contenido, junto con un acta notarial de su contenido; por el contrario cuando optamos por un tercero -escrow office-, se entrega a éste un paquete que incorpora el código fuente en el formato acordado por el propietario del software y el depositario, junto con una detallada descripción del programa y su documentación, con el fin de que éste proceda a su guarda y custodia en sus instalaciones.

2) En la medida en que existan mejoras del software, que suponga la modificación del código fuente, el depósito debería actualizarse mediante la entrega de dicha nueva versión.

Obligaciones de las partes Con carácter adicional a las obligaciones inherentes al contrato de depósito genérico (nº 4910), las partes del contrato asumen las siguientes obligaciones: 11395

1ª. El **depositante** está obligado a:
- realizar el depósito inicial;

- depositar las actualizaciones y transformaciones. Es conveniente establecer un **límite máximo temporal** para actualizar el depósito a partir de la fecha en que se haya efectuado la actualización;
- comunicar al depositario las empresas con derecho a acceder al código fuente o establecer el sistema de autenticación del usuario;
- comunicar cualquier transmisión de los derechos de propiedad intelectual.

11397 2ª. Al **depositario** le compete:
- la custodia del código fuente depositado;
- entregar al usuario designado en el contrato copia del código fuente objeto del depósito, cuando así se establezca en el contrato;
- realizar, en su caso, las verificaciones técnicas del material depositado;
- la devolución del material en depósito;
- copiar el material depositado, cuando así se establezca.

11399 3ª. Por lo que respecta al **usuario**, sus obligaciones se concretan en:
- notificar cualquier cambio de domicilio a depositante y depositario;
- ser legítimo usuario del software;
- mantener un compromiso de confidencialidad absoluta sobre la información obtenida del código fuente;
- estar al corriente en el pago del mantenimiento.

c. Consultoría

11405 Esta prestación puede otorgarse, tanto por el propio **proveedor** de software, como por distintas **sociedades** del mundo de la consultoría, que entre sus actividades ofrecen los servicios de consultoría de ciertos programas informáticos.
Todo software estándar requiere de una labor de consultoría encaminada a parametrizar las características del software de conformidad con los requerimientos del cliente final. Por ello, este **contrato accesorio** resulta imprescindible para garantizar un buen fin de cualquier inversión en software.
Desde un punto de vista práctico, puede presentarse de múltiples **formas**:
- como anexo al contrato de licencia de uso;
- como parte integrante del contrato de licencia de uso, dando lugar a un contrato llave en mano (nº 11337);
- como contrato independiente al de licencia de uso (nº 11295).
Su **calificación jurídica** (al igual que el resto de contratos informáticos) se acerca tanto al arrendamiento de obra como al arrendamiento de servicios dependiendo del alcance del contrato ya que puede ser una mera consultoría por horas o un contrato de resultados cuando se contrató la implantación.

11407 **Función económica** Su **finalidad** es doble:
- complementar la puesta en marcha del software; y
- mejorar la gestión del software ya instalado.
La evolución de las tecnologías de la información ha hecho que, en la actualidad, se estén invirtiendo en cierto modo los aspectos de **accesoriedad** de este contrato respecto al de **licencia** (nº 11295), en el sentido de llegar a tener una mayor trascendencia económica los trabajos de parametrización de un software que la adquisición de la propia licencia del mismo. Por ello, cada vez resulta más importante detallar con precisión las cláusulas de estos contratos (nº 11358).

11409 **Elementos básicos** En general se engloban dentro de la figura de la **prestación de servicios**, si bien destacan las siguientes especialidades:
a) Pacto de **no contratación de personal**. Es habitual incorporar dicho pacto para salvaguardar los intereses del proveedor de servicios, estableciéndose una indemnización compensatoria.
b) En ningún caso pueden considerarse los servicios como un supuesto de **cesión de personal**.
c) Establecimiento de **tarifas** de consultoría:
- arrendamiento de servicios: por días, por horas, sobre la base de tarifa, etc.;
- arrendamiento de obra: puesta en marcha del software (parametrización o implantación) por un precio cerrado.
d) Especificación de las **características** de prestación **de los servicios**: lugar, horarios, personal cualificado.
e) Necesaria **colaboración del cliente**.

f) La **relación entre las partes** tiene exclusivamente carácter mercantil, no existiendo vínculo laboral alguno entre el cliente y el personal del proveedor que eventualmente esté prestando sus servicios en el domicilio social de aquél.
g) **Cláusula penal** ante la cancelación, por el cliente, de los servicios contratados.
h) Pactar la **titularidad** de los trabajos realizados:
- de las modificaciones.
- del know-how (nº 2792).

Obligaciones de las partes Se distingue entre las que corresponden al: 11411
a) **Proveedor**:
- realizar los trabajos en los plazos pactados;
- cumplir los objetivos pactados;
- desarrollar y aportar los conocimientos, metodologías y herramientas necesarias para asegurar el resultado óptimo de los trabajos objetos del contrato; y
- asumir las consecuencias del incumplimiento: cláusulas penales y resolución del contrato.
b) **Cliente**:
- puesta a disposición del proveedor de los medios físicos necesarios;
- participación activa en la planificación y desarrollo del proyecto;
- control del proyecto (comité de seguimiento); y
- pago.

d. Contrato de formación

Difícilmente es imaginable un software, en el que no sea necesario dar unos **cursos** de formación a las personas que van a usarlo diariamente o que van a ser los responsables técnicos de su funcionamiento 11415
Al igual que en el contrato de consultoría (nº 11405), los contratos de formación se suelen presentar de múltiples **formas**:
- como anexo al contrato de licencia de uso (nº 11295);
- como parte integrante del contrato de licencia de uso, dando lugar a un contrato llave en mano (nº 11337), o
- como contratos independientes del de licencia de uso.
Su **calificación jurídica**, al igual que el resto de contratos informáticos, se acerca al arrendamiento de obra y al arrendamiento de servicios.

Elementos básicos Son los siguientes: 11417
a) **Abono** de una contraprestación económica por los servicios de formación prestados por el proveedor en función de la tarifa pactada por las partes.
b) La **relación entre las partes** tiene exclusivamente carácter mercantil, no existiendo vínculo laboral alguno entre el cliente y el personal del proveedor que eventualmente esté prestando sus servicios en el domicilio social de aquel.
c) En ningún caso pueden considerarse los servicios como un supuesto de **cesión de personal**.
d) Se incorpora un acuerdo de **no contratación** por el cliente del personal del proveedor de los servicios, estableciéndose una indemnización compensatoria para caso de incumplimiento.
e) **Características de la prestación** de los servicios: lugar, horarios, personal, etc.
f) Previsión de una **cláusula penal** ante la cancelación, por el cliente, de los servicios contratados.

Obligaciones de las partes Se distingue entre las del: 11419
a) **Proveedor**:
- realizar los trabajos en los plazos pactados;
- en relación con los **profesionales** responsables de la ejecución del trabajo, deben disponer de la cualificación necesaria y de la titulación adecuada a la naturaleza de los trabajos, así como un profundo conocimiento en la realización de estudios relacionados con las materias que son objeto de la formación;
- elaborar los **materiales de aprendizaje** e instrumentos de evaluación necesarios para garantizar una praxis educativa efectiva;
- entregar a los clientes, con la debida antelación, los materiales que servirán de soporte al curso de formación.
b) **Cliente**:
- necesaria colaboración del cliente con el proveedor;
- poner a disposición del proveedor los medios físicos necesarios para el desarrollo de la formación;
- pago al proveedor del precio o cuotas que según la tarifa resulten.

Precisiones No habiendo pruebas del hecho de que una **anomalía de un programa informático** obedezca a una **defectuosa instalación**, no cabe alegar incumplimiento del instalador o suministrador del programa en cuestión por el hecho de no dar la correspondiente formación al personal de la empresa en que se realiza la instalación para que pudiera manejar y programar el cerebro informático de la instalación (AP Barcelona 21-3-05, EDJ 49294).

D. Contratos de distribución de software

11425

11427 El contrato de distribución, en sus distintas modalidades (distribución en sentido estricto, agencia, franquicia, etc.), es el cauce habitual a través del cual el titular de los derechos de explotación sobre el software procura la expansión y desarrollo de la **comercialización** de los productos informáticos.

11429 **Clasificación** El contrato de distribución de software admite, a su vez, múltiples **modalidades contractuales**. Como más habituales, y dependiendo de las tareas que realiza el distribuidor; se pueden enumerar las siguientes:
1) **Distribución strictu sensu**, es decir, aquella en la que la actividad del distribuidor se concreta en la comercialización directa o indirecta de licencias de software.
2) **Distribución** de valor añadido (VAR), en la que el distribuidor además de la comercialización de licencias, ofrece otros servicios adicionales:
- mantenimiento, formación, consultoría;
- integraciones del software con otros programas informáticos, para buscar soluciones globales;
- incorporación del software distribuido como parte inseparable de otro Software que se comercializa (software embebido o software incorporado).
3) **Localizador**. Es el distribuidor que adapta un software a las particularidades de su territorio, lo que suele ser habitual en el software extranjero que debe ser traducido y adaptado a la problemática española.

Precisiones Cabe también distinguir entre:
- aquellos distribuidores que **comercializan directamente** ellos el software, mediante licencias de uso; y
- aquellos otros que se limitan a ser **meros intermediarios** en la operación comercial que realmente se formaliza entre el proveedor original del software y el cliente final, figura ésta cercana a la del contrato de agencia (nº 5710 s.).

11431 **Características** (LPI art.2, 17, 43 a 46) Las particularidades del software hacen que, con carácter adicional a la normativa genérica aplicable a los contratos y técnicas de distribución genéricos, en el ámbito de la distribución de software, hayan de tenerse en cuenta ciertas peculiaridades derivadas de la normativa reguladora de la **propiedad intelectual**, las cuales condicionan el contenido de los distintos contratos de distribución de software:
• El **derecho exclusivo de explotación** del software pertenece al autor.
• El **derecho de distribución**, como modalidad del derecho de explotación, supone que el titular de los derechos exclusivos sobre el software tiene la facultad de autorizar y prohibir cualquier forma de distribución pública del programa. Dicho derecho se agota respecto a una copia a partir de la primera venta. No se produce el agotamiento del derecho de distribución cuando ésta se cede mediante una licencia de uso.
• En materia de propiedad intelectual, distribuir supone poner a **disposición del público** la obra mediante su:
- venta;
- alquiler;
- préstamo;
- o cualquier otra forma.
• La **duración** de los derechos de explotación es de setenta años desde el fallecimiento del autor o desde su divulgación.
• Los derechos de explotación son **transmisibles**, siendo nulas tanto la cesión conjunta de futuro, como la prohibición de no crear obras en el futuro, y sin que la transmisión pueda alcanzar a los medios de difusión desconocidos al tiempo del contrato.

• El contrato de distribución debe realizarse por **escrito**.
• La **remuneración al autor** por el distribuidor debe ser equitativa, mediante un porcentaje o por tanto alzado.

Precisiones Los **programas de ordenador** deben considerarse como obras literarias y no como obras científicas en base a su régimen de protección jurídica, previsto en la LPI (AN 15-4-97 Rec 1010/93).

Elementos Pueden considerarse como elementos básicos del **clausulado** de un contrato de distribución de software los que a continuación se enumeran: 11433

a) Concreción del **objeto** del contrato y del **ámbito territorial** al que extiende sus efectos, siendo aconsejable:
• determinar los derechos objeto de concesión y, en su caso, los **servicios** del distribuidor de valor añadido (formación, instalación, mantenimiento, parametrizaciones, nuevas versiones, desarrollos propios, etc.);
• establecer claramente quién formaliza la transmisión del software;
• determinar si el distribuidor tiene potestad para nombrar o no **subdistribuidores**, y si tiene obligación, a la hora de transmitir, de respetar los términos de la licencia de uso;
• fijar si la distribución es **exclusiva** o no;
• prever el desarrollo de las operaciones de **comercialización fuera del territorio** geográfico, siendo habitual pactar comisiones para el distribuidor que generó la operación de la que dimanan las operaciones con las filiales;
• prever en las **limitaciones territoriales** los nuevos canales de distribución telemáticos: dada la facilidad de transmitir a través de Internet, es habitual pactar la prohibición de utilizar dicho canal para comercializar fuera del territorio pactado; no obstante, la Unión Europea está considerando dichas prácticas como restrictivas de la competencia.
b) Establecer la disponibilidad de productos, limitando el uso del software a los requerimientos técnicos de funcionamiento y, en su caso, prohibiendo la **sublicencia** del software en entornos distintos.
c) Incorporar al contrato el texto de la **licencia de uso estándar** (licencia de demostración) para que el distribuidor para que éste pueda realizar su trabajo adecuadamente, así como el **modelo de contrato** que el distribuidor deba utilizar en sus relaciones comerciales.

Precisiones La Dir 2009/24/CE art.4.2 sobre la protección jurídica de programas de ordenador debe interpretarse en el sentido de que el derecho de **distribución de la copia de un programa de ordenador** se agota si el titular de los derechos de autor que ha autorizado, aunque fuera a título gratuito, la descarga de Internet de dicha copia en un soporte informático, ha conferido igualmente, a cambio del pago de un precio que le permita obtener una remuneración correspondiente al valor económico de la copia de la obra de la que es propietario, un derecho de uso de tal copia, sin límite de duración. Asimismo, la Dir 2009/24 art.4.2 y 5.1 debe interpretarse en el sentido de que, en caso de **reventa de una licencia de uso** que comporte la reventa de una copia de un programa de ordenador descargada de la página web del titular de los derechos de autor, licencia que había sido concedida inicialmente al primer adquirente por dicho titular sin límite de duración a cambio del pago de un precio que permitía a este último obtener una remuneración correspondiente al valor económico de la copia de su obra, el segundo adquirente de tal licencia, así como todo adquirente posterior de la misma, podrá invocar el agotamiento del derecho de distribución previsto en el artículo 4.2 de la citada Directiva y podrá ser considerado, por tanto, adquirente legítimo de una copia de un programa de ordenador, a efectos del artículo 5.1 de la referida Directiva, y gozar del **derecho de reproducción** previsto en esta última disposición (TJUE 3-7-12).

d) Prever la titularidad de los **derechos de autor** que se deriven de la relación. En el caso de distribuidores de valor añadido, y sobre todo en los localizadores, se producirán situaciones en las cuales surgirán obras con autonomía propia (p.e. traducciones, adaptaciones, etc.). El contrato debe prever a quién pertenece la titularidad de dichos desarrollos. 11435
e) Proteger el correcto uso de **marcas**, propiedad intelectual y know-how.
f) Prever los motivos por los cuales el titular de los derechos de explotación puede **rechazar operaciones** comerciales presentadas por el distribuidor. Normalmente hacen referencia a aspectos comerciales (p.e., que el posible cliente sea un potencial competidor del titular de los derechos de explotación).
g) Establecer cláusulas de **confidencialidad** que vayan más allá de la duración del contrato.
h) Definir la **remuneración** del distribuidor, distinguiendo:
- la remuneración por las **licencias de uso**, que puede ser un porcentaje sobre licencias concedidas o un diferencial entre el precio de adquisición y el de comercialización;
- la remuneración por el **mantenimiento** que se contrate, que suele ser un porcentaje;

- la remuneración por servicios de **consultoría**, que podrá consistir en un porcentaje sobre la facturación de consultoría del distribuidor, que debe ceder un pequeño porcentaje al autor; una comisión sobre los trabajos de consultoría realizados por terceros. Cuando la realice el distribuidor, será facturada y cobrada íntegramente por él.

11437 **i)** Definir la política de **precios** de conformidad con la normativa sobre competencia. Es decir, establecer unos precios fijos en la relación entre autor y distribuidor, pero dejando libertad en la relación entre distribuidor y usuario final.

j) Definir el procedimiento de **pago** y las consecuencias del incumplimiento del mismo. Dependiendo de quién cobre del cliente final, se establecerá la forma de pago del distribuidor al autor o viceversa:
- por cada operación que se realice, previo pago de la licencia;
- cada cierto tiempo;
- en el momento del cobro.

k) Contemplar la posibilidad u obligación de **auditar** las cuentas del distribuidor.

l) Regular las consecuencias de la **finalización** de la relación comercial, fundamentalmente en cuanto a:
- el cese en el uso del software por el distribuidor;
- la devolución de los materiales comerciales utilizados por el distribuidor;
- la cesión del distribuidor de los contratos celebrados con el usuario final;
- el cese parcial en la prestación del servicio mantenimiento por el distribuidor;
- la comunicación de la finalización a los clientes del distribuidor;
- las eventuales indemnizaciones compensatorias.

11439 **Obligaciones de las partes** Sin perjuicio de las **obligaciones** que con carácter general son predicables de las partes de un contrato de distribución (nº 5920 s.), se enumeran a continuación aquellas que, de una u otra forma, constituyen las más **habitualmente pactadas** en los contratos específicos de distribución de software:

a) Con respecto al **distribuidor**, éste queda obligado a:
- realizar operaciones de marketing;
- redactar un plan de negocio;
- mantener los recursos necesarios para llevar a cabo su actividad;
- adaptarse a la política, uso y procedimiento del proveedor;
- cumplir con las restricciones comerciales que se pacten con relación a empresas competidoras del proveedor, productos competidores, o prácticas que vulneren la confidencialidad;
- respetar los estándares de calidad;
- prestar la información que el proveedor le solicite;
- recibir las quejas de los usuarios;
- normalmente prestar servicio de mantenimiento, al menos en la resolución de las dudas más directas de los clientes.

b) En cuanto a las obligaciones del **proveedor o concedente**, cabe destacar las de:
- cumplir estándares de calidad en los productos suministrados;
- prestar asistencia técnica al distribuidor y al usuario final en determinados casos (cuando excede las capacidades del distribuidor);
- dar formación suficiente al distribuidor para que éste realice adecuadamente su labor;
- suministrar materiales de marketing;
- suministrar los productos en tiempo.

E. Contratos complejos

11445

11447 En el presente epígrafe, y bajo la rúbrica de contratos complejos, se aborda el estudio de una serie de contratos informáticos que, no siendo susceptibles de ser incluidos en los apartados anteriores, son objeto de tratamiento particular.

a. Outsourcing informático

El outsourcing informático implica la **subcontratación** de la gestión de los sistemas informáticos, a través de un acuerdo de colaboración con una empresa tecnológica externa, que se integra en los planes estratégicos del usuario, con el fin de diseñar una solución -informática en este caso- adaptada a sus necesidades exactas y a aumentar su competitividad en el mercado. **11450**

La rápida evolución de las nuevas tecnologías exige de los operadores económicos mantener permanente actualizados sus procesos informáticos. La asunción de dicha obligación de forma directa por el usuario implica acometer importantes desembolsos económicos, tanto en software como en hardware, que, en la mayoría de las ocasiones, no llegan a ser nunca optimizados con anterioridad a que queden obsoletos. De ahí que muchas empresas opten por **centralizar** sus **servicios informáticos** en los centros de proceso de datos de grandes corporaciones tecnológicas que disponen de los medios técnicos y de las licencias de uso de software necesarios para prestar adecuadamente dicho servicio.

Precisiones 1) No debe confundirse el contrato de outsourcing informático con el **contrato de licencia de uso** que se concede a la empresa que presta servicios de outsourcing, el cual es objeto de tratamiento particular en esta misma sección (nº 11295).

2) El contrato de **outsourcing genérico** es objeto de estudio en nº 5230.

3) En cuanto el usuario contrata la entrega de un resultado concreto, con independencia del tiempo necesario para obtenerlo, el outsourcing informático puede calificado como un **arrendamiento de obra** (nº 5065).

Clausulado En relación con la configuración práctica del contrato, y junto con los elementos propios del contrato de outsourcing genérico (nº 5230 s.), pueden destacarse como aspectos más relevantes de su contenido, merecedores por tanto de especial atención en la redacción del **clausulado**, los siguientes: **11452**

1) **Forma** del contrato, siendo posible su formalización a través de un único contrato o a través de varios contratos divididos en módulos. **11454**

2) **Alcance** de la externalización, distinguiéndose al respecto entre outsourcing y outasking, supuesto este último de externalización parcial de distintas tareas del departamento de informática.

3) Fijación de los **objetivos y resultados**, así como de los diferentes **servicios** asumidos por la compañía prestadora del servicio de outsourcing:
- consultoría;
- desarrollo de aplicaciones;
- implantación de aplicaciones;
- formación;
- mantenimiento;
- gestión de las redes de comunicación;
- servicios de back-up (nº 11485).

4) Fórmulas de **seguimiento y coordinación** del contrato; es imprescindible designar un interlocutor individual o colectivo con las siguientes misiones:
- relaciones entre la gerencia de la empresa, los proveedores tecnológicos de éste y el proveedor de outsourcing;
- comprobación del cumplimiento del plan de acción;
- coordinación global a través de reuniones periódicas;
- elaboración de informes sobre disponibilidad, tiempo de respuesta de los ordenadores, calidad, etc.

5) **Garantías** concretas a otorgar por el **proveedor** de servicios de outsourcing: **11456**
- de funcionamiento del hardware y software;
- de idoneidad de la solución ofrecida por el proveedor de servicios de outsourcing;
- de ahorro en costes a conseguir;
- de la calidad del servicio;
- de los tiempos de respuesta de las comunicaciones;
- de la seguridad de los datos;
- de acceso futuro al código fuente -escrow- (nº 11385).

6) **Riesgos y responsabilidades** contractuales, fundamentalmente en lo relativo a:
- la obsolescencia del hardware o software, y los compromisos de su modernización por parte del proveedor de servicios de outsourcing;
- la prestación de una solución inadecuada para el cliente (previsión de la «vuelta atrás»).

7) Definir el régimen de **propiedad del sistema** informático:
- elaborando, con carácter previo al contrato, un inventario del hardware y el software con que cuenta la empresa cliente, e incorporándolo al contrato;
- especificando el destino de dichos equipos en caso de resolución del contrato.
8) Confidencialidad de la información a que las partes tengan acceso.
9) Problemática inherente a la **propiedad intelectual,** en particular, en lo referente a:
- la **titularidad de las aplicaciones** realizadas por la empresa prestadora del servicio de outsourcing para sus usuarios;
- las **garantías de continuidad** en el uso de los programas por parte del cliente, cuando finalice la relación de outsourcing.

11458 **Contrato de ASP (Application Service Provider)** Una de las modalidades de outsourcing que más se utiliza en la actualidad, con particularidades propias, es la contratación ASP (Application Service Provider) en la que un **proveedor independiente** de servicios de software (empresa ASP), tiene como función principal crear un **centro de servicios on-line** desde donde poner a disposición de la empresa cliente, con independencia de su situación geográfica, las aplicaciones informáticas e infraestructuras necesarias para la administración y gestión de su empresa (la conocida comúnmente como «nube»).
El ASP consiste en alojar, actualizar y mantener, por la empresa que presta el servicio, determinadas aplicaciones informáticas de la empresa cliente. Dicho **alojamiento** se realiza en un servidor o centro hosting, encontrándose las mismas a disposición de los usuarios, los cuales pueden conectarse remotamente desde cualquier equipo terminal que se encuentre conectado a Internet o a una red privada. De esta forma, a través del **almacenamiento de las aplicaciones** por parte del ASP, se alivia el trabajo a los administradores de sistemas informáticos.

11460 **Servicios prestados** Habitualmente, abarca distintas **áreas de sistema de información**:
a) Sistemas ERP (Enterprise Resource Planning) que consiste en una aplicación de gestión empresarial diseñada para cubrir todas las áreas funcionales de la empresa.
b) Soluciones CRM (Customer Relation Management) que consiste en la gestión de la relación con clientes, optimizando dicha relación con el objeto de mejorar la eficiencia de los procesos comerciales.
c) Foros de Discusión con envíos publicitarios personalizados, etc.

Precisiones El contrato ASP es una figura atípica dotada de tipicidad social pero no legal, necesariamente **bilateral** (la empresa que presta el servicio ASP y la empresa cliente), que no impide la inclusión de terceras partes contractuales como, por ejemplo, las empresas desarrolladoras de software, las cuales a su vez contratan con la empresa ASP para la subcontratación o subarrendamiento de la licencia de uso de las aplicaciones informáticas (nº 11295).

11462 **Partes intervinientes** En esta modalidad contractual intervienen:
- empresa desarrolladora del software (en su caso);
- empresa que presta el servicio ASP; y
- empresa cliente.
Si interviene la **empresa desarrolladora** del software, su relación con la empresa cliente debe quedar perfectamente reflejada en la licencia de uso ASP, ya que la empresa cliente es la que va a hacer uso de las aplicaciones informáticas de la empresa desarrolladora, aplicaciones que están instaladas en el servidor del ASP. En este supuesto, el ASP actuaría como canal o medio de distribución de las aplicaciones informáticas, llevando a cabo todas las labores de publicidad, marketing y contacto con las empresas clientes, limitándose las empresas desarrolladoras de software a las labores que les son propias.
Sin embargo, existe la posibilidad de la existencia de **otros agentes** que hacen posible la finalidad última de esta modalidad de negocio. También podría contratar con el ASP:
- una empresa encargada de suministrar contenidos;
- un operador de telecomunicaciones que ponga a disposición del ASP la tecnología adecuada para poder prestar los diferentes servicios sin riesgo a una interrupción del servicio por falta de capacidad;
- entidades financieras que den apoyo económico, bien al ASP, bien al cliente final, bien a la empresa desarrolladora del software.
Es, por tanto, una **relación compleja** en cuanto a los sujetos intervinientes, responsabilidades que pueden surgir, obligaciones, servicios garantizados, penalizaciones, niveles de servicio, etc., todo lo cual ha de recogerse con la mayor precisión posible a la hora de redactar el correspondiente contrato.

Cláusulas Además de las cláusulas tipo de los contratos de outsourcing (nº 11452 s.), destacan las siguientes: 11464

a) Establecer una cláusula, anexo o nuevo contrato referente al **acuerdo de nivel de servicio** o SLA (Service Level Agreement), acuerdo que recoge los estándares de ejecución/realización que deben ser alcanzados o excedidos por el ASP en cumplimiento del contrato siendo, por tanto, importante que el cliente conozca con exactitud qué es lo que quiere y espera del ASP:
- un nivel de **calidad** de servicio;
- una serie de parámetros de servicio a prestar entre las partes contractuales; y
- una guía de **penalizaciones** para el caso de que el proveedor no alcance el nivel previamente pactado. Se convierte de esta forma en una pieza esencial, ya que a través del SLA, las empresas clientes van a poder controlar e influir en la ejecución del contrato ASP, mientras que las empresas clientes tienen un referente sobre el mínimo exigible que debe alcanzar la empresa prestadora del ASP. Por ello es imprescindible una perfecta definición y concreción del SLA, lo cual proporcionará mayor valor a la relación y hace posible al ASP convertirse en un activo estratégico en el desarrollo de la actividad principal de la compañía.

b) Si interviene una **empresa desarrolladora del software**: adicionalmente debería concretarse:
- precisión respecto de la entrega, instalación (equipos y especificaciones técnicas) y posible **personalización** de la aplicación informática;
- cláusula relativa a la **propiedad intelectual** de las aplicaciones informáticas, donde se establezcan con exactitud los derechos cedidos al ASP, a fin de que las empresas desarrolladoras no vean vulnerados los derechos de autor que les corresponden;
- **mantenimiento de las aplicaciones** informáticas en sus distintas modalidades (preventivo, correctivo y evolutivo), el cual se presta por la empresa desarrolladora al ASP, ya que resulta más rentable prestar dicho mantenimiento al ASP, de forma única, en lugar de tener que prestarlo a todas y cada una de las empresas clientes. Ahora bien, una vez prestado el mantenimiento, las empresas clientes pueden beneficiarse del mismo.

Ventajas e inconvenientes de la tecnología ASP Como ventajas pueden reseñarse: 11466
- Inversiones iniciales en sistemas de información mucho bajas.
- Rápida implementación de aplicaciones.
- Reducción del personal del departamento de sistema de información.
- Constante actualización informática a un coste admisible.

Las **dificultades** que presenta esta tecnología son:
- Reticencia de los clientes a adaptarse a procesos semiestandarizados.
- Necesidad de un gran ancho de banda superior al actualmente disponible.
- Preocupación por la seguridad de los datos.
- Las empresas pierden el control directo sobre las aplicaciones.

b. Integración de sistemas

Mediante el contrato de integración de sistemas, un proveedor de servicios informáticos (integrador) se obliga a prestar un servicio complejo consistente en poner en relación y funcionamiento un conjunto heterogéneo de componentes para conseguir una **solución global** que dé respuesta a una necesidad definida por el contratante-usuario. 11470

Un adecuado contrato de integración de sistemas debe ser capaz de analizar cuáles son las **necesidades informáticas** del cliente, con qué elementos informáticos cuenta éste y determinar la solución informática que solvente las necesidades analizadas. En tal sentido, adquiere especial trascendencia la **fase precontractual**, que debe dar como resultado un proyecto.

El **proyecto** constituye el marco de referencia del resultado a conseguir, según las necesidades detectadas y los medios con los que el cliente cuenta. El proyecto debe contener, al menos:
- una descripción de los objetivos;
- una descripción del equipo de trabajo requerido, tanto por el integrador como por el usuario;
- un detalle de la organización, etapas y plazos de ejecución del proyecto; y
- una valoración económica de las tareas a realizar.

Sujetos intervinientes Junto a quienes constituyen las partes del contrato, propiamente dichas -el **integrador**, normalmente una compañía de consultoría tecnológica, y el **usuario**-, cabe destacar la intervención indirecta de **terceros**, cuya colaboración resulta, en la práctica, de gran importancia: 11472
- proveedores de hardware, cuya relación con el usuario es la de comprador-vendedor;
- proveedores de software, cuya relación con el cliente-usuario se basa en el contrato de licencia de uso y de mantenimiento que tenga suscrito;
- prestadores de otros servicios.

11474 **Objeto** En cuanto a la **extensión o alcance** de la integración, suele hacerse referencia a la oferta o proyecto elaborado en la fase precontractual, el cual se suele anexar al contrato.

11476 **Duración y plazos de ejecución** Aspecto crítico que debe ser previsto incluyendo las posibilidades de paralizar, **suspender** o incluso resolver el contrato, así como las correspondientes cláusulas punitivas.

11478 **Responsabilidad** Debe contemplarse una responsabilidad solidaria del integrador y terceros intervinientes a su instancia, por defectos o incumplimientos imputables a todas las partes referidas, en la integración contratada.

11480 **Obligaciones de las partes** Las obligaciones asumidas por las partes en el contrato de integración de sistemas se concretan en:
a) Con respecto al **integrador** de sistemas:
- seleccionar el software y hardware más adecuado para solventar las necesidades del cliente;
- poner en contacto a los proveedores de hardware y software con el cliente;
- velar por el respeto de los proveedores de hardware y software respecto de las condiciones sobre precios y prestaciones pactadas previamente;
- cumplir el encargo realizado y entregar el sistema informático en la forma y plazo establecido;
- conservar en buen estado los bienes propiedad del usuario cuyo uso necesite;
- reparar cualquier error de funcionamiento que pudiera producirse en el sistema durante el período de garantía acordado.
b) Con respecto al **cliente-usuario**:
- designar el equipo de trabajo necesario;
- describir la solución final buscada;
- entregar al integrador los datos necesarios para que éste sea capaz de lograr la solución pactada;
- indemnizar al integrador por su desistimiento.

c. Back-up

11485 En virtud de este contrato, una empresa u organismo, que dispone de su propio centro de datos y sus propios sistemas informáticos, contrata con un tercero, denominado centro back-up, la prestación de un servicio, por el cual en dicho **centro back-up**, queda instalada una copia del sistema informático del cliente, copia que se ve actualizada de forma continua.
En definitiva, el servicio que se contrata consiste en el diseño y montaje de un **sistema informático paralelo** o imagen del que dispone la empresa cliente en sus instalaciones. El mismo cumple como **función** principal la de dar cobertura a las necesidades que muchas empresas tienen de disponer de un centro de datos que esté operativo de forma permanente, para, en previsión de un eventual desastre informático, continuar sus operaciones desviando sus comunicaciones hacia el centro back-up, donde se encuentra la copia de todo o parte de su sistema informático.
En relación con el **clausulado** del contrato, resultan de especial interés los siguientes aspectos:
- definición de los requisitos necesarios para la cobertura de las necesidades del cliente: hardware, software, potencia de los ordenadores, espacio en disco, bases de datos, etc.;
- establecimiento de las necesidades de adquisición de nuevas licencias de uso, o en caso contrario, prever la necesaria negociación con el proveedor de software;
- pactar una cláusula de no divulgación, tanto de su existencia como del contenido;
- establecer las disponibilidades de acceso al centro back-up, así como las disponibilidades de inspección del mismo por el cliente;
- establecer condiciones de funcionamiento del centro back-up: plazos y tiempos de uso;
- prever garantías de uso frente a la existencia de conflictos colectivos en el centro back-up.

11487 **Obligaciones de las partes** Las obligaciones de las partes pueden concretarse en las siguientes:
a) Del **proveedor del servicio**:
- instalación del centro back-up, de acuerdo con lo especificado en el contrato;
- realizar las copias de seguridad necesarias;
- planificación de las pruebas;

- realizar, en situaciones de emergencia, la operación de arranque, instalando las últimas cintas de back-up, configurando los sistemas y conectándose a la red de la empresa; así como, concluida la emergencia, proceder a su cierre.

b) Del **cliente**:

- participar en las actividades de creación del centro back-up;
- facilitar toda la información necesaria;
- mantener al día los requerimientos de hardware y software, comunicándoselo al centro back-up;
- entregar, de forma regular u horaria, las copias de seguridad de sus sistemas informáticos.

d. Cesión de bases de datos

Las bases de datos que la selección o disposición de sus contenidos constituyan creaciones intelectuales, sin perjuicio, en su caso, de los derechos que puedan subsistir sobre dichos contenidos, son objeto de **propiedad intelectual** (LPI art.12.1). **11490**

La L 5/1998 incorporó al derecho español la Dir 96/9/CE, sobre protección jurídica de las bases de datos.

Tal consideración determina que su protección jurídica queda enmarcada en el ámbito de la propiedad intelectual, lo que, a su vez, exige que en las eventuales cesiones de bases datos hallan de tenerse en cuanta una serie de **condicionantes jurídicos**:

• La protección queda limitada a la **estructura** de la base de datos en cuanto forma de expresión de la selección o disposición de sus contenidos.

• Quedan excluidos los programas de ordenador utilizados en la fabricación o en el funcionamiento de las bases de datos accesibles por **medios electrónicos**.

• Se distingue entre el **derecho del autor** de la base de datos -que exige originalidad en cuanto a la selección o disposición del contenido-, y el derecho sui generis del **contenido**, en relación con el cual ha de tenerse presente que:

- su titularidad corresponderá al fabricante de la base de datos;
- su objeto será garantizar la protección de una inversión, en la obtención, verificación o presentación del contenido;
- el fabricante de una base de datos puede prohibir la extracción y/o reutilización de la totalidad o de una parte sustancial del contenido de ésta.

• Se trata de una **protección temporalmente limitada**, fijándose como plazo a tales efectos el de quince años, a contar desde el primer día de enero de enero del año siguiente a la fecha en que se haya terminado el proceso de fabricación de la base de datos, salvo que se haya puesto a disposición del público con anterioridad, en cuyo caso éste será el momento de inicio del cómputo (LPI art.136).

• El **usuario legítimo** de la base de datos tiene reconocidos una serie de derechos -extraer y/o reutilizar partes no sustanciales del contenido de la base de datos-, así como ciertas obligaciones -no podrá la base de datos de forma contraria a una explotación normal-.

Precisiones **1)** Bajo las anteriores premisas, al contrato de cesión de bases de datos le son de aplicación, dada la semejanza entre ambas figuras contractuales, las consideraciones formuladas en relación con el contrato de **licencia de uso de software** (nº 11295), debiéndose detallar en su redacción el uso que se va a dar a los datos cedidos y limitando, si es el caso, la cesión de dichos datos.

2) Téngase en cuenta el Rgto (UE) 2016/679 relativo a la protección de las personas físicas en lo que respecta al tratamiento de datos personales y a la libre circulación de estos datos y por el que se deroga la Dir 95/46/CE (Reglamento general de protección de datos), el cual es de aplicación directa desde 25-05-18. Con este Reglamento europeo, adaptado al ordenamiento español por LO 3/2018 (nº 11492), se busca **armonizar las normas legales de los Estados miembros** en lo que se refiere al tratamiento de datos de carácter personal. Se regula por primera vez el denominado «derecho al olvido», y se excluye la aplicación del Reglamento a los datos anónimos, pero incluyendo, en cambio, los datos seudonimizados, que cabría atribuir a una persona física mediante la utilización de información adicional. También se otorga una protección especial a los menores, con hincapié en los estudios de mercadotecnia o elaboración de perfiles de personalidad o usuario.

Datos de carácter personal La cesión de datos de carácter personal presenta ciertas particularidades derivadas de la existencia de una **normativa específica**. **11492**

Con efectos a partir de 7-12-2018 ha entrado en vigor la nueva Ley Orgánica de Protección de Datos y Garantías de los Derechos Digitales (LOPD), con la que se incorpora al Ordenamiento jurídico español el Reglamento General de Protección de Datos (RGPD o Rgto (UE) 2016/679), de aplicación directa en España desde el 25-5-2018.

En la nueva LOPD se han incluido algunas novedades no contempladas en el RGPD y se han actualizado, de manera más restrictiva, algunos de sus requisitos. Sin ánimo de ser exhaustivos, podemos destacar las siguientes **novedades**:

• Se da mucha más importancia a los principios de protección de los datos personales. Entre ellos cobra especial relevancia el de **proactividad** (*accountability*), en virtud del cual corresponde al responsable de un tratamiento de datos personales adoptar todas las medidas (no solo técnicas, sino también organizativas) oportunas para preservar la integridad y confidencialidad de dichos datos.

• La **edad mínima** para poder prestar consentimiento al tratamiento de los datos se establece en 14 años.

• Se regula el modo en que debe informarse a las personas acerca del tratamiento de sus datos optándose, en el ámbito de Internet, por un sistema de «**información por capas**», facilitando al afectado la información básica, si bien, indicándole una dirección electrónica u otro medio que permita acceder de forma sencilla e inmediata a la restante información.

• En cuanto a los **sistemas de información crediticia**, se reducen de 6 a 5 años el periodo máximo de inclusión de las deudas y se exige una cuantía mínima de 50 euros para la incorporación de las deudas a dichos sistemas.

• Se regulan sistemas de información de **denuncias internas** («**whistleblowing**»), cuya finalidad es poner en conocimiento de la empresa, incluso de forma anónima, la comisión de conductas contrarias a la normativa general o sectorial aplicable, por parte de empleados o terceros que contraten con ella. A este respecto, véase la Dir (UE) 2019/1937, relativa a la protección de las personas que informen sobre infracciones del Derecho de la Unión, así como la L 2/2023 reguladora de la protección de las personas que informen sobre infracciones normativas y de lucha contra la corrupción.

• Se regula qué sectores de actividad deberán nombrar obligatoriamente un **delegado de protección de datos**, quien debe acreditar conocimientos especializados en el derecho y en materia de protección de datos.

• Se reconoce expresamente el derecho de acceso, rectificación y supresión a quienes estuvieron vinculados con **personas fallecidas** por razones familiares o de hecho, y a sus herederos, y se regula el modo de acceder a contenidos gestionados por prestadores de servicios de la sociedad de la información respecto de personas fallecidas, quienes podrán haber dispuesto su propio testamento digital.

• Se incorpora un nuevo título sobre garantía de los **derechos digitales**. Se reconocen, entre otros, nuevos derechos como el de neutralidad de Internet, el de acceso universal a la Red, el derecho a la seguridad digital, el derecho a la educación digital y la protección de los menores en Internet, el derecho de rectificación en Internet y el de actualización de informaciones en medios de comunicación digitales, o el derecho al olvido.

Precisiones 1) Es conveniente tener en cuenta el Reglamento, ya que en algunas cuestiones la regulación allí contenida es mucho más extensa que la prevista en la LOPD.

2) Desde la entrada en vigor de la nueva LOPD queda **derogada**:

- la LO 15/1999, salvo los LO 15/1999 art.23 y 24 que conservan su vigencia en la medida dispuesta en la LO 3/2018 disp.adic.14ª;
- el RDL 5/2018, de medidas urgentes para la adaptación del Derecho español a la normativa de la Unión Europea en materia de protección de datos; y
- genéricamente, cuantas disposiciones de igual o inferior rango contradigan, se opongan, o resulten incompatibles con lo dispuesto en la LOPD o en el RGPD.

11494 **Calidad de datos** (Rgto (UE) 2016/679 art.13) Los datos de carácter personal han de ser:

• Tratados de manera lícita, leal y transparente en relación con el interesado (**licitud, lealtad y transparencia**).

• Recogidos con fines determinados, explícitos y legítimos, no pudiendo ser tratados ulteriormente de manera incompatible con dichos fines (**limitación de la finalidad**).

• Adecuados, pertinentes y limitados a lo necesario con relación a los fines para los que son tratados (**minimización de los datos**).

• Exactos y, si fuere necesario, actualizados (**exactitud**).

• Mantenidos de forma tal que se permita la identificación de los interesados durante no más tiempo del necesario para los fines del tratamiento de los datos personales (**limitación del plazo de conservación**).

• Tratados de forma tal que se garantice una seguridad adecuada de los datos personales incluida la protección contra el tratamiento no autorizado o ilícito y contra su pérdida, destrucción o daño accidental, mediante la aplicación de medidas técnicas u organizativas apropiadas (**integridad y confidencialidad**).

Derecho de información (Rgto (UE) 2016/679 art.9) Cuando se obtengan datos personales de un interesado, el **responsable del tratamiento**, en el momento en que estos se obtengan, le ha de facilitar toda la información indicada a continuación: 11496
- la identidad y los datos de contacto del responsable y, en su caso, de su representante;
- los datos de contacto del delegado de protección de datos, en su caso;
- los fines del tratamiento a que se destinan los datos personales y la base jurídica del tratamiento;
- los intereses legítimos del responsable o de un tercero, cuando el tratamiento se base en lo dispuesto en el Rgto (UE) 2016/679 art.6.1.f;
- los destinatarios o las categorías de destinatarios de los datos personales, en su caso;
- en su caso, la intención del responsable de transferir datos personales a un tercer país u organización internacional y la existencia o ausencia de una decisión de adecuación de la Comisión, o, en el caso de las transferencias indicadas en los del Rgto (UE) 2016/679 art.46 o 47 o 49.1 párr 2º, referencia a las garantías adecuadas o apropiadas y a los medios para obtener una copia de estas o al hecho de que se hayan prestado;
- el plazo durante el cual se conservarán los datos personales o, cuando no sea posible, los criterios utilizados para determinar este plazo;
- la existencia del derecho a solicitar al responsable del tratamiento el acceso a los datos personales relativos al interesado, y su rectificación o supresión, o la limitación de su tratamiento, o a oponerse al tratamiento, así como el derecho a la portabilidad de los datos;
- cuando el tratamiento esté basado en el Rgto (UE) 2016/679 art.6.1.a, la existencia del derecho a retirar el consentimiento en cualquier momento, sin que ello afecte a la licitud del tratamiento basado en el consentimiento previo a su retirada;
el derecho a presentar una reclamación ante una autoridad de control (en el caso de España, la Agencia Española de Protección de Datos);
- si la comunicación de datos personales es un requisito legal o contractual, o un requisito necesario para suscribir un contrato, y si el interesado está obligado a facilitar los datos personales y está informado de las posibles consecuencias de que no facilitar tales datos;
- la existencia de decisiones automatizadas, incluida la elaboración de perfiles, a que se refiere el Rgto (UE) 2016/679 art.22.1 y 4 y, al menos en tales casos, información significativa sobre la lógica aplicada, así como la importancia y las consecuencias previstas de dicho tratamiento para el interesado.

Consentimiento (Rgto (UE) 2016/679 art.9; LO 3/2018 art.7) El afectado debe prestar su consentimiento al tratamiento de sus datos personales de forma libre, específica, informada e **inequívoca**. 11498
El consentimiento debe ser expreso en el tratamiento de **categorías especiales** de datos personales, los que revelen:
- el origen étnico o racial;
- las opiniones políticas;
- las convicciones religiosas o filosóficas;
- la afiliación sindical;
- el tratamiento de datos genéticos;
- datos biométricos dirigidos a identificar de manera unívoca a una persona física;
- datos relativos a salud o datos relativos a vida sexual o a las orientaciones sexuales de una persona física.

El **consentimiento explícito** no es requerido cuando:
a) El tratamiento es necesario para el cumplimiento de obligaciones y el ejercicio de derechos específicos del responsable del tratamiento o del interesado en el **ámbito del Derecho laboral** y de la seguridad y protección social, en la medida en que así lo autorice el Derecho de la Unión de los Estados miembros o un convenio colectivo con arreglo al Derecho de los Estados miembros que establezca garantías adecuadas del respeto de los derechos fundamentales y de los intereses del interesado.
b) El tratamiento es necesario para proteger **intereses vitales** del interesado o de otra persona física, en el supuesto de que el interesado no esté capacitado, física o jurídicamente, para dar su consentimiento
c) El tratamiento es efectuado, en el ámbito de sus actividades legítimas y con las debidas garantías, por una fundación, una asociación o cualquier otro **organismo sin ánimo de lucro**, cuya finalidad sea política, filosófica, religiosa o sindical, siempre que el tratamiento se refiera exclusivamente a los miembros actuales o antiguos de tales organismos o a personas que mantengan contactos regulares con ellos en relación con sus fines y siempre que los datos personales no se comuniquen fuera de ellos sin el consentimiento de los interesados.
d) El tratamiento se refiere a datos personales que el interesado ha hecho manifiestamente **públicos**.

e) El tratamiento es necesario para la formulación, el ejercicio o la defensa de reclamaciones o cuando los tribunales actúen en ejercicio de su **función judicial**.
f) El tratamiento es necesario por razones de un **interés público esencial**, sobre la base del Derecho de la Unión o de los Estados miembros, que debe ser proporcional al objetivo perseguido, respetar en lo esencial el derecho a la protección de datos y establecer medidas adecuadas y específicas para proteger los intereses y derechos fundamentales del interesado.
g) El tratamiento es necesario para fines de **medicina preventiva o laboral**, evaluación de la capacidad laboral del trabajador, diagnóstico médico, prestación de asistencia o tratamiento de tipo sanitario o social, o gestión de los sistemas y servicios de asistencia sanitaria y social, sobre la base del Derecho de la Unión o de los Estados miembros o en virtud de un contrato con un profesional sanitario y sin perjuicio de las condiciones y garantías contempladas en el Rgto (UE) 2016/679 art.9.3.
h) El tratamiento es necesario por razones de interés público en el ámbito de la **salud pública**, como la protección frente a amenazas transfronterizas graves para la salud, o para garantizar elevados niveles de calidad y de seguridad de la asistencia sanitaria y de los medicamentos o productos sanitarios, sobre la base del Derecho de la Unión o de los Estados miembros que establezca medidas adecuadas y específicas para proteger los derechos y libertades del interesado, en particular el secreto profesional.
i) El tratamiento es necesario con fines de **archivo** en interés público, fines de **investigación** científica o histórica o fines **estadísticos**, de conformidad con el Rgto (UE) 2016/679 art.89.1, sobre la base del Derecho de la Unión o de los Estados miembros, que debe ser proporcional al objetivo perseguido, respetar en lo esencial el derecho a la protección de datos y establecer medidas adecuadas y específicas para proteger los intereses y derechos fundamentales del interesado.

11500 El tratamiento de los datos personales de un **menor de edad** únicamente podrá fundarse en su consentimiento cuando sea mayor de catorce años. Se exceptúan los supuestos en que la ley exija la asistencia de los titulares de la patria potestad o tutela para la celebración del acto o negocio jurídico en cuyo contexto se recaba el consentimiento para el tratamiento.

e. Contrato de encargado del tratamiento de datos por cuenta del responsable

(Rgto (UE) 2016/679 art.28.3; LO 3/2018 art.33)

11505 Cuando la ejecución del contrato informático implique que el prestador del servicio (encargado) trata datos personales por cuenta del responsable de dicho tratamiento, deberá concluirse un contrato específico entre ambos en el que, entre otras cuestiones, se incluyan las siguientes **obligaciones para el encargado del tratamiento**:
a) Tratar los datos personales únicamente siguiendo instrucciones documentadas del responsable, inclusive con respecto a las transferencias de datos personales a un tercer país o una organización internacional, salvo que esté obligado a ello en virtud del Derecho de la Unión o de los Estados miembros que se aplique al encargado.
b) Garantizar que las personas autorizadas para tratar datos personales se hayan comprometido a respetar la confidencialidad o estén sujetas a una obligación de confidencialidad.
c) Tomar todas las medidas necesarias técnicas y organizativas para garantizar un nivel de seguridad adecuado al riesgo a que esté expuesto el tratamiento.
d) Solo puede subencargar el tratamiento con consentimiento del responsable y verificando que el subencargado cumple las medidas de seguridad establecidas.
e) Asistir al responsable, teniendo cuenta la naturaleza del tratamiento, a través de medidas técnicas y organizativas apropiadas, siempre que sea posible, para que este pueda cumplir con su obligación de responder a las solicitudes que tengan por objeto el ejercicio de los derechos de los interesados.
f) Ayudar al responsable a garantizar el cumplimiento de las obligaciones de acuerdo con el Rgto (UE) 2016/679 art.33 (sobre notificación de brechas de seguridad), teniendo en cuenta la naturaleza del tratamiento y la información a disposición del encargado.
g) A elección del responsable, suprimir o devolver todos los datos personales una vez finalice la prestación de los servicios de tratamiento, y suprimirá las copias existentes a menos que se requiera la conservación de los datos personales en virtud del Derecho de la Unión o de los Estados miembros.
h) Poner a disposición del responsable toda la información necesaria para demostrar el cumplimiento de las obligaciones establecidas legalmente, así como para permitir y contribuir a la realización de auditorías, incluidas inspecciones, por parte del responsable o de otro auditor autorizado por este.

f. Transferencia internacional de datos a terceros países y organizaciones internacionales

(Rgto (UE) 2016/679 art.44 s.; Rgto (UE) 2018/1725; LO 3/2018 art.40 a 43)

La transferencia internacional de datos personales queda sujeta a una **nueva regulación** como consecuencia de la entrada en vigor del Reglamento (Rgto (UE) 2016/679), así como la aprobación del Rgto (UE) 2018/1725 relativo a la protección de las personas físicas en lo que respecta al tratamiento de datos personales por las instituciones, órganos y organismos de la Unión, y a la libre circulación de esos datos. **11510**

La regulación puede resumirse como sigue:

1. Podrá realizarse una transferencia de datos personales a un **tercer país u organización internacional** cuando la Comisión haya decidido que el tercer país, un territorio o uno o varios sectores específicos de ese tercer país, o la organización internacional de que se trate garantizan un nivel de protección adecuado. Dicha transferencia no requerirá ninguna autorización específica.

2. A **falta de esa decisión** de la Comisión, el responsable o el encargado del tratamiento solo podrá transmitir datos personales a un tercer país u organización internacional si hubiera ofrecido garantías adecuadas y a condición de que los interesados cuenten con derechos exigibles y acciones legales efectivas.

3. En **ausencia de una decisión de adecuación o de garantías adecuadas**, incluidas las normas corporativas vinculantes, una transferencia o un conjunto de transferencias de datos personales a un tercer país u organización internacional únicamente se realizará si se cumple alguna de las **condiciones** siguientes:

a) El interesado haya dado explícitamente su consentimiento a la transferencia propuesta, tras haber sido informado de los posibles riesgos para él de dichas transferencias debido a la ausencia de una decisión de adecuación y de garantías adecuadas.

b) La transferencia sea necesaria para la ejecución de un contrato entre el interesado y el responsable del tratamiento o para la ejecución de medidas precontractuales adoptadas a solicitud del interesado.

c) La transferencia sea necesaria para la celebración o ejecución de un contrato, en interés del interesado, entre el responsable del tratamiento y otra persona física o jurídica.

d) La transferencia sea necesaria por razones importantes de interés público.

e) La transferencia sea necesaria para la formulación, el ejercicio o la defensa de reclamaciones.

f) La transferencia sea necesaria para proteger los intereses vitales del interesado o de otras personas, cuando el interesado esté física o jurídicamente incapacitado para dar su consentimiento.

g) La transferencia se realice desde un registro público que, con arreglo al Derecho de la Unión o de los Estados miembros, tenga por objeto facilitar información al público y esté abierto a la consulta del público en general o de cualquier persona que pueda acreditar un interés legítimo, pero sólo en la medida en que se cumplan, en cada caso particular, las condiciones que establece el Derecho de la Unión o de los Estados miembros para la consulta.

4. Se prevé, asimismo, la posibilidad de que las Autoridades de Control (en nuestro caso, la Agencia Española de Protección de Datos) puedan aprobar **Normas Corporativas Vinculantes** (o BCRs por sus siglas en inglés), siempre y cuando cumplan los siguientes **requisitos**:

- sean jurídicamente vinculantes y se apliquen y sean cumplidas por todos los miembros correspondientes del grupo empresarial o de la unión de empresas dedicadas a una actividad económica conjunta, incluidos sus empleados;
- confieran expresamente a los interesados derechos exigibles en relación con el tratamiento de sus datos personales; y
- cumplan los requisitos establecidos en el Rgto (UE) 2016/679 art.47.2, entre las que destacan, que tengan carácter jurídicamente vinculante o se especifique la estructura y datos de contacto del grupo empresarial dedicadas a una actividad económica conjunta.

Precisiones **1)** Actualmente, según la lista publicada por la Agencia, los países que cuentan con un **nivel equiparable de protección** son los siguientes: Uruguay (Decisión de la Comisión 2012/484/UE de 21-8-12); Nueva Zelanda (Decisión de la Comisión 2013/65/UE de 19-12-12); Israel (Decisión de la Comisión de 31-1-11); Andorra (Decisión de la Comisión de 19-10-10); Islas Feroe (Decisión de la Comisión de 5-3-10); la Bailía de Jersey (Decisión de la Comisión de 8-5-08); Isla de Man (Decisión de la Comisión de 28-4-04); Bailía de Guernsay (Decisión de la Comisión de 21-11-03); Argentina (Decisión de la Comisión de 30-6-03; Canadá (Decisión de la Comisión 2002/2/CE de 20-12-01); Suiza (Decisión 2000/518/CE de 26-7-00); Japón (Decisión de 23-1-19); Reino Unido (Decisión 28-6-2021); República de Corea (Decisión de Ejecución (UE) 2022/254 de 17-12-21). **11512**

En el caso de Estados Unidos de Norteamérica, el TJUE (TJUE 16-7-20, asunto C-311/18) invalidó la Decisión (UE) 2016/1250, relativa a las transferencias a dicho país; actualmente, véanse las Recomendaciones 01/2020 sobre medidas suplementarias para asegurar un nivel de protección equivalente (versión 2.0 de 18 -6-2021).

2) Téngase en cuenta la Decisión de Ejecución (UE) 2021/914, relativa a las cláusulas contractuales tipo para la transferencia de datos personales a terceros países de conformidad con el Rgto (UE) 2016/679. Esta Decisión unifica en una sola norma las cláusulas contractuales tipo, ya estén en vigor entre responsables del tratamiento, ya estén entre responsable y encargado del tratamiento.

3) La difusión de datos personales a través de una **página web** no implica una transferencia internacional de datos, aunque tales datos sean accesibles a cualquier persona que acceda a Internet (TJUE 6-11-03, asunto Lindqvist, C-101/01).

4) Las transferencias de datos tributarios **entre España y otros Estados o entidades internacionales o supranacionales**, se regularán por los términos y con los límites establecidos en la normativa sobre asistencia mutua entre los Estados de la Unión Europea, o en el marco de los convenios para evitar la doble imposición o de otros convenios internacionales, así como por las normas sobre la asistencia mutua establecidas en la LGT art.177 bis a 177 quaterdecies (LOPD disp.adic.13ª).

5) Cuando una autoridad de protección de datos considere que una decisión de la Comisión Europea en materia de transferencia internacional de datos, de cuya validez dependiese la resolución de un procedimiento concreto, infringe lo dispuesto en el Rgto (UE) 2016/679, menoscabando el derecho fundamental a la protección de datos, acordará inmediatamente la **suspensión del procedimiento**, a fin de solicitar del órgano judicial autorización para declararlo así en el seno del procedimiento del que esté conociendo. Dicha suspensión ha de ser confirmada, modificada o levantada en el acuerdo de admisión o inadmisión a trámite de la solicitud de la autoridad de protección de datos dirigida al tribunal competente.

Las decisiones de la Comisión Europea a las que puede resultar de **aplicación** este cauce son:

- aquellas que declaren el nivel adecuado de protección de un tercer país u organización internacional, en virtud del art.45 del Rgto (UE) 2016/679;
- aquellas por las que se aprueben cláusulas tipo de protección de datos para la realización de transferencias internacionales de datos; o
- aquellas que declaren la validez de los códigos de conducta a tal efecto.

La **autorización** solo puede ser concedida si, previo planteamiento de cuestión prejudicial de validez en los términos del TFUE art.267, la decisión de la Comisión Europea cuestionada fuera declarada inválida por el Tribunal de Justicia de la Unión Europea (LOPD disp.adic.5ª).

6) También cabe una **transferencia** internacional de datos **de encargado a subencargado del tratamiento**. Se trata de casos en los que el encargado del tratamiento exporta los datos a un subencargado del mismo situado en un Estado que no garantiza un nivel adecuado de protección, para lo cual el exportador debe dar suficientes garantías de respeto a la vida privada de los afectados y sus derechos y libertades fundamentales, garantizándose el ejercicio de sus derechos. En estos casos, rige, igualmente, la Decisión de Ejecución (UE) 2021/914, relativa a las cláusulas contractuales tipo para la transferencia de datos personales a terceros países de conformidad con el Rgto (UE) 2016/679.

7) El Rgto (UE) 2016/679 art.6.1 (párrafo primero, letra f), en relación con la Dir 2002/58/CE art.15.1, debe interpretarse en el sentido de que no se opone, en principio, ni al registro sistemático por parte del titular de derechos de propiedad intelectual y por parte de un tercero que actúa por cuenta de este, de **direcciones IP** de usuarios de redes entre pares (peer to peer) cuyas conexiones de Internet supuestamente se utilizaron en **actividades infractoras contra la propiedad intelectual**, ni tampoco a la comunicación de los nombres y de las direcciones de esos usuarios al mencionado titular o a un tercero para permitirle presentar una **demanda de indemnización** por el perjuicio supuestamente ocasionado por los citados usuarios, a condición, no obstante, de que las iniciativas y las pretensiones al efecto del referido titular o de ese tercero sean justificadas, proporcionadas y no abusivas y se fundamenten jurídicamente en una medida legal nacional, en el sentido de la Dir 2002/58/CE art.15.1, que limite el alcance de las normas establecidas en los artículos 5 y 6 de esa Directiva (TJUE 17-6-21, -asunto C-597/19).

g. Contratos de auditoría informática

11515 Mediante este tipo de contratos se busca que una empresa externa proceda al examen y **validación de los controles y procedimientos** utilizados por el área de informática, a fin de verificar que los objetivos de continuidad de servicio, confidencialidad, seguridad de la información y la integridad y coherencia de la información se estén cumpliendo satisfactoriamente y de acuerdo a la normatividad (interna y externa).

Es una especialidad de los contratos de auditoría y su calificación jurídica suele ser de **arrendamiento de servicios**, si bien con la particularidad de existir un resultado final, normalmente un informe de auditoría.

Precisiones En la medida en que el auditor acceda a datos de carácter personal de cuyo tratamiento el auditado sea responsable, debe concluirse por escrito un **contrato de encargado del tratamiento** por cuenta de tercero (Rgto (UE) 2016/679 art.28; LOPD art.33), donde el auditor tiene la condición de encargado del tratamiento.

Dicho contrato debe tener como **contenido mínimo**, por exigencia legal, el siguiente:

- Que el encargado trate los datos personales únicamente siguiendo instrucciones documentadas del responsable, inclusive con respecto a las transferencias de datos personales a un tercer país o una organización internacional, salvo que esté obligado a ello en virtud del Derecho de la Unión o de los Estados miembros que se aplique al encargado.
- Garantizar que las personas autorizadas para tratar datos personales se hayan comprometido a respetar la confidencialidad o estén sujetas a una obligación de confidencialidad.
- Tomar todas las medidas necesarias técnicas y organizativas para garantizar un nivel de seguridad adecuado al riesgo a que esté expuesto el tratamiento.
- Solo puede subencargar el tratamiento con consentimiento del responsable y verificando que el subencargado cumple las medidas de seguridad establecidas.
- Asistir al responsable, teniendo cuenta la naturaleza del tratamiento, a través de medidas técnicas y organizativas apropiadas, siempre que sea posible, para que este pueda cumplir con su obligación de responder a las solicitudes que tengan por objeto el ejercicio de los derechos de los interesados.
- Ayudar al responsable a garantizar el cumplimiento de las obligaciones establecidas en los art.32 a 36 del Rgto (UE) 2016/679 (sobre notificación de brechas de seguridad), teniendo en cuenta la naturaleza del tratamiento y la información a disposición del encargado.
- A elección del responsable, suprimir o devolver todos los datos personales una vez finalice la prestación de los servicios de tratamiento, y suprimirá las copias existentes a menos que se requiera la conservación de los datos personales en virtud del Derecho de la Unión o de los Estados miembros.
- Poner a disposición del responsable toda la información necesaria para demostrar el cumplimiento de las obligaciones establecidas legalmente, así como para permitir y contribuir a la realización de auditorías, incluidas inspecciones, por parte del responsable o de otro auditor autorizado por este.

Función económica Contratar una auditoría informática, resulta de gran importancia para una empresa, ya que los posibles **riesgos** dimanantes de falta de procedimientos informáticos pueden conllevar el acaecimiento de un desastre informático, de un problema jurídico o de negocio o incluso de una sanción administrativa (por incumplimiento de normativa como la de protección de datos o mercantil). 11517

Entre los riesgos, sin ánimo de ser exhaustivos, podemos reseñar:

- pérdida de ingresos;
- pérdida de personal;
- incumplimientos de normativa vigente;
- problemas de logística;
- problemas de contabilidad;
- problemas laborales, etc.

Hoy en día, la mayoría de las corporaciones empresariales dependen de forma permanente de los sistemas informáticos, y un mal funcionamiento de estos puede generar múltiples problemas. Adicionalmente la paulatina «informatización» de la sociedad hace que cada vez sean mayores las **transacciones** que deban realizarse **por medios telemáticos**, mayores sean las obligaciones para con la administración que deban realizarse por medios telemáticos (declaraciones fiscales, sistema RED, depósito de cuentas...) y mayores sean las exigencias de seguridad exigidas cuando se tratan datos informáticamente (remisión a facturación electrónica y a protección de datos personales).

Objetivos Deben existir cuatro grandes objetivos en una auditoría informática: 11519

1. Identificación de vulnerabilidades, amenazas, y **riesgos potenciales** del departamento de informática, tanto causados con dolo, como accidentales.
2. Asegurar que los controles existentes permitan seguir pistas de auditoría y **medidas de seguridad**.
3. Verificar que los **controles** estén funcionando correcta y efectivamente.
4. Detectar y prevenir los **riesgos jurídicos** asociados al uso de las tecnologías de la información.

La mayoría de estos riesgos son causados por personas y objetos por lo que deben establecerse controles de seguridad adecuados y efectivos.

La auditoría informática puede ser una **obligación** impuesta por la normativa vigente. Actualmente, no se establece un periodo de tiempo mínimo en el que hacer la auditoría, pero el principio de proactividad exige del responsable que esté en condiciones de asegurar las condiciones que permitan asegurar la integridad y confidencialidad en el tratamiento de los datos personales.

11521 **Elementos básicos** Los elementos principales a tener en cuenta en el clausulado del contrato de auditoría informática, además de los habituales en un contrato de servicios, son los siguientes:

a) Definición de las **características** que reviste el servicio.

b) Definición del **alcance temporal** de la auditoría.

c) Establecer los distintos niveles de seguridad a auditar:

• **Seguridad física**. Controles de acceso físico (llaves, cerraduras, tarjetas electrónicas, condiciones ambientales como calor, humedad y aire acondicionado, extintores, medicamentos de emergencia...).

• **Seguridad de datos**. Los medios más comunes de realizar fraudes informáticos se efectúan simplemente modificando archivos de datos. Ya que la toma de decisiones se basa en los datos contenidos en dichos archivos, estos deben ser protegidos del uso no autorizado. La integridad de los datos depende de la seguridad de los mismos.

El alcance de la **revisión de la seguridad de los datos** debe incluir:

- administración de passwords o claves;
- clasificación de datos por su grado de sensibilidad;
- procedimientos de acceso de usuarios a los archivos;
- informes de mantenimiento de archivos para asegurar la integridad de datos;
- cumplimiento con los principios de tratamiento de datos (minimización, licitud, lealtad y transparencia, integridad y confidencialidad, restauración, plazo de conservación, exactitud, resiliencia de los sistemas informáticos de tratamiento, entre otros);
- manejo apropiado de datos confidenciales.

• **Seguridad jurídica**. Debe abarcar, al menos, los siguientes aspectos a tener en cuenta en el contrato:

- propiedad intelectual del software utilizado;
- propiedad industrial (marcas, *domain names*...);
- confidencialidad y seguridad jurídica, de conformidad con la LOPD, y las distintas normas aplicables en su caso (facturación telemática, firma electrónica...);
- utilización de las bases de datos;
- uso de correo electrónico;
- cumplimiento de normativa sobre comercio electrónico (nº 11596);
- revisión de contratos con proveedores de software y hardware;
- cumplimiento de normativa fiscal, mercantil y laboral sobre guarda de datos; y
- política de seguros.

• **Seguridad del personal**.

d) Definir el **resultado** contratado:

• **Informe de auditoría informática**. Que contenga, al menos:

- situación encontrada;
- riesgos existentes;
- impacto en la empresa.

• **Plan de contingencias**. Plan para permitir a una instalación de centro de proceso de datos (CPD) restablecer sus operaciones en el caso de un desastre.

Precisiones Téngase en cuenta la ISO/IEC 27001 referida a la implementación efectiva de la **seguridad de la información en un entorno empresarial**. Establece los requisitos necesarios para establecer, implantar, mantener y mejorar un sistema apropiado de gestión de la información.

F. Contratos de hardware

11525

11527 En términos generales, se entiende por «hardware», el conjunto de componentes y elementos materiales de un sistema informático; esto es, cada una de las **partes físicas** que conforman un ordenador, incluidos sus periféricos.

A los contratos de hardware, como regla general, le son de aplicación todo lo expuesto en relación a la formalización de los contratos y sus **cláusulas tipo** (nº 11268 s.), si bien existen determinadas particularidades en las modalidades que se exponen a continuación.

a. Contrato de adquisición de equipos informáticos

Es un contrato en virtud del cual el distribuidor se compromete a entregar y transmitir la propiedad de un **equipo hardware** determinado en el contrato a cambio de un **precio**. Sin perjuicio del régimen general aplicable al contrato de compraventa genérico (nº 900 s.), el contenido obligacional específico del contrato de adquisición de equipos informáticos presenta las siguientes especialidades: 11530

Garantía Se garantiza, de forma general, que, una vez instalados los equipos, estos se hallen en **buen estado de funcionamiento** para ser usado de acuerdo con sus especificaciones, durante un período de tiempo determinado. 11532

La garantía se limita, principalmente, a solventar las **deficiencias** aparecidas en el uso normal de los equipos, quedando, generalmente excluida cualquier avería o mal funcionamiento de un equipo que no se deba a defectos propios del mismo (p.e. descargas electroestáticas, incendios, sobre tensiones eléctricas...) u obedezca a un uso deficiente.

Como norma general **no se incluyen** en la garantía los daños y/o anomalías derivadas de las siguientes causas:

- utilización inadecuada o inexperta;
- montaje o puesta en servicio defectuosa por parte del comprador o de terceros autorizados por éste;
- desgaste natural;
- manejo defectuoso o descuidado;
- anomalías de un incorrecto uso del hardware o no imputables al mismo.

La **finalización** de la garantía se produce en caso de que la empresa, o terceros con su aquiescencia, realicen modificaciones en los equipos o traslados de los mismos, sin previa autorización por escrito del distribuidor sobre las condiciones de dicho traslado o modificaciones, con independencia de los efectos que sobre el contrato pudieran darse como consecuencia de la vulneración de los términos del contrato.

La garantía no suele incluir los **desplazamientos** ni las horas de **mano de obra**, que se facturan de conformidad con las tarifas y condiciones de asistencia técnica.

Eficacia Para la eficacia de esta garantía es imprescindible que: 11534

a) La empresa distribuidora sea **notificada debidamente**, dentro de un plazo de tiempo adecuado al momento en que el defecto alegado fuera conocido por la empresa, de la existencia de dicho defecto.

b) Que el equipo sea enviado a la empresa distribuidora, generalmente a **portes pagados**, cuando no sea posible remediar el defecto en el mismo lugar en que se produce.

c) Que la empresa cliente haya cumplido con la totalidad de sus **obligaciones** contractuales.

d) Que el equipo haya sido instalado y **puesto en marcha** por personal autorizado del distribuidor, o por terceros expresamente autorizados por ésta.

e) Que la empresa no haya por sí, o por un tercero, tratado de reparar el equipo defectuoso, o sustituido **piezas** del mismo, salvo autorización expresa previa del distribuidor.

Reserva de dominio El vendedor suele reservarse el dominio de cualquiera de los equipos informático suministrados, mientras no haya sido pagado la **totalidad del precio** y satisfechas todas las reclamaciones a las que tenga derecho en virtud del contrato, incluidos gastos, intereses y demás reclamaciones secundarias. 11536

Compraventa a plazos Si existe compraventa a plazos (nº 1330 s.), el dominio del equipo y objeto de la compraventa queda reservada al vendedor hasta que el comprador haya abonado la última mensualidad y, en su caso, las atrasadas junto con el interés pactado. 11538

El comprador debe reconocer expresamente que todos los **derechos de propiedad industrial e intelectual** que puedan existir sobre los equipos y la documentación asociada, así como el posible software que lleven incorporados los equipos, tienen un propietario, adquiriendo el compromiso de respetar y hacer respetar dichos derechos.

Entrega de documentación de especificaciones técnicas de los equipos informáticos Junto con cada equipo adquirido, el vendedor suele hacer entrega de un completo juego de documentación técnica. El comprador es conocedor de que los equipos que sean adquiridos pueden ser considerados **complejos** por lo que deben ser manejados conforme a las instrucciones recibidas, y por ello se debe comprometer a observar y cumplir con todas las **prescripciones técnicas** y **de seguridad** indicadas en los manuales facilitados por el vendedor. 11540

b. Contrato de alquiler de equipos informáticos

11545 Es el contrato por el que un proveedor da en arrendamiento a una entidad, máquinas y dispositivos que son propiedad del proveedor, para ser instalados en los locales que la entidad indique.

11547 **Renta mensual** La renta que se abona por este arrendamiento suele incluir:
1) El **transporte** e **instalación** de los equipos con los cables o accesorios propios de éstas necesarios para ello.
2) El **mantenimiento** de los equipos.
Por el contrario, **no se incluyen**:
a. Los servicios de transporte especiales, como grúa y transportes a pisos elevados sin ascensor.
b. Los trabajos para el envío y traslado de cables y líneas adicionales que, por insuficiencia de la infraestructura del lugar de instalación resulten precisos, y los propios cables y líneas adicionales.
c. El traslado o cambio de ubicación de los equipos respecto al lugar, estipulado, en que éstas se han instalado.

11549 **Propiedad** Los equipos arrendados son de la exclusiva propiedad del proveedor, obligándose la empresa a manifestar este extremo ante cualesquiera actuaciones que se pretendan sobre las mismas, a oponerse a éstas y a ponerlas inmediatamente en conocimiento del proveedor.

11551 **Obligación de contratar seguros** La empresa cliente, salvo que se pacte lo contrario, normalmente suscribe a su costa y por el período del alquiler, para cada equipo, un seguro contra todo riesgo en compañía de reconocida solvencia, figurando el proveedor como beneficiario.

11553 **Reparaciones** La reparación y/o sustitución de los equipos, únicamente alcanza a éstas y a sus propios cables o accesorios.
Están generalmente **excluidos**:
a) Periféricos, interfaces, líneas telegráficas o telefónicas, instalaciones eléctricas, y, en general, cualquier elemento de la infraestructura de que dispone la empresa que, aun conectado o relacionado de cualquier forma con los equipos, no sean parte integrante de las mismas,
b) Cualesquiera materiales de consumo -pilas, diskettes, discos, cintas magnéticas, papel de impresora, etc.-.

11555 **Obligaciones habituales del proveedor** Pueden sintetizarse en las siguientes:
a) Garantizar que cuando los equipos queden instalados se hallarán en **buen estado de funcionamiento** para ser usados de acuerdo con las especificaciones entonces vigentes, las cuales seguirán en vigor durante el período de arrendamiento.
b) Prestar a la entidad el servicio de **mantenimiento** y **reparación** tanto preventivo como correctivo a cada una de la(s) máquina(s) y dispositivos arrendados.
c) Proporcionar la **capacitación básica** requerida al personal de la entidad, para obtener el adecuado funcionamiento y operación de (los) equipo (s) de procesamiento automático de datos, objeto de este contrato.

11557 **Obligaciones habituales de la empresa cliente** Las principales son:
a) Abono de la **renta**.
b) Habilitar un **lugar de instalación** de los equipos apropiado conforme a las especificaciones de éstos y a estar provisto de una adecuada fuente de energía eléctrica y de todas las demás instalaciones técnicas imprescindibles.
c) Facilitar al personal técnico del proveedor el **libre acceso** al lugar de instalación de los equipos, al efecto de proceder a su instalación, a su reparación o sustitución, a su desinstalación y retirada, y a su inspección o control.
d) Custodiar y tratar los equipos con el más esmerado **cuidado** y a usarlos con la debida **diligencia** observando en todo caso, los manuales de funcionamiento, mantenimiento, cuidado y uso.
e) No introducir **modificación** alguna en los equipos.
f) No **trasladar** los equipos desde el lugar en que, conforme al contrato, hayan quedado instalados.
g) Recabar los **servicios del proveedor** para cualesquiera reparaciones, sustituciones, modificaciones o traslados que, conforme al contrato, deban realizarse respecto a los equipos.

h) Utilizar únicamente los **soportes** o consumibles (pilas, diskettes, discos, cintas magnéticas, papel de impresora, etc.) señalados en las especificaciones técnicas de los equipos.
i) Comunicar inmediatamente al proveedor cualquier **avería**, daño o **pérdida** que se produzca en los equipos.

c. Contrato de mantenimiento de equipos informáticos

Es el contrato por el cual una empresa especializada en servicios de mantenimiento sobre equipos informáticos y **dispositivos adicionales** y/o **periféricos** se compromete a prestar a otra empresa un servicio de mantenimiento sobre los que se especifiquen en contrato. **11560**

Modalidades de mantenimiento Suelen pactarse distintos niveles de mantenimiento en función de las necesidades del cliente: **11562**
a) Normal: Los días laborables desde las ocho hasta las diecinueve horas, excepto los sábados que es desde las ocho hasta las catorce horas.
b) Ampliada: Los días laborables durante las veinticuatro horas, excepto los sábados que es desde las ocho hasta las catorce horas.
c) Intensiva: Los días laborables y festivos durante las veinticuatro horas.
También pueden pactarse en función del tiempo de respuesta contratado: una hora, 5 horas, 24 horas, 48 horas, etc.

Forma de minutar El **pago** de este mantenimiento puede ser, según pacten las partes, por horas, horas/días, meses, cantidad fija anual, etc. Como datos a tener en cuenta, generalmente se establece que: **11564**
a) Las horas que **excedan** de lo contratado para cada período se facturan por la empresa, al precio general de tarifa.
b) Los **tiempos de teléfono** se consideran como trabajo y a cada llamada telefónica se le fija un tiempo mínimo de minutos pactado por las partes.
c) Los **tiempos de desplazamiento** al usuario o por cuenta del mismo se consideran como de trabajo a todos los efectos computándose el tiempo pactado entre las partes.
d) El **uso** que pueda hacer el cliente por debajo del crédito horario estipulado no es causa de reducción del precio convenido ni se acumula al de otro período posterior.

Contenido del servicio Suele incluirse: **11566**
a) Revisiones necesarias para el mantenimiento de los equipos y las reparaciones de las averías que se produzcan en los mismos.
b) Sustitución de todas las piezas y/o partes que sean necesarias para la reparación sin efectuar ningún cargo adicional por ellas. En ningún caso se sustituirán materiales de consumo y accesorios, como pilas, diskettes, discos, cintas magnéticas, papel de impresora, etc.
c) Instalación en cada equipo, sin cargo adicional alguno, y siempre que cuente con el beneplácito de la empresa, todas aquellas modificaciones que se consideren oportunas a fin de mejorar su rendimiento.

Exclusiones Suelen quedar excluidos del servicio contratado: **11568**
a) Todos aquellos periféricos, interfaces, líneas telegráficas o telefónicas, instalaciones eléctricas, y en general cualquier elemento de la infraestructura de que disponga la empresa, que aún conectado o relacionado de cualquier forma con los equipos objeto del contrato, **no** sean **parte integrante** de las mismas.
b) Todo tipo de **programas**, bancos de datos o información de la empresa.
c) Todas aquellas **averías** y **daños** que tengan su origen o sean consecuencia de un mal uso de los equipos y/o de negligencia, tanto por parte de la empresa como de terceros; así como los producidos por sobre tensiones eléctricas, descargas electrostáticas, incendios, explosiones, inundaciones, radiación nuclear, contaminación radioactiva, u otras causas similares.
d) La resolución de todas aquellas averías y daños que vengan provocadas por la utilización por la empresa de consumibles, recambios y **accesorios no originales** o no homologados por el fabricante de los equipos.

d. Contrato de comodato de equipos informáticos o contrato de «try & buy»

Es éste un tipo de contrato de **préstamo** en el que el suministrador transfiere el uso del bien informático prestado. **11575**
El comodato es un contrato de préstamo en el que una de las partes entrega a la otra alguna **cosa no fungible** para que use de ella por cierto tiempo y se la devuelva, indicando que es esencialmente gratuito (CC art.1740).

11577 **Función económica** La finalidad de este contrato es que el cliente conozca un producto determinado **sin pago** alguno por ello, es decir, no hay contraprestación económica durante el tiempo estipulado por las partes. En el caso de que se acuerde entre las partes una retribución, deja de ser comodato para pasar a ser un arrendamiento de cosas. Si la empresa desease adquirir los equipos, se firmaría el pertinente contrato.

11579 **Características fundamentales** Los equipos son de la exclusiva **propiedad** del proveedor. La empresa únicamente adquiere el uso gratuito de los mismos durante la vigencia del contrato.
Al igual que en el contrato de arrendamiento de hardware (nº 11545), la empresa, generalmente, queda obligada a suscribir a su costa y por el período del contrato, un **seguro** contra todo riesgo.
Las **obligaciones de la empresa** son las mismas que en el contrato de arrendamiento de hardware a excepción del pago de una renta al proveedor (nº 11557).
Dado el carácter gratuito del comodato, inicialmente el proveedor está exento de la **responsabilidad** de responder frente a la empresa ni frente a terceros de daño o perjuicio alguno.

SECCIÓN 2

Comercio electrónico

11585

11587 La contratación electrónica es un elemento más de lo que se ha dado en llamar **servicios de la sociedad de la información**, entendiendo por tales, todo servicio que reúna las siguientes **características**:
- se presta a cambio de una remuneración;
- el prestador y el destinatario del servicio no se encuentran presentes de forma simultánea para concertar el mismo;
- el servicio se concierta por vía electrónica;
- el servicio es solicitado a petición individual del destinatario.

Precisiones Para **mayor información** sobre el comercio electrónico, ver nº 800 s. Memento Derecho de las Nuevas Tecnologías 2022-2023.

1. Contrato electrónico

11590

11592 Se entiende por contrato electrónico, aquel contrato que, con independencia de los bienes o servicios que constituyan su objeto, se celebran por **medios electrónicos o telemáticos**. La L 34/2002, de servicios de la información y de comercio electrónico (en adelante LSSI), lo define como todo contrato en el que la oferta y la aceptación se transmiten por medio de equipos electrónicos de tratamiento y almacenamiento de datos, conectados a una red de telecomunicaciones (LSSI art.1).
El elemento definitorio de los contratos electrónicos es la forma en que se celebran y que afecta a otros elementos contractuales, entre los que destaca la forma de prestar el consentimiento y, posteriormente, acreditar que se ha consentido en la celebración del contrato.
El comercio electrónico es un mercado en pleno auge y constante **crecimiento económico**. Ello no obstante, su desarrollo puede verse frenado por dos circunstancias:
- la falta de seguridad del propio sistema;
- la obsolescencia de determinados ordenamientos jurídicos.

Ambos obstáculos pretenden ser superados, de una parte, mediante la adopción de **soluciones técnicas** que vengan a asegurar todos los aspectos de las transacciones así celebradas y a facilitar la operatividad a aquellos usuarios que desconocen el sistema electrónico. De otra parte, con respecto a la adaptación de los ordenamientos jurídicos a las nuevas realidades.

Precisiones 1) Una de las normas pioneras en materia de comercio electrónico fue la Ley Modelo de la Comisión de Naciones Unidas para el desarrollo del Derecho Mercantil Internacional (UNCITRAL) de 16 de diciembre de 1996 -modificada en 1998-, sobre comercio electrónico. Se trata de una Ley de **carácter internacional** abierta a todo tipo de adaptaciones, y concebida para que los Estados que lo considerasen oportuno la incorporasen, con más o menos modificaciones, a su ordenamiento interno, al objeto de facilitar la celebración de negocios jurídicos válidos y vinculantes a través de sistemas electrónicos.

2) Junto con los contratos electrónicos, la Dir 2000/31/CE regula **otros aspectos** tales como:
- el régimen de establecimiento de los prestadores de servicios de la sociedad de la información;
- las comunicaciones comerciales;
- la responsabilidad de los intermediarios;
- los códigos de conducta;
- los acuerdos extrajudiciales para la solución de litigios;
- los recursos judiciales.

3) La normativa reguladora de la SLNE ofrece la posibilidad de realizar todos los trámites de **constitución** y puesta en marcha de la sociedad limitada nueva empresa (SLNE) por medios electrónicos, informáticos y telemáticos (RD 682/2003; DGRN Instr 30-5-2003).

4) También deben tenerse en cuenta las disposiciones generales de los contratos con los consumidores (LGDCU art.59 s.), y las disposiciones relativas a la contratación fuera del establecimiento mercantil (LGDCU art.92 s.). En especial, los art.117 s. LGDCU relativos a la responsabilidad del empresario y derechos del consumidor en caso de falta de conformidad de los bienes, contenidos o servicios digitales, introducidos por el RDL 7/2021.

Normativa aplicable La L 34/2002 -LSSI- tiene como **objeto** incorporar al ordenamiento jurídico español la Dir 2000/31/CE (Directiva sobre Comercio Electrónico). España ha incorporado esta Directiva al ordenamiento español mediante la L 34/2002. **11594**

Asimismo, incorpora parcialmente la Dir 98/27/CE, relativa a la regulación de acciones de cesación de conductas que contravengan lo dispuesto en la ley referente a **protección de los consumidores**.

En cualquier caso, esta peculiaridad no sustrae a los contratos electrónicos del cumplimiento de las normas generales de la contratación contempladas en el Código Civil o en el Código de Comercio, normativa a la que expresamente se remite la LSSI art.23.

Asimismo, ha de tenerse en cuenta las normas que, en virtud de otros elementos contractuales (el negocio jurídico que se esté celebrando a través del contrato electrónico, el bien o servicio objeto del mismo, la condición de consumidor o usuario de una de las partes contratantes, etc.), resulten, en cada caso, de aplicación.

En tal sentido, merecen especial atención las normas relativas a:
- la firma electrónica (nº 11680);
- la ordenación del comercio minorista (nº 11730);
- las condiciones generales de la contratación (nº 11740).
- las normas sobre contratación fuera del establecimiento previstas en la Ley General para la Defensa de los Consumidores y Usuarios (LGDCU).

Precisiones 1) Desde una perspectiva más legalista, puede entenderse por contrato electrónico, el contrato celebrado **sin la presencia simultánea** de las partes, prestando éstas su consentimiento, en origen y en destino, por medio de equipos electrónicos de tratamiento y almacenaje de datos, conectados por medio de cable, radio o medios ópticos o electromagnéticos.

2) En el **ámbito comunitario** la Dir 2000/31/CE, relativa a determinados aspectos jurídicos de los servicios de la sociedad de la información, en particular el comercio electrónico en el mercado interior, prevé la adopción por los Estados miembros de la Unión Europea de las disposiciones legales, reglamentarias y administrativas necesarias para dar cumplimiento a lo en ella establecido. Ello no obstante, se permite a los Estados miembros determinar las categorías de contratos que no puedan celebrarse válidamente a través de la contratación electrónica; en particular las siguientes:
- contratos de creación o transferencia de derechos en materia inmobiliaria, excepción hecha de los derechos de arrendamiento;
- contratos que requieran por ley la intervención de los tribunales, las autoridades públicas o profesionales que ejerzan una función pública;
- contratos de crédito y caución y las garantías presentadas por personas que actúan por motivos ajenos a su actividad económica, negocio o profesión;
- contratos en materia de derecho de familia o sucesiones.

11596 **Protección de los datos de carácter personal en la contratación electrónica** (Rgto (UE) 2016/679 art.13; LO 3/2018) En el ámbito de la contratación electrónica es casi una consecuencia necesaria que se traten datos personales, ya sea porque el destinatario de la oferta contractual los facilite a fin de poder contratar, y cumplir con los **requisitos legales** establecidos, ya sea porque se traten sus datos de identificación del terminal utilizado a través de *cookies*. En la medida en que el oferente de la contratación por Internet trata datos personales de personas físicas con las que contrate, queda sujeto a las condiciones y requisitos establecidos en la normativa sobre protección de datos. A continuación, nos centraremos en las principales **obligaciones** con las que el oferente tendrá que cumplir:

En el momento en que se traten datos del oferente (simplemente, por el tratamiento del dato su dirección IP, ya se produciría uno), se le debe **informar** sobre lo siguiente:

- la identidad y los datos de contacto del **responsable** y, en su caso, de su representante;
- los datos de contacto del **delegado de protección de datos**, en su caso;
- los fines del **tratamiento** a que se destinan los datos personales y la base jurídica del tratamiento;
- cuando el tratamiento se base en el Rgto (UE) 2016/679 art.6.1.f, los **intereses legítimos** del responsable o de un tercero;
- los **destinatarios** o las categorías de destinatarios de los datos personales, en su caso;
- en su caso, la intención del responsable de **transferir datos personales a un tercer país u organización internacional** y la existencia o ausencia de una decisión de adecuación de la Comisión, o, en el caso de las transferencias indicadas en los del Rgto (UE) 2016/679 art.46 o 47 o 49.1 párr 2º, referencia a las garantías adecuadas o apropiadas y a los medios para obtener una copia de estas o al hecho de que se hayan prestado;
- el **plazo** durante el cual se conservarán los datos personales o, cuando no sea posible, los criterios utilizados para determinar este plazo;
- la existencia del derecho a **solicitar al responsable del tratamiento el acceso a los datos personales** relativos al interesado, y su rectificación o supresión, o la limitación de su tratamiento, o a oponerse al tratamiento, así como el derecho a la portabilidad de los datos;
- cuando el tratamiento esté basado en el Rgto (UE) 2016/679 art.6.1.a, la existencia del **derecho a retirar el consentimiento** en cualquier momento, sin que ello afecte a la licitud del tratamiento basado en el consentimiento previo a su retirada;
- el derecho a presentar una **reclamación ante una autoridad de control** (en el caso de España, la Agencia Española de Protección de Datos);
- si la **comunicación** de datos personales es un requisito legal o contractual, o un requisito necesario para suscribir un contrato, y si el interesado está obligado a facilitar los datos personales y está informado de las posibles consecuencias de que no facilitar tales datos;
- la existencia de **decisiones automatizadas**, incluida la elaboración de perfiles, a que se refiere el Rgto (UE) 2016/679 art.22.1 y 4 y, al menos en tales casos, información significativa sobre la lógica aplicada, así como la importancia y las consecuencias previstas de dicho tratamiento para el interesado.

11598 **Consentimiento** El afectado o consumidor debe **prestar su consentimiento** al tratamiento de sus datos personales de forma libre, específica, informada e inequívoca. En cuanto al consentimiento que debe prestar el afectado con respecto al tratamiento de sus datos personales, ver nº 11498.

Si el destinatario de los servicios debe facilitar su **dirección de correo electrónico** durante el proceso de contratación o de suscripción a algún servicio y el prestador pretende utilizarla posteriormente para el envío de comunicaciones comerciales (nº 11649), debe poner en conocimiento de su cliente esa intención y solicitar su consentimiento para la recepción de dichas comunicaciones, antes de finalizar el procedimiento de contratación. El destinatario puede **revocar** en cualquier momento el consentimiento prestado a la recepción de comunicaciones comerciales con la simple notificación de su voluntad al remitente. A tal efecto, los prestadores de servicios deben habilitar procedimientos sencillos y gratuitos para que los destinatarios de servicios puedan revocar el consentimiento que hayan prestado. Asimismo, deben facilitar información accesible por medios electrónicos sobre dichos procedimientos. Téngase en cuenta que, a falta de una relación contractual que justifique el tratamiento del dato del correo electrónico, cualquier **envío de una comunicación comercial** por medios telemáticos al destinatario del servicio de la sociedad de la información requiere su consentimiento expreso.

En tal sentido, y siendo lo más habitual que el destinatario facilite sus datos personales al cumplimentar el **formulario de pedido**, dicho formulario debe ofrecer al destinatario la siguiente información antes referida (nº 11596).

Si se pretendiese el uso de los datos para fines ajenos a la propia contratación, habrá de recabarse, del titular de los mismos, **consentimiento expreso** que autorice el tratamiento de los datos para tales fines.

Los datos que se recaban han de ser los estrictamente necesarios a efectos de perfeccionamiento, cumplimiento y ejecución del contrato o de los fines para los que los datos fueron facilitados; por tanto, ha de procederse a su **cancelación** cuando hayan dejado de ser necesarios o pertinentes para dicha finalidad.
Resultan de aplicación las sanciones contempladas en la LSSI (nº 11657 s.).

Operatividad La presentación de ofertas por parte del prestador, el acceso del destinatario a las mismas, el intercambio de información entre ambas partes y la celebración del contrato propiamente dicha, suponen llevar a cabo una actividad electrónica cuyos **aspectos** operativos y **técnicos** no todos los interlocutores conocen. **11600**
Así, es importante determinar:
- la forma y el momento en que un mensaje se considera enviado y recibido respectivamente;
- las normas de seguridad que cada una de las partes debe cumplir;
- el tratamiento de las incidencias;
- el sistema de modificación y anulación de mensajes, si fuere necesario;
- el sistema de acuse de recibo y el alcance de la emisión de dicho acuse (mera recepción del mensaje o su aceptación).

En relación con la operativa de la contratación electrónica, existen las siguientes previsiones:

a) Se exige al **prestador** de servicios que, con carácter previo a la petición cursada por el destinatario, **informe**, de forma clara, comprensible e inequívoca de los siguientes extremos: **11602**
• los **trámites** que deben seguirse para celebrar el contrato;
• si el mismo será o no **archivado** por el prestador, tras su celebración y si el destinatario tendrá acceso al mismo;
• los medios técnicos para identificar y corregir los **errores** en la introducción de datos, los cuales habrán de ser puestos a disposición del destinatario por el prestador;
• la **lengua** o lenguas en que el destinatario podrá formalizar el contrato;
• información legal aplicable a la situación (venta a distancia, condiciones generales...);
• puesta a disposición, en su caso, de las **condiciones generales de contratación** a las que deba sujetarse el contrato; de tal forma que estas puedan ser almacenadas y reproducidas por el destinatario.

Estas obligaciones, salvo las de las condiciones generales de contratación, se ven **eximidas** cuando ambos contratantes lo hayan acordado, si ninguno de ellos tiene la consideración de consumidor, o bien cuando el contrato se celebre exclusivamente mediante intercambio de correo electrónico.
El prestador queda exento de cumplimentar estas obligaciones cuando los contratos se hayan celebrado, exclusivamente, mediante intercambio de correo electrónico u otra comunicación individual equivalente, así como cuando las partes así lo acuerden, siempre que ninguna de ellas sea un consumidor.

b) Se establece una serie de **obligaciones posteriores a la celebración del contrato**, aplicables al oferente de servicios, que se resumen en las siguientes (nº 11655): **11604**
Con posterioridad a la celebración del contrato, el oferente de servicios está obligado a **confirmar la recepción de la aceptación** efectuada. Para ello se prevén distintos medios:
• Acuse de recibo por correo electrónico u otro medio de comunicación electrónica equivalente en un plazo de 24 horas siguientes a la recepción de la aceptación.
• Confirmación de la aceptación definida por medio equivalente al utilizado en el procedimiento de contratación, tan pronto como el aceptante haya completado dicho procedimiento, siempre que la confirmación pueda ser archivada por su destinatario.

Si la obligación de confirmar corresponde a un **destinatario de servicios**, (tanto si la confirmación es al propio prestador como a otro destinatario) entonces el prestador de los servicios pondrá a su disposición alguno de los medios antes citados.
A efectos de entender cuándo se ha recibido la **aceptación** y la **confirmación de la aceptación**, la Ley entiende que éstas surten efecto cuando las partes a las que se dirijan puedan tener constancia de ello, es decir se quiere evitar prácticas abusivas de no tener por recibidas aceptaciones o confirmaciones cuando tales recepciones dependen exclusivamente del que las recibe.
Cuando la recepción de la aceptación se confirma mediante **acuse de recibo**, se presume que el destinatario de la misma puede tener constancia desde que tal confirmación haya sido almacenada en el servidor en que el destinatario tenga dada de alta su cuenta de correo electrónico o en el servidor utilizado para la recepción de comunicaciones.
Al igual que en el caso de las obligaciones previas, se prevén ciertas **excepciones** a la obligatoriedad de confirmar la recepción de la aceptación:
- cuando los contratantes así lo acuerden (y ninguno sea consumidor); o
- cuando el contrato se haya celebrado exclusivamente mediante el intercambio de correo electrónico.

11606 **Pago** Perfeccionado el contrato, sólo queda ejecutar el mismo, proceder a su cumplimiento en las condiciones pactadas por las partes. La **ejecución del contrato** no tiene por qué estar condicionada por el hecho de encontrarnos ante un contrato electrónico. Tanto el pago como la prestación de servicios o el envío de bienes, puede realizarse de forma convencional con independencia de que el contrato se haya celebrado por medios electrónicos o telemáticos.

El pago puede efectuarse contra reembolso, por transferencia o remitiendo un cheque. Lo más habitual, sin embargo, es facilitar, en el mismo formulario de pedido, el número de **tarjeta de crédito** para que sea el prestador quien pase el cargo a la cuenta del destinatario. Este sistema, que también se emplea en contratación telefónica (tele-entradas) lleva a reiterar la preocupación de todo destinatario al introducir en Internet datos relativos a sus tarjetas de crédito o cuentas corrientes, que implican una mayor exigencia de seguridad.

El precio a pagar, previamente convenido y conocido por las partes, ha debido ser **desglosado**, indicando de forma separada las cuantías que corresponden a impuestos o a gastos de envío si los hubiera.

11608 **Prueba** En el ámbito de la contratación electrónica la prueba de las obligaciones se rige por las reglas de derecho común y por lo dispuesto sobre el valor de los documentos electrónicos en las normas procesales y en la L 6/2020 reguladora de determinados aspectos de los servicios electrónicos de confianza (nº 11686).

En todo caso, el **soporte electrónico** en que conste un contrato celebrado por vía electrónica es admisible en juicio como prueba documental.

En la LEC se admiten expresamente como medios de prueba los medios de reproducción de la palabra, el sonido y la imagen, así como los instrumentos que permiten archivar y conocer o reproducir palabras, datos, cifras y operaciones matemáticas llevadas a cabo con fines contables o de otra clase, relevantes en el proceso (LEC art.299.2).

11610 **Competencia y legislación aplicable** Uno de los problemas más relevantes en la contratación electrónica es la determinación de cuál es la ley aplicable al contrato que se celebra y cuál es, en su caso, el juez competente para conocer de todos aquellos conflictos que surjan del mismo.

La LSSI establece que el contrato electrónico en el que intervenga como parte un consumidor, se presume celebrado en el **lugar** en que este tenga su residencia. Queda cuestionarse qué sucede cuando ambos contratantes son consumidores (p.e. en caso de subastas privadas o de ventas por internet entre particulares...).

En **contratos** celebrados **entre empresarios y profesionales**, salvo pacto en contrario, se presumen celebrados en el lugar en que esté establecido el prestador de servicios. La determinación del lugar sirve para indicar, entre otras cosas, la jurisdicción competente para conocer de su impugnación o exigir su cumplimiento.

Respecto a la Ley aplicable a los **contratos informáticos**, la remisión legal se hace generalmente a las normas de derecho internacional privado, teniendo en cuenta las presunciones establecidas en la Ley respecto al ámbito de aplicación (nº 11621).

Precisiones 1) Existe una tendencia dentro de la contratación electrónica que aboga por la **solución arbitral** de controversias suscitadas en torno a los contratos electrónicos, mediante la inclusión en el contrato de una cláusula de sumisión expresa a arbitraje que indique, al menos, el órgano arbitral al que se someten las partes, la normativa que dicho órgano aplicará y si se trata de un arbitraje de equidad o derecho, en su caso.

2) Para la solución extrajudicial de conflictos mediante arbitraje o **códigos de conducta** específicos de autorregulación, la Administración tiene el encargo de impulsar, a través de la coordinación y el asesoramiento, la elaboración y aplicación de códigos de conducta voluntarios. Dichos códigos se elaboran por parte de las corporaciones, asociaciones u organizaciones comerciales, profesionales y de consumidores (LSSI art.32).

3) El **contenido de los códigos de conducta** versa sobre procedimientos para detección y retirada de contenidos ilícitos, protección de los destinatarios frente al envío por vía electrónica de comunicaciones comerciales no solicitadas, así como sobre los procedimientos extrajudiciales para la resolución de los conflictos que surjan por la prestación de los servicios de la sociedad de la información (LSSI art.18).

a. Servicios de la sociedad de la información y de comercio electrónico

(L 34/2002 -LSSI-)

11615 Como norma general debe destacarse que se equipara la contratación electrónica con la **contratación real**, haciendo continua remisión a las normas de Derecho general aplicables al resto de los contratos.

Precisiones 1) Se crea un **distintivo** que pueden mostrar los prestadores de servicios de la sociedad de la información que se adhieran a códigos de conducta que cumplan las condiciones previstas en el Real Decreto de referencia. Ello contribuye a fomentar la utilización de **códigos de conducta**, en cuya elaboración participen las asociaciones de consumidores y usuarios, que utilicen el sistema arbitral de consumo u otros **sistemas extrajudiciales de resolución de conflictos** con los consumidores que respeten los principios de la normativa comunitaria (Dir 2000/31/CE).
El distintivo creado pretende que los consumidores y usuarios puedan discernir los sellos y códigos que incorporan **garantías** de un elevado nivel de protección de sus derechos.
Junto a la propia creación material del distintivo, se regulan las **condiciones de atribución y mantenimiento** del mismo, lo que conlleva a su vez el establecimiento de las condiciones que han de cumplir los códigos de conducta a los que se adhieran los prestadores de servicios (RD 1163/2005).
2) Con el objeto de transponer al ordenamiento interno la Dir 2002/58/CE, sobre conservación de datos generados o tratados en relación con la prestación de **servicios de comunicaciones electrónicas de acceso público** o de redes públicas de comunicaciones, se aprobó la L 25/2007.
3) La universalización de las comunicaciones y la aparición de nuevos servicios asociados al desarrollo de la sociedad de la información exigen una continua actualización de las técnicas y procedimientos relacionados con la **planificación de redes** y servicios de comunicaciones electrónicas. Las **comunicaciones inalámbricas**, que utilizan como soporte de transmisión el dominio público radioeléctrico, constituyen la base fundamental en el desarrollo de soluciones asociadas a la movilidad, cada día más demandadas por la sociedad actual.
Para dar respuesta a todo ello, el RD 863/2008 (derogado por RD 123/2017) incluyó los planteamientos del marco regulador de las **comunicaciones electrónicas en Europa** y, en particular, lo dispuesto en la Dir 2002/21/CE, relativa a un marco regulador común de las redes y los servicios de comunicaciones electrónicas, la Dir 2002/20/CE, relativa a la autorización de redes y servicios de comunicaciones electrónicas y la Decisión núm 2002/676/CE, sobre un marco regulador de la política del espectro radioeléctrico en la Comunidad Europea. Téngase presente la Dir 2009/136/CE, por la que se modifican la Dir 2002/22/CE y la Dir 2002/58/CE.
El actual marco normativo de las comunicaciones electrónicas queda regulado por la, Dir (UE) 2018/1972, por el que se establece el nuevo Código Europeo de las Comunicaciones Electrónicas (versión refundida de las Directivas antes citadas).

Objeto (LSSI art.1) El objeto de la norma es doble: **11617**
- por un lado, procede a regular el régimen jurídico de los servicios de la sociedad de la información, con especial referencia a los prestadores, y por otra,
- procede a regular sucintamente la contratación por vía electrónica.

Dentro de los servicios de la sociedad de la información, se engloba todo **servicio prestado a distancia** por vía electrónica y a petición individual del destinatario. Normalmente es oneroso, pero también puede ser un servicio no remunerado por su destinatario siempre que represente o constituya una actividad económica para el prestador de los servicios. Es decir, se opta por un **concepto amplio** de servicios de la sociedad de la información:
• Contratación de bienes y servicios por vía electrónica.
• Organización y gestión de subastas virtuales.
• Organización y gestión de mercados o centros comerciales virtuales.
• Gestión de compras en la red por grupos de personas.
• Envío de comunicaciones comerciales.
• El suministro de información por vía telemática o electrónica (como puede ser prensa digital).
• La prestación de actividades de intermediación, siempre que supongan una actividad económica para el prestador de los mismos (nº 11770 s.).

Se entiende por **servicio** o **actividad de intermediación** el servicio de la sociedad de la información por el que se facilita la prestación o utilización de otros servicios de la sociedad de la información o el acceso a determinada información.
Se consideran servicios de intermediación:
- provisión de acceso a la red;
- la transmisión de datos por redes de telecomunicaciones;
- la realización de copias temporales de las páginas de Internet solicitada por los usuarios;
- el alojamiento en los propios servidores de información, servicios o aplicaciones facilitados por otros;
- provisión de instrumentos de búsqueda o de enlaces a otros sitios de Internet;
- descargar de archivos de video bajo petición por la red;
- distribución de contenidos por la red;
- cualquier otro servicio que se preste a petición individual de los usuarios siempre que represente una actividad económica para el prestador de referidos servicios.

11619 **Exclusiones** Por otra parte, se excluyen expresamente unos determinados servicios tecnológicos, y así **no** son considerados **servicios de la sociedad de la información**:
• Servicios prestados por telefonía vocal, fax o telex.
• Intercambio de correos electrónicos que no supongan actividad económica.
• Radiodifusión televisiva.
• Radiodifusión sonora.
• Teletexto televisivo.

11621 **Ámbito de aplicación** (LSSI art.2 a 4) Resulta de aplicación a los prestadores de servicios establecidos en España, entendiéndose por aquellos las personas físicas o jurídicas que proporcionan un servicio de la sociedad de la información, establecidos en España.
Para la definición de lo que se entiende por **establecimiento en España**, se recurre a la normativa fiscal y mercantil, entendiéndose como el lugar desde el que se dirige y gestiona una actividad económica. Se establece la presunción legal de estar un prestador de servicios establecido en España en el caso de encontrarse inscrito el prestador en el registro Mercantil u otro Registro Público español en el que sea necesario inscribirse para adquirir personalidad jurídica.
Es igualmente aplicable a aquellos prestadores que, siendo residentes o domiciliados en otro estado, ofrezcan servicios de la sociedad de la información a través de **establecimiento permanente** situado en España, pero sólo a los servicios que se presten desde España.
Asimismo, es de aplicación cuando el destinatario de los servicios radique en España, aunque el prestador de servicios de la información esté establecido en otro **Estado miembro de la Unión Europea** o del Espacio Económico Europeo, siempre que los servicios afecten a las materias que se citan a continuación:
• Derechos de propiedad intelectual o industrial.
• Emisión de publicidad por instituciones de inversión colectiva.
• Actividad de seguro directo realizada en régimen de derecho de establecimiento o en régimen de libre prestación de servicios.
• Obligaciones nacidas de los contratos celebrados por personas físicas que tengan la condición de consumidores.
• Régimen de elección por las partes contratantes de la legislación aplicable a su contrato.
• Licitud de las comunicaciones comerciales por correo electrónico u otro medio de comunicación electrónica equivalente no solicitadas.
La definición de **establecimiento**, así como la concreción del **lugar** de establecimiento del prestador de servicios es un elemento esencial en esta Ley, no sólo porque de ello dependa el ámbito de aplicación de esta ley, sino porque va a condicionar la aplicabilidad de toda la demás normativa de referencia.

11623 **Servicios excluidos** (LSSI art.5, 23.4 y disp.adic.2ª) Existen, asimismo una serie de servicios que quedan excluidos del ámbito de aplicación de la Ley, en concreto los referentes a:
• Los servicios prestados por notarios y registradores de la propiedad y mercantiles en el ejercicio de sus respectivas funciones públicas. Se rigen por su propia normativa.
• Los servicios prestados por abogados y procuradores en el ejercicio de sus funciones de representación y defensa en juicio. Se rigen por su propia normativa.
• Medicamentos y productos sanitarios. Se rigen por su propia normativa.
• Contratos en que se exija forma documental pública para su validez.
• La constitución, transmisión, modificación y extinción de derechos reales sobre bienes inmuebles sitos en España se sujeta a los requisitos de validez y eficacia generales.
• Los contratos referentes a sucesiones y derecho de familia quedan excluidos de los aspectos referentes a la contratación por vía electrónica.
Asimismo, los servicios de la sociedad de la información referentes a los **juegos de azar**, que impliquen apuestas económicas ven limitada la aplicabilidad del principio de libre prestación de servicios. Téngase en cuenta la L 13/2011, de regulación del juego, que admite la posibilidad de actividades de juego transfronterizas, incluso, por tanto, a través de Internet u otras redes de telecomunicación.

11625 **Principio de libre prestación de servicios** (LSSI art.6 s. y 35) El principio básico de prestación de servicios de la sociedad de la información es el de libre prestación, concretada en la **no necesidad de autorización previa**. Dicha libre prestación se puede considerar plena en el Espacio Económico Europeo, y «sujeto a acuerdos internacionales» en el resto del mundo. Ello no supone una total libertad para prestar servicios, ya que hemos de recordar que siguen existiendo múltiples autorizaciones y/o concesión de licencias para la prestación de otros servicios que, si bien quedan expresamente excluidos del ámbito de esta Ley, están íntimamente reunidos a los servicios de la sociedad de la información (telefonía, radiodifusión...). Asimismo,

se establece un **control** y una **supervisión** de su actividad por parte del Ministerio para la Transformación Digital, a cuyo fin se permite la actividad inspectora por parte de sus funcionarios. No obstante, las referencias a los órganos competentes contenidas en la LSSI art.8, 10, 11, 15, 16, 17 y 38 se entenderán hechas a los órganos jurisdiccionales o administrativos que, en cada caso, lo sean en función de la materia.
La libre prestación tiene un **límite** legalmente establecido, ya que en caso de que un determinado servicio de la sociedad de la información atente o pueda atentar contra determinados principios, se prevé que se puedan adoptar las medidas necesarias para que se interrumpa su prestación o para retirar los datos que los vulneran. Dichas medidas pueden conllevar la orden a los prestadores de servicios de intermediación en España de impedir el acceso a los servicios de un prestador radicado en otro Estado.

Los **principios** a que alude este apartado son los siguientes: **11627**
• La salvaguarda del orden público.
• La investigación penal.
• La seguridad pública.
• La defensa nacional.
• La protección de la salud pública o de las personas físicas que tengan la condición de consumidores o usuarios, incluso cuando actúen como inversores.
• El respeto a la dignidad de la persona y al principio de no discriminación por motivos de raza, sexo, religión, opinión, nacionalidad o cualquier otra circunstancia personal o social.
• La protección de la juventud y de la infancia.
• Los derechos de propiedad intelectual.
La amplitud de los principios es tal que queda abierta la vía para proceder, en un momento dado a poner en práctica las medidas antes citadas. Se ha generado gran discusión sobre quién tiene la **potestad** para imponer dichas medidas. La definición otorgada por la Ley no es muy clarificadora, ya que se incluye a «todo **órgano jurisdiccional o administrativo**, ya sea de la Administración general, autonómica o local o de sus respectivos organismos que actúe en ejercicio de competencias legalmente atribuidas». Tal indefinición, hace que se prevea que la adopción y cumplimiento de las medidas de restricción a que hemos aludido, solo puedan ser tomadas por la autoridad judicial cuando la Constitución o demás normativa vigente atribuyan las competencias para intervenir actividades o derechos a los órganos judiciales.
En cuanto a la **protección de los derechos de propiedad intelectual** es obligado referirse a la **Comisión de Propiedad Intelectual** a la que se encomendó esta competencia. Está integrada en el Ministerio de Cultura. Corresponde a la Sección 2ª de esa Comisión la salvaguarda de los mencionados derechos frente a su vulneración por los responsables de servicios de la sociedad de la información (LPI art.193.2.b redacc L 2/2019), en cuya labor habrá de actuar conforme a los principios de objetividad y proporcionalidad.

Precisiones Se ha de tener en cuenta el LPI art.195 redacc RDL 17/2020 y L 14/2021, en el que se regula muy exhaustivamente el **procedimiento** que ha de seguir la Sección 2ª para lograr la función encomendada de salvaguarda de los derechos de propiedad intelectual en el entorno digital frente a su vulneración por los responsables de los servicios de la sociedad de la información. Este procedimiento tendrá por objeto el restablecimiento de la legalidad.

Obligaciones generales de los prestadores de servicios En su actividad contractual y relacional se ven obligados a cumplir con una serie de obligaciones **generales**, que se entienden cumplidas si se incorporan en su página web: **11629**
a) Disponer de los medios que permitan **acceder** fácil, directa y **gratuitamente a sus datos básicos** (su nombre o denominación social, residencia o domicilio dirección de correo electrónico, número de identificación fiscal, los códigos de conducta a los que, en su caso, esté adherido).
b) Si el prestador ejerce una **actividad sujeta a régimen de autorización administrativa**, los datos relativos a la misma y los del órgano competente encargado de su supervisión.
c) Si el prestador ejerce una **profesión regulada**, es decir, que requiera un título para su ejercicio, debe indicar, asimismo:
- los datos del colegio profesional al que, en su caso, pertenezca;
- el título académico oficial o profesional con el que cuente;
- el Estado de la Unión Europea en el que se expidió dicho título y, en su caso, la correspondiente homologación o reconocimiento;
- las normas profesionales aplicables al ejercicio de su profesión y los medios a través de los cuales se puedan conocer, incluidos los electrónicos;
- informar claramente de los precios de los productos o servicios, indicando si incluyen o no los impuestos y los gastos de envío.

d) **Colaborar con los órganos competentes** en las instrucciones por estos adoptadas. Dicha colaboración va encaminada a la suspensión de transmisiones, accesos o de cualquier otro servicio.
e) Retener los datos de conexión y tráfico generados. Esta obligación tiene como fin colaborar con las autoridades públicas en la **búsqueda de contenidos nocivos o ilícitos**; y por ello se limitan los datos a conservar a los necesarios para identificar el origen de los datos.
f) Adoptar **medidas de seguridad** para impedir que los datos de conexión y tráfico retenidos sean alterados, perdidos o accedidos.
g) Facilitar al Ministerio de Ciencia y Tecnología (actualmente, de Industria) y a los demás órganos competentes toda la información y colaboración precisas para el ejercicio de sus funciones.
h) Permitir a los agentes o al personal inspector del Ministerio de Industria el acceso a sus instalaciones y la **consulta de** cualquier **documentación** relevante para la actividad de control de que se trate.

11631 **Servicios de tarificación adicional** (LSSI art.10.3) En los que casos en los que se haya atribuido un **rango de numeración telefónica** a servicios de tarificación adicional en el que se permita el acceso a servicios de la sociedad de la información y se requiera su utilización por parte del prestador de servicios, esta utilización y la descarga de programas informáticos que efectúen funciones de marcación, deben realizarse con el consentimiento previo, informado y expreso del usuario.
A tal efecto, el prestador del servicio debe proporcionar al menos la siguiente **información**:
a) Las características del servicio que se va a proporcionar.
b) Las funciones que efectuarán los programas informáticos que se descarguen, incluyendo el número telefónico que se marcará.
c) El procedimiento para dar fin a la conexión de tarificación adicional, incluyendo una explicación del momento concreto en que se producirá dicho fin.
d) El procedimiento necesario para restablecer el número de conexión previo a la conexión de tarificación adicional.
La información anterior debe estar disponible de manera claramente **visible** e **identificable**.
Lo dispuesto en este apartado se entiende sin perjuicio de lo establecido en la normativa de telecomunicaciones, en especial, en relación con los requisitos aplicables para el acceso por parte de los usuarios a los rangos de numeración telefónica, en su caso, atribuidos a los servicios de tarificación adicional.

11633 **Responsabilidad** (LSSI art.13 s.) Los prestadores de servicios se ven asimismo sometidos a una triple responsabilidad: civil, penal y administrativa, estableciéndose legalmente responsabilidades «ad hoc» por su actividad o inactividad:

11635 **Operadores de redes y proveedores de acceso** (LSSI art.14) Como principio se establece la **no responsabilidad** por la información trasmitida de los operadores de redes de telecomunicaciones y de los proveedores de acceso a una red de telecomunicaciones que presten un servicio de la sociedad de la información que consista en transmitir por una red de telecomunicaciones datos facilitados por el destinatario del servicio o en facilitar acceso a ésta (incluido el almacenamiento provisional y transitorio de datos).
Se prevé, sin embargo, una **salvedad**: cuando ellos mismos hayan originado la transmisión, modificado los datos (salvo las manipulaciones puramente técnicas) o seleccionado éstos o a los destinatarios de dichos datos.

Precisiones Para obtener el estudio detallado y completo de este apartado, remitimos al lector al nº 11795 s., nº 11805 s. y nº 11835 s. a efectos de evitar duplicidades de contenido.

11637 **Prestadores de servicios que realizan copia temporal de los datos solicitados por los usuarios** (LSSI art.15) En el mundo de Internet es habitual que un prestador de un servicio de la sociedad de la información que transmita por una red de telecomunicaciones datos facilitados por un destinatario del servicio, almacenen en sus sistemas de forma automática, provisional y temporal los datos antes referidos con la única finalidad de hacer más eficaz su transmisión ulterior a otros destinatarios que los soliciten. Tales prestadores **no** son **responsables** por el contenido de esos datos ni por la reproducción temporal de los mismos si:
a) No modifican la información contenida en los datos.
b) Permiten el acceso a ella sólo a los destinatarios que cumplan las condiciones impuestas por el destinatario cuya información se solicita.
c) Respetan las normas generalmente aceptadas y aplicadas por el sector para la actualización de la información.

d) No interfieren en la utilización lícita de tecnología generalmente aceptada y empleada por el sector, con el fin de obtener y devolver al destinatario origen de la información datos sobre la utilización de ésta.
e) Retiran la información que hayan almacenado o hacen imposible el acceso a ella, en cuanto tengan conocimiento efectivo de que ha sido retirada del lugar de la red en que se encontraba inicialmente, que se ha imposibilitado el acceso a ella, o que un tribunal u órgano administrativo competente ha ordenado retirarla o impedir que se acceda a ella.

Precisiones Para obtener el estudio detallado y completo de este apartado, remitimos al lector al nº 11795 s., nº 11805 s. y nº 11835 s. a efectos de evitar duplicidades de contenido.

Prestadores de servicios de alojamiento o almacenamiento de datos (LSSI art.16) Cuando el servicio prestado consiste en el **alquiler de espacio** para albergar datos proporcionados por el destinatario de este servicio, los prestadores **no** son **responsables** por la información almacenada a petición del destinatario (cuándo éste no actúe bajo la dirección, autoridad o control del prestador), siempre que: **11639**
a) No tengan conocimiento efectivo de que la actividad o la información almacenada es ilícita o de que lesiona bienes o derechos de un tercero susceptibles de indemnización.
b) Si tienen tal conocimiento actúen con la diligencia exigida para retirar los datos o hacer imposible el acceso a ellos.
Se entiende que el prestador tiene **conocimientos** cuando se haya declarado la ilicitud de los datos, ordenado su retirada o que se imposibilite el acceso a los mismos, o se hubiera declarado la existencia de la lesión, y el prestador conociera la correspondiente resolución.

Precisiones **1)** Para estudio detallado y completo de este apartado, ver nº 11835 s. y nº 11905 s.
2) Los **prestadores de servicios de alojamiento** son responsables cuando tienen conocimiento efectivo de un ilícito que lo es «ex re ipsa», no siendo necesario, en esos casos de evidencia, que exista una resolución judicial o administrativa que así lo declare (TS 18-5-10, EDJ 61583; 9-12-09, EDJ 282563).

Prestadores de servicios que faciliten enlaces a contenidos o instrumentos de búsqueda **11641**
(LSSI art.17) Cuando el servicio consista en facilitar enlaces a otros contenidos (links) o incluyan en sus contenidos directorios o instrumentos de búsqueda de contenidos, los prestadores **no** son **responsables** por la información a la que dirijan a los destinatarios de sus servicios, siempre que no tengan conocimiento efectivo de que la actividad o la información a la que remiten o recomiendan es ilícita o de que lesiona bienes o derechos de un tercero susceptibles de indemnización, o si lo tienen, actúen con diligencia para suprimir o inutilizar el enlace correspondiente. Al igual que en el caso anterior se establece una presunción de conocimiento efectivo si se ha declarado por un órgano competente la ilicitud de los datos, ordenado su retirada o que se imposibilite el acceso a los mismos, o bien se hubiera declarado la existencia de la lesión, y el prestador conociera la correspondiente resolución.

Precisiones **1)** Para aplicar esta responsabilidad es necesario un **conocimiento efectivo de la ilicitud**, condición indispensable para que el intermediario esté obligado a adoptar alguna medida (AP Lugo 9-7-09, EDJ 152865; AP Madrid 20-7-21, EDJ 728081).El Tribunal Supremo ha señalado que se incluye una mención de naturaleza ejemplificativa de conocimiento efectivo, no excluyendo la posibilidad de que el mismo se **pruebe de cualquier otra manera**, es decir, no restringe los instrumentos aptos para alcanzarlo (TS 26-2-13, EDJ 37792). Basta que el conocimiento derive de circunstancias aptas para posibilitar, aunque mediatamente o por inferencias lógicas al alcance de cualquiera, una efectiva aprehensión de la realidad de que se trate (TS 4-12-12, EDJ 283874). Con anterioridad, el Tribunal Supremo (TS 9-12-09, EDJ 282563; 10-2-11, EDJ 6302), realizó una interpretación del concepto de «conocimiento efectivo» a la luz de la citada Directiva. Así, señaló que la LSSICE no se limitaba a incluir en los supuestos de exención de responsabilidad el conocimiento por parte del proveedor de resolución dictada por órgano competente que declarara la ilicitud, sino que incluía también la posibilidad de «otros medios de conocimiento efectivo que pudieran establecerse»: El conocimiento efectivo es una cuestión de hecho que el tribunal debe valorar en base a los datos fácticos aportados al proceso, teniendo en cuenta que -según la Directiva de Comercio Electrónico y la LSSI - los proveedores de servicios no tienen obligación general de supervisar toda la información que les llega ni a retirar la información ilícita, salvo desde el momento en que tenga conocimiento efectivo de la misma. Esta Sala ha puesto en relación el citado precepto con el de la **diligencia mínima exigible** al prestador, para que así los perjudicados puedan comunicarse con este de forma fácil y directa, a fin de que se interrumpa la publicación que afecte a los derechos fundamentales. Es esta diligencia la que resulta por tanto exigible a los prestadores de servicios, sin que estos puedan ampararse en el concepto estricto de conocimiento efectivo, que tan rigurosamente ha definido el artículo 16 LSSICE, habida cuenta de que se puede entender que el citado precepto elabora una mención de naturaleza ejemplificativa de conocimiento efectivo, no excluyendo la posibilidad de que el mismo se pruebe de cualquier otra manera, es decir, no restringe los instrumentos aptos para alcanzarlo (TS 26-2-13, EDJ 37792).
2) Para **mayor información**, ver nº 11820 s. y nº 11835 s.

11643 **Resolución de conflictos** (LSSI art.32) Se potencia la resolución de conflictos a través de vías alternativas a la judicial. No obstante, se regula con profusión la denominada **acción de cesación** (con remisión a la LEC), con el propósito de obtener una sentencia que declare la cesación de una conducta contraria a la Ley de y a prohibir su reiteración posterior.
La **legitimación activa** para interponer tal acción corresponde a:
• Las personas físicas o jurídicas titulares de un derecho o interés legítimo, incluidas aquellas que puedan verse perjudicadas por infracciones de las disposiciones contenidas en la LSSI art.21 y 22, entre ellas, los proveedores de servicios de comunicaciones electrónicas que deseen proteger sus intereses comerciales legítimos o los intereses de sus clientes.
• Los grupos de consumidores o usuarios afectados, en los casos y condiciones previstos en la LEC.
• Las asociaciones de consumidores y usuarios.
• El Ministerio Fiscal.
• El Instituto Nacional de Consumo y los órganos correspondientes de las Comunidades Autónomas y de las Corporaciones locales competentes en materia de defensa de los consumidores.
• Las entidades de otros Estados miembros de la Unión Europea constituidas para la protección de los intereses colectivos o difusos de los consumidores que estén habilitadas ante la Comisión europea.

11645 **Aspectos contractuales** Centrándonos en estos aspectos, se define el contrato electrónico como aquel en que la oferta y la aceptación se transmiten por medio de equipos electrónicos de tratamiento y almacenamiento de datos conectados a una red de telecomunicaciones.
a) Validez y eficacia del consentimiento. No es necesaria la aceptación expresa de esta técnica de contratación por las partes contratantes para que el contrato surta efectos entre las mismas.
b) Exigencia de forma escrita en determinados tipos de contratos. Se produce una equiparación de facto entre escritura y documento electrónico, ya que se entiende cumplida la exigencia de forma escrita (salvo las excepciones contempladas en las que se exige forma documental pública o intervención de órganos jurisdiccionales, notarios o autoridades públicas) si existe un soporte electrónico.
c) Momento del consentimiento. El consentimiento existe desde que se manifiesta la aceptación (ver nº 100).

11647 **d) Lugar de celebración del contrato**. Se distingue en función de la intervención o no de un consumidor en el contrato electrónico.
Si interviene un consumidor, se entiende celebrado el contrato en el lugar de residencia habitual del consumidor.
En los contratos celebrados entre empresarios o profesionales se entiende celebrado en el lugar en que esté establecido el prestador de servicios, salvo pacto en contrario (ver nº 11610).
La legislación aplicable a los contratos electrónicos es la que corresponda según el ordenamiento jurídico español, y el ámbito de aplicación de la Ley.
e) Prueba de la celebración. Se produce una remisión genérica al ordenamiento jurídico y especialmente a la legislación sobre firma electrónica, recalcándose que el soporte electrónico en que quede constancia del contrato es admisible como prueba documental (ver nº 11608).
Se admite la participación de los denominados **terceros de confianza** (nº 11835).
El fin de su intervención es **archivar las declaraciones de voluntad** que integran los contratos electrónicos, consignando la fecha y la hora en que dichas comunicaciones han tenido lugar.
La intervención de dichos terceros no puede alterar ni sustituir las funciones que corresponde realizar a las personas facultadas con arreglo a Derecho para dar fe pública. Es decir, claramente se elimina la figura anglosajona del notario electrónico, limitando tales facultades a los titulares de la fe pública.
El tercero de confianza tiene como **obligación** archivar en soporte informático las declaraciones que hayan tenido lugar por vía telemática entre las partes por el tiempo estipulado que, en ningún caso, será inferior a cinco años.

11649 **f) Comunicaciones comerciales** (LSSI art.21 y 22; RDL 13/2012). En lo referente a las comunicaciones comerciales publicitarias o promocionales por **correo electrónico** u otro medio de comunicación electrónica equivalente, queda prohibido su envío salvo que previamente hayan sido solicitadas o expresamente autorizadas por los destinatarios de las mismas. Lo anterior no será de aplicación cuando exista una **relación contractual previa**, siempre que el prestador hubiera obtenido de forma lícita los **datos de contacto del destinatario** y los emplee para el envío de comunicaciones comerciales referentes a productos o servicios de su propia empresa que sean similares a los que inicialmente fueron objeto de contratación con el cliente. En

todo caso, el prestador deberá ofrecer al destinatario la posibilidad de **oponerse al tratamiento de sus datos con fines promocionales** mediante un procedimiento sencillo y gratuito, tanto en el momento de recogida de los datos como en cada una de las comunicaciones comerciales que le dirija.
Cuando las comunicaciones hubieran sido remitidas por correo electrónico, dicho medio deberá consistir necesariamente en la inclusión de una **dirección electrónica válida** donde pueda ejercerse este derecho, quedando prohibido el envío de direcciones que no incluyan dicha dirección.
Asimismo, deberán facilitar **información accesible** por medios electrónicos sobre dichos procedimientos. Una reciente modificación se refiere al uso de «**cookies**». Se admite la posibilidad de utilizar **dispositivos de almacenamiento y recuperación de datos** en equipos terminales de los destinatarios, a condición de que los mismos hayan dado su consentimiento después de que se les haya facilitado información clara y completa sobre su utilización, en particular, sobre los fines del tratamiento de los datos, con arreglo a lo dispuesto en la LO 3/2018 y el Rgto (UE) 2016/679. Cuando sea técnicamente posible y eficaz, el **consentimiento del destinatario** para aceptar el tratamiento de los datos podrá facilitarse mediante el uso de los parámetros adecuados del navegador o de otras aplicaciones, siempre que aquél deba proceder a su configuración durante su instalación o actualización mediante una acción expresa a tal efecto. Ello no impedirá el posible almacenamiento o **acceso de índole técnica** al solo fin de efectuar la transmisión de una comunicación por una red de comunicaciones electrónicas o, en la medida que resulte estrictamente necesario, para la prestación de un servicio de la sociedad de la información expresamente solicitado por el destinatario.
El destinatario podrá **revocar** en cualquier momento el **consentimiento** prestado a la recepción de comunicaciones comerciales con la simple notificación de su voluntad al remitente. A tal efecto, los prestadores de servicios deberán habilitar **procedimientos sencillos y gratuitos** para que los destinatarios de servicios puedan revocar el consentimiento que hubieran prestado.
g) Validez de la oferta electrónica. La validez de la oferta o propuesta de contratación electrónica tiene vigencia en el periodo que señale el oferente; y si nada se dice, durante todo el tiempo que permanezca accesible al público.

Obligaciones exigidas legalmente en la contratación electrónica Una vez determinados los aspectos contractuales (nº 11647 y nº 11649), debemos distinguir entre: 11651
• Obligaciones que, con carácter previo al inicio de la actividad de contratación, deben cumplir los prestadores de servicios (nº 11653).
• Obligaciones exigibles al oferente de servicios posteriores a la celebración del contrato (nº 11655).

Obligaciones previas (LSSI art.27) Con carácter previo al inicio de la actividad de contratación, los prestadores de servicios de la sociedad de la información que realicen actividades de contratación electrónica están obligados a **informar al destinatario**, de manera clara, comprensible e inequívoca, de los siguientes extremos (ver nº 11600, nº 11602): 11653
a) Información legal aplicable a la situación (venta a distancia, condiciones generales...) (ver nº 11740, nº 11730).
b) Distintos **trámites** que deben seguirse para celebrar el contrato.
c) Si se va a proceder a archivar por parte del prestador el **documento electrónico** en que se formalice el contrato y si éste será accesible.
d) Los **medios técnicos** que se ponen a disposición del destinatario para identificar y corregir errores en la introducción de datos.
e) La **lengua** o lenguas en que se puede formalizar el contrato.
f) Puesta a disposición, en su caso, de las **condiciones generales** de contratación a las que deba sujetarse el contrato; de tal forma que estas puedan ser almacenadas y reproducidas por el destinatario.
Estas **obligaciones**, salvo las de las condiciones generales de contratación, se ven **eximidas** cuando ambos contratantes lo hayan acordado, si ninguno de ellos tiene la consideración de consumidor, o bien cuando el contrato se celebre exclusivamente mediante intercambio de correo electrónico.

Obligaciones posteriores a la celebración del contrato (LSSI art.28) Con posterioridad a la celebración del contrato, el oferente de servicios está obligado a **confirmar la recepción de la aceptación** efectuada. Para ello se prevén distintos medios: 11655
a) Acuse de recibo por correo electrónico u otro medio de comunicación electrónica equivalente en un plazo de 24 horas siguientes a la recepción de la aceptación.

b) Confirmación de la aceptación definida por medio equivalente al utilizado en el procedimiento de contratación, tan pronto como el aceptante haya completado dicho procedimiento, siempre que la confirmación pueda ser archivada por su destinatario.
Si la obligación de confirmar corresponde a un **destinatario de servicios**, (tanto si la confirmación es al propio prestador como a otro destinatario) entonces el prestador de los servicios pondrá a su disposición alguno de los medios antes citados.
A efectos de entender cuándo se ha recibido la **aceptación y** la **confirmación de la aceptación**, la Ley entiende que éstas surten efecto cuando las partes a las que se dirijan puedan tener constancia de ello, es decir se quiere evitar prácticas abusivas de no tener por recibidas aceptaciones o confirmaciones cuando tales recepciones dependen exclusivamente del que las recibe.
Cuando la recepción de la aceptación se confirma mediante **acuse de recibo**, se presume que el destinatario de la misma puede tener constancia desde que tal confirmación haya sido almacenada en el servidor en que el destinatario tenga dada de alta su cuenta de correo electrónico o en el servidor utilizado para la recepción de comunicaciones.
Al igual que en el caso de las obligaciones previas, se prevén ciertas **excepciones** a la obligatoriedad de confirmar la recepción de la aceptación. Así, tal confirmación no es necesaria cuando los contratantes así lo acuerden (y ninguno sea consumidor) o cuando el contrato se haya celebrado exclusivamente mediante el intercambio de correo electrónico.

11657 **Sanciones** (LSSI art.38 y 39) El incumplimiento de las obligaciones legalmente establecidas conlleva la imposición de sanciones pecuniarias.
La **cuantía** de las infracciones es la siguiente:
a) Por la comisión de infracciones **muy graves**, multa de 150.001 hasta 600.000 euros.
La reiteración en el plazo de tres años, de dos o más infracciones muy graves, sancionadas con carácter firme, puede dar lugar, en función de sus circunstancias, a la sanción de prohibición de actuación en España, durante un plazo máximo de dos años.
b) Por la comisión de infracciones **graves**, multa de 30.001 hasta 150.000 euros.
c) Por la comisión de infracciones **leves**, multa de hasta 30.000 euros.

11659 **Clasificación** Las infracciones se califican de muy graves, graves y leves.
a) **Infracciones muy graves** (LSSI art.38.2.b):
• El incumplimiento de la obligación de suspender la transmisión, el alojamiento de datos, el acceso a la red o la prestación de cualquier otro servicio equivalente de intermediación, cuando un órgano administrativo competente lo ordene.

11661 b) **Infracciones graves** (L 34/2002 art.38.3). La Ley enumera:
• El incumplimiento significativo de las obligaciones de la indicación del nombre o denominación social, residencia o domicilio, dirección de correo electrónico y cualquier otro dato que permita establecer con él una comunicación directa y efectiva, por un lado; y por otro, cuando el servicio de la información haga referencia a precios, la falta de información clara y exacta sobre el precio del producto o servicio, indicando si incluye o no los impuestos aplicables y, en su caso, los gastos de envío.
• El envío masivo de comunicaciones comerciales por correo electrónico u otro medio de comunicación electrónica equivalente, o su envío insistente o sistemático a un mismo destinatario del servicio cuando en dichos envíos no se cumplan los requisitos establecidos en el artículo 21.
• El incumplimiento significativo de la obligación del prestador de servicios en relación con los procedimientos para revocar el consentimiento prestado por los destinatarios.
• No poner a disposición del destinatario del servicio las condiciones generales a que, en su caso, se sujete el contrato.
• El incumplimiento habitual de la obligación de confirmar la recepción de una aceptación, cuando no se haya pactado su exclusión o el contrato se haya celebrado con un consumidor.
• La resistencia, excusa o negativa a la actuación inspectora de los órganos facultados para llevarla a cabo con arreglo a la Ley.
• El incumplimiento significativo de la obligación de, obtención del consentimiento previo, informado y expreso del usuario de servicios de tarificación adicional cuando dicha utilización requiera la descarga de programas informáticos que efectúen funciones de marcación.
• La reincidencia en la comisión de una infracción leve por utilizar dispositivos de almacenamiento y recuperación de datos cuando no se hubiera facilitado la información u obtenido el consentimiento del destinatario del servicio en los términos exigidos legalmente, cuando así se hubiera declarado por resolución firme dictada en los tres años inmediatamente anteriores a la apertura del procedimiento sancionador.

c) **Infracciones leves** (LSSI art.38.4; L 56/2007). Se consideran tales: **11663**

- El incumplimiento de lo previsto en la LSSI art.2 bis.
- No informar adecuadamente de la información que se debe proporcionar, cuando no constituya infracción grave.
- El incumplimiento de lo previsto para las comunicaciones comerciales, ofertas promocionales y concursos.
- El envío de comunicaciones comerciales por correo electrónico u otro medio de comunicación electrónica equivalente cuando en dichos envíos no se cumplan los requisitos establecidos y no constituya infracción grave.
- No facilitar la información previa al inicio del procedimiento de contratación, cuando las partes no hayan pactado su exclusión o el destinatario sea un consumidor.
- El incumplimiento de la obligación de confirmar la recepción de una petición, cuando no se haya pactado su exclusión o el contrato se haya celebrado con un consumidor, salvo que constituya infracción grave.
- Utilizar dispositivos de almacenamiento y recuperación de datos cuando no se hubiera facilitado la información u obtenido el consentimiento del destinatario del servicio en los términos exigidos por la LSSI art.22.2.
- El incumplimiento de la obligación del prestador de servicios en relación con los procedimientos para revocar el consentimiento prestado por los destinatarios cuando no constituya infracción grave.
- El incumplimiento de la obligación de confirmar la recepción de una petición, cuando no se haya pactado su exclusión o el contrato se haya celebrado con un consumidor, cuando no constituya infracción grave.
- El incumplimiento por parte de los proveedores de servicios de intermediación de datos de cualquiera de las obligaciones previstas en el Rgto (UE) 2022/868 art.11, cuando no constituya infracción grave.
- El incumplimiento por parte de las organizaciones reconocidas de gestión de datos con fines altruistas de cualquiera de los requisitos exigidos en virtud del Rgto (UE) 2022/868 art.18, 19, 20, 21 y 22, cuando no constituya infracción grave.
- El incumplimiento por parte de proveedores de servicios de intermediación de datos y de organizaciones reconocidas de gestión de datos con fines altruistas de las obligaciones establecidas en el Rgto (UE) 2022/868 art.31 en materia de transferencias de datos no personales a terceros países, cuando no constituya infracción grave.

Publicación de la resolución y prohibición de acceso a los servicios de intermediación (LSSI art.39.2.3) Las infracciones graves y muy graves pueden llevar aparejada adicionalmente la publicación, a costa del sancionado, de la resolución sancionadora en el BOE, o en el diario oficial de la administración pública que, en su caso, hubiera impuesto la sanción, en dos periódicos cuyo ámbito de difusión coincida con el de actuación de la citada administración pública o en la página de inicio del sitio de Internet del prestador, una vez que aquélla tenga carácter firme. Para la imposición de esta sanción se considerará la repercusión social de la infracción cometida, por el número de usuarios o de contratos afectados, y la gravedad del ilícito. **11665**

Cuando las infracciones hayan sido cometidas por **prestadores de servicios** establecidos en Estados que **no** sean **miembros de la Unión Europea** o del Espacio Económico Europeo, el órgano que haya impuesto la correspondiente sanción puede ordenar a los prestadores de servicios de intermediación que tomen las medidas necesarias para impedir el acceso desde España a los servicios ofrecidos por aquellos por un período máximo de dos años en el caso de infracciones muy graves, un año en el de infracciones graves y seis meses en de infracciones leves.

Imposición de sanciones, graduación y prescripción (LSSI art.39 bis, 40, 43 y 45) En el caso de infracciones **muy graves** corresponde a la persona titular del Ministerio de Asuntos Económicos y Transformación Digital, y en el caso de infracciones **graves** y **leves**, a la persona titular de la Secretaría de Estado de Digitalización e Inteligencia Artificial. **11667**

La imposición de sanciones por **incumplimiento de las resoluciones** dictadas por los órganos competentes en función de la materia o entidad de que se trate corresponde al órgano que dictó la resolución incumplida. Igualmente, corresponde a la Agencia Española de Protección de Datos la imposición de sanciones por la comisión de las infracciones tipificadas en la LSSI art.38.3 c), d) e i) y 38.4 d), g) y h).

La **potestad sancionadora** regulada en esta ley se ejerce de conformidad con lo establecido al respecto en la LPAC, y en sus normas de desarrollo.

La dureza de las sanciones se puede ser objeto de **graduación** en base a los siguientes **criterios**:

- la existencia de intencionalidad;
- plazo de tiempo durante el que se haya venido cometiendo la infracción;

- la reincidencia por comisión de infracciones de la misma naturaleza, cuando así haya sido declarado por resolución firme;
- la naturaleza y cuantía de los perjuicios causados;
- los beneficios obtenidos por la infracción;
- volumen de facturación a que afecte la infracción cometida;
- adhesión a un código de conducta o a un sistema de autorregulación publicitaria aplicable respecto a la infracción cometida, que cumpla con lo dispuesto en la Ley (art.18) o en la disposición final octava de la Ley, y que haya sido informado favorablemente por el órgano u órganos competentes;
- la adopción de medidas para mitigar o reparar el daño causado por la infracción.

En cuanto a la **prescripción**:

a) Las **infracciones** muy graves prescriben a los tres años, las graves a los dos años y las leves a los seis meses.

b) Las **sanciones** impuestas por faltas muy graves prescriben a los tres años, las impuestas por faltas graves a los dos años y las impuestas por faltas leves al año.

11669 Precisiones 1) **Moderación de la sanción** (LSSI art.39 bis): El órgano sancionador establecerá la cuantía de la sanción aplicando la escala relativa a la clase de infracciones que preceda inmediatamente en gravedad a aquella en que se integra la considerada en el caso de que se trate, en los siguientes supuestos:

a) Cuando se aprecie una cualificada disminución de la culpabilidad del imputado o de la antijuridicidad del hecho como consecuencia de la concurrencia significativa de varios de los criterios enunciados en el artículo 40.

b) Cuando la entidad infractora haya regularizado la situación irregular de forma diligente.

c) Cuando pueda apreciarse que la conducta del afectado ha podido inducir a la comisión de la infracción.

d) Cuando el infractor haya reconocido espontáneamente su culpabilidad.

e) Cuando se haya producido un proceso de fusión por absorción y la infracción fuese anterior a dicho proceso, no siendo imputable a la entidad absorbente.

2) **Apercibimiento** (LSSI art.39 ter): Los órganos con competencia sancionadora, atendida la naturaleza de los hechos y la concurrencia significativa de los criterios establecidos en la LSSI art.39 bis y 40, podrán acordar no iniciar la apertura del procedimiento sancionador y, en su lugar, apercibir al sujeto responsable, a fin de que, en el plazo que el órgano sancionador determine, acredite la adopción de las medidas correctoras que, en cada caso, resulten pertinentes, siempre que los hechos fuesen constitutivos de infracción leve o grave conforme a lo dispuesto en la LSSI. Si el apercibimiento no fuera atendido en el plazo que el órgano sancionador hubiera determinado, procederá la apertura del correspondiente procedimiento sancionador por dicho incumplimiento.

11671 **Medidas cautelares** (LSSI art.41) Dentro del procedimiento sancionador, se contempla la interposición de medidas cautelares o provisionales. Entre ellas destacan:

• **Suspensión temporal** de la actividad del prestador de servicios y, en su caso, cierre provisional de sus establecimientos.

• Precinto, depósito o **incautación** de registros, soportes y archivos informáticos y de documentos en general, así como de aparatos y equipos informáticos de todo tipo;

• Advertir al público de la existencia de posibles **conductas infractoras** y de la incoación del expediente sancionador de que se trate, así como de las medidas adoptadas para el cese de dichas conductas.

11673 **Fomento de la sociedad de la información** (LSSI disp.adic.7ª) El Ministerio de Ciencia, Innovación y Universidades (RD 829/2023) está obligado a la presentación de un **plan cuatrienal** para el desarrollo de la sociedad de la información y de convergencia con Europa con objetivos mesurables, con acciones concretas, con mecanismos de seguridad efectivos, que aborde todos los frentes de actuación, asegurando la cooperación y coordinación del conjunto de las Administraciones públicas. Este plan debe establecer los objetivos, acciones, recursos y periodificación del **proceso de convergencia** con los países de nuestro entorno comunitario en línea con las decisiones y recomendaciones de la Unión Europea.

11675 **Distintivo público de confianza en los servicios de la sociedad de la información** (RD 1163/2005; L 34/2002 disp.final 8ª) Se regula el distintivo público de confianza en los servicios de la sociedad de la información y de comercio electrónico, así como los requisitos y el procedimiento de **concesión**, estableciendo, asimismo, las condiciones que deben reunir tales códigos de conducta, la concesión y retirada del distintivo y el procedimiento aplicable.

Este distintivo es de aplicación a las corporaciones, asociaciones u organizaciones comerciales, profesionales y de consumidores que adopten **códigos de conducta** destinados a regular las relaciones entre prestadores de servicios de la sociedad de la información y los consumidores y

usuarios, cuando la adhesión a tales códigos conceda el derecho al uso y administración del distintivo público de confianza en línea y se aplica, asimismo, a los prestadores de servicios de la sociedad de la información que hagan uso de dicho distintivo.
Los códigos de conducta que pretendan obtener el distintivo público de confianza en línea deben establecer, como medio de solución de controversias entre los prestadores de servicios y los consumidores y usuarios, el **sistema arbitral de consumo** u otro sistema de **resolución extrajudicial** de conflictos que figure en la lista que publica la Comisión Europea sobre sistemas alternativos de resolución de conflictos con consumidores y que respete los principios establecidos por la normativa comunitaria a este respecto.

b. Servicios electrónicos de confianza. Firma electrónica

(L 6/2020; Rgto (UE) 910/2014 art.3)

El Rgto (UE) 910/2014, relativo a la identificación electrónica y los servicios de confianza para las transacciones electrónicas en el mercado interior, creó un nuevo **marco normativo** para la utilización de este tipo de servicios y su prestación. Dicho Reglamento europeo ha sido objeto de transposición a nuestro ordenamiento mediante la L 6/2020, reguladora de determinados aspectos de los servicios electrónicos de confianza. En nuestro país, ambas normas se complementan y resultan aplicables directamente. 11680
La L 6/2020 se aplica a los **prestadores públicos y privados** de servicios electrónicos de confianza establecidos en España, pero también a aquellos residentes o domiciliados en otro Estado que tengan un establecimiento permanente en nuestro país, siempre que ofrezcan servicios no supervisados por la autoridad competente de otro Estado miembro.
Se considera firma electrónica los datos en formato electrónico anejos a otros datos electrónicos o asociados de manera lógica con ellos que utiliza el firmante para firmar.
El **firmante** es la persona física que crea una firma electrónica.
La firma electrónica **avanzada** es la firma electrónica que cumple los siguientes requisitos:
- estar vinculada al firmante de manera única;
- permitir la identificación del firmante;
- haber sido creada utilizando datos de creación de la firma electrónica que el firmante puede utilizar, con un alto nivel de confianza, bajo su control exclusivo; y
- estar vinculada con los datos firmados por la misma de modo tal que cualquier modificación ulterior de los mismos sea detectable.

Se considera firma electrónica **cualificada** a la firma electrónica avanzada que se crea mediante un dispositivo cualificado de creación de firmas electrónicas y que se basa en un certificado cualificado de firma electrónica.
Los documentos electrónicos públicos, administrativos y privados, tienen el valor y la eficacia jurídica que corresponda a su respectiva naturaleza, de conformidad con la legislación que les resulte aplicable.

Precisiones El Consejo General del Poder Judicial (CGPJ) y la Fábrica Nacional de Moneda y Timbre-Real Casa de la Moneda han suscrito un convenio el 9-12-03 para dotar a todos los **jueces** y **magistrados** españoles de firma electrónica, lo cual agiliza el funcionamiento de la Administración de justicia.

Uso de la firma electrónica de los fedatarios públicos (L 6/2020 disp.adic.1ª; DGRN Instr 19-10-00) Se establecen peculiaridades en el uso de la firma electrónica por parte de **notarios** y **registradores** de la propiedad y mercantiles, en consonancia con las diferencias que separan el sistema público de garantías consustanciales a la función de estos profesionales, a las características propias del procedimiento de la firma electrónica. Lo dispuesto en la ley no sustituye ni modifica las normas que regulan las funciones de los **funcionarios** que tengan legalmente la facultad de dar fe en documentos en lo que se refiere al ámbito de sus competencias siempre que actúen con los requisitos exigidos legalmente. 11682
Como aspectos más destacables, se encuentran:
a) La obligación que se impone a estos profesionales de disponer de una **dirección de correo electrónico** para sus comunicaciones oficiales.
b) La previsión de que el Consejo General del Notariado, y los Colegios de Notarios y Registradores de la Propiedad y Mercantiles de España se constituyan en prestadores de certificación acreditados, a los únicos efectos de expedir **certificados electrónicos** (nº 11688) mediante los cuales se vinculen los datos de verificación de firma a la identidad, cualidad profesional y situación administrativa de los miembros en activo de dichas corporaciones, basándose en un dispositivo seguro de creación de firma.

c) La obligación para notarios y registradores de la propiedad y mercantiles de obtener de su respectiva corporación una firma electrónica avanzada, basada en un certificado reconocido, con un dispositivo seguro de creación de firma (es decir, deben disponer de una **firma electrónica cualificada**).

11684 **Documento electrónico** (L 6/2020 art.3; Rgto (UE) 910/2014 art.3) Se considera documento electrónico todo contenido almacenado en **formato electrónico**, en particular, texto o registro sonoro, visual o audiovisual.

11686 **Impugnación de la autenticidad de la firma electrónica** (Rgto (UE) 910/2014 art.25; LEC art.326.3 y.4) El soporte en que se hallen los datos firmados electrónicamente es admisible como **prueba documental** en juicio. No se denegarán efectos jurídicos como prueba en procedimientos judiciales a una firma electrónica por el mero hecho de ser una firma electrónica o porque no cumpla los requisitos de la firma electrónica cualificada. Si se impugna la autenticidad, integridad, precisión de fecha y hora u otras características del documento electrónico que un servicio electrónico de confianza no cualificado de los previstos en el Rgto UE 910/2014 permite acreditar, se podrá pedir el **cotejo pericial** del documento u otro medio de prueba que resulte útil y pertinente al efecto.
Si se ha utilizado algún servicio de confianza cualificado de los previstos en el Rgto (UE) 910/2014, se presume que el documento reúne la característica cuestionada y que el servicio de confianza se ha prestado correctamente si figuraba, en el momento relevante a los efectos de la discrepancia, en la **lista de confianza de prestadores y servicios** cualificados.
Si aun así se impugna el documento electrónico, la carga de realizar la comprobación corresponde a quien haya presentado la impugnación. Si dichas comprobaciones obtienen un resultado negativo, serán las costas, gastos y derechos que origine la comprobación exclusivamente a cargo de quien hubiese formulado la impugnación. Si, a juicio del Tribunal, la impugnación hubiese sido **temeraria**, puede imponerle, además, una multa de 300 a 1200 euros.

11688 **Certificado de firma electrónica** (L 6/2020 art.4 s.) Es una declaración electrónica que vincula los **datos de validación de una firma** con una persona física y confirma, al menos, el nombre o el seudónimo de esa persona.
El periodo de **vigencia** de los certificados cualificados no será superior a 5 años.

11690 **Causas de revocación y suspensión de los certificados electrónicos** (L 6/2020 art.5) Se enumeran las siguientes:
a) **Solicitud** formulada por el **firmante**, la persona física o jurídica representada por este, un tercero autorizado, el creador del sello o el titular del certificado de autenticación de sitio web.
b) Violación o puesta en peligro del **secreto** de los datos de creación de firma o de sello, o del prestador de servicios de confianza, o de autenticación de sitio web, o utilización indebida de dichos datos por un tercero.
c) Resolución **judicial o administrativa** que lo ordene.
d) **Fallecimiento** del firmante; capacidad modificada judicialmente sobrevenida, total o parcial, del firmante; **extinción** de la personalidad jurídica o **disolución** del creador del sello en el caso de tratarse de una entidad sin personalidad jurídica, y cambio o pérdida de control sobre el **nombre de dominio** en el supuesto de un certificado de autenticación de sitio web.
e) Terminación de la **representación** en los certificados electrónicos con atributo de representante. En este caso, tanto el representante como la persona o entidad representada están obligados a solicitar la revocación de la vigencia del certificado en cuanto se produzca la modificación o extinción de la citada relación de representación.
f) **Cese** en la **actividad** del prestador de servicios de confianza salvo que la gestión de los certificados electrónicos expedidos por aquel sea transferida a otro prestador de servicios de confianza.
g) Descubrimiento de la **falsedad o inexactitud** de los datos aportados para la expedición del certificado y que consten en él, o alteración posterior de las circunstancias verificadas para la expedición del certificado, como las relativas al cargo.
h) En caso de que se advierta que los **mecanismos criptográficos** utilizados para la generación de los certificados no cumplen los estándares de seguridad mínimos necesarios para garantizar su seguridad.
i) Cualquier **otra** causa lícita prevista en la declaración de prácticas del servicio de confianza.

11692 **Certificados cualificados de firma electrónica** (Rgto (UE) 910/2014 art.28) Son los certificados electrónicos que cumplen los requisitos establecidos en el Anexo I del Reglamento.
Tales certificados podrán incluir atributos específicos adicionales no obligatorios, los cuales no afectarán a la interoperabilidad y el reconocimiento de las firmas electrónicas cualificadas.

Los certificados han de contener, al menos, los siguientes **datos**:
• La indicación de que se expiden como tales.
• Un conjunto de datos que represente inequívocamente al **prestador** cualificado de servicios de confianza que expide los certificados cualificados, incluyendo como mínimo el **Estado miembro** en el que dicho prestador está establecido, y:
- para personas jurídicas: el nombre y, cuando proceda, el número de registro según consten en los registros oficiales,
- para personas físicas, el nombre de la persona.
• Al menos, el **nombre** del firmante **o** un **seudónimo**; si se usara un seudónimo, se indicará claramente.
• Datos de **validación** de la firma electrónica que correspondan a los datos de creación de la firma electrónica.
• Los datos relativos al inicio y final del **período de validez** del certificado.
• El **código de identidad** del certificado, que debe ser único para el prestador cualificado de servicios de confianza.
• La firma electrónica **avanzada** o el sello electrónico avanzado del prestador de servicios de confianza expedidor.
• El **lugar** en que está disponible gratuitamente el certificado que respalda la firma electrónica avanzada o el sello electrónico avanzado.
• La localización de los **servicios** que pueden utilizarse para consultar el estado de validez del certificado cualificado.
• Cuando los datos de creación de firma electrónica relacionados con los datos de validación de firma electrónica se encuentren en un **dispositivo cualificado** de creación de firma electrónica, una indicación adecuada de esto, al menos en una forma apta para el procesamiento automático.

En cuanto a los **requisitos para los prestadores** cualificados de servicios de confianza: 11694
Al expedir un certificado cualificado para un servicio de confianza, un prestador cualificado de servicios de confianza verificará, por los medios apropiados y de acuerdo con el Derecho nacional, la identidad y, si procede, cualquier atributo específico de la persona física o jurídica a la que se expide un certificado cualificado.
Dicha información será verificada por el prestador de servicios de confianza bien directamente o bien por medio de un tercero de conformidad con el Derecho nacional:
a) **en presencia** de la persona física o de un representante autorizado de la persona jurídica; o
b) **a distancia**, utilizando medios de identificación electrónica, para los cuales se haya garantizado la presencia de la persona física o de un representante autorizado de la persona jurídica previamente a la expedición del certificado cualificado, y que cumplan los requisitos establecidos con el artículo 8 con respecto a los niveles de seguridad «sustancial» o «alto»; o
c) por medio de un **certificado** de una firma electrónica cualificada o de un sello electrónico cualificado expedido de conformidad con la letra a) o b); o
d) utilizando otros métodos de identificación reconocidos a escala nacional que aporten una seguridad equivalente en términos de fiabilidad a la presencia física. La seguridad equivalente será confirmada por un organismo de evaluación de la conformidad.

Los prestadores cualificados de servicios de confianza que prestan **servicios de confianza** 11696
cualificados:
1. Informarán al organismo de supervisión de cualquier cambio en la prestación de servicios de confianza cualificados, y de su intención de cesar tales actividades.
2. Contarán con personal y, si procede, con subcontratistas, que posean los conocimientos especializados, la fiabilidad, la experiencia y las cualificaciones necesarios y hayan recibido la formación adecuada en materia de seguridad y normas de protección de datos personales y que apliquen procedimientos administrativos y de gestión que correspondan a normas europeas o internacionales.
3. Con respecto al riesgo de la responsabilidad por daños y perjuicios de conformidad con el art.13 del Reglamento, mantendrán recursos financieros suficientes u obtendrán pólizas de seguros de responsabilidad adecuadas, de conformidad con la legislación nacional.
4. Antes de entrar en una relación contractual, informarán, de manera clara y comprensible, a cualquier persona que desee utilizar un servicio de confianza cualificado acerca de las condiciones precisas relativas a la utilización de dicho servicio, incluidas las limitaciones de su utilización.
5. Utilizarán sistemas y productos fiables que estén protegidos contra toda alteración y que garanticen la seguridad y la fiabilidad técnicas de los procesos que sustentan.

6. Utilizarán sistemas fiables para almacenar los datos que se les faciliten de forma verificable, de modo que:
- estén a disposición del público para su recuperación solo cuando se haya obtenido el consentimiento de la persona a la que corresponden los datos;
- solo personas autorizadas puedan hacer anotaciones y modificaciones en los datos almacenados;
- pueda comprobarse la autenticidad de los datos;
7. Tomarán medidas adecuadas contra la falsificación y el robo de datos.
8. Registrarán y mantendrán accesible durante un período de tiempo apropiado, incluso cuando hayan cesado las actividades del prestador cualificado de servicios de confianza, toda la información pertinente referente a los datos expedidos y recibidos por el prestador cualificado de servicios de confianza, en particular al objeto de que sirvan de prueba en los procedimientos legales y para garantizar la continuidad del servicio. Esta actividad de registro podrá realizarse por medios electrónicos.
9. Contarán con un plan de cese actualizado para garantizar la continuidad del servicio, de conformidad con las disposiciones verificadas por el organismo de supervisión.
10. Garantizarán un tratamiento lícito de los datos personales de conformidad con el Reglamento General de Protección de Datos.
11. En caso de los prestadores cualificados de servicios de confianza que expidan certificados cualificados, establecerán y mantendrán actualizada una base de datos de certificados.

11698 **DNI electrónico** (L 6/2020 disp.adic.3ª; RD 1553/2005) Es el documento nacional de identidad que acredita electrónicamente la **identidad personal** de su titular y permite la firma electrónica de documentos. Todas la personas físicas o jurídicas, públicas o privadas, reconocerán la eficacia del documento nacional de identidad electrónico para acreditar la identidad y los demás datos personales del titular que consten en el mismo, y para acreditar la identidad del firmante y la **integridad de los documentos** firmados con sus certificados electrónicos.

El DNI permite a los españoles mayores de edad y que gocen de plena capacidad de obrar, la **identificación electrónica de su titular**, así como realizar la firma electrónica de documentos. La firma electrónica realizada a través del DNI tiene, respecto de los datos consignados en forma electrónica, el mismo valor que la firma manuscrita en relación con los consignados en papel.

Es **competencia** del Ministerio del Interior el ejercicio de las funciones relativas a la gestión, dirección, organización, desarrollo y administración de todos aquellos aspectos referentes a la expedición y confección del documento nacional de identidad, conforme a lo previsto en la legislación en materia de seguridad ciudadana y de firma electrónica. El ejercicio de estas competencias, incluida la **emisión de los certificados** de firma electrónica reconocidos, se realiza por la Dirección General de la Policía, a quien corresponde también la **custodia** y **responsabilidad de los archivos** y ficheros, automatizados o no, relacionados con el DNI. A tal efecto, la Dirección General de la Policía queda sometida a las obligaciones impuestas al responsable del fichero por la LO 3/2018.

El **material, formato** y **diseño** de la tarjeta soporte del DNI se determina por el Ministerio del Interior, teniendo en cuenta en su elaboración la utilización de procedimientos y productos conducentes a la consecución de condiciones de calidad e inalterabilidad y máximas garantías para impedir su falsificación. Al objeto de posibilitar la utilidad informática, lleva incorporado un chip electrónico.

11700 El **chip** incorporado a la tarjeta soporte debe contener:
- Datos de filiación del titular.
- Imagen digitalizada de la fotografía.
- Imagen digitalizada de la firma manuscrita.
- Plantilla de la impresión dactilar del dedo índice de la mano derecha o, en su caso, del que corresponda si existen defectos físicos o mutilaciones de los dedos del interesado.
- Certificados reconocidos de autenticación y de firma, y certificado electrónico de la autoridad emisora, que contendrán sus respectivos períodos de validez.
- Claves privadas necesarias para la activación de los certificados mencionados anteriormente.

Los certificados electrónicos reconocidos incorporados al DNI no pueden tener un **período de vigencia** superior a 5 años.

11702 **Extinción del certificado electrónico** A la extinción de la vigencia del certificado electrónico puede solicitarse la expedición de nuevos certificados reconocidos, manteniendo la misma tarjeta del DNI mientras dicho documento continúe vigente.

Para la **solicitud de un nuevo certificado** debe mediar la presencia física del titular en la forma y con los requisitos que se determinen por el Ministerio del Interior.

El **cumplimiento del período de vigencia** implica la inclusión de los certificados en la lista de certificados revocados que se mantiene por la Dirección General de la Policía, bien directamente o a través de las entidades a las que encomiende su gestión.
La **pérdida de validez** del DNI lleva aparejada la pérdida de validez de los certificados reconocidos incorporados al mismo.
La **renovación** o la expedición de **duplicados** del mismo implica, a su vez, la expedición de nuevos certificados electrónicos.
Es causa de extinción de la vigencia del certificado reconocido, entre otras, el **fallecimiento** del titular del DNI electrónico.
En los supuestos de **extravío**, sustracción, destrucción o **deterioro** del DNI, el titular debe comunicar inmediatamente tales hechos a la Dirección General de la Policía por los procedimientos y medios que al efecto habilite la misma, al objeto de su revocación.

Obligaciones de los prestadores de servicios electrónicos de confianza (L 6/2020 art.9) 11704

Se prevén las siguientes:
a) Publicar **información** veraz y acorde con la L 6/2020 y el Rgto (UE) 910/2014.
b) No **almacenar ni copiar**, por sí o a través de un tercero, los datos de creación de firma, sello o autenticación de sitio web de la persona física o jurídica a la que hayan prestado sus servicios, salvo en caso de su gestión en nombre del titular.
En ese caso, utilizarán sistemas y productos fiables, incluidos canales de comunicación electrónica seguros, y se aplicarán procedimientos y mecanismos técnicos y organizativos adecuados, para garantizar que el entorno sea fiable y se utilice bajo el control exclusivo del titular del certificado. Además, deberán custodiar y proteger los datos de creación de firma, sello o autenticación de sitio web frente a cualquier alteración, destrucción o acceso no autorizado, así como garantizar su continua disponibilidad.
Por otra parte, los prestadores de servicios de confianza que expidan certificados electrónicos deberán disponer de un **servicio de consulta** sobre el estado de validez o revocación de los certificados emitidos accesible al público.

Asimismo, los prestadores cualificados de servicios electrónicos de confianza deberán cumplir las siguientes **obligaciones adicionales**: 11706
a) El período de tiempo durante el que deberán **conservar la información** relativa a los servicios prestados de acuerdo con el art.24.2.h Rgto (UE) 910/2014, será de 15 años desde la extinción del certificado o la finalización del servicio prestado.
En caso de que expidan certificados cualificados de sello electrónico o autenticación de sitio web a personas jurídicas, los prestadores de servicios de confianza registrarán también la información que permita determinar la identidad de la persona física a la que se hayan entregado los citados certificados, para su identificación en procedimientos judiciales o administrativos.
b) Constituir un **seguro de responsabilidad civil** por importe mínimo de 1.500.000 euros, excepto si el prestador pertenece al sector público. Si presta más de un servicio cualificado de los previstos en el Rgto (UE) 910/2014, se añadirán 500.000 euros más por cada tipo de servicio.
La citada garantía podrá ser sustituida total o parcialmente por una garantía mediante aval bancario o seguro de caución, de manera que la suma de las cantidades aseguradas sea coherente con lo dispuesto en el párrafo anterior.
Las cuantías y los medios de aseguramiento y garantía establecidos en los dos párrafos anteriores podrán ser modificados mediante Real Decreto.

c) El prestador cualificado que vaya a **cesar en su actividad** deberá comunicarlo a los clientes 11708
a los que preste sus servicios y al órgano de supervisión con una antelación mínima de dos meses al cese efectivo de la actividad, por un medio que acredite la entrega y recepción efectiva siempre que sea factible. El plan de cese del prestador de servicios puede incluir la transferencia de clientes, una vez acreditada la ausencia de oposición de los mismos, a otro prestador cualificado, el cual podrá conservar la información relativa a los servicios prestados hasta entonces.
Igualmente, comunicará al órgano de supervisión cualquier otra circunstancia relevante que pueda impedir la continuación de su actividad. En especial, deberá comunicar, en cuanto tenga conocimiento de ello, la apertura de cualquier proceso concursal que se siga contra él.
d) Enviar el **informe de evaluación** de la conformidad al Ministerio de Asuntos Económicos y Transformación Digital en los términos previstos en el art.20.1 Rgto (UE) 910/2014. El incumplimiento de esta obligación conllevará la retirada de la cualificación al prestador y al servicio que este presta, y su eliminación de la lista de confianza prevista en el art.22 del citado Reglamento, previo requerimiento al prestador del servicio para que cese en el citado incumplimiento.

11710 **Responsabilidad de los prestadores de servicios de certificación** (Rgto (UE) 910/2014 art.13) Los prestadores de servicios de confianza serán responsables de los **perjuicios** causados de forma deliberada o por negligencia a cualquier persona física o jurídica en razón del incumplimiento de las obligaciones establecidas en el Reglamento.
La carga de la prueba de la **intencionalidad** o la **negligencia** de un prestador no cualificado de servicios de confianza corresponderá a la persona física o jurídica que alegue los perjuicios causados.
Se presumirá la intencionalidad o la negligencia de un prestador cualificado de servicios de confianza salvo cuando ese prestador cualificado de servicios de confianza demuestre que los perjuicios causados se produjeron sin intención ni negligencia por su parte.
Cuando un prestador de servicios informe debidamente a sus clientes con antelación sobre las limitaciones de la utilización de los servicios que presta y estas limitaciones sean reconocibles para un tercero, el prestador de servicios de confianza no será responsable de los perjuicios producidos por una utilización de los servicios que vaya más allá de las limitaciones indicadas.
La exigencia de responsabilidad se aplicará con arreglo a las normas nacionales sobre responsabilidad.

11712 **Dispositivos de creación de firma electrónica** (Rgto (UE) 910/2014 art.3) Un dispositivo de creación de firma electrónica es un **equipo o** un programa **informático** configurado que se utiliza para crear una firma electrónica.
Los dispositivos cualificados de creación de firmas electrónicas cumplirán los **requisitos** establecidos en el anexo II del Reglamento, según se indica a continuación. La Comisión puede, mediante actos de ejecución, establecer números de referencia de normas relativas a los dispositivos cualificados de creación de firmas electrónicas. Se presume el cumplimiento de los requisitos establecidos en el anexo II cuando un dispositivo cualificado de creación de firmas electrónicas se ajuste a dichas normas.
Los dispositivos cualificados de creación de firma electrónica deben **garantizar** como mínimo, por medios técnicos y de procedimiento adecuados, que:
a) Esté garantizada razonablemente la **confidencialidad** de los datos de creación de firma electrónica utilizados para la creación de firmas electrónicas.
b) Los datos de creación de firma electrónica utilizados para la creación de firma electrónica solo puedan **aparecer una vez** en la práctica.
c) Exista la seguridad razonable de que los datos de creación de firma electrónica utilizados para la creación de firma electrónica no pueden ser hallados por deducción y de que la firma está protegida con seguridad contra la **falsificación** mediante la tecnología disponible en el momento.
d) Los datos de creación de la firma electrónica utilizados para la creación de firma electrónica puedan ser protegidos por el firmante legítimo de forma fiable frente a su **utilización por otros**.

Precisiones Por otro lado, los dispositivos cualificados de creación de firmas electrónicas:
- **no alterarán** los datos que deben firmarse;
- ni impedirán que dichos datos **se muestren** al firmante antes de firmar.

11714 **Infracciones** (L 6/2020 art.18) Se clasifican en muy graves, graves y leves.

11716 **Infracciones muy graves** Se enumeran las siguientes:
a) La comisión de una infracción grave en el plazo de **2 años** desde que hubiese sido sancionado por una infracción grave de la misma naturaleza, contados desde que recaiga la resolución sancionadora firme.
b) La expedición de certificados cualificados sin realizar todas las comprobaciones previas relativas a la identidad u otras circunstancias del titular del certificado o al poder de representación de quien lo solicita en su nombre, señaladas en el Rgto (UE) 910/2014 y en la L 6/2020, cuando ello afecte a la mayoría de los certificados cualificados expedidos en el año anterior al inicio del procedimiento sancionador o desde el inicio de la actividad del prestador si este periodo es menor.

11718 **Infracciones graves** Son las siguientes:
a) La resistencia, obstrucción, excusa o negativa a la **actuación inspectora** de los órganos facultados para llevarla a cabo con arreglo a la Ley.
b) Actuar en el mercado como prestador cualificado de servicios de confianza, ofrecer servicios de confianza como cualificados o utilizar la etiqueta de confianza «UE» sin haber obtenido la **cualificación** de los citados servicios.

c) En caso de que el prestador expida certificados electrónicos, **almacenar o copiar**, por sí o a través de un tercero, los datos de creación de firma, sello o autenticación de sitio web de la persona física o jurídica a la que hayan prestado sus servicios, salvo en caso de su gestión en nombre del titular.
d) No **proteger** adecuadamente los datos de creación de firma, sello o autenticación de sitio web cuya gestión se le haya encomendado.
e) No **registrar o conservar** la información en el periodo de tiempo establecido en el art.9.3.a L 6/2020 de la Ley.
f) El incumplimiento de la obligación de **notificación de incidentes** establecida en el art.19.2 Rgto (UE) 910/2014, en los términos previstos en el art.13 L 6/2020.
g) En caso de prestadores cualificados de servicios de confianza, el incumplimiento de alguna de las **obligaciones** establecidas en el Rgto (UE) 910/2014 art.24.2.b, c, d, e, f, g, h y K, 24.3 y 24.4.
h) La expedición de certificados cualificados sin realizar todas las **comprobaciones** previas relativas a la identidad u otras circunstancias del titular del certificado o al poder de representación de quien lo solicita en su nombre, señaladas en el Rgto (UE) 910/2014 y en la Ley, cuando no constituya infracción muy grave.

i) La ausencia de adopción de medidas, o la adopción de medidas insuficientes, para la resolución de los **incidentes de seguridad** en los productos, redes y sistemas de información, en el plazo de diez días desde que aquellos se hubieren producido. **11720**
j) El incumplimiento de las **resoluciones** dictadas por el Ministerio de Asuntos Económicos y Transformación Digital para requerir a un prestador de servicios de confianza que corrija cualquier incumplimiento de los requisitos establecidos en la L 6/2020 y en el Rgto (UE) 910/2014.
k) La falta o deficiente presentación de **información** solicitada por parte del Ministerio de Asuntos Económicos y Transformación Digital en su función de inspección y control, a partir del segundo requerimiento.
l) No cumplir con las obligaciones de constatar la verdadera **identidad del titular** de un certificado electrónico y de conservar la documentación que la acredite, en caso de consignación de un pseudónimo.
m) El incumplimiento por parte de los prestadores cualificados y no cualificados de servicios de confianza de la obligación establecida en el art.19.1 Rgto (UE) 910/2014 de adoptar las **medidas técnicas y organizativas** adecuadas para gestionar los riesgos para la seguridad de los servicios de confianza que presten.
n) No extinguir la **vigencia** de los certificados electrónicos en los supuestos señalados en esta Ley.
o) La prestación de servicios cualificados careciendo del correspondiente **seguro** obligatorio, en los términos previstos en la L 6/2020 art.9.3.b.

Infracciones leves Son las siguientes: **11722**
a) Publicar información no veraz o no acorde con la L 6/2020 y el Rgto (UE) 910/2014.
b) No comunicar el inicio de actividad, su modificación o cese por los prestadores de servicios no cualificados en el plazo establecido en la L 6/2020 art.12.
c) El incumplimiento por los prestadores cualificados de servicios de confianza de alguna de las obligaciones establecidas en el Rgto (UE) 910/2014 art.24.2.a e i.
d) El incumplimiento por los prestadores cualificados de servicios de confianza de su obligación de remitir un informe anual de actividad al Ministerio de Asuntos Económicos y Transformación Digital antes del 1 de febrero de cada año.
e) El incumplimiento del deber de comunicación establecido en la L 6/2020 art.9.3.c.
f) La falta o deficiente presentación de información solicitada por parte del Ministerio de Asuntos Económicos y Transformación Digital en su función de inspección y control.

Sanciones (L 6/2020 art.19) Por la comisión de **infracciones muy graves**, se impone al infractor multa de 150.001 a 300.000 euros. **11724**
Por la comisión de **infracciones graves**, se impone al infractor multa de 50.001 a 150.000 euros.
Por la comisión de **infracciones leves**, se impone al infractor una multa por importe de hasta 50.000 euros.
Las infracciones muy graves serán **publicadas** en el sitio de Internet del Ministerio de Asuntos Económicos y Transformación Digital, con indicación, en su caso, de los recursos interpuestos contra ellas.

c. Comercio minorista

11730 La falta de presencia simultánea de las partes contratantes, como elemento definitorio del contrato electrónico, implica que éste se integre en una **venta a distancia** (LGDCU art.92 a 113).
La venta a distancia implica para el comerciante que la lleva a cabo, además de la obligación de encontrarse registrado en el Registro creado al efecto, el cumplimiento de una serie de **requisitos,** entre los que cabe destacar los siguientes:
• Que la propuesta de contratación pueda identificarse como **propuesta comercial** de modo inequívoco.
• El deber de informar al consumidor de que la utilización de una técnica de comunicación a distancia para la **transmisión del pedido** tiene carácter oneroso, a menos que resulte evidente tal hecho.
• La necesidad de que la oferta de venta a distancia incluya, al menos, la siguiente **información**:
- identidad del prestador;
- características esenciales del producto;
- precio y gastos de transporte, por separado;
- forma de pago;
- modalidad de entrega y ejecución. Si no se establece el plazo de ejecución, éste deberá cumplimentarse dentro de los 30 días siguientes al de la recepción del pedido por el vendedor;
- plazo de validez de la oferta.
• **Además** de los datos anteriores, y a la ejecución del contrato, el comprador deberá haber recibido una mayor información, que se concreta en la siguiente:
- domicilio social del vendedor y dirección de uno de sus establecimientos;
- condiciones de crédito y pago escalonado en su caso;
- documento de desistimiento y revocación.
• Para considerar la contratación perfeccionada, el **consentimiento** ha de ser expreso.

11732 • Debe otorgarse un **derecho de desistimiento** al comprador que podrá ejercitarse sin causa y formalidad alguna dentro de los siete días siguientes contados desde la fecha de recepción del producto. El derecho de desistimiento **no** será de aplicación en los siguientes **supuestos**:
- transacciones de valores mobiliarios y otros productos cuyo precio esté sujeto a fluctuaciones de un mercado no controlado por el prestador;
- contratos celebrados con intervención de fedatario público;
- ventas de objetos que puedan ser reproducidos o copiados con carácter inmediato, que se destinen a higiene corporal o que, en razón de su naturaleza, no puedan ser devueltos; salvo pacto.

11734 Precisiones **1)** Debe tenerse en cuenta que se hallan **excluidas** de la aplicación de la normativa establecida para las ventas a distancia:
- la venta mediante máquinas automáticas;
- los productos realizados a medida;
- los contratos de suministro de productos alimenticios, de bebidas o de otros artículos de hogar no duraderos y de consumo corriente.
2) En relación con las ventas a distancia, debe tomarse en consideración, asimismo, la Dir 2011/83/UE, sobre los derechos de los consumidores, por la que, entre otras modificaciones, se deroga la Dir 97/7/CE, relativa a la protección de los **consumidores** en materia de contratos a distancia.
3) Se discute por la doctrina si una página web, a partir de la cual un comerciante oferta un producto o servicio, constituye lo que se ha dado en llamar un **establecimiento virtual**. Dependiendo de la respuesta que reciba esta cuestión, se consideraría o no aplicable a los contratos electrónicos, el Texto Refundido de la Ley de Defensa de los Consumidores y Usuarios y otras leyes complementarias, aprobado por RDLeg 1/2007.
De acuerdo con el tenor literal del RDLeg 1/2007 art.92.1.2º, tienen la consideración de técnicas de comunicación a distancia, entre otras, Internet, ello da pie a considerar que la contratación a través de una página web debe **asimilarse** a la que, legalmente, tiene lugar fuera del establecimiento mercantil, quedando sujeta a lo dispuesto en el RDLeg 1/2007 art.92 s.
4) Adicionalmente, son aplicables a todo comerciante que contrate a través de Internet, las obligaciones contempladas en general para los **prestadores de servicios** de la sociedad de la información (nº 11629).

11736 **5)** La asunción del **riesgo por operaciones anuladas** debido al uso ilegítimo de tarjetas de crédito realizado en el marco de la relación contractual que se indica, corresponde al titular de la cuenta corriente y no a la entidad bancaria, a pesar de haber asumido ésta última la responsabilidad de efectuar las comprobaciones oportunas y de validar las operaciones de comercio electrónico realizadas mediante el uso de tarjeta, cuando así fue pactado expresamente por las partes en el contrato (AP Barcelona 27-10-04, EDJ 201861).

6) La **intervención del banco** facilitando el software para la realización de tales operaciones, no altera ni excluye la aplicación de las normas propias del contrato electrónico ni desplaza a la entidad bancaria los riesgos de la operación. Aunque corresponde al banco la **autorización de las operaciones**, ésta se efectúa de forma automática, comprobando que la tarjeta no está caducada y que no se ha excedido el límite de crédito concedido, pero sin que ello pueda comportar la asunción del buen fin de la operación, en la medida que, adicionalmente, el titular de la tarjeta puede anular la operación sin alegar causa alguna cuando su número se utilice sin presentarla directamente o sin identificarla electrónicamente (AP Barcelona 22-12-04, EDJ 219882).

7) Los consumidores pueden actuar ante el tribunal del lugar de su domicilio en caso de litigio en relación con un contrato celebrado con una empresa que realice o **por cualquier medio dirija sus actividades** hacia el Estado miembro en el que el consumidor tiene su domicilio, siempre que el contrato se haya celebrado en el marco de tales actividades.

En el caso de los contratos celebrados a distancia a través de Internet, la Comisión y el Consejo han señalado que el simple hecho de que una página de Internet sea accesible no basta para considerar aplicable el art.15 del Reglamento. Es necesario, además, que la página invite a la celebración de contratos a distancia y que, efectivamente, se haya celebrado un contrato a distancia. A este respecto, el **idioma** o la **moneda** no constituyen criterios a tener en cuenta (Rgto UE/1215/2012, relativo a la competencia judicial, el reconocimiento y ejecución de resoluciones judiciales en materia civil y mercantil, art.17 a 19).

8) Con las salvedades especificadas en el Rgto UE/1215/2012, con carácter general, los **consumidores** podrán interponer acciones ante los órganos jurisdiccionales del Estado miembro en que esté domiciliada la parte demandada, o con independencia del domicilio de esta, ante el órgano jurisdiccional del lugar donde esté domiciliado el consumidor. La acción interpuesta por el contratante del consumidor sólo podrá interponerse ante los órganos jurisdiccionales del Estado miembro en que esté domiciliado el consumidor.

En el caso de los contratos celebrados a distancia a través de Internet, la Comisión y el Consejo han señalado que el simple hecho de que una página de Internet sea accesible no basta para considerar aplicable el art.15 del Reglamento. Es necesario, además, que la página invite a la celebración de contratos a distancia y que, efectivamente, se haya celebrado un contrato a distancia. A este respecto, el **idioma** o la **moneda** no constituyen criterios a tener en cuenta (Rgto UE/1215/2012, art.17 a 19).

d. Condiciones generales de la contratación

11740

Los contratos realizados por vía telefónica, electrónica o telemática, que contengan condiciones generales de la contratación, están sujetos a una normativa específica (RDLeg 1/2007 art.96), en la que se establece la necesidad de facilitar al **adherente** una serie de información con carácter previo a la perfección del contrato, así como la necesaria justificación documental de la contratación.

El **predisponente** puede utilizar cualquier medio admitido en Derecho a efectos probatorios, autorizándose expresamente el uso de cualquier documento, aunque no se encuentre en soporte papel, siempre que quede garantizada:

- su autenticidad;
- la identificación fiable de los manifestantes;
- su integridad;
- la no alteración del contenido de lo manifestado;
- el momento de su emisión y recepción.

En caso de **contratación electrónica**, las condiciones generales deben poder ser almacenadas y reproducidas por el destinatario.

Junto a tales requisitos genéricos, y para los casos en que se haya producido contratación electrónica, se establece la obligación de utilizar una **firma electrónica avanzada** (nº 11680) que atribuya a los datos consignados en forma electrónica el mismo valor jurídico que la firma manuscrita.

En el caso de **contratación telefónica**, se debe precisar explícita y claramente, al inicio de cualquier conversación con el consumidor y usuario, la identidad del empresario, o si procede, la identidad de la persona por cuenta de la cual efectúa la llamada, así como indicar la finalidad comercial de la misma. En ningún caso, las llamadas telefónicas se efectuarán antes de las 9 horas ni más tarde de las 21 horas ni festivos o fines de semana.

El consumidor tiene derecho a **oponerse a recibir ofertas** comerciales no deseadas, por teléfono, fax u otros medios de comunicación equivalente.

En aquellos casos en que una oferta comercial no deseada se realice por teléfono, las llamadas se deben llevar a cabo desde un número de teléfono identificable. Cuando el usuario reciba la primera oferta comercial del emisor, deberá ser informado tanto de su derecho a manifestar su

oposición a recibir nuevas ofertas como a obtener el número de referencia de dicha oposición. A solicitud del consumidor y usuario, el empresario estará obligado a facilitarle un justificante de haber manifestado su oposición que deberá remitirle en el **plazo** más breve posible y en todo caso en el plazo máximo de 1 mes.
El **emisor** está obligado a **conservar** durante al menos 1 año los datos relativos a los usuarios que hayan ejercido su derecho a oponerse a recibir ofertas comerciales, junto con el número de referencia otorgado a cada uno de ellos, y deberá ponerlos a disposición de las autoridades competentes. En cualquier caso, deberán respetarse las disposiciones sobre protección de datos personales, menores e intimidad.
En toda comunicación comercial a distancia debe constar inequívocamente su **carácter comercial**.

Precisiones 1) Las ofertas realizadas a través de una **comunicación comercial no solicitada**, remitida por correo electrónico, deben reunirse los requisitos contemplados en la normativa sobre sociedad de la información (nº 11649):
- que sean claramente identificables como tales;
- que sea claramente identificable la persona física o jurídica en nombre de la que se haga;
- que claramente se incluya la palabra «publicidad» al comienzo del mensaje;
- que tratándose de ofertas promocionales, descuentos, concursos, premios, regalos... figuren con claridad las condiciones de los mismos;
- los prestadores de servicios que realicen este tipo de comunicaciones, quedan obligados a consultar, regularmente, las listas de exclusión voluntaria en las que se podrán inscribir aquellas personas físicas que no deseen recibir tales informaciones, quedando obligados a respetar la exclusión solicitada.

2) El no cumplimiento de estas obligaciones conlleva la imposición de **sanciones** (nº 11657 s.).
3) Con el fin de armonizar determinados aspectos de los derechos de autor y derechos afines a los de autor en la **sociedad de la información**, se ha aprobado la Dir 2001/29/CE.

e. Página web

11745 En el ámbito de la contratación electrónica, la **oferta comercial** se realiza a través de un escaparate virtual: la página web.

11747 **Diseño** El diseño de la página web es un elemento fundamental en la contratación electrónica no sólo porque permite conocer el bien o servicio que se publicita u oferta, sino también porque muestra la **imagen corporativa de la empresa**; imagen que en este tipo de contratación adquiere una nueva dimensión, por cuanto las partes contratantes no están presentes de forma simultánea.

11749 En tal sentido, a la hora de diseñar una página web han de tenerse en cuenta tres **elementos fundamentales**:
1º. La **información** que contiene y que viene a justificar la visita de un potencial contratante. Esa información hace referencia tanto a los bienes o servicios que se ofertan como a la propia entidad que los ofrece y ha de contener la información legalmente exigida en relación con las ventas a distancia (LGDCU art.92 a 113).
2º. El **diseño gráfico** de la página web. Es un elemento fundamental de cara a hacer atractiva la visita. No se debe olvidar que la página web se equipara a la publicidad en el comercio convencional. De hecho, los contenidos de la página web deben quedar sujetos también a la normativa sobre publicidad que resulte aplicable.
3º. El **software** que permite al destinatario acceder y visualizar la página web.
Desde el punto de vista de la **propiedad intelectual** se entiende por página web la obra compuesta por trabajos de nueva creación, obras preexistentes y unos menús de búsqueda, navegación y clasificación de la información. Todo ello enlazado y sistematizado según el criterio del cliente o autor de la obra principal.
Este conjunto de contenidos es susceptible, por sí mismo, de obtener la protección que otorgan los **derechos de autor**. Asimismo, son susceptibles de protección individual desde el punto de vista de los derechos de autor, una serie de elementos que podemos encontrar en una página web, entre los que cabe destacar:
- vídeo;
- fotografía;
- texto;
- animación;
- sonido;
- gráficos y dibujos;
- diseño gráfico.

Autorización del titular La protección que a estos elementos corresponde, hace necesario obtener la debida autorización de sus titulares para poder incorporarlos a una página web. Según la titularidad de las obras, se plantean las siguientes posibilidades: 11751
a) Obras preexistentes. Se exige la autorización del titular de los derechos patrimoniales de las mismas, siendo aconsejable que la misma se otorgue por escrito e incorpore una descripción detallada de las **actividades** que se autorizan, entre las que deben encontrarse:
- comunicación pública a través de redes de telecomunicación;
- transmisión telemática o por cualquier otro medio electrónico o electromagnético;
- almacenamiento en un centro servidor;
- posibilidad de hacer copias privadas de las mismas.

Esta autorización no será necesaria si las obras han pasado a ser del **dominio público**.

b) Obras de nueva creación, en cuyo caso debe acordarse, con aquel que la ha creado, la cesión de la misma y las modalidades de explotación que dicha cesión permite. 11753
c) Obras de dominio público. Se trata de aquellas obras que, por distintos motivos, habitualmente el transcurso de los plazos legalmente establecidos, pasan a ser del dominio público y por tanto pueden utilizarse por cualquiera y sin necesidad de autorización o pago. El uso de estas obras queda condicionado al respeto de la integridad de la obra y al reconocimiento, al autor de la misma, de su autoría.

Precisiones 1) Ante la **dispersión** de obras, derechos y titulares, y el elevado coste de localización del interlocutor adecuado para negociar la explotación de la obra, así como de la negociación misma de las licencias para cada una de las obras que se pretenden utilizar, se han propuesto distintas soluciones, de entre las cuales destacan:
- la creación de una **cámara de compensación** en Internet que incluya la descripción de cada obra y el coste de la licencia, ocupándose asimismo de la tramitación on-line de la misma y del pago;
- la creación de un **sistema de códigos** que identifique obra e interlocutor.

2) El comercio electrónico ha supuesto la aparición de **nuevas modalidades de explotación**. Éstas han quedado reguladas en la Dir 2001/29/CE relativa a la armonización de determinados aspectos de los derechos de autor y derechos afines a los derechos de autor en la sociedad de la información. De esta Directiva podemos destacar los siguientes aspectos:
- se redefinen los conceptos clásicos de reproducción, comunicación pública y distribución, haciendo expresa mención sobre a quién corresponden tales derechos en función del género al que pertenezca la obra protegida; concretamente, se instaura el denominado **derecho de puesta a disposición** por medio del cual se ofrece al público una obra o prestación de manera tal que cualquiera de los integrantes del mismo pueden acceder a dicha obra o prestación en el momento que deseen y desde el lugar que elijan;
- se establecen excepciones tales como no considerar vulneración del derecho de reproducción aquella **reproducción transitoria** y **accesoria** que no suponga una significación económica independiente y que responda a necesidades de un proceso tecnológico;
- se permite a los estados miembros limitar los derechos que a los titulares corresponden cuando los **fines** son **educativos** o benefician a **personas con minusvalías**, cuando se realizan citas con fines de crítica o el uso se realiza con fines de seguridad pública o dando cobertura a un procedimiento judicial o administrativo.

Esta Directiva fue incorporada a nuestro ordenamiento por medio de la L 23/2006, que modificó numerosos preceptos de la LPI.

Prueba de la titularidad Se lleva a cabo, fundamentalmente, a través de dos sistemas: 11755
a) Mediante la **inscripción** en el Registro de la propiedad intelectual de ciertos elementos que componen una página web. En concreto, pueden ser objeto de inscripción:
- los contenidos;
- el código fuente;
- el diseño.

Aunque la inscripción no tiene carácter constitutivo, implica una presunción iuris tantum de titularidad a favor de quien aparece como titular en el Registro.
b) Depósito notarial, el cual puede ser alternativa o complementaria de la anterior. La clave de esta alternativa reside en la descripción que, en la correspondiente acta que se levante, se haga de la obra, siendo conveniente que la misma, junto con los elementos depositados, identifiquen todas las circunstancias de la obra que la hagan única.

Usos característicos de Internet De otra parte, ha de tenerse en cuenta que en el ámbito del comercio electrónico circunscrito básicamente a Internet, ha supuesto una decisiva influencia de hecho en los derechos de propiedad intelectual, tanto por los propios condicionamientos técnicos que suponen ligeras vulneraciones de los derechos de autor estrictamente interpretados, como porque ciertos usos característicos de Internet hacen presumir que los autores que introducen sus obras en la red están autorizando tácitamente tales usos en relación con las mismas. Es decir, la **ausencia de consentimiento** no implica que una obra 11757 hallada en Internet sea del dominio público, pese a lo cual y desconociendo el estado de la titularidad de la misma, existen ciertas presunciones que han permitido, hasta el momento, un uso pacífico de dichas obras.

Entre los usos característicos de Internet cabe destacar los siguientes:

1) **Búsqueda**, que supone una mínima reproducción de la obra, que a menudo afecta al título de la página web y, en ocasiones, a un fragmento de la obra. La información reproducida sirve para identificar el contenido de la página y permite al destinatario decidir si está o no interesado en visualizar la página y **acceder a la información** que contiene. Al respecto, cabe entender que no se precisa el previo consentimiento del autor, ya sea porque es una actividad común dentro de la red, y por tanto tácitamente autorizada, por considerar que se trata de una cita de la obra y, como tal, no precisa de autorización previa.

11759 2) **Visualización**, esto es, la presentación de la obra en pantalla, el mero acceso. Implica la transferencia de la obra desde el servidor al terminal u ordenador donde reside el programa navegador. De alguna forma viene a ser el **uso básico** que de los contenidos de Internet se hace, y por ello se considera que todo autor que introduce su obra en Internet está permitiendo esta reproducción temporal en la memoria caché del ordenador cliente (LPI art.31.1). Esta supuesta autorización implícita no viene sino a ser corroborada por la posibilidad del autor de limitar el acceso a su obra en la red.

3) **Introducción en memoria caché**. Por tal se entiende aquella memoria que de forma automática y sin intervención del destinatario almacena la información a la que accedemos, al objeto de agilizar el acceso a la misma en futuros impactos. Al tratarse de un **acto automático**, en el que no interviene el destinatario, debemos descartar cualquier vulneración del derecho de propiedad intelectual, pues no existe intencionalidad. Sin embargo, sí es posible que el destinatario sea consciente del almacenamiento de información que está teniendo lugar y que, además, pueda administrar esa información a su antojo. En ese caso, estaremos ante una descarga o almacenamiento.

4) **Descarga o almacenamiento**. Supone el acceso y posterior almacenamiento de la información en el disco duro del ordenador. Característica básica, frente a la introducción en memoria caché, es que la información queda almacenada **de forma permanente** y que el destinatario es consciente y ha optado por dicho almacenamiento. No obstante, el autor, por el hecho de introducir su obra en Internet y no limitar su uso a través de un sistema adecuado, está permitiendo tácitamente la descarga de la información. Esta autorización tácita es, en algunos casos, expresa, por cuanto, aquel que accede a la página encuentra en ella diversos iconos que permiten su descarga o la descarga de sus contenidos. Si es para uso particular, esta reproducción podría acogerse al límite de copia privada previsto en la LPI art.25 y 31.2.

5) **Impresión**. Salvo prohibición expresa, se entiende que es otra actividad implícitamente autorizada por quien introduce en Internet una obra, ya sea propia ya sea de un tercero, que le ha autorizado a introducirla.

11761 6) **Transformación**. La transformación no puede controlarse una vez que se ha producido el almacenamiento de una obra por parte de un tercero. De modo que si dicha transformación no trasciende del **ámbito privado** de ese tercero, resultaría lícita. En caso contrario, es decir, si se produce una explotación o **uso público** de la obra derivada, sería necesaria la expresa autorización para poder explotar las transformaciones realizadas.

7) **Cita automática**. Algunos programas de correo electrónico o foros de debate, incorporan la opción de reproducir una parte o la totalidad de un mensaje de otro usuario con el fin de facilitar el seguimiento del debate a aquél que se incorpore con retraso. No se trata, en este caso, de un uso habitual de Internet, pero sí lo es en el entorno en el que se produce, siendo un hecho que los usuarios de estos servicios conocen. Consecuentemente, en este caso se considera que tal **reproducción** está autorizada por el usuario cuyo mensaje se reproduce, por el simple hecho de participar en el foro. Resulta sin embargo discutible si se produce una vulneración de los derechos de propiedad intelectual, si un tercero publicase, sin autorización, la opinión contenida en un mensaje arrogándose su titularidad, lo que podría constituir asimismo una vulneración del derecho a la intimidad de aquél que emitió su opinión.

Todas estas actividades, que no son sino los usos para los que Internet fue concebida, requieren la previa introducción de la obra en la red, bien en una página web bien en una base de datos a la que se acceda a través de Internet. Esta introducción que implica tantas autorizaciones implícitas, sí requiere una **autorización expresa** del titular de los derechos de explotación cuando no es él mismo quien introduce su obra en la red. También requiere autorización expresa la distribución de una obra, no considerándose que la introducción de una obra en la red implique la posibilidad de redistribuirla libremente.

f. Contrato de adhesión electrónico

Para que el contrato exista y sea válido, evitando cualquier vicio del consentimiento, se ha de prestar el consentimiento con conocimiento de causa. Esto es, debe poder demostrarse que el destinatario conocía lo que contrataba y las condiciones en que contrataba y que, previo su conocimiento, consintió en la contratación. **11765**
A efectos de acreditar la **conformidad real de los contratantes**, el oferente debe cerciorarse de que:
a) el **destinatario** haya tenido la oportunidad de leer y aceptar el clausulado, para lo cual es conveniente ofrecerle la posibilidad de imprimirlo y cortar la conexión, así como la posibilidad de almacenar y reproducir las condiciones contractuales;
b) las cláusulas del contrato consten en una **página de visualización** forzosa ubicada antes del formulario de pedido, de modo que sea imposible realizar un pedido, consintiendo en el mismo, sin haber tenido al menos la oportunidad de leer las cláusulas del contrato;
c) que se permita al destinatario, con carácter previo a prestar el consentimiento, bien abandonar, por no estar interesado en la contratación, bien acceder al **formulario de pedido**, determinando los bienes y/o servicios que quiere contratar y la cantidad en su caso;
d) en el formulario de pedido se incorpore un **botón de aceptación** por el cual el destinatario declare haber leído y aceptado el clausulado, procediendo al pulsar el botón a perfeccionar el contrato.

Operatividad del contrato Pese a ello, en la mayoría de los casos, el destinatario de la oferta comercial se encuentra ante un **contrato de adhesión electrónico**, en el que aquél no tiene posibilidad de negociar las condiciones, sino que debe adherirse al contrato que le es propuesto, y que ha sido redactado unilateralmente por el prestador, así como a la normativa de condiciones generales de contratación, si las tiene (nº 11740). La propia dinámica del comercio electrónico, enfocado a pequeñas transacciones de alta frecuencia, dificulta la negociación entre las partes, tanto por los costes que ello supondría como porque, de hecho, la mayor parte de las veces aquélla no sería factible, ya que no siempre ambas partes se encuentran conectadas al mismo tiempo. El sistema se fundamenta en que la oferta aparezca de forma permanente y universal en la red. Son de aplicación las limitaciones normativas contempladas en la legislación sobre condiciones generales de contratación (nº 11629). **11767**
Todo contrato de adhesión electrónico debe cumplir con los **requisitos** y **obligaciones** contempladas para la contratación electrónica (nº 11615 s.).
El **clic-wrap contract** es el contrato de adhesión electrónico por antonomasia. En el mismo el perfeccionamiento del contrato se produce en el momento en que, leído el clausulado y cumplimentado el formulario de pedido, el destinatario pulsa el botón de aceptación o icono en la pantalla. Ello no obsta a la necesidad de que el oferente confirme la **recepción de la aceptación** (LSSI art.28). La operatividad de dicho contrato responde al siguiente esquema:

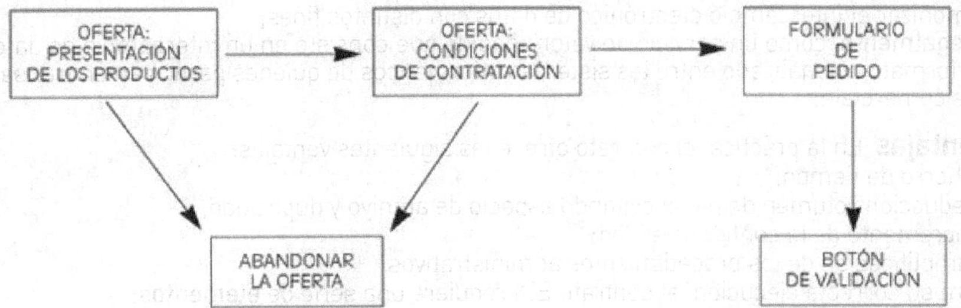

Precisiones 1) En el comercio convencional encontramos una figura equivalente, los *shrink-wrap contracts*, muy comunes en la comercialización de **aplicaciones informáticas**, que se perfeccionan con la apertura o rotura del envoltorio que contiene el producto adquirido.
2) Diversos sectores doctrinales se plantearon inicialmente la **validez** de tales contratos, por cuanto el consentimiento se prestaba sin conocer las condiciones de adquisición del producto e incluso sin conocer, siquiera con un cierto detalle, el producto adquirido y en consecuencia el objeto contractual. Esta disquisición doctrinal ha sido medianamente acallada con la exposición, tanto de una descripción del producto, como del clausulado del contrato a la vista del adquirente con carácter previo al acceso al formulario de pedido, o a través del envoltorio respectivamente, de modo que aquél pueda tener conocimiento de lo que adquiere y de las condiciones en que lo adquiere con carácter previo a lo que en estos contratos se entiende por momento de la contratación. De este modo, presta el consentimiento al pulsar el botón de aceptación o romper el envoltorio, pero no puede alegar que prestaba su consentimiento a ciegas.

2. Contratos del negocio digital

11770

11772 El entorno creado con la puesta en marcha de Internet es un fenómeno que no sólo ha dado lugar a una nueva forma de contratar, sino que también ha supuesto la aparición de nuevas relaciones contractuales, de nuevas posibilidades de negocio.

Nota. A efectos de evitar duplicidades innecesarias, reenviamos al lector a los nº 11629 s. y nº 11657 s. al ponerse de manifiesto que a todos los contratos del negocio digital les son aplicables las **obligaciones** y **sanciones** que se mencionan en el apartado de esta sección dedicada a los prestadores de servicios de la sociedad de la información.

a. Electronic Data Interchange (EDI)

11775 El contrato EDI puede ser considerado como precursor de los contratos electrónicos, y mediante el mismo se trataba de salvar los iniciales obstáculos jurídicos en materia de contratación electrónica, y cuyas consecuencias incidían en una triple vertiente:

a) Otorga al contrato celebrado mediante el intercambio electrónico de datos plena **validez jurídica**.

b) Establece los **medios telemáticos** a emplear para hacer posible el intercambio electrónico de datos.

c) Cesión bidireccional de datos: el contrato EDI implicaba la transmisión recíproca de datos, bien como medio bien como objeto de la contratación, por lo que se incorporaba una licencia de uso de los mismos.

Se trata, en definitiva, de un **contrato marco**, cuyas partes contratantes son empresas, y en virtud del cual se establecen los condicionantes necesarios para celebrar, a través del intercambio electrónico de datos, contratos posteriores sobre negocios jurídicos diversos, garantizando que los mismos fueran técnicamente posibles y jurídicamente válidos.

El contrato EDI presenta como **características principales**, las siguientes:

• **tecnológicamente**, es un contrato estándar (aunque existen varios modelos) que intenta armonizar el intercambio electrónico de datos con distintos fines;

• **legalmente**, como un servicio de valor añadido que consiste en un intercambio de datos en un formato normalizado entre los sistemas informáticos de quienes participan en transacciones comerciales.

11777 **Ventajas** En la práctica, el contrato ofrece las siguientes ventajas:

- ahorro de tiempo;
- reducción volumen de papel evitando espacio de archivo y duplicidad;
- incremento de la confidencialidad;
- simplificación de los procedimientos administrativos.

Para su correcta ejecución, el contrato EDI requiere una serie de **elementos**:

- físicos (hardware);
- inmateriales (software);
- servicios portadores (sistemas de comunicación a distancia);
- proveedores cualificados.

Precisiones El contrato EDI ha tenido y tiene un especial uso en el **sector de la automoción**, en donde resulta normal que toda comunicación entre la empresa de automoción y los proveedores o clientes se realice mediante EDI.

Una aplicación concreta de los sistemas EDI se refiere al **envío de facturas con firma digital**, cuestión que aparece actualmente regulada en sus aspectos fiscales y contables por la OM EHA/962/2007 por la que se desarrollan determinadas disposiciones sobre **facturación telemática** y **conservación electrónica de facturas** contenidas en el RD 1496/2003, por el que se aprobó el reglamento relativo a las obligaciones de facturación, el cual estuvo vigente hasta el 1-1-03, fecha en la que entró en vigor el nuevo RD 1619/2012, homónimo del anterior.

Características Siguiendo la Recomendación de la Comisión UE de 19-10-1994, que incorpora un **modelo de acuerdo de EDI**, se puede desglosar el contenido básico de este tipo de contratos como sigue: 11779

a) Objeto y **ámbito de aplicación**. El contrato EDI determina las relaciones ulteriores a suscribir entre las partes de este contrato, que pese a celebrarse mediante el intercambio electrónico de datos, quedan validadas por la mera existencia del contrato EDI, siempre y cuando se ajusten a lo previsto en el mismo.

b) Las inevitables referencias a aspectos técnicos que, habitualmente, no son conocidos por las partes, aconsejan la inclusión en el contrato de cláusulas que incorporen las pertinentes **definiciones**, para que todas las partes conozcan lo que están contratando y no se produzca error en el consentimiento prestado por alguna de ellas.

c) Validez y formación del contrato. Las partes se comprometen a que un mensaje, amparado en el contrato EDI, no entre en contradicción con la legislación a que se halle sometida la parte receptora. Si así fuera, habrá de ponerlo, inmediatamente, en conocimiento del emisor. Asimismo, ha de preverse dónde y cuándo se considera celebrado el contrato amparado por el acuerdo de EDI. La Recomendación propone que en el lugar y momento en que la aceptación de una oferta llegue al sistema informático del ofertante.

d) Prueba. Salvo que el ordenamiento jurídico aplicable lo impida, las partes contratantes del contrato EDI otorgan validez probatoria, a través de éste, al contenido de todo mensaje de EDI que respete las condiciones establecidas en el propio contrato.

Aspectos operativos y sistema de seguridad Dentro del contrato EDI se especificará la operativa de los mensajes que han de intercambiarse las partes para poder celebrar un contrato. 11781

La **descripción del sistema** deberá ser lo más detallada posible y contendrá, entre otros extremos:
- los plazos de envío, recepción y acuse de recibo;
- la necesidad o no de acuse de recibo de los mensajes y su significación;
- el sistema requerido para invalidar el contenido de un mensaje ya emitido;
- el tratamiento de las incidencias.

Dentro de los aspectos operativos, también habrán de mencionarse los referentes al **registro y almacenamiento** de los mensajes EDI intercambiados. Los aspectos que se regulan suelen incluir:
- el formato a utilizar para almacenar los mensajes;
- el almacenamiento en orden cronológico;
- el plazo de duración del almacenamiento;
- las medidas de seguridad que se aplicarán a los mensajes almacenados;
- la posibilidad de accesibilidad y reproducción de los mensajes.

Asimismo, se determinarán las **medidas de seguridad**, que podrán ser distintas en función del valor de las transacciones, que ambas partes deben cumplimentar. Tales medidas de seguridad irán encaminadas a evitar:
- los accesos no autorizados;
- las alteraciones del contenido;
- las demoras;
- las destrucciones o pérdidas.

Confidencialidad y protección de datos personales Las partes determinarán, bien en el contrato EDI bien caso por caso, cuándo la información intercambiada es confidencial. En caso de que lo fuera, las partes acordarán que la misma no podrá ser revelada ni utilizada para fines distintos a los acordados por las partes. 11783

Las partes podrán convenir **sistemas de seguridad específicos** dirigidos a la protección de la información confidencial.

Si la información intercambiada contiene datos de carácter personal, y siempre que la normativa de alguna de las partes otorgue una protección suficiente a los mismos, éstas acordarán convencionalmente su aplicación. La Recomendación establece como **criterio mínimo de protección** la normativa dictada a tal efecto en el ámbito comunitario, que, actualmente, es el Rgto (UE) 2016/679 relativo a la protección de las personas físicas en lo que respecta al tratamiento de datos personales y a la libre circulación de estos datos. Debe tenerse en cuenta, asimismo, lo dispuesto en la LO 3/2018, por la que se aprueba la nueva regulación en España sobre protección de datos personales.

El contrato debe especificar detalladamente los medios necesarios para celebrar contratos a través del intercambio electrónico de datos. Entre los **medios** que han de determinarse, se pueden citar:
- los equipos;

- los medios y protocolos de comunicación;
- los mensajes de EDI normalizados;
- los códigos.

Además, ha de añadirse el compromiso de **mantenerlos en funcionamiento** con arreglo a las condiciones necesarias para su explotación y durante el tiempo acordado.

11785 **Responsabilidad** Se ha de establecer el régimen de responsabilidad de cada una de las partes. La Recomendación de la Comisión de 19-10-1994 relativa a los Aspectos Jurídicos del Intercambio Electrónico de Datos, parece aconsejar que no exista responsabilidad cuando el **perjuicio** haya sido provocado por un impedimento ajeno a la voluntad de la parte que lo provocó y tampoco frente a perjuicios especiales o indirectos.

Sí impone, sin embargo, que cuando el perjuicio haya sido causado por un intermediario, de los fallos u omisiones del mismo responderá quien haya contratado al intermediario o impuesto su contratación.

11787 **Resolución de litigios** Es aconsejable evitar la indeterminación de estos aspectos, mediante las oportunas cláusulas convencionales.

Con respecto a la resolución de litigios cabe la incorporación de **cláusulas** que determinen:
- la sumisión a arbitraje;
- la jurisdicción a la que las partes se someten.

En cuanto al Derecho aplicable, es conveniente establecer de forma expresa el ordenamiento jurídico que regirá el contrato.

11789 **Obligaciones** Las obligaciones **recíprocas** de las partes en el contrato EDI pueden resumirse en las siguientes:
- otorgar plena validez jurídica a las transacciones que celebren mediante el **intercambio electrónico** de datos, siempre y cuando se hayan cumplido los requisitos contenidos en el contrato EDI;
- cumplimentar los **requisitos de explotación** necesarios para la celebración de contratos a través del intercambio electrónico de datos;
- acatar los **aspectos operativos** acordados para la celebración de los negocios jurídicos;
- adoptar las **medidas de seguridad** acordadas;
- comunicar a la otra parte, las contradicciones entre el contenido de un mensaje de EDI y el ordenamiento jurídico al que se halle sometido el receptor del mismo;
- respetar el compromiso de **confidencialidad** con respecto a la información secreta recibida de la otra parte.

b. Conexión entre proveedores de Internet (Peering Agreement)

11795 Internet no es sino una red de redes cuya conexión permite la universalidad de la **red**, facilitando un mayor alcance.

La **titularidad** de tales redes, físicamente consideradas, dependerá del ámbito territorial, si bien, lo habitual es que sean entidades públicas o recién privatizadas las que mantengan tales infraestructuras bajo su control.

Estas entidades otorgan los oportunos permisos para la explotación del acceso a compañías cuya actividad consista, precisamente, en permitir el acceso de los usuarios a las redes: proveedores de Internet.

Al objeto de optimizar el servicio que prestan a sus usuarios mediante el intercambio de datos a través de distintas redes, estos proveedores de Internet suscriben **acuerdos de conexión** entre sí, que les permitan tener acceso desde su red a otras.

11797 **Operativa del contrato** En relación con el contenido del clausulado contractual se ha de destacar la necesidad de recoger en el mismo los siguientes aspectos:

a) Libertad de tráfico. Los proveedores de Internet permiten un acceso encaminado a la emisión y recepción de información, de modo que el objetivo del contrato viene a ser el permitir dicho tráfico a través, no sólo de la red propia, sino de aquella con la que el contrato permite enlazar.

b) Compromiso de confidencialidad, en relación con los mensajes que circulan a través de las redes de las partes. Este compromiso suele quedar sujeto a **excepciones**, siendo la más común la posibilidad de controlar o examinar el contenido de determinados mensajes, aunque no pertenezcan a sus usuarios finales, previa solicitud de una autoridad competente en el ámbito territorial en que opere el proveedor de Internet.

c) Acuerdo sobre los protocolos de comunicación. Desde el punto de vista técnico, resulta imprescindible, para hacer posible la circulación de datos e información entre las redes, un acuerdo sobre los protocolos de comunicación, de modo que los mensajes sean legibles en origen y destino, con independencia de la red a la que los usuarios se encuentren conectados. 11799

d) Limitación de responsabilidad. Pese a que el usuario final contrata, en principio, con un único proveedor de Internet, lo cierto es que, aun de forma involuntaria, está utilizando los servicios de más de uno. Pese a ello, es habitual introducir una cláusula en el contrato en virtud del cual cada uno de los proveedores de Internet responde del cumplimiento y, en consecuencia, del **incumplimiento**, de las obligaciones que le atañen respecto de los usuarios que con ellos han contratado. Ello implica responder de cualquier fallo, en lo que al *peering agreement* respecta, que se produzca en la red, aunque no se trate de la suya y, en consecuencia, no esté en su mano el evitar tal error.

e) Tarifas. Aunque no siempre este tipo de contrato es de carácter oneroso, caso de que así sea, lo más habitual es que la tarifa dependa del volumen de datos intercambiado.

f) Duración. Habitualmente se trata de contratos indefinidos, pues la propia operatividad de la Red y el sentido de este negocio contractual implican la necesidad de un término amplio en el tiempo que dé estabilidad al alcance de los servicios que el proveedor de Internet presta.

Las prestaciones imputables a cada una de las partes son en todo punto coincidentes, pues se trata de autorizar la libre circulación de datos entre las redes que sean explotadas por las partes contratantes. Aunque el volumen de datos intercambiado no sea equivalente, pero en cualquier caso sí lo serán las **obligaciones de las partes**, que se concretan en las siguientes: 11801

- autorizar la libre circulación de información;
- respetar los compromisos de confidencialidad y de no injerencia en la información acordados, así como comunicar, en su caso, las circunstancias que pueden llevar a no respetar tal compromiso y comunicar las injerencias que vayan a llevarse a cabo;
- respetar los compromisos sobre protocolos de comunicación que hagan el tránsito de la información posible;
- respetar las medidas de seguridad que sean aplicables a cada red y cuyo cumplimiento se haya comprometido;
- mantener la red operativa en las condiciones pactadas;
- pagar, en su caso, y procediéndose a la compensación si la forma de tarificación dependiera del volumen de datos intercambiado.

c. Conexión entre proveedores de Internet y operadores de telecomunicaciones (Network Access Agreement)

Mediante este tipo de contratos se trata de obtener la **línea necesaria**, esto es, la autorización para utilizar las redes de telecomunicación, del operador de telecomunicaciones que sea su titular, y sin las cuales los únicos que podrían prestar los servicios que prestan los proveedores de Internet serían los operadores de telecomunicaciones. 11805

Precisiones En la práctica, muchos operadores de telecomunicaciones concurren en el mercado con los proveedores de Internet.

La generalización y frecuencia de este tipo de contratos ha determinado que, en la práctica, los mismos se hayan convertido en auténticos **contratos de adhesión**, con clausulados contractuales previamente redactados y escaso o nulo margen de negociación para el proveedor de Internet. 11807

Pese a las pocas posibilidades de negociación, las **condiciones** en que contrata la línea un proveedor de Internet tienen una especial relevancia, en particular en cuanto a:

a) Las **garantías** en la prestación del servicio que el proveedor de Internet pueda dar, por cuanto cualquier servicio que se comprometa a prestar, dependerá de que cuente, efectivamente, con la línea contratada al efecto.

b) La **responsabilidad por incumplimiento**, por lo que es conveniente establecer de forma tan precisa como sea posible, de qué tipo de incumplimientos responde el proveedor de Internet ante la eventualidad de que los mismos estén motivados por incumplimientos del operador de telecomunicaciones, o por causas de fuerza mayor o cualquier otro motivo que escape a su control y que afecte a los servicios contratados con el referido operador.

11809 **Disponibilidad de línea** Dos son los aspectos básicos que se deben determinar contractualmente en lo que a disponibilidad de línea se refiere:
- disponibilidad **temporal**, esto es, si se trata de una disponibilidad permanente (durante todo el día) o no y, en este segundo caso, si no siendo permanente la disponibilidad responde a un horario concreto;
- **capacidad** de la línea, que condicionará los servicios que se pueden prestar, la simultaneidad de los mismos y la velocidad de la prestación.

La disponibilidad de línea que se contrate dependerá de los servicios que el proveedor de Internet vaya a prestar a sus usuarios. Por ello es conveniente que se prevea la posibilidad de modificación, teniendo en consideración que los servicios prestados o el número de usuarios, del proveedor de Internet, se pueden ver incrementados, lo que aconseja asimismo conocer con carácter previo a la contratación la **disponibilidad futura** que podría contratarse.

11811 **Responsabilidad** La responsabilidad que puede dimanarse de una falta de prestación o prestación defectuosa por parte del operador de telecomunicaciones puede incrementarse en función de los usuarios finales afectados. Resulta evidente que los proveedores de Internet intentarán repercutir en el operador las **reclamaciones** que los mismos interpongan contra ellos, siempre y cuando la responsabilidad sea imputable al operador.

Los aspectos que es previsible contengan la **cláusula** de responsabilidad pueden concretarse en los siguientes:
- los hechos por los que cada una de las partes se hace responsable;
- la descripción de tales hechos determinará también quién es el afectado por los mismos, esto es, frente a quién se responde;
- se incorporarán también las oportunas limitaciones o exoneraciones.

De los incumplimientos posibles, el más claro es el relativo a la **falta de línea**, bien porque la red haya caído o por cualquier otra causa que haya motivado el corte de la línea. En este caso, la solución no pasa sólo por articular de forma adecuada quién es el responsable o cuál es la responsabilidad que asume, sino también por establecer, un plan de contingencia que responda en aquellos casos en que la línea falle.

El **plan de contingencia** debe prever, básicamente, qué ocurre cuándo la línea principal que presta el servicio no funciona. Entre otros aspectos ha de dar respuesta a las siguientes cuestiones:
- la posibilidad de conexión con una **línea auxiliar** y la disponibilidad de la misma en su caso;
- identificar quién asume el coste de uso de una línea que no es la contratada y que puede pertenecer a otro operador de telecomunicaciones;
- tiempo de reparación estimado según la contingencia producida.

11813 **Obligaciones de las partes** Con respecto al contenido del contrato, cabe distinguir entre:

1) Obligaciones del **operador de telecomunicaciones**:
- otorgar al proveedor el uso de una línea cuyos parámetros técnicos y prestaciones coincidan con las pactadas;
- mantener en perfecto estado de uso la línea contratada;
- permitir el acceso al proveedor en las condiciones contratadas: disponibilidad de línea, horarios, etc.;
- responder ante el proveedor por los cortes de línea, facilitándole líneas alternativas y respondiendo por los daños y perjuicios que dichos cortes pudieran ocasionarle.

2) Obligaciones del **proveedor** de servicios de Internet:
- el pago del servicio contratado;
- explotación de la línea en las condiciones pactadas;
- comunicación de cualquier incidencia que se produzca y pudiera ser imputable a la línea cuya explotación le ha sido autorizada.

d. Internet research and market survey agreements

11820 Se entiende por tal, el contrato que tiene por objeto la realización de estudios de mercado a través de Internet, y responde a la necesidad de **estudiar** las opiniones y **preferencias de los usuarios** de Internet, por aquellas empresas que van a iniciar su actividad comercial en la red, o que quieren implantar lo que hasta ahora ha sido un negocio convencional en la misma.

Pese a que las prestaciones pueden ser diversas, y no todas ellas han de ser contratadas con la misma entidad, lo que efectivamente se contrata es el captar y procesar las opiniones de los usuarios de Internet con respecto al producto o servicio que quiere introducirse en la red, al objeto de conocer el **mercado potencial** y las posibilidades de éxito.

Para obtener dicha información es preciso diseñar una **página web** específica a través de la cual:
- se presenta un producto o servicio, o se da a conocer una nueva entidad;
- los usuarios de Internet acceden a la misma y toman contacto con ese nuevo producto o servicio, reciben información al respecto;
- los usuarios de Internet dan su opinión sobre tales productos o servicios o sobre aspectos concretos de los mismos que al cliente que contrata el servicio le interese conocer;
- la información obtenida de los usuarios de Internet se procesa y se facilita al cliente.

Elementos Los aspectos contractuales relevantes que, como mínimo, han de incorporarse al **clausulado del contrato**, se resumen en los siguientes puntos: **11822**
a) Establecer un **mínimo de transmisiones o respuestas al cuestionario**. La información resultante que se pretende obtener ha de ser, ante todo, veraz. Cuanto mayor sea el número de usuarios que presten su opinión, más veraz será la información obtenida porque se estará llegando a un mayor número de ámbitos y se reflejará la heterogeneidad que habita la red. Puede, así, pactarse un mínimo de población que ha de responder a lo que se denomina cuestionario, para considerar que la información resultante es útil a los propósitos del cliente y susceptible de aceptación a efectos de cumplimiento del contrato.
Una de las formas más comunes de obtener una afluencia elevada sería introducir la página en un **buscador**, por lo que es aconsejable prever los extremos referentes al mismo: identificación y número de los buscadores que se van a contratar, palabras claves que permitirán al buscador seleccionar la página, así como cualquier extremo que se considere pertinente detallar.

b) Acordar la **información que se va a publicitar**. La prospección de mercado contratada puede afectar a cualquier tipo de bien, servicio o negocio o responder, simplemente, a la presentación de una entidad en la red. En cualquier caso, la citada información ha de ser facilitada por el **cliente**. La forma de presentar la información facilitada suele ser tarea de la entidad contratada para la prospección del mercado, así como también lo es el diseño de los cuestionarios. **11824**
La entidad contratada tiene como misión presentar un servicio, producto o entidad de la forma más atractiva posible y obtener la información requerida por el cliente. Es ésta su actividad y por tanto es lógico que la información que le es facilitada inicialmente sea objeto de **modificación** por ella. La posibilidad que se otorga de modificar la información recibida tiene que limitarse por el cliente en función del mercado al que pretenda dirigirse, del tipo de información que pretenda obtener, de los objetivos que se haya marcado.
A este respecto es conveniente que las **limitaciones** figuren en el propio contrato. Entre ellas algunas tienen especial relevancia como si se autoriza o no el uso de la marca de la que sea titular el cliente o si la identidad de la empresa va a ser o no revelada.

c) Protección de datos personales. Recabar la información que es objeto del contrato supone obtener, en la mayoría de los casos, datos de carácter personal de aquellos usuarios de Internet que cumplimentan el cuestionario. La entidad que recaba tales datos ha de comprometerse a cumplir, escrupulosamente, la normativa sobre protección de datos de carácter personal recogida en el nº 11596. **11826**
Dada la especial protección otorgada a estos datos también es conveniente regular, llegado el **término del contrato**, quién va a hacerse cargo de la información, quién va a archivar la misma. En caso de que se pacte que será el **proveedor** debería especificarse:
- el plazo durante el que mantendrá la información archivada;
- su compromiso de ofrecer las garantías de seguridad requeridas legalmente en virtud de la información archivada;
- su compromiso de no divulgación de tales datos y el de no emplearlos para ningún fin que no sea el especificado al obtenerlos.
d) Confidencialidad. La información obtenida en virtud de este contrato puede ser una información de elevado valor económico que hace de la cláusula de confidencialidad un elemento imprescindible.

Obligaciones del proveedor Constituyen obligaciones del proveedor del servicio, las siguientes: **11828**
- diseñar el soporte técnico que va a permitir poner a disposición del público los datos sobre el producto y que va a permitir, asimismo, recabar la información requerida por el cliente;
- realizar la labor comercial necesaria para que el público acceda al soporte técnico referido;
- elaborar la información recibida para obtener la que requiere el cliente;
- respetar la legislación que sea aplicable sobre protección de datos de carácter personal;

- respetar, en su caso, la identidad del cliente;
- archivar, durante el tiempo pactado y con las medidas de seguridad acordadas o legalmente impuestas, la información recabada durante su labor, si se pactase que el proveedor se va a hacer cargo de tal almacenamiento;
- respetar la cláusula de confidencialidad suscrita.

Al **cliente**, por su parte, le compete el cumplimiento de las siguientes obligaciones:
• facilitar los datos necesarios referentes al producto sobre el que se va a realizar la prospección de mercado dando a conocer las limitaciones que deben respetarse sobre su puesta en conocimiento del público;
• facilitar, con detalle, la información que se busca obtener de la prospección de mercado;
• pagar los servicios contratados y los gastos, en su caso.

Suministro de servicios de Internet.

e. Suministro de servicios de Internet

11835 Es éste un contrato de difícil definición por la **diversidad de prestaciones** a que puede hacer referencia. En virtud del mismo, el cliente obtiene una serie de servicios del proveedor, todos ellos vinculados a Internet y que dependerán, lógicamente, de las necesidades del cliente, pero también de si éste es un particular o una empresa.

Entre las prestaciones que pueden contratarse en virtud de este contrato, destacan:
- el acceso o conexión a Internet;
- la intervención del prestador como tercero de confianza para acreditar la prueba de una comunicación o contrato electrónico;
- el espacio para la propia página web del usuario;
- la puesta a disposición del cliente de diversas herramientas que le permitan acceder a los distintos servicios de Internet.

11837 **Características** Pese a la ya apuntada **diversidad de prestaciones** que pueden ser objeto del contrato, pueden señalarse una serie de características comunes al mismo:
• Habitualmente se trata de un **contrato de adhesión**, toda vez que, si bien cada usuario determinará contractualmente los servicios que precisa, las condiciones de prestación comunes a todos ellos son las impuestas y predeterminadas por el proveedor, aunque no es extraño que existan diversos condicionados en función de quién contrate y de lo que se contrate.
• Clara tendencia de los proveedores de servicios de Internet a incorporar cláusulas de **exoneración de responsabilidad**. Tales cláusulas no son admisibles en todos los ordenamientos jurídicos. Particularmente, el ordenamiento jurídico español considera las mismas inaplicables, admitiendo, eso sí, el que se establezcan ciertas limitaciones.

11839 **Contenido** En cuanto a los aspectos mínimos que han de incorporarse necesariamente al **clausulado** de esos contratos, se destaca la descripción detallada de los **servicios** que se prestan. Dado que en muchas ocasiones los clientes no tienen excesivo conocimiento de los aspectos técnicos de este tipo de servicios, es aconsejable que se detalle el tipo de prestación, pero no tanto sus aspectos técnicos sino los aspectos prácticos que reflejen las coberturas que el cliente pretende, contratando los mismos.

De tales aspectos, uno de los que ha de especificarse siempre es la **velocidad de conexión**, que determina el tiempo inicial que va a tardar el cliente en acceder a Internet y, en consecuencia, a ejecutar las prestaciones contratadas.

Un factor que determina claramente la velocidad de acceso es lo que se denomina **ancho de banda** otorgado por usuario y que es el porcentaje de fibra óptica que corresponde al contratante y que determina la capacidad operativa que el mismo va a tener.

11841 **Tarifas y sistema de pago** El sistema de pago será aquel que las partes pacten libremente. En cuanto a las tarifas, y dada la diversidad de prestaciones que se pueden contratar, es conveniente que las mismas **se desglosen** siempre que varíen según el servicio contratado que se esté utilizando.

Del mismo modo han de hacerse constar las **alteraciones o cambios** que las tarifas puedan sufrir motivadas, directamente, por la actividad del cliente: variaciones en virtud de la hora en que se utilicen determinados servicios, en virtud del número de usuarios que empleen los mismos de forma simultánea, etc.

Condiciones de acceso Siendo ésta la prestación básica, por ser necesaria para la explotación de las restantes, quizás deba ser la que se regule de modo más pormenorizado. Así, junto a la determinación de la velocidad de acceso, es conveniente fijar también otros aspectos como el **número de usuarios** que pueden acceder a un mismo tiempo, prestaciones que pueden ejecutarse simultáneamente y cuáles no, etc. 11843

Código de conducta y control Uno de los aspectos más controvertidos de Internet es la imposición/ausencia de control sobre los contenidos. Los principios en pugna pueden resumirse en el derecho a la intimidad de las personas frente a razones diversas como el derecho a la información, a la dignidad de las personas, a la moral pública. 11845

A falta de regulación respecto al control del mercado de los contenidos de Internet como respecto a la imputación de responsabilidades dimanantes de dichos contenidos, los **proveedores** de servicios de Internet han establecido sus propios códigos de conducta, cuyo cumplimiento imponen contractualmente a sus clientes.

En el contrato se plantea también la posibilidad de acceder, por parte del proveedor de servicios de Internet, libremente, a los contenidos. Esta **libertad de acceso** le permite comprobar el cumplimiento del Código de Conducta por parte sus clientes, así como, en su caso, colaborar con las autoridades judiciales y administrativas que pudieran requerirle información o que pretendieran verificar el cumplimiento de la normativa imperante en su caso.

Sistemas de seguridad Con carácter previo a la contratación, es aconsejable que el cliente conozca no tanto los sistemas que emplea el proveedor, cuyos aspectos técnicos puede que el usuario no comprenda, como los aspectos que tales medidas garantizan. 11847

El que el cliente conozca el sistema de seguridad empleado por un proveedor, no es sólo un dato importante de cara a decidir con quién contratar, sino necesario cuando tales medidas requieren una **participación activa** del cliente. En este caso tales medidas, que implican una obligación, le serán especificadas en el contrato.

Responsabilidad Es factible la **limitación** de la responsabilidad del proveedor, no sólo cuantitativamente, sino también en lo que respecta a los hechos por los que se responde. Y ello por cuanto existen aspectos concretos de los que el proveedor de servicios de Internet no responde, dado que escapan a su control, entre otros: 11849

- velocidad y confianza en el acceso a la red, que depende del operador de telecomunicaciones con que haya contratado el proveedor de servicios de Internet;
- la transmisión o viaje de los mensajes por una red que controla otro prestador de servicios de Internet.

Archivo de documentación La información que se introduce en Internet en virtud de los servicios contratados con el proveedor puede ser objeto de archivo por éste. Es conveniente que, además de obtener un **compromiso de confidencialidad** del proveedor con respecto al contenido -el proveedor incorporará la pertinente salvedad en caso de ser requerido por una autoridad competente a facilitar dicha información-, se prevea el tiempo durante el cual se va a mantener la información archivada. 11851

El **plazo** debe responder a las necesidades futuras que el cliente pueda tener de tal información, y que pueden responder a diversas circunstancias, entre otras, que le sea necesaria a efectos probatorios o que ante la pérdida de la información por un motivo ajeno a su voluntad pueda recuperar la que aún le sea útil.

Corte en el servicio Si bien se ha hecho constar que uno de los aspectos ajenos al control del proveedor de servicios de Internet es el corte en la línea contratada por el mismo a efectos de prestar el acceso a sus clientes, también es cierto que dicho acceso puede ser denegado por el proveedor a sus clientes. 11853

Normalmente, el no permitir el acceso vendrá motivado por la necesidad de llevar a cabo algún ajuste, que supuestamente redundará en la **mejora del servicio**. Pese a ello, no es recomendable el otorgar al proveedor total libertad a este respecto.

En tal sentido, es **conveniente** hacer constar en el contrato:

- las circunstancias que autorizaran al proveedor a cortar el acceso a sus clientes;
- los condicionantes que ha de cumplir para hacerlo: horarios que no coincidan con los de mayor afluencia de acceso, compromiso de realizar copias de seguridad de la información, necesidad de preaviso previo al corte, duración máxima del mismo;
- la responsabilidad que asume el proveedor de servicios de Internet ante el incumplimiento de cualquiera de las condiciones pactadas.

11855 **Obligaciones de las partes** Distinguimos entre:
a) Las propias del **proveedor de servicios** de Internet:
- cumplir con las prestaciones contratadas por el cliente y en las condiciones contratadas, incluidas las de carácter técnico;
- respetar el compromiso de confidencialidad suscrito;
- cumplir las medidas de seguridad acordadas o, simplemente, comunicadas al cliente;
- archivar la información en las condiciones y durante el plazo acordado.

b) Obligaciones del **cliente**:
- pagar los servicios prestados;
- cumplir con los códigos de conducta o condiciones de uso acordadas en el contrato.

f. Nombres de dominio

(OM ITC/1542/2005; LSSI disp.adic.6ª)

11860 Hasta el momento ha sido habitual que los nombres de dominio, que son la forma de que un usuario sea localizado por los demás en la red, esto es, su **dirección en Internet**, fueran solicitados por los proveedores de servicios de Internet. Se ha dado el caso de que algunos proveedores registraban los mismos a su nombre, en lugar de que la **titularidad** correspondiera al cliente. Esto suponía una fidelización fraudulenta de cliente, pues cuando uno de ellos quería cambiar de proveedor, el que hasta entonces lo venía siendo le informaba de que figuraba él como titular del dominio y le negaba su uso.
La reforma legal se concreta en:
- simplificar significativamente las **reglas de legitimación** exigidas para obtener la asignación de nombres de dominio de segundo nivel (nº 11862);
- reducir las demás limitaciones y prohibiciones antes existentes para la formación de nombres de dominio en ese nivel; y
- establecer unos principios básicos que rigen el sistema de resolución extrajudicial de conflictos (nº 11878) que ha de desarrollar la autorización de asignación.

La **entidad pública empresarial red.es** es la encargada de desempeñar la función de autoridad de asignación de nombres de dominio bajo el «.es», función que consiste en la gestión del registro de nombres de dominio, que incluye la implantación, mantenimiento y operación de los equipos, aplicaciones y de las bases de datos necesarias para el funcionamiento del sistema de nombres de dominio de Internet bajo el código de país correspondiente a España (.es).

11862 **Nombres de dominio de segundo nivel** Los nombres de dominio de segundo nivel bajo el «.es» se asignan atendiendo a un criterio de prioridad temporal en la solicitud.
No pueden ser objeto de **solicitud** nombres de dominio que ya hayan sido previamente asignados. Los nombres de dominio de segundo nivel bajo el «.es» se asignan **sin comprobación previa**, salvo en lo relativo a las normas de sintaxis recogidas, la lista de términos prohibidos y las limitaciones específicas y las listas de nombres de dominio de segundo nivel prohibidos o reservados.
Pueden solicitar la asignación de un nombre de dominio de segundo nivel las personas físicas o jurídicas y las entidades sin personalidad que tengan intereses o mantengan vínculos con España.

11864 **Limitaciones** Se concretan en las siguientes:
a) No puede asignarse un nombre de dominio que coincida con algún **dominio de primer nivel** (tales como «.edu», «.com», «.gov», «.mil», «.uk», «.fr», «.ar», «.jp», «.eu») o con uno de los propuestos o que esté en trámite de estudio por la organización competente para su creación, si bien, en este caso, la prohibición sólo se aplica cuando, a juicio de la autoridad de asignación, el uso del nombre de dominio pueda generar confusión.
b) Tampoco pueden asignarse nombres de dominio de segundo nivel que coincidan con nombres generalmente conocidos de términos de Internet cuyo uso pueda generar **confusión**. A tal efecto, el presidente de la entidad pública empresarial red.es aprueba una **lista reducida y actualizada** de términos que tiene carácter público y está disponible por medios electrónicos con carácter gratuito.
c) El presidente de la entidad pública empresarial red.es puede determinar una lista actualizada de nombres de dominio de segundo nivel relativos a denominaciones de **órganos constitucionales** u otras **instituciones** del Estado, que no hayan sido previamente asignados, que tienen el carácter de reservados y que una vez integrados en dicha lista no pueden ser objeto de asignación libre. Asimismo, puede aprobar una lista actualizada de nombres de dominio de segundo nivel relativos a denominaciones de organizaciones internacionales y supranacionales oficialmente acreditadas, que no hayan sido previamente asignados, que tienen el carácter de reservados y que una vez integrados en dicha lista no pueden ser objeto de asignación libre.

d) El presidente de la entidad pública empresarial red.es aprueba una lista actualizada de nombres de dominio de segundo nivel consistentes en topónimos que coincidan con la **denominación oficial** de Administraciones públicas territoriales y que no hayan sido previamente asignados, que tienen el carácter de reservados y que una vez integrados en dicha lista no pueden ser objeto de asignación libre.
Las citadas **listas** son **públicas** y están disponibles por medios electrónicos con carácter gratuito.

Nombres de dominio de tercer nivel En el tercer nivel pueden asignarse nombres de dominio bajo los siguientes indicativos «.com.es», «.nom.es», «.org.es», «.gob.es» y «.edu.es». 11866
Los nombres de dominio de tercer nivel se asignan atendiendo a un criterio de **prioridad temporal** en la solicitud. No pueden ser objeto de solicitud nombres de dominio que ya hayan sido previamente asignados.
En la asignación de nombres de dominio de tercer nivel bajo los indicativos «.gob.es» y «.edu.es» se verifica con carácter previo a su asignación el cumplimiento de los requisitos de **legitimación** y en las normas de sintaxis (nº 11870).
Los nombres de dominio de tercer nivel bajo los indicativos «.com.es», «.nom.es» y «.org.es» se asignan **sin comprobación previa**, salvo en lo relativo a las normas de sintaxis y la lista de términos prohibidos.

Solicitud de asignación de nombre de dominio Pueden solicitar la asignación de un nombre de dominio de tercer nivel: 11868
a) Bajo el indicativo «**.com.es**», las personas físicas o jurídicas y las entidades sin personalidad que tengan intereses o mantengan vínculos con España.
b) Bajo el indicativo «**.nom.es**», las personas físicas que tengan intereses o mantengan vínculos con España.
c) Bajo el indicativo «**.org.es**», las entidades, instituciones o colectivos con o sin personalidad jurídica y sin ánimo de lucro que tengan intereses o mantengan vínculos con España.
d) Bajo el indicativo «**.gob.es**», las Administraciones públicas españolas y las entidades de Derecho público de ella dependientes, así como cualquiera de sus dependencias, órganos o unidades.
e) Bajo el indicativo «**.edu.es**», las entidades, instituciones o colectivos con o sin personalidad jurídica, que gocen de reconocimiento oficial y realicen funciones o actividades relacionadas con la enseñanza o la investigación en España.

Normas de sintaxis Los nombres de dominio que se asignen bajo el «.es» deben respetar unas normas de sintaxis, ya sean nombres de dominio de segundo (nº 11862) o de tercer nivel (nº 11866), normas que deben de ser **comprobadas con carácter previo** a la asignación de cualquier nombre de dominio: 11870
a) Los únicos **caracteres válidos** para su construcción son las letras de los alfabetos de las lenguas españolas, los dígitos («0»-«9») y el guion («»).
b) El **primero** y el **último carácter** del nombre de dominio no pueden ser el guion.
c) Los **cuatro primeros caracteres** del nombre de dominio no pueden ser «xn- -».
d) La **longitud mínima** para un dominio de segundo nivel es de tres caracteres y para un dominio de tercer nivel, de dos caracteres.
e) La **longitud máxima** admitida para los dominios de segundo y tercer nivel es de 63 caracteres.
La autoridad de asignación puede **suspender cautelarmente** o **cancelar**, de acuerdo con el correspondiente requerimiento judicial previo, los nombres de dominio que incluyan términos o expresiones que resulten contrarios a la Ley, a la moral o al orden público y aquéllos cuyo tenor literal pueda vulnerar el derecho al nombre de las personas físicas o el derecho de propiedad industrial, atentar contra el derecho al honor, a la intimidad o al buen nombre, o cuando pudiera dar lugar a la comisión de un delito o falta tipificado en el Código Penal. Los nombres de dominio que sean cancelados por cualquiera de estos motivos pueden pasar a formar una lista de **nombres de dominio prohibidos**.
La asignación de nombres de dominio de segundo y de tercer nivel compuestos exclusivamente por **apellidos** o por una **combinación** de nombres propios y apellidos, exige que éstos tengan relación directa con el beneficiario del nombre de dominio.

Precisiones Mediante instrucción del director general de la entidad pública empresarial Red.es establece el **procedimiento de reasignación para nombres de dominio (.es)** que hayan sido declarados de interés general (Instr 29-10-12).
La **competencia** para dicha declaración la tendrá el presidente de Red.es a través de resolución motivada. Los nombres de dominio en cuestión serán cancelados y posteriormente reasignados a favor del sujeto que represente el interés general que motiva la reasignación.
El **antiguo titular del nombre de dominio** solo tendrá derecho a la devolución de las cantidades satisfechas por la última modalidad de asignación o renovación del mismo.

11872 **Transmisión de los nombres de dominio** Toda transmisión voluntaria debe contar con la **aprobación del antiguo titular** del nombre de dominio, que debe ser comunicada a la autoridad de asignación con carácter previo a la correspondiente modificación de los datos de registro del nombre de dominio. Dicha aceptación debe ser formalizada por el antiguo titular de acuerdo con los procedimientos que establezca la autoridad de asignación.

En los casos de **sucesión universal** inter vivos o mortis causa y en los de cesión de la marca o nombre comercial al que esté asociado el nombre de dominio, el sucesor o cesionario puede seguir utilizando dicho nombre, siempre que cumpla las normas de asignación de nombres de dominio recogidas en este plan y solicite de la autoridad de asignación la modificación de los datos de registro del nombre de dominio.

11874 **Derechos y obligaciones** Se enumeran las siguientes:

a) Los solicitantes de un nombre de dominio deben facilitar sus **datos identificativos** siendo responsables de su veracidad y exactitud.

b) La asignación de un nombre de dominio confiere el derecho a su utilización a efectos de **direccionamiento en el sistema de nombres** de dominio de Internet y a la continuidad y calidad del servicio que presta la autoridad de asignación.

c) Los beneficiarios de un nombre de dominio bajo el «.es» deben respetar las reglas y **condiciones técnicas** que pueda establecer la autoridad de asignación para el adecuado funcionamiento del sistema de nombres de dominio bajo el «.es».

d) Los usuarios de un nombre de dominio deben informar inmediatamente a la autoridad de asignación de todas las **modificaciones** que se produzcan en los datos asociados al registro del nombre de dominio.

11876 **Responsabilidad** La responsabilidad del uso de un nombre de dominio y el respeto a los derechos de propiedad intelectual e industrial corresponde a la **persona** u **organización** a la que se haya asignado dicho nombre de dominio.

11878 **Sistema de resolución extrajudicial de conflictos** La autoridad de asignación establece un sistema de resolución extrajudicial de conflictos sobre la utilización de nombres de dominio en relación con, entre otros, los **derechos de propiedad industrial** protegidos en España, tales como los nombres comerciales, marcas protegidas, denominaciones de origen, nombres de empresas; o con las **denominaciones oficiales** o generalmente reconocibles de Administraciones públicas y organismos públicos españoles.

11880 **Características del sistema** Este sistema de resolución extrajudicial de conflictos se basa en los siguientes principios:

a) Debe proporcionar una **protección eficaz** frente al registro de nombres de carácter especulativo o abusivo, en especial cuando el nombre de dominio sea idéntico o similar hasta el punto de crear confusión con otro término sobre el que exista algún derecho previo de los citados en el párrafo anterior.

b) Se entiende que existe un **registro especulativo o abusivo** cuando el titular del dominio haya registrado el mismo careciendo de derechos o intereses legítimos sobre el nombre de dominio en cuestión y haya sido registrado o se esté utilizando de mala fe.

c) La **participación** en el sistema de resolución extrajudicial de conflictos es obligatoria para el titular del nombre de dominio.

d) La autoridad de asignación puede acreditar a **proveedores de servicios** de solución extrajudicial de conflictos basándose en condiciones proporcionadas, objetivas, transparentes y no discriminatorias que garanticen su cualificación y experiencia en el campo de la resolución extrajudicial de conflictos. La autoridad de asignación mantiene en su página de Internet la relación de proveedores acreditados.

e) Los **resultados** del sistema extrajudicial de resolución de conflictos son vinculantes para las partes y para la autoridad de asignación, a no ser que se inicien procedimientos judiciales en el plazo de treinta días naturales a partir de su notificación a las partes.

f) La persona o entidad que haya instado la iniciación del procedimiento tiene **preferencia** para la obtención del nombre de dominio, si presenta su solicitud en el plazo que se establezca en las normas de procedimiento.

g) El sistema extrajudicial de resolución de conflictos debe asegurar a las partes afectadas las **garantías procesales** adecuadas y se aplica sin perjuicio de las eventuales acciones judiciales que las partes puedan ejercitar.

Precisiones En desarrollo de esta posibilidad de resolución de conflictos debe tenerse en cuenta la instrucción del director general de Red.es por la que se establece el Reglamento del **procedimiento de resolución extrajudicial** de conflictos para nombres de dominio bajo el código del país correspondiente a España (.es) (Instr 7-11-05).
Esta instrucción establece un **sistema similar** al instaurado en 1999 por la ICANN denominado Política Uniforme para la Resolución de Conflictos entre marcas y nombres de dominio (**UDRP** por sus siglas en inglés).
Las diferencias más sustanciales con respecto a esta última normativa residen en la posibilidad de alegar no sólo derechos marcarios, sino también sobre **nombres civiles**, aunque no estén registrados como marca, así como en que el requisito del registro o **uso del nombre de dominio de mala fe** no es cumulativo (como ocurre en el marco de la UDRP), sino alternativo.

g. Diseño de página web

Como su propio nombre indica, se trata de un contrato que tiene por objeto que una entidad diseñe una página web para otra. 11885
Se trata de un contrato muy habitual dada la constante **incorporación de entidades a Internet**, ya sean negocios que deciden incorporarse a este nuevo mercado ya se trate de empresas que circunscriben su actividad a la red.

Accesibilidad a la página web El diseño de la página condicionará mucho el éxito de la empresa en un mercado cada vez más competitivo. Pero tal **diseño** puede verse condicionado por el empleo de medios técnicos más o menos complejos. A mayor complejidad técnica más se limita el acceso a los contenidos de la página o, en su caso, el acceso con un grado de nitidez aceptable. El criterio para valorar qué instrumentos emplear en el diseño y qué capacidad se va a requerir para acceder a los contenidos, es la disponibilidad de medios técnicos con que cuenten clientes potenciales. 11887
Asimismo, el éxito de la página responderá al **número de accesos** por parte de los usuarios, a la misma. El diseño es un elemento importante para atraer visitantes, pero también lo es el que la gente tenga noticia de la existencia de la misma por distintos medios. El introducir la página en **buscadores** es el sistema más adecuado para ello en el entorno Internet. Deberían pactarse, consecuentemente, los buscadores en que la página se va a introducir, así como los criterios de búsqueda frente a los que el buscador mostrará la página.

Propiedad intelectual Tanto la página web, considerada en su conjunto, como muchos de los elementos que la componen, son susceptibles de obtener la protección que otorgan los **derechos de autor** (nº 1760 s.). Asimismo, la multiplicidad de elementos que pueden ser objeto de protección y la diversidad de su contenido hacen que tenga muchos aspectos en común con una **obra multimedia** (nº 2360 s.). 11889
Al respecto, a la hora de redactar el contrato se ha de dedicar particular atención a los siguientes aspectos:
• predeterminar que será el cliente el titular de los derechos de explotación de la página web desarrollada en virtud del contrato;
• si para utilizar los elementos que componen la página web se requiere la autorización de un tercero, obtener el compromiso de que la misma será recabada por quien diseña la página y la duración de la autorización que se pretende obtener será suficiente;
• respetar los derechos de copyright que correspondan, haciendo mención a los mismos.

Entrega y pago El sistema de pago se fundamenta en el **aplazamiento** del mismo, dejando un porcentaje elevado pendiente de pago a expensas de la recepción definitiva de la página; recepción que tendrá lugar tras la realización de las pruebas previamente pactadas, que acrediten el buen funcionamiento de la misma y que se ajusta a lo pactado. Se trata de un sistema muy semejante al que se articula en los contratos de desarrollo de software a medida (nº 11350). 11891

Pruebas de aceptación Las mismas van encaminadas a comprobar el **correcto funcionamiento** de la página, así como la cumplimentación de todo lo pactado en el contrato. En particular, cobran especial importancia los siguientes aspectos: 11893
- la velocidad de descarga de la página;
- la posibilidad de leer el texto mientras se descargan los gráficos;
- los buscadores a través de los cuales se podrá acceder a la misma;
- la calidad de los contenidos, que normalmente han sido suministrados por el cliente;
- la posibilidad o efectividad de enlaces con otras páginas o desde otras páginas.

11895 **Mantenimiento** Habitualmente, una página web no es una obra estática, sino que requiere de un mantenimiento e, incluso, es susceptible de **actualizaciones periódicas**.
Aunque no es imprescindible la incorporación de tal servicio al contrato, si resulta conveniente que se haga constar en el mismo el compromiso del proveedor de que podría prestar dicho mantenimiento si le es requerido.
Ante la eventualidad de que se decida contratar el mantenimiento con un tercero o que se pretenda llevar a cabo directamente por el cliente, ha de pactarse que alguien ajeno a quien diseñó la obra pueda acceder y modificar el mismo, lo que puede afectar a derechos de terceros o del propio diseñador, protegidos por los **derechos de autor**. Dicho pacto puede consistir en una cesión de los derechos de explotación o en una autorización para llevar a cabo determinadas actividades.
Caso de que en el contrato se pacte directamente el mantenimiento, se ha de determinar claramente en qué consiste el mismo, esto es, qué servicios incluye y, por supuesto, si van a ser necesarias actualizaciones periódicas, la periodicidad de las mismas.

11897 **Cláusula de no competencia** La ventaja que puede suponer para una empresa una página web de éxito frente a sus competidores justifica la inclusión de este tipo de cláusulas. Su objetivo en definitiva es que la empresa con la que se ha contratado el diseño de la página web no preste el mismo servicio, durante el plazo que se establezca en el contrato, a otras entidades competidoras en el mercado.
La mayor o menor efectividad de esta cláusula dependerá de la **penalización** que incorpore.

11899 **Obligaciones de las partes** Se concretan en las siguientes:
• El **prestador** ha de:
- proceder al diseño de la página web cumpliendo los requisitos acordados;
- diseñar la página en los plazos pactados;
- cumplir las prestaciones accesorias contratadas: contratación de buscadores enlaces, solicitud de domain names, mantenimiento de la página, entre otros;
- no vulnerar los derechos de propiedad intelectual o industrial del cliente o de terceros;
- respetar el pacto de no competencia.
• El **cliente**, por su parte, debe:
- realizar las pruebas, bien por sí mismo bien a través de tercero, que sean pertinentes para comprobar la bondad de la página;
- recepcionar la página una vez comprobada su bondad;
- pagar los servicios en los plazos previstos;
- facilitar la información que haya de incorporarse en la página.

h. Alquiler de espacios on-line

11905 Contrato en virtud del cual el cliente, que económica o técnicamente no puede mantener su propio **servidor**, alquila éste a un tercero.
Se entiende por servidor el ordenador conectado a Internet que permite:
a) la disponibilidad de un determinado **espacio en disco** o *storage space*, esto es, la cantidad de espacio de disco que ocupa la página web en el servidor);
b) la contratación de un determinado **ancho de banda**, entendiendo por tal la capacidad de conexión telefónica con Internet, y que determina cuántos usuarios pueden acceder a la página web simultáneamente.

11907 **Elementos** Como aspectos básicos que, con carácter de mínimo, han de hacerse constar en el **clausulado** de un contrato de alquiler de espacios on-line, cabe destacar los siguientes.
a) Ancho de banda. Pese a tratarse de un aspecto técnico, es un elemento relevante por cuanto condiciona la accesibilidad a la información que el arrendador va a almacenar en el espacio alquilado. A tal fin se debe poner en conocimiento del proveedor las **necesidades** que se pretenden cubrir, para obtener un servicio que se adapte a las mismas. De otra parte, es conveniente prever la **ampliación** en el futuro la prestación.
b) Transferibilidad de la página web. Resulta aconsejable prever la posibilidad de transferir la página web a un proveedor distinto del originario, al objeto de:
- evitar abusos del proveedor;
- fomentar la competencia, ya que el riesgo de pérdida de clientes fomenta un mejor servicio;
- evitar los riesgos y perjuicios que la desaparición del proveedor o su cese en la prestación de los servicios supondría para al arrendatario.
La transferibilidad pasa por acordar que el arrendatario obtendrá el **código completo** de su página web en formato electrónico para transferirla fácilmente a otro proveedor/arrendador.

• **Cortes del servicio**. Es conveniente hacer constar en el contrato las previsiones expuestas en relación con el contrato sobre suministro de servicios de Internet (nº 11835).

• **Protección de datos personales**. Del contenido y todo aquello que pueda derivarse del acceso y uso de la página web, quien responde es el que como titular de la misma aparece.

Por ello, es conveniente conocer las medidas de seguridad que se aplican en el entorno en que disponemos de nuestro espacio. Como se ha venido expresando, el modo más sencillo de calibrar la suficiencia o no de tales medidas es conocer la finalidad de su aplicación, los aspectos que aseguran.

En esta figura contractual en concreto, conviene que tales **medidas** aseguren, al menos:

- la confidencialidad de quien visita la página web y de la información que, previamente requerida en su caso, facilite;
- la confidencialidad de cualquier otro dato que pueda quedar archivado en el servidor;
- el no utilizar, por el proveedor, la precedente información sin requerir previamente la autorización tanto del interesado como del titular de la página web.

Asimismo, y dado que la información queda a disposición del arrendador, sin control alguno por parte del arrendatario, se ha de comprometer aquél a cumplir la normativa vigente sobre protección de datos de carácter personal (LO 3/2018; Rgto (UE) 2016/679); asumiendo también la responsabilidad dimanante de cualquier incumplimiento que le haya sido imputada al arrendatario.

c) Limitaciones de uso. El arrendatario del espacio on-line tiene que poder limitar, haciendo constar tales limitaciones en el contrato, el uso que se puede dar a ese espacio, tanto por terceros como por su arrendador. **11909**

Al mismo tiempo, el arrendador suele limitar el uso que el arrendatario va a dar al mismo, particularmente en lo que respecta a los contenidos.

d) Información que el proveedor debe facilitar sobre accesos al web. Todo titular de una página web, está interesado en conocer datos sobre los accesos a su página. Dicha información ha de concretarse de tal modo que el arrendador, en virtud del diseño de la página, así como de las prestaciones del servidor, pueda facilitar la misma al arrendatario de forma periódica.

En definitiva, puede que tan sólo se pacte en el contrato que el arrendador remitirá una determinada información al arrendatario cada cierto tiempo; o que ello suponga también el compromiso de diseñar un dispositivo que permita obtener dicha información.

e) Upgrades. Las prestaciones que el servidor incorpora pueden quedarse obsoletas rápidamente. En vista de lo cual sería conveniente hacer constar que el proveedor irá adaptándolo a los requerimientos técnicos que precisen las nuevas aplicaciones para su implantación.

Obligaciones de las partes Constituyen obligaciones **del arrendador (proveedor)**: **11911**

- poner a disposición del arrendatario el espacio pactado en un servidor que cumpla los requisitos de acceso acordados;
- respetar las limitaciones de uso con respecto a tal espacio y su contenido que haya acordado con el arrendatario;
- facilitar la información pactada sobre accesos a la página web almacenada en el espacio contratado;
- respetar la legislación sobre protección de datos de carácter personal y sobre propiedad industrial e intelectual;
- responder ante el cliente por los cortes que se produzcan en la prestación del servicio;
- aplicar las medidas de seguridad acordadas que aseguren la invulnerabilidad del espacio arrendado y de su contenido;
- facilitar la transferibilidad de la información almacenada en el espacio arrendado.

Las obligaciones **del arrendatario**, se concretan en las siguientes:

- respetar las limitaciones de uso impuestas por parte del arrendador, con respecto al espacio arrendado y con respecto a la información que puede contener el mismo;
- pagar los servicios contratados en los plazos acordados.

3. Facturación electrónica

(OM EHA/962/2007; RD 1619/2012)

La factura electrónica es el conjunto de **registros lógicos**, almacenados en soportes susceptibles de ser leídos por equipos electrónicos de procesamiento de datos que documentan las operaciones empresariales o profesionales. **11915**

Los **principios básicos** que integran los sistemas de facturación telemática son:

• El interés general que supone la existencia de estos sistemas.

• Eficacia en el ámbito empresarial, profesional y de control administrativo.
• Respeto al principio de conservación de los datos.
• Reconocimiento fiscal de la factura en soporte electrónico, siempre que se cumplan ciertos requisitos.

Son básicamente cuatro los documentos a través de los cuales se desarrolla en España la **normativa** sobre facturación electrónica:
• Dir 2006/112/CE.
• AEAT Resol 2/2003.
• OM EHA/962/2007
• RD 1619/2012 que deroga el anterior RD 1496/2003. Aquel entró en vigor el 1-1-2013.

En estos cuatro documentos se definen los dos principales aspectos asociados al **uso** de facturas electrónicas **entre empresas**:
- los requisitos que deben ser satisfechos para garantizar y mantener la validez legal de los documentos y de las operaciones; y
- las obligaciones que se derivan de su uso tanto para emisores como para receptores.

11917 **Contenido de la factura** La factura electrónica debe contener todos los datos que son exigibles a una **factura en papel**:
1. **Número** y, en su caso, serie.
2. La **fecha** de su expedición.
3. Nombre y apellidos, razón o **denominación social** completa, tanto del obligado a expedir factura como del destinatario de las operaciones.
4. **Número de identificación fiscal** atribuido por la Administración española o, en su caso, por la de otro Estado miembro de la Comunidad Europea, con el que ha realizado la operación el obligado a expedir la factura.
5. **Domicilio**, tanto del obligado a expedir factura como del destinatario de las operaciones. Cuando el obligado a expedir factura o el destinatario de las operaciones dispongan de varios lugares fijos de negocio, deberá indicarse la ubicación de la sede de actividad o establecimiento al que se refieran aquéllas en los casos en que dicha referencia sea relevante para la determinación del régimen de tributación correspondiente a las citadas operaciones.
6. Descripción de las operaciones, consignándose todos los datos necesarios para la determinación de la **base imponible** del impuesto.
7. El **tipo impositivo** o tipos impositivos, en su caso, aplicados a las operaciones.
8. La **cuota tributaria** que, en su caso, se repercuta, que deberá consignarse por separado.
9. La **fecha** en que se hayan efectuado las operaciones que se documentan o en la que, en su caso, se haya recibido el pago anticipado, siempre que se trate de una fecha distinta a la de expedición de la factura.

Dependiendo de alguna singularidad en cuanto al **régimen fiscal** o sectorial aplicable, la factura habrá de incluir, además, otras indicaciones.

11919 **Remisión de las facturas** (RD 1619/2012 art.8, 10 y 17) Los **originales de las facturas expedidas** deberán ser remitidos por los obligados a su expedición o en su nombre a los destinatarios de las operaciones que en ellos se documentan.

Las facturas podrán expedirse por cualquier medio, en **papel** o en **formato electrónico**, que permita garantizar al obligado a su expedición la autenticidad de su origen, la integridad de su contenido y su legibilidad, desde su fecha de expedición y durante todo el periodo de conservación.

La **autenticidad del origen de la factura**, en papel o electrónica, garantizará la identidad del obligado a su expedición y del emisor de la factura. La integridad del contenido de la factura, en papel o electrónica, garantizará que el mismo no ha sido modificado. La autenticidad del origen y la integridad del contenido de la factura, en papel o electrónica, podrán garantizarse por **cualquier medio de prueba** admitido en Derecho. En particular, podrán garantizarse mediante los **controles de gestión** usuales de la actividad empresarial o profesional del sujeto pasivo. Los referidos controles de gestión deberán permitir crear una pista de **auditoría fiable** que establezca la necesaria conexión entre la factura y la entrega de bienes o prestación de servicios que la misma documenta.

Las **formas de garantía** son las siguientes:
• Mediante una **firma electrónica avanzada** (Rgto UE/910/2014 art.8 y 26, del Parlamento Europeo y del Consejo, de 23-7-14), relativo a la identificación electrónica y los servicios de confianza para las transacciones electrónicas en el mercado interior y por el que se deroga la Dir 1999/93/CE. Entendemos que también sería procedente recurrir a los servicios de un prestador de servicios de confianza cualificados en el sentido del Rgto UE/910/2014 art.20.

• Mediante un **intercambio electrónico de datos** (EDI), tal como se define en la Recomendación 94/820/CE art.2 anexo I de la Comisión, de 19-10-94, relativa a los aspectos jurídicos del intercambio electrónico de datos, cuando el acuerdo relativo a este intercambio prevea la utilización de procedimientos que garanticen la autenticidad del origen y la integridad de los datos.
• Mediante **otros medios** que los interesados hayan comunicado a la Agencia Estatal de Administración Tributaria con carácter previo a su utilización y hayan sido validados por la misma.
En el caso de **lotes que incluyan varias facturas electrónicas** remitidas simultáneamente al mismo destinatario, los detalles comunes a las distintas facturas podrán mencionarse una sola vez, siempre que se tenga acceso para cada factura a la totalidad de la información.

Archivo de las facturas electrónicas (RD 1619/2012 art.20 y 21) Los empresarios o profesionales deberán conservar, durante el **plazo** previsto en la L 58/2003, los siguientes documentos: 11921
• Las **facturas recibidas**.
• Las **copias** o matrices de las facturas expedidas.
• Los **justificantes contables** a que se refiere la LIVA art.97 aptdo.uno 4º.
• Los **recibos** a que se refiere el RD 1619/2012 art.16.1, tanto el original de aquél, por parte de su expedidor, como la copia, por parte del titular de la explotación.
• Los documentos a que se refiere la LIVA art.97.3.º, en el caso de las **importaciones**. Esta obligación incumbe asimismo a los empresarios o profesionales acogidos a los **regímenes especiales** del Impuesto sobre el Valor Añadido, así como a quienes, **sin** tener la condición de **empresarios o profesionales**, sean sujetos pasivos del impuesto, aunque en este caso sólo alcanzará a las facturas y los justificantes contables arriba citados.
Los documentos deben conservarse con su **contenido original**, **ordenadamente** y en los plazos y con las condiciones fijados por este Reglamento.
Las obligaciones a las que se refiere el apartado anterior se podrán cumplir materialmente por un **tercero**, que actuará en todo caso **en nombre y por cuenta del empresario** o profesional o sujeto pasivo, el cual será, en cualquier caso, responsable del cumplimiento de todas las obligaciones que se establecen en este capítulo.
Cuando el **tercero no esté establecido en la Unión Europea**, salvo que se encuentre establecido en Canarias, Ceuta o Melilla o en un país con el cual exista un instrumento jurídico relativo a la asistencia mutua con un ámbito de aplicación similar al previsto por la Dir 2010/24/UE del Consejo, de 16-3-10, sobre la asistencia mutua en materia de cobro de los créditos correspondientes a determinados impuestos, derechos y otras medidas, y el Rgto UE/904/2010, del Consejo, de 7-10-10, relativo a la cooperación administrativa y la lucha contra el fraude en el ámbito del impuesto sobre el valor añadido, únicamente cabrá el cumplimiento de esta obligación a través de un tercero previa comunicación a la Agencia Estatal de Administración Tributaria.
Las facturas y documentos en **papel** o **formato electrónico** deberán conservarse por cualquier medio que permita garantizar la autenticidad de su origen, la integridad de su contenido y su legibilidad, así como el acceso a ellos de la Administración tributaria sin demora, salvo causa justificada.

Firma digital Se acepta cualquier sistema de firma digital comúnmente aceptada y la firma se puede incluir de cualquier forma, siempre y cuando ambas partes (emisor y receptor) lo conozcan (nº 11680 s.). 11923

Procedimiento de uso Para poder utilizar un sistema reconocido de intercambio de facturación por medios telemáticos es necesario que concurran: 11925
a) Un **promotor del sistema**. El o los empresarios o profesionales que han obtenido la autorización de un sistema de intercambio de facturación por medios temáticos. En la práctica la mayor parte de los promotores son empresas dedicadas a ofrecer otros servicios de telecomunicación e informática, vía EDI (contratación), servicios de Internet, conexión con Seguridad Social a través del Sistema RED, conexión con la Agencia Tributaria...
b) Uno o más centros servidores. Prestador de servicios de teletransmisión o asimilado que asegura la transparencia e integridad de los datos transmitidos entre usuarios o partícipes del mismo.
c) Los **usuarios del sistema**. Que son los empresarios o profesionales que hayan sido autorizados por la administración a operar con el promotor del sistema.
d) En su caso, los **prestadores de servicios informáticos**. Son aquellos empresarios, profesionales o sus agrupaciones que desarrollen o comercialicen programas o equipos suministrados a uno de dichos sistemas.

Es decir, con carácter previo es necesario que se cumplan los requisitos establecidos en cuanto a un procedimiento de autorización por la Agencia Estatal de Administración Tributaria de un **sistema de intercambio de facturación** por medios telemáticos. La respuesta debe otorgarse en seis meses y el silencio es negativo. Una vez otorgada la autorización, ésta queda debidamente registrada.
Posteriormente, los usuarios que deseen hacer uso del sistema deben solicitarlo al mismo organismo, que resolverá en un mes, si bien en este caso el silencio es positivo.

11927 **Obligaciones de los intervinientes** A cada uno de los distintos intervinientes en el sistema se les imponen una serie de obligaciones, siendo las principales las que a continuación se recogen:

11929 **Promotores** a) Facilitar el acceso, información, así como permitir la obtención de copias de todo tipo de datos que considere necesaria la **Inspección** de los Tributos, con el objeto de verificar si el sistema ajusta sus especificaciones a los requerimientos administrativos.
b) Conservar un **fichero** histórico de los **usuarios** del sistema de intercambio de facturación por medios telemáticos, durante el período de prescripción del derecho de la Administración para determinar las deudas tributarias afectadas por las operaciones correspondientes.
c) Disponer, en los centros servidores, de los procedimientos y controles adecuados que aseguren la **conservación** del contenido original, en orden cronológico, de la información que están obligados a mantener durante el periodo de prescripción.

11931 **Usuarios** a) **Conservar** de forma adecuada, en soporte magnético u óptico e íntegramente, los ficheros de facturas transmitidos y recibidos.
b) Adoptar las medidas de **seguridad** necesarias con objeto de asegurar la lectura y recuperación, en su caso, que deba conservar durante el período de prescripción.
c) Conservar un **listado recapitulativo** de cada transmisión efectuada o transmitida, pudiéndose optar por un listado que incluya un resumen diario de las mismas.
d) Facilitar a la **Inspección** de los Tributos el acceso a sus instalaciones, la realización de pruebas y la obtención de copias de los datos de los ficheros originales.

11933 **Prestadores de servicios de la información** a) **Colaborar** con la Inspección de los Tributos en la realización de los controles fiscales sobre promotores, centros servidores o usuarios.
b) **Aportar**, a requerimiento de la inspección de Tributos, la información que estime precisa.
La **Inspección de Tributos** regula y controla, mediante un plan anual de actuaciones, el buen funcionamiento de los sistemas de facturación autorizados, así como las características técnicas de los soportes informáticos para la conservación de datos relativos a las facturas electrónicas emitidas, diarios e información a conservar por los usuarios.

4. Aspectos fiscales

11940 La digitalización acelerada que está viviendo la economía ha supuesto que las normas fiscales, ideadas en un principio para aplicarse a lo que se conoce por **comercio tradicional**, que implica un vínculo físico con el país, hayan tenido que adaptarse a esta transformación.
Buscando una actuación coordinada y consensuada, tanto la UE como la OCDE han estado trabajando y publicando diversos informes donde, además de analizar las implicaciones fiscales que este cambio supone, apuntan medidas que los países pueden implementar para hacer **adaptarse** a esta realidad.
Dentro de estos acuerdos, la OCDE ha publicado, el 8-10-2021, el llamado Enfoque de dos pilares para abordar los retos fiscales derivados de la digitalización de la Economía, donde se proponen dos pilares interrelacionados de actuación y cuyos aspectos más destacados son:
En el **Pilar 1**, se busca:
- garantizar una distribución más justa de los **beneficios y los derechos de imposición** entre los países con respecto a las multinacionales más grandes, que son las principales ganadoras de la globalización;
- establecer una **seguridad jurídica** en materia tributaria mediante el establecimiento de procedimientos de resolución de controversias de carácter obligatorio y vinculante, junto con un régimen optativo para dar cabida a determinados países con menor capacidad;
- suprimir y paralizar los impuestos sobre los servicios digitales y otras medidas similares relevantes; y,
- aplicar de forma simplificada y ágil el principio de **plena competencia** en circunstancias específicas, con especial atención a las necesidades de los países de menor capacidad.

En el **Pilar 2**, se busca:
- dentro de las reglas GloBE, establecer un **impuesto mínimo global** del 15% para todas las multinacionales con ingresos anuales superiores a 750 millones de euros;
- tributación mínima sobre **intereses, regalías** y un conjunto definido de otros pagos, implementando la «cláusula de sujeción a imposición» en los convenios bilaterales con los países en desarrollo miembros del Marco Inclusivo cuando se les solicite, de modo que no se pueda abusar de sus convenios fiscales; y
- incentivar fiscalmente la **actividad económica sustancial**.

Precisiones Por su parte, la **Comisión Europea**, siguiendo estos dos pilares, ha publicado, el 22-12-2021, la **propuesta de Directiva** donde se regula el un impuesto mínimo a las grandes corporaciones multinacionales (minimum corporate taxation).

Es en la **fiscalidad indirecta** donde se plantea con mayor fuerza la problemática de donde localizar y, por tanto, recaudar el impuesto en las operaciones transfronterizas realizadas para consumidores finales, al ser bastante usual que el proveedor de bienes, bienes intangibles o servicios digitales no tenga una presencia física en el mercado del consumidor. **11942**
Dentro de su política de modernización del **Impuesto sobre el Valor Añadido**, la UE ha venido implementando modificaciones que se han reflejado en las «Quick fixes» (Dir (UE) 2018/1910) y en las Directivas sobre el comercio electrónico (Dir (UE) 2017/2455 y Dir (UE) 2019/1995).
Las modificaciones apuntadas tienen su origen en el **Plan de Acción** presentado por la Comisión en 2016, donde se buscaban:
- establecer los principios fundamentales de un futuro sistema de IVA único europeo;
- adoptar medidas a corto plazo para combatir el fraude del IVA;
- actualizar el marco de los tipos de IVA, permitiendo que los Estados miembros tengan una mayor flexibilidad a la hora de fijarlos; y
- simplificar las normas del IVA para el comercio electrónico en el contexto de la estrategia del mercado único digital y facilitar su acceso a la PYME.

Siguiendo su senda de reforma, y a efectos de garantizar que la política tributaria de la UE respalde la recuperación económica de Europa y su crecimiento a largo plazo, la Comisión publicó el 15-7-2020 un paquete fiscal centrado en tres iniciativas: **11944**
1. Un **Plan de Acción Fiscal**, donde presenta veinticinco medidas distintas para conseguir que la fiscalidad sea más sencilla, más justa y más acorde con la economía moderna en los próximos años.
2. Una propuesta sobre **cooperación administrativa** (DAC 7), que amplía el ámbito de aplicación de las normas de la UE en materia de transparencia fiscal a las plataformas digitales.
3. Comunicación sobre la **buena gobernanza fiscal**, que centra su atención en promover una fiscalidad justa y limitar la competencia fiscal desleal, tanto en la UE como a escala internacional.

Precisiones **1)** A efectos del estudio del tipo mínimo impositivo en el **Impuesto sobre Sociedades**, ver nº 4982 s. Memento Fiscal 2024.
2) A efectos del estudio de la **tributación indirecta** en IVA del comercio electrónico ver nº 9150 s. Memento IVA 2023.
3) Al igual que en otros Estados como Francia o Alemania, de forma unilateral España ha implementado un **Impuesto sobre Determinados Servicios Digitales** (L 4/2020).

CAPÍTULO 16

Contrato de seguro

SECCIÓN 1

Aspectos generales

Antes de analizar los dos grandes grupos de seguros (de personas y de daños), abordaremos los aspectos generales y comunes a todo contrato de seguro, desde su suscripción hasta su extinción. **12005**

A. Función económica y fundamentos técnico-económicos del seguro

Las personas físicas o jurídicas están sometidas constantemente a un conjunto de riesgos, esto es, a un haz de probabilidades de que sobre ellas, sus cosas o su patrimonio incidan ciertos eventos que generen consecuencias patrimonialmente desfavorables. **12010**

Aparece así el concepto de **riesgo**, entendido como la posibilidad de que se produzca un evento o suceso que genere un daño o provoque una necesidad pecuniaria (se dice así que el riesgo es posible que se produzca, pero *incertus an e incertus quando*).

La persona que se encuentra ante una situación de riesgo puede reaccionar de distintas formas:

- permanecer **inactiva**, en cuyo caso, si se produce el siniestro, soportará sus efectos por falta de previsión;
- **ahorrar** para cubrir los efectos desfavorables del mismo, en cuyo caso el siniestro puede producirse antes de que haya ahorrado en modo suficiente; o
- **suscribir** un **contrato de seguro** por el cual un asegurador se compromete a reparar los daños o a satisfacer la necesidad que pueda provocarle el riesgo, en caso de producirse.

Esta última actitud, sin duda la más previsora, es la que nos ocupa.

Según una definición ampliamente admitida entre los economistas, la esencia del seguro consiste en la cobertura recíproca de una necesidad pecuniaria fortuita y valorable en dinero por parte de personas sometidas a riesgos del mismo género. De esta forma, aparecen como **notas caracterizadoras** de la operación económica del seguro las siguientes: **12012**

a) la existencia de una **necesidad pecuniaria**, que es eventual, ya que, además de ser futura, ha de ser incierta (al menos, en cuanto al momento en que ha de verificarse);

b) un grupo de personas que están amenazadas por el mismo evento -sometidas al **mismo riesgo**- contribuyen a la satisfacción de esa necesidad;
c) las **aportaciones** de todas estas personas cubren la necesidad del sujeto que sufra el evento que la genere, de modo que aparece una «mutualidad» entre dichas personas; y
d) aunque la necesidad pecuniaria objeto de cobertura es «eventual», la persona sometida a un riesgo siente una necesidad «actual» de **protegerse** mediante un contrato de seguro, y así prever futuras y eventuales necesidades.

Precisiones En el Derecho, así como en la práctica moderna, se exige que ese servicio de cobertura de riesgos se lleve a cabo por un **empresario** dedicado **en exclusiva** a esa finalidad (nº 12042), estando sometidos uno y otra a un estatuto jurídico especial por razón de su actividad, y respetando complejos presupuestos técnicos.

B. Fuentes del Derecho de seguros

12015 Nuestro Derecho del seguro privado se articula en dos grandes vertientes, Derecho público y Derecho privado:
a) El **Derecho público** disciplina la intervención de la Administración pública en la actividad aseguradora y en la vigilancia de la solvencia económica de las entidades aseguradoras como fórmula de protección del consumidor o usuario de seguros.
En este bloque está la L 20/2015 de ordenación, supervisión y solvencia de las entidades aseguradoras y reaseguradoras (LOSSEAR) y su reglamento de desarrollo (RD 1060/2015).
b) El **Derecho privado** se dirige exclusivamente a regular las relaciones jurídico-privadas que se establecen entre el asegurador y el asegurado por el hecho de haber estipulado un contrato de seguro. Su régimen esencial está regulado en la L 50/1980 de Contrato de Seguro (LCS) y la L 7/1998 sobre condiciones generales de la contratación (LCGC).

12017 Los preceptos de la LCS tienen **carácter imperativo**, a no ser que en ellos se disponga otra cosa. Esta imperatividad es la expresión del carácter protector que la ley dispensa al asegurado, no ya sólo por ser la parte más débil del contrato (entendida esa debilidad en sentido económico), sino porque a la hora de valorar las consecuencias de una determinada cláusula contractual, el asegurador se encuentra normalmente en una situación de conocimiento más profundo que el tomador del seguro.
No obstante, la imperatividad tiene dos **excepciones**:
1ª. Por un lado, son válidas las **cláusulas** contractuales que sean **más beneficiosas** para el asegurado (LCS art.2);
2ª. Por otro lado, la LCS prevé, para ciertas clases de seguros, que sus preceptos tienen carácter **dispositivo**, en concreto: el contrato de reaseguro y los llamados seguros de grandes riesgos.

C. Concepto, características y modalidades de seguro

12020 **Concepto** (LCS art.1) El contrato de seguro es aquel por el que el asegurador se obliga, mediante el cobro de una prima y para el caso de que se produzca el evento cuyo riesgo es objeto de cobertura a:
- **indemnizar**, dentro de los límites pactados, el daño producido al asegurado; **o**
- satisfacer un **capital**, una renta u otras prestaciones convenidas.
La ley aboga por la formulación de un concepto único de seguro basado fundamentalmente en su finalidad indemnizatoria.

12022 **Características** El contrato de seguro es consensual, aleatorio, oneroso, sinalagmático, de adhesión, de tracto sucesivo y carácter mercantil:
1. Consensual, pues, aunque la LCS art.5 determina su formalización por escrito, no se exige explícitamente dicha forma para su validez (la póliza es un medio probatorio de su validez; nº 12090).
2. Aleatorio, porque el pago efectivo de la prestación del asegurador se hace depender de un evento que, o bien es incierto, o bien ocurrirá en un tiempo indeterminado (nº 12067). Y es que, en el momento de su conclusión, las partes no saben cuáles podrán ser las consecuencias económicas de la ocurrencia del siniestro y, además, muy frecuentemente, se ignora por completo si éste ocurrirá; así que puede suceder que el asegurador, aun habiendo cobrado las primas, no deba pagar la indemnización o bien que la cuantía de la indemnización sea más modesta que las primas (o, al contrario, que sea mucho mayor).

Precisiones Esta aleatoriedad se produce también en los contratos de **seguro de vida**, ya que en éstos el pago de la indemnización del asegurador depende de que se produzca un hecho futuro e incierto (como sucede en los seguros temporales para el caso de muerte y en los de sobrevivencia), o bien de un evento futuro del que es al menos incierto el momento en que ha de realizarse (seguros para caso de muerte a vida entera o seguros mixtos).

3. **Oneroso**, en cuanto que al tomador del seguro se impone la obligación del pago de la prima **12024**
y al asegurador la asunción del riesgo.
4. **Sinalagmático o bilateral**, porque la obligación del asegurador entendida como cobertura del riesgo -de la que se va a derivar la prestación del pago de la indemnización si se produce el siniestro- se corresponde con la del tomador del seguro del pago de la prima. De esta forma, el incumplimiento de una de estas obligaciones faculta a la parte cumplidora a pedir la resolución del contrato por incumplimiento (CC art.1124).
5. De **adhesión**, en la medida que, habitualmente, el asegurado se somete a las condiciones generales establecidas por el asegurador. De ahí la previsión contenida en la LCS art.3, con la que el legislador se ha preocupado de que la incorporación de las condiciones generales en el contrato de seguro se haga de tal forma que el asegurado (o, más propiamente, el tomador del seguro, como contratante) conozca esas condiciones generales antes de la conclusión del contrato. Se establece así que las **cláusulas limitativas** de los derechos de los asegurados deberán ser aceptadas por escrito (LCS art.3).
6. De **tracto sucesivo**, en tanto que, por lo general, su contenido no se agota en la realización de una prestación única, sino que conlleva prestaciones sucesivas.
7. **Mercantilidad** del contrato de seguro.

Precisiones Como en todo contrato, las partes ha de actuar de **buena fe**, esto es, deben comportarse **12026**
con lealtad recíproca. La buena fe merece ser destacada pues su significado va más allá de las prescripciones contenidas en el CC art.1258 y CCom art.57: la existencia de una **contratación en masa** por parte de la empresa aseguradora, unida al hecho de que la estimación y valoración del riesgo haya de hacerse a través de la declaración que hace el asegurado y a la circunstancia de que la mayoría de las veces el cuidado y manejo del riesgo queda en manos del propio asegurado, motivan que haya que conceptuar este contrato como de *uberrima bona fide*.

Modalidades de seguro Los seguros que regula nuestra legislación mercantil pueden **12028**
clasificarse atendiendo a diversos criterios:
a) **Seguros privados**, que a su vez se subdividen en:
- seguros privados **voluntarios**, que nacen exclusivamente de la voluntad de las partes de suscribirlos;
- seguros privados **obligatorios**, que deben ser obligatoriamente suscritos para poder realizar la actividad asegurada, en razón al grave riesgo que deriva de la misma (como el uso de vehículos a motor o la caza).
b) **Seguros de daños o de indemnización y seguros de personas o de previsión y ahorro**. Así:
• Por un lado, existen seguros de indemnización **objetiva**, que son aquellos en los que la indemnización se fija a posteriori, sobre la base de un daño real, es decir, un daño ya conocido y realizado. Entran en esta categoría todos aquellos seguros en los que el evento dañoso afecta a intereses sobre bienes materiales o patrimoniales (seguro de incendio, de transporte, de robo, de responsabilidad civil, reaseguro, etc.; nº 12324) e incluso algunos seguros de personas en los que las indemnizaciones no se fijan previamente en una determinada cantidad (seguros de enfermedad, accidentes o invalidez; ver nº 12307).
• Por otro lado, podemos hablar de seguros de indemnización **subjetiva**, en los que se fija la indemnización al tiempo de estipularse el contrato y sobre la base de un daño futuro que se valora subjetivamente por los contratantes. Esta categoría abarca exclusivamente los seguros sobre la vida humana en sus tres manifestaciones (para caso de muerte, supervivencia y mixtos).

En atención al **objeto** sobre el que versan los seguros, podemos atender a otra clasificación, **12030**
que distingue entre:
1) Seguros de interés **sobre las cosas** (o seguros de cosas o reales; nº 12455), porque en ellos el interés asegurado recae directamente sobre cosas concretas y determinadas (p.e., el seguro de incendio, el de transporte, el de ganados, el de pedrisco, el de robo).
2) Seguros de interés **sobre el patrimonio** (seguros patrimoniales; nº 12515), porque el interés que se asegura afecta a la pérdida o menoscabo del patrimonio general del asegurado y no a bienes concretos y determinados (p.e., el seguro de responsabilidad civil o el reaseguro).
3) Seguros de interés **sobre las personas**, o seguros de personas, en los que se asegura un interés ligado directamente a la persona humana (p.e., el seguro de vida, el de enfermedad y el de accidentes).

D. Elementos del contrato

1. Elementos personales

12040 Los sujetos que intervienen en un contrato son:
- por un lado, el **asegurador** y, en su caso, sus auxiliares (**mediadores**; nº 12044); y
- por otro, el **tomador** del seguro (nº 12046).

12042 **Asegurador** (LCS art.1) Es la parte que se obliga a soportar el riesgo e indemnizar el daño sobrevenido a cambio de la percepción de una prima (precio).
En la actualidad, para tener la condición de asegurador se requiere el cumplimiento de unos **requisitos** subjetivos mínimos:
a) El asegurador debe adoptar, necesariamente, alguna de las siguientes formas: **sociedad anónima, mutua, cooperativa o mutualidad de previsión social** (LOSSEAR art.27).
Por tanto, la actividad de seguro no puede ser desarrollada por cualquier clase de empresarios. De hecho, hace tiempo que las personas físicas quedaron desplazadas del campo del seguro, por la imposibilidad de organizar en un marco de fuerzas puramente individuales el complicado mecanismo de la empresa aseguradora. Lo mismo sucede con ciertos tipos de sociedades mercantiles (las personalistas) que no se consideran adecuadas para la explotación de esta industria.
b) Con independencia de su forma jurídica, las entidades aseguradoras privadas comparten una regulación común, porque a todas ellas se les exigen unas **condiciones de acceso y de ejercicio** de la actividad aseguradora (LOSSEAR art.20 a 64 y art.65 a 108). Así:
- habrán de limitar exclusivamente su **objeto** social a la actividad aseguradora con exclusión de cualquier otra actividad comercial;
- deberán identificarse como tales mediante la inclusión de las palabras «seguros» o «reaseguros» -según corresponda- en su **denominación** social (además de hacer constar, en el caso de las mutuas, cooperativas y mutualidades de previsión social, su actuación a prima fija o prima variable);
- desde un punto de vista jurídico formal, requerirán de una **autorización administrativa** y una doble **inscripción** registral: en el Registro Mercantil (LOSSEAR art.28) y en el Registro de entidades aseguradoras a cargo de la Dirección General de Seguros y Fondos de Pensiones -DGSFP- (LOSSEAR art.40).
El control, **inspección** y, en su caso, **revocación** de la autorización administrativa compete al Ministerio de Economía a través de la DGSFP (LOSSEAR Títulos IV a VIII).

12044 **Auxiliares del asegurador** (RDL 3/2020 art.135) Los aseguradores son auxiliados, tanto en su actividad de comercialización de los seguros, como en la de preparación y formalización de los contratos de seguro, por otros empresarios que reciben genéricamente la denominación de **mediadores** de seguros privados, que son aquellas personas físicas o jurídicas que desarrollan profesionalmente la actividad de producción de seguros y, en su caso, mantienen o conservan una clientela reconocida (**cartera** de seguros).
Los mediadores de seguros se clasifican en:
• **agentes de seguros** (RDL 3/2020 art.140 a 154), que son aquellos empresarios independientes que desarrollan su actividad de producción de seguros para **una sola compañía de seguros** y están vinculados a ella por medio de un contrato de agencia; y
• **corredores de seguros** (RDL 3/2020 art.155 a 159), que son mediadores independientes e imparciales, que actúan en beneficio de las dos partes contratantes y no mantienen vinculación con ninguna entidad aseguradora determinada.
Las actividades de agente y corredor son incompatibles entre sí.

12046 **Tomador del seguro: seguro por cuenta propia y por cuenta ajena** (LCS art.7) El contrato de seguro es un contrato bilateral que crea una relación sinalagmática entre el asegurador y el tomador del seguro.
El tomador es la persona que **contrata con el asegurador**, esto es, quien firma la póliza del seguro.
Por lo general suelen coincidir las figuras del tomador y del asegurado, ya que lo normal es que el tomador contrate el **seguro por cuenta propia**, asumiendo también la posición jurídica de asegurado.

No obstante, también puede ocurrir que contrate el **seguro por cuenta ajena**, en cuyo caso se desdobla la figura del tomador del seguro y la del asegurado, siendo este último el titular del interés objeto del seguro, esto es, la persona que se encuentra amenazada por un riesgo susceptible de ser cubierto mediante un contrato de seguro.

Precisiones En el seguro **por cuenta ajena**:
- las **obligaciones** que derivan del contrato corresponden al tomador (salvo aquellas que por su especial naturaleza tengan que ser cumplidas necesariamente por el asegurado);
- sin embargo, los **derechos** derivados del contrato corresponderán al asegurado (o, en su caso, al beneficiario).

Beneficiario (LCS art.7) En ocasiones, además del asegurado -que puede coincidir o no con el tomador-, puede existir la figura del beneficiario, que es el **tercero a favor del cual** se estipula el seguro y, por consiguiente, tiene derecho a percibir la indemnización a pesar de no ser, como sí ocurre con el asegurado, el titular del interés objeto del seguro (p.e., el beneficiario designado en un seguro de vida para caso de muerte -LCS art.84-). 12048

2. Objeto del contrato: el interés asegurable

La mayor parte de la doctrina coincide en afirmar que el objeto del contrato de seguro lo constituye el **interés** que tiene el asegurado en el bien expuesto al riesgo (si bien, algunos autores consideran que el interés asegurable es parte de la causa del contrato). 12055
Se puede centrar el objeto del seguro en el interés que se pone en una persona, cosa o patrimonio cuando de ellos podemos obtener alguna ventaja o sufrir algún perjuicio por efecto de determinados sucesos que sobre ellos recaen.
Por «interés» ha de entenderse la **relación económica de un sujeto con un bien**, la cual tiene un valor cuya disminución o pérdida habrá de ser compensada por la indemnización del seguro.

Precisiones El interés es un **elemento esencial del contrato** de seguro por daños y es imprescindible que se especifique en la póliza el concepto en el cual se asegura. La ley no contiene una definición de lo que se considera por interés, pero la doctrina ha precisado que está constituido por la relación económica entre un sujeto y un bien que constituye el objeto de la póliza y debe **persistir** durante la vigencia del contrato (TS 16-5-00, EDJ 10878; 23-10-02, EDJ 44014; 1-3-23, EDJ 521530).

Consistiendo en una **relación entre un sujeto y un objeto determinado** -o cuando menos determinable-, el interés sólo puede ser concebido de un modo subjetivo (p.e., el interés dominical de una persona sobre una cosa). Una concepción objetiva está en contradicción con cualquier definición del interés, y es absolutamente incompatible con el concepto y la función del seguro. 12057
Así pues, no son las personas o las cosas las que **se aseguran**, sino los **intereses** que tenemos sobre las mismas.

De la definición de interés se obtienen sus **tres elementos** característicos: 12059
a) Un **sujeto** que siempre ha de existir, aunque pueda estar indeterminado hasta el momento del siniestro (como sucede en el caso de seguro «por cuenta de quien corresponda»);
b) Un **objeto**, que puede ser un bien de cualquier naturaleza (una cosa mueble o inmueble, material o inmaterial, entre la que se encuentra la misma persona humana); y
c) Una **relación económica** entre el sujeto y el bien, lo que supone que aquél obtenga una utilidad económica de éste y que esa relación sea susceptible de valoración pecuniaria.
Esta relación es de carácter económico y pueden existir distintos intereses sobre el mismo bien (clásico es el ejemplo que dice que sobre una casa puede existir el interés del propietario, del arrendatario y del usufructuario, y cada uno de estos intereses es distinto).

Precisiones El adquirente de una vivienda en **subasta judicial** tiene interés asegurable al concertar una póliza de seguro sobre la misma y, por tanto, los desperfectos por vandalismo del anterior ocupante deben ser cubiertos por la aseguradora (TS 1-3-23, EDJ 521530).

3. Elemento causal: el riesgo

Noción El «riesgo» se define como la posibilidad de que **por azar** ocurra un hecho que produzca una necesidad patrimonial, o, simplemente, la posibilidad de un **evento dañoso** (utilizando la terminología económica, la posibilidad de un evento que haga surgir una necesidad pecuniaria). 12065
En cualquier caso, hay que tener en consideración que el riesgo es un estado («estado de riesgo») que se produce por consecuencia de un hecho (p.e., el transporte de la mercancía, o, simplemente, el hecho de vivir, siendo mortal).

Muy habitualmente se confunde el riesgo con el siniestro cuando por riesgo se entiende, no el estado de riesgo (peligro), sino el hecho mismo que provoca la necesidad patrimonial. La **diferencia entre riesgo y siniestro** se ve clara cuando se piensa que lo que provoca la prestación del asegurador no es el primero, sino el segundo:
- el **siniestro** es la *conditio legis* para que el asegurado pueda reclamar el **pago de la indemnización**;
- mientras que el **riesgo** es la *conditio legis* para que el asegurador pueda exigir el **pago de la prima**.

12067 **Elementos del riesgo** Son tres: posibilidad o incertidumbre, azar y necesidad pecuniaria.
a) Posibilidad o incertidumbre: si la esencia del seguro consiste en poner lo seguro en lugar de lo inseguro, lógicamente, para que exista la institución, tiene que haber alguna inseguridad o incertidumbre (nadie busca un seguro contra acontecimientos imposibles; nadie los concede contra acontecimientos ciertos). La posibilidad es lo que crea un «**estado de riesgo**», y a la mayor o menor verosimilitud de que se produzca el siniestro la llamaremos «intensidad del riesgo» (p.e., la verosimilitud del incendio aumentará si se deposita pólvora o dinamita en una casa). Ello estará en relación con las condiciones subjetivas de prudencia o negligencia del asegurado; de aquí que pueda realizarse una gradación en la posibilidad de que se realice el hecho dañoso, o, dicho en otros términos, una mayor o menor probabilidad o verosimilitud (**medida del riesgo**).

12069 **b) Azar**: siendo el seguro un contrato aleatorio de los que define el CC art.1790, la realización del hecho temido ha de ser fortuita (si se quiere, subordinada al juego del azar). Sin embargo, el concepto de lo fortuito sufre modificaciones al ser aplicado al seguro: por **fortuito** no entendemos aquello que no tiene causa, o cuya causa última se ignora (azar absoluto), ya que, si así fuese, sólo serían asegurables los acontecimientos producidos por las fuerza de la naturaleza (rayo, inundación, etc.); por fortuito entendemos todo lo que no depende de la intención o de la voluntad de la persona amenazada por el hecho previsto como posible (azar relativo); Por ejemplo, no son indemnizables aquellos hechos que se realizan directamente por voluntad del asegurado, pues en ellos el azar desaparece voluntariamente: el asegurado prende fuego a la casa.
No obstante, hay hechos (asegurables) en los que la conducta humana no es decisiva, pero tampoco resulta indiferente, en tanto podría haberse evitado el daño actuando con diligencia: así, son asegurables los hechos producidos por una **culpa leve** del asegurado. Aquí se conjugan el azar y la conducta meramente negligente del asegurado (el **dolo no puede asegurarse**, si bien, resulta una excepción a ello el seguro contra el suicidio). En estos casos en los que la conducta negligente del asegurado puede ser, aun sin su intención, determinante del siniestro, se habla de «azar en sentido concreto» o de «simple azar».

Precisiones La **inasegurabilidad de los actos dolosos** (intencionados) es consustancial al contrato de seguro, en el que el componente aleatorio debe ser ajeno a la voluntad e intencionalidad del asegurado, puesto que de lo contrario se elimina la incertidumbre del riesgo. En todo caso, la mala fe ha de ser causa del siniestro, esto es, ha de existir una relación o nexo de causalidad entre la actuación dolosa del asegurado y el siniestro (TS 22-11-22, EDJ 745502; 20-4-23, EDJ 550742).

12071 **c) Necesidad pecuniaria**: finalmente, el riesgo implica la amenaza de que ocurra un hecho que provoque una necesidad económica. La mayoría de los contratos onerosos tiene por móvil el deseo de satisfacer una necesidad pecuniaria (p.e., compraventa), mas lo peculiar del seguro es que la necesidad surge por consecuencia de un acontecimiento futuro e incierto al que hemos llamado «**siniestro**» (incendio, muerte prematura, etc.). En este caso, la reparación de la necesidad económica producida por el siniestro se eleva a causa del contrato.

12073 **Consecuencias de la falta de riesgo** (LCS art.4) No hay contrato de seguro sin riesgo, pues éste es el fundamento esencial para la existencia del seguro, toda vez que el seguro se estipula para que una parte (el asegurador) indemnice a la otra (o a la persona que ésta designe) las consecuencias de un evento dañoso (siniestro).
Por tanto, concebido el seguro como un contrato de indemnización, su causa irá ligada a la **función indemnizatoria**. De ahí que el riesgo, entendido como posibilidad de que se produzca el evento dañoso, constituya un presupuesto de la causa contractual y se convierta en un **elemento esencial del contrato**, de modo que éste será nulo si, en el momento de su conclusión, no existe el riesgo o ya ha ocurrido el siniestro.
Sin riesgo no puede haber seguro porque, faltando la posibilidad de que se produzca el evento dañoso, no podrá existir daño indemnizable y, por tanto, el contrato carecerá de **causa**. Al faltar la causa, se produce la nulidad absoluta (CC art.1275), por lo que el negocio carece de todo

efecto negocial: no sólo el asegurador estará libre de toda obligación, sino que también lo estará el tomador del seguro que no debe pagar la prima y que, si la ha pagado, tiene derecho a pedir su devolución.

Ahora bien, la Ley declara la **nulidad del contrato**: 12075
- no sólo cuando en el momento de su conclusión **no** existía el **riesgo**;
- sino también el caso de que en el momento de su celebración hubiera **ocurrido** el **siniestro**.

De esta forma equipara las consecuencias de la falta de riesgo al hecho de que se haya producido el siniestro, porque si se ha realizado el evento asegurado, siendo este evento único, desparece el riesgo, ya que desaparece la posibilidad de que se produzca el evento dañoso.
Queda sin embargo abierta la posibilidad de asegurar el **riesgo putativo**, es decir, cuando las partes no saben que se ha producido el siniestro. Hay casos en que la Ley lo consiente, como en el seguro marítimo (L 14/2014 art.422 -procedente del derogado CCom art.784 y 785-) y en el seguro de responsabilidad civil.

Determinación del riesgo La mecánica del seguro ha consagrado, por razones técnicas, 12077
el principio de la **especialidad** o de la determinación del riesgo, consistente en que sólo se aseguran aquellos riesgos que aparecen individualizados en el contrato.
Sin embargo, existen algunas modalidades, como los de transportes o el seguro marítimo, en las que se aplica el principio contrario, el de la **universalidad** del riesgo, de modo que queda cubierto cualquier evento dañoso para el interés asegurador, salvo los expresamente excluidos.

Además, no todos los riesgos pueden ser garantizados por el seguro. Los motivos que **impi-** 12079
den asegurar determinados riesgos pueden ser de carácter puramente técnico o jurídico (CC art.1275):
a) Desde el punto de vista **técnico**, las dificultades para asegurar un determinado riesgo provienen normalmente de la importancia misma del riesgo y de su carácter excepcional o esporádico, que no permite establecer una base estadística para el cálculo de la prima. Por esta razón ha sido tradicional excluir de la cobertura del seguro los llamados **riesgos catastróficos** (guerras, erupciones volcánicas, terremotos, etc., salvo pacto en contrario).
Para atender estas necesidades se creó en España en el año 1944 el seguro de riesgos extraordinarios o catastróficos, encomendándose su gestión al Consorcio de Compensación de Seguros.
b) Desde un punto de vista **jurídico**, no podrán ser asegurados los siniestros:
- ocasionados por una actividad ilícita;
- que recaigan sobre intereses contrarios a la Ley, moral u orden público; y
- causados por mala fe del asegurado (LCS art.19).

E. Formación y documentación del contrato

12085

1. Póliza de seguro

Carácter consensual A pesar de que la LCS art.5 dispone que el contrato de seguro se 12090
formalizará por escrito, se entiende que el contrato tiene carácter consensual. Por tanto, el otorgamiento de la **póliza** debe concebirse como un simple acto de fijación y reproducción del contrato, sin que sea un requisito necesario para su validez y eficacia. Así pues, se le atribuye, con carácter general, un **valor puramente probatorio** (en definitiva, un medio privilegiado de prueba respecto de la relación jurídica que surge del contrato de seguro).
No obstante, en ocasiones la póliza puede tener carácter **constitutivo**, en el sentido de que su emisión sea exigida como requisito para la existencia del contrato. Este carácter de la forma *ad substantiam* puede provenir de alguna disposición especial o bien de la voluntad de las partes.

Precisiones **1)** Antiguamente, el **contrato de seguro marítimo** requería forma escrita, conforme al CCom art.737 (derogado). Actualmente, la L 14/2014 art.407 dispone que la válida celebración del contrato de seguro marítimo no exigirá la sujeción a forma determinada alguna, sin perjuicio de la obligación del asegurador de entregar al tomador la póliza o el documento o certificado provisional de cobertura (L 14/2014 art.21).
2) Los contratos de seguro **celebrados por vía electrónica** producirán todos los efectos previstos por el ordenamiento jurídico cuando concurran el consentimiento y los demás requisitos necesarios para su validez. En cuanto a su validez, **prueba** de celebración y obligaciones derivadas del mismo se sujetarán a la normativa específica del contrato de seguro y a la legislación sobre servicios de la sociedad de la información y de comercio electrónico -L 34/2002- (LCS disp.adic.3ª).

12092 **Contenido** (LCS art.8) La póliza es el documento justificativo del contrato de seguro y debe contener como mínimo las siguientes **menciones**:
1. **Identificación** de las partes: Nombre y apellidos o denominación social de las partes contratantes y su domicilio, así como la designación del asegurado y beneficiario, en su caso.
2. El **concepto** en el cual se asegura.
3. Naturaleza del **riesgo cubierto**, describiendo, de forma clara y comprensible, las garantías y coberturas otorgadas en el contrato, así como respecto a cada una de ellas, las **exclusiones y limitaciones** que les afecten destacadas tipográficamente.
4. Designación de los **objetos asegurados** y de su situación.
5. Suma asegurada o alcance de la **cobertura**.
6. Importe de la **prima**, recargos e impuestos.
7. **Vencimiento** de las primas, lugar y forma de pago.
8. **Duración** del contrato con expresión del día y la hora en que comienzan y terminan sus efectos.
9. Si interviene un **mediador** en el contrato, el nombre y tipo de mediador.
En la póliza se incluirán también las **condiciones generales** del contrato, que en ningún caso podrán tener carácter lesivo para los asegurados (LCS art.3).

Precisiones **1)** La póliza debe **redactarse de forma clara** y precisa, destacándose en forma especial las **cláusulas limitativas** de los derechos de los asegurados, que deberán ser específicamente aceptadas por escrito (LCS art.3).
2) Si el contenido de la póliza **difiere** de la **proposición de seguro** o de las cláusulas acordadas, el tomador del seguro podrá reclamar a la aseguradora, en el plazo de un mes a contar desde la entrega de la póliza, para que subsane la divergencia existente. Transcurrido dicho plazo sin efectuar la reclamación, se estará a lo dispuesto en la póliza. Esta cautela a favor del tomador se debe insertar en toda póliza del contrato de seguro.

12094 Las condiciones generales y, en general, los modelos utilizados por los aseguradores están sometidos a la **vigilancia de la Administración pública**, para impedir el empleo de cláusulas ilegales o lesivas para los aseguradores.
Salvo en determinados supuestos, no resulta necesaria la aprobación previa de esos modelos antes de su utilización. No obstante, aun cuando hayan sido aprobados por la Administración, las condiciones generales no se transforman en Derecho objetivo y su licitud dependerá, en definitiva, de que infrinjan la Ley o no. De ahí que pueda declararse la nulidad de esas condiciones por los Tribunales, aun cuando estén aprobadas por la Administración.

12096 Según la **frecuencia** con la que el asegurado -o el tomador- contrate la cobertura de los riesgos, suelen utilizarse pólizas individuales o pólizas flotantes (también llamadas generales o de abono):
a) Las **pólizas individuales** se emplean para **cada operación** de seguro o cobertura individual, independientemente de se cubra uno o varios riesgos, estipulándose para cada una de ellas un contrato de seguro y expidiéndose una póliza concreta.
b) Las **pólizas flotantes o de abono** suelen utilizarse cuando un sujeto siente necesidad de estipular periódicamente una pluralidad de seguros (p.e., por remitir frecuentemente mercancías en transporte; nº 12489). En este caso, para no tener que celebrar tantos contratos como intereses se desean cubrir, se firma una póliza general, flotante, o de abono, la cual es un convenio normativo por el que el asegurado se compromete a cubrir o proteger contra riesgos determinados todas las relaciones de interés que, reuniendo los requisitos específicos señalados en la póliza, se le comuniquen oportunamente por el asegurado. La simple comunicación del asegurado (la llamada «declaración de abono» o de «alimento»), si reúne las circunstancias pactadas, sirve para aplicar la cobertura general prevista en el convenio normativo a cada concreto interés asegurado amenazado por el riesgo.

12098 **Emisión y transferencia de la póliza** (LCS art.9) La póliza tiene, además, una función legitimadora. Su titular puede ser designado en forma nominativa, a la orden o al portador. De esta forma, aparecerá como legitimado ante el asegurador para percibir la indemnización:
- la persona que esté designada en el título, en el caso de **póliza nominativa**;
- el designado en el título o su endosatario, siempre que exista una cadena regular de endosos, en el supuesto de **póliza a la orden**; o
- simplemente, el que posea el documento, en la hipótesis de **póliza al portador**.

Precisiones La póliza tiene los rasgos de un título impropio, es decir, un título que circula en la forma titulicia pero con los efectos de la **cesión de créditos** (CC art.1526 s.), que faculta al deudor para liberarse realizando la prestación frente a quien lo presente (legitimación pasiva) y faculta al tenedor para ejercitar el derecho (legitimación activa) según la ley de circulación del título.

Otros documentos accesorios a la póliza La póliza puede completarse con apéndices o suplementos, pero, además, aparecen otros documentos en el contrato de seguro: 12100
- el documento de **cobertura provisional**;
- la **solicitud** del seguro (nº 12104); y
- la **proposición** del seguro (nº 12106).

a) **Documento de cobertura provisional** (LCS art.5). El asegurador está obligado a entregar al tomador del seguro la póliza. Sin embargo, esta obligación puede cumplirse (provisionalmente) mediante la entrega de un documento de cobertura provisional. Se trata de un documento suscrito por el asegurador -o un agente suyo- que hace referencia al contrato definitivo de seguro, que sirve al tomador, en tanto no reciba la póliza definitiva, como medio de prueba de la existencia del contrato de seguro. 12102

Precisiones Hay que distinguir el documento de cobertura provisional de un **caso distinto**, que consiste en que antes de la conclusión del contrato se pacte un **contrato de cobertura provisional**, que es autónomo o diferente con relación al contrato definitivo. En esta hipótesis, el contrato de cobertura provisional es un verdadero contrato de seguro, si bien, de duración breve, que depende normalmente de la celebración del contrato definitivo. El contrato de cobertura provisional se documenta mediante una «nota de cobertura» (también llamada «carta de cobertura»), que, como documento, «no es provisional».

b) **Solicitud de seguro** (LCS art.6). La solicitud de seguro no vinculará al **solicitante**. 12104

Precisiones Se trata de un régimen específico de perfeccionamiento del contrato, respecto de los actos que realizan las partes antes de la perfección del contrato, que se inspira en el principio de la **protección del futuro tomador** del seguro, procurando que éste pueda disponer del tiempo suficiente para reflexionar sobre las condiciones definitivas del contrato. A estos efectos, se considera que la solicitud de seguro efectuada por el tomador (potencial) no se considerará una verdadera oferta contractual, sino simplemente una **invitación al asegurador** para que éste pueda hacer una verdadera oferta o propuesta de contrato (nº 12106), tras aportar el futuro tomador del seguro los datos precisos para la delimitación del riesgo.

c) **Proposición de seguro** (LCS art.6). Si bien, como se ha indicado, la solicitud de seguro no vincula al solicitante, por el contrario cualquier propuesta de seguro efectuada por el asegurador se considerará **irrevocable** (vinculante para él, por tanto) durante el plazo de **15 días**. Si ha transcurrido el plazo dictado sin respuesta, ha de entenderse que la propuesta pierde sus efectos, salvo que el asegurador la quiera prorrogar. Esta propuesta se presume que ha de hacerse **por escrito** y debe contener los elementos esenciales del contrato. 12106

Asimismo, si las partes así lo acuerdan, podrán **retrotraer** los efectos del seguro al momento en que se presentó la solicitud o se formuló la proposición. 12108

2. Deber de declaración exacta del riesgo por el tomador

(LCS art.10)

La importancia que el elemento riesgo tiene en todos los seguros exige su más perfecta descripción en el contrato (nº 12065). Sin embargo, en este punto el asegurador se ve obligado a depositar su confianza en los datos que le suministra el asegurado. Ello se traduce en una situación desigual y desventajosa para el asegurador que justifica, en su beneficio, la obligación que la ley impone al tomador de declarar al asegurador, **antes de la conclusión del contrato**, y de acuerdo con el **cuestionario** que éste le someta, todas las circunstancias por él conocidas que puedan influir en la valoración del riesgo. Quedará exonerado de tal deber si el asegurador no le somete cuestionario o cuando, aun sometiéndoselo, se trate de circunstancias que puedan influir en la valoración del riesgo y que no estén comprendidas en él. 12115

Precisiones Esta obligación del asegurado se funda en que el contrato de seguro es un contrato de *uberrima bona fide* (nº 12026), y, como contrato basado en la **buena fe**, ésta se debe manifestar no sólo **durante** el contrato (así ocurre con el deber de procurar que el riesgo no se agrave y, en caso de que se agrave, comunicar la agravación al asegurador), sino también **antes** de su celebración (deber precontractual).

El deber de declaración presenta un doble aspecto: 12117
- se debe manifestar **todo aquello que se sepa**, pues de lo contrario se incurre en reticencia; y
- se debe manifestar **de forma exacta**, pues en caso contrario se realizará una declaración inexacta.

No obstante, si la declaración se ajusta al **cuestionario** que somete el asegurador al tomador del seguro (incluido normalmente en la proposición de seguro), el asegurador no podrá acusar al tomador de reticencia ni de inexactitud.

12119 Tanto en el supuesto de ausencia de declaración de datos (reserva) como de su declaración inexacta, el efecto será el mismo: el asegurador **podrá resolver** el contrato en el plazo de un mes a contar desde el conocimiento de aquélla, mediante declaración dirigida al tomador, haciendo suyas las primas correspondientes al período de seguro en curso, salvo que concurra dolo o culpa grave del asegurador.
Si el siniestro sobreviniere antes de que el asegurador procediera a la resolución del contrato, se reducirá la indemnización de manera proporcional a la diferencia entre la prima convenida y la que se hubiera aplicado de haberse conocido la verdadera entidad del riesgo (**regla proporcional**). Aunque si medió **dolo o culpa grave del tomador** del seguro, el asegurador quedará liberado del pago de la prestación.

F. Obligaciones de las partes

12125

1. Obligaciones del tomador

12130 **Pago de la prima** (LCS art.14 y 15) La principal obligación del tomador es pagar la prima del seguro. Esta constituye un elemento esencial del seguro y, sin acuerdo de las partes sobre la misma, no habrá contrato.
Su **determinación** se hace con arreglo a tarifas que se elaboran por comisiones técnicas sobre bases estadísticas y matemáticas.
Si en la póliza no se determina ningún **lugar** para el pago de la prima, se entenderá que éste ha de hacerse en el domicilio del tomador del seguro (lo normal es hacer el pago mediante transferencia bancaria, domiciliación en cuenta o cargo en tarjeta de crédito).

12132 La prima puede ser de dos **clases**:
- **única**, si se fija para toda la duración del seguro; o
- **periódica**, si se fija con arreglo a períodos regulares de tiempo en que se divide el seguro.

La prima única y la primera de las periódicas serán **exigibles** una vez firmado el contrato, mientras que las primas sucesivas sólo lo serán al comienzo del período de riesgo.

Precisiones En la **póliza** de seguro debe figurar el importe de la prima (con recargos e impuestos), así como el vencimiento de las primas, lugar y forma de pago (LCS art.8; nº 12092).

12134 El **impago** de la prima única o de la primera de las periódicas por culpa del tomador del seguro, dará derecho al asegurador a:
- exigir el pago por **vía ejecutiva** con base en la póliza; o bien
- instar la **resolución** del contrato.

Si el siniestro se origina **antes** de que se haya pagado la prima, se producirá la liberación del asegurador, salvo pacto en contrario.
El impago de las **primas sucesivas suspende** la cobertura una vez transcurrido el plazo de gracia de un mes a contar del vencimiento. Si el asegurador no reclama el pago de la prima en los seis meses siguientes a su vencimiento, el contrato quedará extinguido, aunque si el contrato no hubiere sido resuelto o extinguido, la cobertura volverá a tener efecto a las veinticuatro horas del día en que el tomador pagó la prima.

12136 **Otras obligaciones** Además de la obligación de pagar la prima, el tomador o el asegurado tienen otros deberes -positivos o negativos-, que les imponen una determinada conducta, tanto antes de que sobrevenga el siniestro como una vez sobrevenido.

12138 **Agravación del riesgo** (LCS art.11 y 12) Durante la vigencia del contrato, el tomador o el asegurado deben, tan pronto como sea posible, **comunicar al asegurador** la alteración de los factores y las circunstancias declaradas antes de la suscripción del contrato (nº 12115) que puedan implicar una agravación o aumento del riesgo y que sean de tal entidad que, si hubieran sido conocidas por el asegurador en el momento de la celebración del contrato, no lo habría celebrado o lo habría concluido en condiciones más gravosas.
Efectuada esta comunicación, el asegurador podrá proponer en el plazo de 2 meses la **modificación del contrato**, teniendo el tomador un plazo de 15 días para aceptar o rechazar dicha

propuesta. Si se produce el rechazo o el silencio del tomador, el asegurador puede **resolver** el contrato, previa advertencia al tomador para que haga valer su posición y dándole un nuevo plazo de quince días para que conteste, transcurridos los cuales y dentro de los ocho siguientes comunicará al tomador la rescisión definitiva.
El asegurador podrá también ejercer la facultad de resolución del contrato si ha tenido directamente conocimiento de la agravación del riesgo, comunicándoselo por escrito al asegurado en el plazo de un 1 mes a contar del día en que tuvo dicho conocimiento.

Precisiones 1) En los **seguros de personas** (nº 12175), el tomador o el asegurado no tienen obligación de comunicar la variación de las circunstancias relativas al estado de salud del asegurado, que en ningún caso se considerarán agravación del riesgo.
2) El tomador o asegurado está obligado a comunicar al asegurador la **suscripción de otros seguros** que celebren sobre los mismos riesgos e intereses.

Si **sobreviniere** el **siniestro** antes de que el tomador o el asegurado hubieren realizado esta **12140**
declaración de agravación del riesgo, se producirá:
- la **total liberación** del asegurador, si aquéllos hubieran actuado de mala fe; o
- en otro caso, la **reducción proporcional** del importe de la indemnización en los términos anteriormente señalados (regla proporcional, nº 12106).

Por supuesto, el tomador tiene la facultad -que no la obligación- de comunicar al asegurador **12142**
las **circunstancias que disminuyen el riesgo** y que sean de entidad suficiente como para que aquél hubiera concluido el contrato en condiciones más favorables. En tal caso, el asegurador está obligado a **reducir** la **prima** futura en la proporción correspondiente, teniendo derecho el tomador, en caso contrario, a la resolución del contrato y a la devolución de la diferencia de prima (LSC art.13).

Ocurrencia del siniestro (LCS art.16 y 17) Sobrevenido el siniestro, el tomador o el asegurado **12144**
están obligados a:
1º. **Comunicar** al asegurador el acaecimiento del **siniestro** dentro de los 7 días siguientes al conocimiento del mismo, salvo que se haya fijado en la póliza un plazo más amplio. Como el asegurador tiene especial interés en conocer rápidamente la realización del siniestro para tomar las oportunas medidas, la omisión de ese deber o la negligencia en su cumplimiento se sancionan con una indemnización a cargo del asegurado por los daños y perjuicios causados, si bien tal indemnización no procederá si se prueba que el asegurador ha tenido conocimiento del siniestro por otro medio.
2º. **Proporcionar** al asegurador toda la **información** disponible sobre el siniestro. En caso de violación de este deber, la pérdida del derecho a la indemnización sólo se producirá en el supuesto de que hubiera concurrido dolo o culpa grave.
3º. Tomar cuantas medidas sean factibles para **aminorar** las **consecuencias del siniestro**. El incumplimiento de este deber dará derecho al asegurador a reducir su prestación en la proporción oportuna, teniendo en cuenta la importancia de los daños derivados del mismo y el grado de culpa del asegurado. Si el incumplimiento de esta obligación fuese doloso («con la manifiesta intención de perjudicar o engañar al asegurador»), el asegurador quedará liberado de toda prestación.

Precisiones Los **gastos** que se originen por el cumplimiento de la citada obligación, siempre que no sean inoportunos o desproporcionados a los bienes salvados, serán de cuenta del asegurador hasta el límite fijado en el contrato, incluso si tales gastos no han tenido resultados efectivos o positivos. En defecto de pacto se indemnizarán los gastos efectivamente originados. Tal indemnización no podrá exceder de la suma asegurada.
El asegurador que en virtud del contrato sólo deba **indemnizar una parte del daño** causado por el siniestro, deberá reembolsar la parte proporcional de los gastos de salvamento, a menos que el asegurado o el tomador del seguro hayan actuado siguiendo las instrucciones del asegurador.

2. Obligaciones del asegurador

Entrega de la documentación (LCS art.5) La Ley exige al asegurador la entrega de la póli- **12150**
za al tomador del seguro. La obligación de entrega surge a partir del momento en que se ha **perfeccionado el contrato**, y tal obligación deberá cumplirse en el menor plazo posible.
En caso de **pérdida** de la póliza por parte del tomador, el asegurador está obligado -a petición del tomador o, en su defecto, del beneficiario-, a expedir copia o duplicado de la misma, que contará con idéntica eficacia que el original. La petición debe hacerse por escrito, explicando las circunstancias del caso, comprometiéndose el solicitante a devolver la póliza original si apareciese y a indemnizar al asegurador de los perjuicios que le irrogue la reclamación de un tercero.

12152 Además, el asegurador no tiene simplemente el deber de entregar un ejemplar de la póliza al tomador del seguro, sino que las normas de control de la actividad aseguradora le imponen también el **deber de registrar su emisión** como una obligación contable mediante unos «listados de pólizas y suplementos emitidos».

Estos **listados**, con independencia de ser un instrumento para que la Administración pública pueda efectuar su labor de vigilancia sobre la actividad aseguradora, sirven también al tomador para los casos en que haya extraviado el ejemplar que poseía o simplemente en la hipótesis en que el asegurador niegue la existencia del contrato de seguro.

12154 **Garantía frente al riesgo: indemnización del daño** (LCS art.18, 19 y 20) Esta es la obligación fundamental del asegurador. Se presenta como abstracta durante la vida del contrato y se concreta en el **pago** de la indemnización cuando se produce el siniestro.

Deberá cumplirse al término de las **investigaciones y peritaciones** necesarias para establecer la existencia del siniestro y, en su caso, el importe de los daños que resulten del mismo. Sólo a partir de ese momento la deuda es líquida y exigible. En cualquier supuesto, el asegurador deberá efectuar, dentro de los **40 días**, a partir de la recepción de la declaración del siniestro, el pago del importe mínimo de lo que el asegurador pueda deber, según las circunstancias por él conocidas.

El pago de la indemnización podrá **sustituirse** por la reparación o reposición del objeto siniestrado, si la naturaleza del seguro lo permite y el asegurado consiente en ello.

Precisiones El asegurador estará obligado al pago de la prestación, salvo en el supuesto de que el siniestro haya sido causado por **mala fe del asegurado**.

12156 Para que surja a cargo del asegurador la obligación de indemnizar se precisa la concurrencia de los siguientes **presupuestos**:

1º. Existencia de un **contrato de seguro válido** cuya cobertura esté en vigor;

2º. **Acaecimiento** de un **evento** que expresamente se contemple entre los asegurados y que no resulte excluido (p.e., con carácter general están excluidos los daños derivados de riesgos catastróficos, el riesgo de guerra o la provocación del siniestro por mala fe del asegurado);

3º. Causación por el evento de un **daño** al interés asegurado; y

4º. Presencia de un **nexo causal** entre el evento y el daño.

12158 En cuanto a la **carga de la prueba**:

a) Corresponde al **asegurado** probar los siguientes extremos:
- la existencia del contrato;
- la realización del siniestro;
y - la producción del daño.

b) Corresponderá al **asegurador** acreditar, en su caso:
- que el riesgo no estaba cubierto o estaba excluido por el seguro; y
- la ausencia de nexo causal.

12160 Si el asegurador incurriere en retraso o **mora en el cumplimiento** de la prestación, la indemnización de daños y perjuicios, no obstante entenderse válidas las cláusulas contractuales que sean más beneficiosas para el asegurado, se ajustará a las siguientes **reglas**:

1ª. Afectará, con carácter general, a la mora del asegurador respecto del **tomador del seguro o asegurado** y, con carácter particular, a la mora respecto:
- del **tercero perjudicado** en el seguro de responsabilidad civil; y
- del **beneficiario** en el seguro de vida.

2ª. Será aplicable a la mora:
- en la satisfacción de la **indemnización**, mediante pago o por la reparación o reposición del objeto siniestrado; y
- en el pago del **importe mínimo** de lo que el asegurador pueda deber.

3ª. Se entenderá que el asegurador incurre en mora cuando:
- no hubiere cumplido su prestación en el plazo de **tres meses desde** la producción del siniestro; o
- no hubiere procedido al pago del **importe mínimo** de lo que pueda deber dentro de los **40 días** a partir de la recepción de la declaración del siniestro.

4ª. La indemnización por mora se impondrá **de oficio** por el órgano judicial y consistirá en el pago de un interés anual igual al del **interés legal del dinero** vigente en el momento en que se devengue, **incrementado en el 50%**; estos intereses se considerarán producidos por días, sin necesidad de reclamación judicial.

No obstante, transcurridos **dos años** desde la producción del siniestro, el interés anual no podrá ser inferior al **20%**.

5ª. En la **reparación o reposición del objeto siniestrado** la base inicial de cálculo de los intereses será el importe líquido de tal reparación o reposición, sin que la falta de liquidez impida que comiencen a devengarse intereses en la fecha del siniestro (ver siguiente apartado 6º).
En los **demás casos** será base inicial de cálculo:
- la indemnización debida; o bien
- el importe mínimo de lo que el asegurador pueda deber.
6ª. Como regla general, será **término inicial** del cómputo de dichos intereses la fecha del siniestro. Como **excepciones**:
- si por el tomador del seguro, el asegurado o el beneficiario **no** se ha cumplido el deber de **comunicar el siniestro** dentro del plazo fijado en la póliza o, subsidiariamente, en el de siete días de haberlo conocido (nº 12144), el término inicial del cómputo será el día de la comunicación del siniestro;
- respecto del **tercero perjudicado o sus herederos** lo dispuesto como regla general quedará exceptuado cuando el asegurador pruebe que no tuvo conocimiento del siniestro con anterioridad a la reclamación o al ejercicio de la acción directa por el perjudicado o sus herederos, en cuyo caso será término inicial la fecha de dicha reclamación o la del citado ejercicio de la acción directa.
7ª. Será **término final** del cómputo de intereses:
- en los casos de falta de pago del **importe mínimo** de lo que el asegurador pueda deber, el día en que con arreglo al número precedente comiencen a devengarse intereses por el importe total de la indemnización, salvo que con anterioridad sea pagado por el asegurador dicho importe mínimo, en cuyo caso será término final la fecha de este pago;
- en los restantes supuestos, el día en que efectivamente la aseguradora satisfaga la indemnización (mediante pago, reparación o reposición) al asegurado, beneficiario o perjudicado.
8ª. No habrá lugar a la indemnización por mora del asegurador cuando la falta de satisfacción de la indemnización o de pago del importe mínimo esté fundada en una **causa justificada** o que no le fuere imputable.
9ª. Cuando el **Consorcio de Compensación de Seguros** deba satisfacer la indemnización como fondo de garantía, se entenderá que incurre en mora únicamente en el caso de que haya transcurrido el plazo de tres meses desde la fecha en que se le reclame la satisfacción de la indemnización sin que por el Consorcio se haya procedido al pago de la misma con arreglo a su normativa específica, no siéndole de aplicación la obligación de indemnizar por mora en la falta de pago del importe mínimo. En lo restante cuando el Consorcio intervenga como fondo de garantía, y, sin excepciones, cuando el Consorcio contrate como asegurador directo, será íntegramente aplicable el presente artículo.

Precisiones En la **determinación de la indemnización por mora** del asegurador no será de aplicación lo dispuesto en el CC art.1108, ni lo preceptuado en la LEC art.921 párr. cuarto, salvo las previsiones contenidas en este último precepto para la revocación total o parcial de la sentencia.

G. Duración, terminación y prescripción

Se analizan a continuación los aspectos temporales del contrato de seguro. **12165**

Duración del contrato (LCS art.22) En principio, el contrato de seguro puede pactarse por el período de tiempo que convenga a las necesidades de las partes o resulte acorde con la naturaleza del interés asegurado. **12167**
Sin embargo, la Ley establece dos **restricciones** importantes a la autonomía de la voluntad:
a) de una parte, **prohíbe** los contratos de seguro **por tiempo indefinido**, exigiendo necesariamente que la duración sea determinada;
b) de otra, la duración del contrato (que habrá de venir determinada en la póliza) **no podrá ser superior a 10 años**, si bien las partes lo podrán **prorrogar indefinidamente** «por un período no superior a un año cada vez», pudiendo cualquiera de ellas oponerse a la prórroga mediante una notificación escrita a la otra parte, efectuada con un plazo de al menos:
- un mes de anticipación a la conclusión del período del seguro en curso, cuando quien se oponga a la prórroga sea el tomador; y
- de dos meses, cuando sea el asegurador.
Las condiciones y plazos de la **oposición a la prórroga** de cada parte, o su inoponibilidad, deberán destacarse en la póliza.
El asegurador deberá comunicar al tomador, al menos con dos meses de antelación a la conclusión del período en curso, cualquier **modificación** del contrato de seguro.

Precisiones Las reglas anteriores no son aplicables con carácter general a los **seguros sobre la vida** (nº 12205) que tienen un régimen de duración especial, pues son seguros que, por su propia naturaleza, tienen una duración indefinida.

12169 **Terminación del contrato** El contrato de seguro se extinguirá por las siguientes causas:
1) expiración del **término** por el cual se convino;
2) ocurrencia de un **siniestro** que motive el pago de la indemnización;
3) **cesación** del riesgo;
4) **acuerdo** de las partes;
5) **resolución** del contrato, que puede provenir de tres motivos:
- alteración en la naturaleza de las cosas o en las circunstancias del riesgo (nº 12138);
- causas debidas al asegurado (p.e., reticencia -nº 12117-, impago de la prima -nº 12134-);
- causas debidas al asegurador (p.e., liquidación de la entidad).

12171 **Prescripción** (LCS art.23) Las acciones que se deriven del contrato de seguro prescribirán:
- en el término de 2 años, si se trata de seguros de **daños**; y
- de 5 años, si el seguro es de **personas**.

La Ley no señala desde qué momento debe empezar a correr dicho plazo (*dies a quo*), por lo que, en caso de que la póliza no establezca nada al respecto, se aplica la norma general de la «actio nata», esto es, desde que la acción pudo ejercitarse (CC art.1969).

Será **juez competente** para el conocimiento de las acciones derivadas del contrato de seguro el del domicilio del asegurado, siendo nulo cualquier pacto en contrario (LCS art.24).

Precisiones **1)** La interposición de una **denuncia penal interrumpe** la prescripción de la acción directa frente a la aseguradora hasta que adquiera firmeza la sentencia o el auto de sobreseimiento o archivo (TS 20-6-23, EDJ 604274).
2) La interrupción de la prescripción mediante **reclamación extrajudicial contra el asegurado** afecta directamente a la aseguradora, puesto que esta debe garantizarle la indemnidad patrimonial dentro de los límites suscritos (TS 11-9-23, EDJ 679057).

SECCIÓN 2

Seguros de personas

(LCS Título III)

12175

A. Consideraciones generales

12180 **Concepto** (LCS art.80) Los seguros de personas son aquellos que tienen como finalidad la cobertura de los riesgos que pueden afectar a la existencia, integridad corporal o salud del asegurado (persona física).

La Ley incluye en esta categoría:
- los seguros de **vida**, tanto para caso de muerte o de sobrevivencia, que son seguros de cobertura abstracta (ver nº 12200);
- los seguros de **accidentes** (LCS art.100 a 104) y seguros de **enfermedad y asistencia sanitaria** (LCS art.105 y 106), que, en cambio, son seguros de indemnización objetiva y se asemejan por ello a los seguros de daños.

12182 Con carácter general para estas modalidades de seguros, la Ley establece dos únicas **particularidades**:
1ª. La posibilidad de contratar **seguros colectivos** o relativos a un grupo de personas delimitado por alguna característica común extraña al propósito de asegurarse (LCS art.81). Se trata de contratos unitarios estipulados por un tomador (generalmente una entidad que aglutina a un grupo) a favor de terceras personas miembros de un grupo homogéneo (p.e., los trabajadores de una empresa).

Precisiones Los seguros de personas se clasifican en seguros **individuales o de grupo,** según el ámbito subjetivo de actuación, ya abarque la cobertura del seguro a una persona individual o a un colectivo.

12184 **2ª**. La **exclusión de la subrogación** del asegurador en los derechos del asegurado contra un tercero a consecuencia del siniestro, con la sola excepción de lo relativo a los gastos de asistencia sanitaria (LCS art.82).

Precisiones La expresión «Seguros de personas» utilizada por el legislador de 1980 para delimitar el ámbito de aplicación del título III de la LCS es más amplia que la distinción existente en el **ámbito del control administrativo** y de la clasificación de ramos entre seguro de vida y seguro distinto del de vida, de manera que existen seguros de personas (como el de enfermedad o accidentes), que, desde el punto de vista de la normativa de control, se consideran seguros distintos al de vida, a pesar de que legalmente se pueden utilizar como seguros complementarios al de vida.

Características La regulación de la categoría general de los seguros de personas tiene, en su mayor parte, un carácter aparentemente descriptivo si se tiene en cuenta que la LCS art.80 y 81 determinan qué **riesgos** cubre este tipo de seguro, tales como los riesgos que pueden afectar a la **existencia, integridad corporal o salud** del asegurado; así como la posibilidad de que los contratos de seguro de personas puedan celebrarse con referencia a riesgos relativos a una persona o a un grupo de ellas, y que este grupo deberá estar delimitado por alguna característica común extraña al propósito de asegurarse. 12186

En esta clase de seguros, el **objeto** sometido al riesgo es la propia **persona humana**, que es, a su vez, el objeto del **interés** asegurado. Todo ello se proyecta sobre el funcionamiento de este seguro, tanto en la peculiar configuración de sus elementos personales, como en la peculiar consideración que en ellos tiene la existencia de la relación de interés. 12188
El titular del interés asegurado es el asegurado y tomador del seguro, cuando asegura su propia vida. En este sentido, se considera como asegurado, según la propia determinación de la Ley (LCS art.80 y 83), al **portador del riesgo**, esto es, a la persona cuya vida, integridad física o enfermedad se asegura; y ello con independencia de la consideración que en los seguros de personas, y en especial, en el seguro de vida, tiene la figura del beneficiario.

Interés en el seguro de personas El interés es la **propia vida, integridad, salud**, lo que no tiene un valor económico objetivo, sino aquel que las partes han estimado en el contrato. De ahí que la relevancia del interés sea menor a efectos del cálculo de la indemnización, y que para que el asegurador esté obligado a realizar su prestación no sea necesario probar la existencia de un daño patrimonial, ni proceder al cálculo de su cuantía en el momento de realizarse el siniestro, sino que, producido éste, el asegurador (LCS art.1), estará obligado, dentro de los límites pactados, a satisfacer «un capital, una renta u otras prestaciones convenidas». Esta especial configuración del seguro de personas es la que determina las peculiaridades propias de su regulación recogidas en la Ley. 12190
La integración de la **indemnización** en el patrimonio del tomador responde no tanto a un principio indemnizatorio, como a la idea de que, ocurrido el siniestro, la indemnización es la contrapartida de las primas pagadas.
Si son **distintas las personas** del tomador del seguro y del asegurado, será preciso el **consentimiento** del asegurado, dado por escrito, salvo que pueda presumirse de otra forma su interés por la existencia del seguro.

Los seguros de personas comprenden diversas modalidades contractuales que se agrupan por el hecho común de que en todos ellos la diversidad de riesgos asegurados afectan al **interés sobre una persona**. Dicho en otros términos: el interés asegurado recae precisamente sobre la persona, entendida ésta como un «bien», o, si se quiere, como «cosa» susceptible de una valoración económica. 12192
Esta consideración del hombre, considerado como un **bien económico** tanto en cuanto por su capacidad de generar una determinada renta como por el valor de la vida, la integridad corporal o la salud en sí, permiten estimar que el hombre, además de ser **titular** de intereses, puede ser **objeto** de estos intereses. De ahí que pueda hablarse de intereses de las personas y de intereses sobre las personas.

El interés es la relación susceptible de una **valoración económica** entre un sujeto y un bien (nº 12055), que, en este caso, ha de ser una persona, entendida no simplemente en su propia esencia, sino por sus **cualidades**. Si el contrato se efectúa por el propio asegurado -entendido como titular del interés- con relación a su propia persona, la existencia del interés es fácilmente presumible, ya que ha de estimársele interesado no sólo en su propia existencia -de modo especial en su duración-, sino también en las condiciones físicas en las que se ha de desarrollar (envejecimiento, salud, integridad física, etc.). 12194

El problema aparece en términos distintos si se hace el contrato con relación a un **tercero**. Así, cuando el contrato de seguro se hace con relación a la vida o integridad física de un tercero, será preciso **probar** la existencia de un interés en su existencia o de su integridad. El interés del familiar que vive a costa de otro será fácilmente presumible, o el interés de un Banco sobre la vida de un cliente suyo al que ha concedido un préstamo a la vista de sus ingresos 12196 profesionales anuales, o el interés de un club de fútbol en la integridad física de un jugador por el que ha pagado una importante cantidad, etc. De ahí que se pueda presumir en estos casos la existencia del interés por parte del tomador del seguro respecto a la vida o a la integridad del asegurado, siendo preciso en otro caso el **consentimiento** dado por escrito del tercero.

Precisiones La LCS art.83 -a diferencia de las disposiciones similares en otros ordenamientos- no hace preciso ese consentimiento dado por escrito por el asegurado en todos los casos, sino que parece reducirlos a los supuestos en que ese interés asegurado no pueda presumirse. Este precepto limita su campo al **seguro de personas para caso de muerte**. En el caso de **seguro de sobrevivencia**, aun cuando se haga sobre la vida de un tercero, no se requiere el consentimiento de éste, no ya simplemente porque el asegurado no puede provocar esa supervivencia, sino porque la existencia de ese interés puede fácilmente presumirse.

12198 **Determinación de la suma o prestación del asegurador** Una de las características generales de los seguros de personas es que el contrato ha de determinar, por regla general, la suma o prestación que ha de pagar el asegurador si se produce el hecho causante o evento asegurado. Esta característica implica que la prestación del asegurador no simplemente se ve vinculada con la realización del **evento** previsto en el contrato, sino que en él aparece determinada su **cuantía**.

12200 En los seguros de personas, la **liquidación del siniestro** -a diferencia de lo que sucede con los seguros de daños en sentido estricto- se simplifica, en cuanto que el asegurado o, en su caso, el beneficiario de la prestación del asegurador, no ha de probar la existencia del daño.
Es en el momento de la celebración del contrato cuando las partes examinan la existencia del interés y su valoración, y hacen una **valoración previa del daño** que se comprometen a aceptar y a no discutir, salvo -claro está- que de común acuerdo antes de la verificación del evento asegurado acuerden una modificación de las condiciones del contrato.
Esta característica general de los seguros de personas -llamados por esa razón por parte de la doctrina como **seguros de sumas o seguros de abstracta cobertura de necesidad**, que se valora de una forma subjetiva- tiene, no obstante, **excepciones**, ya que en estos seguros pueden pactarse -y se pactan- determinadas prestaciones a cargo del asegurador, cuya valoración puede no haberse efectuado de forma apriorística, sino que su cuantía depende de la valoración del daño en el momento del siniestro. De forma que el cálculo de la prestación del asegurador ha de llevarse a efecto siguiendo una mecánica parecida a la que opera en los seguros de daños en sentido estricto.

Precisiones Esto sucede, por ejemplo, con las prestaciones de enterramiento o de asistencia sanitaria. En estos casos son de aplicación las normas generales sobre los seguros de daños (LCS art.25 s.). Precisamente, la LCS art.82 elimina, con carácter general, la facultad de **subrogación** del asegurador de personas con excepción de lo relativo a los gastos de asistencia sanitaria (nº 12184).

12202 **Otras formas de previsión afines a los seguros de personas: los planes de pensiones** Los planes de pensiones, que tienen carácter privado y cuyas prestaciones pueden, según su propia regulación, ser o no complemento de las que son propias del régimen de la seguridad social correspondiente, pero nunca sustitutorias de él, pretenden conceder a su titular la obtención de una **renta o capital** por jubilación, supervivencia, orfandad o invalidez.
Sin embargo, los planes de pensiones, que se instrumentan de forma semejante a como sucede en el seguro, mediante sistemas financieros y actuariales de capitalización que permitan establecer una equivalencia entre las aportaciones y las futuras prestaciones a los beneficiarios, se diferencian del contrato de seguro en su **distinta instrumentación jurídica**.

B. Seguro de vida

(LCS Título III, Sección 2ª)

12205

1. Concepto y clases

12210 **Concepto** (LCS art.83) Por medio del seguro de vida el asegurador se obliga, a cambio de una prima única o periódica (nº 12130) y dentro de los límites establecidos en la Ley y en el contrato, a satisfacer al **beneficiario** un capital, una renta u otras prestaciones convenidas, en alguna de estas tres circunstancias:
- cuando **fallezca**;

- cuando llegue a determinada edad (**supervivencia**); o
- cuando se produzca **alguno** de dichos eventos (seguros mixtos).

Este seguro puede estipularse sobre la **propia vida o** la **de un tercero**, tanto para caso de muerte como para caso de supervivencia o ambos conjuntamente, así como sobre **una o varias cabezas**.

Precisiones 1) Son seguros sobre la vida aquellos en que, cumpliendo lo establecido en los párrafos anteriores, la prestación convenida en la póliza ha sido determinada por el asegurador mediante la utilización de **criterios y bases de técnica actuarial**.

2) La definición legal del seguro de vida (pago de un determinado capital, renta u otras prestaciones) pone de manifiesto el **carácter no estrictamente indemnizatorio** del seguro de vida, cuyas peculiaridades propias de los llamados seguros de personas suponen que la obligación del asegurador no queda condicionada a la prueba de un daño, ni limitada a los términos del valor objetivo del mismo; sin perjuicio, por otra parte, de que, integrado como está en la misma estructura contractual de los seguros de daños, deba hablarse en ellos también de la existencia de un **riesgo** y de un **interés asegurados**.

Clases Existen distintas modalidades de seguros de vida: 12212

a) Seguros **para caso de muerte**, en los que la prestación del asegurador está subordinada a la muerte del asegurado (obligación a término incierto).

b) Seguros **para caso de supervivencia**, en los casos que la prestación del asegurador está subordinada al hecho de que el asegurado sobreviva a una determinada edad o fecha (obligación condicional).

c) Seguros **mixtos**, que combinan los dos anteriores haciendo depender la prestación del asegurador de la supervivencia del asegurado en una determinada fecha o de su muerte, si es anterior.

A su vez, en cada uno de estos tres tipos existen determinadas variantes: 12214

1) El **seguro para caso de muerte** puede ser:
- seguro de **vida entera**, en la que el asegurador se obliga a satisfacer, al fallecimiento del asegurado en cualquier época, determinada suma a la persona o personas que éste designe (beneficiarios) o a sus herederos; y
- seguro **temporal**, en el que la obligación de pagar la suma asegurada sólo surge cuando el asegurado fallece dentro de un determinado período, quedando liberado el asegurador si el asegurado vive a la expiración del término previsto.

2) El **seguro de supervivencia**, por su parte, se subdivide en:
- seguro de **capital diferido**, cuando el asegurado se obliga a pagar determinada suma si el asegurado (o alguno de los asegurados, porque puede hacerse sobre varias cabezas) está vivo en una cierta fecha; y
- seguro de **renta**, cuando el asegurador se obliga a pagar una renta en vez de un capital.

3) El seguro **mixto** puede asumir la forma de:
- seguro mixto **ordinario**, en el que el asegurador se obliga a lo que ya hemos expuesto; y
- seguro a **término fijo**, en el que el asegurador se obliga al pago de un capital a una fecha determinada, sea al propio asegurado, si entonces viviera, sea al beneficiario designado, pero cesando la obligación de pagar la prima si el asegurado falleciera antes de ese término.

Precisiones La determinación del límite temporal de cobertura es un elemento esencial de los contratos de **seguro de vida temporal**, al que no podemos atribuir la condición de cláusula limitativa del riesgo, sino definidora del objeto del contrato, por lo que no requiere ser especialmente destacada y específicamente aceptada por escrito (LCS art.3). En este caso, la expresión que figura en el contrato relativa a la extinción del mismo (**«al término de la anualidad en que el asegurado cumpla 65 años actuariales»**) significa que el seguro de vida se extingue cuando vence el seguro en curso correspondiente al momento en que el asegurado cumple 65 años. Por tanto, hay que atender a la concreta fecha de renovación de la póliza del año en que el asegurado cumple los 65 para saber cuando vence el seguro, y no al 31 de diciembre, como sostenía la demandante (TS 17-10-23, EDJ 714555).

2. Elementos del contrato: particularidades en los seguros de vida

12220

a. Elementos personales

12225 Además del asegurador, tomador y asegurado, en los seguros de vida es habitual la figura del beneficiario.
No es necesario que las distintas figuras jurídicas propias del seguro (tomador, asegurado, beneficiario) se encarnen en **personas diferentes,** sino que pueden coincidir en la **misma persona**. Así, el contratante (tomador) puede ser también:
- asegurado y beneficiario (lo que ocurre normalmente en los seguros de supervivencia); o
- simplemente asegurado (lo que suele ocurrir en los seguros para caso de muerte).
Cuando el contratante o tomador no sea el propio asegurado, el seguro se llama **de vida ajena**. Se trata de un seguro autorizado por la LCS art.83 y consagrado por la práctica, en el que el asegurado ni es parte contratante ni queda obligado a nada, es sencillamente el portador del riesgo. Más no por esto es un elemento personal enteramente pasivo, porque, al menos en el **seguro para caso de muerte**, ha de prestar su **consentimiento** expreso a figurar como **asegurado** (con los límites expuestos en nº 12229).

12227 **Tomador o contratante** Es la persona que estipula el contrato con el asegurador y firma la póliza (nº 12046), asumiendo las obligaciones que ésta le impone, fundamentalmente la de pagar la prima (nº 12130).

Precisiones Sobre la facultad de **desistimiento** del tomador respecto del seguro de vida, ver nº 12251.

12229 **Asegurado** Es la persona sobre cuya vida o cabeza se hace el seguro; es decir, la persona cuya muerte o supervivencia obliga al asegurador a satisfacer el capital o renta asegurados.
El seguro puede estipularse:
- sobre la vida propia o la de un tercero;
- tanto para caso de muerte como para caso de supervivencia o ambos conjuntamente.
Si son **distintas** las **personas** del tomador y del asegurado, será preciso el **consentimiento** escrito del asegurado, salvo que pueda presumirse de otra forma su interés por la existencia del seguro.
No se puede contratar este tipo de seguro sobre la vida de **menores** de 14 años de edad o de **incapacitados**, salvo aquellos en los que la cobertura de muerte resulte inferior o igual a la prima satisfecha por la póliza o al valor de rescate (LCS art.83). Ver nº 12282.

12231 **Beneficiario** Es la persona a favor de la cual se hace el seguro y habrá de percibir del asegurador, en su día, el capital o renta asegurados (nº 12048).

12233 **Beneficiario en el seguro de vida a favor de tercero** Cuando el contratante titular del interés designa a un tercero y no a sí mismo como beneficiario, se habla de seguro de vida a favor de tercero. Tienen normalmente este carácter los **seguros para caso de muerte y los mixtos**. El beneficiario ocupa en estos seguros una **posición jurídica singular** (TS 17-12-94, EDJ 9501), pues no es parte en el contrato, pero adquiere derechos propios nacidos del contrato mismo y no derivados del contratante que le designó.
La **sustantividad** de los derechos del beneficiario aparece reconocida en nuestra Ley, que dispone que la prestación del asegurador debe ser entregada al beneficiario, en cumplimiento del contrato, aun contra las reclamaciones de los herederos legítimos y acreedores de cualquier clase del tomador del seguro (LCS art.88; TS 17-12-94, EDJ 9501; 11-4-95, EDJ 1611).

12235 La **designación** del beneficiario deberá hacerse en la póliza, bien sea nominativamente, o bien mediante una designación genérica pero que no dé lugar a dudas (LCS art.85).
En la práctica, las **designaciones genéricas** («a favor de mis hijos», «a favor de mi mujer», «a favor de mis herederos», etc.) son muy frecuentes y suscitan no pocas cuestiones en el momento del pago de la suma o renta asegurada por no ser todo lo precisas que se requiere.

Por eso, tratando de resolver posibles dificultades, la ley específica a quién alcanza la designación genérica en determinados casos. Así:
- Si se designan de forma genérica como beneficiarios a los **hijos** de una persona, se entenderán como hijos todos sus descendientes con derecho a herencia;
- Si esa designación se hace a favor de los **herederos del tomador**, del asegurado o de otra persona, se considerarán como tales los que tengan dicha condición en el momento del fallecimiento del asegurado;
- Si la designación se hace a favor de los **herederos** sin mayor especificación, se considerarán como tales los del tomador del seguro que tengan dicha condición en el momento del fallecimiento del asegurado;
- Si se designa al **cónyuge** como beneficiario, se atribuye tal condición al que lo sea en el momento del fallecimiento del asegurado.

Precisiones 1) Los beneficiarios que sean herederos conservarán dicha condición, aunque **renuncien a la herencia**.
2) El **viudo** debe acreditar su condición de heredero para ostentar la **legitimación** activa contra la compañía aseguradora (AP Barcelona 27-9-23, EDJ 714007).

La distribución de la prestación del seguro en caso de designación de beneficiarios se sujeta a las siguientes reglas (LCS art.86): **12237**
1ª. Si la designación se hace a favor de **varios beneficiarios**, la prestación convenida se distribuirá, salvo estipulación en contrario, por partes iguales.
2ª. Si se hace a favor de los **herederos**, la distribución tendrá lugar en proporción a la cuota hereditaria, salvo pacto en contrario.
3ª. La parte no adquirida por un beneficiario **acrecerá** a los demás.

La designación de beneficiario no hace nacer a favor de este un derecho definitivo, sino sometido a la condición de que su designación no sea revocada por el tomador antes de que se produzca el hecho del cual depende el pago del capital o renta. De esta manera, el tomador del seguro podrá **modificar** la designación del beneficiario anteriormente realizada sin necesidad del consentimiento del asegurador, haciendo nueva designación, bien sea en la propia póliza, en una posterior declaración escrita comunicada al segurador o en testamento. Y si en el momento del fallecimiento del asegurador no hubiere beneficiario concretamente designado ni reglas para su determinación, el capital formará parte del patrimonio del tomador (LCS art.84). **12239**
El tomador podrá renunciar, sin embargo, a la facultad de cambiar el beneficiario, haciendo la designación del mismo en la póliza con **carácter irrevocable**. Esta forma de designación es normal en aquellos contratos de seguro a favor de tercero estipulados con la finalidad de pagar o garantizar una deuda anterior del contratante con el beneficiario (*solvendi vel credendi causa*).
La renuncia a la facultad de revocación del beneficiario habrá de hacerse por escrito y hará perder al tomador los derechos de rescate, anticipo, reducción y pignoración de la póliza (LCS art.87). Ver nº 12285 s.

Precisiones 1) Cuando la designación del **beneficiario** se haya hecho con carácter **irrevocable**, si el tomador cesa en el pago de las primas y se solicita el **rescate**, el valor de éste corresponde al beneficiario (nº 12287).
2) Si la designación de beneficiario es **revocable**, la **cesión o pignoración** de la póliza implica la revocación del beneficiario (LCS art.99) (nº 12253).

b. Derechos y deberes

En relación con las especificidades del seguro de vida, se exponen en este apartado los derechos y deberes del tomador, por un lado, y los de la aseguradora, por otro. **12245**

Tomador del seguro Analizamos: **12247**
- el deber de declaración del riesgo;
- el derecho de desistimiento; y
- el derecho a ceder o pignorar la póliza.

Deber de declaración del riesgo (LCS art.89 y 90) En caso de **reticencia e inexactitud** en las declaraciones del tomador, que influyan en la estimación del riesgo, se estará a lo establecido en las disposiciones generales de la LCS (ver nº 12115). Sin embargo, hay dos **particularidades** al respecto en el seguro de vida: **12249**
1ª. El **asegurador no podrá impugnar** el contrato una vez transcurrido el plazo de un año, a contar desde la fecha de su conclusión, a no ser que las partes hayan fijado un término más breve en la póliza y, en todo caso, salvo que el tomador del seguro haya actuado con dolo.

2ª. No obstante lo anterior, el asegurador **sí podrá impugnar** el contrato en caso de **indicación inexacta de la edad** del asegurado, cuando la verdadera edad del asegurado en el momento de la entrada en vigor del contrato excede de los límites de admisión establecidos por el asegurador.
En otro caso, si como consecuencia de una declaración inexacta de la edad, la prima pagada es inferior a la que correspondería pagar, la prestación del asegurador se reducirá en proporción a la prima percibida (**regla proporcional**; nº 12117). Si, por el contrario, la prima pagada es superior a la que debería haberse abonado, el asegurador está obligado a restituir el exceso de las primas percibidas sin intereses.

Precisiones La disciplina general en torno a la **exactitud** en la declaración precontractual del riesgo tiene aplicación en el campo del seguro de vida con especial referencia al **estado de salud** del asegurado, con independencia de la posible existencia de un informe médico, cuyas conclusiones liberarían al asegurado.

12251 **Derecho de desistimiento** (LCS art.83.a) El tomador del seguro en un contrato individual de duración superior a 6 meses y que se haya estipulado **sobre la propia vida o la de un tercero** está facultado para resolver el contrato dentro del plazo de 30 días siguientes a la fecha en la que el asegurador le entregue la póliza o un documento de cobertura provisional (nº 12102).
La **facultad unilateral de resolución** del contrato deberá ejercitarse por el tomador mediante comunicación dirigida al asegurador a través de un soporte duradero, disponible y accesible para éste y que permita dejar constancia de la notificación. La comunicación deberá realizarse por el tomador del seguro antes de que venza el plazo de 30 días naturales.
A partir de esta fecha **cesará** la **cobertura del riesgo** por parte del asegurador y el tomador del seguro tendrá derecho a la devolución de la prima, salvo la parte correspondiente al tiempo en que el contrato hubiera tenido vigencia. El asegurador dispondrá, para la devolución de la **prima no consumida**, de un plazo de 30 días a contar desde el día que reciba la comunicación de rescisión.

Precisiones **1)** Se **exceptúan** de esta facultad unilateral de resolución los contratos de seguro en los que el **tomador asume el riesgo de la inversión**, así como los contratos en los que la rentabilidad garantizada esté en función de inversiones asignadas en los mismos.
2) Los derechos de **rescate, reducción y anticipos** de la póliza se tratan en nº 12285 s.

12253 **Derecho a ceder o pignorar la póliza** (LCS art.99) Este derecho está en función de que el tomador pueda o no revocar la designación de **beneficiario** (nº 12239):
• Si puede **revocar** la designación de beneficiario, el tomador podrá, en cualquier momento, ceder o pignorar la póliza. En tal caso, la propia cesión o pignoración de la póliza implica la revocación del beneficiario.
• Si, por el contrario, la designación de beneficiario es **irrevocable**, entonces el tomador no puede ceder o pignorar la póliza.
El tomador deberá **comunicar** por escrito fehacientemente al asegurador la cesión o pignoración realizada.

Precisiones Si la póliza se emite **a la orden**, la cesión o pignoración se realizarán mediante endoso (nº 12098, nº 12439).

12255 **Asegurador** Analizamos:
- el deber de información;
- la obligación del pago de la prestación asegurada.

12257 **Deber de información del asegurador** Se deberá entregar al tomador del seguro -en los seguros individuales- y a cada asegurado -en los seguros colectivos- una nota o **folleto informativo** en el que se debe informar, entre otras cuestiones, de lo siguiente:
- legislación aplicable;
- denominación del asegurador y su forma jurídica;
- domicilio social y de la sucursal, en su caso;
- garantías y opciones ofrecidas;
- duración del contrato;
- condiciones, plazos y vencimientos de las primas;
- valores de rescate y reducción.
En todo caso, en los seguros de vida en que el tomador asume el **riesgo de la inversión**, se *informará* de forma clara y precisa acerca de que el importe a percibir depende de **fluctuaciones** en los mercados financieros, ajenos al control del asegurador y cuyos resultados históricos no son indicadores de resultados futuros.
Mención especial merece, dentro de este deber de información que se mantiene durante toda la vigencia del contrato, la necesaria comunicación al tomador del seguro de:
- las condiciones para la **rescisión** del contrato de seguro de vida;

- así como las diferentes **instancias de reclamación**, tanto internas como externas, utilizables en caso de litigio, así como el procedimiento a seguir.

Pago de la suma o renta asegurada (indemnización) En los seguros de vida, como el daño es siempre total y se cifra anticipadamente en una cantidad (suma asegurada) establecida *à forfait* con arreglo a criterios subjetivos, no existen problemas en orden a la liquidación del siniestro (TS 30-9-96, EDJ 6989). **12259**

La suma asegurada -o la renta en su caso- se deben siempre íntegramente, una vez que se produce el **evento dañoso** (muerte o supervivencia).

La prestación del asegurador debe ser entregada al **beneficiario**, previa justificación por éste del hecho causante (muerte o sobrevivencia del asegurado), aún contra las reclamaciones de los herederos legítimos y acreedores de cualquier clase del tomador del seguro. Unos y otros podrán, sin embargo, exigir al beneficiario el reembolso del importe de las primas abonadas por el contratante en fraude de sus derechos (LCS art.88). **12261**

No obstante, la prestación se integrará en el patrimonio del **tomador** (y no del beneficiario) en estos dos casos:

1º. En caso de que el propio beneficiario cause dolosamente la muerte del asegurado (LCS art.92).

2º. Si, en el momento del fallecimiento del tomador, **no hubiere beneficiario concretamente designado** ni reglas para su determinación (LCS art.84). Ver nº 12235.

Precisiones **1)** Cuando el tomador del seguro sea **declarado en concurso**, los órganos de representación de los acreedores podrán exigir al asegurador la **reducción** del seguro (LCS art.88, párrafo segundo; nº12291).

2) En el seguro para **caso de muerte** el asegurador sólo se libera de su obligación si el fallecimiento del asegurado tiene lugar por alguna de las circunstancias expresamente excluidas en la póliza (LCS art.91).

3) Salvo pacto en contrario, el riesgo de **suicidio** del asegurado quedará cubierto a partir del **transcurso de un año** del momento de la conclusión del contrato. A estos efectos se entiende por suicidio la muerte causada consciente y voluntariamente por el propio asegurado (LCS art.93).

c. Elementos reales: la prima y su impago

Cálculo La prima del seguro de vida se calcula técnicamente sobre la base de las tablas de mortalidad. La prima es **uniforme y constante** por toda la duración del riesgo. **12265**

Sin embargo, el riesgo va en aumento a medida que transcurre el tiempo del seguro y se acerca la muerte del asegurado o la edad o fecha prevista para el pago de la renta o del capital asegurado. Por eso, el cálculo de la prima se hace de forma que en los primeros años el seguro cubra con **exceso** el riesgo corrido, para que los excedentes de prima, capitalizados y convenientemente invertidos, permitan compensar en el futuro el **defecto** de prima que necesariamente se producirá al aumentar el riesgo y permanecer ésta invariables (en materia de devolución de la prima, ver TS 23-7-96, EDJ 6105).

Precisiones Los **excedentes de primas** correspondientes a riesgos futuros, recogidos en el patrimonio de la empresa aseguradora, van formando la llamada «reserva matemática» de cada contrato.

Efectos de la falta de pago El seguro de vida ofrece especiales características en orden a las consecuencias que entraña la falta de pago de la prima. Una práctica tradicional y constante consagró el principio según el cual, vigente el contrato durante cierto plazo, el impago de la prima no abre paso a la rescisión del contrato, sino a la llamada **reducción de la póliza** (nº 12291). **12267**

En nuestro ordenamiento jurídico, una vez transcurrido el plazo previsto en la póliza, que no podrá ser superior a 2 años desde la vigencia del contrato, no se aplicará la LCS art.15.2 sobre falta de pago de la prima. A partir de dicho plazo, la falta de pago de la prima producirá la reducción del seguro conforme a la **tabla de valores** inserta en la póliza (LCS art.95). La reducción se producirá, igualmente, cuando la solicite el tomador, transcurrido ese plazo.

Con la reducción de la póliza el seguro continúa en vigor por el **menor capital** que corresponda a la reserva matemática del contrato, según la tabla de valores de reducción que al efecto insertan o acompañan las pólizas. La **reserva matemática** pasa a funcionar, así, como la prima única para la duración del seguro.

Reducido el seguro, el contratante tiene derecho a **rehabilitarlo**, en cualquier momento, antes del fallecimiento del asegurado, debiendo cumplir para ello las condiciones fijadas en la póliza (LCS art.95).

Precisiones El juego natural de la reducción de la póliza está en los **seguros para caso de muerte** y en los **mixtos**. Por eso la Ley, en principio, no concede derecho a capital reducido ni en los seguros temporales ni en los de supervivencia (LCS art.98).

d. Objeto del contrato: el riesgo

12270 En los seguros sobre la vida se entiende que existe riesgo si en el momento de la contratación no se ha producido el evento objeto de la cobertura otorgada en la póliza (LCS art.83). El **riesgo depende de la modalidad** del seguro de vida:

a) En los seguros de vida **para caso de muerte** el riesgo asegurado es la muerte efectiva, en sentido biológico, siendo equiparada a la muerte la declaración judicial de fallecimiento (CC art.193 s.).

b) En los seguros **para caso de vida**, el riesgo consistirá, por el contrario, en la supervivencia del asegurado a la fecha predeterminada.

c) En los seguros **mixtos** quedarán cubiertos ambos riesgos.

12272 La característica fundamental de esos riesgos es que **aumentan** a medida que transcurre el tiempo del contrato (TS 31-5-97, EDJ 4511). El transcurso del tiempo acerca el momento de la muerte del asegurado o la fecha en que ha de ser pagado el capital o renta en los seguros de supervivencia.

En el **riesgo de supervivencia** no caben delimitaciones de ninguna clase (se vive o no se vive en un determinado momento), pero en el **riesgo de muerte** sí. Este riesgo admite delimitaciones causales, objetivas o subjetivas, y delimitaciones espaciales. Mas, con el cambio operado en estos últimos tiempos en los modos de vida tradicionales, esas limitaciones cada día son menores.

Hoy las pólizas autorizan a los asegurados a cambiar libremente la residencia y viajar por todo el mundo utilizando cualquier medio de transporte (excepto los viajes submarinos y los aéreos que no sean por línea regular) y cubren tanto los **riesgos de suicidio** a partir de determinado plazo desde la firma de la póliza, como los **riesgos catastróficos** (guerra, revolución, epidemia y semejantes), que quedan obligatoriamente cubiertos en régimen de compensación dentro del Consorcio de Compensación de Seguros.

Así, la vigente Ley declara que el asegurador **sólo se libera** de su obligación si el fallecimiento del asegurado tiene lugar por alguna de las circunstancias expresamente excluidas en la póliza (LCS art.91; sobre la exclusión del dolo, ver TS 12-7-93, EDJ 6968); y que, salvo pacto en contrario, el riesgo de suicidio del asegurado quedará cubierto a partir del transcurso de un año desde la conclusión del contrato (LCS art.93; TS 10-2-88, EDJ 1070; 20-11-91, EDJ 11004).

12274 El **riesgo de supervivencia**, en lógica consecuencia con lo que la supervivencia supone, no plantea problemas decisivos sobre la descripción del estado de salud del sujeto asegurado, ni procede respecto de él hacer ningún tipo de delimitación que no sea las que se refieren a las fechas de supervivencia, ni ofrece cabida el tema de la provocación del siniestro por parte del asegurado.

La significación es distinta si el riesgo cubierto es la **muerte**. En este caso sí caben posibles delimitaciones causales, especiales o temporales del riesgo. Aquí sí tiene incidencia sobre el contrato la descripción del riesgo a través del llamado **deber de declaración exacta** del tomador del seguro (nº 12115), y son importantes también los problemas que se plantean sobre la **provocación del siniestro** por el asegurado; aparte del significado especial que el riesgo tiene en el seguro de vida entera en el que la incertidumbre sobre la realización del evento no afecta a si se ha de producir, que es evidente que se producirá, sino al momento en que la muerte puede sobrevenir. En todo caso, es evidente que la función de previsión y ahorro que el seguro de vida realiza tiene una incidencia especial sobre la regulación del riesgo en este contrato.

12276 La función de previsión y de ahorro que el seguro de vida cumple ha conducido a una regulación específica del tema de la **delimitación del riesgo**.

Mientras que en algunos seguros de daños se prevén **delimitaciones legales** del riesgo cubierto, en el seguro de vida para caso de muerte, el asegurador sólo se libera de su obligación si el fallecimiento del asegurado tiene lugar por alguna de las circunstancias expresamente excluidas de la **póliza** (LCS art.91).

El significado especial que el seguro de vida tiene se proyecta también sobre la regulación del **deber de declaración exacta** del tomador del seguro (nº 12115). Regulado este deber en la LCS art.89, está claro que, no obstante la remisión que se hace a las disposiciones generales de la misma, se está estableciendo para el seguro de vida un tratamiento específico de la cobertura del riesgo a favor del destinatario de la prestación del asegurador. Así lo prueba el hecho de que, salvo el régimen específico que se establece para las declaraciones inexactas relativas a la edad del asegurado, se prevé que transcurrido un año a contar desde la fecha de la conclusión del contrato o el plazo más breve que las partes hayan establecido, el asegurador **no podrá impugnar el contrato**. Lo que supone que ni puede rescindirlo, ni, en caso de que se produzca el siniestro, puede aplicar la correspondiente regla de equidad.

e. Causa del contrato: el interés en el seguro de vida

El interés para celebrar un contrato de seguro se presume, obviamente, cuando el seguro es sobre la **propia vida** e, incluso, sobre la vida de un tercero en los casos de sobrevivencia, por ello la Ley no le concede ninguna relevancia especial sobre el contrato. **12280**

En los seguros de vida para caso de **muerte de un tercero** también puede existir un interés sobre la vida de la persona que se asegura. Si bien, cuando sean distintas las personas del tomador del seguro y del asegurado, será preciso el **consentimiento del asegurado**, dado por escrito, salvo que pueda presumirse de otra forma su interés por la existencia del seguro (LCS art.83). Ciertamente, este precepto no es ajeno a la idea de que un seguro de vida para caso de muerte entraña un **peligro para la persona asegurada**, de ahí la disposición que prohíbe concertar un seguro para caso de muerte sobre menores de 14 años de edad y de incapaces (nº 12229), pero ello no excluye la necesidad de que **quien asegura la vida de un tercero** ha de tener un interés sobre ella para poder celebrar el contrato, de tal manera que el consentimiento del asegurado pone de manifiesto la existencia de dicho interés en aquellos casos en los que no sea fácil probarlo de otra forma. **12282**

3. Derechos específicos: rescate, reducción y anticipos

El seguro de vida se documenta como los demás seguros, si bien en la póliza necesariamente habrán de figurar determinadas menciones particulares del ramo de vida. **12285**
La Ley se refiere, en efecto, a toda una serie de menciones en la póliza, como **instituciones típicas del seguro de vida**, y ordena que, en las pólizas de seguro para caso de muerte, se regulen las cuestiones relativas a los siguientes aspectos:
- rescate (nº 12287);
- reducción (nº 12291); y
- anticipos sobre la póliza (nº 12293).

Precisiones El **derecho de desistimiento** en los seguros de vida se expone en nº 12251.

Rescate de la póliza (LCS art.94 y 96) El tomador que haya pagado las dos primeras anualidades de la prima a la que corresponda el plazo inferior previsto en la póliza, podrá ejercitar el derecho de rescate mediante la oportuna solicitud, conforme a las tablas de valores fijadas en la póliza. **12287**
A tal efecto, en la **póliza** de seguro se regulará el derecho de rescate, de modo que el asegurado pueda conocer en todo momento el correspondiente **valor de rescate**.

Precisiones 1) El derecho de rescate consiste en la **facultad del tomador** del seguro de denunciar el contrato percibiendo del asegurador el importe de la reserva matemática de dicho contrato.
2) La facultad de rescatar pertenece al tomador aunque se trate de un **seguro a favor de tercero**, en cuyo caso el ejercicio del derecho de rescate equivale a la revocación del beneficiario (nº 12239). Por excepción, cuando la designación del **beneficiario** se haya hecho con carácter irrevocable, si el tomador cesa en el pago de las primas y se solicita el rescate, el valor de éste corresponde al beneficiario.

El rescate se ejercita mediante **declaración unilateral** del tomador, sin necesidad de consentimiento de la compañía de seguros, quedando obligada ésta a satisfacer el valor de rescate de la póliza. **12289**
La declaración de rescate es recepticia. Debe, por tanto, llegar a conocimiento de la compañía aseguradora, y desde ese instante pone fin al contrato.
Si a partir de ese momento, y antes de ser pagado el valor del rescate, se produce el **siniestro**, el asegurador sólo vendrá obligado a pagar ese valor y no la suma asegurada.

Reducción de la póliza (LCS art.94 y 95) En el supuesto de que el tomador del seguro o el asegurado que ha abonado las primas no quiera ejercitar el rescate, la LCS le otorga el derecho a percibir, en el momento contractualmente prefijado, la suma asegurada que corresponda a las **primas satisfechas**, pero en una cantidad reducida. A tal fin, en la póliza de seguro se debe regular, además del derecho de rescate, el de reducción de la suma asegurada, de modo que el asegurado pueda conocer en todo momento el correspondiente valor de reducción. **12291**

La reducción puede efectuarse:
- a **voluntad** del tomador; o
- automáticamente por el **impago** de las primas (nº 12267).
El tomador tiene derecho a la **rehabilitación** de la póliza, en cualquier momento, antes del fallecimiento del asegurado, debiendo cumplir para ello las condiciones establecidas en la póliza.

12293 **Anticipos sobre la póliza** (LCS art.96 y 97) El asegurador deberá conceder al tomador anticipos sobre la prestación asegurada, conforme a las condiciones fijadas en la póliza, una vez pagadas las dos primeras anualidades de la prima a la que corresponda el plazo inferior previsto en la póliza.
De hecho, es práctica extendida en el seguro de vida que los aseguradores concedan anticipos **a cuenta** de la suma asegurada hasta un alto porcentaje (por lo general el 90%) del valor de rescate que corresponda a la póliza en el momento de la solicitud.
Es frecuente, asimismo, que las pólizas den a esos anticipos la denominación de **préstamo**, pero no es ésa la verdadera naturaleza del anticipo. De hecho, no se trata de un préstamo porque no es obligatoria la devolución del capital por quien lo reciba.
Las entregas o anticipos se hacen *solvendi causa*, es decir, son, sencillamente, **pagos parciales a cuenta** de la suma asegurada. Por eso las compañías se reservan la facultad de deducir las sumas anticipadas de cualquier pago que hayan de hacer en virtud del seguro.

C. Seguro de accidentes

(LCS Título III, Sección 3ª)

12300 Sin perjuicio de la delimitación del riesgo que las partes efectúen en el contrato, el accidente se define como la **lesión corporal** que deriva de una **causa violenta súbita**, externa y ajena a la intencionalidad del asegurado, que produzca invalidez temporal o permanente o muerte (LCS art.100).
Las **particularidades** legales del seguro de accidentes reguladas en la LCS son las siguientes:
1ª. El tomador debe **comunicar** al asegurador la celebración de **cualquier otro seguro de accidentes** que se refiera a la misma persona. El incumplimiento de este deber sólo puede dar lugar a una reclamación por los daños y perjuicios que origine, sin que el asegurador pueda deducir de la suma asegurada cantidad alguna por este concepto (LCS art.101).
2ª. En cuanto a la **provocación dolosa** del accidente (LCS art.102):
- si lo provoca de forma intencionada el **asegurado**, el asegurador queda liberado del cumplimiento de la obligación;
- si es el **beneficiario** el que ocasiona dolosamente el siniestro, queda nula la designación a su favor, correspondiendo en tal caso la indemnización al tomador -o, en su caso, a los herederos de éste-.
3ª. Los **gastos de asistencia sanitaria** serán por cuenta del asegurador, siempre que (LCS art.103):
- se haya establecido su cobertura expresamente en la póliza; y
- que tal asistencia se haya efectuado en las condiciones previstas en el contrato (en todo caso, estas condiciones no podrán excluir las necesarias asistencias de carácter urgente).
4ª. La determinación del **grado de invalidez** que derive del accidente se efectuará después de la presentación del certificado médico de incapacidad. El asegurador notificará por escrito al asegurado la cuantía de la indemnización que le corresponde, de acuerdo con el grado de invalidez que deriva del certificado médico y de los baremos fijados en la póliza. Si el asegurado no aceptase la proposición del asegurador en lo referente al grado de invalidez, las partes se someterán a la decisión de Peritos Médicos, conforme a la LCS art.38 -nº 12407- (LCS art.104).

Precisiones 1) El seguro de accidentes se alinea en el campo de los seguros personales, si bien con ciertas peculiaridades que lo aproximan a los **seguros de daños**, como el deber de comunicación de otros seguros de accidentes sobre la misma persona (ver nº 12365).
2) El seguro de accidentes es el único ramo de los seguros de personas que entra en el ámbito de actuación del Consorcio de Compensación de Seguros en relación con los **riesgos extraordinarios**.

12302 Son aplicables al seguro de accidentes las **disposiciones sobre el seguro de vida** contenidas en los siguientes preceptos:
- LCS art.83, sobre el riesgo asegurado y las modalidades del seguro (ver nº 12210 s.);
- LCS art.84, 85 y 86, sobre la designación de beneficiario, las consecuencias de no hacerlo y la posible modificación o revocación del mismo, así como los derechos de los beneficiarios (ver nº 12233 s.);
- LCS art.87, párrafo primero, sobre la revocación de beneficiario (ver nº 12239).

Precisiones Al no ser aplicable a los seguros de accidentes lo previsto en el párrafo segundo de la LCS art.87, sino solo en el primero, se entiende que, en caso de que el tomador **renuncie** a su **derecho a revocar al beneficiario**, no perderá los derechos de rescate, anticipo, reducción y pignoración de la póliza (nº 12285).

D. Seguro de enfermedad y asistencia sanitaria

(LCS Título III, Sección 4ª)

El seguro de enfermedad y asistencia sanitaria protege contra el riesgo de enfermedad, considerada como alteración de la salud del cuerpo que **no obedezca a causa externa violenta**. El desarrollo de esta modalidad de seguro, como **seguro privado voluntario**, está en función de la expansión, eficiencia y calidad del seguro social obligatorio (la Seguridad Social) que cubre, con carácter general, el mismo riesgo. 12305

Precisiones Si la alteración de la salud, o la lesión corporal, obedeciese a una causa súbita y violenta, se trataría de un accidente, cuya cobertura se realiza conforme al seguro de **accidentes** (nº 12300).

Como el seguro de accidentes, se trata de un seguro contra daños personales que tiene un **carácter indemnizatorio** aún más acusado que aquél porque, al resarcir los gastos de enfermedad -aparte de otras posibles indemnizaciones-, la valoración del **interés asegurado** puede ser objetiva. 12307

Precisiones La disciplina general del contrato muestra grandes analogías con el **seguro de accidentes**, cuyas normas le son aplicables en cuanto sean compatibles (LCS art.106).

Este seguro presenta una **doble modalidad**, pues el asegurador: 12309

1º. Podrá obligarse, dentro de los límites de la póliza en caso de siniestro, al **pago** de ciertas sumas y de los gastos de asistencia médica y farmacéutica.

2º. O bien podrá **asumir directamente la prestación** de los servicios médicos y quirúrgicos, en cuyo caso la realización de tales servicios se efectuará dentro de los límites y condiciones que determinen las disposiciones reglamentarias (LCS art.105).

Precisiones En un seguro de vida que cubría, entre otros riesgos, la **incapacidad permanente**, la aseguradora rechazó el siniestro debido a que, cuando tal incapacidad fue reconocida al asegurado mediante resolución administrativa -como exigía la póliza-, el contrato de seguro ya no estaba en vigor. En vía judicial, se condenó a la aseguradora al pago de la indemnización prevista para tal circunstancia debido a que la **enfermedad causante** de la incapacidad permanente se reveló como permanente e irreversible desde el primer diagnóstico, cuando la póliza todavía estaba en vigor. Por lo que debe tomarse como fecha del siniestro la del diagnóstico de la enfermedad, y no la de la resolución administrativa. Aunque la póliza de seguro fijaba la fecha del siniestro en la resolución administrativa del dictamen del equipo de valoración de incapacidades, debe considerarse tal cláusula como limitativa de los derechos del asegurado y encontrarse resaltada en la póliza y ser aceptada expresamente (LCS art.3) (TS 31-1-23, EDJ 504039).

SECCIÓN 3

Seguros contra daños

(LCS Título II)

12315

A. Características y modalidades

La nota característica del seguro contra daños consiste en que no se agota este contrato en un cambio de las prestaciones fundamentales del asegurado (pago de la prima) y del asegurador (pago de la indemnización). 12320

La nota de la **relación duradera del contrato** de seguro da lugar a una serie de obligaciones sui generis (que propiamente no son obligaciones, sino cargas) por parte del tomador del seguro, distintas de la de pagar la prima y que, en esencia:
1º. **Antes** del contrato, imponen al contratante una declaración exacta sobre las circunstancias del riesgo;
2º. **Durante** el contrato y antes del siniestro, exigen una conducta cuidadosa respecto de las cosas aseguradas evitando una agravación de riesgos que el asegurador no pueda conocer; y
3º. **Después** del siniestro, sirven para aclarar las causas de su realización y para impedir la extensión del daño.

Precisiones Los seguros de daños (también llamados de indemnización efectiva) tienen, como nota común, que tienden al **resarcimiento completo del daño** que el asegurado ha sufrido efectivamente (ver nº 12339 s. sobre el principio indemnizatorio y la determinación del daño).

12322 **Modalidades** Bajo la denominación de seguros contra daños se agrupan en el Título II de la LCS nueve tipos de seguros:
- incendios (nº 12460);
- robo (nº 12475);
- transporte terrestre (nº 12485);
- lucro cesante (nº 12540);
- caución (nº 12550);
- crédito (nº 12560);
- responsabilidad civil (nº 12520);
- defensa jurídica (nº 12575); y
- reaseguro (nº 12590).

12324 Todos ellos son **seguros de indemnización objetiva** en los que el importe de la indemnización se determina después del siniestro, en función del daño patrimonial sufrido por el asegurado. En los tres mencionados en primer lugar (incendio, robo, transporte -**seguros de cosas en sentido estricto**-) el interés asegurado recae directamente sobre cosas concretas y determinadas.
En los otros casos (**seguros de patrimonio**), el interés que se asegura afecta al patrimonio general del asegurado, no a bienes concretos y determinados.

B. Particularidades contractuales

12330

1. Objeto del seguro: interés asegurable y principio indemnizatorio

12335 **Relevancia del interés asegurado** El interés no sólo es importante como presupuesto para la validez del contrato, sino también para el cálculo de la **indemnización** cuando se produce el siniestro. Así, el contrato de seguro contra daños es **nulo** si, en el momento de su conclusión, no existe un interés del asegurado a la indemnización del daño (LCS art.25).
Si bien la redacción de este precepto no es del todo exacta, en cuanto que la existencia del interés asegurado no es precisa en el momento de la conclusión del contrato, sino cuando éste deba comenzar a producir sus efectos. Ello se comprende fácilmente si se piensa que es lícito el aseguramiento de intereses futuros, como, por ejemplo, una cosa que va a ser fabricada, un bien que se va a adquirir, etc. Además, la existencia del **interés** no puede limitarse al momento inicial de la vida de la relación jurídica, sino que ha de pervivir **durante** toda ella.

12337 Si el **interés desaparece** en un momento posterior (p.e., la obra de arte asegurada contra robo se ha destruido por el fuego), ha de entenderse que concurre una **causa de extinción** de la relación aseguradora que no puede equipararse a la nulidad a que se refiere la LCS art.25, sino a una causa de resolución del contrato que ha de operar en el mismo momento en que el tomador o el asegurado notifiquen al asegurador la cesación del interés.

12339 **Principio indemnizatorio y determinación del daño** En todo tiempo, y de acuerdo con su esencial finalidad, el seguro contra daños en las cosas se ha fundado, más o menos explícitamente, en el principio indemnizatorio, por cuya virtud el seguro no debe procurar nunca un beneficio para el asegurado, colocándole en situación mejor que si el siniestro no se

hubiese realizado. En otros términos, el seguro contra daños, como se desprende de su propia denominación, es un contrato para la **indemnización estricta** del daño sufrido.
El **fundamento** del principio indemnizatorio es doble:
1º. De un lado, el temor a que el asegurado **provoque voluntariamente el siniestro**, con la esperanza de obtener una ganancia, cuando el siniestro no se deba a causas naturales (como son el granizo, la inundación, un incendio causado por un rayo, etc.), pues, aunque el asegurador queda liberado de su obligación cuando el siniestro ha sido causado voluntariamente, la prueba de la voluntariedad suele resultar muy difícil.
2º. De otro lado, está el deseo de evitar que el seguro se convierta en apuesta y que dé lugar a **especulaciones** inmorales.

Pues bien, si el principio indemnizatorio exige que la prestación del asegurador se limite **12341**
estrictamente a facilitar el valor que reemplace el valor de la pérdida sufrida por el asegurado, la dificultad estriba en que, hasta el momento del siniestro (que puede o no ocurrir), no se sabrá con exactitud el importe del daño sufrido.
Y como, por otra parte, el **cálculo de la prima** dependerá de la cuantía del daño sufrido, será necesario establecer en el momento del contrato alguna **base** que sirva, al menos, para el cálculo de la prima que ha de percibir el asegurador.
Esta base nos la dará el valor que el tomador del seguro asigne libremente a su interés, y ello dependerá de múltiples circunstancias particulares (el título jurídico o carácter en el cual se asegura, esto es, el ser propietario o usufructuario o arrendatario de la cosa; el estado de nuevo o viejo de la cosa asegurada, etc.).
El **valor asegurado** será, por tanto, el valor que el tomador del seguro asigne a su interés.

El objeto del seguro está constituido por el interés que el asegurado tiene en la cosa expuesta **12343**
al riesgo y, por ello, se dice que el interés alcanza especial relevancia en el seguro de daños, que es un seguro de los llamados de **indemnización objetiva**, en los que el importe de la indemnización se determina una vez que se ha producido el siniestro y se conoce el daño realmente causado. Se trata, por tanto, de un seguro que descansa primordialmente sobre el principio indemnizatorio. De ahí que el seguro no pueda ser objeto de enriquecimiento injusto para el asegurado (LCS art.26).

El interés asegurado tiene un **valor económico** que **varía** a lo largo de la vida del contrato. El **12345**
que interesa a los efectos del pago de la indemnización es el valor real que la cosa tiene en el momento del siniestro (LCS art.26).
Sin embargo, las partes pueden fijar en la póliza el valor del interés que habrá de tenerse en cuenta para el cálculo de la indemnización. En este caso, si se produce una aceptación expresa del **valor asignado** al interés por parte del asegurador y del asegurado, se entenderá que la **póliza** es **estimada** (LCS art.28.2; nº 12373), lo que motivará que el asegurador solamente podrá impugnar dicho valor cuando su aceptación haya sido prestada por violencia, intimidación, dolo o error grave en la estimación (LCS art.28.3).

Ahora bien, no hay que confundir valor del interés con la **suma asegurada**, que es una canti- **12347**
dad libremente fijada por el asegurado, que representa la medida en que el interés asegurable queda cubierto por el seguro, que sirve de base para el cálculo de la prima del seguro, y que opera también como límite máximo de la indemnización a pagar por el asegurador en cada siniestro (LCS art.27).
Cuando el tomador establece una suma asegurada, que coincide con el valor del interés, estaremos ante el denominado **seguro pleno**. Si las partes convinieren un seguro de este tipo durante toda la vigencia del contrato, deberán establecer en la póliza los criterios y el procedimiento para adecuar la suma asegurada y las primas a las **oscilaciones del valor** del interés (LCS art.29).

Habrá **sobreseguro** (LCS art.31) si la suma asegurada es superior al valor del interés. Esta **12349**
situación resulta peligrosa para el asegurador y perjudicial para el asegurado, por lo que la Ley, ponderando los intereses en juego, ha establecido estas dos cautelas:
• por una parte, si la suma asegurada **supera notablemente** el valor del interés asegurado, cualquiera de las partes podrá exigir la reducción de la suma y de la prima, debiendo restituir el asegurador el exceso de las primas percibidas y, si se produjera el siniestro, el asegurador indemnizará tan sólo el daño efectivamente causado; y
• por otra parte, si el sobreseguro se debiera a **mala fe** del asegurado, el contrato será ineficaz, pero el asegurador que actuó de buena fe podrá retener las primas vencidas y las del período en curso, por haber soportado, no obstante, el riesgo.
En la situación contraria, cuando la **suma asegurada** es **menor** que el valor del interés habrá **infraseguro**.

2. Relación entre interés asegurado y suma asegurada

12355 El valor asegurado es el valor que el tomador asigne a su interés. La cifra de este valor se llama suma asegurada.

El valor del interés (**valor asegurable**) se determina objetivamente por la índole de la relación jurídica que liga al interesado con la cosa que asegura. Este valor se expresa en la suma asegurada, es decir, la suma cuya percepción quiere percibir el asegurado en caso de siniestro por representar el valor que él asigna a su interés en la conservación de la cosa, expuesta al riesgo de pérdida o de deterioro.

Y lo importante en la mecánica legal del seguro es que la cuantía de la prestación del asegurador no se medirá por el valor asegurado -sujeto al arbitrio de cada contratante-, sino por el valor asegurable, como **límite máximo** de la **indemnización**. Así pues, el valor del interés asegurable (valor del seguro) es el máximo legal de la prestación del asegurador. Mas siendo complicado puntualizar el valor asegurable en el momento del contrato, la cifra incierta de ese valor -que sólo se hace patente con el siniestro- se sustituye por la cifra cierta del valor asegurado, que se deja a la libre apreciación del contratante.

Al tiempo de pactarse el seguro se **fija unilateralmente** por el contratante la cantidad que estima suficiente para reparar el daño en caso de siniestro. Esta cantidad (suma asegurada):
- por un lado, sirve de base para calcular la **prima**; y
- de otro lado, actúa como límite contractual a la futura **prestación** del asegurador.

12357 La suma asegurada es el importe máximo del interés asegurado cubierto por el asegurador; esto es, representa el **límite máximo de la indemnización** a pagar por el asegurador en cada siniestro (LCS art.27). La suma asegurada -o valor asegurado- es el importe que señala la cuantía por la que el interés es asegurado en el contrato. Esta suma puede coincidir o no con el valor asegurable (o valor inicial) y esa suma asegurada representa el límite máximo de la indemnización a pagar por el asegurador en cada siniestro. A tal fin, la TS 11-2-02, EDJ 1667, señala que la indemnización se limita al **daño sufrido**, siempre que no supere la suma asegurada.

12359 El **interés se mide** a través de la asignación de un valor al bien asegurado. Este valor, que ha de ser calculado con relación al bien y a la naturaleza del interés, puede sufrir **modificaciones** a lo largo del contrato. A estos efectos se distingue entre:
- **valor inicial**, que es el valor del interés en el momento del contrato, que también se denomina valor asegurable (p.e., una máquina ha sido adquirida por diez millones de euros);
- **valor sucesivo**, que es el que tiene el interés en cualquier momento de la vida del contrato (p.e., la máquina adquirida por diez millones, en el segundo año vale sólo siete);
- **valor final**, que es el valor del interés en el instante inmediatamente antecedente a la verificación del siniestro (LCS art.26); y
- **valor de residuo**, que es el valor del interés asegurado después del siniestro.

12361 **Existencia de varios seguros (seguro múltiple o cumulativo y coaseguro)** El asegurado puede haber concertado varios seguros relativos al **mismo interés**, contra los mismos riesgos y por el mismo tiempo.

En este supuesto podemos encontrarnos ante un seguro cumulativo o un coaseguro, que son dos casos que tienen cierta semejanza, pero que conviene distinguir.

12363 **a) Seguro múltiple o cumulativo** (LCS art.32). Partiendo, en principio, de su licitud, las notas delimitadoras de este seguro cumulativo son las siguientes:
- debe haber una **pluralidad de contratos** de seguro celebrados por un mismo tomador con varios aseguradores;
- los varios contratos de seguro han de tener los **mismos efectos**, en el sentido de cubrir las consecuencias que un mismo riesgo puede producir sobre el mismo interés y durante idéntico período de tiempo;
- ha de tratarse de seguros que han de **operar conjuntamente**, lo que no sucede en la hipótesis del seguro **subsidiario** (que entra en juego únicamente en el caso de que el primer asegurador, por la razón que sea, no paga la indemnización, por ejemplo, porque cae en insolvencia, porque el primer contrato resulta ineficaz, etc.) o en el caso del seguro **complementario** (cuando el seguro va a entrar en juego no al primer riesgo, sino al segundo o tercero);
- la ***iniciativa*** de la pluralidad de contratos se debe al tomador del seguro sin acuerdo previo de los distintos aseguradores.

12365 En este caso, el tomador o el asegurado deberán, salvo pacto en contrario, **comunicar a cada asegurador** la existencia de los demás contratos de seguro, y si dolosamente omiten esa declaración, los aseguradores no están obligados al pago de la indemnización (LCS art.32.1).

La razón de ser de este deber de comunicación se encuentra conectada con el principio indemnizatorio, en el sentido de que se pretende que, por medio del conocimiento de todos los aseguradores del seguro múltiple, se **evite** la situación de **sobreseguro**. A tal efecto, la LCS art.32.2 establece, además del deber de comunicación, otro independiente de él, consistente en que una vez que se ha producido el siniestro, el tomador del seguro o el asegurado deberán comunicarlo a cada asegurador, con indicación del nombre de los demás.
Los aseguradores contribuirán al abono de la **indemnización en proporción** a la suma asegurada, sin que pueda superarse la cuantía del daño. Dentro de este límite, el asegurado puede pedir a cada asegurador la indemnización debida según el respectivo contrato. El asegurador que ha pagado una cantidad superior a la que proporcionalmente le corresponda podrá repetir contra el resto de los aseguradores (LCS art.32.2).

b) Coaseguro. Es una técnica de **distribución de riesgos**, alternativa al reaseguro, en la que la iniciativa de su configuración compete al asegurador. **12367**
En el coaseguro se concluyen uno o varios contratos de seguro (relativos también al mismo interés, contra los mismos riesgos y por el mismo tiempo), existiendo un **acuerdo previo** entre los aseguradores para repartirse las cuotas que correspondan a cada uno. No existe, pues, solidaridad entre los coaseguradores.

La **diferencia** fundamental entre el seguro múltiple o cumulativo y el coaseguro se encuentra en que: **12369**
• mientras en el **seguro múltiple** el tomador del seguro celebra dos o más contratos de seguro sobre el mismo interés y riesgo, para un mismo período de tiempo, sin acuerdo previo entre los aseguradores;
• en el caso de **coaseguro** son los propios aseguradores los que, por razones técnicas, se unen para cubrir determinados riesgos con el consentimiento del propio tomador del seguro.
La esencia del coaseguro es el **reparto de cuotas** determinadas entre varios aseguradores. Es voluntad de los coaseguradores, además, **responder en forma proporcional** a la cuota respectiva.
En el supuesto de que el coaseguro -como acontece frecuentemente- se haya efectuado mediante un único contrato de seguro, habrá de entenderse que de la relación jurídica creada surgen varias deudas distintas en el sentido de que la deuda de cada asegurador ha de entenderse diversa a la de los demás. El criterio acogido en forma expresa por la LCS art.33.1 radica en que la responsabilidad de los aseguradores es en proporción a la cuota respectiva. Si bien, ha de entenderse que esta norma tiene carácter dispositivo, al indicar este precepto que la responsabilidad de los aseguradores en proporción a la cuota respectiva lo es «salvo pacto en contrario».

Supuestos especiales

Analizamos en este apartado las pólizas tasadas o estimadas, con cláusulas de estabilización, seguro a primer riesgo y seguro a valor de nuevo. **12371**

Pólizas tasadas o estimadas (LCS art.28). Se prevé la posibilidad de que las partes, de común acuerdo, puedan fijar en la póliza, o con posterioridad a la celebración del contrato, el valor del interés asegurado que habrá de tenerse en cuenta a la hora del cálculo de la indemnización. **12373**
Para ello, la **estimación** del valor sea objeto de un pacto expreso, a diferencia de lo que ocurre en el seguro del buque, lo cual es habitual respecto a un objeto de difícil valoración (p.e., un cuadro de Murillo).
La utilización de estas pólizas estimadas surgió especialmente en el seguro de transporte y de modo particular en el seguro marítimo. Se ha ido difundiendo su uso a otros ramos del seguro, en especial, en todos aquellos en los que la **valoración** de los intereses asegurados resulte muy **difícil** a posteriori.
Se advierte que las pólizas estimadas se utilizan principalmente en los casos de seguros de corta duración, aun cuando esto no siempre es así. Su uso viene determinado como medio de **prevención de controversias** o bien para obtener una mayor seguridad en el desarrollo de la relación jurídica y también con el fin de simplificar la liquidación del daño.

Pólizas con cláusulas de estabilización (LCS art.29). Para evitar el desajuste entre el valor del interés y la suma asegurada, se permite el establecimiento contractual de **índices de revalorización automática** que generalmente se fijan en función del IPC, aunque es admisible cualquier tipo de índice que pueda tener relevancia desde el punto de vista contractual y que sobre el mismo carezcan de influjo las partes del contrato. **12375**
Estas cláusulas tienen el carácter de estabilización en la medida en que se trata de hacer frente a la **depreciación monetaria** por el mero transcurso del tiempo.

12377 **Seguro a valor de nuevo**. Generalmente, a efectos de cobertura aseguradora se toma en consideración el valor de uso o de mercado del bien objeto del seguro. Sin embargo, en ocasiones se toma como referencia para el cálculo de la prima y posteriormente en caso de siniestro para el pago de la indemnización, el **valor de reposición** del bien asegurado.
Este valor es el «valor de nuevo», que es utilizado en el seguro de **vehículos** de motor para los daños materiales parciales, si bien con el límite de que en ningún caso los mismos pueden superar el valor venal del citado vehículo.
La TS 23-10-02, EDJ 44014, ha calificado como cláusula limitativa aquella que limita el valor real de tasación al valor venal, admitiendo el **valor de reparación**, sin ningún límite.

3. Riesgo asegurado

12380 Como particularidades de las pólizas de seguro de daños, se analiza en este apartado:
- por un lado, el principio de **individualización** del riesgo; y
- por otro, los **riesgos extraordinarios** y su cobertura.

12382 **Individualización del riesgo** El riesgo objeto del seguro se individualiza o concreta en las **condiciones particulares** de la póliza, teniendo en cuenta todas las circunstancias relativas al **bien** objeto de cobertura aseguradora y, especialmente, atendiendo a su valoración objetiva.
Aunque existen modalidades de seguro en que la persona del asegurado es irrelevante, por el contrario en otras, existe un **riesgo subjetivo** que debe ser valorado por el asegurador a la hora de celebrar o no el contrato (p.e., contratación de un seguro de pérdida de beneficios por un empresario en dificultades).

12384 En la práctica actual, los riesgos no suelen ser objeto de cobertura individualizada, sino de forma global, lo que permite la existencia de las llamadas pólizas-paquetes o también, **seguros combinados**.
Dentro de los seguros combinados tienen hoy en día especial trascendencia los del hogar, los de la pequeña empresa, los de todo riesgo maquinaria o montaje, así como los relativos al seguro de automóviles o de ordenadores.

12386 **Riesgos extraordinarios y su cobertura. El Consorcio de Compensación de Seguros** La cobertura del asegurador se concreta en los riesgos cubiertos contractualmente de forma positiva, modalizada por las exclusiones. Una de las típicas **exclusiones** contractuales es la relativa a los riesgos extraordinarios, de la dificultad de sometimiento de los mismos a las reglas de la estadística, así como su dimensión cuantitativa.

12388 Salvo pacto en contrario, el **asegurador no cubre** los daños por hechos derivados (LCS art.44):
- de conflictos armados -haya precedido o no declaración oficial de guerra-;
- ni de riesgos extraordinarios sobre las personas y los bienes.
En caso de que el asegurador cubra este tipo de daños, cobrará la correspondiente sobreprima.
Es el **Consorcio** de Compensación de Seguros (CCS) quien asegura los riesgos extraordinarios, al mismo tiempo que desempeña las tareas de fondo nacional de garantía de riesgos de la circulación, del cazador y del seguro obligatorio de viajeros, en los supuestos de insolvencia de las entidades aseguradoras o de ausencia de aseguramiento obligatorio por parte de los tomadores de seguros obligados.

12390 En el **ámbito de actuación** del Consorcio como asegurador de riesgos extraordinarios, se incluyen los fenómenos de la naturaleza tales como inundaciones extraordinarias, maremotos, terremotos, erupciones volcánicas, tempestades ciclónicas atípicas, caídas de cuerpos siderales y aerolitos. También se aseguran los hechos derivados de terrorismo, rebelión, sedición, motines o tumultos populares, así como hechos o actuaciones de las Fuerzas Armadas o de las Fuerzas y Cuerpos de Seguridad en tiempo de paz.

12392 Si bien la cobertura del Consorcio se une a la de la póliza de riesgo ordinario, existen una serie de **daños excluidos**, tales como (RDLeg 7/2004 art.6.3):
a) los daños que no den lugar a indemnización conforme a la LCS;
b) los ocasionados en persona o bienes asegurados por otros ramos no consorciados (así, no están consorciados los seguros agrarios combinados, los de transporte de mercancías y los de construcción y montaje);
c) los debidos a vicio o defecto propio de la cosa asegurada o falta manifiesta de mantenimiento;

d) los producidos por conflictos armados, aunque no haya precedido la declaración oficial de guerra;
e) los derivados de la energía nuclear;
f) los debidos a la mera acción del tiempo (en el caso de bienes total o parcialmente sumergidos de forma permanente, los imputables a la mera acción del oleaje o corrientes ordinarios);
g) los causados por actuaciones tumultuarias producidas en el transcurso de reuniones y manifestaciones o huelgas legales, salvo que puedan ser calificadas como acontecimientos extraordinarios;
h) los causados por mala fe del asegurado;
i) los producidos antes del pago de la prima primera o cuando el seguro se hallaba en suspenso o extinguido;
j) los daños indirectos; y
k) los siniestros que sean clasificados por el Gobierno de la nación como catástrofe o calamidad nacional.

C. Contenido/efectos específicos del contrato de seguro de daños

12395

1. Obligaciones del tomador

12400 La obligación principal es **pagar** la prima pactada en concepto de retribución por la cobertura que le presta el asegurador. Se trata de una obligación dineraria de contenido tasado que soporta el tomador del seguro en las condiciones estipuladas en la póliza y que debe satisfacerse en el lugar pactado (LCS art.14). La Ley prohíbe establecer diferencias de trato entre hombres y mujeres cuando esas diferencias consideren el sexo como factor de cálculo.
La **prima** puede ser única o periódica (LCS art.14 y 15).
El incumplimiento del pago de la prima **única** hace que el asegurador no pueda ser compelido al pago de la indemnización. En caso de falta de pago por el tomador del seguro, el asegurador podrá optar por la resolución.
Si, por el contrario, lo que no se ha abonado es **una de las primas**, el tomador dispone de un período de gracia de un mes durante el cual todavía subsistirá la cobertura, momento a partir del cual quedará suspendida la obligación de satisfacer la indemnización durante un plazo de 5 meses más. Si en ese tiempo el asegurado paga la prima, la cobertura volverá a tener efecto y, si no, el contrato se extinguirá *ope legis*.

12402 Además, el tomador soporta otras obligaciones y cargas. Si no las observa, sea de modo doloso o culposo, perderá sus derechos en forma total o parcial:
1) Deber de **no provocar** deliberadamente el siniestro.
2) Deber de mantener **sin agravarlo** el estado de riesgo y de comunicar su agravación.
3) Deber de comunicar las **circunstancias** que puedan influir en la valoración del riesgo y deber de demostrar el daño y la preexistencia de los objetos asegurados.
4) Deber de **aminorar** las consecuencias del siniestro.
5) Deber de **salvamento**.

2. Obligaciones del asegurador

12405 **Liquidación del siniestro y valoración del daño** Al margen de las obligaciones jurídico-públicas como compañía aseguradora, la obligación principal del asegurador, desde la perspectiva de derecho privado, es la de **indemnizar** al asegurado.
Una vez acaecido y comunicado el siniestro, el asegurado debe probar la preexistencia de los objetos asegurados, constituyendo una presunción a su favor el contenido de la póliza.

12407 Para poder proceder a la liquidación del siniestro es preciso **determinar** previamente los **daños realmente sufridos** y la cuantía de la indemnización que corresponde, teniendo en cuenta el juego del principio indemnizatorio (nº 12339). Esta determinación suele ser conflictiva en los seguros de daños y por ello el legislador la ha regulado con especial detalle en la LCS art.38, estableciendo el siguiente procedimiento:
1) Una vez producido el siniestro y notificado al asegurador conforme a la LCS art.16, el tomador del seguro o el asegurado deberán comunicar por escrito al asegurador, en el plazo de 5

días, la relación de los objetos existentes en el momento del siniestro, de los salvados y la estimación de los daños. La **prueba** de la **preexistencia** de los **objetos asegurados** incumbe al asegurado, sin embargo, la póliza constituye una presunción a su favor cuando no puedan aportarse más datos, porque ha estado pagando la prima correspondiente a los objetos y por los valores en ella descritos.

2) Si las partes llegaran a un **acuerdo** sobre el importe y la forma de la indemnización, el asegurador deberá cumplir su prestación de inmediato.

3) Si **no** se hubiera logrado un **acuerdo** en el plazo de 40 días, cada parte designará un perito, debiendo constar por escrito la aceptación de éstos. Si una de las partes no hubiera nombrado perito, la otra parte la requerirá para que lo designe en el plazo de 8 días, y si así no lo hiciera, se entenderá que acepta el dictamen que emita el perito de la otra parte, quedando vinculado por el mismo.

4) En el caso de que los **peritos lleguen a un acuerdo**, levantarán un acta conjunta en la que se fijará el importe de la indemnización.

Si los peritos no alcanzan un acuerdo, se nombrará un **tercer perito** de común acuerdo o por vía judicial. En este supuesto, el dictamen se emitirá en el plazo señalado por las partes o, en su defecto, en el de 30 días a contar desde la aceptación del nombramiento de este último perito.

5) El **dictamen** de los **peritos**, emitido por unanimidad o por mayoría, vinculará a las partes salvo que sea impugnado judicialmente por éstas.

6) Si se produjera la **impugnación**, el asegurador deberá abonar el importe mínimo de la indemnización a que se refiere la LCS art.18 y, si no hubiera impugnación, abonará el importe de la indemnización fijado por los peritos en un plazo máximo de 5 días.

7) Si el asegurador **demorara** el **pago** de la indemnización devenida inatacable y el asegurador tuviere que reclamarlo judicialmente, la indemnización se verá incrementada con el **interés** previsto en la LCS art.20 (nº 12411) y las costas procesales.

12409 **Pago de la indemnización** El procedimiento para el cálculo del daño concreto plantea varias cuestiones:

• **Bases o criterios** para el cálculo: se parte del valor de los objetos asegurados (interés asegurado) y luego se determina el valor de los objetos después del siniestro. La diferencia entre estos valores será el importe del daño directo producido por el siniestro. A ello se deberán añadir los gastos de salvamento y la mitad de los gastos que ocasione la tasación de los daños por el tercer perito.

• Procedimiento para tasar el **importe efectivo del daño** y determinar la indemnización, lo que se verifica de mutuo acuerdo entre las partes o, en su defecto, por peritos (régimen riguroso de la LCS art.38; nº 12407).

Precisiones La **prestación del asegurador** puede consistir en el pago de la indemnización por el daño causado al bien asegurado o la reparación o reposición del objeto siniestrado (nº 12154).

12411 Incurre en **mora** el asegurador siempre que así lo determine la ley y cuando no hubiera procedido (salvo causa justificada o que no le fuera imputable) al pago:

- de la indemnización en el **plazo** de tres meses desde la producción del siniestro; o bien
- del **importe mínimo** a que hace referencia la LCS art.18 en el plazo de cuarenta días desde la recepción de la declaración de siniestro.

En ambos casos se habla de mora y se traduce en la necesidad de abonar una **indemnización por mora** que se declara de oficio por el órgano judicial, y que consiste en lo siguiente:

- el pago de un **interés anual** igual al interés legal del dinero vigente en el momento en que se devengue, incrementado en un 50%;
- además, transcurridos dos años desde la producción del siniestro, este interés no podrá ser inferior al 20% anual (LCS art.20.4) (TS 1-3-07, EDJ 15277).

D. Subrogación del asegurador en los derechos del asegurado

(LCS art.43)

12415 La subrogación del asegurador consiste en el ejercicio por el asegurador de los derechos y acciones que le corresponden al asegurado frente al responsable del siniestro. Se trata de una acción de naturaleza similar a la del CC art.1203.3, cuyo fundamento se encuentra en la propia Ley.

Fundamento de la subrogación Tradicionalmente la subrogación se ha justificado sobre la base de una doble finalidad: 12417

1ª. Evitar que el asegurado, que como consecuencia del siniestro se encuentra con un **cúmulo de derechos de crédito** para el resarcimiento del daño (contra el asegurador y contra el causante), se enriquezca mediante el ejercicio de las dos acciones de daños y de seguro; lo cual sería contrario a la naturaleza estrictamente indemnizatoria de los seguros de daños.

2ª. Impedir que el responsable del siniestro quede **impune** a consecuencia de la protección que obtiene el perjudicado-asegurado por medio del contrato de seguro.

A estas dos razones se añade una tercera de carácter económico, consistente en que el asegurador, mediante la subrogación, puede obtener unos **recursos suplementarios** que le permitan una mejor explotación del negocio del seguro.

Precisiones La institución de la subrogación del asegurador ha conseguido un reconocimiento general en el caso de los seguros de estricta indemnización o **seguros de daños**, al tiempo que se ha eliminado en los **seguros de personas** o de sumas.

Naturaleza jurídica La doctrina ha discutido ampliamente sobre la naturaleza jurídica de la subrogación. Así, se ha manifestado por algunos que: 12419

- estamos ante un supuesto particular de **subrogación por pago**;
- mientras que otros han señalado que nos encontramos ante un caso de **cesión de créditos**, o, simplemente, ante un ejercicio de la **acción subrogatoria** (es decir, con un alcance puramente procesal, lo que generalmente se rechaza); o bien
- estamos ante una forma sui generis, propia del Derecho mercantil, que origina un supuesto atípico de **sucesión en el crédito** del asegurado frente al tercero responsable.

Bajo el régimen del CCom era dominante la tesis de que nos hallamos ante un supuesto de subrogación, tal como se contempla en el CC art.1203.3, que prevé la posibilidad de subrogar a un tercero en los derechos del acreedor.

También después de la vigencia de la LCS podemos decir que, aun cuando la subrogación no se produzca automáticamente, nos encontramos ante un caso de **subrogación legal**, ya que la Ley confiere al asegurador el derecho a subrogarse, en el sentido de que -una vez pagada la indemnización- podrá ejercitar los derechos y las acciones que por razón del siniestro correspondieran al asegurado frente a las personas responsables del mismo.

Precisiones Parece que no estamos ante un supuesto de **cesión del crédito** en el que se produce una sucesión en él mediante su transmisión, sino ante una verdadera subrogación, ya que el crédito se difiere del asegurado al asegurador, pues el subingreso de éste se produce mediante la **atribución** a él, **por mandato de la Ley,** de la titularidad del crédito contra el tercero, una vez que el asegurador ha pagado la indemnización y ha manifestado su voluntad de adquirir ese crédito.

Presupuestos de la subrogación Para que proceda la subrogación del asegurador será preciso que se den los siguientes tres presupuestos: 12421

1º. Que haya habido **indemnización efectiva** al asegurado;

2º. Que exista crédito de resarcimiento del asegurado frente al tercero por motivo del siniestro, es decir, que el **tercero** sea **responsable** del mismo;

3º. Que el asegurador **decida ejercitarla**, puesto que no opera automáticamente.

Exclusión de la subrogación Del ámbito de la subrogación deben excluirse fundamentalmente estos dos supuestos: 12423

a) Cuando el causante del daño sea una persona de cuyos **actos haya de responder** el propio asegurado (lo cual parece lógico y necesario, en cuanto que si la Ley impone al asegurado una responsabilidad directa por los actos las personas que de él dependen conforme al CC art.1903, resulta impensable que surja en el patrimonio del asegurado un crédito contra sí mismo);

b) Cuando el responsable tenga un cierto **parentesco con el asegurado y conviva** con él (pariente en línea directa o colateral dentro del tercer grado civil de consanguinidad, padre adoptante o hijo adoptivo que convivan con el asegurado), lo cual no es sino una ampliación del supuesto anterior; se considera incluso por algunos autores que la finalidad de la norma permite excluir la posibilidad de subrogación también cuando el causante del daño sea el cónyuge del asegurado.

No obstante lo anterior, la exclusión de la subrogación no se produce: 12425

- en caso de que la responsabilidad provenga de **dolo** por parte del dependiente o pariente (esta excepción tiene su fundamento no en la inasegurabilidad del dolo -nº 12069-), sino en el principio de que la responsabilidad procedente del dolo es exigible en todas las obligaciones conforme al CC art.1102);

• cuando el dependiente o pariente responsable tenga **cubierta** su **responsabilidad civil** mediante contrato de seguro (en cuyo caso, la subrogación estará limitada en su alcance de acuerdo con los términos de dicho contrato).

12427 **Efectos de la subrogación** En cuanto a sus efectos, habrá que tener en cuenta lo siguiente:
- el asegurador pasará a ostentar los **derechos del asegurado** frente al tercero responsable, por lo que éste podrá oponerle las excepciones que tuviera contra dicho asegurado;
- la subrogación se extiende hasta el **límite** de la cantidad pagada como indemnización, incluyendo los gastos de salvamento, peritación, etc.; y
- en caso de **concurrencia de acciones** entre el asegurador y el asegurado frente al tercero responsable, el recobro obtenido se repartirá entre ambos en proporción a su respectivo interés.

12429 **Indemnidad de asegurador y asegurado** Tanto el asegurado como el asegurador están obligados a no causar perjuicios a la otra parte, de manera que:
- el **asegurado** será responsable de los perjuicios que con sus **actos u omisiones** pueda causar al asegurador en su derecho a subrogarse; y
- el **asegurador**, por su parte, no podrá **ejercitar** en perjuicio del asegurado los derechos en que se haya subrogado.

Precisiones Este deber del asegurado de **conservar el crédito contra el tercero** para que se transmita sin perjuicio alguno al asegurador -una vez que éste abone la indemnización y ejercite su facultad de hacer propio ese crédito- encuentra su base en el deber genérico del asegurado de disminuir en lo posible las consecuencias del siniestro, esto es, en el llamado **deber de salvamento**. Por medio del crédito contra el tercero se puede llegar a una eliminación -o, al menos, atenuación- del daño sufrido.

E. Transmisión del interés asegurado

(LCS art.34 a 37)

12435 **Riesgo** En virtud de la ley, se transmite el contrato de seguro en caso de **venta o cesión** de la **cosa asegurada**, considerando que, en estos supuestos, el contrato se pacta, no tanto *intuitu personae*, sino en atención a la cosa asegurada.
En este sentido, como regla general, en caso de transmisión del objeto asegurado, el adquirente se subroga en los derechos y obligaciones del anterior titular (LCS art.34.1) y, por otra parte, del pago de las primas vencidas serán solidariamente responsables el adquirente y el anterior titular o sus herederos (LCS art.34.3).
A estos efectos se impone al asegurado la obligación de **comunicar por escrito** al adquirente la existencia de un seguro sobre la cosa transmitida y de comunicar también al asegurador la transmisión en el plazo de quince días a contar de su realización (LCS art.34.2).

12437 Sin embargo, considerando que las **cualidades personales** de las partes intervinientes en el contrato pueden también tener influencia decisiva sobre las circunstancias contractuales (especialmente en relación con el manejo del riesgo por parte del asegurado y con la solvencia por parte del asegurador), se concede a ambos la facultad de **resolver** el contrato:
1) El **asegurador** podrá rescindir el contrato dentro de los 15 días siguientes a aquel en que tenga conocimiento de la realización de la transmisión. En tal caso, deberá restituir la parte de la prima correspondiente a los períodos de seguro en los que no tuvo que soportar el riesgo (LCS art.35).
2) A su vez, el **adquirente** de la cosa asegurada también podrá rescindirlo si lo comunica al asegurador en el plazo de 15 días por escrito, a contar del conocimiento de la existencia del seguro, en cuyo caso el asegurador tendrá derecho a la prima correspondiente al período que se hubiera iniciado cuando se produjo la resolución (LCS art.35.3).

12439 **Transmisión y pólizas a la orden o al portador** No obstante lo anterior, las pólizas emitidas a la orden o al portador, por su especial naturaleza circulatoria, no se podrán rescindir por transmisión del objeto asegurado (LCS art.36).

12441 **Fallecimiento o concurso de acreedores** (LCS art.37) La disciplina de la transmisión del riesgo es también aplicable a los supuestos de muerte o concurso del tomador del seguro o del asegurado, de manera que lo dispuesto en la LCS art.34 a 36 se aplicará en caso de:
- **muerte** del tomador del seguro o del asegurado; y
- declarado el concurso de uno de ellos, en caso de apertura de la **fase de liquidación**.

F. Extinción del contrato

Como cualquier otro contrato, el de seguro se extingue por las causas previstas en el derecho común (nulidad, anulabilidad, rescisión, resolución). 12445
Además, el **seguro contra daños** se extingue por causas específicas:
- sustitución, cambio, alteración o transformación de los objetos asegurados;
- enajenación o transmisión de los objetos asegurados;
- cumplimiento del plazo legal o pactado de duración del contrato;
- muerte o declaración de concurso del tomador del seguro o del asegurado.

Todo ello sin olvidar otras causas de extinción, como el impago de la prima, el sobreseguro doloso, el seguro doble, el dolo causante o el error.

G. Supuestos específicos de seguros contra daños

12450

1. Seguros sobre las cosas (seguros reales)

12455

a. Seguro contra incendios

(LCS art.45 a 49)

Se trata de un seguro de intereses sobre las cosas mediante el cual el asegurador se obliga, dentro de los límites establecidos en la Ley y en el contrato, a **indemnizar** los **daños** producidos por incendio en el objeto asegurado (LCS art.45). 12460

Precisiones Es la modalidad de seguro de daños más antigua e importante de los seguros terrestres. Está **regulado** en la LCS art.45 a 49, que procede de la regulación del CCom art.386 a 415 (derogados).

La Ley **define** el incendio como la combustión o abrasamiento con llama, susceptible de propagarse, de uno o varios objetos que no estaban destinados a ser quemados en el lugar y momento en que se produce. 12462
La **cobertura** del seguro se extiende a los daños materiales y directos que sufran los objetos descritos o determinados en la póliza (LCS art.46).
En el seguro sobre **mobiliario** la cobertura se extiende a los daños producidos en las cosas de uso ordinario o común del asegurado, de sus familiares, dependientes y de las demás personas que con él convivan; pero, salvo pacto en contrario, **no quedarán comprendidos** en la cobertura del seguro los daños que cause el incendio en los valores mobiliarios públicos o privados, efectos de comercio, billetes de banco, piedras y metales preciosos, objetos artísticos o cualesquiera otros de valor que se hallaren en el objeto asegurado, aun cuando se pruebe su existencia y su destrucción o deterioro por el siniestro (LCS art.46).

Precisiones La razón que justifica esta exclusión de cobertura se halla en la **prevención del fraude** que podría realizar el asegurado por la dificultad de la prueba de preexistencia de dichos bienes.

Asimismo, podrán ser garantizados por este seguro: 12464
- la **pérdida de beneficios** por paralización de la empresa; y
- la **pérdida de alquileres** a causa del incendio.

Además de los daños materiales y directos de la acción del fuego, el seguro cubre también los que sean **consecuencia inevitable del incendio** (LCS art.49): 12466
- los ocasionados por las medidas necesarias adoptadas por la autoridad para impedir, cortar o extinguir el propio incendio (con exclusión de los gastos que ocasione la aplicación de tales medidas, salvo pacto en contrario);
- los gastos de transporte o salvamento de los objetos asegurados;
- los menoscabos que sufran los objetos salvados a consecuencia de las medidas adoptadas por la autoridad para sofocar el incendio o de su transporte o salvamento;

- el valor de los objetos desaparecidos, siempre que el asegurado acredite su preexistencia y salvo que el asegurador pruebe que fueron robados o hurtados;
- cualesquiera otros que se consignen en la póliza.

12468 La destrucción o deterioro de los objetos asegurados **fuera del lugar** descrito en la póliza excluirá la indemnización del asegurador, a menos que (LCS art.47):
- su traslado o cambio le hubiere sido previamente comunicado por escrito; y
- el asegurador no hubiese manifestado en el plazo de quince días su disconformidad.

Por tanto, y a sensu contrario, siempre que la destrucción o deterioro de los objetos sobre los que recae el interés asegurado ocurra en el **lugar descrito en la póliza**, el asegurador está obligado a indemnizar los daños producidos por el incendio cuando éste se origine por (LCS art.48):
- **caso fortuito**;
- **malquerencia** de extraños; o
- **negligencia** propia o de las personas de quienes se responde civilmente.

Sin embargo, no tienen que indemnizar los daños causados por **dolo o culpa grave** del asegurado (nº 12069).

12470 Además, es característico del seguro de incendio cubrir el riesgo locativo y de recurso de vecinos, mediante el pago de una **sobreprima**:

a) El **riesgo locativo** se refiere:
- tanto a la responsabilidad que, por consecuencia del incendio, pueda contraer el asegurado (p.e., el **inquilino** del inmueble siniestrado) frente al propietario del mismo;
- como a la responsabilidad del **propietario** frente a sus inquilinos, o incluso frente a terceros, y a la pérdida de alquileres y desembolsos ocasionados por el desalojamiento provisional de los locales siniestrados.

b) El riesgo llamado de **recurso de vecinos** es el relativo a la responsabilidad civil en la que puede incurrir el asegurado frente a éstos a consecuencia de la propagación del incendio.

b. Seguro contra el robo

(LCS art.50 a 53)

12475 El seguro contra el robo cubre los daños derivados de (LCS art.50):
- la **sustracción ilegítima** por parte de terceros de las cosas aseguradas;
- la comisión del **delito** en cualquiera de sus formas (robo, hurto, apropiación indebida).

En caso de siniestro, el **daño indemnizable** comprenderá (LCS art.51):
- tanto el valor del interés asegurado (cuando el objeto sustraído no fuera hallado en el plazo señalado en el contrato);
- como el importe del daño que la comisión del delito -en cualquiera de sus formas- causare en los objetos asegurados.

La **prueba** de la preexistencia de los objetos robados corresponde al asegurado, pero si éstos aparecían descritos en la póliza de seguro, se establecerá una presunción favorable a éste.

Precisiones Como complementario al seguro de robo aparece en la práctica el denominado **seguro de infidelidad de empleados**, que tiene por objeto la indemnización al asegurado de los daños causados por robo, hurto, apropiación o utilización de sus propios bienes, o de los bienes ajenos confiados a su custodia, por parte de sus empleados o dependientes.

12477 Salvo pacto en contrario, hay una serie de **riesgos** que quedan **excluidos** de la obligación de reparación que recae sobre el asegurador, cuando los efectos del siniestro se deban a alguna de las siguientes causas (LCS art.52):

1ª. Cuando el siniestro haya sido ocasionado por **dolo o negligencia grave** del asegurado, del tomador o de las personas que con ellos convivan (ver nº 12069);

2ª. Cuando el objeto asegurado sea **sustraído fuera del lugar** descrito en la póliza o con ocasión de su transporte;

3ª. Cuando la sustracción se produzca con ocasión de siniestros causados por **riesgos extraordinarios**, por ejemplo, un terremoto o una inundación (nº 12386).

12479 Producido y debidamente comunicado el **siniestro** al asegurador, se observarán las reglas siguientes (LCS art.53):

1ª. Si el objeto asegurado es **recuperado antes** del transcurso del **plazo señalado en la póliza**, el asegurado deberá recibirlo, a menos que en ella le hubiera reconocido expresamente la facultad de su abandono al asegurador.

2ª. Si el objeto asegurado es recuperado **transcurrido el plazo pactado**, y una vez pagada la indemnización, el asegurado podrá retener la indemnización percibida abandonando al asegurador la propiedad del objeto asegurado, o readquirirlo, restituyendo, en este caso, la indemnización percibida por la cosa o cosas restituidas.

Precisiones Este seguro concede al asegurado el derecho a exigir la liquidación del siniestro por el **sistema del abandono**, que consiste en percibir el importe total de la suma asegurada a cambio de ceder al asegurador la propiedad del objeto asegurado una vez que haya sido recuperado.

c. Seguro de transporte terrestre

(LCS art.54 a 62)

Se trata de un seguro que protege contra los riesgos que, con ocasión del transporte, puedan sufrir (LCS art.54): 12485
- las **mercancías** porteadas;
- los **medios** de transporte utilizados (camiones, vagones, etc.); y
- los **objetos** asegurados (el lucro cesante o la responsabilidad civil).

La Ley de Contrato de Seguro ha incorporado a esta modalidad el seguro de los **vehículos** utilizados para el transporte, que la práctica acostumbra a encuadrarlo en el seguro de vehículos a motor.

Precisiones En caso de que el viaje se realice utilizando **diversos medios de transporte**, se aplicarán (LCS art.55):
- las normas del seguro de transporte **terrestre** si el viaje por este medio constituye la parte más importante del mismo; y
- si el transporte terrestre es accesorio de otro **marítimo o aéreo**, se aplicarán a todo el transporte las reglas de estos seguros.

Tomador (LCS art.56) Pueden **contratar** este seguro: 12487
- el **propietario** del vehículo o de las mercancías transportadas;
- el **comisionista** de transporte **y** las **agencias de transportes**;
- en general, todos los que tengan **interés** en la conservación de las mercancías.

En la **póliza** de expresarse el concepto en que se contrata el seguro.

Precisiones Quedan **al margen** de esta regulación, por pertenecer a otras modalidades de seguro:
- el seguro de responsabilidad del porteador;
- el seguro de viajeros; y
- el seguro obligatorio del automóvil.

Características El seguro de transporte presenta los siguientes rasgos particulares: 12489
1ª. La póliza reviste de ordinario la modalidad de **póliza flotante o de abono** (nº 12096). En ninguna otra rama del seguro tienen aplicación tan clara estas pólizas, que permiten **cubrir anticipadamente** hasta el límite de la suma asegurada los riesgos que corran todas las mercancías que el asegurado expida o reciba por vía terrestre durante un período de tiempo determinado. Cada vez que se realiza una expedición de mercancías, esta póliza ha de ser complementada con una «**declaración de alimento**» en la que se identificarán las mercancías porteadas.
2ª. Las **primas** se devengan por cada viaje o expedición con arreglo al porcentaje fijado en el cuerpo de la póliza o en la cifra aneja a la misma:
- por el porteador;
- por el cargador; o
- por una agencia de transportes.

3ª. El seguro suele hacerse **por cuenta propia o de quien corresponda**, para traspasar de ese modo la seguridad a cualquier adquirente de las mercancías durante el transporte.
4ª. Es un seguro inspirado en el principio de **universalidad del riesgo** (nº 12491), lo que significa que quedan cubiertos todos los posibles riesgos que puedan presentarse, excepto aquellos que expresamente se **excluyan** en la póliza.

Delimitación del riesgo (LCS art.58) Se consideran riesgos cubiertos todos los inherentes al transporte terrestre, tanto durante la locomoción terrestre como en la fase preparatoria de la misma, e incluso en los momentos de quietud que, en dependencia directa con ella, la precedan, interrumpan o subsigan. 12491

Salvo pacto en contrario, la **cobertura** del seguro:
- **comenzará** en el momento en que se entregan las mercancías al porteador; y
- **terminará** cuando se entreguen al destinatario en el punto de destino.

No obstante, se puede pactar la **extensión del seguro** a los riesgos que afecten a las mercancías desde que salen del almacén o domicilio del cargador hasta que entran en el almacén o domicilio del destinatario.

Precisiones Salvo pacto expreso en contrario, el seguro cubrirá el **depósito transitorio** de las mercancías **y** la **inmovilización del vehículo** o su cambio durante el viaje por incidencias propias del transporte y no hayan sido causados por algunos de los acontecimientos excluidos del seguro. La póliza podrá establecer un **plazo máximo** y, transcurrido éste sin reanudarse el transporte, cesará la cobertura del seguro (LCS art.59).

12493 **Duración** (LCS art.57) El seguro de transporte puede contratarse:
- por viaje; o
- por un tiempo determinado.

12495 **Responsabilidad del asegurador** (LCS art.57) Responde, de acuerdo con lo convenido en el contrato de seguro, de los daños que sean consecuencia de siniestros acaecidos durante la vigencia del contrato, aunque sus efectos se manifiesten con posterioridad, pero dentro de los seis meses siguientes a la fecha de su expiración.
En cambio, no responderá por los daños debidos al **vicio propio** de la mercancía porteada (ver nº 1110).

12497 **Pago de la indemnización** La Ley, velando por los intereses de los asegurados, establece reglas especiales en orden a la indemnización del siniestro.
En primer término, y sin perjuicio de lo establecido en la LCS art.11 -sobre comunicación de alteraciones- y LCS art.12 -sobre la propuesta de modificación-, declara que el asegurado, en tanto la modificación no le sea imputable, no perderá su derecho a la indemnización cuando se haya **alterado** (LCS art.60):
- el medio de transporte;
- el itinerario;
- los plazos del viaje; o
- el viaje se haya realizado en tiempo distinto al previsto.

12499 Asimismo, establece las siguientes reglas que deben presidir la indemnización de los siniestros (LCS art.61 y 62):
a) se considerarán comprendidos en los **gastos de salvamento** los que fuere necesario o conveniente realizar para reexpedir los objetos transportados asegurados;
b) en caso de **pérdida total del vehículo**, el asegurado podrá abandonarlo al asegurador, si así se hubiere pactado;
c) **en defecto de estimación**, la indemnización cubrirá, en caso de pérdida total, el precio que tuvieran las mercancías en el lugar y en el momento en que se cargaran y, además, todos los gastos realizados para entregarlas al transportista y el precio del seguro si recayera sobre el asegurado;
d) cuando el seguro cubra los **riesgos de mercancías** que se destinen a la venta, la indemnización se regulará por el valor que las mercancías tuvieran en el lugar de destino.

12501 **Seguros especiales de transporte** Junto al seguro de transporte de mercancías existen otros seguros que se contratan a través de pólizas o condiciones especiales. Así:
a) El seguro de transporte de **valores** recae sobre intereses relativos a efectos mercantiles o industriales, valores públicos, billetes de lotería o de banco u otros documentos análogos.
b) El seguro de transporte de **paquetes** recae sobre intereses relativos a cosas cuidadosamente embaladas en paquetes o cajas precintadas, quedando responsable la compañía hasta una suma máxima, según el peso del paquete.
c) El seguro de **vagones en tráfico** cubre los riesgos de destrucción, averías o daños directos que sufra el material asegurado, tanto en viaje como en estadía en las estaciones férreas, apartaderos, cocheras y recintos de los talleres de reparación.

d. Seguros agrarios

12505 Bajo esta denominación genérica se comprenden los diferentes seguros regulados en la L 87/1978 de Seguros Agrarios Combinados que protegen contra los riesgos que amenacen a los intereses **agrícolas, pecuarios y forestales**.
La suscripción de este tipo de seguros es, salvo ciertas excepciones, **voluntaria** (L 87/1978 art.2.2), y puede contratarse el seguro de forma **individual o colectiva** (L 87/1978 art.7).

Las pólizas y tarifas de primas de los seguros comprendidos en los **Planes de Seguros Agrarios Combinados** aprobados por el Gobierno se ajustarán a lo dispuesto en la LOSSP. La circunstancia de que estos seguros no hayan alcanzado la difusión deseable, tanto por su alto coste como por el fenómeno de antiselección de riesgos que se venía produciendo en su contratación, ha determinado que su actual normativa tienda especialmente a potenciarlos, previendo:
- por un lado, una **aportación del Estado** al importe global de las primas (L 87/1978 art.11); y
- por otro, estableciendo que los riesgos han de asegurarse, en principio, de forma **combinada** (L 87/1978 art.3.2).

Precisiones 1) Las dificultades técnicas que ofrece la cobertura de estos riesgos, por su variedad e importancia, explican su **especialidad normativa** respecto de la LCS.
2) No obstante el carácter voluntario del seguro, el **Gobierno podrá acordar su obligatoriedad** cuando para una zona o producción más del 50% de los que lleven o dirijan directamente las explotaciones agrarias presten su conformidad a suscribirlo, expresada a través de las Organizaciones y Asociaciones de Agricultores o las Cámaras Agrarias, sin perjuicio de que el Gobierno pueda acordarla por sí en casos graves. En el plan periódico se establecerán los mínimos de superficie continua que deba comprender cada zona para ser considerada a estos efectos (L 87/1978 art.8).

Los **riesgos asegurables** pueden ser: 12507
- **agrícolas**: pedrisco, incendio, sequía, heladas, inundaciones, etc.;
- **pecuarios**: muerte, sacrificio obligatorio e inutilización o pérdida de la función específica del ganado a consecuencia de accidente, enfermedad o epizootia; y
- **forestales**: incendios, gastos por trabajos de extinción e indemnización a las personas accidentadas en los mismos.

Precisiones La cobertura de los **riesgos forestales** se realizará, sin embargo, en la forma y condiciones previstas por la L 81/1968 sobre Incendios Forestales y su Reglamento (D 3769/1972), que crea un Fondo de Compensación de Incendios Forestales, cuyo mantenimiento corresponde obligatoriamente a todos los propietarios de montes y al cual se atribuye la compensación de los daños y gastos producidos por los incendios, corriendo a cargo del propio Fondo la cobertura de los accidentes sufridos por las personas que intervengan en su extinción.

Los riesgos agrarios pueden ser cubiertos por las entidades **aseguradoras autorizadas** para operar en los correspondientes ramos, aunque el Estado fomentará, prioritariamente, la constitución de **Mutuas** por los propios agricultores (L 87/1978 art.2.6). 12509
En cualquier caso, su explotación se hará en régimen de coaseguro, debiendo estar integradas en la Agrupación Española de Entidades Aseguradoras de Seguros Agrarios Combinados S.A. (**Agroseguro**) las distintas entidades coaseguradoras que participen en la cobertura de los riesgos.
Por otro lado, el Consorcio de Compensación de Seguros actuará de **reasegurador obligatorio** en todos los ramos que comprenden estos seguros en la forma y cuantía que determine el Ministerio de Economía (RDLeg 7/2004 art.10.1.b).

2. Seguros sobre el patrimonio (seguros patrimoniales)

12515

a. Seguro de responsabilidad civil

(LCS art.73 a 76)

Objeto (LCS art.73) En virtud del seguro de responsabilidad civil el asegurador cubre el riesgo del nacimiento a cargo del asegurado de la **obligación de indemnizar a un tercero** los daños y perjuicios causados por un hecho previsto en el contrato de cuyas consecuencias sea civilmente responsable el asegurado conforme a derecho. 12520

Precisiones La LCS limita la regulación de esta modalidad de seguro a los aspectos esenciales, entre los que destaca la generalización de la **acción directa del perjudicado** contra el asegurador (nº 12534).

12522 Con carácter general, el seguro de responsabilidad civil es **voluntario**. No obstante, por su peligrosidad, determinadas actividades deben realizarse previa contratación de un seguro de este tipo. Así, entre los **seguros obligatorios** de responsabilidad civil podemos citar los siguientes:
- circulación de vehículos de motor;
- transporte de viajeros;
- riesgo nuclear;
- caza;
- contaminación marina por hidrocarburos;
- navegación aérea; y
- responsabilidad del fabricante en determinados sectores.

12524 **Características** El seguro de responsabilidad civil presenta los siguientes rasgos:
1ª. Protege al asegurado **sólo frente a la responsabilidad civil** en la que pueda incurrir, bien sea:
- de naturaleza extracontractual (CC art.1902);
- contractual (p.e., la responsabilidad profesional); o
- especial, por venir impuesta legalmente (p.e., la del fabricante por productos defectuosos o la de los administradores de una sociedad de capital).

La responsabilidad **penal y administrativa** (incluidas las multas) no son asegurables, pero sí lo es, en cambio, la responsabilidad civil derivada de un delito.
2ª. Solamente cubre la responsabilidad civil derivada de **actuaciones accidentales o negligentes** del asegurado. La surgida de actuaciones dolosas queda excluida.
3ª. Es un seguro contra el **daño patrimonial** sufrido por el asegurado por el nacimiento de una deuda de la que deba responder.
4ª. Aunque se configura, en principio, como un seguro de daños a favor del asegurado, la generalización de la acción directa y del carácter obligatorio en muchos sectores motivan su evolución hacia una nueva concepción como seguro **en beneficio de la víctima del daño**.
5ª. El asegurador queda obligado a asumir la responsabilidad que se imputa al asegurado hasta el **límite** máximo de la suma asegurada o ilimitadamente, si el seguro se pactó de esta forma.

Precisiones El hijo de un propietario de la vivienda de un edificio provoca un **incendio** imprudente al tratar de **robar combustible de un vehículo** estacionado en el garaje del edificio. Señala el TS que, a los efectos de la inasegurabilidad de los **daños causados dolosamente** (nº 12069), resulta relevante que la producción del siniestro dependa de la voluntad del asegurado que fue, en este caso, la sustracción de la gasolina, pero no la producción del incendio posterior (TS 20-4-23, EDJ 550742).

12526 **Cláusulas limitativas** (LCS art.73) Serán **admisibles**, como límites establecidos en el contrato, las siguientes cláusulas limitativas de los derechos de los asegurados (en los términos de la LCS art.3):
1ª. Aquellas que circunscriban la cobertura de la aseguradora a los supuestos en que la **reclamación del perjudicado** haya tenido lugar dentro de un período de tiempo, no inferior a un año, **tras la terminación del contrato** (sea en su período de duración o sus prórrogas).
2ª. Aquéllas que circunscriban la cobertura del asegurador a los supuestos en que la reclamación del perjudicado tenga lugar durante el período de vigencia de la póliza siempre que, en este caso, tal cobertura se extienda a los supuestos en los que el **nacimiento de la obligación de indemnizar** a cargo del asegurado haya podido tener lugar **con anterioridad**, al menos, de un año desde el comienzo de efectos del contrato, y ello aunque dicho contrato sea prorrogado.

12528 **Riesgo y siniestro** El riesgo que se asegura consiste en la posibilidad de que el asegurado incurra en responsabilidad civil por el daño causado a un tercero, en cuyo caso el patrimonio del asegurado quedaría perjudicado al tener que hacer frente a dicha responsabilidad.
El **siniestro**, sin embargo, vendrá determinado por la **reclamación** judicial o extrajudicial de la víctima del daño porque, hasta tanto ésta no se produce, no surgirá la obligación del asegurador de reparar el daño causado, ni por consiguiente entrará en juego la garantía del seguro. Si no tiene efecto dicha reclamación, o bien la responsabilidad desaparece por remisión o prescripción, se extinguirá también la obligación del asegurador.
Por lo que respecta a la **delimitación del riesgo**, hay que tener en cuenta que la causal se realiza casi siempre en función de una actividad (la conducción de un automóvil, el ejercicio de una profesión, etc.) y la temporal plantea el problema del desfase entre la acción, el perjuicio al tercero y el siniestro.

Obligaciones de las partes Entre las obligaciones del **asegurado** destacan las siguientes: 12530
- pagar la prima (nº 12130);
- comunicar el siniestro al asegurador (nº 12144);
- abstenerse de reconocer su responsabilidad;
- prestar la cooperación necesaria al asegurador en la liquidación del siniestro.

Asimismo, y salvo pacto en contrario, la **defensa jurídica** del asegurado la asumirá la aseguradora, corriendo de su cargo los gastos de defensa, a cuyo fin el asegurado deberá prestar la colaboración necesaria en orden a la dirección jurídica asumida por el asegurador. No obstante, cuando quien reclame esté también asegurado con el mismo asegurador o exista algún otro posible **conflicto de intereses**, el asegurador comunicará inmediatamente al asegurado la existencia de esas circunstancias, sin perjuicio de realizar aquellas diligencias que por su carácter urgente sean necesarias para la defensa. El asegurado podrá optar entre el mantenimiento de la dirección jurídica por el asegurador o confiar su propia defensa a otra persona. En este último caso, el asegurador quedará obligado a abonar los gastos de tal dirección jurídica hasta el límite pactado en la póliza (LCS art.74; nº 12575).

Por su parte, el **asegurador** está obligado a pagar la indemnización que el asegurado tenga que satisfacer en concepto de responsable civil al tercero dañado, teniendo el perjudicado (o sus herederos) acción directa contra la aseguradora para reclamar la indemnización (nº 12534). 12532

Ahora bien, una vez pagada, el asegurador podrá **subrogarse** en los derechos y acciones que correspondan al asegurado contra el responsable del acto dañoso.

Acción directa (LCS art.76) El **perjudicado** o sus herederos tendrán acción directa contra el asegurador para exigirle el cumplimiento de la obligación de indemnizar, sin perjuicio del derecho del asegurador a **repetir contra el asegurado** en el caso de que el daño o perjuicio causado al tercero sea debido a la conducta dolosa de aquél. 12534

En garantía de los perjudicados, esta acción es inmune a las excepciones que puedan corresponder al asegurador frente al asegurado. El asegurador puede oponer, no obstante:
- la **culpa exclusiva** de la **víctima**; y
- las excepciones personales que pudiera tener contra ella.

A los efectos del ejercicio de la acción directa, el asegurado estará obligado a manifestar al tercero perjudicado o a sus herederos la existencia del contrato de seguro y su contenido.

Precisiones En caso de seguro de responsabilidad civil, en el que la acción del perjudicado contra el asegurador es inmune a las excepciones que puedan corresponder al asegurador contra el asegurado (LCS art.76), la **inasegurabilidad por dolo** (nº 12069) no sería oponible, sin perjuicio del **derecho de repetición** de la aseguradora contra el asegurado. Por tanto, el asegurador no puede oponer a la víctima que el evento que produjo el daño indemnizable -en este caso un incendio- fue provocado intencionadamente por el asegurado (TS 20-4-23, EDJ 550742).

b. Seguro de lucro cesante

(LCS art.63 a 67)

Objeto (LCS art.63) En virtud del seguro de lucro cesante, que puede convenirse como contrato autónomo o como pacto de otro seguro de distinta naturaleza, se obliga el asegurador a indemnizar al asegurado la **pérdida del rendimiento económico** que hubiera podido alcanzarse en un acto o actividad de no haberse producido el siniestro descrito en el contrato. 12540

Cobertura (LCS art.66) El seguro puede cubrir riesgos relativos: 12542
- a **una o varias operaciones** lucrativas predeterminadas en la póliza; o
- a la **actividad** de una empresa mercantil, asegurando la pérdida de beneficios y los gastos generales que el titular de aquélla haya de seguir soportando cuando quede paralizada total o parcialmente, a consecuencia de acontecimientos determinados en contrato.

En el supuesto de que **coexistan** un seguro de lucro cesante y otro de daños sobre un mismo objeto, pero con distinto asegurador, el asegurado deberá comunicar a cada uno de los aseguradores la existencia del otro seguro (LCS art.64).

Indemnización (LCS art.65) En defecto de pacto expreso, la indemnización que debe satisfacer el asegurador se extiende a lo siguiente: 12544

1º. La **pérdida de beneficios** que produzca el siniestro durante el **período** previsto en la póliza;
2º. Los **gastos generales** que continúen gravando al asegurado después de la producción del siniestro; y
3º. Los **gastos** que sean consecuencia **directa** del siniestro.

Precisiones En el supuesto de que el contrato tenga exclusivamente por objeto la **pérdida de beneficios**, las partes no podrán predeterminar el importe de la indemnización (LCS art.67).

c. Seguro de caución

(LCS art.68)

12550 **Objeto** En virtud del seguro de caución el asegurador se obliga, en caso de **incumplimiento** por el tomador del seguro de sus **obligaciones legales o contractuales**, a indemnizar al asegurado a título de resarcimiento o penalidad los daños patrimoniales sufridos dentro de los límites establecidos en la Ley o en el contrato.
Si bien, el tomador no queda exonerado de sus obligaciones, pues todo pago hecho por el asegurador deberá serle **reembolsado** por el tomador del seguro.
Se trata, por tanto, de un contrato estipulado por un **empresario**, que actúa como tomador del seguro, para garantizar el cumplimiento de determinadas obligaciones que tiene contraídas con el asegurado, como, por ejemplo, las cláusulas penales derivadas del incumplimiento de los contratos de obra.

Precisiones 1) La Ley se limita a definir este tipo de contrato, y de manera un tanto confusa, **sin** establecer una **regulación específica**.
2) Sobre las **diferencias** con el seguro de crédito, ver nº 12560.

12552 **Características** Este contrato presenta una serie de características que lo diferencian de los típicos contratos de seguro y lo aproximan a los **contratos de fianza o garantía**, como, por ejemplo:
1ª. La naturaleza del riesgo que se asegura;
2ª. La vinculación del siniestro al comportamiento del asegurado (**incumplimiento**), que se opone frontalmente a la prohibición de la LCS art.19 (el asegurador está obligado al pago de la prestación, salvo en el supuesto de que el siniestro haya sido causado por mala fe del asegurado);
3ª. La determinación de la **cuantía** de la indemnización;
4ª. La **acción de regreso** (o reembolso) del asegurador contra el tomador del seguro.

12554 No obstante, el seguro de caución se **diferencia** de los contratos de fianza o garantía en el hecho de que el asegurador no se obliga a cumplir por el deudor principal, sino a **resarcir al acreedor** los daños que le ha causado aquél, aunque, en la práctica, esta modalidad de seguro se instrumente bien a través de una especie de crédito documentario o de un aval.

Precisiones La **jurisprudencia**, basándose exclusivamente en su incardinación legal, ha rechazado rotundamente la equiparación de la fianza al seguro de caución, así como la aplicación a esta modalidad de seguro de las normas del CC relativas a la fianza. También se ha mostrado contraria a la aplicación analógica de la acción directa de la LCS art.76 (nº 12534).

d. Seguro de crédito

(LCS art.69 a 72)

12560 Frente al criterio seguido por otros ordenamientos jurídicos, la LCS ha optado por regular separadamente los seguros de crédito y de caución, los cuales, si bien tienen una característica común consistente en que garantizan riesgos jurídicos, sin embargo presentan importantes diferencias en cuanto a la significación del riesgo asegurado.
Como diferencia básica entre ambos seguros:
a) El **seguro de crédito** tiene por objeto resarcir al acreedor de la insolvencia de su deudor (**asegura al acreedor** frente al deudor).
b) En cambio, el **seguro de caución** garantiza al asegurado el cumplimiento de sus obligaciones con el acreedor (es decir, **asegura al deudor** frente al acreedor).

12562 El seguro de crédito, de historia relativamente reciente, puede definirse como aquel en el que el asegurador se obliga, dentro de los límites establecidos en la Ley y en el contrato, a indemnizar al asegurado de las pérdidas finales que experimente a consecuencia de la **insolvencia definitiva** de sus **deudores** (LCS art.69).
Se reputará existente la insolvencia definitiva del deudor en los siguientes **supuestos** (LCS art.70):
1º) Cuando haya sido declarado en quiebra (concurso de acreedores) mediante resolución judicial firme.
2º) Cuando haya sido aprobado judicialmente un convenio en el que se establezca una quita del importe.

3º) Cuando se haya despachado mandamiento de ejecución o apremio, sin que del embargo resulten bienes libres bastantes para el pago.
4º) Cuando el asegurado y el asegurador, de común acuerdo, consideren que el crédito resulta incobrable.

La cuantía de la **indemnización** se determina según un **porcentaje** de la pérdida final que habrá de establecer la póliza, a cuyo efecto se añadirán al importe del crédito impagado (LCS art.71): 12564
- los gastos originados por las gestiones de recobro;
- los gastos procesales; y
- cualesquiera otros expresamente pactados.

Dicho porcentaje no podrá comprender los beneficios del asegurado, ni ser inferior al 50% de la pérdida final (LCS art.71).
En cualquier caso, a los seis meses del aviso al asegurador del impago del crédito, éste **abonará al asegurado**, con carácter **provisional** y a cuenta de ulterior liquidación definitiva, el 50% de la cobertura pactada.

En el seguro de crédito se imponen al **asegurado** tres **deberes específicos** (LCS art.72): 12566
a) La **exhibición**, a requerimiento del asegurador, de los libros y cualesquiera otros **documentos** que poseyere relativos al crédito o créditos asegurados (como los contratos que dan lugar al crédito o los libros de contabilidad);
b) La **colaboración** en los procedimientos judiciales para obtener el cobro de la deuda, cuya dirección jurídica será asumida por el asegurador;
c) La **cesión al asegurador** del crédito contra el deudor, una vez satisfecha la indemnización.

Seguro de crédito a la exportación Se trata de una modalidad especial del seguro de crédito. A tal fin, la Compañía Española de Seguros de Crédito a la Exportación S.A. (CESCE) -con participación mayoritaria del Estado en su capital-, asume, en concurrencia con otras entidades autorizadas para operar en los seguros de crédito y caución, la cobertura de los riesgos comerciales derivados del **comercio exterior** en sus diferentes modalidades, así como la gestión en exclusiva de la cobertura de los riesgos políticos y extraordinarios que realizará por cuenta del Estado (resolución de contratos, riesgos de expedición, créditos a la exportación, prefinanciación de exportaciones, prospección de mercados y asistencia a ferias, elevación de costos, diferencias de cambio, u otros que sean determinados por el Ministerio de Economía). 12568
Podrán contratar este seguro, en calidad de **asegurados**, tanto las empresas exportadoras, como las entidades de crédito que intervengan en la financiación de las operaciones de exportación.

e. Seguro de defensa jurídica

(LCS art.76.A a 76.g)

El seguro de defensa jurídica se define como aquel contrato por el que el asegurador se obliga a (LCS art.76.A): 12575
a) por un lado, **hacerse cargo de los gastos** en que pueda incurrir el asegurado como consecuencia de su intervención en un procedimiento administrativo, judicial o arbitral; y
b) por otro lado, prestar al asegurado **asistencia jurídica** judicial y extrajudicial derivada de la cobertura del seguro.

Precisiones La cobertura de defensa jurídica es exigible, en caso de **fallecimiento del asegurado**, por su viuda e hijos, sin que a ello se oponga el hecho de que no sean los tomadores del seguro y que tampoco fueran designados como beneficiarios en la póliza (TS 11-4-23, EDJ 547325).

Quedan **excluidos** de la cobertura de este seguro (LCS art.76.b): 12577
- el pago de multas;
- la indemnización de los gastos que originen las posibles sanciones impuestas al asegurado por las autoridades administrativas o judiciales.

Asimismo, esta modalidad de seguro tampoco será de aplicación a la defensa jurídica realizada por el asegurador de la **asistencia en viaje**, ni a la que tenga por objeto litigios o riesgos que surjan o tengan relación con el uso de **buques o embarcaciones** marítimas (LCS art.76.g).

Póliza (LCS art.76 C) El seguro de defensa jurídica deberá ser objeto de un **contrato independiente**. 12579
No obstante, podrá incluirse en **capítulo aparte** dentro de una póliza única, en cuyo caso habrán de especificarse:
- el contenido de la defensa jurídica garantizada; y
- la prima que le corresponde.

Precisiones La póliza del contrato de seguro de defensa jurídica habrá de **recoger expresamente** el derecho del asegurado a elegir libremente abogado y procurador (nº 12581) (LCS art.76 F).

12581 **Designación de abogado y procurador** (LCS art.76 D) El asegurado tendrá derecho a **elegir libremente** el procurador y abogado que hayan de representarle y defenderle en cualquier clase de procedimiento, y específicamente en caso de conflicto de intereses entre las partes del contrato.

En ningún caso el abogado y procurador designados por el asegurado estarán sujetos a las **instrucciones** del asegurador.

Precisiones En caso de **conflicto de intereses o** de **desavenencia** sobre el modo de tratar una cuestión litigiosa, el asegurador deberá informar inmediatamente al asegurado de la facultad de elegir libremente abogado y procurador (LCS art.76 F).

12583 **Exclusiones** (LCS art.76 G) Los preceptos de la LSC sobre el seguro de defensa jurídica (LCS art.76) no serán de aplicación:

a) A la defensa jurídica realizada por el asegurador de la **responsabilidad civil** (conforme a la LCS art.74) (nº 12530).

b) A la defensa jurídica realizada por el asegurador de la **asistencia en viaje**.

c) A la defensa jurídica que tenga por objeto litigios o riesgos que surjan o tengan relación con el uso de **buques o embarcaciones** marítimas.

Precisiones La no aplicación de las normas del seguro de defensa jurídica a la **asistencia en viaje** está subordinada a tres circunstancias:

- que la actividad de defensa jurídica se ejerza en un **Estado distinto** del de la residencia habitual del asegurado;
- que dicha actividad se halle contemplada en un **contrato que tenga por objeto** única y exclusivamente la asistencia a personas que se encuentren en dificultades con motivo de desplazamientos o de ausencias de su lugar de residencia habitual; y
- que en el contrato se indique claramente que no se trata de un seguro de defensa jurídica, sino de una **cobertura accesoria** a la de asistencia en viaje.

H. Contrato de reaseguro

(LCS art.77 a 79)

12590

1. Cuestiones generales

12595 **Objeto de reaseguro** (LCS art.77) El contrato de reaseguro es un contrato de seguro en el que el riesgo asegurado es el nacimiento de una **deuda en el patrimonio del asegurador** (reasegurado) como consecuencia del cumplimiento del contrato de seguro celebrado por él con su asegurado.

Así pues, el **daño** que quiere resarcirse en el reaseguro es el nacimiento de una deuda en el patrimonio del reasegurado. El reasegurador ha de reparar ese daño.

Precisiones La tesis actualmente dominante es que el reaseguro es un verdadero y propio contrato de seguro. En particular, un contrato de **seguro contra los daños** y, precisamente, contra el eventual daño que adviene al reasegurado por el siniestro en el seguro directo, por efecto del contrato por él celebrado en su calidad de asegurador. Es decir, es un seguro contra la aparición (o el vencimiento anticipado) de un débito.

12597 **Relaciones entre las partes** (LCS art.77 segundo párrafo) El pacto de reaseguro interno efectuado entre el asegurador directo y otros aseguradores no afectará al asegurado, que podrá, en todo caso, exigir la totalidad de la indemnización a dicho asegurador directo, sin perjuicio del derecho de repetición que a éste corresponda frente a los reaseguradores. De hecho, el asegurado no podrá exigir directamente del reasegurador indemnización ni prestación alguna (LCS art.78).

Por tanto, como consecuencia del contrato de reaseguro, surge una relación jurídica entre las partes del reaseguro que es **independiente del contrato de seguro directo** que sirve como presupuesto para que el asegurador-reasegurado contrate el reaseguro.

Precisiones Se trata de una **relación interna** entre asegurador directo y reasegurador, de forma que cuando la LCS art.77.2 se refiere al «pacto de reaseguro interno», no ha de entenderse que haga referencia a otra modalidad contractual de reaseguro o a un acto jurídico diverso, sino pura y simplemente a una clase de contrato de reaseguro.

Cobertura del riesgo El reaseguro es una modalidad de seguro que cubre el riesgo que asumen los aseguradores con ocasión de la concertación de contratos de seguro con sus clientes. Es decir, a través del reaseguro el asegurador se asegura contra el daño que puede sufrir por la realización del riesgo que ha asegurado. 12599

Es, por tanto, el **seguro de otro seguro**. De aquí se desprende que no se reasegura el mismo riesgo asumido en el contrato de seguro, sino las consecuencias patrimoniales que para el asegurador tendrá el **cumplimiento** de sus **obligaciones** en aquel contrato.

Su finalidad es resarcir el daño patrimonial que experimenta el asegurador directo al producirse el evento que le obliga a indemnizar a su asegurado. Es, por tanto, al igual que el seguro de responsabilidad civil, un seguro que cubre el riesgo de que nazca una deuda en el patrimonio del asegurado.

Función económica El reaseguro se propone reducir para el asegurador las consecuencias del riesgo cuando así lo exijan las conveniencias de la explotación de su actividad empresarial. El asegurador que ha asumido los riesgos a que se exponen las cosas o el patrimonio de un asegurado puede tener interés en transferir a otro asegurador todo o parte del riesgo asumido por él, mediante otro contrato que se superpone al primero y que se llama por eso reaseguro, el cual es el seguro que **protege a un asegurador** contra el riesgo asumido por éste en un contrato de seguro. 12601

El reaseguro concede seguridad a un asegurador para garantizar sus obligaciones como tal o para ampliar sus operaciones. En definitiva, es una especie de seguro de la responsabilidad basada en un seguro.

Documentación del reaseguro Partiendo de que el contrato de reaseguro es un nuevo contrato de seguro, en el cual el **asegurador pasa a ser asegurado,** todo lo dicho sobre la forma y contenido del contrato de seguro es aplicable al reaseguro (nº 12085). 12603

No obstante, en este caso **no se necesita una póliza**, como es costumbre en el contrato de seguro (nº 12090). Ni hay póliza ni tampoco hay obligación de someter las condiciones generales del contrato a la inspección material del contrato, ya que, a diferencia del contrato de seguro, en el reaseguro no se enfrentan empresa y asegurado individual en estado de inferioridad, sino que se trata de un **contrato entre empresarios**.

En el epígrafe sobre obligaciones de las partes se trata las particularidades formales del contrato de reaseguro, como la declaración de alimento (nº 12630).

2. Riesgo en el reaseguro

Distinción entre el riesgo reasegurado y el riesgo del seguro primario Mientras el **riesgo reasegurado** es la posibilidad del nacimiento de una deuda que grave el patrimonio del reasegurado como consecuencia de la obligación por él asumida como asegurador, el riesgo en el **contrato directo** (o primario) es la posibilidad de que se produzca el evento dañoso previsto en el contrato (incendio, robo, etc.). 12610

El reasegurador no asume el riesgo del contrato directo, aun cuando los contratos se refieran con frecuencia a que el asegurador-reasegurado es un cedente del riesgo por él asumido, sino que asume el nacimiento de la deuda a cargo de dicho asegurador-reasegurado.

La **deuda** del asegurador-reasegurado **nace** en el momento en que se verifica el siniestro previsto en el seguro directo, aun cuando no será **exigible** hasta el momento en que, previa la oportuna liquidación del siniestro, se determine su cuantía. 12612

Si esto es así, hemos de preguntarnos si el **siniestro** en el reaseguro se produce en el momento del nacimiento de la deuda a cargo del reasegurado, o bien en el momento posterior en que esa deuda se hace líquida y exigible.

Precisiones La cuestión -tal y como sucede en el seguro de responsabilidad civil- es dudosa. Entendemos que se ha de llegar a una solución semejante a la establecida en ese seguro y, por lo tanto, estimar que el siniestro en el reaseguro se produce en el momento en que **nace** la **deuda a cargo del reasegurado** y no en el momento de su vencimiento, sin que quepa confundir la verificación del siniestro con su posterior determinación y liquidación.

12614 Al coincidir el momento del siniestro del seguro directo y el nacimiento de la deuda del asegurador, hemos de aceptar la coincidencia temporal de ambos siniestros, si bien, no pueden confundirse por ser evidentemente dos hechos distintos.

12616 **El contrato de seguro directo presupuesto del riesgo asegurado** (LCS art.77) La deuda que nace en el patrimonio del reasegurado ha de ser «a consecuencia de la obligación por éste asumida como asegurador en un contrato de seguro». De esto resulta que el contrato de seguro directo es presupuesto del riesgo asegurado y, por tanto, incide en la **causa** del contrato de reaseguro.
Esta influencia es manifiesta en la **delimitación del propio riesgo asegurado**, ya que viene determinada por la efectuada en el contrato de seguro directo. Si éste es un presupuesto causal del riesgo asegurado, sólo cuando la obligación del reasegurado sea debida a un riesgo previsto en el contrato de seguro podrá considerare que la obligación ha nacido correctamente.
Ahora bien, mientras que en el contrato de seguro directo se hacen unas **delimitaciones causales y espaciales** del riesgo asegurador (p.e., cubriendo la responsabilidad civil de un vehículo que circula por España), tales delimitaciones operan únicamente como delimitaciones casuales del riesgo reasegurado, en cuanto que la obligación nacida del contrato de seguro a cargo del reasegurado debe estar comprendida dentro de él.
Por otro lado, ha de advertirse que la **delimitación temporal** del riesgo asegurado y del reasegurado pueden no ser coincidentes, en el sentido de que el contrato de reaseguro puede fijar una duración inferior a la del contrato de seguro.

12618 Si el riesgo asegurado -la posibilidad del nacimiento de una deuda a cargo del reasegurado- depende de la existencia del contrato de seguro, resulta claro que si el contrato no existe, porque es **nulo**, o bien si se extingue por cualquier causa, el contrato de reaseguro -en el supuesto, anómalo, del reaseguro simple- sería nulo desde el principio o bien se extinguiría posteriormente por falta de riesgo.

3. Clasificación

12625 Existen varios tipos de contrato de reaseguro:
1) Reaseguro **singular** o que se realiza individualmente en cada caso, y **general** o por «tratado», que consiste en un acuerdo estable entre el asegurador y el reasegurador por el que aquél cede siempre a éste una parte de los riesgos o de los excedentes del riesgo que asume (nº 12627).
2) Reaseguro de **riesgos**, que a su vez puede ser:
- de **cuota**, si el reasegurador asume un porcentaje de cada uno de los seguros concertados por el asegurador directo; y
- de **excedentes**, cuando tanto el asegurador directo como los sucesivos reaseguradores soportan una parte del riesgo (pleno de retención) y colocan por el sistema de reaseguro el resto (excedentes);
3) Reaseguro de **siniestros**, que comprende:
- el de **excedente de siniestro**, que opera de manera individual por cada siniestro; y
- el de **excedente de pérdidas**, que opera sobre el conjunto de siniestros que se han producido en el ejercicio.
El reasegurador, tanto en uno como en otro, sólo indemniza la cantidad que supera el límite establecido (exceso).

12627 **Tratado de reaseguros** En todas sus formas, el tratado de reaseguros implica la participación del reasegurador, no ya en las obligaciones asumidas por el asegurador -que no se transmiten al reasegurador-, sino en los **medios económicos necesarios** para cumplirlas. Participación que está fijada de antemano y en función de la cual los tratados de reaseguro pueden **clasificarse** desde distintos puntos de vista:
1ª. Por su **obligatoriedad** para el asegurador y reasegurador (el primero debe someter al tratado todos los seguros que entren en los tipos y condiciones previstos) o por su carácter **facultativo** para el asegurador (el cual puede elegir los contratos que desea asegurar, sin que el reasegurador pueda rechazarlos), o bien facultativo para el reasegurador (obligándose el asegurado a aplicar el tratado de reaseguro a todos los contratos que entren en sus condiciones, mientras que el reasegurador tiene la facultad de no aceptar aquellos que no le agraden).
2ª. Por el modo de **fijar la contribución del reasegurador**, contribución ésta que puede ser calculada bien sobre la suma asegurada en el contrato de seguro, bien sobre la suma resultante del siniestro. Al primer grupo pertenecen los tratados de excedente de cuota y mixtos.

4. Obligaciones específicas de las partes

Obligaciones del asegurador-reasegurado Las obligaciones que nacen del contrato de reaseguro son las mismas que surgen del contrato de seguro: 12630
- el pago de la **prima** por parte del asegurador-**reasegurado**; y
- la **prestación** del **reasegurador**, condicionada al hecho de que surja, a su vez, la obligación del asegurador en el primer contrato de reparar los efectos del siniestro o de pagar el capital convenido.

Las obligaciones del asegurador-reasegurado ofrecen la especialidad de que, aparte del pago de la prima, está obligado a lo que se llama **declaración de alimento** cuando el reaseguro adopte la forma de tratado o convenio general (nº 12627). Esta declaración tiene por finalidad la aplicación del tratado a cada caso singular del reaseguro. La declaración es facultativa si el tratado es también facultativo para el reasegurado; pero es obligatoria para el reasegurado cuando el tratado es obligatorio para ambos o sólo para este último.

Por otro lado, el asegurador-reasegurado debe **comunicar** al reasegurador, en la forma y en los plazos establecidos en el contrato, las alteraciones y modificaciones de la suma asegurada del valor del interés y, en general, de las condiciones del seguro directo (LCS art.78).

Obligaciones del reasegurador Su obligación fundamental es abonar en la forma convenida la prestación estipulada en el contrato de reaseguro, sea: 12632
- en forma de **capital** en el seguro sobre la vida;
- en forma de **indemnización** por el daño que el reasegurado sufre por estar a su vez obligado a pagar como asegurador.

Esta prestación ha de realizarla frente al reasegurado y no frente al asegurado, respecto del cual el reasegurador no está vinculado por ningún nexo jurídico.

La prestación se hace **exigible** en el momento en que sea también líquida y exigible la obligación del reasegurado frente a su asegurado. Por esta razón, el reasegurador sólo está obligado a indemnizar a su reasegurado cuando éste, a su vez, esté obligado frente a su asegurado; y podrá impugnar la liquidación del siniestro que le presente el reasegurado en el caso de que no corresponda exactamente a los daños sufridos por éste.

La **cuantía** de la prestación del reasegurador está limitada por el daño sufrido por el reasegurado, o sea, por el asegurador del primer contrato. 12634

Asimismo, la cuantía de la prestación dependerá de que el reaseguro sea **total o parcial**. En todo caso, el reasegurado está obligado a descontar de la indemnización que le deba el reasegurador lo que aquél haya obtenido de los terceros por el ejercicio de la acción subrogatoria.

5. Ejecución del contrato

Impera el principio de **autonomía de la voluntad** (CC art.1255) y, por consiguiente, este tipo de contratos se regirán por los pactos estipulados por las partes y, en su defecto, por el derecho consuetudinario, representado generalmente por los usos establecidos por la práctica internacional. 12640

Estos **usos** han dado lugar a cuatro **principios básicos**:
1) **Suerte común**, según el cual los reaseguradores quedan obligados a seguir la suerte que corra el asegurador directo.
2) Sistema de **cuenta corriente** por lo que se refiere al pago o liquidación de primas y comisiones.
3) **Pago simultáneo** o al instante de los siniestros, lo que significa que el reasegurador, tan pronto reciba una reclamación del asegurador-directo basada en el pago de un siniestro, está obligado a indemnizarle a éste.
4) **Arbitraje** para la resolución de los conflictos entre las partes.

En la práctica, el **funcionamiento** del contrato de reaseguro obedece a las reglas siguientes: 12642
a) **No existe relación entre asegurado y reasegurador**. Los contratos de seguro y reaseguro son autónomos y por ello el asegurado carece de acción directa contra el reasegurador (LCS art.78.1). En contrapartida, los reaseguradores no podrán tener ningún tipo de intervención en los procesos judiciales que los aseguradores emprendan contra los asegurados directos, aunque quedarán vinculados por la sentencia a los efectos del cumplimiento de su obligación de indemnizar. El asegurado sólo podrá dirigirse excepcionalmente contra los reaseguradores cuando se proceda a una liquidación de la compañía aseguradora, en cuyo caso el asegurado gozará de un crédito privilegiado sobre el saldo que arroje la cuenta del asegurador con sus reaseguradores (LCS art.78.1) y mediante el ejercicio de una acción subrogatoria en los términos establecidos en el CC art.1111.

12644 b) **Relaciones entre el reasegurador y el reasegurado**. Como en todos los contratos bilaterales surgen obligaciones entre las partes:

• El asegurador directo (**reasegurado**) deberá ceder la parte de la prima que corresponda, permitir al reasegurador el acceso a su documentación, comunicar al reasegurador los reaseguros que concierte sobre el mismo riesgo y las alteraciones o modificaciones que se produzcan sobre el valor del interés en el seguro directo y las condiciones de seguro, e invertir las reservas técnicas.

• El **reasegurador** está obligado a pagar las comisiones pactadas e indemnizar al asegurador directo en caso de siniestro. La obligación de indemnizar surge para el reasegurador tan pronto como resulte establecida la cuantía del daño, de modo que si el asegurador directo tuviera que realizar **pagos anticipados** o pagos mínimos a cuenta, el reasegurador quedará obligado en los mismos términos.

12646 Dos cuestiones surgen en relación con esta última **obligación del reasegurador**:

1ª. **Liquidación del siniestro**. El reasegurador no tiene intervención directa en la liquidación del siniestro base, salvo que expresamente se pacte lo contrario (cláusula de control), siendo en este caso usual que la intervención del reasegurador se limite a la prestación de una **asistencia técnica**, sin interferir en las relaciones entre asegurador directo y asegurado. Toda transacción entre éstos vinculará al reasegurador, salvo pacto en contrario o actuación de mala fe del asegurador directo, la cual podrá dar lugar incluso a que el reasegurador quede totalmente liberado de su obligación. Asimismo, el reasegurador no puede oponer al asegurador-directo (reasegurado) las **excepciones** que este último tuviera contra el asegurado. Finalmente, si hubiera que recurrir en el contrato básico de seguro a la **vía judicial** para dilucidar el pago de la indemnización, el asegurador directo deberá recabar el consentimiento del reasegurador, el cual, si accediera a ello, vendrá obligado a participar en las costas del pleito.

2ª. **Derecho de repetición**. El reasegurador tiene derecho a participar en las cantidades que el asegurador-directo pueda recobrar del **causante del siniestro** mediante el ejercicio del correspondiente derecho de repetición por parte de éste, e incluso a ejercitar directamente este derecho, por vía de subrogación, cuando el asegurador directo no lo ejercitare.

CAPÍTULO 17

Títulos-valores

12700

12702 Los títulos-valores **permiten** la rápida y ágil transmisión de una extensa gama de derechos patrimoniales por lo que han constituido un elemento básico para el desarrollo del tráfico mercantil, hasta el extremo de que la doctrina no duda en calificarlos como la principal aportación del Derecho mercantil a la moderna economía de mercado. Se encuentran **regulados en** la L 19/1985 cambiaria y del cheque (LCC).
En nuestra doctrina se debe a Garrigues el **término título-valor**, que expresa la idea de que el documento, el título, incorpora un derecho, un valor, el cual puede ser un derecho:
- de **crédito** sobre una cantidad de dinero (título de crédito);
- a **obtener cosas** muebles o mercancías (título de tradición);
- a una **posición jurídica** social (título de participación social).

Su **característica principal** es la condición de títulos formales, es decir, su forma escrita tiene alcance constitutivo y está sujeta a fórmulas y expresiones bien determinadas aunque, con el paso del tiempo, se ha ido huyendo de un excesivo rigor formal que acabe perjudicando al titular del derecho de crédito.
Entre los múltiples factores que han contribuido a este **desarrollo** incontenible hay que destacar la masificación de las operaciones bancarias (lo que ha dado en llamarse la «bancarización» de la sociedad) y la progresiva extensión a nuevas capas sociales de los títulos -acciones y obligaciones- representativos del mercado de capitales.

SECCIÓN 1

Letra de cambio

12705

12707 La letra de cambio **se define como** un título de crédito que obliga a pagar, a su vencimiento, en un lugar determinado, una cantidad cierta de dinero a la persona designada en el documento o, a la orden de esta, a otra distinta también designada.
La letra de cambio es un documento mercantil que se **expide para** asegurarse el cobro de una operación comercial, normalmente de venta de mercancías, del deudor o librado (nº 12717).
En cuanto a los **caracteres** de la letra de cambio cabe señalar:
- es un título formal, porque su validez está subordinada al cumplimiento de determinados requisitos;
- es un título completo, porque tiene que fijar por sí el ámbito o amplitud del derecho documental sin hacer referencias a otros documentos distintos de la letra (Rodrigo Uría);
- es un titulo que debe contener una obligación de pago en moneda, nunca en especie;
- la suma a pagar debe ser numéricamente cierta; y
- la orden de pago es un mandato puro (nº 12730).

Precisiones Para ver las **diferencias** entre letra de cambio y **pagaré** ver nº 12995.

A. Requisitos formales

12710

12712 La letra de cambio debe **contener**:
- la denominación de letra de cambio inserta en el mismo título expresada en el idioma empleado para su redacción;
- el mandato puro y simple de pagar una suma determinada en euros o moneda extranjera convertible admitida a cotización oficial;
- el nombre de la persona que ha de pagar, denominada librado;
- la indicación del vencimiento;
- el lugar en que se ha de efectuar el pago;
- el nombre de la persona a quien se ha de hacer el pago o a cuya orden se ha de efectuar (tomador);
- la fecha y el lugar en que la letra se libra; y
- la firma del que emite la letra, denominado librador.

Todas las **demás menciones**, tienen la consideración de cláusulas facultativas (LCC art.2).
Las consecuencias del **incumplimiento** de los requisitos formales (LCC art.1) produce, como **consecuencia**, que el documento no se considera letra de cambio (LCC art.2).
Así, no puede adoptarse un **criterio flexible** en orden a considerar que nos encontramos ante un documento simple que admite la cabida de omisiones formales sin ninguna consecuencia jurídica (TS 4-7-81, EDJ 1535; 1-7-85, EDJ 7475; AP Toledo 19-11-97, EDJ 8677; AP Badajoz 26-1-07, EDJ 10711).
No obstante, se establece las siguientes **excepciones**:
• La letra de cambio cuyo **vencimiento no está expresado** se considera pagadera a la vista.
• A falta de indicación especial, el lugar designado junto al nombre del librado se considera como el **lugar del pago** y, al mismo tiempo, como lugar del domicilio del librado.
• La letra de cambio que no indique el **lugar de su emisión** se considera librada en el lugar designado junto al nombre del librador.
Especial referencia merece hacer a la **letra en blanco o incompleta**, ya que en nuestro derecho tiene plena validez siempre que se complete conforme lo convenido, ya que supone que el firmante en blanco acepta que posteriormente sea rellenada por el librador (LCC art.12; TS 5-3-43; 1-5-52; 18-4-81).

1. Designación de las partes

12715 En principio, en la relación cambiaria intervienen **tres distintas personas**:
- librador;
- librado; y
- tomador o tenedor.

Esas personas **pueden quedar reducidas a dos**, por asumir también el librador la condición de librado, ya que por librador se entiende la persona que extiende o libra la letra y esta puede ser extendida por el propio obligado al pago, que suele ser lo habitual.

12717 **Librado** El librado es la persona a quien va dirigida la orden de pago. En caso de que se trate de una **persona individual**, su designación debe hacerse por su nombre y apellidos y en caso de **persona jurídica**, por su denominación o razón social.
Se entiende por la mayoría doctrinal que la designación del librado es **requisito esencial** de la letra y su omisión invalida el título. Sin embargo, las **equivocaciones, imprecisiones o errores** materiales en la designación del librado no privan de validez formal a la letra como título apto para recoger nuevas o sucesivas declaraciones cambiarias.

12719 **Tenedor o tomador** (LCC art.2; TS 14-4-10, EDJ 70480) La designación del tenedor o tomador **debe hacerse** por su nombre completo o su denominación o razón social. La indicación del nombre del tenedor o tomador de la letra es una **indicación esencial**.

Parte relevante de la doctrina ha propugnado que en el supuesto de que el librador encabece una **cadena de endosos** (nº 12810 s.), la firma del primer endoso por el librador lo identifica inequívocamente como tomador.
La **omision del tomador** en la letra de cambio es determinante de un **defecto formal** que priva al título de **fuerza ejecutiva cambiaria**, por lo que la acción que nace de ella ha de regularse por las prescripciones del código civil.
Ello es lógico porque, al contener la letra un **mandato de pago en abstracto**, se hace indispensable la concurrencia de la figura del tomador que es el que da nacimiento a la obligación cambiaria y la independiza del librador -a salvo el supuesto de libramiento a la propia orden.

Precisiones 1) Algunas audiencias provinciales consideraron irrelevante la **falta de mención** del tomador en la letra de cambio cuando **quien ejercita la acción cambiaria es el librador** directamente contra el librado, por entender que la letra de cambio debe considerarse librada a la propia orden en atención a la circunstancia de no haber circulado el título cambiario fuera del círculo de los integrantes de la relación causal.
2) En el caso de que al **dorso** de las letras de cambio figura una **diligencia notarial** en la que se hace referencia a la escritura notarial de la que resultaba el endoso de la letra de cambio efectuado por el librador en favor del tenedor, con la intención de transferirle el derecho hipotecario al amparo de la LH art.150, podría sostenerse que el endoso, que solo puede verificar el librador, presupondría el giro de la letra a la propia orden (LCC art.4.a) y, por consiguiente, la identificación inequívoca del tomador.

La privación de la fuerza ejecutiva por la falta de designación del tomador de la letra no es una cuestión pacíficamente resuelta y existen audiencias provinciales -las -menos- que apuestan por una **línea menos rigorista** (p.e. AP Sevilla 17-3-06, EDJ 104805), pero si se quiere aplicar el verdadero espíritu de la ley no puede aplicarse un criterio distinto al marcado por la propia LCC. 12721
En cuanto a la letra que **no** ha sido **puesta en circulación**, si se trata de la acción directa entre librador y librado, es **criterio mayoritario** (p.e. AP Madrid 17-6-05, EDJ 102269) que la falta de designación del tomador de la letra **no** vicia de **nulidad el título** por entender que la letra se entiende librada a la propia orden del librador. Cuando el **ejecutante es un tercero** respecto a la relación causal, debe entenderse que la falta de designación del tomador de la letra priva de eficacia a la letra.
Otra cosa es que se entienda que la letra es un **documento mercantil** a los **efectos penales** y que desde este punto de vista penal no quede perjudicada por omisión de algún presupuesto de la cambial (LCC art.12).

Precisiones 1) En **sentido contrario a la doctrina mayoritaria**, hay audiencias que entienden que la mención del tomador constituye un requisito esencial, no subsanable, cuya omisión priva a la letra de fuerza ejecutiva al no poder considerarse como tal, con independencia de que la **cambial haya o no salido de la relación librador-librado** (AP Asturias auto 9-1-04).
2) Un **documento mercantil** se trata de un **concepto amplio**, equivalente a todo documento que sea expresión de una operación comercial o tengan validez o eficacia para hacer constar derechos u obligaciones de tal carácter o sirvan para demostrarlas (TS penal 22-6-06, EDJ 102993).
3) Son **documentos mercantiles expresamente citados** en las leyes las letras de cambio, pagarés, cheques, órdenes de crédito, cartas de porte, conocimientos de embarque, resguardos de depósito, todas aquellas representaciones gráficas del pensamiento creadas con fines de preconstitución probatoria, destinadas a surtir efectos en el tráfico jurídico y que se refieran a contratos u obligaciones de naturaleza comercial o las destinadas a acreditar la ejecución de dichos contratos, tales como facturas, albaranes de entrega u otros semejantes.

Librador El librador es la persona que emite la letra y garantiza la aceptación y pago de la misma (LCC art.1 y 11), por lo que su **firma** es **requisito fundamental**. Con su firma, el librador suscribe la declaración cambiaria fundamental. Por eso, la firma **debe figurar** debajo de las menciones esenciales de la letra y su ausencia invalida los efectos que se pretenden unir al libramiento de la letra, ya que sin firma no existe vínculo obligacional de nadie. 12723
En caso de que la letra sea **a nombre de una empresa**, la expresión del sello con los datos del CIF y domicilio estampillado encima de la firma expresada, son datos son suficientes para identificar como emisora del pagaré a la sociedad expresada, sin que sea necesario que los administradores hagan mención del poder, ya que va unido a su cargo, de ahí que baste expresar en la antefirma el nombre de la entidad (*contemplatio nomine*) para hacer visible la relación representativa frente a todos los posibles poseedores de la letra (TS 24-4-70, EDJ 273; 11-9-03, EDJ 92649; 19-5-09, EDJ 92342).

2. Orden de pago

12730 La letra de cambio debe contener el **mandato puro y simple** de pagar una suma determinada. La orden debe ser incondicional, no sometida ni a realización de un evento futuro ni a la percepción de una contraprestación.
La **moneda** en que se exprese el valor de la letra puede ser nacional o extranjera siempre que sea convertible y admitida a cotización oficial.
La **cantidad** a pagar **puede expresarse** tanto en letra como en números, si bien en la práctica suele expresarse en ambas formas en cada documento.
Cuando en una letra de cambio figure escrito el importe de la misma en **letra y en números** y **ambas cantidades difieran**, es válida la cantidad escrita en letra (LCC art.7).
La letra de cambio cuyo importe esté **escrito varias veces** por **suma diferente**, ya sea en letra, ya sea en números, es válida por la cantidad menor.

Precisiones Si se permitiera **condicionar el libramiento**, quedaría muy limitado el tráfico del título por la desconfianza que acarrearía e impediría la incerteza del nacimiento de la obligación fundamental, más aún, si es un título abierto a la circulación en forma sucesiva e indefinida.

3. Vencimiento

12735 La letra de cambio **debe contener** la indicación del vencimiento.
El vencimiento no ha de expresarse necesariamente por día, mes y año. Hay cuatro **modos distintos de fijar** el vencimiento (LCC art.38):
- a fecha fija;
- a un plazo contado desde la fecha;
- a la vista; o
- a un plazo contado desde la vista.

Las letras de cambio que indiquen **otros vencimientos** o **vencimientos sucesivos** son nulas.
Las letras libradas a fecha fija **vencen** (LCC art.39):

Tipo de vencimiento	Fecha de vencimiento
A fecha fija	Día que se indique en la fecha
A plazo desde la fecha	Día en que se cumple el plazo señalado
A la vista	En el acto de su presentación
A plazo desde la vista	El día que se cumple el plazo desde la fecha de la aceptación

12737 Respecto al **cómputo del plazo** de vencimiento (LCC art.41):
• Cuando el plazo desde su fecha o vista está **expresado en meses**, su vencimiento se determina computándose los meses de fecha a fecha. Cuando en el mes del vencimiento **no hay día equivalente** al inicial del cómputo se entiende que el plazo expira el último día del mes (AP Baleares 13-1-00).
• En el cómputo no se excluyen los **días inhábiles**, pero si el día del vencimiento lo es, se entiende que la letra vence el primer día hábil siguiente (LCC art.90; AP Tarragona 22-8-00, EDJ 57670).
• No dice nada respecto del **cómputo por días**, o si debe incluirse el *dies a quo*, con lo cual debemos remitirnos a otros artículos de la LCC y al CC (Fajardo López). Así, para computar los plazos no se comprende el día que les sirva de punto de partida y no se admiten términos de gracia o cortesía legales ni judiciales (LCC art.91.1; CC art.5.1 y 1130).
• **Debe presentarse** la letra de cambio al pago en el día de su vencimiento, o en uno de los dos días hábiles siguientes.

12739 **Omisión del vencimiento de la letra** Las letras de cambio que indiquen **otros vencimientos** a los permitidos o **vencimientos sucesivos** son nulas.
Como **excepción a la nulidad**, la letra cuyo vencimiento no esté expresado se considera pagadera a la vista (LCC art.2).
Respecto a la existencia de un **error en la fecha** de vencimiento de la letra existen posiciones doctrinales y jurisprudenciales encontradas sobre si se consideran pagaderas a la vista ya que al no existir omisión **no puede presumirse** la **voluntad de las partes** de remitirse a la ley para la fijación del vencimiento como pagadero a la vista y por tanto la letra de cambio carece de fuerza ejecutiva, debiendo ser objeto de reclamación, en su caso, en el declarativo correspondiente

(AP Ciudad Real 15-11-99, EDJ 49902). Otras audiencias, sin embargo, en cuanto a la indicación de **fechas de vencimiento imposibles**, creen que cabe moderar el rigor de la calificación cuando se advierte un simple error material o descuido (AP La Rioja 28-3-06, EDJ 50134).

4. Lugar de pago

La letra de cambio **debe contener** lugar en que se ha de efectuar el pago. 12745
Así, la letra **debe pagarse en** el domicilio designado en la misma al lado del nombre del librado, o en el emplazamiento que designe este al aceptarla.
Cuando la **letra esté domiciliada** en una cuenta bancaria, su presentación a una cámara o sistema de compensación equivale a su presentación al pago. Del mismo modo, la ley permite que cuando la letra se encuentre **en poder de una entidad de crédito**, porque una empresa, por ejemplo, la haya descontado (nº 8905), la presentación al pago puede realizarse a través del envío al librado de un aviso, con anterioridad suficiente al vencimiento, conteniendo todos los datos necesarios para la identificación de la letra (LCC art.43).
Debe **distinguirse entre** el lugar (localidad y población) y domicilio (dirección o residencia) donde debe verificarse el pago. Así, se entiende por lugar la localidad o población, y por domicilio, la dirección o residencia (LCC art.92).

5. Cláusulas o menciones potestativas

La letra de cambio puede contener las denominadas cláusulas o menciones potestativas (*accidentalia negotii*). A tal efecto, y **a título meramente enunciativo** pueden señalarse las siguientes cláusulas (Bustos Gómez-Rico): 12750
- a la orden;
- de giro por cuenta de un tercero;
- de domiciliación;
- de intereses;
- de exclusión de garantía de aceptación;
- prohibiendo presentar letras a la aceptación en un plazo determinado;
- de valor en el endoso; o
- sin gastos, sin protesto o equivalente.

Cláusula «a la orden» (LCC art.14) La cláusula «a la orden» resulta **innecesaria** pues la letra de cambio ya es un título a la orden transmitible libremente mediante endoso. 12752
Sería una cláusula contraria la que produciría ciertos **efectos excluyentes**. Así, el título no es transmisible, sino en la forma y con los efectos de una cesión ordinaria, cuando el librador haya escrito en la letra de cambio las palabras «no a la orden» o una expresión equivalente.

Precisiones Para mayor detalle del **endoso** de las letras de cambio ver nº 12810 s.

Giro por cuenta de un tercero (LCC art.4.c) La existencia de tres partes en la letra (nº 12715) hace que existan **dos relaciones** subyacentes: 12754
- la relación de valor establecida entre librador y tomador; y
- la relación de provisión de fondos entre librador y librado que conlleva que el librado deba aceptar y pagar la letra.

Así, la ley permite la posibilidad de que aflore en la letra de cambio la **relación de provisión** del acreedor extracambiario cuando el librado no sea el librador, sino un tercero. Lo normal, en el caso de que el crédito de la provisión no sea del librador, sino de ese tercero, es no hacerlo figurar en la letra, en especial si no se incluye una cláusula relativa a la provisión, pero al permitir en la letra su giro «por cuenta de un tercero» consiente que tal hecho pueda aflorar a la letra de cambio.

Cláusula de domiciliación (LCC art.5, 26.2 y 32) La cláusula puede adoptar **dos modalidades**: 12756
- una de domiciliación propia o perfecta, cuando se establece que la letra sea pagadera en el domicilio de un tercero y que el pago sea hecho por este mismo tercero; y
- otra imperfecta o impropia, cuando solo se prevé que el librado efectuará el pago en el domicilio de ese tercero.

Cláusula de intereses (LCC art.6) Las cláusulas de intereses **deben fijarse** por el librador en las letras de cambio pagaderas a la vista o a un plazo desde la vista, pues en cualquier otra semejante estipulación se considera como no escrita. 12758

12760 **Exclusión de la garantía de aceptación** Este tipo de cláusulas se expresa con **frases tales como** «sin mi garantía» o «sin mi garantía y responsabilidad».
El librador puede eximirse la garantía de la aceptación, no la del pago, ya que toda cláusula por la que se exonere de esta garantía se considera como no escrita (LCC art.11). Esta imposibilidad es la que precisamente **diferencia al librador de otros obligados**, como los endosantes, a quienes se les permite liberarse de la obligación de garantizar no solo la aceptación, sino también el pago frente a tenedores posteriores mediante una cláusula especial (LCC art.18).
Esto no impide, que el librador pacte con el tenedor que este no reclamará el importe de la letra en el caso de que el librado aceptante no la pague. Se entiende que es válido el **pacto de** *non petendum*, como algo que vincula exclusivamente al librador y al primer tomador. Se trata de un pacto que **no puede figurar en la letra** y que se vincula a la relación subyacente, que da lugar a una excepción de tipo personal oponible al tenedor directo (nº 13095 s.) o, en su caso, al tercero poseedor de mala fe (LCC art.67). Si tal pacto figura en la letra, se tiene por no escrito.

12762 **Cláusula prohibiendo presentar letras a la aceptación en un plazo determinado** (LCC art.26) Este tipo de cláusulas la suele incluir el librador en aquellos **casos** en los que prevé que tardará un tiempo en cumplir con el librado la obligación causal que sirve de cobertura a aquella. Es decir, no existe en el momento del libramiento, la **provisión de fondos** que oblige al librado a aceptar primero y a pagar después.

12764 **Cláusula de valor en el endoso, al cobro o en garantía** (LCC art.21 y 22) Esta cláusula se suele incluir con **menciones** como «valor al cobro» o «para cobranza». El tenedor puede ejercer todos los derechos derivados de la letra de cambio, pero no puede **endosar** esta sino a título de comisión de cobranza.
En este caso, las personas obligadas, solo pueden invocar contra el tenedor las **excepciones** que pudieran alegarse contra el endosante.
La autorización contenida en el endoso de apoderamiento no cesa por la **muerte del mandante**, ni por su **incapacidad** sobrevenida.
Cuando un endoso contenga la mención «valor en garantía», «valor en prenda», o cualquier otra que implique una **garantía**, el tenedor puede ejercer todos los derechos que derivan de la letra de cambio, pero el endoso hecho por él solo vale como comisión de cobranza.
Las personas obligadas no pueden invocar contra el tenedor de una letra recibida en prenda o en garantía las **excepciones** fundadas en sus relaciones personales con el endosante que las transmitió en garantía, a menos que el tenedor, al recibir la letra, hubiera procedido a sabiendas en perjuicio del deudor.

12766 **Cláusula «sin gastos», «sin protesto» o indicación equivalente** La cláusula «sin gastos», «sin protesto» o indicación equivalente escrita en el título y firmada por el librador, el endosante o sus avalistas, **dispensa** al tenedor de hacer que se levante protesto (nº 12845) por falta de aceptación o de falta de pago para poder ejercitar sus acciones de regreso, tanto por vía ordinaria como ejecutiva (LCC art.56).
La validez de la cláusula implica un desistimiento o renuncia al protesto, pero tal renuncia no libera al tenedor de la **obligación de presentarla al pago** (nº 12834), correspondiendo al banco la **prueba** de haberlo hecho, ya que es quien tiene facilidad para acreditarlo, siendo el protesto el medio más apto para ello, de manera que si no se verifica amparándose en la cláusula ya dicha, las consecuencias perjudiciales de su acreditación en el propio banco han de parar (TS 3-4-92, EDJ 3261).

6. Extensión en efecto timbrado

12770 Las letras de cambio se extienden, necesariamente, en el efecto timbrado de la clase que corresponde a su cuantía y su **tributación** se debe llevar a cabo conforme a la siguiente escala (RDLeg 1/1993 art.37):

Importe de la letra de cambio (euros)	Coste del timbre (euros)
Hasta 24,04	0,06
De 24,05a 48,08	0,12
De 48,09 a 90,15	0,24
De 90,16 a 180,30	0,48
De 180,31 a 360,61	0,96

Importe de la letra de cambio (euros)	Coste del timbre (euros)
De 360,62 a 751,27	1,98
De 751,28 a 1.502,53	4,21
De 1.502,54 a 3.005,06	8,41
De 3.005,07 a 6.010,12	16,83
De 6.010,13 a 12.020,24	33,66
De 12.020,25 a 24.040,48	67,31
De 24.040,49 a 48.080,97	134,63
De 48.080,98 a 96.161,94	269,25
De 96.161,95 a 192.323,87	538,51
Más de 192.323,87	0,018 por cada 6,01 o fracción que exceda

La extensión de la letra en efecto timbrado de **cuantía inferior** la priva de la eficacia ejecutiva, no como sanción derivada de la obligación tributaria, sino porque se trata de una condición del título cambiario. 12772

Esta limitación no afecta al contenido esencial del **derecho a la tutela judicial efectiva**, en cuanto que no impide por completo el acceso a la jurisdicción, sino solo a una modalidad de proceso, el ejecutivo, dejando abierta siempre la posibilidad de acceder al juicio declarativo (TS 10-7-09, EDJ 158046; AP Pontevedra 24-1-11, EDJ 27316).

No es obstáculo que no se prevea entre las **excepciones oponibles** la infracción fiscal, pues sí se prevé como excepción la falta de formalidades necesarias en la letra de cambio (LCC art.67.2). Además, solo procede **juicio cambiario** si, al incoarlo, se presenta letra de cambio, cheque o pagaré que reúnan los requisitos previstos en la (LEC art.819) y además se establece que se regulará reglamentariamente el modo en el que debe satisfacerse el impuesto de actos jurídicos documentados cuando se libre una letra de cambio (LCC disp.final 1ª)

Por consiguiente, al concurrir una **infracción del requisito del timbre** (no corresponder el timbre del documento al exigible para la cuantía de la letra, o ser, inferior al fijado), es una excepción oponible en el juicio cambiario.

Precisiones La **limitación a la fuerza ejecutiva** en caso de que se extienda en efecto **timbrado de inferior valor** tiene plena legitimidad y es proporcionada con la finalidad de estimular el cumplimiento o pago espontáneo del impuesto (TCo 133/2004).

B. Causa

La obligación cambiara reviste una **limitación** derivada de su carácter causal, que se traduce en la libre oponibilidad de excepciones extracambiarias, puesto que el tenedor cambiario no puede tener más derechos frente al deudor que los que le atribuye la relación preexistente entre ellos. 12775

Sin embargo, el negocio cambiario tiene un **carácter abstracto** que le es propio en el ámbito procesal y que se traduce en la inversión de la carga de la **prueba**. Al librador o tenedor que ejercita la acción cambiaria le basta con la presentación del título para probar los hechos, mientras que quien plantea la excepción causal contra la literalidad del documento, debe probar su realidad.

Este efecto de abstracción procesal es coherente con el principio general del derecho de obligaciones que establece una **presunción** *iuris tantum* favorable a la existencia y licitud de la causa de los contratos y que es trasladable a la obligación cambiaria, que ha de presumirse unida a un negocio jurídico subyacente, real y válido mientras no se pruebe lo contrario (CC art.1277; AP Ciudad Real 21-3-06, EDJ 44548).

C. Aceptación

La aceptación **se define como** aquel acto por el cual el librado asume la obligación cambiaria, aceptando el mandato de pago (Uría). 12780

La aceptación tiene la **naturaleza jurídica** propia de una declaración cambiaria, expresiva de la conformidad prestada por el librado o la orden expedida por el librador, obligándose a satisfacer la letra a su vencimiento.

Dicha declaración cambiaria cumple dos **funciones**:
- la de implicar para el tenedor de la letra la máxima garantía en el pago de la misma al existir dos firmas (la del aceptante y la del librador); y
- la de servir, en ciertas letras (las giradas a un plazo desde la vista) para fijar la fecha de su vencimiento.

Si la **letra carece de aceptación**, se entiende que ha sido unilateralmente emitida, por lo que resulta inoperante. En este sentido, si el librado no acepta la letra, no es un obligado cambiario, ya que, por la aceptación, el librado se obliga a pagar la letra de cambio a su vencimiento (LCC art.33).

Así, la **mención del librado** no es más que un requisito formal unilateralmente cumplimentado que requiere el «acepto» para que, junto a los demás requisitos esenciales, sea suficiente para que constituya título ejecutivo (AP Barcelona 27-4-06, EDJ 283483).

12782 **Presentación** (LCC art.26, 27 y 28) La presentación **consiste en** la exhibición de la letra hecha en el tiempo y lugar designados a quien ha de pagarla.

En toda letra de cambio, el **librador puede:**
- establecer que ha de presentarse a la aceptación, fijando o no un plazo para ello (LCC art.26);
- prohibir en la letra su presentación a la aceptación, salvo que sea pagadera en el domicilio de un tercero, o en una localidad distinta de la del domicilio del librado o se trate de una letra girada a un plazo desde la vista; o
- establecer que la presentación a la aceptación no ha de efectuarse antes de determinada fecha.

Hay que distinguir entre las letras giradas a un plazo desde la vista y las demás letras:

• **Letras giradas a un plazo desde la vista**: deben ser presentadas para su aceptación e iniciar el plazo del vencimiento.

• **Demás letras**: la presentación a la aceptación es facultativa y puede hacerse o no en cualquier momento anterior a la fecha de su vencimiento, a no ser que el librador o los endosantes establezcan en la letra que ha de presentarse a la aceptación, fijando o no un plazo para ello.

Por otro lado, la ley también faculta al librador para prohibir en la letra su presentación a la aceptación o para establecer que la presentación no haya de efectuarse antes de determinada fecha.

Precisiones 1) Todo **endosante** puede establecer que la letra debe presentarse a la aceptación fijando o no un plazo para ello, salvo que el librador haya prohibido la aceptación.

2) El portador no está obligado a **dejar en poder del librado la letra** presentada a la aceptación.

12784 **Plazo para la presentación** Las **letras de cambio a un plazo desde la vista** deben presentarse a la aceptación en el plazo de un año a partir de su fecha; aunque el librador puede acortarlo o fijar uno más largo, mientras que los endosantes pueden acortarlo (LCC art.27).

Las letras giradas a un plazo desde la vista que **se presenten fuera del plazo** se entienden perjudicadas, en el sentido de que el tenedor pierde el derecho a exigir el reembolso de los endosantes, del librador y de las demás personas obligadas, a no ser que la falta de presentación haya sido por causa de fuerza mayor.

Finalmente, el librado puede pedir que se le **presente por segunda vez** la letra de cambio, al día siguiente de la primera presentación. Los obligados en vía de regreso no pueden alegar que tal petición quedó incumplida salvo que hubiere constancia de la misma en el protesto o en la declaración equivalente del librado (LCC art.28).

12786 **Lugar de presentación** La presentación **ha de hacerse** al librado o a su apoderado en el lugar de su domicilio y puede ser hecha por el tenedor o el simple portador de la letra.

Pero para que la presentación produzca sus **efectos jurídicos** el lugar de pago debe ser el designado en la letra, por lo que es elemento esencial que se verifique de esta manera y en el caso de **falta de indicación**, el lugar designado junto al nombre del librado se considera como el lugar del pago y, al mismo tiempo, como lugar del domicilio del librado.

12788 **Forma** (LCC art.29 y 34) La aceptación **se expresa mediante** la palabra «acepto» u otra similar. La simple firma del librado puesta en el anverso de la letra equivale también a la aceptación.

La **fecha de la aceptación** no es necesaria, salvo en los casos de letras pagaderas a un cierto plazo desde la vista o cuando deban presentarse a la aceptación en un plazo fijado por estipulación especial.

Cuando el librado tenga en su poder la letra para su aceptación, la acepte y antes de devolverla **tache o cancele la aceptación**, se considera que la letra no ha sido aceptada. Salvo prueba en contrario, se entiende que la tachadura fue hecha por el librado y antes de la devolución del título.

Precisiones La doctrina se decantaba por un **criterio formalista** en esta cuestión, ya que mientras en los sistemas jurídicos más avanzados se sigue un **criterio antiformalista** para la aceptación, de modo que el librado se convierte en aceptante cualquiera que sea la forma de expresar su voluntad, siempre que sea escrita sobre la letra, el Código de Comercio exigía utilizar la expresión «acepto» o «aceptamos» seguida de la fecha y de la firma del librado (Uría). Si faltaban aquellas expresiones o se utilizaban otras distintas, la doctrina estimaba que la letra no podía considerarse aceptada y que, en consecuencia, no podía despacharse ejecución contra el librado. Este problema fue resuelto por la LCC art.29.

D. Representación voluntaria

(LCC art.9)

La suscripción a nombre de otro de una letra de cambio -y de un pagaré- requiere para su **plena validez** de dos **requisitos**: 12795

• Que la persona que firma tenga poderes suficientes para hacerlo en nombre el otro, y por tanto para obligar a este otro con su firma.

• Que la persona que firme la letra haga constar claramente, y de forma expresa en la antefirma, que lo hace a nombre de otra persona, bien por poder, bien por representación.

La **ausencia** de cualquiera de ambos **requisitos** o condiciones, determina para la persona que haya puesto su firma la asunción de la obligación suscrita, de forma personal (LCC art.10 y 36.2).

Necesidad de poder Todos los firmen a nombre de otro en letras de cambio **deben** estar autorizados con poder (LCC art.9). 12797

Los tomadores y tenedores de letras tienen derecho a exigir a los firmantes la **exhibición del poder**.

Si se firma una letra de cambio, como representante de una persona **sin poderes** para obrar en nombre de ella, queda obligado en virtud de la letra. Si la paga, tiene los mismos derechos que el supuesto representado. Lo mismo se entiende del representante que **exceda sus poderes**, sin perjuicio de la responsabilidad cambiaria del representado dentro de los límites del poder (LCC art.10).

Constancia de la representación en la antefirma Todos los que firman a nombre de otro en letras de cambio **deben expresarlo claramente** en la antefirma (LCC art.9.2). 12799

Este mandato **se funda en** el principio de formalidad de la letra de cambio y atiende a la seguridad del tráfico mercantil, el cual exige que quienes intervienen en el giro conozcan con precisión la identidad de quienes intervienen en una letra de cambio y el concepto en que lo hacen (AP Badajoz 25-1-07, EDJ 13647).

Si **no se hace constar antefirma** alguna no puede considerarse que haya actuado en nombre de otra persona, al presumirse que el que plasma su firma en un efecto cambiario es la persona que resulta obligada (LCC art.33; AP Murcia 15-2-07, EDJ 38184). Por tanto, queda obligado personalmente como deudor cambiario, incluso aunque el firmante sea el administrador de una sociedad.

Administrador de una sociedad Se contemplan dos situaciones distintas (AP Baleares 10-10-06, EDJ 282645): 12801

- la de la **representación voluntaria** y por poder; y
- la **representación orgánica** de las compañías mercantiles, sin necesidad de poder especial.

Se presume que los administradores de las compañías están autorizados por el solo hecho de su nombramiento (LCC art.10), pero eso **no se les exime** de expresar la cualidad con la que actúan en la antefirma para evitar indefiniciones.

Este mandato legal hay que **interpretarlo de manera flexible**. Así, no es necesario que se haga constar formalmente que se actúa por poder, orden o en representación de una sociedad, sino que basta con que el representante o administrador de una sociedad o entidad estampe en la antefirma el sello de la misma con datos suficientes para identificarla (TS 24-4-70, EDJ 273; 11-9-03, EDJ 92649; 19-5-09, EDJ 92342).

Responsabilidad del aceptante (TS 5-4-10, EDJ 71259) La **omisión** por parte de quien firma el acepto de una letra de cambio de antefirma o de otra referencia al hecho de actuar por poder o por representación o como administrador de la entidad o sociedad que figura como librada en la letra **no libera** a estas de responsabilidad como aceptante, **excepto** cuando el firmante del acepto carece de dicho poder o representación; y, a su vez, quien acepta la letra en tales condiciones no se obliga personalmente, sino que obliga a la entidad o sociedad que aparece como librado si efectivamente ostenta poder o representación de ella. 12803

Sin embargo, no puede aplicarse al caso en que la ausencia de indicación de poder o de representación se produce cuando **resulta imposible deducir** de las menciones de la letra que este actúa como representante o apoderado de una sociedad o entidad, dado que, ostente esta condición respecto de una o varias, puede haber optado por obligarse en nombre propio, de tal suerte que estimar lo contrario comporta un menoscabo de la seguridad del tráfico cambiario (TS 9-6-10, EDJ 185007).

Esta conclusión se funda en los siguientes **argumentos**:

• Se desprende que el único de los intervinientes en la letra de cambio **que puede aceptarla** es el librado (LCC art.25, 29 y 33). Únicamente puede darse una **excepción** en el caso de aceptación por intervención, la cual solo se admite en situaciones de crisis cambiaria por haberse abierto la vía de regreso (nº 13070) antes del vencimiento y debe hacerse constar así con la finalidad de determinar cuál es la responsabilidad del aceptante interviniente (LCC art.71). Por consiguiente, la existencia de una **firma** en la casilla de acepto **sin más indicaciones** pone de manifiesto que quien la estampa actúa en su condición de apoderado o representante de la entidad o sociedad (LCC art.1.3).

Precisiones La **omisión** de la referencia en la antefirma al hecho de actuar por poder o por representación o como administrador de una sociedad fue una cuestión que **no tuvo una respuesta unánime** por parte de la doctrina científica y jurisprudencial hasta el TS 5-4-10, EDJ 71259, pues mientras un sector lo consideraba indispensable, debiendo figurar el sello o estampilla de la sociedad representada, quedando en otro caso obligado personalmente; otro sector lo consideraba innecesario siempre que del título valor existieran elementos suficientes para deducir que no firma en nombre propio, sino en nombre de la sociedad de la que es administrador al quedar identificada como libradora por ser la titular de la cuenta contra la que se gira el título.

12805 • La expresión en la antefirma de que se actúa por poder constituye un **requisito formal**, sin embargo, no puede interpretarse rigurosamente en aquellos casos en los cuales la actuación como apoderado o representante resulta evidente para los tomadores de la letra y estos no pueden, por ende, desconocer una representación que deriva de las menciones de la letra y de la necesidad de las personas jurídicas de actuar por medio de representantes.

• Esta interpretación no afecta a la **seguridad del tráfico cambiario**, por cuanto la designación de la sociedad librada en la casilla correspondiente despeja toda duda acerca de que quien firma la casilla de acepto no puede ser sino quien actúa en su representación, cuya existencia puede ser comprobada por el librador exigiendo la presentación del poder.

• La conclusión opuesta obligaría a entender que la **ausencia de antefirma** por parte del aceptante no solo obliga personalmente a este, sino que comportaría el efecto adyacente de liberar a la sociedad librada de los efectos de la aceptación, a pesar de haberse podido comprobar la existencia de poder o representación en favor de quien firma en el acepto.

• En el caso de que la letra sea **presentada al cobro por el librador**, esta conclusión resulta reforzada por el principio de acuerdo con el cual el obligado puede oponer al tenedor de la letra que participó en el negocio causal las excepciones personales que tenga contra él (LCC art.20).

E. Endoso y cesión ordinaria

12810 La transmisibilidad de la letra de cambio es una de sus principales características. Esta puede ser **transmitida conforme**:

- las reglas de una cesión ordinaria (nº 12816); o
- según las especiales del Derecho Mercantil (endoso).

El endoso **se define como** una declaración accesoria (el pagare puede existir sin él), estampada en el mismo documento, y en virtud del cual se da mayor fuerza a la circulación. De este modo, el endoso trasmite a otra persona, distinta de la que consta en la letra o pagaré como tenedor legitimo, la titularidad de los derechos propios de la cambial (LCC art.14 a 24; AP Badajoz 13-7-02).

El endoso tiene un **triple efecto** (TS 20-1-78, EDJ 257):

- traslativo o transmisivo del título;
- de garantía; y
- de investidura legitima del endosatario para hacer valer los derechos incorporados.

La letra de cambio, aunque **no** esté expresamente **librada a la orden**, es transmisible por endoso (LCC art.14).

Solo cuando el librador haya escrito en la letra de cambio las palabras **«no a la orden»** o una expresión equivalente, el título no es transmisible mediante endoso, sino en la forma y con los efectos de una cesión civil ordinaria.

El endoso puede hacerse incluso **a favor del librado**, haya aceptado o no, del librador o de cualquier otra persona obligada en la letra. Todas estas personas podrán endosarla de nuevo. Respecto a la **naturaleza del endoso**, siguiendo la esencia estrictamente formalista de la propia letra es un acto eminentemente formal. La declaración cambiaria de endoso ha de figurar necesariamente en la letra o en su suplemento e ir firmada por el endosante (LCC art.16).
Es un **acto indivisible e incondicional** y toda condición a la que aparezca subordinado se considerar no escrita. El **endoso parcial** es nulo y el el endoso al portador equivale a un endoso en blanco (LCC art.15).

Precisiones Para **la circulación de la letra sea protegida**, es necesario que en el acto de adquisición del tercero concurran cumulativamente estas tres **circunstancias** (AP Baleares 11-11-03, EDJ 209768; AP Madrid 18-5-06, EDJ 100882):
• Que exista en **sentido económico**; es decir, que transmitente y adquirente sean personas distintas y autónomas en el orden material de sus intereses.
• Que **sea cambiario**; es decir, que se encauce a través de:
- el endoso;
- la tradición en blanco; o
- la tradición al tomador.
• Que ese tráfico cambiario **sea oneroso**; es decir, que sea fruto de una transferencia que proporciona al que entrega y no solo al que la recibe una utilidad o ventaja patrimonial.

Clases El endoso puede clasificarse: 12812
• **Por sus efectos**: se divide en pleno (que transmite la propiedad de la letra) y limitado (que no transmite dicha propiedad, confiriendo solamente o una autorización para cobrar la letra, como es el caso del endoso de apoderamiento, o una transmisión de un simple efecto de garantía, como en el caso del endoso de garantía).
• **Por su forma**: se distingue entre el endoso completo y el endoso en blanco. Ambos tienen las características del endoso pleno.
• **Por su adecuación o inadecuación** a los requisitos especialmente exigidos por la Ley: se distingue entre endoso regular que contiene todas las menciones legales, y endoso irregular, al que le faltan todas o algunas de las indicadas menciones.
Pueden destacarse los siguientes endosos permitidos:
• **Pleno**: transmite todos los derechos de la letra de cambio y que lleva consigo la asunción de garantía (en el pago del título), por parte del cedente.
• **Limitado**: integra una forma de endoso en que se exime al endosante, mediante una cláusula, de la obligación de garantizar que desaparece también, en caso de prohibir el endosante un nuevo endoso (LCC art.18).
• **De apoderamiento**: denominación genérica, entre los que se pueden incluir, los endosos en comisión de cobranza.
• **De mandato**: persigue la finalidad de que el endosatario, no solo efectúe el cobro de la prestación, sino que ejercite, como apoderado del endosante, todos los derechos inherentes al título, y realice, a su vez, todos los actos encaminados a la conservación del derecho incorporado a aquel (LCC art.21).

Contenido y forma (LCC art.16) El endoso **debe** escribirse en la letra o en su suplemento y ser firmado por el endosante. 12814
Además, se entiende que es **endoso en blanco** el que no designe al endosatario o consista simplemente en la firma del endosante. En este último caso para que el endoso sea válido debe estar escrito al dorso de la letra de cambio.
Respecto a las menciones en el endoso, cabe señalar las **cláusulas** (nº 12764):
- de valor al cobro; y
- de valor en garantía o en prenda.
En caso de **alteración** del texto de la letra de cambio, los firmantes posteriores a ella quedan obligados en los términos del texto alterado mientras que los firmantes anteriores lo están en los términos del texto originario (LCC art.93).

Cesión ordinaria Cuando en la letra figuren las **palabras «no a la orden»**, con la finalidad de impedir posteriores endosos, la transmisión de la letra, solo puede realizarse en la forma y con los efectos de una cesión ordinaria (CCom art.347 y 348), no siendo posible, en consecuencia, el endoso del título mercantil que contenga esa mención (LCC art.14 y 24; AP Madrid 16-10-06, EDJ 373740). 12816
La cesión ordinaria, que es por tanto la que ha de entenderse producida en este caso, ante la cláusula «no a la orden» a diferencia de lo que sucede con el endoso, **trasmite** al cesionario todos los derechos del cedente, subrogándose en su posición, de manera que estará sujeto a las excepciones que el obligado al pago pudiera alegar frente al cedente, lo que no sucede en el caso del endosatario, dado el carácter abstracto del título. Ahora bien, el cesionario ha de

acreditar -si ello es discutido- el negocio causal de adquisición del documento mercantil; es decir, que el cesionario, a diferencia del endosatario, cuya legitimación se presume por la simple tenencia de la letra o pagaré, ha de justificar extracambiariamente su legitimación. A su vez, dada la posición que adquiere el cesionario al que se le trasmiten, en virtud de la cesión, todos los derechos y acciones del cedente, puede ejercitar la **acción cambiaria**, tanto en vía ordinaria como en la específicamente prevista en la LEC.

Existen **diferencias** esenciales entre el **cesionario de un crédito** y el **adquirente del título por endoso** cambiario. El endosatario adquiere una posición jurídica autónoma e independiente, estando protegido por la LCC art.20, pudiendo el librado cedido oponer todas las excepciones personales frente al cesionario. Pero esto no sucede cuando se produce una cesión ordinaria, ya sea del crédito documentado pendiente de vencimiento o bien del crédito litigioso representado por el pagaré ya vencido, impagado y protestado.

De por sí, la **cesión de un crédito** es un efecto jurídico común a toda una serie de contratos diferentes entre sí (compraventa de crédito, donación de crédito, dación en pago, etc.,) que tienen por **objeto** propio determinados derechos de crédito. En definitiva, la cesión de un crédito es un negocio jurídico bilateral y causal en el sentido indicado, lo cual es perfectamente aplicable a la cesión de una letra de cambio o a un pagaré, por tratarse de una cesión ordinaria, sujeta, en consecuencia, a los requisitos generales de cualquier cesión de un crédito.

Precisiones El cesionario que ejercita la **acción cambiaria debe acreditar** en virtud de qué causa llegó a entrar en posesión de la letra de cambio o pagaré, no siendo suficiente la alegación de que está legitimado por ser tenedor de la misma (AP Cádiz 17-11-05, EDJ 293329).

12818 **Posición del endosatario y oposición por el deudor** El sistema cambiario descansa sobre la base de que el endosatario adquiere los derechos incorporados a la letra, es decir, un **derecho autónomo**. El endosatario no es un simple sucesor en el crédito que la letra contiene, sino un nuevo titular, frente al deudor y tercero.

Como **consecuencia**, a un endosatario solo se le pueden oponer las excepciones reales derivadas del propio documento o las derivadas de una relación personal directa con él (nº 13095 s.), sin que jamás se le puedan oponer las excepciones derivadas de relaciones personales entre el deudor y el endosante u otro anterior tenedor.

Pero la regla general de la **inoponibilidad** encuentra su **excepción** en la llamada *exceptio doli* por la que el demandado por una acción cambiaria no puede oponer al tenedor excepciones fundadas en sus relaciones personales con el librador o con los tenedores anteriores, a no ser que el tenedor, al adquirir la letra, haya procedido a sabiendas en perjuicio del deudor; pero el deudor cambiario puede oponer al tenedor de la letra las excepciones basadas en sus relaciones personales con él. También puede oponer aquellas excepciones personales que él tenga frente a los tenedores anteriores si al adquirir la letra el tenedor procedió a sabiendas en perjuicio del deudor (LCC art.20 y 67; AP Madrid 2-6-05, EDJ 87162).

Así, si el endosatario-tenedor, al adquirir la letra, ha procedido, a sabiendas, en **perjuicio del deudor cambiario**, este puede oponerle las excepciones basadas en sus relaciones con el endosante o endosantes anteriores. Si bien, el problema básico es determinar rigurosamente el **significado de a sabiendas** que constituye, como toda cláusula general en sentido propio, una remisión a experiencias, reglas y máximas que hay que actualizar en cada caso concreto que se enjuicia. Además, la interpretación de los supuestos de *exceptio doli* deben hacerla los tribunales de instancia, no siendo objeto de casación (TS 30-6-86, EDJ 4545).

La *exceptio doli* cambiaria encuentra su adecuado encaje técnico jurídico en el principio general de la **buena fe** (CC art.7.1). La buena fe ha de presumirse siempre, aunque puede admitirse la prueba de su inexistencia, de ahí que la *exceptio doli* debe probarse por la parte que la opone (CC art.434 y 1950; TS 20-6-79, EDJ 884).

La expresión «a sabiendas en perjuicio del deudor», consta de dos elementos indisociablemente unidos:

• Un **elemento intelectivo**, que básicamente consiste en el conocimiento de la excepción. El adquirente debe conocer que el deudor podía excepcionar.

• Un **elemento intencional**, el adquirente debe carecer de buena fe en sentido objetivo que no es un estado intelectivo de ignorancia, sino una regla genérica de conducta que impone comportamientos leales y correctos en el tráfico y cuya antítesis es lo que los romanos llamaban *dolus malus*.

Precisiones **1)** La **inoponibilidad de excepciones** al endosatario es la manifestación del carácter abstracto de la letra de cambio en cuanto a las relaciones entre el tenedor, tercero en la relación causal subyacente, y el obligado cambiario que se prolonga respecto a todo endosatario adquirente de la misma

2) El **origen del término a sabiendas** de la LCC art.20 y 67 procede de la Ley Uniforme de Ginebra art.17 que emplea la expresión *sciemment au détriment du debiteur*. En el *Avant projet* de la primera conferencia de La Haya de 1910 se utilizaba simple y llanamente el concepto de mala fe o *mauvaise foi*.

3) Para el **adecuado significado de a sabiendas** en perjuicio del deudor se han esgrimido cuatro **interpretaciones doctrinales**:
• Una postura ve la necesidad de una **colusión fraudulenta**, para lo cual no bastaría el dolo del tercer adquirente, si el *tradens* es de buena fe, sino que sería imprescindible que ambos actuaran dolosamente.
• Otra postura entiende como **noción omnicomprensiva** en la que incluso cabe la culpa grave respecto al desconocimiento de las excepciones, por lo que cabría la *exceptio doli* si el tercero al adquirir el título procedió con grave negligencia, dado que con un mínimo esfuerzo podría haber detectado la existencia de la excepción.
• Una postura intermedia entiende que basta lo que expresivamente se ha llamado el **conocimiento activo**, es decir la adquisición de la letra a sabiendas que de esta manera se priva al deudor de la posibilidad de esgrimir determinadas excepciones y que con ello se le ocasiona un daño.
• Otra postura intermedia entiende que exige no solo una conciencia de que adquiriendo la letra, irremediablemente, se produce un daño, sino un específica **intención de dañar**.

F. Pacto de renovación

La eficacia del pacto de renovación sobre las letras originales no es pacífico ni en la doctrina ni en la jurisprudencia, aunque, desde luego y con los efectos que sean procedentes, integran una **excepción oponible** entre las partes que lo hayan convenido y con la eficacia que se la haya querido otorgar, que puede ser extintiva de la obligación cambiaria si el referido pacto se ha convenido con esos efectos, para cuya determinación también hay que acudir a las circunstancias del caso (LCC art.67; AP Tenerife 12-7-06, EDJ 329804). **12825**
Al mismo tiempo, en la jurisprudencia tradicional, predomina la orientación que niega a la renovación cambiaría la **novación extintiva** de las obligaciones de la letra, fundada en la idea de que la simple modificación del vencimiento de la letra no es demostrativa de un *animus novandi*, pronunciándose ya en tal sentido unánimemente la jurisprudencia que en definitiva, viene a declarar que la sustitución de una letra de cambio por otra, operación que en el uso mercantil recibe el nombre de renovación de la letra de cambio tiene por objeto prolongar el contrato de cambio, pero no produce novación alguna de la obligación cambiaria original.
La renovación, puede acarrear o no la novación extintiva de las obligaciones que tienen su asiento en el título renovado, dependiendo del **propósito de las partes** de sustituirlas o no definitivamente por las nuevas, debiendo indagarse en cada caso concreto el ánimo o la finalidad que movió a las partes en el pacto de renovación, con la presunción favorable a la coexistencia de aquellas y estas obligaciones y la consiguiente posibilidad de reclamar el crédito en base a unas u otras cambiales, las renovadas y las renovatorias, siempre que las renovadas hayan resultado impagadas, cuando los títulos primitivos permanecen en poder del acreedor (AP Zamora 10-3-01, EDJ 3678).

Precisiones La simple **modificación del día del vencimiento** no es demostrativa de *animus novandi*, en tanto no se demuestre lo contrario (AP Zamora 10-3-01, EDJ 3678).

G. Pago

El pago de la letra es la finalidad esencial y especial de su libramiento y para que la alegación de pago prospere **es preciso**: **12830**
- acreditar el mismo; y
- si el que reclama es tenedor por endoso, acreditar que actuó a sabiendas o bien que está realmente vinculado por el negocio subyacente y que por ello le es oponible el pago alegado al haber percibido él el importe de los pagarés, ya que fuera de tales supuestos el pago ha de hacerse al tenedor del efecto (LCC art.20 y 67).

En el pago de la letra de cambio se pueden dar **situaciones** distintas de la común de pago por el aceptante. Así, puede darse el pago:
- a un tenedor legítimo que libera al librado aceptante (LCC art.46.3);
- sobre uno de los varios ejemplares de la letra (nº 12865); o
- por el endoso en favor del librador, que libera a todos los endosantes anteriores (LCC art.14.3 y 18).

El pago **debe de realizarse** al tenedor de la letra, ya que solo ese pago es liberador. El pago realizado fuera de las circunstancias contempladas en la ley carece de efectos liberatorios para el deudor a no ser que hubiese incurrido en dolo o culpa grave al apreciar la legitimación del tenedor, y a tal efecto, estará obligado a comprobar la regularidad de la serie de los endosos, y si paga antes del vencimiento de la letra, lo hace por su cuenta y riesgo, es decir, que si paga a quien no era portador legítimo de la misma, no le libera tampoco ante el que lo sea en la fecha del vencimiento (LCC art.43 a 48; AP Madrid 12-5-06, EDJ 104206; 13-11-96, EDJ 11155).

La **entrega de los efectos cambiarios** no equivale al pago sino una facilitación del mismo, careciendo de eficacia liberatoria. Se exige la realización del efecto cambiario, como regla general, la **cantidad pagada debe** incorporarse efectivamente al patrimonio del acreedor o se ponerse oficialmente a su disposición si se niega a recibirla, (CC art.1170; TS 25-5-01, EDJ 7142; 22-5-95, EDJ 2170; 30-4-83, EDJ 2570; 2-6-81, EDJ 1525; AP Guadalajara 1-6-06, EDJ 99346).

Precisiones En cuanto al **lugar del pago** ver nº 12745.

12832 **Consignación** A **falta de presentación al pago** de la letra de cambio en plazo, el librado-aceptante puede consignar su importe en depósito a disposición del tenedor y por su cuenta y riesgo, judicialmente o en una entidad de crédito, notario o agente mediador colegiado (LCC art.43 y 48).
Para llevarse a cabo de forma correcta la consignación y que sea eficaz a los fines de entenderse pagada la letra debe cumplirse con los siguientes **requisitos** (AP León 7-7-04):
- hacerse previo ofrecimiento de pago al acreedor (CC art.1176); y
- anunciarse que se procede a la consignación de la cantidad reflejada en la letra de cambio (CC art.1177).

12834 **Presentación al pago** La **falta de presentación** al pago de la letra de cambio no la priva de su fuerza ejecutiva (LCC art.39, 44 y 48; AP Huelva 21-6-02, EDJ 48591).
No quiere ello decir que la presentación de la letra para su pago no sea **necesaria**, pero se trata de un acto jurídico de carácter privado entre el obligado al pago y el tenedor de la letra, el cual no viene constreñido, sin embargo, para ejercitar la acción cambiaria directa (nº 13070) a demostrar que ha realizado la presentación de la letra al cobro, al contrario de lo que acontece en vía de regreso y es, por eso, que la prueba de la inobservancia de la obligación de presentación al pago corresponde a quien la alega, siendo perfectamente admisible a título de **presunción**, cuando es uso mercantil notoriamente conocido, que las entidades de crédito dan aviso al aceptante de su obligación de pago con remisión de los antecedentes necesarios para la identificación de la letra (LCC art.43.3, 56.2 y 63; AP Barcelona 17-10-91).

12836 **Prueba** La **carga** de la cumplida prueba del pago o de la extinción del crédito cambiario reclamado corresponde a los deudores, a quienes perjudican las dudas (LEC art.217).
Se recoge la opción de la **entrega de la letra** de cambio cuando se paga en el acto a la presentación al cobro, salvo el caso más habitual, cuando se realiza por **entidad de crédito**. En este caso, señala el precepto que (LCC art.45):
• El librado puede exigir al pagar la letra de cambio que le sea entregada con el **recibí del portador**, salvo que este sea una entidad de crédito, en cuyo caso este puede entregar, excepto si se pactara lo contrario, entre librador y librado, en lugar de la letra original, un documento acreditativo del pago en el que se identifique suficientemente la letra. Este documento tiene pleno valor liberatorio para el librado frente a cualquier acreedor cambiario y la entidad tenedora de la letra responde de todos los daños y perjuicios que puedan resultar del hecho de que se vuelva a exigir el pago de la letra tanto frente al librado como frente a los restantes obligados cambiarios (DGSJFP Resol 4-7-23).
• **Se presume pagada** la letra que, después de su vencimiento, se halle en poder del librado o del domiciliatario.
El portador no puede rechazar un **pago parcial** y en este caso, el librado puede exigir que este pago se haga constar en la letra y que se le dé recibo del mismo.
Suele ser práctica habitual que ante reclamaciones cambiarias de títulos-valores que el deudor alegue el pago por la existencia de **otras deudas pendientes**. Tal cuestión de interés y que suele darse en la práctica como motivo de **oposición**. La letra ha de ser satisfecha sobre el título valor, lo que supone su entrega al deudor que lleva a cabo el pago; mecanismo que solo puede ser sustituido por el documento acreditativo del pago en los casos y con los requisitos establecidos, esto es que el portador sea una entidad de crédito, y que el documento identifique suficientemente la letra (AP Zaragoza 16-10-06, EDJ 310359).

Precisiones 1) La **presunción de pago** de la letra por su tenencia de la LCC art.45 tiene carácter *iuris tantum* y por ende admite prueba en contrario (TS 4-11-91, EDJ 10404).
2) Una entidad de crédito puede entregar, en lugar de la letra original, un **documento acreditativo del pago** en el que se identifique suficientemente la letra. Este documento tiene pleno valor liberatorio para el librado frente a cualquier acreedor cambiario (DGSJFP Resol 4-7-23).

12838 **Pago por intervención** El pago por intervención **puede hacerse** siempre que el tenedor tenga derecho a ejercitar la vía de regreso, ya sea antes o después del vencimiento de la letra. **Debe comprender** la cantidad total a satisfacer por aquel por quien se interviene, y efectuarse, a más tardar, al día siguiente del último día permitido para levantar protesto por falta de pago (LCC art.74).

El **tenedor que rechaza el pago** por intervención pierde sus acciones contra todos los obligados cambiarios que habrían resultado liberados si el pago hubiera sido aceptado (LCC art.75).
En caso de **varios ofrecimientos** se da preferencia al que libere a mayor número de obligados. Quien paga por intervención, a sabiendas de que está incumpliendo esta regla, pierde sus acciones contra todas las personas que hubieran podido quedar liberadas.
En el caso de que la letra de cambio haya sido aceptada por la intervención de **personas domiciliadas en el lugar del pago** o si las personas indicadas para pagar tuvieran domicilio en este mismo lugar, el tenedor debe presentar la letra a todas ellas, y en caso de falta de pago levantar el oportuno protesto, lo más tarde, el día siguiente al último permitido para el protesto por falta de pago de la letra (LCC art.76).
La **falta de protesto** en el plazo señalado libera de su obligación a quien hizo la indicación o a aquella persona por cuya cuenta se aceptó la letra, así como a los endosantes posteriores a ella.
El pago por intervención **libera a** todos los firmantes de la letra posteriores a aquel por cuenta del cual se ha efectuado. La persona que lo realiza adquiere todos los derechos que derivan de la letra contra el obligado cambiario por el que ha intervenido y contra todos los que responden frente a él. El interviniente que paga la letra no puede, sin embargo, **endosarla de nuevo** (LCC art.77).
El pago por intervención **debe constar** en la letra mediante recibí, con indicación de la persona a cuyo favor se ha efectuado. A falta de esta indicación, se entenderá hecho a favor del librador (LCC art.78).
La **letra de cambio** y el **protesto**, si lo hay, deben **entregarse a** la persona que pague por intervención.

H. Protesto o declaración equivalente

El **protesto se define** como un documento extendido por un notario a petición del portador o tenedor de la letra de cambio para hacer constar su impago al vencimiento de la misma. 12845
Al no requerir la presentación de la letra al pago de ninguna formalidad ni intervención de tercero, la **prueba** se ve dificultada. Por ello, tradicionalmente, se venía considerando que el medio más adecuado para probar la presentación era el protesto notarial. Así, el protesto tiene por **objeto** preconstituir una prueba del contenido literal de la letra y de la falta de aceptación o la falta de pago (TS 20-5-09, EDJ 101660).
Sin embargo, para reducir el costo y la complejidad del protesto, se admitió su sustitución por una **declaración equivalente**. La declaración equivalente debe ser firmada en la propia letra de cambio y fechada por el librado en la que se deniegue la aceptación o el pago, así como la declaración, con los mismos requisitos, del domiciliario o, en su caso, de la cámara de compensación, en la que se deniegue el pago (LCC art.51; AP Guipúzcoa 16-10-03).
La **falta de equiparación** en cuanto a sus efectos solo se produce cuando el librador haya exigido expresamente en la letra el levantamiento del protesto notarial en el espacio reservado por la normativa aplicable a cláusulas facultativas (TS 4-5-00, EDJ 9905; 27-10-05, EDJ 188336).
Cuando la **acción ejecutiva cambiaria** es la **directa contra el librado** aceptante de la cambial, no se exige en modo alguno protesto para reclamar por el tenedor de la cambial el importe de la misma, tanto en vía ejecutiva como ordinaria (LCC art.49). Tampoco se opone la circunstancia de que en el documento litigioso se haya hecho constar la cláusula «protesto notarial», pues ello ha de entenderse para el caso de que la acción que se ejercite sea la de regreso, excluyéndose, entonces, mediante dicha cláusula, la declaración sustitutoria del protesto cuando este es necesario, pero sin trascendencia para la acción directa (LCC art.33; AP Almería 10-4-00).

Precisiones 1) La **doctrina moderna** considera que el levantamiento del protesto no garantiza que se haya presentado oportunamente la letra al pago y que tampoco la declaración equivalente al protesto puede servir como **prueba** de la **oportuna presentación**, pues aunque justifica la presentación a persona legitimada para recibirla, no demuestra que haya sido efectuada en tiempo y forma (Fajardo López).
2) En la práctica, la **declaración equivalente**, suele ser un **sello** que estampa el banco tenedor expresando que se ha intentado cobrar la letra de cambio, pero que ha sido devuelta por falta de fondos.
3) Para ver información sobre la **cláusula «sin gastos», «sin protesto» o «devolución de gastos»** ver nº 12766.

Plazo En todo caso, la declaración del librado, del domiciliario o de la cámara de compensación debe ser hecha: 12847
• El protesto notarial por **falta de aceptación** debe hacerse dentro de los plazos fijados para la presentación a la aceptación o de los 8 días hábiles siguientes.

• El protesto por **falta de pago** de una letra de cambio pagadera a fecha fija o a cierto plazo desde su fecha o desde la vista debe hacerse en uno de los 8 días hábiles siguientes al del vencimiento de la letra de cambio. Si se tratara de una letra pagadera a la vista, el protesto debe extenderse dentro de los plazos fijados para la presentación a la aceptación o de los 8 días hábiles siguientes.

El protesto por **falta de aceptación exime de** la presentación al pago y del protesto por falta de pago.

En caso de **suspensión de pagos** o **declaración de concurso del librado**, haya aceptado o no, o del librador de una letra no sujeta a aceptación, la presentación de la providencia teniendo por solicitada la suspensión de pagos o del auto declarativo del concurso, basta para que el portador pueda ejercitar sus acciones de regreso.

Precisiones El **plazo** de 8 días para comunicar la falta de aceptación o pago **se computa** de la forma siguiente:
- protesto notarial: desde la fecha del mismo;
- declaración equivalente, desde la fecha que en ella conste.
- en el caso de la cláusula de devolución «sin gastos», desde la fecha de presentación de la letra.

12849 **Procedimiento notarial** (LCC art.52 a 55) En el caso de que se trate de la acción de regreso y se fije la exigencia del protesto la **sistemática** a seguir es la siguiente:

• La declaración de quedar protestada la letra se hace por el notario mediante **acta** en la que se copia o reproduce la letra.

• En los 2 días hábiles siguientes, el notario debe **notificar** el protesto al librado, mediante cédula extendida en papel común en la que figurarán su nombre, apellidos y la dirección de su despacho. En la cédula se debe copiar o reproducir la letra y se debe indicar al librado el plazo de que dispone para examinar el original depositado en la notaría, para aceptar o pagar la letra, según los casos, o hacer manifestaciones congruentes con el protesto.

• La **cédula de notificación es entregada** por el notario al librado, sus dependientes o parientes, o cualquier persona que se encuentre en el domicilio que corresponda. No hallando a ninguno de ellos, la notificación se considerará válidamente realizada con su entrega a cualquier vecino de dicho domicilio. La negativa a recibir la cédula no afecta a la validez de la notificación. Todo ello se ha de hacer constar por diligencia en el acta de protesto.

• Las **entidades de crédito** están obligadas a remitir al librado en el plazo de 2 días hábiles, la cédula de notificación del protesto por falta de pago de las letras de cambio que estén domiciliadas en ellas.

12851 • El **plazo para examinar** el original de la letra en la notaría y hacer manifestaciones congruentes con el protesto, sea cual fuere la hora en que se hubiere hecho la notificación, es hasta las 14:00 horas del segundo día hábil siguiente al de la notificación.

• Si el **protesto es por falta de pago** y el pagador se presentara en dicho plazo a satisfacer el importe de la letra y los gastos del protesto, el notario debe admitir el pago, haciéndole entrega de la letra con diligencia en la misma y en el acta de haberse pagado y cancelado el protesto.

• Si el protesto es por **falta de aceptación**, la cancelación se anota en el acta, si la letra fuese aceptada.

• Dentro de los 5 días hábiles siguientes a la expiración del plazo para examinar la letra y hacer manifestaciones, el notario procede a la **devolución de la letra al tenedor** con copia del protesto, si la hubiere solicitado. No obstante, el tenedor puede retirarlas desde el mismo momento en que expire el plazo para examinar la letra.

12853 **Notificación** Dentro del **plazo** de los 2 días hábiles siguientes a la fecha en que un endosante haya recibido la comunicación, debe, a su vez, comunicarlo a su endosante, indicándole los nombres y direcciones de aquellos que han dado las comunicaciones precedentes. La misma obligación corresponde a toda la cadena de endosantes hasta llegar al librador.

Toda comunicación que se realice a un firmante de la letra debe hacerse en el mismo plazo a su **avalista** (nº 13030 s.). Si no consta su dirección, la comunicación debe efectuarla el avalado.

En el caso de que un **endosante no haya indicado su dirección** o la haya indicado de manera ilegible, basta que la comunicación se haga al endosante anterior a él.

La comunicación puede efectuarse de cualquier **forma**, incluso por la simple devolución de la letra de cambio, pero debe probar que ha dado la comunicación dentro del término señalado.

Si la comunicación **no se hace dentro del plazo** indicado, conserva su acción, pero puede dar lugar a responsabilidad por el perjuicio causado por su negligencia, sin que lo reclamado por daños y perjuicios pueda exceder del importe de la letra de cambio.

Precisiones Se considerará que se ha observado el **plazo** de 2 días cuando la **carta** en que se haga la comunicación se haya puesto en el correo dentro del mismo.

I. Letra en blanco

En relación a la cumplimentación de letras en blanco, su **eficacia** ha sido reconocida por la doctrina del Tribunal Supremo que sostiene que el deudor, al firmar una letra en blanco, se declara conforme de antemano con el texto que se complete en ella, haciendo suyas anticipadamente las menciones que sea necesario añadir para completarla, a menos que pruebe cosa distinta (TS 18-4-81; 30-11-83; AP Castellón 19-6-99, EDJ 51081). 12860
Esto, junto el principio de autonomía de las declaraciones cambiarias (LCC art.8), permite afirmar que para la **creación y puesta en circulación** de una letra en blanco es **suficiente con** la firma de alguno de los obligados cambiarios originarios -aceptante o librador-, pues no se impone la unidad de acto ni se requiere un orden cronológico para la consignación de sus distintas menciones, bastando que estas existan al momento de ejercitarse en juicio el crédito cambiario.
Así, es quien se opone a quien le **corresponde acreditar** que la liquidación, efectuada y materializada en la cantidad fijada, no se corresponde con la realidad de las operaciones comerciales habidas entre las partes (LEC art.217).

J. Pluralidad de ejemplares y copias de la letra

Pluralidad de ejemplares La letra de cambio puede librarse en varios ejemplares idénticos, que **deben estar** numerados en el propio título, indicando, además, el número total de ejemplares emitidos (LCC art.79). 12865
A **falta de tal indicación**, cada uno de los ejemplares se considera como una letra de cambio distinta.
Cuando en una letra de cambio **no se indique** que ha sido librada en un **ejemplar único**, cualquier tenedor puede exigir a su costa la emisión de varios ejemplares. A tal efecto, debe dirigirse a su endosante, quien estará obligado a colaborar con él, dirigiéndose, a su vez, a su propio endosante, y así sucesivamente hasta llegar al librador. Los endosantes están obligados a reproducir los endosos en los nuevos ejemplares.
Cuando **se pague uno de los ejemplares**, se extinguen los derechos derivados de todos los demás, aunque no se haya incluido en ellos la mención de que pierden su validez por el pago de un ejemplar. No obstante, el **librado queda obligado** por virtud de todo ejemplar aceptado que no le haya sido devuelto (LCC art.80).
Si un **endosante transfiere** los ejemplares a distintas personas, tanto él como los endosantes ulteriores responden por razón de todos los ejemplares que lleven sus firmas y que no hubieren sido devueltos.
El que envíe uno de los ejemplares a la **aceptación** debe indicar, en los restantes, el nombre de la persona en cuyo poder se halla dicho ejemplar, la cual está obligada a entregárselo al portador legítimo de otro ejemplar. Si se niega a hacerlo, el portador no puede ejercitar sus **acciones de regreso** sino después de haber hecho constar mediante protesto que (LCC art.81):
- el ejemplar enviado a la aceptación no le ha sido entregado, a pesar de haberlo pedido; y
- no ha podido obtener la aceptación o el pago con otro ejemplar.

Copias de la letra (LCC art.82 y 83) Todo **portador** de una letra de cambio **tiene derecho** a sacar copias de ella. 12867
La copia **debe**:
- reproducir exactamente el original con los endosos y demás menciones que figuren en él;
- indicar dónde termina la copia; e
- indicar quién es el poseedor del título original (que está obligado a entregar dicho título al portador legítimo de la copia).

La copia **puede ser** endosada y avalada de igual manera que el original y con los mismos efectos.
Cuando el título original incluya, después del último endoso puesto antes de sacar la copia, la **mención «a partir de aquí, el endoso no valdrá más que en la copia»**, o cualquier otra fórmula equivalente, son nulos todos los endosos firmados posteriormente en el original.

Precisiones Si el **poseedor del título original se niega a entregar** la letra de cambio al portador legítimo de la copia, el tenedor solo puede ejercitar su acción de regreso contra las personas que hayan endosado o avalado la copia, después de hacer constar, mediante protesto, que el original no le ha sido entregado, a pesar de haberlo pedido.

K. Extravío o sustracción de la letra

(LCC art.132, 133, 134 y 135)

12870 En los casos de robo, hurto, extravío o destrucción de títulos valor, están **legitimados para iniciar el expediente** los poseedores legítimos de los títulos que han sido desposeídos de los mismos, así como los que han sufrido su destrucción o extravío.
Es **competente** el juzgado de lo Mercantil del lugar:
- de pago cuando se trata de un título de crédito;
- de depósito en el caso de títulos de depósito;
- del domicilio de la entidad emisora cuando los títulos son valores mobiliarios, según proceda.
Para la actuación en este expediente es obligatoria la intervención de **abogado y procurador**.

12872 **Tramitación del procedimiento** El expediente se inicia mediante un **escrito** en el que el interesado debe justificar su legitimación para promoverlo.
Incoado el expediente, el letrado de la Administración de Justicia lo **comunica** al emisor de los valores.
El letrado de la Administración de Justicia acuerda el **anuncio de la incoación** del expediente en el «Boletín Oficial del Estado» y en un periódico de gran circulación en su provincia y dispondrá la citación de quien pueda estar interesado en el expediente.
Tras la comparecencia, el letrado de la Administración de Justicia dicta decreto en el que se pronuncia acerca de la **prohibición de negociar o transmitir** los valores, de la suspensión del pago del capital, intereses o dividendos, o bien del depósito de las mercancías, según proceda en atención al título de que se trate.
Transcurrido el plazo de 6 meses sin que se haya suscitado controversia, el letrado de la Administración de Justicia autoriza al que promovió el expediente a **cobrar los rendimientos** que produzca el título, comunicándoselo al emisor para que proceda al pago.
El letrado de la Administración de Justicia puede, si lo considera oportuno, exigir al perceptor de los rendimientos una **fianza** que garantice, en su caso, la devolución de los mismos.
Transcurrido el plazo de un año sin mediar oposición, el letrado de la Administración de Justicia ordena al emisor la **expedición de nuevos títulos** que se entregan al solicitante.
En ningún caso procede la **anulación del título o títulos**, si el tenedor actual que formula oposición los ha adquirido de **buena fe** conforme a la ley de circulación del propio título.
En caso de que no fuera procedente la **anulación del título**, quien hubiera sido tenedor legítimo en el momento de la pérdida de la posesión tiene las **acciones civiles o penales** que correspondan contra aquella persona que hubiera adquirido de **mala fe** la posesión del documento.

Precisiones

Cuando se tratase de un **título de tradición**, no procede el **depósito de las mercancías** si fueran de imposible, difícil o muy costosa conservación o corrieran el peligro de sufrir grave deterioro o de disminuir considerablemente de valor. En ese caso, el letrado de la Administración de Justicia insta al porteador o al depositario, previa audiencia del tenedor del título, que entregue las mercancías al solicitante si este ha prestado caución suficiente por el valor de las mercancías depositadas, más la eventual indemnización de los daños y perjuicios al tenedor del título si se acreditara posteriormente que el solicitante no tenía derecho a la entrega.

SECCIÓN 2

Cheque

12875

12877 El cheque se **define** como el documento que contiene una orden incondicionada a un banco de pagar a su tenedor legítimo una suma determinada a cuenta de los fondos que el librador tenga disponibles en el banco librado.

Debe **diferenciarse entre** la deuda previa para cuyo pago se libra el cheque, nacida directamente del negocio causal subyacente y el débito dentro de la esfera del negocio jurídico cambiario que, en caso de impago, abre al tenedor legítimo la vía de regreso contra los endosantes, el librador y los avalistas que responden solidariamente de igual forma que los deudores cambiarios en la letra de cambio (LCC art.131, 146 y 148).
De esta definición se deduce que sus **caracteres** que contiene una **orden de pago**:
- pura o simple, es decir, incondicionada;
- a la vista; y
- a cuenta de los fondos disponibles en el banco.

1. Requisitos

Los requisitos del cheque son los siguientes: 12880
• La **denominación** del cheque inserta en el texto del título y expresada en el mismo idioma empleado para la redacción de este. Esto sirve para distinguir al título de otras delegaciones de pago.
• El **mandato** puro y simple de pagar una suma determinada en pesetas o moneda extranjera convertible admitida a cotización oficial.
• El **nombre** del que debe pagar, denominado librado, que necesarianente ha de ser un banco.
• El **lugar del pago**.
• La **fecha y el lugar de la emisión**. La fecha es necesaria y decisiva a efectos del cómputo del plazo de presentación del cheque al pago (ha de ser, en cualquier caso, una fecha posible, aunque no sea verdadera, en el sentido de que la ley no establece la invalidez de los cheques postdatados o antedatados, si bien castiga o corrige la postdatación, declarando que el cheque presentado al pago antes del día indicado como fecha de emisión, es pagadero el día de la presentación.
• La **firma** del que expide el cheque (librador).
La **falta de alguno de los requisitos** expuestos, como **regla general**, no permite conceder al título la consideración de cheque, sin perjuicio de que pueda valer como documento probatorio de la relación que pudiere haberse establecido entre librador y librado (Uría).

Precisiones El cheque ha de librarse contra un banco o entidad de crédito que tenga **fondos** a disposición del librador y de conformidad con acuerdo expreso o tácito, según la cual el librador tenga derecho a disponer por medio de cheques, de aquellos fondos (TS penal 10-12-01, EDJ 54062; 13-5-02, EDJ 22328).

Denominación como «cheque» La razón de la **exigencia** de la mención «cheque», no es otra que la de reproducir, en la ley española, la Ley Uniforme de Ginebra. 12882
Ahora bien, la doctrina considera que es una **mención inoperante** en la realidad actual. La difusión del uso del cheque es hoy tan amplia que es muy difícil encontrar una persona que no reconozca un cheque a simple vista, sin necesidad de leer esta denominación, en cuanto a que se extienden en impresos elaborados por las entidades de crédito, con características externas, incluido el formato y tamaño, similares o más bien idénticas. Pero esa **posibilidad de confusión** con otro documento que incorpora una orden de pago, distinto del cheque, queda totalmente eliminada respecto al banco que ocupa la posición de librado en un impreso confeccionado, en serie, por él mismo.
Así, la denominación «cheque» es un mero elemento o requisito identificativo por lo que si el documento cuestionado contiene **otros elementos identificativos** que, por sí mismos, denotan su naturaleza de cheque, ha de ser tenido por tal, aunque en su texto haya dejado de utilizarse, por descuido o negligencia, la referida denominación (TS 19-10-97, EDJ 7481).

Precisiones **1)** Antes del TS 19-10-97, EDJ 7481, existía una **corriente formalista** seguida por algunas AP que señalaban que las exigencias sobre el cheque son una norma de *ius cogens* y por tanto imperativa. Los actos contrarios a las normas imperativas son nulos de pleno derecho salvo que en ellas se establezca un efecto distinto (CC art.6.3) y para el cheque, lo establecido es que no se considera como tal si le falta el requisito de la denominación (AP Las Palmas 6-7-93).
Además, exigían que el monema «cheque» figurara inserto en el texto del mismo en el **anverso**, no considerando que si estaba escrita en el reverso se cumpliera con la exigencia formal.
2) Algunos **elementos que pueden evidenciar** que estamos ante un cheque (TS 19-10-97, EDJ 7481):
• El documento, en su anverso, está **cruzado** mediante dos barras paralelas con la mención «y cía», que es elemento característico y privativo del cheque (ver cheque cruzado en nº 12925 s.).
• El documento contiene, en su dorso, una **diligencia de conformación**, extendida por la propia entidad librada, cuya conformación o conformidad es, asimismo, elemento específico y propio, aunque accesorio, del cheque (LCC art.110).

• Se trata de un talonario **confeccionado por la propia entidad**, por lo que no puede luego incurrir en ostensible **mala fe** al oponerse al pago de los mismos mediante la simple alegación de que en ellos falta la referida palabra, inculcando además frontalmente la doctrina de los actos propios.

12884 **Lugar de pago** (LCC art.107) A pesar de que en el cheque **no se indique** el lugar de pago, se sigue admitiendo la consideración de cheque con las siguientes **especialidades**:
• Si existe lugar designado junto al nombre del librador, pero no se especifica lugar del pago, este se reputa como lugar de pago. Cuando estén designados varios lugares, el cheque es pagadero en el primer lugar mencionado.
• Si no existe lugar designado junto al nombre del librador ni lugar del pago, el cheque debe pagarse en el lugar en el que ha sido emitido, y si en él no tiene el librado ningún establecimiento, en el lugar donde el librado tenga el establecimiento principal.

12886 **Lugar de emisión** Si el cheque **no contiene indicación** del lugar de su emisión se considera suscrito en el que aparezca al lado del nombre del librador (LCC art.107).
En caso de **falta** de constancia del lugar de emisión y de **dirección junto al nombre del librador**, la doctrina de las audiencias provinciales, casi unánime, se decanta por negar al título la condición de cheque, acogiendo para ello la dicción expresa de los textos legales, los cuales no prevén la posibilidad de suplir la omisión mediante la referencia al lugar de pago del cheque ya que el lugar de emisión condiciona diversos efectos del cheque como, por ejemplo la determinación de la legislación aplicable (LCC art.162 a 167) o el plazo para su presentación al cobro (LCC art.135 y 136), consideraciones de índole material que, sin duda, han llevado al legislador a considerar tal mención como esencial para la existencia del cheque (AP Madrid 9-2-05, EDJ 115353; 14-4-99, EDJ 9299).
Para la mayoría de la doctrina, la expresión de un **lugar de pago no sustituye** la del lugar de emisión ya que su omisión solo puede ser suplida por el lugar escrito junto al nombre del librador, sin perjuicio de las acciones que las partes puedan ejercitar en el oportuno juicio declarativo (AP Tenerife 2-4-04, EDJ 39144; AP Las Palmas 28-5-03, EDJ 124648; AP Valencia 30-4-03; AP Murcia 19-6-95, EDJ 9491).

Precisiones **1)** Negar la condición de cheque por la falta del lugar de emisión, no es una postura rigurosa o de un **formalismo excesivo** ya que desde el momento en que el juicio ejecutivo es un procedimiento especial que se distingue precisamente por ser un procedimiento formalista tanto desde su propia formulación (documentos que llevan aparejada ejecución), como desde las posibilidades de defensa u oposición, por lo que los requisitos formales no pueden ser objeto de una interpretación flexible o extensiva so pena de desvirtualizar el propio fundamento o esencia de este juicio (AP Madrid 14-4-99, EDJ 9299).
2) Para una **minoría de la doctrina**, el **lugar de pago** puede sustituir el lugar de emisión (AP Cuenca 1-3-94).

2. Endoso

12890 El endoso **consiste en** una anotación verificada en el mismo cheque por el que se ordena al deudor el pago a otra persona, todo lo cual se hace en el momento de transmitir el cheque.
El endoso es un negocio abstracto que no necesita la existencia de una causa de transmisión para la validez, pues el **único requisito** del endoso es la firma del endosante que puede ser cualquiera siempre que aparezca en el momento como titular del documento que se transmite, como ocurre en este caso mediante la firma al dorso del cheque, pudiendo ser el endosatario cualquier persona que haya intervenido o no con anterioridad.
Si consta únicamente al dorso la firma del endosante, nos hallamos ante un **endoso en blanco** que transmite todos los derechos resultantes del cheque, habiéndose equiparado por la jurisprudencia el endoso en blanco como un endoso pleno, no como cesión (nº 12816), suponiendo, como se dice por algún autor, una legitimación anónima a favor de cualquier poseedor, de forma que se asimila el cheque en blanco a un título al portador (LCC art.120, 122 y 123).

Precisiones La **legitimación cambiaria** surge de la conjugación de dos elementos (AP León 23-9-93):
- la posesión material del título en que se apoya la acción; y
- la constancia documental en él de la adquisición del crédito mediante el endoso, pues lo que vicia la legitimación del endoso, es la ruptura del tracto (LCC art.125).

3. Presentación

El cheque es un título de presentación, lo que **significa que** debe ser su tenedor quien lo exhiba al librado en su propio domicilio requiriéndole de pago. 12895
Si la presentación del cheque es indispensable para obtener su pago, no sirve cualquier presentación, para ser **válida** debe ser regular, lo cual presupone que en ella deben concurrir varias **circunstancias** como son:
- la verificación del domicilio del librado;
- la posesión legítima del cheque;
- que se mencione todas las cláusulas legales; y
- que se presente en plazo.

Verificación del domicilio del librado (LCC art.114 y 137) Debe verificarse en el domicilio 12897
del librado en el que se ha expedido el talonario, o sea, en aquél en el que el librador posee los **fondos a su disposición** y no en otro cualquiera, de hecho es cada vez menos frecuente que el cheque se presente al cobro en metálico en la ventanilla del banco librado, ya que es más usual que el tenedor lo entregue a su banco para que se encargue del cobro, lo que se hace por medio de compensación.
La presentación a una **cámara o sistema de compensación** equivale a la presentación al pago.

Posesión legítima del cheque (LCC art.125) El tenedor que realiza la presentación debe 12899
ser el poseedor legítimo del cheque, legitimación que **varía según** que el cheque se haya expedido:
- al portador;
- a la orden; o
- en forma nominativa directa (en los últimos casos, el banco debe exigir la identificación del tenedor para comprobar si corresponde a la mencionada en el título).

Plazo (LCC art.135 y 136) La presentación debe realizarse dentro de los plazos y días señalados 12901
por la ley, según el lugar de su emisión. Los plazos de presentación al cobro por el tenedor para los cheques **pagaderos en España** son:

Lugar de emisión del cheque	Plazo
España	15 días
Europa	20 días
Resto del mundo	60 días

Los plazos **se computan a partir** del día que consta en el cheque como fecha de emisión, no excluyéndose los días inhábiles, pero si el día del vencimiento lo fuera, se entiende que el cheque vence el primer día hábil siguiente.

4. Pago

Voluntario (LCC art.140) Si el cheque reúne los **requisitos** de presentación (nº 12895 s.), el 12905
banco librado debe satisfacer su importe.
El librado puede exigir que el pago le sea entregado con el **recibí** del portador. Se presume pagado el cheque que después de su vencimiento se halle en poder del librado. El portador no puede rechazar el **pago parcial** y el librado podrá exigir que este pago se haga constar en el cheque y que se le dé recibo del mismo.
Realizado el pago por el banco librado, se extingue la **obligación causal** que determinó el libramiento del cheque (pago del precio de una compra, restitución de un préstamo, etc.) y como efectos indirectos, se produce la extinción de las obligaciones cambiarias en vía de regreso de los firmantes del cheque (librador, endosantes y avalista, si los ha habido).
Ahora bien, si **no se cumplen los requisitos** para la presentación **y el banco paga mal**, no puede deducir su importe de la provisión de fondos del librador. De forma específica, se afronta el problema del pago por el banco de un **cheque falso o falsificado** (ver nº 12955).

Forzoso Si resulta infructuoso el pago voluntario por el banco-librado o por el librador, el 12907
tenedor del cheque **puede exigir** el pago forzoso en procedimiento judicial cuando la falta de pago se acredite por alguno de los **medios** siguientes (LCC art.146):
- por protesto notarial;
- por declaración del librado que conste en el cheque; o

- por declaración fechada de una cámara o sistema de compensación en la que conste que el cheque ha sido presentado en tiempo hábil y no ha sido pagado.

Los que hayan librado, endosado o avalado un cheque **responden solidariamente** frente al tenedor. El portador del cheque puede dirigirse contra todas estas personas, individual o conjuntamente sin que le sea indispensable observar el orden en que se hayan obligado (LCC art.148).

El tenedor **puede reclamar** (LCC art.150):
- el importe del cheque no pagado;
- los réditos de dicha cantidad devengados desde el día de su presentación y calculados al tipo del interés legal del dinero más dos puntos;
- los gastos, incluidos protesto y comunicaciones;
- el 10% del importe no cubierto del cheque; y
- la indemnización de los daños y perjuicios.

Precisiones En relación a las **cláusulas de protesto** en el cheque y su validez puede, verse lo contenido al respecto en la letra de cambio en el nº 12845 s.

12909 Las **acciones** que corresponden al tenedor del cheque contra los endosantes, el librador y demás obligados **prescriben** a los 6 meses, contados desde la expiración del plazo de presentación (LCC art.157 y 158).

Dicho plazo puede quedar **interrumpido** cuando concurran alguna de las siguientes causas (CC art.1973):
- por su ejercicio ante los tribunales;
- por reclamación extrajudicial del acreedor; y
- por cualquier acto de reconocimiento de deuda por el deudor.

Si se **reclama extrajudicialmente**, se interrumpe el plazo incluso cuando reclama un mandatario tácito del titular de la acción. Es preciso para que dicho acto de interrupción tenga eficacia que llegue a conocimiento del deudor, por lo que es obvio que para ello la reclamación ha de hacerse o directamente al deudor o al menos a persona u entidad que tenga alguna relación de solidaridad en la deuda u otro tipo de relación que haga evidente que el deudor pudo tener conocimiento de tal reclamación (AP Albacete 30-4-02, EDJ 22572).

5. Truncamiento

12915 El truncamiento **se define como** un procedimiento informático por el que el banco tomador de un cheque o pagaré transmite al banco librado la información relevante, sin que sea necesario enviar el documento original para llevar a cabo la operación. **Se pueden truncar** los cheques, pagarés en cuenta corriente o pagos domiciliados, que se emiten por importe igual o inferior al límite de truncamiento, cantidad a partir de la cual el cheque no se inmoviliza y debe intercambiarse físicamente.

El **objetivo fundamental** es la imputación en cuenta del cliente sin otra manipulación posterior y las **ventajas** inmediatas son:
- la agilización del intercambio;
- una mayor rapidez en la recuperación financiera;
- reducción de los riesgos; y
- reducción de costos en el conjunto de la operativa.

En orden a impulsar la **automatización** en los sistemas de compensación, el Comité Técnico Interbancario define las especificaciones para la compensación de cheques de cuentas corrientes mediante la transmisión de lotes de información, debidamente protegidos.

Precisiones 1) A los efectos de la **responsabilidad del banco**, nada importa la utilización del método del truncamiento pues, frente al cliente, quien debe responder siempre es la entidad librada (TS 9-2-98).

2) El límite para el truncamiento de cheques actualmente es de 100.000 euros para cheques, pagarés de c/c y pagos domiciliados y de 300.000 euros para cheques bancarios. 300.000 € (Sociedad Nacional de Compensación Electrónica Instrucción CE/04/014 capítulo 2 apartado 5).

6. Cheques especiales

 12920

a. Cheque cruzado

(LCC art.143 y 144)

El cruzamiento de los cheques es una práctica dirigida a aminorar el **riesgo** de robo o extravío de los cheques al portador pues impide que se cobre por caja y fuerza que se cobre a través del banco. Esto supone una garantía de que van a ser presentados por su legítimo tenedor. 12925
Así, un banco solo puede **adquirir cheques cruzados** de sus clientes o de otro banco. No puede cobrarlos por cuenta de personas distintas.
El cheque se cruza por medio de **dos barras paralelas** sobre el anverso del mismo.
Si el **librado o el banco incumple** estas disposiciones, responde de los perjuicios causados hasta una suma igual al importe del cheque.
El cheque cruzado **puede ser** general o especial.

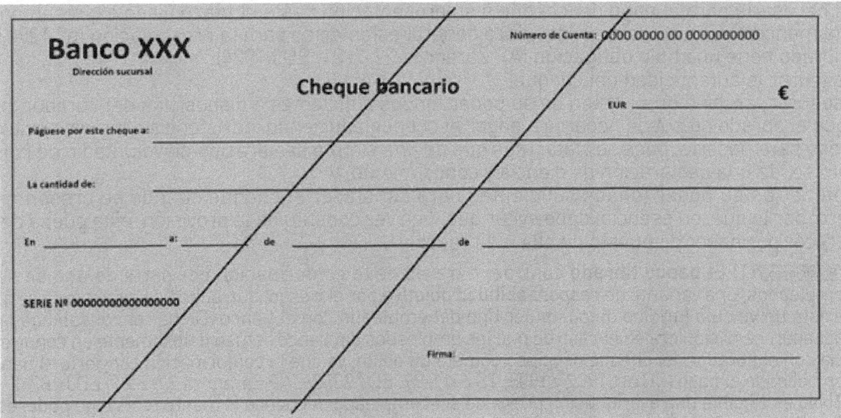

Cruzado general El cheque cruzado general **es** aquel que: 12927
- no contiene entre las dos barras **designación alguna**; o
- contiene la **mención** «Banco» o «y compañía» o un término equivalente.

El librado **solo puede pagar** el cheque con cruzado general a un banco o a un cliente de aquel.
El cruzado general puede **transformarse** en especial.

Cruzado especial El cheque se condiera que tiene un cruzado especial si entre las barras se escribe el nombre de un banco determinado. 12929
El librado **solo puede pagar** el cheque cruzado especial al banco designado, si este es el mismo librado, a un cliente suyo. No obstante, el banco designado puede encargar a otro banco el cobro del cheque.
Un cheque con **varios cruzados** especiales no puede ser pagado por el librado, salvo que contenga solamente dos, y uno de ellos sea para el cobro mediante una Cámara o sistema de compensación.
El cruzado especial **no puede transformarse** en general. Cualquier tachadura en el cruzado se considera como no hecha.

b. Cheque para abonar en cuenta

(LCC art.145)

El librador o el tenedor del cheque pueden **prohibir el pago en efectivo**. Para ello, deben incluir en el anverso la mención transversal «para abonar en cuenta», o una expresión equivalente. 12935

El cheque que lleve esta mención, **solo puede ser abonado** por el librado mediante un asiento en su contabilidad a favor del tenedor, asiento que equivale al pago.
Además, la **mención puede ser puesta** por el librador o por el tenedor y cualquier **tachadura** de esa mención se considera como no hecha.
Si el **banco librado incumple** estas disposiciones, responde de los perjuicios hasta una suma igual al importe del cheque.

c. Cheque conformado o certificado

(LCC art.143)

12940 El librador o el tenedor de un cheque **puede solicitar** del banco librado que preste su conformidad al mismo.
Así, cualquier **mención** de «certificación», «visado», «conforme» u otra semejante firmada por el librado en el cheque **acredita** la autenticidad de este y la existencia de fondos suficientes en la cuenta del librador.
Este tipo de cheques **garantiza** de forma segura el cobro de su importe, ya que el auténtico librado acaba siendo la entidad bancaria, al haber retirado de los fondos de la cuenta del cliente que ha recibido el cheque confirmado (o conformado) y que se ha hecho constar en el cheque entregado al cliente. Todo ello mediante el percibo por la entidad bancaria de una comisión pactada entre las partes.
La conformidad **debe expresar** la fecha y es irrevocable. Así, el librado debe retener la cantidad necesaria para el **pago** del cheque a su presentación hasta el **plazo** fijado expresamente en la mención o, en su defecto, del plazo general establecido para la presentación (nº 12901).
El librado tiene una tiple **obligación** (AP Zaragoza 27-2-01, EDJ 1824):
- asegurar la autenticidad del cheque;
- asegurar también que existen en su poder fondos suficientes a disposición del librador, por lo que el librado no puede negarse a pagar el cheque aduciendo inexistencia o insuficiencia de fondos para hacerlo, pues se trata, más que de una simple declaración de voluntad o de compromiso, de una declaración de ciencia y conocimiento; y
- retener en su poder fondos suficientes para satisfacer el cheque cuando se presente al cobro, por lo que, en esencia, debe evitar que, una vez constituida la provisión, esta pueda desaparecer por haber dispuesto de ella el librador.

Precisiones 1) El **banco librado** contrae, a través de la conformación por parte de uno de sus empleados, una variante de **responsabilidad objetiva** por el riesgo, que puede exigirse siempre que exista un vínculo jurídico de cualquier tipo del empleado con el banco. Dicha responsabilidad no desaparece ni siquiera en el caso de que los empleados del banco actúen dolosamente en connivencia con el librador del cheque o incluso cometa un delito, ya que la conformación convierte al banco en obligado al pago (CC art.1902 y 1903; TS 6-11-99, EDJ 33536; AP Zaragoza 27-2-01, EDJ 1824).
2) No es exigible una averiguación previa de si el empleado del banco firmante tenía o no **poderes o facultades suficientes para firmar** la conformación ya que so pertenece al ámbito de las relaciones internas del banco (TS 19-10-97, EDJ 7481).
3) La **diligencia que se exige** a la entidad de crédito no es la simple del buen padre de familia sino la que corresponde al comerciante experto que, normalmente, ejerce funciones de depósito y comisión (CCom art.255 y 307; TS 9-2-98, EDJ 340).

12942 **Conformación parcial** La opción de la conformación parcial **debe descartarse**, ya que el cheque no puede estar sometido a condición alguna, menos si va conformado por entidad bancaria.
La mención de «certificación», «visado» «conforme» acredita poder exigir del librado que actúe diligentemente en la acción de conformar un cheque toda vez que su aceptación, como medio de pago, viene inspirada directamente en la **confianza** que otorga la conformidad, sin que pueda sostenerse seriamente que el banco podría conformar parcialmente un talón, confundiendo el cheque conformado con los también conocidos, aunque no regulados legalmente, cheques garantizados hasta determinadas cantidades (AP Barcelona 3-10-00, EDJ 75790).

d. Cheque de viaje

12945 Los cheques de viaje o cheques viajero **son** documentos emitidos por un banco o entidad de crédito que pueden canjearse por dinero en efectivo en casas de cambio o ser utilizados como medio de pago en diversos comercios cuando se viaja al extranjero.
Suelen tener un **valor facial** determinado de antemano en cualquier moneda extranjera (dólares, yenes, libras, etc.). Son más usados en los países anglosajones por considerarse **más seguros** que el dinero en efectivo debido a que el titular debe firmar el cheque para que tenga valor, aunque su uso ha decaído en favor de la tarjeta de crédito.

En los cheques de viaje figuran los **requisitos esenciales** de los cheques por lo que nos encontramos, de forma indubitada, ante un instrumento que reúne todas sus características (TS penal 13-5-02, EDJ 22328).
El **libramiento** de un cheque admite varias modalidades. Se puede emitir para que se pague a persona determinada, con o sin cláusula «a la orden», a una persona determinada con la cláusula «no a la orden» u otra equivalente y al portador (LCC art.111). Asimismo admite la fórmula de libramiento a favor o a la orden del mismo librador, por cuenta de un tercero, contra el propio librador, siempre que el título se emita entre distintos establecimientos del mismo (LCC art.112). De igual manera el cheque puede ser emitido para que se pague en el domicilio de un tercero, ya en la localidad donde el librado tiene su domicilio, ya en otra, siempre que el tercero sea un banco o entidad de crédito.

8. Extravío, sustracción o destrucción

En los casos de extravío, sustracción, o destrucción de un cheque, el **tenedor desposeído puede** acudir al juez para impedir que se pague a tercera persona, para que el cheque sea amortizado y para que se reconozca su titularidad. **12950**
Al cheque le son de aplicación los mismos presupuestos contemplados para el extravío o sustracción de letras de cambio (nº 12870 s.).

9. Cheque falso

El **daño** que resulte del pago de un cheque falso o falsificado es **imputado** al librado, a no ser que el librador haya sido negligente en la custodia del talonario de cheques o que hubiere procedido con culpa (LCC art.156). **12955**
Así, constituye una muy constante doctrina jurisprudencial en torno a la **responsabilidad económica** que puede surgir del abono de talones y de cheques falsificados, la de proyectar esta sobre los bancos que les hubieran satisfecho, actuando negligentemente, o por error, y aun cuando hubiere sido de buena fe, responsabilidad que se mantiene incluso en los supuestos de falsificación de dichos libramientos de pago (TS 29-3-07, EDJ 19745).

Diligencia exigible al banco La diligencia exigible al banco es la de un **comerciante experto** que, normalmente, ejerce funciones de depósito y comisión, por lo cual, se le exige un cuidado especial en estas funciones (CCom art.255 y 307; TS 9-2-98, EDJ 340). **12957**
Esta obligación de especial diligencia deriva, al mismo tiempo, del cumplimiento del contrato de cuenta corriente. La entidad bancaria está obligada a mantener una actitud diligente respecto al pago de cheques y **debe verificar** que el título está correctamente firmado por el librador, de manera que ha de realizar una labor de comprobación de los requisitos intrínsecos y extrínsecos del talón, y en el supuesto de que mantenga una conducta negligente en las labores de comprobación incurre en responsabilidad contractual (TS 17-5-00, EDJ 10398; 9-2-98, EDJ 340).

Precisiones El banco también es cuando ha pagado cheques falsificados por medio del sistema de **truncamiento** (nº 12915) que implica la inmovilización del título en la oficina bancaria donde se ha presentado para su cobro, de manera que se hace llegar al librado sólo la información en soportes electrónicos gestionados de forma centralizada (TS 9-2-98, EDJ 340).

Concurrencia de culpas (LCC art.156) Respecto a la concurrencia de culpas entre la entidad bancaria y los titulares de la cuentas corrientes y la posibilidad de que pudiera apreciarse, por ejemplo, porque dejen talonarios de cheques en los vehículos de motor con la facilidad de que puedan ser sustraídos, la aplicación de la **excepción de responsabilidad** para exonerar o hacer compartir la responsabilidad por la falsificación de un cheque debe ser **probada** de forma exacta, porque la norma general es la de que el librado responde y solo se acepta que se comparta cuando se ha probado que la culpa o negligencia del librador era de tal entidad que minimizaba la del librado en el pago del cheque. **12959**
A **efectos penales**, la falsificación de un cheque y su utilización posterior por el autor de la falsificación para cometer una estafa, debe sancionarse como concurso de delitos entre estafa agravada y falsedad en documento mercantil (CP art.250.1 y 392; TS penal acuerdo no jurisdiccional 8-3-02, EDJ 10113).

Precisiones La **remisión de cheques por correo ordinario** no implica conducta culposa del librador, sin que pueda ser considerado como fruto de la desidia o de la negligencia el confiar en que el servicio público de correos cumpla regularmente con exigencias bien elementales como las de secreto, seguridad e inviolabilidad de la correspondencia (AP Madrid 27-10-06, EDJ 386330).

SECCIÓN 3

Pagaré

12967 El pagaré se **define** como un título por el que una persona, denominada firmante, se obliga a pagar a otra, denominada tenedor, o a su orden, una determinada cantidad en una fecha y lugar también determinados (Uría).
Así, el pagaré es un **título formal**, que contiene la **promesa pura y simple** de pagar una cantidad de dinero a favor o a la orden de una persona determinada (AP Toledo 24-3-04).
El pagaré guarda **analogías con la letra de cambio**, hasta el extremo de que en algunos países es considerado como una modalidad de la letra, lo que explica que la nueva Ley declare aplicables al pagaré, en lo que no sea incompatible con la naturaleza de este título, las disposiciones relativas a varios temas (ver nº 12995).
En la actualidad, el pagaré, que había perdido **relevancia** como instrumento de tráfico mercantil, ha recobrado nueva importancia gracias al gran uso que hacen del mismo en el mercado financiero a corto y medio plazo tanto las grandes empresas como el propio Tesoro Público (Uría).

1. Requisitos

(LCC art.94 y 95)

12970 Al tratarse de un documento formal o solemne, la emisión del pagaré no se confía a la **autonomía de la voluntad** de las partes, que únicamente tienen libertad para crear o no el título. Su puesta en circulación exige la observancia de determinadas condiciones que escapan a la libertad contractual.
Respecto al **cumplimiento** de los requisitos formales se deben **distinguir** los supuestos en que el pagaré:
• Se **crea** *ex novo*, en cuyo caso debe ser observada con todo rigor los requisitos de contenido.
• El documento aparece **impreso por una entidad bancaria** y en esa impresión ya constan la mayoría de datos. Estos documentos deben solo ser completados con respecto a ciertas menciones como el vencimiento o el nombre de la persona a quien haya de efectuarse el pago.
En concreto, un pagaré **debe incluir**:
- la denominación de «pagaré»;
- promesa de pago;
- vencimiento;
- lugar de pago;
- persona a la que ha de hacerse el pago;
- fecha y lugar de la firma; y
- firma del emitente.

12972 **Denominación como «pagaré»** La denominación de pagaré **debe** estar inserta en el texto mismo del título y expresada en el idioma empleado para la redacción de dicho título.

12974 **Promesa de pago** La promesa **debe** ser pura y simple de pagar una cantidad determinada en euros o moneda extranjera convertible admitida a cotización oficial.
La **ausencia** de este requisito, impide que el título pueda considerarse pagaré y reclamar la reclamación del crédito mediante juicio cambiario (LEC art.819).
No existe una única **fórmula de redacción** para cumplir con este requisito, sino que lo esencial es que en el título se contenga la referencia a que quien lo emite se compromete, sin condiciones, a pagar una determinada cantidad de dinero (TS 11-9-14, EDJ 176233).

12976 **Vencimiento** Debe indicarse cuando vence el pagaré. La **omisión** de este requisito hace que el pagaré se considere pagadero a la vista.

12978 **Lugar de pago** El pagaré debe indicar el lugar en que el pago haya de efectuarse. En caso de **omisión** de este requisito, el lugar de emisión del título se considera como lugar del pago y, al mismo tiempo, como lugar del domicilio del firmante.

Persona a la que se ha de hacer el pago El pagaré ha de incluir el **nombre** de la persona a quien haya de hacerse el pago o a cuya orden se haya de efectuar. 12980

Pagaré al portador Respecto a la exigencia de la constancia de la persona a quien se ha de hacer el pago, se plantea la **polémica** de si tiene **eficacia cambiaria** el pagaré al portador. 12982
Aun cuando deba reconocerse que no se está ante una cuestión pacífica en la jurisprudencia, la postura favorable a privar de eficacia cambiaria al pagaré emitido «al portador» constituye el **criterio mayoritario** de las audiencias provinciales.
El pagaré es un **título nominativo o a la orden** que no puede emitirse al portador, ya que, entre los requisitos que resultan de obligado cumplimiento se exige el nombre de la persona a quien haya de hacerse el pago o a cuya orden se ha de efectuar (AP Badajoz 15-7-05, EDJ 244946; AP Cáceres 24-11-06, EDJ 366103; AP Valencia 5-2-99, EDJ 3027; AP Almería 17-5-05, EDJ 225828; AP Sevilla 7-6-02, EDJ 57102).

Pagaré en blanco Un pagaré en blanco **se define como** aquel pagaré que, a la hora de la firma, no contiene todas las menciones obligatorias de la LCC y que, por tanto, tiene algún dato sin cumplimentar (normalmente el nombre de la persona a la que se debe pagar o el importe del crédito) para rellenar posteriormente antes de presentarlo a cobro. 12984
Así, si se deja en blanco el **nombre de la persona a la que se debe pagar**, se consigue que el pagaré funcione como como una especie de pagaré al portador, a pesar de que la LCC lo prohíbe, al completar el nombre cuando se vaya a hacer efectivo el crédito.
El pagaré, **a la hora de presentarlo al cobro**, debe contener todas las menciones obligatorias, ya que en caso contrario no se considera como pagaré y no puede acceder al proceso cambiario. Así, al firmar un pagaré en blanco se está dando el derecho al tenedor del mismo a completarlo antes de presentarlo al cobro, por lo que se debe realizar una **carta de autorización** acordando cómo se deben cumplimentar los datos sin cumplimentar.

Precisiones 1) Dejar en **blanco la fecha de vencimiento** no supone un pagaré en blanco, pues los pagarés sin fecha de vencimiento se consideran pagaderos a la orden.
2) Si el pagaré incompleto se cumplimenta posteriormente contraviniendo lo acordado, el **incumplimiento de los pactos** no puede esgrimirse contra un tercero tenedor de buena fe que lo adquiriera desconociéndolos (LCC art.12; AP Cuenca 13-4-94).

Fecha y lugar de la firma El pagaré debe contener el lugar y la fecha en que se firma. La **omisión** de este requisito supone que el pagaré se considere firmado en el lugar que figure junto al nombre del firmante. 12986
Si **coinciden** las fechas de **libramiento y vencimiento**, el pagaré sigue siendo válido (AP Madrid 4-4-00).
En los supuestos de pagarés **impresos por entidad bancaria**, a falta de la mención expresa del lugar de la emisión del documento, puede presumirse válidamente que el mismo coincide con el de la entidad en que se domicilia la cuenta corriente contra la que se ha de pagar.

Firma del emitente La firma del que emite el título (o firmante) **ha de estar estampada** en el pagaré por motivos de seguridad del tráfico ya que es el firmante el que queda obligado al pago. Es decir, el firmante de un pagaré actúa, al mismo tiempo, como librado y como librador, en la terminología de la letra de cambio y, por ello, asume la obligación de pago en virtud de la mera declaración o firma del efecto. 12988
En caso de que el pagaré sea a nombre de una **empresa**, la expresión del sello con los datos del CIF y domicilio estampillado encima de la firma expresada, son datos son suficientes para identificar como emisora del pagaré a la sociedad expresada, sin que sea necesario que los administradores hagan mención del poder, ya que va unido a su cargo, de ahí que baste expresar en la antefirma el nombre de la entidad (*contemplatio nomine*) para hacer visible la relación representativa frente a todos los posibles poseedores de la letra (TS 24-3-14, EDJ 42763; 12-12-13, EDJ 253127; 19-5-09, EDJ 92342).

Precisiones El firmante de un pagaré queda obligado en nombre propio si **no hace constar el poder** o representación con que actúa o, al menos, la mención de la estampilla de la razón social en cuya representación actúa si resulta imposible deducir de las menciones del pagaré que actúa como representante o apoderado de una sociedad o entidad aunque ostente esta condición respecto de una o varias (TS 9-6-10, EDJ 185007).

2. Disposiciones comunes y diferencias con la letra de cambio

(LCC art.96)

12995 Se aplica al pagaré la **regulación** dispuesta para la **letra de cambio** en las siguientes cuestiones:

Materia	Marginal	Regulación
Endoso	12810 s.	LCC art.14 a 24
Vencimiento	12735 s.; 12739	LCC art.38 a 42
Pago	12830 s.	LCC art.43 y 45 a 48
Acciones por falta de pago(1)	13060	LCC art.49 a 60 y 62 a 68
Pago por intervención	12838	LCC art.70 y 74 a 78
Copias	12867	LCC art.82 y 83
Extravío, sustracción o destrucción	12870 s.	LCC art.84 a 87
Prescripción	13062	LCC art.88 y 89
Plazos	12737	LCC art.90 y 91
Lugar y domicilio	12745	LCC art.92
Alteraciones	12814	LCC art.93
Pago en domicilio de 3º o en localidad distinta del librado	12756	LCC art.5 y 32
Intereses	12758	LCC art.6
Diferencias de enunciación en cantidad pagadera	12730	LCC art.7
Firma	12723; 12799	LCC art.8 a 10
Pagaré en blanco	12860	LCC art.12 y 13
Aval	13030 s.	LCC art.35 a 37(2)

(1) No obstante, las cláusulas facultativas que se incorporen al pagaré, para su validez, deben ser firmadas expresamente por persona autorizada para su inserción, sin perjuicio de las firmas exigidas para la validez del título.
(2) Si el aval no indica a quién se avala, se entiende que ha sido al firmante del pagaré.

12997 **Diferencias** La principal diferencia entre pagaré y letra de cambio es **quién la emite**. Mientras la letra de cambio es emitida por el acreedor y contiene una orden de pago, el pagaré es emitida por el deudor y contiene una promesa de pago.
El firmante de un pagaré queda obligado de igual manera que el aceptante de una letra de cambio. Esto quiere decir que asume la figura de **principal obligado del pago**, sometido al ejercicio de la acción directa de cualquier tenedor legítimo del título, pero no implica la equiparación o similitud de ambas figuras. Así, mientras la firma del aceptante no es necesaria para la existencia y validez de la letra y puede ser cancelada o tachada, la firma del emitente del pagaré es esencial y no puede faltar; por ello, mientras los **vicios formales de la aceptación** no invalidan la letra, los que afecten a la firma del pagaré producen la nulidad de este (LCC art.49 y 97.1).
Por otra parte, la **declaración del aceptante** puede estar limitada a una parte de la suma importe de la letra, mientras que, por esencial, la promesa del firmante del pagaré no puede limitarse a una parte del todo. Se promete una suma determinada y a ella hay que atenerse (LCC art.30).

3. Pago y oposición

13000

13002 **Pago** (LCC art.96 y 97) Se extiende al pagaré la **regulación** contenida en la letra de cambio, en lo que se refiere al pago y a las acciones por falta de pago (nº 12830 s.).
En el caso del pagaré, la persona que emite el pagaré o **firmante** es aquella que se compromete a pagar la cantidad expresada en el título en la fecha determinada. Actúa al mismo tiempo,

como librador y como librado, en la terminología de la letra de cambio y asume, por ello, la obligación cambiaria principal respondiendo de forma directa y sin necesidad de **aceptación** (LCC art.97; AP Soria 11-4-03, EDJ 33414).
Así, el tenedor del título puede ejercitar contra el firmante la **acción cambiaria** directa para reclamar su importe sin necesidad de protesto (LCC art.48) y sin necesidad de presentación al cobro en el plazo previsto (LCC art.63), ver nº 13010.
El librado puede exigir, al pagar el pagaré, que le sea **entregado con el recibí** del portador salvo que este sea una entidad de crédito, en cuyo caso esta puede entregar, excepto si se pactara lo contrario entre librador y librado, en lugar del pagaré original, un documento acreditativo del pago en el que se identifique suficientemente. En caso de pago parcial, el librado puede exigir que este pago se haga constar en el pagaré y que se le dé recibo del mismo.

Precisiones Es cierto que las disposiciones generales de la LCC relativas a la letra de cambio imponen, como regla general, la oportuna **presentación** del título-valor por parte del acreedor cambiario, como medio por el que este se hace presente y justifica su derecho, sin embargo, la falta de presentación de la letra o del pagaré al pago tan sólo produce el efecto de la pérdida para el tenedor de las acciones cambiarias contra los endosantes, librador y demás personas obligadas por vía de regreso, pero no frente al aceptante o firmante o los avalistas de éstos (AP Valladolid 21-2-97, EDJ 418; AP Castellón 22-2-00, EDJ 54966; AP Murcia 14-3-00, EDJ 24833; AP Alicante 4-7-00, EDJ 46994).

Oposición (LCC art.67 y 96) En lo relativo a acciones por falta de pago, le son de aplicación al pagaré la **regulación** contenida para las letras de cambio (nº 13095 s.) que permite al deudor cambiario oponer al tenedor las excepciones basadas en sus relaciones personales con él. También aquellas otras personales que tenga frente a los tenedores anteriores si al adquirir el pagaré se procedió, a sabiendas, en perjuicio del deudor. **13004**
Así, la excepción por **falta de provisión de fondos** es perfectamente aplicable al pagaré, según la **corriente doctrinal mayoritaria**, y, por ello, invocable en el proceso sumario ejecutivo. En el ámbito material o sustantivo, el título cambiario recobra su carácter causal lo que se traduce en la libre oposición de excepciones extracambiarias (AP Badajoz 29-4-02, EDJ 24909; AP Madrid 12-3-99, EDJ 11172).
Ahora bien, supuesta la admisibilidad de la referida excepción de falta de provisión en el ámbito del juicio ejecutivo solo es **admisible cuando** se trata de incumplimiento total (*exceptio non adimpleti contractus*) y no cuando se trata de un incumplimiento defectuoso (*exceptio non rite adimpleti contractus*).

Precisiones La aplicación de la oposición por **falta de provisión de fondos** no es una materia pacífica y distintas audiencias provinciales sostienen, en una **corriente doctrina minoritaria**, su improcedencia, alegando que a diferencia de la letra de cambio no incorpora un mandato de pago, sino una promesa pura y simple hecha por el firmante en virtud de la cual éste asume la obligación de pago de una suma determinada. Consideran estas resoluciones que no existe provisión de fondos en el pagaré porque además la cláusula de valor propia de la letra de cambio no se menciona para el pagaré. Que la emisión del pagaré no exige una previa relación de valuta y el firmante de un pagaré queda obligado sin necesidad de previa aceptación (AP Alicante 17-12-01).

4. Ausencia de protesto o presentación

(LCC art.49, 63, 97 y 146)

El tenedor conserva sus **derechos contra el librador**, aunque el pagaré no se haya presentado oportunamente o no se haya levantado el protesto o realizado la declaración equivalente y así lo ha entendido sin fisuras la jurisprudencia (AP Barcelona 15-4-02, EDJ 50072; AP Pontevedra 18-3-02, EDJ 23163; AP Vizcaya 12-4-02, EDJ 32241; 24-5-00, EDJ 36005; AP Alicante 4-7-00, EDJ 46994; AP Granada 19-1-02, EDJ 5146). **13010**
Así, cuando el se establecen las **consecuencias** derivadas de la falta de protesto, se concreta en la pérdida que sufre el tenedor de las acciones cambiarias contra los endosantes, el librador y las demás personas obligadas, exceptuando expresamente, al avalista y al aceptante que, en el supuesto del pagaré, coincide con el firmante del mismo.

SECCIÓN 4

Aval

13017 Tanto la letra de cambio, como el cheque y el pagaré **pueden garantizarse** mediante aval, ya sea por la totalidad o por parte de su importe.

El aval cambiario puede **definirse** como la declaración de voluntad formal, unilateral y no receptiva que se incorpora al título y circula con él, con lo que el tenedor de la cambial puede contar para el pago no solo el patrimonio del obligado principal, sino también con el patrimonio del avalista o avalistas.

Según el **principio de abstracción del título**, el crédito cambiarlo es independiente de aquel que deriva de la relación causal. El tenedor de una letra de cambio es titular del crédito cambiarlo. Sin embargo, su posición jurídica, puede ser diversa en cuanto las acciones ejercitadas no sean las cambiarías sino las que se fundan en la relación causal subyacente.

Acorde con ello, el avalista, que interviene en la circulación cambiaría para reforzar el crédito que se plasma en el título con su propia declaración, solo **garantiza** el pago de la letra de cambio. Su **obligación es independiente** de la relación subyacente, incluso lo es de la del garantizado (LCC art.35.1; AP Barcelona 20-7-00, EDJ 65552).

13019 El aval cambiario no tiene **carácter accesorio** respecto a la obligación principal, sino que constituye una garantía objetiva, autónoma, formal y solidaria, no referida a la obligación subjetiva del avalado sino a la misma deuda que ha de pagarse, de ahí que el avalista no pueda oponer las excepciones personales (nº 13040) del avalado o que incluso el aval sea **válido aunque** la obligación garantizada fuese nula (LCC art.37).

La única **nulidad** de la declaración del avalado que arrastra la del avalista es la referida al **vicio de forma**, sin que ninguna otra afecte a la declaración del aval.

13021 **Diferencias con la fianza ordinaria** No puede confundirse el aval cambiario con el afianzamiento personal al tener la fianza civil o mercantil un **ámbito** y un **efecto** distintos.

Las **diferencias estructurales** que el aval presenta en su regulación normativa, respecto de los rasgos definitorios de la fianza común, son de tal naturaleza y carácter que impiden concebir el aval cambiario como una modalidad especial de fianza. Resulta, sumamente significativo en la materia que el legislador español empleara en la redacción de la LCC art.35 el verbo «garantizar» en vez del de «afianzar» con el que se expresaba el Código Civil (Alonso Sánchez).

Si bien, la diferenciación fundamental existente entre el aval y la fianza no impide, sin embargo, reconocer la **común finalidad** de aseguramiento o de refuerzo que ambas figuras representan como derechos personales de garantía, y, en base a ello, admitir la posible **aplicación analógica** de ciertos preceptos de la fianza para resolver algunas cuestiones del aval cambiario no abordadas en su normativa. Solo cabe aplicar al aval las normas de la fianza ordinaria que no contradigan los principios cambiarios de autonomía, abstracción y literalidad inspiradora del aval como negocio cambiario.

13023 Como **diferencias más esenciales** entre las dos instituciones de garantías consideradas, cabe señalar:

- El aval es una **garantía autónoma**. El avalista responde cambiariamente aunque la obligación cartular del avalado fuera nula por cualquier causa que no sea la de vicio de forma (LCC art.37).
- El aval es una **garantía formal**. Presupuesto de eficacia de la declaración cambiaria de aval, como de las restantes declaraciones cambiarias, es que la misma queda expresada por escrito en una letra de cambio válidamente existente como tal, no produciendo efecto cambiario alguno el aval prestado en documento separado (LCC art.36).
- El aval es una **garantía solidaria**. La ejecución del aval cambiario se ajusta en todo caso a los específicos criterios legales de solidaridad cambiaria (LCC art.57).
- El avalista no puede oponer las **excepciones personales** que correspondan a la persona avalada frente el tenedor de la cambial que le reclamara el pago (LCC art.37).
- El avalista no goza en caso alguno del **beneficio de excusión** ni de **división**.

• El aval se encuentra sometido, en términos generales, en su constitución y efectos al **rigor cambiario** que caracteriza las relaciones cartulares, con escaso margen al principio de autonomía de la voluntad.

1. Letra de cambio

13030

13032 El aval **puede suscribirse** incluso después del vencimiento y denegación del pago de la letra, siempre que al otorgarse no hubiere quedado liberado ya el avalado de su obligación cambiaria.
Esta garantía **puede prestarla** un tercero o también un firmante de la letra (LCC art.37).
Cuando el **avalista paga**, adquiere los derechos derivados de la letra contra la persona avalada y contra los que sean responsables cambiariamente.

a. Forma

(LCC art.36)

13035 El aval **ha de ponerse** en la letra o en su suplemento, sin que produzca efectos el aval en documento separado. En virtud del aval constituido en documento aparte de las letras, no tiene otra acción contra el avalista, que la extracambiaria y, en este supuesto, es debido al carácter accesorio, para exigir su cumplido pago, ha de acreditar la realidad de la obligación que se avala, que es la extracambiaria (TS 3-6-02, EDJ 20074).
El aval **puede expresarse** mediante las palabras «por aval» o cualquier otra fórmula equivalente e ir **firmado** por el avalista. La simple firma de una persona puesta en el anverso de la letra de cambio vale como aval, siempre que no se trate de la firma del librado o del librador (nº 13037).
El aval debe indicar **a quién se avala**. A falta de esta indicación, se entenderá avalado el aceptante y, en defecto de este, el librador. La falta de indicación de la persona avalada hace entrar en juego la presunción y cuando coincide la persona del avalista con la del aceptante, solo puede entenderse que el aval garantiza la obligación del librador, por lo que su operatividad quedaría reducida a las acciones ejercitadas por terceros (AP Toledo 27-3-95).

Precisiones Pese a la **admisión** de los avales de letras de cambio en **documento separado** en la Ley Uniforme de Ginebra art.31, mediante reserva de los Estados firmantes, España no hizo uso de esa reserva, lo que ha dado lugar que esta clase de avales no produzcan efectos cambiarios estableciéndose específicamente que no produce efectos cambiarios el aval en documento separado, lo que priva del ejercicio de la acción cambiaria contra avalista para el cobro del importe de la letra.

13037 **Aval tácito** (TS 5-5-16, EDJ 58095) Sobre la **eficacia** cambiaria del aval tácito formalizado por una simple firma al dorso del pagaré, sin pérdida de la relevancia que indudablemente tiene la literalidad del derecho incorporado al título (*secundum scripturam*), la interpretación de la norma no puede hacerse con excesiva rigidez.
Dada la **existencia y autenticidad de la firma** y la falta de previsión normativa, no viene expresamente excluida en la norma, a diferencia del aval o firma en documento separado por lo que se le puede atribuir el alcance de una declaración cambiaria de garantía.

Precisiones Centrados en el ámbito de la **interpretación de la norma**, hay que precisar que, en la valoración, afloran tres consideraciones:
• De acuerdo con los **antecedentes de la norma**, es que la propia configuración normativa del precepto no responde a una expresión rígida o taxativa, sino claramente alternativa en el desarrollo de su disposición («letra o suplemento», «aval o cualquier otra fórmula equivalente»).
• El **condicionante expresamente previsto** para que la simple firma valga como aval es que dicha firma pueda ser diferenciada en el círculo cambiario (que no se trate de la firma del librado, del librador o la del endosante).
• Conforme a la **naturaleza y función del título valor**, es que el alcance y significado de la firma cambiaria en el reverso, es decir, su diferenciabilidad como aval de garantía, debe inferirse de la interpretación intrínseca del propio título valor, sin acudir a otros medios extrínsecos al mismo.

b. Excepciones oponibles

(LCC art.37)

13040 El avalista responde de igual manera que el avalado y no puede oponer las **excepciones personales** de este.

Por pura lógica, cuando se afirma que el avalista no puede oponer las excepciones personales del avalado, tal expresión admite la atribución de las **excepciones derivadas del contrato** ya que únicamente así responde de igual manera que el avalado. En otro caso, el avalista estaría respondiendo por una obligación de la que no habría de responder el avalado, generándose la situación anómala, según la cual, cuando el avalista paga la letra de cambio adquiere los derechos derivados de ella contra la persona avalada; de modo que, en caso de seguirse la tesis contraria, el tenedor -vinculado causalmente con el avalado- podría evitar la oposición de excepciones derivadas del contrato simplemente mediante el uso de la vía indirecta de dirigir su acción cambiaria contra el avalista y no contra el avalado (TS 5-5-16, EDJ 58095).

La **adecuada interpretación** lleva a considerar, así, que solamente no puede oponer aquellas excepciones puramente personales y aunque la ley no determina que entiende por **excepciones personales**, la doctrina científica considera como tales, no solo las llamadas excepciones de validez, sino también todas aquellas fundadas o basadas en relaciones personales del avalado con el acreedor cambiario y que son distintas e independientes de la obligación autónoma del avalista frente al tenedor (LCC art.37; AP Coruña 20-10-06, EDJ 307441).

2. Cheque

13045 El pago de un cheque **puede garantizarse** mediante aval, ya sea por la totalidad o por parte de su importe. Esta garantía puede ser prestada por un tercero o por quien ya ha firmado el cheque, pero no por el librado (LCC art.131).

El aval **ha de figurar en** el cheque o en su suplemento y **debe expresarse** mediante la palabra «por aval» o con cualquier otra fórmula equivalente. El aval debe ir **firmado** por el avalista. La simple firma de una persona puesta en el anverso del cheque vale como aval, siempre que no se trate de la firma del librador. El aval debe indicar **a quién se ha avalado**. A falta de esta indicación se entiende avalado al librador (LCC art.132).

El avalista responde de igual manera que el avalado y no puede oponer las **excepciones personales** de este. El aval es válido aunque la obligación garantizada fuese nula por cualquier causa que no sea la de vicio de forma. Cuando el avalista pague el cheque adquiere los derechos derivados del mismo contra la persona avalada y contra los que sean responsables respecto de esta última, en virtud del cheque (LCC art.133).

3. Pagaré

13050 A los avales hechos respecto a pagarés, se aplican las disposiciones relativas al aval de la letra de cambio (nº 13030) con la especialidad de que si el aval no indica **a quién** se ha avalado, se entiende que ha sido al firmante del pagaré.

Se reproducen los mismos presupuestos contemplados en relación al aval en la letra y, en el caso de ser **varios los obligados**, se hace constar que ha de entenderse necesariamente que el librador o firmante puede avalar a cualquier otro obligado cambiario, pero no podrá avalarse a sí mismo, pues ello no añade garantía alguna al efecto.

SECCIÓN 5

Juicio cambiario

13055

El juicio cambiario es el **cauce procesal** para los créditos documentados en letras de cambio, cheques y pagarés. Se trata de una protección jurisdiccional **para asegurar** la ejecutividad de los títulos-valores al quedar asegurados por el inmediato embargo preventivo que se convierte en ejecutivo si el deudor no formula oposición o esta es desestimada. 13057

Puede surgir la duda de cuál es la **naturaleza** del juicio cambiario, si es declarativa o ejecutiva, ya que al dimanar exactamente de la antigua LEC/1881 art.1429.4º podría pensarse que es propiamente ejecutiva, pero si pensamos en que, por ejemplo, una letra de cambio sobre la que gira la presentación de una acción por la vía del juicio cambiario solo tiene aparejada ejecución una vez tramitado el juicio declarativo cambiario, vemos que la naturaleza es más de declaración, ya que el título de ejecución no es, en realidad, la letra misma, sino la resolución judicial -auto despachando ejecución o sentencia que resuelva la oposición- (Bonet Navarro).

1. Casos en los que procede

El juicio cambiario únicamente procede si, al iniciarlo, se presenta letra de cambio, cheque o pagaré que reúne los requisitos previstos en la LCC, por lo que si el título carece de alguno de los **requisitos** previstos no se puede admitir a trámite la petición (LEC art.819). 13060

Tanto la letra de cambio como el pagaré, dada su condición de título formal y abstracto, imponen por su propia esencia una rigidez de comportamiento que no es posible eludir y, como consecuencia de ello, la acción cambiaria ha sido concebida legalmente con un acusado **rigor formalista** que se manifiesta no solo en la estimación de su correspondencia con el modelo predeterminado por el legislador, sino también en la medida en que el nacimiento de las obligaciones cambiarias solo pueden tener lugar si son respetadas las formalidades previstas.

Desde el punto de vista procesal, el juicio ejecutivo implica un importante **privilegio para el acreedor** en cuanto que permite que se embarguen bienes del deudor inaudita parte, sin más requisito que la presentación del título ejecutivo (LEC art.821) por lo que hay que concluir que la exigencia del cumplimiento de todos los requisitos legalmente exigidos ha de ser estricta y objeto de una **interpretación restrictiva** (AP Baleares auto 23-11-04, EDJ 185939).

Prescripción de la acción ejecutiva (LCC art.88 y 89; CC art.1973) No se puede acudir al juicio cambiario, sino al **declarativo o al monitorio**, en los casos en los que haya prescrito la acción ejecutiva (TS 7-2-19, EDJ 506568). 13062

La acción cambiaria prescribe:

Acción	Plazo	Cómputo desde
Contra el aceptante	3 años	El vencimiento
Tenedor contra endosantes y librador	1 año	El protesto o declaración equivalente o desde el vencimiento en letras con cláusula «sin gastos»
Endosantes entre ellos y contra librador	6 meses	Que el endosante haya pagado la letra o se le haya trasladado demanda interpuesta contra él

Las causas de **interrupción de la prescripción** son:
- ejercicio ante los tribunales;
- reclamación extrajudicial del acreedor; o
- cualquier acto de reconocimiento de la deuda por el deudor.

2. Competencia

13065 Es competente para el juicio cambiario el **juzgado de primera instancia** del domicilio del demandado, por lo que el **examen de oficio** de la competencia territorial debe hacerse antes de despachar la ejecución pudiéndose apreciar de oficio la falta de competencia únicamente inmediatamente después de presentada la demanda, por lo que las alteraciones que una vez iniciado el proceso se produzcan en cuanto al domicilio de las partes, la situación litigiosa y el objeto del juicio, no modifican la jurisdicción y competencia que se determinan según lo que se acredite en el momento inicial de la litispendencia (LEC art.58 y 411; TSJ Granada 3-11-03, EDJ 195526; TSJ Aragón auto 28-4-04, EDJ 58682; AP Tarragona auto 13-12-04, EDJ 228946; AP Sevilla 12-4-04, EDJ 42658).
En todo caso (LEC art.582 redacc RDL 6/2023):
• El **requerimiento de pago** se ha de efectuar en el domicilio que figure en el título ejecutivo. Pero, a petición del ejecutante, el requerimiento puede hacerse, además, en cualquier lugar en el que, incluso de forma accidental, el ejecutado pudiera ser hallado.
• Puede también hacerse través de la **sede judicial electrónica** en el caso de que el ejecutado esté obligado a intervenir con la Administración de Justicia a través de medios electrónicos.
• Si **no se encuentra el ejecutado** en el domicilio que consta en el título ejecutivo, puede practicarse el embargo si el ejecutante lo solicita, sin perjuicio de intentar de nuevo el requerimiento con arreglo a lo dispuesto en esta Ley para los actos de comunicación mediante entrega de la resolución o de cédula y, en su caso, para la comunicación edictal.

3. Iniciación del procedimiento y requerimiento

(LEC art.821)

13070 El juicio cambiario comienza mediante **demanda** sucinta a la que se debe acompañar el título cambiario.
El juez de primera instancia no debe hacer un **análisis del título** al estimar la demanda del juicio cambiario respecto a cuestiones que pueden ser objeto de las excepciones que se pueden alegar para oponerse a la ejecución. Si el Juzgado tuviera que llevar un análisis del título, carecerían de sentido las excepciones que se pueden alegar para oponerse a la ejecución (LEC art.824.2; LCC art.67; AP Madrid 14-10-03).
Si el juez encuentra conforme el título, adopta, sin más trámites, las siguientes **medidas**:
• Requerir al deudor para que pague en el plazo de 10 días.
• Ordenar el inmediato embargo preventivo de los bienes del deudor por la cantidad que figure en el título ejecutivo, más otra para intereses de demora, gastos y costas, por si no se atendiera el requerimiento de pago.
Contra el auto que deniegue la adopción de las medidas se puede interponer **recurso** de apelación (LEC art.552.2).
Dentro de la acción cambiaria debe **distinguirse** entre:
- acción directa cuando se dirija contra el librado-aceptante -obligado principal o directo, o contra sus avalistas-; y
- acción de regreso, cuando se ejerza contra el librador, endosantes o avalistas de estos -que responden subsidiariamente cuando la letra de cambio no ha sido atendida-.

13072 **Requerimiento** (LEC art.161 y 821) Se debe practicar el **requerimiento** al deudor para que pague en el plazo de 10 días.
Si bien los **principios de bilateralidad y contradicción** imponen al órgano judicial una especial diligencia en la realización de los actos de comunicación procesal para asegurar su recepción por el destinatario y el consiguiente derecho de defensa, resultan constitucionalmente válidas las diligencias realizadas con personas distintas de éste, máxime cuando se entienden con quien se identifica debidamente como empleado en el domicilio social que consta en registro oficial.
Las circunstancias concurrentes en el proceso cambiario, en orden a esclarecer los términos en los que se ha producido el requerimiento de pago ordenado exigen una **entrega personal**, lo que se debe hacer bien en la sede del tribunal, bien en el domicilio, siendo suficiente en estos supuestos la entrega a cualquier empleado o conserje si ese fuese el domicilio que constase en el Registro oficial (AP Zaragoza auto 16-2-04, EDJ 10929).
El mismo Tribunal Constitucional ha advertido que no se causa indefensión cuando la falta de audiencia y la inefectividad de la diligencia de comunicación obedece a una **falta de diligencia del demandado**. No es tolerable desentenderse de sus deberes jurídicos y además colocarse en una situación ilocalizable para sus acreedores.

Si se practica **incorrectamente el requerimiento**, pero el deudor se persona y paga no hay nulidad, pero si quiere optar por la oposición, es evidente que mal hecho el requerimiento, debe practicarse o iniciar tras la personación el plazo de 10 días para oponerse con demanda de oposición.

Precisiones 1) No se puede presumir, sin lesionar el derecho a la tutela efectiva (Const art.24.1), que las **notificaciones realizadas a través de terceras personas** (conserje de la finca, vecino, procurador...) hayan llegado al conocimiento de la parte interesada, cuando la misma cuestiona fundadamente la recepción del acto de comunicación procesal o la fecha en que le fue entregada la cédula por el tercero, supuesto en el cual, a la vista de las circunstancias del caso, de las alegaciones formuladas y de la prueba que pudiera eventualmente practicarse están obligados a emitir un pronunciamiento expreso sobre la posibilidad o no de que el tercero haya cumplido con su deber de hacer llegar en tiempo el acto de comunicación procesal a su destinatario (TCo 275/1993; 39/1996; 59/1998).

2) En los casos en los que **no se haya practicado correctamente** el requerimiento hay que recordar que estamos en presencia de un proceso cambiario que tiene una regulación específica, de forma que la **remisión a las normas generales** de procesos de ejecución tan solo puede ser admisible en defecto de las primeras (AP Valladolid auto 12-7-04).

4. Pago

Si el **deudor moroso paga** en el acto del requerimiento o antes del despacho de ejecución (LEC 583): 13075

• El letrado de la Administración de Justicia pone la suma de dinero correspondiente a disposición del ejecutante y entrega al ejecutado justificante del pago realizado.

• Son de cargo del deudor todas las costas causadas, salvo que justifique que, por causa que no le sea imputable, no pudo efectuar el pago antes de que el acreedor promoviera la ejecución.

• Satisfechos intereses y costas, de haberse devengado, el letrado de la Administración de Justicia dicta decreto dando por terminada la ejecución.

Así, en los **casos de allanamiento**, se deben imponer las costas al deudor allanado, ya que no puede estimarse posible en el juicio cambiario la excepción por aplicación extensiva de las normas previstas para los declarativos ordinarios.

Si el deudor paga una vez interpuesta la demanda, pero **antes del requerimiento**, a pesar de 13077
que es un pago efectuado anterior al despacho de la ejecución, es un pago moroso y no impide su condena en costas (AP Madrid auto 27-5-04).

Según el **principio de causalidad** en materia de costas, corresponde al deudor **probar** la inimputabilidad de la mora, pues su primera obligación es el pago voluntario sin esperar a la ejecución ni forzar al acreedor a pedir el auxilio judicial, ni obligarle a requerimientos innecesarios y que a lo único que llevan es a situar en mora al requerido que no paga antes (LEC art.410, 548 y 583; CC art.1100).

Si el ejecutado ya había **abonado parte de la cantidad con anterioridad** a la presentación de la demanda, pero paga el resto en el ínterin entre demanda y dictado de sentencia, debe entenderse que se debe estimar la pluspetición y por tanto no desestimar la demanda totalmente. No obstante, lo anterior, hay que tener en cuenta que, si la demanda no se ha podido estimar en su totalidad, al apreciarse la pluspetición y, en consecuencia, al estimar parcialmente la demanda, cada parte debe abonar las costas causadas en la instancia y las comunes por mitad (LEC art.394).

Gastos de devolución por impago Puede plantearse si son reclamables los gastos de 13079
devolución de la letra de cambio. Así, es necesario **distinguir** los gastos del contrato de descuento (nº 8905 s.) o de la negociación, de los cargados por la devolución de la letra impagada (AP Córdoba 26-2-04, EDJ 11199; AP Valladolid 23-9-02, EDJ 54882; AP Alicante 5-11-99, EDJ 45609; AP Coruña 24-7-98, EDJ 19964):

• Los gastos de la **operación de descuento** no serían repercutibles en el obligado cambiario por tener un origen extracambiario, el contrato de descuento bancario, del que el aceptante es ajeno, habiéndose concertado por el librador en su propio beneficio por no querer esperar el día del vencimiento.

• Los gastos de **devolución de las cambiales** tienen conexión con el impago y devolución de la letra a su vencimiento, sin que el descuento le resulte entonces extraño al ser uno de los instrumentos más eficaces en el tráfico jurídico mercantil y de utilidad práctica para las letras como medios crediticios para el pago de deudas, por lo que estos gastos, convenientemente acreditados, deben considerarse repercutibles contra el obligado cambiario, pudiendo ser, por tanto, reclamados (LCC art.58.3 y 59.3).

Precisiones Esta interpretación tendría un cierto **apoyo el TS** que aunque no se estaba pronunciando de una acción cambiaria, se dijo que ante el incumplimiento del contrato originado, substancialmente, por el impago de las letras de cambio, es forzoso incluir, como una faceta más del incumplimiento, los gastos bancarios ocasionados (TS 24-3-97, EDJ 1624).

5. Alzamiento de embargo

13085 En cuanto al embargo, **debe fijarse** sobre bienes determinados, en tanto que está prohibido el embargo indeterminado o universal, referido genéricamente a todos los bienes del deudor (LEC art.588.1; AP Badajoz 18-5-04).

El embargo **se lleva a efecto mediante** la designación de bienes por parte del ejecutante o requerimiento al ejecutado para que los designe (LEC art.161, 582, 588 y 589).

Puede practicarse el embargo en el **domicilio** que consta en el título ejecutivo, aunque no se encontrase el ejecutado, sin perjuicio de intentar de nuevo el requerimiento por para que el deudor pague o se oponga (LEC art.821, 822 y 824).

Al referirse a la medida de embargo preventivo frente al deudor, se permite que dicha medida cautelar se practique por la cantidad que figure en el título ejecutivo, más otra para intereses de demora, gastos y costas, lo que autoriza al juez para ejercer una **función moderadora** a la hora de fijar dicha suma en el auto de requerimiento de pago y embargo (LEC art.821.2.2; AP Sevilla 12-9-02, EDJ 96980).

Precisiones Otros preceptos que abonan la prescripción del **embargo indeterminado** son la LEC art.553.1.4 al tratar sobre el genérico despacho de ejecución que afirma que, en caso de adoptarse en el auto el embargo, ha de serlo de bienes concretos o la LEC art.584 que recoge el llamado principio de suficiencia del embargo.

6. Diferencias con el proceso monitorio

13090 Respecto a la diferencia entre el monitorio y el cambiario en cuanto al requerimiento de pago y embargo, cabe señalar que:

Juicio monitorio	Juicio cambiario
Solo incluye la cantidad adeudada	Incluye cantidad del título ejecutivo, intereses, gastos y costas
No conlleva imposición de costas si no hay juicio por oposición del demandado	Conlleva imposición de costas incluso en caso de allanamiento
El escrito inicial se denomina petición	El escrito inicial es una demanda sucinta
No necesita representación de abogado y procurador	Requiere de asistencia de abogado y procurador

7. Oposición cambiaria

13095

13097 Tras el requerimiento en el procedimiento cambiario, al demandado le cabe una doble **posibilidad**:
- el pago de la deuda cambial; o
- la oposición.

La interposición de la demanda de oposición por el deudor puede realizarse dentro del **plazo** de 10 días siguientes al requerimiento de pago.

a. Excepción de contrato no cumplido

Respecto a la excepción de contrato no cumplido o *exceptio non rite adimpleti contractus*, la **jurisprudencia** se ha dividido en tres **posiciones**: 13100
- la que exige un incumplimiento total;
- la que admite un incumplimiento parcial; y
- la intermedia.

Posición que exige un incumplimiento total Para los partidarios de esta postura **no se admite** el planteamiento de casos de incumplimiento defectuoso o parcial si no se prueba que el incumplimiento es total (AP Sevilla 19-12-05, EDJ 306088; 12-9-02, EDJ 96980). 13102

Según esta postura, la naturaleza del juicio cambiario presenta una **naturaleza especial y sumaria** (LEC art.827.3) de tal suerte que el planteamiento de excepciones personales se limita a la excepción de contrato no cumplido en los casos de incumplimiento esencial, patente o grave que invalidando el vínculo obligacional destruiría la bilateralidad contractual, no admitiéndose el planteamiento de casos de incumplimiento defectuoso o parcial que necesita amplitud de alegaciones y pruebas en el declarativo que corresponda.

Aunque desde algún sector se arguye que la **remisión** a las normas previstas para la celebración de la vista en los **juicios verbales** (LEC art.826) conlleva la transformación del juicio cambiario en un procedimiento declarativo en el que no existe limitación alguna en cuanto a los medios probatorios a practicar, si atendemos al contenido de la remisión, esta es meramente procedimental y no implica, en absoluto, que tenga lugar una transformación o conversión del juicio en un procedimiento declarativo y sí, únicamente, que el juicio cambiario debe atender, de celebrarse vista, a las normas a las que se remite (AP Girona 29-1-03, EDJ 5777).

El **ámbito del juicio cambiario** está limitado pues solo tienen valor de cosa juzgada las excepciones que pudieron ser alegadas y debatidas en el seno de este procedimiento, mientras que el resto ha de ser debatidas en el procedimiento declarativo que corresponda.

Posición que admite un incumplimiento parcial Los partidarios de la admisión de la excepción de contrato parcialmente cumplido consideran que es posible al no existir **límite sustantivo** en la LCC a las posibles causas de oposición entre las partes causales, ni tampoco procesal por no venir limitadas las excepciones posibles en el nuevo juicio especial cambiario (LCC art.67; AP Asturias 4-11-02, EDJ 69052; AP Vizcaya 31-3-04, EDJ 171845). 13104

Esta línea jurisprudencial entiende que la actual LEC regula el **juicio cambiario como un declarativo más** y que, además, produce la excepción de cosa juzgada respecto de las cuestiones que «pudieron» ser en él alegadas y discutidas, quedando las restantes para poderse plantear en el juicio correspondiente. Eso significa, en la práctica, que entre las partes que intervinieron en el contrato causal siempre se producirá la cosa juzgada «total», dado que entre sí pueden oponer todas las excepciones personales que tuvieran.

Ahora bien, respecto de la **prueba de la falta de provisión de fondos**, es reiterada la jurisprudencia que mantiene que corresponde a quien la alega. Frente a una relación cambiaria que se presenta completa corresponderá a quien para su ineficacia alega vínculos extracambiarios la prueba de los elementos impeditivos. La carga de la prueba de la falta de provisión de fondos parcial corresponde al librado, como todas las excepciones personales oponibles en el juicio cambiario. La aceptación de la cambial obliga a presumir que existe causa y que esta es verdadera y lícita, mientras no se pruebe lo contrario por el obligado.

Posición intermedia Los partidarios de la posición intermedia consideran que no puede adoptarse una actitud única e inflexible, pues son las **circunstancias concurrentes**, en cada caso, las que determinan la necesidad de adoptar una u otra postura y, entre ellas sustancialmente, la entidad o naturaleza de los defectos, irregularidades y parte de la obligación incumplida en relación con la totalidad del contrato o negocio jurídico, y nominal o importe de la cambial o cambiales impagadas (AP Madrid 18-3-02, EDJ 21829). 13106

La **significación causal** de la letra se suscita entre sus primeros firmantes, haciendo renacer la posibilidad de que el librado-aceptante pueda oponer al librador-tenedor las excepciones que encuentran fundamento no ya en el título mismo, sino en el contrato o relación jurídica a la que responde y, en definitiva, la de falta de provisión de fondos o del sustento causal consistente en la inexistencia del crédito que, por cualquier causa, el librador tenía frente al librado o de la transmisión - causal - del valor de aquél a este que justifica el que el día del vencimiento de la letra, se pague su importe (TS 29-12-90, EDJ 12134).

Para la apreciación de la excepción de contrato no cumplido se requiere que el **montante cuantitativo** que suponga el incumplimiento tenga la **entidad suficiente** en relación con la finalidad perseguida para legitimar la exoneración de la obligación de pago del otro contratante, es decir, resulta preciso que lo no hecho o lo mal hecho exceda del nominal de la letra o letras de cambio ejecutadas, o que su importe o valor sumado a lo ya pagado o entregado a cuenta, o incluso con lo que en el seno del proceso se pague o consigne permita declarar extinguido el crédito incorporado a la cambial de modo total o parcial, según los casos, pudiendo, en este último supuesto, articularse como excepción de pluspetición (TS 10-5-89, EDJ 4858).

b. Excepción de compensación de deudas

13110 La compensación se **define** como una de las formas de extinción de las obligaciones, por lo que puede ser esgrimida por el deudor dejando sin contenido el título ejecutado (AP Toledo 23-11-99, EDJ 50688).
Por la aplicación del principio de la carga de la **prueba**, se impone al deudor la carga de acreditar los hechos constitutivos de la excepción (LEC art.217.3 y 526).

c. Excepción de falsedad de la firma

13115 Con **carácter general**, para que una excepción personal pueda ser opuesta en juicio ejecutivo cambiario, la letra no debe haber circulado en el tráfico mercantil y la excepción debe quedar debidamente probada por quien la alega (LEC art.824; LCC art.67; AP Barcelona auto 16-7-03).
Cuando la letra o el pagaré es reclamado por quienes fueron parte en el contrato causal, y se aleguen excepciones que pongan de relieve la **ineficacia**, anulabilidad, inexistencia o nulidad del contrato, la LCC se remite a la normativa del Derecho común.
La autenticidad de la firma de un documento implica, con presunción *iuris tantum* (TS 19-5-73, EDJ 272), por lo que para que prospere la causa de falsedad de la firma es necesario que la **prueba** practicada acredite sin la menor duda que la firma no es del librado aceptante, recayendo la carga de tal prueba sobre quien lo alega, no pudiendo prosperar esta excepción si no se acredita la falsedad de forma indubitada (AP Granada 4-4-07, EDJ 74479; AP Girona 20-12-05, EDJ 258845; AP Barcelona 17-2-04, EDJ 8678).

d. Excepción de novación extintiva por renovación de cambiales

13120 Es **demostrativo del** ***animus novandi*** tanto la nueva emisión de letras de cambio, como la modificación del día del vencimiento y el importe de las mismas, lo que provoca la extinción del título primitivo, por cuanto no pueden coexistir dos títulos que incorporen una misma obligación.
Debe analizarse la **viabilidad de la novación** en virtud de las renovaciones de letras como excepción de novación que puede oponerse. Frente a su admisibilidad sostienen los detractores que la excepción de novación no resulta oponible y que la mera entrega de nuevas letras para renovar las anteriores, que permanecen en poder del antiguo tenedor de las mismas, no supone novación manteniendo su fuerza ejecutiva los primitivos títulos. Ante ello, hay que recordar que son oponibles las excepciones basadas en sus relaciones personales con el tenedor de la letra y el de la extinción del crédito cambiario y una de sus posibles manifestaciones es, sin duda, el de la novación (AP Sevilla 7-5-99, EDJ 25055).
Así, la cuestión se centra en lo que ha venido a ser una **polémica**, mantenida tanto a nivel doctrinal como jurisprudencial sobre las **consecuencias** que deben anudarse a esta actuación consistente en la renovación de un efecto cambiario por otro. Pues bien, aunque existe una jurisprudencia menor que defiende que la renovación, en sí misma no conlleva la novación y no supone la extinción de la fuerza ejecutiva del efecto cambiario (AP Madrid 3-3-00, EDJ 35865), otros consideran que esta nueva emisión de letras de cambio provoca la extinción del título primitivo por cuanto que no puedan coexistir dos títulos que incorporen una misma obligación (AP Guadalajara 8-6-98), apreciándose cierta tendencia decidida hacia la aceptación de los efectos novatorios de la renovación cambiaria.

e. Devengo de tasa

13125 La cuestión del devengo de tasa **no aparece resuelta** con claridad en la **regulación** legal que trata esta cuestión:
- Tasa judicial: L 53/2002 art.35 y 36 y OM HAC 661/2003.
- Concepto del hecho imponible y la gestión L 8/1989 art.6, 13 y 22.

Pues bien, ante esta falta de transparencia normativa, hay que recurrir a **criterios interpretativos** y, en este sentido, por ejemplo, la junta de letrados de la Administración de Justicia de

Valencia acordó una serie de criterios en materia de tasas judiciales señalando que a la hora de exigir el abono de la tasa judicial la ley no distingue modalidad procesal alguna, de tal modo que cualquier demanda de juicio ordinario o verbal presentada por el sujeto pasivo obligado origina el devengo de la tasa, quedando excluidos los actos de jurisdicción voluntaria.
Ahora bien, dado el tratamiento del juicio cambiario con el proceso monitorio, hay que señalar que en estos acuerdos adoptados se fijó que, en el proceso monitorio, el devengo de la tasa se produce únicamente cuando el sujeto pasivo presenta la demanda de juicio ordinario, quedando **excluido del devengo** el despacho de ejecución por ausencia de oposición del requerido y en el proceso monitorio que se haya transformado en juicio verbal se requerirá la tasa si se interpone recurso de apelación.
Es una solución lógica ya que, en efecto, la exigencia de la tasa en el juicio ordinario que dimana del monitorio lo es por cuanto constituye un proceso declarativo que se incoa *ex novo* desde su inicio; sin embargo, el verbal, que es el cauce que se utiliza tras la oposición del deudor, constituye una continuación del procedimiento que dimana del inicial monitorio, por lo que es lógico que no se exija tasa, salvo en el caso de la apelación. Por ello, puede entenderse que en el caso de la **demanda de contradicción del cambiario** se debe aplicar el mismo criterio; es decir, que al constituir su trámite procesal una vía de tramitación por el cauce del juicio verbal (LEC art.440, 443 y 826), no se exigiría la tasa, salvo que haya que recurrir a la apelación, como en el caso del verbal. Así, se fija por esta junta el acertado criterio de que la apelación que devenga la tasa es la que se interpone contra sentencia o resolución definitiva en la instancia. Vienen obligados a la **presentación del modelo** todas las partes que lo interpongan.

f. Falta de oposición

Sobre esta cuestión de interés práctico, debemos destacar que en el procedimiento cambiario, para el supuesto en que el deudor no interponga demanda de oposición en el plazo establecido, se despacha ejecución por las cantidades reclamadas y se traba embargo si no se hubiera podido practicar o hubiese sido alzado. Así, no hay que presentar **demanda de ejecución** cuando no se presenta demanda de oposición (AP Granada 23-11-02, EDJ 67238). 13130
La propia demanda de juicio cambiario lleva **implícita la solicitud** de que se abra la ejecución y se proceda al apremio sobre el patrimonio del deudor, en el caso de que éste no se oponga a lo interesado (AP Huelva auto 27-3-03).

Letras vencidas con posterioridad Una vez **despachada ejecución** en el cambiario, puede entenderse que puede ampliarse la misma a letras vencidas con posterioridad en cuanto que si despachada ejecución por deuda de una cantidad líquida, venciera algún plazo de la misma obligación en cuya virtud se procede o la obligación en su totalidad, se entiende ampliada la ejecución (LEC art.578 y 825). 13132
Además, se permite que la **ampliación ya se haga constar** en la demanda ejecutiva, por lo que se puede advertir al deudor -y debería hacerse así- de que la ejecución se ampliará automáticamente en las fechas de los vencimientos de las siguientes letras de cambio vencidas para el caso de que no se haya procedido a la previa consignación a disposición del juzgado de las cantidades correspondientes.
La mayoría de la doctrina está reconociendo que en este caso tan recurrente, **no está regulado** en la LEC, pero se entiende por la mayoría doctrinal que tiene encaje sencillo en el proceso de ejecución; es decir, no es que estemos improvisando la vía de la ampliación de la ejecución sin norma que lo ampare, sino aplicándola por remisión (LEC art.578 y 825).

g. Sustanciación de la oposición

La **vista** del juicio cambiario se celebra en el modo establecido para el juicio verbal. 13135
Las vistas deben **grabarse en video**, aunque si no fuera posible ya que el aparato de filmación no funcione o no existan salas disponibles en la fecha de la vista no constituye infracción legal siempre que se documente en acta (LEC art.187.2; AP Barcelona 10-7-03, EDJ 91614).
En el caso de **no comparecer el acreedor cambiario** al acto del juicio, el tribunal resuelve, sin oírle, sobre la oposición presentada. Por tanto, el efecto de la incomparecencia no es la *ficta confessio* o la inmediata admisión de los hechos alegados por este último y que puedan resultar perjudiciales o contrarios a la pretensión del demandante. La valoración de la prueba debe hacerse según la convicción del tribunal, po lo que se contempla la *ficta confessio* como una simple posibilidad y no como una imposición en materia de valoración probatoria para el juzgador (LEC art.304; AP Girona 3-3-03, EDJ 19700).
Ahora bien, respecto a la necesidad, o no, de hacer el **trámite de conclusiones** posterior a la práctica de la prueba, con independencia de que esta cuestión fue muy debatida al inicio de la

aplicación práctica de la LEC, hay que señalar que la norma especial que regula la vista en el juicio verbal no lo contempla (LEC art.443), al contrario que para el juicio ordinario (LEC art.185.4 y 433.2), por lo que su omisión no es causa de nulidad (TS 30-5-92; AP Asturias 19-1-05, EDJ 1727).

Precisiones La **remisión** a las normas de la **vista** del juicio verbal debe efectuarse a la LEC art.443 y no a la LEC art.185.5.

h. Sentencia sobre la oposición

(LEC art.827)

13140 Si en el juicio cambiario no fueron discutidas las cuestiones traídas al juicio ordinario, no hay **cosa juzgada**, ya que la sentencia firme dictada en juicio cambiario produce efectos de cosa juzgada, respecto de las cuestiones que pudieron ser en él alegadas y discutidas, pudiéndose plantear las cuestiones restantes en el juicio decorativo correspondiente.

13142 **Costas** Aunque resulta evidente que a la parte ejecutada se le generan una serie de costas derivadas de la oposición, no se dice nada sobre ello en la regulación para el juicio cambiario, así que no cabe imposición de costas a la ejecutante ante el **allanamiento** a la demanda de oposición pues no se produciría una sentencia condenatoria (LEC art.20 y 21; AP Ávila 13-6-03).

Si **se estima la demanda** de la oposición, si bien es indudablemente cierto que la regulación del juicio cambiario no hace referencia expresa a la eventual condena en las costas originadas, no puede desconocerse que es declarativa la tramitación procedimental de la oposición cambiaria. Por ello, el pronunciamiento sobre la imposición de costas ha de verificarse de la misma manera que se contempla en el procedimiento verbal y, en consecuencia, cuando se estima la demanda de oposición al juicio cambiario y se han visto rechazadas todas las pretensiones del acreedor cambiario, han de imponérsele las costas de la primera instancia (LEC art.394).

Precisiones La oposición cambiaria es un **proceso declarativo** como indica la remisión de la LEC art.20 a los trámites del juicio verbal (LEC art.440 y 443), que es un proceso declarativo.

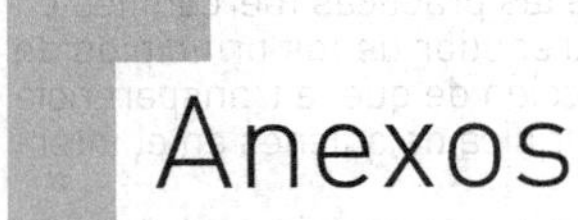

Anexos

13200

Textos de interés

13205

Código de buenas prácticas mercantiles en la contratación de transportes de mercancías por carretera

(Madrid, 14 de julio de 2000)

El RDL 3/2022 de **medidas para la mejora de la sostenibilidad del transporte de mercancías** por carretera y del funcionamiento de la cadena logística, establece el mandato de acordar un Código de Buenas Prácticas Mercantiles en la Contratación del Transporte de Mercancías, un Registro de las entidades adheridas y un estándar para certificar las zonas de carga y descarga para impulsar a través de esta intervención la creación de entornos eficientes, seguros y con las infraestructuras que ofrezcan los servicios imprescindibles a sus usuarios, en especial a los conductores profesionales, mejorando las condiciones de desempeño de su profesión. 13210

Establece el RDL 3/2022 disp.adic.primera que «El Ministerio de Transportes, Movilidad y Agenda Urbana deberá acordar un **Código de Buenas Prácticas Mercantiles** en la contratación del transporte de mercancías por carretera. La adhesión al Código de buenas prácticas mercantiles será voluntaria, si bien desde su adhesión los operadores estarán obligados a que sus relaciones comerciales se ajusten a los compromisos que en el mismo se contengan. El incumplimiento reiterado de tales compromisos supondrá la anulación de la adhesión, de conformidad con lo establecido en el artículo siguiente, en virtud del procedimiento que reglamentariamente se determine».

INTRODUCCIÓN

Razones para un acuerdo

El Código de Buenas Prácticas Mercantiles en la contratación de transporte de mercancías por carretera pretende convertirse en un instrumento que facilite las relaciones contractuales y fomente la observancia de las mejores prácticas en las transacciones comerciales entre transportistas, usuarios del transporte de mercancías y operadores del transporte.

La progresiva liberalización del mercado europeo de transporte de mercancías por carretera, unida al desarrollo de la Unión Económica y Monetaria y a la previsible ampliación de la Unión Europea está determinando un fuerte incremento de los niveles de competencia en dicho mercado. No obstante, parece absolutamente aconsejable tratar de armonizar los principios de libre competencia y contratación con la existencia de vías de diálogo destinadas a mejorar el entendimiento y, consecuentemente, la eficiencia de los distintos agentes intervinientes en el mercado de transportes, lo que, indudablemente, se traducirá en una mayor eficiencia del mercando en su conjunto.

El Código de Buenas Prácticas Mercantiles pretende garantizar que las empresas adheridas al mismo se regirán en sus relaciones por los principios y reglas que en él se contienen, dotando así de un alto nivel de transparencia a las prácticas comerciales en el mercado de transportes. De conseguirse este objetivo, se habrán alcanzado, al menos, los siguientes fines:

- Evolución de las posiciones particulares de las partes intervinientes en la relación contractual hacia otras de mayor colaboración en la optimización de flujos de mercancías, gestión de tráficos de retorno y reducción del impacto medio ambiental de las operaciones logísticas, mejora de las condiciones de la seguridad vial, así como en la incorporación del servicio de transportes a la cadena de valor del producto transportado, como un elemento más de su producción y puesta en el mercado.

13210 (sigue) - Articulación de cada contrato de transportes en particular y de las prácticas mercantiles en que se sustenta el mercado de transportes en su conjunto alrededor de los principios de transparencia, no discriminación y reciprocidad, desde la convicción de que la transparencia del mercado es la base más firme de la eficiencia y seguridad jurídica de quienes en él intervienen y la manera más efectiva de evitar litigios.
- Autorregulación de las relaciones entre los agentes intervinientes en el mercado que, mediante el Código, habrán conseguido consensuar un marco de relaciones flexible pero firme sobre bases de racionalidad y progreso.
Conscientes de las ventajas anteriormente señaladas, el Comité Nacional del Transporte por Carretera y las Asociaciones representativas de empresas cargadoras AECOC, AEUTRANSMER y TRANSPRIME han acordado elaborar el presente Código de Buenas Prácticas Mercantiles en la contratación de transportes de mercancías por carretera, al que las empresas transportistas, usuarios del transporte de mercancías y operadores de transportes podrán adherirse libremente.
La adhesión al Código implica únicamente el compromiso de respetar los principios y reglas que en el mismo se contienen en la práctica cotidiana de la empresa adherida, la cual, indudablemente, mejorará su imagen comercial a partir de ese momento tanto ante los demás agentes que intervienen en el mercado como ante sus propios clientes, asegurará un desarrollo más fluido de su actividad, elevará su nivel de competitividad y alcanzará un mayor grado de seguridad jurídica en sus relaciones mercantiles.

CÓDIGO DE BUENAS PRÁCTICAS MERCANTILES EN LA CONTRATACIÓN DE TRANSPORTES DE MERCANCÍAS POR CARRETERA

1. PRINCIPIOS BÁSICOS

1.1. Principio de reconocimiento de los componentes de partida

Los transportistas, usuarios del transporte de mercancías y operadores de transportes adheridos al presente Código asumen que en la contratación de los servicios cada parte contratante debe conocer los componentes de partida de su interlocutor comercial.
• **Componentes de partida del transportista:** deberá poner en conocimiento del usuario del servicio, o en su caso del operador de transportes, el nivel de costes de explotación de su/sus vehículo/s en función de los propios recursos y de las características y la sinergia de los servicios de transporte conjuntamente compartida con el usuario.
• **Componentes de partida del usuario:** deberá poner en conocimiento del transportista, o en su caso del operador de transportes, el número y características (peso, volumen u otras condiciones de la carga a transportar o del vehículo a utilizar que afecten a la prestación del servicio demandado) de la/s expedición/es; organización y planificación de la/s expedición/es; destino de la/s expedición/es y distancias de los recorridos a realizar; continuidad, y en su caso frecuencia, de las contrataciones en el tiempo; urgencia de la/s expedición/es, así como los componentes relacionados con otras prestaciones complementarias que, en su caso, pacten las partes.
• **Componentes de partida del operador de transportes:** cuando en la contratación del transporte intervenga un operador de transportes, deberá poner en conocimiento del transportista y del usuario del servicio los componentes de partida que le hayan sido suministrados por la otra parte, así como los costes y eficiencias derivados de su propia intervención.

1.2. Principio de eficiencia en el servicio y distribución de ventajas entre las partes

Los transportistas, usuarios del transporte de mercancías y operadores de transporte adheridos al presente Código se obligan a realizar su actividad de forma eficiente con el fin de que todos los afectados por los servicios concertados obtengan ventajas en los términos siguientes:
• El transportista explotará eficientemente sus recursos, lo que le permitirá incrementar su capacidad competitiva en el mercado.
• El usuario del transporte mejorará su estructura de costes, lo que le permitirá lograr una mejor posición competitiva en el mercado y, como consecuencia, desarrollar cadenas de transporte eficientes.
• El destinatario de las mercancías obtendrá mejores precios en la adquisición de éstas, lo que le permitirá mejorar el funcionamiento de su cadena de suministro interno.
• El consumidor logrará incrementar su capacidad de elección de productos con precios más reducidos.

13210 (sigue)

• La sociedad en su conjunto se beneficiará de una mayor estabilidad de los suministros, así como de la reducción de la contaminación atmosférica y acústica y de la congestión de tráfico, como consecuencia del mejor aprovechamiento de la capacidad de carga de los vehículos de transporte de mercancías.

1.3. Principio de documentación y cumplimiento de lo pactado entre las partes

Los transportistas, usuarios del transporte de mercancías y operadores de transportes adheridos al presente Código quedarán comprometidos a cumplir los contratos de transporte que celebren en los términos que, en cada caso, hayan pactado.
Con objeto de aumentar la seguridad jurídica de las partes contratantes y facilitar el cumplimiento de las condiciones pactadas, se recomienda la formalización del contrato de transporte en documento escrito, en el que se reflejarán la totalidad de los acuerdos que libremente pacten el transportista y el usuario del servicio de transporte.
Asimismo, se recomienda prever expresamente la compensación a que quedará obligada aquella parte que denuncie unilateralmente el contrato sin que previamente haya mediado incumplimiento del mismo por parte de la otra.

1.4. Principio de reciprocidad (prestaciones vs. contraprestaciones)

Los transportistas, usuarios del transporte de mercancías y operadores de transportes adheridos al presente Código basarán sus negociaciones y pactos en la existencia de contrapartidas racionales en sus transacciones comerciales.

1.5. Principio de no discriminación

Los transportistas, usuarios del transporte de mercancías y operadores de transportes adheridos al presente Código ofrecerán, de partida, las mismas condiciones en la negociación de servicios de transporte iguales, atendiendo a tal efecto al número y características de las expediciones a realizar, sus condiciones de pago y el período de vigencia y/o continuidad de los contratos.

1.6. Principio de transparencia

Los transportistas, usuarios del transporte de mercancías y operadores de transportes adheridos al presente Código pondrán a disposición de su interlocutor comercial un documento particular en el que, respectivamente, recogerán sus condiciones de partida en la negociación, el cual servirá, asimismo, de base para cualquier negociación futura entre ellos dentro de un período de vigencia determinado en el propio documento.
El referido documento tendrá carácter reservado, no pudiendo ser utilizado por ninguno de los intervinientes en la negociación fuera de su relación con las demás partes afectadas.

1.7. Principio de infracción

Los transportistas, usuarios del transporte de mercancías y operadores de transportes adheridos al presente Código aprobarán libremente el marco de cooperación que sirva de base a su acuerdo contractual, y quedarán comprometidos, salvo caso de fuerza mayor, a cumplir las condiciones pactadas aún en el supuesto de sobrevenir circunstancias externas y ajenas que planteen su incumplimiento, ya sea temporal o definitivamente, como consecuencia de reivindicaciones cuyo contenido ya hubiese sido superado en sus recíprocas relaciones.

1.8. Principio de calidad en la realización de los servicios de transporte y eliminación del intrusismo

Los transportistas, usuarios del transporte de mercancías y operadores de transportes adheridos al presente Código partirán de la base de que el precio no es el único argumento a tener en cuenta en la negociación, asumiendo la calidad de sus respectivas contraprestaciones como ventaja competitiva que deberá ser valorada.
A tal efecto, cada una de las partes contratantes podrá exigir a las demás que demuestren su capacidad para cumplir la totalidad de los requisitos que garantizan una correcta explotación empresarial, solicitando, cuando así proceda, la presentación de las pertinentes certificaciones acreditativas del correcto funcionamiento del sistema de calidad que tengan implantado.

13210 (sigue) **1.9. Principio de arbitraje**

Los transportistas, usuarios del transporte de mercancías y operadores de transportes adheridos al presente Código quedarán comprometidos, desde el momento de su adhesión, a someter los conflictos relativos al cumplimiento de los contratos que celebren, sea cual fuere su cuantía, así como los referidos a cualquier otro extremo contenido en este Código, al arbitraje de las Juntas Arbitrales del Transporte reguladas en la Ley 16/1987, de 30 de julio, de Ordenación de los Transportes Terrestres y sus normas de desarrollo, obligándose a proporcionar a la Junta actuante en cada caso la información que se requiera para analizar la controversia planteada, así como a acatar sus decisiones.

1.10. Principio de legalidad

Los transportistas, usuarios del transporte de mercancías y operadores de transportes adheridos al presente Código quedarán comprometidos a no incluir en sus acuerdos cláusulas o condiciones cuyo cumplimiento implique por sí mismo el incumplimiento de la legalidad vigente, ni establecer prácticas operativas que puedan afectar negativamente a la seguridad vial.

2. REGLAS SOBRE ACUERDOS CONTRACTUALES

2.1. Estandarización de acuerdos

Con objeto de conseguir la máxima claridad de los acuerdos contractuales alcanzados entre transportistas, usuarios del transporte de mercancías y operadores del transporte, así como para facilitar su conocimiento por los órganos encargados de garantizar y supervisar su cumplimiento se considera conveniente la estandarización, en lo posible, de todos aquellos conceptos y materias que, habitualmente, constituyen soporte fundamental del pacto alcanzado. Se pretende que dicha estandarización contribuya a la clarificación y a la mejor interpretación de los acuerdos, aunque nunca debe entenderse como limitación al libre pacto de cualquier otro concepto o extensión del contrato a cualquier otra materia.

Con el mencionado objetivo y a fin de facilitar el cumplimiento del espíritu de los «Principios Básicos» más arriba señalados, los transportistas, usuarios del transporte de mercancías y operadores de transporte adheridos al presente Código se comprometen a incluir en sus acuerdos contractuales, en todo caso, las siguientes precisiones:

2.1.1. **Plazo de vigencia del acuerdo contractual**

El plazo de vigencia del acuerdo contractual quedará determinado por sus fechas de inicio y finalización. En caso de que la duración de la relación se pacte mediante una fórmula del tipo de «hasta la próxima negociación», «hasta que alguna de las partes lo denuncie» u otra similar, se pactará adicionalmente un plazo de preaviso que deberá figurar en el propio acuerdo.

2.1.2. **Precio de los servicios de transporte y otros complementarios afectados por el acuerdo contractual**

• **Determinación del precio de los servicios de transporte.** El precio de los servicios de transporte y, en su caso, de otros complementarios incluidos en el acuerdo contractual se pactará de forma transparente, teniendo en cuenta las circunstancias y características particulares de explotación de cada uno de dichos servicios.
• **Plazo de preaviso para cualquier cambio de precio.** Cuando se prevea que durante el período de vigencia del acuerdo pudiera producirse algún cambio del precio inicialmente acordado, se pactará un plazo razonable de preaviso en el que aquélla de las partes intervinientes que plantee su modificación deberá ponerlo en conocimiento de la otra.
• **Descuentos aplicables.** Los descuentos que, en su caso, se hayan de aplicar sobre el precio acordado, ya sea por razón de volumen de negocio, densidad de la carga, transporte en circuito cerrado o cualquier otra circunstancia que afecte a las condiciones de realización del transporte o de cumplimiento del contrato, se pactarán expresamente en el acuerdo indicando claramente el tipo de descuento y su forma de cálculo, ámbito de aplicación y condiciones de cumplimentación y liquidación.

2.1.3. **Pago de los servicios efectuados**

• **Plazo de pago acordado**. Cuando no se pacte expresamente otra cosa en el acuerdo contractual, se entenderá que los servicios realizados se pagarán al contado, previa presentación del albarán, carta de porte u otro documento acreditativo de la recepción de la mercancía en destino debidamente conformado, acompañado de la correspondiente factura. Cuando se acuerde diferir el pago, deberá pactarse expresamente el número de días en que dicho pago quedará aplazado. **13210** (sigue)

• **Fecha desde la que empieza a contar el plazo**. Cuando se hubiese pactado el aplazamiento del pago sin determinar la fecha desde la que ha de comenzarse a contar el plazo, se entenderá que éste empieza desde la fecha de presentación del albarán conformado una vez finalizado el servicio. Cuando, ya sea por la naturaleza del servicio o por el sistema de funcionamiento administrativo de alguna de las partes intevinientes, haya de pactarse una fecha distinta, ésta se determinará de forma que no de lugar a confusiones, debiendo relacionarse con un hecho de fácil comprobación para ambas partes.

• **Días de pago**. Cuando la empresa que haya de pagar tenga establecidos, con carácter general, unos días concretos para efectuar sus pagos, se pactará expresamente la forma de ajustar el plazo de pago a dichos días.

• **Forma de pago acordada**. El medio a través del que se pagarán los servicios realizados (cheque, transferencia, efectivo, etc.) deberá quedar expresamente reflejado en el acuerdo contractual.

• **Plazo de presentación de la factura**. El plazo en que la factura por los servicios realizados deberá obrar en poder del usuario del transporte u operador de transporte deberá determinarse expresamente de forma clara, de tal manera que se eviten errores de interpretación y se faciliten las labores administrativas de las partes intervinientes. A tal efecto, se aconseja su determinación como un mínimo de días posteriores a la realización del último de los servicios incluidos en la factura.

• **Lugar de entrega de la factura**. El lugar de entrega de las facturas se pactará expresamente de forma clara a fin de evitar pérdida de las facturas o retrasos en su entrega.

• **Plazo de reclamaciones sobre las facturas presentadas**. Las reclamaciones sobre las facturas recibidas deberán ser realizadas por las partes intervinientes por escrito y dentro del plazo que, a tal efecto, deberá pactarse expresamente en el acuerdo contractual. El plazo así pactado no podrá ser superior al que se haya establecido para el pago de los servicios, de tal forma que la realización de una reclamación sobre una factura no impida cumplir el plazo de pago de los servicios incluidos en la misma.

• **Tasa de interés de demora**. Cuando se pretenda aplicar alguna penalización para el caso de demora en el pago, la tasa correspondiente deberá pactarse expresamente en el acuerdo contractual.

• **Aplicación de descuento por pronto pago**. Cuando se hubiese pactado un descuento por pronto pago, deberán determinarse claramente el plazo dentro del que los pagos efectuados podrán tener dicha consideración así como el tipo de interés a aplicar.

2.1.4. **Condiciones de realización de los servicios**

• **Plazo de realización del servicio** contratado. El plazo de realización del servicio contratado se reflejará expresamente en el acuerdo contractual, entendiendo como tal el período de horas y/o días comprendido desde la recepción de las mercancías por el transportista hasta la entrega de aquéllas en destino en las condiciones pactadas.

• **Condiciones sobre los elementos de transporte reutilizables**. Cuando el usuario del transporte de mercancías o, en su caso, el operador de transporte aporte para la realización de los servicios contratados los soportes de la carga u otros elementos de transporte que resulten reutilizables, se pactarán expresamente en el acuerdo contractual las condiciones de custodia, retorno, respeto y devolución de éstos a quien los aportó o a otra entidad distinta definida en el contrato, así como las contraprestaciones a las que, en su caso, tendrá derecho el transportista.

• **Lugar y condiciones de entrega de las mercancías**. En el acuerdo contractual se definirán expresamente de forma clara el lugar o lugares y las condiciones en que las mercancías deberán ser entregadas al transportista para su transporte y por éste al destinatario.

• **Penalización por demoras en la entrega, carga y descarga de las mercancías**. Cuando se consideren necesarias, se pactarán expresamente y de forma clara en el acuerdo contractual la cuantía y condiciones de aplicación de penalizaciones por demora en la realización de los distintos procesos necesarios para el cumplimiento del servicio contratado, ya sean ocasionadas inicialmente por el usuario del transporte u operador de transporte o por quienes actúan como mandatarios suyos (retrasos en los plazos pactados para la entrega de las mercancías al transportista), durante la realización del servicio por el transportista u operador de transporte (retrasos en la presentación del vehículo para la carga o en la entrega de las mercancías en destino) o a la finalización del servicio por el destinatario (retraso en la recepción de las mercancías transportadas). Para una más correcta determinación de tales circunstancias, se registrarán en el albarán, carta de porte u otros documentos mediante los que se hubiere formalizado la

13210 (sigue) entrega de las mercancías al transportista y/o la recepción de éstas en destino la fecha y la hora en que se hayan ido produciendo los siguientes hechos: presentación del vehículo para la carga, entrega material de las mercancías al transportista, salida del vehículo del lugar en que se ha efectuado la carga, llegada del vehículo al lugar de destino del transporte y recepción de las mercancías por el destinatario.

• **Periodo y condiciones para la aceptación de devoluciones de la mercancía**. Una vez conformado por el destinatario el albarán, carta de porte u otro documento en el que se formalice la recepción de las mercancías transportadas, reflejando un determinado número de unidades recibidas, no cabrá reclamar posteriormente que el transportista, o en su caso operador de transportes, entregó uno distinto.

• Cuando las distintas unidades de mercancía de que se componga el envío se **transporten agrupadas en paquetes o bultos**, resultando imposible verificar en el momento de su recepción en destino el número de unidades contenido en cada uno de ellos y las condiciones en que se encuentran las mismas, sólo podrá reclamarse posteriormente al transportista, o en su caso operador de transportes, en los plazos previstos, en relación con el número de unidades contenidas en cada uno de aquéllos o los posibles daños que éstas pudieran haber sufrido como consecuencia del transporte, pero nunca acerca del número de paquetes o bultos que el destinatario confirmó haber recibido.

• **Decisiones sobre rechazo de la carga en el momento de la entrega de la misma.** Deben pactarse claramente en los acuerdos las condiciones sobre las que basarían dichas decisiones, así como la forma en que las mismas quedarán documentalmente reflejadas.

Asimismo, deberán pactarse las condiciones bajo las que el destinatario podría rechazar las mercancías una vez llegadas a destino, así como la forma en que las mismas quedarán documentalmente reflejadas y, en su caso, las reglas de actuación a seguir por el transportista en este supuesto.

2.1.5. **Otros acuerdos contractuales**

Cualesquiera otros conceptos de naturaleza contractual que puedan llegar a pactarse, deberán quedar definidos bajo los principios de transparencia, no discriminación y reciprocidad.

«(Redacción alternativa. Cualesquiera otros conceptos de naturaleza contractual que puedan llegar a pactarse, deberán quedar definidos bajo los principios básicos recogidos en el presente Código).

Todos los apartados recogidos dentro del epígrafe "2.1. Estandarización de acuerdos" serán aplicables no sólo a los servicios que el operador de transporte y transportista facturen al usuario del transporte sino también a los que en su caso facturen el usuario u operador de transporte al transportista.»

2.2. Formalización de los acuerdos contractuales

Con el fin de reforzar el carácter contractual de los acuerdos y evitar diferencias de interpretación acerca de éstos, los transportistas, usuarios del transporte de mercancías y operadores de transporte adheridos al presente Código se obligan a documentar todos los acuerdos contractuales que concluyan mediante escrito firmado por personas capacitadas para obligar contractualmente a sus respectivas empresas.

Asimismo, se obligan a documentar cada uno de los envíos en que se materialice el cumplimiento del acuerdo contractual marco en el correspondiente albarán, carta de porte u otro documento acreditativo. A tal efecto se recomienda utilizar el modelo que se incluye como anexo del presente Código u otro de similar contenido.

2.3. Contenido de las facturas

Los transportistas, usuarios del transporte de mercancías y operadores de transporte adheridos al presente Código se obligan a reflejar en todas las facturas que se emitan mutuamente los conceptos básicos definidos en el acuerdo contractual marco del que son consecuencia, al menos en sus elementos esenciales, admitiendo no obstante el mayor rango de compromiso que supone el referido acuerdo marco.

Las facturas deberán incluir, en relación individualizada, cada uno de los servicios contenidos en las mismas, identificados por sus características singulares.

3. OTROS ACUERDOS Y RECOMENDACIONES

3.1. Transparencia de los estados financieros de los contratantes

Los transportistas, usuarios de transporte de mercancías y operadores de transporte adheridos al presente Código se comprometen a presentar sus estados financieros en el Registro Mercantil con la periodicidad que marca la legislación vigente.

Las Empresas no obligadas a ello por la Ley acreditarán, no obstante, su capacidad económico-empresarial a petición de cualquier otra empresa adherida a éste Código con la que mantengan alguna relación comercial estable.

3.2. Renegociación

Los transportistas, usuarios de transporte de mercancías y operadores de transporte adheridos al presente Código asumen que la renegociación de las condiciones pactadas en un acuerdo contractual dentro de su plazo de vigencia sólo quedará justificada cuando, a su vez, las condiciones de hecho y puntos de partida tenidos en cuenta en el momento en que aquél se concluyó hayan sufrido una variación sustancial.

4. ACTUALIZACIÓN DEL CÓDIGO

Con objeto de mantener vivo y actualizado el contenido del presente Código, el Comité Nacional del Transporte por Carretera y las Asociaciones representativas de empresas cargadoras que han participado en su elaboración original, revisarán su contenido periódicamente a fin de adaptarlo a la realidad mercantil del momento y, en su caso, entrar a regular nuevas cuestiones que, no obstante no encontrarse previstas inicialmente, representen problemas puntuales en las relaciones entre transportistas, usuarios del transporte de mercancías y operadores del transporte que requieran una solución armonizada.

5. PUBLICIDAD DEL CÓDIGO

El Comité Nacional del Transporte por Carretera y las Asociaciones representativas de empresas cargadoras que han participado en su elaboración original o que posteriormente se adhieran a él, se obligan a utilizar los medios que consideren idóneos para dar la máxima publicidad a su contenido.

Asimismo, darán publicidad, periódicamente, de las empresas que se hubieran adherido al Código, las cuales serán las únicas que puedan utilizar el distintivo que, en su caso, se establezca como identificativo de dicha circunstancia.

Preguntas frecuentes sobre la nueva regulación de la participación del conductor en la carga y descarga y de la cadena del transporte: L 16/1987, de ordenación del transporte terrestre (LOTT) y L 15/2009, del contrato de transporte terrestre de mercancías (LCTTM)

I. PARTICIPACIÓN DEL CONDUCTOR EN LA CARGA Y DESCARGA. 13215

1. ¿Se aplica la nueva regulación de la disposición adicional decimotercera de la LOTT al transporte privado complementario?

No, las nuevas reglas sobre participación del conductor en la carga y descarga de las mercancías están orientadas a evitar situaciones que comprometan la seguridad de los conductores profesionales en el mercado del transporte profesional de mercancías. Por tanto, únicamente se aplican al transporte público de mercancías.

2. La excepción de la letra b) de la disposición adicional decimotercera de la LOTT ¿es extensiva a todas las "cisternas" (contenedor cisterna, vehículo batería, etc.) dada la definición de "cisterna" del ADR?

Se aplica a los supuestos de vehículo cisterna, contenedor cisterna o supuestos similares.

3. ¿Se pueden considerar las plataformas elevadoras de los vehículos empleadas para la carga y descarga como uno de los dispositivos inherentes al vehículo a efectos de aplicar la excepción de la letra c) de la disposición adicional decimotercera de la LOTT? ¿Y las carretillas moffett?

No, el aparatado c) se refiere al supuesto de vehículos para efectuar un transporte muy específico, no pudiendo aplicarse con carácter general la excepción a todos los vehículos que disponen de plataforma para facilitar las labores de carga y descarga de las mercancías.

13215 (sigue) No obstante, la norma no impide que el conductor maneje la plataforma elevadora inherente al vehículo.

4. El transporte especial de retroexcavadoras, utilizando un conjunto remolque tipo góndola (sin grúa), ¿permite la aplicación de la exención de la letra d)?
Sí.

5. ¿Qué se entiende por carga fraccionada a efectos de aplicar la excepción de la letra e) de la disposición adicional decimotercera de la LOTT?
El propio precepto señala que "a efectos de esta letra, se entenderá por transporte de carga fraccionada aquél en el que resulten necesarias operaciones previas de manipulación, grupaje o clasificación, u otras similares".

6. ¿Es la paquetería equivalente a la carga fraccionada para aplicar la excepción de participación del conductor en la carga y descarga?
No, la letra e) de la disposición adicional decimotercera distingue entre el transporte de carga fraccionada, servicios de paquetería y cualesquiera otros similares que impliquen la recogida o reparto de envíos de mercancías consistentes en un reducido número de bultos que puedan ser fácilmente manipulados por una persona.
Por tanto, la norma considera, a efectos de la regulación de la participación del conductor en la carga y descarga de la mercancía, que el transporte de carga fraccionada y la paquetería son actividades sujetas a condiciones diferenciadas, estando la primera vinculada al cumplimiento de limitaciones adicionales.

7. ¿Un transporte de siete palés puede considerarse servicio de paquetería?
No.

8. ¿El grupaje, con independencia del soporte utilizado, puede considerarse un supuesto de carga fraccionada en el ámbito de la letra e) de la disposición adicional decimotercera de la LOTT?
Teniendo en cuenta la definición que recoge la norma de carga fraccionada, y considerando que el transporte de carga fraccionada es distinto del de paquetería, se entiende que sí, no siendo condición necesaria que dicho grupaje se efectúe por el transportista.

9. ¿Cuál es la delimitación entre estiba y desestiba y carga y descarga para aplicar la disposición adicional decimotercera de la LOTT?
La disposición adicional decimotercera de la LOTT no altera el régimen jurídico aplicable a las actividades de estiba o desestiba y carga o descarga de las mercancías previsto en otras normas, cómo la normativa sobre el contrato de transporte, la normativa de tráfico o la normativa de prevención de riesgos laborales.
Dada la casuística existente, no es posible establecer una línea divisoria clara, aplicable a todos los supuestos, que pueda deslindar la estiba y desestiba de la carga y la descarga.
No obstante, este hecho no podrá amparar prácticas contrarias al objetivo que pretende salvaguardar la norma.

10. La prohibición de la participación del conductor en las operaciones de carga y descarga de las mercancías a bordo del vehículo ¿implica también la prohibición de su participación en la estiba y desestiba de las mercancías?
No.

11. ¿Puede considerarse una fábrica un centro de distribución para aplicar la excepción de la letra e)?
Con carácter general, una fábrica no puede considerase un centro de distribución.

12. ¿Qué es un punto de venta para aplicar la excepción de la letra e)?
Se entiende que es aquel establecimiento destinado a la venta de un producto terminado o a la prestación de un servicio al destinario final del mismo. Se englobarían en este supuesto las instalaciones desde las que se gestionan las ventas online de los supermercados.

13. ¿Influye en la aplicación de la excepción de la letra e) la utilización de transpaletas manuales o mecánicas?
No.

14. En la excepción de la letra f) ¿qué son los puestos de control aprobados de conformidad con la normativa comunitaria?
Son aquellos que se regulan por el Reglamento (CE) nº 1/2005, de 22 de diciembre de 2004, relativo a la protección de los animales durante el transporte y las operaciones conexas y por el que se modifican las Directivas 64/432/CEE y 93/119/CE y el Reglamento (CE) nº 1255/97.

15. Cuando en la letra e) se condiciona la aplicación de la excepción en el transporte de carga fraccionada entre el centro de distribución y el punto de venta a que le permita regresar al conductor al centro operativo habitual de trabajo o a su lugar de residencia, ¿se requiere que retorne en la misma jornada que inició el viaje? ¿o en la misma jornada en la que realizó la carga o descarga? **13215** (sigue)

En la misma jornada en la que se realizó el viaje.

16. ¿Puede interpretarse que la prohibición de carga y descarga y el intercambio de palés se aplica también fuera de España?

La regulación de la disposición adicional decimotercera de la LOTT únicamente se aplica dentro de España. No es una norma de derecho laboral.

No obstante, cada empresa transportista podrá determinar, en el marco de la normativa aplicable, las condiciones de participación de sus conductores en las operaciones de carga y descarga de las mercancías efectuadas fuera de España.

17. Un contrato de transporte de mercancías de duración indefinida ¿entra dentro de la excepción de la letra e) o debe renovarse el contrato estableciendo la duración exacta?

Un contrato de duración indefinida cumple con la condición prevista en la letra e) de la disposición adicional decimotercera relativa a que "dicha actividad se efectúe en el marco de un contrato de duración igual o superior a un año entre el cargador y el porteador".

18. Un segundo conductor que viaja en el vehículo del transportista, pero no interviene en la actividad de conducción, ¿podría cargar y descargar en ese viaje?

Sí, siempre y cuando no haya conducido ni vaya a conducir en su jornada laboral.

19. Si en un mismo vehículo se transportan mercancías en paquetes y palés ¿se podría dar el caso de que el conductor pueda descargar los paquetes, pero no pueda descargar los palés?

Podría descargar los palés si se cumplen las condiciones de la letra e) de la disposición adicional decimotercera.

20. ¿Puede participar el conductor en la carga y descarga de palés vacíos?

Los palés vacíos son una mercancía, por lo que habrá que valorar si procede aplicar, por cumplirse las condiciones previstas en dicho supuesto, la excepción de la letra e) de la disposición adicional decimotercera de la LOTT.

21. En una situación de emergencia, como una avería, accidente en carretera, etc., ¿el conductor puede realizar él, personalmente, el transbordo de la mercancía a otro vehículo que venga a su rescate?

En este supuesto se entiende que sí se podría participar en el transbordo de las mercancías a otro punto o vehículo, al no existir dolo o culpa, ni, por tanto, responsabilidad del conductor.

22. Si no se aplica ninguna de las excepciones de la disposición adicional decimotercera de la LOTT ¿la carga y descarga corresponde siempre al cargador?

No, la LOTT limita la participación del conductor en la carga y descarga de las mercancías a bordo del vehículo, salvo en determinados supuestos.

No obstante, si en un determinado contrato de transporte de mercancías la responsabilidad de llevar a cabo la carga y/o descarga de las mercancías corresponde hacerla al cargador, destinatario o porteador se rige por las reglas que a tal efecto regula la LCTTM. Si las partes en el contrato no han pactado expresamente por escrito que corresponde al porteador, deberán asumir estas tareas el cargador y destinatario.

II. NUEVAS REGLAS SOBRE TRANSPARENCIA DE LA CADENA DEL TRANSPORTE

1. ¿Se aplican las nuevas reglas obligatorias de la LCTTM introducidas por la modificación operada por el Real Decreto-ley 14/2022, de 1 de agosto, a los transportes internacionales?

La nueva normativa de la LCTTM será de aplicación en aquellos contratos de transporte sujetos a dicha Ley, para lo que habrá que estar a la voluntad de las partes del contrato y a lo dispuesto en el Reglamento (CE) 593/2008 del Parlamento Europeo y del Consejo, de 17 de junio de 2002 sobre la ley aplicable a las obligaciones contractuales (Roma I), para determinar la Ley aplicable al contrato.

2. ¿Se aplica la nueva regulación de la cadena del transporte a las empresas que hacen transporte privado complementario?

No, en estos supuestos no puede haber un contrato de transporte, porque el transporte no se contrata como tal.

13215 (sigue) **3. A una empresa que actúa como intermediario del transporte ¿se le aplican las reglas del artículo 10 bis de la LCTTM?**

Los contratos de transporte de mercancías suscritos por los intermediarios del transporte se entienden celebrados en nombre propio, por lo que el intermediario asume la posición de cargador frente al porteador en esa relación contractual.

Por tanto, cuando el intermediario contrate con un transportista efectivo, le son de aplicación las reglas del artículo 10 bis.

4. A la vista de lo establecido en el artículo 5.3 de la LCTTM ¿son de aplicación los nuevos preceptos sobre la cadena de transporte a las relaciones comerciales entre las cooperativas de transportistas o sociedades de comercialización con el socio transportista?

Tal y como dice la LCTTM habrá que estar a lo dispuesto en los estatutos de cada cooperativa de transportistas o sociedad de comercialización, por lo que deberá comprobarse en cada caso.

5. Para cumplir con el artículo 10 bis de la LCTTM ¿es posible sustituir la carta de porte por un documento de control?

Todo documento, con independencia de cómo se califique, que contenga las previsiones del apartado 1 del artículo 10 bis, permite cumplir con lo dispuesto en dicho precepto.

Por otra parte, el artículo 2.2 de la Orden FOM/2861/2012, de 13 de diciembre, por la que se regula el documento de control administrativo exigible para la realización de transporte público de mercancías por carretera dispone que "en aquellos supuestos en los que el transporte se documente en una carta de porte u otra documentación acreditativa ajustada a la legislación nacional, de la Unión Europea o internacional vigente en la materia, ésta servirá como documento de control administrativo siempre que contenga todos los datos recogidos en el artículo 6 de esta orden".

6. Si existe un contrato continuado, que ya incluye el precio ¿es aplicable lo dispuesto en la letra g) del apartado 1 del artículo 10?

Bastaría con la inclusión del precio en el contrato continuado, dado que dicho precepto exige su inclusión en la carta de porte o en "otro documento contractual por escrito".

7. ¿Constituye una infracción administrativa no llevar la carta de porte, cuando sea obligatoria, a bordo del vehículo?

No. No existe en la LOTT tipificada una infracción por dicho incumplimiento.

8. En los transportes de carga fraccionada ¿es de aplicación lo dispuesto en el artículo 10 bis?

Sí, únicamente se excluyen aquellos transportes excluidos de la obligación de disponer de un documento de control administrativo (transportes exentos de autorización, transporte de mudanzas, de vehículos accidentados o averiados o paquetería).

9. Para no cometer una infracción administrativa ¿qué se entiende por "otro documento contractual" en el que debe reflejarse el precio, cuando no se incluye en la carta de porte?

Cualquier documento por escrito en el que quede acreditado la aceptación del cargador y porteador en ese contrato: un correo electrónico con aceptación del precio por la otra parte, un WhatsApp con aceptación por la otra parte, etc.

10. Para que no se incurra en la infracción del apartado 28 del artículo 141 de la LOTT ¿es condición necesaria que la carta de porte obligatoria esté firmada por las partes del contrato?

De conformidad con la LCTTM la carta de porte debe estar firmada por el cargador y porteador. Por la Inspección de Transporte Terrestre podría comprobarse el cumplimiento de este extremo a efectos de la aplicación del apartado 28 del artículo 141 de la LOTT, también es previsible que, en este caso, se admita que esté firmada por cualquiera de los cargadores intervinientes en la cadena de subcontratación.

11. De tener la carta de porte el carácter de documento de control exigible en carretera y dado que el precio puede constar en otro documento contractual ¿será necesario mostrar también ese otro documento contractual?

Únicamente el documento de control administrativo será objeto de control obligatorio en carretera.

12. El "otro documento contractual" en el que conste el precio del contrato por escrito, ¿debe llevarse obligatoriamente a bordo del vehículo, o puede conservarse en la sede la empresa?

No debe llevarse obligatoriamente a bordo del vehículo a efectos de no incurrir en la comisión de una infracción administrativa. Bastaría que la empresa lo tenga a disposición de la Inspección de Transporte Terrestre durante un plazo de un año.

13. ¿Sería válida la cláusula mediante la que el cargador contractual requiere al transportista efectivo que le informe, en su caso, de que el precio del transporte es inferior a su coste efectivo individual? 13215 (sigue)
Desde un punto de vista estrictamente administrativo, ello no desvirtuaría la posible comisión de la infracción prevista en el apartado 42 del artículo 140 de la LOTT.

14. El apartado 5 del artículo 10 bis de la LCTTM ¿implica que el perjudicado por la contratación bajo coste no puede pedir una indemnización?
De conformidad con dicho precepto, el incumplimiento de lo dispuesto en el apartado 1g) del artículo 10 bis únicamente podrá tener, en su caso, consecuencias administrativas, a saber, la comisión de la infracción prevista en el apartado 42 del artículo 140 de la LOTT.

15. En el supuesto de que la carta de porte obligatoria prevista en el artículo 10 bis de la LCTTM no incluya la hora de recepción de la mercancía por el porteador efectivo o la hora prevista de mercancía en destino ¿se incurrirá en la comisión de una infracción administrativa?
No, puesto que hay que entender por la redacción del precepto que no son datos obligatorios.

16. Cuando se hace un transporte de grupaje ¿cómo se debe hacer constar la identificación del cargador cuando son varios?
Debería haber varias cartas de porte, por aplicación de lo dispuesto en el artículo 7.3 y 10. 3 de la LCTTM.

17. Para que el pago de un precio por debajo de los costes del transportista sea sancionable ¿deben darse simultáneamente los dos requisitos de "único envío" y "asimetría"?, ¿cuándo se considera un único envío?
Sí. Habría que entender que se trata de todos aquellos contratos que no puedan ser considerados transportes continuados de conformidad con lo que señala la LCTTM, según la cual "por el contrato de transporte continuado, el porteador se obliga frente a un mismo cargador a realizar una pluralidad de envíos de forma sucesiva en el tiempo".

18. En un transporte con diferentes envíos, para aplicar lo dispuesto en el artículo 10 bis que vincula la obligación a los supuestos en los que el precio del transporte sea superior a 150€, ¿se referiría a la suma del precio total de todo el transporte, o individualmente al precio de cada envío?
El apartado 3 del artículo 10 de la LCTTM establece que será necesario emitir una carta de porte por cada envío. Esta obligación se aplica en los supuestos del apartado 10 bis, de conformidad con lo dispuesto en el apartado 3 de este precepto.

Modelos y formularios

13220

Modelo de contrato de edición

En ....., a ..... de ..... de 13225

REUNIDOS

DE UNA PARTE, ... (en adelante, el EDITOR).
DE OTRA, ... (en adelante, el AUTOR).

EXPONEN

I. Que el AUTOR ha escrito la OBRA titulada ....., inscrita ante el Registro de la Propiedad Intelectual de ..... bajo el número ..... (en adelante la OBRA).
II. Que el EDITOR acepta la publicación de la OBRA, de acuerdo con las siguientes

CLÁUSULAS

PRIMERA.- El AUTOR cede al EDITOR la OBRA en exclusiva, para el territorio de España e Iberoamérica, entendiendo por tal todos los países del continente americano de habla hispana y Brasil.

SEGUNDA.- La cesión en exclusiva comprenderá:

(i) el derecho de reproducción y el de distribución de la OBRA;
(ii) los derechos correspondientes sobre las ediciones o reimpresiones sucesivas;
(iii) el derecho de traducción de la OBRA al idioma inglés, portugués y francés;
(iv) el derecho de comunicación pública en bases de datos y redes telemáticas de cualquier tipo.

TERCERA.- La tirada tendrá como mínimo ..... ejemplares y como máximo ....., y deberá ser puesta en circulación la primera edición al menos dentro de los dos meses siguientes a la firma del presente Contrato, momento en el que el EDITOR declara haber recibido el manuscrito definitivo a editar. La edición será en tapa dura [o «de bolsillo»] y contará con un prólogo de autor todavía a determinar, así como con ilustraciones cuyos derechos de autor pertenecen a tercero, y que el AUTOR acepta incluir en la OBRA.

CUARTA.- El EDITOR se reservará ..... ejemplares de la OBRA para la crítica y promoción de la OBRA, mientras que el AUTOR recibirá otros ..... ejemplares a título de cortesía.

QUINTA.- El AUTOR recibirá el ..... % de los ingresos netos que el EDITOR recaude como consecuencia de la explotación de la OBRA, una vez deducidos impuestos y posibles descuentos promocionales. Constará su nombre artístico en la portada, según lo exprese al EDITOR.
La liquidación se hará por trimestres.

SEXTA.- El EDITOR queda facultado para autorizar la utilización secundaria de la OBRA y proceder a la reproducción de la OBRA, o su préstamo en instituciones culturales, bibliotecas, archivos o lugares similares. A este respecto, regirá lo dispuesto en la Ley de Propiedad Intelectual en relación con la remuneración compensatoria por copia privada.

SÉPTIMA.- La duración de la cesión de los derechos a los que se refiere este Contrato será por el tiempo máximo previsto en la Ley, y en todo caso, de 15 años desde el momento al que se refiere el art.69.4ª de la Ley de Propiedad Intelectual.

OCTAVA.- El AUTOR garantiza al EDITOR el uso y explotación pacífico de la OBRA, respondiendo ante él de su originalidad con carácter permanente.

NOVENA.- Para cualquier desavenencia en relación con el presente contrato, las partes acuerdan someterse a la jurisdicción de los Tribunales de la ciudad de .....
Y para que así conste, ambas partes firman en doble ejemplar pero a un solo efecto, en el lugar y fecha más arriba mencionados.

EL AUTOR **EL EDITOR**

Modelo de contrato de prestación artística

13230 En ....., a ..... de ..... de .....

REUNIDOS

DE UNA PARTE, ..., mayor de edad, con DNI núm ....., y domicilio profesional en .....

Y DE OTRA, ..., mayor de edad, con DNI núm ....., y domicilio profesional en .....

INTERVIENEN

El primero en su propio nombre y representación (en adelante, el ARTISTA).
El segundo comparece como Director General de ..... (en adelante el PRODUCTOR).
Ambos intervinientes se declaran respectivamente con capacidad y facultades suficientes para intervenir en este acto, con el carácter con el que actúan, y a tal efecto

EXPONEN

I. Que la Productora tiene interés en llevar a cabo la adaptación del programa ..... (en adelante, el PROGRAMA).
II. Que, por este motivo, el PRODUCTOR está interesado en encargar al ARTISTA que éste interprete el personaje denominado ....., participante en el PROGRAMA, llevando a cabo las tareas necesarias hasta la completa incorporación de dichos servicios en lo que será la versión definitiva del PROGRAMA.

En su virtud, las partes acuerdan celebrar el presente Contrato con arreglo a las siguientes

CLÁUSULAS

PRIMERA.- El objeto del presente Contrato es la colaboración del ARTISTA como intérprete del personaje en el PROGRAMA, midiéndose su intervención estándar en no menos de ..... minutos del total metraje del PROGRAMA calculado en ..... minutos.

SEGUNDA.- La aportación del ARTISTA para el PROGRAMA consistirá actuar de acuerdo con los textos y guiones definitivos que a tal efecto se pongan a su disposición.
Las partes acuerdan que la entrega de los guiones se efectuará en las fechas que se señalan en el **Anexo 1** adjunto a este Contrato. Todo ello sin perjuicio de que los guiones sean remitidos y aprobados por el PRODUCTOR.

TERCERA.- El PRODUCTOR abonará al ARTISTA por la totalidad de sus servicios prestados la cantidad de ..... euros (y en letra). Dicho importe incluye la remuneración que el ARTISTA recibe por la cesión de los derechos de explotación, cantidades que le serán abonadas, previa presentación de la factura correspondiente, en los siguientes plazos .....

CUARTA.- Por el presente contrato el ARTISTA cede en exclusiva al PRODUCTOR cuantos derechos, excepción hecha de los irrenunciables, le pudieran corresponder en virtud de lo dispuesto en al Ley de Propiedad Intelectual por los servicios prestados al PRODUCTOR.
La cesión de estos derechos es perpetua y para todo el territorio mundial, no pudiendo el ARTISTA ceder a terceros estos mismos derechos sobre los servicios contratados.

Dicha cesión comprenderá los siguientes derechos:

1.- La reproducción, distribución y comunicación pública por cualquier medio conocido en la actualidad, ya sean estos medios de ámbito nacional, incluyendo televisiones regionales, locales o internacionales, ya sean sus respectivas titularidades jurídicas de carácter público o privado y emitan su señal a través de onda hertziana, por cable, fibra óptica o señal guiada, sin perjuicio de que dicha señal sea de pago o codificada o se transmita libremente incluyendo su posible captación a través de satélite y su origen sea de entidad distinta a la que envía dicha señal.
2.- La reproducción, distribución y comunicación pública de la obra audiovisual para su incorporación a un formato de vídeo doméstico y se destine a su venta, alquiler o préstamo ya sea individualmente o en colección escogida.
3.- La reproducción, distribución, comunicación pública y transformación de fragmentos del PROGRAMA, respetando en todo caso el derecho moral del ARTISTA, para su incorporación a cualquier producción o grabación audiovisual, incluyendo las de carácter publicitario, que reflejen lo más fielmente posible el PROGRAMA.

4.- La reproducción, distribución y comunicación pública de la obra audiovisual por los restantes medios de explotación no contemplados anteriormente, con o sin puesta a disposición del público de ejemplares individuales de la obra audiovisual. 13230 (sigue)
5.- Sobre sus interpretaciones y actuaciones en el PROGRAMA.
6.- El derecho de uso de su nombre propio y artístico, en su caso, y su imagen en relación con la explotación del PROGRAMA que se realicen de acuerdo con lo dispuesto en este contrato y su promoción y publicidad, sin limitación en el tiempo ni en el espacio.

Se entiende expresamente comprendidos en la presente cesión los derechos de «remake».
El ARTISTA reconoce y cede de modo irrevocable al PRODUCTOR el derecho de uso del PROGRAMA y de cualquier fotografía, cartel, dibujo y elemento en general del mismo y especialmente las fotografías, imágenes, registros sonoros de voz y efectos, actuaciones y cualquier trabajo en general del ARTISTA para o en el PROGRAMA, sin limitación alguna.
El ARTISTA reconoce que nada en este contrato puede ser interpretado limitando los derechos del PRODUCTOR, quien puede ejercerlos a su absoluta discreción.
Así, la variación, alteración, modificación, cambio, traducción, doblaje o subtitulado del PROGRAMA y de cualquiera de los elementos citados anteriormente, incluso de forma aislada, realizados por la productora y sus licenciadas si fuere el caso, no se considerarán deformación o cualquier otro atentado sobre la actuación del ARTISTA.
Sin perjuicio de lo indicado en los párrafos anteriores, el alcance de la cesión de derechos efectuada a favor del PRODUCTOR dejará a salvo los rendimientos económicos que, en concepto de derechos de autor, corresponda percibir al ARTISTA por el alquiler de su prestación, si fuere el caso, así como por su comunicación pública en cualquier modalidad, rendimientos que se cuantificarán de acuerdo con las tarifas de la entidad de gestión de derechos de propiedad intelectual a la que pertenece el ARTISTA.
La recaudación de tales derechos será de cargo del ARTISTA a través de la entidad de gestión correspondiente. Asimismo, la remuneración debida será exigida de quienes, legalmente, estén obligados a su pago. En ningún caso, será el PRODUCTOR obligado a pagar cualquier remuneración por estos conceptos.

QUINTA.- El PRODUCTOR podrá introducir en los guiones cuyos derechos de explotación adquiere por este contrato, las modalidades argumentales o de diálogo y escenarios que considere convenientes.
El PRODUCTOR tendrá derecho a resolver este Contrato, si la producción fuera suspendida, o si la calidad de los servicios prestados no fuera suficiente, sin que dicha resolución otorgue al ARTISTA derecho a indemnización alguna, salvo el pago de las dietas a que por convenio laboral tenga derecho.
El ARTISTA autoriza expresamente al PRODUCTOR para que, en la explotación televisiva del PROGRAMA, pueda realizar las modificaciones en la forma de emisión que exija la programación.

SEXTA.- Las Partes en su interés de colaboración y cooperación en la ejecución y desarrollo del presente Contrato, entienden adecuado y de máxima importancia el establecimiento entre ellas de estrechas relaciones de colaboración.

SÉPTIMA.- De acuerdo con lo dispuesto anteriormente, el ARTISTA se compromete a realizar en favor del PRODUCTOR las actuaciones propias de su actividad hasta lograr que el PROGRAMA sea considerado apto o útil por el PRODUCTOR, tanto desde el punto de vista técnico como artístico, obligándose el ARTISTA a repetir las actuaciones cuantas veces sean necesarias a este fin y todo ello de acuerdo con los usos de la industria de realización de programas audiovisuales.
El ARTISTA se compromete, asimismo, a intervenir y colaborar, a requerimiento del PRODUCTOR, en las sesiones fotográficas, campañas y actuaciones promocionales si fuera el caso, organizadas por el PRODUCTOR en la presentación y promoción del PROGRAMA y, consiguientemente se compromete a participar en toda clase de entrevistas, intervenciones ante fotógrafos, medios, etc.
El PRODUCTOR seleccionará libremente todo el equipo técnico y artístico del PROGRAMA, así como al realizador y productor ejecutivo de los mismos, si fuere el caso, comprometiéndose el ARTISTA a seguir las instrucciones del realizador y/o el PRODUCTOR y a presentarse a las sesiones de rodaje, mezclas y montaje que el realizador y/o el PRODUCTOR le indiquen en condiciones adecuadas para el cumplimiento de sus obligaciones establecidas en este contrato, esto es, en los lugares que designe el PRODUCTOR dentro del territorio de ..... y durante un tiempo no superior a ..... días en un periodo a contar del día de hoy y hasta el ..... Los lugares y localidades de rodaje y los días concretos para ello serán determinados por el PRODUCTOR de acuerdo con el cuadro que se adjunta a este contrato como Anexo.

13230 (sigue) **OCTAVA.-** En la promoción y publicidad del PROGRAMA, que podrá ser realizada por el PRODUCTOR por cualquier medio conocido o por conocer incluyendo como se ha indicado anteriormente el merchandising de cualquier artículo.

NOVENA.- Todas las obligaciones laborales, fiscales y las relativas a la Seguridad Social derivadas de la relación entre el ARTISTA y el PRODUCTOR, son responsabilidad exclusiva de éste.

DÉCIMA.- Las Partes, con renuncia expresa a su propia jurisdicción o a las que les corresponda en cualquier asunto litigioso que surja de la interpretación, aplicación o cumplimiento de este Contrato, someten la resolución de dicho asunto litigioso a los tribunales de la ciudad de .....

Este contrato se regirá e interpretará con arregla a la ley española.
Todas las partes están conformes con este Contrato, y para que así conste lo firman por duplicado en el lugar y fecha arriba indicados.

Fdo.: EL ARTISTA **Fdo.: EL PRODUCTOR**

Contrato de cesión de derechos de propiedad intelectual

En ..., a ... de ... de ... 13235

REUNIDOS

DE UNA PARTE:

..., con domicilio en ..., de ... con NIF G-xxxxx, inscrita en el Registro de ...

DE OTRA PARTE:

[**Nombre de fotógrafo**], con domicilio profesional en ..., con NIF xxxxx.

INTERVIENEN:

La primera, representada por D./Dª. Xxxxxxx, cuyo NIF es xxxxxx, con domicilio profesional en el arriba indicado, según resulta de escritura de poderes otorgada ante el notario de Madrid D./Dª. Xxxxx, en fecha xxxxx con el número xxx de protocolo (en adelante, «...»). El segundo, en su propio nombre y derecho (en adelante, «el Fotógrafo»).

EXPONEN

I. Que ... tiene previsto organizar una serie de encuentros y foros de debate en su domicilio los primeros martes de cada mes a partir de ... (en adelante, «el Evento»). Dichos encuentros tendrán el nombre de «...», y son ideados y organizados por ....

II. Que a fin de dejar documentado fotográficamente el Evento, ... desea contratar los servicios del Fotógrafo en los términos previstos en este Contrato.

III. Que ambas partes se reconocen capacidad suficiente y necesaria para concluir el presente Contrato el cual sujeta a las siguientes

CLÁUSULAS

PRIMERA.- Objeto del presente Contrato

1.1. En virtud del presente Contrato ... contrata los servicios del Fotógrafo a fin de que este lleve a cabo un reportaje fotográfico del Evento con sus propios medios técnicos (en adelante, «el Reportaje»), y, posteriormente, edite las fotografías obtenidas a satisfacción de ... y se las entregue en las condiciones pactadas.

SEGUNDA.- Titularidad de los derechos de propiedad intelectual. Ámbito temporal y territorial de la transmisión de derechos

2.1. Por virtud del presente Contrato, el Fotógrafo cede en exclusiva a ... todos los derechos de propiedad intelectual sobre las fotografías incluidas en el Reportaje, y en concreto, los derechos de reproducción, distribución, comunicación pública y transformación. Específicamente, se establece que el concepto de comunicación pública incluye el derecho de puesta a disposición, y el de exposición pública de aquellas fotografías.

2.2. El ámbito territorial de la presente cesión es todo el mundo, siendo el ámbito temporal todo el tiempo de duración de los derechos existentes sobre las fotografías del Reportaje.

TERCERA.- Propiedad del soporte al que se incorporen las fotografías del Reportaje

3.1. Corresponde a ... la propiedad del soporte, digital o no, al que se incorporen las fotografías incluidas en el Reportaje.

CUARTA.- Plazo de entrega del Reportaje

4.1. El Fotógrafo se compromete a entregar el Reportaje en un plazo no superior a una semana desde la celebración del Evento, salvo que ... decida ampliar este plazo.

QUINTA.- Mención del nombre del Fotógrafo

5.1. ... indicará convenientemente el nombre del Fotógrafo como autor del Reportaje, sin perjuicio del reconocimiento de la titularidad de los derechos de propiedad intelectual sobre el mismo.

SEXTA.- Honorarios del Fotógrafo

6.1. Por los servicios contratados en virtud del presente documento, así como por la cesión de los derechos de propiedad intelectual, el Fotógrafo percibirá la cantidad bruta de xxxxx,xx euros (en letra), comprometiéndose a emitir la correspondiente factura, en la que habrá de constar el número de cuenta corriente al que transferir el pago.

SÉPTIMA.- Duración del presente Contrato

7.1. ... contrata los servicios del Fotógrafo para que este cubra los reportajes fotográficos correspondientes a todas y cada una de las sesiones, que tendrán lugar entre el xx y el xx, los primeros martes de cada mes. No obstante lo anterior, ... se reserva el derecho a modificar las fechas indicadas, así como a contratar discrecionalmente los servicios profesionales de otro fotógrafo, en cuyo caso lo pondría en conocimiento del Fotógrafo con la debida antelación.

OCTAVA.- Ley aplicable y jurisdicción

8.1. El presente Contrato se rige por el Ordenamiento jurídico español.

8.2. Con renuncia expresa a la jurisdicción territorial que pudiera corresponderles, ambas partes se someten a la de los juzgados y tribunales de la ciudad de ... para la resolución de cuantas cuestiones pudieran surgir entre ambas en relación con la interpretación o ejecución del presente Contrato.

13235 (sigue) Y en prueba de conformidad ambas partes firman el presente Acuerdo de Intenciones relativo a la producción de obra audiovisual de la Serie, por duplicado en el lugar y fecha indicados ut supra.

D./Dª. Xxxxxxxxxxxx D./Dª. Xxxxx (el fotógrafo)

Por [...]

Acuerdo de Joint-Venture

En ....., a ..... de ..... de 13240

INTERVIENEN

DE UNA PARTE:
D./Dña. ....., en nombre y representación de la sociedad denominada ....., nacionalidad española, con sede social en ....., constituida por tiempo indefinido mediante escritura pública otorgada ante el Notario ....., con fecha ....., con el número ..... de su protocolo e inscrita en el Registro Mercantil de ....., bajo el Tomo ....., Folio ....., Página ....., inscripción ....., y titular del Número de Identificación Fiscal ..... (de aquí en adelante .....). D./Dña. ..... actúa en virtud de .....

DE OTRA PARTE:
D./Dña. ....., en nombre y representación de la sociedad denominada ....., de nacionalidad española, con sede social en ....., constituida por tiempo indefinido mediante escritura pública otorgada ante el Notario ....., con fecha ....., con el número ..... de su protocolo e inscrita en el Registro Mercantil de ....., bajo el Tomo ....., Folio ....., Página ....., inscripción ....., y titular del Número de Identificación Fiscal ..... (de aquí en adelante .....). D./Dña. ..... actúa en virtud del .....

En adelante, conjuntamente, las **«Partes»** e individualmente, una **«Parte»**.

EXPONEN

I. Las Partes están interesadas en asociarse (formando una **«Joint Venture»**) con objeto de promover un centro comercial y de ocio en la ciudad de .....
II. El proyecto, todavía en fase de estudio y definición, consiste en un centro comercial y de ocio de uso mixto compuesto por (a) un «Mall» cubierto de [dos] plantas, y (b) las plazas de aparcamiento e infraestructura adecuadas (el **«Proyecto»**).
III. Los terrenos del Proyecto están ubicados en ..... y tienen una superficie aproximada de ..... m^2, excluyendo la parte de los mismos que tendrán que ser cedidos al Ayuntamiento de Granada en relación con la promoción del Proyecto. Se adjunta un plano de los Terrenos del Proyecto como Anexo 1 a este Acuerdo (los **«Terrenos del Proyecto»**). ..... tiene la plena propiedad sobre los Terrenos del Proyecto, estando su título debidamente inscrito en el Registro de la Propiedad.
IV. Es intención de las Partes, una vez obtenido el informe favorable de la Comunidad Autónoma de ..... para la implantación de una gran superficie comercial y, eventualmente, el planeamiento municipal sea el adecuado para el proyecto, interesar a un tercer inversor en el Proyecto.
En virtud de lo cual, y conforme a los acuerdos y pactos que aquí se establecen, las Partes suscriben el presente contrato de Joint Venture (el **«Acuerdo»**) conforme a las siguientes

ESTIPULACIONES

PRIMERA. «Objeto de la joint venture»

1.1. **Compromiso de las Partes**

Las Partes acuerdan que cada una de ellas actuará de buena fe y con diligencia en la consecución de las metas y objetivos de la Joint Venture tal y como se detallan en este Acuerdo. Además de desarrollar las actividades específicas que correspondan a cada Parte de acuerdo con los términos y condiciones del presente Acuerdo, cada Parte dedicará el tiempo, esfuerzo y recursos que resulten razonablemente necesarios para que la Sociedad Conjunta pueda cumplir los objetivos y metas propuestos en el mismo.

1.2. **Objeto y ámbito**

El único objeto de la Joint Venture será:

(i) la promoción del Proyecto, incluyendo la financiación, comercialización, arrendamiento y gestión del mismo, así como el desarrollo de las actividades auxiliares y complementarias al mismo;
(ii) la venta a un tercer inversor del Proyecto, ya sea directamente o a través de la venta de las participaciones de la Sociedad Conjunta, y

13240 (sigue) (iii) desarrollar las acciones que resulten necesarias y/o adecuadas para conseguir lo anterior. Para mayor certeza, la Joint Venture no acometerá inversiones o desarrollará actividades distintas a las del Proyecto.

SEGUNDA. «Constitución de la sociedad conjunta»

2.1. **Constitución de la Sociedad Conjunta**

Tan pronto como sea posible y no más tarde del ....., las Partes constituirán una sociedad de responsabilidad limitada (la **«Sociedad Conjunta»**).
El capital social de la Sociedad Conjunta será el mínimo imprescindible para realizar las labores de pre-promoción, incluyendo la realización de estudios (tráfico, medioambiental, geológico, etc.) y la obtención de licencias y planeamiento adecuado.
Cada Parte aportará y suscribirá un 50% del capital social de la Sociedad Conjunta.

2.2. **Junta General de Socios**

Las Partes celebrarán Junta General de socios el mismo día en que se produzca la constitución de la Sociedad Conjunta con la presencia de la totalidad del capital social. Los socios adoptarán por unanimidad los siguientes acuerdos:

(i) nombrar las personas que serán miembros del Consejo de Administración conforme a lo dispuesto en la estipulación Sexta;
(ii) celebrar con ..... (o la sociedad .....) un contrato de gestión de la promoción; y
(iii) suscribir una opción de compra gratuita sobre los Terrenos del Proyecto.

TERCERA. «Proyecto y promoción»

3.1. **El Proyecto**

El Proyecto, todavía en fase de estudio y definición, consiste en un centro comercial y de ocio de uso mixto compuesto por:

(i) un «Mall» cubierto de [dos] plantas;
(ii) un aparcamiento con una capacidad no inferior a 1 plaza por cada ..... m^2 de superficie bruta alquilable; y
(iii) infraestructuras, calles, accesos, zonas ajardinadas e instalaciones adecuadas.

3.2. **Los terrenos del Proyecto**

En el plazo máximo de ..... días desde la constitución de la Sociedad Conjunta, ésta y ..... celebrarán una escritura pública de opción de compra en las siguientes condiciones:

(i) «Plazo». 1 año desde su otorgamiento, prorrogable automáticamente por dos plazos adicionales de seis meses cada uno en caso de que la segunda licencia para el Proyecto no hubiere sido concedida;
(ii) «Objeto». Los terrenos del Proyecto;
(iii) «Cargas». Los terrenos del Proyecto se transmitirán libres de cargas y arrendatarios y/u ocupantes y al corriente en el pago de todo tipo de tributos;
(iv) «Precio de los terrenos del Proyecto». ..... euros (..... euros) por cada metro cuadrado de edificabilidad que se consuma en el Proyecto. El precio se abonará al contado y se verá incrementado con el IVA aplicable. Los gastos se abonarán según ley; y
(v) «Prima de la Opción». Gratuita.

..... se obliga igualmente a adquirir por su cuenta y a su cargo y transmitir a la Sociedad del Proyecto los terrenos que fueran necesarios o convenientes para la construcción de los accesos al Proyecto. A este respecto la Sociedad del Proyecto contratará un consultor especializado en tráfico para que estudie las necesidades de accesos del Proyecto. Si del informe de dicho especialista resultara la necesidad de adquirir terreno adicional para los accesos de tráfico y/o peatones, ... lo adquirirá, entendiéndose que el precio de adquisición de los Terrenos del Proyecto incluye (y, por tanto, no se verá alterado) los citados terrenos adicionales.

3.3. **Gestión de la Promoción**

....., bien directamente, o a través de una o más de sus filiales, tendrá la responsabilidad global en relación con la promoción del Proyecto. Los términos y condiciones de dicha función se detallarán en un acuerdo de gestión de la promoción que se formalizará lo antes posible y que se ajustará a lo previsto en la presente estipulación.

..... (directamente, o a través de una sociedad de su grupo) será la responsable de las actividades realizadas durante la pre-promoción y la promoción del Proyecto. Durante estas fases y hasta la terminación del Proyecto, ... llevará a cabo, bajo su exclusivo criterio, las siguientes actividades principales en nombre de la Sociedad Conjunta: **13240** (sigue)

1. «Diseño y Especificaciones». La coordinación y supervisión de las labores de diseño, especificaciones y de preparación de la documentación detallada del diseño del Proyecto (incluidos estudios técnicos detallados y borradores que se necesiten para el Proyecto Básico o de Ejecución), junto con los arquitectos, ingenieros, consultores, asesores y, en general, el equipo que ..... elija, en nombre de la Sociedad Conjunta, para trabajar en el Proyecto;
2. «Proyectos». La aprobación, en nombre de la Sociedad Conjunta, del Proyecto Básico y de Ejecución, así como de sus eventuales modificaciones;
3. «Licencias». La coordinación y supervisión de los procedimientos de planeamiento, elaboración de planes urbanísticos y obtención de licencias, incluidas todas aquellas negociaciones para dicha obtención de las licencias necesarias para iniciar la promoción, las obras, la finalización y la puesta en funcionamiento del Proyecto (incluyendo la segunda licencia) e incluyendo la selección y contratación, en nombre de la Sociedad Conjunta, de los asesores adecuados para gestionar estas materias;
4. «Gestión de la promoción». Las tareas y responsabilidades propias de la gestión de la promoción, incluyendo:

(i) el control y la supervisión de las obras de construcción que realizarán contratistas elegidos y contratados, en nombre de la Sociedad Conjunta, por .....;
(ii) el control y la supervisión de los trabajos de infraestructura relacionados con el Proyecto;
(iii) la coordinación entre todos los consultores, contratistas y otros participantes en la promoción del Proyecto;
(iv) la disposición y coordinación de las observaciones y/o inspecciones habituales realizadas por el arquitecto del Proyecto y otros consultores relevantes;
(v) el control del cumplimiento de los calendarios previstos;
(vi) la supervisión del control y escrutinio de todos los costes de construcción, con el fin de asegurar que no se producen desvíos en la asignación de dichos costes;
(vii) la creación y mantenimiento (directamente o a través de una empresa contratada al efecto) de los registros contables necesarios para la promoción del Proyecto, y de un procedimiento satisfactorio para el prestamista del Proyecto para efectuar los pagos a los contratistas, a los proveedores y a otros;
(viii) el control del cumplimiento de la Sociedad Conjunta con las licencias, acuerdos, leyes y normativa aplicables de un modo general a la promoción;
(ix) la negociación y acuerdo de financiación de la promoción del Proyecto y dirigir las relaciones diarias entre la Sociedad Conjunta y su prestamista;
(x) supervisión de los servicios prestados a los arrendatarios por el equipo de coordinación para obras privativas;
(xi) labores de tesorería de la Sociedad Conjunta, supervisar el cierre de las cuentas cada ejercicio fiscal de la Sociedad del Proyecto y organizar la auditoría de dichas cuentas, cuando ésta sea requerida; y
(xii) toda otra actividad durante la pre-promoción y la promoción que sea necesaria para la consecución del Proyecto y que esté relacionada con todo lo anterior.

5. «Asesores». ....., a su entera discreción, seleccionará y contratará, en nombre de la Sociedad Conjunta, los asesores legales, contables, auditores, etc., que considere necesarios para la buena marcha y defensa de los intereses de la Sociedad Conjunta y del Proyecto.

3.4. **Control de Costes y de Calidad**

La promoción será supervisada por los siguientes expertos externos e independientes: (i) un consultor independiente que realizará el control de costes del Proyecto hasta su finalización, y (ii) un consultor que comprobará la calidad de los materiales utilizados en la promoción. ..... seleccionará y contratará, en nombre de la Sociedad Conjunta, a los citados consultores.

3.5. **Honorarios por Gestión de la Promoción**

Por los servicios descritos en el apartado anterior la Sociedad Conjunta pagará a ..... unos honorarios de mercado para servicios de esta naturaleza en proyectos de primer orden en que intervienen inversores institucionales internacionales y que se fijará en un porcentaje de los costes totales (directos e indirectos) de la promoción, más los gastos razonables en que se hubiera incurrido y el IVA correspondiente. Estos honorarios se liquidarán mensualmente

13240 (sigue) mediante el abono del resultado de dividir el importe de dichos honorarios (estimado según el presupuesto de la promoción) por el número de meses en que esté previsto que la promoción se desarrolle, sin perjuicio de reajustar los honorarios posteriormente en virtud del coste total real de la promoción.

3.6. **Arrendamiento**

Hasta la finalización de la promoción, ... (directa o indirectamente) será responsable del arrendamiento del Proyecto, incluyendo tal responsabilidad:

(a) el nombramiento de un (o varios) intermediario o agente para el arrendamiento del Proyecto;
(b) la firma, modificación o resolución de contratos de arrendamiento, acuerdos de intenciones, etc., en nombre de la Sociedad Conjunta; y
(c) la determinación de la política de arrendamiento, merchandising mix y marketing del Proyecto.

3.7. **Honorarios de Arrendamiento**

Cualquiera de las Partes (o Filial de las mismas) responsable de forma exclusiva de la introducción en el Proyecto de un arrendatario tendrá derecho a una comisión de arrendamiento (devengada una sola vez) igual al ..... % de la renta anual contractual del local arrendado, que se devengará a la firma del contrato de arrendamiento correspondiente. No obstante, dicha comisión solo será pagadera si la Sociedad Conjunta no está obligada a pagar una comisión de arrendamiento u otro pago similar a un agente o intermediario inmobiliario como resultado de dicho contrato de arrendamiento.

3.8. **Gestor de la Propiedad**

..... seleccionará y contratará, en nombre de la Sociedad Conjunta, un gestor/administrador de reconocido prestigio y experiencia para la gestión o administración del Proyecto. Este gestor iniciará su trabajo aproximadamente seis meses antes de la finalización de la promoción e incluirá los servicios de gestión de la propiedad habituales en este tipo de Proyectos.

3.9. **Seguro**

La Sociedad Conjunta suscribirá las pólizas de seguro necesarias o deseables en relación con el Proyecto, incluyendo: (i) seguro de construcción contra pérdida o daños en una cantidad igual al coste de reposición, (ii) seguro de pérdidas incluyendo pérdidas de la Sociedad Conjunta por rentas, (iii) responsabilidad civil, y (iv) seguro de responsabilidad decenal.

CUARTA. «Financiación del proyecto»

4.1. **Financiación del Proyecto por un Inversor**

Es intención de las Partes, una vez obtenida la segunda licencia para el Proyecto, interesar a un inversor internacional (el **«Inversor»**) en la adquisición del Proyecto y celebrar un contrato en virtud del cual el Inversor:

(i) adquiera los Terrenos del Proyecto directamente de ....., habiendo la Sociedad Conjunta cedido su opción de compra sobre los mismos al Inversor y el Inversor abonado a ..... su precio en las condiciones descritas en este Acuerdo;
(ii) celebre con la Sociedad Conjunta un contrato de promoción mediante el cual la Sociedad Conjunta se ocupe de gestionar y dirigir la promoción hasta su finalización, adquiriendo el citado inversor el Proyecto «llave en mano»; y
(iii) acepte en el contrato de promoción entre el Inversor y la Sociedad Conjunta aportar los fondos necesarios para financiar la promoción.

Las Partes manifiestan que no iniciarán la construcción del Proyecto en tanto no se haya cerrado un acuerdo firme con un Inversor tal como se prevé en esta estipulación.

4.2. **Alternativa de Venta**

En caso de que el Inversor planteara la compra de las participaciones de la Sociedad Conjunta en vez de la adquisición del Proyecto, ambas partes se comprometen a aceptar dicha alternativa siempre que la adquisición se realice en condiciones razonables.

4.3. **Otras necesidades de financiación** 13240 (sigue)

En tanto se interesa al Inversor en el Proyecto o, como paso previo a dicha participación, ..., en nombre de la Sociedad Conjunta, hará cuantas gestiones sean razonables para obtener la máxima financiación para el Proyecto y, en todo caso, con objetivo de obtener financiación no inferior al ..... % del coste del Proyecto (incluyendo los Terrenos del Proyecto).
En tanto sea posible, la financiación del Proyecto se obtendrá mediante préstamos concedidos a la Sociedad Conjunta que no supongan la prestación de garantías por las Partes. En el supuesto de que se precisen garantías adicionales o ampliaciones del crédito, serán las Partes quienes proporcionen dichas garantías (con responsabilidad mancomunada).
Cuando los fondos se caractericen como aportación de capital, las Partes recibirán las participaciones correspondientes a su aportación.

4.4. **Fondos que habrán de ser Proporcionados por las Partes**

La Sociedad Conjunta se constituirá con el capital social necesario tal como se contempla en la estipulación 2.1 anterior. Cualquier aumento de capital requerirá el voto favorable de ambas Partes.
Los fondos que hayan de ser aportados por las Partes para atender las necesidades de financiación de la Sociedad Conjunta, ya sea mientras se obtiene la financiación externa, por no quedar cubiertos por financiación externa o no estar cubiertas por el Inversor, serán aportados por las Partes a prorrata de su participación en el capital conforme se establece en este Acuerdo. Cuando se precise financiación de las Partes, éstas proporcionarán dichos fondos a la Sociedad Conjunta a través de préstamos de socios **(«Préstamos de Socios»)**, en términos y condiciones razonables.

4.5. **Refinanciación del Proyecto**

Las Partes tienen la intención, siempre que sea prudente y comercialmente aconsejable y en caso de que fuera consistente con el acuerdo alcanzado con el Inversor, de refinanciar el Proyecto a la mayor brevedad posible tras su finalización. En el supuesto de que como resultado de la Refinanciación se produzca un excedente de tesorería susceptible de ser repartido entre las Partes, éstas trabajarán conjuntamente para garantizar que dicha distribución se haga del modo que fiscalmente resulte más beneficioso.

4.6. **Convocatoria de Financiación**

Si las Partes acuerdan proceder a una ampliación de capital o existe la necesidad de conceder a la Sociedad Conjunta préstamos de los socios a la Sociedad Conjunta, se formulará por la Sociedad Conjunta (o por cualquiera de las Partes) una comunicación escrita que será remitida a las Partes en la que se recogerán los requerimientos adicionales de capital y/o los préstamos de socios que se precisen (dicha notificación se denominará **«Convocatoria de Financiación»)**. En caso de que hubiera aprobado un aumento de capital, la comunicación especificará el porcentaje sobre el importe total que habrá de ser satisfecho por una aportación adicional de capital y el porcentaje que procederá de un Préstamo de Socios.
Si una Parte incumple la obligación de atender íntegramente la Convocatoria de Financiación, al no poner a disposición de la Sociedad Conjunta dichos fondos en el plazo establecido para ello, dicha Parte estará en incumplimiento. En ese caso y además de las consecuencias que establezca la ley o este Acuerdo para el citado incumplimiento, la otra Parte podrá optar por aportar dichos fondos bien como Préstamo de Socios remunerado un 3% más que los demás Préstamos de Socios.

QUINTA. «Repartos»

5.1. **Distribución de la liquidez disponible**

El Consejo o la Junta General de Socios, según proceda, en un plazo no superior a 30 días a contar desde la finalización de cada trimestre del ejercicio económico (o tan pronto como sea posible tras la finalización del mismo), o con una mayor frecuencia si así lo estima el Consejo, llevará a término el reparto de las cantidades líquidas disponibles **(«Liquidez Disponible»)** a favor de las Partes, teniendo en cuenta el presupuesto entonces vigente, las contingencias fiscales en que pudiera haberse incurrido por la Sociedad, así como las reservas establecidas para la Sociedad.

13240 (sigue) 5.2. **Prelación**

La Liquidez Disponible se distribuirá de acuerdo con el siguiente orden de prelación y a prorrata de la participación en el capital de las Partes:

(i) en primer lugar, como reembolso de los intereses devengados y no pagados de los Préstamos de Socios;
(ii) en segundo lugar, como reembolso del principal de los Préstamos de Socios;
(iii) en tercer lugar, como la devolución del capital social; y
(iv) en cuarto lugar, como dividendos;

SEXTA. «Gestión y organización de la sociedad conjunta»

6.1. **Responsabilidad del Consejo**

El consejo de administración de la Sociedad Conjunta (el **«Consejo»**) será responsable de la administración global de los negocios y asuntos de la Sociedad Conjunta conforme a la legislación española y sin perjuicio de las facultades de ..... conforme a este Acuerdo en relación con la promoción.

6.2. **Adopción de Acuerdos**

Todas las decisiones del Consejo se adoptarán con el voto favorable de la mayoría simple de los miembros del Consejo (siendo ésta la mitad más uno), excepto la venta del Proyecto, que requerirá unanimidad.
Todas las decisiones adoptadas por la Junta de Socios tendrán que contar con el voto favorable de la mayoría simple de las participaciones sociales que en ese momento estén suscritas.
En el primer Consejo las Partes votarán a favor del otorgamiento de poderes a favor de ..... incluyendo todas las facultades que corresponden a ..... en relación con la promoción y la gestión de la Sociedad Conjunta.

6.3. **Composición del Consejo**

Las Partes votarán a favor de la constitución de un Consejo compuesto por ..... miembros, ... de los cuales serán nombrados a propuesta de ..... y los otros ..... Consejeros serán nombrados a propuesta de .....
No obstante, si la participación en el capital de una de las Partes se ve reducida, su representación en el Consejo se reducirá proporcionalmente.

6.4. **Organización del Consejo**

Los miembros del Consejo inicialmente propuestos por ..... son D. ..... y D. ..... y por ..... son D. ..... y D. ..... Las Partes en virtud del presente Acuerdo confirman que votarán a favor del nombramiento de dichos representantes como miembros del Consejo de Administración.
Los cargos en el Consejo se cubrirán inicialmente de la siguiente manera:
• Presidente .....
D. .....
• Vice-Presidente .....
D. .....
• Vocal .....
D. .....
• Secretario .....
D. .....

6.5. **Reuniones del Consejo**

El Consejo se reunirá al menos una vez cada tres meses en la localidad de ....., o en cualquier otro lugar y tiempo que el Presidente del Consejo determine razonablemente. Podrán celebrarse sesiones por escrito y sin sesión conforme establece la ley.

6.6. **Intérpretes** **13240** (sigue)

Las partes acuerdan que los consejeros nombrados por ..... o cualquier persona autorizada para actuar como representante de ..... en las Juntas Generales de Socios (o en cualquier otra Junta) o en las reuniones del Consejo puedan ir acompañados de un intérprete elegido por ellos.

SÉPTIMA. «Restricciones a la transmisión de participaciones sociales»

7.1. **Restricciones a la Transmisión**

(i) Hasta el momento en que se llegue a un acuerdo definitivo con el Inversor (siempre que no hayan transcurrido 3 años desde la fecha del presente Acuerdo), las Partes se obligan a no vender, ceder, o transmitir por cualquier otro título, una parte o la totalidad de su participación en el capital y/o los Préstamos de Socios en la Sociedad Conjunta; y
(ii) Alcanzado un acuerdo definitivo con un Inversor o transcurridos 3 años desde la firma de este Acuerdo, la Parte que pretenda transferir sus participaciones sociales en la Sociedad Conjunta y/o los Préstamos de Socios a un tercero deberá comunicarlo por escrito a la otra Parte, quien tendrá el derecho de adquirirlos en las mismas condiciones que el tercero y con preferencia a éste, disponiendo de un plazo de ..... días para comunicar su decisión a este respecto.

7.2. **Transmisiones a Cesionarios**

Cualquier Parte podrá en cualquier momento transferir todo o parte de sus participaciones sociales y/o los Préstamos de Socios a cualquiera de sus filiales o sociedades del grupo o bajo el control de los mismos socios, siempre que como condición previa a dicha transmisión, el cesionario (el **«Cesionario Autorizado»**) otorgue y remita a la otra Parte firmante de este Acuerdo una declaración manifestando que queda vinculado por las estipulaciones contenidas en este Acuerdo como si lo hubiese suscrito originariamente. En lo que se refiere a los Préstamos de Socios realizados por el Cedente a la Sociedad, su cesión se efectuará de conformidad con las disposiciones legales españolas a este respecto.

7.3. **Ineficacia de determinadas Transmisiones**

Cualquier transmisión de participaciones sociales y/o Préstamos de Socios de una de las Partes realizada en cualquier momento en contravención de lo aquí dispuesto se considerará nula y no surtirá efecto alguno.

OCTAVA. «Situación de punto muerto»

8.1. **Situación de Punto Muerto**

A los efectos del presente Acuerdo, una **«Situación de Punto Muerto»** hará referencia a cualquiera de los siguientes supuestos:

(i) la no concesión de la segunda licencia para el Proyecto en el plazo de dos años desde la firma de este Acuerdo;
(ii) la imposibilidad de adoptar un acuerdo o alcanzar una decisión en una junta de socios o en un Consejo, sobre una materia importante competencia de dicho órgano social conforme a este Acuerdo y tras haberse celebrado dos juntas generales consecutivas o bien dos Consejos, según proceda, sin que dicha situación haya sido resuelta por disparidad de criterio entre las Partes; o
(iii) el incumplimiento por ..... de sus obligaciones conforme a la opción de compra de los Terrenos del Proyecto;
(iv) no alcanzar un acuerdo con un Inversor en el plazo de un año desde que se obtuviera la «segunda licencia»; y
(v) cualquier situación en la que una o más estipulaciones de este Acuerdo que pudieran afectar o afecten materialmente a la viabilidad del Proyecto hayan sido declaradas nulas sin que las Partes, actuando diligentemente y con buena fe, hayan podido acordar otras que sustituyan de modo satisfactorio a las anteriores.

13240 (sigue) 8.2. **Compraventa**

La Situación de Punto Muerto facultará a la Parte que no hubiera, en su caso, provocado dicha situación dolosa o culposamente, para promover una compraventa (la **«Compraventa»**) en relación con su participación en el capital y los Préstamos de Socios de la otra Parte.
La Compraventa se realizará de acuerdo con las siguientes disposiciones:

(a) la Compraventa se promoverá mediante una notificación escrita de una Parte (la **«Parte Promotora»**) a la otra (la **«Parte Receptora»**) especificando el precio por el que la Parte Promotora estaría dispuesta a adquirir los intereses de la Parte Receptora en la Sociedad Conjunta;
(b) la Parte Receptora tendrá un plazo de hasta ..... días desde la recepción de dicha notificación para contestar a la misma y en particular para notificar por escrito a la Parte Promotora su intención de adquirir la participación en el capital y los Préstamos de Socios de la Parte Promotora o por el contrario vender su participación en el capital y sus Préstamos de Socios al precio de venta propuesto por la Parte Promotora;
(c) la Compraventa deberá cerrarse en el plazo de ..... días hábiles a contar desde la finalización del periodo de ..... días hábiles mencionados en el párrafo (b) supra;
(d) en el supuesto de falta de notificación por la Parte Receptora a la Parte Promotora de su intención de adquirir la participación en el capital y los Préstamos de Socios de la Parte Promotora o de enajenar las mismas, la Parte Promotora quedará facultada para adquirir la participación en el capital y los Préstamos de Socios de la Parte Receptora, y ésta estará obligada a vender su participación en el capital y los Préstamos de Socios al precio establecido en el párrafo (a) supra.

Las Partes estarán facultadas para adquirir la participación en el capital y los Préstamos de Socios en su propio nombre o en nombre de una Filial, siempre que tal Filial otorgue este Acuerdo.

NOVENA. «Disolución y liquidación»

9.1. **Disolución**

Además de las causas de disolución aquí contempladas o las previstas en la legislación española, la Junta General de Socios podrá acordar la disolución y liquidación de la Sociedad Conjunta (y las Partes votarán a favor de dicha disolución si median las circunstancias previstas) tras la venta, enajenación o transmisión de todos o la mayor parte de los activos de la Sociedad y el cobro de las cantidades derivadas de dicha transmisión.

DÉCIMA. «Supuestos de incumplimiento»

10.1. **Supuestos de Incumplimiento y Periodos de Subsanación**

Cualquiera de los siguientes supuestos constituirá un supuesto de incumplimiento (un «Supuesto de Incumplimiento») del presente Acuerdo por la Parte que motivó dicho Incumplimiento (la **«Parte Incumplidora»**):

(a) incumplimiento de observar o ejecutar cualquier pacto sustancial, obligaciones o acuerdos, incluyendo las obligaciones de voto o financiación, asumidos por dicha Parte en virtud de este Acuerdo, si la Parte Incumplidora no remedia dicho incumplimiento en el plazo de 15 días a contar desde la recepción de la notificación de dicho incumplimiento por la otra Parte, siempre que ésta estuviere en cumplimiento del presente Acuerdo;
(b) contravención de alguna de las restricciones a la Transmisión establecidas en la Estipulación 7; y
c) que se siga procedimiento de insolvencia contra una Parte.

10.2. **Acciones legales en materia de Incumplimiento**

Cuando tenga lugar un Supuesto de Incumplimiento (un **«Supuesto de Incumplimiento»**) o cualquier incumplimiento de una obligación material del Acuerdo, la Parte no Incumplidora (la **«Parte No Incumplidora»**) podrá optar por alguna de las siguientes vías independientemente de las acciones y recursos legales que le asistan y de los previstos en este Acuerdo:

(a) interponer cualquier acción legal permitida en concepto de daños y perjuicios; o
(b) solicitar por la vía arbitral (y posteriormente ejecución judicial) el cumplimiento específico o cualquier otra solución jurídica prevista en derecho; o
(c) optar por considerar la existencia de una Situación de Punto Muerto; o

(d) optar por disolver la Sociedad Conjunta en los términos previstos en la Estipulación Novena; o **13240** (sigue)

(e) optar por resolver el presente Acuerdo.

Sin perjuicio de lo anterior, si concurre un Supuesto de Incumplimiento o cualquier contravención de una obligación material del presente Acuerdo, la Parte Incumplidora perderá su derecho de proponer el nombramiento de miembros del Consejo (dichos derechos se recobrarán si el Supuesto de Incumplimiento es subsanado).

UNDÉCIMA. «Controversias»

11.1. **Periodo de Consultas. Nombramiento de un árbitro**

En el supuesto de cualquier controversia, reclamación, disputa o desacuerdo generada en virtud de este Acuerdo **(«Controversia»)**, las Partes harán cuanto razonablemente sea posible para resolverla de forma amistosa dentro del plazo de 30 días a contar desde la notificación efectuada por una de las Partes a las demás en relación con la Controversia. Si no se llega a un acuerdo tras el término de los 30 días de negociaciones, y mediando una notificación practicada por cualquiera de las Partes a la otra (una **«Notificación de Arbitraje»**), dicha Controversia será sometida a arbitraje de acuerdo con las disposiciones vigentes en cada momento de la Corte Civil y Mercantil de Arbitraje «CIMA» sobre Reglas del Arbitraje (las **«Reglas»**), salvo en lo modificado por este Acuerdo. La Notificación de Arbitraje será remitida a las otra Parte y al CIMA. El arbitraje, incluyendo la aprobación del laudo o decisión arbitral tendrá lugar en ....., España, donde se desarrollará el procedimiento arbitral. El idioma a emplear en el arbitraje es el español. La controversia será resuelta en arbitraje de derecho y de acuerdo con la Ley Española.

11.2. **Composición del Tribunal Arbitral**

El tribunal arbitral (el **«Tribunal Arbitral»**) estará compuesto de tres árbitros, uno de los cuales hará las veces de Presidente. El CIMA será la institución que designe a los árbitros de conformidad con las Reglas, y estará compuesto por tres miembros que compondrán el Tribunal Arbitral. Inmediatamente tras la recepción de la Notificación de Arbitraje, la Parte que inicie el arbitraje solicitará por escrito del CIMA que inicie el procedimiento de arbitraje y remitirá una copia de dicha solicitud a la otra Parte. Cada Parte nombrará un árbitro de la lista de árbitros del CIMA, dentro de los 21 días siguientes a la recepción de la Notificación de Arbitraje. Las Partes están conformes en que el CIMA será libre, a su discreción para nombrar a quienes estime oportunos como el tercer árbitro y presidente.

11.3. **Laudos**

Todos los laudos del Tribunal Arbitral se dictarán por escrito y de acuerdo con las Reglas, teniendo un carácter definitivo y vinculante para las Partes, que expresamente renuncian a cualquier derecho de apelación que pudiera corresponderles, en la medida que dicha renuncia sea válida en Derecho. Todos los laudos se aprobarán por mayoría. Si no hubiese mayoría, el laudo se dictará exclusivamente por el árbitro-presidente. El laudo final deberá dictarse dentro de los seis meses siguientes a la aceptación del nombramiento de los árbitros.

11.4. **Pluralidad de Arbitrajes**

En el supuesto de controversias, reclamaciones, disputas o desacuerdos múltiples y coetáneas en relación con este Acuerdo o con cualquier acuerdo relacionado con este Acuerdo o cualquier documento complementario, la resolución de dichas controversias, reclamaciones, disputas o desacuerdos se acumularán en un único arbitraje que se desarrollará conforme a la Estipulación Undécima, salvo que él/los árbitro/s encargados de dichas controversias, reclamaciones, disputas o desacuerdos estimen que no resulta oportuno dicha acumulación.

DUODÉCIMA. «Varios»

12.1. **Derecho de Información**

Las Partes se comprometen y muestran su conformidad a que cada Parte pueda en cualquier momento solicitar cuanta información y documentación sea necesaria en relación con los negocios y actividades de la Sociedad Conjunta para permitirle estar informada de manera puntual de todos los asuntos materiales que afecten a la misma, estados financieros y, en general, información relevante.

13240 (sigue) 12.2. **Confidencialidad**

El presente Acuerdo, tanto sus disposiciones generales como específicas contenidas en él, la información divulgada por cualesquiera de las Partes durante el proceso de negociación o de due diligence y la información sobre el Proyecto que no sea de dominio público, se reputará de naturaleza confidencial y no podrá ser divulgada por ninguna de las Partes salvo a los asesores profesionales, prestamistas y directivos de sus respectivas empresas y filiales, salvo que hayan de suministrarla por requerimiento de la legislación del Mercado de Valores u otras leyes o disposiciones con rango legal. Salvo en la medida exigida por la legislación del Mercado de Valores u otras leyes o disposiciones con rango legal. Salvo en la medida exigida por la legislación del Mercado de Valores u otras leyes o disposiciones con rango legal, ninguna de las Partes suministrará o permitirá que se suministre cualquier comunicado de prensa en relación con este Acuerdo sin el consentimiento previo y por escrito de la otra Parte cuyo contenido deberá ser aprobado por las Partes actuando de forma razonable.

12.3. **Ley Aplicable**

Este Acuerdo y todos los documentos accesorios al mismo se regirán e interpretarán de acuerdo con las leyes del Reino de España.

12.4. **Gastos**

Cada Parte asumirá los gastos y costes en que incurra, incluyendo los honorarios de asesores profesionales derivados de la negociación y otorgamiento del presente Acuerdo conforme a los términos y estipulaciones aquí prevenidos.

EN PRUEBA DE LO CUAL, las partes otorgan y suscriben el presente Acuerdo.

Póliza original de contrato mercantil de prenda sin desplazamiento

En ....., a ..... de ..... de 13245

REUNIDOS

DE UNA PARTE: ....., Sociedad Anónima (datos identificativos), con NIF núm ....., con domicilio en ....., calle ....., núm ....., representada por ....., D. ..... (datos personales), Consejero Delegado, cuyas facultades de representación quedan acreditadas con la escritura pública de nombramiento de cargos, que fue otorgada ante el Notario de ....., D. ....., con fecha ....., declarando que sus facultades siguen vigentes e íntegras, que, en lo sucesivo, será denominado el DEUDOR PIGNORANTE.

DE OTRA PARTE: D. ..... (datos personales), domiciliado en ....., calle ....., núm ....., que será denominado, en adelante, el ACREEDOR PIGNORATICIO.

Reconociéndose ambos la capacidad necesaria para otorgar este documento de CONTRATO MERCANTIL DE PRENDA SIN DESPLAZAMIENTO, lo llevan a efecto a tenor de las siguientes:

ESTIPULACIONES

PRIMERA. Constitución de garantía prendaria.- Con el fin de garantizar suficientemente el pago de la deuda derivada por la prestación de sus servicios empresariales al ACREEDOR PIGNORATICIO, se constituye garantía prendaria sin desplazamiento, que recaerá sobre la maquinaria localizada en los locales comerciales del DEUDOR PIGNORANTE en la población de .....

SEGUNDA. Indisposición de la garantía.- Queda vedada al DEUDOR PIGNORANTE la posibilidad de disponer los bienes sobre los que recae la garantía prendaria, excepto su sustitución por maquinaria de igual especie y cantidad en un plazo no superior a 72 horas, con expresa autorización del ACREEDOR PIGNORATICIO.

TERCERA. Minoración de la garantía.- La maquinaria depositada puede reducirse proporcionalmente al pago de cada uno de los efectos que satisfacen la deuda generada.

CUARTA. Traslado de mercancías.- El DEUDOR PIGNORANTE única y exclusivamente queda facultado para trasladar la garantía sin autorización del ACREEDOR PIGNORATICIO por causa de necesidad, lo que habrá de ser fehacientemente notificado al acreedor en el plazo de 96 horas a contar del traslado.

QUINTA. Seguro de los bienes.- En cumplimiento del art.57.4º de la Ley de 16 de diciembre de 1954, de Hipoteca Mobiliaria y Prenda sin Desplazamiento (LHMPSD), deberá el DEUDOR PIGNORANTE asegurar la maquinaria objeto de garantía en la compañía aseguradora ....., designando beneficiario al acreedor y sus causahabientes.

SEXTA. Reposición de la garantía.- El ACREEDOR PIGNORATICIO podrá exigir, en el supuesto de reducción de la mercancía objeto de garantía, que se agregue la cantidad de garantía necesaria para equiparar su valor a la deuda creada.

SÉPTIMA. Obligación de custodia y conservación de la mercancía.- El DEUDOR PIGNORATICIO está obligado a conservar las mercancías objeto de garantía con la diligencia de un buen padre de familia, teniéndolos a disposición del ACREEDOR PIGNORATICIO para su inspección.

OCTAVA. Inspección de la garantía.- El ACREEDOR PIGNORATICIO, de acuerdo con el art.63 LHMPSD, podrá comprobar la existencia de los bienes pignorados e inspeccionar el estado de los mismos.

NOVENA. Realización del valor de la prenda.- Vencida y no satisfecha la deuda, el ACREEDOR PIGNORATICIO podrá hacerla efectiva por alguno de los procedimientos a que se refiere el art.81 de la citada Ley.

DÉCIMA. Domicilio para requerimientos.- A efectos de los requerimientos oportunos, se señala como domicilio el de .....

UNDÉCIMA. Mandatario para la venta.- En el caso de enajenación de la garantía se designa mandatario en representación del DEUDOR PIGNORANTE a D. .....

13245 (sigue) **DUODÉCIMA. Régimen del contrato.-** El presente contrato tiene carácter mercantil y se regirá por sus propias estipulaciones y, en lo no previsto por ellas, por las disposiciones de la Ley de Hipoteca Mobiliaria y Prenda sin Desplazamiento, del Código de Comercio, usos de comercio y por el Código Civil, en defecto de las anteriores disposiciones.

Y encontrándolo conforme, las partes otorgan y firman este documento, en triplicado ejemplar y a un solo efecto, en el lugar y fecha expresados en el encabezamiento.

Y yo, el Fedatario Público, hechas las advertencias legales y en particular las de carácter fiscal, DOY FE de la identidad y capacidad de las partes, de la legitimidad de sus firmas y de todo lo convenido en la presente póliza, que firmo y sello en el lugar y fecha consignados «ut supra».

EL ACREEDOR PIGNORATICIO **EL DEUDOR PIGNORANTE**

CON MI INTERVENCIÓN
EL FEDATARIO PÚBLICO

Pignoración de seguro de vida

Anexo a la Póliza de Crédito núm ....., de ..... euros. 13250
Formalizada en ....., a ..... de ..... de .....
BANCO ....., SA, (en lo sucesivo, el BANCO), de una parte, debidamente representado por D. ..... (datos personales y NIF).
Y de otra parte (en adelante, el TITULAR), D. ..... (datos personales y NIF).
Y con la intervención del Fedatario Público, D. ....., expresamente requerido para la formalización de este documento.

EXPONEN

1º. Que el TITULAR ostenta un derecho de crédito como consecuencia de la siguiente operación:
NATURALEZA: Póliza de seguro de vida
DENOMINACIÓN: .....
TOMADOR: BANCO ....., SA.
ENTIDAD ASEGURADORA: .....
BOLETÍN DE ADHESIÓN DE FECHA: .....
CERTIFICADO INDIVIDUAL: póliza núm ....., de fecha .....
BENEFICIARIO NOMBRADO CON CARÁCTER NO IRREVOCABLE: .....

2º. Que ambas partes contratantes están interesadas en constituir garantía cubriendo al BANCO de las eventualidades derivadas de la póliza de crédito especificada al comienzo del presente documento, por lo que

CONVIENEN

Celebrar el presente contrato en virtud del cual el TITULAR constituye derecho real de PRENDA sobre el derecho de crédito derivado del seguro de vida anteriormente descrito.

CLÁUSULAS

PRIMERA.- La prenda se extiende al derecho del titular a obtener el rescate del seguro contratado, por el valor liquidativo que tengan los activos contratados en el momento de verificarse el rescate, cualquiera que sea la circunstancia que determine éste.

SEGUNDA.- Se mantendrá vigente la prenda en tanto subsistan responsabilidades derivadas de la operación asegurada, en concepto de principal, intereses, comisiones y otros gastos.

TERCERA.- Las eventuales reducciones de la deuda principal no facultan al TITULAR para exigir liberación parcial o proporcional de la garantía aportada.

CUARTA.- La garantía prestada implica la revocación del beneficiario designado con carácter no irrevocable.

QUINTA.- El TITULAR autoriza expresamente al BANCO para notificar, en nombre de aquél, a la entidad aseguradora la pignoración del seguro de vida para que ésta se abstenga realizar pago alguno al TITULAR o beneficiario designado.

SEXTA.- La prenda se mantendrá vigente en la hipótesis de fallecimiento del TITULAR si existen aún riesgos garantizados pendientes de abono. Si con anterioridad a la extinción de las obligaciones garantizadas se produce el fallecimiento del asegurado o el vencimiento del seguro, los importes que deba satisfacer la Compañía de Seguros serán ingresados en una cuenta especial abierta en el BANCO con esta fecha y a este expreso efecto, extendiéndose la prenda a los derechos económicos derivados de su saldo.

SÉPTIMA.- En el caso de incumplimiento por parte del acreditado del contrato de crédito, el BANCO podrá hacer efectivo su derecho ejecutando la prenda que aquí se constituye en los términos que a continuación se indican, sin perjuicio de su derecho a ejercitar las acciones reclamatorias derivadas de la póliza de crédito sobre el patrimonio del acreditado.

a) El BANCO podrá ejercitar directamente los derechos de rescate, aplicando las cantidades por los importes que procedan al pago de la deuda.
b) Las cantidades depositadas en la cuenta especial anteriormente citada serán aplicables automática y directamente al pago de la deuda, quedando relevado el BANCO del requisito de subasta pública en atención a su condición de prenda de derechos de cobro inmediato y que

13250 (sigue) por ser un valor líquido no precisa realización. En consecuencia, el BANCO aplicará directamente el saldo de la cuenta especial a las obligaciones garantizadas y pondrá el sobrante, si lo hubiere, a disposición del garante.

OCTAVA.- Los derechos y acciones correspondientes al BANCO en virtud del presente documento son independientes de los que se derivan a su favor de la operación principal asegurada, que podrán ser ejercitados con plena autonomía.

NOVENA.- Cualquier prórroga del crédito que se pudiera producir en el futuro llevará automáticamente aparejada la prórroga de la vigencia de esta prenda y la de los demás pactos establecidos en el presente contrato, sin necesidad de aviso o aprobación del TITULAR, el cual consiente desde ahora expresamente.

DÉCIMA.- En el supuesto de que el crédito fuere amortizado anticipadamente y liquidadas al BANCO todas las obligaciones accesorias por razón del mismo, los derechos de cobro derivados de los créditos pignorados quedarán libres de la prenda constituida, procediéndose en tal caso a su devolución por el BANCO al TITULAR.

UNDÉCIMA.- Serán de cuenta del TITULAR todos los gastos, costes y tributos, presentes o futuros, que se originen como consecuencia de la constitución, formalización y ejecución, en su caso, de la presente garantía pignoraticia.

DUODÉCIMA.- Se pacta expresamente por las partes que la presente garantía pignoraticia podrá ser sustituida o complementada por otros bienes aceptables para el BANCO, previo otorgamiento a tal efecto del correspondiente contrato de constitución de prenda.

DECIMOTERCERA.- El presente contrato se formaliza en ..... hojas, rubricando las partes otorgantes cada una de ellas y firmando al final del documento contractual.

Y yo, el Fedatario Público, hechas las advertencias legales y en particular las de carácter fiscal, DOY FE de la identidad y capacidad de las partes, de la legitimidad de sus firmas y de todo lo convenido en la presente póliza, que firmo y sello en el lugar y fecha indicados al comienzo.

EL BANCO **EL TITULAR**

CON MI INTERVENCIÓN
EL FEDATARIO PÚBLICO

Póliza original de contrato mercantil de contragarantía

En ....., a ....., de ..... de 13255

REUNIDOS

DE UNA PARTE, D. ..... (datos personales y NIF), con domicilio en ....., calle ....., núm ....., en lo sucesivo el AFIANZADO.

DE OTRA PARTE, D. ..... (datos personales y NIF), domiciliado en ....., calle ....., núm ....., en su propio nombre y derecho, en adelante el FIADOR.

Reconociéndose mutuamente y teniendo, a juicio del Fedatario Público interviniente, capacidad necesaria para el otorgamiento del presente contrato mercantil,

MANIFIESTAN Y CONVIENEN

Llevar a efecto el presente contrato mercantil de CONTRAGARANTÍA, con base en las siguientes:

CLÁUSULAS

PRIMERA. Objeto del contrato.- El FIADOR se obliga con el AFIANZADO en la cuantía que este último tuviere que satisfacer por las obligaciones contraídas ante D. ....., como consecuencia del afianzamiento, hasta el límite máximo de lo afianzado, incluidos los gastos.

SEGUNDA. Incumplimiento de los pactos.- En los supuestos de incumplimiento contractual D. ....., quedará facultado para revocar su afianzamiento, pudiendo exigir el cumplimiento de aquellos pactos relativos a la parte en que quedare vigente su garantía personal.

TERCERA. Cláusula penal.- Se fija una sanción de ..... euros a favor del FIADOR, que deberá abonar el AFIANZADO en la hipótesis de incumplimiento del contrato.

CUARTA. Depósito en garantía.- A petición del fiador D. ....., se obliga a efectuar un depósito de ..... euros, que quedará a disposición de aquél al objeto de enajenar y liquidar la deuda existente entre las partes en el momento de la presentación de los recibos de pago, o retener el depósito hasta su indemnización.

QUINTA. Relevación de fianza.- El FIADOR quedará relevado de la fianza prestada en los casos siguientes:

a) Cuando se ve demandado judicialmente para el pago.
b) En caso de que el deudor fuere declarado insolvente.
c) Cuando el deudor se ha obligado a relevarle de la fianza en un plazo determinado, y este plazo ha vencido.
d) Cuando la deuda ha llegado a hacerse exigible, por haber cumplido el plazo en que debe satisfacerse.
e) A partir de la fecha de .....

SEXTA. Gastos del contrato.- Los gastos, impuestos, tasas, arbitrios y corretajes que sean originados por la formalización, tramitación, cumplimiento y extinción de este contrato serán a cargo del AFIANZADO.

SÉPTIMA. Régimen del contrato.- El presente contrato reviste carácter mercantil y se regirá por sus propias estipulaciones y, en su defecto, por la legislación española contenida en el Código de Comercio, Leyes especiales y usos mercantiles.

Y encontrándolo conforme, las partes lo otorgan y firman, por cuadruplicado y a un solo efecto, en el lugar y fecha consignados «ut supra».

Y yo, el Fedatario Público, hechas las advertencias legales y en particular las de carácter fiscal, DOY FE de la identidad y capacidad de las partes, de la legitimidad de sus firmas y de todo lo acordado en el presente documento que firmo y sello en el lugar y fecha indicados en el encabezamiento.

EL FIADOR **EL AFIANZADO**

CON MI INTERVENCIÓN
EL FEDATARIO PÚBLICO

Póliza original de contrato mercantil de prenda

13260 En ....., a ..... de ..... de .....

REUNIDOS

DE UNA PARTE D. ..... (datos personales y NIF), domiciliado en ....., que, en lo sucesivo, será denominado DEUDOR PIGNORANTE.

DE OTRA PARTE, D. ..... (datos personales y NIF), con domicilio en ....., calle ....., núm ....., que, en adelante, será denominado ACREEDOR PIGNORATICIO.

DE OTRA PARTE, D. ....., mayor de edad, soltero, con domicilio en ....., calle ....., núm ....., y con NIF núm ....., que, en adelante, será denominado DEPOSITARIO.

Reconociéndose mutuamente y teniendo, a juicio del Fedatario Público que interviene, capacidad legal suficiente para el otorgamiento del presente contrato mercantil,

MANIFIESTAN

Que siendo deudor el DEUDOR PIGNORANTE del ACREEDOR PIGNORATICIO, como consecuencia de sus relaciones comerciales por la cantidad de ..... euros, el primero ofrece una garantía prendaria conforme a las siguientes

ESTIPULACIONES

PRIMERA. Objeto del contrato.- D. ....., recibe de D. ....., en concepto de préstamo la cantidad de ..... euros para financiar la adquisición de ....., que precisa para atender sus actividades comerciales.

SEGUNDA. Depósito de la garantía.- Las mercancías ofrecidas en prenda se depositarán en los almacenes de ....., localizados en ....., siendo su DEPOSITARIO D. ....., propietario de los citados locales.

TERCERA. Liberación parcial de la garantía.- El pago de la deuda parcialmente liberará la garantía de modo proporcional.

CUARTA. Ejecución de la garantía.- El incumplimiento de la obligación principal garantizada con prenda faculta al ACREEDOR PIGNORATICIO a vender las mercaderías depositadas en garantía.

QUINTA. Suplemento de garantía.- La disminución del precio de la mercancía autoriza al ACREEDOR PIGNORATICIO a exigir el incremento de la garantía, o, alternativamente, solicitar el afianzamiento suficiente.

SEXTA. Obligaciones del Depositario.- El DEPOSITARIO se obliga a la custodia de la garantía, facilitando al acreedor el examen e inspección de las mercancías.

SÉPTIMA. Conformidad con la garantía.- Las partes se manifiestan conformes en el objeto, cantidad y calidad de las mercaderías depositadas, que constan debidamente identificadas en el anexo 1 de este contrato.

OCTAVA. Gastos del contrato.- Todos los gastos que se deriven de la formalización, cumplimiento y extinción de este contrato serán de cuenta de D. ....., como prestatario.

NOVENA. Domicilio para notificaciones.- A los efectos de cualquier eventual notificación, se estará a los domicilios especificados en la presente póliza.

Las partes se manifiestan conformes con la presente póliza, la otorgan y firman con mi intervención, en cuadruplicado ejemplar y a un solo efecto, en el lugar y fecha expresados en el encabezamiento.

EL ACREEDOR PIGNORATICIO EL DEPOSITARIO EL DEUDOR PIGNORANTE

CON MI INTERVENCIÓN
EL FEDATARIO PÚBLICO

Póliza original de contrato mercantil de afianzamiento

En ....., a ..... de ..... del año 13265

COMPARECEN

DE UNA PARTE, D. ....., mayor de edad, casado, con domicilio en ....., calle ....., núm ....., y con DNI/NIF núm ....., en su propio nombre y derecho, que, en adelante, será denominado el AFIANZADO-SUMINISTRADO.

DE OTRA PARTE, D. ....., mayor de edad, casado, con domicilio en ....., calle ....., núm ....., con DNI/NIF núm ....., en su propio nombre y derecho, y D.ª ....., mayor de edad, soltera, con domicilio en ....., calle ....., núm ....., con DNI/NIF núm ....., en su propio nombre y derecho que en adelante serán denominados los FIADORES.

DE OTRA PARTE, la Sociedad Mercantil ....., SA, constituida en escritura pública de fecha ..... otorgada ante el Notario de ....., D. ....., e inscrita en el Registro Mercantil de ..... Tomo ....., Folio ....., Hoja ....., sección ....., inscripción ....., con domicilio legal en ....., calle ....., núm ....., con NIF núm ....., representada en este contrato por su Consejero Delegado D. ....., mayor de edad, casado con domicilio en ....., Avda. ....., núm ....., con DNI/NIF núm ....., cuyas facultades representativas vigentes, que manifiesta no han sido revocadas o limitadas, derivan de la escritura pública de nombramiento de cargos de fecha ..... otorgada ante el Notario de ....., D. ....., e inscrita en el Registro Mercantil de ....., Tomo ....., Hoja ....., Folio ....., inscripción ....., que, en adelante, será denominado SUMINISTRADOR.

Reconociéndose mutuamente y teniendo, a juicio del Corredor Público interviniente, la capacidad necesaria para el otorgamiento del presente contrato mercantil,

MANIFIESTAN

I. Que con fecha ..... se formalizó un contrato de suministro de ..... entre el SUMINISTRADOR y el AFIANZADO SUMINISTRADO que fue intervenido por el notario D. ....., y cuyo contrato se incorpora por fotocopia como anexo a este contrato.
II. Que, como consecuencia del contrato de suministro citado han surgido y surgirán obligaciones de pago aplazadas y créditos que se desean garantizar personalmente por los FIADORES.
III. Que todas las partes proceden a otorgar un contrato de afianzamiento mercantil sometiéndose a las siguientes.

CLÁUSULAS

PRIMERA. Objeto del contrato.- Que los FIADORES garantizan solidariamente y entre sí al SUMINISTRADOR el cumplimiento del contrato mercantil de suministro descrito en la manifestación I cuya fotocopia firmada por las partes va unida como anexo a este contrato de garantía.

SEGUNDA. Extensión de la garantía.- La garantía solidaria prestada por los FIADORES se extiende a las deudas presentes y futuras que se generen por el AFIANZADO-SUMINISTRADO ante el SUMINISTRADOR en el contrato de suministro pactado.

TERCERA. Límite de la garantía prestada.- El límite de la garantía personal prestada por los FIADORES será globalmente de ..... euros (..... €).

CUARTA. Renuncia expresa a beneficios de la fianza.- Los FIADORES renuncian expresamente a los beneficios de excursión, orden y división y cualesquiera otros que les pudiera corresponder.

QUINTA. Fianza gratuita.- Los FIADORES no percibirán, por su condición de tales, ningún tipo de retribución ni compensación de ningún tipo.

SEXTA. Subsistencia de la fianza.- La fianza constituida, mediante el otorgamiento de este contrato accesorio, subsistirá hasta que queden canceladas totalmente todas las obligaciones convenidas en el contrato principal de suministro que ha sido garantizado.

SÉPTIMA. Gastos de formalización.- Todos los gastos, impuestos y corretajes derivados de la formalización, cumplimiento y extinción de las obligaciones consignadas en esta póliza serán a cargo del AFIANZADO SUMINISTRADO.

13265 (sigue) **OCTAVA. Sometimiento a fuero.-** Las partes, con renuncia a su fuero propio si lo tuvieran, se someten al de los Juzgados y Tribunales españoles de la plaza .....

NOVENA. Normativa aplicable.- Este contrato tiene carácter mercantil y se regirá por sus propias cláusulas y en su defecto por la legislación española contenida en el Código de Comercio (art.439 a 442), Código Civil (art.1144 y 1822 a 1856) y demás legislación española aplicable.

DÉCIMA. Fe Pública.- El presente contrato se formaliza, con intervención de Fedatario Público, especialmente requerido a todos los efectos legales, en especial a lo previsto en los art.93 del Código de Comercio, art.596.2º y 3º y 319 de la Ley de Enjuiciamiento Civil, art.1216 y 1217.8 del Código Civil y demás legislación española concordante. Las partes manifiesta su conformidad al presente contrato que otorgan y firman con mi intervención en ..... ejemplares igualmente originales y auténticos formalizados a un solo efecto, quedando un original en mi archivo. Y yo, Fedatario Público, hechas las advertencias legales y en particular las de carácter fiscal, doy fe de la identidad y capacidad de las partes, de la legitimidad de sus firmas y de todo lo convenido en la presente póliza que firmo y sello en el lugar y fecha al principio indicados.

EL AFIANZADO SUMINISTRADO EL FIADOR **EL SUMINISTRADOR**

CON MI INTERVENCIÓN
EL FEDATARIO PÚBLICO

ANEXO

(Fotocopia del contrato de suministro garantizado)

Firman al final del anexo los intervinientes del contrato de afianzamiento

EL AFIANZADO SUMINISTRADO EL FIADOR **EL SUMINISTRADOR**

CON MI INTERVENCIÓN
EL FEDATARIO PÚBLICO

Carta-orden de crédito

En ....., a ..... de ..... de 13270

BANCO ....

Sres. ....

Muy Sres. Nuestros:

Por la presente recomendamos a VDS. a D. ....., a quien se servirán entregar por cuenta de ésta a través del Banco ....., la cantidad que solicite hasta la suma de ..... euros, anotando las entregas al dorso de esta carta y exigiendo recibos duplicados, de los cuales les rogamos nos remitan un ejemplar.

Dándoles las gracias anticipadas, quedan de VDS
Firma del otorgante de la carta-orden de crédito

Reverso del documento:

D. ..... y el Banco ..... acuerdan que de la relación que surja de la presente «carta-orden de crédito» se desprenderán acciones ejecutivas por la cantidad que representen los recibos de que disponga el banco y los gastos que se originen como consecuencia de la presente operación. Para la determinación de la cantidad líquida vencida y exigible bastará la presentación de la carta-orden con las anotaciones realizadas de los desembolsos efectuados y gastos y el documento público de conformidad con la Ley de Enjuiciamiento Civil. Las partes solicitan la intervención del Fedatario Público a todos los efectos legales, mercantiles y procesales.

Firma de las partes

CON MI INTERVENCIÓN
EL FEDATARIO PÚBLICO

Carta de patrocinio

13275 En ....., a ..... de ..... de .....

Banco/Caja .....

Estimados SRES.:

Con referencia a la operación de crédito que se adjunta, procedemos a comunicarles los siguientes extremos:

La parte acreditada es una sociedad filial de nuestra sociedad de la que detentamos una participación del ..... % de su capital social. Conscientes de la circunstancia de que la citada vinculación ha hecho posible la realización de la operación crediticia adjuntada, esta sociedad se compromete a no alterar su posición accionarial en la mencionada filial, a la que dotaremos de los recursos económicos necesarios para afrontar el cumplimiento de los pactos resultantes de la póliza de crédito contratada.

Si se produce la renovación de la póliza procederemos a prestar fianza solidaria a nuestra filial.

El presente documento debe interpretarse y cumplirse en los términos que definen la buena fe en el ámbito de las relaciones empresariales y no constituirá una garantía a favor de la parte acreditada.

SOCIEDAD .... PP

Fdo.: .....

Con mi intervención respecto de la firma de D. ....., con poder bastante para otorgar la presente carta de patrocinio, en representación de la sociedad firmante.

En ....., a ..... de ..... de .....

EL FEDATARIO PÚBLICO
(se adjunta fotocopia al dorso de la póliza de crédito garantizada)

Póliza original de contrato de préstamo mercantil

En ....., a ..... de ..... de 13280

REUNIDOS

DE UNA PARTE D. ..... (datos personales y NIF), en representación, según poder que se acompaña, de la entidad ....., con NIF ....., domiciliada en ....., en lo sucesivo el PRESTAMISTA.

DE OTRA PARTE D. ..... (datos personales y NIF), domiciliado en ....., en adelante el PRESTATARIO.

Y con la intervención del Fedatario Público, D. ....., expresamente requerido para la formalización de este documento.

MANIFIESTAN

Que han convenido realizar un contrato de préstamo mercantil por el que el PRESTAMISTA deberá entregar la cantidad de ..... euros, al PRESTATARIO, con las condiciones y pactos que se establecen en las siguientes,

CLÁUSULAS

PRIMERA. Objeto del contrato.- El PRESTAMISTA entrega en este acto, como objeto de este contrato, la cantidad de ..... euros al PRESTATARIO, quien las recibe y reconoce adeudarlas, al PRESTAMISTA.

SEGUNDA. Interés del préstamo.- El préstamo devengará un interés del ..... % simple anual, pagadero por anualidades vencidas. Si existiese variación oficial en el interés pactado para el presente préstamo, éste quedará modificado en igual sentido y cuantía sin necesidad de previo aviso.

TERCERA. Forma de pago de intereses y amortización del capital.- El PRESTATARIO se obliga al pago de intereses y a la devolución del capital prestado en la siguiente forma:

a) Desde esta fecha hasta el día de la cancelación deberá abonar al PRESTAMISTA los intereses establecidos en la cláusula anterior.
b) La amortización del capital señalada en la cláusula primera se efectuará en el plazo convenido de ..... años desde el día de la fecha del presente contrato siendo el vencimiento final el día .....,

CUARTA. Entrega de documentación contable.- El PRESTATARIO deberá remitir con carácter anual al PRESTAMISTA las cuentas anuales, balance de situación, y cuenta de pérdidas y ganancias.

QUINTA. Intereses de demora.- Si en la fecha de vencimiento de las cuotas de capital o intereses el PRESTATARIO no hubiese liquidado sus obligaciones de pago se aplicará un interés de demora del ..... %.

SEXTA. Acción ejecutiva.- Al llegar la fecha del vencimiento concertado, si el importe del préstamo no ha sido satisfecho, con los intereses, total o parcialmente, el PRESTAMISTA podrá ejercitar acción judicial ejecutiva, de conformidad con lo establecido en la Ley de Enjuiciamiento Civil.

SÉPTIMA. Gastos del contrato.- Los impuestos, corretajes y gastos judiciales o extrajudiciales derivados de la formalización de la presente póliza serán abonados por las partes según la Ley.

OCTAVA. Sometimiento a fuero jurisdiccional.- Las partes, con renuncia a su fuero propio si lo tuvieran, se someten a la jurisdicción de los Juzgados y Tribunales de .....,

NOVENA. Fe Pública.- Este contrato ha sido formalizado con la intervención de D. ....., Fedatario Público, a los efectos legales correspondientes, de acuerdo con lo dispuesto en la Ley de Enjuiciamiento Civil.

Las partes se manifiestan conformes con la presente póliza, la otorgan y firman con mi intervención en ....., ejemplares igualmente originales y auténticos formalizados a un solo efecto, de lo que yo, el Fedatario Público, DOY FE en el lugar y fecha calendados.

EL PRESTAMISTA **EL PRESTATARIO**

CON MI INTERVENCIÓN
EL FEDATARIO PÚBLICO

Póliza original de contrato mercantil de arrendamiento financiero (leasing)

13285 En ....., a ..... de ..... de .....

REUNIDOS

DE UNA PARTE D. ..... (datos personales y NIF), como representante de la entidad ....., SA, con domicilio en ....., calle ....., núm ....., que, en lo sucesivo será denominado BANCO.

DE OTRA PARTE, ..., Sociedad Anónima, constituida en escritura pública el día ....., ante el Notario de ....., D. ....., e inscrita en el Registro Mercantil de ....., con fecha ....., Tomo ....., Folio ....., Hoja ....., y con NIF núm ....., con domicilio en ....., calle ....., núm ....., representada por D. ....., con DNI núm ....., en virtud de poder bastante otorgado ante el Notario de ....., D. ....., con fecha ....., en adelante denominada ARRENDATARIO, reconociéndose ambos mutuamente la capacidad necesaria para el otorgamiento del presente documento.

MANIFIESTAN Y CONVIENEN

Que han acordado realizar este CONTRATO DE ARRENDAMIENTO FINANCIERO (LEASING) sometiéndose a las siguientes:

CLÁUSULAS

PRIMERA.- El ARRENDATARIO toma en arrendamiento financiero del BANCO los bienes ..... (detallar los bienes para su perfecta identificación) y que serán destinados a .....

SEGUNDA.- El BANCO ha adquirido los citados bienes en pleno dominio con el exclusivo objeto de ceder su uso y disfrute al ARRENDATARIO en virtud de este contrato. El proveedor de los bienes objeto del arrendamiento es .....

TERCERA.- El ARRENDATARIO declara recibir los bienes relacionados en la cláusula anterior en perfecto estado y a su entera satisfacción.

CUARTA.- La duración de este contrato será la de ..... (años, meses y días).

QUINTA.- El precio del arrendamiento será de ..... euros, que al incluir los impuestos correspondientes, asciende a ..... euros, cantidad que se fracciona en ..... mensualidades prepagables, importando cada mensualidad la cantidad de ..... euros.

SEXTA.- Para el pago de las mensualidades pactadas en la cláusula anterior, el ARRENDATARIO se obliga a aceptar letras de cambio y conviene en domiciliarlas en ....., y cuyos vencimientos son del ..... de ..... al ..... de ..... de ....., ambos inclusive.

SÉPTIMA.- Si al término de vigencia del arrendamiento no se hubiere producido ningún impago de las cuotas a su cargo, el ARRENDATARIO podrá ejercitar el derecho de opción de compra de los bienes objeto de este contrato. Para el posible ejercicio de dicha opción de compra las partes establecen de mutuo acuerdo como valor residual el de ..... euros (..... €), que se harán efectivos en el momento en que desee ejercitar la opción.

OCTAVA.- El pleno dominio de los bienes arrendados pertenece al BANCO quien en virtud del presente contrato cede al ARRENDATARIO el uso de los mismos. En los supuestos de secuestro, embargo o cualquier otro acto que provenga de autoridades u órganos judiciales o administrativos e incluso de particulares que perturben el dominio o posesión de los bienes arrendados, el ARRENDATARIO manifestará su condición de simple usuario, obligándose a notificarlo fehacientemente a través de fedatario público, reconociéndose al BANCO el derecho a resolver, en tal supuesto, unilateralmente y sin previo aviso el presente contrato.

NOVENA.- El ARRENDATARIO, sin previa autorización escrita del BANCO, no podrá vender, enajenar, hipotecar, dar en prenda, con o sin desplazamiento, ceder temporalmente ni subarrendar los bienes, ni subrogar a persona alguna natural o jurídica en los derechos y obligaciones que le correspondan.

DÉCIMA.- Durante la vigencia del presente contrato los bienes deberán estar asegurados contra los riesgos de ....., con responsabilidad civil ilimitada. El ARRENDATARIO figurará como tomador del seguro y el BANCO como beneficiario.

UNDÉCIMA.- La demora en el pago de las cuotas correspondientes a sus vencimientos comportará el devengo de interés de demora al tipo que resulte de incrementar ..... puntos al tipo de interés pactado, sin necesidad de previo aviso.

DUODÉCIMA.- En caso de incumplimiento por parte del ARRENDATARIO del pago de las cuotas periódicas pactadas tendrá carácter de deuda vencida, líquida, exigible a todos los efectos legales y, en especial, a los previstos en el artículo 572 LEC la derivada de la suma de las cuotas vencidas e impagadas aplicándoles el tipo de interés de demora pactado por los días transcurridos desde el vencimiento contractual de cada cuota impagada y la adición de las cuotas pendientes de vencimiento. **13285** (sigue)

DECIMOTERCERA.- Terminará el contrato o por resolución contractual o por el transcurso del tiempo de duración del mismo sin necesidad de requerimiento previo o aviso alguno, pudiendo en este último caso el ARRENDATARIO optar por:

a) Devolver los bienes en la fecha de restitución y en el domicilio de la propia sociedad arrendadora.
b) Prorrogar la duración del contrato, en cuyo caso y antes de la aceptación del mismo, el ARRENDATARIO lo comunicará al BANCO quien fijará la condición de la prórroga.
c) Comprar los bienes al valor residual.

DECIMOCUARTA.- Las partes, con renuncia expresa a su fuero propio si lo tuvieran, se someten al de los Juzgados y Tribunales españoles de la plaza de .....
Por todo ello las partes, conformes con el presente documento, lo otorgan y firman con mi intervención en ....., ejemplares igualmente originales y auténticos, formalizados a un solo efecto, para su entrega a las mismas quedando un ejemplar para mi archivo.

Y yo, el Fedatario Público ....., hechas las advertencias legales y, en particular, las de carácter fiscal, doy fe de la identidad y capacidad de las partes, de la legitimidad de sus firmas y de todo lo convenido en el presente contrato, que es firmado y sellado en el lugar y fecha indicados.

EL BANCO	**EL ARRENDATARIO**
P.P.	**P.P.**
Fdo.	**Fdo. ....**

CON MI INTERVENCIÓN

EL FEDATARIO PÚBLICO

Póliza original de contrato mercantil de arrendamiento empresarial (renting)

13290 En ....., a ..... de ..... de .....

REUNIDOS

DE UNA PARTE ....., SA, representada en este acto por D. ..... (datos personales y NIF) según acredita mediante escritura otorgada ante el Notario de ....., D. ....., con fecha de ..... de ..... de ....., en adelante denominada EMPRESA DE RENTING.

DE OTRA PARTE, D. ..... (datos personales y NIF) domiciliado en ....., denominado el ARRENDATARIO y reconociéndose ambas partes mutuamente la capacidad necesaria para el otorgamiento del presente documento.

Y con la intervención del Fedatario Público, D. ....., expresamente requerido para este acto.

MANIFIESTAN Y CONVIENEN

Que de común acuerdo vienen en llevar a efecto este CONTRATO DE ARRENDAMIENTO EMPRESARIAL (RENTING) con arreglo a las siguientes

CLÁUSULAS

PRIMERA. Objeto del contrato.- El ARRENDATARIO toma en arriendo de ....., SA, los (describir los bienes, sus características, identificación, con marca, modelo, número, año de fabricación o construcción, etc.)

SEGUNDA. Recepción y entrega de los bienes.- El ARRENDATARIO declara recibir en perfecto estado y a su plena satisfacción el ..... (bien contratado).

TERCERA. Precio del arrendamiento.- El precio del arrendamiento de los bienes reseñados es el siguiente:

Precio del arrendamiento ..... euros.

Impuesto sobre el Valor Añadido ..... euros.

Total del precio incluido IVA ..... euros.

Dicho precio se fraccionará en mensualidades prepagables, ascendiendo el importe de cada mensualidad a la cantidad de ..... euros.

CUARTA. Pago de las mensualidades y duración.- Para el pago de las mensualidades pactadas en la condición anterior, el ARRENDATARIO se obliga a aceptar ....., letras de cambio y conviene en domiciliarlas en ....., y cuyos vencimientos son del ..... de ..... de ..... al ..... de ..... de ....., ambos inclusive. Es, por tanto, la duración total del contrato de ..... meses.

QUINTA. Destino de los bienes arrendados.- El ..... (objeto de este contrato) no podrá ser destinado a uso distinto del especificado en este contrato. En caso contrario se precisa autorización de la EMPRESA DE RENTING.

SEXTA. Dominio de los bienes arrendados.- Pertenece el pleno dominio y titularidad de los bienes arrendados a la EMPRESA DE RENTING, quien en virtud de este contrato, cede al ARRENDATARIO el uso de los mismos.

SÉPTIMA. Mantenimiento de los bienes.- El ARRENDATARIO cuidará diligentemente los bienes arrendados no abusando en el uso de los mismos. Se compromete la EMPRESA DE RENTING a mantener en perfecto estado de funcionamiento los bienes y a someterlos a revisiones periódicas cuando sea necesario.

OCTAVA. Rescisión del contrato.- La falta de pago en cualquiera de los plazos establecidos, así como el incumplimiento de cualquier obligación contraída en este contrato por el ARRENDATARIO facultará a la EMPRESA DE RENTING para rescindirlo.

NOVENA. Deuda vencida, líquida y exigible.- El importe de todos los plazos pendientes de abono tendrán el carácter de deuda vencida, líquida y exigible a todos los efectos legales.

DÉCIMA. Puesta en funcionamiento.- La EMPRESA DE RENTING se obliga a poner en funcionamiento y en los locales del ARRENDATARIO los bienes arrendados, garantizando su mantenimiento en el período de duración del contrato.

UNDÉCIMA. Inspección de los bienes.- En todo momento podrá la EMPRESA DE RENTING realizar las inspecciones y comprobaciones que estime oportunas en los bienes arrendados. Deberá el ARRENDATARIO facilitar la práctica de las mismas. 13290 (sigue)

DUODÉCIMA. Gastos de reparación.- La EMPRESA DE RENTING será responsable de todos los gastos que se produzcan antes de la entrega del bien objeto de este contrato, si éste necesitara reparación.

DECIMOTERCERA. Sometimiento a fuero.- Las partes, con renuncia a su fuero propio si lo tuvieran, se someten al de los Juzgados y Tribunales españoles de la plaza de .....

DECIMOCUARTA. Régimen del contrato.- Este contrato tiene carácter mercantil y se regirá por sus propias cláusulas y en lo que en ellas no estuviere previsto, por la legislación española contenida en el Código de Comercio, Leyes especiales y usos mercantiles.

Y encontrándolo conforme las partes otorgan y firman este documento en ..... ejemplares y a un solo efecto, de lo que yo, el Fedatario Público, DOY FE, y de la identidad y capacidad de las partes y de la legitimidad de sus firmas, en el lugar y fecha calendados.

LA EMPRESA DE RENTING **EL ARRENDATARIO**

CON MI INTERVENCIÓN
EL FEDATARIO PÚBLICO

Póliza original de contrato mercantil de facturación (factoring)

13295 En ....., a ..... de ..... de .....

COMPARECEN

DE UNA PARTE, el BANCO ....., representado por D. ....., con DNI núm ....., y D. ....., con DNI núm ....., como Apoderados, con poder bastante de la Sucursal de ....., con domicilio en ....., calle ....., núm ....., que, en lo sucesivo, será denominado el FACTOR.

DE OTRA PARTE, D. ..... (datos personales y NIF), domiciliado en ....., en lo sucesivo denominado el CLIENTE.

Reconociéndose mutuamente la capacidad legal para el otorgamiento del presente documento

MANIFIESTAN Y CONVIENEN

Realizar un contrato de facturación o FACTORING, cuyo objeto principal es la realización de operaciones de gestión de cobro de créditos comerciales y anticipo de fondos sobre los mismos, y siendo de carácter mercantil se someten a las siguientes

CLÁUSULAS

PRIMERA. Objeto del contrato.- El CLIENTE se obliga a ceder al FACTOR todos los créditos y letras de abono que de sus ventas procedan, en contra y a favor de sus compradores, en la forma estipulada en este contrato. Asimismo, el FACTOR deberá prestar al CLIENTE los siguientes servicios:

a) La investigación, análisis y clasificación de la capacidad de crédito de los compradores de mercancías producidas por el CLIENTE.
b) La asunción de los riesgos de impago de los créditos derivados de las ventas del CLIENTE a sus compradores clasificados, si el impago se produce por motivo de insolvencia, previa cesión de los créditos por el CLIENTE.

SEGUNDA. Endoso indicativo.- El CLIENTE se obliga a incluir en sus facturas un endoso indicativo de que las cuentas correspondientes se han cedido al FACTOR y deben ser abonadas únicamente a él.

TERCERA. Garantía de los créditos cedidos.- El CLIENTE se obliga a garantizar, bajo su responsabilidad, la vigencia, legitimidad y validez de todas las cuentas que se ceden, declarando que sobre las mismas no recae gravamen alguno.

CUARTA. Información de los créditos cedidos.- El CLIENTE se obliga a comunicar al FACTOR todas las operaciones realizadas que afecten al contenido del presente contrato.

QUINTA. Responsabilidades del cliente.- El CLIENTE asumirá todas las responsabilidades que pudieren derivarse del incumplimiento de las obligaciones contraídas por sus compradores en relación con las cuentas cedidas y las que surjan como consecuencia de eventuales reclamaciones por daños y perjuicios.

SEXTA. Asunción de impagos por el cliente.- El CLIENTE deberá soportar la falta de pago que recaiga por cualquier motivo diferente de la insolvencia del comprador, siempre que no sea imputable al FACTOR.

SÉPTIMA. Remuneración al factor.- El FACTOR recibirá del CLIENTE, en concepto de remuneración, el ..... % del nominal de los créditos cedidos.

OCTAVA. Aprobación de operaciones.- Deberá el FACTOR aprobar las operaciones propuestas por el CLIENTE, de un modo individual o generalmente, fijando los límites de clasificación o cuantía por cada comprador. El FACTOR se reserva el derecho de retirar en cualquier momento su aprobación a un comprador o a una operación aceptada anteriormente.

NOVENA. Abono del importe de los créditos cedidos.- El FACTOR se obliga a abonar al CLIENTE la diferencia resultante entre el importe de los créditos transmitidos y la remuneración concertada en concepto de compensación por las gestiones efectuadas.

DÉCIMA. Anticipo de fondos.- El FACTOR se obliga a anticipar al CLIENTE, a petición de éste, cantidades en efectivo dinerario sobre los créditos cedidos en un ..... %. El tipo de interés que será aplicado en este supuesto es el del ..... %, que será descontado de los créditos al tiempo de su cesión. 13295 (sigue)

UNDÉCIMA. Llevanza de contabilidad.- El FACTOR se obliga a llevar la contabilidad de ventas del cliente, a través de extractos que mensualmente le remitirá, especificando los títulos cedidos por el CLIENTE al FACTOR hasta la fecha, movimiento por compradores y riesgos que se hallen en curso.

DUODÉCIMA. Identificación de los compradores.- Los compradores a los que se aplica este contrato y su ámbito territorial es: .....

DECIMOTERCERA. Valor de los créditos a su vencimiento.- El importe de los créditos cedidos será el de su valor en la época de su vencimiento. En la hipótesis de acogerse el comprador a bonificaciones por pronto pago u otros motivos, el importe de los descuentos se sustraerá del valor del crédito al vencimiento.

DECIMOCUARTA. Gastos del contrato.- Todos los gastos judiciales o extrajudiciales que se produzcan a resultas de reclamaciones por incumplimiento o resolución contractual serán a cargo de la parte contratante que los hubiere ocasionado.

DECIMOQUINTA. Condiciones generales de la contratación.- El cliente conoce y acepta las condiciones generales incluidas en el contrato, que no han sido inscritas en el Registro de las Condiciones Generales de la Contratación, presta su consentimiento a su incorporación al contrato y manifiesta recibirlas a través de un ejemplar del contrato, a los efectos de la Ley 7/1998, de 13 de abril.

Las partes se muestran conformes con el total contenido del contrato, lo otorgan y firman, por triplicado, y a un solo efecto, en el lugar y fecha expresados en el encabezamiento.

EL FACTOR **EL CLIENTE**

CON MI INTERVENCIÓN
EL FEDATARIO PÚBLICO

Póliza original de contrato mercantil de confirmación (confirming)

13300 En ....., a ..... de ..... de .....

REUNIDOS

DE UNA PARTE, el BANCO ....., representado por D. ....., con NIF núm ....., como Apoderado, con poder bastante de la Sucursal de ....., con domicilio en ....., calle ....., núm ....., que, en lo sucesivo, será denominado el BANCO.

DE OTRA PARTE, ..., Sociedad Anónima, con domicilio en ....., calle ....., NIF núm ....., constituida en escritura pública de fecha ....., ante el Notario de ....., D. ....., e inscrita en el Registro Mercantil de la provincia de ....., folio ....., tomo ....., hoja ....., representada en este acto por su Consejero Delegado D. ....., con NIF núm ....., cuyas facultades representativas vigentes se acreditan con escritura de nombramiento de cargos de fecha ....., otorgada ante el Notario de ....., D. ....., en adelante denominado el CLIENTE.

MANIFIESTAN Y CONVIENEN

Que, reconociéndose mutuamente la capacidad legal necesaria para otorgar el presentar el presente documento, vienen en celebrar el presente CONTRATO DE CONFIRMING, sometiéndose a las siguientes

CLÁUSULAS

PRIMERA. Objeto del contrato.- El objeto de este contrato incluye:

a) La gestión, administración y pago por el BANCO de los créditos que contra el CLIENTE correspondan a sus proveedores, y procedan del tráfico empresarial habitual, sean o no posteriores a la firma del presente contrato.
b) La proposición de cesión y cesión, en su caso, a favor del BANCO de los créditos que los proveedores del CLIENTE ostenten legítimamente frente a éste procedentes del tráfico habitual de la empresa.
c) La prestación por el BANCO de servicios de asesoramiento, control y gestión de los créditos de proveedores al CLIENTE.

SEGUNDA. Límite de riesgo.- El BANCO adquirirá créditos hasta un límite global de ....., millones de euros.

TERCERA. Obligaciones del Cliente.- El CLIENTE se compromete a:

a) No conceder o pactar bonificaciones ni variaciones en relación con las deudas y las fechas de pago de las facturas emitidas por los proveedores. Las modificaciones precisarán la expresa autorización del BANCO.
b) Notificar al BANCO las facturas emitidas a su cargo y conformadas por el propio cliente.
c) Garantizar bajo su responsabilidad la vigencia, validez y legitimidad de los créditos comunicados, declarando que sobre los mismos no recae gravamen.
d) Informar al BANCO de todas las eventualidades que se susciten por proveedores o terceros en relación con los créditos transmitidos.

CUARTA. Obligaciones del BANCO.- El BANCO, por su parte, se compromete a:

a) Descontar y liquidar a los proveedores los créditos, así en facturas como en documentos cambiarios, a cargo del CLIENTE comunicados al BANCO por éste y cedidos al BANCO por aquéllos.
b) La contabilización y el control de los créditos de proveedores a cargo del cliente cedidos al BANCO por aquellas operaciones comerciales que los proveedores hayan efectuado con el CLIENTE y hayan sido comunicadas al BANCO.
c) El pago a los proveedores del CLIENTE de los créditos que, a cargo de éste, correspondan legítimamente a aquéllos.

QUINTA. Notificación al cliente de sus obligaciones de pago.- El CLIENTE deberá comunicar al BANCO las facturas a su cargo con las que se muestre conforme, quedando obligado, asimismo, a comunicar los documentos cambiarios aceptados y sus condiciones fundamentales de cantidad y plazo.

SEXTA. Notificaciones del Banco a los proveedores.- El BANCO detallará por escrito a los proveedores del CLIENTE las facturas emitidas por ellos y los documentos cambiarios formalizados, ofreciéndoles en el mismo escrito la posibilidad de ceder en firme y sin recurso los créditos al BANCO. 13300 (sigue)

SÉPTIMA. Pago de los créditos.- El pago por el CLIENTE de los créditos se efectuará a su vencimiento por medio de cargo realizado por el BANCO en la cuenta corriente núm ....., del BANCO de la que es titular el cliente.

OCTAVA. Cesión de créditos a terceros.- El CLIENTE autoriza a la cesión a terceras personas físicas o jurídicas de los créditos que ostente el BANCO, como consecuencia de este contrato.

NOVENA. Duración del contrato.- Este contrato tiene un plazo de duración de quince meses a contar desde el día de la fecha, quedando automáticamente prorrogado por sucesivos períodos hasta un máximo de cuarenta y cinco meses, excepto si alguna de las partes manifiesta su intención de no prorrogarlo, previo aviso por escrito.

DÉCIMA. Liquidación del contrato.- Los créditos y deudas recíprocas nacidas de las anteriores cláusulas contractuales entre el CLIENTE y el BANCO se anotarán en la «cuenta especial» que el BANCO se obliga a llevar en sus libros.

UNDÉCIMA. Domicilio para notificaciones.- Se fijan como domicilio de las partes de este contrato los indicados en el encabezamiento.

DUODÉCIMA. Régimen del contrato.- El presente contrato reviste carácter mercantil y se regirá por sus propias cláusulas y, en defecto de éstas, por las disposiciones del Código de Comercio, usos mercantiles, Leyes especiales.

Y en prueba de conformidad las partes otorgan y firman con mi intervención este contrato en cuadruplicado ejemplar y a un solo efecto en el lugar y fecha calendados.

Y yo, el Fedatario Público, hechas las advertencias legales y en particular las de carácter fiscal, doy fe de la identidad y capacidad de las partes, de la legitimidad de sus firmas y de todo lo convenido en el presente contrato, que firmo y sello en fecha y lugar «ut supra».

EL BANCO **EL CLIENTE**

CON MI INTERVENCIÓN
EL FEDATARIO PÚBLICO

Póliza original de contrato mercantil de forfaiting

13305 En ....., a ..... de ..... de .....

REUNIDOS

DE UNA PARTE, el BANCO ....., debidamente representado por D. ....., con NIF núm ....., como Apoderado, con poder bastante de la Sucursal de ....., con domicilio en ....., calle ....., núm ....., que, en lo sucesivo, será denominado BANCO.

DE OTRA PARTE, ..., Sociedad Anónima, constituida en escritura pública otorgada el día ....., ante el Notario de ....., D. ....., e inscrita en el Registro Mercantil de ....., con fecha ....., Tomo ....., Folio ....., Hoja ....., y con NIF núm ....., con domicilio en ....., calle ....., núm ....., representada por D. ....., con NIF núm ....., en virtud de poder bastante otorgado ante el Notario de ....., D. ....., con fecha ....., cuyas facultades representativas manifiesta que están vigentes, que en adelante será denominada el CLIENTE.

MANIFIESTAN Y CONVIENEN

Que, reconociéndose mutuamente la capacidad legal necesaria para otorgar el presente documento, vienen en realizar un contrato mercantil de «FORFAITING», sometiéndose las partes a las siguientes

CLÁUSULAS

PRIMERA. Objeto del contrato.- Que el BANCO se compromete desde el día ..... de ..... de ..... hasta el día ..... de ..... de ....., a aceptar mediante endoso, todos los pagarés y letras que D. ....., le entregue de acuerdo con los posteriores pactos.

SEGUNDA. Endoso y documentos de exportación.- El CLIENTE únicamente procederá a endosar el documento cambiario cuya cuantía venga establecida en divisas ..... (las que se pacten), aportando recibo, carta de embarque o cualquier documento fehaciente acreditativo de la efectiva remisión de la exportación de mercancías junto a los efectos correspondiente para su abono.

TERCERA. Tipo de descuento y comisiones.- El BANCO descontará los efectos aportados de conformidad con el cambio de divisas vigente en el momento de la presentación al ..... % anual, debiéndose abonar una comisión cada treinta días a partir de la fecha de partida que figura en la cláusula PRIMERA, del ..... % nominal descontado y no cobrado.

CUARTA. Límite del descuento.- El BANCO descontará efectos hasta un límite de ..... euros NOMINALES. Este límite es rotativo al poderse descontar nuevos efectos una vez cobrados, recuperándose el límite a medida que se cobre el nominal de cada efecto.

QUINTA. Requisitos de los endosos.- Los endosos se efectuarán bajo las condiciones que a continuación se indican:

a) Debe existir aval o garantía bancaria suficiente, a favor del librador del pagaré o del librado de la letra, ..., a menos que el BANCO renuncie expresamente a exigir dichas garantías inicialmente, pudiendo, no obstante, exigirlas posteriormente.
b) Los endosos se realizarán sin responsabilidad del cedente.

SEXTA. Cuenta especial.- El BANCO abonará el efectivo del descuento en una cuenta especial abierta en la entidad crediticia a nombre del CLIENTE.

SÉPTIMA. Protesto de efectos remesados.- El BANCO queda autorizado para considerar «con gastos» y protestar cualquier efecto para asegurarse la acción cambiaria del reembolso.

OCTAVA. Régimen del contrato.- Este contrato tiene carácter mercantil y se regirá por sus propias cláusulas y, en su defecto, por el Código de Comercio, leyes especiales y usos mercantiles.

NOVENA. Información de los créditos cedidos.- El CLIENTE se obliga a informar al BANCO de toda incidencia alusiva a los efectos cambiarios endosados.

DÉCIMA. Sometimiento a fuero.- Las partes, con renuncia al fuero propio si lo tuvieran, se someten a la jurisdicción de los Juzgados y Tribunales de ..... 13305 (sigue)

Y en prueba de conformidad las partes otorgan y firman con mi intervención este contrato en cuadruplicado ejemplar y a un solo efecto, en el lugar y fecha indicados.

Y yo, el Fedatario Público, hechas las advertencias legales y en particular las de carácter fiscal, las relativas al conocimiento y aprobación expresa por las partes intervinientes de las condiciones generales, no inscritas, que se hallan incorporadas al contrato y debiendo tenerse por no puesta cualquier indicación que figure en la póliza contraria a lo manifestado en esta cláusula de intervención fedataria, doy fe de la identidad y capacidad de las partes, de la legitimidad de sus firmas y de todo lo convenido en el presente contrato, que firmo y sello en fecha y lugar «ut supra».

EL BANCO **EL CLIENTE**

CON MI INTERVENCIÓN
EL FEDATARIO PÚBLICO

Póliza original de contrato mercantil de cuenta corriente

13310 En ....., a ..... de ..... de .....

REUNIDOS

DE UNA PARTE, D. ..... (datos personales y NIF), domiciliado en ....., en su propio nombre.

DE OTRA PARTE, D. ..... (datos personales y NIF), con domicilio en ....., calle ....., núm ....., en su propio nombre.

Reconociéndose ambos la capacidad necesaria para otorgar este documento,

MANIFIESTAN

Que, a resultas de sus relaciones comerciales, han convenido realizar un contrato mercantil de cuenta corriente y que, con objeto de dar regulación al citado contrato, las partes lo llevan a efecto a tenor de las siguientes:

ESTIPULACIONES

PRIMERA.- Las partes abren en sus libros de contabilidad una cuenta corriente recíproca en la que serán anotadas las partidas deudoras y acreedoras de los contratantes.

SEGUNDA.- Los contratantes no podrán exigir aisladamente los créditos anotados en cuenta en el plazo de dos años desde la formalización de este contrato.

TERCERA.- Cumplido el plazo de exigencia de saldos, la parte deudora pagará al parte acreedora el importe del saldo por diferencia.

CUARTA.- Se fijará como interés de demora para el caso de incumplimiento el ..... %.

QUINTA.- Este contrato tendrá una duración máxima de cuatro años, pudiendo ser renovado en caso de continuidad de relaciones comerciales.

SEXTA.- Ninguna remesa podrá ser considerada como pagada hasta el momento de saldar o liquidar la cuenta. No cabe establecer compensaciones parciales entre dos remesas.

SÉPTIMA.- Los acreedores de un cuentacorrentista sólo podrán embargar el saldo que eventualmente pueda resultar a su favor en la fecha de liquidación de la cuenta, pero no partidas aisladas.

OCTAVA.- Como consecuencia del aplazamiento de la exigibilidad de los créditos, las sumas anotadas en la cuenta devengarán intereses a cargo del remitido y a favor del remitente.

NOVENA.- Cuando se susciten divergencias respecto de la determinación del saldo, las partes se someterán al arbitraje de equidad. El nombramiento de los árbitros recaerá en expertos titulados, contables superiores, a los que se remitirán los oportunos documentos contables.

DÉCIMA.- A los efectos del procedimiento ejecutivo se tendrá por exigible la cantidad resultante del saldo conformado por las partes o determinado en el arbitraje a que se refiere la estipulación anterior.

UNDÉCIMA.- Todos los gastos que se deriven de la formalización, cumplimiento y extinción de este contrato serán a cargo de ambas partes por mitad.

Las partes se manifiestan conformes con la presente póliza, la otorgan y firman con mi intervención en ....., ejemplares originales formalizados a un solo efecto y para su entrega a las mismas, quedando un ejemplar en mi archivo.

Y yo, el Fedatario Público, hechas las advertencias legales y en particular las de carácter fiscal, DOY FE de la identidad y capacidad de las partes, de la legitimidad de sus firmas y de todo lo acordado en este documento, que firmo y sello en el lugar y fecha consignados «ut supra».

FDO.: .... **FDO.:** ....

CON MI INTERVENCIÓN
EL FEDATARIO PÚBLICO

Póliza original de contrato de depósito mercantil

En ....., a ..... de ..... de 13315

REUNIDOS

DE UNA PARTE, ..., Sociedad Anónima (datos identificativos), domiciliada en ....., que, en lo sucesivo, será denominada DEPOSITARIO.

DE OTRA PARTE, D. ..... (datos personales y NIF), con domicilio en ....., en adelante el DEPOSITANTE.

Reconociéndose mutuamente la capacidad legal necesaria para otorgar este contrato,

MANIFIESTAN Y CONVIENEN

Realizar un contrato de depósito mercantil por el que el DEPOSITANTE depositará en los almacenes del DEPOSITARIO las siguientes mercancías: ....., y cuyo contrato se regirá por los pactos especificados en las siguientes

ESTIPULACIONES

PRIMERA. Objeto del contrato.- El DEPOSITANTE entrega, en este acto, al DEPOSITARIO ..... (embalajes) que contienen las mercancías anteriormente descritas, circunstancia que acreditan ambas partes.

SEGUNDA. Obligaciones del depositario.- El DEPOSITARIO se compromete a cuidar diligentemente de las mercancías puestas a su disposición, respondiendo de eventuales daños que sobrevinieren a aquéllas. Deberá conservarlas en los almacenes consignados en este documento y no podrá trasladarlas a otro lugar sin contar con la autorización del DEPOSITANTE.

TERCERA. Retribución del depósito.- Por tal servicio de depósito, el DEPOSITANTE abonará al DEPOSITARIO la cantidad de ..... euros, que deberán satisfacerse en ....., plazos prepagables, retribución que incluye los gastos ocasionados por el contrato al DEPOSITARIO.

CUARTA. Inspección de las mercancías depositadas.- Se reserva al DEPOSITANTE la facultad de inspeccionar, por sí o a través de terceros, las mercancías objeto del depósito.

QUINTA. Restitución de las mercancías.- El DEPOSITARIO se obliga a devolver las mercancías al DEPOSITANTE en el instante en que este último lo notifique a aquél por escrito.

SEXTA. Impago de la retribución.- En el supuesto de no abonar cualquiera de las mensualidades prepagables convenidas, el DEPOSITARIO se reserva el derecho de retención de las mercancías en tanto no se le abonen las cantidades impagadas.

SÉPTIMA. Condiciones del depósito.- El DEPOSITARIO no podrá alterar el emplazamiento del depósito, en sus almacenes, ni las condiciones técnicas para la mejor conservación de la mercancía depositada.

OCTAVA. Sometimiento a fuero jurisdiccional.- Las partes acuerdan que cualquier litigio o reclamación que se derive de la interpretación o ejecución de este contrato se resolverá definitivamente mediante arbitraje en el marco de la Corte de Arbitraje de ....., consignando explícitamente su compromiso de acatar el cumplimiento del laudo arbitral que resuelva la discrepancia.

NOVENA. Régimen del contrato.- Este contrato reviste carácter mercantil y se regirá por sus propias cláusulas y, en lo que en ellas no estuviere previsto, las partes se someterán a la legislación española contenida en el Código de Comercio (en particular, art.303-310), usos mercantiles y, a falta de los anteriores, los art.1758 y siguientes del Código Civil.

Y en prueba de conformidad, otorgan y firman el presente documento en triplicado ejemplar y a un solo efecto, en el lugar y fecha consignados en el encabezamiento.

Y yo, el Fedatario Público, hechas las advertencias legales y en particular las de carácter fiscal, doy fe de la identidad y capacidad de las partes, de la legitimidad de sus firmas y de todo lo convenido en el presente documento, que firmo y sello en el lugar y fecha indicados al comienzo del mismo.

EL DEPOSITANTE **EL DEPOSITARIO**

CON MI INTERVENCIÓN
EL FEDATARIO PÚBLICO

Contrato de arrendamiento de local de negocio integrado en un centro comercial

13320 En ....., a ..... de ..... de .....

REUNIDOS

DE UNA PARTE, D. ....., mayor de edad, de estado civil casado, con domicilio en ....., Plaza de ....., núm ....., provisto de DNI núm .....
Y DE OTRA, D. ....., mayor de edad, con domicilio en ....., C/ ....., núm ..... y DNI núm.....

INTERVIENEN

El primero, D. ....., en nombre y representación de la compañía mercantil de nacionalidad española denominada ....., (en adelante referida como la ARRENDADORA), domiciliada en ....., calle ....., núm ....., con NIF núm ..... Inscrita en el Registro Mercantil de ....., en el Folio ..... y ..... del Tomo General ....., del Libro de Sociedades, hoja .....
Hace uso de las facultades conferidas a su favor ante el Notario de ..... D. ....., mediante escritura de ..... de ..... de ..... con el número ..... de orden de su protocolo que causó inscripción ..... en el Registro Mercantil.

El segundo, D. ....., en nombre y representación de la compañía mercantil de nacionalidad española denominada..... (en adelante referido como el ARRENDATARIO), domiciliada en ....., calle ..., núm ..., con NIF núm..... en escritura pública ante Notario D. ....., inscrita en el Registro Mercantil de ..... en los Folios ....., Tomo general ....., Hoja .....
Hace uso de las facultades conferidas a su favor ante el Notario D. ....., mediante escritura de ..... de ..... de ..... con el número ..... de orden de los de su protocolo que causó inscripción en el Registro Mercantil.
Ambas partes se reconocen en la representación que ostentan capacidad suficiente para la celebración del presente contrato de arrendamiento y a tal efecto.

EXPONEN

I. Que la ARRENDADORA es propietaria del Centro Comercial conocido como ....., sito en ....., calle ....., núm .....
II. Que formando parte de dicho Centro Comercial se encuentra el local identificado a los efectos del presente contrato como ....., con una superficie bruta arrendable de ..... m^2 (en adelante el LOCAL), conforme se señala en el plano anexo al presente contrato como DOC. núm 1.
A estos efectos se entiende por superficie bruta arrendable (en adelante referida como SBA) la expresada en metros cuadrados y medida bajo los siguientes criterios:

a) Eje de medianería con otros locales.
b) Cara exterior de fachada.
c) Límite de partes comunes.

III. Que ambas partes han convenido el arrendamiento del local comercial antes descrito, lo que llevan a efecto por medio del presente documento y con sujeción a las siguientes

ESTIPULACIONES

PRIMERA. Objeto.- La ARRENDADORA, arrienda el ARRENDATARIO, que toma en arriendo, el local comercial referido en el Expositivo II, en las condiciones pactadas en este contrato y en sus anexos, que se consideran por ambas partes que forman asimismo parte integrante del contrato y que son firmados en este acto. Es objeto de arriendo exclusivamente el local identificado en el Expositivo II, sin más extensión que la comprendida dentro de los linderos del mismo que se especifican en el plano (DOC. Anexo núm 1).

SEGUNDA. Renta.- Constituye la renta ANUAL del presente arrendamiento la cantidad alzada de ..... euros (.....) pagaderas por mensualidades anticipadas de ..... (.....) más el incremento derivado de la repercusión obligatoria del IVA, de conformidad con la legislación vigente en cada momento.
La renta contractual será abonada por el ARRENDATARIO por meses anticipados, dentro de los cinco primeros días de cada mes, mediante el pago del recibo que le será presentado al cobro por la ARRENDADORA, en la cuenta bancaria que el ARRENDATARIO deja ya designada en este acto: .....

La ARRENDADORA, se reserva el derecho a establecer el pago de la renta en sus propias oficinas y podrá fijar cualquier otro sistema previa conformidad del ARRENDATARIO. 13320 (sigue)
En este acto el ARRENDATARIO hace entrega a la ARRENDADORA mediante efectivo de ..... EUROS (..... €) correspondiente a los conceptos más adelante expresados por el período comprendido entre el ..... y .....
- Renta por importe de ..... € (..... EUROS). (..... € × 2 mensualidades, más IVA).
- Contribución a gastos comunes del Centro Comercial por ..... EUROS (..... €). (..... € × ..... mensualidades, más IVA).
La falta de pago por parte del ARRENDATARIO de una mensualidad de renta, será causa suficiente para que la ARRENDADORA pueda resolver el contrato e incoar el desahucio. En este supuesto serán de cuenta del ARRENDATARIO todos los gastos judiciales que se causen a la ARRENDADORA y honorarios de Abogado y Procurador que, pese a no ser preceptivos, pueda utilizar ésta.

TERCERA. Duración del arriendo.- El plazo de duración del arriendo será de ..... AÑOS a contar desde el día .....
Una vez transcurrido el plazo anteriormente establecido, si el ARRENDATARIO continuara ocupando el LOCAL durante quince días con la aquiescencia de la ARRENDADORA la tácita reconducción a que se refiere el art.1566 del Código Civil se entenderá producida por períodos de ..... meses.
Al término de la vigencia del contrato, el ARRENDATARIO deberá desalojar y dejar libre y a disposición de la ARRENDADORA la finca objeto de este contrato.
El incumplimiento de lo convenido en el párrafo anterior, incluso el mero retraso en el desalojo del local, implicará el pago de una indemnización de daños y perjuicios que expresamente se conviene, como consecuencia del uso y detentación indebida del inmueble, por importe equivalente al duplo de la renta vigente en el período mensual inmediatamente anterior a la fecha de extinción del contrato, por cada mes o fracción de retraso en dicho desalojo.
Durante el plazo pactado el ARRENDATARIO vendrá obligado al pago de la renta, y si antes de su terminación lo desaloja, deberá notificar su propósito por escrito a la ARRENDADORA con treinta días de antelación e indemnizarle con una cantidad equivalente a la renta que corresponda al plazo contractual que quedare por cumplir.

CUARTA. Destino.- El local arrendado deberá destinarse única y exclusivamente a la actividad de ....., para la que se arrienda, no pudiendo bajo ningún concepto cambiar el destino del mismo, sin autorización escrita de la ARRENDADORA, debiendo ser explotado en toda su superficie.
Se prohíbe la instalación de todo tipo de máquinas recreativas, expendedora o de reclamo de cualquier producto (tabaco, bebidas, regalos, alimentos, etc.), salvo autorización expresa de la ARRENDADORA.
La actividad del negocio se desarrollará, exclusivamente dentro de los límites del local objeto del presente contrato, bajo la denominación y rótulo de «..... » durante todo el tiempo de vigencia de este contrato, salvo autorización escrita y previa de la ARRENDADORA para el cambio de denominación y rótulo.
La ARRENDADORA se reserva la facultad de alquilar o ceder libremente los demás locales del CENTRO COMERCIAL, así como de explotarlos directamente por sí misma.

QUINTA. Otros devengos.- Junto a la renta, el ARRENDATARIO tendrá a su cargo la cuota de participación en los gastos comunes del CENTRO COMERCIAL que le corresponda al local objeto de arriendo conforme a las reglas más adelante indicadas. Entre los gastos comunes a que se refiere la presente estipulación se encuentran comprendidos todos los referidos a la conservación y funcionamiento del Centro Comercial, así como todos aquellos que favorezcan el mejor funcionamiento, máxima afluencia de público y el más alto nivel del mismo. A título meramente indicativo se detallan las siguientes partidas que en la actualidad forman parte del presupuesto correspondiente al año... que como Anexo núm 2 se une al presente contrato: Limpieza (contrato, refuerzos, contenedores), Conservación (repuestos, suministros diversos), Mantenimiento (contrato, transporte vertical, contraincendios, puertas automáticas), Seguridad (contrato, refuerzos), Electricidad (contrato), Funcionamiento General (seguro, Comunidad Propietarios, honorarios) y Publicidad (promociones, animaciones, institucional).
La ARRENDADORA, en su calidad de gestora y propietaria única del CENTRO COMERCIAL, podrá determinar dentro de los límites expresados en el párrafo siguiente, la cuantía y las distintas partidas de los gastos comunes del Centro Comercial mediante la elaboración de los correspondientes presupuestos de carácter anual, que tendrán carácter obligatorio para el ARRENDATARIO. Anualmente la ARRENDADORA deberá dar traslado al ARRENDATARIO del presupuesto correspondiente a la anualidad siguiente, indicando la cantidad que conforme al mismo vendrá obligada a satisfacer con carácter mensual.

13320 (sigue) La arrendadora con anterioridad al inicio de cada anualidad natural informará a los comerciantes individualmente o, en su caso, a través de la Asociación de Comerciantes legalmente constituida del contenido y características del presupuesto anual que aquella hubiese elaborado.
Del presupuesto estimativo de los gastos comunes del Centro Comercial correspondiente al ejercicio ..... (Anexo núm 2), resulta una cifra de gastos para la totalidad del Centro de ..... €.
Para los sucesivos años de vigencia del contrato, el presupuesto del Centro Comercial será elaborado por la ARRENDADORA, debiendo no obstante someterse a los siguientes límites:

A) La cuantía del presupuesto de cada anualidad no podrá suponer respecto del presupuesto de la anualidad inmediata anterior un incremento superior al que resulte de la aplicación del menor de los siguientes porcentajes:

• La variación experimentada en el Índice de Garantía de Competitividad durante el período de doce meses a continuación referido, incrementado en ..... puntos porcentuales. A tal efecto se tomarán como índices de referencia los correspondientes al mes de octubre inmediato anterior al de la anualidad de cuyo presupuesto se trate y el del mismo mes del año anterior.
• Un ..... POR CIENTO respecto del presupuesto correspondiente a la anualidad inmediatamente anterior, sin que tal límite se compute de manera acumulativa, sino individualmente respecto de cada presupuesto.

B) Los gastos relativos a la promoción y publicidad del Centro Comercial no podrán exceder de una tercera parte (1/3) de la cantidad total a que ascienda el presupuesto de cada anualidad.
El criterio de contribución de los arrendatarios a los gastos comunes del Centro Comercial se establece en función del porcentaje que represente la SBA de cada local o unidad de explotación en cuestión, ponderada conforme al coeficiente más adelante expresado, respecto de la total superficie privativa de todos los locales o unidades de explotación integrantes del CENTRO COMERCIAL, ponderada igualmente en aplicación de tal coeficiente.
El coeficiente corrector único a aplicar en función de la SBA de los locales o unidades de explotación que en cada momento existan en el CENTRO COMERCIAL será el siguiente:
LOCALES DE MÁS DE ..... m^2 ....
En aplicación del expresado criterio de reparto de gastos comunes del Centro Comercial y sobre la base de la cifra establecida en el presupuesto para el año ..... (Anexo núm 2) el ARRENDATARIO contribuirá con carácter mensual durante dicha anualidad con una cantidad de ..... €./m^2.
A la finalización de cada año la ARENDADORA, sobre la base de los gastos realmente habidos, procederá a realizar la regularización que correspondan en función de las desviaciones que, en su caso, se hubieran producido respecto del presupuesto elaborado, abonando el ARRENDATARIO a la ARRENDADORA la cantidad que corresponda o restituyendo ésta a aquélla la que hubiera percibido en exceso, según fuere el caso.
Ambas partes ponen de manifiesto la importancia que en la actividad del CENTRO COMERCIAL tiene el buen cuidado y funcionamiento de las zonas y servicios comunes, así como los gastos de promoción y publicidad y en consecuencia, convienen que la falta de pago de las cargas señaladas anteriormente tenga los mismos efectos que la falta de pago de la renta.
Los expresados gastos, incrementados con la obligada repercusión del IVA correspondiente, serán satisfechos por el ARRENDATARIO mediante el pago de los oportunos recibos que le serán presentados al cobro por la ARRENDADORA del mismo modo que los de la renta.
La morosidad o el incumplimiento de la obligación de pagar las cuotas de gastos, ordinarios o extraordinarios, producirá la obligación de satisfacer todas las costas y cargos judiciales o extrajudiciales incluso los de abogado y procurador, aunque su intervención no sea preceptiva.

SEXTA. Revisión de renta.- La renta fijada en el presente contrato se revisará anualmente durante vigencia del mismo.
La primera revisión de renta se realizará con efectos al día primero de enero de ..... y las sucesivas con efectos al uno de enero de cada uno de los años en que el contrato permanezca vigente.
La actualización indicada se realizará los días uno de enero de cada año, conforme a lo indicado anteriormente, aplicando a la renta correspondiente a la anualidad anterior la variación porcentual experimentada por el Índice de Garantía de Competitividad, conforme a los datos que publique el Instituto Nacional de Estadística u organismo que lo sustituya, en un período de doce meses anterior a aquel en que proceda efectuar la actualización. Para ello se tomarán como índices de referencia el del mes de octubre inmediato anterior a la fecha de cada actualización, siempre que estuviera publicado en dicha fecha y, en caso contrario, el último publicado y el del mismo mes del año anterior.

Las variaciones de renta derivadas de la revisión pactada en esta estipulación se incorporarán a la renta del contrato y, por tanto, formarán parte de la base para sucesivas revisiones. 13320 (sigue)
Si dejara de publicarse el Índice expresado por el Instituto Nacional de Estadística o por otro Organismo que pudiera haber asumido sus funciones, aquél será sustituido por el Índice que lo reemplace o, en su defecto, por otras publicaciones o datos oficiales que recojan las variaciones de los precios al consumo.
Lo establecido en los párrafos anteriores será de aplicación a la actualización de la fianza de conformidad con lo establecido en el penúltimo párrafo de la estipulación decimoprimera.

SÉPTIMA. Cesión, subarriendo y traspaso.- El ARRENDATARIO no podrá, salvo permiso expreso y por escrito de la ARRENDADORA, traspasar, subarrendar ni ceder por ningún título, ni total ni parcialmente, el local objeto de este contrato, no siendo en consecuencia aplicable lo dispuesto en el art.32 de la Ley 29/1994 de Arrendamientos Urbanos.
En caso de fallecimiento del ARRENDATARIO cuando en el local se ejerza una actividad empresarial o profesional el heredero o legatario que continúe el ejercicio de la actividad podrá subrogarse en los derechos y obligaciones del arrendatario hasta la extinción del contrato.
La subrogación deberá notificarse fehacientemente a la ARRENDADORA dentro de los dos meses siguientes a la fecha del fallecimiento del ARRENDATARIO.
Si el ARRENDATARIO fuese una Sociedad, será causa de resolución del contrato el cambio de titularidad, en uno o varios actos sucesivos, de las acciones, participaciones o títulos representativos del capital o interés de la sociedad arrendataria, en porcentaje que sea superior al 80% de su composición actual.

OCTAVA. Renuncia de derechos.- El ARRENDATARIO renuncia expresamente a la indemnización que por transcurso del plazo del arriendo establece el art.34 de la Ley de Arrendamientos Urbanos. Igualmente, el ARRENDATARIO renuncia a los derechos de tanteo y retracto que pudieran corresponderle en caso de transmisión del local objeto del presente contrato, no siendo, por tanto, de aplicación lo dispuesto a este respecto en el art.31 de la Ley 29/1994 de Arrendamientos Urbanos.

NOVENA. Obras.- Queda expresamente prohibido al ARRENDATARIO la realización de obras en el local arrendado, salvo autorización expresa y por escrito de la ARRENDADORA.
En caso de autorizar la ARRENDADORA la realización de obras, como quiera que el CENTRO COMERCIAL se encuentra abierto al público, el ARRENDATARIO deberá ejecutar las obras sin alterar el normal funcionamiento del CENTRO COMERCIAL y acatando en todo momento cualesquiera instrucciones que la ARRENDADORA, o la persona en quien ésta delegue, dicte para tal fin y particularmente en lo referente a acceso de materiales y horario para la ejecución de obras ruidosas o molestas.
Al término del arrendamiento, las obras que se realicen en virtud de lo expuesto en los párrafos anteriores, quedarán en beneficio del local, sin derecho a indemnización alguna al ARRENDATARIO.

DÉCIMA. Riesgos.- La ARRENDADORA no se responsabiliza de los daños que por cualquier causa pudiera sufrir el ARRENDATARIO en:

a) La decoración y reformas propias de su local.
b) Maquinaria, mobiliario e instalaciones propias.
c) Mercancías o existencias propias.
d) Pérdidas de explotación.

El ARRENDATARIO deberá tener en vigor un contrato de Seguro emitido por un Asegurador de reconocida solvencia, eficaz para el caso de que se produzca alguno de los siguientes eventos o riesgos: incendio, explosión, caída del rayo, actos de vandalismo o malintencionados, tempestad, pedrisco, nieve, daños por agua, humo, choque de vehículos terrestres, caídas de aeronaves, ondas sónicas, derrame de material fundido, derrame o escape accidental de las instalaciones automáticas de extinción de incendios, fenómenos de la naturaleza de carácter extraordinario, motines o tumultos populares, actuaciones de las fuerzas armadas o de seguridad, responsabilidad civil.
El ARRENDATARIO renuncia a cualquier reclamación contra la ARRENDADORA, en caso de ocurrir alguno de los eventos de obligado aseguramiento en el párrafo anterior.

13320 (sigue) **DECIMOPRIMERA. Fianza.-** Se establece como fianza del arriendo el importe de dos mensualidades de renta que asciende a ..... EUROS (..... €).

La existencia de la fianza en poder de la ARRENDADORA no autoriza al ARRENDATARIO para dejar de hacer o demorar el pago de la renta contractual y demás cantidades debidas por el mismo.

Una vez transcurridos los cinco primeros años desde que conforme a lo dispuesto en la estipulación segunda precedente se hubiese comenzado a devengar la renta, la fianza será objeto de actualización anual con efectos al día primero de enero a fin de que sea incrementada o disminuida hasta hacerse igual al importe equivalente a dos mensualidades de la renta vigente en el momento en que procediera dicha actualización. El procedimiento para llevar a cabo la revisión de la fianza será el mismo que el establecido en la estipulación sexta precedente para la renta, pactándose expresamente que la falta de ejercicio en una o varias anualidades de dicha facultad no impedirá que la fianza sea revisada en la anualidad sucesiva con carácter acumulativo.

DECIMOSEGUNDA. Conservación y averías.- El ARRENDATARIO vendrá obligado a mantener en buen estado de uso y conservación el local arrendado y todas las instalaciones de carácter privativo en él existentes, debiendo realizar por su cuenta y a su cargo, las obras necesarias de conservación, reparación y reposición de dichos elementos privativos.

El ARRENDATARIO deberá dar cuenta inmediata de cualquier accidente o avería que afecte al CENTRO COMERCIAL o algún local comercial del mismo, siendo responsable de los perjuicios que se ocasionen por retraso u omisión en los avisos.

La ARRENDADORA se reserva el derecho de realizar todas las reparaciones necesarias, bien sea con sus medios propios o con otros ajenos, autorizando el ARRENDATARIO la entrada durante las horas del día, y, si la gravedad del accidente o avería lo requiere, de noche, a representantes de la ARRENDADORA o a personas por ella autorizadas para efectuar las inspecciones y obras necesarias, dándose en estos casos cuenta inmediata al ARRENDATARIO.

El coste de la reparación de tales averías en elementos privativos será de cuenta del ARRENDATARIO, y, en el caso de haber hecho la reparación la ARRENDADORA, ésta incluirá su importe en el primer recibo posterior a su realización.

El arrendatario se obliga a no producir daños, ni desperfectos en los elementos estructurales del LOCAL (solera, forjado superior o cubierta, cerramientos, perimetrales, ventanas y/o escaparates al mall, etc.), así como en los elementos comunes, tanto los comprendidos dentro del LOCAL como los restantes del CENTRO (acometidas para agua, electricidad, aire acondicionado, detección y protección de incendios, etc.), quedando obligado a abonar a la ARRENDADORA los desperfectos que pudiera ocasionar. A la terminación del arriendo la ARRENDADORA podrá deducir de la fianza las cantidades que correspondan de resultas del incumplimiento de lo establecido en este párrafo.

No será de aplicación lo establecido en los art.22 y 26 de la Ley 29/1994 de Arrendamientos Urbanos en relación con la conservación, mejora y obras del LOCAL.

El ARRENDATARIO deberá consentir los actos que a continuación se enumeran, sin que de ellos pudiera derivarse derecho a reclamación o indemnización:

- Modificación de las acometidas, sustitución de los contadores o de las instalaciones interiores que pudieran ser exigidas por las compañías suministradoras.
- Instalación, mantenimiento, utilización, reparación o reemplazo de tuberías, conducciones, cables e hilos correspondientes al conjunto del CENTRO COMERCIAL y que atraviesan el local arrendado.
- La realización de todo tipo de reparaciones, obras, modificaciones, aumento de altura o incluso nuevas construcciones ejecutadas en el CENTRO COMERCIAL, modificación o supresión parcial de cualquier espacio o elemento común.

DECIMOTERCERA. Horario de apertura.- El ARRENDATARIO se compromete expresamente a abrir el local objeto del arriendo durante el horario y en los días que se establecen en las NORMAS DE RÉGIMEN INTERIOR referidas en la estipulación siguiente. Mientras no sea modificado este extremo en las NORMAS indicadas el ARRENDATARIO deberá abrir el local diariamente de lunes a sábado, ambos inclusive, en el horario comprendido entre las 10 horas y las 21 horas, debiendo dar cuenta a la ARRENDADORA o a la persona o personas que ésta designe, *con la mayor antelación*, de las causas de fuerza mayor que pudieran obligarle a no abrir.

La no apertura al público del LOCAL sin causa justificada, salvo autorización escrita de la ARRENDADORA o de la persona o personas que ésta designase, durante cuatro días sucesivos o alternos en un mes, dará derecho a la ARRENDADORA a resolver el presente contrato por incumplimiento del mismo, con todas las consecuencias que fueran inherentes a dicha resolución.

A tal efecto se establece como un medio suficiente para constatar tal incumplimiento e instar la resolución correspondiente, el acta notarial en virtud de la cual quede constancia de la circunstancia indicada. 13320 (sigue)

DECIMOCUARTA. Normas de régimen interior.- La ARRENDADORA en su doble condición de propietaria única y persona que lleva a cabo -por sí o a través de la entidad a quien encomiende tal labor- la gestión y coordinación del CENTRO COMERCIAL, ha establecido determinadas normas que regulan el funcionamiento, convivencia y normas generales de funcionamiento del CENTRO COMERCIAL que son las que se establecen en el Anexo núm 3 denominado «NORMAS DE RÉGIMEN INTERIOR».
Tales normas son de obligado acatamiento para el ARRENDATARIO y los restantes comerciantes del CENTRO, facultando a la ARRENDADORA el incumplimiento de las mismas a dar por resuelto de pleno derecho el presente contrato.
La ARRENDADORA se reserva expresamente la facultad de modificar las citadas normas al objeto de maximizar el correcto funcionamiento del CENTRO COMERCIAL, regular las distintas cuestiones que en el futuro pudieran plantearse en relación con la convivencia y organización del CENTRO, o simplemente modificar aquellas otras que reguladas de una determinada forma en las NORMAS DE RÉGIMEN INTERIOR deban ser alteradas o corregidas como consecuencia de la necesaria evolución y perfeccionamiento del CENTRO COMERCIAL o de los cambios en las políticas comerciales imperantes en el mercado.
Cuando la ARRENDADORA se propusiera modificar las NORMAS indicadas, comunicará a los comerciantes individualmente o, en su caso, a través de la Asociación de Comerciantes legalmente constituida, el contenido de las mismas al objeto de valorar aquélla si las indicaciones que éstos pudieran formular al respecto debieran incorporarse a las NORMAS indicadas.
En todo caso, una vez cumplimentado el trámite referido en el párrafo anterior, la ARRENDADORA comunicará al ARRENDATARIO el contenido definitivo de tales modificaciones deberán ser notificadas al ARRENDATARIO con antelación al momento en que fueran a surtir efecto y serán igualmente obligatorias para el mismo.
Sin perjuicio de lo anterior el ARRENDATARIO se obliga a cumplir los Estatutos de la Comunidad de Propietarios del edificio de ....., núm ....., en que está radicado el CENTRO COMERCIAL.

DECIMOQUINTA. Autorizaciones administrativas.- El ARRENDATARIO se ocupará de la obtención y pago de cuantas licencias y autorizaciones, tanto para la ejecución de las obras, sus instalaciones y apertura, como para su giro o tráfico, en el local arrendado.
Por tanto, corresponderá al ARRENDATARIO el cumplimiento y observancia de todas las reglamentaciones administrativas, municipales y de policía aplicables.

DECIMOSEXTA. Gastos e impuestos.- Serán por cuenta del ARRENDATARIO todos los gastos e impuestos a que dé lugar el presente arrendamiento, así como el ejercicio de su actividad en el local arrendado.

DECIMOSÉPTIMA. Otras obligaciones.- Sin perjuicio de las restantes obligaciones establecidas en el presente contrato, el ARRENDATARIO se obliga a:

a) Realizar la conexión y contratación del alumbrado, fuerza, agua y teléfono, así como la instalación de los correspondientes contadores y aparatos.
b) Referirse expresamente a la ubicación de su tienda en el Centro Comercial al realizar publicidad relativa a su propio establecimiento.
c) Mantener iluminado el escaparate de su local en horas de funcionamiento del Centro, con independencia de que aquél se encuentre abierto o cerrado.
d) Pagar una indemnización a la ARRENDADORA -para el supuesto de que el local objeto del contrato no permanezca abierto el tiempo que deba hacerlo- equivalente a 1/30 parte de la renta correspondiente a la mensualidad en que se produzca la infracción por cada día sucesivo o alterno en que persista la misma, sin perjuicio de la facultad resolutoria de la ARRENDADORA.
e) No producir, ni permitir que se produzcan en el local arrendado ruidos, vibraciones, radiaciones de calor, humos, malos olores y emisiones e interferencias eléctricas que produzcan perjuicio a otros locales o al conjunto el Centro Comercial.
f) No almacenar o manipular materias inflamables o peligrosas para las personas u objetos, o para el local arrendado, o para el inmueble en que está situado. Caso de incumplimiento de esta obligación, el ARRENDATARIO será directamente responsable de los daños causados a los inmuebles o a terceros, sin perjuicio de la facultad de la ARRENDADORA de resolver el contrato.

13320 (sigue) g) A mantener el estado del LOCAL en perfectas condiciones de higiene y salubridad cumpliendo las normas respecto de la recogida de basuras y horario para el mismo que establezca la ARRENDADORA.

DECIMOCTAVA. Regulación.- El presente contrato de arrendamiento se regirá por las cláusulas contenidas en el mismo y, en lo no previsto en ellas, por la vigente Ley 29/1994, de 24 de noviembre, de Arrendamientos Urbanos (BOE 25-11-94) o por la que, en su caso, pudiera modificarla o sustituirla, y en lo no regulado en las mismas por las normas aplicables del Código Civil y del Código de Comercio.

DECIMONOVENA. Rótulos y anuncios.- La colocación de rótulos y anuncios por el ARRENDATARIO en el pasillo comercial y zonas comunes del CENTRO y en su fachada exterior precisará de autorización expresa y por escrito de la ARRENDADORA, correspondiéndole a esta última la plena competencia para determinar tal cuestión en todos sus aspectos (diseño, dimensiones, etc.), de conformidad con lo establecido en las normas de régimen interior. La ARRENDADORA podrá hacer referencia en la publicidad que a través de cualquier medio realice a la ubicación del negocio del ARRENDATARIO en el CENTRO COMERCIAL.
El ARRENDATARIO podrá instalar en la fachada al mall del LOCAL y en el interior del mismo los rótulos y anuncios que estime convenientes, que deberán ser en todo caso acordes con el alto nivel del CENTRO COMERCIAL.

VIGÉSIMA. Notificaciones.- A efectos de cualquier notificación que las partes tuvieran que hacerse en relación con el presente contrato se designan los siguientes domicilios:
Para la ARRENDADORA:
Pza. ..... núm ....., ...
Para el ARRENDATARIO:
....., Local Comercial .....
.....
Si cualquiera de las partes cambiare su domicilio para las notificaciones, deberá comunicarlo a la otra parte, entendiéndose que dicha notificación tendrá efectos a partir del momento en que llegue a su conocimiento de forma fehaciente. Hasta dicho momento, se entenderá que el domicilio sigue siendo el estipulado en el presente contrato y que toda notificación, de esta forma, surtirá los efectos oportunos.

VIGESIMOPRIMERA. Resolución.- El incumplimiento por cualquiera de las partes de lo pactado en el presente contrato dará derecho a la parte que hubiera cumplido las suyas a exigir el cumplimiento del contrato o a instar su resolución conforme a lo establecido en el art.1124 del Código Civil.
Sin perjuicio de lo establecido en las estipulaciones anteriores respecto de los efectos de determinados incumplimientos, así como de lo establecido en el art.35 de la vigente Ley de Arrendamientos Urbanos, las partes pactan expresamente que las obligaciones contenidas en las estipulaciones 2ª (pago de la renta), 4ª (destino), 5ª (otros devengos), 7ª (cesión, subarriendo y traspaso), 9ª (obras), 12ª (conservación y averías), 13ª (horario de apertura), 14ª (normas de régimen interior), 17ª (otras obligaciones) y 19ª (rótulos y anuncios) son parte esencial del presente contrato, facultando a la ARRENDADORA su mero incumplimiento a dar por resuelto de pleno derecho el mismo

VIGESIMOSEGUNDA. Jurisdicción.- Para la resolución de cuantas cuestiones pudieran suscitarse con motivo de este contrato ambas partes se someten a la competencia de los Juzgados y Tribunales de ....., con renuncia expresa a cualquier otro fuero que pudiera corresponderles.

Y, EN PRUEBA DE CONFORMIDAD, lo firman las partes, por triplicado ejemplar y a un solo efecto, en el lugar y fecha expresados en el encabezamiento.

EL ARRENDATARIO **LA ARRENDADORA**

Contrato de asistencia técnica y licencia de know-how

Otorgado en ....., a ..... de ..... de 13325

Entre la sociedad ....., agrupación de interés económico constituida por los Laboratorios ....., SA, ..., SA, ..., SA, ..., SA, ..., SA y ....., SA, con domicilio ....., calle ....., núm ....., representada en este acto por D. ....., en su calidad de Director-General, y en adelante denominada «prestadora».

Y

La sociedad ....., SA, cuyo domicilio social está en ....., ..., ... - ..... - ....., representada en este año por D. ....., en su calidad de Consejero-Delegado, y en adelante denominada «receptora».

SE RECONOCEN

Mutuamente, en el carácter que intervienen, plena capacidad jurídica para contratar y obligarse y, en consecuencia y basándose en los siguientes antecedentes,

EXPONEN

I. Que ..... tiene implantadas industrias en ....., ... y ....., de estar presente a través de distribuidores en todos los continentes.

II. Que ....., desde su constitución, está desarrollando una intensa actividad en I+D, lo que le ha permitido el desarrollo de registros propios y la obtención de distintas patentes. La investigación que se realiza abarca las áreas clínica, preclínica, de screening famacológico y de diseño de entidades; en el área clínica destacan los proyectos denominados ..... y .....; en las áreas preclínica, de screening farmacológico y de diseño de entidades destacan los proyectos ....., ..., ..., ... y .....

III. Que la parte licenciante es titular de dicho know-how y de información técnica, científica y comercial según se describe en el Anexo.

IV. Que el licenciatario desea obtener la transmisión de dicho know how y beneficiarse de la asistencia técnica necesaria.

V. Que el licenciante está de acuerdo en transmitir el know-how que posee y facilitar asistencia técnica al licenciatario.

Y en su virtud

ACUERDAN

PRIMERA. Objeto del contrato.- La parte prestadora proporcionará a la parte receptora, a partir de la fecha del presente contrato, todo el apoyo necesario y la asistencia oportuna para el desarrollo, ampliación y mejora de sus actividades en el territorio pactado, con respecto a todo aquello en que la experiencia y conocimiento de la prestadora pueda ser de interés para la receptora.

La asistencia que la prestadora se obliga a dar comprenderá no sólo el asesoramiento técnico, sino también todo aquel asesoramiento que pueda ser útil, por ejemplo, de carácter comercial. De este modo, la asistencia podrá comprender, entre otros supuestos:

- Selección y reclutamiento, formación y motivación del personal.
- Descripción y desarrollo o puesta en práctica de métodos de trabajo.
- Selección de servicios auxiliares adecuados.
- Asistencia a las gestiones con las autoridades y administración.
- Análisis de las posibilidades de expansión de las actividades y nuevos negocios.
- Criterios y métodos para la selección de productos y equipo.
- Descripción de procedimientos de pruebas y control de calidad.
- Estudio de los métodos de almacenamiento y embalaje actualmente utilizados, y en su caso, implantación de nuevos de menos coste y mayor eficacia.
- Control sobre el uso de material y niveles de mantenimiento de inventario.
- Estudio y desarrollo de modificaciones a la maquinaria de uso frecuente para mejorar su eficacia; ampliación de gama de equipo.
- Garantía de actualización y eficacia de la maquinaria y productos relacionados.
- Conceptos y técnicas de planeamiento a largo plazo.
- Principios de organización.
- Creación de material de publicidad y promoción especiales para el tipo de negocio.
- Entrega de expedientes de registro farmacéutico.
- Análisis de control de calidad.
- Programas informáticos.

13325 (sigue) **SEGUNDA. Licencias.-** El prestador concede al receptor el derecho a explotar los registros farmacéuticos, hiposensibilizantes, productos biológicos o de extracción y todos aquellos que se pongan a disposición del receptor.

El prestador concede asimismo al receptor una licencia de explotación de los secretos de fabricación y comercialización (know-how) de los productos que se le transmitan (vid. Anexo).

TERCERA. Mantenimiento en vigor de los derechos de propiedad industrial e intelectual.- La receptora pagará toda tasa o derecho necesaria para el mantenimiento de los registros sanitarios, marcas comerciales y/o las patentes otorgadas para el país pactado y, al recibir una notificación escrita previa, presentará al receptor/licenciatario o su representante los recibos de renovación para que los inspeccione.

CUARTA. Obligaciones de las partes.- La parte receptora será responsable por daños causados al objeto del contrato como consecuencia de cualquier acción u omisión negligente de la parte receptora, sus empleados o las personas que de aquella dependan. El uso inadecuado del objeto del contrato se considerará negligencia.

La parte prestadora será responsable por los daños o lesiones en personas o bienes si los mismos fueron causados por su negligencia o impericia en el ejercicio o desempeño de las funciones asumidas en este contrato.

La parte prestadora será, asimismo responsable del daño emergente, lucro cesante u otro tipo de daños o perjuicios, inclusive las producidas por demoras en el suministro del equipo y servicios, siempre que los mismos fueran causados por su negligencia o impericia, en el ejercicio o desempeño de las funciones asumidas en este contrato.

El receptor no podrá ceder salvo consentimiento preceptivo y fehaciente del prestador, ninguno de los derechos y obligaciones que le impone el presente contrato.

Asimismo, la parte receptora deberá notificar a la parte prestadora, por el medio más rápido posible, la existencia de los siguientes hechos:

- Intento por parte de terceros de efectuar cualquier acto que pudiera menoscabar el derecho de propiedad y los demás derechos o intereses legítimos que corresponden a la parte prestadora, o del derecho de posesión inherente a este contrato que corresponde a la parte receptora, sea ello debido a la actividad o a decisiones de la autoridad.
- Cualquier otro acto que pueda afectar negativamente o perjudicar el objeto del contrato.

Por su parte, la parte prestadora proporcionará a la parte receptora todos los materiales y suministrara a servicios de asistencia única necesarios para el ejercicio de su actividad en la ejecución de este contrato.

La parte prestadora se obliga a remitir a la parte receptora los diseños, planos y otros documentos técnicos necesarios para la adecuada utilización de la asistencia técnica objeto del presente contrato. Asimismo, la parte prestadora se obliga a facilitar a la parte receptora, de buena fe y sin ninguna reserva, el know-how, la información técnica y todos los consejos necesarios y útiles para la adecuada ejecución del objeto de este contrato para la realización, uso y explotación de la patente, en su caso.

QUINTA. Nivel de calidad.- En caso de que el producto manufacturado por la parte receptora directamente derivado del producto tecnológico transferido por la parte prestadora no alcance la calidad requerida según los estándares preestablecidos, la parte prestadora deberá enviar los técnicos necesarios para averiguar los motivos de la deficiencia y proponer, por acuerdo de los técnicos de la parte receptora, las medidas correctivas, así como la determinación de las responsabilidades.

A esos efectos, el receptor está obligado a poner a disposición de los técnicos todas las medidas que le soliciten, permitiéndoles el acceso a las instalaciones, locales y edificios vinculados con la producción, embalaje y distribución y cualquier otra medida que sea necesaria para el adecuado cumplimiento de sus fines.

Las inspecciones, estudios y trabajos a realizar por los técnicos de la parte prestadora necesarios para la solución de los problemas detectados, deberán efectuarse en horario laborable de fabricación y oficina, y limitarse estrictamente a la realización de los objetivos señalados en el apartado primero de esta cláusula y aquellos otros que hayan sido acordados por las partes.

En caso de que la responsabilidad sea del prestador, este correrá con los gastos de rectificación de la deficiencia. En caso contrario, será el receptor el que corra con los gastos.

El pago de los mencionados gastos no obsta a la obligación de soportar aquellos que se puedan también atribuir en base a lo previsto en el presente contrato.

A falta de acuerdo entre los técnicos de ambas partes, estas acuerdan someter la diferencia a dictamen pericial realizado por uno a varios peritos conjuntamente, que serán nombrados por acuerdo de las partes, o en su defecto, por el Presidente de una asociación o colegio profesional correspondiente, según el sector técnico.

SEXTA. Formación de personal del receptor.- El prestador se obliga a instruir e iniciar al personal que designe el receptor en las técnicas objeto de este contrato, en el manejo de la maquinaria o en la fabricación del producto, en su caso, en sus propias instalaciones. Se les permitirá, asimismo, tomar notas, hacer bosquejos o croquis, así obtener la información y fotografías pertinentes. **13325** (sigue)

El personal del receptor destinado a las instalaciones del prestador no podrá exceder, en cada ocasión, de tres personas. El total resultante de multiplicar el número de personas por el número de días que dure su formación no excederá de 100 días por año.

Todos los gastos que origine el desplazamiento y subsistencia de este personal, correrán a cargo del receptor.

SÉPTIMA. Obligación de secreto.- El receptor deberá guardar todo el know-how así como los datos e información técnica que reciba de la otra parte, como secreto y confidencial, y no podrán en ningún momento vender o revelar los mismos a cualquier tercero ni usarlos o disponer de ellos para ningún propósito distinto del permitido por la presente sin la autorización de la otra parte por escrito.

En concreto, el receptor se obliga a:

- No divulgar ni comunicar información técnica del prestador que directa o indirectamente con el presente contrato le haya sido facilitada o se le pueda facilitar en el futuro.
- Impedir la copia o revelación de esa información a terceros, salvo que estos gocen de una expresa aprobación por escrito del prestador, y sólo en la medida en que les sea necesaria para su función, según la autorización que el prestador les haya facilitado.
- Restringir el acceso a la información a sus empleados en la medida en que razonablemente puedan necesitarla para la ejecución del presente contrato.
- No utilizar la información o fragmentos de ésta para fines distintos de la ejecución del contrato.
- No dar a conocer ni ser causa del conocimiento de que pueda existir correlación entre la información técnica suministrada por el prestador y cualquier otra información técnica que le suministren los terceros.

Esta obligación no será de aplicación a la información que sigue:

(a) Información que en el momento de revelada sea del dominio público.
(b) Información que en el momento de revelada está en disposición de la parte que la recibe como demuestra la documentación escrita fehaciente.
(c) Información que, después de revelada, llega a ser del dominio público mediante publicaciones u otras vías, sin culpa de la parte implicada.
(d) Información que, después de revelarla, es suministrada adecuadamente a esa parte por una parte tercera independiente con derecho legal a hacer tal declaración; y/o
(e) Información que esté expresamente autorizada por escrito para ser revelada.

La parte receptora limitará la revelación de la información suministrada en virtud de este acuerdo a sus empleados o consultores del modo que consideren oportuno. Tales empleados y/o consultores deberán cumplir con las obligaciones asumidas bajo este acuerdo, sin embargo, cada parte contractual controlará que tales empleados guardan el secreto estipulado en este acuerdo.

Esta obligación del secreto perdurará tras la terminación o expiración de este Acuerdo por cualquier motivo y cada parte se compromete a guardar confidencialmente todo el know-how e información cubierta por esta obligación de confidencialidad durante 15 (quince) años desde la fecha del conocimiento de la información.

OCTAVA. Resolución por incumplimiento.- Son causas de resolución anticipada del presente contrato las siguientes:

- El incumplimiento de cualesquiera de las obligaciones establecidas por el presente contrato.
- La extinción de la personalidad jurídica de cualquiera de las partes.
- El mutuo acuerdo de las partes formalizado por escrito.

En caso de incumplimiento o negligencia de cualquiera de las partes respecto de alguna de las obligaciones que le impone el presente contrato, la otra parte notificará por escrito ese incumplimiento, requiriéndole que lo subsane dentro de 30 días a partir de la fecha en que se hace esa notificación.

Una vez expirado este plazo sin que se subsane el incumplimiento notificado la parte notificante tendrá derecho a rescindir el presente contrato mediante la notificación por escrito a la parte que no cumple.

13325 (sigue) **NOVENA. Contabilidad.-** El receptor llevará una contabilidad según el plan contable establecido. Previa petición del prestador, y en todo caso mensualmente, deberá suministrarle los estados de cuentas. Los gastos que pudieran generar esta actividad correrán a su cargo.
En todo momento el prestador puede, a iniciativa propia, acudir a la empresa del receptor y proceder a la verificación de las cuentas. El receptor está obligado a poner a su disposición todos los documentos contables, comerciales y sociales necesarios para cumplir esta, función de control.
La parte receptora podrá exigir que las citadas verificaciones de cuentas se realicen en sus locales y en horas de oficina.
El receptor deberá también suministrar trimestralmente al prestador las estadísticas y otros datos contables suficientes para conocer la situación financiera y comercial del receptor.

DÉCIMA. Precio del contrato.- En contrapartida a las ventajas que supone la utilización de la asistencia técnica prestada, la licencia del know-how, así como la formación del personal proporcionadas, el receptor deberá aportar al prestador las siguientes cantidades:
Por razón de la licencia de patentes de ..... el ..... % la facturación de las ventas de esa patente durante toda la vida de la patente.
Por razón de la asistencia técnica el ..... % sobre la facturación anual antes de impuestos.
Por razón de la formación del personal los gastos de desplazamiento y dietas incrementados en un ..... %.
Por cada dossier de registro sanitario: ..... € o el valor pactado de acuerdo con el dossier.

UNDÉCIMA. Pago de impuestos.- Ambas partes se obligan recíprocamente a facilitarse todos los documentos y realizar todas aquellas gestiones que se consideren necesarias para las gestiones ante las autoridades económicas y fiscales, tanto en relación con las autorizaciones que de éstas pudieran tener que requerirse para el pago de las contraprestaciones previstas en este contrato, como para obtener, cuando proceda las bonificaciones o exenciones fiscales que les pudiera corresponder.
Las partes se comprometen a facilitar todos los documentos necesarios para acogerse a las medidas que entre ambos Estados puedan existir para evitar la doble imposición.

DECIMOSEGUNDA. Defensa de los títulos de propiedad industrial.- Durante la vigencia del presente contrato, si existiera el peligro de que se produjera alguna infracción de los derechos de propiedad industrial objeto del contrato, o ésta efectivamente se produjera, el prestador, previa notificación del receptor o a iniciativa propia, adoptará las medidas legales apropiadas con la colaboración del receptor.

DECIMOTERCERA. Entrada en vigor y duración.- El presente contrato entrará en vigor en el día de las firmas por las partes. En el caso que las partes lo hayan firmado en días diferentes, el contrato entrará en vigor en el momento que se hayan obtenido todas las firmas de las partes necesarias.
El presente contrato se establece por un período indefinido.

DECIMOCUARTA. Solución de controversias.- Todos los problemas, controversias o diferencias que puedan surgir entre las partes, respecto a este acuerdo, serán resueltas de buena fe y de una manera amigable por ambas partes.
Si las partes no pueden llegar a un acuerdo razonable y amistoso dentro de los 2 (dos) meses siguientes desde la fecha de la notificación declarando la existencia de la diferencia, se solucionará la disputa finalmente mediante Arbitraje.
El Arbitraje se realizará en el lugar del domicilio del demandado, de acuerdo con las Reglas de Arbitraje de la Cámara de Comercio del lugar del demandado. El laudo establecido por el árbitro será final y vinculante para las partes. El idioma del arbitraje será el Español.
Este Acuerdo estará regido y gobernado de acuerdo con las leyes de España.

Fdo.: **Fdo.:**

Contrato de franquicia

En ....., a ..... de ..... de 13330

REUNIDOS

DE UNA PARTE, D. ....., con DNI número .....

DE OTRA PARTE,

D. ....., con DNI número ..... y D. ....., con DNI número .....

INTERVIENEN

D. ....., en nombre y representación de ....., en virtud de su cargo de ....., según consta en la escritura de constitución de la entidad mercantil otorgada ante el Notario de ....., D. ....., de fecha ....., con el número ..... de su protocolo e inscrita en el Registro Mercantil de ....., al tomo ....., folio ....., hoja núm ..... En adelante el FRANQUICIADOR.

D. ....., en nombre y representación de ....., en virtud de su cargo de Administrador único, cargo para el que fue nombrado en la escritura de constitución de dicha sociedad, la cual fue otorgada el ..... de ..... de ..... ante el Notario de ..... D. ....., con el núm ..... de su Protocolo e inscrita en el Registro Mercantil de ..... según consta en el tomo ....., folio ....., hoja....., inscripción 1ª e identificada a efectos fiscales con el número ..... con domicilio social y fiscal en ..... En adelante el FRANQUICIADO.

Asimismo D. ..... y D. ..... concurren en nombre propio y en su condición de socios de la referida sociedad a los efectos de asumir como propias, y con carácter solidario las obligaciones contraídas por el FRANQUICIADO en virtud del presente contrato.

Las partes se reconocen mutua y recíprocamente la capacidad legal para obligarse mediante este contrato y al efecto.

EXPONEN

1. Que ..... es una Sociedad de Responsabilidad Limitada que incluye en su objeto social, entre otras, las siguientes actividades:

....

....

Para la prestación de dichos servicios, ... utiliza su propio nombre comercial y su marca.

La marca ..... figura inscrita en el Registro de Marcas con el núm ....., clase ..... Dicha inscripción se produjo el .....

2. Que el FRANQUICIADO está interesado en la comercialización de los productos y servicios que el FRANQUICIADOR le pueda proporcionar, todo ello, según los términos del presente contrato.

Asimismo, el FRANQUICIADO reconoce expresamente las ventajas que han de derivarse del hecho de ser identificado con la marca ..... y del uso de los signos distintivos que la sociedad pone a su disposición en los términos de este contrato.

3. Que ..... desea prestar servicios relacionados con .....

4. Que el FRANQUICIADOR está interesado en conceder una franquicia al FRANQUICIADO en los términos del presente contrato siempre que el control del FRANQUICIADO corresponda a los actuales socios del mismo los cuales sean los únicos encargados de su gestión. A estos efectos, el término «control» se interpretará de acuerdo con el significado que el artículo 42 del Código de Comercio da a la expresión «posición dominante».

Y así, ambas partes acuerdan celebrar el siguiente CONTRATO DE FRANQUICIA de acuerdo con las siguientes

ESTIPULACIONES

CAPÍTULO 1. OBJETO

PRIMERA.- El presente contrato tiene por objeto la colaboración de ambas partes en régimen de franquicia para la prestación por parte del FRANQUICIADO de todos los servicios que se enumeran en el Expositivo 1 y que forman parte del objeto social del FRANQUICIADOR, a la clientela que le es propia o que puedan captar tales servicios, los cuales se prestarán en los términos y condiciones que se estipulan en este contrato.

13330 (sigue) La presente franquicia incluye las siguientes prestaciones que se realizarán en los términos expresados en las estipulaciones siguientes:

a) El uso de la marca y nombre comercial ....., que se identifican en el Expositivo 1 y rótulo del mismo nombre así como las creaciones intelectuales elaboradas por ..... facilitadas por este al FRANQUICIADO o a sus socios.
b) La comunicación por parte del FRANQUICIADOR de un know-how con prestación de asistencia técnica y comercial.
c) La presentación uniforme de los locales correspondientes.
d) La comercialización prioritaria de los productos recomendados por .....

Las referidas prestaciones se llevarán a cabo en todo momento de acuerdo con las directrices técnicas y profesionales del FRANQUICIADOR.

CAPÍTULO 2. SIGNOS DISTINTIVOS Y PROPIEDAD INTELECTUAL

SEGUNDA. Uso de signos distintivos del FRANQUICIADOR.- El FRANQUICIADOR autoriza al FRANQUICIADO el uso de su nombre comercial, la marca ..... y el rótulo de igual denominación para el abanderamiento y decoración de los establecimientos propios del FRANQUICIADO.
Este utilizará los derechos cedidos exclusivamente para la prestación de los servicios coincidentes con los que constituyen el objeto social de ..... expresados en el expositivo 1, en los términos que resultan de la estipulación primera del presente contrato y de lo que periódicamente le comunique el FRANQUICIADOR.
En particular el FRANQUICIADO deberá emplear exclusivamente el rótulo cuyo uso se concede por el presente contrato ajustándolo a las dimensiones, color y forma que previamente le haya comunicado el FRANQUICIADOR, sin introducir modificaciones en esas o en otras características del mismo que no haya sido previamente autorizadas por el FRANQUICIADOR y sin poder usar otros rótulos que no sean aquellos cuyo uso se concede mediante este contrato.
No podrá utilizarse por el FRANQUICIADO ningún signo distintivo diferente de los aprobados por ..... para su uso por el primero en el ámbito del presente contrato.
El FRANQUICIADO no podrá tampoco hacer uso de la marca, nombre comercial ni rótulo cuyo uso se atribuye en virtud del presente contrato, en ningún otro negocio propio o de terceros aun cuando hubiera cesado ya, por cualquier causa, en el uso de aquéllos.
Queda bien entendido que la atribución del uso de la marca ..... y demás derechos cuyo uso se concede tendrá la misma duración que el presente contrato y se entenderá revocada automáticamente con carácter simultáneo a la extinción del mismo.
La atribución del uso de los referidos derechos se entiende limitada al territorio de expresado en la estipulación decimoctava.

TERCERA. Efectos de la terminación del Contrato de Franquicia en cuanto a los signos distintivos de ..... - A la terminación del Contrato de Franquicia por cualquier causa, el FRANQUICIADO dejará de usar el nombre comercial, la marca y demás signos distintivos de el FRANQUICIADOR así como cualesquiera letreros, mobiliario, material didáctico, tarjetas, fichas técnicas, modelos de contrato, materiales de exhibición, promoción y publicidad que contengan la mención ..... o que puedan ser asociados a su imagen de marca.
El FRANQUICIADO devolverá al FRANQUICIADOR todos los letreros, expositores, material didáctico, fichas técnicas, tarjetas, modelos de contrato, materiales de exhibición, promoción y publicidad que lo mencionen y el mobiliario comercial y asistencia informática que le hubieran sido proporcionados por el FRANQUICIADOR. El FRANQUICIADO conservará aquellos elementos, materiales o mobiliario que hubiese adquirido de terceros, si bien no podrá hacer uso de los mismos mientras contengan la mención ..... o puedan ser asociados, de algún modo, con su imagen de marca.
En particular, el FRANQUICIADO se compromete a no hacer uso del nombre comercial ....., o su abreviatura ....., en caso de resolución del contrato o extinción éste por cualquier causa aun cuando dicho nombre forme parte de su denominación social.
La presente limitación no se extenderá a los bienes muebles tangibles que formen parte del inventario del FRANQUICIADO y que sean comercializados por terceros de forma general en el mercado, excepción hecha de aquellos muebles de diseño exclusivo del FRANQUICIADOR o que puedan ser asociados a su imagen de marca. Dichos muebles serán entregados al FRANQUICIADOR siempre que éste requiera al FRANQUICIADO en este sentido dentro de un plazo razonable desde la extinción de la franquicia y por su coste de adquisición descontadas las amortizaciones que hubiera sufrido.

En todo caso terminado el contrato EL FRANQUICIADO deberá acatar la notificación de cesación en el uso de las marcas o del Know-How comercial y cesará de usarlos en la comercialización, decoración y mobiliario de sus establecimientos comerciales dentro del plazo de 30 días, a contar desde la fecha en que se reciba la indicada notificación aplicándose, en caso de no hacerlo, una sanción de ..... €. por cada día de retraso en la cesación de las actividades prohibidas conforme a este párrafo. **13330** (sigue)
En el plazo a que se refiere el párrafo anterior el FRANQUICIADO deberá facilitar al FRANQUICIADOR un soporte informático en el que se contenga una relación de todos los clientes atendidos por el FRANQUICIADO durante el tiempo de vigencia del contrato en la cual expresará sus nombres y domicilio. La información entregada podrá ser utilizada por parte del FRANQUICIADOR para remitir a los clientes una comunicación escrita en la que se les ponga de manifiesto la terminación del contrato. La falta de entrega de la citada relación en soporte informático generará en el FRANQUICIADO la obligación de pagar al FRANQUICIADOR, en concepto de cláusula penal, una cantidad de cinco millones de pesetas.

CUARTA. Derechos de propiedad intelectual.- Independientemente del deber de poner a disposición del FRANQUICIADO el manual a que se refiere la estipulación quinta, el FRANQUICIADOR deberá facilitar al FRANQUICIADO los folletos y material similar que elabore con carácter divulgativo relacionado con los servicios ..... El FRANQUICIADOR podrá además facilitar periódicamente al FRANQUICIADO obras elaboradas y diseñadas por el FRANQUICIADOR en forma de libros, revistas, folletos u otras modalidades gráficas de contenido científico cuyo objeto sea el conocimiento de las materias referentes a ....., sin que la entrega de tales creaciones intelectuales al FRANQUICIADO implique la transmisión de los derechos de propiedad intelectual sobre las mismas que correspondan al FRANQUICIADOR.

CAPÍTULO 3. KNOW-HOW

QUINTA. Uso del Know-how.- El FRANQUICIADOR proporcionará al FRANQUICIADO la asistencia y el apoyo comercial necesario para la prestación por el FRANQUICIADO de los servicios a que se refiere la Estipulación Primera, lo que comprende el uso de un Manual de Operaciones que se encuentra unido al presente contrato como Anexo núm 1, así como los métodos específicos de comercialización, diseño y gestión de establecimientos.
Para la consecución de estos fines el FRANQUICIADOR facilitará el adiestramiento de personal en la forma que se establece en el apartado 2) de la Cláusula Decimoprimera del presente contrato.
..... podrá modificar en cualquier momento el Manual de Operaciones unido como Anexo 1 a este contrato y la modificación será exigible a las ..... horas de su recepción por el FRANQUICIADO.

SEXTA. Protección del Know-how.- El FRANQUICIADO reconoce expresamente que el FRANQUICIADOR es titular exclusivo del Know-How comercial y técnico.
Asimismo, el FRANQUICIADO reconoce el carácter confidencial y reservado de la información y Know-How (comercial y técnico) recibidos de el FRANQUICIADOR obligándose a:

a) No hacer ningún uso, con o para terceros, del contenido de los documentos ni de los conocimientos, información, materiales o cualesquiera otros detalles referentes al know-how recibido de ..... durante la vigencia de este contrato ni en un período de un año a partir de su terminación.
b) No aplicar el Know-How recibido de ..... a otros negocios propios ni durante la vigencia del presente Contrato de Franquicia ni durante un plazo de un año a partir de su terminación.
c) Obligar a sus empleados a no divulgar los secretos a que se refieren los párrafos anteriores introduciendo en los contratos de trabajo celebrados con tales empleados una cláusula especial que ponga de manifiesto este deber de secreto. Asimismo asumirá la responsabilidad que pudiera atribuírsele por el incumplimiento de dicho deber de secreto por los mismos empleados.

SÉPTIMA. Extensión del Know-how.- El FRANQUICIADO queda obligado a comunicar al FRANQUICIADOR toda la experiencia obtenida en el marco de la explotación del presente Contrato de Franquicia. Esto se entiende sin perjuicio de lo establecido en la estipulación octava del presente contrato.

CAPÍTULO 4. PROTECCIÓN DE LAS TITULARIDADES DEL FRANQUICIADOR

OCTAVA. Titularidad de los derechos de ....., y colaboración del franquiciado en la defensa de los mismos.- El FRANQUICIADO reconoce expresamente que el FRANQUICIADOR ostenta la titularidad del nombre comercial ..... y de la marca ....., de sus correspondientes rótulos y anagrama que figura en anexo número 2 al presente contrato así como de la titularidad intelectual

13330 (sigue) que corresponde a ..... sobre las obras creadas y facilitadas al FRANQUICIADO o a sus socios, por lo que el uso de tales derechos habrá de ajustarse específicamente a las directrices proporcionadas por ..... en los términos expresados en las estipulaciones anteriores. En consecuencia tales derechos no podrán ser presentados como propios del FRANQUICIADO ni aun, conjunta o aisladamente, con derechos iguales o análogos de otras personas.
El FRANQUICIADO se obliga a asistir al FRANQUICIADOR en cualquier acción legal que decida intentar contra los infractores de los referidos derechos informándole inmediata y cumplidamente de toda vulneración de los mismos derechos de la que tuviera conocimiento.

CAPÍTULO 5. ESTABLECIMIENTOS

NOVENA. Requisitos de los establecimientos.- Las actividades derivadas del uso de la franquicia concedida en virtud del presente contrato serán desarrolladas por el FRANQUICIADO en el local o locales a él pertenecientes ya sea a título de propietario ya en cualquier otro que le permita el uso de los mismos. Dicho local se configurará como establecimiento del FRANQUICIADO corriendo a su cargo los elementos materiales y personales necesarios para el buen funcionamiento de la franquicia así como todos los gastos y costes concernientes a la gestión y explotación del mismo establecimiento.
Sin perjuicio de ello, el FRANQUICIADOR tendrá que dar su visto bueno a la utilización del referido local dentro de los treinta días siguientes a la firma de este documento sin el cual no podrá el FRANQUICIADO iniciar las actividades derivadas de la franquicia.
El FRANQUICIADO utilizará el nombre de ..... en el exterior de los establecimientos por él explotados, mediante rótulos y demás signos externos que estén en uso y sean apropiados a los locales, en los términos expresados en este contrato, y ello a partir del momento en que se obtenga la correspondiente licencia municipal de apertura para los establecimientos, y se hayan cumplido las restantes condiciones necesarias, con la obligación de utilizar el nombre comercial de ..... y demás derechos con absoluta buena fe y máximo cuidado y respeto y siempre de acuerdo con las especificaciones comunicadas por parte del FRANQUICIADOR.

DÉCIMA. Personal y decoración de los establecimientos.-

a) **Personal.** La gestión del establecimiento o establecimientos deberá estar encomendada a un número suficiente de empleados los cuales habrán de contar con la profesionalidad necesaria para ofrecer a los clientes un servicio eficiente. En todo caso la designación de la persona empleada por parte del FRANQUICIADO y encargada del control del establecimiento habrá de ser comunicada al FRANQUICIADOR. Idéntica comunicación habrá de hacerse por parte del FRANQUICIADO en el caso de que por cualquier causa cesara dicha persona en el desempeño de sus funciones y fuese sustituida por otra.
Durante la vigencia del presente contrato el FRANQUICIADOR podrá exigir al FRANQUICIADO la participación de sus representantes o empleados en las actividades de formación que el primero organice, conforme a la cláusula decimosegunda apartado 2, dentro o fuera de España y, en general, al modo de prestación de los servicios o gestión comercial referentes a la utilización de los derechos cuyo uso se atribuye por medio del presente contrato.
b) **Decoración.** Los establecimientos se decorarán conforme al proyecto de decoración de cada uno de ellos previamente supervisado por el FRANQUICIADOR quien lo aprobará o indicará las modificaciones a realizar en los mismos. En todo caso los gastos de decoración correrán a cargo del FRANQUICIADO.

CAPÍTULO 6. OBLIGACIONES GENERALES

DECIMOPRIMERA. Obligaciones generales del FRANQUICIADO.- El FRANQUICIADO se compromete a:

1) Realizar un número bruto mínimo de ventas el primer año por importe de ..... euros (..... €). Transcurrido el primer año, las partes se reunirán al inicio de cada semestre para establecer los objetivos de producción que deban ser alcanzados por el FRANQUICIADO.
2) Ofrecer de modo prioritario a cualquier otro los productos del FRANQUICIADOR a los pacientes que reciban los servicios prestados dentro de la presente franquicia.
3) Seguir las directrices que el FRANQUICIADOR establezca respecto a las características técnicas que debe reunir el instrumental utilizado para la prestación de servicios objeto del presente contrato así como las instrucciones reflejadas en el Manual de Operaciones al que se refiere la Cláusula Quinta.
Igualmente, el FRANQUICIADO se compromete a seguir las directrices del FRANQUICIADOR en cuanto a la prestación de todos los servicios comprendidos en la franquicia.

4) No alterar, sin previo consentimiento por escrito del FRANQUICIADOR, el diseño del local comprometiéndose a mantenerlo siempre en perfecto estado de conservación, decoración y limpieza de conformidad con los requerimientos de imagen de la cadena. **13330** (sigue)

5) Obtener a su costa cualesquiera licencias o permisos municipales o de cualquier otra índole o exigidos por las Administraciones Públicas competentes para la ejecución de las obras, la apertura del local y su explotación comercial.

6) Mantener la total y libre disponibilidad del local, de forma que el FRANQUICIADOR o sus encargados puedan realizar los controles a que se refiere el número 14 de la presente estipulación.

7) Cumplir todas las obligaciones contractuales y fiscales derivados de la tenencia del local donde se asiente aquélla con toda exactitud y puntualidad.

8) Cumplir todas las obligaciones laborales contraídas con el personal de la empresa, incluidas las prestaciones a la Seguridad Social que por Ley le corresponda, debiendo estar al corriente en el pago de sus cuotas.

9) Contratar, con una compañía de reconocido prestigio, previamente aceptada por el FRANQUICIADOR, un seguro de daños sobre el local que cubra el riesgo de robos, incendios, inundaciones y otros riesgos de cuya póliza se le entregará un ejemplar al FRANQUICIADOR, en cuanto al mobiliario, la instalación informática y demás elementos aportados por el FRANQUICIADOR y por el FRANQUICIADO. Igualmente, suscribirá un seguro de responsabilidad profesional de cuantos profesionales presten sus servicios al FRANQUICIADO y garantiza la continua colegiación de los referidos profesionales en el Colegio correspondiente.

A los efectos expresados en el inciso primero del párrafo anterior el FRANQUICIADO habrá de comunicar, previamente a concertar el seguro en él indicado, el nombre de la compañía aseguradora y el importe de la prima a satisfacer a ésta. Se entenderá que el FRANQUICIADOR acepta el contenido expresado por el FRANQUICIADO referente a la compañía e importe de la prima en el caso de que no expresara su voluntad en contra en el plazo de los diez días siguientes a aquel en que hubiera recibido la comunicación.

En la póliza de seguro de daños a que se refiere el párrafo anterior se pactará que, en caso de que los daños ocasionados paralicen o de algún modo minoren la actividad comercial realizada en el local, ... será el beneficiario de la póliza hasta un importe máximo que le permita obtener en ese ejercicio, al menos, igual remuneración que la obtenida en la anualidad anterior a la fecha del siniestro cubierto por la póliza.

10) Vender o utilizar para la prestación de servicios exclusivamente productos que cumplan las especificaciones mínimas objetivas de calidad establecidas por el FRANQUICIADOR. A tal efecto deberá contar en su establecimiento, con los productos del FRANQUICIADOR, así como de aquellos otros que, con iguales condiciones, éste le recomiende, en la variedad y cantidad mínima que previamente y en cada momento le comunique con razonable antelación el FRANQUICIADOR. Para el cumplimiento de esta obligación el FRANQUICIADO deberá ofrecer a sus clientes dichos productos de forma prioritaria y a adquirirlos con igual prioridad al FRANQUICIADOR, o a la persona o sociedad que esta designe. La adquisición tendrá carácter obligatorio para el FRANQUICIADO siempre que los precios ofrecidos por el FRANQUICIADOR sean iguales o más ventajosos que los que el FRANQUICIADO pudiera obtener de otros proveedores de los mismos productos.

11) Vender los productos o prestar los servicios que constituyen el objeto del FRANQUICIADOR conforme a la lista de precios que periódicamente le remita este y en las cantidades mínimas que éste el haya comunicado con igual periodicidad.

12) Obrar con la máxima diligencia para vender los productos o prestar los servicios objeto de la franquicia y seguir una actuación comercial y profesional acorde con los buenos usos mercantiles y la ética profesional según se refleja en el Manual de Operaciones al que se refiere la Cláusula Quinta.

13) Aplicar los métodos comerciales elaborados por el FRANQUICIADOR así como sus sucesivas modificaciones.

14) Permitir que el FRANQUICIADOR efectúe controles en los locales objeto de contrato, incluyendo los productos vendidos y los servicios prestados así como de los inventarios y cuentas del FRANQUICIADO.

A tales efectos los empleados o agentes del FRANQUICIADOR, debidamente acreditados por este, podrán personarse en los establecimientos del FRANQUICIADO para fiscalizar la gestión, personal empleado en los mismos, organización comercial, libros y documentos contables, exposición de los productos y promoción, distribución y entrega de los mismos. Tales controles podrán efectuarse con una periodicidad de al menos uno cada trimestre, corriendo a cargo el FRANQUICIADO los gastos de desplazamiento, manutención y estancia de los empleados o agentes enviados por el FRANQUICIADOR durante el tiempo que dure la supervisión.

13330 (sigue) 15) Sujetarse a las instrucciones y controles del FRANQUICIADOR en el desarrollo de las actividades comprendidas en la letra b) del expositivo 1 del presente contrato a cuyo efecto el FRANQUICIADO se compromete a sujetarse a la dirección del FRANQUICIADOR en el desarrollo de las mismas, asumiendo las indicaciones y controles que le manifieste el FRANQUICIADOR a través de sus dependientes, y a no ejercer tales actividades en el territorio a que se refiere la estipulación decimoctava del presente contrato sin que previamente cuente con el consentimiento del FRANQUICIADOR.

DECIMOSEGUNDA. Obligaciones generales del FRANQUICIADOR.- El FRANQUICIADOR se compromete a:

1) Asesorar al FRANQUICIADO de modo continuo, tanto de la puesta en marcha del negocio, como de la gestión integral del establecimiento en su fase de funcionamiento.
2) Facilitar al FRANQUICIADO el asesoramiento y orientación en relación al adiestramiento y gestión del personal dependiente del mismo dedicando a tal fin, un período de ..... semanas desde la fecha del presente contrato. A los efectos del presente apartado el período de ..... semanas se dividirá en dos períodos de ..... semanas cada uno.
Durante las ..... primeras semanas a que se refiere el párrafo anterior se realizarán cuatro visitas, de un día cada una, al domicilio social del FRANQUICIADOR a cuyo efecto el personal del FRANQUICIADO se desplazará a dicho domicilio corriendo a cargo del mismo FRANQUICIADO los correspondientes gastos de desplazamiento, manutención y estancia del personal desplazado.
Pasadas las ..... semanas a que se refiere el párrafo anterior, y durante las ..... siguientes, se realizarán, por el personal del FRANQUICIADOR, ... visitas al domicilio del FRANQUICIADO, de un día de duración cada una. En estos casos correrán a cargo del FRANQUICIADO los gastos de desplazamiento, manutención y estancia de los empleados o agentes enviados por .....
Posteriormente se realizarán visitas de seguimiento sin periodicidad fija. Tales visitas se entienden sin perjuicio de las que, con arreglo al apartado 14 de la estipulación anterior, considere conveniente hacer .....
3) Mantener un permanente contacto con el FRANQUICIADO, mediante cursillos, circulares y visitas, acerca de los problemas propios de la franquicia.
4) Suministrar al FRANQUICIADO, en su caso, productos de ..... o comercializados por ..... en iguales condiciones y precios que aplique al suministrar los mismos productos a otros FRANQUICIADOS.

CAPÍTULO 7. ASPECTOS ECONÓMICOS

DECIMOTERCERA. Retribución.- El FRANQUICIADO deberá pagar a ..... en concepto de retribución por el otorgamiento de la presente franquicia la cantidad de ..... euros (..... €), más el correspondiente Impuesto sobre el Valor Añadido, como contribución inicial. La referida contribución inicial de ..... €. se pagará como sigue:

a) ..... euros (..... €) que el FRANQUICIADO entrega en este acto en metálico, junto con el IVA correspondiente.
b) ..... euros (..... €) más el correspondiente IVA que pagará el FRANQUICIADO a los treinta días de la celebración del presente contrato.
c) ..... euros (..... €) más el correspondiente IVA que pagará el FRANQUICIADO a los sesenta días de la celebración del presente contrato.

Además de la referida contribución inicial, el FRANQUICIADO deberá abonar un canon de franquicia por un importe igual al ..... % de los ingresos brutos producidos en cada trimestre por la comercialización y prestación de servicios y venta de bienes realizados al amparo del presente contrato de franquicia.
A estos efectos, el FRANQUICIADO deberá practicar trimestralmente y notificar al FRANQUICIADOR el importe de cada liquidación que, en aplicación del porcentaje expresado en el párrafo anterior, corresponda a ..... y que le será satisfecha por el FRANQUICIADO dentro de los ..... primeros días de cada trimestre siguiente a la fecha de su realización.

DECIMOCUARTA. Cuentas.- El FRANQUICIADO se obliga a instalar en soporte informático un programa contable fiable y transparente así como facturar cuantos servicios preste o ventas de productos efectúe.
El FRANQUICIADO deberá facilitar todos cuantos datos contables sean precisos tantas veces como sea requerido por el FRANQUICIADOR. En el caso de que hubiese alguna disputa sobre los datos contables proporcionados por el FRANQUICIADO, la misma será resuelta por informe motivado por un Auditor que nombren las partes en ese momento. En caso de desacuerdo sobre el nombramiento de Auditor, el informe será redactado por un Auditor nombrado por el

Presidente del Colegio de Economistas de ..... a solicitud del más diligente. El informe del Auditor nombrado de acuerdo con lo dispuesto en esta estipulación será vinculante para las partes y las estas se comprometen a respetarlo y cumplirlo. 13330 (sigue)

CAPÍTULO 8. TRANSMISIÓN DE DERECHOS, CONCURRENCIA Y EXCLUSIVIDAD

DECIMOQUINTA. Derecho de tanteo.- Si el FRANQUICIADO decide transmitir a título gratuito u oneroso sus derechos sobre el local en que se halla instalado su establecimiento a un tercero que pretenda realizar en el mismo una actividad que pudiera entrar en competencia con las que realiza el FRANQUICIADOR en sus establecimientos, habrá de notificarlo previamente y por escrito al FRANQUICIADOR y a darle preferencia, frente a terceros interesados, en las mismas condiciones en que se pretenda la transmisión a estos. En caso de transmisión gratuita del local ..... deberá satisfacer una contraprestación igual al valor de mercado que tuviere el local en igual régimen (propiedad, alquiler) en que lo tuviera el FRANQUICIADO.
El FRANQUICIADOR se obliga a hacer uso de su derecho de preferencia en un plazo de sesenta días, a contar de la fecha en que reciba la notificación que le remita el FRANQUICIADO. De expirar el plazo sin que por parte del FRANQUICIADOR se hubiera ejercitado dicho derecho se entenderá que renuncia a su ejercicio.
Si el FRANQUICIADO procediera a transmitir sus derechos sobre el local sin realizar la notificación prevista en la presente estipulación vendrá obligado a satisfacer al FRANQUICIADOR una indemnización por importe de ..... euros (..... €).

DECIMOSEXTA. Cesión del contrato.- El presente Contrato, del mismo modo que cualquier otro derecho que derive del mismo, no pueden ser cedidos a terceros, sin que medie previamente la autorización escrita del FRANQUICIADOR, dado que se trata de relaciones «intuitu personae».

DECIMOSÉPTIMA. Pacto de No-Concurrencia.- Durante el tiempo que dure el presente contrato el FRANQUICIADO no podrá prestar los servicios objeto de la presente franquicia o que entren en competencia con los productos y servicios prestados por el FRANQUICIADOR si no es al amparo de lo pactado en el presente contrato, salvo que concurra autorización expresa y escrita del FRANQUICIADOR para cada caso concreto.
Asimismo, el FRANQUICIADO y sus partícipes se obligan durante toda la vigencia de este contrato, y durante el plazo de 1 año y 6 meses a partir de la terminación del mismo, a no realizar actividad docente alguna que tenga relación con las materias que son objeto del presente contrato. En caso de incumplimiento de esta obligación vendrán obligados solidariamente entre sí y con la comunidad de bienes de la que son miembros a indemnizar al FRANQUICIADOR con la cantidad de ..... euros (..... €).

DECIMOCTAVA. Pacto de Exclusividad.- Durante todo el tiempo de vigencia del presente contrato, el FRANQUICIADOR se compromete a no contratar con terceros franquicias para la prestación de los servicios a que se refiere el presente contrato en un espacio que comprende la totalidad de la superficie de la Comunidad Autónoma de ......

CAPÍTULO 9. GARANTÍA PERSONAL

DECIMONOVENA.- El presente Contrato se celebra en consideración a la identidad de los socios de la sociedad FRANQUICIADA. Asimismo se celebra en consideración a la situación patrimonial del FRANQUICIADO.
Este se obliga a notificar al FRANQUICIADOR, mediante carta certificada con acuse de recibo, en el plazo de ocho días, a contar del momento en que se verifiquen los hechos, todos los cambios relevantes que afecten a su patrimonio o al de sus socios.
Los socios de la sociedad FRANQUICIADA garantizan personal y solidariamente el cumplimiento de las obligaciones contraídas por el FRANQUICIADO en virtud del presente contrato y quedan personalmente sujetos a no desarrollar las actividades que resultan prohibidas a dicho FRANQUICIADO en virtud del presente contrato.
Asimismo los socios se obligan en virtud del presente contrato a no transmitir las participaciones en la sociedad FRANQUICIADA de las que son titulares sin que previamente concurra el consentimiento de ..... que podrá denegar la transmisión o condicionarla a que, a su elección, los transmitentes o los adquirentes otorguen garantía real o personal suficiente para asegurar las obligaciones derivadas del presente contrato.
La transmisión de participaciones hecha con vulneración de lo establecido en el párrafo anterior no liberará a los socios de las responsabilidades en que hubiera incurrido el FRANQUICIADO y de las que sean solidariamente responsables con él conforme al presente contrato.

13330 (sigue)

CAPÍTULO 10. CONCESIÓN PREFERENTE

VIGÉSIMA.- El FRANQUICIADO tendrá un derecho de concesión preferente respecto de cualquier otra franquicia que pueda ser concedida por el FRANQUICIADOR en el territorio a que se refiere la estipulación decimoctava.

CAPÍTULO 11. DURACIÓN Y TERMINACIÓN

VIGÉSIMO PRIMERA.- El presente contrato tiene carácter indefinido o de tracto sucesivo. Ello no obstante, ambas partes podrán poner fin al mismo con un preaviso de tres meses. Dicho preaviso se realizará por notificación escrita y fehaciente y el plazo comenzará a correr desde su remisión siempre que esta última conste acreditada fehacientemente.

VIGESIMO SEGUNDA. Cláusula resolutoria.- Excepto en los casos establecidos expresamente en el presente Contrato, el FRANQUICIADOR se reserva el derecho de resolver de inmediato el presente Contrato, por medio de una notificación escrita a remitir al FRANQUICIADO, si se verifica alguno de los siguientes hechos:

1. Si el FRANQUICIADO incumple cualquiera de las obligaciones que asume de conformidad con el presente contrato.
2. Si se promueve y resulta judicialmente declarado el concurso de acreedores del FRANQUICIADO o de sus socios, ya a instancias del mismo FRANQUICIADO o de terceros, o si el FRANQUICIADO efectúa una cesión a favor de sus acreedores, o si se nombra un comisario, o un liquidador o concurre causa de disolución aunque dicha causa no haya sido declarada judicialmente.
3. Si una cualesquiera de las autorizaciones, consensos, permisos, licencias, exenciones, registros, o documentos notariales, o si una cualesquiera de las autorizaciones administrativas, judiciales o públicas que permiten al FRANQUICIADO efectuar la reventa de los productos o la prestación de los servicios objeto de este contrato se modifican, o revocan, o no se conceden, o caducan, o si el FRANQUICIADO renuncia a los mismos.
4. Si se verifica un cambio sustancial en las actividades del FRANQUICIADO, debido a muerte, dimisión, renuncia de socios, o liquidación de la sociedad o, de ser el FRANQUICIADO una sociedad limitada, en caso de liquidación voluntaria u obligatoria, de fusión, insolvencia, mora, liquidación o concurso de acreedores.
5. Si se modifican los socios titulares del capital de la sociedad, o la estructura o identidad de las personas que integran los organismos directivos del FRANQUICIADO sin el previo consentimiento de .....
6. En caso de condena penal de alguno de los socios de la sociedad franquiciada, como consecuencia de una sentencia firme.

Establecido todo lo anterior, si el FRANQUICIADO presta en el establecimiento servicios distintos de los incluidos en el presente contrato, o si incumple abiertamente sus obligaciones de no llevar a cabo actos de competencia desleal y de fidelidad, el mismo estará obligado a abonar al FRANQUICIADOR una penalidad equivalente al ..... % de la media del volumen de facturación del establecimiento o establecimientos que regenta, correspondiente a los dos últimos ejercicios, además de la indemnización por daños que el FRANQUICIADOR podrá reclamar por separado. Para ello bastará que el FRANQUICIADOR remita una simple solicitud escrita.

Después de ratificarse en el contenido del presente contrato, se firma el mismo por duplicado y a un sólo efecto en el lugar y fecha expresados en su encabezamiento.

EL FRANQUICIADOR **EL FRANQUICIADO**

Contrato de agencia y prestación de servicios

En ....., a ..... de ..... de 13335

REUNIDOS

De una parte D. ..... con DNI núm ....., en su calidad de ..... de ....., Entidad domiciliada en ..... con NIF núm ....., actuando en nombre y representación de la misma, según acredita por escritura de poder otorgada ante el Notario de ....., D. .....

De otra, D. ....., con DNI núm ....., en su calidad de ..... de ....., Entidad domiciliada en ....., con NIF núm ....., actuando (en nombre y representación de la misma, según acredita por escritura de poder otorgada ante el Notario de ....., D. ..... /en su propio nombre y derecho),

EXPONEN

I. Que ....., empresa legalmente habilitada para actuar en el mercado de ..... y como empresa suministradora de ....., precisa los servicios especializados de otras empresas para distribuir puntualmente sus productos, y prestar asistencia técnica a sus clientes, de forma que se garantice el mejor servicio.

II. Que ..... en adelante designada con el término «Agencia Distribuidora», es una empresa de servicios que reúne las habilitaciones legales, condiciones y nivel de especialización necesarios, para la prestación de los servicios requeridos por ....., que son consideradas como esenciales y a cuya permanencia se vincula la continuidad del presente contrato.

III. Que reconociéndose mutuamente capacidad suficiente, ambas partes convienen el presente CONTRATO DE AGENCIA Y PRESTACIÓN DE SERVICIOS, que se regirá por la Ley 12/1992, de 27 de mayo y las siguientes:

ESTIPULACIONES

PRIMERA. Objeto.- 1. ....., encomienda a la Agencia Distribuidora, en nombre y por cuenta de .....:

a) La captación de nuevos clientes de ....., el mantenimiento de los existentes a la fecha de este contrato y la formalización en su nombre, de los oportunos contratos.

b) La venta y distribución de ....., para su utilización en .....

c) La venta de los equipos, elementos y aparatos que, vinculados a la prestación del suministro, comercializa .....

2. Quedan expresamente exceptuadas del presente contrato la venta y distribución de .....

SEGUNDA. Empresa independiente.- Para el cumplimiento de las obligaciones derivadas del presente contrato, la Agencia Distribuidora declara y garantiza a .....:

1. Que es una Empresa legalmente constituida de acuerdo con la legislación vigente y se encuentra al corriente de sus obligaciones de naturaleza salarial, de las referidas a la Seguridad Social y de las fiscales, y que mantendrá esta situación en tanto tenga vigencia el presente contrato, teniendo a disposición de ....., en todo momento los justificantes relativos al cumplimiento de dichas obligaciones, que podrá examinarlos cuando lo considere oportuno.

2. Que tiene la capacidad legal y reglamentaria para el cumplimiento de las obligaciones asumidas a través del presente contrato y es titular de las habilitaciones, permisos y licencias legalmente exigibles para su ejercicio.

3. Que dispone de los medios necesarios para el ejercicio de las actividades encomendadas, y en particular, de:

a) Uno o varios almacenes, uno o varios locales comerciales para atender a los clientes y al público, y suficiente número de vehículos idóneos para el transporte y reparto de ..... Dichos almacenes, locales y vehículos se detallan en Anexo I adjunto al presente contrato, con indicación de los títulos de propiedad o disponibilidad de unos u otros.

b) Personal suficiente, debidamente instruido y acreditado, para realizar en cada momento los cometidos previstos en el presente contrato. Este personal trabajará a las órdenes, por cuenta y bajo la responsabilidad de la Agencia Distribuidora mediante relación laboral o mercantil contractualizada en cada caso.

c) Capacidad legal y técnica para realizar las actividades objeto de este contrato.

13335 (sigue) **TERCERA. Demarcación.-** Las actividades de la Agencia Distribuidora se desarrollarán exclusivamente en la demarcación acordada en el Anexo II a este contrato, en el que asimismo se señala el número de clientes que comprende judicialmente y el volumen de ventas de ..... en el ejercicio precedente.

..... podrá introducir modificaciones y/o alteraciones en el número de las Agencias Distribuidoras y en la delimitación de las demarcaciones de éstas, cuando la mejor atención y servicio al cliente, o las deficiencias, irregularidades y/o dificultades de actuación de la Agencia Distribuidora así lo aconsejen, sin que ello dé lugar a indemnización alguna.

Asimismo, ..., se reserva el derecho de ejercer directamente cualquiera de las actividades relacionadas en el presente contrato en todo el territorio al que se extiende el ámbito de actuación de la Agencia Distribuidora.

CUARTA. Actividades relacionadas con la distribución de ..... - La Agencia Distribuidora, en la realización de las actividades vinculadas a la distribución y venta de ....., se atendrá al contenido del contrato que ..... mantiene con sus clientes, y que la Agencia Distribuidora suscribirá con los mismos, en nombre y representación de .....

De forma concreta, la Agencia Distribuidora asume la obligación de desarrollar las siguientes actividades:

1. Desarrollar dentro de su demarcación la debida actividad comercial, conducente a la búsqueda y captación, por cuenta de ....., de nuevos clientes de ..... y al mantenimiento de la clientela existente, colaborando con sus medios en la implantación de las acciones concretas sobre el mercado definidas por la política comercial de .....
2. La formalización de los contratos que se establezcan entre ....., y sus clientes de ....., quedando expresamente prohibido el uso de documentos distintos de los establecidos y autorizados por .....
3. El suministro en el domicilio de los clientes de ....., atendiendo los pedidos directos de éstos o los encomendados por ....., y dentro de los plazos fijados reglamentariamente, o en su defecto, de los señalados por .....
4. El cobro al contado de los suministros de ....., facilitando al cliente si lo solicitara, el correspondiente recibo extendido en nombre y representación de ....., con los datos de identificación fiscal de esta Compañía y en el que se desglose el I.V.A. aplicado.
5. La actualización permanente de la documentación correspondiente a los clientes, con las modificaciones a que haya habido lugar durante el desarrollo de la relación contractual, facilitando a ....., los datos e información que ésta requiera en el formato y soporte más adecuado, en relación con el ejercicio de las actividades encomendadas en el presente contrato y la formalización del censo de clientes, permitiendo la entrada del personal de ....., en sus oficinas, locales y almacenes, a fin de realizar las comprobaciones o recuentos necesarios.
6. Velar en todo momento por el mantenimiento de la imagen de ....., y de sus productos, asumiendo y realizando las acciones a ello conducentes y utilizando los elementos identificativos que al efecto le sean indicados por ésta, colaborando en las campañas específicas de promoción y comunicación para un mejor desarrollo del mercado.
7. Atender las reclamaciones relacionadas con el suministro o los productos entregados al cliente, especialmente en los casos en que pueda producirse algún tipo de riesgo.
8. En caso de accidente, la Agencia Distribuidora deberá prestar a las autoridades competentes la colaboración exigida por las mismas, sin perjuicio de cumplimentar los criterios de actuación establecidos por ..... al objeto de facilitar el proceso de información y seguimiento.

QUINTA. Relaciones internas.- La distribución de ..... que se encomienda a la Agencia Distribuidora a través del presente contrato, incorporará como procedimiento interno de actuación el siguiente:

1. La Agencia Distribuidora solicitará de ....., con la periodicidad, antelación y regularidad que exija el mejor servicio, el suministro de los envases que necesite para tener debidamente atendidos los pedidos de los clientes, así como los equipos, elementos y aparatos precisos para el mismo fin.
2. Asimismo, la Agencia Distribuidora constituirá un depósito de envases que le permita cubrir el intercambio con los clientes y .....

La dimensión de dicho depósito se establece en función de las necesidades de la demanda y en contemplación de los períodos estacionales de mayores consumos, detallándose su cuantía en e! Anexo III adjunto a este contrato.

La Agencia Distribuidora entregará a ....., una fianza por cada uno de los contenedores y/o envases de que necesite disponer como depósito para el giro adecuado. Dichas fianzas, que se detallan en Anexo III al presente contrato, desglosadas en importes unitarios y total, serán devueltas a la Agencia Distribuidora, contra la entrega a ....., y en el lugar indicado por ésta, de

los materiales correspondientes, quedando autorizado ....., para compensar con las fianzas la falta de algunos o todos los envases y contenedores u otras mercancías, entregados en depósito a la Agencia Distribuidora al principio o durante la relación contractual. 13335 (sigue)
Asimismo, en el citado Anexo III se indican los precios unitarios de mercado de dichos materiales al formalizarse este contrato, debiendo comunicar ....., a la Agencia Distribuidora las modificaciones que sufran durante su vigencia, a efectos de conocimiento por ésta, y a los fines de la cobertura de seguros.
3. ....., suministrará a las Agencias Distribuidoras los ..... en plazo no superior a ..... días hábiles desde la fecha de recepción del pedido.
4. El transporte de los productos y, en su caso, de dos equipos, aparatos y/o elementos a que se refiere el presente contrato, desde las Factorías y/o Plantas de Almacenamiento de ....., a los almacenes de la Agencia Distribuidora, se hará por cuenta de ..... La descarga de los mismos en los almacenes será por cuenta de la Agencia Distribuidora.
La aceptación por la Agencia Distribuidora en sus almacenes de las mercancías, envases y/o materiales sin reserva formal en contra, implica la renuncia a cualquier reclamación ulterior en relación con la cantidad y buen estado visible de lo suministrado.
5. La Agencia Distribuidora anticipará a ....., con el medio de pago que ésta indique el importe de los productos y de los materiales en el momento de solicitarlos, según precios de venta al público, del que se deducirán las comisiones que correspondan a aquélla, salvo que ....., autorice a la Agencia Distribuidora a efectuar el pago de dichos importes mediante domiciliación de los recibos en la entidad financiera que se le indique en cada caso.
6. En los casos en que se produzcan variaciones en los precios de venta al público de los productos, la Agencia Distribuidora certificará y comunicará, por el medio más rápido y en todo caso dentro de las 24 horas siguientes, mediante fax, telegrama, etc., las existencias de los productos afectados en el momento de la entrada en vigor de dichas variaciones.
..... se reserva el derecho a verificar dicha certificación y la aplicación de medidas en caso de irregularidades en dicha operación.

SEXTA. Propiedad.- 1. Los envases y los demás materiales que forman parte de la dotación a clientes son propiedad de ..... y por tanto corresponde a ésta el mantenimiento, reparación y limpieza derivados de su normal uso. No obstante, la Agencia Distribuidora responderá de los deterioros y/o daños que puedan sufrir estos elementos por uso inadecuado una vez entregados por ....., a la misma, salvo que quede acreditado que los mismos no le son imputables.
2. La Agencia Distribuidora se obliga a facilitar a ....., la realización de los inventarios de los materiales propiedad de ésta en poder de aquélla.
Dado que estos materiales son propiedad de ....., si como resultado del inventario se desprendiera la existencia de cantidades superiores a las contractuales, el exceso deberá ser reintegrado a .....; si dichas cantidades fueran inferiores a las que debieran existir, y sin perjuicio de su reposición hasta los niveles contractuales, la Agencia Distribuidora abonará a ....., el importe de los materiales que falten, valorados al último precio de mercado comunicado por ésta.
3. Las copias de los contratos y sus suplementos que la Agencia Distribuidora formaliza en nombre y representación de ....., o que reciba de ésta, y demás documentación legalmente exigible para poder realizar los suministros de ....., así como las copias de las revisiones periódicas entregadas por los usuarios, son propiedad de ....., y como tal estarán siempre a su disposición.
4. En los casos de baja de clientes, la Agencia Distribuidora entregará a ....., la documentación relativa a aquéllos y retirará gratuitamente del domicilio los envases propiedad de ....., abonando al cliente las cantidades que correspondan. ....., abonará a la Agencia Distribuidora el importe que ésta hubiera devuelto al cliente.

SÉPTIMA. Retribuciones.- 1. La Agencia Distribuidora tendrá derecho a percibir, y ....., obligación de abonarle, una retribución por las actividades que se obliga a desarrollar en el presente contrato, de acuerdo con las funciones encomendadas, ponderando los elementos económicos de la actividad objeto del contrato, estructurada en los siguientes conceptos:
- Comisiones base.
- Prima por calidad de servicio.
- Otras comisiones.

En Anexo IV al presente contrato se detallan los importes que comprenden los anteriores conceptos, que serán acordados, tanto en su estructura como en sus importes, con carácter anual y que tendrán la consideración de comisión ordinaria.
Se exceptúa la «prima por calidad de servicio» que opera como variable en función de los resultados que para Agencia y período arroje el Sistema de Control de Calidad de Servicio, de acuerdo con el procedimiento que en cada momento se establezca. El procedimiento actual se describe en el Anexo IV.

13335 (sigue) En consecuencia, en caso de deficiencias en el servicio de distribución, trato a clientes, imagen o seguridad, ..., podrá, previa comunicación a la Agencia Distribuidora, dejar sin efecto total o parcialmente el derecho de ésta y la obligación de aquélla a percibir y a abonar, respectivamente, la prima por calidad de servicio, reanudándose dicho derecho y su correlativa obligación en el momento en que la Agencia Distribuidora haya subsanado la deficiencia que causó la suspensión.
2. De forma independiente podrán ser acordadas por las partes otras retribuciones para determinadas funciones o actividades tanto de coyuntura como permanentes.
3. ....., practicará mensualmente una liquidación que comprenda todas las operaciones con repercusión económica para ambas partes. El saldo resultante de estas liquidaciones se hará efectivo por la parte deudora a la acreedora dentro de los ..... primeros días del mes siguiente al que se refiera.

OCTAVA. Duración del contrato.- El plazo de duración del presente contrato se conviene por tiempo de ..... años a contar desde su fecha, pudiéndose convertir la duración en indefinida si al cumplimiento del plazo pactado continúa siendo ejecutado por ambas partes.

NOVENA. Resolución.- 1. Si el contrato, en virtud de la estipulación precedente, adquiriera una duración indefinida, podrá ser extinguido por la denuncia unilateral de cualquiera de las partes, con un preaviso escrito y fehaciente de seis meses.
El ejercicio de esta facultad no dará lugar ni derecho a ninguna de las partes a exigir indemnización por daños y perjuicios, excepción hecha a los inferidos dolosa o culposamente y de los derivados a favor de la Agencia si, como consecuencia de la extinción anticipada, no ha podido amortizar los gastos realizados para la ejecución del contrato.
2. No obstante lo anterior, y de conformidad con las normas generales de contratación, el incumplimiento por cualesquiera de las partes de las obligaciones contraídas legal o contractualmente, facultará a la otra parte para considerarlo resuelto, de forma automática y de pleno derecho, sin necesidad de preaviso, bastando con la notificación fehaciente de esta resolución a la parte incumplidora indicando la voluntad y la causa de extinción.
3. ....., podrá resolver el contrato con la Agencia Distribuidora de acuerdo con el principio general indicado en el apartado 2 de la presente estipulación, y en particular en los siguientes casos:

a) Cuando se produzcan reiteradas deficiencias, que den lugar a reclamaciones justificadas de los clientes, comprobadas por ....., o se detecten directamente por ésta y que, siendo imputables a la Agencia Distribuidora, afecten al cobro de cantidades distintas a las autorizadas y/o permitidas, a fraudes y/o manipulaciones que determinen alteración de la naturaleza, cantidad, calidad y composición del producto, así como cualesquiera otros hechos que, siendo imputables a la Agencia Distribuidora, afecten a la regularidad, calidad y seguridad del servicio de suministro de gas, con perjuicio grave para el cliente y para la imagen de .....
Se considerará acreditada esta causa cuando la Agencia Distribuidora presente de forma reiterada y permanente malos resultados en el Sistema de Control de Calidad de Servicio.
b) Cuando la Agencia Distribuidora realice la actividad encomendada fuera de la demarcación que expresamente haya sido señalada.
c) Cuando la Agencia Distribuidora deje de realizar a ....., el pago de los importes de los suministros. En este caso, asimismo, las cantidades no liquidada a ....., devengarán además, de pleno derecho, intereses calculados al tipo en que esté en ese momento el MIBOR a tres meses, desde el día en que debió haberse satisfecho el pago hasta el día en que éste tenga lugar.
Este mismo interés se devengará a favor de la Agencia Distribuidora por razón de las cantidades adeudadas a ésta y no satisfechas en plazo.
d) Cuando la Agencia Distribuidora verifique la cesión a tercera persona de los derechos derivados del presente contrato, contraviniendo lo establecido en la Estipulación DECIMOCUARTA.
e) Cuando la Agencia Distribuidora deje de realizar los ingresos de las cantidades que hubiere cobrado por cuenta de ....., en la forma indicada por esta Empresa.
f) Cuando la Agencia Distribuidora traspase, grave, ceda, venda o alquile las instalaciones y los elementos propios de su organización y necesarios para realizar por medio de ellos las actividades encomendadas, sin la previa autorización de ....., obligándose ésta a contestar en el plazo de dos meses desde la fecha de recepción de la solicitud de autorización.
En el caso de vehículos será suficiente la comunicación posterior, siempre que la capacidad de transporte y reparto quede adecuadamente garantizada.
g) Cuando la Agencia Distribuidora incurra en insolvencia y/o cualquier otra situación que, presumible y razonablemente, pueda implicar graves riesgos de desatención y/o dificultades en el servicio o imposibilite el ejercicio de las actividades encomendadas

h) Cuando la Agencia Distribuidora interrumpiese sus servicios, total o parcialmente, de forma injustificada, ..., podrá hacer uso del derecho de resolución de este contrato cuando sea por causas imputables a aquélla. En este caso ....., podrá proceder a realizar el servicio por sí o a través de terceros. Los gastos de toda especie que ello ocasione a ....., serán de cuenta de la Agencia Distribuidora. 13335 (sigue)

i) Cuando la Agencia Distribuidora incumpla sus obligaciones fiscales, laborales y con la Seguridad Social que guarden relación con este contrato.

j) Cuando la Agencia Distribuidora inobservare cualesquiera de las estipulaciones del presente contrato.

4. Podrá igualmente ....., atendiendo a la entidad y gravedad de la infracción y antes de optar por la resolución, reducir el importe de las Comisiones Base hasta en un ..... %, manteniéndose esta menor remuneración en tanto no sean subsanadas las causas que las motivaron.

5. Cuando la resolución del contrato tenga lugar a instancias de ....., por alguna de las causas indicadas en los puntos 2 y 3 de la presente estipulación, así como cuando no medie el preaviso o se den las circunstancias de actuación dolosa o culposa a que se refiere el precedente punto 1, ..., podrá ejecutar en su favor, sin perjuicio y con independencia de la exigencia de los daños y perjuicios causados, la fianza constituida mediante aval a que se refiere la estipulación DECIMOSECUNDA.

DÉCIMA. Liquidación.- 1. Extinguido el contrato por el simple transcurso del tiempo reflejado en la estipulación OCTAVA, y/o declarada la resolución del mismo por alguna de las causas establecida en la estipulación NOVENA, se procederá a realizar la liquidación definitiva entre las partes, quedando ....., expresamente facultada para establecer una compensación de pleno derecho entre las cantidades que pudiera adeudar a la Agencia Distribuidora y las que ésta pudiera adeudar a ....., por cualesquiera conceptos.

2. La Agencia Distribuidora se compromete a situar inmediatamente, franco de todo gasto, sobre el almacén que designe ....., dentro de la zona de influencia de la Factoría habitual de suministro, el material, las mercancías, y toda la documentación relativa a los clientes y, en general, cuantos bienes le hubiere entregado ....., por razón del contrato de agencia y que, siendo propiedad de ésta, su custodia esté a cargo de la Agencia Distribuidora.

DECIMOPRIMERA. Indemnización por clientela.- 1. En caso de extinción de este contrato, la Agencia tendrá derecho a una indemnización, si hubiera aportado nuevos clientes a ....., o hubiera incrementado sensiblemente las operaciones con la clientela preexistente.

2. El importe máximo de esta indemnización, no podrá exceder, en ningún caso, del importe medio de las comisiones por ventas percibidas anualmente durante los últimos cinco años o durante el período de vigencia de este contrato, si éste hubiera tenido hasta su resolución, una duración inferior.

3. A efectos de la estimación inicial de su importe, en Anexo II a este contrato se indican el volumen de ventas y el número de clientes estimados al iniciarse la vigencia de este contrato, en la demarcación atribuida a la Agencia.

4. No procederá la indemnización por clientela, en los siguientes casos:

a) Cuando la resolución sea motivada por el incumplimiento por la Agencia de las obligaciones legales o contractuales a que se refieren los números 2 y 3 de la Estipulación NOVENA.

b) En caso de denuncia unilateral del contrato por el Agente, salvo que obedezca a las causas imputables a ....., contenidas en el número 2 de la Estipulación NOVENA.

c) En caso de cesión por la Agencia a terceros de los derechos y obligaciones de que era titular en virtud del presente contrato, tanto por actos «inter vivos» o «mortis causa» y aun cuando medie el consentimiento o autorización de .....

5. Sin perjuicio de su determinación en el momento de la resolución del contrato, y salvo los casos de extinción por el fallecimiento del Agente, el pago de la indemnización por clientela fijado, podrá ser demorado por ....., hasta el vencimiento del plazo que, como limitación contractual de la competencia se establece en la Estipulación DECIMOTERCERA, devengando en este caso y hasta su abono el interés legal del dinero.

DECIMOSEGUNDA. Garantías, seguros y avales.- 1. La Agencia Distribuidora será siempre responsable ante ....., y ante terceros por los daños directos o indirectos que se pudieran causar tanto por consecuencia del incumplimiento de sus obligaciones como por el ejercicio de su normal actividad.

2. La Agencia Distribuidora se compromete a concertar por su cuenta y mantener en pleno vigor, con Entidad Aseguradora de reconocida solvencia, los seguros que seguidamente se relacionan, en cuyos contratos se pactará que no se ejercitará acción de repetición alguna contra .....

13335 (sigue) a) Todos los que le sean exigibles legalmente, tanto sobre su personal, como sobre vehículos y otros conceptos.

b) De daños, por toda clase de riesgos, incluso catastróficos, de todos los materiales y efectos propiedad de ....., y que haya recibido de esta Sociedad la Agencia Distribuidora.

c) De responsabilidad civil por daños causados por los vehículos de transporte y reparto de gas, tanto si están en reposo, como si están circulando.

d) De responsabilidad civil por los daños causados por el producto, tanto en los almacenes de la Agencia Distribuidora, como en la fase de reparto del producto.

e) De responsabilidad civil general frente a terceros que cubra los daños materiales y personales en que pudiera incurrir la Agencia Distribuidora y su personal en la ejecución de las actividades y obligaciones derivadas del presente contrato, así como por incumplimiento del mismo.

3. Antes del comienzo de la actividad, la Agencia Distribuidora suscribirá las correspondientes pólizas de seguro y entregará a ....., certificado de los Aseguradores que acredite la constitución y vigencia de estos seguros. El montante económico o cobertura de estos seguros será fijado por ....., con carácter de mínimo, libremente ampliable por la Agencia Distribuidora reservándose aquélla la facultad de revisar anualmente los límites de las cobertura, cuya cuantía inicial figura en el Anexo V al presente contrato.

4. Como garantía del cumplimiento de las obligaciones derivadas del presente contrato, la Agencia Distribuidora constituye en favor de ....., una garantía mediante aval por la duración del presente contrato y dos años más, cuya cuantía se establece en el documento Anexo III, y que podrá ser revisado en su cuantía y condiciones por .....

DECIMOTERCERA. Vinculación y limitación contractual de la competencia.- 1. Durante la vigencia del presente contrato, la Agencia Distribuidora se compromete y obliga a no intervenir ni aportar su concurso, directa y/o indirectamente, ni por sí ni a través de sus partícipes, administradores o, en su caso, subagentes en la distribución, venta y comercialización de los productos objeto de distribución, cualquiera que sea su modo de distribución, ni realizar propaganda, en beneficio propio o de terceros, salvo con conocimiento previo y autorización expresa de .....

2. Asimismo, la Agencia Distribuidora se compromete y obliga durante el período de dos años a contar desde la finalización del presente contrato, cualquiera que fuera su causa, a no intervenir ni aportar su concurso, directa o indirectamente, por sí o a través de sus partícipes o administradores, en cualquier otra organización o empresa relacionada con la distribución y venta de los productos objeto del presente contrato, en la zona geográfica que se señala como demarcación en la Estipulación TERCERA.

DECIMOCUARTA. Transmisibilidad del contrato.- 1. Los derechos y obligaciones derivados del presente contrato se entienden encomendados a la Agencia Distribuidora «intuitu personae», cualquiera que sea la forma jurídica de su empresa. En consecuencia, constituye causa de resolución, la muerte o declaración de fallecimiento del Agente.

2. Sin embargo, los derechos y obligaciones derivados del presente contrato pueden transmitirse a terceros, en los casos y de las formas siguientes:

a) El fallecimiento del Agente, si se trata de persona individual, deberá ser comunicado a ....., en el plazo de un mes a contar desde la fecha de fallecimiento, solicitando, en su caso, la transmisión del contrato a los herederos. La autorización se entenderá concedida con carácter provisional, debiendo presentar los títulos hereditarios y los documentos acreditativos de la propiedad en plazo no superior a nueve meses desde la fecha de fallecimiento del titular/es, salvo que existiera impedimento debidamente justificado. Transcurrido este plazo sin que se justifique suficientemente la titularidad de los bienes e instalaciones afectadas, el contrato se entenderá resuelto.

b) Las transmisiones «inter vivos» deberán ser autorizadas en todo caso por ....., a cuyo efecto la Agencia Distribuidora comunicará previamente la persona o personas a quienes se pretende transmitir estos derechos y obligaciones. Transcurridos seis meses desde que ....., recibiera comunicación fehaciente de la pretendida transmisión sin contestar, se entenderá tácitamente autorizada dicha transmisión.

Este procedimiento será igualmente aplicable a la sucesión «mortis causa» en acciones o participaciones sociales.

c) Se considera transmisión «inter vivos» a estos efectos los supuestos de fusión, absorción y transmisión de participación en el capital de la Sociedad o Agencia Distribuidora.

DECIMOQUINTA. Almacenes.- La Agencia Distribuidora se compromete a arrendar a ....., al finalizar el presente contrato, todos o cualquiera de sus almacenes, a opción de ....., por un período de dos años y en las condiciones siguientes: 13335 (sigue)

a) La determinación por ....., del almacén o almacenes sobre los que se establece el contrato de arrendamiento, se ejercitará simultáneamente a la finalización del presente contrato, comenzando la vigencia del contrato de arrendamiento al día siguiente.
b) Dicho contrato tendrá una duración de dos años no prorrogable.
El precio anual del arrendamiento será del ..... % del valor del almacén o almacenes afectados, tomando como base la valoración efectuada por la Cámara Oficial de la Propiedad Urbana, o por una empresa o entidad especializada, de común acuerdo entre las partes.
c) En los casos de resolución del contrato por llegada a término de su vigencia, según lo especificado en la Estipulación OCTAVA del presente contrato, la duración del arrendamiento del almacén o almacenes afectados será por un año no prorrogable, y su precio, el que corresponda según la situación del mercado mediante apreciación realizada por la Cámara Oficial de la Propiedad Urbana, o por una empresa o entidad especializada, de común acuerdo entre las partes.
d) La Agencia Distribuidora se compromete a facilitar a ....., cuantos documentos sean precisos para el desarrollo de la actividad propia de almacenamiento y distribución.

DECIMOSEXTA. Subagentes.- La Agencia Distribuidora no podrá designar Subagentes dentro de su demarcación, salvo con autorización expresa y previa de ..... La relación de Subagentes designados, se incorporará como anexo VI al contrato y su actuación deberá ajustarse al contenido del mismo, de forma que se garantice la mejor y más correcta prestación del servicio, todo ello bajo la exclusiva responsabilidad de la Agencia Distribuidora que asumirá ante ....., las consecuencias directas o indirectas de su actuación.

DECIMOSÉPTIMA. Impuestos y gastos.- Cuantos impuestos, gastos, derechos y/o arbitrios de cualquier clase de Administraciones Públicas puedan devengarse con ocasión del presente contrato y/o del ejercicio de las actividades encomendadas y/o derivadas del mismo serán satisfechos por las partes con arreglo a la Ley.

DECIMOCTAVA. Jurisdicción y fuero.- 1. La competencia para el conocimiento de las acciones derivadas del contrato de Agencia corresponderá al Juez del domicilio del Agente. Fuera de estos casos, y con renuncia de cualquier Fuero propio, las dos partes contratantes acuerdan someter las discrepancias y diferencias que puedan surgir con motivo de la validez, interpretación, ejecución o extinción de este contrato y sus anexos a la Jurisdicción de los Juzgados y Tribunales de .....
2. No obstante lo anterior, ambas partes podrán acordar, si recíprocamente así lo juzgan oportuno, que sus divergencias sean resueltas mediante arbitraje de derecho, que deberá ajustarse a lo dispuesto en la Ley de Arbitraje. En tal supuesto se tendrá en cuenta lo siguiente:

a) El número de árbitros será de tres, que deberán ser abogados ejercientes del Ilustre Colegio de Abogados de .....
b) Cada parte designará a un árbitro y el tercero lo será por el Decano del Ilustre Colegio de Abogados de .....
c) Para el supuesto de que en el plazo de diez días, desde que se hubiera acordado acudir al arbitraje, alguna de las partes no designara árbitro a su elección, la parte contraria podrá solicitar que dicho árbitro sea designado por el Decano del Ilustre Colegio de Abogados de .....
d) El arbitraje se desarrollará en ..... y los árbitros deberán dictar su laudo en el plazo de dos meses.
e) Los árbitros fijarán el desarrollo del procedimiento arbitral en todo lo no previsto en la citada Ley de Arbitraje, con sujeción a los principios de audiencia, contradicción e igualdad entre las partes.
f) Los árbitros se pronunciarán en el laudo sobre las costas del arbitraje, determinando tanto su importe como su distribución entre las partes.

DECIMONOVENA. Contenido íntegro.- ....., y la Agencia Distribuidora acuerdan que este contrato y sus Anexos constituyen la expresión completa y exclusiva de lo convenido entre las partes y que sustituyen cualquier contrato y acuerdos anteriores, caso de haberlos, de forma y manera que el presente documento y sus Anexos se conviertan en la única y vigente manifestación de sus voluntades recíprocas, sin perjuicio de aplicación supletoria de las normas generales de nuestro Ordenamiento Jurídico para los casos no contemplados expresamente en el presente contrato.

13335 (sigue) Si cualquiera de sus cláusulas deviniera ilegal o no resultara procedente, será tenida por no puesta, sin que ello invalide o afecte en forma alguna a las restantes cláusulas y sin perjuicio de la voluntad de las partes de subsanar las cláusulas que resultaren prohibidas o no legalmente exigibles.

Forman parte del presente contrato los siguientes Anexos:

ANEXO núm	CONTENIDO
I.	
II.	
III.	

Y en prueba de conformidad, firman por triplicado el presente contrato y sus anexos en el lugar y fecha arriba indicados.

Por .... **Por la AGENCIA DISTRIBUIDORA**

Contrato de concesión

En ....., a ..... de ..... de 13340

REUNIDOS

DE UNA PARTE: D. ..... y D. ..... en nombre y representación de ....., con domicilio social en ....., ..., a quien en lo sucesivo denominaremos «la Compañía».

Y DE LA OTRA: D. ....., con DNI ....., y D. ....., con DNI ....., igualmente facultados para actuar en nombre y representación de ..... con domicilio social en ....., ... a quien en lo sucesivo denominaremos «Concesionario», convienen libremente concertar el presente contrato de CONCESIÓN a los fines que seguidamente se indican y regulado por las condiciones que a continuación se estipulan.

1. FINES, EXTENSIÓN Y DURACIÓN

1.1. MAQUINARIA

La Compañía es distribuidora exclusiva para todo el territorio español de la maquinaria fabricada por ..... y ....., así como de sus repuestos e implementos. En lo sucesivo nos referiremos a esta maquinaria como «Maquinaria ..... ».
El Concesionario compra por su cuenta la Maquinaria ....., comprometiéndose a hacerlo en las condiciones estipuladas en este contrato.
La Compañía, concede a la Maquinaria ..... comprada por el Concesionario, la misma garantía y fiabilidad, que la que le concede a su vez, a ella en estos productos el fabricante.
La Compañía, por tanto, sólo se responsabiliza de la Maquinaria ..... vendida al Concesionario, en los mismos términos que figura en el carnet de garantía que se entrega a los clientes, tanto ante el Concesionario como ante los clientes de éste.
La Compañía, no se responsabiliza de la actuación del Concesionario, ni ante los clientes de éste, ni ante la Administración, ni ante terceras personas de cualquier responsabilidad en la que el Concesionario pudiera verse implicado.
Sin perjuicio de la compra de maquinaria por el concesionario para su posterior venta, a que se refiere el párrafo segundo de esta cláusula, dicho Concesionario puede llegar a tener en su poder bienes de la Compañía, antes de efectuar su pago y para ofrecerlos al público, los cuales se entenderán entonces en régimen de depósito, e igualmente, estarán en régimen de depósito otros bienes que por compra de máquinas usadas u otra circunstancia sean propiedad de la Compañía.
El Concesionario informará por escrito a petición de la Compañía sobre todas sus actividades incluyendo, si así se le solicita, todo tipo de datos económicos, comerciales, organizativos, etc. Asimismo se compromete a notificar por escrito a la Compañía cualquier alteración que se produjera tanto en la composición de su Consejo de Administración, Accionariado y Dirección hasta el nivel de Jefe de Ventas, repuestos, taller y vendedores, como en el capital, prendas, hipotecas o garantías otorgadas a favor de terceros.
El Concesionario no podrá, en ningún caso, dedicarse a la compra-venta de otros productos similares o que pudieran resultar competitivos con la Maquinaria ....., o que siendo productos distribuidos por la Compañía, no sean adquiridos a la misma. Exceptuando, ..., ... y ..... de las cuales ..... es en la actualidad concesionario. Tampoco podrá, sin previo consentimiento por escrito de la Compañía, comercializar productos para trabajos de obras públicas, áridos, minería, manejo de mercancías o para cualquier otra actividad que tuviera como clientes potenciales los mismos que para la Maquinaria .....
La Compañía retiene la propiedad de los productos suministrados al Concesionario, tanto hasta que se haya desembolsado totalmente su precio y gastos adicionales, como, además de lo anterior y sin perjuicio de lo mismo, hasta el momento en que el Concesionario no adeude cantidad alguna (real o contingente) a la Compañía.
La Compañía se reserva para sí el derecho a vender los productos objeto de la Concesión (salvo reventa) directa o indirectamente, en el área de responsabilidad de la misma, en los siguientes casos:

a) A otro fabricante de equipo original.
b) A cualquier comprador cuya operación tenga alcance nacional o internacional.
c) Al Gobierno, autoridades nacionales, estatales, provinciales, municipales u organismos, agencias o subdivisiones de los mismos.
d) A las Fuerzas Armadas.

13340 (sigue) e) A industrias nacionalizadas o empresas públicas.
f) A organizaciones educativas, religiosas o benéficas.
g) A aquellos clientes en que la Compañía estime exista una causa técnica fundada para realizar la venta en forma directa.

Las ventas directas o indirectas a cualquiera de los antedichos, no crearán una obligación o responsabilidad por parte de la Compañía al Concesionario.

1.2. ZONA DE CONCESIÓN

La Compañía concede al Concesionario y éste la acepta, para la venta y servicios de su Maquinaria ....., la siguiente zona: .....
El Concesionario limitará sus actividades de Promoción y Venta a la zona asignada, en lo que respecta a la Maquinaria .....
La Compañía se compromete a no nombrar en esta zona a ningún otro Concesionario, en tanto y cuanto esté vigente el presente contrato. No obstante lo anterior, la Compañía podrá mediante notificación escrita, cursada con ..... días de preaviso, modificar el área de responsabilidad de la concesión. En este supuesto, el Concesionario renuncia a cualquier reclamación frente a la Compañía, en concepto de daños o perjuicios, por tal motivo.
Si en conexión con el punto 5.5 se suscitara disputa en relación con la promoción de venta de alguna máquina, el concesionario aceptará la decisión que sobre la disputa presentada tome la Dirección de la Compañía.
El Concesionario no podrá reclamar ninguna compensación en ningún caso, por pérdida de operaciones de venta derivadas de la no existencia de máquinas o de implementos o cualquier otra causa que concurriera en la comercialización de la Maquinaria ..... por parte de la Compañía.

1.3. PLAZO Y RESOLUCIÓN DEL CONTRATO

El plazo de validez inicial del presente contrato será de ....., a partir de la fecha del mismo. Este contrato se considerará prorrogado automáticamente por períodos anuales, si por ninguna de las dos partes se procede a la denuncia para su resolución con una antelación de ..... meses, mediante carta certificada.
Idéntico preaviso de ..... meses, se requiere, para resolver el contrato de forma voluntaria por cualquiera de las partes, en cualquier momento de su vigencia, posterior al período inicial.
También podrá ser resuelto en cualquier momento, mediante acuerdo por escrito de ambas partes.

2. OBLIGACIONES DEL CONCESIONARIO

El Concesionario queda obligado ante la Compañía, a cumplir satisfactoriamente las condiciones siguientes:

2.1. OFICINA Y/O LOCAL COMERCIAL

El Concesionario se compromete a disponer de una oficina y/o local comercial-exposición, que satisfaga adecuadamente los fines a los que se destinen.

2.2. GASTOS

Todos los gastos de locales, oficinas, sueldos, comisiones, gastos de viaje, impuestos y cualquier gravamen derivado de la explotación de este contrato, son por cuenta del Concesionario.

2.3. PROMOCIÓN DE VENTAS Y PROPAGANDA

Será a cargo del Concesionario la publicidad en prensa u otros medios, que realice en su Zona, así como los gatos derivados de las demostraciones, ferias, etc., exceptuando los casos en que así lo determine la Compañía.
A petición del Concesionario, la Compañía le suministrará las publicaciones técnicas necesarias relativas a su maquinaria, así como comerciales, tales como folletos, hojas de propaganda, etc., en las cantidades que se consideren normales, para atender su negocio, sin cargo para el Concesionario.

2.4. TALLERES DE ASISTENCIA TÉCNICA

13340 (sigue)

El Concesionario dispondrá de uno o varios Talleres propios equipados suficientemente en cuanto a espacio, maquinaria, instalaciones y utillaje para poder dar un servicio adecuado a la Maquinaria .....
El Concesionario podrá crear cuantos Talleres de Servicio crea necesarios en su Zona, pero siempre en las condiciones necesarias señaladas anteriormente y siempre con la debida autorización escrita por parte de la Compañía.
El personal del Concesionario designado, para la Maquinaria ..... deberá asistir a los cursos de capacitación que la Compañía considere necesarios para su capacitación, en sus instalaciones centrales.

2.5. ASISTENCIA TÉCNICA DEL CONCESIONARIO

Será obligación del Concesionario efectuar los siguientes trabajos, ateniéndose a las normas establecidas por la Compañía en cada caso:

a) Entrega de la máquina al cliente, siguiendo las indicaciones de la Compañía.
b) Revisiones gratuitas que figuren en las condiciones particulares fijadas por la Compañía abonando al Concesionario el importe de estas revisiones, en las cantidades establecidas para cada máquina .....
c) Tramitación de las garantías que pudieran surgir, según las normas que, en cada momento, tenga establecidas la Compañía.
d) Dar servicio a otras máquinas vendidas por otro concesionario y que se hallen trabajando en su Zona.
e) Reparaciones y Revisiones de todas las Máquinas ..... de su zona dando al cliente la correspondiente garantía sobre las citadas reparaciones y/o revisiones.
El Concesionario está obligado a aceptar las normas de asistencia técnica que en cada momento tenga establecidas la Compañía.

2.6. REPARACIONES

El Concesionario, se compromete a no introducir modificación alguna en las Máquinas ....., sin previo consentimiento en cada caso.
Igualmente, se compromete a utilizar en todas las reparaciones solamente repuestos originales suministrados por la Compañía.

2.7. REPUESTOS

Todos los repuestos serán vendidos por el Concesionario al precio de venta al público fijado en la Tarifa vigente, quedando expresamente prohibido al Concesionario, aumentar el precio original y la venta de piezas y accesorios que no sean originales o suministrados por la Compañía para sus Máquinas .....
La Compañía no asume ninguna responsabilidad por deficiencias o averías que puedan producirse a consecuencia de la no estricta cumplimentación de este punto.
El Concesionario se obliga a aceptar las normas del Servicio de Repuestos que en cada momento tenga establecidas la Compañía.

2.8. INFORMACIÓN

El Concesionario deberá enviar a la Compañía, cuanto ésta lo solicite, la siguiente información:

a) Notificación de los clientes a quienes se venden las máquinas, en todos los casos.
b) Información mensual de ventas de máquinas, repuestos y servicios, e información anual del stock de repuestos.
c) Información sobre el mercado y la competencia, siempre que se localice una máquina vendida de otra marca.
d) Promoción de ventas: visitas, ficheros, sistemas de control, etc.
e) Cualquier otra información en relación con la Maquinaria ..... que les sea solicitada.

13340 (sigue)

2.9. EJERCICIO DE INSPECCIÓN

El Concesionario se compromete a facilitar los medios necesarios para llevar a buen fin las inspecciones convenientes, en beneficio de ambas partes.
Estas inspecciones serán llevadas a cabo por personal especializado de la Compañía, y se referirán a los servicios siguientes:
a) Inspección de Ventas, Organización y Promoción de Ventas.
b) Inspección de Asistencia Técnica y Repuestos.

2.10. ORGANIZACIÓN COMERCIAL

El concesionario será libre de crear su propia Organización Comercial para la venta de las Máquinas ....., dedicada exclusivamente a este fin.

3. AYUDA AL CONCESIONARIO

La Compañía ayudará y prestará su colaboración al Concesionario en todo en cuanto le sea posible y más concretamente, sobre los siguientes puntos:
a) Ferias y Exposiciones.
b) Servicios Post-venta.
c) Promoción.

4. CONCESIONARIO, NO AGENTE

Nada de lo contenido en este contrato se interpretará como que se constituye al Concesionario en agente o representante legal de la Compañía a ningún efecto. El Concesionario no tiene derecho ni autoridad para asumir o crear obligaciones o responsabilidades, ni para formular declaraciones explícitas o implícitas en nombre de la Compañía, ni para obligar a ésta en modo alguno. Se establece expresamente que al Concesionario y a la Compañía no les une vinculación laboral de ninguna clase.

5. CONDICIONES COMERCIALES

Todos los productos serán solicitados por el Concesionario a la Compañía mediante pedido en firme.

5.1. PRECIOS

El Concesionario deberá efectuar las ventas a los precios de venta al público fijados por la Compañía.
Los precios que el Concesionario abonará a la Compañía por los productos, salvo que ambas acuerden algo distinto, serán los establecidos para concesionarios en la lista de precios vigente de la Compañía a la fecha de Factura.

5.2. VENTAS MÍNIMAS ANUALES

Cada año se establecerá un presupuesto de venta mínima, que el Concesionario se compromete a cubrir. Estas cantidades serán revisadas al final de cada año por ambas partes, fijándose entonces unas cantidades mínimas de venta anual, para el año siguiente.

5.3. CONDICIONES DE PAGO

Salvo que la Compañía y el Concesionario acuerden algo distinto por escrito, el Concesionario pagará a la Compañía los productos de acuerdo a las condiciones de venta vigentes en cada momento y que el Concesionario declara conocer y aceptar.
Estas condiciones sólo podrán variarse mediante consentimiento escrito de la Compañía.

5.4. PORTES Y SUMINISTROS

Todas las máquinas viajan a portes debidos, siendo éstos por cuenta y riesgo del Concesionario. Cualquier reclamación sobre desperfectos, averías, extravíos, etc., que pudieran sufrir en el transporte, tendrá que ser efectuada por el Concesionario al transportista directamente y por escrito.

Las máquinas enviadas, se consideran entregadas al Concesionario desde el momento en que abandonen los servicios e instalaciones de la Compañía, siendo por cuenta del Concesionario cualquier desperfecto, extravío, etc., que pudieran sufrir a partir de ese momento. **13340** (sigue)

5.5. VENTAS ESPECIALES

El Concesionario podrá ofertar Maquinaria ..... a los clientes fuera de su Zona, en aquellos casos en los que concurran circunstancias especiales, con consentimiento de la Compañía para cada caso.
Cuando el Concesionario no esté interesado en realizar una venta, bien porque el cliente entregue una máquina usada a cambio o porque exija un fuerte descuento, la Compañía podrá realizar la venta directamente al cliente, con la autorización del Concesionario, al que se reservará la comisión vigente en cada momento sobre el importe de la venta-neta, deducidos todos los descuentos, en concepto de servicio post-venta, salvo otro acuerdo que adoptasen ambas partes.

6. REPUESTOS

El Concesionario adquirirá todos los repuestos de las Máquinas ..... a la Compañía. Los descuentos y demás condiciones de estos suministros serán los establecidos en las normas para Concesionario en cada momento, por la Compañía.

7. RESOLUCIÓN POR LA COMPAÑÍA

El incumplimiento por parte del Concesionario de alguna de las cláusulas anteriormente mencionadas y los casos que se indican a continuación, serán motivo para la resolución inmediata del presente contrato, sin que el Concesionario pueda exigir por ello compensación de ninguna clase a título de indemnización. Caso de llegarse a esta situación, la Compañía comunicará al Concesionario, mediante carta certificada, la resolución de este Contrato:

a) Impago de deudas por parte del Concesionario a la Compañía, inclusive el hecho de no acreditar a favor de la Compañía, oportunamente, ingresos de ventas de Productos respecto a los cuales el Concesionario esté en deuda con la Compañía, o cobros efectuados por cuenta de la Compañía de productos vendidos directamente por ésta a los clientes.
b) El incumplimiento o infracción por parte del Concesionario de cualesquiera estipulaciones de este Contrato (salvo lo especificado en el anterior apartado «a»), a condición de que en caso de incumplimiento o infracción susceptible de remedio, no se cursara aviso de resolución del contrato, salvo que dentro de los 30 días siguientes al recibo por parte del Concesionario de notificación de dicho incumplimiento, el Concesionario no haya subsanado dicho incumplimiento o infracción.
c) El Concesionario efectúe una cesión a beneficio de acreedores o esté sujeto a procedimientos de administración forzosa, liquidación o concurso de acreedores, sufra alguna pérdida de sus bienes por vía de embargo o ejecutiva, u otra acción, cuyo efecto u objeto sea el de exonerar al Concesionario de cualesquiera de sus deudas, o ampliar el plazo de pago de las mismas.
d) La cancelación, suspensión u otra anulación de licencias permisos o autorizaciones necesarias para realizar los negocios del Concesionario de conformidad con lo dispuesto en este Contrato.
e) Alguna legislación o acción gubernamental frustre o modifique esencialmente la naturaleza u objeto de este Contrato o la legalidad del mismo o límite o prohíba total o parcialmente el cumplimiento por parte del Concesionario de sus obligaciones previstas en este Contrato.
f) El arrendamiento, la venta u otra transferencia del activo del Concesionario o la terminación del negocio del mismo, que en opinión de la Compañía afecte a la capacidad del Concesionario para cumplir sus obligaciones previstas en este Contrato.
g) Afirmaciones, declaraciones o reclamaciones falsas formuladas por el Concesionario a la Compañía.
h) Disolución, si el Concesionario es o forma parte de una sociedad.
i) Jubilación, fallecimiento o incapacidad del Concesionario (si éste es una persona física) o de algún socio del Concesionario si el mismo es una sociedad.
j) Algún cambio de titularidad, estructuras comercial o control del Concesionario.
k) Notificación a la Compañía de la terminación de líneas significativas de crédito o garantía de endeudamiento.
l) Conocimiento por la Compañía de efectos impagados por el Concesionario habiéndose producido o no al ejecutivo. Asimismo otorgamiento a otros acreedores de garantías superiores a las concedidas a la Compañía.

13340 (sigue) m) Que algo similar a lo antedicho o que tenga el mismo efecto que los casos arriba mencionados haya ocurrido en alguna jurisdicción.

El Concesionario se obliga a notificar inmediatamente a la Compañía la existencia de cualesquiera de los casos descritos anteriormente o la previsión de la existencia de los mismos.
La Compañía o el que ésta designe, tendrá el privilegio de efectuar lo indicado a continuación en cualquier momento después de que se haya cursado al Concesionario aviso de resolución del Contrato:

a) La Compañía podrá requerir, pago en efectivo respecto a cualesquiera Productos que sean enviados después del aviso de resolución, u otros términos de pago que estime adecuado.
b) Sin incurrir en obligación o responsabilidad alguna para con el Concesionario (1) negociar y/o concertar acuerdos para que otro concesionario o agente se haga cargo de la totalidad o parte del Área de Responsabilidad después de la resolución del presente Contrato, y (2) suministrar directamente Productos a cualesquiera de los clientes del Concesionario durante el período de aviso de resolución del Contrato.

La resolución del Contrato tendrá los siguientes efectos:

a) La Compañía quedará exonerada de toda obligación de efectuar suministros de Productos al Concesionario y podrá anular sin responsabilidad alguna, todo pedido efectuado por el Concesionario respecto a Productos aún no enviados.
b) Ninguna de las partes quedará exonerada del pago de sumas adeudadas respectivamente.
c) Todas las deudas del Concesionario con la Compañía o de la Compañía con el Concesionario resultarán inmediatamente vencidas y pagaderas, y serán inmediatamente saldadas por el Concesionario a la Compañía o por la Compañía al Concesionario, en su caso.
d) El Concesionario dejará de funcionar como concesionario autorizado y de declarar que es concesionario autorizado y cesará en el uso de toda identificación que asocie al Concesionario con la Compañía.
e) La Compañía, según su exclusivo arbitrio, podrá volver a comprar al Concesionario la totalidad o parte de los productos nuevos, actuales, vendibles y no usados, comprados por el Concesionario a la Compañía. El Concesionario será libre de vender cualesquiera de los productos que la Compañía no haya vuelto a comprar.
f) El Concesionario retirará inmediatamente de sus locales todos los signos y muestras publicitarias que contengan el nombre de ..... y ..... o cualquier otro nombre comercial, logotipo o marca comercial de la Compañía, y posteriormente no usará dichos nombres, nombres comerciales, logotipos y marcas comerciales en relación con los negocios que realice.
g) El Concesionario devolverá y entregará a la Compañía la totalidad de los catálogos, listas de precios, manuales de servicio, boletines, manuales del propietario, y material publicitario actual y materia de otro tipo, literatura o equipo relativo a la venta, promoción de ventas, manejo o servicio (inclusive garantía) de los Productos que la Compañía haya proporcionado al Concesionario. Todos los gastos (salvo los de transporte y los derechos de Aduana) abonados por el Concesionario a la Compañía por el concepto de material que sea actual se acreditarán al Concesionario cuando la Compañía reciba el mismo, en su caso.
h) El Concesionario se obliga a entregar a la Compañía todos los registros de ventas y existencias, listas de propiedad, registros de historia de servicios y material de cualquier índole relativo a ventas, manejo o servicio de los Productos, inclusive reparaciones o piezas, cubiertos por este Contrato, y a ceder a la Compañía a petición de la misma, o a otro agente o concesionario que la Compañía designe, la totalidad y cualesquiera de los contratos de servicios celebrados entre el Concesionario y sus clientes.

8. RESOLUCIÓN POR PARTE DEL CONCESIONARIO

El Concesionario no podrá anular este contrato sin comunicación a la Compañía, mediante carta certificada, con tres meses de antelación.
El incumplimiento por parte del Concesionario de las normas indicadas en el apartado 1.1, no le eximirá de las responsabilidades correspondientes.

9. OPERACIONES DESPUÉS DE LA RESOLUCIÓN DE ESTE CONTRATO

En el caso de que las partes tengan relaciones comerciales después de la resolución de este contrato, dichas relaciones no constituirán una renovación del mismo ni una renuncia a dicha resolución, pero todas las operaciones se regirán por los términos y condiciones de venta de la Compañía en vigor en el momento del envío, salvo que las partes formalicen un nuevo contrato que anule y sustituya al presente.

10. CESIÓN

13340 (sigue)

El Concesionario no podrá ceder, transferir, ni delegar sus derechos u obligaciones previstos en este Contrato, sin el consentimiento escrito de la Compañía.
La Compañía podrá ceder la totalidad o cualesquiera de sus derechos y obligaciones previstas en este Contrato a otra compañía y procurar que todo pedido de Productos solicitado/formalizado por el Concesionario sea ejecutado por dicha otra compañía, sociedad o entidad y los términos de este Contrato serán de aplicación a dicho pedido como lo hubieran sido en ausencia de dicha cesión.

11. CONTRATO ÚNICO

El presente Contrato se considera y se considerará como la expresión completa y definitiva de lo acordado entre las partes en relación con el contenido del mismo, y anula y sustituye todos los contratos previos celebrados entre las mismas. Queda claramente entendido que ninguna de las partes ha confiado en promesas o declaraciones no contenidas en este Contrato ni ha considerado las mismas como un incentivo para celebrar el mismo.

12. RENUNCIA

El hecho de que en algún momento o durante un período de tiempo, alguna de las partes no exija el cumplimiento de las estipulaciones de este Contrato, o el hecho de que alguna de las partes no ejercite un derecho previsto en el mismo no se interpretará como una renuncia a dicha estipulación o dicho derecho, y no afectará en modo alguno al derecho de las partes a exigir tal estipulación o a ejercitar tal derecho.

13. RENUNCIA A CUALQUIER COMPENSACIÓN

En los supuestos de resolución voluntaria del presente contrato, así como en los motivados por incumplimiento por parte del Concesionario, éste renuncia a cualquier derecho o reclamación de compensación económica o de otra índole.

14. LEGISLACIÓN Y JURISDICCIÓN

El presente Contrato se regirá en todos los aspectos por las leyes de España, y todo conflicto que surja en virtud de este Contrato o en relación con el mismo estará sujeto a la jurisdicción exclusiva de los tribunales de ....., a los que ambas partes se someten con renuncia a su fuero propio, si lo tuviesen, con la excepción de que la Compañía tendrá derecho, según su exclusivo arbitrio, a instar procedimiento en los tribunales de cualquier otro país en que el Concesionario resida o en el que estén situados cualesquiera de los activos del Concesionario.

Y en prueba de conformidad, ambas partes firman por duplicado ejemplar el presente contrato en el lugar y fecha indicados en su encabezamiento.

LA COMPAÑÍA **EL CONCESIONARIO**

Contrato de transporte de mercancías por carretera de duración continuada

13345 En (1) ..... a ..... de ..... de 20 .....

REUNIDOS

De una parte, D. (2) ....., mayor de edad, con domicilio en ....., calle ....., núm ....., con DNI núm ....., en nombre propio o en representación de ....., inscrita en el Registro ....., tomo ....., libro ....., folio ....., con NIF núm ....., y domiciliada en (3) ....., calle ....., en virtud de las facultades representativas que resultan de la escritura pública autorizada por el Notario: (4) ....., en fecha ....., núm de protocolo .....

Y de otra parte, D. (2) ....., mayor de edad, con domicilio en ....., calle ....., núm ....., con DNI núm ....., en nombre propio o en representación de ....., inscrita en el Registro ....., tomo ....., libro ....., folio ....., con NIF núm ....., domiciliada en (3) ....., calle ....., en virtud de las facultades representativas que resultan de la escritura pública autorizada por el Notario: (4) ....., en fecha ....., núm de protocolo .....

Ambas partes se reconocen mutuamente la capacidad necesaria para el otorgamiento del este contrato mercantil.

INTERVIENEN

I. ..... en concepto de porteador, como titular de
(5) la autorización de la clase núm .....
(6) los siguientes vehículos; provistos de autorización de transportes:

Marca .... Matrícula .... Autorización de Transporte ....
Marca .... Matrícula .... Autorización de Transporte ....
Marca .... Matrícula .... Autorización de Transporte ....
Marca .... Matrícula .... Autorización de Transporte ....
Marca .... Matrícula .... Autorización de Transporte ....

Mediante acuerdo de las partes, que se incorporara como anexo al presente Contrato, podrá convenirse la sustitución de los anteriores vehículos por otros diferentes que reúnan asimismo las condiciones exigibles.

II. ..... en concepto de cargador.
(7) como titular de la autorización de la clase ..... núm .....

EXPONEN

Que han acordado realizar un contrato mercantil de transporte de mercancías por carretera con arreglo a las siguientes

CLÁUSULAS

PRIMERA.- (8) ..... se compromete con (9) ....., al transporte de las mercancías en las condiciones determinadas en las siguientes cláusulas.

SEGUNDA.- El objeto del transporte será: .....

TERCERA.- El transporte se realizará entre ..... hasta ..... (determinar claramente el punto de origen o salida y el de llegada).

CUARTA.- Los envíos tendrán una periodicidad ..... durante los próximos ..... meses.

QUINTA.- Se estipula un precio global por el transporte de ..... euros, que serán pagadas en partes iguales mediante ..... y con vencimiento en .....

SEXTA.- Se estipulan sumas indemnizatorias para casos de resolución unilateral anticipada .....
..... o para caso de incumplimiento.

SÉPTIMA.- Todos los gastos e impuestos que se deriven de la formalización, cumplimiento o extinción del presente contrato serán a cargo de .....

OCTAVA.- Las partes se someten a la Junta Arbitral del Transporte de ..... para la resolución de las controversias que puedan surgir en la ejecución de este contrato.

NOVENA.- Este contrato tiene carácter mercantil y se regirá por sus propias cláusulas y en lo que en ellas no estuviera previsto por las Condiciones Generales de aplicación en la contratación de transportes de mercancías por carretera aprobadas por Orden FOM/1882/2012. **13345** (sigue)

Las partes manifiestan su conformidad al presente contrato, que otorgan y en prueba de ello firman en ..... ejemplares igualmente originales y auténticos formalizados a un solo efecto y para su entrega a las mismas.

EL PORTEADOR **EL CLIENTE**

(1) Lugar y fecha en letra.
(2) Nombre y dos apellidos de quien firma el contrato.
(3) Localidad.
(4) Nombre y dos apellidos del fedatario público.
(5) Cuando el porteador sea un operador de transporte.
(6) Cuando el porteador sea un transportista.
(7) Cuando el cargador sea un operador de transporte.
(8) Denominación del porteador.
(9) Denominación del cargador o remitente.

Modelo de contrato de transporte de mercancías por carretera

13350

1 Cargador o remitente (nombre, domicilio y CIF/NIF)

El presente contrato se regirá en lo no previsto expresamente en el mismo por las Condiciones Generales de Contratación aprobadas por el Ministerio de Fomento (art. 13.5 Reglamento de la Ley de Ordenación de los Transportes Terrestres).

2 Consignatario o destinatario (nombre, domicilio y CIF/NIF)

14 Porteador (transportista u operador de transportes que ha contratado directamente con el cargador) (nombre, domicilio y CIF/NIF)

15 Porteadores sucesivos (nombre, domicilio y CIF/NIF)

3 Lugar de entrega de la mercancía (localidad)

4 Lugar y fecha de carga de la mercancía (lugar, fecha)

16 Reservas y observaciones del porteador

5 Documentos anexos

6 Palabras, números u otras marcas o signos exteriores que identifican los bultos	7 Número de bultos	8 Clase de embalaje	9 Naturaleza de la mercancía	10 Peso bruto, kg.	11 Volumen m³
Clase	Cifra	Letra	(ADR)*		

17 A pagar por: Cargador / Consignatario

12 Instrucciones del cargador

En fecha:

Precio del transporte:

Descuentos:

Líquido:

Suplementos:

Gastos Accesorios:

TOTAL:

13 Estipulaciones particulares** acerca de la carga y descarga o condiciones de transporte

18 Formalizado en
a 20

19

Firma y sello del cargador

20

Firma y sello del porteador

21 Recibo de la mercancía
Lugar a 20

Firma y sello del consignatario

* A rellenar en el caso de mercancías peligrosas
** Declaración de valor, interés especial en la entrega, seguros, indemnización por retrasos, reembolso, etc.

(Conforme al Código de Buenas Prácticas Mercantiles en la Contratación de Transportes de Mercancías por Carretera-Ministerio de Fomento, ver nº 13210)

Modelo de contrato de servicios logísticos

La Empresa ..., representada por D. ..., 13355
y la Empresa ..., representada por D. ...,

ACUERDAN

1. Objeto del contrato:

El objeto del contrato será la prestación por parte de ..... de los servicios que se indican en el Anexo 1, que serán desempeñados de acuerdo a los reglamentos de calidad y auditoría que ..... entiende necesarios y aplicables y que quedan recogidos en el Anexo II.

2. Plazo de Vigencia:

La duración del presente contrato será de ..... años, y se extenderá desde el ..... de ..... de ..., hasta el ..... de ..... de ..., prorrogándose automáticamente por períodos sucesivos de un año de duración cada uno si no es denunciado fehacientemente (conducto notarial, burofax con certificación de contenido) por cualquiera de las partes con una antelación mínima de ..... meses de duración a la fecha del vencimiento de la primera anualidad o de cualquiera de las sucesivas.
El contrato se extinguirá, igualmente, y en cualquier momento, por mutuo acuerdo entre las partes.

3. Precio:

El importe de los servicios objeto del presente contrato es el que, para cada una de las operaciones que integran el mismo y consignadas en la cláusula primera, se consigna en el Anexo III, importes sobre los que se aplicará el impuesto sobre el valor añadido, así como cualquier otro tributo que, en sustitución del IVA o en unión del mismo, sea legalmente repercutible al contratante.

4. Sistema de responsabilidad:

En función del precio consignado en el Anexo III, las partes acuerdan expresamente que en caso de siniestro ocurrido en las instalaciones de ..... que produzca una pérdida o merma de las mercancías manipuladas y depositadas, el importe de la reparación del daño sufrido correrá por cuenta exclusiva de ....., quedando exonerada ..... de cualquier responsabilidad.
Si ..... optara por asegurar tal eventualidad suscribiendo contrato con una compañía de seguros, se compromete y obliga a informar a ésta del contenido de la presente cláusula, a fin de evitar una eventual reclamación contra .....
En el caso de que, por cualquier circunstancia, ... recibiera dicha eventual reclamación y se viera obligada a indemnizar a la compañía de seguros, repercutirá tal importe junto con los gastos causados directamente a que, desde ahora, se compromete y obliga a resarcir a ..... de la cifra total.
Conforme al artículo 9 de la Ley 15/2009, de 11 de noviembre, del contrato de transporte terrestre de mercancías, los derechos, obligaciones y responsabilidades relativos a dicho transporte se regirán por lo dispuesto en esta Ley 15/2009.

5. Resolución del contrato por incumplimientos:

Cualquiera de las partes podrá resolver el presente Contrato en caso de incumplimiento grave y culpable, por la otra parte, respecto de las obligaciones derivadas del presente contrato.

6. Confidencialidad:

..... y ..... se obligan a guardar absoluto secreto y confidencialidad sobre todos los conocimientos, datos e informaciones económicas, técnicas, tecnológicas, know-how, investigaciones 1 + D, administrativas, relaciones comerciales, estrategias comerciales y productivas, y demás a los que tenga acceso o conocimiento, directa o indirectamente, como consecuencia de la relación comercial que van a mantener en virtud del presente contrato.

13355 (sigue) **7. Sometimiento a los tribunales:**

Ambas partes acuerdan el sometimiento de sus controversias a los juzgados y tribunales de .....

Y en prueba de conformidad con cuanto antecede, las partes intervinientes firman el presente contrato junto con sus anexos por duplicado ejemplar, al pie y en todas sus hojas en ..... a ..... de ..... de ...

Solicitud de arbitraje a Junta Arbitral del Transporte

13360

Dirección General de Transportes
CONSEJERÍA DE TRANSPORTES, VIVIENDA E INFRAESTRUCTURAS
Comunidad de Madrid

Etiqueta del Registro

Solicitud de Arbitraje a la Junta Arbitral del Transporte de Madrid

1.- Datos del interesado:

NIF/NIE		Apellido 1		Apellido 2	
Nombre/Razón Social					
Correo electrónico		País			
Dirección	Tipo vía		Nombre vía		Nº
Piso	Puerta	CP	Provincia		Localidad
Fax		Teléfono Fijo		Teléfono Móvil	

2.- Datos de el/la representante:

NIF/NIE		Apellido 1		Apellido 2	
Nombre/Razón Social					
Correo electrónico		País			
Dirección	Tipo vía		Nombre vía		Nº
Piso	Puerta	CP	Provincia		Localidad
Fax		Teléfono Fijo		Teléfono Móvil	

3.- Datos de la persona o entidad contra la que se reclama:

NIF/NIE		Apellido 1		Apellido 2	
Nombre/Razón Social					
Correo electrónico		País			
Dirección	Tipo vía		Nombre vía		Nº
Piso	Puerta	CP	Provincia		Localidad
Fax		Teléfono Fijo		Teléfono Móvil	

4.- Medio de notificación:

○	Deseo ser notificado/a de forma telemática (sólo para usuarios dados de alta en el Sistema de Notificaciones Telemáticas de la Comunidad de Madrid)				
○	Deseo ser notificado/a por correo certificado				
	Tipo de vía		Nombre vía		Nº
	Piso	Puerta	CP	Localidad	Provincia

5.- Documentación requerida:

La Comunidad de Madrid consultará, por medios electrónicos, los datos de los siguientes documentos, excepto que expresamente desautorice la consulta (*)	No autorizo la consulta y aporto documento
Documento de Identidad (NIF/NIE)	☐

(*)En aplicación del artículo 28.2 de la Ley 39/2015, de 1 de octubre, de Procedimiento Administrativo Común de las Administraciones Públicas.

6.- Cuantía de la Reclamación:

	Euros

(Continúa al dorso)

13360
(sigue)

Dirección General de Transportes
CONSEJERÍA DE TRANSPORTES, VIVIENDA E INFRAESTRUCTURAS
Comunidad de Madrid

7.- Hechos y fundamentos legales en los que se apoya la solicitud:

8.- Pruebas que propone realizar en la vista oral:

13360 (sigue)

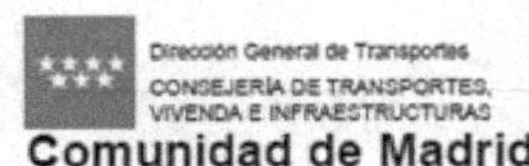

En .... a........ de.................... de..........

FIRMA

Puede consultar la información referida al deber de información de protección de datos personales en las páginas siguientes.

DESTINATARIO	Dirección General de Transportes Consejería de Transportes, Vivienda e Infraestructuras

Solicitud a Junta Arbitral del Transporte de depósito de la mercancía

13365

Dirección General de Transportes
CONSEJERÍA DE TRANSPORTES, VIVIENDA E INFRAESTRUCTURAS
Comunidad de Madrid

Etiqueta del Registro

Solicitud de Depósito ante la Junta Arbitral del Transporte de Madrid

1.- Tipo de Solicitud:

○	Depósito de la/s mercancía/s.
○	Enajenación de la/s mercancía/s.

2.- Datos del/la solicitante:

NIF		Apellido 1		Apellido 2			
Nombre/Razón Social							
Correo electrónico				País			
Dirección	Tipo vía		Nombre vía			Nº	
Piso		Puerta		CP		Provincia	
Localidad							
Fax		Teléfono Fijo		Teléfono Móvil			

3.- Datos del/la representante:

NIF		Apellido 1		Apellido 2			
Nombre							
Correo electrónico				País			
Dirección	Tipo vía		Nombre vía			Nº	
Piso		Puerta		CP		Provincia	
Localidad							
Fax		Teléfono Fijo		Teléfono Móvil			

4.- Datos de remitente (o cargador con quien se hubiere contratado):

NIF		Apellido 1		Apellido 2			
Nombre/Razón Social							
Correo electrónico				País			
Dirección	Tipo vía		Nombre vía			Nº	
Piso		Puerta		CP		Provincia	
Localidad							
Fax		Teléfono Fijo		Teléfono Móvil			

5.- Datos del/la destinatario/a o consignatario/a:

NIF		Apellido 1		Apellido 2			
Nombre/Razón Social							
Correo electrónico				País			
Dirección	Tipo vía		Nombre vía			Nº	
Piso		Puerta		CP		Provincia	
Localidad							
Fax		Teléfono Fijo		Teléfono Móvil			

13365 (sigue)

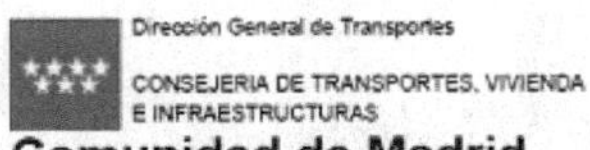

Comunidad de Madrid

6.- Medio de notificación:

○	Deseo ser notificado/a de forma telemática (solo para usuarios dados de alta en el Sistema de Notificaciones de la Comunidad de Madrid)								
○	Deseo ser notificado/a por correo certificado								
	Tipo de vía		Nombre vía					Nº	
	Piso		Puerta		CP		Localidad		Provincia

7.- Modalidad del transporte

Tipo de Transporte:					
○	Transporte terrestre por ferrocarril	○	Transporte terrestre por carretera	○	Transporte combinado (siempre que exista contrato único y uno de los modos sea transporte terrestre).
Ámbito del Transporte:					
○	Transporte nacional			○	Transporte internacional

8.- Motivo por el que se solicita el depósito:

○	El rechazo de la mercancía por el consignatario.
○	El rechazo de la mercancía por el remitente y el consignatario.
○	Dudas o contestaciones entre porteador y consignatario sobre el estado de la mercancía.
○	Ausencia del consignatario en el domicilio de entrega.
○	Impago de los portes.
○	Negativa del consignatario a descargar la mercancía.
○	Riesgo de pérdida de la mercancía por su naturaleza o por accidente inevitable.

9.- Descripción de la mercancía de la forma más detallada posible (nº de bultos, peso, volumen, etc.):

10.- Valor de la mercancía:

○	Conocido	Euros:		○	Desconocido

13365
(sigue)

Dirección General de Transportes

CONSEJERÍA DE TRANSPORTES, VIVIENDA E INFRAESTRUCTURAS

Comunidad de Madrid

11.- Precio del porte:

Euros:		○ No Abonado	○ Abonado por el remitente	○ Abonado por el destinatario

12.- Documentación requerida:

Documentos que se acompañan a la solicitud	
NIF del Solicitante (persona jurídica)	☐
Carta de porte u otro documento que sirva de prueba de las condiciones contractuales	☐
Acreditación de la ausencia del destinatario o de que rehusó la mercancía.	☐
Cualquier otro documento de que disponga el solicitante para justificar su pretensión	☐
La Comunidad de Madrid consultará, por medios electrónicos, los datos de los siguientes documentos, excepto que expresamente desautorice la consulta (*)	No autorizo la consulta y aporto documento
NIF del Solicitante (persona física)	☐

(*) En aplicación del artículo 28.2 de la Ley 39/2015, de 1 de octubre, de Procedimiento Administrativo Común de las Administraciones Públicas.

En ...., a.......... de.......................... de...........

FIRMA

DESTINATARIO	Consejería de Transportes, Vivienda e Infraestructuras Dirección General de Transportes - Junta Arbitral del Transporte de Mercancías

Póliza original de crédito documentario

En ....., a ....., de ..... de 13370

REUNIDOS

DE UNA PARTE, el BANCO ....., SA, representado por D. ..... (datos personales y NIF), con domicilio en ....., calle ....., núm ....., en lo sucesivo el BANCO.

DE OTRA PARTE, ..., SA, constituida en escritura pública otorgada el día ....., ante el Notario de ....., D. ....., e inscrita en el Registro Mercantil de ....., con fecha ....., tomo ....., folio ....., hoja ....., y con NIF núm ....., domiciliada en ....., calle ....., núm ....., representada por D. ..... (datos personales y NIF), cuyas facultades representativas manifiesta que están vigentes y no modificadas, en adelante el ACREDITADO.

ACUERDAN

Otorgar de mutuo consenso este CONTRATO DE CRÉDITO DOCUMENTARIO y llevarlo a efecto a tenor de las siguientes

CLÁUSULAS

PRIMERA.- Este contrato tiene por objeto garantizar los créditos documentarios emitidos por el BANCO a instancia del ACREDITADO, obligándose el primero a pagar a un tercero (beneficiario) o a su orden o a aceptar y pagar letras de cambio u otros instrumentos de giro librados por el beneficiario.

SEGUNDA.- La negociación de los créditos se efectuará a partir de los documentos que acrediten la titularidad de los bienes contratados.

TERCERA.- El BANCO recibirá instrucciones completas del ACREDITADO para la emisión de un crédito documentario, haciendo constar con precisión los documentos contra los que se verificará el pago, aceptación o negociación.

CUARTA.- El BANCO examinará los documentos facilitados por el ACREDITADO, reservándose el derecho de rechazar la aprobación del crédito solicitado en caso de que el riesgo de emisión no se considere conveniente.

QUINTA.- Todos los créditos deberán contener la indicación de si son aplicables para pago diferido, a la vista, aceptación o negociación.

SEXTA.- Serán válidas las remisiones o envíos parciales mientras no figure en el crédito documentario concertado estipulación contraria alguna.

SÉPTIMA.- El ACREDITADO estará obligado a satisfacer los intereses, comisiones y gastos que figuran en las Tarifas de Comisiones y Gastos Repercutibles, remitidas al Banco de España, en cada operación de crédito documentario.

OCTAVA.- El BANCO abre una cuenta corriente especial a nombre del ACREDITADO donde se realizarán los apuntes bancarios resultantes de este contrato.

NOVENA.- La cuenta especial prevista en la cláusula anterior devengará desde el momento en que existan saldos deudores no cancelados en el plazo máximo de ..... días un interés de demora del ..... % nominal anual, capitalizable mensualmente.

DÉCIMA.- Los créditos documentarios que se otorguen serán independientes de las compraventas de mercancías de que procedan, no hallándose el BANCO vinculado a tales contratos. El beneficiario del crédito no podrá utilizar las relaciones contractuales existentes entre el ACREDITADO y el BANCO.

UNDÉCIMA.- Se estipulará en los créditos, en relación con el seguro, el tipo de cobertura que se requiere y, en su caso, los riesgos adicionales a cubrir.

DUODÉCIMA.- Las facturas comerciales deberán emitirse por el beneficiario del crédito, a nombre del ACREDITADO, pudiendo ser rechazadas aquellas que se emitan por un importe superior al permitido por el crédito documentario.

13370 (sigue) **DECIMOTERCERA.-** En caso de que los saldos deudores de la cuenta especial no pudieran ser realizados por el BANCO, éste podrá reclamar judicialmente contra el ACREDITADO el pago de las cantidades correspondientes que se deriven de los créditos documentarios formalizados.

DECIMOCUARTA.- A los efectos del procedimiento ejecutivo se tendrá por cantidad exigible la especificada por el BANCO en relación con la cuenta especial y se tendrá por líquida siempre que conste en documento fehaciente acreditativo de haberse practicado la liquidación en la forma pactada por las partes y de que el saldo coincide con el que aparece en la cuenta especial abierta al ACREDITADO, todo ello a los efectos de lo prevenido en la vigente Ley de Enjuiciamiento Civil.

DECIMOQUINTA.- Este contrato reviste carácter mercantil y se someterá a sus propias estipulaciones, pasando a regirse, en su defecto, por las Reglas y Usos Uniformes relativos a Créditos Documentarios. A falta de las disposiciones anteriores, el contrato quedará subordinado a la normativa española contenida en el Código de Comercio, Leyes especiales y usos mercantiles.

Las partes se muestran conformes con el contenido de este contrato, lo otorgan y firman por triplicado en el lugar y fecha consignados «ut supra».

Y yo, el Fedatario Público, hechas las advertencias legales y en particular las relativas a las condiciones generales no inscritas incorporadas al contrato, DOY FE de la identidad y capacidad de las partes, de la legitimidad de sus firmas y de todo lo convenido en la presente póliza, que firmo y sello en el lugar y fecha indicados.

EL BANCO **EL ACREDITADO**

CON MI INTERVENCIÓN
EL FEDATARIO PÚBLICO

Bibliografía

CAPÍTULO 1 13375

- ALBALADEJO: «Derecho Civil», Bosch, Barcelona, 1980.
- ALFARO ÁGUILA-REAL: «Las Condiciones Generales de la Contratación», Civitas, Madrid, 1991.
- BROSETA PONT, M.: «Manual de Derecho Mercantil», Tecnos, 1994.
- CACHÓN BLANCO, J. E.: «Temas de Derecho Civil», Dykinson, Madrid, 1998.
- CANO RICO, J. R.: «Manual Práctico de Contratación Mercantil», Tecnos, 1999.
- CASTÁN TOBEÑAS: «Derecho Civil Español, Común y Foral», Reus, SA, Madrid, 1995.
- CASTRO Y BRAVO, F.: «El Negocio Jurídico», Civitas.
- CHULIÁ VICENT, E., y BELTRÁN ALANDATE, T.: «Aspectos Jurídicos de los contratos atípicos», Bosch, 1988.
- DÍEZ-PICAZO: «Fundamentos del Derecho Civil Patrimonial», Civitas, Madrid, 1993.
- DÍEZ-PICAZO: «Sistema de Derecho Civil», Tecnos.
- FONT GALÁN: «Derecho Mercantil», Ariel Derecho, Barcelona, 1995.
- GARCÍA GIL, F. y J. L.: «Los contratos mercantiles y su jurisprudencia», Aranzadi Editorial 1999.
- GARRIGUES, J.: «Curso de Derecho Mercantil», Madrid, 1982.
- GARRIGUES, J.: «Tratado de Derecho Mercantil», Madrid, 1964.
- GÓMEZ MATOS, M.: «El Registro de Bienes Muebles», Thomson Aranzadi, Cizur Menor (Navarra), 2005.
- JIMÉNEZ SÁNCHEZ, G.: «Derecho Mercantil» Ariel Derecho, Barcelona, 1999.
- LASARTE ÁLVAREZ, C.: «Manual sobre protección de consumidores y usuarios», Dykinson, Madrid, 2005.
- MARTÍNEZ DE AGUIRRE Y ALDAZ: «Comentarios a la Ley General para la defensa de consumidores y usuarios», Civitas, Madrid, 1992.
- MEDINA DE LEMUS, M.: «Contratos de comercio exterior», Dykinson, 1998.
- SÁNCHEZ CALERO, F.: «Instituciones de Derecho Mercantil», Mc Graw Hill, Madrid, 1997.
- URÍA, R.: «Derecho Mercantil», Marcial Pons.
- VICENT CHULIÁ, F.: «Compendio Crítico de Derecho Mercantil», Bosch, Barcelona, 1990.
- VICENT CHULIÁ, F.: «Introducción al Derecho Mercantil», Tirant lo Blanch, 1999.

CAPÍTULO 2

- BELTRÁN MENDIZÁBAL, F.: «Contratación Internacional», en «Comercio Exterior», ICEX, Madrid, 1996.
- BERCOVITZ, R.: «Comentario a la Sentencia del Tribunal Supremo de 20 de noviembre de 1984», Cuadernos de Civitas Jurisprudencia Civil, núm 7, 1985.
- CANO RICO, J. R.: «Manual Práctico de Contratación Mercantil», Tecnos 1999.
- CARLON SÁNCHEZ: «La Cláusula de garantía en la compraventa de maquinaria», Revista de Derecho Mercantil, núm 127 (1973).
- FERNÁNDEZ DE LA GÁNDARA: «La Posición Jurídica del Vendedor: la obligación de entrega de las mercaderías en particular», Estudios homenaje al profesor Menéndez.
- GARRIGUES, J.: «Tratado de Derecho Mercantil», Madrid, 1964.
- LÁZARO SÁNCHEZ: «El Contrato Estimatorio», Tecnos, Madrid, 1997.
- MEDINA DE LEMUS, M.: «Contratos de Comercio Exterior», Dykinson, 1998.
- MOXICA ROMÁN, J.: «La compraventa mercantil en instituciones afines», Aranzadi Editorial, 1998.
- MUÑOZ PLANAS, M.: «El Contrato Estimatorio», Madrid, 1963.
- PAZ ARES: «Una teoría económica sobre la mercantilidad de la compraventa», Anuario de Derecho Civil, núm 36, 1983.
- SÁNCHEZ CALERO, F.: «Denuncia de los vicios y examen de la cosa en la compraventa mercantil», Anuario de Derecho Civil, 1959.
- SÁNCHEZ CALERO, F.: «Instituciones de Derecho Mercantil», Mc Graw Hill, Madrid, 1997.
- URÍA, R.: «Derecho Mercantil», Marcial Pons.
- VICENT CHULIÁ, F.: «Compendio Crítico de Derecho Mercantil», Bosch, Barcelona, 1990.

CAPÍTULO 3

- ERDOZAÍN: «Las Retransmisiones por Cable y el concepto de público en el Derecho de Autor», 1997.
- ESTEVE PARDO: «La Obra Multimedia en Derecho Español», Pamplona, 1998.
- SÁNCHEZ ARISTI: «La Propiedad Intelectual sobre las Obras Musicales», Granada, 1999.

13375
(sigue)

CAPÍTULO 4

- LOBATO, M.: «Comentario a la Ley 17/2001, de Marcas», Civitas, Madrid, 2002.
- OTERO LASTRES, J. M.: «Comentario de la Ley de Patentes», Praxis Mercantil, Barcelona, 1987.
- PELLA, R. y PEDEMONTE, J.: «Jurisprudencia de la Propiedad Industrial», Bosch, Barcelona.

CAPÍTULO 5

- BESCÓS, M.: «La contratación internacional», ICEX, Madrid, 2005.
- CHULIÁ VICENT, E., y BELTRÁN ALANDATE, T.: «Aspectos Jurídicos de los contratos atípicos», Bosch, 1988.
- COLEGIOS NOTARIALES DE ESPAÑA: «Comunidades de bienes, cooperativas y otras formas de empresa».
- FERNÁNDEZ NOVOA, C.: «Las notas distintivas de las cuentas en participación», Revista de Derecho Mercantil.
- GARCÍA GIL, F. y J. L.: «Los Contratos Mercantiles y su Jurisprudencia», Aranzadi Editorial 1999.
- GUAL DALMAU, M. A.: «Las Cuentas en Participación», Estudios de Derecho Mercantil, Civitas.
- MEDINA DE LEMUS, M.: «Contratos de comercio exterior», Dykinson, 1998.
- PELLA, R. y PEDEMONTE, J.: «Jurisprudencia de la Propiedad Industrial», Bosch, Barcelona.
- PÉREZ MORIONES, A.: «Los sindicatos de voto para la Junta General de Sociedad Anónima», Tirant Lo Blanch, Valencia, 1996.
- SERRA MAYOL, A. J.: «El contrato de cuentas en participación y otras formas asociativas mercantiles», Tecnos.

CAPÍTULO 6

- ALBALADEJO: «Derecho Civil», Bosch, Barcelona, 1980.
- ARJONA GUAJARDO-FAJARDO: «La hipoteca flotante y su régimen», Aranzadi, Cizur-Menor, 2015.
- BARRIOS Y FUGARDO ESTIVILL: «Los derechos de crédito derivados de contratos administrativos como objeto de negocios de financiación y garantía. Especial referencia a las certificaciones de obra», en «Tratado de garantías en la contratación mercantil», Madrid, 1996.
- BONET CORREA: «Las Deudas de Dinero», Civitas, Madrid, 1981.
- CACHÓN BLANCO, J. E.: «Temas de Derecho Civil», Dykinson, Madrid, 1998.
- CAMY: «Garantías Patrimoniales. Estudio especial de la hipoteca», Pamplona, 1993.
- CASTÁN TOBEÑAS: «Derecho Civil Español, Común y Foral», Reus, SA, Madrid, 1995.
- CHICO y ORTIZ: «Estudios de Derecho Hipotecario», tomo II, Madrid, 1989.
- DÍAZ FRAILE: «La situación de la hipoteca en España: recientes novedades legales y jurisprudenciales: una visión comparativa con el modelo norteamericano», Boletín del Colegio de Registradores de España, Nº. 39, 2017.
- DE ÁNGEL YÁGÜEZ: «La Hipoteca Cambiaria de constitución unilateral», RCDI, 1979.
- DE ÁNGEL YÁGÜEZ: «Tratado de Garantías en la Contratación Mercantil», Civitas, Madrid, 1996.
- DE LA CÁMARA O VALLET: «Revista de Derecho Privado» 1979.
- ESPEJO LERDO DE TEJADA: «El contenido financiero del préstamo y la protección del deudor hipotecario: algunas cuestiones actuales», RCDI, Nº 748, 2015.
- FERNÁNDEZ COSTALES: «Tratado de Garantías en la Contratación Mercantil», Civitas, Madrid, 1996.
- FERRE MOLTÓ Y JIMÉNEZ VILLANUEVA.: «Tratado de Garantías en la Contratación Mercantil», Civitas, Madrid, 1996.
- FONT GALÁN: «Derecho Mercantil», Ariel Derecho, Barcelona, 1995.
- GALICIA AIZPURUA (Dir.), «Asimetrías en el sistema español de garantías reales», Aranzadi, Cizur-Menor, 2021.
- GALICIA AIZPURUA, «El fundamento de la prohibición del pacto comisorio en la doctrina de la DGSJFP», Diario La Ley, Nº 10261, 2023.
- GARCÍA GARCÍA: «Comentario Del Código Civil», Ministerio de Justicia, Madrid, 1993
- GARCÍA-ARANGO Y DÍAZ SAAVEDRA: «Hipotecas y seguridad jurídica», Centro de Estudios Registrales, Madrid, 1991.
- GARCÍA-PITA Y LASTRES, J. L.: «Tratado de Garantías en la Contratación Mercantil», Civitas, Madrid, 1996.

- GARRIGUES, J: «Contratos Bancarios», Madrid, 1975.
- GUILARTE ZAPATERO: «Comentario del Código Civil», Ministerio de Justicia, Madrid, 1993. 13375 (sigue)
- GUILARTE ZAPATERO: «Comentario del Código Civil», tomo II, Madrid, 1991.
- LALAGUNA DOMÍNGUEZ: «Tratado de Garantías en la Contratación Mercantil», Civitas, Madrid, 1996.
- LASTRES: «Tratado de Garantías en la Contratación Mercantil», Civitas, Madrid, 1996.
- MURGA FERNÁNDEZ: «Subasta judicial y transmisión de la propiedad, Aranzadi», Cizur-Menor, 2015.
- PADILLA GONZÁLEZ: «Derecho Mercantil», Coodinador JIMÉNEZ SÁNCHEZ, G., Ariel Derecho, Barcelona, 1995.
- PAZ-ARES: «Comentario del Código Civil», Ministerio de Justicia, Madrid, 1993.
- PEÑA BERNALDO DE QUIRÓS: «Derechos Reales. Derecho Hipotecario», Madrid, 1982.
- ROCA GUILLAMÓN: «Tratado de Garantías en la Contratación Mercantil», Civitas, Madrid, 1996.
- ROCA SASTRE, R. M.: «Derecho Hipotecario», Bosch, Barcelona, 1995.
- SÁNCHEZ CALERO, F.: «Instituciones de Derecho Mercantil», Mc Graw Hill, Madrid, 1997.
- URÍA, R.: «Derecho Mercantil», Marcial Pons, 1992.
- VICENT CHULIÁ, F.: «Compendio Crítico de Derecho Mercantil», Bosch, Barcelona, 1990.

CAPÍTULO 7

- ARAGÓN REYES: «Contratos Bancarios», Civitas, Madrid, 1992.
- BELTRÁN ALANDETE: «Aspectos jurídicos de los Contratos de Leasing», Bosch, Barcelona, 1989.
- BELTRÁN SÁNCHEZ: «La Unificación del Derecho Privado», Revista Jurídica del Notariado, núm 13, enero-marzo de 1995.
- BROSETA PONT, M.: «Manual de Derecho Mercantil», Tecnos, 1994.
- CABANILLAS SÁNCHEZ: «El Leasing Financiero y la Ley de Ventas a Plazos de Bienes Muebles», Comentario a la Sentencia del Tribunal Supremo de 28 de marzo de 1978, ADC, 1980.
- CABANILLAS SÁNCHEZ: «La Configuración del Arrendamiento Financiero (leasing) por la Ley de 29 de julio de 1998», en ADC, 1991.
- EIZAGUIRRE: «Factoring», RDM, núm 187-188, 1988.
- ESTEBARANZ ALCAIDE, E. y REVILLA PUEBLA, J.: «Instrumentos de Apoyo a la Expropiación», ICEX, «Comercio exterior», Madrid, 1996.
- FERNÁNDEZ-ARMESTO Y DE CARLOS: «El Derecho del Mercado Financiero», Civitas, Madrid, 1992.
- GARCÍA AMIGO: RDP, 1964.
- GARCÍA DE ENTERRÍA: «Contrato de factoring y cesión de créditos», Civitas, Madrid, 1994.
- GARCÍA SOLÉ, F: «Instituciones del Mercado Financiero», vol. II, dirigida por ALONSO UREBA, A. y MARTÍNEZ SIMANCAS, J., La Ley-Actualidad, Madrid, 1999.
- GARCÍA-CRUCES: «El Contrato de Factoring», Madrid, 1990.
- GARRIGUES, J: «Curso de Derecho Mercantil», Madrid, 1982.
- ESTEBAN ALCAIDE, E., y REVILLA PUEBLA, J.: «Instrumento de apoyo a la exportación», en «Comercio Exterior», ICEX, Madrid, 1996.
- JIMENEZ SÁNCHEZ, G.: «Derecho Mercantil», Ariel Derecho, Barcelona, 1999.
- MEDINA DE LEMUS, M.: «Instituciones del Mercado Financiero», vol. II, dirigida por ALONSO UREBA, A. y MARTÍNEZ SIMANCAS, J., La Ley-Actualidad, Madrid, 1999.
- MEDINA DE LEMUS, M.: «Contratos de Comercio Exterior», Dykinson, Madrid, 1998.
- MESA DÁVILA: «Factoring. Con regreso y cesión de créditos», en RDBB, núm 70 (abril-junio, 1998).
- MORÁN BOVIO: «Derecho Mercantil», Coordinador JIMÉNEZ SÁNCHEZ, G., Ariel Derecho, Barcelona, 1995.
- MOXICA ROMÁN, J.: «La Ley del Contrato de Agencia», Aranzadi Editorial, 1998.
- SÁNCHEZ CALERO, F.: «Instituciones de Derecho Mercantil», Mc Graw Hill, Madrid, 1997.
- SANTANDREU: «Confirming, factoring y renting», Gestión 2000, Barcelona, 1998.
- URÍA, R.: «Derecho Mercantil», Marcial Pons.
- VÁZQUEZ GARCÍA: «El Contrato de Factoring», en «Contratos Bancarios y Parabancarios», Lex Nova, Valladolid, 1998.
- VIVES MARTÍNEZ: «A propósito del contrato de "Leasing" y las cláusulas abusivas», en Actualidad Civil, núm 27/1999 (del 5 al 11 de julio de 1999).
- ZUNZUNEGUI: «Derecho del Mercado Financiero», Marcial Pons, Madrid, 1997.

13375 (sigue)

CAPÍTULO 8

- CANO RICO, J. R.: «Manual Práctico de Contratación Mercantil», Tecnos, 1999.
- CHULIÁ VICENT, E. y BELTRÁN ALANDATE, T.: «Aspectos Jurídicos de los Contratos Atípicos», Bosch, 1988.
- DÍEZ-PICAZO Y GULLÓN: «Sistema de Derecho Civil III, Derecho de Cosas», Tecnos.
- ICEX: «Comercio Exterior», Madrid, 1996.
- JIMENEZ SÁNCHEZ, G.: «Derecho Mercantil», Ariel Derecho, Barcelona, 1999.
- MARTÍN MUÑOZ, A.: «El Merchandising. Contrato de reclamo mercantil», Aranzadi, 1999.
- MEDINA DE LEMUS, M.: «Contratos de Comercio Exterior», Dykinson, 1998.
- MORALEJO IMBERNÓN, N.: «El arrendamiento de empresa», Thomson Aranzadi, Cizur Menor (Navarra), 2004.
- SÁNCHEZ CALERO, F.: «Instituciones de Derecho Mercantil», Mc Graw Hill, Madrid, 1997.
- URÍA, R.: «Derecho Mercantil», Marcial Pons.

CAPÍTULO 9

- ALBALADEJO: «Derecho Civil», Bosch, Barcelona, 1980.
- ÁLVAREZ CAPEROCHIPI, J. A.: «El Mandato y la Comisión Mercantil», Comares, 1997.
- BELTRÁN MENDIZÁBAL, F.: «Contratación Internacional», en «Comercio Exterior», ICEX, Madrid, 1996.
- CANO RICO, J. R.: «Manual Práctico de Contratación Mercantil», Tecnos, 1999.
- CASTÁN TOBEÑAS: «Derecho Civil Español, Común y Foral», Reus, SA, Madrid, 1995.
- DÍEZ-PICAZO Y GULLÓN: «Sistema de Derecho Civil III, Derecho de Cosas», Tecnos.
- GARCÍA GIL, F. Y J. L.: «Los Contratos Mercantiles y su Jurisprudencia», Aranzadi Editorial, 1999.
- GARRIGUES, J.: «Curso de Derecho Mercantil», Madrid, 1982.
- HERNÁNDEZ JIMÉNEZ, A.: «El Contrato de Franquicia de Empresa», Colección Monografías, Civitas.
- ILLESCAS ORTIZ, R. Y PORFIRIO CARPIO, L.: «Sistema (Contratos Mercantiles)», La Ley-Actualidad, 2000.
- IRIARTE IBARGÜEN, A.: «Guía Deusto Mercantil», Ediciones Deusto, SA, 1999.
- JIMENEZ SÁNCHEZ, G.: «Derecho Mercantil», Ariel Derecho, Barcelona, 1999.
- MEDINA DE LEMUS, M.: «Contratos de Comercio Exterior», Dykinson, 1998.
- SÁNCHEZ CALERO, F.: «Instituciones de Derecho Mercantil», Mc Graw Hill, Madrid, 1997.
- SENA FERNÁNDEZ, F.: «Diccionario de Jurisprudencia Registral», Centro de Estudios Registrales, 1999.
- TERRAZAS, C.: «La franquicia», Tormo & Asociados, Madrid, 2005.
- URÍA, R.: «Derecho Mercantil», Marcial Pons.
- VALENZUELA GARACH, F.: «La Extinción del Contrato de Agencia en la L 12/1992».
- VICENT CHULIÁ, F.: «Introducción al Derecho Mercantil», Tirant lo Blanch, 1999.

CAPÍTULO 11

- GARRIGUES, J.: «Curso de Derecho Mercantil», Madrid, 1982.
- SANJUAN PITARCH, C.: «El Transporte en las Transacciones Comerciales Internacionales», en «Comercio Exterior», ICEX, Madrid, 1996.
- URÍA, R.: «Derecho Mercantil», Marcial Pons.

CAPÍTULO 12

- ALBELLA AMIGO, S: «Contratos Bancarios y Parabancarios», Lex Nova, Valladolid, 1998.
- ALCOVER GRAU Y MARTÍNEZ NADAL: «Contrato de Cuenta Corriente Bancaria y licitud de las Comisiones de Mantenimiento y Administración», RDBB, núm. 70 (abril-junio, 1998).
- ALONSO UREBA, A: «Instituciones del Mercado Financiero», vol. II, dirigida por ALONSO UREBA, A. MARTÍNEZ SIMANCAS, J. y La Ley-Actualidad, Madrid, 1999.
- ÁLVAREZ-CIENFUEGOS SUÁREZ, J. M.: «Instituciones del Mercado Financiero», vol. I, dirigida por ALONSO UREBA, A. y MARTÍNEZ SIMANCAS, J., La Ley-Actualidad, Madrid, 1999.
- AMESTI MENDIZÁBAL, C: «Instituciones del Mercado Financiero», vol. II, dirigida por ALONSO UREBA, A. y MARTÍNEZ SIMANCAS, J., La Ley-Actualidad, Madrid, 1999.
- ARIJA AUTULLO: «Los Pactos de Vencimiento Anticipado en los contratos de préstamo hipotecario y otras cuestiones jurídicas», en La Ley (año XXI, número 4997).
- AZOFRA VEGAS: «La Contratación Electrónica Bancaria», en RDBB, núm. 68 (octubre-diciembre).
- CISNEROS GUILLÉN: «Temas de Derecho Mercantil», Dykinson, Madrid, 1998.

• DE ARRILLAGA: «Cajas de Seguridad en los Bancos», RDP, Madrid, 1958. **13375** (sigue)
• EIZAGUIRRE: «De nuevo sobre el Contrato de Cuenta Corriente», en «Estudios de Derecho Mercantil en homenaje al profesor Manuel Broseta», Tirant Lo Blanch, Valencia, 1995.
• EMBID IRUJO: «Contratos Bancarios y Parabancarios», Lex Nova, Valladolid, 1998
• FERNÁNDEZ-MERINO: «Las Cajas de Seguridad», en «Contratos Bancarios y Parabancarios». Lex Nova, Valladolid, 1998.
• FLAQUERT RIUTORT: «El Contrato de Crédito Subasta», Bosch, Barcelona, 1992.
• GARCÍA AMIGO, M.: «Instituciones del Mercado Financiero», vol. I, dirigida por ALONSO UREBA, A. y MARTÍNEZ SIMANCAS, J., La Ley-Actualidad, Madrid, 1999.
• GARCÍA VILLAVERDE Y ARAGÓN REYES: «Contratos Bancarios», Civitas, Madrid, 1992.
• GARCÍA-PITA Y LASTRES, J. L.: «Contrato de Descuento y cuenta corriente bancaria: condiciones y consecuencias de una interconexión», RDBB, 1984.
• GARCÍA-PITA Y LASTRES, J. L.: «El Contrato Bancario de Descuento», Centro de Documentación Bancaria y Bursátil, Madrid, 1990.
• GARRIGUES, SÁNCHEZ-CALERO GUILARTE: «Consideraciones entorno a algunos aspectos de la cuenta corriente bancaria», RDBB, 1986.
• GETE-ALONSO: «Las Tarjetas de Crédito», Marcial Pons, Madrid, 1997.
• GISPERT PASTOR: «Los Créditos Sindicados», Bosch, Barcelona, 1986.
• GÓMEZ MENDOZA, M.: «Tarjetas bancarias y cajeros automáticos», en «Contratos Bancarios y Parabancarios», Lex Nova, Valladolid, 1998.
• GUILLÉN FERRER: «El Secreto Bancario y sus límites legales», Tirant Lo Blanch, Valencia, 1997.
• HERNÁNDEZ RODRÍGUEZ, F. y DOMÍNGUEZ-ALCAHUD MARTÍN-PEÑA, J.: «Instituciones del Mercado Financiero», vol. V, dirigida por ALONSO UREBA, A. y MARTÍNEZ SIMANCAS, J., La Ley-Actualidad, Madrid, 1999.
• JIMÉNEZ SÁNCHEZ, G.: «El servicio de Cajas de Seguridad», en «Derecho Mercantil», Ariel, Barcelona, 1995.
• JIMÉNEZ-BLANCO Y CARRILLO DE ALBORNOZ, G.: «Instituciones del Mercado Financiero», vol. VI, dirigida por ALONSO UREBA, A. y MARTÍNEZ SIMANCAS, J., La Ley-Actualidad, Madrid, 1999
• MOLL DE MIGUEL «El Contrato de Cuenta Corriente. Una concepción unitaria de sus diferentes tipos», Universidad de Bilbao, Bilbao, 1977.
• NIETO CAROL, U.: «Contratos Bancarios y Parabancarios», Lex Nova, Valladolid, 1998.
• ORDUÑA MORENO: «Contratación y Servicio Financiero», Tirant Lo Blanch, Valencia, 2000.
• PAREJO, J.A.; CUERVO, A.; CALVO, A. Y RODRÍGUEZ SÁIZ, L.: «Manual de Sistema Financiero Español», Ariel Economía, Barcelona, 1999.
• PÉREZ SERRABONA Y FERNÁNDEZ: «La Tarjeta de Crédito (hacia un estatuto jurídico)», Granada, 1987.
• PIÑEL LÓPEZ, E.: «Instituciones del Mercado Financiero», vol. I, dirigida por ALONSO UREBA, A. y MARTÍNEZ SIMANCAS, J., La Ley-Actualidad, Madrid, 1999.
• RAPOSO FERNÁNDEZ: «Las Cláusulas Abusivas en el Préstamo y crédito bancarios», La Ley, 1996.
• RECALDE CASTELLS, A.: «Instituciones del Mercado Financiero», vol. V, dirigida por ALONSO UREBA, A. y MARTÍNEZ SIMANCAS, J., La Ley-Actualidad, Madrid, 1999.
• RIVERO ALEMÁN: «Disciplina del Crédito Bancario y Protección del Consumidor», Aranzadi, Madrid, 1995.
• RODRÍGUEZ ARTIGAS, F.: «Contratos Bancarios y Parabancarios», Lex Nova, Valladolid, 1998.
• RODRÍGUEZ ARTIGAS, F.: «Instituciones Del Mercado Financiero», vol. I, dirigida por ALONSO UREBA, A. y MARTÍNEZ SIMANCAS, J. La Ley-Actualidad, Madrid, 1999.
• SAFONT SÁNCHEZ, L.: «Instituciones Del Mercado Financiero», vol. I, dirigida por ALONSO UREBA, A. y MARTÍNEZ SIMANCAS, J., La Ley-Actualidad, Madrid, 1999.
• SÁNCHEZ CALERO, F.: «Contratos Bancarios», Colegio de Notariales de España», Madrid, 1996
• SANTOS MARTÍNEZ, V.: «El Contrato Bancario. Concepto funcional», Bilbao, 1972.
• VARA DE PAZ, N.: «Las Cajas de Seguridad», en «Contratos bancarios», Civitas, Madrid, 1992.
• VÁZQUEZ IRUZUBIETA: «Operaciones bancarias», Edersa, Madrid, 1985.
• ZAPATA CIRUGEDA, F. J.: «Instituciones Del Mercado Financiero», vol. VII, dirigida por ALONSO UREBA, A. y MARTÍNEZ SIMANCAS, J., La Ley-Actualidad, vol. VIII, Madrid, 1999.

CAPÍTULO 13

• ARAGÓN REYES, M.: «Instituciones del Mercado Financiero», vol. I, dirigida por ALONSO UREBA, A. y MARTÍNEZ SIMANCAS, J., La Ley-Actualidad, Madrid, 1999.
• BALLBÉ, M. Y PADRÓS, C.: «Estado competitivo y armonización europea», Ariel, Barcelona, 1997.

13375 (sigue)
- CACHÓN BLANCO, J. E.: «Los Contratos de Dirección, Colocación, Aseguramiento, y Asesoramiento de Emisiones y ofertas publicas de venta de valores», Dykinson, Madrid, 1996.
- CACHÓN BLANCO, J. E.: «Derecho del Mercado de Valores», Dykinson, Madrid, 1993.
- CACHÓN BLANCO, J. E.: «Instituciones del Mercado Financiero», vol. VIII, dirigida por ALONSO UREBA, A. y MARTÍNEZ SIMANCAS, J., La Ley-Actualidad, Madrid, 1999.
- COSTA RAN Y FONT VILALTA: «Nuevos instrumentos financieros en la estrategia empresarial», ESIC, Madrid, 1992.
- GARRIGUES, J.: «Curso de Derecho Mercantil», Madrid, 1982.
- GÓMEZ INIESTA, D. J.: «La utilización abusiva de información privilegiada en el mercado de valores», Mc-Graw Hill, Madrid, 1997.
- HENANDEZ RODRÍGUEZ Y DOMÍNGUEZ ALCAHUD: «Instituciones del Mercado Financiero», vol. V, dirigida por ALONSO UREBA, A. y MARTÍNEZ SIMANCAS, J., La Ley-Actualidad, Madrid, 1999.
- HERRERA O RUIZ RODRÍGUEZ: «Protección penal del Mercado de Valores», Tirant Lo Blanch, Valencia, 1997.
- IBÁÑEZ JIMÉNEZ: «La contratación en el mercado de valores», Marcial Pons, Madrid, 2001.
- JIMÉNEZ-BLANCO Y CARRILLO DE ALBORNOZ, G: «Instituciones del Mercado Financiero», vol. VI, dirigida por ALONSO UREBA, A. y MARTÍNEZ SIMANCAS, J., La Ley-Actualidad, Madrid, 1999.
- KIRCHNER BALIU, P. Y SALINAS: «La reforma de la Ley del Mercado de Valores», Tirant Lo Blanch, Barcelona, 1999.
- MADRID PARRA: «Los Contratos de Opciones y Futuros», Derecho de los Negocios, núm 17.
- MARDOMINGO COZAS: «Lecciones de Derecho Bancario y Bursátil», editada en el año 2001, coordinada por Zunzunegui.
- MARTÍNEZ DE AGUIRRE Y ALDAZ: «Comentarios a la Ley General para la Defensa de los Consumidores y Usuarios», Civitas, Madrid, 1992.
- MORAL BELLO: «Los Mercados Financieros», IT & FI, Madrid, 1999.
- MUÑOZ CONDE: «Teoría General del Delito», Tirant lo Blanch, Valencia, 1991.
- NIETO CAROL, U.: «Instituciones del Mercado Financiero», vol. VIII, dirigida por ALONSO UREBA, A. y MARTÍNEZ SIMANCAS, J., La Ley-Actualidad, Madrid, 1999.
- OLIVARES BLANCO, I.: «Instituciones Del Mercado Financiero», vol. VIII, dirigida por ALONSO UREBA, A. y MARTÍNEZ SIMANCAS, J., La Ley-Actualidad, Madrid, 1999.
- PAREJO, J. A.; CUERVO, A.; CALVO A. y RODRÍGUEZ SÁIZ, L.: «Manual de sistema financiero español», Ariel Economía, Barcelona, 1999.
- RECALDE CASTELLS: «Instituciones del Mercado Financiero», vol. V, dirigida por ALONSO UREBA, A. y MARTÍNEZ SIMANCAS, J., La Ley-Actualidad, Madrid, 1999.
- SÁNCHEZ CALERO, F.: «Instituciones de Derecho Mercantil», Edersa, Madrid, 1992.
- TAPIA HERMIDA, A. J.: «Las Normas de Actuación en los Mercados de Valores», en la Revista de Derecho Bancario y Bursátil, 1993.
- TAPIA HERMIDA, A. J.: «Las Sociedades Gestoras de Patrimonio en la Ley Reguladora de las Instituciones de Inversión Colectiva de 26 de diciembre de 1984», Revista de Derecho Bancario y Bursátil, núm. 18, 1985.
- TAPIA HERMIDA, A. J.: «Instituciones del Mercado Financiero», vol. III, V, VI, VIII, dirigida por ALONSO UREBA, A. y MARTÍNEZ SIMANCAS, J., La Ley-Actualidad, Madrid, 1999.
- VERA SANTANA: «Guía para el Mercado de Valores en España. Mercados, valores y regulación», Civitas, Madrid, 2000.
- ZAPATA CIRUGEDA, F. J.: «Instituciones Del Mercado Financiero», vol. VII, dirigida por ALONSO UREBA, A. y MARTÍNEZ SIMANCAS, J., La Ley-Actualidad, vol. VIII, Madrid, 1999
- ZUNZUNEGUI: «Derecho del Mercado Financiero», Marcial Pons, Madrid, 1997.

CAPÍTULO 14

- BELTRÁN MENDIZÁBAL, F.: «Contratación Internacional», en «Comercio Exterior», ICEX, Madrid, 1996.
- CALVO CARAVACA Y FERNÁNDEZ DE LA GÁNDARA: «Arbitraje Comercial Internacional», Tecnos, 1995.
- CORDÓN MORENO, F.: «Arbitraje en Derecho Español: interno e internacional», Editorial Aranzadi, 1995.
- CORDÓN MORENO, F.: «El arbitraje de Derecho Privado», Thomson Aranzadi, Cizur Menor (Navarra), 2005.
- LASARTE ALVAREZ, C.: «Principios del Derecho Civil», tomo III, Trivium, SA, 1996.
- GUILARTE GUTIÉRREZ, V., y MATEO SANZ, J.: «Comentarios prácticos a la Ley de Arbitraje», Lex Nova, Valladolid,2004.
- MEDINA DE LEMUS, M.: «Contratos de Comercio Exterior», Dykinson, 1998.
- ROCA AYMAR, J. L.: «El Arbitraje en la Contratación Internacional», ICEX y ESIC Editorial, 1994.

Tabla Alfabética

Los **números** reenvían a los párrafos del texto. La mención «s.» significa que el estudio de la cuestión se prolonga en el número o los números siguientes.
Para **orientar las búsquedas** las referencias se acompañan, cuando es preciso, de una mención explícita o de una abreviatura que ayuda a ubicar la materia de que se trate.
Téngase en cuenta que las cuestiones que se enmarcan en un **estudio de conjunto** no se referencian con su propio número, sino que han de buscarse en dicho estudio general. Por ejemplo, la voz «Obligaciones del comprador» no aparece en la tabla, pues su contenido se integra en el estudio de conjunto de la voz «Compraventa» (nº 900 s.).

Abreviaturas

FIM:	Fondo de inversión mobiliaria
HMPSD:	Hipoteca mobiliaria y prenda sin desplazamiento
IIC:	Institución de inversión colectiva
IVA:	Impuesto sobre el Valor Añadido
JAT:	Junta Arbitral del Transporte
OPA:	Oferta pública de adquisición de acciones
OPS:	Oferta pública de suscripción de valores
OPV:	Oferta pública de venta de valores
SGIIC:	Sociedad gestora de instituciones de inversión colectiva
SICAV:	Sociedad de inversión de capital variable
UE:	Unión Europea

A

B

D

E

G

H

I

M

N

O

Q

R

T

U

V

W

X

Y

Notas

Notas

Notas

Notas

Notas

Notas

Notas

Notas

Notas

Notas

Este libro se acabó de imprimir en España,
en Mayo de 2024